# ЛЕКСИЧЕСКИЕ ТРУДНОСТИ РУССКОГО ЯЗЫКА

СЛОВАРЬ-СПРАВОЧНИК

# МАЛАЯ БИБЛИОТЕКА СЛОВАРЕЙ РУССКОГО ЯЗЫКА

*Серия издается с 1990 г.*

*В. В. Лопатин, Л. Е. Лопатина.* Малый толковый словарь русского языка, 1990
*В. П. Жуков.* Словарь русских пословиц и поговорок, 1991

МОСКВА
«РУССКИЙ ЯЗЫК»
1994

# ЛЕКСИЧЕСКИЕ ТРУДНОСТИ РУССКОГО ЯЗЫКА

## СЛОВАРЬ-СПРАВОЧНИК

Около 13 000 слов

МОСКВА
«РУССКИЙ ЯЗЫК»
1994

ББК 81.2Р-4
Л43

Авторы: А. А. СЕМЕНЮК (руководитель автор. коллектива),
И. Л. ГОРОДЕЦКАЯ, М. А. МАТЮШИНА, А. М. НЕВЖИНСКАЯ,
Г. И. ПОЗДНЯКОВА, Т. А. ФОМЕНКО

Рецензенты: д-р филол. наук В. В. Лопатин,
канд. пед. наук М. П. Чумакова, С. О. Савчук, М. С. Мушинская

Л43 **Лексические** трудности русского языка: Словарь-справочник: Ок. 13 000 слов / А. А. Семенюк (руководитель автор. коллектива), И. Л. Городецкая, М. А. Матюшина и др.— М.: Рус. яз., 1994.— 586 с.— (Малая б-ка словарей рус. яз.).— ISBN 5-200-00598-1.

В словаре собраны слова, лексические значения которых могут представлять определенные трудности для читателя. Это по преимуществу книжная лексика, а также межстилевая лексика с относительно низкой частотностью употребления, встречающаяся в классической и современной литературе.

Словарная статья содержит толкование слова, грамматическую и стилистическую характеристики, информацию о происхождении слова, иллюстрации в виде речений и цитат из художественной литературы. Приводятся фразеологические сочетания, синонимы и антонимы к описываемому слову. Часть производных слов помещается в словообразовательном гнезде.

Словарь адресован преподавателям русского языка и литературы, учащимся, а также широкому кругу читателей.

Л $\dfrac{4602030000-022}{015(01)-94}$ без объявл.

ББК 81.2Р-4

ISBN 5-200-00598-1  © Издательство «Русский язык», 1994

## ОТ ИЗДАТЕЛЬСТВА

Издательство продолжает выпуск в свет серии «Малая библиотека словарей русского языка», включающей популярные словари для широкого круга читателей. Серия была открыта «Малым толковым словарем» В. В. Лопатина и Л. Е. Лопатиной (М.: Рус. яз., 1990) и продолжена «Словарем русских пословиц и поговорок» В. П. Жукова (М.: Рус. яз., 1991).

Настоящий словарь является вторым толковым словарем, предлагаемым вниманию читателей «Малой библиотеки». Он в определенной степени расширяет информацию, содержащуюся в его предшественнике — «Малом толковом словаре» — как за счет составленного по иным принципам словника, так и вследствие новой системы описания словарной единицы.

«Малый толковый словарь» вобрал в себя активную, наиболее употребительную лексику русского языка. Словарь-справочник «Лексические трудности» представляет собой собрание слов, в котором, наряду с активной лексикой, вызывающей затруднения у читателя по различным причинам, дана лексика, относящаяся к пассивному языковому запасу. Это стилистически окрашенная лексика (книжная, высокая, традиционно-поэтическая), а также часть межстилевой лексики, малоупотребительная в живом общении, но широко встречающаяся в литературе (в частности, историзмы, устаревшие слова, неологизмы, общеупотребительные термины).

Однако лексическая система языка подвижна, и противопоставление активного и пассивного ее запасов носит в какой-то степени условный характер. Это находит отражение в названных словарях, словники которых в определенной части пересекаются. Но, совпадая частично по составу лексики, данные словари расходятся по представленной в них информации.

Учитывая специфику предмета описания и следуя поставленным задачам, настоящий словарь-справочник предлагает читателю следующий не вошедший в «Малый толковый словарь» материал: указание на происхождение слова (этимология), синонимы и антонимы к описываемому слову, примеры его употребления в классической и современной литературе; расширен грамматический раздел словарной статьи и состав словообразовательного гнезда.

Языковые трудности различного характера традиционно находятся в поле зрения отечественной лексикографии. Были изданы и нашли своего читателя «Словарь трудностей русского языка» Д. Э. Розенталя и М. А. Теленковой, словарь «Трудности словоупотребления и варианты норм русского литературного языка» под редакцией К. С. Горбачевича. Разнообразные орфографические языковые трудности являются предметом описания в словарях-справочниках «Слитно или раздельно?» Б. З. Букчиной и Л. П. Калакуцкой, «Прописная или строчная?» Д. Э. Розенталя, «Слова с двойными согласными» Н. П. Колесникова.

Тем не менее настоящий словарь представляет собой одну из первых попыток выделения именно лексических трудностей для описания в специальном толковом словаре. Вероятно, здесь возможны различные подходы. Один из таких подходов и реализуется в этом издании.

Пользуясь словарем, читатель сможет пополнить свой словарный запас, уточнить значение уже известного ему слова, получить справку о его правильном употреблении, сможет удовлетворить в какой-то мере свою любознательность лингвистического и не только лингвистического характера.

Издательство выражает надежду, что издаваемый словарь окажется полезным читателю и послужит ему интересным и информативным пособием при чтении художественной, публицистической, научно-популярной литературы, а также в повседневном общении.

Все замечания и пожелания просим направлять по адресу: 103012 Москва, Старопанский пер., 1/5, издательство «Русский язык».

1994 г.

*Светлой памяти*
*Анастасии Петровны Евгеньевой*

## ОТ АВТОРОВ

«Лексические трудности русского языка» — опыт составления толкового словаря, в котором лексика русского языка представлена не во всей системе, а избирательно, лишь той ее частью, которую следует рассматривать как совокупность трудных слов и значений.

Многолетнее (в течение почти трех десятилетий) наблюдение за речью молодежи и специальное изучение словарного запаса учащихся-старшеклассников, учащихся ПТУ и студентов вузов показало, что далеко не всегда этим категориям читателей известны значения слов, которыми им приходится пользоваться в своей речевой практике, которые они встречают при чтении художественной, публицистической и специальной литературы. Незнание или недостаточно точное знание значений слов затрудняет правильное понимание смысла художественных произведений, затрудняет чтение современной периодической печати, восприятие радио- и телепередач, заметно снижает ценность получаемой информации и осложняет общение. Поэтому читателю бывает необходимо обращаться за справками к различным пособиям. В качестве одного из таких пособий мог бы быть предложен толковый словарь-справочник «Лексические трудности русского языка».

«Лексическая трудность» — понятие, обладающее определенной долей условности, поскольку не существует объективных критериев его определения. Что для одного читателя является трудным, для другого таковым не является, так как словарный запас людей различен. Это зависит от возраста читателя, его профессии, начитанности, круга интересов, индивидуальных особенностей и т. п. Знание или незнание той или иной лексики зависит и от местности, в которой проживает читатель. Так, для горожан понятна лексика, связанная с жизнью в городе, но их затрудняют слова, обозначающие реалии, характерные для сельской местности, и наоборот. Есть определенные различия и в словарном запасе жителей севера и жителей юга и т. д. Авторы данного словаря понимают, что в работе такого плана трудно удовлетворить все запросы читателя.

Тем не менее, формируя словник словаря, авторы стремились с максимальной полнотой охватить лексику, понимание семантики которой может вызвать затруднение у какой-л. категории читателей. С этой целью под руководством доцента кафедры русского языка Иркутского педагогического института А. А. Семенюк учителями школ г. Иркутска и Иркутской области и студентами Иркутского пединститута была проведена работа по выявлению семантически трудных слов в текстах художественной, общественно-политической, научно-популярной литературы. Выявленная на данном этапе лексика послужила основой картотеки настоящего словаря.

На втором этапе работы выбранные семантически трудные слова были апробированы среди учащихся-старшеклассников в школах Иркутской и Читинской областей, Красноярского и Краснодарского краев, учащихся ПТУ и студентов Иркутского педагогического института. Учащимся и студентам предлагались анкеты с различными заданиями: объяснить значение слова; составить с ним словосочетание или предложение, чтобы показать особенности его употребления; вставить наиболее подходящее слово в предложение или текст; подобрать синонимы и антонимы к данным словам и т. п. Изучению и анализу в течение ряда лет подвергались сочинения учащихся старших классов и сочинения абитуриентов некоторых вузов г. Иркутска, в том числе студентов факультета русского языка и литературы Иркутского пединститута.

Характер ответов и ошибок позволил выявить группы семантически трудных слов. Это преимущественно книжная лексика с обобщающей отвлеченной семантикой; высокая, традиционно-поэтическая и народно-поэтическая лексика, обладающая большой семантической емкостью и образностью; различные значения, особенно переносные, многозначных слов; слова-паронимы (слова, сходные по звучанию, но различные по значению); историзмы и устаревшие слова; новые слова и новые значения, еще мало употребляемые в речи; слова, входящие в состав разговорной и просторечной лексики, с малой частотностью употребления; наиболее актуальные иноязычные, общеупотребительные терминология; некоторые диалектные слова, встречающиеся в художественной литературе.

Таким образом, состав семантически трудной лексики в основном был определен экспериментальным путем, с помощью анкет и контрольных работ. Однако все слова, подлежащие включению в словарь, не представлялось возможным апробировать; авторы же стремились представить трудную лексику с наибольшей полнотой, поэтому источником при отборе слов служила также лексика, описанная в «Словаре русского языка» в 4-х т. под ред. А. П. Евгеньевой, «Словаре русского языка» С. И. Ожегова и других толковых словарях.

При составлении словника учитывалась, во-первых, трудность слова в смысловом отношении; во-вторых, актуальность слова с точки зрения языкового общения; в-третьих, частотность употребления слова в художественной, публицистической, научно-популярной литературе.

На третьем этапе работы над словарем ставилась задача — определить объем информации, предлагаемой в словарной статье, ее композицию. Специфика предмета описания привела авторов к необходимости искать пути расширения традиционных для толковых словарей рамок описания словарной единицы. В результате словарная статья включает в себя многостороннюю характеристику слова. Из нее читатель узнает значение трудного слова, уточнит его правописание, ударение и грамматические формы, в затруднительных случаях — произношение; получит информацию о происхождении слова; познакомится с наиболее характерной лексической сочетаемостью данного слова, его употреблением в речи; узнает, в состав каких устойчивых сочетаний оно входит, какие имеет синонимы, антонимы, производные.

Авторы надеются, что словарь поможет читателю воспитать чувство слова, повысить культуру речи, поддержит интерес к родному языку.

Авторы выражают глубокую признательность всем лицам, оказавшим помощь при подготовке словаря: крупному ученому-лексикографу, доктору филологических наук, профессору А. П. Евгеньевой, предложившей подготовить словарь подобного типа и принявшей участие в его создании на первом этапе, доценту Иркутского педагогического института Т. И. Лукиных за данные ею консультации, студентам факультета русского языка и литературы Иркутского педагогического института 70—80-х гг. и учителям русского языка и литературы г. Иркутска и Иркутской области, проделавшим работу по выявлению семантически трудных слов и изучению словарного запаса учащихся, и всем, кто участвовал в рецензировании словаря.

В составлении словаря приняли участие: доцент Иркутского педагогического института А. А. Семенюк (а... — автохтоны, ажиотаж — аксиома, алгоритм — амфитеатр, арабески — арьергард, Б, Д, Е, Ж, З, идентичный — иллюзорный, интеграция — ичиги, Й, К, Л, М, О, У, Ф, Х, Ц, Ч, Ш, Щ, Э, Ю, Я, статья «Как пользоваться словарем»); сотрудники Словарного сектора Ленинградского отделения Института языкознания АН СССР (ныне Институт лингвистических исследований РАН в Санкт-Петербурге) И. Л. Городецкая (Н, П), А. М. Невжинская (ивановский — идеализм, иллюминатор — инсценировать), Т. А. Фоменко (Р); преподаватели Иркутского педагогического института М. А. Матюшина (Г, С), Г. И. Позднякова (агат — адъютант, акт — акын, анализ — апробировать, ас — аэростат, В, Т).

# КАК ПОЛЬЗОВАТЬСЯ СЛОВАРЕМ
## § 1. СОСТАВ СЛОВАРЯ

**1.** В соответствии с назначением словаря и принципами отбора слов в него вошла семантически трудная лексика, отражающая различные стороны окружающей действительности.

Это прежде всего книжная лексика, как с конкретной, так и с отвлеченной семантикой, напр.: **аннексия, воззрение, дебаты, декларация, дискриминация, коалиция, неведение, суверенитет, юриспруденция; безмерный, безответный, идентичный, ирреальный; изгладить, констатировать, низложить, обрести.**

**2.** Второй разряд включенной в словарь семантически трудной лексики представляет лексика возвышенная, высокого стиля, в том числе поэтическая, напр.: **ветрило, глашатай, уста; бестрепетный, грядущий, непреоборимый; воздвигнуть, ниспровергнуть, пламенеть.**

**3.** Словарь включает определенную часть межстилевой общеупотребительной лексики русского языка. Как правило, это слова с низкой частотностью употребления. Выделяются следующие тематические группы:

лексика из области культуры и искусства (напр., **альманах, античность, ария, барокко, горельеф, грамота, гравюра, графика, мазурка, натюрморт, романтизм, сатира, сюита, тенор**);

лексика из области науки (напр., **анализ, генетика, синоптика, социология, эллипс**);

слова, обозначающие понятия из области промышленного производства и сельского хозяйства (напр., **веять, жатка, культивировать, селекция, стерня, умолот, хозрасчет, цех**);

лексика из области здравоохранения и медицины (напр., **гомеопатия, реанимация, стоматология, терапия**);

военная лексика (напр., **блиндаж, гаубица, торпеда, фронт**);

спортивная лексика (напр., **ватерполо, кросс, слалом, спартакиада**);

культовая лексика (напр., **архиерей, вечерня, заутреня, клирос, месса, пасха, протестантство, синод, язычество**);

мифологические названия (напр., **весталка, нимфа, титан**);

названия племен и народностей (напр., **готы, гунны, саами, скифы, хазары, эвенки**);

лексика, характеризующая быт и специфические национальные черты разных народов (напр., **аул, гондола, кастаньеты, сакля, тореадор, чум**);

лексика, обозначающая родственные отношения (напр., **деверь, золовка, сват, шурин**);

названия денежных знаков разных стран (напр., **крона, тугрик, франк, цент**);

названия драгоценных камней (напр., **гранат, рубин, сапфир, сердолик, топаз**);

названия некоторых цветов и красок (напр., **бордо, кармин, киноварь, маренго**);

названия некоторых судов (напр., **глиссер, траулер, эсминец**);

названия мебели, предметов быта (напр., **голландка, секретер, ухват, ушат**);

названия некоторых видов тканей и предметов одежды (напр., **кисея, репс, сарпинка, сермяга; галифе, смокинг, фрак**);

названия мастей животных (напр., **гнедой, мухортый, саврасый, чалый**)

и другие тематические группы (дать исчерпывающее описание с этой точки зрения включенной в словарь лексики не представляется возможным).

Иногда в словарь включаются и достаточно употребительные слова, если обозначаемые ими понятия чрезвычайно важны. Это относится прежде всего к общественно-политической лексике. Так, в словарь включены слова **гласность, класс, парламент, пролетариат, социальный** и др.

**4.** Из лексики ограниченного употребления в словарь включены:

диалектные слова, широко представленные в художественных произведениях классиков русской литературы, обозначающие предметы, понятия, характерные для жизни населения той или иной области (напр., **бирюк, курень, убрус, чувал**);

историзмы — слова, обозначающие исчезнувшие из жизни реалии, — и устарелые слова (в том числе архаизмы), т. е. те, которые вышли из активного употребления вследствие замены другими, более подходящими для обозначения тех же предметов, явлений, признаков, действий, но встречаются в классической литературе (напр., **армяк, бричка, верста, вотчина, грош, губерния, драгун, кольчуга, крылатка, мантия, пищаль, фрегат; гаер, лабаз, ретивой, рожон, убор, ужели; вещий, ланиты, лобзать, чело**);

неологизмы (новые слова и значения), появившиеся в последние десятилетия (напр., **акселерация, аэробика, дизайн, гала, менеджер, ретро, спонсор, шоу**);

наиболее употребительная терминологическая и профессиональная лексика (напр., **интернировать, мажор, минор, самоокупаемость**); исключение составляют термины, широко представленные в учебной литературе (напр., к в а д р а т, г и п о т е н у з а, п о д л е ж а щ е е, с к а з у е м о е). Особое внимание уделено в словаре терминам, которые стали широко употребительными за пределами своей сферы, приобрели новые значения и оттенки значений, напр.:

**АРТЕ́РИЯ** .. 1. Кровеносный сосуд, несущий кровь от сердца во все части тела .. **2.** *перен., чего или какая. Высок.* Путь сообщения, имеющий особо важное значение ..

**ИНЕ́РЦИЯ** .. 1. Свойство тела сохранять неизменным состояние покоя или движения, пока какая-л. внешняя сила не выведет его из этого состояния .. **2.** *перен.* Продолжающееся влияние причины, силы и т. п., действовавших ранее .. **3.** *перен. Устар.* Бездеятельное, вялое состояние, отсутствие активности; инертность ..

5. Обиходно-бытовая общепонятная лексика, обозначающая хорошо известные носителям языка предметы, явления, признаки, действия, в словарь не включается. Исключения сделаны лишь в отношении некоторых многозначных слов, в особенности обладающих переносными значениями. Так, в словарь включены слова **белый, борозда, двор, навести, народ, решительный, узкий, широкий, яркий** и др.

6. Кроме знаменательной лексики, в словарь включены междометия и служебные слова, представляющие трудность вследствие многозначности или ограниченной сферы употребления (напр., **дабы, едва, исполать, эврика, якобы**).

В словарь вошли также иноязычные приставки и составные части сложных слов, различных по тематике, если они достаточно продуктивны и семантически трудны (напр., **а..., анти..., архи..., вице..., супер..., ...фил, ...фон**).

## § 2. СТРУКТУРА СЛОВАРЯ

1. Слова в словаре располагаются в алфавитном порядке.
2. Слова, одинаковые по произношению и написанию, но разные по смыслу (омонимы) даны в разных словарных статьях и снабжены цифровыми показателями над словом. Напр.:

**КОРНЕ́Т**[1], -а, *м.* [Франц. cornette]. В дореволюционной русской армии: первый офицерский чин в кавалерии, равный подпоручику в пехоте, а также лицо, имеющее этот чин. *Аннушка в одну прекрасную ночь бежала из Головлева с корнетом Улановым и повенчалась с ним.* Салтыков-Щедрин. Господа Головлевы.

**Корне́тский**, -ая, -ое.

**КОРНЕ́Т**[2], -а, *м.* [Итал. cornetta; восх. к лат. cornu — рог]. Медный духовой музыкальный инструмент в виде рожка. *Играть на корнете. Звуки корнета.*

Несмотря на то, что не все входящие в ряд омонимы могут представлять собой лексическую трудность, в словаре они, как правило, приводятся полностью, так как именно в ряду они существуют и выявляются, создавая необходимый фон друг для друга.

Тот же принцип применяется и по отношению к омографам (словам, совпадающим по написанию, но не по произношению, напр., **прови́дение** и **провиде́ние**) и омофонам (словам, одинаково звучащим, но имеющим различное написание, напр., **кампания** и **компания**).

3. В словаре приводятся также слова, сходные по звучанию, но различные по значению (паронимы), напр.:

**ВЫ́БОРНЫЙ**, -ая, -ое. Замещаемый путем выборов, а не назначения. *Выборная должность.*

**Вы́борность**, -и, *ж.* Принцип выборности. *Выборность руководящих органов.*

**ВЫ́БОРОЧНЫЙ**, -ая, -ое; -чен, -чна, -о. Не сплошной, частичный. *Выборочная проверка. Выборочное чтение.*

**Вы́борочно**, *нареч.* **Вы́борочность**, -и, *ж.*

Как и омонимы, паронимы в словаре приводятся, как правило, в ряду.

4. Слова, одинаковые по значению и являющиеся вариантами: а) орфоэпическими (**апопле́ксия** и **апплексия́, ба́ржа** и **баржа́, всполохи** и **всполо́хи**), б) словообразовательными (**спорадический** и **спорадичный, логовище** и **логово**), в) орфографическими (**бриллиант** и **брильянт**) или г) грамматическими (**карбонарий, карбонари** и **карбонар, метрополитен** и **метро, спазм** и **спазма**), приводятся в одной словарной статье и имеют общее определение. При этом на первом месте ставится более употребительный вариант.

Если такие варианты значительно расходятся по звуко-буквенному облику и отстоят друг от друга по алфавиту более чем на одну словарную статью, в словаре используется система ссылок: второй, третий и т. д. варианты приводятся на своем месте по алфавиту со ссылкой к той статье, в которой они описываются, напр.:

**ГИДА́ЛЬГО** *см.* идальго.

**ИДА́ЛЬГО** *и* **ГИДА́ЛЬГО**, *нескл., м.* [Исп. hidalgo]. Мелкопоместный рыцарь, дворянин в средневековой Испании.

**5.** Слова, одинаковые по значению и являющиеся стилистическими вариантами, помещаются в одну словарную статью и имеют общее определение. При этом на первом месте ставится стилистически нейтральное слово, напр.:
**ФА́ЗА**, -ы, *ж. и* (*книжн.*) **ФА́ЗИС**, -а, *м.* ..

На втором месте даются и варианты слов, вышедшие из активного употребления (с пометой *устар.*), а также диалектные слова (с пометой *обл.*), напр.: **АРЬЕРГА́РД**, -а *и* (*устар.*) **АРИЕРГА́РД**, -а, *м.* ..;
**БАХЧА́**, -и *и* (*обл.*) **БАШТА́Н**, -а, *м.* ..

При этом используется система ссылок, единая для всего словаря (см. § 2, п. 4).

**6.** Некоторые производные слова помещаются в словаре под основным словом в словообразовательном гнезде (см. § 3, п. 11). В гнезде при заглавном слове даются те разряды производных слов, значения которых вытекают непосредственно и только из словообразовательных связей с исходным словом, которые не обладают дополнительными смысловыми оттенками. Напр.:
**ЛАКОНИ́ЗМ**, -а, *м.* [Греч. lakōnismos]. Краткость и четкость в выражении мысли ..
  **Лакони́ческий**, -ая, -ое *и* **лакони́чный**, -ая, ое; -чен, -чна, -о. *Лаконичный ответ. Лаконический стиль.* **Лакони́чески** *и* **лакони́чно**, *нареч.* **Лакони́чность**, -и, *ж.*
**ЛЕГА́ЛЬНЫЙ**, -ая, -ое; -лен, -льна, -о. [Восх. к лат. legalis]. Признанный, разрешаемый законом ..
  **Лега́льно**, *нареч.* Выступить легально. **Лега́льность**, -и, *ж. Легальность положения.*

Если лексическое значение производного слова имеет дополнительные смысловые оттенки, данное слово приводится в отдельной словарной статье.

В заголовочное слово из ряда однокоренных существительных в словаре выносится, как правило, слово с отвлеченной семантикой, если этот принцип не противоречит словообразовательным связям данного слова.

Соотносительные по виду глаголы помещаются в одной словарной статье. Заголовочным словом является, как правило, глагол совершенного вида, так как обычно именно он является непроизводным. В гнезде помещается парный по виду глагол, образованный суффиксальным способом. Приставочные видовые пары в словарь не включаются.

## § 3. СТРУКТУРА СЛОВАРНОЙ СТАТЬИ

Словарная статья состоит из следующих разделов:
1) заголовочное слово;
2) информация о произношении;
3) формы и грамматическая характеристика слова;
4) этимологическая справка;
5) характеристика употребления слова;
6) толкование слова;
7) иллюстрации употребления слова (речения и цитаты);
8) фразеологические сочетания;
9) синонимы;
10) антонимы;
11) производные слова, подаваемые как члены гнезда.

Первый, третий и шестой разделы являются обязательными для словарной статьи, остальные — факультативными.

### 1. Заголовочное слово

Заголовочное слово дается прописными буквами полужирным шрифтом, в исходной грамматической форме (см. § 3 п. 3), с ударением. Наличие буквы «ё» служит одновременно указанием на место ударения в слове (так как «ё» всегда ударная в русском языке), поэтому значок ударения в этих случаях не ставится.

### 2. Информация о произношении

Для русского языка характерно расхождение между правописанием слова и его произношением, поэтому в затруднительных случаях сразу после заголовочного слова в квадратных скобках дается информация о произношении (транскрипция), напр.: **БОГ** [бох] ..; **ДЕВИ́ЧНИК** [шн] ..; **МАЙО́ЛИКА** [йё] ..; **ПЕНСНЕ́** [нэ] ..

В случаях, когда языковыми нормами допускается различное произношение слова, транскрипция не приводится, напр.: **ДЕЗОРИЕНТА́ЦИЯ, ДЕМАРКА́ЦИЯ** (допустимо [дэ *и* де]).

В некоторых случаях, когда в речевой практике носителей языка наблюдается тенденция к неправильному произношению, дается запретительная помета, напр.: **АФЕ́РА** [не *фё*] .., **ДЕКОРА́ЦИЯ** [не *дэ*] .., **ВЕРОИСПОВЕ́ДАНИЕ** [не *вероисповеда́ние*] ..

Если производное гнездовое слово произносится аналогично заголовочному, в гнезде транскрипция не дается. При наличии расхождения оно указывается.

## 3. Формы и грамматическая характеристика слова

### Имя существительное

Имена существительные приводятся в форме именительного падежа единственного числа. Если у слова отсутствует форма единственного числа, в качестве заголовочной дается форма именительного падежа множественного числа с пометой *мн.*, напр.: **ГУ́СЛИ**, -ей, *мн.*

У имен существительных, которые чаще употребляются во множественном числе, в качестве заголовочной приводится форма множественного числа, а форма единственного указывается в скобках с пометой *ед.*, напр.:
**АБОРИГЕ́НЫ**, -ов, *мн.* (*ед.* **абориге́н**, -а, *м.*) ..
**ЛАНИ́ТЫ**, -и́т, *мн.* (*ед.* **лани́та**, -ы, *ж.*) ..

После заголовочного слова приводится в сокращении форма родительного падежа и род существительного.

Если имя существительное представляет затруднение в образовании форм множественного числа или имеет вариантные формы, а также если при образовании этих форм происходит перенос ударения, в статье приводится множественное число существительного (именительный и родительный падежи), напр.; **ПОВЕ́РЬЕ**, -я, пове́рья, -ий, *ср.* ..; **СЕ́ЧА**, -и, се́чи, сеч, *ж.* ..; **МЕЖА́**, -и́, ме́жи, меж *и* межи́, -е́й, *ж.* ..; **ДРАГУ́Н**, -а, драгу́ны, -ун (при обозначении рода войск) *и* -ов (при обозначении отдельных лиц), *м.* ..; **ПО́ВЕСТЬ**, -и, по́вести, -е́й, *ж.* ..

В случаях, когда формы единственного числа существительного употребляются в одном значении с формами множественного числа, это показывается в статье, напр. **ШИ́РМА**, -ы, *ж.* *и* **ШИ́РМЫ**, ширм (в одном знач. с ед.), *мн.*

Ограничение в употреблении форм единственного или множественного числа существительного одним значением или рядом значений показывается с помощью ограничительных помет: *ед.* (слово не употребляется в формах множественного числа), *мн.* (слово не употребляется в формах единственного числа), *обычно ед.* (слово употребляется преимущественно в формах единственного числа), *обычно мн.* (слово употребляется преимущественно в формах множественного числа), напр.:
**БЛА́ГО**¹, -а, *ср.* **1.** *ед. Высок.* Благополучие, счастье, добро. *Трудиться на благо общества* .. **2.** *мн., чего или какие.* То, что удовлетворяет какие-л. человеческие потребности, дает материальный достаток, доставляет удовольствие. *Блага природы. Производство материальных благ* ..

Когда в значении существительного употребляются другие части речи, они описываются в отдельной статье или отдельном значении статьи, сопровождаясь в этом случае пометой *в знач. сущ.*, напр.:
**ЛУКА́ВЫЙ**, -ая, -ое; -а́в, -а, -о. **1.** Коварный и хитрый. *Лукавый человек* .. **3.** *в знач. сущ.* **лука́вый**, -ого, *м. Прост.* Бес, дьявол, сатана. *Лукавый попутал* ..

При именах существительных общего рода (т. е. мужского и женского) ставятся пометы *м. и ж.*, напр.: **ПА́РИЯ**, -и, *м. и ж.*

Собирательные имена существительные (т. е. существительные, в форме единственного числа обозначающие совокупность людей или предметов как единое целое, напр., **отребье, дреколье**) сопровождаются пометой *собир.*

Несклоняемые имена существительные (напр., **вето, эмбарго**) сопровождаются пометой *нескл.*

### Имя прилагательное

Имена прилагательные даются в форме именительного падежа мужского рода единственного числа. Затем приводятся окончания женского и среднего рода полных форм и (обычно сокращенно) краткие формы, если они образуются у слова, напр.: **АКАДЕМИ́ЧЕСКИЙ** .. -ая, -ое..; **ДЕ́РЗКИЙ**, -ая, -ое; де́рзок, дерзка́, де́рзко ..; **БЕЗНРА́ВСТВЕННЫЙ**, -ая, -ое; -ен *и* -енен, -енна, -о ..

Если краткие формы прилагательного не употребляются в каком-либо из значений, то при этом значении слова приводится ограничительная помета *полн. ф.*, напр.:
**ЕСТЕ́СТВЕННЫЙ**, -ая, -ое; -вен *и* -венен, -венна, -о. **1.** *полн.ф.* Созданный природой без вмешательства человека. *Естественные богатства страны* .. **2.** *полн. ф.* Обусловленный законами природы, а не посторонним вмешательством. *Естественная смерть* .. **3.** Нормальный, закономерный, обычный. *Естественный путь развития* .. **4.** Непринужденный, не напускной. *Естественная улыбка* ..

В случаях, когда причастие употребляется в значении прилагательного (напр., **вызывающий, грядущий**), оно описывается в отдельной статье.

Неизменяемые имена прилагательные (напр., **беж, гала, электри́к**) сопровождаются пометой *неизм. прил.*

### Глагол

Глаголы даются в неопределенной форме. После заголовочного слова сокращенно приводятся формы первого и второго лица единственного числа, а при отсутствии их или неупотребительности даются формы третьего лица, напр.: **ГАРЦЕВА́ТЬ**, -цу́ю, -цу́ешь ..; **ИСПОВЕ́ДОВАТЬСЯ**, -дуюсь, -дуешься ..; **БРЕ́ЗЖИТЬ**, -жит ..; **ВЗДЫМА́ТЬСЯ**, -ается ..

После личных форм глагола приводятся все возможные формы причастий и деепричастий. Затем указывается принадлежность к глагольному виду. При наличии сильного управления это показывается с помощью так наз. падежных вопросов и специальных помет, напр.: **ДИСКУТИ́РОВАТЬ**, -рую, -руешь; дискути́рующий, дискути́ровавший; дискути́руемый, дискути́рованный; -ан, -а, -о; дискути́руя; *несов., что* или *о чем* ..

### Наречие, междометие и служебные слова

При неизменяемых словах дается указание на их принадлежность к части речи, напр.: **ДНЕСЬ**, *нареч.* ..; **ЗЕЛО́**[1], *нареч.* ..; **ДЕ-ФА́КТО**.. *нареч.* ..; **БИС**, *межд.* ..; **ОПРИ́ЧЬ**, *предлог* ..; **БЛА́ГО**[2], *союз* ..; **АМИ́НЬ**,.. *частица.*

В случаях, когда в значении наречия употребляются другие части речи, они описываются в отдельной статье или отдельном значении статьи, сопровождаясь в этом случае пометой *в знач. нареч.*, напр.:
**БО́БРИК**, -а, *м.* **1.** Вид сукна со стоячим ворсом .. **2.** *в знач. нареч.* **бо́бриком**. О мужской короткой стрижке, при которой спереди оставляются стоячие волосы ..

### 4. Этимологическая справка

После грамматической характеристики при словах, заимствованных из других языков, в прямых скобках дается указание на происхождение слова. В этимологической справке при подаче этимона (иноязычного слова) используется латинский алфавит.

Этимологические справки имеют несколько вариантов в зависимости от пути, пройденного словом в процессе заимствования. Во всех случаях по возможности указывается язык-первоисточник с помощью пометы *восх. к*; при наличии языков-посредников они указываются лишь в том случае, если слово претерпело в них существенные фонетические, грамматические или семантические изменения, напр.:
**ВАРИА́ЦИЯ**.. [Восх. к лат. variatio — изменение] ..
**МИГРЕ́НЬ**.. [Франц. migraine; восх. к греч. hēmikrania — букв. полголовы (боль в половине головы)] ..

Словообразовательные связи в пределах одного языка указываются лишь в тех случаях, когда подобная информация существенна для понимания внутренней формы слова, напр.:
**КАНОНА́ДА**. [Франц. canonnade от canon — пушка] ..

Язык, являющийся непосредственным источником заимствования, обозначается простым указанием на него, напр.:
**СА́УНА**.. [Фин. sauna] ..

Новообразования, построенные на основе слов иноязычного происхождения, обозначаются следующим образом:
**АВГУСТЕ́ЙШИЙ**.. [От лат. augustissimus — священнейший (титул римских императоров)] ..

У сложных слов, образованных от разных иноязычных корней, раскрываются значения их составляющих, напр.:
**ПАТРИАРХА́Т**. [От греч. pater — отец и archē — власть] ..

Особый вид имеет этимологическая справка при словах, образованных от собственных имен, напр.:
**МАНСА́РДА**.. [По имени французского архитектора 17 в. Ф. Мансара] ..

В случаях, когда выбор источника заимствования представляет собой проблему, приводятся все возможные варианты, напр.:
**ГАЛИО́Т**.. [Голл. galjoot *или* франц. galiote] ..

Есть случаи, когда указать конкретный язык — источник заимствования не представляется возможным. В большой степени это касается слов тюркского происхождения, так как в настоящее время систематическое научное описание тюркизмов русского языка отсутствует. В этих случаях в этимологической справке приводится указание на общий характер заимствования с помощью пометы [Тюрк.], напр.: **ТО́РБА**.. [Тюрк.] ..

Греческие и латинские существительные, прилагательные и причастия приводятся в форме именительного и родительного падежей, если основа последнего проясняет основу заимствованного слова. Глаголы приводятся в форме инфинитива.

Если русское слово и его иноязычный источник (этимон) совпадают по значению, этимон дается без перевода.

При наличии в русском языке однокоренных слов иноязычного происхождения этимологическая справка часто приводится лишь при одном из них, а остальные снабжаются ссылками, напр.:

**ДЕМОКРАТИ́ЧЕСКИЙ**.. [См. *демократия*] ..
**ДЕМОКРА́ТИЯ**.. [Восх. к греч. dēmokratia — власть народа] ..

## 5. Характеристика употребления слова

Ядро лексической системы русского языка составляют слова, стилистически нейтральные. Отсутствие пометы у таких слов и является их стилистической характеристикой в словаре. При словах, стилистически окрашенных, даны особые пометы.

*Книжн.* Помета дается в том случае, если слово употребляется преимущественно в книжной, письменной (особенно научной и публицистической) речи.

*Офиц.* Помета означает, что слово употребляется, как правило, в речи официальных документов.

*Высок.* Помета означает, что слово придает речи оттенок торжественности, приподнятости, свойственный публицистической, ораторской речи.

*Трад.-поэт.* Данной пометой снабжены слова, употребление которых характерно для поэзии.

*Нар.-поэт.* Помета означает, что слово попало в литературный язык из устной народной словесности.

*Разг.* Помета означает, что слово употребляется в обиходной, разговорной речи и придает ей непринужденный характер, но не выходит из норм литературного словоупотребления.

*Прост.* Помета указывает на то, что слово из-за грубости содержания или резкости выражаемой оценки стоит на границе литературного языка и употребляется в сниженном стиле, в просторечии.

Кроме стилистических, в словаре употребляются и другие пометы.

*Обл.* (областное слово). Пометой снабжаются слова, которые употребляются в народных говорах и используются в литературной речи для характеристики того или иного явления местного характера, иногда не имеющего для своего обозначения соответствующего литературного слова.

Пометы *ирон.* — ироническое, *шутл.* — шутливое, *неодобр.* — неодобрительное, *пренебр.* — пренебрежительное, *бран.* — бранное, *ласк.* — ласкательное, *уменьш.* — уменьшительное означают, что в слове содержится та или иная эмоциональная, выразительная оценка обозначаемого словом явления.

*Спец.* Помета означает принадлежность слова к определенному кругу профессионального (научного, технического) употребления.

Сфера употребления слова обозначается также различными пояснениями, помещенными перед толкованием значения, напр.: в философии; в старину; в царской России; в античной мифологии; в медицине и т. п.

Историческую перспективу при характеристике слова обозначает помета *устар.*, указывающая на то, что слово или его значение вышло из живого употребления в современном языке и воспринимается как архаизм, но еще известно по классическим произведениям 18 — 19 вв.

Помета *устар.* может соединяться с пометами стилистического плана. В этом случае она ставится на первом месте, напр.: *устар. высок.*, *устар. разг.* и т. п.

Если же две пометы соединены союзом и, напр., *устар. и ирон.*, — это значит, что в одном контексте слово употребляется с оттенком иронии, а в другом как архаизм, и т. п.

Пометы, характеризующие употребление слова, ставятся в следующих случаях:

1) перед толкованием слова (перед цифрой первого значения), если помета относится к слову в целом со всеми его значениями, напр.:

**ЛАБА́З**, -а, *м. Устар.* **1.** Навес, сарай для хранения чего-л. .. **2.** Помещение для продажи или хранения зерна, муки и различных товаров ..;

2) после соответствующей цифры перед толкованием значения, если помета относится к данному значению, напр.:

**ЛЕ́ПТА**, -ы, *ж.* .. **1.** Мелкая монета в Греции. **2.** *Высок.* Посильное пожертвование, подаяние, взнос ..

## 6. Толкование слова

Значение слова раскрывается путем логического определения или при помощи синонимов. В некоторых случаях используются одновременно два способа толкования. Напр.:

**БАГА́Ж**.. Упакованные для перевозки вещи, груз пассажира ..

**ЛАД**.. Согласие, мир, дружба ..
**БЕЗОТВЕ́ТНЫЙ**.. Неспособный возражать, перечить; покорный ..

В некоторых случаях, когда это необходимо для лучшего понимания семантики слова, толкование дополняется информацией энциклопедического характера, которая помещается в круглых скобках сразу за толкованием.

Многозначные слова могут употребляться в речи не только в прямом, непосредственном значении, но и переносном, опосредованном. Переносное значение в словаре следует за прямым и снабжается пометой *перен.*, которая предшествует другим пометам (если они есть) и толкованию значения, напр.:

**У́ЗЫ**.. **1.** *Устар.* Цепи, оковы.. **2.** *перен.*, чего или какие. *Книжн.* То, что стесняет, ограничивает свободу действий кого-л. ..

Кроме толкования значений заголовочного слова, есть случаи дополнительных толкований, которые в словаре даются некоторым производным словам и отдельным речениям, напр.:

**АББА́Т**.. Настоятель католического мужского монастыря, а также католический священник во Франции ..

**Абба́тиса**, -ы, *ж*. (настоятельница католического женского монастыря).
**А́ЗБУКА**..
**А́збучный**, -ая, -ое.. *Азбучная истина* (общеизвестная, всеми признанная).

В словарной статье на иноязычные приставки и иноязычные составные части сложных слов в случае необходимости в круглых скобках объясняется значение одного или нескольких иллюстрирующих слов, напр.:

**...МА́НИЯ**, -и, *ж*. [См. *мания*]. Вторая составная часть сложных слов, обозначающая л ю б о в ь, п р и с т р а с т и е, в л е ч е н и е к тому, что выражено в первой части слова, напр.: *англома́ния* (пристрастие ко всему английскому), *галлома́ния* (пристрастие ко всему французскому), *балетома́ния*.

## 7. Иллюстрации употребления слова (речения и цитаты)

В словаре приводятся иллюстрации двух типов, часто в совокупности:
1) речения, в которых отражается наиболее характерная сочетаемость слова;
2) цитаты, преимущественно из художественной литературы. Они помещаются после речений за знаком □. При наличии двух и более цитат порядок их расположения хронологический, т. е. с учетом времени создания использованных для иллюстрирования текстов.

Производные слова в гнезде, как правило, иллюстрируются речениями.
Сокращения в цитатах отмечаются двумя точками.
Поясняющие замечания в цитатах, а также указания на принадлежность реплики кому-л. из действующих лиц пьесы даются в квадратных скобках.
Цитаты из произведений В. И. Ленина даются по 5-му изданию Полного собрания сочинений.

## 8. Фразеологические сочетания

За знаком ◇ приводятся устойчивые выражения русского языка, так наз. фразеологические единицы, а также устойчивые словосочетания, представляющие собой широкоупотребительные составные названия и термины (напр., **готический шрифт**) и словосочетания, выступающие в роли наречий (напр., **в миниатюре, под сурдинку**). Данные словосочетания толкуются и сопровождаются стилистическими пометами, в некоторых случаях иллюстрируются, напр.:

**ВЕНЕ́Ц**, венца́, *м*. .. ◇ **Идти под венец** (*устар.*) — выходить замуж, жениться. **Терновый венец** [из евангельского сказания о колючем терновом венке, надетом на Иисуса Христа перед казнью] (*высок.*) — символ мученичества, страдания. *И прежний сняв венок — они венец терновый, Увитый лаврами, надели на него; Но иглы тайные сурово Язвили славное чело.* Лермонтов. Смерть поэта. ..

В тех случаях, когда слово употребляется только в каком-л. одном выражении, его лексическое значение не толкуется, напр.:

**ДАМО́КЛОВ**, -а, -о. [Из предания о Дионисе, который во время пира посадил на свое место завидовавшему ему Дамокла и повесил над ним меч на конском волосе]. ◇ **Дамоклов меч** (*книжн.*) — о постоянно грозящей опасности ..

Толкование фразеологической единицы дается один раз в словаре под тем словом, которое в данном выражении является основным, наиболее значимым. Так, в статье **ДВОР**[1] приводятся следующие фразеологические сочетания: **монетный двор, постоялый** (*или* **заезжий**) **двор, почтовый двор**.

Нередко фразеологические обороты и устойчивые сочетания даются к производным словам, помещенным в гнезде, напр.:

**ГЕНЕАЛО́ГИЯ**, -и, *ж*. ..
**Генеалоги́ческий**, -ая, -ое. *Генеалогические таблицы.* ◇ **Генеалогическое древо** (*или* **дере-**

во) — родословная семьи, изображенная в виде дерева. *Князь Андрей глядел на огромную.. золотую раму с изображением генеалогического дерева князей Болконских.* Л. Толстой. Война и мир.

## 9. Синонимы

С целью оттенить лексическое значение слова, показать его системные связи в языке приводится синонимический ряд к заголовочному слову (с пометой С и н. с абзаца). В синонимические группы входят слова, близкие или тождественные по значению, обладающие в определенных контекстах свойством взаимозаменяемости.

Если синонимические отношения охватывают лишь отдельные значения многозначного слова, это отмечается пометами: (*к 1 знач.*), (*ко 2 знач.*) и т. д. Если синонимы относятся ко всем значениям слова, помета опускается.

В случаях, когда в толковании слова использован синоним, в ряду он не приводится, напр.:
**БЕЗЖИ́ЗНЕННЫЙ**, -ая, -ое; -ен, -енна, -о. **1.** *Книжн.* Мертвый ..
С и н. (*к 1 знач.*): неживо́й, бездыха́нный (*высок.*) ..

Синонимы в ряду располагаются в определенном порядке в соответствии со стилистической окраской слова и иными характеристиками, напр.:
**АВАНТА́ЖНЫЙ** .. *Устар. разг.* Производящий благоприятное впечатление внешностью; привлекательный ..
С и н.: ви́дный, соли́дный, импоза́нтный (*книжн.*), представи́тельный (*разг.*), презента́бельный (*устар.*).

## 10. Антонимы

В особом разделе словарной статьи с пометой А н т. с абзаца приводятся слова, противоположные заголовочному по значению. Принципы построения данного раздела соответствуют принципам построения синонимических рядов (см. п. 9).

## 11. Производные слова, подаваемые как члены гнезда

Словарная статья завершается перечнем производных слов определенных групп.

Основанием для помещения в гнездо служит общность происхождения слов, принадлежность их к одному корню, ближайшие словообразовательные связи. Если гнездовое слово относится ко всем значениям заголовочного слова, а лишь к некоторым из них, то в круглых скобках приводится ограничивающая помета, напр.:
**ГРЯДА́..** **1.** .. Вытянутая в длину возвышенность, а также ряд небольших гор, холмов.. **2.** .. Узкая полоса вскопанной земли в огороде или цветнике.. **3.** .. Полоса, ряд однородных предметов ..
**Гря́дка**, -и, *ж.* (*уменьш.*) (*ко 2 знач.*).

Если стилистическая окраска производного совпадает с окраской заголовочного слова, в гнезде помета не приводится; в случае расхождения это указывается, напр.:
**КРИМИНА́Л**, -а, *м.* [Восх. к лат. criminalis — преступный]. То, в чем есть признаки преступления, уголовное дело, а также что-л. предосудительное или выходящее за пределы общепринятых норм поведения ..
**Криминальный**, -ая, -ое (*книжн.*). *Криминальный факт.*

### Типы производных слов при именах существительных

1. Названия лиц женского пола, соотносительные с именами существительными мужского рода, напр.: **аббати́са** при **АББА́Т**, **жри́ца** при **ЖРЕЦ**, **герцоги́ня** при **ГЕ́РЦОГ**, **свекро́вь** при **СВЁКОР**.

2. Относительные имена прилагательные, обозначающие разного рода отношение к предмету, напр.: **гля́нцевый** при **ГЛЯ́НЕЦ**, **метафизи́ческий** при **МЕТАФИ́ЗИКА**, **кавалерга́рдский** при **КАВАЛЕРГА́РД**.

3. Наречия, образованные от производных прилагательных, находящихся в гнезде, а также существительные с суффиксом **-ость** и **-ij-**, напр.:
**АБСУ́РД**, -а, *м.* ..
**Абсу́рдный**, -ая, -ое; -ден, -дна, -о .. **Абсу́рдно**, *нареч.* **Абсу́рдность**, -и, *ж.* ..

4. Уменьшительные, ласкательные существительные с различными суффиксами субъективной оценки, напр.: **дубра́вушка** при **ДУБРА́ВА**, **ла́рчик** при **ЛАРЕ́Ц**.

5. Имена существительные со значением лица — производителя действия или носителя свойства, напр.: **гастролёр** при **ГАСТРО́ЛИ**, **деса́нтник** при **ДЕСА́НТ**, **оптими́ст** при **ОПТИМИ́ЗМ**, **провинциа́л** при **ПРОВИ́НЦИЯ**.

## Типы производных слов при именах прилагательных

1. Наречия на **-о, -е, -ски**, напр.: **делика́тно** при **ДЕЛИКА́ТНЫЙ**, **разносто́ронне** при **РАЗНОСТОРО́ННИЙ**, **артисти́чески** при **АРТИСТИ́ЧЕСКИЙ**.
2. Отвлеченные имена существительные с суффиксами **-ость, -ств-, -иj-**, напр.: **абстра́ктность** при **АБСТРА́КТНЫЙ**, **доро́дность** и **доро́дство** при **ДОРО́ДНЫЙ**, **хладнокро́вие** при **ХЛАДНОКРО́ВНЫЙ**.

## Типы производных слов при глаголах

1. Собственно-возвратные глаголы, т. е. глаголы, имеющие значение перехода действия на деятеля, напр.:
**ЭКИПИРОВА́ТЬ**, -ру́ю, -ру́ешь; ..
    **Экипирова́ться**, -ру́юсь, -ру́ешься; *возвр.*
2. Глаголы несовершенного вида, соотносительные с глаголами совершенного вида (или наоборот) при отсутствии между ними каких-л. смысловых различий, кроме различий, обусловленных видом, напр.:
**ВОПЛОТИ́ТЬ**, -ощу́, -оти́шь; .. *сов., кого, что в ком, чем.*
    **Воплоща́ть**, -а́ю, -а́ешь; *несов.* ..
3. Имена существительные со значением действия или состояния с нулевым суффиксом или на **-ние, -тие, -ка, -ация**, напр.:
**НАКАЛИ́ТЬ**, -лю́, -ли́шь; ..
    **Нака́л**, -а, *м.*
**КОДИ́РОВАТЬ**, -рую, -руешь; ..
    **Коди́рование**, -я, *ср. и* **кодиро́вка**, -и, *ж.*
**ДИФФЕРЕНЦИ́РОВАТЬ**, -рую, -руешь; ..
    **Дифференци́рование**, -я, *ср. и* **дифференциа́ция**, -и, *ж.*
4. Имена существительные со значением лица — производителя действия, напр.:
**ГИПНОТИЗИ́РОВАТЬ**, -рую, -руешь; ..
    **Гипнотизёр**, -а, *м.*
**ИММИГРИ́РОВАТЬ**, -рую, -руешь; ..
    **Иммигра́нт**, -а, *м.*

## СПИСОК ИСПОЛЬЗОВАННЫХ СЛОВАРЕЙ

1. Словарь русского языка: В 4 т./АН СССР. Ин-т рус. яз.; Под ред. А. П. Евгеньевой. 2-е изд., испр. и доп. М.: Рус. яз., 1981—1984. Т. 1—4.
2. Словарь современного русского литературного языка/АН СССР. Ин-т рус. яз. М.; Л., 1950—1965. Т. 1—17.
3. Ожегов С. И. Словарь русского языка/Под ред. Н. Ю. Шведовой. 21-е изд., перераб. и доп. М.: Рус. яз., 1989. 924 с.
4. Лапатухин М. С., Скорлуповская Е. В., Снетова Г. П. Школьный толковый словарь русского языка: Пособие для учащихся /Под ред. Ф. П. Филина. М.: Просвещение, 1981. 463 с.
5. Словарь иностранных слов. 19-е изд., стер. М.: Рус. яз., 1990. 624 с.
6. Орфоэпический словарь русского языка: Произношение, ударение, грамматические формы/С. Н. Борунова, В. Л. Воронцова, Н. А. Еськова; Под ред. Р. И. Аванесова. 5-е изд., испр. и доп.— М.: Рус. яз., 1989. 688 с.
7. Орфографический словарь русского языка/АН СССР. Ин-т рус. яз.; Под ред. С. Г. Бархударова и др. 23-е изд., стер. М.: Рус. яз., 1985. 464 с.
8. Словарь синонимов: Справочное пособие/АН СССР. Ин-т рус. яз.; Под ред. А. П. Евгеньевой. Л.: Наука, 1975. 648 с.
9. Александрова З. Е. Словарь синонимов русского языка/Под ред. Л. А. Чешко. 5-е изд., стер. М.: Рус. яз., 1986. 600 с.
10. Львов М. Р. Словарь антонимов русского языка/Под ред. Л. А. Новикова. 2-е изд., испр. и доп. М.: Рус. яз., 1984. 384 с.
11. Розенталь Д. Э., Теленкова М. А. Словарь трудностей русского языка. 6-е изд., испр. и доп. М.: Рус. яз., 1987. 414 с.
12. Трудности словоупотребления и варианты норм русского литературного языка: Словарь-справочник/Под ред. К. С. Горбачевича. Л.: Наука, 1973. 518 с.
13. Новые слова и значения: Словарь-справочник по материалам прессы и литературы 60-х годов/Сост.: Н. З. Бутарова, Н. З. Котелова (руководитель группы), Е. А. Левашов и др.; Под ред. Н. З. Котеловой, Ю. С. Сорокина. М.: Рус. яз., 1973. 543 с.
14. То же: Словарь-справочник по материалам прессы и литературы 70-х годов/Е. А. Левашов, Т. Н. Поповцева, В. П. Фелицына и др.; Под ред. Н. З. Котеловой. М.: Рус. яз., 1984. 808 с.
15. Новое в русской лексике. Словарные материалы — 77/Н. З. Котелова, В. П. Петушков, Ю. Е. Штейнсапир, Н. Г. Герасимова; Под ред. Н. З. Котеловой. М.: Рус. яз., 1980. 176 с.
16. То же. Словарные материалы — 78/Н. Г. Герасимова, Н. З. Котелова, Т. Н. Поповцева, В. П. Петушков; Под ред. Н. З. Котеловой.— М.: Рус. яз., 1981. 264 с.
17. То же. Словарные материалы — 79/Н. З. Котелова, М. Н. Судоплатова, Н. Г. Герасимова, Т. Н. Поповцева; Под ред. Н. З. Котеловой. М.: Рус. яз., 1982. 320 с.
18. То же. Словарные материалы — 80/В. П. Петушков, Т. Н. Поповцева, Н. В. Соловьев, М. Н. Судоплатова; Под ред. Н. З. Котеловой. М.: Рус. яз., 1984. 287 с.
19. То же. Словарные материалы — 81/Н. З. Котелова, Н. В. Соловьев, М. Н. Судоплатова и др.; Под ред. Н. З. Котеловой. М.: Рус. яз., 1986. 286 с.
20. То же. Словарные материалы — 82/Н. З. Котелова, М. Н. Судоплатова, Ю. Ф. Денисенко и др.; Под ред. Н. З. Котеловой. М.: Рус. яз., 1986. 253 с.
21. То же. Словарные материалы — 83/В. П. Петушков; Под ред. Н. З. Котеловой. М.: Рус. яз., 1987. 190 с.
22. То же. Словарные материалы — 84/В. Н. Плотицын, М. Н. Судоплатова, Н. З. Котелова и др.; Под ред. Н. З. Котеловой. М.: Рус. яз., 1989. 427 с.
23. Фасмер М. Этимологический словарь русского языка: В 4 т./Пер. с нем. и доп. О. Н. Трубачева; Под ред. Б. А. Ларина. 2-е изд., стер. М.: Прогресс, 1986—1987. Т. 1—4.
24. Советский энциклопедический словарь/Научно-ред. совет: А. М. Прохоров (председатель), И. В. Абашидзе, П. А. Азимов и др. 3-е изд. М.: Сов. энц., 1984. 1600 с.: ил.

## СПИСОК СОКРАЩЕНИЙ

*авест.* — авестийский язык
*австрал.* — австралийские языки
*азерб.* — азербайджанский язык
*англ.* — английский язык
а н т. — антонимы
*араб.* — арабский язык
*арам.* — арамейский язык
*безл.* — безличное
*бенг.* — бенгальский язык
*бран.* — бранное
*букв.* — буквально
в. — век
*вводн. сл.* — вводное слово
*венг.* — венгерский язык
*возвр.* — возвратный залог
*восх. к* — восходит к
*высок.* — высокое
г. — 1) год; 2) город
гл. образом — главным образом
*голл.* — голландский язык
*греч.* — древнегреческий язык
*груз.* — грузинский язык
*дат. п.* — дательный падеж
*доп.* — дополнение
*др.* — другие
*др.-в.-нем.* — древневерхненемецкий язык
*др.-евр.* — древнееврейский язык
*др.-егип.* — древнеегипетский язык
*др.-инд.* — древнеиндийский язык
*др.-исл.* — древнеисландский язык
*др.-сканд.* — древнескандинавский язык
*др.-чеш.* — древнечешский язык
*евр.-нем.* — еврейско-немецкий язык (идиш)
*ед.* — единственное число
*ж.* — женский род
*знач.* — значение
*ирон.* — ироническое
*искаж.* — искаженное
*исл.* — исландский язык
*исп.* — испанский язык
*итал.* — итальянский язык
и т. д. — и так далее
и т. п. — и тому подобное
*кариб.* — карибские языки
*казах.* — казахский язык
кг — килограмм
*кельт.* — кельтские языки
*кит.* — китайский язык
км — километр
*книжн.* — книжное
*кр. ф.* — краткая форма
л — литр
-л. — -либо

*ласк.* — ласкательное
*лат.* — латинский язык
*лит.* — литовский язык
м — метр
*м.* — мужской род
*малайск.* — малайский язык
*межд.* — междометие
*мест.* — местоимение
*мн.* — множественное число
*монг.* — монгольский язык
*нанайск.* — нанайский язык
*напр.* — например
*нареч.* — наречие
*нар.-поэт.* — народно-поэтическое
*н.-в.-нем.* — нововерхненемецкий язык
*неизм.* — неизменяемое
*нем.* — немецкий язык
*неодобр.* — неодобрительное
*неопр.* — неопределенная форма
*нескл.* — несклоняемое
*несов.* — несовершенный вид
*н.-нем.* — нижненемецкий язык
*норв.* — норвежский язык
н. э. — наша эра
*обл.* — областное
*однокр.* — однократное
*офиц.* — официальное
*первонач.* — первоначально
*перен.* — переносное значение
*перс.* — персидский язык
*перуанск.* — перуанский язык
*позднегреч.* — позднегреческий язык
*позднелат.* — позднелатинский язык
*полинез.* — полинезийские языки
*полн. ф.* — полная форма
*польск.* — польский язык
*порт.* — португальский язык
*посл.* — пословица
*презр.* — презрительное
*преимущ.* — преимущественно
*пренебр.* — пренебрежительное
*прил.* — прилагательное
*прованс.* — провансальский язык
*прост.* — просторечное
*прош.* — прошедшее время
*разг.* — разговорное
*род. п.* — родительный падеж
с. — страница
*санскр.* — санскритский язык
*сем.* — семейство
*сербохорв.* — сербохорватский язык
с и н. — синонимы
*сир.* — сирийский язык

*сканд.* — скандинавские языки
*собир.* — собирательное
*собств.* — собственное имя
*сов.* — совершенный вид
*см* — сантиметр
*см.* — смотри
*спец.* — специальное
*ср.* — 1) средний род; 2) сравни
*сравн. ст.* — сравнительная степень
*ср.-в.-нем.* — средневерхненемецкий язык
*ср.-голл.* — среднеголландский язык
*ср.-греч.* — среднегреческий (византийский) язык
*ср.-лат.* — средневековый латинский язык (среднелатинский)
*ср.-в.-нем.* — средневерхненемецкий язык
*ср.-н.-нем.* — средненижненемецкий язык
*ср.-перс.* — среднеперсидский язык
*ст.-франц.* — старофранцузский язык
*сущ.* — существительное
*т.* — том
*так наз.* — так называемый
*тамильск.* — тамильский язык
*тат.* — татарский язык

*твор. п.* — творительный падеж
*тибет.* — тибетские языки
*трад.-поэт.* — традиционно-поэтическое
*турецк.* — турецкий язык
*тюрк.* — тюркские языки
*удмурт.* — удмуртский язык
*уйг.* — уйгурский язык
*уменьш.* — уменьшительное
*уменьш.-ласк.* — уменьшительно-ласкательное
*употр.* — употребляется
*устар.* — устарелое
*фин.* — финский язык
*франк.* — франкский язык
*франц.* — французский язык
*чагат.* — чагатайский (староузбекский) язык
*чеш.* — чешский язык
*чув.* — чувашский язык
*чукот.* — чукотский язык
*швед.* — шведский язык
*шутл.* — шутливое
*эвенк.* — эвенкийский язык
*эсп.* — эсперанто
*эст.* — эстонский язык
*яп.* — японский язык

## АЛФАВИТ

| | | | |
|---|---|---|---|
| А а | И и | Р р | Ш ш |
| Б б | Й й | С с | Щ щ |
| В в | К к | Т т | Ъ ъ |
| Г г | Л л | У у | Ы ы |
| Д д | М м | Ф ф | Ь ь |
| Е е Ё ё | Н н | Х х | Э э |
| Ж ж | О о | Ц ц | Ю ю |
| З з | П п | Ч ч | Я я |

# А

**А...** (перед гласными **ан...**). [Греч. a(n) — не, без]. Приставка в словах иноязычного происхождения, обозначающая отсутствие признака, свойства, выраженного основной частью слова, напр.: *анормáльный*, *анемúя* (малокровие), *аритмúя*, *асимметрúчный*.

**АБАЗИ́НЫ**, -ин и **АБАЗИ́НЦЫ**, -ев, *мн.* (*ед.* **абазúн**, -а и **абазúнец**, -нца, *м.*). Народ, составляющий часть населения Карачаево-Черкесской республики и республики Адыгея, а также лица, относящиеся к этому народу. *Поселения абазин.*
**Абазúнка**, -и, *ж.* **Абазúнский**, -ая, -ое. *Абазинские обычаи.*

**АББÁТ**, -а, *м.* [Итал. abbate; восх. к сир. 'abbā — отец]. Настоятель католического мужского монастыря, а также католический священник во Франции. [*Княжна Кубенская*] *нанимала ему всякого рода учителей, приставила к нему гувернера, француза, бывшего аббата.* Тургенев. Дворянское гнездо.
**Аббатúса**, -ы, *ж.* (настоятельница католического женского монастыря). **Аббáтский**, -ая, -ое.

**АББÁТСТВО**, -а, *ср.* [См. *аббат*]. Католический монастырь с принадлежащими ему владениями. *Величественное аббатство обхватилось сокрушительным пламенем, и колоссальные готические окна его сурово глядели сквозь разделявшиеся волны огня.* Гоголь. Тарас Бульба.

**АББРЕВИАТУ́РА**, -ы, *ж.* [Восх. к ср.-лат. abbreviatura — сокращение]. Сложносокращенное слово, а также буквенное сокращение двух или нескольких слов, напр.: *колхóз*, *филфáк*, *драмкружóк*, *стройотрáд*, *стенгазéта*; *ФРГ*, *ГУМ*, *МГУ*, *ООН*, *ТАСС*, *вуз*.

**АБЗÁЦ**, -а, *м.* [Нем. Absatz]. **1.** Отступ вправо в начале первой строки текста; красная строка. *Писать с абзаца.* **2.** Текст между двумя такими отступами, представляющий собой смысловое единство. *Прочитать три абзаца.* □ *Юлия Сергеевна, развернув газету, с любопытством пробежала статью глазами и начала читать уже внимательно, изучая абзац за абзацем.* Проскурин. Горькие травы.

**АБИТУРИÉНТ**, -а, *м.* [Восх. к ср.-лат. abituriens, abiturientis — собирающийся уходить]. **1.** *Устар.* Выпускник средней школы. **2.** Тот, кто поступает в высшее или среднее специальное учебное заведение. *Подача документов абитуриентами в приемную комиссию. Консультация для абитуриентов.*
**Абитуриéнтка**, -и, *ж.* **Абитуриéнтский**, -ая, -ое.

**АБОНЕМÉНТ**, -а, *м.* [Франц. abonnement]. Право пользования чем-л. в течение определенного срока, а также документ, удостоверяющий это право. *Абонемент на посещение бассейна. Абонемент на цикл лекций. Купить абонемент.* □ *Мама рассказывала о своей библиотеке: — ..Интересная у нас молодежь.. По абонементам можно судить. Бери карточку и читай, кто чем дышит.* Прилежаева. Пушкинский вальс.
**Абонемéнтный**, -ая, -ое. *Абонементные концерты. Абонементный проездной билет.*

**АБОНÉНТ**, -а, *м.* [Нем. Abonnent от франц. abonner — подписываться]. Лицо, а также учреждение, организация, пользующиеся абонементом. *Абонент телефонной сети.*
**Абонéнтный**, -ая, -ое. *Абонентный отдел АТС.*

**АБОНИ́РОВАТЬ**, -рую, -руешь; абонúрующий, абонúровавший; абонúруемый, абонúрованный; -ан, -а, -о; абонúруя, абонúровав; *сов.* и *несов.*, *что*. [Восх. к франц. abonner]. Получить (получать) по абонементу, приобрести (приобретать) право пользоваться чем-л. в течение определенного срока. *На третью зиму* [*мастерской Веры Павловны*] *было абонировано десять мест в боковых местах итальянской оперы.* Чернышевский. Что делать?

**АБОРДÁЖ**, -а, *м.* [Франц. abordage]. Старинный способ морского сражения — подход к неприятельскому кораблю вплотную и сцепление с ним для рукопашного боя. ◇ **На абордáж** брать (взять), бросаться (броситься) и т.п. — атаковать корабль (указанным образом). *Шведы не успели подсыпать пороха в запалы пушек, не успели обрубить якорные канаты — русские кругом облепили корабли и с лодок, плотов и бочек.. полезли на абордаж.* А.Н. Толстой. Петр I.
**Абордáжный**, -ая, -ое. *Абордажный бой.*

**АБОРИГÉНЫ**, -ов, *мн.* (*ед.* **аборигéн**, -а, *м.*). [Лат. aborigines (*мн.*)]. *Книжн.* Коренные жители страны, местности. *Австралийские аборигены.* □ *По улице, направляясь к полицейскому управлению, идет толпа гиляков, здешних аборигенов.* Чехов. Остров Сахалин.
С и н.: автохтóны (*книжн.*), туземцы (*устар.*).

Абориге́нка, -и, ж. (разг.).
АБРАКАДА́БРА, -ы, ж. [Восх. к греч. abrakadabra — магическое заклинание]. Бессмысленный, непонятный набор слов. — *Что вы несете? За этой абракадаброй никакой мысли.* Гранин. Иду на грозу.
С и н.: абсу́рд, бессмы́слица, за́умь, но́нсенс (*книжн.*), бред (*разг.*), белиберда́ (*разг.*), галиматья́ (*разг.*), тарабарщина (*разг.*), ахине́я (*разг.*), вздор (*разг.*).
АБРЕ́К, -а, м. [Восх. к ср.-перс. *āpārak — грабитель]. В период присоединения Кавказа к России: горец, участвовавший в борьбе против царских войск и администрации. *Казаки каждый час ожидали переправы и нападения абреков.* Л. Толстой. Казаки.
А́БРИС, -а, м. [Нем. Abriß]. *Книжн.* Контурный рисунок, очертание предмета. — *Мне.. сказали, что вы в два сеанса оканчиваете совершенно портрет, — произнесла дама, подходя к картине, — а у вас до сих пор еще только почти один абрис.* Гоголь. Портрет.
С и н.: ко́нтур, силуэ́т, о́черк (*устар.*).
А́брисный, -ая, -ое. *Абрисный рисунок.*
АБСОЛЮТИ́ЗМ, -а, м. [Франц. absolutisme; восх. к лат. absolutus — совершенный]. Форма правления, при которой верховная власть всецело принадлежит одному лицу (монарху). *Что же значит ниспровержение абсолютизма? Это значит отказ царя от неограниченной власти; предоставление народу права выбирать своих представителей для издания законов, для надзора за действием чиновников, для надзора за собиранием и расходованием государственных средств.* Ленин. т. 4, с. 252.
С и н.: самодержа́вие, автокра́тия (*книжн.*), самовла́стие (*устар.*).
Абсолюти́стский, -ая, -ое. *Абсолютистское государство.* Абсолюти́ст, -а, м. (сторонник абсолютизма).
АБСОЛЮ́ТНЫЙ, -ая, -ое; -тен, -тна, -о. [Восх. к лат. absolutus — законченный, совершенный]. **1.** *полн. ф.* Безусловный, взятый отдельно, вне сравнения с чем-л. *Не существует абсолютных норм добра и зла. Все дело в том, к чему и как они применяются.* Вересаев. Аполлон и Дионис. **2.** Совершенный, полный. *Абсолютный покой. Абсолютный порядок.* □ — *Каковы же могут быть тогда наши отношения дальше?.. Между нами должна быть абсолютная искренность и чистота.* Бондарев. Горячий снег. ◇ **Абсолютное большинство** — подавляющее большинство. **Абсолютная монархия** — то же, что абсолютизм. **Абсолютный чемпион** — спортсмен, получивший наибольшее количество очков в многоборье. **Абсолютный слух** — способность точно определить на слух высоту музыкального звука.
С и н. (*к 1 знач.*): безотноси́тельный (*книжн.*). С и н. (*ко 2 знач.*): неограни́ченный, безразде́льный.
А н т. (*к 1 знач.*): относи́тельный.
Абсолю́тно, *нареч.* (*ко 2 знач.*). *Он абсолютно прав.*
АБСТРА́КТНЫЙ, -ая, -ое; -тен, -тна, -о. [Восх. к лат. abstractus — отвлеченный, удаленный]. **1.** Ос-нованный на абстракции (*в 1 знач.*); отвлеченный. *Абстрактное понятие. Абстрактное мышление.* **2.** Основанный на теоретических, оторванных от практики и опыта рассуждениях, представлениях. *По мере того как их заочное знакомство крепло, фигура абстрактного героя Отечественной войны уступала место настоящему, живому юноше.* Б. Полевой. Повесть о настоящем человеке. ◇ **Абстрактное искусство** — то же, что абстракционизм.
С и н. (*ко 2 знач.*): отвлечённый, умозри́тельный (*книжн.*), метафизи́ческий (*книжн.*).
А н т. (*к 1 знач.*): конкре́тный.
Абстра́ктно, *нареч.* Абстра́ктность, -и, ж.
АБСТРАКЦИОНИ́ЗМ, -а, м. [См. *абстрактный*]. Направление в изобразительном искусстве 20 в., последователи которого изображают реальный мир как сочетание отвлеченных форм, цветовых пятен и т. п. *Абстракционизм в живописи, скульптуре, графике.*
Абстракциони́стский, -ая, -ое. *Абстракционистское искусство.* Абстракциони́ст, -а, м. *Группа художников-абстракционистов.*
АБСТРА́КЦИЯ, -и, ж. [См. *абстрактный*]. *Книжн.* **1.** *ед.* Мысленное отвлечение от тех или иных сторон, свойств или связей предметов и явлений с целью выделения их существенных и закономерных признаков. *Абстракция не есть сама по себе цель, но без нее невозможно конкретное понимание.* Белинский. Полное собрание сочинений Д. И. Фонвизина. **2.** Отвлеченное понятие, теоретическое обобщение. *Абстракция материи, закона природы, абстракция стоимости и т. д., одним словом, все научные (правильные, серьезные, не вздорные) абстракции отражают природу глубже, вернее, полнее.* Ленин, т. 29, с. 152.
С и н. (*к 1 знач.*): отвлече́ние. С и н. (*ко 2 знач.*): отвлечённость.
АБСУ́РД, -а, м. [Восх. к лат. absurdum]. Нелепость, бессмыслица. *Доводить все до абсурда.* □ *Не утвердят его проекты. Сплошной абсурд и непонимание обстановки.* Проскурин. Горькие травы. ◇ **Драма абсурда** — течение в драматургии, изображающее мир в виде хаоса, а поступки людей лишенными смысла, внутренней закономерности.
С и н.: абракада́бра, за́умь, но́нсенс (*книжн.*), бред (*разг.*), белиберда́ (*разг.*), галиматья́ (*разг.*), тараба́рщина (*разг.*), ахине́я (*разг.*), вздор (*разг.*).
Абсу́рдный, -ая, -ое; -ден, -дна, -о. *Абсурдная мысль.* Абсу́рдно, *нареч.* Абсу́рдность, -и, ж. *Его утверждения, что «математика — грошовая ложь», казалось, могли привлечь внимание лишь своей вопиющей абсурдностью.* Чаковский. Блокада.
АВАНГА́РД, -а, м. [Франц. avant-garde]. **1.** Часть войск, находящаяся впереди главных сил (при движении в сторону противника). *Пленный говорил, что войска, вошедшие нынче в Фоминское, составляли авангард всей большой армии.* Л. Толстой. Война и мир. **2.** *перен.* Передовая, ведущая часть какой-л. общественной группы, класса. *Авторитет рабочего класса — авангарда революции — в деревне надо держать*

на высочайшем уровне. Шолохов. Поднятая целина.
◊ **В аванга́рде** — впереди, в первых рядах. *Быть в авангарде мировой науки.*

**Аванга́рдный**, -ая, -ое.

**АВАНГАРДИ́ЗМ**, -а, *м.* [См. *авангард*]. **1.** Стремление какой-л. общественной группы к главенствующей роли в чем-л. *Беспочвенный авангардизм.* **2.** Общее название некоторых течений в искусстве 20 в., для которых характерны разрыв с реализмом, поиски новых средств художественного выражения, сознательно противопоставляемых традиционному, общепринятому. *Авангардизм в музыке, живописи.*

**Авангарди́стский**, -ая, -ое. *Авангардистское искусство.* **Авангарди́ст**, -а, *м.*

**АВАНПО́СТ**, -а, *м.* [Франц. avant-post]. Сторожевой пост, выставляемый впереди войск с целью предупреждения внезапного нападения противника, а также место расположения такого поста. *Выехав в ночь с 13-го на 14-е, Балашев, сопутствуемый трубачом и двумя казаками, к рассвету приехал в деревню Рыконты, на французские аванпосты по сю сторону Немана. Он был остановлен французскими кавалерийскими часовыми.* Л. Толстой. Война и мир.

С и н.: форпо́ст.

**АВА́НС**, -а, *м.* [Франц. avance]. Деньги (или другие ценности), выдаваемые кому-л. вперед в счет заработка, предстоящих платежей. *Получить аванс.* □ — *Скажите, какую сумму вы получили от него последний раз в виде аванса?* Федин. Города и годы.

**Ава́нсовый**, -ая, -ое.

**АВАНСЦЕ́НА**, -ы, *ж.* [Франц. avant-scène]. **1.** Передняя, открытая часть сцены, несколько выдвинутая в зрительный зал (перед занавесом). *[Он] подошел к дальнему торцу стола президиума, чуть выступив на авансцену.* Чаковский. Блокада. **2.** *перен.* О пребывании в центре значительных общественных событий. *На авансцене истории.*

**АВАНТА́ЖНЫЙ**, -ая, -ое; -жен, -жна, -о. [От франц. avantage — выгода, преимущество, превосходство]. *Устар. разг.* Производящий благоприятное впечатление внешностью; привлекательный. *Она в самом деле была очень авантажна в новом своем наряде.* Григорович. Столичные родственники.

С и н.: ви́дный, соли́дный, импоза́нтный (*книжн.*), представи́тельный (*разг.*), презента́бельный (*устар.*).

**АВАНТЮ́РА**, -ы, *ж.* [Франц. aventure от лат. advenire — приходить; случаться]. **1.** *Устар.* Легкомысленный поступок, совершаемый ради получения удовольствия, развлечения. *Любовные авантюры.* **2.** Рискованное, сомнительное дело, начатое без учета реальных сил и условий, в расчете на случайный успех. *Политическая авантюра. Зачинщики военной авантюры.* □ *С юных лет он бросался в самые невероятные авантюры.. Писал книги, менял союзников, добивался высоких правительственных постов, терпел поражения.* Чаковский. Победа.

С и н.: (к 1 знач.): похожде́ние, приключе́ние.

**Авантю́рный**, -ая, -ое; -рен, -рна, -о. *Аван-тюрный роман. Авантюрное предприятие.*
**Авантю́рность**, -и, *ж.*

**АВАНТЮРИ́ЗМ**, -а, *м.* [См. *авантюра*]. Склонность к авантюрам (*во 2 знач.*); беспринципность в какой-л. деятельности ради достижения легкого успеха, выгоды. *Беспочвенный авантюризм. Авантюризм в политике.* □ *Дух авантюризма в соединении с тупоумием — свойства, в высшей степени украшавшие.. [Наполеона III], державшего в течение восемнадцати лет в своих руках судьбы Франции, — испугали буржуа.* Салтыков-Щедрин. За рубежом.

**Авантюристи́ческий**, -ая, -ое.

**АВА́РИЯ**, -и, *ж.* [Итал. avaria или франц. avarie]. **1.** Повреждение, выход из строя какой-л. машины, аппарата, прибора и т. п. во время работы, движения. *Авария на транспорте.* □ *Дмитрий хорошо знал завод в детстве. Он приходил сюда к отцу, погибшему.. во время аварии в машинном.* Проскурин. Горькие травы. **2.** *перен. Разг.* Неудача, провал какого-л. дела.

**Авари́йный**, -ая, -ое (к 1 знач.). *Аварийная служба. Здание в аварийном состоянии. Аварийный ремонт.* **Авари́йность**, -и, *ж.* (к 1 знач.).

**АВА́РЦЫ**, -ев, *мн.* (*ед.* ава́рец, -рца, *м.*). Народ, составляющий часть населения Дагестана, а также лица, относящиеся к этому народу. *По национальности аварец.*

**Ава́рка**, -и, *ж.* **Ава́рский**, -ая, -ое. *Аварский язык.*

**АВА́РЫ**, ава́р и -ов, *мн.* (*ед.* ава́р, -а, *м.*). Тюркские племена, вторгшиеся в 6 в. в придунайские области, где они образовали самостоятельное государство, просуществовавшее до конца 8 в.

**А́ВГИЕВ**, -а, -о. [От древнегреческого мифа о конюшнях царя Авгия, не чищенных 30 лет, вычистить которые оказалось под силу только Гераклу (Геркулесу)]. ◊ **А́вгиевы коню́шни** (*книжн.*) — о сильно загрязненном помещении или (*перен.*) о делах, находящихся в беспорядке.

**А́ВГУР**, -а, *м.* [Лат. augur]. В Древнем Риме: жрец, толковавший волю богов по наблюдениям за полетом и криком птиц. *Тогда, посмотрев значительно друг другу в глаза, как делали римские авгуры, по словам Цицерона, мы начинали хохотать и, нахохотавшись, расходились, довольные своим вечером.* Лермонтов. Герой нашего времени.

**АВГУСТЕ́ЙШИЙ**, -ая, -ее. [От лат. augustissimus — священнейший (титул римских императоров)]. Титул, прилагавшийся к именам нарицательным, когда ими обозначались члены императорской семьи. *Известно, что Карамзин читал тогда в присутствии покойного государя и августейшей сестры его некоторые главы «Истории государства Российского».* Пушкин. Российская Академия.

**АВИА...** [От *авиация* (франц. aviation от лат. avis — птица)]. Первая составная часть сложных слов, обозначающая авиационный, воздушный, напр.: *авиазаво́д, авиаконстру́ктор, авиала́йнер, авиапо́чта, авиасвя́зь, авиасъёмка, авиатра́нспорт.*

**АВИАНО́СЕЦ**, -сца, *м.* Военный корабль, оборудованный для базирования, взлета и посадки боевых самолетов и вертолетов. *Мощный авианосец. Радировать с авианосца.*

**АВРА́Л,** -а, м. [От англ. over all!— все наверх! или голл. overal — подъем]. **1.** Общая спешная работа на судне, в которой участвует весь личный состав (обычно по тревоге). [*При приближении шторма*] *по всем судам боцманы засвистали аврал — всех наверх! Крепили паруса, заводили штормовые якоря.* А. Н. Толстой. Петр I. **2.** *перен. Разг.* Спешная работа, выполняемая всем коллективом. *Анфиса привыкла к авралам за эти годы. И не предстоящая работа пугала ее.* Абрамов. Две зимы и три лета.

**Авра́льный,** -ая, -ое.

**АВТО...**[1] [См. *авто...*[3]]. Первая составная часть сложных слов, обозначающая а в т о м о б и л ь н ы й или а в т о м о б и л ь, напр.: *автоба́за, автозаво́д, автоколо́нна, автомагистра́ль, автопробе́г, автосе́рвис, автобензово́з, автоцисте́рна.*

**АВТО...**[2] [См. *авто...*[3]]. Первая составная часть сложных слов, обозначающая а в т о м а т и ч е с к и й или с а м о х о д н ы й, с а м о д в и ж у щ и й с я, напр.: *автоблокиро́вка, авторе́зка, автодрези́на.*

**АВТО...**[3] [Греч. autos — сам]. Первая составная часть сложных слов, обозначающая с в о й, о т н о с я щ и й с я к с а м о м у с е б е, напр.: *автобиогра́фия, автогравю́ра, автопортре́т.*

**АВТО́ГРАФ,** -а, м. [От греч. autos — сам и graphein — писать]. **1.** Собственноручная, обычно памятная, надпись или подпись. *Дать автограф.* □ [*Маша:*] *Пришлите же мне ваши книжки, непременно с автографом.* Чехов. Чайка. **2.** Подлинная рукопись автора. *Собрание автографов Л. Толстого. Текстологическое изучение автографов Пушкина.*

**АВТОКА́Р,** -а, м. [Англ. autocar от *авто...*[2] (см.) и англ. car — повозка]. Самоходная тележка для безрельсовой перевозки грузов на небольшие расстояния. [*На причалах*] *двигались черные фигуры, подгоняемые гудками автокаров.* Крымов. Танкер «Дербент».

С и н.: автотеле́жка.

**АВТОМА́Т,** -а, м. [Восх. к греч. automatos — самодействующий]. **1.** Ручное автоматическое скорострельное оружие. *Усовершенствованный боевой автомат. Стрелять из автомата.* **2.** Устройство, самостоятельно выполняющее ряд последовательных операций по заданной программе без непосредственного участия человека. *Сборочный автомат. Установить телефон-автомат. Автоматы по продаже газет, газированной воды. Завод-автомат. Игровые автоматы.* **3.** *перен.* О человеке, действующем бессознательно, машинально, по выработанному шаблону. *В то время [в концлагере] он и стал забывать все связанное с прошлым, с детством и юностью. Он стал автоматом и ничем больше.* Проскурин. Горькие травы.

С и н. (к 3 знач.): маши́на.

**Автома́тный,** -ая, -ое (к *1 знач.*) и **автомати́ческий,** -ая, -ое (ко *2 и 3 знач.*). *Автоматный огонь.*

*Автоматический тормоз.* □ [*Он*] *с той автоматической привычкой делиться табаком, которая появляется у людей, долго пробывших на фронте, протянул мне кисет.* Симонов. Дни и ночи. **Автомати́чески,** *нареч.* (ко *2 и 3 знач.*). *Автоматически закрывающаяся дверь. Автоматически выполняемая работа.*

**АВТОМАТИЗИ́РОВАТЬ,** -рую, -руешь; автоматизи́рующий, автоматизи́ровавший; автоматизи́руемый, автоматизи́рованный; -ан, -а, -о; автоматизи́руя, автоматизи́ровав; *сов. и несов., что.* [См. *автомат*]. **1.** Применить (применять), внедрить (внедрять) автоматические приборы, машины в производство. *Выпуск автоматизированных комплексов для предприятий-автоматов пищевой промышленности. Автоматизировать регулирование движения транспорта.* **2.** Сделать (делать) машинальным, непроизвольным. *Автоматизировать движение.*

**Автоматиза́ция,** -и, ж. *Автоматизация производственных процессов. Средства автоматизации.*

**АВТОМАТИ́ЗМ,** -а, м. [См. *автомат*]. Бессознательность, непроизвольность, заученность действий или движений. *Хорошо отработанный автоматизм действий. Автоматизм выполнения операций на конвейере.*

**АВТОНО́МИЯ,** -и, ж. [Восх. к греч. autonomia от autos — сам и nomos — закон]. Право самостоятельного осуществления государственной власти или управления, предоставленное конституцией какой-л. части государства. *Демократическое государство должно признавать автономию разных областей, особенно областей и округов с разным национальным составом населения.* Ленин, т. 25, с. 71.

С и н.: самоуправле́ние.

**Автоно́мный,** -ая, -ое.

**АВТОРИЗОВА́ТЬ,** -зу́ю, -зу́ешь; авторизу́ющий, авторизова́вший; авторизу́емый, авторизо́ванный; -ан, -а, -о; *сов. и несов., что.* [Восх. к лат. auctor — создатель]. *Книжн.* Официально одобрить (одобрять) перевод, копию, репродукцию и т. п. своего произведения. *Авторизованный перевод.*

**АВТОРИТА́РНЫЙ,** -ая, -ое; -рен, -рна, -о. [Франц. autoritaire; восх. к лат. auctoritas, auctoritatis — власть, влияние]. *Книжн.* **1.** Основанный на слепом, беспрекословном подчинении власти, диктатуре. *Авторитарная форма правления.* **2.** Стремящийся утвердить свой авторитет, выражающий это стремление. *Авторитарный руководитель. Авторитарный тон.*

**Авторита́рно,** *нареч.* **Авторита́рность,** -и, ж.

**АВТОРИТЕ́Т,** -а, м. [Нем. Autorität; восх. к лат. auctoritas, auctoritatis]. **1.** *ед.* Общепризнанное значение, влияние, основанное на знаниях, нравственных достоинствах, опыте. *Заслуженный авторитет. Завоевать авторитет. Пользоваться авторитетом.* □ [*После разрыва с Лушкой*] *ничто не грозило бы железному авторитету Давыдова, несколько поколебленному его до некоторой степени безнравственным поведением.* Шолохов. Поднятая целина. **2.** Тот, кто пользуется всеобщим уважением, признанием. *Быть для кого-л. авторитетом.* ☐ *В конце концов он сам начал придумывать ответы на свои «почему», и постепенно он вошел во вкус, было приятно создавать собственные теории, критиковать авторитеты.* Гранин. Иду на грозу.

С и н. (к *1* знач.): прести́ж, вес, влия́ние.

**АВТОРИТЕ́ТНЫЙ**, -ая, -ое; -тен, -тна, -о. [См. *авторитет*]. **1.** Пользующийся авторитетом, заслуживающий безусловного доверия. *Авторитетный ученый. Авторитетный журнал.* ☐ *После слов авторитетного в хуторе Якова Лукича, заявившего о своем вступлении в колхоз, было подано сразу тридцать одно заявление.* Шолохов. Поднятая целина. **2.** Не допускающий возражений, властный. *Авторитетный тон. С авторитетным видом.*

С и н. (к *1* знач.): при́знанный.

**Авторите́тно**, *нареч.* (ко *2* знач.). *Авторитетно заявить о чем-л., что-л.* **Авторите́тность**, -и, *ж. Авторитетность чьего-л. мнения.*

**АВТОСТРА́ДА**, -ы, *ж.* [Итал. autostrada]. Дорога для массового скоростного автомобильного движения без поперечных наземных переездов. *Автострада между Ленинградом и Таллином.*

С и н.: автомагистра́ль.

**АВТОХТО́НЫ**, -ов, *мн.* (*ед.* автохто́н -а, *м.*). [От *авто-*³ (см.) и греч. chthōn — земля]. *Книжн.* Коренное, первоначальное население страны. *Археологи... склоняются к мысли, что славяне были автохтонами Восточной Европы, исстари жили на тех местах, где застала их история.* Покровский. Русская история с древнейших времен.

С и н.: абориге́ны (*книжн.*), тузе́мцы (*устар.*).

**АГА́Т**, -а, *м.* [Восх. к греч. achatēs]. Полудрагоценный камень, имеющий различную окраску, применяемый для поделок и украшений. *Полированный агат. Ювелирные агаты. Ваза из агата. Гранить агат.*

**Ага́товый**, -ая, -ое. *Агатовый перстень.* ◇ **Агатовые глаза** — черные блестящие глаза. *Пел он страстным голосом, блестя на испуганную и счастливую Наташу своими агатовыми черными глазами.* Л. Толстой. Война и мир.

**АГЕ́НТ** [не *а́гент*], -а, *м.* [Восх. к лат. agens, agentis — действующий]. **1.** Представитель организации, учреждения, выполняющий служебные, деловые поручения. *Страховой, торговый агент.* ☐ *Он приехал в Петербург агентом фирмы по сальной и стеариновой части.* Чернышевский. Что делать? *Тот, кто усвоил чьим-л. интересом, проводит чьи-л. идеи. Агенты большевистской печати.* **3.** Секретный сотрудник разведки какого-л. государства. *Завербовать в агенты.* ☐ *— А ты не забывай, Василий, о японцах. Коварные японской разведки нет ни у кого... У них, возможно, еще от тех времен [русско-японской войны] остались в Забайкалье опытные агенты.* Седых. Отчий край.

С и н. (к *3* знач.): разве́дчик, шпио́н, лазу́тчик (*устар.*), резиде́нт (*спец.*).

**АГЕ́НТСТВО** [не *аге́нтство*], -а, *ср.* [См. *агент*]. Местное отделение какого-л. центрального учреждения, а также название некоторых информационных, посреднических и т. п. учреждений. *Транспортное агентство. Информационное телеграфное агентство России (ИТАР).* ☐ *Тогда явилось у мастерской свое агентство по делам с булочною и мелочною лавочкою.* Чернышевский. Что делать?

**АГИТ...** [См. *агитация*]. Первая составная часть сложных слов, обозначающая а г и т а ц и о н н ы й, напр.: *агитбрига́да, агитваго́н, агитпу́нкт.*

**АГИТА́ЦИЯ**, -и, *ж.* [Восх. к лат. agitatio — приведение в движение]. **1.** Устная и печатная деятельность, имеющая целью политическое воздействие на широкие народные массы. *Агитация среди рабочих и крестьян. Средства агитации. Декабристы разбудили Герцена. Герцен развернул революционную агитацию.* Ленин, т. 21, с. 261. **2.** *Разг.* Действия, имеющие целью убедить кого-л. в чем-л. [*Глаголев:*] *Докладывать в данном случае затруднительно, потому что такие люди, как инженер Забелин, не нуждаются в агитации по части энергетического развития России.* Погодин. Кремлевские куранты.

**Агитацио́нный**, -ая, -ое. *Агитационная работа, литература.*

**АГИТПУ́НКТ**, -а, *м.* Сокращение: агитационный пункт, местное учреждение для массово-политической работы среди населения во время выборов. *Агитпункт при избирательном участке.*

**АГЛОМЕРА́ЦИЯ**, -и, *ж.* [Восх. к лат. agglomerare — накоплять, нагромождать]. Слияние нескольких населенных пунктов в единое городское поселение. *Московская агломерация. Образование агломераций.*

**А́ГНЕЦ**, а́гнца, *м. Устар. книжн.* **1.** Ягненок (обычно как жертвенное животное).— *— Губитель, губитель! — сказал Чичиков.— Погубит он мою душу.. Зарежет, как волк агнца!* Гоголь. Мертвые души. **2.** *перен.* О кротком, послушном человеке. *С ним Искра тихий, равнодушный, Как агнец, жребию послушный.* Пушкин. Полтава.

**АГНОСТИЦИ́ЗМ**, -а, *м.* [Англ. agnosticism; восх. к греч. agnōstos — непознаваемый]. Идеалистическое философское учение, отрицающее возможность познания объективного мира и его закономерностей. *Философия агностицизма.*

**Агности́ческий**, -ая, -ое. **Агно́стик**, -а, *м.*

**АГО́НИЯ**, -и, *ж.* [Восх. к греч. agōnia — борьба]. Предсмертное состояние организма. *Катерина Ивановна суетилась около больного, она подавала ему пить, обтирала пот и кровь с головы.. Мармеладов был в последней агонии.* Достоевский. Преступление и наказание.

**АГРА́РНЫЙ**, -ая, -ое. [Восх. к лат. agrarius]. **1.** Относящийся к землепользованию, землевладению. *Аграрный вопрос. Аграрный сектор. Аграрная реформа.* **2.** Характеризующийся преобладанием сельскохозяйственного производства. *Аграрная страна.*

С и н. (к *1* знач.): земе́льный, сельскохозя́йственный. С и н. (ко *2* знач.): сельскохозя́йственный, се́льский.

**АГРЕГА́Т**, -а, м. [Франц. agrégat от лат. aggregatum — присоединенный]. Несколько разнотипных машин, соединенных в одно целое для общей работы, а также соединение деталей в сложных машинах для выполнения определенной операции. *Уборочный агрегат.* □ *Агрегат, объединивший манипулятор и молот, трудился без вмешательства человека.* Колесников. Изотопы для Алтунина.

**АГРЕССИ́ВНЫЙ**, -ая, -ое; -вен, -вна, -о. [См. *агрессия*]. **1.** Действующий методом агрессии. *Агрессивная политика.* **2.** *перен.* Враждебный, наступательный, вызывающий. *Агрессивный тон. Агрессивное поведение.* **3.** *Спец.* Оказывающий вредное действие. *Агрессивная среда.*

С и н. (*к 1 знач.*): захвати́ческий, завоева́тельный.

**Агресси́вно**, *нареч.* Действовать агрессивно. **Агресси́вность**, -и, ж. Агрессивность устремлений.

**АГРЕ́ССИЯ**, -и, ж. [Восх. к лат. aggressio]. Вооруженное нападение одного государства на другое с целью захвата территории и насильственного подчинения своей власти. *Очаги агрессии. Обуздать агрессию.* ◇ **Экономи́ческая агре́ссия** — враждебные действия какого-л. государства, направленные на подрыв экономики другого государства.

**Агре́ссор**, -а, м. *Фашистские агрессоры.*

**АГРО...** [Восх. к греч. agros — поле]. Первая составная часть сложных слов, обозначающая: 1) агрономический, напр.: *агрофи́зика, агроэколо́гия, агроучёба*; 2) сельскохозяйственный, сельский, напр.: *агроте́хника, агрорайо́н.*

**АГРОКУЛЬТУ́РА**, -ы, ж. [Лат. agricultura]. Совокупность мероприятий по улучшению техники земледелия. *Пропаганда агрокультуры.*

**Агрокульту́рный**, -ая, -ое. *Агрокультурные мероприятия.*

**АГРОНО́МИЯ**, -и, ж. [От греч. agros — поле и nomos — закон]. **1.** Наука о земледелии и сельском хозяйстве. *Передовая агрономия. Развитие агрономии.* **2.** *Устар.* Усовершенствованное земледелие. [*Потрохов:*] *Заведу машины, все хозяйство в широких размерах, стану сам заниматься агрономией.* А. Островский. Трудовой хлеб.

**Агрономи́ческий**, -ая, -ое. *Агрономическая деятельность.* **Агроно́м**, -а, м.

**АГРОПРОМЫ́ШЛЕННЫЙ**, -ая, -ое. Относящийся к сельскохозяйственному производству, его материально-технической базе и реализации его продукции. *Агропромышленная интеграция. Агропромышленный комплекс.*

**АГУ́ЛЫ**, -ов, мн. (*ед.* агу́л, -а *и* агу́лец, -льца, м.). Народ, составляющий часть населения Дагестана, а также лица, относящиеся к этому народу.

**Агу́лка**, -и, ж. **Агу́льский**, -ая, -ое.

**АД**, -а, м. [Греч. hadēs — царство мертвых, преисподняя]. **1.** В религиозных представлениях: место, куда после смерти грешников попадают их души, обреченные на вечные муки. *Муки ада. Попасть в ад.* **2.** *перен.* О тяжелых, невыносимых условиях, о нравственных страданиях. *Ад воспоминаний.* □ *Она чувствовала вполне тягостную скуку и однообразие своего положения, и все ее существо вертелось около одной мысли — вырваться из ада теткина дома.* Герцен. Кто виноват?

С и н. (*к 1 знач.*): гее́нна (*книжн.*), та́ртар (*книжн.*), пе́кло (*разг.*), преиспо́дняя (*устар.*).

А н т.: рай.

**А́дский**, -ая, -ое *и* а́дов, -а, -о (*разг.*). *Адские условия. Адский замысел. Адово терпение.* ◇ **А́дский ка́мень** — устарелое название азотнокислого серебра, ляписа, употребляемого в медицине для приготовления противомикробных средств. — *Это бы [прижечь ранку] раньше надо сделать; а теперь, по-настоящему, и адский камень не нужен. Если я заразился, так уж теперь поздно.* Тургенев. Отцы и дети.

**АДАПТА́ЦИЯ**, -и, ж. [Лат. adaptatio — приспособление]. **1.** Приспособление организма к окружающим условиям. *Адаптация глаза, слуха.* **2.** Упрощение текста для малоподготовленных читателей или для начинающих изучать иностранные языки. *Произвести адаптацию.*

**Адаптацио́нный**, -ая, -ое.

**АДВОКА́Т**, -а, м. [Восх. к лат. advocatus]. Юрист, дающий советы по вопросам права и защищающий обвиняемого на суде. *Опытный адвокат. Обратиться за советом к адвокату.* □ *Четверо адвокатов тихо, но оживленно разговаривали с подсудимыми.* М. Горький. Мать.

С и н.: защи́тник.

**Адвока́тский**, -ая, -ое.

**АДЕКВА́ТНЫЙ** [дэ], -ая, -ое; -тен, -тна, -о. [Восх. к лат. adaequatus — приравненный, уподобленный]. *Книжн.* Точно соответствующий, равный чему-л., совпадающий с чем-л. *Адекватные понятия. Адекватный перевод.*

С и н.: равноце́нный, тожде́ственный *и* тоже́ственный, иденти́чный (*книжн.*), эквивале́нтный (*книжн.*).

**Адеква́тно**, *нареч.* Проявляться адекватно обстоятельствам. **Адеква́тность**, -и, ж. Адекватность реакции.

**АДЕ́ПТ** [дэ́], -а, м. [Восх. к лат. adeptus — достигший, получивший]. *Книжн.* Убежденный сторонник, последователь какого-л. учения, идеи. *Астрономическая наука приобрела в его лице ревностного адепта.* Короленко. На затмении.

С и н.: приве́рженец, побо́рник (*высок.*).

**АДЖА́РЦЫ**, -ев, мн. (*ед.* аджа́рец, -рца, м.). Этническая группа грузин, живущих в Аджарии, а также лица, относящиеся к этой группе.

**Аджа́рка**, -и, ж. **Аджа́рский**, -ая, -ое.

**АДМИНИСТРА́ЦИЯ**, -и, ж. [Восх. к лат. administratio — управление]. **1.** Органы исполнительной власти государства; правительственный аппарат. **2.** *собир.* Лица, ведающие управлением в учреждении, на предприятии. *Администрация завода, школы.*

**Администрати́вный**, -ая, -ое. *Административные функции. Административное взыска-*

ние. В административном порядке (распоряжением исполнительной власти). ◇ **Административный восторг** (ирон.) — увлечение администрированием, изданием приказов, распоряжений, упоение своей властью. — *Вам надо изменить методы*, — *сказала она мягко*, — *меньше административного восторга, больше настоящей партийности.* Кетлинская. Мужество.

**АДМИНИСТРИ́РОВАТЬ**, -рую, -руешь; администри́рующий, администри́ровавший; администри́руя; *несов*. [Восх. к лат. administrare — управлять, заведовать]. **1.** Управлять, руководить чем-л. **2.** *перен*. Управлять чем-л. формально, бюрократически, посредством приказов, командования, не входя в существо дела.

**Администри́рование**, -я, *ср*. *Изжить администрирование в управлении экономикой.*

**АДМИРА́Л**, -а, *м*. [Голл. admiraal *или* нем. Admiral; восх. к араб. emīr al bahr — князь моря]. Высшее звание командного состава военно-морского флота, а также лицо, имеющее это звание. *Изменился ли ветер немного, или в борьбе с морем взяло верх искусство адмирала — корабли его, лавируя на штормовых парусах, понемногу стали опять удаляться за горизонт.* А. Н. Толстой. Петр I.

**Адмира́льский**, -ая, -ое. *Адмиральское звание. Адмиральский корабль.* ◇ **Адмира́льский час** (устар. шутл.) — время, когда в адмиралтействе объявлялся обеденный перерыв, обычно в 11 часов дня. *Затем, так как наступил уже «адмиральский час», господа чиновники отправились к помещику хлеба-соли откушать.* Салтыков-Щедрин. Пошехонская старина.

**АДМИРАЛТЕ́ЙСТВО**, -а, *ср*. [От голл. admiraliteit]. **1.** *Устар*. Место постройки, ремонта и снаряжения кораблей. **2.** В дореволюционной России и Англии: орган управления флотом, морское ведомство, а также здание, в котором помещается это учреждение. *Непир послал донесение в адмиралтейство, что комбинированной атакой с суши и с моря Свеаборг может быть взят.* Задорнов. Гонконг.

**Адмиралте́йский**, -ая, -ое. ◇ **Адмиралте́йская игла́** — шпиль на здании адмиралтейства в Санкт-Петербурге. *И ясны спящие громады Пустынных улиц, и светла Адмиралтейская игла.* Пушкин. Медный всадник.

**А́ДРЕС**, -а, адреса́, -о́в *и* а́дресы, -ов, *м*. [Восх. к франц. adresse]. **1.** (*мн*. адреса́). Обозначение, указание местонахождения, местожительства, а также само местонахождение кого-, чего-л. *Служебный, домашний адрес. Переменить адрес. Дать свой адрес.* □ *Филиппыч знал адреса руководителей патриотических групп.* Козлов. В крымском подполье. **2.** Письменное приветствие, обращенное к кому-л. в ознаменование юбилея или какого-л. события. *Приветственный адрес. Поднести адрес.* □ *Адрес, с которым обратились студенты к больному поэту Некрасову, был написан умно, тепло и хорошо.* Короленко. История моего современника. ◇ **Адрес-календа́рь** (устар.) — ежегодно издававшаяся книга с указанием учреждений, должностей и имен чиновников всех ведомств старой России. [*Репетилов:*] *Все вышли в знать, все нынче важны, Гляди-ка в адрес-календарь.* Грибоедов. Горе от ума. **В адрес** *кого, чего* — на имя кого-, чего-л. **Не по адресу** — не туда, куда следует, не к тому, к кому следует. *Обратиться не по адресу.* **Пройтись (проехаться) по адресу** *чьему* — отозваться нелестно, плохо о ком-, чем-л., подшутить, посмеяться над кем-, чем-л.

**А́дресный**, -ая, -ое. ◇ **Адресный стол (адресное бюро)** — учреждение, регистрирующее жителей данной местности и выдающее справки об их местожительстве.

**АДЪЮ́НКТ**, -а, *м*. [Восх. к лат. adjunctus — присоединенный]. **1.** Аспирант высшего военно-учебного заведения. **2.** В дореволюционной России и в Западной Европе: младшая ученая должность в некоторых научных учреждениях, а также лицо, занимающее эту должность.

**АДЪЮТА́НТ**, -а, *м*. [Восх. к лат. adjutans, adjutantis — помогающий]. Офицер, состоящий при высшем военном начальнике для выполнения служебных поручений или штабной работы. *У высокого крашеного крыльца отдавал какие-то распоряжения садившемуся на коня ординарцу адъютанту Журавлева.* Седых. Отчий край.

**Адъюта́нтский**, -ая, -ое. *Адъютантская служба.*

**АЖИОТА́Ж**, -а, *м*. [Франц. agiotage]. **1.** В буржуазном обществе: искусственное, спекулятивное понижение или повышение курса биржевых бумаг или цен на товары с целью извлечения прибыли. *Ажиотаж на бирже.* **2.** *перен*. Сильное возбуждение, волнение, борьба интересов вокруг какого-л. дела, вопроса. *Предпраздничный ажиотаж. Состояние ажиотажа.* □ *Испачканное лицо выражало ажиотаж. — Эй, моторщики! — кричал он. — Чепе! Чепе! Конвейер встал..* Николаева. Битва в пути.

С и н. (к 1 знач.): лихора́дка. С и н. (ко 2 знач.): бум, шуми́ха (*разг.*).

**АЖИТА́ЦИЯ**, -и, *ж*. [Франц. agitation от лат. agitatio — движение, неустанная деятельность]. *Устар*. Возбужденное состояние, сильное волнение. *Остальные дни Аннинька провела в величайшей ажитации. Ей хотелось уехать из Головлева немедленно.* Салтыков-Щедрин. Господа Головлевы.

**АЖУ́РНЫЙ**, -ая, -ое. [От франц. ajour — сквозной]. **1.** Сквозной, кружевной, сетчатый. *Ажурные перчатки. Ажурные листья папоротника. Ажурные занавески.* □ *Плечом к плечу прошли на площадку, к ажурной вышке, где они встретились поздним вечером.* Ф. Гладков. Цемент. **2.** *перен*. Искусно и тонко сделанный. *Ажурная работа. Ажурная резьба по кости.*

С и н. (ко 2 знач.): филигра́нный, то́нкий, ювели́рный.

**АЗ**, -а́, *м*. [Ст.-слав. азъ — я; первая буква алфавита]. **1.** *ед*. Устарелое название буквы «а». **2.** *мн*. *Устар*. Буквы. *Дали мальчугану в руки указку и положили перед ним азбуку с громаднейшими азами.* Салтыков-Щедрин. Господа ташкентцы. **3.** *мн*., *перен*. *Разг*. Первоначальные сведения, начала, основы чего-л. *Начать с азов.* □ *Изучите азы науки прежде, чем пытаться взойти на ее вер-*

шины. И. Павлов. Письмо к молодежи. ◊ **Ни аза не знать** (или **не смыслить**) (*разг.*) — ничего не знать. *Я поставлю полные баллы во всех науках тому, кто ни аза не знает, да ведет себя похвально.* Гоголь. Мертвые души. **От аза до ижицы** — с начала до конца.

С и н. (к 3 знач.): а́збука, нача́тки.

**АЗА́РТ**, -а, *м.* [Франц. hasard — случай, риск; восх. к араб. al-zahr — игральная кость]. Возбуждение, вызванное горячей увлеченностью чем-л. *Спортивный азарт. Войти в азарт.* ☐ *Он говорил с таким азартом, с таким убеждением, что ему, видимо, все верили.* Достоевский. Преступление и наказание.

С и н.: задо́р, пыл, запа́л (*разг.*).

**Аза́ртный**, -ая, -ое; -тен, -тна, -о. *Азартный спор. Азартный игрок.* **Аза́ртно**, *нареч.* **Аза́ртность**, -и, *ж.*

**А́ЗБУКА**, -и, *ж.* [От церк.-слав. азъ и боукы — первые буквы алфавита]. **1.** Совокупность букв какой-л. письменности, расположенных в установленном порядке. *Выучиться азбуке. Русская, латинская азбука.* ☐ *— Завтра ты мне всю азбуку без ошибки скажешь, и за это я тебе дам пятак.* М. Горький. Детство. **2.** *Устар.* Книга для начального обучения грамоте. *Родители мои, люди почтенные, но простые и воспитанные по-старинному, никогда ничего не читывали, и во всем доме, кроме Азбуки, купленной для меня, календарей и Новейшего письмовника, никаких книг не находилось.* Пушкин. История села Горюхина. **3.** *ед.* Основные, простейшие начала какой-л. науки, дела. *— Вот вам азбука биологии: если какой-нибудь орган продолжительное время не упражнять, то он утрачивает способность отправлять свои функции.* Федин. Города и годы. ◊ **Азбука Морзе** — телеграфный код, в котором каждый знак представлен комбинацией точек и тире. **Нотная азбука** — совокупность нотных знаков, служащих для изображения музыкальных звуков.

С и н. (к 1 знач.): алфави́т. С и н. (ко 2 знач.): буква́рь. С и н. (к 3 знач.): нача́тки, осно́вы, азы́ (*разг.*).

**А́збучный**, -ая, -ое (к 1 и 3 знач.). *Азбучный указатель. Азбучная истина* (общеизвестная, всеми признанная).

**АЗИА́Т**, -а, *м.* Коренной житель, уроженец Азии.

**Азиа́тка**, -и, *ж.* **Азиа́тский**, -ая, -ое. *Азиатский материк.*

**АЙД**, -а, *м.* [Греч. Haidēs]. В древнегреческой мифологии: подземное царство мертвых.

С и н.: та́ртар.

**АЙЛ**, -а, *м.* [Тюрк.]. **1.** В старину: поселок кочевого или полукочевого типа у киргизов и жителей Алтая. **2.** Сельская административно-территориальная единица в Киргизии.

**Айльный**, -ая, -ое. *Аильная сходка.*

**АЙМА́К**, -а́, *м.* В Бурятии, Горном Алтае и Монголии: административно-территориальная единица. *Животноводческий аймак. Аймаки Бурятии.*

**Айма́чный**, -ая, -ое. *Аймачное управление.*

**А́ЙСБЕРГ**, -а, *м.* [Англ. iceberg]. Плавучая ледяная гора, отколовшаяся от прибрежного ледника, бо́льшая часть которой находится под водой. *Оказаться очень близко от айсберга было опасно для судна, так как эти ледяные горы, уносимые на юг течением, постепенно подтаивают в своей подводной части.* Обручев. Плутония.

**АКАДЕМИ́ЗМ** [не дэ], -а, *м.* [Франц. académisme]. *Книжн.* **1.** Чисто теоретическая направленность научных и учебных занятий, оторванность их от практики, от требований жизни. *Впасть в академизм.* **2.** Направление в изобразительном искусстве, догматически следующее внешним формам искусства античности и эпохи Возрождения. *От холодного академизма с его ходульным, изжившим себя ложноклассицизмом.. художники обратились к суровой и трезвой реальной действительности.* В. Яковлев. О великих русских художниках.

**Академи́чный**, -ая, -ое; -чен, -чна, -о (к 1 знач.). *Рассуждения слишком академичны.* **Академи́чность**, -и, *ж.* (к 1 знач.).

**АКАДЕМИ́ЧЕСКИЙ** [не дэ], -ая, -ое. [См. *академия*]. **1.** Относящийся к академии (в 1 знач.), связанный с ее деятельностью. *Академическая библиотека. Академическое издание.* ☐ *А вижу я, винюсь пред вами, Что уж и так мой бедный слог Пестреть гораздо б меньше мог Иноплеменными словами, Хоть и заглядывал я встарь В Академический Словарь.* Пушкин. Евгений Онегин. **2.** Соблюдающий установившиеся традиции (в науке, искусстве и т. п.). *Академическая живопись. Академический стиль.* ☐ *Они франты: опуская оплетенный стакан в колодец кислородной воды, они принимают академические позы.* Лермонтов. Герой нашего времени. **3.** *перен. Книжн.* Чисто теоретический, не имеющий практического значения. *Академический спор.* ◊ **Академический год** — часть года, в течение которого проходят учебные занятия в школах, вузах, и т. п. **Академический час** — промежуток времени (45 или 50 минут), отводимый на урок, лекцию, занимающий с отдыхом 60 минут. **Академический театр** — почетное наименование, которое присваивалось лучшим государственным театрам в СССР.

**АКАДЕ́МИЯ** [не дэ], -и, *ж.* [Польск. Academia; восх. к греч. Akadēmeia — школа Платона, располагавшаяся в саду близ Афин, некогда принадлежавшем, согласно преданию, герою Академу]. **1.** Высшее научное учреждение, задачей которого является развитие наук или искусств. *Российская академия наук (РАН). Академия педагогических наук. Академия медицинских наук. Академия художеств.* **2.** Название некоторых высших учебных заведений. *Военно-медицинская академия. Сельскохозяйственная академия им. К. А. Тимирязева.* ☐ *Бессонов находился в тот момент не в своей московской квартире, а в академии, где два года перед войной преподавал.* Бондарев. Горячий снег.

**Академи́ческий**, -ая, -ое (к 1 знач.). **Акаде́мик**, -а, *м.* (к 1 знач.).

**АКВАЛА́НГ**, -а, *м.* [Англ. aqualung от лат. aqua — вода и англ. lung — легкое]. Аппарат, обеспечивающий дыхание человека при плавании под водой на небольших глубинах. *Плавать с аквалангом.*

**Аквалангист**, -а, м.

**АКВАМАРИ́Н**, -а, м. [Восх. к лат. aqua marina — морская вода]. Драгоценный камень зеленовато-голубого или голубого цвета. — *Я тоже могу дать кольцо [для сдачи в ломбард]. У меня — с аквамарином.* Федин. Первые радости.

**Аквамари́новый**, -ая, -ое. *Аквамариновый перстень.*

**АКВАНА́ВТ**, -а, м. [От лат. aqua — вода и греч. nautēs — (море)плаватель]. Исследователь моря, производящий наблюдения под водой на больших глубинах.

**Акванавтка**, -и, ж.

**АКВАРЕ́ЛЬ**, -и, ж. [Франц. aquarelle; восх. к лат. aqua — вода]. **1.** *ед.* Прозрачные краски, разводимые водой. *Писать акварелью.* ☐ *В кабинете висело несколько портретов.., писанных масляными красками и акварелью.* Герцен. Былое и думы. **2.** Картина, написанная такими красками. *Писать акварели. Выставка акварелей.* ☐ *Перед новым годом Natalie принесла мне показать акварель, которую она заказывала живописцу.. Картина представляла нашу террасу, часть дома и двора.* Герцен. Былое и думы.

**Акваре́льный**, -ая, -ое. *Акварельный портрет. Акварельные краски.*

**АКВА́РИУМ**, -а, м. [Лат. aquarium — водоем]. Стеклянный сосуд для содержания и разведения рыб, водных животных и растений. *Он возился около стеклянного аквариума, запустив в него руку по локоть.* Куприн. Поединок.

**Аква́риумный**, -ая, -ое. *Аквариумное рыбоводство. Аквариумные породы рыб.*

**АКВАТО́РИЯ**, -и, ж. [Восх. к лат. aqua — вода]. *Спец.* Участок водной поверхности в определенных границах. *Акватория Тихого океана. Акватория соревнований по гребле. Акватория порта.* ☐ *Самой обширной акваторией была здесь запруда арыка у мельницы.* Соболев. Морская душа.

**АККЛИМАТИЗА́ЦИЯ**, -и, ж. [Нем. Akklimatisation; восх. к греч. klima, klimatos — климат]. Приспособление к новой среде, к новому климату. *Процесс акклиматизации растений. Акклиматизация ценных пород рыб.* ☐ *Акклиматизация хлебных растений на Сахалине представляла бы благороднейшую задачу.* Чехов. Остров Сахалин.

**АККОМПАНЕМЕ́НТ**, -а, м. [Франц. accompagnement]. Музыкальное сопровождение к сольной партии голоса или инструмента. *Петь под аккомпанемент баяна.* — *Ты.. попросила бы его сыграть тебе в аккомпанемент, а сама бы спела.* Чернышевский. Что делать?

**АККО́РД**[1], -а, м. [Франц. accord; восх. к ср.-лат. accordium — соглашение, договор]. Сочетание нескольких музыкальных звуков различной высоты, воспринимаемое как звуковое единство. *Взять аккорд. Отзвучал последний аккорд.* ☐ *Она сидела у пианино.. и порою тихо касалась клавиш тонкими пальцами правой руки. Аккорд осторожно вливался в речь матери, торопливо облекавшей чувства в простые, душевные слова.* М. Горький. Мать. ◇ **Заключительный аккорд** — действие, явление, событие, которыми что-л. завершается. *Заключительным аккор-*

*дом к 1903 году прогремели по всему рабочему югу России июльские стачки.* Караваев. В дооктябрьские годы.

**Акко́рдовый**, -ая, -ое.

**АККО́РД**[2], -а, м. [Восх. к ср.-лат. accordium — соглашение, договор]. *Устар.* Соглашение, договор. — *Ну слушай! Пойдем на аккорд: пять рублей я тебе отдам сейчас, а пять — через год. Хочешь?* Салтыков-Щедрин. В среде умеренности и аккуратности.

**Акко́рдный**, -ая, -ое. ◇ **Аккордная плата** — одна из форм заработной платы, при которой принимается во внимание только произведенная бригадой работа, а не затраченное на нее время. *Применение аккордной платы в строительстве и сельском хозяйстве.*

**АККОРДЕО́Н**, -а, м. [Франц. accordéon от нем. Accordion]. Разновидность гармоники с клавиатурой фортепьянного типа для правой руки.

**Аккордеони́ст**, -а, м.

**АККРЕДИТИ́В**, -а, м. [Восх. к лат. accreditivus — доверительный]. Денежный документ, содержащий распоряжение одного кредитного учреждения (банка, сберкассы) другому об уплате кому-л. определенной суммы. — *Правда, больших денег мы с собой не возим: знаете, товарищ Разметнов, время неспокойное.. Так мы на этот случай запаслись аккредитивом.* Шолохов. Поднятая целина.

**Аккредити́вный**, -ая, -ое.

**АККРЕДИТОВА́ТЬ**, -ту́ю, -ту́ешь; аккредиту́ющий, аккредитова́вший; аккредиту́емый, аккредито́ванный; -ан, -а, -о; аккредитуя́, аккредитова́в; *сов. и несов., кого.* [Франц. accréditer; восх. к лат. accredere — доверять]. *Офиц.* Назначать (назначать) кого-л. представителем при иностранном правительстве, в международной организации, пресс-центре. *Аккредитовать кого-л. в качестве посла. На чемпионате мира аккредитовано несколько тысяч журналистов.*

**Аккредита́ция**, -и, ж.

**АКМЕИ́ЗМ**, -а, м. [От греч. akmē — расцвет, высшая точка]. В русской литературе начала 20 в.: течение, провозгласившее освобождение от символизма, возврат к материальному миру, точному значению слова.

**Акмеи́стский**, -ая, -ое. **Акмеи́ст**, -а, м. *Поэзия акмеистов.*

**АКР**, -а, м. [Франц. acre; восх. к лат. ager — поле]. Мера земельной площади в некоторых странах, равная 4047 кв. м.

**АКРОБА́ТИКА**, -и, ж. [Франц. acrobatique; восх. к греч. akrobatēs — канатоходец]. Вид гимнастики и циркового искусства (сложнейшие прыжки, хождение по канату, упражнения на трапеции и т. п.).

**Акробати́ческий**, -ая, -ое. *Акробатические упражнения. Акробатический этюд.*

**АКРО́ПОЛЬ**, -я, м. [Греч. akropolis]. Центральная укрепленная часть древнегреческого города, расположенная обычно на холме; крепость. *Афинский акрополь.*

**АКРОСТИ́Х**, -а, м. [Восх. к греч. akrostichis]. Стихотворение, в котором начальные буквы каждой строки, читаемые сверху вниз, составляют какое-л. слово или фразу (обычно указывают, кому посвящено стихотворение или кем оно написано).— *Помнишь, как ты еще была невестой, я к тебе акростих написал.* Писемский. Тюфяк.

**АКСЕЛЕРА́ЦИЯ**, -и, ж. [Восх. к лат. acceleratio — ускорение]. *Спец.* Ускоренное формирование, развитие детей и подростков по сравнению с предшествующими поколениями.

**АКСЕЛЬБА́НТ**, -а, м. [Нем. Achselband]. **1.** Наплечный шнур из золотых и серебряных нитей с металлическими наконечниками — принадлежность воинской формы. *Китель с аксельбантами.* ☐ *[Анатоль Курагин] был теперь в адъютантском мундире с одной эполетой и аксельбантом.* Л. Толстой. Война и мир. **2.** Украшение одежды лакеев (наплечная нашивка). *Из подъезда выбежал огромный лакей в ливрейном фраке нараспашку, с аксельбантами и в штиблетах.* И. Гончаров. Обломов.

**АКСЕССУА́Р**, -а, м. [Франц. accessoire]. **1.** *Спец.* Мелкий предмет, деталь сценической обстановки. *Подготовка аксессуаров для спектакля. Аксессуары костюма.* **2.** *перен. Книжн.* Частность, подробность, сопровождающая что-л. главное. *[Повесть] гораздо интереснее своими отступлениями и аксессуарами, нежели своею романтическою завязкою.* Белинский. Взгляд на русскую литературу 1846 г.

**Аксессуа́рный**, -ая, -ое.

**АКСИО́МА**, -ы, ж. [Восх. к греч. axiōma]. **1.** *Спец.* Исходное, отправное положение какой-л. науки, принимаемое без доказательств. *Логические аксиомы.* ☐ *Он.. бессознательно рисовал карандашом.. один и тот же чертеж: круг и касательную — аксиому, верную при всех обстоятельствах.* Ф. Гладков. Цемент. **2.** *перен. Книжн.* Неоспоримая истина, совершенно очевидное утверждение. *Он знал аксиому, что поздно или рано слабые характеры покоряются сильным и непреклонным.* Лермонтов. Княгиня Лиговская.

**АКТ**, -а, м. [Восх. к лат. acta — деяния, протоколы и actus — действие (в театре)]. **1.** Единичное проявление какой-л. деятельности человека. *Террористический акт.* ☐ *— Я рассматривал, помнится, психологическое состояние преступника в продолжение всего хода преступления.— Да-с, и настаиваете, что акт исполнения преступления сопровождался всегда болезненно.* Достоевский. Преступление и наказание. **2.** Указ, постановление государственного, общественного значения. *Законодательный акт.* **3.** Документ, удостоверяющий какой-л. факт, устанавливаемый в присутствии свидетелей или на основании обследования. *Обвинительный акт. Акт о сдаче имущества.* ☐ *Стали его.. обыскивать, и, разумеется, стакан в заднем кармане сыскался. Тут же составили акт.* Салтыков-Щедрин. Губернские очерки. **4.** Законченная часть драматического произведения или театрального представления. *Декорации первого акта. Комедия в трех актах.* **5.** Торжественное собрание в учебных заведениях и научных учреждениях (по поводу выпуска, вручения наград

и т. п.). *Торжественный акт.* ☐ *Ирина должна была произнести на публичном акте приветственные стихи попечителю.* Тургенев. Дым.

◇ **Акты гражданского состояния** — официальные документы, удостоверяющие факты рождения, смерти, брака, развода и т. п.

С и н. (к 1 знач.): действие, поступок, акция (книжн.), деяние (высок.). С и н. (к 4 знач.): действие.

**А́ктовый**, -ая, -ое (к 3 и 5 знач.). *Актовая бумага. Актовый зал.*

**АКТИ́В**, -а, м. [Восх. к лат. activus — деятельный]. Наиболее деятельная часть какого-л. коллектива. *Актив класса. Заседание профсоюзного актива.*

**Активи́ст**, -а, м. *Активисты класса.*

**АКТИ́ВНЫЙ**, -ая, -ое; -вен, -вна, -о. [См. *актив*]. **1.** Стремящийся к живому участию в чем-л., проявляющий себя в деятельности. *Активный член кружка. Активное участие в работе.* **2.** Действующий, развивающийся. *Активный ледник. Активный процесс в легких.*

С и н. (к 1 знач.): деятельный, энергичный, инициативный.

А н т. (к 1 знач.): пассивный, бездеятельный, безынициативный, инертный.

**Акти́вно**, *нареч.* Действовать активно. **Акти́вность**, -и, ж. *Жизненная активность. Активность вулкана.*

**АКТУА́ЛЬНЫЙ**, -ая, -ое; -лен, -льна, -о. [Лат. actualis — деятельный]. Очень важный для настоящего времени. *Актуальный вопрос. Актуальные проблемы экономики.*

С и н.: живой, животрепещущий, жизненный, злободневный.

**Актуа́льно**, *нареч. Лозунг звучит актуально.* **Актуа́льность**, -и, ж. *Актуальность произведения.*

**АКУ́СТИКА**, -и, ж. [Восх. к греч. akustikē]. **1.** Раздел физики, изучающий звук. **2.** Условия слышимости звуков в каком-л. помещении. *Акустика концертного зала.* ☐ *Зал в институте — огромный, с подходящим длинным столом и хорошей акустикой.* Шагинян. Первая Всероссийская.

**Акусти́ческий**, -ая, -ое. *Акустические аппараты. Акустические условия.* **Аку́стик**, -а, м.

**АКУШЁРКА**, -и, ж. [От франц. accoucheur — акушер]. Женщина, оказывающая помощь при родах (обычно имеющая среднее медицинское образование). *Опытная акушерка.* ☐ *— Богатырь,— сказала рябая акушерка, показывая ребенка с такой гордостью, как будто она сама родила его.* М. Горький. Дело Артамоновых.

**Акуше́рский**, -ая, -ое.

**АКЦЕ́НТ**, -а, м. [Восх. к лат. accentus — ударение]. **1.** *Спец.* Ударение в слове, а также знак ударения. **2.** *перен. Книжн.* Подчеркивание какой-л. мысли, идеи и т. п. *Сделать акцент на чем-л. Расставить акценты.* **3.** Особый характер произношения, свойственный говорящему не на своем родном языке. *Третий офицер, польского происхождения по акценту, спорил с комиссариатским чиновником.* Л. Толстой. Война и мир.

**Акце́нтный**, -ая, -ое.

**АКЦЕНТИ́РОВАТЬ**, -рую, -руешь; акценти́рующий, акценти́ровавший; акценти́руемый, акценти́рованный; -ан, -а, -о; акценти́ровав; *сов. и несов., что.* [См. *акцент*]. *Книжн.* Выдвинуть (выдвигать) на первый план, подчеркнуть (подчеркивать) какую-л. мысль, деталь в сообщении, произведении и т. п. *Акцентировать внимание на светлых сторонах жизни.* ▢ *Автор недооценил этой второй темы и, по мнению художника, акцентировал не то, что следует.* Конашевич. О себе и своем деле.

**Акценти́рование**, -я, *ср. Акцентирование нравственной стороны проблемы.*

**АКЦИ́З**, -а, *м.* [Франц. accise; восх. к лат. accisum — насечка на бирке, служившей для контроля налогов (*букв.* вырезанное)]. **1.** *Спец.* В некоторых странах: косвенный налог на товары широкого потребления (соль, сахар, спички и т. п.), включаемый в цену товара или плату за услуги. *Рост акциза. Доход от акциза.* **2.** *Устар. разг.* Название учреждения по сбору такого налога. *[Кулыгин:] Тут в акцизе служит некто Козырев.* Чехов. Три сестры.

**Акци́зный**, -ая, -ое. *Акцизный сбор. Акцизный чиновник.*

**А́КЦИЯ** [1], -и, *ж.* [Голл. aktie от лат. actio — действие]. Ценная бумага, удостоверяющая взнос определенного пая в предприятие и дающая право ее владельцу на участие в делах и прибылях этого предприятия. *Акции нефтяной компании. Доходы с акций. Обесцененные акции.* ▢ *[Полозов] рассудил умно и успел растолковать другим главным акционерам, что скорая продажа [завода] — одно средство спасти деньги, похороненные в акциях.* Чернышевский. Что делать? ◇ **Акции** чьи **падают (упали)** — падает (упало) значение, влияние кого-, чего-л. **Акции** чьи **повышаются (повысились)** или **поднимаются (поднялись)** — повышается (повысилось) значение, влияние кого-, чего-л. — *Во-первых, поздравляю тебя: твои акции поднялись. Твой хваленый необыкновенный человек провалился. За это я тебе поручиться могу.* Тургенев. Накануне.

**Акционе́рный**, -ая, -ое. *Акционерное общество. Акционерный капитал.* **Акционе́р**, -а, *м.* (владелец акций, участник акционерного предприятия). *Акционер электрической компании.*

**А́КЦИЯ** [2], -и, *ж.* [Восх. к лат. actio — действие]. *Книжн.* Действие, предпринимаемое для достижения какой-л. цели. *Дипломатическая акция.*

С и н.: акт, деяние (*высок.*).

**АКЫ́Н**, -а, *м.* [Тюркск.]. Народный поэт-певец у казахов, киргизов. *Песня акына.*

**АЛГОРИ́ТМ**, -а, *м.* [Восх. к ср.-лат. algorithmus (ранее algorismus — по имени арабского математика аль-Хорезми)]. *Спец.* Совокупность операций, применяемых по строго определенным правилам, которая после последовательного их выполнения приводит к решению поставленной задачи. *Теория алгоритмов.* ▢ *Тысячи математиков и программистов заняты составлением алгоритмов и программ для машин, или, иными словами, переводом рабочих заданий с языка человеческого на язык машинный.* Кокин. С машиной — по-человечески.

**Алгоритми́ческий**, -ая, -ое. *Алгоритмический язык.*

**АЛЕБА́РДА**, -ы, *ж.* [Франц. hallebarde; восх. к ср.-в.-нем. helmbarte]. Старинное оружие в виде фигурного топорика на длинном древке, оканчивающемся копьем (в России сохранилось у городской стражи до середины 19 в.). *Шум и визг от железных скобок и ржавых винтов [ехавшего экипажа] разбудили на другом конце города будочника, который, подняв свою алебарду, закричал спросонья что стало мочи: «Кто идет?»* Гоголь. Мертвые души.

**АЛЕБА́СТР**, -а, *м.* [Восх. к греч. alabastros]. Гипсовый камень, применяемый для различных поделок, а также мелкозернистый строительный гипс. *Белый алебастр.* ▢ *Убеленные с головы до ног маляры пылили алебастром, занимаясь своей стряпней.* Федин. Первые радости.

**Алеба́стровый**, -ая, -ое. *Алебастровая ваза.*

**АЛЕКСАНДРИ́Т**, -а, *м.* [По имени императора Александра II]. Драгоценный камень, меняющий окраску от изумрудно-зеленого (днем) до фиолетово-красного (при искусственном освещении). *Перстень с александритом.*

**АЛЕУ́ТЫ**, -ов, *мн.* (*ед.* **алеу́т**, -а, *м.*). Северная народность, коренное население Алеутских и Командорских островов, а также лица, относящиеся к этой народности.

**Алеу́тка**, -и, *ж.* **Алеу́тский**, -ая, -ое. *Алеутский язык.*

**А́ЛИБИ**, *нескл., ср.* [Лат. alibi — в другом месте]. *Спец.* Пребывание подозреваемого в момент совершения преступления в другом месте как доказательство его непричастности к преступлению. *Твердое алиби. Доказать свое алиби.*

**АЛКА́ТЬ**, а́лчу, а́лчешь и алка́ю, -а́ешь; а́лчущий и алка́ющий, алка́вший; алка́емый; а́лча и алка́я; *несов. Устар. книжн.* **1.** Чувствовать голод. **2.** *чего или с неопр.* Сильно, страстно желать чего-л. *Печорин человек решительный, алчущий тревог и бурь, готовый рискнуть на все для выполнения даже прихоти своей.* Белинский. Герой нашего времени. Сочинение М. Лермонтова.

С и н. (ко 2 знач.): хоте́ть, жа́ждать (*высок.*), вожделе́ть (*высок.*).

**АЛЛА́Х**, -а, *м.* [Восх. к араб. Allah]. У мусульман: бог. *Прилег на седло, поручил себя аллаху.* Лермонтов. Герой нашего времени. ◇ **Аллах знает** или **одному аллаху известно** (*разг. шутл.*) — не знаю, неизвестно. *[Глумов:] Что он делает по крайней мере? [Телятев:] Это уж одному аллаху известно.* А. Островский. Бешеные деньги.

**АЛЛЕГО́РИЯ**, -и, *ж.* [Греч. allēgoria]. *Книжн.* Выражение, заключающее в себе скрытый, тайный смысл, намек. *Говорить аллегориями.* ▢ *Чичиков так занялся разговорами с дамами, или, лучше, дамы так заняли и закружили его своими разговорами, подсыпая кучу самых замысловатых и тонких аллегорий, которые все нужно было разгадывать..., — что он позабыл исполнить долг приличия и подойти прежде всего к хозяйке.* Гоголь. Мертвые души.

С и н.: иносказа́ние.

**Аллегори́ческий**, -ая, -ое. *Аллегорический образ в романе.*

**АЛЛЕ́ГРИ**, *нескл., ср.* [Итал. allegri — (будьте) веселы (шуточная надпись на проигрышных билетах лотереи)]. Лотерея с немедленной выдачей выигрыша. *[Гость] говорил по-французски об аллегри в пользу приютов, устраиваемых в городе.* Л. Толстой. Воскресение.

**АЛЛЕРГИ́Я**, -и, *ж.* [От греч. allos — другой и ergon — действие]. Обостренная чувствительность организма к воздействию чуждых ему веществ (аллергенов), выражающаяся различными болезненными состояниями. *Аллергия на лекарство. Приступ аллергии.*

**Аллерги́ческий**, -ая, -ое. *Аллергическая реакция. Аллергический насморк.*

**АЛЛЕ́Я**, -и, *ж.* [Восх. к франц. allée]. Дорога, обсаженная по обеим сторонам деревьями. *Липовая аллея.* □ *Погасла реклама кинотеатра напротив, и густой поток людей с последнего сеанса хлынул в аллеи бульвара.* Проскурин. Горькие травы.

**АЛЛИЛУ́ЙЯ**, *межд.* [Восх. к др.-евр. hallelūjāh — славьте бога). Хвалебный возглас в христианском и иудейском богослужениях. ◇ **Петь аллилу́йю** *кому* — непомерно восхвалять кого-л.

**АЛЛЮ́Р**, -а, *м.* [Франц. allure]. Способ хода, бега лошади (шагом, рысью, галопом, в карьер, иноходью). *У него [коня] сохранились два аллюра: машистый шаг и уверенная рысь.* Арамилев. Берендей.

С и н.: ход, побе́жка *(спец.)*.

**АЛМА́З**, -а, *м.* [Тюрк.; восх. к греч. adamas]. **1.** Прозрачный драгоценный камень, минерал, блеском и твердостью превосходящий все другие минералы (ограненные алмазы носят название бриллиантов и служат украшением). *Дамы сидели около стен. Золото и серебро блистало на их робах;.. алмазы блистали в их ушах, в длинных локонах и около шеи.* Пушкин. Арап Петра Великого. **2.** Инструмент для резки стекла в виде острого куска этого камня, вделанного в рукоятку.

**Алма́зный**, -ая, -ое. *Алмазные россыпи. Алмазная булавка. Алмазный блеск.*

**АЛОГИ́ЧНЫЙ**, -ая, -ое; -чен, -чна, -о. [Восх. к греч. alogos — бессмысленный, неразумный]. *Книжн.* Нелогичный, противоречащий логике. *Алогичные рассуждения.* □ *— Вчера ночью.. они ни на час не прекращали действий. Сегодня, введя резерв,.. затихли. Не кажется ли это алогичным, майор? Непоследовательным?* Бондарев. Горячий снег.

**Алоги́чно**, *нареч. Рассуждать алогично.* **Алоги́чность**, -и, *ж.*

С и н.: непосле́довательный.

**АЛТА́РЬ**, -я́, *м.* [Лат. altāria]. **1.** У первобытных народов: жертвенник, представлявший собой очаг на открытом воздухе, где сжигались жертвы и производились культовые обряды. **2.** Восточная возвышенная часть христианского храма (в православной церкви отделенная от общего помещения иконостасом). *[Жобер] сводил графиню в католический храм, где она стала на колени перед алтарем, к которому была подведена.* Л. Толстой. Война и мир. ◇ **Возложи́ть** (или **принести**) *что* **на алта́рь оте́чества** (или **иску́сства**, **нау́ки** и т. п.) *(высок.)* — пожертвовать чем-л. во имя отечества (искусства, науки и т. п.). **Идти к алтарю́, вести́** *кого* **к алтарю́, стоя́ть пе́ред алтарём** — о церковном браке. *Улан умел ее пленить.. И вот уж с ним пред алтарем Она стыдливо под венцом Стоит с поникшею головою.* Пушкин. Евгений Онегин.

**Алта́рный**, -ая, -ое (ко 2 знач.). *Алтарная часть храма.*

**АЛТЫ́Н**, -а, алты́ны, -ов (о монете) и -ы́н (о цене), *м.* [Тюрк. (турецк., тат.) altyn — золото, золотой]. В старину: три копейки, а также монета достоинством в три копейки. *Цена пять алтын. Шесть медных алтынов.* □ *Бровкин купил телку добрую за полтора рубля,.. четырех поросят по три алтына.* А. Н. Толстой. Петр I. ◇ **Не́ было ни гроша́, да вдруг алты́н** *(посл.)* — о неожиданной прибыли. **Нет ни алты́на за душо́й** *(устар.)* — об отсутствии денег, о бедности.

**АЛХИ́МИЯ**, -и, *ж.* [Восх. к араб. al-kimia]. Средневековое мистическое учение, предшествовавшее научной химии, направленное на отыскание «философского камня» как чудесного средства для превращения простых металлов в золото, для лечения всех болезней и т. п. *Когда он учился в университете, ему казалось, что медицину скоро постигнет участь алхимии и метафизики, теперь же.. медицина.. возбуждает в нем удивление и даже восторг.* Чехов. Палата № 6.

**Алхими́ческий**, -ая, -ое. **Алхи́мик**, -а, *м.*

**А́ЛЧНЫЙ**, -ая, -ое; -чен, -чна, -о. **1.** *Устар.* Томящийся голодом, жадный к еде. *Алчная стая волков.* **2.** *перен.* Страстно желающий чего-л., выражающий такое желание. *Пастухов наблюдал внезапную сцену неподвижно, со своей алчной, но уравновешенной пристальностью.* Федин. Первые радости. **3.** Жадный к наживе, приобретению; корыстный. *[Ключница:] Алчная я, жадная, до всего завистливая, до всякой малости завистливая.* А. Островский. Трудовой хлеб.

С и н. (ко 2 и 3 знач.): жа́дный, ненасы́тный.

**А́лчно**, *нареч. Алчно поглощать пищу.* **А́лчность**, -и, *ж.* (к 1 и 3 знач.).

**АЛЬБАТРО́С**, -а, *м.* [Франц. albatros]. Большая морская птица отряда буревестников с длинным клювом и длинными узкими крыльями.

**АЛЬБИНО́С**, -а, *м.* [От лат. albus — белый]. Человек, животное или растение, у которых отсутствует нормальная пигментация, окраска. *Голубинь был альбиносом, кожа на лице у него была красная, а на шее — обыкновенная.* Липатов. И это все о нем.

**Альбино́ска**, -и, *ж.* **Альбино́совый**, -ая, -ое.

**АЛЬКО́В**, -а, *м.* [Франц. alcôve; восх. к араб. al--kubba — сводчатое помещение]. Углубление в стене комнаты для кровати; ниша. *Постель его стояла в большом алькове, задернутом занавесью.* Герцен. Былое и думы.

**Алько́вный**, -ая, -ое. *Альковная занавеска. Альковные похождения (перен.:* любовные).

**АЛЬМАНА́Х**, -а, м. [Восх. к греч. almenichiakon]. Непериодически выходящий сборник произведений писателей-современников. *Издать альманах. Альманах «Полярная звезда».* ☐ *Меж ветхих песен альманаха Был напечатан сей куплет.* Пушкин. Евгений Онегин.

**АЛЬПИ́ЙСКИЙ**, -ая, -ое. [От названия европейской горной системы Альпы]. Высокогорный. *Альпийские луга. Альпийская растительность. Альпийская зона.*

**АЛЬПИНИ́ЗМ**, -а, м. [Франц. alpinisme от Alpes — Альпы]. Восхождение на труднодоступные горные вершины со спортивной или познавательной целью.

**Альпини́стский**, -ая, -ое. *Альпинистский лагерь.* **Альпини́ст**, -а, м.

**АЛЬТ**, -а́, м. [Восх. к лат. altus (cantus) — высокий голос]. **1.** Низкий детский или женский голос, а также певец (певица) с таким голосом. *Голос у нее — альт, грудной, бархатистый.* Н. Островский. Как закалялась сталь. **2.** Смычковый инструмент несколько большего размера, чем скрипка, а также медный духовой инструмент. *Скрипка, альты, гобои и литавры играли на хорах старые немецкие песни, русские плясовые.* А. Н. Толстой. Петр I.

С и н. (ко 2 знач.): вио́ла (смычковый инструмент).

**Альто́вый**, -ая, -ое. *Альтовый тембр.* **Альти́ст**, -а, м. (ко 2 знач.).

**АЛЬТЕРНАТИ́ВА** [тэ], -ы, ж. [Франц. alternative]. *Книжн.* Необходимость выбора одного из двух (или нескольких) возможных решений, вариантов. *Отсутствие альтернативы в каком-л. вопросе.*

**Альтернати́вный**, -ая, -ое. *Альтернативные выборы* (выборы из двух или нескольких кандидатов).

**АЛЬТРУИ́ЗМ**, -а, м. [Франц. altruisme; восх. к лат. alter — другой]. *Книжн.* Бескорыстная забота о благе других, готовность жертвовать для других своими личными интересами. *Принципы альтруизма.*

А н т.: эгои́зм.

**Альтруисти́ческий**, -ая, -ое и **альтруисти́чный**, -ая, -ое; -чен, -чна, -о. — *[Девушка-революционерка] взяла на себя чужую вину и теперь идет на каторгу. — Альтруистическая, хорошая личность..,* — *одобрительно сказала Вера Ефремовна.* Л. Толстой. Воскресение.

**Альтруи́ст**, -а, м.

**А́ЛЬФА**, -ы, ж. [Греч. alpha]. Название первой буквы греческого алфавита. ◇ **Альфа и омега** *чего* (книжн.) — начало и конец, основа чего-л. — *Энергетика,* — *сказал строитель,* — *это основа основ, альфа и омега народной жизни.* Паустовский. Рождение моря. **От альфы до омеги** (книжн.) — от начала до конца.

**АЛЬЯ́НС**, -а, м. [Франц. alliance]. *Книжн.* Союз, объединение. *Международный кооперативный альянс.*

С и н.: организа́ция, блок, федера́ция, ассоциа́ция, о́бщество, коали́ция (книжн.).

**АЛЯПОВА́ТЫЙ**, -ая, -ое; -а́т, -а, -о. Грубо, безвкусно сделанный. *Аляповатое платье.*

С и н.: гру́бый, безвку́сный.

**Аляпова́то**, нареч. *Аляповато одеваться.* **Аляпова́тость**, -и, ж. *[Репей], по своей грубости и аляповатости, не подходил к нежным цветам букета.* Л. Толстой. Хаджи-Мурат.

**АМАЗО́НКА**, -и, ж. [Восх. к греч. amazōn — представительница мифологического воинственного племени женщин]. *Устар.* **1.** Всадница, одетая в специальный костюм для верховой езды. *Люблю я Матильду, когда амазонкой Она воцарится над дамским седлом.* Бенедиктов. Наездница. **2.** Женское платье особого покроя для верховой езды. *Полина приехала в амазонке, потому что после обеда предполагалось катание верхом.* Писемский. Тысяча душ.

**Амазо́нский**, -ая, -ое (к 1 знач.).

**АМАНА́Т**, -а, м. [Тюрк. (тат.) amanat; восх. к араб. amāna]. *Устар.* Заложник. *Гамзат готов прислать шейха,.. но только с тем, чтобы ханша прислала к нему аманатом меньшего сына.* Л. Толстой. Хаджи-Мурат.

**АМБА́Р**, -а, м. [Тюрк.; восх. к перс. anbār]. Строение для хранения зерна, муки и других продуктов, а также вещей, товаров. *Хлебный амбар. Ключи от амбара.* ☐ *Она затапливает русскую печь, лезет в подполье за картошкой, бежит в амбар за мукой,.. делает тысячу дел.* Распутин. Живи и помни.

С и н.: жи́тница (устар.).

**Амба́рный**, -ая, -ое. *Амбарная крыша.* ◇ **Амбарная книга** — книга для записи товаров, находящихся в амбаре, на складе и т. п.

**АМБИ́ЦИЯ**, -и, ж. [Восх. к лат. ambitio — тщеславие]. **1.** Обостренное самолюбие, преувеличенное чувство собственного достоинства, а также спесивость, чванство. *Поручик, еще весь потрясенный непочтительностью, весь пылая и, очевидно, желая поддержать пострадавшую амбицию, набросился.. на несчастную «пышную даму».* Достоевский. Преступление и наказание. **2.** обычно *мн.* Претензии, притязания на что-л. *Необоснованные амбиции.* ◇ **Вломиться** (или **удариться**) **в амбицию** (разг.) — проявить крайнюю обидчивость. *Ясно было, что господин вломился в амбицию. Все это так дико было видеть в человеке.* Чернышевский. Что делать?

**Амбицио́зный**, -ая, -ое; -зен, -зна, -о.

**А́МБРА**, -ы, ж. [Ср.-лат. ambrum от араб. 'anbār]. **1.** Выделяемое кашалотами воскообразное вещество, применяющееся в парфюмерии для придания стойкости запаху духов. *Особо ценятся еще два продукта, добываемые от зубастых китов-кашалотов. Это спермацет и амбра.* Н. Тарасов. Море живет. **2.** *Устар.* Духи, запах духов. *[Княжна Кубенская], разрумяненная, раздушенная амброй.., умерла на шелковом кривом диванчике времен Людовика XV.* Тургенев. Дворянское гнездо.

**АМБРАЗУ́РА**, -ы, ж. [Восх. к франц. embrasure]. Отверстие в различного рода оборонительных сооружениях и бронебашнях для ведения огня из различных орудий. *Амбразура танка, дзота.* ☐ *Черныш вспоминал мать, которая думает, наверно, сейчас о нем, представляя себе,* как он бросается своим телом на амбразуру дота. Гончар. Знаменосцы.

С и н.: бойни́ца.

**Амбразу́рный**, -ая, -ое.

**АМБРЕ́** [рэ], нескл., ср. [От франц. ambré]. Устар. Благовоние, приятный запах. *[Анна Андреевна:] Я не иначе хочу, чтоб наш дом был первый в столице и чтоб у меня в комнате такое было амбре, чтоб нельзя было войти, и нужно бы только этак зажмурить глаза.* Гоголь. Ревизор.

С и н.: арома́т, благоуха́ние (книжн.).

А н т.: злово́ние, смрад, вонь (разг.).

**АМБРО́ЗИЯ**, -и, ж. [Греч. ambrosia]. В древнегреческой мифологии: ароматная пища богов, дававшая им вечную юность и красоту.

**АМБУЛАТО́РИЯ**, -и, ж. [Восх. к лат. ambulatorius — совершаемый на ходу, передвижной]. Лечебное учреждение, оказывающее медицинскую помощь приходящим больным и на дому.

**Амбулато́рный**, -ая, -ое. *Амбулаторное лечение. Строительство амбулаторных учреждений.*

**АМВО́Н**, -а, м. [От греч. ambōn — возвышение]. 1. Устар. Возвышение, подмостки. *Вслед за отрядом кирасир ехали сани с высоким амвоном. На нем с открытою головою сидел Пугачев.* Пушкин. История Пугачева. 2. Возвышенная площадка в церкви перед иконостасом, служащая для произнесения молитв и проповедей священнослужителями. *Дьякон вышел на амвон.. и, положив на груди крест, громко и торжественно стал читать слова молитвы.* Л. Толстой. Война и мир.

**Амво́нный**, -ая, -ое.

**АМЕТИ́СТ**, -а, м. [Восх. к греч. amethystos (petros) — предохраняющий от опьянения камень]. Драгоценный камень фиолетовой или голубовато-фиолетовой окраски, используемый для изготовления ювелирных изделий. *[В брошке] последовательно чередовались камни — коралл, аметист, сапфир и яхонт.* Куприн. Молох.

**Амети́стовый**, -ая, -ое. *Аметистовые прииски. Аметистовый перстень.*

**АМИ́НЬ**. [Греч. amēn от др.-евр. 'āmēn — да будет так, поистине]. 1. *Частица.* Заключительное слово молитв, проповедей, обозначающее ве́рно, и́стинно. *Скрипя лаптями, из воротни вышел Аверьян, сторож, посмотрел в щель,— свои. Проговорил: аминь,— и стал отворять ворота.* А. Н. Толстой. Петр I. 2. *в знач. сущ.* **ами́нь**, -я, м., обычно *кому, чему.* Устар. Конец, все кончено.— *Раз попался сюда [на шахты] — шабаш, аминь человеку!* Серафимович. Под землей.

**АМНИ́СТИЯ**, -и, ж. [Восх. к греч. amnēstia — забвение, прощение]. Частичное или полное освобождение от наказания осужденных судом лиц, осуществляемое верховной властью. *Правительственная амнистия. Освободить по амнистии. Попасть под амнистию.* □ *Поздней осенью из России пришло в Японию известие об амнистии политическим преступникам. Это повернуло мою судьбу в другую сторону: я мог вернуться на родину.* Новиков-Прибой. Цусима.

С и н.: поми́лование, проще́ние.

**Амнисти́йный**, -ая, -ое.

**АМОРА́ЛЬНЫЙ**, -ая, -ое; -лен, -льна, -о. [От *а...* (см.) и *моральный* (см. *мораль*)]. Книжн. Лишенный морали, нравственности. *Аморальный человек. Аморальное поведение.*

С и н.: безнра́вственный, поро́чный, испо́рченный, растле́нный.

**Амора́льно**, нареч. *Поступить аморально.*

**Амора́льность**, -и, ж.

**АМОРТИЗА́ЦИЯ**, -и, ж. [Восх. к позднелат. amortisatio — погашение]. 1. Постепенное снижение ценности сооружений, машин, зданий и т. п. вследствие изнашивания. *Амортизация оборудования. Определить процент амортизации станков.* 2. Смягчение силы удара, толчка (испытываемого автомобилем при езде, самолетом при посадке и т. п.) при помощи особых устройств — амортизаторов.

**Амортизацио́нный**, -ая, -ое. *Амортизационный срок. Амортизационное устройство.*

**АМО́РФНЫЙ**, -ая, -ое; -фен, -фна, -о. [Восх. к греч. amorphos — бесформенный]. 1. Спец. Не имеющий кристаллического строения. *Аморфное вещество. Аморфный углерод.* 2. перен. Книжн. Бесформенный, расплывчатый.

**Амо́рфность**, -и, ж. *Аморфность строения. Аморфность суждений, убеждений.*

**АМПИ́Р**, -а, м. [От франц. empire — власть, империя; восх. к лат. imperium]. 1. Возникший во Франции в период империи Наполеона I художественный стиль, опирающийся на наследие императорского Рима и характеризующийся подчеркнуто монументальными формами; поздний классицизм. 2. *в знач. неизм. прил.* Относящийся к такому стилю. *Главное здание в стиле ампир стояло на западном углу площади, с колоннадой и на улицу, и на площадь.* Ф. Гладков. Мать.

**Ампи́рный**, -ая, -ое. *Ампирная мебель.*

**АМПЛУА́**, нескл., ср. [Франц. emploi — применение, роль]. 1. Круг ролей, соответствующий дарованию и внешним данным актера. *Амплуа трагика. Амплуа положительного героя.* □ *Ей предложили занять опереточные амплуа на подмостках одного из провинциальных театров.* Салтыков-Щедрин. Господа Головлевы. 2. перен. Круг занятий кого-л. *Каждой из них [дочерей] в семье было отведено свое амплуа.* Куприн. Молох.

**АМПУТА́ЦИЯ**, -и, ж. [Восх. к лат. amputatio — отсечение]. Хирургическая операция, состоящая в полном или частичном отсечении, отнятии какого-л. органа, части органа или конечности. *[Фельдшер] от всей души жалеет, что медицинское начальство не разрешает фельдшерам производить, например, трепанацию черепа, вскрытие брюшной полости или ампутацию ног.* Куприн. Мелюзга.

**Ампутацио́нный**, -ая, -ое.

**АМУЛЕ́Т**, -а, м. [Восх. к лат. amuletum]. Предмет, носимый суеверными людьми на шее или на руке как средство, предохраняющее от бедствий, болезней и т. п. *В Вавилонии и Ассирии был обычай носить амулеты, в которых, по понятиям народа, сосредоточивалась спасительная сила известных звезд.* Писарев. Аполлоний Тианский.

Син.: талисма́н.

**Амуле́тный**, -ая, -ое.

**АМУНИ́ЦИЯ**, -и, *ж*. [Восх. к ср.-лат. amunitio — снаряжение]. *Устар*. Снаряжение военнослужащего (ранцы, патронные сумки, ремни и т. п., кроме одежды и оружия), а также войсковое конское снаряжение. *Всё ему перед кончиною Служба эта представлялася. Ходит, чистит амуницию, Набелил ремни солдатские.* Н. Некрасов. Орина, мать солдатская.

**АМУ́Р**, -а, *м*. [Франц. Amour от лат. amor]. **1.** В античной мифологии: бог любви, изображаемый в виде крылатого мальчика, обычно с луком и стрелами (иные названия — Эрот, Эрос, Купидон). *На комоде стояли в футляре часы,.. гипсовый амур, грозящий пальчиком, и много еще различных кабинетных вещей.* Писемский. Тюфяк. **2.** обычно *мн. Устар. прост*. Любовные дела, любовь. *Ты гляди-ка, сосед,.. как наша зелень батарейная вокруг девки-то городские амуры разводит. Ровно и воевать не думают.* Бондарев. Горячий снег.

Син. (ко 2 знач.): рома́н, связь, ша́шни (прост.), интри́га (устар.).

**Аму́рный**, -ая, -ое (ко 2 знач.). *Амурные дела. Амурная переписка. Амурная история.*

**АМФИ́БИЯ**, -и, *ж*. [Восх. к греч. amphibion — букв. двоякоживущее]. **1.** Позвоночное животное, живущее в воде и на суше (дышащее в раннем возрасте жабрами, а во взрослом состоянии — легкими), а также земноводное растение. **2.** Самолет, приспособленный для взлета и посадки на воде и на суше, а также автомобиль, танк и т. п., движущиеся по суше и по воде. *Танк-амфибия. Самолет-амфибия.*

**АМФИТЕА́ТР**, -а, *м*. [Восх. к греч. amphitheatron от amphi — с обеих сторон, вокруг и theatron — место для зрителей]. **1.** В Древней Греции и Риме: открытое сооружение для публичных зрелищ, в котором места для зрителей возвышались полукругом. *— Увы, я принужден лишь рукоплескать вам, как римлянин со скамей амфитеатра.* А. Н. Толстой. Пётр I. **2.** В театрах, концертных залах, цирках: ряды кресел, расположенные полукругом за партером. *Билет в амфитеатр.* ☐ *Лиза находилась в толпе, где-то в амфитеатре, но чувствовала себя выделенной из толпы, потому что была уверена, что ждет появления Цветухина на сцене, как никто другой в толпе.* Федин. Первые радости. **3.** *в знач. нареч.* **амфитеа́тром**. Возвышающимся полукругом. *А там, дальше, амфитеатром громоздятся горы все синее и туманнее.* Лермонтов. Герой нашего времени.

**АНА́ЛИЗ**, -а, *м*. [Восх. к греч. analysis — разложение, разбор]. **1.** Метод научного исследования, состоящий в рассмотрении отдельных сторон, свойств, составных частей чего-л. *Единство анализа и синтеза.* **2.** Всесторонний разбор, рассмотрение чего-л. *Психологический анализ. Анализ художественного произведения. Анализ международной обстановки.* ☐ *Склонный к анализу, он неумолимо выводил печальные последствия отказа Крылова.* Гранин. Иду на грозу. **3.** Определение состава вещества. *Анализ крови. Химический анализ.*

Ант. (к 1 знач.): си́нтез.

**Аналити́ческий**, -ая, -ое. *Аналитический метод. Аналитический подход к делу.* **Аналити́чески**, *нареч.* (к 1 и 2 знач.). *Аналитически мыслить.*

**АНАЛОГИ́ЧНЫЙ**, -ая, -ое; -чен, -чна, -о. [См. *аналогия*]. Сходный, подобный. *Аналогичный случай. Аналогичное решение.*

Син.: похо́жий, схо́жий (*разг.*).

**Аналоги́чно**, *нареч*. *Поступить аналогично.* **Аналоги́чность**, -и, *ж*. *Аналогичность мнений.*

**АНАЛО́ГИЯ**, -и, *ж*. [Греч. analogia — соответствие]. *Книжн*. Сходство, подобие предметов, явлений, понятий в каком-л. отношении. *Полная, частичная аналогия. Провести аналогию между чем-л.* ☐ *Юлия Сергеевна говорила легко и свободно, характеризуя творческие коллективы, прибегала раза два к неожиданным аналогиям.* Проскурин. Горькие травы.

**АНАЛО́Й**, -я, *м*. [Ср.-греч. analogeion — подставка для книг]. Высокий столик с покатым верхом, на который кладутся богослужебные книги и другие церковные принадлежности. *Петр у гроба, сгибаясь над аналоем меж свечей, читал глуховатым баском.* А. Н. Толстой. Пётр I.

**Анало́йный**, -ая, -ое.

**АНАРХИ́ЗМ**, -а, *м*. [Франц. anarchisme]. Общественно-политическое течение, проповедующее анархию, отрицающее всякую государственную власть и организованную политическую борьбу. *Идеология анархизма.* ☐ *Ведь эта абсолютная свобода есть буржуазная или анархическая фраза (ибо, как миросозерцание, анархизм есть вывернутая наизнанку буржуазность).* Ленин, т. 12, с. 104.

**Анархи́ческий**, -ая, -ое. *Анархическое движение.* **Анархи́ст**, -а, *м*.

**АНА́РХИЯ**, -и, *ж*. [Греч. anarchia]. **1.** Отсутствие власти, законов, обязательных норм поведения. *Мы организуем крепкую, дисциплинированную армию революционного народа и никому не позволим сеять анархию.* Седых. Отчий край. **2.** Отсутствие плановой организации, стихийность в осуществлении чего-л. *Анархия производства.*

Син. (к 1 знач.): безвла́стие, безнача́лие (*книжн.*).

**Анархи́ческий**, -ая, -ое. *Анархические настроения.*

**АНА́ФЕМА**, -ы, *ж*. [Греч. anathema]. Проклятие (первонач. означавшее отлучение от церкви). *[Другой:] Я стоял на паперти и слышал, как диакон завопил: — Гришка Отрепьев — анафема!* Пушкин. Борис Годунов. *[Рахметов] поехал в поместье, распорядился, победив сопротивление опекуна, заслужив анафему от братьев и достигнув того, что мужья запретили его сестрам произносить его имя.* Чернышевский. Что делать?

**АНАХОРЕ́Т**, -а, *м*. [Греч. anachōrētēs]. *Устар. книжн*. Отшельник, тот, кто живет в уединении, избегая людей. *— Полюбуйтесь на него. Анахорет. Одичали вы.* Гранин. Иду на грозу.

С и н.: затво́рник, пусты́нник (*устар.*), мона́х.

**АНАХРОНИ́ЗМ**, -а, *м.* [Восх. к греч. anachronismos]. *Книжн.* **1.** Ошибочное отнесение событий или явлений одной эпохи к другой. *Анахронизмы в историческом романе.* **2.** Устарелое, не соответствующее современности явление, понятие, мнение и т. п.; пережиток старины. *Молот казался теперь Сергею каким-то анахронизмом: коэффициент полезного действия всего два процента.* Колесников. Изотопы для Алтунина.

С и н. (*ко 2 знач.*): архаи́зм.

**Анахрони́ческий**, -ая, -ое. *Анахроническое явление.*

**АНГАЖЕМЕ́НТ**, -а, *м.* [Франц. engagement — обязательство, наем]. *Устар.* Приглашение артистов на работу по договору на определенный срок. *Предложить, получить ангажемент.*

**Ангажеме́нтный**, -ая, -ое.

**АНГАЖИ́РОВАТЬ**, -рую, -руешь; ангажи́рующий, ангажи́ровавший; ангажи́руемый, ангажи́рованный; -ан, -а, -о; ангажи́руя, ангажи́ровав; *сов. и несов., кого.* [Франц. engager — нанимать]. *Устар.* **1.** Предложить (предлагать) ангажемент. — *Знаешь что? — вдруг сказал Петр Иваныч, — говорят, на нынешнюю зиму ангажирован сюда Рубини.* И. Гончаров. Обыкновенная история. **2.** Пригласить (приглашать) на танец. — *Ах, боже мой, я на первую [кадриль] ангажирована.* Чернышевский. Что делать?

**АНГА́Р**, -а, *м.* [Франц. hangar — навес, ангар]. Специальное помещение для стоянки, технического обслуживания и ремонта самолетов, вертолетов и т. п. *И вот уже из-за кустов видно аэродромную мачту.., а потом появляются ангары с полукруглыми крышами, двери у них открыты, и в ангарах темнеют «АНЫ».* Лиханов. Обман.

**Анга́рный**, -ая, -ое.

**А́НГЕЛ**, -а, *м.* [От греч. aggelos — *первонач.* вестник]. **1.** В религиозных представлениях: сверхъестественное существо, посланец бога, покровительствующее человеку (изображается обычно в виде крылатого юноши). — *А около господа ангелы летают во множестве, — как снег идет или пчелы роятся, — ..и обо всем богу сказывают про нас, про людей.* М. Горький. Детство. **2.** *перен.*, обычно *чего. Устар.* Идеал, воплощение чего-л. положительного. *Ангел доброты. Ангел красоты. Ангел кротости.* □ — *Вы знаете, что у меня за жена! ангел во плоти, доброта неизъяснимая.* Тургенев. Ермолай и мельничиха. **3.** *Устар. разг.* Ласковое обращение, преимущ. к любимой женщине. *Я предчувствовал, что застану Марью Ивановну одну.. Я обнял ее.* — *Прощай, ангел мой, — сказал я, — прощай, моя милая, моя желанная.* Пушкин. Капитанская дочка. ◊ **День ангела** (*устар.*) — именины. — *Поздравь меня, — воскликнул вдруг Базаров, — сегодня 22 июня, день моего ангела.* Тургенев. Отцы и дети.

**А́нгельский**, -ая, -ое (к 1 и 2 знач.). *Ангельский характер. Ангельское терпение.*

**АНГЛИКА́НСКИЙ**, -ая, -ое. ◊ **Англиканская церковь** — разновидность протестантизма, являющаяся государственной религией в Англии.

**АНЕКДО́Т**, -а, *м.* [Франц. anecdote; восх. к греч. anecdota (*мн.*) — неизданные (произведения)]. **1.** Рассказ о забавном или поучительном происшествии из жизни исторических лиц. *Но дней минувших анекдоты От Ромула до наших дней Хранил он в памяти своей.* Пушкин. Евгений Онегин. **2.** Короткий устный рассказ с неожиданной остроумной концовкой. *Неведомые миру остряки тотчас сочиняли анекдоты, и эти безымянные анекдоты начинали хождение из уст в уста.* Шагинян. Первая Всероссийская. **3.** *перен. Разг.* Смешное происшествие. *Анекдот случился с кем-л.*

**Анекдоти́ческий**, -ая, -ое и **анекдоти́чный**, -ая, -ое; -чен, -чна, -о (*ко 2 знач.*). *Анекдотический рассказ. Анекдотичный случай.*

**АНИМАЛИ́СТ**, -а, *м.* [Восх. к лат. animal — животное]. Художник или скульптор, изображающий преимущественно животных. *Талантливый анималист. Произведения художника-анималиста.*

**АННЕ́КСИЯ** [нэ́ и нé], -и, *ж.* [Восх. к лат. annexio]. *Книжн.* Захват, насильственное присоединение к одному государству территории другого государства.

**Аннексио́нный**, -ая, -ое.

**АННОТА́ЦИЯ**, -и, *ж.* [Восх. к лат. annotation — примечание, заметка]. Краткая характеристика книги, статьи и т. п., излагающая их содержание (обычно в виде перечня главнейших вопросов) и дающая иногда их оценку. *Аннотация на словарь. Составить аннотацию.*

**Аннотацио́нный**, -ая, -ое.

**АННУЛИ́РОВАТЬ**, -рую, -руешь; аннули́рующий, аннули́ровавший; аннули́руемый, аннули́рованный; -ан, -а, -о; аннули́руя, аннули́ровав; *сов. и несов., что.* [Восх. к лат. annulare — уничтожать]. Отменить (отменять) что-л., признать (признавать) недействительным. *Аннулировать постановление, договор.*

С и н.: ликвиди́ровать, упраздни́ть (упраздня́ть).

**Аннули́рование**, -я, *ср.* и **аннуля́ция**, -и, *ж.*

**АНОМА́ЛИЯ**, -и, *ж.* [Восх. к греч. anōmalia — неровность, неправильность]. *Книжн.* Отклонение от нормы, общей закономерности; неправильность. *Аномалия в физическом развитии. Общественные аномалии.*

С и н.: ненорма́льность, анорма́льность (*книжн.*).

**Анома́льный**, -ая, -ое.

**АНОНИ́М** [не *анóним*], -а, *м.* [Восх. к греч. anōnymos — безымянный]. *Книжн.* **1.** Автор сочинения, письма, скрывший свое имя. *Кое-кто пустил отравленную стрелу в печать. Конечно, это аноним.* Шагинян. Первая Всероссийская. **2.** Сочинение, письмо без указания имени автора. *В анониме было так много заманчивого и подстрекающего любопытство, что он перечел и в другой, и в третий раз письмо и наконец сказал: «Любопытно бы, однако ж, знать, кто бы такая была писавшая!»* Гоголь. Мертвые души.

**Анони́мный**, -ая, -ое. *Анонимный автор. Анонимный донос.* **Анони́мно**, *нареч. Напечатать анонимно.* **Анони́мность**, -и, *ж.*

**АНО́НС**, -а, *м.* [Франц. annonce]. *Книжн.* Предварительное объявление (о предстоящих гастролях, концертах и т. п.). *Цирковой анонс.* ☐ *Пастухов увидел [в газете] рамочки объявлений знакомых магазинов, театральные анонсы.* Федин. Первые радости.

**Ано́нсный**, -ая, -ое.

**АНСА́МБЛЬ**, -я, м. [Франц. ensemble]. **1.** Согласованность, стройность частей единого целого, а также само такое целое. *Архитектурный ансамбль. Ансамбль в одежде.* ☐ *Эта пьеса [«Горе от ума»] была представлена в лучшем петербургском кругу с образцовым искусством, которому.. много помогал и ансамбль в тоне, манерах.* И. Гончаров. «Мильон терзаний». **2.** Группа артистов, выступающая как единый художественный коллектив. *Вокально-инструментальный ансамбль. Эстрадный ансамбль. Ансамбль песни и пляски.*

**Анса́мблевый**, -ая, -ое.

**АНТАГОНИ́ЗМ**, -а, м. [Восх. к греч. antagonizesthai — противоборствовать]. Непримиримое противоречие, характеризующееся острой борьбой противоположных сил. *Классовый антагонизм.* ☐ — *Я верю, что вам нельзя было избегнуть поединка, который.. до некоторой степени объясняется одним лишь постоянным антагонизмом ваших взаимных воззрений.* Тургенев. Отцы и дети.

**Антагонисти́ческий**, -ая, -ое. *Антагонистические взгляды. Антагонистические противоречия.*

**АНТИ**... [Греч. anti...]. Приставка, обозначающая противоположность чему-л., направленность против чего-л., напр.: *антивое́нный, антиимпериалисти́ческий, антикрепостни́ческий, антимилитари́зм, антиобще́ственный, антисанита́рный, антифаши́ст.*

**АНТИКВА́Р** -а и (устар.) **АНТИКВА́РИЙ**, -я, м. [Восх. к лат. antiquarius]. Знаток и собиратель предметов старинного искусства, старинных ценных книг и вещей, а также торговец этими предметами. *За границей он заходил иногда к антиквариям и с видом знатока осматривал древности.* Чехов. Три года. *В Копенгагене, в этом городе мировых антикваров и старьевщиков, его привлекал подвал с крошечными оконцами.* Федин. Похищение Европы.

**АНТИКВА́РНЫЙ**, -ая, -ое. [См. *антиквар*]. **1.** Старинный и ценный. *Антикварная люстра. Антикварные книги.* **2.** Относящийся к торговле старинными и ценными вещами. *Антикварный магазин.*

**АНТИПА́ТИЯ**, -и, ж. [Восх. к греч. antipatheia]. Неприязнь, нерасположение к кому-л. *Павел Петрович начинает чувствовать к Базарову сильнейшую антипатию с первого знакомства. Плебейские манеры Базарова возмущают отставного денди; самоуверенность и нецеремонность его раздражают Павла Петровича.* Писарев. Базаров.

С и н.: недружелю́бие, недоброжела́тельность.

А н т.: симпа́тия.

**Антипати́чный**, -ая, -ое; -чен, -чна, -о. *Антипатичный кому-л. человек.*

**АНТИПО́Д**, -а, м. [Восх. к греч. antipus, antipodos от anti — против и pus — нога]. *Книжн.* **1.** *мн.* Обитатели двух диаметрально противоположных точек поверхности земного шара. **2.** обычно *чей* или *кому.* Человек, противоположный кому-л. по убеждениям, качествам, вкусам.— *Если люди с каким-нибудь изъяном, они тянутся к антиподу, способному компенсировать изъян. Слишком высокий — к низкорослому, альбинос — к жгучей брюнетке, умный урод — к глупой красавице.* Николаева. Битва в пути.

**Антипо́дный**, -ая, -ое.

**АНТИСЕМИТИ́ЗМ**, -а, м. [Франц. antisémitisme от anti (см. *анти...*) и sémite (см. *семиты*)]. Одна из форм национальной нетерпимости, выражающаяся во враждебном отношении к евреям.

С и н.: юдофо́бство (устар.).

**Антисеми́тский**, -ая, -ое. *Антисемитские настроения.* **Антисеми́т**, -а, м.

**АНТИТЕ́ЗА** [тэ], -ы, ж. [Восх. к греч. antithesis — противоположение]. *Книжн.* Противопоставление, противоположность. *Когда в громадном доме, сплошь горящем огнями, ты замечаешь три-четыре окна, окутанные сумраком, — это на первый раз поражает тебя только в качестве антитезы.* Салтыков-Щедрин. В среде умеренности и аккуратности.

С и н.: противоположе́ние (книжн.).

**АНТИ́ХРИСТ**, -а, м. [Греч. Antichristos]. **1.** В христианской мифологии: враг Христа, который должен явиться перед концом света. *Я, братия моя, видал антихриста, право, видал.. Некогда я, печален бывши, помышляющи, как придет антихрист, молитвы говорил, да и забылся, окаянный.* А. Н. Толстой. Петр I. **2.** *Устар. прост.* Употр. как бранное слово.— *Чтоб он поскользнулся на льду, антихрист проклятый.* Гоголь. Сорочинская ярмарка.

**АНТИЦИКЛО́Н**, -а, м. [От *анти...*(см.) и *циклон* (см.)]. Область повышенного атмосферного давления. *Погода создается воздушными вихрями — циклонами и антициклонами.* Паустовский. Рождение моря.

А н т.: цикло́н.

**Антицикло́нный**, -ая, -ое, **антициклони́ческий**, -ая, -ое и **антициклона́льный**, -ая, -ое.

**АНТИ́ЧНОСТЬ**, -и, ж. [См. *античный*]. Древний греко-римский мир и его культура. *Эпоха античности. Искусство античности. Изучать античность.*

**АНТИ́ЧНЫЙ**, -ая, -ое. [Восх. к лат. antiquus — древний]. **1.** Относящийся к истории, искусству и культуре древних греков и римлян. *Античная философия. Античная мифология. Античное государство.* ☐ *Ввечеру подавался на стол очень щегольской подсвечник из темной бронзы с тремя античными грациями.* Гоголь. Мертвые души. **2.** Классически правильный, напоминающий по красоте и изяществу статуи Древней Греции и Рима. *Античное телосложение. Античный профиль.* ☐ *Черты его лица были те же, как и у сестры, но у той все освещалось жизнерадостной, самодовольной улыбкой и необычайной, античной красотой тела.* Л. Толстой. Война и мир.

Син.: класси́ческий.

**Анти́чность**, -и, ж. *Античность форм.*

**АНТОЛО́ГИЯ**, -и, ж. [Восх. к греч. anthologia — букв. собрание цветов]. Сборник избранных произведений (преимущественно стихотворений) разных авторов. *Антология русской поэзии. Антология баллады.*

**Антологи́ческий**, -ая, -ое.

**АНТРА́КТ**, -а, м. [Франц. entracte]. **1.** Краткий перерыв между действиями спектакля или отделениями концерта. *Оба, Жорж и Чевкин,... вышли погулять в антракте.* Шагинян. Первая Всероссийская. **2.** *перен. Разг.* Перерыв в каком-л. действии, процессе и т. п. *[Лавр Миронович:] Да закажи ужин заранее, чтоб не дожидаться, чтоб шло как по маслу, без антрактов.* А. Островский. Последняя жертва. **3.** Небольшое музыкальное произведение для исполнения между действиями спектакля. *Антракт к четвертому акту оперы «Иван Сусанин».*

**Антра́ктный**, -ая, -ое.

**АНТРАША́**, нескл., ср. [Франц. entrechat от итал. intrecciato (salto) — букв. перекрученный (прыжок)]. В балетных танцах: легкий прыжок вверх, во время которого ноги танцора быстро скрещиваются в воздухе, касаясь одна другой. *Наташа взяла, округлив руки, свою юбку,... сделала антраша, побила ножкой об ножку и, став на самые кончики носков, прошла несколько шагов.* Л. Толстой. Война и мир. ◇ **Выде́лывать** (или **выки́дывать**) **антраша́** (*разг.*) — делать затейливые, замысловатые движения ногами.

**АНТРЕПРЕНЁР**, -а, м. [Франц. entrepreneur — предприниматель]. Частный театральный предприниматель. *Антрепренер отобрал у Анниньки некоторые роли и отдал их Налимовой.* Салтыков-Щедрин. Господа Головлевы.

**Антрепренёрский**, -ая, -ое.

**АНТРЕСО́ЛИ**, -ей, мн. (*ед.* **антресо́ль**, -и, ж.). [Франц. entresol]. **1.** Верхний полуэтаж дома, где расположены комнаты с низкими потолками. *Антресоли были заняты квартирою француза-учителя.* Гоголь. Мертвые души. *На антресолях царствовали сумерки; окна занавешены были зелеными шторами, сквозь которые чуть-чуть пробивался свет.* Салтыков-Щедрин. Господа Головлевы. **2.** Род балкона внутри высокого помещения. *Перед этим высоким специалистом, сидящим в большой комнате с антресолями и с двумя колоннами, от потолка до полу висела громадная карта южного фронта.* Вс. Иванов. Пархоменко. **3.** Настил под потолком для хранения вещей. *Положить вещи на антресоли.*

**Антресо́льный**, -ая, -ое.

**АНТРОПОЛО́ГИЯ**, -и, ж. [От греч. anthrōpos — человек и logos — слово, учение]. Наука о происхождении и эволюции человека.

**Антропологи́ческий**, -ая, -ое. *Антропологические исследования. Антропологический музей.*

**АНТРОПОФА́Г**, -а, м. [От греч. anthrōpos — человек и phagein — есть]. *Книжн.* Людоед.

Син.: канниба́л.

**АНТУРА́Ж**, -а, м. [Франц. entourage]. Окружение, окружающая обстановка. *В новой пьесе [«Воспитанница»] г. Островский стоит на другой* почве: содержание ее взято из деревенского быта богатой помещицы, со всем ее антуражем: воспитанницами, приживалками, горничными, лакеями. Добролюбов. «Воспитанница», комедия А. Н. Островского.

**АНФА́С**, нареч. [Франц. en face — в лицо]. Лицом к смотрящему. *Сфотографироваться анфас.*

**Анфа́сный**, -ая, -ое. *Анфасный снимок.*

**АНФИЛА́ДА**, -ы, ж. [Франц. enfilade]. Ряд примыкающих друг к другу комнат, двери которых расположены по одной прямой линии. *Наступали ранние декабрьские сумерки, и вслед за обедом начиналась тоскливая ходьба по длинной анфиладе парадных комнат.* Салтыков-Щедрин. Господа Головлевы.

**Анфила́дный**, -ая, -ое. *Анфиладные комнаты.*

**АНШЛА́Г**, -а, м. [Нем. Anschlag — вывеска, объявление]. **1.** Объявление в театре, кинотеатре и т. п. о том, что все билеты проданы. *Но и настоящий театр, вплоть до аншлагов на кассе и суфлеров, Цветухин принимал на особый лад.* Федин. Первые радости. **2.** *Спец.* Крупный заголовок в газете. *Газетный аншлаг.* ◇ **Пройти́ с аншла́гом** — пройти с большим успехом, при переполненном зале (о театральных и других представлениях).

**Аншла́говый**, -ая, -ое (*разг.*). *Аншлаговый спектакль.*

**АПАРТАМЕ́НТЫ**, -ов и **АПАРТА́МЕНТЫ**, -ов, мн. (*ед.* **апартаме́нт**, -а и **апарта́мент**, -а, м.). [Восх. к итал. appartamento]. Парадное помещение из нескольких комнат. *Роскошные апартаменты. Апартаменты вельможи.* ◇ *Дергунов занимал в гостинице отлично меблированный апартамент, комнат в пять.* Салтыков-Щедрин. Благонамеренные речи.

Син.: поко́и (*устар.*).

**АПАРТЕИ́Д** [тэ], -а, м. [Голл. (яз. буров) apartheid — отделенность]. Крайняя форма расовой дискриминации, выражающаяся в ограничении прав коренного населения страны и в его территориальной изоляции. *Политика апартеида. Жертвы апартеида. Бороться против апартеида.*

**АПА́ТИЯ**, -и, ж. [Восх. к греч. apatheia — бесстрастие]. Состояние полного безразличия, равнодушия. *Состояние апатии. Впасть в апатию.* ◇ *В этой девице было много странного: с лицом, полным энергии, сопрягались апатия и холодность, ничем не возмущаемые, по-видимому; она до такой степени была равнодушна ко всему, что самой Глафире Львовне было это невыносимо подчас.* Герцен. Кто виноват?

Син.: равноду́шие, безуча́стность, безразли́чие, вя́лость, индифере́нтность (*книжн.*).

**Апати́ческий**, -ая, -ое и **апати́чный**, -ая, -ое; -чен, -чна, -о. *Апатическая натура. Апатическое состояние. Апатичный человек. Апатичный взгляд.* **Апати́чески** и **апати́чно**, нареч. *Апати́чность*, -и, ж.

**АПЕЛЛЯ́ЦИЯ**, -и, ж. [Восх. к лат. appellatio — обращение, жалоба]. **1.** *Спец.* Обжалование решения суда в более высокую судебную инстанцию с целью пересмотра дела, а также вообще обжалование какого-л. постановления в вышестоящую инстанцию. *Право на апелляцию. Подать апелляцию.* ☐ *Между тем положенный срок прошел, и апелляция не была подана. Кистеневка принадлежала Троекурову.* Пушкин. Дубровский. *Новый секретарь райкома, получив из окружной комиссии апелляцию Нагульнова, послал в Гремячий Лог одного члена вторично расследовать дело, и после этого бюро постановило: отменить прежнее свое решение об исключении Нагульнова из партии.* Шолохов. Поднятая целина. **2.** *к кому, чему. Книжн.* Обращение за советом, поддержкой, с призывом к чему-л. *Апелляция к общественному мнению.* ☐ *[Герцен] покинул Россию в 1847 г., он не видел революционного народа и не мог верить в него. Отсюда его либеральная апелляция к «верхам».* Ленин, т. 21, с. 259.

**Апелляцио́нный**, -ая, -ое (*к 1 знач.*). *Апелляционный срок.*

**АПЛО́МБ**, -а, *м.* [Франц. aplomb — отвес, равновесие; самоуверенность]. *Книжн.* Излишняя самоуверенность в поведении, в речи. *Говорить, держаться с апломбом.* ☐ *— Только теперь его нужно лучше судить, — заметил Хома с апломбом опытного юриста.* Гончар. Знаменосцы.

С и н.: самонадея́нность.

**АПОГЕ́Й**, -я, *м.* [Восх. к греч. apogeios — находящееся далеко от земли]. **1.** *Спец.* Наиболее удаленная от Земли точка орбиты Луны или искусственного спутника Земли. **2.** *перен. Книжн.* Высшая точка развития, расцвет чего-л. *Быть в апогее славы.* ☐ *Адуев достиг апогея своего счастья. Ему нечего было больше желать.* И. Гончаров. Обыкновенная история.

С и н. (ко 2 знач.): верши́на, верх, зени́т (высок.), вене́ц (высок.).

А н т. (к 1 знач.): периге́й.

**Апоге́йный**, -ая, -ое (*к 1 знач.*).

**АПОКА́ЛИПСИС**, -а, *м.* [Греч. apokalypsis — откровение]. Христианская церковная книга из «Нового завета», содержащая пророчества о конце света. *Господин этот.. занимался пророчеством и, на основании апокалипсиса и талмуда, предсказывал всякие удивительные события.* Тургенев. Дым.

**Апокалипси́ческий**, -ая, -ое и **апокалипти́ческий**, -ая, -ое.

**АПОЛИТИ́ЧНЫЙ**, -ая, -ое; -чен, -чна, -о. [От *а...* (см.) и греч. politikos — относящийся к политике]. Безразличный к вопросам политики, уклоняющийся от участия в общественно-политической жизни. *— Такой вопрос, товарищ Бадьин, может задать только аполитичный спец, а не вы.* Ф. Гладков. Цемент.

**Аполити́чно**, *нареч.* **Аполити́чность**, -и, *ж.*

**АПОЛО́ГИЯ**, -и, *ж.* [Греч. apologia — защитительная речь]. *Книжн.* Неумеренное, чрезмерное восхваление, защита кого-, чего-л. *Апология силы.*

**Апологе́тический**, -ая, -ое. **Апологе́т**, -а, *м.*

**АПОПЛЕ́КСИЯ**, -и и **АПОПЛЕКСИ́Я**, -и, *ж.* [Греч. apoplēxia — удар]. *Спец.* Кровоизлияние в мозг или закупорка мозгового сосуда, вызывающие внезапную потерю сознания, паралич. *Медицинское следствие обнаружило [у Марфы Петровны] апоплексию.* Достоевский. Преступление и наказание.

С и н.: уда́р (устар.), инсу́льт.

**Апоплекси́ческий**, -ая, -ое. ◇ **Апоплекси́ческий уда́р** — то же, что апоплексия. *Андрей Ефимыч умер от апоплексического удара.* Чехов. Палата № 6.

**АПОСТЕРИО́РИ** [тэ], *нареч.* [Лат. a posteriori — из последующего]. *Книжн.* На основании опыта, имеющихся данных.

А н т.: априо́ри (книжн.).

**АПО́СТОЛ**, -а, *м.* [Греч. apostolos — посланник]. **1.** В христианстве: каждый из двенадцати ближайших учеников Христа, распространителей его учения. **2.** *перен., чего. Книжн.* Последователь, проповедник какого-л. учения, идеи. *Сомова встретила студента задорным восклицанием: — Ох, апостол правды и добра, какой вы смешной!* М. Горький. Жизнь Клима Самгина.

**Апо́стольский**, -ая, -ое (*к 1 знач.*).

**АПОФЕО́З**, -а, *м.* и (устар.) **АПОФЕО́ЗА**, -ы, *ж.* [Восх. к греч. apotheōsis — обожествление]. **1.** *Книжн.* Прославление, возвеличение какого-л. лица, явления, события и т. п. (первонач.: религиозный обряд обожествления какого-л. героя, императора в Древней Греции и Риме). *Николай, отпраздновавши свой апофеоз, снова пошел «разить врагов отечества».* Герцен. Былое и думы. *Пятый акт «Грозы» составляет апофеоз.. характера [Катерины], столь простого, глубокого и так близкого к положению и к сердцу каждого порядочного человека в нашем обществе.* Добролюбов. Луч света в темном царстве. **2.** *Спец.* Заключительная торжественная массовая сцена спектакля или праздничной концертной программы. *Апофеоз оперы И. Дзержинского «Судьба человека».* **3.** *перен. Книжн.* Торжественное завершение какого-л. события.

С и н. (к 3 знач.): верши́на, верх, апоге́й (книжн.), зени́т (высок.), вене́ц (высок.).

**Апофео́зный**, -ая, -ое.

**АППАРА́Т**, -а, *м.* [Восх. к лат. apparatus — приготовление, снаряжение]. **1.** Прибор, механическое устройство. *Телефонный аппарат. Установить аппарат.* ☐ *Агатов работал у своего аппарата.. Тулин легонько отстранил Агатова, наклонился к объективу, повертел регулировочный винт.* Гранин. Иду на грозу. **2.** *ед.* Совокупность учреждений, обслуживающих какую-л. отрасль управления или хозяйства, а также совокупность сотрудников какого-л. учреждения, организации и т. п. *Государственный аппарат. Аппарат управления. Аппарат министерства обороны. Работоспособный аппарат.* ☐ *Для руководителя любого ранга «окружающая среда» — это его рабочий аппарат, вышестоящие, подчиненные и побочные органы управления.* Колесников. Школа министров. ◇ **Нау́чный аппара́т** — материалы и пособия, которыми пользуется автор научной работы (указатели, библиография, словари, комментарии и т. п.).

**Аппара́тный**, -ая, -ое. *Аппаратное устройство. Аппаратный работник.*

**АППЛИКА́ЦИЯ**, -и, *ж.* [Восх. к лат. applicatio —

приложение, прикладывание]. Способ создания рисунка путем наклеивания или нашивки на что--л. разноцветных кусков бумаги или ткани, а также изготовленная таким образом картина, украшение и т. п. *Сделать аппликацию*.

**Аппликацио́нный**, -ая, -ое.

**АПРИО́РИ**, *нареч.* [Лат. a priori — из предшествующего]. *Книжн.* Независимо от опыта, не опираясь на знание фактов. *Судить о чем-л. априори*.

А н т.: апостерио́ри (*книжн.*).

**Априо́рный**, -ая, -ое; -рен, -рна, -о. *Априорное утверждение*.

**АПРОБИ́РОВАТЬ**, -рую, -руешь; апроби́рующий, апроби́ровавший, апроби́руемый, апроби́рованный; -ан, -а, -о; апроби́руя, апроби́ровав; *сов. и несов., что.* [Восх. к лат. approbare]. *Книжн.* Проверив, дать (давать) официальное одобрение чему-л. *Апробировать результаты исследования*.

**Апроби́рование**, -я, *ср. и* **апроба́ция**, -и, *ж. Апробирование учебных программ. Научная апробация. Пройти апробацию.*

**АРАБЕ́СКИ**, -сок *и* -ов, *мн.* (*ед.* **арабе́ска**, -и, *ж. и* **арабе́ск**, -а, *м.*). [Восх. к итал. arabesco — букв. арабский]. **1.** Сложный орнамент из красиво переплетающихся линий, стилизованных листьев, геометрических фигур и т. п. (первонач. в памятниках арабского искусства). *Для украшения стен и потолков употреблялись разные фестоны, каемки и завитушки, известные под названием арабесков.* Писарев. Историческое развитие европейской мысли. **2.** *мн.* *Книжн.* Собрание мелких литературных или музыкальных произведений. *Сборник Н. В. Гоголя «Арабески».*

**Арабе́сковый**, -ая, -ое *и* **арабе́сочный**, -ая, -ое.

**АРА́БЫ**, -ов, *мн.* (*ед.* **ара́б**, -а, *м.*). Обширная группа народов, населяющих страны Юго--Западной Азии и Северной Африки, а также лица, относящиеся к этим народам.

**Ара́бка**, -и, *ж.* **Ара́бский**, -ая, -ое. *Арабские страны*. ◇ *Арабская лошадь* — одна из древних пород верховых лошадей, отличающаяся небольшим ростом, пропорциональностью форм, выносливостью. *[Наполеон] ехал галопом.. на необыкновенно породистой арабской серой лошади*. Л. Толстой. Война и мир.

**АРАНЖИРО́ВКА**, -и, *ж.* [От франц. arranger — букв. приводить в порядок, устраивать]. *Спец.* Переложение музыкального произведения для исполнения на другом музыкальном инструменте или другим составом инструментов или голосов. *Аранжировка оркестровой пьесы для фортепиано*. □ *Балакирев часто играл их [восточные мелодии] мне и другим в своей прелестнейшей гармонизации и аранжировке*. Римский-Корсаков. Летопись моей музыкальной жизни.

**АРА́П**, -а, *м. Устар.* Чернокожий, темнокожий человек; негр.

**Ара́пка**, -и, *ж.* **Ара́пский**, -ая, -ое.

**АРА́ПНИК**, -а, *м.* [Польск. harapnik от harap! — окрик охотника, отгоняющего собак от добычи (от нем. herab — долой)]. Длинная охотничья плеть с короткой рукояткой. *Выгонит [отец] где-нибудь из бурьяна этого зайчишку,.. догонит и либо арапником засечет, либо конем стопчет*. Шолохов. Поднятая целина.

**АРБА́**, -ы́, а́рбы, арб, *ж.* [Тюрк.]. Вид телеги или повозки: высокой двухколесной (в Средней Азии) или длинной четырехколесной (на Кавказе, Украине). *Порою звучный топот коня раздавался по улице, сопровождаемый скрипом нагайской арбы.* Лермонтов. Герой нашего времени.

**АРБАЛЕ́Т**, -а, *м.* [Франц. arbalète; восх. к лат. arcuballista от arcus — лук и ballista — метательное оружие]. Старинное ручное метательное оружие — усовершенствованный лук, состоящий из стальной дуги, укрепленной на деревянном станке (ложе); самострел. *[Лаврецкий] ездил верхом, стрелял из арбалета*. Тургенев. Дворянское гнездо.

**Арбале́тный**, -ая, -ое.

**АРБИ́ТР**, -а, *м.* [Восх. к лат. arbiter]. **1.** Тот, кто выносит решение в спорах несудебного характера (напр., между предприятиями-заказчиками и поставщиками). *Квалифицированный арбитр. Мнение арбитра.* **2.** Судья в спортивных состязаниях. *Спортивный арбитр. Оценка арбитра за исполнение упражнений. Взять интервью у арбитра.*

С и н. (к *1 знач.*): посре́дник.

**АРБИТРА́Ж**, -а, *м.* [Франц. arbitrage]. **1.** Способ рассмотрения спорных дел, при котором стороны обращаются к третейскому судье. **2.** Государственный орган, занимающийся разрешением имущественных споров между предприятиями, организациями и учреждениями. *Обратиться в арбитраж.*

**Арбитра́жный**, -ая, -ое. *Арбитражная комиссия.*

**АРГАМА́К**, -а, *м.* [Тюрк.]. Старинное название рослых верховых лошадей восточной породы. *На аргамаке вороном По степи мчится Наливайко. Как вихорь бурный, конь летит*. Рылеев. Наливайко.

**АРГО́**, *нескл., ср.* [Франц. argot]. Условный язык какой-л. небольшой социальной группы, отличающийся от общенародного языка лексикой, но не обладающий собственной фонетической и грамматической системой. *Воровское арго. Профессиональные арго*. □ *[Яценко] докладывал сложившуюся к исходу дня обстановку на замысловатом армейском арго. Бессонов легко переводил его доклад на обычный язык*. Бондарев. Горячий снег.

С и н.: жарго́н.

**Арготи́ческий**, -ая, -ое.

**АРГОНА́ВТЫ**, -ов, *мн.* (*ед.* **аргона́вт**, -а, *м.*). [Греч. argonautai]. В древнегреческой мифологии: герои, отправившиеся на корабле «Арго» в Колхиду за золотым руном (шерстью волшебного барана), которое охранялось драконом.

**АРГУМЕ́НТ**, -а, *м.* [Восх. к лат. argumentum — доказательство]. Довод, приводимый в доказательство чего-л. *Веский аргумент. Аргументы за и против. Привести необходимые аргументы.* □ *— Посмотрите — у вас уже нет людей, которые могли бы идейно бороться за вашу власть, вы уже израсходовали все аргументы, способные оградить вас от напора историче-*

ской справедливости,.. вы духовно бесплодны. М. Горький. Мать.

С и н.: моти́в, резо́н (*устар. и разг.*).

**АРГУМЕНТИ́РОВАТЬ**, -рую, -руешь; аргументи́рующий, аргументи́ровавший; аргументи́руемый, аргументи́рованный; -ан, -а, -о; аргументи́руя, аргументи́ровав; *сов. и несов., что.* [См. *аргумент*]. Привести (приводить) доказательства, аргументы, подтверждающие правильность выдвинутого положения. *Аргументировать научную гипотезу данными эксперимента.* ▭ *«Друзья народа», предприняв целый поход против марксистов,.. аргументируют не разбором фактических данных. Они отделываются.. фразами.* Ленин, т. 1, с. 275.

С и н.: доказа́ть (дока́зывать), обоснова́ть (обосно́вывать), мотиви́ровать.

**Аргументи́рование**, -я, *ср.* и **аргумента́ция**, -и, *ж. Аргументирование научных положений. Убедительная аргументация. Владеть необходимой аргументацией.*

**АРЕА́Л**, -а, *м.* [Восх. к лат. arealis — пространственный]. *Спец.* Область распространения кого-, чего-л. на земной поверхности. *Ареал большого скопления населения. Ареал европеоидной расы. Ареал распространения зерновых культур. Ареал залегания полезных ископаемых.*

**А́РЕДОВ**, -а, -о. [По имени библейского патриарха Иареда, якобы жившего 962 года]. ◊ **Аредовы веки жить** (*устар.*) — жить чрезвычайно долго. *И отец, и мать у него были умные; помаленьку да полегоньку аредовы веки в реке прожили, и ни в ху, ни к щуке в хайло не попали.* Салтыков-Щедрин. Премудрый пискарь.

**АРЕ́НА**, -ы, *ж.* [Лат. arena — песок; усыпанная песком площадка]. **1.** В древнеримском амфитеатре: площадка, посыпанная песком, где производили бои гладиаторов, конные состязания и т. п. **2.** Круглая площадка посредине цирка, на которой даются представления. *Подготовка арены к спектаклю. Гимнасты на арене цирка.* **3.** *перен.*, чего или какая. *Книжн.* Поприще, область деятельности. *Политическая, государственная, литературная арена.* ▭ *Арина Петровна много раз уже рассказывала детям эпопею своих первых шагов на арене благоприобретения.* Салтыков-Щедрин. Господа Головлевы.

◊ **Выйти на арену (сойти с арены)** — начать (закончить) какую-л. деятельность. *Выйти на арену общественной борьбы.*

С и н. (ко 2 знач.): мане́ж. С и н. (к 3 знач.): уча́сток, фронт, ни́ва (*высок.*).

**АРЕ́НДА**, -ы, *ж.* [Восх. к ср.-лат. arrenda]. **1.** Наем помещения, земельной площади, какого-л. имущества, предприятия во временное пользование. *Долгосрочная аренда. Аренда земельного участка.* ▭ *[Лопахин:] Я вас каждый день учу.. И вишневый сад и землю необходимо отдать в аренду под дачи.* Чехов. Вишневый сад. **2.** Плата за такой наем. *Снизить, повысить аренду.*

**Аре́ндный**, -ая, -ое. *Арендная плата.*
**АРЕНДОВА́ТЬ**, -ду́ю, -ду́ешь; аренду́ющий, арендова́вший; аренду́емый, арендо́ванный; -ан, -а, -о; аренду́я, арендова́в; *сов. и несов., что.* [См. *аренда*]. Взять (брать) в аренду. *Организация арендует помещение.* ▭ *— В Егильдееве приостановился.. Земли нет, в уделе арендуют, плохая землишка. Подрядился я в батраки к одному мироеду.* М. Горький. Мать.

**Аренда́тор**, -а, *м.* (тот, кто берет в аренду что-л.).

**АРЕОПА́Г**, -а, *м.* [Лат. Areopagus от греч. Areios pagos — Ареев холм (на котором заседал ареопаг)]. **1.** Высший орган судебной и политической власти в Древних Афинах. **2.** *перен. Книжн.* Собрание авторитетных лиц для решения каких-л. вопросов. *Созови мой Ареопаг, ты, Жуковский, Вяземский, Гнедич и Дельвиг — от вас ожидаю суда и с покорностью приму его решение.* Пушкин. Письмо П. А. Плетневу, конец октября 1824 г.

**АРИА́ДНИН**, -а, -о. [По имени Ариадны, дочери критского царя Миноса, которая, согласно древнегреческому мифу, помогла афинскому герою Тесею выбраться из лабиринта при помощи клубка ниток]. ◊ **Ариаднина нить** — о чем-л. помогающем разобраться в сложной обстановке, выйти из затруднительного положения.

**АРИЕРГА́РД** см. *арьерга́рд.*
**АРИ́ЙЦЫ**, -ев, *мн.* (*ед.* **ари́ец**, ари́йца, *м.*). **1.** Название народов, принадлежащих к восточной ветви индоевропейской семьи языков. **2.** В расистской антинаучной теории: представители «высшего» расового типа белых людей.

**Ари́йка**, -и, *ж.* **Ари́йский**, -ая, -ое. *Арийская раса.*

**АРИСТОКРА́Т**, -а, *м.* [Восх. к греч. aristokratēs от aristos — лучший и kratos — власть]. Тот, кто принадлежит к аристократии (*в 1 знач.*). *Сквозь тесный ряд аристократов, Военных франтов, дипломатов И гордых дам она скользит.* Пушкин. Евгений Онегин.

**Аристокра́тка**, -и, *ж.*
**АРИСТОКРАТИ́ЗМ**, -а, *м.* [См. *аристократ*]. Поведение, свойственное аристократу: внешняя изысканность, утонченность. *И вдруг является Онегин. Он весь окружен тайною: его аристократизм, его светскость, неоспоримое превосходство над всем этим спокойным и пошлым миром.* Белинский. Сочинения Александра Пушкина.

**Аристократи́ческий**, -ая, -ое. *Аристократические манеры.*
**АРИСТОКРА́ТИЯ**, -и, *ж.* [См. *аристократ*]. **1.** В классовом обществе: высшее сословие, привилегированный слой дворянства, родовая знать. *Потомственная аристократия. Принадлежать к родовой аристократии.* **2.** Привилегированная часть класса или какой-л. общественной группы. *Финансовая аристократия. Рабочая аристократия.*

**Аристократи́ческий**, -ая, -ое. *Аристократический салон. Аристократическое общество.*
**А́РИЯ**, -и, *ж.* [Итал. aria]. Музыкальное произведение для одного голоса (преимущ. в опере, оперетте) или для одного инструмента. *Ария Ленского из оперы П. И. Чайковского «Евгений Онегин».* ▭ *[Лятьевский] чуть слышно насвистывал опереточные арии.* Шолохов. Поднятая целина.

А́РКА, -и, а́рки, а́рок, ж. [Восх. к лат. arcus]. 1. Дугообразный свод, служащий перекрытием проема в стене или пролета между двумя опорами. *Галина ввела Настю под арку одного нового дома, во двор.* Прилежаева. Пушкинский вальс. 2. Декоративное сооружение в виде больших ворот со сводами наверху. *Триумфальная арка.*

А́рочный, -ая, -ое. *Арочное перекрытие. Арочный мост.*

АРКА́ДА, -ы, ж. [Восх. к итал. arcata]. *Спец.* Ряд одинаковых по величине и форме арок (*в 1 знач.*), представляющий архитектурное целое. *Аркады Гостиного двора в Санкт-Петербурге.* ▢ *Налево,.. за канатной дорогой,— купола и аркады заводских корпусов. Их тоже строил он, инженер Клейст.* Ф. Гладков. Цемент.

АРКА́ДИЯ, -и, ж. [По названию Аркадии — области в Древней Греции]. Счастливая страна, беззаботная жизнь. *Человек, сверх того, еще и гражданин, имеет какое-нибудь звание, занятие.. А у тебя все это заслонит любовь да дружба.. что за Аркадия!* И. Гончаров. Обыкновенная история.

Арка́дский, -ая, -ое. *Аркадский пастушок.* ▢ *Безмятежней аркадской идиллии Закатятся преклонные дни Под пленительным небом Сицилии, В благовонной древесной тени.* Н. Некрасов. Размышления у парадного подъезда.

АРКА́Н, -а, м. [Тюрк.]. Длинная веревка с затягивающейся петлей на конце для ловли животных. *Петля на шее [Гульсары] стянулась и остановила его.. Лошади вокруг мигом рассыпались, и он оказался один на один с людьми, держащими его на волосяном аркане.* Айтматов. Прощай, Гульсары!

Арка́нный, -ая, -ое. *Арканная петля.*

АРКЕБУ́З, -а, м. и АРКЕБУ́ЗА, -ы, ж. [Франц. arquebuse]. Старинное фитильное ружье, заряжаемое с дула каменными, позже свинцовыми пулями. *Зарядить аркебуз.*

АРЛЕКИ́Н, -а, м. [Восх. к итал. arlecchino]. Традиционный персонаж итальянской «комедии масок», слуга-шут в костюме из разноцветных лоскутков и в черной полумаске, остроумный и находчивый. *Пестрый арлекин ударил его по плечу трещоткою, пролетев мимо с своей Коломбиною.* Гоголь. Рим.

Арлеки́нский, -ая, -ое. *Арлекинский колпак. Арлекинские выходки.*

АРМА́ДА, -ы, ж. [Исп. armada]. Большое соединение согласованно действующих кораблей, самолетов или танков. *Непобедимая армада. Армада кораблей.* ▢ *Гвоздев командовал в этом рейде танковым батальоном.. Стальная армада вламывалась в расположения немецких тылов.* Б. Полевой. Повесть о настоящем человеке.

АРМАТУ́РА, -ы, ж. [Восх. к лат. armatura — вооружение]. 1. Комплект приспособлений, устройств и деталей, обеспечивающих работу какой-л. машины, конструкции. *Арматура парового котла.* ▢ *— Послушай, любезный, когда же арматуру для электрического освещения доставят?* Серафимович. Город в степи. 2. *Спец.* В строительстве: стальной каркас железобетонных сооружений. *Окна и крыши корпусов еще зияли разбитыми стеклами; в бетонных стенах еще чернели дыры в обрывках ржавой арматуры.* Ф. Гладков. Цемент.

Армату́рный, -ая, -ое. *Арматурный цех. Арматурные материалы.*

А́РМИЯ, -и, ж. [Франц. armée или нем. Armee]. 1. Совокупность вооруженных сил государства. *Советская Армия. Служить в армии.* 2. Сухопутные вооруженные силы (в отличие от морских и воздушных сил). *Армия и флот.* 3. Крупное соединение из нескольких корпусов или дивизий одного или нескольких родов войск, предназначенное для ведения военных операций. *Танковая армия. Первая Конная армия.* 4. В дореволюционной России: основная масса сухопутных войск, в отличие от гвардии не имевшая служебных привилегий. *Бакунин.. был выпущен в гвардию офицером. Его отец, говорят, сердясь на него, сам просил, чтобы его перевели в армию.* Герцен. Былое и думы. 5. *перен.*, *кого*. Большое количество людей, объединенных каким-л. общим признаком, делом. *Армия безработных.* ▢ *Здесь [на Волго-Донском канале] создается армия мастеров-строителей, здесь люди ищут лучшие методы работы.* Паустовский. Рождение моря. ◇ **Красная Армия** — официальное наименование сухопутных и военно-воздушных сил СССР в 1918 — 1946 гг. *Красная Армия и Военно-Морской Флот.*

С и н. (ко 2 знач.): во́йско, си́лы, рать (*трад.-поэт.*). С и н. (к 5 знач.): полк (*разг.*), легио́н (*высок.*), рать (*трад.-поэт.*).

Арме́йский, -ая, -ое (*к 1, 2, 3 и 4 знач.*). *Армейская форма. Армейский полк. Армейский штаб. Армейский офицер.*

АРМЯ́К, -а́, м. [Тюрк.]. В старину: верхняя одежда крестьянина в виде халата или кафтана, преимущ. из толстого сукна. *Одет он был по-старомосковски в длинный — до полуклюквенный просторный армяк.* А. Н. Толстой. Петр I.

АРОМА́Т, -а, м. [Греч. arōma, arōmatos]. 1. Приятный запах, благоухание. *Аромат полевых цветов.* ▢ *В воздухе разлит крепкий и нежный.. аромат увядающих кленов.* Куприн. Прапорщик армейский. 2. *ед., перен., чего. Книжн.* Неуловимый, но характерный отличительный признак чего-л. *Аромат молодости.* ▢ *Когда она [княжна Мери] прошла мимо нас, от нее повеяло тем неизъяснимым ароматом, которым дышит иногда записка милой женщины.* Лермонтов. Герой нашего времени. 3. *мн. Устар.* Пахучие, душистые вещества. *Бывало, мать достанет из многочисленных жестянок со всякими сухими ароматами — шафраном, корицей, лавровым листом — несколько черных гвоздичек.* Шагинян. Человек и время.

С и н. (к 1 знач.): благоуха́ние (*книжн.*), благово́ние (*книжн.*), амбре́ (*устар.*).

А н т. (к 1 знач.): злово́ние, смрад, вонь (*разг.*).

Арома́тный, -ая, -ое; -тен, -тна, -о (*к 1 знач.*), аромати́ческий, -ая, -ое (*к 1 знач.*) и аромати́чный, -ая, -ое; -чен, -чна, -о (*к 1 знач.*). *Ароматные фрукты. Ароматические вещества.* Арома́тность, -и и аромати́чность, -и, ж.

АРСЕНА́Л, -а, м. [Франц. arsenal, итал. arsenale]. 1.

Устар. Предприятие, изготовляющее и ремонтирующее оружие и военное снаряжение. [Дядя Коля] служил в городе Брянске Орловской губернии, на старинном артиллерийском лафетном заводе. Завод этот назывался арсеналом. Паустовский. Далекие годы. **2.** Склад оружия, боеприпасов и военного снаряжения. — Предположим,.. что удастся захватить форты и корабли и арсеналы. Арестовать командиров, прорваться к Питеру, вооружить народ. Дальше мое воображение не шло. Крымов. «Танкер Дербент». **3.** перен., чего. Большой, разнообразный запас чего-л. Богатый арсенал знаний. □ Тут.. камердинер приготовлял на столике возле постели целый арсенал разных вещей: склянок, ночников, коробочек. Герцен. Былое и думы.

С и н. (к 3 знач.): мно́жество, набо́р.

**Арсена́льный**, -ая, -ое (к 1 и 2 знач.).

**АРТЕЗИА́НСКИЙ**, -ая, -ое. [Франц. artésien — от названия провинции Артуа, жители которой отличались мастерством в бурении скважин для колодцев]. Заключенный в глубоких водоносных слоях и находящийся под естественным давлением. Артезианские воды. ◊ **Артезианский колодец** — буровой трубчатый колодец, подающий глубинную воду.

**АРТЕ́ЛЬ**, -и, ж. [Тюрк.]. **1.** Объединение лиц некоторых профессий для совместной работы с участием в общих доходах и общей ответственностью. Артель грузчиков. Работать артелью. □ Поначалу работал в плотницкой артели, потом пошел на завод, выучился на слесаря. Шолохов. Судьба человека. **2.** Форма социалистического производственного объединения граждан для ведения коллективного хозяйства на базе обобществления средств производства. Сельскохозяйственная, лесозаготовительная артель. Устав артели. □ — Там [в Гремячем Логу] есть карликовая артель, но мы должны создать колхозы-гиганты. Шолохов. Поднятая целина.

**Арте́льный**, -ая, -ое. Артельное имущество.

**АРТЕ́РИЯ** [тэ и те́], -и, ж. [Восх. к греч. artēria]. **1.** Кровеносный сосуд, несущий кровь от сердца во все части тела. Сонная артерия. Легочная артерия. **2.** перен., чего или какая. Высок. Путь сообщения, имеющий особо важное значение. Там [в Нижнем Новгороде] слияние Оки с Волгой, двух важнейших водных артерий. Салтыков-Щедрин. Пестрые письма. В раскрытое окно доносился с Тверской, этой могучей артерии города. Н. Островский. Как закалялась сталь.

**Артериа́льный**, -ая, -ое (к 1 знач.). Артериальное кровотечение.

**АРТИ́КУЛ**, -а и **АРТИКУ́Л**, -а, м. [Восх. к лат. articulus — сустав, часть]. **1.** (арти́кул). Воинский устав (военно-уголовный кодекс), изданный Петром I.— Поединки формально запрещены в воинском артикуле. Пушкин. Капитанская дочка. **2.** (артикул). Устар. Ружейный прием. Солдаты от скуки брякали ружьями и выкидывали артикул. Герцен. Былое и думы. **3.** (артикул). Устар. книжн. Отдельная статья, глава или параграф в законах и др. официальных актах. **4.** (артикул). Спец. Тип или род изделия, товара, а также его цифровое или буквенное обозначение. Товарный артикул.

**Арти́кульный**, -ая, -ое (к 1, 3 и 4 знач.).

**АРТИСТИ́ЗМ**, -а, м. [От артист (франц. artiste; восх. к лат. ars, artis — искусство)]. Книжн. Высокое мастерство в исполнении чего-л.; виртуозность. Отличаться артистизмом.

С и н.: иску́сство.

**Артисти́чный**, -ая, -ое; -чен, -чна, -о (искусный, виртуозный). **Артисти́чно**, нареч. **Артисти́чность**, -и, ж. Кирсанов выдержал свою роль с прежнею безукоризненною артистичностью. Чернышевский. Что делать?

**АРТИСТИ́ЧЕСКИЙ**, -ая, -ое. [См. артистизм]. Относящийся к артистам, свойственный, присущий артистам. Артистическая манера чтения. Артистическая среда. Артистические склонности. □ — Смир-рно! —.. выкрикнул Скорик и по-балетному кругообразно скользнул на одной точке, артистическим движением выкинул кулак к виску, распрямил пальцы. Бондарев. Горячий снег. **2.** Исполненный с большим искусством. Артистическая работа.

С и н. (ко 2 знач.): иску́сный, мастерско́й, артисти́чный, виртуо́зный, то́нкий.

**Артисти́чески**, нареч. (ко 2 знач.). Работал он артистически. Нужно было видеть, как он управлялся с семипудовым куском теста, раскатывая его. М. Горький. Коновалов.

**А́РФА**, -ы, ж. [Восх. к нем. Harfe]. Струнный щипковый музыкальный инструмент в виде большой треугольной рамы. Скорей, певец, скорей! Вот арфа золотая: Пускай персты твои, промчавшися по ней, Пробудят в струнах звуки рая. Лермонтов. Еврейская мелодия.

**Арфи́ст**, -а, м.

**АРХАИ́ЗМ**, -а, м. [Восх. к греч. archaismos]. **1.** Пережиток старины, устаревшее явление. **2.** Устарелое слово, оборот речи или грамматическая форма (напр.: вотще, выя, сей, глад, ответствовать). Лексический архаизм. Архаизмы в речи исторических персонажей.

С и н. (к 1 знач.): анахрони́зм (книжн.).

**АРХАИ́ЧЕСКИЙ**, -ая, -ое и **АРХАИ́ЧНЫЙ**, -ая, -ое; -чен, -чна, -о. [Восх. к греч. archaikos — древний]. **1.** Относящийся к далекому прошлому, а также свойственный старине, с чертами старины. Архаический (архаичный) стиль. □ Музей недалеко от церкви. Это огромное, несколько продолговатое здание в древнем архаическом греческом вкусе. Григорович. Корабль «Ретвизан». [Гостиница] носит архаичное название «Минерва». Возможно, когда-то, в дофиникийские времена, на этом месте и стоял храм строгой римской богини. Леонов. О Горьком. **2.** Устаревший, не отвечающий современным требованиям. Архаический (архаичный) оборот речи. □ Я все смотрел: этакие у него удивительные воротнички, точно каменные, и подбородок так аккуратно выбрит.. Архаическое явление! Тургенев. Отцы и дети.

С и н.: древний, старинный. С и н. (ко 2 знач.): устаре́лый, несовреме́нный, отжи́вший, старомо́дный, патриарха́льный, обветша́лый, ветхозаве́тный, старозаве́тный, допото́пный (*разг.*), ископа́емый (*разг.*).

**Архаи́чно**, *нареч.* (ко 2 знач.). **Архаи́чность**, -и, ж. (ко 2 знач.).

**АРХАЛУ́К**, -а, м. [Тюрк.]. В старину: верхняя домашняя распашная одежда, преимущ. нарядная. *К окну поспешно он садится, Надев персидский архалук, В устах его едва дымится Узорный бисерный чубук.* Лермонтов. Тамбовская казначейша.

**АРХА́НГЕЛ**, -а, м. [Греч. archangelos]. В христианстве: ангел высшего чина.

**Арха́нгельский**, -ая, -ое.

**АРХЕОЛО́ГИЯ**, -и, ж. [Восх. к греч. archaiologia — наука о древностях]. Наука, изучающая быт и культуру древних народов по сохранившимся вещественным памятникам.

**Археологи́ческий**, -ая, -ое. *Археологический музей. Археологические раскопки. Археологическая экспедиция.* **Архео́лог**, -а, м.

**АРХИ...** [Греч. archi... от archos — главный]. **1.** Приставка, обозначающая высшую степень чего-л., выраженного основной частью слова (близка по значению к приставке сверх... и наречию о́чень), напр.: *архива́жный, архиопа́сный, архиреакцио́нный; архиба́стро, архивре́дно, архитру́дно; архинагле́ц, архиплу́т.* **2.** Первая составная часть сложных слов, обозначающая старшинство в церковном звании, напр.: *архиепи́скоп, архиере́й, архимандри́т.*

**АРХИ́В**, -а, м. [Восх. к греч. archeia — здание городского управления]. **1.** Учреждение, специально занятое хранением, систематизацией и описанием письменных и графических памятников прошлого. *Работать в архиве.* □ *Летописи не пропади; они хранятся в библиотеках и архивах, за замками и запорами.* Писарев. Процесс жизни. **2.** Отдел учреждения, где хранятся старые документы. *Сдать дело в архив.* **3.** Собрание рукописей, писем, документов и т. п., относящихся к деятельности какого-л. учреждения или лица. *Семейный архив. Архив писателя.* ◊ **Сдать в архив** *кого, что* — признать устаревшим, ненужным, предать забвению.— *Я хоть теперь и сдан в архив, а тоже потерся в свете.. Я тоже психолог по-своему.* Тургенев. Отцы и дети.

**Архи́вный**, -ая, -ое. *Архивный фонд.* ◊ **Архивные юноши** — в 1-й половине 19 в.: шутливое название молодых дворян, служивших в Московском архиве Коллегии иностранных дел. *Архивны юноши толпою На Таню чопорно глядят И про нее между собою Неблагосклонно говорят.* Пушкин. Евгений Онегин.

**АРХИВА́РИУС**, -а, м. [Восх. к лат. archivarius]. Хранитель, сотрудник архива. *[Рыбаков] служил архивариусом в одном из министерств, но так как имел генеральский чин, то назывался не архивариусом, а управляющим архивом.* Салтыков-Щедрин. Господа ташкентцы.

**АРХИЕРЕ́Й**, -я, м. [Греч. archiereus]. Общее название высших чинов духовенства в православии (епископа, архиепископа, митрополита, патриарха).

**Архиере́йский**, -ая, -ое. *Архиерейский собор.*

**АРХИПЕЛА́Г**, -а, м. [Восх. к итал. archipelago от греч. archi... — главный и pelagos — море]. Группа морских островов, расположенных поблизости друг от друга. *Малайский архипелаг. Координаты архипелага.*

**АРХИТЕКТО́НИКА**, -и, ж. [Восх. к греч. architektonikē]. *Спец.* Гармоническое сочетание частей в одно целое, соразмерное расположение частей целого. *Архитектоника повести. Архитектоника здания.* □ *[В «Обрыве»] всего более затрудняла меня архитектоника, сведение всей массы лиц и сцен в стройное целое.* И. Гончаров. Лучше поздно, чем никогда.

С и н.: композиция, структура, построение. **Архитектони́ческий**, -ая, -ое.

**АРХИТЕКТУ́РА**, -ы, ж. [Восх. к лат. architectura от греч. architektōn — зодчий]. **1.** Искусство проектирования, возведения и художественного оформления строений. *Изучать архитектуру.* **2.** Характер, стиль постройки. *Древнерусская архитектура. Памятники архитектуры. Современная архитектура. Архитектура новых районов.* □ *Германн очутился.. в одной из главных улиц Петербурга, перед домом старинной архитектуры.* Пушкин. Пиковая дама.

С и н.: зодчество.

**Архитекту́рный**, -ая, -ое. *Архитектурные памятники. Архитектурный ансамбль.* **Архите́ктор**, -а, м. *Проект архитектора. Главный архитектор города.*

**АРШИ́Н**, -а, м. [Тюрк. (тат.) aršyn]. **1.** (*мн.* арши́ны, арши́н). Русская мера длины, применявшаяся до введения метрической системы, равная 0,71 м. *Пять аршин земли. Купить пол-аршина ленты.* □ — *И на лакее ливрея какая, Данилыч: сукно английское, по пять рублей аршин.* Чернышевский. Что делать? **2.** (*мн.* арши́ны, -ов). Деревянная или металлическая линейка такой длины. *Мерить аршином.* □ *Вера достала аршин из комода и вся углубилась в отмеривание полотна.* И. Гончаров. Обрыв. ◊ **Мерить всех на один** (или **общий**) **аршин** — подходить с одинаковыми требованиями, без различий, к разнородным явлениям, фактам. **Мерить на свой аршин** — судить о ком-, чем-л. односторонне, со своей личной точки зрения. *Он считал себя не вправе вмешиваться и мерить на свой аршин, несмотря на положение сильного.* Проскурин. Горькие травы. **Как** (**словно, будто**) **аршин проглотил** *кто* (*разг.*) — о том, кто держится неестественно прямо. **Видеть на два аршина под землей** — отличаться большой проницательностью.

**Арши́нный**, -ая, -ое. *Аршинное полотнище.* ◊ **Писать аршинными буквами** (*разг.*) — очень крупно и броско.

**АРЫ́К**, -а, м. [Тюрк.]. В Средней Азии, Казахстане, Закавказье: оросительный канал. *Глубокий арык. Прочистить арык.* □ — *А теперь проведем сюда арык вот от того родника. И потом увидишь, какие это будут красивые тополя!* Айтматов. Первый учитель.

**Ары́чный**, -ая, -ое.

**АРЬЕРГА́РД**, -а и (*устар.*) **АРИЕРГА́РД**, -а, м. [Франц. arrière-garde]. Часть войска (или флота), находящаяся в походе позади главных сил для прикрытия их с тыла. *Наполеон, выехав 24-го к Валуеву,.. не увидал передового поста русской армии, а наткнулся в преследовании русского ариергарда на левый фланг позиции русских.* Л. Толстой. Война и мир.— *Направление.. на юго--запад. Вы со взводом впереди батареи. Батарея по-прежнему двигается в арьергарде по́лка.* Бондарев. Горячий снег. ◇ **Быть (находи́ться) в арьерга́рде** — быть в задних рядах, отставать.

**Арьерга́рдный**, -ая, -ое *и* (устар.) **ариерга́рдный**, -ая, -ое. *Арьергардные части.*

**АС**, -а, *м.* [Франц. as — *первонач.* карточный туз; *восх. к лат.* as — весовая и денежная единица]. **1.** Выдающийся по летному и боевому мастерству летчик. *Советские асы. Стать асом.* **2.** *перен.* Большой мастер своего дела. *Мария Лагунова все больше накапливала боевой опыт. В бригаде о ней уже говорили:— Это наш танковый ас.* С. С. Смирнов. Рассказ о настоящем человеке.

С и н. (ко 2 знач.): виртуо́з, арти́ст *(разг.)*.

**АСЕ́ССОР**, -а, *м.* [Восх. к лат. asessor]. В дореволюционной России: должностное лицо, заседатель в казенной палате, в военном суде и других государственных учреждениях. *[Фамусов:] Безродного пригрел и ввел в свое семейство, Дал чин асессора и взял в секретари.* Грибоедов. Горе от ума. ◇ **Колле́жский асе́ссор** — в дореволюционной России: гражданский чин 8 класса по табели о рангах, который давал дворянское звание, а также лицо, имеющее этот чин. *Служить коллежским асессором.*

**Асе́ссорский**, -ая, -ое.

**АСКЕ́Т**, -а, *м.* [Греч. askētēs — *первонач.* упражняющийся, борец]. Тот, кто ведет суровый образ жизни, отказываясь от жизненных благ и удовольствий.

**АСКЕТИ́ЗМ**, -а, *м.* [См. *аскет*]. **1.** Религиозное учение, проповедующее подавление всяких потребностей человека и «умерщвление плоти» (лишениями и постом) для достижения нравственного совершенства. *Религиозный аскетизм.* **2.** Отказ от жизненных благ и удовольствий, строгий образ жизни. *Он был очень чистых нравов и вообще скорее склонялся к аскетизму, чем к наслаждениям.* Герцен. Былое и думы.

**Аскети́ческий**, -ая, -ое *и* **аскети́чный**, -ая, -ое; -чен, -чна, -о. *Аскетический (аскетичный) образ жизни.*

**АСПЕ́КТ**, -а, *м.* [Восх. к лат. aspectus — взгляд, вид]. *Книжн.* Точка зрения, с которой рассматриваются факты, явления, вопросы. *Социально-исторический аспект. Различные аспекты проблемы. Исследовать что-л. в новом аспекте.* □ *Есть так называемые психологические аспекты расстановки кадров.* Колесников. Школа министров.

С и н.: ра́курс *(книжн.)*.

**Аспе́ктный**, -ая, -ое.

**А́СПИД**[1], -а, *м.* [Восх. к греч. aspis, aspidos]. **1.** Род ядовитых змей, распространенных в тропических и субтропических странах. **2.** *Прост. бран.* О злобном, коварном человеке.

С и н. (ко 2 знач.): ехи́дна *(разг.)*, змея́ *(разг.)*, змей *(устар.)*.

**А́СПИД**[2], -а, *м.* [От греч. iaspis, iaspidos — яшма]. Слоистый минерал черного или черно-серого цвета.

**А́спидный**, -ая, -ое. ◇ **Аспидная доска́** — доска из аспида, на которой в старину писали грифелем. *Учитель объяснил, как.. брать в пальцы карандаш или мел, писать на аспидной доске.* Шагинян. Первая Всероссийская.

**АСПИРА́НТ**, -а, *м.* [Восх. к лат. aspirans, aspirantis — стремящийся к чему-л.]. Тот, кто готовится к научной или преподавательской деятельности при высшем учебном заведении или научно--исследовательском институте. *Талантливый аспирант. Аспирант кафедры.*

**Аспира́нтка**, -и, *ж.* **Аспира́нтский**, -ая, -ое. *Аспирантская стипендия.*

**АССАМБЛЕ́Я**, -и, *ж.* [Франц. assemblée]. **1.** Общее собрание членов какой-л., преимущественно международной, организации. **2.** При Петре I: общественное собрание, бал по европейскому образцу. *Ибрагим был бы очень рад избавиться [от поездки], но ассамблея была дело должностное, и государь строго требовал присутствия своих приближенных.* Пушкин. Арап Петра Великого. ◇ **Генера́льная Ассамбле́я Организа́ции Объединённых На́ций** — высший орган Организации Объединенных Наций, состоящий из представителей всех входящих в ее состав государств.

**Ассамбле́йный**, -ая, -ое *(ко 2 знач.)*.

**АССИГНА́ЦИЯ**, -и, *ж.* [Восх. к лат. assignatio — назначение]. Название денежных бумажных знаков, выпускавшихся в России с 1769 по 1849 г. *Десятирублевая ассигнация.* □ *В этой тележке сидит человек и продает косы. На наличные деньги он берет рубль двадцать пять копеек — полтора рубля ассигнациями.* Тургенев. Хорь и Калиныч.

**АССИГНОВА́ТЬ**, -ну́ю, -ну́ешь; ассигну́ющий, ассигнова́вший; ассигну́емый, ассигно́ванный; -ан, -а, -о; ассигну́я, ассигнова́в; *сов. и несов., что.* [См. *ассигнация*]. Выделить (выделять) определенную сумму денег на какие-л. цели. *Ассигновать средства на жилищное строительство. Ассигновать деньги на реставрацию здания.* □ *[Медузин] ассигновал значительные деньги на покупку визиги для пирогов, ветчины, паюсной икры.* Герцен. Кто виноват?

**Ассигнова́ние**, -я, *ср. Государственные ассигнования.*

**АССИСТЕ́НТ**, -а, *м.* [Восх. к лат. assistens, assistentis — стоящий рядом, помогающий]. **1.** Помощник профессора, врача и некоторых других специалистов при выполнении ими каких-л. работ, операций и т. п. *Ассистент хирурга. Обязанности ассистента.* □ *У пульта с десятками рычажков, контрольных экранов, кнопочек и лампочек сидят режиссер и его ассистент.* Лиханов. Обман. **2.** В высших учебных заведениях: ученое звание и младшая преподавательская должность на кафедре. *Ассистент кафедры журналистики. Переизбрать на должность ассистента.*

**Ассисте́нтка**, -и, *ж.* **Ассисте́нтский**, -ая, -ое.

**АССОРТИ́**, нескл., ср. [Франц. assorti — хорошо подобранный]. Специально подобранная смесь чего-л., преимущественно однородного; набор. *Шоколадное ассорти.*

**АССОРТИМЕ́НТ**, -а, м. [Франц. assortiment — подбор]. Подбор различных видов и сортов товаров на торговом предприятии или изделий на производственном предприятии. *Богатый ассортимент тканей в магазине. Расширить ассортимент выпускаемой продукции. План по ассортименту изделий.*

**Ассортиме́нтный**, -ая, -ое. *Ассортиментный перечень товаров.*

**АССОЦИА́ЦИЯ**, -и, ж. [Франц. association от лат. associatio — соединение]. 1. Объединение лиц или учреждений одного рода деятельности. *Международная ассоциация деятелей театра. Ассоциация книголюбов.* 2. Основанная на нервно-мозговых процессах связь между отдельными представлениями, при которой одно представление, появившись в сознании, вызывает другое. *Ассоциация по сходству. Ассоциация по противоположности. Вызывать ассоциации.* □ *Бессонов по странной ассоциации вспомнил, казалось, очень давний разговор в ставке.* Бондарев. Горячий снег.

С и н. (к 1 знач.): союз, блок, федера́ция, общество, алья́нс (книжн.), коали́ция (книжн.).

**Ассоциати́вный**, -ая, -ое (ко 2 знач.). *Ассоциативная связь. Ассоциативный процесс.* **Ассоциати́вно**, нареч. (ко 2 знач.). *Ассоциативно мыслить.* **Ассоциати́вность**, -и, ж. (ко 2 знач.). *Ассоциативность представлений.*

**АСТРОЛО́ГИЯ**, -и, ж. [Греч. astrologia — учение о звездах]. Учение о возможной связи, существующей между расположением звезд и судьбами людей и народов, о возможности предсказания будущего на основании этой связи.

**Астрологи́ческий**, -ая, -ое. *Астрологические предсказания.* **Астро́лог**, -а, м.

**АСТРОНА́ВТИКА**, -и, ж. [Франц. astronautique от греч. astron — звезда и nautikē — плавание]. Наука о полете летательных аппаратов в межпланетном пространстве.

С и н.: звездопла́вание, космона́втика.

**АТАМА́Н**, -а, м. [Тюрк.]. 1. Выборный начальник вольных казачьих дружин в старину, а также назначаемый или выборный начальник в казачьих войсках и селениях. *Куренно́й, кошево́й атаман. Войсково́й атаман.* □ *На сходе Дорофея Золотухина выбрали станичным атаманом, Каргина казначеем, а Егора Большака писарем.* Седых. Отчий край. 2. перен. Главарь, предводитель. *Приверженность разбойников к атаману была известна.* Пушкин. Дубровский.

С и н. (ко 2 знач.): вожа́к, верхово́д (разг.).

**Атама́нша**, -и, ж. (ко 2 знач.) (разг.). **Атама́нский**, -ая, -ое.

**АТЕИ́ЗМ** [тэ], -а, м. [Восх. к греч. atheos — безбожный]. Отрицание существования бога, отказ от религиозных верований. *Последователь атеизма. Воинствующий атеизм.*

С и н.: безбо́жие, безве́рие, неве́рие (устар.).

**Атеисти́ческий**, -ая, -ое. *Атеистическое ми-*

*ровоззрение. Атеистическая литература.* **Атеи́ст**, -а, м. *Последовательный атеист.*

**АТЕЛЬЕ́** [тэ], нескл., ср. [Франц. atelier]. 1. Мастерская живописца, скульптора, фотографа. *Вокруг Зиновия Ивановича скоро организовался кружок художников; они выпросили у совета командиров маленькую комнатку в мезонине и устроили ателье.* Макаренко. Педагогическая поэма. 2. Мастерская по пошиву одежды, обуви, а также по некоторым другим видам обслуживания. *Заказать костюм в ателье. Телевизионное ателье. Ателье бытового обслуживания.*

С и н. (к 1 знач.): сту́дия.

**АТЛА́НТЫ**, -ов, мн. (ед. атла́нт, -а, м.). [Греч. Atlas, Atlantos — имя титана, державшего на плечах небесный свод]. Колонны в виде мужских фигур, поддерживающие архитектурные перекрытия. *Когда на сердце тяжесть И холодно в груди, К ступеням Эрмитажа Ты в сумерках приди, Где без питья и хлеба, Забытые в веках, Атланты держат небо На каменных руках.* Городницкий. Атланты.

**А́ТЛАС**, -а, м. [Восх. к греч. Atlas (см. *атланты*) (изображение титана было помещено на титульном листе атласа 16 в.)]. Сборник географических карт или таблиц, чертежей и т. п. в виде альбома. *Географический атлас. Атлас СССР. Малый атлас мира. Ботанический, зоологический, анатомический атлас.*

**А́тласный**, -ая, -ое.

**АТЛА́С**, -а, м. [Восх. к араб. atlas — гладкий]. Сорт плотной шелковой ткани с гладкой, блестящей лицевой стороной. *А сверху платья носила [Маланья Павловна] кофту из голубого атласу, со спущенным с правого плеча рукавом.* Тургенев. Старые портреты.

**Атла́сный**, -ая, -ое. *Атласная лента. Атласная кожа* (перен.).

**АТЛЕ́Т**, -а, м. [Восх. к греч. athlētēs — борец]. 1. Спортсмен, занимающийся атлетикой. *Выступления атлетов.* 2. Человек крепкого телосложения и большой физической силы. *Бессонов про себя отметил, что этот высокий рыжеватый полковник с налитой шеей, с литыми плечами атлета по-молодому здоров, никогда еще не был ранен, вероятно, ни разу в жизни не болел.* Бондарев. Горячий снег.

**Атлети́ческий**, -ая, -ое. *Атлетическое телосложение.*

**АТЛЕ́ТИКА**, -и, ж. [См. *атлет*]. Совокупность гимнастических упражнений, требующих разносторонней физической подготовки. ◊ **Легкая атлетика** — вид спорта, включающий бег, ходьбу, прыжки, метание копья, диска, толкание ядра и т. п. **Тяжелая атлетика** — вид спорта, состоящий в поднятии тяжестей (гирь, штанг и т. п.).

**Атлети́ческий**, -ая, -ое. *Атлетические упражнения.*

**АТМОСФЕ́РА**, -ы, ж. [Восх. к греч. atmos — дым и sphaira — шар, сфера]. 1. Газообразная оболочка, окружающая Землю и некоторые другие планеты. *Атмосфера Земли. Бороться с загрязнением атмосферы.* 2. Разг. Воздух. *Давно не возобновляемая атмосфера комнат пропита-*

лась противною смесью разнородных запахов, в составлении которой участвовали и ягоды, и пластыри, и лампадное масло, и те особенные миазмы, присутствие которых прямо говорит о болезни и смерти. *Салтыков Щедрин. Господа Головлевы.* **3.** *перен.* Окружающие условия, обстановка. Общественная атмосфера. Дружеская атмосфера. Атмосфера доверия. ◇ *В доме Ростовых завелась в это время какая-то особенная атмосфера любовности, как это бывает в доме, где очень милые и очень молодые девушки.* Л. Толстой. Война и мир.

**Атмосфе́рный**, -ая, -ое (*к 1 знач.*). *Атмосферное давление. Атмосферное электричество. Атмосферные осадки.*

**А́ТОМ**, -а, *м.* [Восх. к греч. atomos — неделимый]. Наименьшая частица химического элемента, которая является носителем его химических свойств. *Ядро атома. Строение атома. Атомы водорода.*

**А́томный**, -ая, -ое и **атома́рный**, -ая, -ое. *Атомный вес. Атомарный состав вещества. Атомная энергия* (энергия, выделяемая при некоторых превращениях атомных ядер). *Атомная электростанция* (работающая с использованием атомной энергии). *Атомная бомба. Атомный ледокол.*

**АТОМОХО́Д**, -а, *м.* Судно с двигателем, работающим на атомной энергии.

**Атомохо́дный**, -ая, -ое.

**АТРИБУ́Т**, -а, *м.* [Ср.-лат. attributum — свойство, принадлежность]. *Книжн.* Существенное, неотъемлемое свойство предмета или явления, постоянная принадлежность, характерный признак. *Уединение — атрибут творчества. Культовые атрибуты.* ◇ *Он [обыватель] уже свивает себе гнездо и в наших рядах, надежно баррикадируется революционной фразой и всякими красными атрибутами.* Ф. Гладков. Цемент.

**АТРОФИ́Я**, -и, *ж.* [Восх. к греч. atrophia — отсутствие питания]. **1.** *Спец.* Потеря жизнеспособности и уменьшение размеров органа, отдельных тканей организма вследствие нарушения их питания или длительного бездействия. *Атрофия мышц.* **2.** *перен. Книжн.* Утрата, притупление какого-л. свойства, способности и т. п. *Атрофия воли, чувств. Атрофия совести.*

**АТТАШЕ́**, *нескл.*, *м.* [Франц. attaché — прикомандированный]. Должностное лицо при дипломатическом представительстве, являющееся специалистом-консультантом в какой-л. области. *Военный, морской, торговый атташе. Атташе по вопросам культуры.*

**АТТЕСТА́Т**, -а, *м.* [Восх. к лат. attestatum — засвидетельствованное]. **1.** Официальный документ об окончании учебного заведения, а также свидетельство о присвоении ученого или специального звания. *Они окончили десятилетку и получили аттестаты.* Проскурин. Горькие травы. **2.** Документ, удостоверяющий право на получение военнослужащим денежного, вещевого и др. довольствия, а также документ, по которому иждивенец военнослужащего получает часть его денежного довольствия. *В госпиталь его [раненого] доставили в спешке, без вещевого, продовольственного и денежного аттестата.* Б. Полевой. Повесть о настоящем человеке. **3.** В дореволюционной России: свидетельство о прохождении службы, выдававшееся при отставке. *[Корпелов:] Прослужил я целых три месяца, вышел в отставку и аттестат два раза терял, и живу теперь по копии с явочного прошения о пропавшем документе.* А. Островский. Трудный хлеб. **4.** Документ, удостоверяющий породистость животного. *Я купил его [мерина] так, без породы, без аттестата.* Л. Толстой. Холстомер. ◇ **Аттестат зрелости** — документ об окончании средней общеобразовательной школы (был введен в России в 1878 г. и выдавался окончившим мужскую классическую гимназию; в СССР так назывался аттестат о среднем образовании с 1944 по 1962 г.).

**Аттеста́тный**, -ая, -ое.

**АТТЕСТА́ЦИЯ**, -и, *ж.* [См. *аттестат*]. **1.** *Книжн.* Отзыв, характеристика, даваемая кому-, чему-л. *[Клобуков:] Превосходный офицер! Талантлив, инициативен, сам идет вперед и других тянет. [Шабунина:] Это аттестация командира, а что скажете о товарище?* Лавренев. За тех, кто в море. **2.** Определение квалификации работника, уровня знаний учащихся. *Аттестация педагогических кадров. Пройти аттестацию.*

**Аттестацио́нный**, -ая, -ое. *Аттестационная комиссия. Аттестационное свидетельство.*

**АТТРАКЦИО́Н**, -а, *м.* [Франц. attraction; восх. к лат. attractio — притяжение]. **1.** Эффектный цирковой или эстрадный номер. *Подготовить новый аттракцион.* **2.** *обычно мн.* Устройство для развлечений в местах общественных гуляний, напр., карусель, качели, тир и т. п. *Посетить аттракционы.*

**Аттракцио́нный**, -ая, -ое.

**АУДИЕ́НЦИЯ**, -и, *ж.* [Восх. к лат. audientia — слушание]. Официальный прием у лица, занимающего высокий пост. *Просить аудиенции.* ◇ *Флигель-адъютант с учтивостью передал Болконскому желание императора дать ему аудиенцию.* Л. Толстой. Война и мир.

**АУДИТО́РИЯ**, -и, *ж.* [Лат. auditorium]. **1.** Помещение, предназначенное для чтения лекций. *Университетская аудитория.* ◇ *Внизу, на северной половине, устроили нечто вроде аудитории со скамьями, трибуной, кафедрой для оратора и черной доской.* Шагинян. Первая Всероссийская. **2.** *собир.* Слушатели лекции, доклада, речи и т. п. *Внимательная аудитория. Произвести впечатление на аудиторию. Овладеть вниманием аудитории.* ◇ *Товарищ Ленин говорил приблизительно три часа,.. неуклонно развивая свою мысль, излагая аргумент за аргументом, и вся аудитория, казалось, ловила, затаив дыхание, каждое сказанное им слово.* Шагинян. Четыре урока у Ленина.

**Аудито́рный**, -ая, -ое (*к 1 знач.*). *Аудиторные занятия.*

**АУКЦИО́Н**, -а, *м.* [Восх. к лат. auctio — увеличение; публичные торги]. Публичная продажа какого-л. имущества, при которой покупателем становится тот, кто предложит самую высокую цену. *Приобрести картину на аукционе.* Участники аукциона. □ [*Лопахин:*] *Если ничего не придумаем.., то двадцать второго августа и вишневый сад и все имение будут продавать с аукциона.* Чехов. Вишневый сад.

С и н.: торги́.

**Аукцио́нный**, -ая, -ое.

**АУ́Л**, -а, *м.* [Тюрк.; восх. к монг. ayil — кочевая стоянка]. Селение (на Кавказе, в Казахстане и Средней Азии). *При этом имени [Азамата] глаза Казбича засверкали, и он отправился в аул, где жил отец Азамата.* Лермонтов. Герой нашего времени.

**Ау́льный**, -ая, -ое. *Аульные обычаи.*

**АУТЕНТИ́ЧЕСКИЙ** [тэ], -ая, -ое *и* **АУТЕНТИ́ЧНЫЙ** [тэ], -ая, -ое; -чен, -чна, -о. [Греч. authentikos — подлинный]. *Книжн.* Действительный, подлинный, основанный на первоисточнике. *Аутентический (аутентичный) текст. Аутентическое (аутентичное) толкование закона.*

**Аутенти́чность**, -и, *ж. Аутентичность цитаты.*

**АУТОДАФЕ́** [фэ́], *нескл., ср.* [Восх. к порт. auto da fé — дело веры]. В средние века: публичное сожжение на костре еретиков и еретических сочинений по приговорам инквизиции.

**АУТОТРЕ́НИНГ**, -а, *м.* [От греч. auto — сам и англ. training — тренировка, обучение]. *Спец.* Метод воздействия на свое физическое и психическое состояние путем специальных упражнений, основанных на самовнушении. *Заниматься аутотренингом.* □ *Внутреннее, духовное, психологическое сопротивление и аутотренинг играют в безнадежных случаях огромную роль в деле улучшения духовного настроя [больного].* Конецкий. Вчерашние заботы.

**АУТСА́ЙДЕР** [дэ], -а, *м.* [Англ. outsider]. Спортсмен или спортивная команда, занимающие в соревновании одно из последних мест. *Аутсайдеры чемпионата.*

**Аутса́йдерский**, -ая, -ое.

**АФГАНИ́**, *нескл., ж. и ср.* Денежная единица Афганистана.

**АФЕ́РА** [не фэ́], -ы, *ж.* [Франц. affaire — дело, афера]. Рискованное и недобросовестное дело, предпринятое с целью наживы. *Вовлечь в аферу.* □ — *Поправиться, вишь, полагал, в аферу пустился.. В немецкое, чу, собрание свез [деньги]. Думал дурака найти в карты обыграть, ан заместо того сам на умного попался.* Салтыков-Щедрин. Господа Головлевы.

**Аферист**, -а, *м.*

**АФИШИ́РОВАТЬ**, -рую, -руешь; афиши́рующий, афиши́ровавший; афиши́руемый, афиши́рованный; -ан, -а, -о; афиши́руя, афиши́ровав; *сов. и несов., что.* [Франц. afficher — вывешивать, выставлять напоказ]. *Книжн.* Предать (предавать) широкой огласке, выставить (выставлять) напоказ. *Афишировать близкие отношения с кем-л.* □ [*Коля:*] *Максим Кириллович, она мой учитель.* [*Максим:*] *На вашем месте я бы этого не афишировал.* Арбузов. Встреча с юностью.

**Афиши́рование**, -я, *ср.*

**АФОРИ́ЗМ**, -а, *м.* [Восх. к греч. aphorismos — определение]. Краткое выразительное изречение, содержащее какую-л. обобщенную мысль. *Меткий афоризм. Речь, насыщенная афоризмами.* □ [*Лопухов*] *мог делать из фактов выводы, которых не умели делать люди, подобные Марье Алексеевне, не знающие ничего, кроме обыденных личных забот да ходячих афоризмов.* Чернышевский. Что делать?

**Афористи́ческий**, -ая, -ое *и* **афористи́чный**, -ая, -ое; -чен, -чна, -о. *Афористический слог. Афористичный стиль.* **Афористи́чность**, -и, *ж. Афористичность языка.*

**АФРО́НТ**, -а, *м.* [Франц. affront]. *Устар.* Публично нанесенное оскорбление; посрамление, неудача. *Дмитрию Сергеевичу никак не хотелось оставить на себе того афронта, что не может побороть офицера; пять раз он схватывался с ним, и все пять раз офицер низлагал его, хотя не без труда.* Чернышевский. Что делать?

**АФФЕ́КТ**, -а, *м.* [Лат. affectus — переживание, страсть]. *Книжн.* Состояние сильного нервного возбуждения и потери самоконтроля. *Быть в состоянии аффекта.* □ [*Доктор*] *много и умно говорил про «аффект» и «манию» и выводил, что.. подсудимый пред арестом находился в несомненном болезненном аффекте.* Достоевский. Братья Карамазовы.

**Аффекти́вный**, -ая, -ое.

**АФФЕКТА́ЦИЯ**, -и, *ж.* [Лат. affectatio]. *Книжн.* Неестественное возбуждение, искусственность в жестах, манерах, в речи. *Она* [*Вера*] *задавала свои вопросы без всякой аффектации и кокетства и при этом глядела на Звягинцева внимательным, пристальным взглядом, как бы желая этим подчеркнуть, что для нее очень важно услышать его ответы.* Чаковский. Блокада.

**АХИЛЛЕ́СОВ**, -а, -о. [По имени древнегреческого героя Ахиллеса, тело которого было неуязвимым, за исключением пятки, в которую он и был смертельно ранен].

◇ **Ахиллесова пята** (*книжн.*) — слабая, уязвимая сторона кого-, чего-л. *Ахиллесова пята Оуэна не в явных и простых основаниях его учения, а в том, что он думал, что обществу легко понять его простую истину.* Герцен. Былое и думы.

**АШУ́Г**, -а, *м.* [Тюрк.]. Народный поэт-певец на Кавказе. *Песня ашуга.*

**АЭРА́РИЙ**, -я, *м.* [Восх. к греч. aër — воздух]. Площадка для принятия воздушных ванн.

**АЭ́РО...** [От греч. aër — воздух]. Первая составная часть сложных слов, обозначающая а в и а ц и о н н ы й, в о з д у ш н ы й, напр.: *аэровокза́л, аэроклу́б, аэрофотогра́фия.*

**АЭРО́БИКА**, -и, *ж.* [Англ. aerobics от греч. aër — воздух и bios — жизнь]. Оздоровительная гимнастика, средствами которой являются физические упражнения в сочетании с элементами хореографии, выполняемые под музыку без пауз и в быстром темпе; ритмическая гимнастика. *Заниматься аэробикой.*

**АЭРО́БУС**, -а, *м.* [От *аэро...* (см.) и англ. bus — автобус]. Двухпалубный самолет, предназначенный для одновременной перевозки большого количества пассажиров и их багажа, размещаемого в багажных отсеках. *Межконтинентальный аэробус.*

**Аэро́бусный**, -ая, -ое.

**АЭРОНА́ВТИКА,** -и, *ж.* [От греч. aēr — воздух и nautikē — мореплавание]. *Книжн.* Воздухоплавание.

**Аэрона́вт,** -а, *м.*

**АЭРОПЛА́Н,** -а, *м.* [Франц. aéroplane от греч. aēr — воздух и франц. planer — парить]. Самолет. *Там, отчаянно треща, летел с юга чуть повыше сопок похожий на стрекозу аэроплан. Покачиваясь, взблескивая пропеллером, приближался он к дороге.* Седых. Отчий край.

**Аэропла́нный,** -ая, -ое.

**АЭРОСА́НИ,** -ей, *мн.* [От *аэро...* (см.) и *сани*]. Механические сани, передвигающиеся по снегу и льду с помощью воздушного винта.

**АЭРОСТА́Т,** -а, *м.* [От греч. aēr — воздух и statos — стоячий]. Летательный аппарат, наполненный газом легче воздуха, благодаря чему он может подниматься и держаться в воздушном пространстве. *Утром, на позднем рассвете, как кусок льда в холодном сумраке неба, качался над площадями распластанный серебристо-голубой аэростат.* Шагинян. Четыре урока у Ленина.

**Аэроста́тный,** -ая, -ое.

# Б

**БАГА́Ж,** -а́, *м.* [Франц. bagage]. **1.** Упакованные для перевозки вещи, груз пассажира. *Тяжелый багаж. Сдать багаж в камеру хранения.* **2.** *перен., чего или какой. Книжн.* Сведения, знания в какой-л. области. *Умственный багаж.* □ *Как профессор русской литературы, он [П. А. Плетнев] не отличался большими сведениями, ученый багаж его был весьма легок.* Тургенев. Литературные и житейские воспоминания.

**Бага́жный,** -ая, -ое (к 1 знач.).

**БАГЕ́Т,** -а, *м.* [Франц. baguette; восх. к лат. baculum — палка]. Резная или окрашенная деревянная планка для карнизов и рам к картинам. *В большом зале с двумя зеркалами в простенках, картинами.. в золотом багете.. было пустынно и скучно.* М. Горький. В людях.

**Баге́тный,** -ая, -ое и **баге́товый,** -ая, -ое. *Багетная мастерская. Багетовая рамка.*

**БАГО́Р,** багра́, *м.* Длинный шест с металлическим острием и крюком на конце. *Пожарный багор.* □ *По моему приказанию гребцы зацепили плот багром.* Пушкин. Капитанская дочка.

**Баго́рный,** -ая, -ое.

**БАГРЯНЕ́Ц,** -нца́ (*книжн.*) и **БАГРЕ́Ц,** -а́ (*устар.*), *м.* Густо-красный цвет. *Люблю я пышное природы увяданье, В багрец и золото одетые леса.* Пушкин. Осень. *Темно-синие, почти черные, тучи на западе медленно меняли окраску: вначале нижний подбой их покрылся тусклым багрянцем, затем кроваво-красное зарево пронизало их насквозь и.. охватило небо.* Шолохов. Поднятая целина.

С и н.: пу́рпур.

**БАГРЯНИ́ЦА,** -ы, *ж.* В старину: одежда багряного цвета в виде плаща у представителей верховной власти. *Лициний, зришь ли ты: на быстрой колеснице, Венчанный лаврами, в бле-* стящей багрянице, Спесиво развалясь, Ветулий молодой В толпу народную летит по мостовой? Пушкин. Лицинию.

**БАДЬЯ́,** -и́, бадьи́, баде́й, *ж.* [Тюрк. (тат.) badiä от перс. bädje]. Деревянное окованное или металлическое широкое ведро, немного суженное книзу. *Потянул [Цыган] из колодца обледенелую бадью, лил пахучую воду в колоду.. Бадья звякала железом, скрипел журавль, моталось привязанное к его концу сломанное колесо.* А. Н. Толстой. Петр I.

**Баде́ечный,** -ая, -ое и **баде́йный,** -ая, -ое.

**БА́ЗА,** -ы, *ж.* [Франц. base; восх. к греч. basis]. **1.** *Книжн.* Основание, основа чего-л., то главное, на чем зиждится что-л. *Располагать экономической базой. Сырьевая база для легкой промышленности.* **2.** Место, где сосредоточены какие-л. запасы, склад. *Торговая, овощная база.* **3.** Специальное учреждение по обслуживанию кого-, чего-л. *Лыжная, туристская база. Расширить сеть судоремонтных баз.* □ *Советские конструкторы создали такие самолеты, которые в состоянии, вылетев с оборудованной базы, достичь полюса.* Водопьянов. Путь летчика. **4.** Опорный пункт вооруженных сил страны на своей или чужой территории. *Военно-морские базы.* □ *Но знал он расположение не всех [партизанских] баз, только тех, куда сам возил продукты.* Овечкин. Очерки о колхозной жизни. ◊ **На ба́зе** *чего* — имея что-л. в качестве основы, исходного пункта. *Фильм создан на базе документальных материалов.*

С и н. (к 1 знач.): ба́зис (*книжн.*), первоосно́ва (*книжн.*), фунда́мент (*книжн.*).

**Ба́зовый,** -ая, -ое (к 1, 2 и 3 знач.). *Базовое предприятие* (основное, опорное предприятие).

**БАЗИ́РОВАТЬСЯ,** -руюсь, -руешься; бази́рующийся, бази́ровавшийся; бази́руясь; *несов.* [См. *база*]. **1.** *на чем. Книжн.* Основываться на чем-л., опираться на что-л. *Базироваться на фактах. Базироваться на отечественных ресурсах полезных ископаемых.* **2.** Иметь что-л. в качестве базы (в 3 и 4 знач.); размещаться, располагаться где-л. *Иван Федорович.. должен был выйти в село Городищи, где базировался директор совхоза со своим отрядом.* Фадеев. Молодая гвардия.

С и н. (к 1 знач.): стро́иться, поко́иться (*книжн.*), зи́ждиться (*высок.*).

**Бази́рование,** -я, *ср.* (ко 2 знач.). *Район базирования противника.*

**БА́ЗИС,** -а, *м.* [Восх. к греч. basis]. **1.** *Книжн.* То же, что *база* (в 1 знач.). *Стройных и цельных теоретических воззрений, которые бы служили базисом для его реформаторской программы и освещали частные вопросы реформы, у Гобсона нет.* Ленин, т. 4, с. 153. **2.** Совокупность общественных производственных отношений, являющихся основой образования надстройки (во 2 знач.) данного общества. *Базис общественно-экономической формации.*

С и н. (к 1 знач.): основа́ние, осно́ва, первоосно́ва (*книжн.*), фунда́мент (*книжн.*).

**Ба́зисный,** -ая, -ое (ко 2 знач.).

**БАЙ,** -я, *м.* [Тюрк. (тат.) bai — богач, хозяин, предводитель]. В Средней Азии до революции: богатый землевладелец или скотовод.

**Ба́йский**, -ая, -ое. *Байские земли.*

**БАЙБА́К**, -а́, *м.* [Тюрк. (тат.) bajbak]. **1.** Степной грызун из рода сурков, осень и зиму проводящий в спячке. *Нора байбака.* **2.** *перен. Разг.* Неповоротливый, ленивый человек. *Привычки байбака.* □ *Тентетников принадлежал к семейству тех людей,.. которым имена — увальни, лежебоки, байбаки и тому подобное.* Гоголь. Мертвые души.

С и н. (ко 2 знач.): лентя́й, лени́вец, лежебо́ка (*разг.*).

**Байба́чий**, -ья, -ье (*к 1 знач.*).

**БАЙДА́РА**, -ы, *ж.* На Камчатке и Алеутских островах: открытая, обтянутая кожей промысловая лодка с большой грузоподъемностью. *Плыть на байдаре.*

**БАЙДА́РКА**, -и, *ж.* Спортивная легкая лодка без уключин, с закрытыми носом и кормой, управляемая двухлопастным веслом. *Соревнования на байдарках.*

**Байда́рочный**, -ая, -ое. *Байдарочная гребля.*

**Байда́рочник**, -а, *м.*

**БАКАЛА́ВР**, -а, *м.* [Ср.-лат. baccalaureus]. В некоторых зарубежных странах: первая ученая степень, а также лицо, имеющее эту степень (во Франции — человек, сдавший экзамен за курс средней школы).

**БА́КЕН**, -а и **БА́КАН**, -а, *м.* [Голл. baak (*мн.* baken) — сигнал]. Укрепленный на якоре плавучий знак для указания безопасного прохода (фарватера) и опасных мест на реках, озерах, в заливах и т. п. *На Угрюм-реке мерцали дремлющие баканы.* Шишков. Угрюм-река. *За открытыми окнами мерцала разноцветными бакенами Обь.* Липатов. И это все о нем.

**Ба́кенный**, -ая, -ое. *Бакенные фонари.* **Ба́кенщик**, -а, *м.* (тот, кто обслуживает бакены).

**БАКЕНБА́РДЫ**, -а́рд и -ов, *мн.* (*ед.* бакенба́рда, -ы, *ж.* и бакенба́рд, -а, *м.*) и (*устар.*) **БА́КЕНЫ**, -ов, *мн.* (*ед.* ба́кен, -а, *м.*). [Нем. Backenbart от Backen — щека и Bart — борода]. Волосы, растущие от висков вниз по щекам (обычно при выбритом подбородке). *Носить усы и бакенбарды.* □ — *А, знаете, вы напрасно бакенов не носите. Тут вот пробриrь, с боков... вот тут вот оставить волосы.* Чехов. Житейская мелочь. *Приказ передал ему комендант — рослый детина с.. пышной растительностью на щеках, вроде бакенбард.* А. Н. Толстой. Хождение по мукам.

**БА́КИ**, бак, *мн.* [Сокращение от *бакенбарды* (см.)]. Коротко подстриженные бакенбарды. *На его сером личике тряслись белые редкие баки, верхняя бритая губа завалилась в рот.* М. Горький. Мать.

**Ба́чки**, ба́чек, *мн.* (*уменьш.*).

**БАКТЕРИОЛО́ГИЯ**, -и, *ж.* [От *бактерия* (см.) и греч. logos — учение]. Наука о бактериях, раздел микробиологии.

**Бактериологи́ческий**, -ая, -ое. *Бактериологическая война* (война с применением бактериологического оружия). *Бактериологическое оружие* (болезнетворные бактерии, используемые с помощью живых зараженных переносчиков заболеваний или в виде порошков в боеприпасах). **Бактерио́лог**, -а, *м.*

**БАКТЕ́РИЯ**, -и, *ж.* [Восх. к греч. baktērion — палочка]. Микроскопический одноклеточный организм. *Гнилостные, болезнетворные бактерии. Использование бактерий в пищевой промышленности.*

С и н.: микро́б.

**Бактериа́льный**, -ая, -ое.

**БАЛАГА́Н**, -а, *м.* [Восх. к перс. bālāhāna — высокий балдахин]. **1.** *Устар.* Временная легкая, обычно дощатая, постройка для различных надобностей (жилья, торговли, склада и т. п.). *Охотничий балаган.* □ *Купцы в балаганах открывали торговлю.* Л. Толстой. Война и мир. *Перед старым городом по склону горы раскиданы мазаные хаты и дощатые балаганы рабочих.* А. Н. Толстой. Петр I. **2.** В старину: театральное зрелище с примитивным оформлением, преимущ. комического характера на ярмарках и народных гуляньях. *Про балаган прослышавши, Пошли и наши странники Послушать, поглазеть. Комедию с Петрушкою, С козою с барабанщицей... Смотрели тут они.* Н. Некрасов. Кому на Руси жить хорошо. **3.** *ед., перен. Разг.* Нечто несерьезное, шутовское, грубовато-пошлое. *Превратить жизнь в балаган.*

С и н. (к 3 знач.): шутовство́, фигля́рство, буффона́да, скоморо́шество (*разг.*), га́ерство (*устар.*).

**Балага́нный**, -ая, -ое. *Балаганная постройка. Балаганное представление. Балаганные шутки.*

**БАЛАЛА́ЙКА**, -и, *ж.* Русский щипковый музыкальный инструмент с тремя струнами и корпусом треугольной формы. *Где-то в лесу послышалась гармоника, забренчала балалайка.* Мельников-Печерский. В лесах. ◇ *Бесструнная балалайка* (пренебр.) — о болтливом человеке, пустомеле.

**Балала́ечный**, -ая, -ое. **Балала́ечник**, -а, *м. Талантливый балалаечник.*

**БАЛА́НС**, -а, *м.* [Франц. balance; восх. к лат. bilanx — весы с двумя чашками]. **1.** Равновесие. *[Алексей] попробовал ходить без костылей.. Встал. Постоял, расставив ноги и беспомощно разводя руки для баланса.* Б. Полевой. Повесть о настоящем человеке. **2.** *Спец.* Сравнительный итог прихода и расхода. *Годовой баланс. Активный баланс* (итог, в котором приход, поступление превышает расходование). *Пассивный баланс* (итог, в котором расходование превышает поступление). **3.** Соотношение взаимно связанных показателей какой-л. деятельности, процесса. *Торговый баланс* (соотношение ввоза и вывоза товаров). *Энергетический баланс* (соотношение производства и потребления энергии).

**БАЛАНСЁР**, -а, *м.* [См. *баланс*]. Акробат, балансирующий на канате.

**БАЛАНСИ́Р**, -а, *м.* [Восх. к франц. balancier — коромысло]. *Спец.* Шест или дюралюминиевая труба, с помощью которых канатоходец сохраняет равновесие.

**БАЛАНСИ́РОВАТЬ**, -рую, -руешь; балансирующий, балансировавший; балансируя; *несов.* [См. *баланс*]. Удерживать при неустойчивом положении равновесие посредством телодвижений. *Балансировать на канате.* ☐ *[Тулин] отошел, цепко хватаясь на ходу за кресла, балансируя, потому что самолет по-прежнему швыряло из стороны в сторону.* Гранин. Иду на грозу.

**Балансирование,** -я, *ср.* ◊ **Балансирование на грани войны** *(перен.)* — политика, направленная на обострение военной напряженности.

**БАЛДАХИ́Н,** -а, *м.* [Франц. baldaquin; восх. к ср.-лат. baldacinus — шелковая ткань из Багдада]. Нарядный навес на столбиках, обычно матерчатый (над троном, кроватью, повозкой и т. п.). *Гроб стоял на богатом катафалке под бархатным балдахином.* Пушкин. Пиковая дама.

**Балдахи́нный,** -ая, -ое.

**БАЛЕ́Т,** -а, *м.* [Восх. к итал. balletto]. **1.** *ед.* Искусство театрального танца. *Классический, современный балет. История русского балета. Увлекаться балетом.* ☐ *— Построим театр и пригласим на открытие Галину Уланову или Елену Рябинкину, новую знаменитость балета, такую молоденькую, что ей-то как раз танцевать в нашем театре.* Прилежаева. Пушкинский вальс. **2.** Театральное представление, состоящее из танцев и мимических движений, сопровождаемых музыкой, а также музыкальное произведение, предназначенное для такого представления. *Балет «Лебединое озеро». Танцевать в балете.* ☐ *Степан Аркадьич заехал в Большой театр на репетицию балета.* Л. Толстой. Анна Каренина.

С и н. (к *1 знач.*): хореогра́фия.

**Бале́тный,** -ая, -ое. *Балетное искусство. Балетная труппа.*

**БАЛЕТМЕ́ЙСТЕР,** -а, *м.* [Нем. Ballettmeister от Ballett — балет и Meister — мастер]. Автор и постановщик балетов, танцев. *Искусный балетмейстер.*

С и н.: танцме́йстер *(устар.)*.

**Балетме́йстерский,** -ая, -ое.

**БА́ЛКА**[1], -и, *ж.* Деревянный, железобетонный или металлический брус, укрепленный концами в две противоположные стены или устои и служащий поддержкой настила (пола, потолка и т. п.). *Стены [амбара] были все в огне,.. крыша тесовая обрушилась, балки пылали.* Л. Толстой. Война и мир.

**Ба́лочный,** -ая, -ое. *Балочное перекрытие.*

**БА́ЛКА**[2], -и, *ж.* Ложбина, образованная талыми и дождевыми водами, длинный овраг с пологими склонами, поросший травой, кустарником, деревьями. *В отвесном скате балки весенние воды промыли нечто вроде ниши.* В. Кожевников. Март — апрель.

С и н.: лощи́на, лог.

**БАЛКО́Н,** -а, *м.* [Итал. balcone]. **1.** Обнесенная перилами и сообщающаяся с внутренним помещением площадка, которая примыкает к наружной стене дома (на верхних этажах). *Она любила на балконе Предупреждать зари восход.* Пушкин. Евгений Онегин. **2.** Места для зрителей в средних и верхних ярусах зрительного зала. *Билеты на балкон.* ☐ *Балкон, вестибюль, зал — все набито до отказа.. Он сидел на балконе, во втором ряду, и внимательно слушал.* Проскурин. Горькие травы.

**Балко́нный,** -ая, -ое. *Балконная решетка.*

**БАЛЛА́ДА,** -ы, *ж.* [Франц. ballade]. Стихотворение легендарного, исторического, сказочного или бытового содержания, написанное строфами. *Средневековая баллада. «Баллада о гвоздях» Н. Тихонова.* ☐ *Улыбнись, моя краса, На мою балладу; В ней большие чудеса, Очень мало складу.* Жуковский. Светлана.

**Балла́дный,** -ая, -ое. *Балладный жанр.*

**БАЛЛА́СТ,** -а, *м.* [Голл. или н.-нем. ballast]. **1.** Специальный груз для обеспечения правильной осадки и остойчивости корабля, для регулирования высоты полета аэростата. *Приказано было выбросить в воду балласт.. Корабли облегчались, вода в Кутюрме продолжала спадать.* А. Н. Толстой. Петр I. **2.** *перен. Книжн.* То, что является лишним, ненужным, обременяет кого-, что-л. *Вышли [из колхоза] те, которые, по сути, были мертвым балластом в бригадах, которые и колхозниками-то стали то ли из-за опасений,.. то ли просто увлеченные общим могущественным приливом, тягой в колхоз.* Шолохов. Поднятая целина.

С и н. (ко *2 знач.*): бре́мя, обу́за.

**Балла́стный,** -ая, -ое.

**БАЛЛИ́СТИКА,** -и, *ж.* [Восх. к греч. ballein — бросать]. Наука о законах движения снарядов, пуль, мин, авиабомб и т. п. *Немцы выпустили еще несколько очередей, но беглецы были намного выше преследователей, и в таком положении.. согласно законам баллистики попасть из автоматов было почти невозможно.* В. Быков. Альпийская баллада.

**Баллисти́ческий,** -ая, -ое. ◊ **Баллистическая ракета** — ракета, проходящая часть пути как свободно падающее тело.

**БАЛЛОТИ́РОВАТЬСЯ,** -руюсь, -руешься; баллоти́рующийся, баллоти́ровавшийся; баллоти́руясь; *несов.* [От нем. ballotieren; восх. к итал. ballotare — избирать шарами]. *Книжн.* Выставлять свою кандидатуру для голосования (баллотировки). *Баллотироваться в парламент.* ☐ *Когда на очередных президентских выборах председатель национального комитета демократической партии.. предложил сенатору от Миссури баллотироваться в вице-президенты,... [он] растерялся.* Чаковский. Победа.

**БАЛЬЗА́М,** -а, *м.* [Восх. к греч. balsamon]. **1.** *ед.* Густой душистый сок некоторых растений, содержащий смолы и эфирные масла. **2.** Целебная настойка или мазь из лечебных трав. *— Из чего состоял тот бальзам,.. та настойка, посредством которой вы.. вытерли вашу.. поясницу, надеясь тем излечиться?* Достоевский. Братья Карамазовы. **3.** *перен.* Средство утешения, душевного облегчения. *Бальзам для души.* ◊ **Пролить бальзам** *на что* — утешить.

С и н. (ко *2 знач.*): сна́добье *(разг.)*. С и н. (к *3 знач.*): еле́й.

**Бальза́мный,** -ая, -ое (к *1 и 2 знач.*) и **бальзами́ческий,** -ая, -ое (к *1 знач.*). *Бальзамическая пихта.*

**БАЛЬЗАМИ́РОВАТЬ,** -рую, -руешь: бальзами́рующий, бальзами́ровавший; бальзами́-

руемый, бальзами́рованный; -ан, -а, -о; бальзами́руя, бальзами́ровав; *сов. и несов., кого, что*. [См. *бальзам*]. Пропитать (пропитывать) труп веществами, предохраняющими от гниения, разложения.

**Бальзами́рование**, -я, *ср. Лежащий перед ним труп украшен, подновлен уже до последней степени возможности и искусства в бальзамировании тел*. Вяземский. Наполеон и Юлий Цезарь.

**БАЛЮСТРА́ДА**, -ы, *ж.* [Франц. balustrade; восх. к лат. balaustium — цветок гранатового дерева; балясина]. Перила из фигурных столбиков, ограждающие террасу, балкон и т. п. *На другой стороне пруда виднелась красивая балюстрада лодочной пристани*. Короленко. Прохор и студенты.

**Балюстра́дный**, -ая, -ое.

**БАЛЯ́СИНА**, -ы, *ж.* [Польск. balas; восх. к лат. balaustium]. Точеный, обычно фигурный столбик перил, ограды и т. п. *[Нилов] потряс перила крыльца с такой силой, что одна балясина выскочила, все крыльцо затрепетало*. Чехов. Волк.

**БАНА́ЛЬНЫЙ**, -ая, -ое; -лен, -льна, -о. [Франц. banal — шаблонный]. Общеизвестный, утративший выразительность, свежесть вследствие частого употребления. *Банальная шутка*. □ *Сначала все слушали [игру на фортепьяно] молча, никто не говорил банальных похвал: «charmant, bravo», а когда кончила — все закричали в один голос, окружили меня*. И. Гончаров. Обрыв. — *Я.. Гасилова разложил по знакомым полочкам, а ведь он много сложнее, чем мне, обладающему обширной, но банальной информацией, представляется*. Липатов. И это все о нем.

С и н.: изби́тый, по́шлый, пло́ский, зата́сканный, тривиа́льный (*книжн.*), заёзженный (*разг.*), истёртый (*разг.*), затрёпанный (*разг.*).

**Бана́льно**, *нареч.* **Бана́льность**, -и, *ж. Говорить банальности*.

**БАНДУ́РА**, -ы, *ж.* [Восх. к греч. pandura — кифара]. Украинский народный многострунный щипковый музыкальный инструмент с широким грифом. *В городе Глухове собрался народ около старца-бандуриста и уже с час слушал, как слепец играл на бандуре*. Гоголь. Страшная месть.

**Бандури́ст**, -а, *м. Государственная капелла бандуристов*.

**БАНК**, -а, *м.* [Франц. banque]. 1. Финансовое предприятие, производящее операции со вкладами, кредитами и платежами. *Государственный банк. Получить ссуду в банке*. 2. *перен. Спец.* Свод, фонд каких-л. сведений. *Банк данных, заложенных в ЭВМ*. □ *Банк архитектурных идей новейшего времени только кажется солидным. Дома.. плавающие и путешествующие, дома-иглы и дома-воронки*. Глазычев. Город людей.

**Ба́нковский**, -ая, -ое (*к 1 знач.*) и **ба́нковый**, -ая, -ое (*к 1 знач.*). *Банковские служащие*. **Банки́р**, -а, *м.* (*к 1 знач.*) (владелец или крупный акционер банка).

**БАНКЕ́Т**, -а, *м.* [Восх. к итал. banchetto — первонач. скамейка]. Торжественный званый обед или ужин, устраиваемый в честь кого-, чего-л. *Произнести речь на банкете*. □ *[Восьмибратов:] А уж банкет я сделаю для вашей милости, так месяца на два в городе разговору хватит*. А. Островский. Лес.

**Банке́тный**, -ая, -ое. *Банкетные столы*.

**БАНКНО́ТЫ**, -о́т и -ов, *мн.* (*ед.* **банкно́та**, -ы, *ж.* и **банкно́т**, -а, *м.*). [Англ. bank-notes]. Денежные знаки, выпускаемые в обращение центральными и эмиссионными банками, заменяющие металлические деньги. *Пачка банкнот*.

**Банкно́тный**, -ая, -ое.

**БАНКРО́Т**, -а, *м.* [Восх. к итал. banca rotta — сломанная скамья]. 1. Тот, кто потерпел банкротство (*в 1 знач.*). *Фирма-банкрот*. 2. *перен.* Тот, кто оказался несостоятельным в своей деятельности, в личной жизни. *Политический банкрот*.

**Банкро́тский**, -ая, -ое.

**БАНКРО́ТСТВО**, -а, *ср.* [См. *банкрот*]. 1. Несостоятельность, сопровождающаяся прекращением платежей по долговым обязательствам. *Ввиду полного хаоса и банкротства крупных банков лондонская биржа закрылась*. Сергеев-Ценский. Пушки выдвигают. 2. *перен.* Несостоятельность, крах кого-л. в общественной деятельности, в личной жизни. *Банкротство в любви*.

С и н. (к 1 знач.): разоре́ние, крах. С и н. (ко 2 знач.): неуда́ча, круше́ние, прова́л, фиа́ско (*книжн.*).

**БАПТИ́СТ**, -а, *м.* [Восх. к греч. baptistēs — креститель от baptizein — погружать в воду, крестить]. Последователь христианской секты, проповедующей крещение в сознательном возрасте и отрицающей некоторые догмы и обряды церкви.

**Бапти́стка**, -и, *ж.* **Бапти́стский**, -ая, -ое. *Баптистская община*.

**БАР**, -а, *м.* [Англ. bar — стойка от франц. barre — брус]. 1. Небольшой ресторан или часть ресторана, где обычно пьют и едят у стойки, а также сама такая стойка. *Уютный бар. Зайти в бар*. 2. Небольшой буфет для вин или отделение для вин в шкафу, буфете, серванте. *Открыть дверцу бара. Расположиться у бара*.

**БАРГУЗИ́Н**, -а, *м.* [По названию реки в Бурятии]. Северо-восточный ветер в районе озера Байкал.

**БАРД**, -а, *м.* [Кельт. bard]. 1. У древних кельтов: певец-поэт, воспевавший подвиги короля и его дружины. *Песнь барда*. 2. *перен. Трад.-поэт.* Поэт, воспевающий героев и воинские подвиги. — *Неужели шотландскому барду [Вальтеру Скотту] на том свете не платят за каждую отрадную минуту, которую дарит его книга?* Лермонтов. Герой нашего времени. 3. Поэт и музыкант, исполняющий песни собственного сочинения.

**БАРЕ́ЖЕВЫЙ**, -ая, -ое. [Франц. barège (по названию местности, где изготовлялась эта ткань)]. Сделанный из барежа — легкой прозрачной ткани, вышедшей из употребления. *На одних [девушках] были шелковые платья из простеньких шелковых материй, на других барежевые, кисейные*. Чернышевский. Что делать?

**БАРЕЛЬЕ́Ф** [не *рэ*], -а, *м.* [Франц. bas-relief — букв. низкий рельеф]. Изображение на плоскости, в котором фигуры слегка выступают над поверхностью. *Черное пианино с барельефом Моцарта было закрыто.* Прилежаева. Удивительный год.

**Барелье́фный,** -ая, -ое.

**БА́РЖА,** -и, ба́ржи, барж *и* **БАРЖА́,** -и́, баржи́, -е́й, *ж.* [Франц. barge; восх. к лат. barca (см. *барка*)]. Грузовое судно, самоходное либо перемещаемое буксиром или толкачом. *Пароход ведет.. в Астрахань четыре баржи, груженные штучным железом, бочками сахара и какими-то тяжелыми ящиками.* М. Горький. Мои университеты.

**Ба́ржевый,** -ая, -ое *и* **баржево́й,** -а́я, -о́е.

**БАРИТО́Н,** -а, *м.* [Восх. к греч. barytonos — имеющий низкий голос]. **1.** Мужской голос, по высоте средний между басом и тенором, а также певец с таким голосом. *В передней раздался удивительно приятный, мужественный и сочный баритон.* Тургенев. Новь. *Он был худой.., небритый.. Никто бы не узнал в нем знаменитого харьковского баритона.* Горбатов. Непокоренные. **2.** Медный духовой музыкальный инструмент, звучащий на октаву ниже трубы.

**Барито́нный,** -ая, -ое.

**БА́РКА,** -и, *ж.* [Восх. к лат. barca от греч. baris — египетская лодка]. Деревянное плоскодонное речное судно без палубы для перевозки грузов (меньше, чем баржа). *Четырнадцать человек тянули бечевой тяжелую барку с хлебом.* А. Н. Толстой. Петр I.

**Ба́рочный,** -ая, -ое.

**БАРКАРО́ЛА,** -ы, *ж.* [Итал. barcarola]. Песня венецианских лодочников, а также музыкальное произведение в стиле такой песни. *«Баркарола» Чайковского. Звуки баркаролы. Исполнить баркаролу.*

С и н.: гондолье́ра.

**БАРКА́С,** -а, *м.* [Франц. barcasse]. **1.** Большая многовесельная лодка. *Задувал.. свирепый ураган.. Несколько рыбачьих баркасов заблудились в море, а два и совсем не вернулись.* Куприн. Гранатовый браслет. **2.** Небольшое самоходное судно, предназначенное для различных перевозок в порту.

**Барка́сный,** -ая, -ое.

**БА́РМЕН,** -а, *м.* [Англ. barman]. Владелец бара, а также служащий бара, буфетчик.— *Здесь, поблизости, есть очень приличный, скромный ресторанчик. Бармен — мой приятель. Можно посидеть, послушать музыку, можно потанцевать.* Евгеньев. В Лондоне листопад.

**Ба́рменша,** -и, *ж.* (разг.). **Ба́рменский,** -ая, -ое.

**БА́РМЫ,** барм, *мн.* [Восх. к др.-исл. barm — край]. Часть парадной одежды византийских императоров и московских царей в виде широкого оплечья с нашитыми на него изображениями и драгоценными камнями. *Собралась большая боярская дума. Петр сидел на троне молча, угрюмый,— в царских ризах и бармах.* А. Н. Толстой. Петр I.

**БАРО...** [От греч. baros — тяжесть]. Первая составная часть сложных слов, обозначающая: относящийся к давлению, напр.: *барометр, барокамера* (герметическая камера, в которой искусственно регулируется давление), *барокомплекс* или *бароцентр* (совокупность медицинских учреждений со специальными установками для лечения в условиях повышенного и пониженного давления воздуха).

**БАРО́ККО,** нескл., *ср.* [Итал. barocco — букв. причудливый]. Художественный стиль 16—18 вв., получивший наибольшее развитие в архитектуре, отличавшийся декоративной пышностью деталей и живописностью. *Зимний дворец в Санкт-Петербурге — памятник барокко.*

**Баро́чный,** -ая, -ое. *Барочный стиль.*

**БАРО́МЕТР,** -а, *м.* [От греч. baros — тяжесть и metrein — измерять]. **1.** Прибор для измерения атмосферного давления. *Ртутный барометр. Водяной барометр.* □ *Ветер все свежел, и барометр падал.* Станюкович. Вокруг света на «Коршуне». **2.** *перен., чего.* Книжн. Показатель каких-л. изменений, состояния чего-л. *Барометр общественного мнения.*

**БАРО́Н,** -а, *м.* [Франц. baron]. В Западной Европе и дореволюционной России: дворянский титул ниже графского, а также лицо, имеющее этот титул. *Король сел на барабан напротив графини, она — на подушки, подсунутые ей бароном.* А. Н. Толстой. Петр I.

**Бароне́сса,** -ы, *ж.* **Баро́нский,** -ая, -ое.

**БАРРИКА́ДА,** -ы, *ж.* [Франц. barricade]. Заграждение из бревен, камней, мешков с землей и т. п., применяемое в уличных боях. *Строить баррикады. Сражаться на баррикадах.* □ *Вот и баррикады. Торопливо снимают ворота, выворачивают решетки, валят столбы.* Серафимович. На Пресне. ◊ **По ту сторону баррикад** — в лагере врагов.

**Баррика́дный,** -ая, -ое. *Баррикадный бой.*

**БА́РСТВО,** -а, *ср.* **1.** *собир. Устар.* Помещики, господа. *Здесь барство дикое, без чувства, без закона, Присвоило себе насильственной лозой И труд, и собственность, и время земледельца.* Пушкин. Деревня. **2.** Высокомерие, пренебрежительное отношение к людям, свойственное барам. *Вавилову нравилось и то, как Петунников говорил с ним: просто, с дружескими нотками в голосе, без всякого барства, как со своим братом.* М. Горький. Бывшие люди. **3.** Изнеженность, избалованность, стремление к праздности. *Но презирая пустоту жизни, праздное барство, они [Онегин и Печорин] поддавались ему и не подумали ни бороться с ним, ни бежать окончательно.* И. Гончаров. Мильон терзаний.

**Ба́рственный,** -ая, -ое; -ен, -енна, -о (ко 2 знач.). *Барственный тон.* **Ба́рственно,** *нареч.* (ко 2 знач.). **Ба́рственность,** -и, *ж.* (ко 2 знач.).

**БАРХА́НЫ,** -ов, *мн.* (*ед.* **барха́н,** -а, *м.*). Песчаные наносные холмы в пустынях и степях, не закрепленные растительностью. *Среди этих пустынных песков по склонам барханов ползало стадо овец.* Ф. Гладков. Вольница.

**БАРЬЕ́Р,** -а, *м.* [Франц. barrière]. **1.** Перегородка, поставленная в качестве препятствия (при скачках, беге). *Бег с барьерами.* □ — *Вы, конечно, считаете за труд лететь сломя голову впереди эскадрона и брать барьеры на скачках.* Куприн. Гранатовый браслет. **2.** *перен.* Преграда, препятствие. *Таможенный барьер* (высокие пошлины, имеющие целью препятствовать ввозу иностранных товаров). *Административные барьеры. Психологический барьер. Языковой барьер* (невозможность общения из-за незнания иностранного языка). 3. Невысокое ограждение, перегородка. *Марина Игнатьевна облокотилась на барьер [балкона] и смотрела на Неву.* Мамин-Сибиряк. Падающие звезды. 4. *Устар.* Черта перед каждым из участников дуэли на пистолетах, отмечающая границу, за которую они не должны переступать при стрельбе.— *Драться завтра.. за рощей, на пистолетах; барьер в десяти шагах.* Тургенев. Отцы и дети.

С и н. (ко 2 знач.): помéха, препóна (*книжн.*), рогáтки (*разг.*).

**Барьéрный**, -ая, -ое.

**БАС**, -а, басы́, -óв, *м.* [Итал. basso — низкий]. 1. Самый низкий мужской голос, а также певец с таким голосом. *Звуки глуховатого баса. Захохотать басом.* ☐ *У него обнаружился глубокий, мягкий бас, и ему захотелось учиться пению.* М. Горький. Мои университеты. 2. Музыкальный струнный или медный духовой инструмент низкого регистра. *Проказница Мартышка, Осел, Козел Да косолапый Мишка Затеяли сыграть квартет, Достали нот, баса, альта, две скрипки.* И. Крылов. Квартет. 3. *мн.* Струны, клавиши музыкального инструмента, издающие низкий звук. *Старинный вальс «Осенний сон» Играет гармонист. Вздыхают, жалуясь, басы, И, словно в забытьи, Сидят и слушают бойцы — Товарищи мои.* Исаковский. В лесу прифронтовом.

**Басóвый**, -ая, -ое. *Басовая партия. Басовые ноты.*

**БАСКÁК**, -а, *м.* [Тюрк. (тат.) baskak]. Представитель ханской власти и сборщик дани на Руси во времена монголо-татарского ига. *Ханский баскак.*

**БАСМÁЧ**, -á, *м.* [Тюрк.]. Участник контрреволюционных националистических отрядов в Средней Азии в период установления советской власти. *Налет басмачей.* ☐ — *Басмачей [в Средней Азии] ликвидировал, а вот свою собственную родную малярию не мог ликвидировать.* Шолохов. Поднятая целина.

**Басмáческий**, -ая, -ое.

**БАСНОСЛÓВНЫЙ**, -ая, -ое; -вен, -вна, -о. 1. *полн. ф. Устар.* Известный по древним преданиям; легендарный, мифический. *Баснословная троянская война.. дала содержание для «Илиады» и «Одиссеи».* Белинский. Разделение поэзии на роды и виды. 2. *перен.* Необычайный, невероятно большой. *Баснословное богатство.* ☐ *Благодатный зауральский чернозем давал баснословные урожаи, не нуждаясь в удобрении.* Мамин-Сибиряк. Хлеб.

С и н. (ко 2 знач.): необыкновéнный, исключи́тельный.

**Баснослóвность**, -и, *ж.*

**БАСТИÓН**, -а, *м.* [Франц. bastion]. Старинное оборонительное укрепление в форме пятиугольника, которое воздвигалось в углах крепостной ограды. *Нарва была видна, будто на зеленом блюде — все ее приземистые башни, с воротами и подъемными мостами,.. выступы бастионов, сложенных из тесаного камня, громада замка с круглой пороховой башней.* А. Н. Толстой. Петр I.

**Бастиóнный**, -ая, -ое. *Бастионные укрепления.*

**БАСТОВÁТЬ**, -тýю, -тýешь; бастýющий, бастовáвший; бастýя; *несов.* [От *баста* (итал. basta — достаточно)]. Организованно прекращать работу с целью добиться удовлетворения своих требований; участвовать в забастовке. *По линии бастовали почти все рабочие-железнодорожники. За сутки не прошел ни один поезд.* Н. Островский. Как закалялась сталь.

**БАСУРМÁН**, -а, *м.* В старину: иноземец, человек иной веры (преимущ. о мусульманине). *Вот затрещали барабаны, И отступили басурманы. Тогда считать мы стали раны, Товарищей считать.* Лермонтов. Бородино.

**Басурмáнка**, -и, *ж.* **Басурмáнский**, -ая, -ое.

**БАТАЛИ́СТ**, -а, *м.* [См. *баталия*]. Художник, изображающий военные (батальные) сюжеты. *Полотна баталиста.*

**БАТÁЛИЯ**, -и, *ж.* [Франц. bataille]. 1. *Устар.* Битва, сражение. — *Ну, что? — сказала комендантша. — Каково идет баталья? Где же неприятель?* Пушкин. Капитанская дочка. 2. *перен. Разг. шутл.* Бурная ссора, драка. *В хозяйской комнате начался крик и баталия: слышались пощечины, звенела посуда, летели стулья.* Решетников. Свой хлеб.

С и н. (к 1 знач.): бой, брань (*трад.-поэт.*), дéло (*устар.*), сéча (*устар.*), побóище (*устар.*). С и н. (ко 2 знач.): потасóвка (*разг.*).

**Батáльный**, -ая, -ое (к 1 знач.). *Батальная живопись* (изображающая сражение или военный быт).

**БАТАЛЬÓН** [льё], -а, *м.* [Франц. bataillon]. Войсковое соединение, состоящее из нескольких рот, обычно входящее в состав полка или бригады. *Танковый, десантный батальон. Батальон морской пехоты.* ☐ *Боевые батальоны Тесно в ряд идут; Впереди несут знамена, В барабаны бьют.* Лермонтов. Спор.

**Батальóнный**, -ая, -ое. *Батальонный командир.*

**БАТАРÉЯ**, -и, *ж.* [Франц. batterie]. Артиллерийское подразделение, имеющее в своем составе несколько орудий, а также укрепление, служащее позицией для нескольких орудий. *Минометная батарея. Командир батареи.* ☐ *Батарея лейтенанта Дроздовского, поставленная на прямую наводку позади боевого охранения, зарывалась в землю на самом берегу реки.* Бондарев. Горячий снег.

**Батарéйный**, -ая, -ое. *Батарейный огонь.*

**БАТÓГ**, -á, *м.* 1. *Устар. и обл.* Палка, трость. *Ночной сторож Парфен у хлебных амбаров оглушительно бьет батогом в стену.* Неверов. Музыка. 2. В старину: палка, толстый прут, употреблявшийся для телесных наказаний. *[Если] кто, соскучась без толку шагать по дорогам,.. хотел бежать домой, — таких били батогами.* А. Н. Толстой. Петр I.

**Батожóк**, -жкá, *м.* (*уменьш.*).

**БАТТЕРФЛЯ́Й** [тэ], -я, *м.* [Англ. butterfly — бабочка].

Стиль спортивного плавания, при котором обе руки одновременно выбрасываются над водой. *Плыть баттерфляем.*

БАТУ́Т, -а, м. [Восх. к итал. batutta — *букв.* удар]. Плетеная упругая сетка, капроновая или металлическая, укрепленная в горизонтальном положении (используется в цирковых выступлениях, в спорте). *Прыжки на батуте.*

Бату́тный, -ая, -ое.

БАТЫ́Р, -а, м. [Тюрк.]. У некоторых восточных народов: почетное звание, дававшееся за воинские подвиги.

БАУ́Л, -а, м. [Итал. baule]. Продолговатый дорожный сундучок, дорожная коробка особой формы. *На полу стояли фанерный баул, завязанный веревкой, и чемоданчик.* Катаев. За власть Советов.

Бау́льчик, -а, м. (*уменьш.*).

БАХЧА́, -и́, ж. и (*обл.*) БАШТА́Н, -а, м. [Восх. к перс. bāɣča — садик и турецк.-перс. bostan — огород]. Поле, на котором выращиваются арбузы, дыни, тыквы. *Пропалывать бахчи.* □ *Общую посевную площадь предполагалось разбить.. следующим порядком: пшеницы — 667 гектаров,.. конопли — 13.. плюс 91 гектар отведенной под бахчи песчаной земли.* Шолохов. Поднятая целина. *Над баштанами не чувствовалось заботливого хозяйского глаза.* Фадеев. Разгром.

Бахчево́й, -а́я, -о́е и башта́нный, -ая, -ое. ◇ Бахчевые культуры — разводимые на бахчах растения из сем. тыквенных (арбузы, дыни, тыквы).

БАШИБУЗУ́К, -а, м. [Турецк. bašybozuk — пропащая голова]. 1. Солдат нерегулярных конных частей турецкого войска, существовавших в 18—19 вв. — *Было.. то время, когда башибузуки вырезали наши пикеты так же просто, как ярославская баба на огороде срезает капустные кочни.* Куприн. Гранатовый браслет. 2. *перен. Устар. разг.* Разбойник, головорез.

БАШЛЫ́К, -а́, м. [Тюрк.]. Суконный теплый головной убор в виде капюшона с длинными концами, надеваемый поверх шапки. *Приезжий снял башлык и.. папаху, обнажив могучий угловатый череп, прикрытый редким белесым волосом.* Шолохов. Поднятая целина.

Башлыко́вый, -ая, -ое.

БАЯДЕ́РА [дэ], -ы и БАЯДЕ́РКА [дэ], -и, ж. [Восх. к порт. bailadeira]. *Устар.* Индийская профессиональная танцовщица.

БАЯ́Н, -а, м. [По имени легендарного древнерусского певца-сказителя Баяна]. Большая гармоника со сложной системой ладов. *Звуки баяна.*

БДИ́ТЕЛЬНЫЙ, -ая, -ое; -лен, -льна, -о. Крайне внимательный и настороженный; зоркий. *Будьте бдительны! Бдительный надзор.*

С и н.: недре́млющий, неусы́пный (*книжн.*), недрема́нный (*устар.*).

Бди́тельно, *нареч.* Бди́тельность, -и, ж. *Близость границы держала всех в неусыпной бдительности.* Н. Островский. Как закалялась сталь.

БЕГА́, -о́в, *мн.* Гонки, состязания рысистых лошадей в упряжке. *Ездить на бега.*

Бегово́й, -а́я, -о́е. *Беговая лошадь.*

БЕ́ГЛЫЙ, -ая, -ое. 1. Совершивший побег откуда-л. *Беглый каторжник.* 2. Быстрый, не задерживающийся. *Я порою замечал на ее губах беглую насмешливую улыбку.* Куприн. Олеся. 3. Не затрудненный, свободный. *Беглое чтение. Беглая игра на рояле.* 4. Сделанный наскоро, отмечающий только отдельные черты, особенности. *Беглый обзор литературы. Сделать несколько беглых замечаний.*

С и н. (ко 2 знач.): мимолётный, мгновенный. С и н. (к 4 знач.): поверхностный.

Бе́гло, *нареч.* (ко 2,3 и 4 знач.). *Бегло взглянуть. Ребенок бегло читает.* Бе́глость, -и, ж. (ко 2, 3 и 4 знач.).

БЕДЛА́М, -а, м. [Англ. bedlam — название дома умалишенных в Лондоне (сокращение от Bethlehem — Вифлеем)]. *Разг.* Неразбериха, хаос. — *У вас астма, вам нужно лечиться, вам нужна тихая работа, а не этот бедлам.* Гранин. Иду на грозу.

С и н.: беспоря́док, сумя́тица (*разг.*), ералаш (*разг.*), каварда́к (*разг.*), содо́м (*разг.*).

БЕДУИ́Н, -а, м. [Восх. к араб. bedāwī — обитатель пустыни]. Араб-кочевник. *Бедуин забыл наезды Для цветных шатров И поет, считая звезды, Про дела отцов.* Лермонтов. Спор.

Бедуи́нка, -и, ж. Бедуи́нский, -ая, -ое.

БЕЖ, *неизм. прил.* и БЕ́ЖЕВЫЙ, -ая, -ое. [Франц. beige]. Светло-коричневый с желтоватым или сероватым оттенком. *Бежевое платье. Чулки цвета беж.*

БЕ́ЖЕНЕЦ, -нца, м. Человек, покинувший место своего жительства вследствие какого-л. бедствия (войны, наводнения, землетрясения и т. п.). *По всем дорогам.. тянулись группы беженцев, стремившихся попасть на дороги на Каменск и на Лихую.* Фадеев. Молодая гвардия.

Бе́женка, -и, ж.

БЕЗАПЕЛЛЯЦИО́ННЫЙ, -ая, -ое; -нен, -нна, -о. Не допускающий возражений; категорический. *Безапелляционный тон.* □ *Но он, возможно, произнесет одну из своих коротких, безапелляционных, уничижительных, звучащих, как афоризм, фраз.* Чаковский. Блокада.

С и н.: реши́тельный, категори́чный.

Безапелляцио́нно, *нареч.* Безапелляцио́нность, -и, ж.

БЕЗБЕ́ДНЫЙ, -ая, -ое; -ден, -дна, -о. Материально обеспеченный, не знающий нужды. *Безбедная жизнь.*

Безбе́дно, *нареч.* Безбе́дность, -и, ж. *Безбедность чьего-л. существования.*

БЕЗБРЕ́ЖНЫЙ, -ая, -ое; -жен, -жна, -о. 1. Не имеющий берегов, видимых границ, простирающийся на необозримое пространство. *Безбрежное море. Безбрежная синева неба. Безбрежная пустыня.* □ *Но я люблю — за что, не знаю сам — Ее степей холодное молчанье, Ее лесов безбрежных колыханье, Разливы рек ее, подобные морям.* Лермонтов. Родина. 2. *перен.* Огромный, беспредельный. *Наш путь — степной, наш путь — в тоске безбрежной, В твоей тоске, о Русь.* Блок. На поле Куликовом.

С и н. (к 1 знач.): безграни́чный, бесконе́чный, беспреде́льный, необозри́мый, необъя́тный, неогля́дный (*книжн.*), бескра́йний (*книжн.*) и бескра́йный (устар.). С и н. (ко 2 знач.): бесконе́чный, безграни́чный (книжн.), безме́рный (книжн.).

Безбре́жно, нареч. Безбре́жность, -и, ж.

**БЕЗВЕ́СТНЫЙ**, -ая, -ое; -тен, -тна, -о. Книжн. Неведомый, неизвестный. *Безвестный герой.* □ *Людмилы нет во тьме густой, Похищена безвестной силой.* Пушкин. Руслан и Людмила.

С и н.: незнако́мый, незна́емый.

Безве́стность, -и, ж.

**БЕЗВИ́ННЫЙ**, -ая, -ое; -нен, -нна, -о. Устар. Невиновный. *Безвинная жертва.*

С и н.: неви́нный, пра́вый, непови́нный (устар. и разг.).

А н т.: вино́вный, винова́тый.

Безви́нно, нареч. *Безвинно пострадать.* Безви́нность, -и, ж.

**БЕЗВКУ́СИЦА**, -ы, ж. и (устар.) **БЕЗВКУ́СИЕ**, -я, ср. Отсутствие хорошего вкуса, чувства изящного. *Безвкусица в убранстве квартиры.* □ *Сколько позолоты, резьбы, мишурных украшений, поддельных камней и какое безвкусие в этой восточной пестроте!* И. Гончаров. Фрегат «Паллада». *Она была в черном платье,.. с брошью, похожею издали на слоеный пирожок, и в ушах были большие серьги.. Когда я взглянул на нее, то мне стало неловко: меня поразила безвкусица.* Чехов. Моя жизнь.

А н т.: вкус.

**БЕЗВОЗБРА́ННЫЙ**, -ая, -ое; -нен, -нна, -о. Книжн. Беспрепятственный.

С и н.: свобо́дный, невозбра́нный (устар.).

Безвозбра́нно, нареч. *Два-три ощипанных деревца [на кладбище] едва дают скудную тень; овцы безвозбранно бродят по могилам...* Тургенев. Отцы и дети. Безвозбра́нность, -и, ж.

**БЕЗВРЕ́МЕННЫЙ**, -ая, -ое; -нен, -нна, -о. Высок. Слишком рано наступивший. *Безвременная кончина.* □ *Его уж нет. Младой певец Нашел безвременный конец!* Пушкин. Евгений Онегин.

С и н.: преждевре́менный, ра́нний.

Безвре́менно, нареч. Безвре́менность, -и, ж.

**БЕЗВРЕ́МЕНЬЕ**, -я, ср. Устар. Тяжелое время, время общественного, культурного застоя.— *В то кручинное, горькое безвременье много я бед приняла, много слез пролила.* Мельников-Печерский. На горах.

**БЕЗГЛА́СНЫЙ**, -ая, -ое; -сен, -сна, -о. Устар. 1. Лишенный способности говорить. *Безгласные твари* (о животных). *Безгласное тело* (о мертвом). □ *И очутился в два мгновенья В долине, где Руслан лежал В крови, безгласный, без движенья.* Пушкин. Руслан и Людмила. **2.** перен. Слишком робкий, не выражающий своего мнения, протеста. *Безгласное существо.* □ *Надя перед Уланбековой совершенно безгласна.* Добролюбов. Темное царство.

С и н. (к 1 знач.): бессловéсный. С и н. (к 2 знач.): бессловéсный, покóрный, послýшный, тихий, безропотный, безответный, смирéнный, сми́рный, послýшливый (устар.).

Безгла́сно, нареч. Безгла́сность, -и, ж.

**БЕЗГРА́МОТНЫЙ**, -ая, -ое; -тен, -тна, -о. 1. Не умеющий читать и писать.— *Однако ж хоть барышня, может, и смешна, все же я перед нею дура безграмотная.* Пушкин. Барышня-крестьянка. **2.** Делающий или содержащий много грамматических ошибок. *Безграмотный ученик. Безграмотное сочинение.* **3.** Плохо разбирающийся в какой-л. области знаний, недостаточно знающий свою специальность. *Технически безграмотный человек.* **4.** Выполненный без знания дела, с многими ошибками. *Безграмотный проект.*

С и н. (к 1 знач.): негра́мотный, тёмный. С и н. (ко 2 знач.): малогра́мотный, полугра́мотный. С и н. (к 3 знач.): негра́мотный, невéжественный, необразо́ванный, непросвещённый, полугра́мотный, малогра́мотный, тёмный. С и н. (к 4 знач.): негра́мотный, полугра́мотный, малогра́мотный.

А н т.: гра́мотный.

Безгра́мотно, нареч. (ко 2, 3 и 4 знач.). *Безграмотно писать. Безграмотно выполненный чертеж.* Безгра́мотность, -и, ж. *Политическая безграмотность.*

**БЕЗГРАНИ́ЧНЫЙ**, -ая, -ое; -чен, -чна, -о. 1. Не имеющий видимых границ, чрезвычайно большой по протяженности. *Безграничные просторы. Безграничная степь.* □ *Безграничная пустыня небес над вершинами гор, и бесчисленны грустные очи светил над снегами вершин.* М. Горький. Эдельвейс. **2.** перен. Книжн. Не ограниченный в своих проявлениях, чрезвычайный по силе выражения. *Безграничная радость. Безграничное доверие. Безграничные возможности.* □ — *Любовь моя безгранична. Прошу, умоляю вас,— выговорил наконец Старцев,— будьте моей женой!* Чехов. Ионыч.

С и н. (к 1 знач.): беспредéльный, бесконéчный, безбрéжный, необозри́мый, необъя́тный, неогля́дный (книжн.), бескра́йний (книжн.) и бескра́йный (устар.). С и н. (ко 2 знач.): беспредéльный, бесконéчный, безбрéжный, безмéрный (книжн.).

Безграни́чно, нареч. (ко 2 знач.). *Безгранично преданный человек.* Безграни́чность, -и, ж.

**БЕ́ЗДНА**, -ы, ж. 1. Пропасть, кажущаяся бездонной, а также беспредельная глубина чего-л. *Бездна вод. Воздушная бездна.* □ *Безмолвное море, лазурное море, Стою очарован над бездной твоей.* Жуковский. Море. **2.** перен., кого, чего. Разг. Огромное количество, множество. *Бездна денег. Бездна хлопот. Бездна звезд.* □ *Дел у него [Рахметова] была бездна, и все дела, не касавшиеся лично до него; личных дел у него не было, это все знали.* Чернышевский. Что делать? ◇ **Бездна премудрости** (шутл.) — об обширных, глубоких познаниях.

С и н. (к 1 знач.): пучи́на (книжн.), хлябь (устар.) и хля́би (устар.). С и н. (ко 2 знач.): оби́лие, изоби́лие, мо́ре (высок.), ма́сса (разг.), у́йма (разг.), про́пасть (разг.), тьма (разг.), ку́ча (разг.), гора́ (разг.), ги́бель (разг.), про́рва (прост.), си́ла (прост.).

**БЕЗДУХО́ВНЫЙ**, -ая, -ое; -вен, -вна, -о. Отличающийся бедностью духовного мира, низким уровнем духовных потребностей. *Быт этого унылого человека, его семьи, его окружения потому вызывает у читателей аналогию с жизнью насекомого, что он бездуховен, не ос-*

вящен ни делами, ни страстями, достойными человека. Ю. Андреев. В замкнутом мирке.

**Бездухо́вность**, -и, ж. *Бездуховность обывателя.*

**БЕЗДЫХА́ННЫЙ**, -ая, -ое; -анен, -анна, -о. *Высок.* Не дышащий, мертвый. *Пуская тяжкий, слабый стон, С усильем приподнялся он, Взглянул, поник главою бранной — И пал недвижный, бездыханный.* Пушкин. Руслан и Людмила.

С и н.: неживо́й, безжи́зненный (*книжн.*).

**БЕЗЖИ́ЗНЕННЫЙ**, -ая, -ое; -ен, -енна, -о. **1.** *Книжн.* Мертвый.— *Конец. Пропал Колька..,— положив безжизненное тело на подушки тачанки, сказал Карпенко.* Вершигора. Люди с чистой совестью. **2.** *перен.* Пустынный, без признаков какой-л. жизни. *Безжизненное черное поле. Безжизненные скалы.* **3.** *перен.* Лишенный выразительности, без оживления. *Безжизненный взгляд.* □ *Отозвалась Олеся как будто спокойно, но таким глухим, безжизненным голосом, что мне стало жутко.* Куприн. Олеся.

С и н. (*к 1 знач.*): неживо́й, бездыха́нный (*высок.*). С и н. (*ко 2 знач.*): необита́емый, ненаселённый. С и н. (*к 3 знач.*): помертве́лый, мёртвенный (*книжн.*).

**Безжи́зненно**, *нареч.* **Безжи́зненность**, -и, ж. *Безжизненность пустыни.*

**БЕЗЗАВЕ́ТНЫЙ**, -ая, -ое; -тен, -тна, -о. *Высок.* Доходящий до самозабвения. *Беззаветная храбрость.* □ *— Вот если бы другие глаза хоть раз посмотрели на него с такой беззаветной преданностью и любовью,— это иное дело.* Шолохов. Поднятая целина.

С и н.: самоотве́рженный, же́ртвенный (*высок.*).

**Беззаве́тно**, *нареч.* *Беззаветно любить Родину.* **Беззаве́тность**, -и, ж.

**БЕЗЛИ́КИЙ**, -ая, -ое; -и́к, -а, -о. Лишенный индивидуальности, своеобразия, характерных отличительных черт. *Безликая толпа.* □ *Все люди были для Даши однообразно пестрой.. рекой; никого не упомнишь — все равные, все безликие.* Горбатов. Даша.

С и н.: безли́чный.

**Безли́ко**, *нареч.* **Безли́кость**, -и, ж.

**БЕЗЛИ́ЧНЫЙ**, -ая, -ое; -чен, -чна, -о. **1.** Не проявляющий своей личности, индивидуальности; лишенный своеобразия. *Что касается до Марьи Ивановны, то это было какое-то существо совершенно безличное.* Писемский. Тюфяк. **2.** В грамматике: не допускающий употребления подлежащего. *Безличные глаголы.*

С и н. (*к 1 знач.*): безли́кий.

**Безли́чно**, *нареч.* **Безли́чность**, -и, ж.

**БЕЗМЕ́Н**, -а, м. [Чув. *vismen* — мерило или араб.-турецк. väznā — весы]. Ручные рычажные или пружинные весы. *Взвесить на безмене.* □ *Пеньку они продают.. приезжим торгашам, которые, за неимением безмена, считают пуд в сорок горстей.* Тургенев. Хорь и Калиныч.

**Безме́нный**, -ая, -ое.

**БЕЗМЕ́РНЫЙ**, -ая, -ое; -рен, -рна, -о. *Книжн.* Очень большой, огромный. *Безмерная радость. Безмерный гнев.* □ *Он, бедный гетман, двадцать лет Царю служил душою верной; Его щедротою безмерной Осыпан, дивно вознесен.* Пушкин. Полтава.

С и н.: беспреде́льный, бесконе́чный, безбре́жный, безграни́чный (*книжн.*).

**Безме́рно**, *нареч.* *Безмерно счастлив.* **Безме́рность**, -и, ж. *Темно-синяя безмерность неба искрилась самоцветами.* Новиков-Прибой. Цусима.

**БЕЗМО́ЛВСТВОВАТЬ**, -твую, -твуешь; безмо́лвствующий, безмо́лвствовавший; безмо́лвствуя; *несов. Книжн.* Хранить полное молчание, не нарушать тишины. *Перед лицами высшими Хвалынский большей частью безмолвствует, а к лицам низшим.. держит речи отрывистые и резкие.* Тургенев. Два помещика.

С и н.: молча́ть, пома́лкивать (*разг.*), немо́тствовать (*устар.*).

**БЕЗМЯТЕ́ЖНЫЙ**, -ая, -ое; -жен, -жна, -о. Спокойный, ничем не тревожимый. *Безмяте́жный сон. Безмятежное спокойствие, счастье.* □ *Ее прекрасные глаза светились вниманием, но вниманием безмятежным.* Тургенев. Отцы и дети.

С и н.: ти́хий, ми́рный, умиротворённый, поко́йный (*устар.*).

**Безмяте́жно**, *нареч.* **Безмяте́жность**, -и, ж.

**БЕЗНРА́ВСТВЕННЫЙ**, -ая, -ое; -ен и -енен, -енна, -о. Нарушающий правила нравственности, противоречащий им. *Он из опалы исключил:.. два-три романа, В которых отразился век И современный человек Изображен довольно верно С его безнравственной душой, Себялюбивой и сухой.* Пушкин. Евгений Онегин.

С и н.: поро́чный, амора́льный (*книжн.*).
А н т.: нра́вственный.

**Безнра́вственно**, *нареч.* *Поступить безнравственно.* **Безнра́вственность**, -и, ж.

**БЕЗО́БЛАЧНЫЙ**, -ая, -ое; -чен, -чна, -о. **1.** Не закрытый облаками; ясный. *Безоблачный день.* □ *За хором звезд луна восходит; Она с безоблачных небес На долы, на холмы, на лес Сиянье томное наводит.* Пушкин. Бахчисарайский фонтан. **2.** *перен. Книжн.* Ничем не омрачаемый. *Безоблачное детство.* □ *[Званцев] складно говорил о жизни, о том, какая жизнь после победы будет — вольная, безоблачная, счастливая.* Горбатов. Непокоренные.

С и н. (*ко 2 знач.*): счастли́вый, неомрачённый, све́тлый.

**Безо́блачно**, *нареч.* **Безо́блачность**, -и, ж.

**БЕЗО́БРАЗНЫЙ**, -ая, -ое; -зен, -зна, -о. *Книжн.* Не имеющий четкого облика; расплывчатый. *Ум его утонул в хаосе безобразных, неясных мыслей; они неслись, как облака в небе, без цели и без связи.* И. Гончаров. Обломов.

**Безо́бразность**, -и, ж.

**БЕЗОБРА́ЗНЫЙ**, -ая, -ое; -зен, -зна, -о. **1.** Крайне некрасивый. *Безобразная внешность.* □ *В этом наряде, более свойственном ее старости, она [графиня] казалась менее ужасна и менее безобразна.* Пушкин. Пиковая дама. **2.** Возмутительный, отвратительный. *Безобразное поведение.* □ *— Мишка.. напился и начал безобразное безумие показывать: посуду перебил, изорвал в клочья готовый заказ —*

шерстяное платье, окна выбил, меня обидел, Григория. М. Горький. Детство.

С и н. (к 1 знач.): уро́дливый, страхови́дный (прост.). С и н. (ко 2 знач.): вопию́щий (высок.).

Безобра́зно, нареч. Безобра́зность, -и, ж. и безобра́зие, -я, ср.

БЕЗОГОВО́РОЧНЫЙ, -ая, -ое; -чен, -чна, -о. Не ограниченный никакими оговорками, условиями; безусловный. *Безоговорочная капитуляция. Безоговорочная поддержка. Безоговорочное согласие.*

С и н.: беспрекосло́вный.

Безогово́рочно, нареч. Безогово́рочно исполнить. Безогово́рочность, -и, ж.

БЕЗОТВЕ́ТНЫЙ, -ая, -ое; -тен, -тна, -о. 1. Не получающий или не дающий ответа, отклика. *Безответная любовь.* □ *— Что, сынку, помогли тебе твои ляхи? Андрий был безответен.* Гоголь. Тарас Бульба. 2. Неспособный возражать, перечить; покорный. *Безответное существо.* □ *[Оброшенов:] Да и нашли кого обидеть! Парень безответный.* А. Островский. Шутники.

С и н. (ко 2 знач.): безро́потный, смире́нный, сми́рный, послу́шный, ти́хий, бессло́весный, безгла́сный (устар.), послу́шливый (устар.).

Безотве́тно, нареч. Безотве́тность, -и, ж.

БЕЗОТВЕ́ТСТВЕННЫЙ, -ая, -ое; -вен и -венен, -венна, -о. Не несущий или не сознающий ответственности. *Безответственный поступок. Безответственный человек.*

Безотве́тственно, нареч. *Поступить безответственно.* Безотве́тственность, -и, ж. *Положить конец безответственности. Проявить безответственность в чем-л.*

БЕЗОТЛАГА́ТЕЛЬНЫЙ, -ая, -ое; -лен, -льна, -о. *Книжн.* Не терпящий промедления. *Безотлагательное дело. Принять безотлагательные меры. Безотлагательный отъезд.*

С и н.: неотло́жный, сро́чный, спе́шный, экстренный.

Безотлага́тельно, нареч.— *Насыщение техникой сельского хозяйства — гвоздь всей проблемы. Мы обязаны ставить такой вопрос и решать безотлагательно в масштабах области, местными ресурсами.* Проскурин. Горькие травы. Безотлага́тельность, -и, ж.

БЕЗОТНОСИ́ТЕЛЬНЫЙ, -ая, -ое; -лен, -льна, -о. *Книжн.* Сохраняющий свое значение при любых условиях, независимый от чего-л. *Каково бы ни было безотносительное достоинство произведений Пушкина, Грибоедова, Лермонтова, Гоголя и современных нам русских писателей, но они еще милее для нас как залог будущих торжеств нашего народа на поприще искусства, просвещения и гуманности.* Чернышевский. Сочинения Пушкина.

С и н.: абсолю́тный, безусло́вный.

Безотноси́тельно, нареч. Безотноси́тельность, -и, ж.

БЕЗОТРА́ДНЫЙ, -ая, -ое; -ден, -дна, -о. *Книжн.* Не содержащий ничего радостного. *Безотра́дные впечатления.* □ *И я, любви искатель жадный, Решился в грусти безотрадной Наину чарами привлечь И в гордом сердце девы хладной Любовь волшебствами зажечь.* Пушкин. Руслан и Людмила.

С и н.: безра́достный, го́рький, тоскли́вый, го́рестный (книжн.).

Безотра́дно, нареч. Безотра́дность, -и, ж. *Безотрадность существования.*

БЕЗОТЧЁТНЫЙ, -ая, -ое; -тен, -тна, -о. 1. *Книжн.* Не осознаваемый, не направляемый сознанием. *Безотчетная грусть. Безотчетное смущение. Безотчетный страх.* □ *Безотчетной радостью сияли ее широко поставленные серые глаза.* Шолохов. Поднятая целина. 2. Не подлежащий отчету, контролю. *Безотчетное распоряжение деньгами.*

С и н. (к 1 знач.): бессозна́тельный, неосо́знанный, подсозна́тельный, инстинкти́вный, интуити́вный. С и н. (ко 2 знач.): бесконтро́льный.

Безотчётно, нареч. Безотчётность, -и, ж.

БЕЗРАЗДЕ́ЛЬНЫЙ, -ая, -ое; -лен, -льна, -о. *Книжн.* Не разделяемый ни с кем, полностью принадлежащий кому-л. *Безраздельное господство.*

С и н.: неограни́ченный, по́лный, абсолю́тный, совершéнный.

Безразде́льно, нареч. *В этой, преимущественно девичьей компании, я был самым старшим, самым развитым и властвовал над нею безраздельно.* Вересаев. В юные годы. Безразде́льность, -и, ж.

БЕЗРАЗЛИ́ЧНЫЙ, -ая, -ое; -чен, -чна, -о. 1. Не проявляющий или не выражающий интереса к кому-, чему-л.; равнодушный. *Безразличный тон, взгляд.* 2. обычно кому. Не вызывающий интереса к себе. *[Морозка] чувствовал теперь, что Варя вовсе не так безразлична ему, как это казалось раньше.* Фадеев. Разгром. 3. Ничем не отличающийся, одинаковый со всем окружающим. *Цвет лица у Ильи Ильича не был ни румяный, ни смуглый, ни положительно бледный, а безразличный.* И. Гончаров. Обломов.

С и н. (к 1 знач.): безуча́стный, индифферéнтный (книжн.).

Безразли́чно, нареч. Безразли́чность, -и, ж. и безразли́чие, -я, ср. (к 1 знач.).

БЕЗРО́ПОТНЫЙ, -ая, -ое; -тен, -тна, -о. Ни на что не жалующийся, не ропщущий; покорный. *Безропотное подчинение.* □ *Жену Валицкого, тихую, безропотную, маленькую пожилую женщину, звали Мария Антоновна.* Чаковский. Блокада.

С и н.: безотве́тный, смире́нный, сми́рный, послу́шный, ти́хий, бессло́весный, безгла́сный (устар.), послу́шливый (устар.).

Безро́потно, нареч. Безро́потность, -и, ж.

БЕЗУ́ДЕРЖНЫЙ, -ая, -ое; -жен, -жна, -о и (устар.) БЕЗУДЕ́РЖНЫЙ, -ая, -ое; -жен, -жна, -о. *Книжн.* Ничем не сдерживаемый, необузданный. *Безудержная удаль. Безудержные слезы.* □ *Смеющаяся, безудержная молодость брызжет из голубых, радостно смеющихся глаз.* Серафимович. Политком.

С и н.: неудержи́мый, бу́рный, бу́йный, неукроти́мый (книжн.), безу́мный (разг.).

Безу́держно и безуде́ржно, нареч. *Безудержно*

смеяться. **Безу́держность**, -и и **безуде́ржность**, -и, *ж.*

**БЕЗУКОРИ́ЗНЕННЫЙ**, -ая, -ое; -ен, -енна, -о. Не имеющий недостатков, не заслуживающий укора. *Безукоризненное поведение. Безукоризненный вкус.* □ *Каждый из них человек безукоризненной честности.* Чернышевский. Что делать?

С и н.: безупре́чный, идеа́льный, криста́льный.

**Безукори́зненно**, *нареч.* **Безукори́зненность**, -и, *ж.*

**БЕЗУ́МНЫЙ**, -ая, -ое; -мен, -мна, -о. 1. *Устар.* Лишенный рассудка, сумасшедший. *Горбатый Ефимушка казался.. смешным, порою — блаженным, даже безумным, как тихий дурачок.* М. Горький. В людях. 2. Крайне безрассудный, не оправданный разумом. *Безумный план.* □ *Брожу ли я вдоль улиц шумных, Вхожу ль во многолюдный храм, Сижу ль меж юношей безумных, Я предаюсь моим мечтам.* Пушкин. Брожу ли я вдоль улиц шумных. 3. *перен. Разг.* Отличающийся крайней степенью проявления чего-л. *Безумная страсть, ревность. Безумная роскошь.* □ *Я быстро повернул назад лошадь и судорожно сжал рукоятку нагайки, охваченный той безумной яростью, которая ничего не видит, ни о чем не думает и ничего не боится.* Куприн. Олеся.

С и н. (к 1 знач.): умалишённый, душевнобольно́й, помешанный, ненорма́льный (*разг.*), полоу́мный (*разг.*), чо́кнутый (*прост.*). С и н. (ко 2 знач.): сумасбро́дный, сумасше́дший, взба́лмошный (*разг.*), шально́й (*разг.*) и ша́лый (*разг.*), благо́й (*обл.*). С и н. (к 3 знач.): неудержи́мый, бу́рный, бу́йный, необу́зданный, неукроти́мый (*книжн.*), безу́держный (*книжн.*) и безуде́ржный (*устар. книжн.*).

**Безу́мно**, *нареч.* (ко 2 и 3 знач.). *Безумно рисковать. Безумно любить.* **Безу́мие**, -я, *ср.*

**БЕЗУМО́ЛЧНЫЙ**, -ая, -ое; -чен, -чна, -чно. *Книжн.* Не умолкающий. *Безумолчный шум моря, леса.*

С и н.: неумолка́емый, несмолка́емый, несмолка́ющий, немо́лчный (*высок.*), неумо́лчный (*высок.*).

**Безумо́лчно**, *нареч. Птицы щебечут безумолчно.* **Безмо́лчность**, -и, *ж.*

**БЕЗУПРЕ́ЧНЫЙ**, -ая, -ое; -чен, -чна, -о. Не заслуживающий никакого упрека, безукоризненный. *Безупречная репутация. Безупречное поведение.* □ *[Федя:] Она же, как была, так и осталась самой безупречной женщиной.* Л. Толстой. Живой труп.

С и н.: идеа́льный, криста́льный.

**Безупре́чно**, *нареч. Безупречно работать.* **Безупре́чность**, -и, *ж.*

**БЕЗУСЛО́ВНЫЙ**, -ая, -ое; -вен, -вна, -о. 1. Неограниченный, полный. *Безусловное повиновение, доверие.* □ *Детское чувство безусловного уважения ко всем старшим.. было так сильно во мне, что ум мой бессознательно отказывался выводить какие бы то ни было заключения из того, что я видел.* Л. Толстой. Отроче-

ство. 2. Не вызывающий никаких сомнений. *Безусловная удача.*

С и н. (к 1 знач.): абсолю́тный. С и н. (ко 2 знач.): бесспо́рный, несомне́нный, очеви́дный, я́вный, определённый, ви́димый, прямо́й, самоочеви́дный, реши́тельный (*разг.*).

**Безусло́вно**, *нареч.* **Безусло́вность**, -и, *ж.*

**БЕЗУЧА́СТНЫЙ**, -ая, -ое; -тен, -тна, -о. Не проявляющий, не выражающий участия, интереса к кому-, чему-л.; равнодушный. *Безучастный зритель. Остаться безучастным. Безучастное отношение к чему-л.* □ *Холодный, безучастный взгляд [больного] не знал, на чем остановиться.* Л. Толстой. Война и мир.

С и н.: безразли́чный, индифференти́ый (*книжн.*).

**Безуча́стно**, *нареч.* **Безуча́стность**, -и, *ж.*

**БЕЗЪЯ́ДЕРНЫЙ**, -ая, -ое. Свободный от ядерного оружия. *Безъядерная зона.*

**БЕЗЫДЕ́ЙНЫЙ**, -ая, -ое; -ёен, -ейна, -о. Лишенный передовых идей, идейности. *Безыдейное произведение.*

**Безыде́йно**, *нареч.* **Безыде́йность**, -и, *ж.*

**БЕЗЫМЯ́ННЫЙ**, -ая -ое и (*устар.*) **БЕЗЫМЁННЫЙ**, -ая, -ое. Не имеющий имени, названия, не известный по имени, названию. *Арагва, обнявшись с другой, безымённой речкой,.. тянется серебряною нитью.* Лермонтов. Герой нашего времени. *Вот и отпели донские соловьи дорогим моему сердцу Давыдову и Нагульнову, отшептала им поспевающая пшеница, отзвенела по камням безымянная речка.* Шолохов. Поднятая целина.

**Безымя́нность**, -и и **безымённость**, -и, *ж.*

**БЕЗЫСКУ́СНЫЙ**, -ая, -ое; -сен, -сна, -о. Незатейливый, простой. *Безыскусная вышивка.* □ *Все песни мои, Безыскусны и строги, Рождались в пути И мужали в дороге.* Татьяничева. В дороге.

С и н.: незамыслова́тый, непритяза́тельный, бесхи́тростный, неприхотли́вый, нехи́трый (*разг.*), немудрёный (*разг.*).

**Безыску́сно**, *нареч.* **Безыску́сность**, -и, *ж.*

**БЕЗЫСКУ́ССТВЕННЫЙ**, -ая, -ое; -ен, -енна, -о. Лишенный искусственности. *Речь его была проста и безыскусственна, как сама истина.* Салтыков-Щедрин. Невинные рассказы. *Таня никогда не умела одеваться,— лишь безыскусственная улыбка украшала и оправдывала все.* Леонов. Вор.

С и н.: есте́ственный.

А н т.: иску́сственный.

**Безыску́сственно**, *нареч.* **Безыску́сственность**, -и, *ж.*

**БЕЗЫСХО́ДНЫЙ**, -ая, -ое; -ден, -дна, -о. *Книжн.* Не имеющий исхода, конца. *Безысходная тоска, нужда.* □ *Чувство безысходного горя, которое ничем невозможно было уменьшить, охватило Артема.* Г. Марков. Строговы.

С и н.: беспросве́тный, безнадёжный, отча́янный.

**Безысхо́дно**, *нареч.* **Безысхо́дность**, -и, *ж. Чувство безысходности.*

**БЕЙ**, -я и **БЕК**, -а, *м.* [Тюрк.]. В некоторых странах Ближнего и Среднего Востока: титул мелких феодальных владетелей или должностных лиц, а также добавление к имени в значении господин. *Мне представилось, что я царь, шах, хан, король, бей,.. нечто, сидящее во власти на престоле.* Радищев. Путешествие из Петербурга в Москву.

**БЕЙСБО́Л**, -а, м. [Англ. base-ball]. Командная спортивная игра с мячом и битой.

**Бейсбо́льный**, -ая, -ое. *Бейсбольный мяч.*
**Бейсболи́ст**, -а, м.
**БЕК** см. бей.
**БЕКЕ́ША**, -и, бекеши, -ёш, ж. [Восх. к венг. bekes]. Мужское пальто (на меху или на вате) со сборками в талии. *Славная бекеша у Ивана Ивановича! Отличнейшая!* Гоголь. Повесть о том, как поссорился Иван Иванович с Иваном Никифоровичем.

**БЕЛЛЕТРИ́СТИКА**, -и, ж. [Нем. Belletristik от франц. belles-lettres — художественная литература]. **1.** Художественная повествовательная литература. *Он говорил: — По каждому предмету капитальных сочинений очень немного.. Берем русскую беллетристику. Я говорю: прочитаю всего прежде Гоголя.* Чернышевский. Что делать? **2.** *перен.* Произведения для легкого чтения в отличие от классических литературных произведений. *Читать беллетристику.*

**Беллетристи́ческий**, -ая, -ое (*к 1 знач.*). **Беллетри́ст**, -а, м. (автор таких произведений).

**БЕЛОГВАРДЕ́ЕЦ**, -ейца, м. Человек, сражавшийся против советской власти в рядах белой гвардии, а также член контрреволюционной антисоветской военной организации. *Разгром белогвардейцев.*

**Белогварде́йский**, -ая, -ое. *Белогвардейский заговор.*

**БЕЛОШВЕ́ЙКА**, -и, ж. Устар. Швея, шьющая белье. *Крепостная белошвейка.*

**БЕ́ЛЫЙ**, -ая, -ое; бел, бела́, бе́ло и бело́. **1.** Имеющий цвет снега, молока, мела. *Белые облака. Белая бумага.* **2.** Очень светлый. *Белый хлеб. Белые руки. Белый день.* **3.** *полн. ф.* В первые годы советской власти: контрреволюционный. *Белая армия. Белая гвардия. Белый террор. Белая эмиграция.* **4.** *полн. ф.* Со светлой кожей (как признак расы). *Негры и белые* (*в знач. сущ.*). ◊ **Белая кость** (*устар.*) — о дворянах. **Белая Олимпиада** — зимние олимпийские игры. **Белые мухи** — о первом снеге. **Белые ночи** — летние ночи на севере, когда вечерние сумерки переходят в утренние без наступления темноты. **Белые пятна** (*или места*) на карте — неисследованные или малоисследованные районы. **Белый билет** (*разг.*) — свидетельство об освобождении от военной службы. **Белые стихи** (*спец.*) — стихи без рифмы.

С и н. (*к 1 знач.*): белосне́жный, моло́чный, лиле́йный (*трад.-поэт.*), ки́пенный (*устар. и прост.*).

А н т. (*к 1 знач.*): чёрный. А н т. (*к 3 знач.*): кра́сный.

**БЕЛЬВЕДЕ́Р** [дэ], -а, м. [Итал. belvedere — *букв.* прекрасный вид]. **1.** Башенка на здании как архитектурное украшение, а также небольшая отдельная постройка на возвышенном месте, откуда открывается вид на окрестности. *Дом с бельведером.* □ *[Райский] забирался на бельведер смотреть оттуда в лес.* И. Гончаров. Обрыв. **2.** Название некоторых дворцов в Ватикане, Вене, Праге, Варшаве.

**Бельведе́рский**, -ая, -ое.
**БЕЛЬЭТА́Ж**, -а, м. [Франц. bel-étage от bel — красивый и étage — этаж]. **1.** Второй, парадный этаж в домах-особняках, во дворцах и т. п. *Поднявшись в просторный холл бельэтажа гостиницы «Марски», переполненный людьми,.. [Воронов] поначалу растерялся.* Чаковский. Победа. **2.** Первый ярус зрительного зала, расположенный непосредственно над партером или амфитеатром. *Кресла бельэтажа.* □ *[Вронский] переводил бинокль с бенуара на бельэтаж и оглядывал ложи.* Л. Толстой. Анна Каренина.

**БЕНЕФИ́С**, -а, м. [Франц. bénéfice — польза, прибыль от лат. beneficium — благодеяние]. **1.** Устар. Спектакль, сбор с которого шел в пользу одного из участников. *— Жалованья мне директор положил по сто рублей в месяц и бенефис в Харькове, а Любиньке по семидесяти пяти в месяц и бенефис летом, на ярмарке.* Салтыков-Щедрин. Господа Головлевы. **2.** Спектакль в честь одного из его участников как выражение признания заслуг, мастерства, значения артиста. ◊ **Устроить бенефис** кому (*разг. шутл.*) — устроить скандал.

**Бенефи́сный**, -ая, -ое. **Бенефициа́нт**, -а, м. (артист, играющий в своем бенефисе). *Преподнести цветы бенефицианту.*

**БЕНУА́Р**, -а, м. [Франц. baignoire — ванна; ложа]. Ярус лож в зрительном зале, расположенный на уровне партера. *Ложа бенуара.* □ *Все трое вошли в коридор бенуара.* Л. Толстой. Война и мир.

**БЕРДА́НКА**, -и, ж. [По имени изобретателя — американца Х. Бердана]. Малокалиберная винтовка, находившаяся на вооружении русской армии в 1870—1891 гг. *Отцовское оружие оказалось немудрящей по виду берданкой с самодельным некрашеным ложем.* Седых. Даурия.

**БЕРДЫ́Ш**, -а́, м. [Польск. berdysz от ср.-лат. barducium]. Старинное холодное оружие — топор с лезвием в виде полумесяца, насаженный на длинное древко. *У памятного стрелецкого столба на Красной площади стоял одно время часовой с бердышом, да куда-то ушел.* А. Н. Толстой. Петр I.

**БЕРЕДИ́ТЬ**, -ежу́, -еди́шь; бередя́щий;ереди́вший; бередя́, *несов.*, *что*. *Разг.* **1.** Причинять боль прикосновением к больному месту. *Бередить рану.* **2.** *перен.* Раздражать, беспокоить. *Все мечты, которые Душу бередят, Выльются узорами, Песней зазвенят.* В. Федоров. Кружевницы.

С и н. (*к 1 знач.*): растравля́ть, береди́ть (*прост.*). С и н. (*ко 2 знач.*): растравля́ть.

**БЕРЕ́ЙТОР**, -а, м. [Нем. Bereiter]. *Спец.* **1.** Тот, кто объезжает верховых лошадей. *Берейтор Захарченко сидит на Громобое, и Громобой хорошо вытанцовывает под Захарченкой, только губы у Громобоя сильно порваны, в кровь.* Чернышевский. Что делать? **2.** Тот, кто обучает верховой езде. *— Я дамское седло достал, Марфа Васильевна: вам верхом ездить..; берейтор берется в месяц вас выучить.* И. Гончаров. Обрыв.

**Бере́йторский**, -ая, -ое.

**БЕРЁСТА**, -ы и **БЕРЕСТÁ**, -ы́, ж. Верхний слой коры березы (употр. для изготовления корзинок, выгонки дегтя и т. п.). *Лапти из бересты.* ☐ *На траве лежала черпалка из бересты.* Тургенев. Малиновая вода.
**Берестяно́й**, -áя, -óе и **берёстовый**, -ая, -ое. *Берестяной пастуший рожок. Берестовый деготь.* ◇ **Берестяные грамоты** — древнерусские письма, документы 11—15 вв., написанные на бересте.

**БЕСЕ́ДА**, -ы, ж. 1. Разговор, деловой или задушевный. *Неторопливая, оживленная беседа. Беседа педагога с родителями.* ☐ *Марья Кириловна не чувствовала ни малейшего замешательства или принуждения в беседе с человеком, которого видела она только во второй раз отроду.* Пушкин. Дубровский. 2. Сообщение на какую-л. тему с участием слушателей в обмене мнениями; собеседование. *Беседа международного обозревателя. Беседа на политические темы.* 3. Устар. Собрание, общество людей. *Красное солнышко высоко над нами поднялось, когда разошлась подвыпившая беседа.* Мельников-Печерский. В лесах.

**БЕСКЛА́ССОВЫЙ**, -ая, -ое. Не подразделяющийся на общественные классы. *Бесклассовое первобытное общество.*
**Бескла́ссовость**, -и, ж.

**БЕСКОМПРОМИ́ССНЫЙ**, -ая, -ое; -сен, -сна, -о. Не идущий на соглашение, на уступки, на компромиссы. *Бескомпромиссная позиция. Бескомпромиссное выступление.*
**Бескомпроми́ссно**, нареч. *Поступать бескомпромиссно.* **Бескомпроми́ссность**, -и, ж. *Гражданская бескомпромиссность.*

**БЕСКОРЫ́СТНЫЙ**, -ая, -ое; -тен, -тна, -о. Чуждый корысти, стремления к личной выгоде. *Бескорыстный человек. Бескорыстная помощь.* ☐ *— А где же любовь-то? Любовь бескорыстная, самоотверженная, не ждущая награды?* Куприн. Гранатовый браслет.
**Бескоры́стно**, нареч. **Бескоры́стие**, -я, ср. и **бескоры́стность**, -и, ж.

**БЕСКРА́ЙНИЙ**, -яя, -ее; -áен, -áйня, -е (книжн.) и **БЕСКРА́ЙНЫЙ**, -ая, -ое; -áен, -áйна, -о (устар.). Не имеющий видимых пределов, края. *Бескрайний простор.* ☐ *Мальчик ложился загорать, смотрел в высокое и божественное бескрайнее небо.* Панова. Мальчик и девочка. *От бескрайной равнины сибирской До Полесских лесов и болот Поднимался народ богатырский, Наш великий советский народ.* Исаковский. Слава народу.
С и н.: безграничный, беспредельный, бесконечный, безбрежный, необозримый, необъятный, неоглядный (книжн.).
**Бескра́йне** и **бескра́йно**, нареч. **Бескра́йность**, -и, ж. *Бескрайность степи.*

**БЕСНОВА́ТЬСЯ**, -ну́юсь, -ну́ешься; беснующийся, бесновáвшийся; беснýясь; несов. Быть в состоянии крайнего раздражения, возбуждения; буйствовать. *— Дядюшка, я докажу, что не я один любил, бесновался, ревновал, плакал.* И. Гончаров. Обыкновенная история.
С и н.: неистовствовать, безумствовать, бушевáть (разг.), беси́ться (разг.).

**БЕСПА́МЯТСТВО**, -а, ср. 1. Потеря сознания, обморок. *Впасть в беспамятство.* ☐ *После тринадцатидневного беспамятства к Корчагину возвратилось сознание.* Н. Островский. Как закалялась сталь. 2. Устар. Отсутствие памяти, забывчивость. *Старческое беспамятство.* 3. Крайне возбужденное состояние, исступление. *Наговорить в беспамятстве лишнего.*
С и н. (к 1 знач.): бесчувствие, забытьё. С и н. (ко 2 знач.): беспáмятность (разг.). С и н. (к 3 знач.): неистовство, ярость, буйство, бешенство, сумасшествие, умоисступление (книжн.), остервенение (разг.), раж (разг.).

**БЕСПАРДО́ННЫЙ**, -ая, -ое; -óнен, -óнна, -о. Разг. Крайне бесцеремонный, беззастенчивый, наглый. *Беспардонное поведение. Беспардонный лжец.*
С и н.: нахáльный (разг.).
**Беспардо́нно**, нареч. *[Глумов:] Глупо их раздражать — им надо льстить грубо, беспардонно.* А. Островский. На всякого мудреца довольно простоты.
**Беспардо́нность**, -и, ж.

**БЕСПЛО́ДНЫЙ**, -ая, -ое; -ден, -дна, -о. 1. Неспособный производить потомство. *Бесплодный брак.* 2. Неплодородный (о почве). *Родник между ними из почвы бесплодной, Журча, пробивался волною холодной.* Лермонтов. Три пальмы. 3. перен. Не дающий результатов; бесполезный. *Бесплодные усилия.* ☐ *Бесплодные сожаления о минувшем, жгучие упреки совести язвили его, как иглы.* И. Гончаров. Обломов.
С и н. (к 3 знач.): напрáсный, безуспéшный, безрезультáтный, тщéтный (книжн.), пустой (разг.), зря́шный (прост.).
**Бесплóдно**, нареч. (к 3 знач.). *Бесплодно спорить.* **Беспло́дие**, -я, ср. (к 1 и 2 знач.) и **беспло́дность**, -и, ж. *Бесплодность поисков.*

**БЕСПЛО́ТНЫЙ**, -ая, -ое; -тен, -тна, -о. Устар. Не имеющий тела, плоти (по религиозным представлениям о раздельном существовании тела и души). *Бесплотный дух.* ☐ *Я в бесконечное бросаю стих,— К тем существам, телесным иль бесплотным, что мыслят, что живут в мирах иных.* Брюсов. Сын земли.
С и н.: бестелéсный (книжн.).
А н т.: телéсный.
**Беспло́тность**, -и, ж.

**БЕСПО́ЧВЕННЫЙ**, -ая, -ое; -ен и -енен, -енна, -о. Не имеющий под собой почвы, оснований; необоснованный. *Беспочвенное обвинение. Беспочвенный замысел.*
С и н.: неоснова́тельный, безоснова́тельный, голосло́вный, бездоказа́тельный, несостоя́тельный.
**Беспо́чвенно**, нареч. **Беспо́чвенность**, -и, ж. *Беспочвенность суждений.*

**БЕСПРА́ВИЕ**, -я, ср. 1. Отсутствие законности, беззаконие. *Бесправие древней деспотии.* 2. Отсутствие прав (политических, гражданских) у кого-л. *Бесправие женщин в феодальном обществе. Бесправие раба.* ☐ *Это была тяжелая эпоха в истории нашего народа: свирепый царский деспотизм,.. полное бесправие народа.* Ф. Гладков. Повесть о детстве.

**БЕСПРЕДЕ́ЛЬНЫЙ**, -ая, -ое; -лен, -льна, -о.

**1.** Не имеющий пределов, безграничный. *Беспредельная даль.* ◻ *Мчатся бесы рой за роем В беспредельной вышине, Визгом жалобным и воем Надрывая сердце мне.* Пушкин. Бесы. **2.** Чрезмерный, чрезвычайный по силе выражения. *Беспредельная преданность.* ◻ *[Раскольников] чувствовал беспредельную нравственную усталость.* Достоевский. Преступление и наказание.

С и н. (к 1 знач.): безбре́жный, бесконе́чный, необозри́мый, необъя́тный, неогля́дный (книжн.), бескра́йний (книжн.) и бескра́йный (устар.) С и н. (ко 2 знач.): бесконе́чный (книжн.), безме́рный (книжн.).

**Беспреде́льно,** нареч. **Беспреде́льность,** -и, ж.
**БЕСПРЕДМЕ́ТНЫЙ,** -ая, -ое; -тен, -тна, -о. Не имеющий определенной цели, содержания, а также отвлеченный, неконкретный. *Беспредметный спор.* ◻ *Человеческая деятельность вне сферы народа беспредметна и бессмысленна.* Салтыков-Щедрин. За рубежом.

С и н.: бессодержа́тельный, пусто́й.

**Беспредме́тно,** нареч. *Беспредметно вести разговор.* **Беспредме́тность,** -и, ж.
**БЕСПРЕСТА́ННЫЙ,** -ая, -ое; -анен, -а́нна, -о. Книжн. Не прекращающийся, продолжающийся все время. *Беспрестанный дождь. Беспрестанная тупая боль.* ◻ *Бунтовщики, верные своей системе, сражались издали и врассыпную, производя беспрестанный огонь из многочисленных своих орудий.* Пушкин. История Пугачева.

С и н.: постоя́нный, непреры́вный, беспреры́вный, безостано́вочный, непрекраща́ющийся, неутиха́ющий, несконча́емый, непреста́нный (книжн.).

**Беспреста́нно,** нареч. **Беспреста́нность,** -и, ж.
**БЕСПРЕЦЕДЕ́НТНЫЙ** [не беспрецендентный], -ая, -ое; -тен, -тна, -о. Книжн. Не имеющий примера, прецедента в прошлом. *Беспрецедентный случай. Беспрецедентная ситуация.*

С и н.: небыва́лый, беспримерный (высок.).

**Беспрецеде́нтно,** нареч. **Беспрецеде́нтность,** -и, ж. *Беспрецедентность случившегося.*
**БЕСПРИДА́ННИЦА,** -ы, ж. В старину: девушка, не имевшая приданого для выхода замуж. *Женился [Ихменев] на бедной дворяночке.., совершенной бесприданнице, но получившей образование в губернском благородном пансионе.* Достоевский. Униженные и оскорбленные.
**БЕСПРИМЕ́РНЫЙ,** -ая, -ое; -рен, -рна, -о. Высок. Не сравнимый ни с чем, не имеющий в прошлом примера. *Беспримерный героизм, подвиг. Беспримерное бедствие.* ◻ *Но я должен заметить, что сила характера отца моего была беспримерна. Его убеждения были тверже гранита.* Гоголь. Портрет.

С и н.: небыва́лый, беспрецеде́нтный (книжн.).

**БЕСПРИСТРА́СТНЫЙ,** -ая, -ое; -тен, -тна, -о. Чуждый пристрастия, справедливый. *Беспристрастный судья, критик.*

С и н.: объекти́вный, непредубеждённый, нелицеприя́тный (устар.).

А н т.: пристра́стный, необъекти́вный.

**Беспристра́стно,** нареч. — *Вы много сказали любопытного о характере брата и.. сказали беспристрастно. Это хорошо; я думала, вы перед ним благоговеете.* Достоевский. Преступление и наказание. **Беспристра́стие,** -я, ср. и **беспристра́стность,** -и, ж. *Проявить беспристрастие. Беспристрастность оценки.*
**БЕССЛА́ВНЫЙ,** -ая, -ое; -вен, -вна, -о. Высок. Позорный, достойный осуждения. *Бесславный конец.* ◻ *Мне жребий вынул Феб, и лира мой удел. Страшусь, неопытный, бесславного паденья, Но пылкого смирить не в силах я влеченья.* Пушкин. К Жуковскому.

**Бессла́вно,** нареч. *Погибнуть бесславно.* **Бесла́вие,** -я, ср. и **бессла́вность,** -и, ж.
**БЕССЛОВЕ́СНЫЙ,** -ая, -ое; -сен, -сна, -о.
**1.** Лишенный речи. *Бессловесное животное.*
**2.** Не высказывающий своего мнения, не возражающий. *За столом князь чаще всего обращался к бессловесному Михайле Ивановичу.* Л. Толстой. Война и мир.

С и н. (к 1 знач.): безгла́сный (устар.). С и н. (ко 2 знач.): ти́хий, безропо́тный, безотве́тный, поко́рный, послу́шный, смире́нный, сми́рный, безгла́сный (устар.), послу́шливый (устар.).

**Бессловесно,** нареч. **Бессловесность,** -и, ж.
**БЕССМЕ́РТИЕ,** -я, ср. **1.** Вечное существование, не прекращающееся бытие. *Бессмертие природы.* ◻ *Ах! ведает мой добрый гений, Что предпочел бы я скорей Бессмертию души моей Бессмертие своих творений.* Пушкин. В альбом Илличевскому. **2.** Высок. Посмертная слава. *И уже почти что над снегами, легким телом устремясь вперед, девочка последними шагами босиком в бессмертие идет.* Алигер. Зоя.
**БЕССПО́РНЫЙ,** -ая, -ое; -рен, -рна, -о. Не вызывающий возражений, сомнений; очевидный. *Бесспорный довод. Бесспорная истина.* ◻ *Среди бумаг капитана Татаринова обнаружены бесспорные, неопровержимые доказательства моей правоты.* Каверин. Два капитана.

С и н.: неопровержи́мый, неоспори́мый (книжн.), непререка́емый (книжн.), непрело́жный (высок.).

**Бесспо́рно,** нареч. **Бесспо́рность,** -и, ж. *Бесспорность выводов.*
**БЕССРЕ́БРЕНИК,** -а, м. Бескорыстный человек. *Обществу известны светлые образы самоотверженных врачей-бессребреников, и такими оно хочет видеть всех врачей.* Вересаев. Записки врача.

**Бессре́бреница,** -ы, ж. **Бессре́бренический,** -ая, -ое.
**БЕССТРА́СТНЫЙ,** -ая, -ое; -тен, -тна, -о. Не подверженный страстям, а также выражающий отсутствие страстей, равнодушие. *Бесстрастное лицо. Бесстрастный вид.* ◻ *Но знаю: не была душа твоя бесстрастна. Она была горда, упорна и прекрасна.* Н. Некрасов. Родина.

**Бесстра́стно,** нареч. **Бесстра́стность,** -и, ж.
**БЕСТА́КТНЫЙ,** -ая, -ое; -тен, -тна, -о. Лишенный такта, чуткости, чувства приличия. *Бестактный вопрос. Бестактный человек.* ◻ *[Пьер] чувствовал, что то, что он говорит, неприлично, бестактно, не то, что нужно.* Л. Толстой. Война и мир.

Син.: нетакти́чный, неделика́тный.

Ант.: такти́чный.

**Беста́ктно**, *нареч.* **Беста́ктность**, -и, *ж.* Допустить бестактность.

**БЕСТАЛА́ННЫЙ**, -ая, -ое; -а́нен, -а́нна, -о. 1. Лишенный таланта, бездарный. *Бесталанный режиссер.* □ *Петр Игнатьевич трудолюбивый, скромный, но бесталанный человек.* Чехов. Скучная история. 2. *Нар.-поэт.* Несчастный, неудачливый, обездоленный. *И казнили Степана Калашникова Смертью лютою, позорною: И головушка бесталанная Во крови на плаху покатилася.* Лермонтов. Песня про купца Калашникова.

Син. (к 1 знач.): неталантливый, неспосо́бный. Син. (ко 2 знач.): несчастли́вый, злоча́стный, бе́дный, злополу́чный, незада́чливый *(разг.)*, горемы́чный *(прост.)*, бессча́стный *(устар.)*.

Ант. (к 1 знач.): тала́нтливый, одарённый, даровитый.

**Бестала́нно**, *нареч.* **Бестала́нность**, -и, *ж.*

**БЕСТРЕ́ПЕТНЫЙ**, -ая, -ое; -тен, -тна, -тно. 1. *Трад.-поэт.* Не дрожащий, не колеблющийся. *Когда касаются холодных рук моих С небрежной смелостью красавиц городских Давно бестрепетные руки,— ...Ласкаю я в душе старинную мечту, Погибших лет святые звуки.* Лермонтов. Как часто пестрою толпою окружен... 2. *Высок.* Бесстрашный, неустрашимый. *Бестрепетный воин.*

Син. (ко 2 знач.): сме́лый, хра́брый, отва́жный, безбоя́зненный *(книжн.)*.

**Бестре́петно**, *нареч.* [*Матросы*] *платили ему нежной любовью и, повинуясь его приказу, готовы были бестрепетно пойти на смерть.* Закруткин. Кавказские записки. **Бестре́петность**, -и, *ж.*

**БЕСТСЕ́ЛЛЕР** [*сэ*], -а, *м.* [Англ. bestseller от best — лучший и sell — продаваться]. Хорошо раскупаемая, популярная книга, издаваемая большими тиражами. *Повесть стала бестселлером.* □ *Но вернемся на набережную и пороемся в книгах.. Много старья, нужного и ненужного, много забывшихся уже бестселлеров и разной полицейской дребедени.* В. Некрасов. Месяц во Франции.

**БЕСЦВЕ́ТНЫЙ**, -ая, -ое; -тен, -тна, -о. 1. Не имеющий цвета, ничем не окрашенный. *Бесцветный газ. Бесцветная жидкость.* 2. *перен.* Лишенный ярких черт, ничем не выделяющийся, невыразительный *Бесцветное лицо. Бесцветный рассказ.* □ *Моя бесцветная молодость протекала в борьбе с собой и светом.* Лермонтов. Герой нашего времени.

Син. (ко 2 знач.): се́рый, ту́склый, неинтере́сный, ску́чный.

**Бесцве́тно**, *нареч.* (ко 2 знач.). **Бесцве́тность**, -и, *ж.* *Бесцветность речи.*

**БЕСЦЕРЕМО́ННЫЙ**, -ая, -ое; -о́нен, -о́нна, -о. Развязный и беззастенчивый; выходящий из границ вежливости. *Бесцеремонное обращение. Бесцеремонный поступок.* □ *Бесцеремонные расспросы возмутили. Хотелось резко оборвать хозяйку, но удалось вовремя сдержаться.* Коптелов. Большой зачин.

Син.: фамилья́рный, панибра́тский, во́льный.

**Бесцеремо́нно**, *нареч.* Бесцеремонно рассматривать что-л. **Бесцеремо́нность**, -и, *ж.*

**БЕСЧЕ́СТЬЕ**, -я, *ср.* 1. *Устар.* Поругание чести, позор. *Ужель еще не знаешь ты, Что твой отец ожесточенный Бесчестья дочери не снес.* Пушкин. Полтава. 2. Отсутствие достоинства, чести. *Бесчестье подлеца.*

Син. (к 1 знач.): посрамле́ние, стыд, бессла́вие *(высок.)*, срам *(разг.)*.

Ант. (ко 2 знач.): честь.

**БЕСЧИ́НСТВО**, -а, *ср.* Грубое нарушение порядка, общепринятых норм. *Бесчинства хулиганов.*

Син.: безобра́зие, хулига́нство.

**БЕ́ТА** [бэ], -ы, *ж.* [Греч. bēta]. Название второй буквы греческого алфавита.

**БЕЧЕВА́**, -ы́, *ж.* 1. Прочная крученая веревка. 2. Длинная веревка с лямками, впрягаясь в которую бурлаки (или лошади), идя вдоль берега, тянули речные суда против течения. *Но вдруг я стоны услыхал, И взор мой на берег упал. Почти пригнувшись головой К ногам, обвитым бечевой, Обутым в лапти, вдоль реки Ползли гурьбою бурлаки.* Н. Некрасов. На Волге.

**БЕШМЕ́Т**, -а, *м.* [Тюрк. (тат.) bišmät]. Верхняя плотно прилегающая и доходящая до колен одежда у некоторых народов Средней Азии и Северного Кавказа. *Солнце горело огнем на посеребренных пуговицах моего испещренного заплатами бешмета.* Айтматов. Первый учитель.

**БИ...** [От лат. bis — дважды]. Первая составная часть сложных слов, указывающая на наличие двух предметов, признаков, обозначенных второй частью термина (в значении д в у..., д в у х...), напр.: *бимета́ллы* (металлические материалы, состоящие из двух слоев разнородных металлов или сплавов), *биполя́рный*.

**БИАТЛО́Н**, -а, *м.* [От *би...* (см.) и греч. athlon — состязание]. Вид зимнего двоеборья, включающий лыжную гонку и стрельбу из винтовки. *Соревнования по биатлону. Победитель в биатлоне.*

**Биатло́нный**, -ая, -ое. **Биатлони́ст**, -а, *м.* *Тренировки биатлонистов.*

**БИБЛИОГРА́ФИЯ**, -и, *ж.* [От греч. biblion — книга и graphein — писать]. 1. Научное, систематизированное по какому-л. признаку перечисление и описание книг и других изданий, а также отрасль знания о способах и методах составления подобных описаний. 2. Перечень книг, статей по какому-л. вопросу, предмету. *Библиография произведений М. Горького. Журнальная библиография.*

**Библиографи́ческий**, -ая, -ое. *Библиографический указатель, справочник. Библиографическое описание.* ◊ **Библиографическая редкость** — редкая книга, обычно старинная. **Библио́граф**, -а, *м.*

**БИБЛИОФИ́Л**, -а, *м.* [От греч. biblion — книга и philein — любить]. Любитель и знаток книг, а также собиратель редких и ценных изданий.

Син.: книголю́б.

**Библиофи́лка**, -и, *ж.* *(разг.)*. **Библиофи́льский**, -ая, -ое.

**БИ́БЛИЯ**, -и, *ж.* (с прописной буквы). [Греч. biblia

(мн.) — кни́ги). Собрание священных книг иудейской и христианской религий. *В еврейской хижине лампада В одном углу бледна горит, Перед лампадою старик Читает Библию.* Пушкин. В еврейской хижине лампада.

**Библе́йский**, -ая, -ое. *Библейские сказания.*

**БИВА́К**, -а и **БИВУА́К**, -а, м. [Франц. bivouac от н.-нем. Biwacht — добавочный патруль]. Стоянка, расположение войск или участников похода, экспедиции вне населенного пункта для ночлега или отдыха. *Расположиться бивуаком. Бивак альпинистов.* ◊ *Но тих был наш бивак открытый: Кто кивер чистил весь избитый, Кто штык точил, ворча сердито, Кусая длинный ус.* Лермонтов. Бородино. *Но больше всего.. запечатлелись в их памяти его рассказы о военных походах, сражениях и стоянках на бивуаках.* Куприн. Гранатовый браслет. ◊ **Жить (как) на бивуаках** — жить во временном помещении, неблагоустроенно, неоседло. — *Мы живем здесь, так сказать, на бивуаках.* Тургенев. Отцы и дети.

С и н.: ла́герь.

**Бива́чный**, -ая, -ое и **бивуа́чный**, -ая, -ое.

**БИЖУТЕ́РИЯ** [тэ], -и, ж., собир. [От франц. bijouterie — торговля ювелирными изделиями]. Женские украшения не из драгоценных камней и металлов.

**БИ́ЗНЕС** [нэ], -а, м. [Англ. business — дело, занятие]. Предпринимательская деятельность, приносящая доход. *Делать бизнес на чем-л.*

**Бизнесме́н**, -а, м. (делец-предприниматель).

**БИЛЬЯ́РД**, -а и (устар.) **БИЛЛИА́РД**, -а, м. [Франц. billard — первонач. кий]. Игра шарами на специальном столе по особым правилам, а также сам стол для этой игры. *Сыграть партию в бильярд. Увлечься бильярдом.* ◊ *Тут вызвался он выучить меня играть на биллиарде.* Пушкин. Капитанская дочка.

**Билья́рдный**, -ая, -ое и **биллиа́рдный**, -ая, -ое. *Бильярдный шар, кий.*

**БИО...** [От греч. bios — жизнь]. Первая составная часть сложных слов, обозначающая отношение к органической жизни, к биологии, напр.: *биохи́мия* (наука, изучающая химические процессы, свойственные живой материи), *биофи́зика* (наука, изучающая физические закономерности в живых организмах), *биопрепара́т, биото́пливо.*

**БИО́НИКА**, -и, ж. [От био... (см.) и (электро)ника]. Раздел кибернетики, изучающий жизнедеятельность организмов с целью использования открытых закономерностей при решении инженерных задач.

**БИОСФЕ́РА**, -ы, ж. [От био... (см.) и сфера (см.)]. Область распространения жизни на Земле. *Исследование биосферы.*

**БИОТО́КИ**, -ов, мн. (ед. **биото́к**, -а, м.). Спец. Электрические токи, возникающие в мозгу человека и высших животных. *Читая про биотоки, он пришел к выводу, что возможности человеческого мозга безграничны.* Гранин. Иду на грозу.

**БИПЛА́Н**, -а, м. [Франц. biplan от лат. bi... — двух и planum — плоскость]. Самолет, имеющий две поддерживающие поверхности (крылья), расположенные одна над другой. *Цветухин.. принялся обходить биплан со всех сторон, заглядывать под крылья, щупать их, щелкать по парусине, обнюхивать лак, измерять по-плотничьи.. длину и ширину плоскостей.* Федин. Первые радости.

**БИ́РЖА**, -и, би́ржи, бирж, ж. [Голл. beurs или нем. Börse; восх. к собств. имени купеческой семьи из Брюгге van der Burse]. **1.** В некоторых странах: учреждение для заключения крупных финансовых и торговых сделок. *Фондовая биржа* (купля и продажа ценных бумаг — акций, облигаций и т. п.). *Товарная биржа* (купля и продажа крупных партий товаров). **2.** Устар. Место для предложения и найма рабочей силы (обычно на торговой площади, рынке), а также уличная стоянка извозчиков. *Встает купец, идет разносчик, На биржу тянется извозчик.* Пушкин. Евгений Онегин. ◊ **Биржа труда** — учреждение, осуществляющее посредничество между рабочими и предпринимателем при найме рабочей силы. *Немецкий топор повис и над семьей Тараса, — старика потребовали на биржу труда. Он не пошел.* Горбатов. Непокоренные. **Лесная биржа** (спец.) — склад сплавной древесины на берегу. **Играть на бирже** — заниматься биржевыми спекуляциями.

**Биржево́й**, -а́я, -о́е. **Биржеви́к**, -а́, м. (биржевой делец). *Сделки биржевиков.*

**БИРЮЗА́**, -ы́, ж. [Турецк. piruza от перс. pīrōze]. Драгоценный камень голубого и голубовато-зеленого цвета, употребляемый для различных украшений. *Он.. вынул семьдесят два рубля денег и кольцо с бирюзою, которое она [мать] берегла пятьдесят четыре года в знак памяти.* Герцен. Кто виноват?

**Бирюзо́вый**, -ая, -ое. *Бирюзовое море* (цвета бирюзы).

**БИРЮ́К**, -а́, м. [Тюрк. (тат.) büri — волк]. **1.** Обл. Волк-одиночка. **2.** перен. Разг. Нелюдимый человек. *Тулин долго, со вкусом выбирал.. столик, согласовывал меню.. Крылов подумал: — Сколько живу в столице, а бирюк бирюком, официанта подозвать не умею.* Гранин. Иду на грозу.

С и н. (ко 2 знач.): нелюди́м, дика́рь (разг.).

**Бирю́чий**, -ья, -ье (к 1 знач.). *Бирючьи повадки.*

**БИС**, межд. [От лат. bis — дважды]. Требование повторить только что исполненный артистом номер. *Спеть на бис.* ◊ *На праздник являлись послушать военную музыку приказчики, мастеровые.., аплодируя, крича «бис», когда оркестр сыграет марш «Железнодорожный поезд».* Федин. Первые радости.

**БИ́СЕР**, -а, м. [Восх. к араб. busra]. Мелкие стеклянные цветные шарики и зерна со сквозными отверстиями. *Вышивать бисером. Узоры из бисера.* ◊ *Я сидел в комнате матери, помогая ей разнизывать изорванную вышивку бисером.* М. Горький. В людях.

**Би́серный**, -ая, -ое. ◊ **Бисерный почерк** — очень мелкий и ровный почерк.

**БИСТРО́**, нескл., ср. [Франц. bistro]. В некоторых странах: маленький ресторан, закусочная. *Пройдя всю улицу.., мы решили войти в единственное попавшееся нам общественное место: бистро. Входя, пришлось пробивать доро-*

*гу,— в бистро было множество народу.* Шагинян. По дорогам Европы.

**БИТЮ́Г**, -а́, *м.* Рабочая лошадь-тяжеловоз крупной породы.

**БИ́ЦЕПС**, -а, *м.* [Лат. biceps (musculus) — букв. двуглавая (мышца)]. Одна из плечевых мышц, сгибающая руку в локтевом суставе. *Натренированные бицепсы. Укреплять бицепсы.* ☐ *Широкоплечий, коренастый, с налитыми бицепсами, Куприн менее всего походил на писателя. Скорее уж на кузнеца. Был очень силен, с легкостью гнул подкову.* А. Чернышев. Художник жизни.

**БИЧ**, -а́, *м.* **1.** Длинная плеть, кнут из мелко свитых ремней, веревок. *Ременный бич. Стегать бичом.* ☐ *Селифан хлыстнул слегка бичом по крутым бокам лошадей.* Гоголь. Мертвые души. **2.** *ед., перен. Высок.* То, что причиняет бедствия, неприятности, несчастья. *Меня все преследовал зной, этот бич путешественников.* И. Гончаров. Воспоминания.

С и н. (к 1 знач.): шёлеп *(устар.)* и шелепу́га *(устар.).*

**БИЧЕВА́ТЬ**, бичу́ю, бичу́ешь; бичу́ющий, бичева́вший; бичу́емый; бичу́я; *несов., кого, что.* **1.** *Устар.* Сечь, хлестать плетью, кнутом, бичом. **2.** *перен. Книжн.* Резко изобличать, подвергать суровой критике. *Бичевать пороки. Бичевать бюрократизм.* ☐ *Он бичевал себя [за свою либеральность] и делал это исступленно, и Юлии Сергеевне стало весело.* Проскурин. Горькие травы.

С и н. (к 1 знач.): стега́ть, поро́ть *(разг.),* драть *(разг.),* полосова́ть *(прост.),* хлобыста́ть *(прост.).* С и н. (ко 2 знач.): суди́ть, осужда́ть, порица́ть *(книжн.),* клейми́ть *(высок.).*

**Бичева́ние**, -я, *ср.*

**БЛА́ГО¹**, -а, *ср.* **1.** *ед. Высок.* Благополучие, счастье, добро. *Трудиться на благо общества. Сделать все необходимое для блага человека.* ☐ *Удались от зла и сотвори благо, нечего нам здесь оставаться.* Пушкин. Дубровский. **2.** *мн., чего или какие.* То, что удовлетворяет какие-л. человеческие потребности, дает материальный достаток, доставляет удовольствие. *Блага природы. Производство материальных благ.* **3.** *в знач. сказ.* Очень хорошо; счастье. *Благо тем, кто смятенную душу Здесь омоет до самого дна.* Заболоцкий. Стирка белья. ◇ **Всех благ** *(разг.)* — пожелание при прощании. **Ни за какие блага** — ни в коем случае, ни за что.

**БЛА́ГО²**, *союз. Разг.* Тем более, что; благодаря тому, что. *Собаки далеко залезли в конуры, благо не на кого было лаять.* И. Гончаров. Обломов.

**БЛА́ГОВЕСТ**, -а, *м. Устар.* Колокольный звон перед началом церковной службы. *Вблизи весело блестел купол Новодевичьего монастыря и особенно звонко слышался оттуда благовест. Благовест этот напоминал Пьеру, что было воскресенье и праздник Рождества богородицы.* Л. Толстой. Война и мир.

**БЛА́ГОВЕСТИТЬ**, -ещу, -естишь; бла́говестящий, бла́говестивший; бла́говестя; *несов. Устар.* **1.** Оповещать ударами в колокол о начале церковной службы. *Гости продолжали пить, и уже благовестили к вечерне, когда встали*

*изо стола.* Пушкин. Гробовщик. **2.** *перен. Разг.* Разглашать что-л., сплетничать о чем-л.

С и н. (к 1 знач.): звони́ть. С и н. (ко 2 знач.): разноси́ть, разба́лтывать *(разг.),* выба́лтывать *(разг.),* труби́ть *(разг.),* звони́ть *(разг.),* трезво́нить *(разг.).*

**БЛАГОВИ́ДНЫЙ**, -ая, -ое; -ден, -дна, -о. Приличный по виду, пристойный. *По сему случаю комендант думал опять собрать своих офицеров и для того хотел опять удалить Василису Егоровну под благовидным предлогом.* Пушкин. Капитанская дочка.

**Благови́дно**, *нареч.* Поступить не совсем благовидно. **Благови́дность**, -и, *ж.* Соблюсти благовидность.

**БЛАГОВОЛЕ́НИЕ**, -я, *ср. Устар.* Доброжелательное отношение, расположение.— *Чем я мог заслужить благоволение Анны Сергеевны? Уж не тем ли, что привез ей письма вашей матушки?* Тургенев. Отцы и дети.

С и н.: симпа́тия, благоскло́нность *(книжн.),* прия́знь *(устар.),* благорасположе́ние *(устар.).*

**БЛАГОВО́НИЕ**, -я, *ср. Устар.* **1.** *ед.* Приятный запах, аромат. *Воздух весь был напоен благовонием томительно сильным, острым и почти тяжелым, хотя невыразимо сладким.* Тургенев. Три встречи. **2.** *мн.* Ароматические вещества. [*Корабли] привозили из Африки.. редкие благовония — нард, алоэ,.. смирну и ладан.* Куприн. Суламифь.

С и н. (к 1 знач.): благоуха́ние *(книжн.),* амбре́ *(устар.).*

А н т. (к 1 знач.): злово́ние, смрад, вонь *(разг.).*

**БЛАГОВОСПИ́ТАННЫЙ**, -ая, -ое; -ан, -анна, -о. *Устар.* Умеющий хорошо держать себя в обществе, обладающий хорошими манерами. *Благовоспитанный человек.* ☐ — *Что подумает Алексей, если узнает в благовоспитанной барышне свою Акулину?* Пушкин. Барышня-крестьянка.

С и н.: воспи́танный, благонра́вный *(устар.).*

**Благовоспи́танно**, *нареч.* Держать себя благовоспитанно. **Благовоспи́танность**, -и, *ж.*

**БЛАГОГОВЕ́НИЕ**, -я, *ср. Высок.* Глубокое почтение, уважение к кому-, чему-л. *Благоговение перед авторитетами. Смотреть с благоговением.* ☐ *К Вере Павловне они питают беспредельное благоговение.* Чернышевский. Что делать?

С и н.: преклоне́ние *(высок.).*

**БЛАГОДА́РНЫЙ**, -ая, -ое; -рен, -рна, -о. **1.** Чувствующий и выражающий признательность. *Благодарный взгляд. Благодарные ученики.* ☐ *«В тот страшный час Вы поступили благородно, Вы были правы предо мной: Я благодарна всей душой...»* Пушкин. Евгений Онегин. **2.** *полн. ф., перен.* Позволяющий ожидать хороших результатов, оправдывающий затраты. *Благодарная тема. Благодарное дело.* ☐ *Перед нами трудная и новая, но великая и благодарная задача — организовать обширное, разностороннее, разнообразное литературное дело.* Ленин, т. 12, с. 104.

С и н. (к 1 знач.): призна́тельный.

**Благода́рно**, *нареч.* (к 1 знач.). **Благода́рность**, -и, *ж.*

**БЛАГОДА́РСТВЕННЫЙ**, -ая, -ое. *Устар. высок.*

Торжественно выражающий благодарность. *Благодарственное письмо. Благодарственные слова.* ☐ *Михельсон отправился прямо в собор, где преосвященный Вениамин отслужил благодарственный молебен.* Пушкин. История Пугачева.

**БЛАГОДА́ТНЫЙ**, -ая, -ое; -тен, -тна, -о. *Высок.* Приносящий благо, довольство; полный благ. *Благодатный край. Благодатная тишина.* ☐ *Уже несколько раз принимался идти крупный, короткий, благодатный дождь, после которого на глазах растет молодая трава и вытягиваются новые побеги.* Куприн. Олеся.

С и н.: благослове́нный (высок.), бла́гостный (устар.).

**Благода́тно**, *нареч.* **Благода́тность**, -и, *ж.*

**БЛАГОДА́ТЬ**, -и, *ж.* **1.** В религиозных представлениях: ниспосланная свыше сила. *Благодать сошла на кого-л.* ☐ *Тесним мы шведов рать за ратью; Темнеет слава их знамен, И бога браней благодатью Наш каждый шаг запечатлен.* Пушкин. Полтава. **2.** *Разг.* О чем-л., имеющемся в изобилии. *Слуга вошел с русским самоваром, чайным прибором, сливками, сухарями и т. п. на большом подносе; расставили всю эту благодать на столе.* Тургенев. Вешние воды. **3.** *в знач. сказ.* О приволье, об условиях, доставляющих удовольствие, счастье.— *Ведь это же благодать — в лесу-то пожить. Тишина кругом, приволье.* Седых. Отчий край.

**БЛАГОДЕ́НСТВИЕ**, -я, *ср. Устар.* Счастливая жизнь; благополучие. *Там в благоденствии, в богатстве, в мире Свободные народы ликовали.* Жуковский. Две повести.

С и н.: преуспева́ние, процвета́ние, преуспея́ние (устар.).

**БЛАГОДЕ́ТЕЛЬ**, -я, *м. Устар. и ирон.* Тот, кто оказывает кому-л. покровительство, помощь, услугу. *[Лужин] объяснил,... что муж ничем не должен быть обязан своей жене, и гораздо лучше, если жена считает мужа за своего благодетеля.* Достоевский. Преступление и наказание.

**Благоде́тельница**, -ы, *ж.* **Благоде́тельский**, -ая, -ое.

**БЛАГОДЕЯ́НИЕ**, -я, *ср.* Доброе дело; помощь, услуга. *Совершить благодеяние.* ☐ — *Слушай, Разумихин,.. неужель ты не видишь, что я не хочу твоих благодеяний?* Достоевский. Преступление и наказание.

С и н.: ми́лость.

**БЛАГОДУ́ШНЫЙ**, -ая, -ое; -шен, -шна, -о. Добродушный, мягкосердечный; выражающий душевное спокойствие. *Благодушное настроение. Благодушная улыбка.* ☐ *За столом сидела жена, здоровая, свежая, румяная, благодушная, и всюду в комнате было много ласкового и нежаркого утреннего солнца.* М. Горький. Тоска.

**Благоду́шно**, *нареч.* **Благоду́шие**, -я, *ср.* и **благоду́шность**, -и, *ж.*

**БЛАГОЖЕЛА́ТЕЛЬНЫЙ**, -ая, -ое; -лен, -льна, -о. *Книжн.* Доброжелательный, расположенный в пользу кого-, чего-л. *Благожелательные люди. Благожелательный отзыв.* ☐ *Даже благожелательная улыбка ее была, в моих глазах, только снисходительной улыбкой королевы.* М. Горький. В людях.

С и н.: благоскло́нный (книжн.), благорасполо́женный (устар.), доброхо́тный (устар.).

**Благожела́тельно**, *нареч.* Относиться к кому-л. благожелательно. **Благожела́тельность**, -и, *ж.* Выслушать кого-л. с благожелательностью.

**БЛАГОЗВУ́ЧНЫЙ**, -ая, -ое; -чен, -чна, -о. Приятный на слух. *Благозвучные народные песни.* ☐ *Я люблю хорошие стихи, когда они действительно хороши и благозвучны и.. представляют идеи, мысли.* Тургенев. Затишье.

С и н.: гармони́чный, мелоди́чный, сладкозву́чный (устар.), сладкогла́сный (устар.).

**Благозву́чно**, *нареч.* **Благозву́чие**, -я, *ср.* и **благозву́чность**, -и, *ж.*

**БЛАГО́Й**[1], -а́я, -о́е. *Устар. и ирон.* Хороший, добрый. *Благая мысль. Благая деятельность. Благие начинания.* ☐ *Облегчив душу сим благим намерением, Кирила Петрович пустился рысью к усадьбе своего соседа.* Пушкин. Дубровский. ◊ *Благую часть избрать* (устар. и ирон.) — принять наилучшее решение.

С и н.: сла́вный (разг.).

**БЛАГО́Й**[2], -а́я, -о́е. *Обл.* Сумасбродный, взбалмошный. *[Фоминишна:] Того и гляди пьяный приедет. А уж какой благой-то, господи!* А. Островский. Свои люди — сочтемся! ◊ *Кричать (или орать, вопить) благим матом* (прост.) — очень громко, изо всех сил. *Старостиха в подворотне застряла, благим матом кричит, свою же дворную собаку.. запужала.* Тургенев. Бежин луг.

С и н.: безу́мный, сумасше́дший, безрассу́дный, шально́й (разг.) и ша́лый (разг.).

**БЛАГОЛЕ́ПИЕ**, -я, *ср. Устар.* Величественная красота, действующая умиротворяюще на человека. *Как глубоко подсмотрел он [Державин] внешнее благолепие природы.* Белинский. Литературные мечтания.

**БЛАГОНАДЁЖНЫЙ**, -ая, -ое; -жен, -жна, -о. *Устар.* **1.** Заслуживающий доверия, надежный. *Благонадёжные люди. Успехи мои хотя были медленны, но благонадёжны.* Пушкин. История села Горюхина. **2.** То же, что благонаме́ренный (во 2 знач.). ◊ *Будь благонадежен* (устар.) — будь совершенно уверен, не сомневайся. — *Будь благонадежен: против этого лекаря редкая болезнь может устоять, мастер.* Чернышевский. Что делать?

**Благонадёжно**, *нареч.* **Благонадёжность**, -и, *ж. Политическая благонадежность.*

**БЛАГОНАМЕ́РЕННЫЙ**, -ая, -ое; -рен, -ренна. *Устар.* **1.** Имеющий хорошие, добрые намерения. *Благонамеренные советы.* **2.** В дореволюционной России: преданный самодержавному строю, придерживающийся официального образа мыслей. *Губернатор о нем [Чичикове] изъяснился, что он благонамеренный человек.* Гоголь. Мертвые души.

С и н. (ко 2 знач.): благонадёжный (устар.).

**Благонаме́ренно**, *нареч.* **Благонаме́ренность**, -и, *ж.* Отличаться благонамеренностью.

**БЛАГОНРА́ВНЫЙ**, -ая, -ое; -вен, -вна, -о.

*Устар.* Отличающийся хорошим поведением; благовоспитанный. *Благонравный ребенок.* ☐ *Как благонравная и воспитанная девица, она показывает письмо почтенным родителям.* Куприн. Гранатовый браслет.

С и н.: воспи́танный.

**Благонра́вно,** *нареч. Поступать благонравно.* **Благонра́вие,** -я, *ср.* и **благонра́вность,** -и, *ж.*

**БЛАГОПРИСТО́ЙНЫЙ,** -ая, -ое; -ен, -ойна, -о. Соответствующий, следующий требованиям приличия или принятого обычая. *Благопристойное поведение.* ☐ *Не одобряю я развода!.. Благопристойные мужья Для умных жен необходимы.* Пушкин. К Родзянке.

С и н.: прили́чный, присто́йный, благочи́нный (*устар.*).

А н т.: неприли́чный, непристо́йный.

**Благопристо́йно,** *нареч. Одеваться благопристойно. Желание выглядеть благопристойно.* **Благопристо́йность,** -и, *ж. Требования благопристойности. Не выходить из границ благопристойности.*

**БЛАГОРО́ДИЕ,** -я, *ср.* (употр. с мест. «ваше», «его», «ее», «их»). В дореволюционной России: титулование офицеров и чиновников от четырнадцатого до девятого класса включительно по табели о рангах. *Вдруг Пугачев прервал мои размышления, обратясь ко мне с вопросом: — О чем, ваше благородие, изволил задуматься?* Пушкин. Капитанская дочка.

**БЛАГОРО́ДНЫЙ,** -ая, -ое; -ден, -дна, -о. **1.** Обладающий высокими нравственными качествами, безукоризненно честный, великодушный. *Благородный поступок.* ☐ *Многое встрепенулось в душе Крупова при виде благородного чистого юноши.* Герцен. Кто виноват? **2.** Возвышенный, освященный великой целью. *Где благородное стремленье И чувств, и мыслей молодых?* Пушкин. Евгений Онегин. **3.** Исключительный по своим качествам, свойствам, изяществу. *Благородная красота.* ☐ *Во всех ее движениях, во всех ее словах,— думал я,— есть что-то благородное,.. какая-то врожденная изящная умеренность.* Куприн. Олеся. **4.** *полн. ф. Устар.* Дворянского происхождения, относящийся к дворянам. *Благородное сословие. Благородное происхождение.* ☐ *В журналах удивлялись, как можно было назвать девою простую крестьянку, между тем как благородные барышни.. названы девчонками.* Пушкин. Евгений Онегин (примечание). ◇ **Благородные металлы** — золото, серебро, платина и металлы платиновой группы, получившие это название благодаря высокой химической стойкости и красивому внешнему виду в изделиях. **Благородный пансион** — в дореволюционной России: закрытое учебное заведение для детей из дворянского сословия. **Институт благородных девиц** — в дореволюционной России: среднее учебное заведение и пансион для девушек из дворянского сословия. **Благородное собрание** — род клуба для дворян. — *А уж как плясала [Бэла]! Видел я наших губернских барышень, я раз был-с и в Москве в благородном собрании — только куда им!* Лермонтов. Герой нашего времени.

С и н. (к *1 знач.*): ры́царский, ры́царственный. С и н. (ко *2 знач.*): высо́кий, свято́й (*высок.*), свяще́нный (*высок.*).

**Благоро́дно,** *нареч.* (к *1 и 2 знач.*). *Мыслить благородно.* **Благоро́дство,** -а, *ср. Душевное благородство. Благородство осанки.*

**БЛАГОСКЛО́ННЫЙ,** -ая, -ое; -о́нен, -о́нна, -о. *Книжн.* Относящийся доброжелательно, а также выражающий доброжелательство, расположение. *Благосклонная критика. Благосклонное внимание.* ☐ *Действительно,.. в департаменте говорили, что начальник отделения, у которого служит Павел Константинович, стал благосклонен к нему.* Чернышевский. Что делать?

С и н.: доброжела́тельный, благожела́тельный (*книжн.*), благорасполо́женный (*устар.*), доброхо́тный (*устар.*).

**Благоскло́нно,** *нареч.* **Благоскло́нность,** -и, *ж. Воспользоваться чьей-л. благосклонностью.*

**БЛАГОСЛОВЕ́ННЫЙ,** -ая, -ое; -ён, -ённа, -о. **1.** *Устар.* Достойный благодарности, восхваления. *[Патриарх:] Благословен всевышний, поселивший Дух милости и кроткого терпенья В душе твоей, великий государь.* Пушкин. Борис Годунов. **2.** *Высок.* Благодатный и прекрасный. *Благословенный край.* ☐ *В какой благословенный уголок земли перенес нас сон Обломова? Что за чудный край!* И. Гончаров. Обломов.

С и н. (ко *2 знач.*): бла́гостный (*устар.*).

**Благослове́нность,** -и, *ж.*

**БЛАГОСОСТОЯ́НИЕ,** -я, *ср.* Достаток, обеспеченность. *Повышение материального благосостояния народа.*

**БЛАГОТВОРИ́ТЕЛЬНЫЙ,** -ая, -ое. **1.** Имеющий целью оказание материальной помощи неимущим. *Благотворительная лотерея. Благотворительная деятельность.* ☐ *Она была замужем за очень богатым.. человеком, который.. числился при каком-то благотворительном учреждении.* Куприн. Гранатовый браслет. **2.** Безвозмездный, направленный на общественные нужды. *Благотворительный концерт. Средства от благотворительного спектакля направлены на реставрацию архитектурного памятника.*

С и н. (к *1 знач.*): филантропи́ческий.

**Благотвори́тельность,** -и, *ж. Частная благотворительность.*

**БЛАГОТВО́РНЫЙ,** -ая, -ое; -рен, -рна, -о. *Книжн.* Оказывающий хорошее действие, полезный. *Благотворное влияние искусства. Благотворное действие лекарства.* ☐ *Любви все возрасты покорны; Но юным девственным сердцам Ее порывы благотворны, Как бури вешние полям.* Пушкин. Евгений Онегин.

С и н.: благоде́тельный (*книжн.*).

**Благотво́рно,** *нареч.* **Благотво́рность,** -и, *ж.*

**БЛАГОУХА́НИЕ,** -я, *ср. Книжн.* Приятный запах, аромат. *Воздух весь напоен свежей горечью полыни, медом гречихи и «кашки».. Голова томно кружится от избытка благоуханий.* Тургенев. Лес и степь.

Син.: благово́ние (книжн.), амбре́ (устар.).
Ант.: злово́ние, смрад, вонь (разг.).

**БЛАГОЧЕСТИ́ВЫЙ**, -ая, -ое; -и́в, -а, -о. Соблюдающий предписания религии, набожный. *Благочестивый старик.* □ *[Феклуша:] И купечество все народ благочестивый, добродетелями многими украшенный!* А. Островский. Гроза.
Син.: религио́зный, богобоя́зненный, бого-мо́льный, пра́ведный.
**Благочести́во**, *нареч.* **Благоче́стие**, -я, *ср.* и **благочести́вость**, -и, *ж.*

**БЛАГОЧИ́ННЫЙ**, -ая, -ое; -инен, -и́нна, -о. *Устар.* **1.** Приличный, благопристойный. *Благочинный образ жизни.* **2.** *в знач. сущ.* **благочи́нный**, -ого, *м.* Священник, помощник епископа, выполняющий административные обязанности по отношению к нескольким церквям.
Син. (*к 1 знач.*): присто́йный.
**Благочи́ние**, -я, *ср.* (*к 1 знач.*) и **благочи́нность**, -и, *ж.* (*к 1 знач.*).

**БЛАЖЕ́ННЫЙ**, -ая, -ое; -ён, -е́нна, -о. **1.** В высшей степени счастливый, исполненный счастья. *Блаженное состояние. Блаженное время.* □ *— Ты хочешь знать, что делал я На воле? Жил — и жизнь моя Без этих трех блаженных дней Была б печальней и мрачней Бессильной старости твоей.* Лермонтов. Мцыри. **2.** *полн. ф.* *Разг.* Глуповатый, чудаковатый. *Я не мог терпеть, когда ребята.. издевались над пьяными нищими и блаженным Игошей.* М. Горький. Детство. **3.** *в знач. сущ.* **блаже́нный**, -ого, *м.* Юродивый. *Входит юродивый в железной шапке, обвешанный веригами, окруженный мальчишками. [Старуха:] Отвяжитесь, бесеняета, от блаженного.* Пушкин. Борис Годунов. ◊ **В блаженном неведении** (разг.) — в полном неведении.
Син. (*к 1 знач.*): ра́йский, сла́дкий. Син. (*к 3 знач.*): блаже́нненький (разг.), юро́д (устар. разг.).
**Блаже́нно**, *нареч.* (*к 1 и 2 знач.*). **Блаже́нность**, -и (*к 1 и 2 знач.*) и **блаже́нная**, -ой (*к 3 знач.*), *ж.*

**БЛАНМАНЖЕ́**, *нескл., ср.* [Франц. blanc-manger]. Желе из сливок или миндального молока. *С вечера Мария Степановна приказала принести миндальные отруби, оставшиеся от приготовляемого на завтрак бланманже.* Герцен. Кто виноват?

**БЛЕСК**, -а, *м.* **1.** Яркий, сияющий свет; сверкание. *Блеск молнии.* □ *В его [Уханова] светлых глазах еще не остыл горячий блеск, как бы вызывающий на ссору.* Бондарев. Горячий снег. **2.** *перен.* Пышность, великолепие. *Блеск наряда.* □ *Ему не мешали.. ни блеск светской жизни, ни поэтические фантазии.* Герцен. Кто виноват? **3.** *перен., чего.* Яркое проявление каких-л. достоинств, способностей. *Блеск таланта, славы.* □ *Ни блеск ума, ни стройность платья Не могут вас обворожить.* Пушкин. М. Е. Эйхфельдт. ◊ **Во всем блеске** — во всем великолепии, совершенстве. **С блеском** — превосходно, великолепно, блестяще.
Син. (*к 1 знач.*): сия́ние.

**БЛЕФ**, -а, *м.* [Англ. bluff от голл. bluffen — хвастаться]. *Книжн.* Выдумка, обман с целью создания ложного представления о чем-л. *— Все мы убедили себя в том, что это человек-загадка, дьявол во плоти.. Современный Геракл с мечом в руке! Но все это блеф. Самовнушение!* Чаковский. Победа.

**БЛИК**, -а, *м.* [Нем. Blick]. Отблеск света или световое пятно на темном фоне. *Огненные, солнечные блики.* □ *В замороженном окне едва приметным бликом шевелился отсвет печного огня.* Астафьев. Царь-рыба.
Син.: о́тсвет.

**БЛИНДА́Ж**, -а́, *м.* [Франц. blindage]. Убежище с мощным покрытием для защиты от артиллерийского, минометного огня, от напалма и т. п. *Построить блиндаж. Укрыться в блиндаже.* □ *Команда разведчиков.. занимала немецкий офицерский блиндаж — прекрасное, солидное сооружение, крытое толстыми бревнами в четыре наката и обложенное сверху дерном.* Катаев. Сын полка.
**Блинда́жный**, -ая, -ое.

**БЛИСТА́ТЕЛЬНЫЙ**, -ая, -ое; -лен, -льна, -о. **1.** *Устар.* Яркий, сверкающий. *В окно увидела Татьяна Поутру побелевший двор.. И мягко устланные горы Зимы блистательным ковром.* Пушкин. Евгений Онегин. **2.** Великолепный, превосходный, замечательный. *Блистательные балы. Блистательный успех.* □ *Историческое достоинство этой поэмы тем выше, что она была на Руси и первым и блистательным опытом в этом роде.* Белинский. Сочинения Александра Пушкина.
Син. (*к 1 знач.*): блестя́щий. Син. (*ко 2 знач.*): я́ркий, блестя́щий, искромётный (книжн.).
**Блиста́тельно**, *нареч.* (*ко 2 знач.*). *Блистательно сдать экзамены.* **Блиста́тельность**, -и, *ж.* (*ко 2 знач.*). *Блистательность карьеры.*

**БЛИЦ...** [От нем. Blitz — молния]. Первая составная часть сложных слов, обозначающая быстрый, молниеносный, напр.: *блицтурни́р, блицпохо́д, бли́цкриг* (война, рассчитанная на молниеносную победу).

**БЛОК**[1], -а, *м.* [Нем. Block или голл. blok]. Приспособление в виде колеса с желобом, через которое перекинут канат, цепь и т. п., используемое для подъема тяжестей и др. целей. *В передней завизжала дверь на блоке, пропуская входивших с холода Ростовых.* Л. Толстой. Война и мир.
**Бло́чный**, -ая, -ое.

**БЛОК**[2], -а, *м.* [Франц. bloc]. **1.** Объединение государств, партий, организаций, группировок для совместных действий. *Блок демократических партий. Военно-политические блоки. Блок НАТО.* □ *Оставаясь частью капиталистического мира, она [Финляндия] не присоединялась к блокам, сохраняла самостоятельность и вместе с тем охотно развивала экономические отношения и с Западом и с Востоком.* Чаковский. Победа. **2.** В строительстве: конструктивный элемент здания. *Стенной, оконный блок.* **3.** Сложная деталь, используемая как готовая часть сооружения, механизма, изделия и т. п., состоящая в свою очередь из ряда элементов. *Блок электропитания телевизора. Авторучка с запасным чернильным блоком.*

Син. (к 1 знач.): союз, ассоциация, федерация, общество, коалиция (книжн.), альянс (книжн.). Син. (к 3 знач.): секция.

**Бло́ковый**, -ая, -ое (к 1 знач.) и **бло́чный**, -ая, -ое (ко 2 и 3 знач.).

**БЛОКА́ДА**, -ы, ж. [Нем. Blockade]. **1.** Окружение города, крепости, военных баз, армий войском неприятеля с целью отрезать их от внешнего мира и этим принудить к сдаче. *Блокада Ленинграда. Разорвать кольцо блокады.* ☐ — *Знаешь, Саша, она [мать] в блокаду пайку свою мне отдавала.* Санин. За тех, кто в дрейфе? **2.** *перен.* Система мероприятий, направленных на изоляцию какого-л. государства в политическом или экономическом отношении с целью оказать на него политическое давление. *Политика экономической блокады.*

**Блока́дный**, -ая, -ое. *Блокадное кольцо. Блокадные поэмы О. Берггольц.*

**БЛОКИ́РОВАТЬ**, -рую, -руешь; блоки́рующий, блоки́ровавший; блоки́руемый, блоки́рованный; -ан, -а, -о; блоки́руя, блоки́ровав; *сов. и несов., кого, что.* [Нем. blockieren]. **1.** Подвергнуть (подвергать) блокаде. *Блокировать аэродромы противника.* ☐ — *Нас блокирует Европа, мы лишены ожидавшейся помощи европейского пролетариата, на нас со всех сторон медведем лезет контрреволюция.* М. Горький. В. И. Ленин. **2.** *перен.* Уменьшить (уменьшать) активность, парализовать чью-л. деятельность. *Блокировать игрока* (в спортивных играх).

**Блоки́рование**, -я, *ср.* и **блокиро́вка**, -и, *ж.*

**БЛЮСТИ́**, блюду́, блюдёшь; блю́дший; блюдённый; -ён, -ена́, -о́; блюдя́; *несов.* **1.** *кого, что. Устар.* Следить, смотреть за кем-, чем-л. — *На Украине убит [Коля].. Там блюдут могилку добрые люди.* Первенцев. Честь смолоду. **2.** *что. Книжн.* Соблюдать что-л., придерживаться чего-л. *Дед Михайло.. свято блюл в лесу колхозные обычаи.* Б. Полевой. Повесть о настоящем человеке. **3.** *что. Книжн.* Охранять, беречь. *Блюсти интересы государства. Блюсти свое достоинство.*

Син. (к 1 знач.): наблюда́ть, присма́тривать, пригля́дывать (*разг.*), ходи́ть (*разг.*), догля́дывать (*прост.*), гляде́ть (*прост.*). Син. (ко 2 знач.): держа́ться, выде́рживать, храни́ть, сле́довать (*книжн.*), наблюда́ть (*устар.*). Син. (к 3 знач.): оберега́ть, храни́ть.

**БЛЮСТИ́ТЕЛЬ**, -я, *м., чего. Устар. и ирон.* Тот, кто охраняет, оберегает что-л., наблюдает за чем-л. *Блюститель порядка. Блюститель закона.* ☐ *Но цензор — гражданин, и сан его священный.. Блюститель тишины, приличия и нравов Не преступает сам начертанных уставов.* Пушкин. Послание цензору.

Син.: храни́тель (*книжн.*), страж (*высок.*).

**Блюсти́тельница**, -ы, *ж.* **Блюсти́тельский**, -ая, -ое.

**БОА́**, *нескл., м.* и *ср.* [Лат. boa]. **1.** *м.* Крупная змея сем. удавов, обитающая в Южной Америке и на Мадагаскаре. **2.** *ср.* и *м. Устар.* Женский шарф из меха или перьев. *Меховое боа.* ☐ *Он счастлив, если ей накинет Боа пушистый на плечо.* Пушкин. Евгений Онегин. *Женщина в страусовом боа на.. шее подсела к нам.* Куприн. Черный туман.

**БО́БРИК**, -а, *м.* **1.** Вид сукна со стоячим ворсом. *Пальто из бобрика.* **2.** *в знач. нареч.* **бо́бриком.** О мужской короткой стрижке, при которой спереди оставляются стоячие волосы. *[Николка] объяснил «мальчику», что значит стричь под польку, бобриком или с пробором.* Л. Андреев. Петька на даче.

**Бо́бриковый**, -ая, -ое (к 1 знач.).

**БО́БСЛЕЙ**, -я, *м.* [Англ. bob-sleigh]. Вид спорта: скоростной спуск с гор на санях с рулевым управлением. *Соревнования по бобслею.*

**Бобслеи́ст**, -а, *м.*

**БОБЫ́ЛЬ**, -я́, *м.* **1.** *Устар.* Бедный, безземельный одинокий крестьянин. *[Артем] был бобыль, безлошадный, весь век в батраках.* А. Н. Толстой. Детство Никиты. **2.** *Разг.* Одинокий, бессемейный человек. *[Изот] был доволен своей жизнью, он сирота, бобыль и ни от кого не зависим в своем тихом, любимом деле рыбака.* М. Горький. Мои университеты.

**Бобы́лка**, -и, *ж.* **Бобы́льский**, -ая, -ое.

**БОГ** [бох], -а, *м.* В религиозных представлениях: верховное существо, сотворившее мир и управляющее им. *Матушка со слезами обняла ее и молила бога о благополучном конце замышленного дела.* Пушкин. Капитанская дочка. ◊ **С богом!** (*устар.*) — пожелание успеха, удачи при начале какого-л. дела. *Тогда-то свыше вдохновенный Раздался звучный глас Петра: «За дело, с богом!»* Пушкин. Полтава. **Бог ведает** (или **знает**) (*разг.*) — неизвестно, никто не знает. **Бог весть кто** (*устар. и разг.*) — неизвестно кто. **Ради бога** (*разг.*) — пожалуйста (при усиленной просьбе). **Дай бог** (*разг.*) — употр. при пожеланий чего-л. *Я вас любил так искренно, так нежно, Как дай вам бог любимой быть другим.* Пушкин. Я вас любил..

Син.: господь, всевышний, творец (*высок.*), создатель (*устар.*), вседержитель (*устар.*).

**Бо́жеский**, -ая, -ое (*устар.*) и **бо́жий**, -ья, -ье. *Божья воля. Божий храм.*

**БОГАДЕ́ЛЬНЯ**, -и, *ж.* **1.** В дореволюционной России: благотворительное учреждение для приюта инвалидов или престарелых. — *А не захочет она [бабушка] у нас жить, так во всяком городе есть такие дома... они называются богадельнями... где таким старушкам дают и покой, и уход внимательный.* Куприн. Олеся. **2.** *перен. Разг. ирон.* Об учреждении, состоящем из бездеятельных и неспособных людей.

**Богаде́ленный**, -ая, -ое (к 1 знач.).

**БОГДЫХА́Н**, -а, *м.* [Монг.]. *Устар.* Название китайских императоров, принятое у русских в 16 — 17 вв.

**Богдыха́нский**, -ая, -ое.

**БОГЕ́МА**, -ы, *ж.* [Франц. bohème — *букв.* цыганщина (от названия Богемии, откуда цыгане пришли во Францию)]. **1.** Интеллигенция, не имеющая устойчивого материального обеспечения, ведущая беспорядочную жизнь (преимущ. актеры, музыканты, художники). **2.** Образ жизни, беспорядочный быт такой среды. *[Нина:] Отец и его же-*

*на не пускают меня сюда. Говорят, что здесь богема.., боятся, как бы я не пошла в актрисы.* Чехов. Чайка.

**Боге́мный**, -ая, -ое. *Богемный быт.*

**БОГИ́НЯ**, -и, боги́ни, -и́нь, *ж.* **1.** В античной мифологии и некоторых восточных религиях: божество женского пола. *Древнегреческая богиня Афина.* □ *Возможно, когда-то.. на этом месте и стоял храм строгой римской богини, построенный Улиссом, если верить Страбону и Сенеке.* Леонов. О Горьком. **2.** *перен.* Об обожаемой, любимой женщине. — *Я твой раб,— воскликнул он,— я у ног твоих, ты.. моя богиня.* Тургенев. Затишье.

**БОГОРО́ДИЦА**, -ы и **БОГОМА́ТЕРЬ**, -и, *ж.* В христианской религии: название матери Иисуса Христа. *Пресвятая богородица. Икона Владимирской богоматери.* □ *[Юродивый:] Нельзя молиться за царя Ирода — богородица не велит.* Пушкин. Борис Годунов.

**БОГОСЛО́ВИЕ**, -я, *ср.* Совокупность церковных учений о боге и основных положениях религии. *Профессор богословия.* □ *Было много молодежи и между нею — тоненький, изящный попик, магистр богословия.* М. Горький. Мои университеты.

С и н.: теоло́гия.

**Богосло́вский**, -ая, -ое.

**БОГОТВОРИ́ТЬ**, -рю́, -ри́шь; боготворя́щий; боготвори́вший; боготвори́мый; боготворённый; -рён, -рена́, -о́; боготворя́; *несов., кого, что.* Слепо любить, преклоняться перед кем-, чем-л. *Боготворить любимую женщину.* □ *Я здесь, от суетных оков освобожденный, Учуся в истине блаженство находить, Свободною душой закон боготворить.* Пушкин. Деревня.

С и н.: фетишизи́ровать (*книжн.*), поклоня́ться (*высок.*).

**БОГОУГО́ДНЫЙ**, -ая, -ое; -ден, -дна, -о. Угодный богу. *Богоугодное дело.* ◊ **Богоугодные заведения** (*устар.*) — общее название благотворительных учреждений (богаделен, больниц). *Императрица Мария Феодоровна, озабоченная благосостоянием подведомственных ей богоугодных и воспитательных учреждений, сделала распоряжение об отправке всех институтов в Казань.* Л. Толстой. Война и мир.

**БО́ДРСТВОВАТЬ**, -твую, -твуешь; бо́дрствующий, бо́дрствовавший; бо́дрствуя; *несов. Книжн.* Не спать. *Бодрствовать ночью.* □ *Потом я просыпался, или, вернее, не просыпался, а внезапно заставал себя бодрствующим.* Куприн. Олеся.

**Бо́дрствование**, -я, *ср.*

**БОЖЕСТВО́**, -а́, *ср.* **1.** То же, что б о г. *Языческое божество.* **2.** *перен.* О предмете обожания и восхищения. *[Ольга] — божество, с этим милым лепетом, с этим изящным, беленьким личиком, тонкой, нежной шеей.* И. Гончаров. Обломов.

С и н (ко 2 знач.): люби́мец, куми́р, божо́к, фети́ш, и́дол (*устар.*).

**БОЖНИ́ЦА**, -ы, *ж.* Полка или киот с иконами. *В переднем углу избы стояла божница со множеством темных икон и лампадкой из цветного стекла.* Скиталец. Кандалы.

**БОЙКО́Т**, -а, *м.* [Англ. boycott (по имени англичанина Бойкота, против которого впервые применили эту форму борьбы)]. **1.** Прием политической и экономической борьбы, заключающийся в прекращении всяких отношений с государством, организацией, учреждением или отдельным лицом. *Экономический бойкот предприятия. Бойкот выборов.* **2.** Прекращение отношений с кем-л. в знак какого-л. протеста. — *За такое административные взыскания не положены, их нет в кодексе.. Поэтому предлагаю, соседей его.. переселить в другие домики.. и чтоб никто.. с ним не единого слова. Короче говоря, полный бойкот.* Санин. За тех, кто в дрейфе!

**БОЙНИ́ЦА**, -ы, *ж.* Отверстие для стрельбы (в оборонительном сооружении, в стене). *В двух стенах.. было сделано нечто вроде бойниц, в которых стояли четыре пулемета.* Симонов. Дни и ночи.

С и н.: амбразу́ра.

**Бойни́чный**, -ая, -ое.

**БОКС**[1], -а, *м.* [Англ. box — *букв.* удар]. Вид спорта: кулачный бой между двумя спортсменами по особым правилам. *Заниматься боксом. Соревнования по боксу.*

**Боксёр**, -а, *м.*

**БОКС**[2], -а, *м.* [Англ. box]. О мужской прическе, при которой волосы на висках и затылке выстригаются или сбриваются. *Стрижка под бокс.*

**БОКС**[3], -а, *м.* [Англ. box — коробка]. Изолятор в лечебном учреждении.

**Бо́ксовый**, -ая, -ое.

**БОЛЕРО́**, *нескл., ср.* [Исп. bolero]. Испанский национальный парный танец, сопровождаемый пением и прищелкиванием кастаньет, а также музыка к этому танцу.

**БОЛИВА́Р**, -а, *м.* [Франц. bolivar (по имени Боливара, основателя государства Боливии и Колумбии)]. Мужская широкополая шляпа с расширяющейся кверху тульей, бывшая в моде в 20-х годах 19 в. *Надев широкий боливар, Онегин едет на бульвар.* Пушкин. Евгений Онегин.

**БОЛЬША́К**, -а́, *м.* Большая грунтовая дорога (в отличие от проселочной). *Выехать на большак.*

С и н.: шлях, тракт (*устар.*).

**БОЛЬШЕВИ́ЗМ**, -а, *м.* Течение в международном рабочем движении, возникшее в России в начале 20 в. и основанное на марксистской теории, развитой В. И. Лениным в новых исторических условиях. *Идеология большевизма.*

**Большеви́стский**, -ая, -ое. *Большевистская партия.*

**БОМБАРДИ́Р**, -а, *м.* [Восх. к франц. bombardier]. **1.** В царской армии и флоте: солдат-артиллерист. *Сын, Алешка, был уже старшим бомбардиром и у царя на виду.* А. Н. Толстой. Петр I. **2.** *Разг.* В спортивных играх с мячом и хоккее: игрок, который часто забивает голы или часто приносит выигрышные очки сильными ударами. *Лучший бомбардир волейбольной команды.*

**Бомбарди́рский**, -ая, -ое. *Бомбардирская рота. Бомбардирские приемы.*

**БО́НДАРЬ**, -я и **БОНДА́РЬ**, -я́, *м.* Ремесленник, рабочий, изготовляющий бочки. *Под навесом здоровенный бондарь.. набивал обручи на новую винную бочку.* Короленко. Наши на Дунае.

С и н.: бочáр.

**БО́ННА**, -ы, *ж.* [Франц. bonne — няня]. В дореволюционной России: воспитательница из иностранок при маленьких детях в богатых семьях. *В детстве у нас постоянно жили бонны-немки.* Вересаев. В юные годы.

**БО́НЫ**[1], бон, *мн.* (*ед.* **бо́на**, -ы, *ж.*). [Франц. bons]. 1. Кредитные документы, дающие право на получение от выдавшего их лица или учреждения обозначенной на них денежной суммы. 2. Название разного рода временных бумажных денежных знаков.

**БО́НЫ**[2], бон, *мн.* (*ед.* **бон**, -а, *м.*). [Голл. boom]. Плавучие ограждения на реках, озерах, в морских портах. *Обоим было указано ставить.. у воды — причалы, на воде — боны и крепить весь берег сваями — в ожидании первых кораблей балтийского флота.* А. Н. Толстой. Петр I.

**БОР**, -а, бо́ры, *о бо́ре, м.* Сосновый лес, растущий на сухом возвышенном месте. *Домишки окраины подходят к ельничку, сосняку, который.. становится сплошным дремучим бором.* Короленко. Ненастоящий город.

**БОРДО́**, неизм. прил. и **БОРДО́ВЫЙ**, -ая, -ое. [Франц. bordeaux]. Темно-красный. *Меня очень занимало, как ловко взрослые изменяют цвета материй:.. полощут серое в рыжей воде, и оно становится красноватым — «бордо».* М. Горький. Детство. *[Аксинья] надела чистую рубашку, шерстяную бордовую юбку.* Шолохов. Тихий Дон.

**БОРДЮ́Р**, -а, *м.* [Франц. bordure]. 1. Цветная полоса, которой окаймляются края ткани, обоев, ковров, стенных панелей и т. п. — *Но комнаты желательно всегда разнообразить по краскам.. Смотрите, как получится, если такой богатый тон обрамить широким карнизным бордюром.* Федин. Первые радости. 2. Невысокое обрамляющее ограждение. *Бордюр клумбы.*

С и н. (к 1 знач.): кайма́, каёмка, окаймле́ние, окаёмка (*разг.*).

**Бордю́рный**, -ая, -ое.

**БОРЗО́Й**, -а́я, -о́е. Тонконогий, быстрый в беге, с длинным поджарым туловищем и с длинной острой мордой (о породе охотничьих собак). *Красивая борзая собака с голубым ошейником вбежала в гостиную, стуча ногтями по полу.* Тургенев. Отцы и дети.

**БОРЗОПИ́СЕЦ**, -сца, *м. Ирон.* Плодовитый, но плохой писатель, журналист и т. п. *Журнальные борзописцы.*

С и н.: писа́ка (*разг.*), бумагомара́тель (*разг.*), щелкопёр (*устар.*).

**БО́РЗЫЙ**, -ая, -ое; борз, борза́, бо́рзо. *Устар. и нар.-поэт.* Быстрый, резвый. *Кони борзые быстрей, Снег взрывая, прямо к ней Мчатся дружным бегом.* Жуковский. Светлана.

С и н.: быстроно́гий, легконо́гий, рья́ный (*разг.*), хо́дкий (*прост.*).

**БОРОЗДА́**, -ы́, бо́розды, боро́зд, *ж.* 1. Глубокий и длинный прорез, проведенный на поверхности земли плугом или другим пахотным орудием, а также углубление между грядами для прохода и стока воды. *Хорошо сидеть в огороде, на борозде между гряд, на которых растут овощи.* Решетников. Глумовы. *И снова — борозда за бороздой, — валится изрезанная чересломи и лемехом,— спрессованная столетиями почва.* Шолохов. Поднятая целина. 2. *перен.* Продольное углубление на чем-л.; морщина. *У него были светло-русые волосы и худое, с глубокими продольными бороздами, лицо пожилого русского мастерового.* Фадеев. Молодая гвардия.

**Боро́здка**, -и, *ж.* (*уменьш.*).

**БОРОЗДИ́ТЬ**, -зжу́, -зди́шь; борозди́щий, борозди́вший; бороздя́; *несов., что.* 1. Прорезывать, проводить борозды. *Здесь все шесть плугов бригады.. дружно бороздили землю, откидывая тяжелые маслянистые пласты чернозема.* Лаптев. Заря. 2. *перен.* Оставлять после себя следы, подобные борозде. *Косяк рыбы со страшной быстротой проносится под лодкой, борозди воду короткими серебряными стрелками.* Куприн. Листригоны. 3. Пересекать в различных направлениях. *Лил дождь, черное небо бороздили молнии.* Вересаев. Издали.

**БОРТ**, -а, борта́, -о́в, *м.* [Нем. Bord и Borte]. 1. Боковая стенка чего-л. (судна, грузового автомобиля, открытого товарного вагона, бильярда и т. п.). *Перелезть через борт кузова грузовика.* □ *Шары [бильярда] поминутно летали у меня через борт; я горячился, бранил маркера.* Пушкин. Капитанская дочка. *Гулко бьют волны о борта, мотая судно во все стороны.* Новиков-Прибой. Море зовет. 2. Левый или правый край одежды (пальто, пиджака, куртки и т. п.), снабженный петлями или пуговицами для застегивания. *Заложив пальцы за борта жилета, [он] прошел мимо Пархоменко.* Вс. Иванов. Пархоменко. ◇ **На борт, на борту, с борта** (брать, находиться, сойти и т. п.) — о самом судне или летательном аппарате. *Взять на борт судна пассажиров. Передать сообщение с борта самолета.* **За бортом оказаться** (или **остаться**) — оказаться вне чего-л., не быть принятым куда-л.

**БОРТ...** Первая составная часть сложных слов, обозначающая: находящийся на борту самолета, обслуживающий самолет, напр.: *бортинжене́р, бортпроводни́ца, бортради́ст, бортмеха́ник.*

**БОСКЕ́Т**, -а, *м.* [Франц. bosquet от итал. boschetto — лесок, рощица]. *Устар.* Группа подстриженных в виде стенок деревьев или кустарников, а также комната, украшенная зеленью. *В мечтах перед ним носился образ высокой, стройной женщины,.. небрежно сидящей среди плющей в боскете.* И. Гончаров. Обломов. *На террасе вдоль боскетов гуляют дамы и кавалеры.* А. Н. Толстой. Петр I.

**БОСС**, -а, *м.* [Англ. boss]. 1. Предприниматель, хозяин или руководитель предприятия. 2. В США: лицо, возглавляющее аппарат буржуазной политической партии в городах и штатах, а также профсоюзный аппарат. *Самый ци-*

ничный и беспринципный политический босс нуждался в помощниках с репутацией честных, бескорыстных.. слуг господа и народа. Чаковский. Победа.

С и н. (ко 1 знач.): патро́н. С и н. (ко 2 знач.): руководи́тель, глава́.

**БОСТО́Н**, -а, м. [По названию города Бостона в США]. **1.** Сорт высококачественной шерстяной ткани. *Костюм из бостона.* **2.** Танец, разновидность медленного вальса. *Танцевать бостон. Вальс-бостон.* **3.** Род карточной игры. *Смеркалось, подали свечи, Кирила Петрович сел играть в бостон с приезжими соседями.* Пушкин. Дубровский.

**Босто́новый**, -ая, -ое (к 1 знач.).

**БОСЯ́К**, -а́, м. Опустившийся человек, представитель деклассированных слоев населения. *По костюму это был типичный босяк.. На нем.. рубаха, невероятно грязная и рваная, холщовые широкие шаровары, на одной ноге остатки резинового ботика, на другой — кожаный опорок.* М. Горький. Коновалов.

С и н.: оборва́нец (*разг.*), лю́мпен (*разг.*), золотороте́ц (*устар. и прост.*).

**Боси́чка**, -и, ж. **Боси́цкий**, -ая, -ое. *Босяцкая жизнь.*

**БОТ**, -а, м. [Голл. boot или англ. boat]. Небольшое гребное, парусное или моторное судно. *Однажды, когда он [Петр] катался по Керкраку, к его боту стало подходить пассажирское судно, на палубе которого собралось много людей, горевших любопытством поближе рассмотреть царя.* А. Н. Толстой. Петр I.

**Бо́тик**, -а, м. (*уменьш.*).

**БОТФО́РТЫ**, -ов, мн. (ед. **ботфо́рт**, -а, м.). [Франц. bottes fortes — большие сапоги]. Высокие сапоги с широким раструбом, носимые кавалеристами. *На нем был синий суконный кафтан с красными отворотами и медными пуговицами, огромные серебряные шпоры на ботфортах.* А. Н. Толстой. Петр I.

**БО́ЦМАН**, -а, м. [Голл. bootsman — букв. корабельщик от boot — корабль и man — человек]. В морском флоте: старшина, которому подчинена команда судна по хозяйственным делам. *После полуденного отдыха старший офицер Сидоров, сопровождаемый боцманами и матросами, обходил верхние части корабля.* Новиков-Прибой. Цусима.

**Бо́цманский**, -ая, -ое. *Боцманский свисток.*

**БОЧА́Р**, -а́, м. То же, что б о н д а р ь.

**Боча́рный**, -ая, -ое. *Бочарное производство.*

**БО́ЧКА**, -и, ж. **1.** Большой деревянный или металлический сосуд для жидкостей с двумя плоскими днищами и несколько выпуклыми стенками, стянутыми обручами. *Бочка для квашения капусты. Набить обручи на бочку.* □ *Я быстро выкатил на двор и на улицу бочку дегтя и взялся за бочку керосина, но, когда я повернул ее, оказалось, что втулка бочки открыта, и керосин потек на землю.* М. Горький. Мои университеты. **2.** Старая русская мера жидкости, равная сорока ведрам (около 490 л), применявшаяся до введения метрической системы. ◊ **Бочка меду да ложка дегтю** — что-л. хорошее, испорченное небольшой, но дурной прибавкой.

**Бо́чечный**, -ая, -ое (к 1 знач.) и **бо́чковый**, -ая, -ое (к 1 знач.). *Бочечное днище. Бочковый засол рыбы.*

**БОЯ́РИН**, -а, бояре, бояр, м. В древней и средневековой Руси: крупный землевладелец, принадлежащий к высшему слою господствующего класса. *Лефорта похоронили с великой пышностью. Шли три полка с приспущенными знаменами.. Шли послы и посланники в скорбном платье. За ними — бояре, окольничие, думные и московские дворяне — до тысячи человек.* А. Н. Толстой. Петр I.

**Боя́рыня**, -и, ж. **Боя́рский**, -ая, -ое. *Боярские земли. Боярская спесь. Боярский род.*

**БРА**, нескл., ср. [Франц. bras — букв. рука]. Настенный светильник из одной или нескольких свечей или ламп. *По обеим сторонам продольного зеркала зажжены два бра, в каждом по две свечи.* Салтыков-Щедрин. Пошехонская старина. *В столовую.. вошла Степанида, выключила верхний свет, и теперь только торшер и бра освещали четверых сидящих за столом.* Липатов. И это все о нем.

**БРАВА́ДА**, -ы, ж. [Франц. bravade]. *Книжн.* Показная удаль, рисовка чем-л. *Я навсегда сохранил глубокое уважение и симпатию к людям, которые без всякой показной бравады, скромно и в высшей степени мудро делали свое далеко не простое и не безопасное дело.* Санин. За тех, кто в дрейфе!

С и н.: удальство́, ли́хость, молоде́чество, уха́рство (*разг.*).

**БРАВИ́РОВАТЬ**, -рую, -руешь; брави́рующий, брави́ровавший; брави́руя; *несов.*, чем и без доп. [Восх. к франц. braver]. *Книжн.* Пренебрежительно относиться к чему-л. из показной смелости; хвастливо рисоваться чем-л. *Бравировать своей удалью.* □ *От уходящего технорука Петухова мастер отличался тем, что не бравировал, не показывал безразличия к тому, что произошло в кабинете.* Липатов. И это все о нем.

**БРА́ВО**, *межд.* [Восх. к итал. bravo — отлично]. Восклицание, выражающее одобрение, восхищение. *Зрители кричали певцу «браво».*

**БРАВУ́РНЫЙ**, -ая, -ое; -рен, -рна, -о. [Восх. к франц. bravoure — храбрость]. *Книжн.* Шумный, оживленный, выражающий бодрость и отвагу (о музыке). *Медные трубы солдатского оркестра громогласно и нестройно выдували бравурный марш.* М. Горький. Жизнь Клима Самгина.

**Браву́рность**, -и, ж.

**БРАЗДА́**, -ы́, ж. *Трад.-поэт.* То же, что б о р о з д а́ (в 1 знач.). *Склонясь на чуждый плуг, покорствуя бичам, Здесь рабство тощее влачится по браздам Неумолимого владельца.* Пушкин. Деревня.

**БРА́ЗДЫ**, нескл., мн. *Устар.* Конские удила, узда. *Слышишь? Конь грызет бразды.* Жуковский. Людмила. ◊ **Бразды правления** (*высок.*) — власть, управление. *Взять бразды правления в свои руки.*

**БРАКОНЬЕ́Р**, -а, м. [Франц. braconnier]. Тот, кто

занимается браконьерством. *Задержать браконьера.*

Браконье́рский, -ая, -ое.

БРАКОНЬЕ́РСТВО, -а, *ср.* [См. браконьер]. Охота, ловля рыбы или порубка леса в запрещенных местах, в запрещенные сроки или запрещенными способами. *[Иван] бил запрещенных зверей и птиц, однако делал это скрепя сердце, в душе осуждал браконьерство.* Арамилев. На отдыхе.

БРАМА́Н и БРАМИ́Н см. брахман.

БРАНДМА́УЭР, -а, *м.* [Нем. Brandmauer от Brand — пожар и Mauer — стена]. *Спец.* Глухая огнестойкая стена, разделяющая смежные строения или части одного строения в противопожарных целях. *Он сразу вспомнил очень похожий брандмауэр в декорациях спектакля.* Федин. Первые радости.

Брандма́уэрский, -ая, -ое.

БРАНДМЕ́ЙСТЕР, -а, *м.* [Нем. Brandmeister от Brand — пожар и Meister — мастер]. *Устар.* Начальник пожарной команды. *— Перебросить все надо на другое место — подальше от огня. Пусть брандмейстер распорядится полить всю эту махину.* Ф. Гладков. Энергия.

Брандме́йстерский, -ая, -ое.

БРАНДСПО́ЙТ, -а, *м.* [Голл. brandspuit]. Наконечник на пожарном рукаве, направляющий водяную струю, а также переносный ручной насос, применяемый для тушения пожаров, мытья палуб, поливки улиц и т. п. *Пар с пронзительным свистом вырвался из брандспойта. Вслед за ним хлынула горячая вода.* Н. Островский. Рожденные бурей.

Брандспо́йтный, -ая, -ое.

БРАНЬ¹, -и, *ж.* Грубые, оскорбительные слова. *Извозчики с криком и бранью колотили лошадей.* Лермонтов. Герой нашего времени.

С и н.: ру́гань, ругня́ (*прост.*) и руготня́ (*прост.*).

Бра́нный, -ая, -ое. *Бранное слово.* Бра́нно, *нареч.*

БРАНЬ², -и, *ж. Трад.-поэт.* Война, битва. *Пролить кровь на поле брани.* □ *Долину брани объезжая, Он видит множество мечей.* Пушкин. Руслан и Людмила.

С и н.: бой, сраже́ние, рать (*трад.-поэт.*), де́ло (*устар.*), бата́лия (*устар.*), се́ча (*устар.*), побо́ище (*устар.*).

Бра́нный, -ая, -ое. *Бранная слава.*

БРАСС, -а, *м.* [Франц. brass]. Особый стиль плавания с одновременным движением обеих рук и ног, без выноса рук над водой. *Они плыли брассом, самым экономным и выгодным для далекого проплыва стилем.* Соболев. Зеленый луч.

Брасси́ст, -а, *м.* Заплыв брассиста.

БРА́ТСТВО, -а, *ср.* **1.** *Высок.* Содружество, дружеское единение. *— Мы все — дети одной матери, непобедимой мысли о братстве рабочего народа всех стран земли.* М. Горький. Мать. **2.** Религиозная община. *Кирилло-Мефодиевское братство. Масонское братство.*

БРА́УНИНГ, -а, *м.* [По имени изобретателя — американца Дж. Браунинга]. Автоматический пистолет. *Из кармана куртки он достал матово* блеснувший браунинг второго номера, вложил его в ладонь Давыдова. Шолохов. Поднятая целина.

БРАХМА́Н, -а, БРАМА́Н, -а (*устар.*) и БРАМИ́Н, -а (*устар.*), *м.* [Санскр.]. Человек, принадлежащий к высшей касте (первонач. касте жрецов) в Индии.

Брахма́нский, -ая, -ое, брама́нский, -ая, -ое и брами́нский, -ая, -ое.

БРЕГЕ́Т, -а, *м.* [По имени парижского часовщика А. Л. Бреге]. *Устар.* Карманные часы, показывающие числа месяца и отбивающие время. *— Вам я покажу те интересные часы.. Бреге, про которые Пушкин писал: «Пока недремлющий брегет не прозвонит ему обед». Этот старинный брегет отбивает ход времени таким чистым, мелодическим звоном, как музыка, как будто время поет.* Прилежаева. Пушкинский вальс.

БРЕ́ДЕНЬ, -дня, *м.* Небольшой невод, которым ловят рыбу вдвоем, идя вброд. *— А еще неплохо послать бы на Острицу мужиков с бреднями. Пусть бы походили по мелким местам.* Проскурин. Горькие травы.

БРЕ́ЗЖИТЬ, -жит; бре́зжущий, бре́зживший; *несов.* Слабо светиться, распространять слабый свет. *Брезжущий рассвет.* □ *Темно; луна зашла в туманы, Чуть брезжит звезд неверный свет.* Пушкин. Цыганы.

БРЕЙК-ДА́НС, -а и БРЕЙК, -а, *м.* [Англ. break-dance от break — ломать и dance — танец]. Современный танец с элементами акробатики, характеризующийся резкими, угловатыми, как у робота, движениями.

БРЕЛО́К, -ло́ка, *м.* [Франц. breloque]. Украшение в виде маленькой подвески на цепочке карманных часов, на браслете и т. п. *Стояла духота, и пиджак [у Виктора] был расстегнут. Брелок лежал на жилете, поблескивая.* Федин. Первые радости.

БРЕ́МЯ, -мени, *ср.* **1.** *Устар.* Ноша, обычно тяжелая. **2.** *перен.*, обычно *чего или какое. Книжн.* Нечто тяжелое, трудное; тяжесть. *Невыносимое бремя. Неудачи легли бременем на его плечи.* □ *На моих плечах в то время еще не было того тяжелого бремени ответственности, которое всегда присуще командирам.* Вершигора. Люди с чистой совестью.

С и н. (ко 2 знач.): гнёт, тя́готы, и́го (*устар.*).

БРЕ́ННЫЙ, -ая, -ое; -ёнен, -ённа, -о. *Устар.* Смертный, легко разрушаемый. *В гробу был прах.. Я припадал на бренные останки, Стараясь их дыханием согреть.* Лермонтов. Ночь.

С и н.: недолгове́чный, преходя́щий (*книжн.*), тле́нный (*устар.*).

Бре́нность, -и, *ж. Бренность всего земного.*

БРЕТЁР, -а, *м.* [Франц. bretteur]. *Устар.* Человек, пользующийся любым поводом, чтобы вызвать кого-л. на дуэль; задира. *Ростов весело переговаривался со своими двумя приятелями, из которых один был лихой гусар, другой известный бретер и повеса.* Л. Толстой. Война и мир.

Бретёрский, -ая, -ое.

БРИГ, -а, *м.* [Англ. brig]. Двухмачтовое парусное военное или коммерческое судно в 18 — 19 вв. *Я, как матрос, рожденный и выросший на па-*

*лубе разбойничьего брига: его душа сжилась с бурями и битвами.* Лермонтов. Герой нашего времени.

**БРИГА́ДА**, -ы, *ж.* [Франц. brigade от итал. brigata]. **1.** Войсковое соединение, состоящее из нескольких полков (промежуточное между полком и дивизией) или военно-морское соединение из кораблей одного класса. *Танковая бригада.* ▫ *Отец его, боевой генерал 1812 года,.. командовал сперва бригадой, потом дивизией.* Тургенев. Отцы и дети. **2.** Коллектив, выполняющий определенное производственное задание. *Тракторная бригада. Работать в комплексной бригаде.*

**Брига́дный**, -ая, -ое. *Бригадный комиссар. Бригадный подряд.* **Бригади́р**, -а, *м.* (ко 2 знач.).

**БРИГАНТИ́НА**, -ы, *ж.* [Восх. к итал. brigantino]. Легкое парусное двухмачтовое судно. *Славные мастера из Голландии и Англии строили на Свири.. фрегаты,.. бригантины, буера, галеры.* А. Н. Толстой. Петр I.

**БРИ́ДЖИ**, -ей, *мн.* [Англ. breeches]. Брюки особого покроя, узкие вниз от колена, заправляемые в сапоги (первонач. предназначались для верховой езды). *Закинув ногу за ногу, Осин тоже что-то записывал в блокноте, положенном на обтянутое бриджами колено.* Бондарев. Горячий снег.

**БРИЗ**, -а, *м.* [Франц. brise]. Местный слабый ветер, дующий днем с моря на нагретый берег, а ночью с охлажденного берега на теплое море. *С моря тянет легкий бриз.* М. Горький. Сказки об Италии.

**БРИЛЛИА́НТ**, -а и **БРИЛЬЯ́НТ**, -а, *м.* [Франц. brillant — *первонач.* блестящий]. Драгоценный камень — ограненный и шлифованный алмаз. *Кольцо с бриллиантами.* ▫ *Лиза, его смуглая Лиза, набелена была по уши.. все бриллианты ее матери, еще не заложеные в ломбарде, сияли на ее пальцах, шее и ушах.* Пушкин. Барышня-крестьянка.

**Бриллиа́нтовый**, -ая, -ое и **брилья́нтовый**, -ая, -ое. *Бриллиантовый перстень. Брильянтовые серьги.*

**БРИ́ТТЫ**, -ов, *мн.* (*ед.* **бритт**, -а, *м.*). Кельтские племена, населявшие Англию в древности.

**БРИ́ФИНГ**, -а, *м.* [Англ. briefing]. *Офиц.* Краткая встреча кого-л. из официальных государственных лиц с представителями печати для сообщения какой-л. информации. — *Ребята на брифинге. К сожалению, не могу пригласить вас туда, пока вы не аккредитованы.* Чаковский. Победа.

**БРИ́ЧКА**, -и, *ж.* [Польск. bryczka; восх. к итал. biròccio — двуколка]. Легкая повозка, иногда с откидным верхом. *В ворота гостиницы губернского города NN въехала довольно красивая рессорная небольшая бричка.* Гоголь. Мертвые души.

**Бри́чечный**, -ая, -ое.

**БРО́ВКА**, -и, *ж.* Линия, по которой проходит перегиб склона обрыва, а также край обочины, канавы, железнодорожного полотна, дороги и т. п. *Бровка беговой дорожки. Бровка тротуара.* ▫ *Белая бровка известкового камня и песка все резче отчеркивала.. кажущиеся неподвижными леса и дальние перевалы от нас.* Астафьев. Царь-рыба.

**БРОЖЕ́НИЕ**, -я, *ср.* **1.** Процесс распада органических веществ, вызываемый микроорганизмами (бактериями, дрожжевыми грибками и т. п.). *Брожение пива, ягод.* **2.** *перен.* Проявление массового недовольства, протеста. *Брожение среди казачества.* ▫ *[Ленин:] Как только возникает какая-нибудь смелая мысль, тут-то и начинается брожение умов.* Погодин. Кремлевские куранты.

С и н. (ко 2 знач.): волне́ние, ро́пот.

**БРОНЕ́...** Первая составная часть сложных слов, обозначающая 1) броневой, бронированный, напр.: *бронека́тер, бронеба́шня, бронемаши́на*; 2) бронетанковый, напр.: *бронеча́сти, бронеси́лы.*

**БРОНЕБО́ЙНЫЙ**, -ая, -ое. Пробивающий броню (*во 2 знач.*), предназначенный для стрельбы по бронированным целям. *Бронебойная пуля. Бронебойное орудие, ружье.* ▫ *Мы стреляли по неприятелю бронебойными снарядами. Такие снаряды были приспособлены специально для разрушения брони.* Новиков-Прибой. Цусима.

**БРОНЕВИ́К**, -а́, *м.* Боевая бронированная и вооруженная автомашина (предназначается для разведки, охранения и связи). *С Финляндского вокзала по Выборгской загрохотал броневик.* Маяковский. Владимир Ильич Ленин.

**БРОНЕНО́СЕЦ**, -сца, *м.* Мощный военный бронированный корабль с сильной артиллерией (линейный корабль русского флота в 19 — начале 20 вв.). *Восстание на броненосце «Потемкин».* ▫ *Броненосец «Орел» стоял в гавани.. Весь он был черный, закован в броню крупповской стали.* Новиков-Прибой. Цусима.

**БРОНЕТА́НКОВЫЙ**, -ая, -ое. О войсках: состоящий из танков и самоходных артиллерийских установок. *Бронетанковые силы, войска.*

**БРО́НЗА**, -ы, *ж.* [Франц. bronze *или* нем. Bronze]. **1.** Сплав меди с оловом, а также другими металлами. **2.** *собир.* Художественные изделия из этого сплава. *Янтарь на трубках Цареграда, Фарфор и бронза на столе, И, чувств изнеженных отрада, Духи в граненом хрустале.* Пушкин. Евгений Онегин. **3.** *Разг.* О медали за третье место в спортивных соревнованиях, на конкурсе. *Претенденты на бронзу. Выиграть бронзу.*

**Бро́нзовый**, -ая, -ое. *Бронзовое литье. Бронзовые статуи. Бронзовый призер.* ◇ **Бронзовый загар** — цвета бронзы, золотисто-коричневый.

**БРОНИ́РОВАТЬ**, -рую, -руешь; брони́рующий, брони́ровавший; брони́руемый; брони́рованный; -ан, -а, -о; брони́руя, брони́ровав; *сов. и несов., что.* Закрепить (закреплять) что-л. за кем-, чем-л., сделать (делать) что-л. неприкосновенным. *Бронировать место в театре, поезде. Бронировать жилую площадь.*

**Брони́рование**, -я, *ср. Бронирование билетов, мест в гостинице.*

**БРОНИРОВА́ТЬ**, -ру́ю, -ру́ешь; брониру́ющий, бронирова́вший; бронируе́мый; брониро́ванный; -ан, -а, -о; бронируя́, бронирова́в; *сов. и несов., что.* Покрыть (покрывать) бронёй (*во 2 знач.*).

**Бронирова́ние**, -я, *ср.*

**БРО́НЯ**, -и и (*прост.*) **БРОНЬ**, -и, *ж.* Официальное закрепление какого-л. лица или предмета за кем-, чем-л., делающее его неприкосновенным для других; документ на такое закрепление. *Железнодорожная броня. Иметь право на броню.* □ *Но, если снова канонада, Пожаров горькие огни, Мне брони тыловой не надо — Мне хватит танковой брони!* Малышев. Броня.

**БРОНЯ́**, -и́, *ж.* [Восх. к гот. brunjô или др.-в.-нем. brunja]. 1. В старину: военный доспех, металлическая одежда, защищающая туловище воина. *С дружиной своей, в цареградской броне, Князь по полю едет на верном коне.* Пушкин. Песнь о вещем Олеге. 2. Защитная облицовка из стальных плит или листов на военных кораблях, автомобилях, поездах и т. п. *От темной громады крайнего танка с искрящимися на броне сизоватыми островками снега несло ледяным запахом накаленного морозом металла.* Бондарев. Горячий снег.

С и н.: па́нцирь.

**Броневой**, -а́я, -о́е. *Броневой автомобиль. Броневые плиты.*

**БРОШЮ́РА** [шу́], -ы, *ж.* [Франц. brochure]. Небольшая книжка, обычно в мягкой обложке. *Николай Петрович вынул из заднего кармана сюртука пресловутую брошюру Бюхнера, девятого издания.* Тургенев. Отцы и дети.

**Брошю́рка**, -и, *ж.* (*уменьш.*). **Брошю́рный**, -ая, -ое.

**БРУДЕРША́ФТ** [дэ], -а, *м.* [Нем. Brüderschaft — братство]. ◇ **Пить** (*или* **выпить**) (**на**) **брудершафт** *с кем* — закреплять дружбу особым застольным обрядом, по которому два ее участника, скрестив руки, одновременно выпивают свои рюмки, целуются и с этого момента обращаются друг к другу на «ты». *[Швандя:] Подходи, братуха Маркс, сюды. [Профессор Горностаев:] Макс? Я с вами брудершафт не пил.* Тренев. Любовь Яровая.

**БРУ́СТВЕР**, -а, *м.* [Нем. Brustwehr от Brust — грудь и Wehr — защита]. Земляная насыпь, вал на наружной стороне окопа, траншеи для укрытия бойцов и орудий от неприятельского огня. *На бруствере траншеи во весь рост стоял человек и смотрел на восточный берег в бинокль.* Казакевич. Звезда.

**БРУСЧА́ТКА**, -и, *ж.* 1. *собир.* Бруски из камня для мощения улиц. *Вымостить площадь брусчаткой.* 2. Мостовая, вымощенная такими брусками. *Стук каблуков по брусчатке.*

**БРЫ́ЖИ**, -ей и **БРЫЖЖИ́**, -е́й, *мн.* [Польск. bryże]. *Устар.* Воротник или выпуск на груди в виде оборок. *Статские носят светло-голубые галстуки, военные выпускают из-за воротника брыжжи.* Лермонтов. Герой нашего времени.

**БРЮ́ЗГНУТЬ**, -ну, -нешь; брю́згнущий, брю́згнувший; *несов.* Болезненно полнеть, отекать. *[Крюков] перевалил в тот возраст, когда мужчины излишне толстеют, брюзгнут и плешивеют.* Чехов. Тина.

**БРЮЗЖА́ТЬ**, -жу́, -жи́шь; брюзжа́щий, брюзжа́вший; брюзжа́; *несов.* *Разг.* Постоянно надоедливо ворчать, выражать недовольство чем-л. *Она выписала к себе сестру своей матери, княжну, злую и чванную старуху, которая.. забрала себе все лучшие комнаты, ворчала и брюзжала с утра до вечера.* Тургенев. Отцы и дети.

**Брюзжа́ние**, -я, *ср. Старческое брюзжание.*

**Брюзга́**, -и́, *м. и ж.* (тот, кто брюзжит).

**БРЯЦА́ТЬ**, -а́ю, -а́ешь; бряца́ющий, бряца́вший; бряца́я; *несов.* Издавать звенящие звуки при ударе. *Бряцать саблей. Бряцать шпорами.* □ *Поэт по лире вдохновенной Рукой рассеянной бряцал.* Пушкин. Поэт и толпа. ◇ **Бряцать оружием** (*высок.*) — угрожать войной.

С и н.: звене́ть, бренча́ть.

**Бряца́ние**, -я, *ср.*

**БУ́БЕН**, бу́бна, *м.* Ударный музыкальный инструмент в виде обода или обруча, обтянутого кожей, с бубенчиками и металлическими пластинками по краям. *Звуки бубна. Встряхнуть бубном. Цыганский бубен.* □ *[Бэла] схватила свой бубен, начала петь, плясать и прыгать около меня.* Лермонтов. Герой нашего времени.

**БУБЕНЦЫ́**, -о́в, *мн.* (*ед.* **бубене́ц**, -нца́, *м.*). Полые металлические шарики с кусочками металла внутри, позванивающие при встряхивании. *Слышалось далекое звяканье бубенцов возвращавшегося стада коз.* Гайдар. Школа.

**Бубе́нчики**, -ов, *мн.* (*ед.* **бубе́нчик**, -а, *м.*) (*уменьш.*). **Бубенцо́вый**, -ая, -ое.

**БУДДИ́ЗМ**, -а, *м.* [По имени легендарного основателя религии Будды]. Одна из мировых религий, возникшая в конце 6 в. до н. э. в Северной Индии и распространившаяся в некоторых странах Востока (Китае, Японии, Монголии и др.). *Последователи буддизма.*

**Будди́йский**, -ая, -ое. *Буддийское учение. Буддийский храм.* **Будди́ст**, -а, *м.* Верования буддистов.

**БУДЁНОВЕЦ**, -вца, *м.* В годы гражданской войны: боец Первой Конной армии, которой командовал С. М. Буденный. *Наступление буденовцев.*

**БУДЁНОВКА**, -и, *ж.* Красноармейский суконный шлем особого образца с красной звездой. *Носить буденовку.*

**БУДИ́РОВАТЬ**, -рую, -руешь; буди́рующий, буди́ровавший; буди́руя; *несов.* [Франц. bouder]. *Устар.* Выказывать неудовольствие, не выражая этого словами; дуться, сердиться. *Очень приятно видеть, когда хорошенькая женщина будирует.* Чернышевский. Что делать?

**БУ́ДНИ**, -ей и бу́ден, *мн.* 1. Не праздничные, рабочие дни. *По будням к утреннему чаю покупали два фунта пшеничного хлеба и на две копейки грошовых булочек.* М. Горький. В людях. 2. *перен.* Повседневная, обыденная жизнь. *Трудовые будни. Суровые военные будни.* 3. *перен.* Однообразное, безрадостное, прозаическое существование. *В глубине души он сознавал.., что эта серая жизнь.. не про него.. Его манила уже от серых будней безвестная заманчивая и обманчивая даль.* Короленко. Соколинец.

А н т. (к 1 знач.): пра́здник.

**Бу́дний**, -яя, -ее (к 1 знач.) и **бу́дничный**, -ая, -ое.

*Будний день. Будничное платье. Будничная атмосфера.*

**БУ́ДОЧНИК**, -а, *м.* **1.** В дореволюционной России: полицейский, несущий караульную службу в будке. *Не уставая кричать, пустился он бежать через площадь прямо к будке, подле которой стоял будочник.* Гоголь. Шинель. **2.** Сторож, который несет службу в караульной будке. *Другой будочник, что поближе к станции, был человек молодой.* Гаршин. Сигнал.

**БУДУА́Р**, -а, *м.* [Франц. boudoir]. Небольшая гостиная богатой женщины для неофициальных приемов. *Будуар великосветской женщины.* □ *Кабинет хозяина и библиотека были отделаны под дуб, а будуар хозяйки походил на гнездышко, вытканное целиком из голубого шелка.* Мамин-Сибиряк. Бурный поток.

**Будуа́рный**, -ая, -ое.

**БУ́ЕР**, -а, буера́, -о́в, *м.* [Голл. boejer — грузовое судно]. **1.** Лодка или треугольная платформа с парусом, установленная на особых коньках, для катания по льду. **2.** Одномачтовое плоскодонное судно. *В углу [горницы].. лежало несколько якорей для ботиков и буеров.* А. Н. Толстой. Петр I.

**Бу́ерный**, -ая, -ое. *Буерный спорт.*

**БУЙ**, -я, буй, -ёв, *м.* [Голл. boei]. Плавучий сигнальный знак, установленный на якоре для обозначения опасных мест (отмелей, подводных камней и т. п.). *Буй приближался, покачиваясь на волнах.* Крымов. Танкер «Дербент».

**Буёк**, буйка́, *м.* (*уменьш.*). *Доплыть до буйка.*

**БУКВА́ЛЬНЫЙ**, -ая, -ое; -лен, -льна, -о. **1.** Полностью соответствующий чему-л., дословный. *Буквальный перевод. Буквальная передача разговора.* **2.** Точный, прямой, не переносный. *Отец слушал его, открыв рот — не в переносном, а в буквальном смысле этого слова.* Каверин. Открытая книга.

С и н. (к 1 знач.): текстуа́льный.

**Буква́льно**, *нареч.* **Буква́льность**, -и, *ж.*

**БУКВОЕ́Д**, -а, *м.* Пренебр. Формалист, придающий значение внешней стороне дела, мелочам в ущерб смыслу.

С и н.: бюрокра́т, чино́вник, чину́ша.

**БУ́КИ**, *нескл., ср.* Устарелое название буквы «б».— *Это — аз. Говори: аз! Буки! Веди! Это — у.* М. Горький. Детство.

**БУКИНИ́СТ**, -а, *м.* [Франц. bouquiniste от bouquin — подержанная книга]. Тот, кто занимается покупкой и продажей подержанных и старинных книг. *Хотелось приобрести Пушкина, но единственный букинист города.. требовал за Пушкина слишком много.* М. Горький. В людях.

**Букинисти́ческий**, -ая, -ое. *Букинистический магазин.*

**БУКЛЕ́Т**, -а, *м.* [Франц. bouclette — колечко *или* англ. booklet]. Печатное издание в форме книжки, раскрывающейся как ширма. *Буклет с видами города.*

**БУКО́ЛИКА**, -и, *ж.* [Восх. к греч. bukolikos — пастушеский]. Спец. Род поэзии, идеализированно изображающий пастушескую жизнь; пастораль.

**Буколи́ческий**, -ая, -ое.

**БУЛАВА́**, -ы́, *ж.* **1.** В старину: палица с шарообразным утолщением на конце, служившая оружием. *Сошлись — и заварился бой.. Тот опрокинут булавою; Тот легкой поражен стрелою.* Пушкин. Руслан и Людмила. **2.** На Украине и в Польше: жезл с шаровидным набалдашником, служивший знаком гетманской власти. **3.** В дореволюционной России: длинная палка с шаром наверху — принадлежность парадной формы швейцара в аристократических домах и крупных учреждениях.— *Макара Федосеича я не узнала: выбрился, Надел ливрею шитую, Взял в руки булаву.* Н. Некрасов. Кому на Руси жить хорошо. **4.** Гимнастический снаряд бутылкообразной формы с утолщением на узком конце. *Упражнение с булавами.*

**Була́вный**, -ая, -ое.

**БУЛА́ВКА**, -и, *ж.* **1.** Вид иглы с головкой на тупом конце (служит для прикалывания). *Главный инженер трогал бумажные листки, наколотые булавками по.. карте строительства.* Ажаев. Далеко от Москвы. **2.** Крупная игла с красивой большой головкой как предмет туалета или украшения. *Одет он был франтом,.. с дорогими перстнями на пальцах, с дорогою булавкою в галстуке.* Достоевский. Униженные и оскорбленные. ◊ **Деньги на булавки** (*устар.*) — деньги на мелкие расходы. *Отец давал ей довольно много денег на булавки.* Чернышевский. Что делать?

**Була́вочный**, -ая, -ое.

**БУЛА́НЫЙ**, -ая, -ое. [Восх. к тюрк. (тат.) bulan]. Светло-рыжий с черным хвостом и гривой (о масти лошади). *Давыдов.. увидел, как подскакал к калитке на буланом нагульновском конишке.. Устин.* Шолохов. Поднятая целина.

**БУЛА́Т**, -а, *м.* [Тюрк. (тат.) bulat; восх. к перс. pūlād — сталь]. **1.** Старинная узорчатая сталь высокой прочности, употреблявшаяся для изготовления холодного оружия. *Клинок из булата.* **2.** Трад.-поэт. Стальной клинок, меч. *С булатом острым и с нагайкой По степи мчится Наливайко.* Рылеев. Наливайко.

**Була́тный**, -ая, -ое. *Булатный нож.*

**БУЛЬВА́Р**, -а, *м.* [Франц. boulevard *первонач.* городской вал]. Широкая аллея на городской улице (обычно посредине ее) или вдоль набережной. *Незаметно засветились фонари Гоголевского бульвара вдоль гранитной набережной.* Проскурин. Горькие травы.

**БУЛЬВА́РНЫЙ**, -ая, -ое; -рен, -рна, -о. **1.** *полн. ф.* Прил. к бульвар. *Бульварная публика.* □ *[Чацкий:] А трое из бульварных лиц, Которые с полвека молодятся? Родных мильон у них, и с помощью сестриц Со всей Европой породнятся.* Грибоедов. Горе от ума. **2.** *перен.* Рассчитанный на обывательские, мещанские вкусы, пошлый. *Бульварная литература, пресса.* □ *Кроме гуманного Брет-Гарта и бульварных романов, я уже прочитал немало серьезных книг.* М. Горький. Мои университеты.

**Бульва́рность**, -и, *ж.* (ко 2 знач.).

**БУМ**[1], -а, *м.* [Англ. boom]. **1.** Спекулятивный кратковременный подъем производства,

сопровождающийся повышением цен и курса ценных бумаг на бирже. 2. Шумиха, искусственное оживление вокруг чего-л. *Газетный бум. Поднять бум вокруг чего-л.*
С и н. (*ко 2 знач.*): ажиота́ж.

**БУМ²**, -а, м. [Англ. boom]. Спортивный снаряд — бревно.

**БУМАЗЕ́Я**, -и, ж. [Франц. bombasin; восх. к лат. bombȳx — шелк; хлопок]. Хлопчатобумажная ткань с начесом на одной стороне. *Халат из бумазеи.*

Бумазе́йный, -ая, -ое. *Бумазейная рубашка.*

**БУМЕРА́НГ**, -а, м. [Англ. boomerang от австрал. wo-murrang]. Метательное орудие австралийских и некоторых других племен в виде изогнутой палицы, при искусном броске возвращающееся обратно к бросившему его.

**БУ́НКЕР**, -а, бункера́, -о́в и бу́нкеры, -ов, м. [Англ. bunker]. 1. Саморазгружающееся вместилище для сыпучих материалов (угля, зерна, известняка и т. п.). *Бункера были доверху полны золотистой рудой, доставленной с гор.* Снегов. Иди до конца. 2. Специально оборудованное, бетонированное подземное укрытие. *Саперы спешно строили пулеметные гнезда и заливали бетоном бункера.* Катаев. За власть Советов.

Бу́нкерный, -ая, -ое.

**БУНТ¹**, -а, бунты́, -о́в и бу́нты, -ов, м. [Восх. к нем. Bund — союз]. Стихийное восстание, мятеж. *Вскоре князь Голицын.. разбил Пугачева,.. освободил Оренбург и, казалось, нанес бунту последний и решительный удар.* Пушкин. Капитанская дочка.
С и н.: возмуще́ние (*устар.*).

**БУНТ²**, -а́, м. [Восх. к нем. Bund — связка, пачка]. Связка, кипа, а также сложенный в штабеля товар. *Вдоль берега тянулись.. навесы над горами тюков, мешков и бочек. Свертки канатов. Бунты пиленого леса.* А. Н. Толстой. Петр I.

Бунтово́й, -а́я, -о́е.

**БУНЧУ́К**, -а́, м. [Тюрк. (тат.) bunčuk — бусы на шее лошади]. 1. В старину: древко с привязанным конским хвостом, служившее знаком власти (казачьих атаманов, украинских и польских гетманов, турецких пашей). *Разбили ковровые шатры, на холме воткнули бунчук — конский хвост с полумесяцем на высоком копье.. Три дня веял бунчук на холме.* А. Н. Толстой. Петр I. 2. Ударный музыкальный инструмент в некоторых военных оркестрах (по традиции украшен конским хвостом).

**БУРБО́Н**, -а, м. [По имени французской королевской династии Бурбонов]. *Устар.* Властный, грубый и невежественный человек. *Кому-то надо руководить, лучше ты, чем какой-нибудь бурбон.* Гранин. Иду на грозу.

**БУРГОМИ́СТР**, -а, м. [Ср.-в.-нем. burgemeister от burger — горожанин и meister — начальник]. Глава городского управления в некоторых странах Европы и в 18—19 вв. в России. *Он вне себя закричал: — Что у вас — бургомистров нет, — смотреть за порядком!* А. Н. Толстой. Петр I.

Бургоми́стерский, -ая, -ое. *Бургомистерская должность.*

**БУРДЮ́К**, -а́, м. [Тюрк.]. Мешок из шкуры животного для хранения и перевозки вина и других жидкостей. *С ним выпили мы в первый раз кахетинского вина из вонючего бурдюка.* Пушкин. Путешествие в Арзрум.
С и н.: мех.

Бурдю́чный, -ая, -ое.

**БУРЕЛО́М**, -а, м. Поваленные или поломанные бурей деревья. *Чуть проторенная дорога вела лесом. Вековые сосны закрывали небо. Буре́лом, чащоба — тяжелые места.* А. Н. Толстой. Петр I.

**БУРЖУА́**, *нескл.*, м. [Франц. bourgeois]. Представитель класса буржуазии. *Мелкие буржуа.*

**БУРЖУАЗИ́Я**, -и, ж. [Франц. bourgeoisie]. Господствующий класс капиталистического общества, являющийся собственником средств производства и получающий прибавочную стоимость в результате применения наемного труда. *Финансовая, промышленная буржуазия. Буржуазия Англии. Господство буржуазии.* ◊ **Мелкая буржуазия** — класс мелких собственников, владеющих средствами производства и живущих своим трудом, иногда с привлечением наемного труда.

Буржуа́зный, -ая, -ое. *Буржуазный строй. Буржуазное общество. Буржуазные партии.* **Буржуазная революция** — социальная революция, основными задачами которой являются уничтожение феодального строя или его остатков и переход власти в руки буржуазии.

**БУ́РКА**, -и, ж. На Кавказе: род плаща или накидки из тонкого войлока с козьей шерстью. *Я завернулся в бурку и сел у забора на камень.* Лермонтов. Герой нашего времени.

**БУ́РКИ**, бу́рок, *мн.* (*ед.* бу́рка, -и, ж.). Теплые высокие сапоги из войлока или фетра на кожаной подошве. *Кузьмин еще издали узнал.. полковника Деева, высокого роста, в бурках.* Бондарев. Горячий снег.

**БУРЛА́К**, -а́, м. В старину: рабочий на реке, входивший в какую-л. артель, которая передвигала суда при помощи бечевы или гребли. *Ходить бурлаком. Пение бурлаков.* □ *Но вдруг я стоны услыхал, И взор мой на берег упал. Почти пригнувшись головой К ногам, обвитым бечевой, Обутым в лапти, вдоль реки Ползли гурьбою бурлаки.* Н. Некрасов. На Волге.

Бурла́цкий, -ая, -ое. *Бурлацкая песня.*

**БУРМИ́СТР**, -а, м. [Польск. burmistrz; восх. к ср.-в.-нем. burgemeister (см. *бургмистр*)]. При крепостном праве: управляющий помещичьим имением или староста из крестьян, назначенный помещиком. *Бурмистр.. перед помещиком, Как бес перед заутреней, Юлил: — Так точно! Слушаю-с!— И кланялся помещику Чуть-чуть не до земли.* Н. Некрасов. Кому на Руси жить хорошо.

**БУРНУ́С**, -а, м. [Восх. к араб. burnus]. В старину: просторная женская одежда в виде накидки с широкими рукавами. *На ней [Соне] был ее бедный, старый бурнус и зеленый платок. Лицо ее еще носило признаки болезни.* Достоевский. Преступление и наказание.

**БУ́РСА**, -ы, ж. [Польск. bursa; восх. к ср.-лат.

bursa — *букв.* кошелек]. В старину: духовное училище с общежитием, в котором воспитанники содержались на казенный счет. *Ученики отпускались домой из бурсы по письменным билетикам от двенадцати часов субботы до пяти часов воскресенья.* Помяловский. Очерки бурсы.

**Бурса́к**, -а́, *м.* **Бурса́цкий**, -ая, -ое. *Бурсацкие нравы.*

**БУРЬЯ́Н**, -а, *м.* Заросли высокой сорной травы (крапивы, лопуха и т. п.). *В одном углу его [сада].. баня; в другом была большая.. яма; она заросла бурьяном.* М. Горький. В людях.

**Бурья́нный**, -ая, -ое.

**БУТАФО́РИЯ**, -и, *ж.* [От итал. buttafuori]. **1.** Предметы театральной обстановки (мебель, посуда, оружие и др.), а также предметы для выставки в витринах магазинов, заменяющие настоящие вещи, товары. *Театральная бутафория. Бутафория витрины.* **2.** *перен.* О чем-л. обманчивом и фальшивом, рассчитанном на эффект.

**Бутафо́рный**, -ая, -ое (*к 1 знач.*) и **бутафо́рский**, -ая, -ое. *Бутафорная мастерская. Бутафорская обстановка.* **Бутафо́р**, -а, *м.* *Работать бутафором в театре.*

**БУ́ТСЫ**, бутс, *мн. (ед.* **бу́тса**, -ы, *ж.*). [Англ. boots]. Специальные ботинки с шипами или поперечными планками на подошвах для игры в футбол. *Футбольные бутсы.* □ *Леня начал разуваться, чтобы высушить бутсы.* Паустовский. Рождение моря.

**БУ́ФЕР**, -а, буфера́, -о́в, *м.* [Англ. buffer]. **1.** Специальное устройство (у паровоза, вагона, автомобиля и др.) для ослабления силы удара, толчка. *Слобода спала, издали доносился свист паровозов, тяжелый гул чугунных колес, звон буферов.* М. Горький. В людях. **2.** *перен.* Промежуточное звено, ослабляющее столкновения борющихся, враждебных сторон. *Когда супруги ссорились, они начинали относиться к Сергею Петровичу с особенной нежностью. Он являлся некоторым буфером.. семейного счастья.* Мамин-Сибиряк. Дорогой друг.

**Бу́ферный**, -ая, -ое.

**БУФФОНА́ДА**, -ы, *ж.* [Итал. buffonata]. **1.** Сценическое представление, построенное на преувеличенно-комических, шутовских положениях. *Образ Дон-Кихота [на сцене] развивался в.. плане гротеска и буффонады.* Н. Черкасов. Записки советского актера. **2.** *перен.* Неуместное, нелепое, грубое шутовство. *Для чего, кому нужно было делать из поединка такую кровавую буффонаду?* Куприн. Поединок.

С и н. (*ко 2 знач.*): фигля́рство, скоморо́шество (*разг.*), балага́н (*разг.*), га́ерство (*устар.*).

**Буффона́дный**, -ая, -ое.

**БУ́ХТА**, -ы, *ж.* [Нем. Bucht]. Небольшой глубокий залив, защищенный от бурь. *Новороссийская бухта.* □ *Транспорты и крейсеры из-за недостатка места в бухте держались в открытом море.* Новиков-Прибой. Цусима.

С и н.: га́вань.

**Бу́хточка**, -и, *ж. (уменьш.).* *Изгиб берега образует бухточку.*

**БУШЛА́Т**, -а, *м.* Форменная суконная куртка. *Арестантский бушлат.* □ *В кают-компании начали появляться матросы в бушлатах.* Новиков-Прибой. Ухабы.

**Бушла́тный**, -ая, -ое.

**БЫЛИ́НА**, -ы, *ж.* Русская народная эпическая песня о богатырях. *Киевская былина. Былины об Илье Муромце.* □ *Русский народ создал огромную изустную литературу;.. торжественные былины, — говорившиеся нараспев, под звон струн, — о славных подвигах богатырей.* А. Н. Толстой. Родина.

**Были́нный**, -ая, -ое. *Былинный эпос.*

**БЫЛО́Й**, -а́я, -о́е. *Высок.* **1.** Минувший, прошлый. *Былая слава. Былые времена.* □ *Не так ли я в былые годы Провел в бездействии, в тени Мои счастливейшие дни?* Пушкин. Евгений Онегин. **2.** *в знач. сущ.* **было́е**, -о́го, *ср.* Время, события, предшествовавшие настоящему; прошлое. *«Былое и думы» Герцена. Вспоминать о былом.*

С и н. (*к 1 знач.*): проше́дший, быва́лый (*разг.*). С и н. (*ко 2 знач.*): проше́дшее, мину́вшее, прожито́е, быль (*устар.*).

**БЫЛЬ**, -и, *ж.* **1.** *Устар.* То, что действительно было, произошло, прошло; прошлое. *Были прежних лет. Разглашать быль и небыль.* **2.** Рассказ о действительном происшествии. *Я все чаще думаю о матери, ставя ее в центр всех сказок и былей, рассказанных бабушкой.* М. Горький. Детство.

С и н. (*к 1 знач.*): проше́дшее, мину́вшее, прожито́е, было́е (*высок.*).

А н т. (*ко 2 знач.*): ска́зка (*разг.*).

**БЫТ**, -а, *м.* Общий жизненный уклад, совокупность обычаев и нравов, присущих какому-л. народу, определенной социальной группе и т. п., а также повседневная жизнь. *Современный домашний быт. Городской, сельский быт. Русский, украинский быт. Поведение в быту.* □ *Толстой знал превосходно деревенскую Россию, быт помещика и крестьянина.* Ленин, т. 20, с. 39. ◇ **Служба быта** — предприятия бытового обслуживания (ателье, мастерские, парикмахерские, прачечные и т. п.).

**Бытово́й**, -а́я, -о́е. *Бытовые условия.* ◇ **Бытовое явление** — о чем-л. обычном, повседневном. **Бытовой жанр** — область искусства, посвященная событиям и сценам повседневной жизни.

**БЫТИЕ́**, -я́ и **БЫТИЁ**, -я́, *ср. Книжн.* **1.** (*бытие́*). Объективная реальность (материя, природа), существующая независимо от сознания человека. **2.** (*бытие́*). Совокупность условий материальной жизни общества. *Общественное сознание отражает общественное бытие — вот в чем состоит учение Маркса.* Ленин, т. 18, с. 343. **3.** Жизнь, существование. *Радость бытия. Загадки бытия.* □ *Но, вечно продолжая бытие, Ты сам свои сомненья разрешаешь, Ты сам свои преграды разрушаешь, Российский лес, прибежище мое.* Борисова. Российский лес.

**Быти́йный**, -ая, -ое.

**БЫТОПИСА́ТЕЛЬ**, -я, м. Автор произведений, в которых изображается быт, повседневная сторона жизни.

**Бытописа́тельский**, -ая, -ое.

**БЮДЖЕ́Т**, -а, м. [Франц. budget]. **1.** Смета доходов и расходов государства, предприятия или учреждения на определенный срок. *Государственный бюджет.* □ — *Ведь правильно поставленное молочное хозяйство будет давать огромный доход!.. На этом колхоз поправит свой бюджет.* Шолохов. Поднятая целина. **2.** Совокупность доходов и расходов кого-, чего-л. на определенный срок. *Бюджет семьи.* □ *Чтобы не обременять и без того мизерный бюджет моих родных, я взял.. урок в доме князя [Урусова].* Юрьев. Записки. ◊ **Выйти из бюджета** — допустить перерасход.

**Бюдже́тный**, -ая, -ое.

**БЮЛЛЕТЕ́НЬ**, -теня, м. [Франц. bulletin от итал. bulletino — записка, сообщение]. **1.** Краткое официальное сообщение о событии, деле, имеющем общественное значение. *Бюллетень съезда.* **2.** Название периодического издания какого-л. учреждения. *Бюллетень Академии наук СССР.* **3.** Избирательный листок (листок с именами кандидатов, опускаемый избирателями в урну при тайном голосовании). *Бюллетень для голосования. Подсчет бюллетеней.* **4.** *Разг.* Листок временной нетрудоспособности по болезни. *Выдать бюллетень больному. Продление бюллетеня врачом.*

**БЮ́РГЕР**, -а, м. [Нем. Bürger]. *Устар.* В Германии и некоторых других странах: городской житель, горожанин. *[Мать Андрея] боялась, что сын ее сделается таким же немецким бюргером, из каких вышел отец.* И. Гончаров. Обломов.

**Бю́ргерша**, -и, ж. *(разг.).* **Бю́ргерский**, -ая, -ое. *Бюргерское сословие. Бюргерские права.*

**БЮРО́**[1], нескл., ср. [Франц. bureau]. **1.** Название руководящей части некоторых органов, учреждений, организаций, а также заседание ее состава. *Партийное бюро. Сделать доклад на бюро. Члены бюро.* □ *Бюро обсуждало вопрос об улучшении идеологической работы. Слушался отчет Осторецкого горкома, обсуждалась работа театров, творческих союзов.* Проскурин. Горькие травы. **2.** Название некоторых учреждений или их отделов. *Справочное бюро. Позвонить в бюро находок. Конструкторское, машинное бюро.* □ *Бюро прогнозов обещало через неделю хорошую погоду.* Проскурин. Горькие травы.

**БЮРО́**[2], нескл., ср. [См. *бюро*[1]]. Род письменного стола с выдвижной крышкой и ящиками для хранения бумаг, документов. *Весь промокший до нитки, дошел он домой, заперся, отворил свое бюро, вынул все свои деньги и разорвал две-три бумаги.. Затем, сунув деньги в карман, он.. взял шляпу и вышел.* Достоевский. Преступление и наказание.

**БЮРОКРА́Т**, -а, м. [Франц. bureaucrate]. **1.** *Устар.* Представитель высшей чиновничьей администрации (бюрократии); крупный чиновник. *Злоупотребления бюрократов.* **2.** Тот, кто выполняет свои обязанности формально, не входя в существо дела. — *А вот что нам [добровольцам] не подготовили приличный ночлег — безобразие! Интересно,.. кто из местных властей виноват, наверное, какой-нибудь бюрократ.* Прилежаева. Пушкинский вальс.

С и н. (ко 2 знач.): чино́вник, чину́ша, буквое́д.

**БЮРОКРАТИ́ЗМ**, -а, м. [См. *бюрократ*]. **1.** Система управления, при которой государственная власть направлена на обеспечение ведомственных интересов в ущерб интересам общества. **2.** Пренебрежение к существу дела ради соблюдения формальностей. *Бюрократизм — это отрыв от жизни, это формализм, это.. укладывание живого дела в тесные рамки бюрократических форм.* Крупская. Речь на 16 съезде ВКП(б).

С и н. (ко 2 знач.): канцеля́рщина *(разг.)*, волоки́та *(разг.)*.

**Бюрократи́ческий**, -ая, -ое. *Бюрократическая система. Бюрократическое отношение к делу.*

**БЮСТ**, -а, м. [Франц. buste от ср.-лат. bustum — скульптурный портрет покойного, установленный на могиле]. **1.** Скульптурное изображение верхней части человеческого тела (по грудь или по пояс). *Бюст Гоголя. Мраморный, гипсовый бюст.* □ *Обширный кабинет [графа] был убран со всевозможною роскошью, около стен стояли шкафы с книгами, и над каждым бронзовым бюст.* Пушкин. Выстрел. **2.** Женская грудь. *Высокий бюст.* □ *Платье сидело на ней в обтяжку.. От этого даже и закрытый бюст ее.. мог бы послужить живописцу или скульптору моделью крепкой, здоровой груди.* И. Гончаров. Обломов.

С и н. (ко 2 знач.): пе́рси *(трад.-поэт.)*.

**Бю́стик**, -а, м. *(уменьш.) (к 1 знач.)*. **Бю́стовый**, -ая, -ое *(к 1 знач.) (спец.)*.

**БЯЗЬ**, -и, ж. [Турецк. bäzz от араб. bezz]. Плотная хлопчатобумажная ткань. *Простыни из бязи.*

**Бя́зевый**, -ая, -ое. *Бязевая рубашка.*

# В

**ВА-БА́НК**, нареч. [От франц. va banque — идет (весь) банк]. В некоторых карточных играх: на все поставленные на кон деньги. *Играть ва-банк.* ◊ **Идти (пойти) ва-банк** — действовать, рискуя всем. *Почему Артурская эскадра в последний момент не пошла ва-банк и не дала генерального сражения?* Новиков-Прибой. Цусима.

**ВАВИЛО́НСКИЙ**, -ая, -ое. ◊ **Вавилонское столпотворение** [из библейского сказания о попытке построить в Вавилоне башню до неба, окончившейся неудачей, так как бог смешал языки людей, и они перестали понимать друг друга] *(книжн.)* — полная неразбериха, сутолока, суматоха. *На последней станции перед горами столпотворение вавилонское: шум, крики, плач, матерная отборная ругань, разрозненные воинские части, отдельные группы сол-*

дат, а за станцией выстрелы, крики, смятение. Серафимович. Железный поток.

**ВАКА́НСИЯ**, -и, ж. [Франц. vacance; восх. к лат. vacare — пустовать]. Незамещённая должность, свободное место. — Вакансии не всегда бывают. Тут непредвиденное стечение обстоятельств: директор института попросил освободить его от обязанностей по состоянию здоровья. Колесников. Школа министров.

**Вака́нтный**, -ая, -ое; -тен, -тна, -о. *Вакантная должность*.

**ВАКА́ЦИИ**, -ий, *мн. (ед.* **вака́ция**, -и, *ж.).* [Восх. к лат. vacatio — освобождение]. *Устар.* Перерыв занятий в учебных заведениях; каникулы. *Зимние вакации.* □ — *Да ведь теперь вакации.. И что вам за охота жить в городе летом!* Тургенев. Накануне. *Он все время путешествия испытывал радость школьника на вакации.* Л. Толстой. Война и мир.

**ВА́КУУМ**, -а, м. [Лат. vacuum — пустота]. **1.** Состояние сильно разреженного газа, заключенного в сосуд. **2.** *перен. Книжн.* Отсутствие, острый недостаток чего-л.; пустота. *Многое уходит в прошлое безвозвратно; и смешно было бы за это цепляться, чтобы удержать. Но надо чем-нибудь заполнить место ушедшего, этот (модное теперь словечко) образовавшийся вакуум.* Солоухин. Славянская тетрадь.

**Ва́куумный**, -ая, -ое (*к 1 знач.*).

**ВАКХАНА́ЛИЯ**, -и, ж. [Лат. Bacchanalia]. **1.** В Древнем Риме: празднество в честь бога вина и веселья Вакха. **2.** *перен. Книжн.* Разгульное пиршество. *Пьяная вакханалия.* **3.** *перен., чего или какая. Книжн.* Бурное и беспорядочное проявление каких-л. сил. *Вакханалия огня в небе (о грозе).*

С и н. (*ко 2 знач.*): **о́ргия**.

**Вакхана́льный**, -ая, -ое (*к 1 и 2 знач.*).

**ВАКХА́НКА**, -и, ж. **1.** В Древней Греции и Риме: жрица бога Вакха, участница вакханалий. **2.** *Устар.* Женщина, проводящая жизнь в пирах и любовных утехах. *Нет, я не дорожу мятежным наслажденьем, Восторгом чувственным, безумством, исступленьем, Стенаньем, криками вакханки молодой.* Пушкин. Нет, я не дорожу мятежным наслажденьем...

**ВАЛ**[1], -а, валы́, -о́в, м. **1.** Длинная земляная насыпь. *Городской вал.* □ *Массивный земляной вал десятиметровой высоты оградил со всех сторон крепостную территорию.. В толще этого вала были устроены многочисленные казематы и складские помещения.* С. С. Смирнов. Брестская крепость. **2.** Высокая волна. *Он не слыхал, Как подымался жадный вал, Ему подошвы подмывая.. Словно горы, Из возмущённой глубины Вставали волны там и злились.* Пушкин. Медный всадник. ◊ **Девятый вал** — наиболее сильная и опасная волна во время морской бури, по старинным представлениям роковая для мореплавателей. **Огневой вал** — перемещающаяся полоса мощного артиллерийского обстрела впереди атакующих войск.

**ВАЛ**[2], -а, м. В экономике: общий объем продукции в стоимостном выражении, произведенный за какой-л. период. *Выполнить план по валу*.

**Валово́й**, -а́я, -о́е. *Валовая продукция. Валовой доход. Валовой сбор зерна.*

**ВАЛЁЖНИК**, -а, м., *собир.* Сухие деревья и сучья, упавшие на землю. — *А ты вот попробуй его сыщи в.. такой захряслой, мусорной тайге, сплошь забитой валежником и хламом.* Астафьев. Царь-рыба.

**ВАЛЁК**, валька́, м. **1.** Толстая, слегка изогнутая деревянная лопатка, употребляемая для выколачивания белья при полоскании или для катания белья, а также при валянии шерсти и других работах. *У пруда на плоту, старая баба.. колотила вальком скрученное бельё.* Тургенев. Степной король Лир. **2.** Толстый брусок у передка повозки, к которому прикрепляются постромки пристяжной лошади.

**Вальково́й**, -а́я, -о́е.

**ВА́ЛКИЙ**, -ая, -ое; ва́лок, валка́ *и* ва́лка, ва́лко. Легко наклоняющийся набок, опрокидывающийся. *Валкая кибитка.* □ *Лодка у него плохая была, маленькая и валкая, повернулся он в ней резко, зачерпнула она бортом, — и очутились мы оба в воде.* М. Горький. Исповедь.

С и н. (*к 1 знач.*): **неусто́йчивый, ша́ткий, зы́бкий**.

**Ва́лко**, *нареч.* **Ва́лкость**, -и, ж.

**ВАЛТО́РНА**, -ы, ж. [Восх. к нем. Waldhorn от Wald — лес и Horn — рог]. Медный духовой музыкальный инструмент в виде спирально изогнутой трубы с широким раструбом. *В большом беломраморном зале Коптилки на сцене горят, Валторны о дальнем привале, О первой любви говорят.* Луговской. Курсантская венгерка.

**Валто́рновый**, -ая, -ое. **Валторни́ст**, -а, м.

**ВАЛЬЯ́ЖНЫЙ**, -ая, -ое; -жен, -жна, -о. *Устар. и ирон.* Представительный, видный, полный достоинства. *Вальяжная походка.* □ *Вид вальяжный имела такой, Хоть бы барыне, слышь ты, природной.* Н. Некрасов. В дороге.

**Валья́жно**, *нареч.* **Валья́жность**, -и, ж.

**ВАЛЮ́ТА**, -ы, ж. [Итал. valuta — стоимость, валюта]. **1.** Денежная единица, положенная в основу денежной системы какого-л. государства. **2.** *собир.* Иностранные деньги, векселя, чеки, служащие платёжным средством при международных расчетах. *Здесь была валюта многих стран света — американские доллары и английские шиллинги, франки французские и бельгийские, кроны австрийские, чешские, норвежские, румынские леи, итальянские лиры.* Фадеев. Молодая гвардия.

**Валю́тный**, -ая, -ое. *Валютные операции.* ◊ **Валютный курс** — цена денежной единицы данной страны, выраженная в иностранных денежных единицах.

**ВАМПИ́Р**, -а, м. [Нем. Vampir от сербохорв. vampir]. **1.** В поверьях некоторых славянских народов: оборотень, мертвец, выходящий из могилы, чтобы сосать кровь спящих людей. *[Вадим] похож был в это мгновение на вампира, глядящего на издыхающую жертву.* Лермонтов. Вадим. **2.** *перен.* Жестокий, безжалостный человек, эксплуатирующий чужой труд.

С и н. (*к 1 знач.*): вурдала́к, упы́рь. С и н. (*ко 2 знач.*): кровопи́йца, пия́вка, кровосо́с (*разг.*).

**ВАНДА́Л**, -а, *м.* [Франц. vandale]. **1.** *мн.* Древнегерманское племя, завоевавшее часть Римской империи и подвергшее Рим разгрому и грабежу. **2.** Разрушитель культурных ценностей, а также вообще невежественный, некультурный и жестокий человек. *Против нас шли изверги, избравшие своей эмблемой череп, молодые и беззастенчивые грабители, вандалы, жаждавшие все уничтожить на своем пути.* Эренбург. О ненависти.

С и н. (*ко 2 знач.*): ва́рвар, дика́рь, троглоди́т.

**ВАНИ́ЛЬ**, -и, *ж.* [Франц. vanille]. Тропическое растение сем. орхидных, а также стручки этого растения, употребляемые как пряность и в парфюмерии.

**Вани́льный**, -ая, -ое.

**ВА́РВАР**, -а, *м.* [Греч. barbaros — первонач. не говорящий по-гречески]. **1.** У древних греков и римлян: пренебрежительное название чужеземцев, говорящих на непонятном им языке. *Племена варваров.* **2.** Невежественный, грубый и жестокий человек. *Фашистские варвары.* □ *— А ведь меня чуть не убили, окаянные.. Камнями стали шибать.. Одно слово — варвары, висельники поганые.* Куприн. Олеся.

С и н. (*ко 2 знач.*): ванда́л, дика́рь, троглоди́т.

**Ва́рварский**, -ая, -ое (*ко 2 знач.*). *Варварское отношение к памятникам старины.*

**ВАРИА́НТ**, -а, *м.* [Восх. к лат. varians, variantis — изменяющийся]. **1.** Разновидность, видоизменение чего-л. *Проект в двух вариантах. Варианты контрольной работы.* □ *В госпитале впервые пришла мысль, что его жизнь, жизнь военного, наверно, может быть только в единственном варианте, который он сам выбрал раз и навсегда.* Бондарев. Горячий снег. **2.** Разночтение в тексте какого-л. литературного, музыкального и т. п. произведения, полученное в результате работы над ним. *Да, это, несомненно, был Моцарт, его нотная тетрадь, вариант фортепианного концерта, вариант, быть может, первый, писанный быстрой рукой композитора.* Дангулов. Заутреня в Рапалло.

**Вариа́нтный**, -ая, -ое.

**ВАРИА́ЦИЯ**, -и, *ж.* [Восх. к лат. variatio — изменение]. **1.** *Книжн.* Видоизменение второстепенных элементов чего-л. при сохранении основного замысла, содержания. *В этих отрывочных словах, повторяющихся по многу раз с обыкновенными легкими вариациями повторений, прошло много времени, одинаково тяжелого и для Лопухова, и для Веры Павловны.* Чернышевский. Что делать? **2.** *мн.* Музыкальное произведение, написанное как ряд пьес, представляющих собой повторение и разработку основной темы в различных видоизменениях. *Фортепианные вариации Глинки на тему романса Алябьева «Соловей».* □ *Жюли первая, по просьбе всех, сыграла на арфе пиеску с вариациями.* Л. Толстой. Война и мир.

С и н. (*к 1 знач.*): модифика́ция (*книжн.*).

**Вариацио́нный**, -ая, -ое.

**ВАРЬЕТЕ́** [тэ], *нескл., ср.* [Франц. variété — букв. разнообразие]. Эстрадный театр легкого жанра. *Ресторан с варьете.*

**ВАРЬИ́РОВАТЬ**, -рую, -руешь; варьи́рующий, варьи́ровавший; варьи́руемый, варьи́рованный; -ан, -а, -о; варьи́руя; *несов., что.* [Франц. varier от лат. variare]. *Книжн.* Видоизменять, давать новые варианты чего-л. *Варьировать музыкальную тему.* □ *[Ребятишки] бешено изощрялись, без конца варьируя свое нелепое двустишие,.. «кислое тесто» последовательно превращалось в крутое, пресное, сдобное, сладкое и так далее.* Шолохов. Поднятая целина.

С и н.: модифици́ровать (*книжн.*).

**Варьи́роваться**, -руется; *возвр.* **Варьи́рование**, -я, *ср. Варьирование мелодии.*

**ВАРЯ́ГИ**, -ов, *мн.* (*ед.* **варя́г**, -а, *м.*). **1.** Древнерусское название норманнов, выходцев из Скандинавии, дружины которых совершали походы в 9—10 вв. в Восточную и Западную Европу с целью грабежа и торговли, а также служили в качестве наемных воинов у русских князей. **2.** *перен. Разг. шутл.* Люди, принятые на работу со стороны, а также приглашенные для помощи, усиления чего-л. *Людей, что ли в районе не стало? Нашлись же председатели колхозов. И еще какие! Энергичные, дельные.. И ни одного варяга! Все до председательского поста работали тут же.* Марина. Всерьез и на момент.

**Варя́жский**, -ая, -ое (*к 1 знач.*).

**ВАССА́Л**, -а, *м.* [Франц. vassal]. **1.** В средние века в Западной Европе: землевладелец-феодал, зависимый от более крупного феодала (сюзерена). **2.** *перен. Книжн.* Подчиненное, зависимое лицо или государство. *[Тетушка] била ленивых вассалов своею страшною рукою.* Гоголь. Иван Федорович Шпонька и его тетушка.

**Васса́льный**, -ая, -ое. *Вассальная зависимость. Вассальные государства.*

**ВАТЕРПО́ЛО** [тэ], *нескл., ср.* [Англ. water-polo]. Спортивная игра в мяч на воде между двумя командами; водное поло. *Соревнования по ватерполо.*

**Ватерпо́льный**, -ая, -ое. **Ватерполи́ст**, -а, *м.*

**ВА́ХМИСТР** [не ва́хмйстр], -а, *м.* [Восх. к нем. Wachtmeister от Wacht — стража и Meister — начальник]. В царской армии: высшее солдатское звание в кавалерии, соответствовавшее званию фельдфебеля в пехоте, а также лицо, имевшее это звание. *Вдруг у телеги круто осадил гнедого потного коня усатый унгеровец с погонами вахмистра на плечах.* Седых. Отчий край.

**Ва́хмистрский**, -ая, -ое и **ва́хмистерский**, -ая, -ое.

**ВА́ХТА**, -ы, ва́хты, вахт, *ж.* [Нем. Wacht — стража, караул]. **1.** Дежурство на судне для обеспечения его безопасности, требующее безотлучного нахождения на посту, а также смена, несущая такое дежурство. *Круглосуточная вахта. Принять вахту. Нести вахту.* □ *У нас на «Орле» команда делилась на две вахты, вахта — на два отделения. Каждое такое отделение представляло собою роту.* Новиков-Прибой. Цусима. **2.** Группа людей, выезжающая для временной работы в труднодоступные районы и сменяемая другой группой. *Вахтовый поселок служил временным пристанищем для тех, кто прибывал в эту таежно-болотную глубинку работать, и назначение его было простое: быть близко к рабочим точкам нефтепромысла и давать приют вахтам, прилетавшим из города.* Файн. Вахтовый поселок. **3.** *перен., чего или какая. Высок. Самоотверженная, исполненная энтузиазма работа в ознаменование чего-л. Трудовая вахта. Вахта мира.*

**Ва́хтенный,** -ая, -ое (к 1 знач.) и **ва́хтовый,** -ая, -ое (ко 2 знач.). *Вахтенный матрос. Вахтовый способ работы.* ◊ **Вахтенный журнал** — специальный журнал, в котором в хронологической последовательности, из вахты в вахту, записываются все события в жизни корабля.

**ВАЯ́ТЬ,** вая́ю, вая́ешь; вая́ющий, вая́вший; вая́я; *несов., что. Устар. и высок.* Создавать скульптурные изображения из камня, дерева, металла и т. п. путем высекания, резания, лепки, отливки.

**Вая́ние,** -я, *ср. Училище живописи, ваяния и зодчества.* **Вая́тель,** -я, *м. Я по ремеслу моему ваятель и предвижу, что в скором времени попрошу у вас позволения слепить вашу голову.* Тургенев. Накануне.

**ВВЕ́РГНУТЬ,** -ну, -нешь; вве́ргнувший и вве́ргший; вве́ргнутый; -ут, -а, -о и вве́рженный; -ен, -а, -о; вве́ргнув; *сов., кого, что во что. Устар.* **1.** С силой бросить, кинуть куда-л. *Ввергнуть в пропасть, в темницу.* □ *Я видел твой корабль игралищем валов И якорь, вверженный близ диких берегов.* Пушкин. К Овидию. **2.** *перен. Высок.* Вовлечь во что-л., заставить прийти в какое-л. состояние. *Ввергнуть в пучину войны. Ввергнуть в отчаяние.* □ *Сильное потрясение на короткое время ввергло старика в беспамятство.* Арсеньев. Сквозь тайгу.

С и н. (ко 2 знач.): привести́, пове́ргнуть (высок.), вогна́ть (разг.).

**Вверга́ть,** -а́ю, -а́ешь; *несов.*
**ВВЕ́РИТЬ,** -рю, -ришь; вве́ривший; вве́ренный; -ен, -а, -о; вве́рив; *сов., кого, что кому, чему. Книжн.* На основании доверия отдать в чье-л. распоряжение, поручить чьим-л. заботам. *Вверить свою судьбу кому-л.* □ *Иван Кузьмич, хоть и очень уважал свою супругу, но ни за что на свете не открыл бы ей тайны, вверенной ему по службе.* Пушкин. Капитанская дочка.

С и н.: дове́рить, вручи́ть (книжн.), препоручи́ть (устар.).

**Вверя́ть,** -я́ю, -я́ешь; *несов.*
**ВДОХНОВЕ́НИЕ,** -я, *ср.* **1.** Творческий подъем. *Поэтическое вдохновение. Источник вдохновения.* **2.** Состояние душевного подъема, сильной увлеченности. *— Жалеть! зачем меня жалеть! — вдруг возопил Мармеладов, вставая с протянутою вперед рукой, в решительном вдохновении, как будто только и ждал этих слов.* Достоевский. Преступление и наказание.

С и н. (к 1 знач.): наи́тие (книжн.). С и н. (ко 2 знач.): воодушевле́ние, увлече́ние, подъём, энтузиа́зм, одушевле́ние (книжн.).

**ВДОХНОВЕ́ННЫЙ,** -ая, -ое; -ён и -е́нен, -е́нна, -о. *Высок.* Исполненный вдохновения, проникнутый вдохновением. *Вдохновенный поэт. Вдохновенный облик. Вдохновенный труд.*

**Вдохнове́нно,** *нареч.* **Вдохнове́нность,** -и, *ж.*
**ВЕГЕТАРИА́НЕЦ,** -нца, *м.* [См. *вегетарианство*]. Тот, кто питается вегетарианской пищей.

**Вегетариа́нка,** -и, *ж.*
**ВЕГЕТАРИА́НСТВО,** -а, *ср.* [От англ. vegetarian — вегетарианский; восх. к позднелат. vegetarius — растительный]. Употребление человеком растительной и молочной пищи с полным отказом от мясной. *Без мяса не проживешь, и нечего кокетничать вегетарианством, — поэтому и в самом центре [Чикаго] кровавое сердце — бойни.* Маяковский. Мое открытие Америки.

**Вегетариа́нский,** -ая, -ое. *Вегетарианский стол.*

**...ВЕ́Д,** -а, *м.* Вторая составная часть сложных слов, обозначающих специалистов в какой-л. науке, указанной в первой части слова, напр.: *обществове́д, литературове́д, театрове́д.*

**ВЕ́ДАТЬ,** -аю, -аешь; ве́дающий, ве́давший; ве́дая; *несов.* **1.** *что. Устар.* Знать что-л., иметь сведения о чем-л. *Не ведал он хорошенько ни дохода, ни расхода своего, не составлял никогда бюджета — ничего.* И. Гончаров. Обломов. **2.** *что. Трад.-поэт.* Испытывать, ощущать, чувствовать. [Пимен:] *Я долго жил и многим насладился; Но с той поры лишь ведаю блаженства, Как в монастырь господь меня привел.* Пушкин. Борис Годунов. **3.** *чем.* Управлять, заведовать чем-л. *Ведать хозяйственной частью.* □ *Когда Воропаев начал говорить, вошла.. Катя Муравьева, ведавшая избой-читальней, руководившая кружком Осовиахима и Красного Креста.* Павленко. Счастье.

С и н. (к 3 знач.): руководи́ть, нача́льствовать (устар.).

**ВЕ́ДЕНИЕ,** -я, *ср. Офиц.* Сфера управления чем-л. *Город ***, куда отправились наши приятели, состоял в ведении губернатора из молодых.* Тургенев. Отцы и дети.

**...ВЕ́ДЕНИЕ,** -я, *ср.* Вторая составная часть сложных слов, обозначающих названия наук и их отраслей, напр.: *литературове́дение, обществове́дение, востокове́дение, искусствове́дение, товарове́дение.*

**ВЕДЕ́НИЕ,** -я, *ср.* Направление какой-л. деятельности, руководство чем-л. *Ведение хозяйства. Ведение следствия. Ведение собрания.*

**ВЕ́ДИ,** *нескл., ср.* Устарелое название буквы «в».
**ВЕ́ДОМСТВЕННЫЙ,** -ая, -ое. **1.** Прил. к ведомство. *Ведомственное подчинение. Ведомственная инструкция.* **2.** Ограниченный узкими интересами только своего ведомства, учреждения. *Ведомственный подход к делу.*

**Ве́домственность,** -и, *ж.* (ко 2 знач.).
**ВЕ́ДОМСТВО,** -а, *ср.* Отрасль государственного управления и система обслуживающих ее учреждений. *Морское ведомство. Таможенное ведомство. Межотраслевые ведомства.* □ *В эти дни я обошел все ведомства, которые имеют отношение к сельским промыслам.* А. Аграновский. Суд да дело.

**ВЕ́ДРО,** -а, *ср. Устар. и прост.* Ясная, сулнечная погода.— *С чего бы, кажись, батюшка, быть ныне недороду?— простодушно вымолвил парень,— ишь какие стоят вёдра! За прошлую вёсну, помнится, об эту пору дождику не было.* Григорович. Четыре времени года.

**Ве́дренный**, -ая, -ое. *Ведренная пора.*

**ВЕ́ЖДЫ**, вежд, *мн.* (*ед.* **ве́жда**, -ы, *ж.*). *Трад.-поэт.* Веки, а также глаза, взор. *Он весь сиял, как будто от луны.. И томно так приподнимались вежды, И так глаза казались полны Любви и слез, и грусти, и надежды.* А. К. Толстой. Портрет.

**ВЕЗДЕСУ́ЩИЙ**, -ая, -ее; -ущ, -а, -е. *Ирон.* Всюду поспевающий, во всем принимающий участие. *Вездесущие репортеры.* □ *У костра крутился Петро Семиглаз.. Самый веселый, разговорчивый и—видно было—смекалистый и вездесущий, он все время хлопотал: ломал под ногой валежник, подживлял огонь, возился с котелками на тагане.* Бубеннов. Белая береза.

**ВЕ́КСЕЛЬ**, -я, векселя́, -е́й и ве́ксели, -ей, *м.* [Нем. Wechsel — обмен; вексель]. Денежный документ, содержащий обязательство уплатить определенную сумму денег в указанный срок. *Платить, взыскивать по векселю. Опротестовать вексель.* □ *[Гаев:] Вот можно будет устроить заем под вексель, чтобы заплатить проценты в банк.* Чехов. Вишневый сад.

**ВЕЛЕРЕЧИ́ВЫЙ**, -ая, -ое; -и́в, -а, -о. *Устар. и ирон.* Высокопарный, напыщенно-красноречивый. *Не любит он велеречивых и слов нескромных и пустых.* Пушкин. Подражания Корану.

С и н.: напы́щенный, пы́шный, гро́мкий, треску́чий, ритори́чный (*книжн.*), вы́спренний (*устар. и книжн.*).

**Велере́чиво**, *нареч.* *Изъясняться велеречиво.* **Велере́чивость**, -и, *ж.*

**ВЕЛИКОДЕРЖА́ВНЫЙ**, -ая, -ое. Свойственный крупной державе, проникнутый духом национального превосходства. *Великодержавные настроения.* ◇ *Великодержавный шовинизм* — крайняя форма национализма, идеология и политика господствующих классов так наз. «великих наций», проявляющаяся в колониализме, расизме, подавлении малочисленных народов в многонациональных государствах.

**ВЕЛИКОДУ́ШНЫЙ**, -ая, -ое; -шен, -шна, -о. Обладающий высокими душевными качествами; самоотверженный, доброжелательный, бескорыстный. *Великодушный человек. Великодушный поступок.* □ *— Видишь, есть же благородные и великодушные люди, тотчас готовые помочь бедной дворянке в несчастии.* Достоевский. Преступление и наказание.

С и н.: благоро́дный, ры́царский, ры́царственный.

**Великоду́шно**, *нареч.* **Великоду́шие**, -я, *ср.*

**ВЕЛИКОРО́ССЫ**, -ов, *мн.* (*ед.* **великоро́сс**, -а, *м.*) (*устар.*) и **ВЕЛИКОРУ́СЫ**, -ов, *мн.* (*ед.* **великору́с**, -а, *м.*) (*книжн.*). Русские. *Интерес национальной гордости великороссов совпадает с социалистическим интересом великорусских (и всех иных) пролетариев.* Ленин, т. 26, с. 110.

С и н.: ро́ссы (*трад.-поэт.*), россия́не (*устар. и высок.*).

**Великоро́сска**, -и и **великору́ска**, -и, *ж.* **Великоросси́йский**, -ая, -ое и **великору́сский**, -ая, -ое. *Великорусские говоры.*

**ВЕЛИКОСВЕ́ТСКИЙ**, -ая, -ое. *Устар.* Относящийся к аристократическому обществу, связанный с ним. *Великосветский салон. Великосветская дама.*

**ВЕЛИЧА́ВЫЙ**, -ая, -ое; -а́в, -а, -о. Исполненный величия, торжественности, внушающий почтение к себе. *Величавая осанка. Величавая тишина.* □ *Как величавая луна, Средь жен и дев блестит одна. С какою гордостью небесной Земли касается она! Как негой грудь ее полна! Как томен взор ее чудесный!* Пушкин. Евгений Онегин.

С и н.: велича́вый, ца́рственный, держа́вный (*высок.*).

**Велича́во**, *нареч.* **Велича́вость**, -и, *ж.* Надменная величавость.

**ВЕЛИ́ЧЕСТВЕННЫЙ**, -ая, -ое; -ен и -енен, -енна, -о. Торжественно-прекрасный, возвышенный, значительный. *Величественное зрелище. Величественные свершения.* □ *Когда.. Саня оглядел на прощанье это сияющее под солнцем без конца и без края и синеющее уже под ним величественное в красоте и покое первобытное раздолье — от восторга и непереносимо-сладкой боли гулко и отрывисто застучало у Сани сердце.* Распутин. Век живи — век люби.

С и н.: велича́вый, ца́рственный, держа́вный (*высок.*).

**Вели́чественно**, *нареч.* **Вели́чественность**, -и, *ж.*

**ВЕЛИ́ЧЕСТВО**, -а, *ср.* (употр. с мест. «ваше», «его», «ее», «их»). Титулование монархов и их жен. *[Фамусов:] Его величество король был прусский здесь.* Грибоедов. Горе от ума.

**ВЕЛИ́ЧИЕ**, -я, *ср.* 1. *Высок.* Наличие в ком-, чем-л. выдающихся свойств, внушающих преклонение, уважение. *Величие подвига. Величие духа.* □ *Эти груды развалин были полны сурового величия, словно в них до сих пор жил несломленный дух павших борцов 1941 года.* С. С. Смирнов. Брестская крепость. 2. Сознание своей важности, исключительности, обычно преувеличенное. *От всей ее фигуры так и веяло воистину герцогским величием.* Чехов. Ненужная победа. ◇ *С высоты своего величия* (*ирон.*) — с пренебрежением к другим, с чрезмерной важностью. *Мания величия* — болезненное психическое состояние, при котором человек считает себя обладающим какими-л. высокими достоинствами. *Страдать манией величия.*

**ВЕЛЬБО́Т**, -а, *м.* [Англ. whale-boat — китобойное судно]. Быстроходная четырех- или восьмивесельная морская шлюпка с острыми носом и кормой. *Адмиралы и коммодоры разъехались на вельботах.* Задорнов. Гонконг.

**Вельбо́тный**, -ая, -ое.

**ВЕЛЬМО́ЖА**, -и, *м.* и *ж.* В старину: знатный и богатый сановник. *Царский вельможа.* □ *Здесь некогда жил граф Петр Ильич, известный хлебосол, богатый вельможа старого века.* Тургенев. Малиновая вода. 2. *Ирон.* О зазнавшемся человеке. *Строить из себя вельможу.*

**Вельмо́жный**, -ая, -ое. *Вельможная осанка.*
**ВЕЛЮ́Р**, -а, *м.* [Франц. velours; восх. к лат. villosus — мохнатый]. Драп или фетр с мягким густым коротким ворсом, а также мягкая кожа, отделанная под бархат. *Драп-велюр.*

**Велю́ровый**, -ая, -ое. *Велюровая шляпа.*
**ВЕНГЕ́РКА**, -и, *ж.* **1.** Вышедшая из употребления куртка с нашитыми поперечными шнурами по образцу формы венгерских гусар. *Из брички вылезали двое каких-то мужчин.. Белокурый был в темно-синей венгерке.* Гоголь. Мертвые души. **2.** Быстрый бальный танец венгерского происхождения, а также музыка к этому танцу. *Гремит курсовая венгерка, Роскошно стучат каблуки, Летают и кружатся пары.* Луговской. *Курсантская венгерка.*

**ВЕНЕ́Ц**, венца́, *м.* **1.** *Устар.* Венок. *Венец желтеет виноградный В чернокудрявых волосах.* Пушкин. Торжество Вакха. **2.** Драгоценный головной убор, корона как символ власти монарха. *Не сияет на небе солнце красное, Не любуются им тучки синие: То за трапезой сидит во златом венце, Сидит грозный царь Иван Васильевич.* Лермонтов. Песня про купца Калашникова. **3.** Корона, возлагаемая на вступающих в брак при церковном обряде венчания. *Пой, красавица: «Кузнец, Скуй мне злат и нов венец, Скуй кольцо златое, Мне венчаться тем венцом, Обручаться тем кольцом При святом налое».* Жуковский. Светлана. **4.** *перен., чего. Высок.* Успешное завершение чего-л. как награда за труды, старания, а также высшее достижение, вершина чего-л. *Венец достижений современной техники. Венец творения.* □ *Конец — делу венец.* Пословица. **5.** Светлое радужное кольцо вокруг небесного светила, а также нимб, сияние, изображаемое на иконах вокруг головы святого. ◊ *Идти под венец (устар.)* — выходить замуж, жениться. *Терновый венец* [из евангельского сказания о колючем терновом венке, надетом на Иисуса Христа перед казнью] *(высок.)* — символ мученичества, страдания. *И прежний сняв венок — они венец терновый, Увитый лаврами, надели на него; Но иглы тайные сурово Язвили славное чело.* Лермонтов. Смерть поэта.

С и н. (*к 4 знач.*): верх, апоге́й (книжн.), зени́т (высок.). С и н. (*к 5 знач.*): орео́л.

**Ве́нчик**, -а, *м.* (*к 5 знач.*) (уменьш.). **Вене́чный**, -ая, -ое (*к 1, 2, 3 и 5 знач.*).
**ВЕ́НЗЕЛЬ**, -я, вензеля́, -е́й, *м.* [Польск. węzeł — узел]. Начальные буквы имени и фамилии или двух имен, связанные в общий рисунок. *За этой парой двинулись все гости из залы в огород, где в клумбах были выведены цветами вензеля именинника.* А.Н. Толстой. Петр I.
**ВЕНЧА́ТЬ**, -а́ю, -а́ешь; венча́ющий, венча́вший; венча́емый, ве́нчанный; -ан, -а, -о; венча́я; *несов.* **1.** *кого, что обычно чем. Трад.-поэт.* Украшать голову венком или чем-л. в виде венка. *Не мог я сразу не приметить Веселых, ясных женских глаз И, цвета золота и меди, Волос, как бы венчавших вас.* Щипачев. *Не мог я сразу не приметить...* **2.** *кого, что чем.* Возлагать на кого-л. ве-

нец или венок в знак почетной награды, присвоения высокого звания. *Венчать чемпиона лавровым венком.* **3.** *перен., что.* Находиться наверху чего-л., заканчивать собою что-л. *Вершину [дворца] венчал великолепно набранный колоссальный карниз.* Гоголь. Рим. **4.** *перен., что.* Успешно завершать что-л. *Конец венчает дело.* **5.** *кого с кем.* Совершать церковный обряд бракосочетания. — *Я не пойду за него. Без моего согласия не станут венчать.* Чернышевский. Что делать? ◊ **Венчать на царство** *кого* — совершать обряд возведения на престол, возлагая венец (корону), короновать.

С и н. (*к 1, 2 и 3 знач.*): увенчивать (книжн.).

**Венча́ние**, -я, *ср.* (*ко 2 и 5 знач.*). *Совершить обряд венчания.*
**ВЕПРЬ**, -я, *м.* Дикая свинья, кабан. *Сергей постоял около стола, разглядывая безделушки. На черном пьедестале черный бронзовый конь взвился над опрокинутым вепрем.* Серафимович. Город в степи.
**ВЕ́РА**, -ы, *ж.* **1.** Твердая убежденность, уверенность в ком-, чем-л. *Вера в победу. Вера в человека.* □ *Замечалась [в Катерине Ивановне] теперь лишь одна смелая, благородная энергия и какая-то ясная, могучая вера в себя.* Достоевский. Братья Карамазовы. **2.** То же, что вероисповедание. *Православная вера.* □ *И вот.. пришел молодой ученый, преданный враждебному стану царя и своей ортодоксальной вере.* Задорнов. Гонконг. ◊ **Верой и правдой (служить)** *(разг.)* — честно, преданно. — *Я ли.. не усердствовал!.. Служил верой и правдой.* И. Гончаров. Обыкновенная история. **Принять на веру** — полностью поверить, не требуя доказательств.

С и н. (*к 1 знач.*): убежде́ние. С и н. (*ко 2 знач.*): рели́гия, ве́рование (книжн.), испове́дание (книжн.).

**ВЕРА́НДА**, -ы, *ж.* [Англ. veranda]. Крытый балкон вокруг дома или вдоль одной из стен. *Крылатые остекленные веранды [дома отдыха], красные дорожки внутри, яркая лакированная мебель — вся эта обстановка.. располагала по вечерам к развлечениям.* В. Кожевников. Март — апрель.

С и н.: терра́са.

**Вера́ндовый**, -ая, -ое и **вера́ндный**, -ая, -ое.
**ВЕРБА́ЛЬНЫЙ**, -ая, -ое. [Восх. к лат. verbalis]. *Книжн.* Словесный, устный. ◊ **Вербальная нота** *(спец.)* — дипломатическая нота без подписи, приравниваемая к устному заявлению.
**ВЕРБОВА́ТЬ**, -бу́ю, -бу́ешь; вербу́ющий, вербова́вший; вербу́емый, вербо́ванный; -ан, -а, -о; вербу́я; *несов.* [Восх. к нем. werben]. **1.** *кого.* Набирать на работу, привлекать в какую-л. организацию. *Вербовать комсомольцев на стройку.* □ *Один из них рассказал о вербовщиках, снующих в лагерях день и ночь, вербующих людей во все части света.* Проскурин. Горькие травы. **2.** *что.* Создавать из добровольцев (первонач. войско). *Вербовать спасательные группы в районе землетрясения.*

**Вербо́вка**, -и, *ж.*
**ВЕРДИ́КТ**, -а, *м.* [Восх. к лат. vere dictum — верно сказанное]. *Спец.* Решение, вынесенное в судебном

процессе присяжными заседателями. *Обвинительный, оправдательный вердикт.* □ —*Тюменев и Елизавета Николаевна стоят у подъезда, они едут в суд: поедем и ты с нами: сегодня присяжные выносят вердикт.* Писемский. Мещане.

**ВЕРИ́ГИ**, -и́г, *мн.* (*ед.* **вери́га**, -и, *ж.*). **1.** Железные цепи, которые носили на теле религиозные фанатики с целью самоистязания. *Знаком народу Фомушка: Вериги двухпудовые По телу опоясаны, Зимой и летом бос.* Н. Некрасов. Кому на Руси жить хорошо. **2.** *перен.* Духовные оковы, нравственное притеснение. *Страна героев и богов Расторгла рабские вериги.* Пушкин. Восстань, о Греция, восстань...

**ВЕРИ́ТЕЛЬНЫЙ**, -ая, -ое. ◊ **Верительная грамота** — правительственный документ, удостоверяющий назначение кого-л. дипломатическим представителем в каком-л. государстве.

**ВЕ́РМАХТ**, -а, *м.* [Нем. Wehrmacht от Wehr — оружие и Macht — сила]. Название вооруженных сил фашистской Германии в 1935—1945 гг. *Планы вермахта. Солдаты вермахта. Разгром фашистского вермахта.*

**ВЕРНИСА́Ж**, -а, *м.* [Франц. vernissage — букв. покрытие лаком]. Торжественное открытие художественной выставки (название происходит от обычая покрывать картины лаком перед открытием выставки). *Присутствовать на вернисаже.*

**ВЕРНОПО́ДДАННЫЙ**, -ого, *м. Устар.* Тот, кто соблюдает верность монарху. *Верноподданные государя.*

**Верноподданический**, -ая, -ое. *Верноподданические чувства, настроения.*

**ВЕРОИСПОВЕ́ДАНИЕ** [не *вероисповеда́ние*], -я, *ср. Книжн.* Религиозное учение со свойственной ему обрядностью. *Православное, католическое, мусульманское вероисповедание.* □ *Я старался узнать от язида правду о их вероисповедании. На мои вопросы отвечал он.., что они веруют в единого бога.* Пушкин. Путешествие в Арзрум.

С и н.: ве́ра, рели́гия, испове́дание (*книжн.*), ве́рование (*книжн.*).

**ВЕРОЛО́МНЫЙ**, -ая, -ое; -мен, -мна, -о. Нарушающий клятву, обязательства, действующий путем обмана. *Вероломное нападение врага. Вероломный поступок. Вероломная политика.*

С и н.: преда́тельский, изме́ннический, кова́рный.

**Вероло́мно**, *нареч.* **Вероло́мство**, -а, *ср.*

**ВЕРОТЕРПИ́МОСТЬ**, -и, *ж.* Терпимость к чужой религии, признание ее права на свободное исповедание.

**ВЕРСИФИКА́ЦИЯ**, -и, *ж.* [Лат. versificatio]. **1.** *Устар.* Стихосложение. *Если не Пушкин установил нашу версификацию, то он упрочил преобладание в ней тех или других размеров.* Чернышевский. Сочинения Пушкина. **2.** *Книжн.* Писание бессодержательных или бездарных стихов. *Как же все-таки отличить поэзию от подделки, от версификации?* Асеев. Что же такое поэзия?

**ВЕ́РСИЯ**, -и, *ж.* [Восх. к ср.-лат. versio — букв. поворот].

Одно из нескольких отличных друг от друга объяснений или толкований какого-л. факта, события. *Научная версия. Версия судебного следствия.* □ [*Глаголев:*] *Есть старая версия, что у России нет будущего для развития электрификации по ее природным ресурсам.* Погодин. Кремлевские куранты.

**ВЕРСТА́**, -ы́, вёрсты, вёрст, *ж.* **1.** Русская мера длины, равная 1,06 км, применявшаяся до введения метрической системы. *Базаров вставал очень рано и отправлялся версты за две, за три, не гулять.., а собирать травы, насекомых.* Тургенев. Отцы и дети. **2.** *Устар.* Выкрашенный черно-белыми полосами дорожный столб, отмечающий эту меру. *Навстречу мне Только версты полосаты Попадаются одне.* Пушкин. Зимняя дорога. ◊ **Коломенская верста** или **с коломенскую версту** *кто* (*разг. шутл.*) — об очень высоком человеке. *Ему уже пятнадцатый год пошел. Вытянулся с коломенскую версту.* А. Н. Толстой. Петр I.

**Верстово́й**, -а́я, -о́е.

**ВЕРТЕ́Л**, -а, верте́ла, -о́в, *м.* Металлический прут для жарения мяса над огнем. *Он поджарил тонкие ломтики мяса, насадив их на стержень антенны, как на вертел.* В. Кожевников. Март — апрель.

**Ве́ртельный**, -ая, -ое.

**ВЕРТЕ́П**, -а, *м. Устар.* **1.** Пещера. **2.** Убежище преступников, развратников и т. п. — *А я все об том думаю, как они [Аннинька и Любинька] себя соблюдут в вертепе-то этом?.. Ведь это такое дело, что тут только раз оступишь — потом уже чести-то девичьей не воротишь!* Салтыков-Щедрин. Господа Головлевы. **3.** В старину: большой двухъярусный ящик с куклами, служивший для представления пьес религиозного и светского содержания; передвижной кукольный театр. *В торжественные дни и праздники семинаристы и бурсаки отправлялись по домам с вертепами.* Гоголь. Вий.

С и н. (ко 2 знач.): прито́н.

**Верте́пный**, -ая, -ое.

**ВЕРТОГРА́Д**, -а, *м. Устар. книжн.* Сад. *Посмотри в свой вертоград: В нем нарцисс уж распустился; Зелен кедр; вокруг обвился Ранний цепкий виноград.* А. Майков. Вертоград.

**ВЕРФЬ**, -и, *ж.* [Голл. werf]. Предприятие для постройки и ремонта судов. *Корабельная верфь.* □ *На верфи шла работа день и ночь. Заканчивали отделку сорокапушечного корабля «Крепость».* А. Н. Толстой. Петр I.

**ВЕРШИ́ТЬ**, -шу́, -ши́шь; верша́щий, верши́вший; вершённый; -шён, -шена́, -о́; верша́; *несов.* *Высок.* **1.** *что* или *чем.* Управлять, распоряжаться. *Вершить судьбами людей.* **2.** *что.* Совершать, выполнять. *Остапу, казалось, был на роду написан битвенный путь и трудное знанье вершить ратные дела.* Гоголь. Тарас Бульба.

С и н. (ко 2 знач.): сверша́ть (*высок.*).

**ВЕРШО́К**, -шка́, *м.* **1.** Русская мера длины, равная 4,4 см, применявшаяся до введения метрической системы. — *Сейчас девушка придет: будем кофты кроить,— сказала она.— Тут на столе разложим полотно и «унесемся» с ней* в расчеты аршин и вершков. И. Гончаров. Обрыв. **2.** *перен.* Об очень маленькой, незначительной величине. *С вершок ростом.* ◊ **На вершок от гибели** — близко к тому, чтобы погибнуть. *Яков Иванович был на вершок от гибели и с какой-то кроткой, геройской грустью, самоотверженно ждал страшного удара,— удар прошел мимо головы его.* Герцен. Кто виноват?

**Вершко́вый**, -ая, -ое.

**ВЕС**, -а (-у), *м.* **1.** Тяжесть какого-л. тела, определяемая взвешиванием. **2.** *перен.* Влияние, значение кого-л. в обществе. *Это невольное украшение [очки] придавало мне в его глазах столько веса и значения, что в первые дни знакомства он не мог обращаться ко мне иначе, как на «вы» и тоном, полным почтения.* М. Горький. Емельян Пиляй. ◊ **На вес золота (ценить)** *кого, что*— очень дорого. *[Валентина] ценила своего старшего диспетчера на вес золота.* Николаева. Жатва.
С и н. (ко 2 знач.): авторите́т, прести́ж.

**Весово́й**, -а́я, -о́е (к 1 знач.).

**ВЕ́СКИЙ**, -ая, -ое; ве́сок, веска́ и ве́ска, -о. **1.** Имеющий большой вес при небольшом объеме, количестве. *Тяжелая, очень веская листва [эвкалипта] испаряет громадное количество влаги.* Паустовский. Колхида. **2.** Значительный, убедительный. *Веское возражение. Веские аргументы.* □ *Его рука, протянутая вперед и немного поднятая вверх, ладонь, которая как бы взвешивала каждое слово, отсеивая фразы противников, заменяя их вескими положениями, доказательствами права и долга рабочего класса идти своим путем..— все это было необыкновенно и говорилось им, Лениным, как-то не от себя, а действительно по воле истории.* М. Горький. В. И. Ленин.
С и н. (к 1 знач.): тяжёлый, уве́систый (*разг.*).
С и н. (ко 2 знач.): доказа́тельный, весо́мый.

**Ве́ско**, *нареч.* (ко 2 знач.). **Ве́скость**, -и, *ж.*

**ВЕСО́МЫЙ**, -ая, -ое; -о́м, -а, -о. **1.** Обладающий весом. *Самгин.. смотрел во тьму, и она казалась материальной, весомой.* М. Горький. Жизнь Клима Самгина. **2.** *перен.* Ощутимый, значимый, убедительный. *Весомый довод. Весомый вклад в развитие науки.*
С и н. (ко 2 знач.): ве́ский.

**Весо́мо**, *нареч.* (ко 2 знач.). *Мой стих трудом громаду лет прорвет и явится весомо, грубо, зримо.* Маяковский. Во весь голос. **Весо́мость**, -и, *ж.*

**ВЕСТА́ЛКА**, -и, *ж.* [Восх. к лат. Vestalis.] У древних римлян: жрица Весты, богини домашнего очага, давшая обет безбрачия. *Она обвела взглядом.. камин с бронзовыми миниатюрными фигурками нагих женщин, сказала: — И даже остались древние весталки, покровительницы домашнего очага. Помните, Никитин? Я их запомнила по школе, когда изучали историю Рима.* Бондарев. Берег.

**ВЕ́СТЕРН** [тэ], -а, *м.* [От англ. west — запад]. Приключенческий ковбойский кинофильм, обычно на материале жизни первых переселенцев американского Запада. *Новый вестерн на экранах города.*

**ВЕСТИБЮ́ЛЬ**, -я, *м.* [Восх. к лат. vestibulum]. Просторное помещение при парадном входе в здание (преимущ. общественное). *Войдя через двойные застекленные двери в просторный и светлый вестибюль, он первым делом обратил внимание на пол, выложенный фигурными каменными плитками трех цветов.* Седых. Отчий край.

**Вестибю́льный**, -ая, -ое.

**ВЕСТОВО́Й**, -а́я, -о́е. **1.** *Устар.* Служащий для оповещения, подачи сигналов. *Вестовое судно. Вестовые огни.* □ *Громко ударила вестовая пушка, и весь лагерь пришел в движение.* Шишков. Емельян Пугачев. **2.** в знач. сущ. **вестово́й**, -о́го, *м.* Рядовой солдат, назначенный для выполнения служебных поручений офицеров. *Отправить вестового с донесением.* □ *Нарушилась связь между наступающими колоннами,— вестовые напрасно метались в снежных вихрях, разыскивая генералов и короля.* А. Н. Толстой. Петр I.

**ВЕТЕРА́Н**, -а, *м.* [Восх. к лат. veteranus — старый, опытный; ветеран]. **1.** *Высок.* Старый, опытный воин, участник многих боев. *Ветеран Великой Отечественной войны.* □ *[Федор] разыгрывал чуть ли не старого ветерана, закоптелого в пороховом дыму.* Фурманов. Чапаев. **2.** *чего.* Старый, заслуженный работник, деятель в какой-л. области. *Ветеран труда, науки. Дом ветеранов сцены.* □ *Будет оказана всех нужная помощь старейшему часовщику и ветерану завода, который положительно влиял на молодое поколение.* Прилежаева. Пушкинский вальс.

**Ветера́нский**, -ая, -ое.

**ВЕ́ТО**, *нескл., ср.* [Лат. veto — запрещаю]. *Книжн.* Запрещение (в государственном праве — запрет, налагаемый одним государственным органом на решение другого органа; в международном праве — заявление о несогласии одного из членов, препятствующее принятию решения большинства в международных коллегиальных органах, где вопросы решаются лишь единогласно). *Воспользоваться правом вето. Наложить вето.*

**ВЕ́ТРЕНЫЙ**, -ая, -ое; -ен, -а, -о. **1.** С ветром, сопровождаемый ветром. *Ветреная погода.* **2.** *перен.* Легкомысленный, непостоянный. *Ветреный человек. Ветреное поведение.* □ *Кокетка, ветреный ребенок! Уж хитрость ведает она, Уж изменять научена.* Пушкин. Евгений Онегин.
С и н. (ко 2 знач.): несерьёзный, пусто́й, неоснова́тельный (*разг.*), шалопу́тный (*прост.*).
А н т. (к 1 знач.): безве́тренный. А н т. (ко 2 знач.): степе́нный.

**Ве́трено**, *нареч.* **Ве́треность**, -и, *ж.* (ко 2 знач.).

**ВЕТРИ́ЛО**, -а, *ср.* *Трад.-поэт.* Парус. *Шуми, шуми, послушное ветрило, Волнуйся подо мной, угрюмый океан.* Пушкин. Погасло дневное светило. ◊ **Без руля и без ветрил** (*книжн.*) — без ясного направления и определенной цели в жизни.

**ВЕ́ХА**, -и, *ж.* **1.** Шест, служащий для указания пути, границ земельных участков, планировки чего-л. на местности. *[Городничий:] Да разметать наскоро старый забор, что возле сапожника, и поставить соломенную веху, чтоб было похоже на планировку.* Гоголь. Ревизор. **2.**

*перен.* Наиболее важный момент, этап в развитии чего-л. *Новая веха в развитии русской литературы.* ☐ *[Петя] умело и привычно развертывает перед ними общественную структуру, намечает пути и вехи освобождения трудящейся массы.* Серафимович. Город в степи.

**Вёшка**, -и, *ж.* (к 1 знач.) (*уменьш.*).

**ВЕ́ЧЕ**, -а, *ср.* Народное собрание, являющееся высшим органом власти в некоторых городах древней и средневековой Руси, а также место такого собрания. *Новгородское вече.* ☐ *Оба вечевых колокола — и на Софийской и на торговой стороне — с утра яростно вызванивали, созывая народ на большое вече.* Ян. Юность полководца.

**Вечево́й**, -а́я, -о́е. *Вечевая площадь. Вечевой колокол.*

**ВЕЧЕ́РНЯ**, -и, *ж.* Церковная служба у православных христиан, совершаемая после полудня. *Находили сумерки, и по всей Москве на звонницах и колокольнях начали звонить к вечерне.* А. Н. Толстой. Петр I.

**ВЕ́ШНИЙ**, -яя, -ее. *Трад.-поэт.* Весенний (о явлениях природы). *Вешнее половодье. Вешняя гроза.* ☐ *Гонимы вешними лучами, С окрестных гор уже снега Сбежали мутными ручьями На потопленные луга.* Пушкин. Евгений Онегин.

**ВЕЩА́ТЬ**, -а́ю, -а́ешь; веща́ющий, веща́вший; веща́; *несов.*, обычно *что* или *без доп.* **1.** *Устар.* Говорить о чем-л. значительном, важном. *[Царь:] Будь молчалив; не должен царский голос На воздухе теряться по-пустому; Как звон святой, он должен лишь вещать Велику скорбь или великий праздник.* Пушкин. Борис Годунов. **2.** *Ирон.* Непререкаемым тоном утверждать что-л., обычно без достаточных на то оснований. *Но он историями сыпал И был уж слишком пьян и лих, И слишком звучно, слишком сыто Вещал о подвигах своих.* Евтушенко. Фронтовик. **3.** *Книжн.* Предсказывать, пророчить. *Ах, ужасный, грозный сон! Не добро вещает он — Горькую судьбину.* Жуковский. Светлана. **4.** О радио, телевидении: передавать.

С и н. (*к 1 знач.*): сообща́ть, провозглаша́ть, возвеща́ть (*высок.*), гласи́ть (*трад.-поэт.*). С и н. (*к 3 знач.*): предвеща́ть, предрека́ть (*устар.*).

**Веща́ние**, -я, *ср.* (*к 4 знач.*).

**ВЕЩЕ́СТВЕННЫЙ**, -ая, -ое; -ен *и* -енен, -енна, -о. **1.** Материальный, телесный, физический. *Вещественный мир.* ☐ *— Недаром говорят, что медицинские занятия прививают человеку какой-то сухой материальный взгляд на жизнь; вы так коротко знакомитесь с вещественной стороной человека, что из-за нее забыли другую сторону, ускользающую от скальпеля и которая одна и дает смысл грубой материи.* Герцен. Кто виноват? **2.** *полн. ф.* Относящийся к вещам, состоящий из вещей как отдельных предметов. *Вещественные памятники культуры. Нанести вещественный урон.* ◇ **Вещественные доказательства** — предметы, связанные с преступлением, дающие возможность его раскрыть. *После допроса поодиночке свидетелей и эксперта.. председатель предложил осмотреть вещественные доказательства, состоя-* щие *из кольца огромных размеров, с розеткой из брильянтов.. и фильтра, в котором был исследован яд.* Л. Толстой. Воскресение.

**Веще́ственность**, -и, *ж.* (к 1 знач.).

**ВЕЩИ́ЗМ**, -а, *м. Неодобр.* Повышенный интерес к вещам, к обладанию ими в ущерб духовным интересам. *Вот тут-то и возникает проблема «вещизма». Человек начинает гоняться за вещами, копит, приобретает и тут же снова копит и приобретает.. Из мира людей человек постепенно уходит в мир вещей, утрачивая самое ценное, что есть в людях, — человечность.* Ж. Орлова. Перевертыши.

**ВЕ́ЩИЙ**, -ая, -ее. *Высок.* **1.** Пророческий, предвидящий будущее. *Вещее сердце. Вещие слова.* ☐ *И снится вещий сон герою: Он видит, будто бы княжна Над страшной бездны глубиною Стоит недвижна и бледна.* Пушкин. Руслан и Людмила. **2.** Мудрый, проницательный. *Но слишком рано твой ударил час, И вещее перо из рук упало. Какой светильник разума угас!* Н. Некрасов. Памяти Добролюбова.

**ВЕ́ЯНИЕ**, -я, *ср.* **1.** *ед.* Действие по глаголу веять. *Веяние ветерка. Веяние зерна.* **2.** *перен. Книжн.* Признак наступления чего-то нового в общественных настроениях, вкусах и т. п. *Новые веяния в искусстве.* ☐ *После десятилетки идут в штукатуры, никто не удивляется: веяние времени.* Прилежаева. Пушкинский вальс.

**ВЕ́ЯТЬ**, ве́ю, ве́ешь; ве́ющий, ве́явший; ве́емый, ве́янный; ве́ян, -а, -о; ве́я; *несов.* **1.** Дуть (о легком ветре), а также разноситься, распространяться в воздухе. *Свежесть утра веяла над пробудившимися сорочинцами.* Гоголь. Сорочинская ярмарка. **2.** *перен., безл., чем.* Распространяться, передаваться. *Какою-то ласковой и мягкой силой веяло от ее лица.* Тургенев. Отцы и дети. **3.** *что.* Очищать зерно от мякины и сора на ветру или при помощи веялки. *Я молотил и веял жито, За стол садился не спеша, Я знал, в ржаной коврige скрыта Всей доброты земной душа.* Рыленков. Кому какой дается жребий...

С и н. (*к 1 знач.*): тяну́ть, обдава́ть.

**ВЗВОД**, -а, *м.* Воинское подразделение, входящее в состав роты, эскадрона или батареи. *Стрелковый взвод. Командир взвода.* ☐ *Старший лейтенант Гранатуров отдал приказ занять огневые по юго-западной окраине, и Никитин разместил свой взвод в совершенно пустом доме.* Бондарев. Берег.

**Взво́дный**, -ая, -ое. *Приказ взводного* (*в знач. сущ.*).

**ВЗГЛЯД**, -а, *м.* **1.** Направленность зрения на кого-, что-л. *Кинуть взгляд. Прятать взгляд. Проводить взглядом. Обменяться взглядами.* **2.** Выражение глаз. *Ласковый, печальный взгляд. Пристальный взгляд.* **3.** Мнение, суждение по какому-л. поводу, а также (*мн.*) образ мыслей, убеждения, воззрения. *Правильный взгляд на вещи.* ☐ *Николай Иваныч, который когда-то в казенной палате боялся даже для себя лично иметь собственные взгляды, теперь говорил одни только истины, и таким тоном, точно министр.* Чехов. Крыжовник. ◇ **На взгляд** *чей* — по мнению кого-л. *Осенью*

*18-го года я спросил сормовского рабочего Дмитрия Павлова, какова, на его взгляд, самая резкая черта Ленина?— Простота. Прост, как правда.* М. Горький. В. И. Ленин. **На пе́рвый взгляд** — по первому впечатлению. *Оши́бка, на первый взгляд, как будто трудно уловимая, выросла через полгода в грозную опасность.* А. Н. Толстой. Хождение по мукам.

С и н. (к 1 и 2 знач.): взор. С и н. (к 3 знач.): мировоззре́ние, миросозерца́ние (книжн.), миропонима́ние (книжн.), кре́до (книжн.).

**ВЗДО́РНЫЙ**, -ая, -ое; -рен, -рна, -о. **1.** Бессмысленный, нелепый. *Вздорный слух. Вздорные претензии.* □ *Как мог он так легко поверить вздорной болтовне фельетона?* Тургенев. Дворянское гнездо. **2.** *Разг.* Склонный к ссорам из-за пустяков. *Вздорная старуха.* □ *Каторжные смеялись над ним, но некоторые даже боялись с ним связываться за придирчивый, взыскательный и вздорный его характер.* Достоевский. Записки из Мертвого дома.

С и н. (к 1 знач.): пусто́й. С и н. (ко 2 знач.): сварли́вый, бранчли́вый (прост.).

Вздо́рно, нареч. Вздо́рность, -и, ж.

**ВЗИМА́ТЬ**, -а́ю, -а́ешь; взима́ющий, взима́вший; взима́емый; взима́я; несов., что. Офиц. Собирать, брать (налоги, штрафы и т. п.). *Взимать плату. Взимать пошлины.*

С и н.: взы́скивать (офиц.).

Взима́ние, -я, ср. *Взимание налогов.*

**ВЗИРА́ТЬ**, -а́ю, -а́ешь; взира́ющий, взира́вший; взира́я; несов. *Устар.* Смотреть, глядеть. *Взирать свысока.* □ *Долго сидел он неподвижно на том месте, взирая на тихое течение ручья.* Пушкин. Дубровский.

**ВЗЫСКА́НИЕ**, -я, ср. **1.** Получение платы, долга принудительным путем. *Взыскание податей.* □ *Кредиторы, так долго молчавшие,.. вдруг все подали по взысканию.* Л. Толстой. Война и мир. **2.** *Офиц.* Наказание, выговор за нарушение, невыполнение чего-л. *Административное взыскание. Наложить взыскание.* □ *В отношении дисциплины армии, беспрестанно выдавались приказы о строгих взысканиях за невыполнение долга службы и прекращении грабежа.* Л. Толстой. Война и мир.

**ВЗЫСКА́ТЕЛЬНЫЙ**, -ая, -ое; -лен, -льна, -о. Предъявляющий строгие требования. *Взыскательный художник. Взыскательный вкус.* □ *На суд взыскательному свету Представить ясные черты Провинциальной простоты, И запоздалые наряды, И запоздалый склад речей.. О страх! нет, лучше и верней В глуши лесов остаться ей.* Пушкин. Евгений Онегин.

С и н.: тре́бовательный, стро́гий.

А н т.: невзыска́тельный.

Взыска́тельно, нареч. Взыска́тельность, -и, ж.

**ВИАДУ́К**, -а, м. [Франц. viaduc; восх. к лат. via — путь и ducere — вести]. Мост через глубокий овраг, ущелье или через дорогу, железнодорожные пути. *Через большой дощатый виадук бодро пошел Павлик.. Внизу бился под парами паровоз.* Горбатов. Мое поколение.

Виаду́чный, -ая, -ое.

**ВИБРИ́РОВАТЬ**, -рует; вибри́рующий, вибри́ровавший; вибри́руя; несов. [Восх. к лат. vibrare — дрожать, колебаться]. **1.** *Книжн.* Находиться в колебательном состоянии, дрожать. *От ударов ковочных молотов сотрясается пол, вибрирует каждая балка, стоит беспрестанный гул и грохот.* Колесников. Изотопы для Алтунина. **2.** Дрожать, переливаться (о голосе, звуках). *Вибрирующие звуки моторов то сливались в одно нависающее грозное гудение, то распадались на отдельные, пронзительные или низкие, рокочущие звуки.* Фадеев. Молодая гвардия.

С и н. (к 1 знач.): трясти́сь, содрога́ться, сотряса́ться, трепета́ть. С и н. (ко 2 знач.): трепета́ть, вздра́гивать.

Вибра́ция, -и, ж.

**ВИВА́РИЙ**, -я, м. [Лат. vivarium от vivus — живой]. *Спец.* Помещение, специально приспособленное для содержания различных животных с целью изучения и проведения опытов.

**ВИГО́НЬ**, -и, ж. [Восх. к исп. vicuña]. **1.** Южноамериканское животное из рода лам, с тонкой и мягкой шерстью. **2.** *ед.* Шерсть этого животного, а также ткань из нее. *Носки из вигони.* **3.** *ед.* Род пряжи из смеси хлопка и грубой шерсти, а также ткань из нее. *Шарф из вигони.*

Виго́невый, -ая, -ое (ко 2 и 3 знач.)

**ВИД¹**, -а, м. **1.** *ед.* Внешний облик, состояние кого-, чего-л. *Вид комнаты. Сдать работу в исправленном виде. С видом знатока.* □ *Преждевременно поседевшие усы не соответствовали его твердой походке и бодрому виду.* Лермонтов. Герой нашего времени. **2.** Местность, открывающаяся взгляду, а также изображение ее на картине, фотографии и т. п. *Вид из окна. Любоваться видом моря. Альбом с видами Байкала.* □ *С батареи открывался вид почти всего расположения русских войск и большей части неприятеля.* Л. Толстой. Война и мир. **3.** *ед.* (употр. в сочетании с предлогами «в», «из», «на», «при»). Нахождение в поле зрения, возможность быть видимым. *Быть на виду у всех. Расположиться в виду неприятеля. Испугаться при виде зверя. Потерять из виду. Скрыться из виду (вида).* **4.** *мн. перен.* Предположения, намерения. *Виды на урожай. Виды на будущее.* ◇ **Вид на жи́тельство** — 1) в дореволюционной России — удостоверение личности, выдававшееся в предусмотренных законом случаях вместо паспорта; 2) документ, выдаваемый иностранцам (в дополнение к национальному паспорту) в случае длительного пребывания в данной стране. **Ста́вить на вид** *что кому* (офиц.) — делать предупредительное замечание, выговор. *В конце концов опоздания ему поставили на вид, и он понял, что это начало самого страшного в его жизни — выхода из строя.* Н. Островский. Как закалялась сталь. **Упусти́ть (упуска́ть) из ви́ду** *что* — забыть о чем-л. *Мы все почему-то вспомнили, что наш Беликов не женат, и нам теперь казалось странным, что мы до сих пор как-то не замечали, совершенно упускали из виду такую важную подробность в его жизни.* Чехов. Человек в футляре. **Име́ть ви́ды** *на кого, что* — рассчитывать использовать в своих интересах. **Ни под каким видом** — ни за что, ни при каких условиях.

Син. (к *1 знач.*): вне́шность, нару́жность, обли́чье. Син. (ко *2 знач.*): пейза́ж, панора́ма, ландша́фт.

**Видово́й**, -а́я, -о́е (ко *2 знач.*). *Видовые открытки.*

**ВИД²**, -а, *м.* **1.** Подразделение в классификации, входящее в состав высшего раздела — рода. *Виды животных.* **2.** Разновидность, тип. *Виды спорта. Виды искусства.*

**Видово́й**, -а́я, -о́е. *Видовые признаки.*

**ВИ́ДЕНИЕ**, -я, *ср. Книжн.* Индивидуальное восприятие окружающего. *Детское видение мира. Художественное видение поэта.*

**ВИДЕ́НИЕ**, -я, *ср.* Что-л. возникшее в воображении; призрак. *Видения прошлого.* □ *Пташка понял, что это не видение, а живая женщина.* Фадеев. Последний из удэге.

Син.: привиде́ние, фанто́м (*книжн.*), тень (*книжн.*).

**ВИ́ДЕО...** [От лат. video — вижу]. Первая составная часть сложных слов, обозначающая: 1) относящийся к электрическим сигналам, вызывающим изображение, напр.: *видеоза́пись, видеотелефо́н, видеомагнитофо́н, видеотермина́л;* 2) относящийся к видеозаписи, напр.: *видеофи́льм, видеокассе́та.*

**ВИДЕОЗА́ПИСЬ**, -и, *ж. Спец.* Запись на магнитную ленту или кинопленку видимой информации с целью ее сохранения и последующего воспроизведения. *Магнитная видеозапись. Смотреть матч в видеозаписи.*

**ВИДЕОКЛИ́П**, -а, *м.* [Англ. video clip]. Новый музыкальный жанр, представляющий собой видеофильм на несколько минут, иллюстрирующий содержание исполняемой песни. *Популярные видеоклипы.*

**ВИ́ЗА**, -ы, *ж.* [Восх. к лат. visa (*мн.*) — просмотренное]. **1.** Обозначаемое на паспорте правительственное разрешение на въезд в данное государство, проезд через него или выезд. *Въездная виза. Получить визу.* □ *Между Террачино и Неаполем неаполитанский карабинер четыре раза подходил к дилижансу, всякий раз требуя наши визы. Я показал ему неаполитанскую визу.* Герцен. Былое и думы. **2.** Пометка должностного лица на каком-л. документе, означающая согласие этого лица с содержанием документа. *Поставить свою визу.*

**Ви́зовый**, -ая, -ое.

**ВИЗАВИ́** [Франц. vis-à-vis — лицом к лицу]. *Книжн.* **1.** *нареч.* Напротив, друг против друга. *Сидеть визави.* □ — *Вдруг, смотрю, девочка лет тринадцати, премило одетая, танцует с одним виртуозом, другой пред ней визави.* Достоевский. Преступление и наказание. **2.** *нескл., м. и ж.* Тот, кто находится напротив. *Обратиться к своему визави.* □ *Усевшись напротив Татьяны Ивановны, он стал точно сам не свой.. Наконец, Татьяна Ивановна, заметив необыкновенное состояние души своего визави, стала пристально в него всматриваться.* Достоевский. Село Степанчиково и его обитатели.

**ВИЗИ́ГА**, -и, *ж.* Спинная струна (хорда) осетровых рыб, употребляемая в пищу. *Пелагея принесла баснословной величины пирог с визигой.* Герцен. Кто виноват?

**ВИЗИ́РОВАТЬ**, -рую, -руешь; визи́рующий, визи́ровавший; визи́руемый, визи́рованный; -ан, -а, -о; визи́руя, визи́ровав; *сов. и несов., что.* [Нем. visieren]. Поставить (ставить) визу на документе. *Визировать паспорт.*

**Визи́рование**, -я, *ср.*

**ВИЗИ́РЬ**, -я, *м.* [Восх. к араб. wasir]. Титул министров и высших сановников в странах Ближнего и Среднего Востока. ◇ **Великий визирь** — первый министр в султанской Турции. — *Удалось мне повернуть дело, — великий визирь хоть завтра подпишет мир.* А. Н. Толстой. Петр I.

**ВИЗИ́Т**, -а, *м.* [Франц. visite]. Кратковременное посещение кого-л., преимущ. с деловой целью. *Прибыть в страну с официальным визитом. Визит врача.* □ *Приезжий отправился делать визиты всем городским сановникам. Был с почтением у губернатора.. Потом отправился к вице-губернатору, потом был у прокурора, председателя палаты, у полицеймейстера.* Гоголь. Мертвые души.

**Визи́тный**, -ая, -ое. *Визитный костюм.* ◇ **Визитная карточка** — специально отпечатанная карточка с именем, отчеством и фамилией, званием и т. п. сведениями о лице, вручающем или оставляющем ее при посещении, знакомстве и т. п. *Взошел мальчик лет тринадцати, в красной казачьей куртке.. и подал, не говоря ни слова, визитную карточку.* Лермонтов. Княгиня Лиговская.

**Визитёр**, -а, *м.* (тот, кто пришел с визитом).

**ВИЗИ́ТКА**, -и, *ж.* [См. *визит*]. **1.** Однобортный сюртук с закругленными, расходящимися спереди полами. *На нем [князе] какая-то визитка или что-то подобное.., что-то чрезвычайно модное и современное, созданное для утренних визитов.* Достоевский. Дядюшкин сон. **2.** Мужская ручная сумочка.

**ВИЗУА́ЛЬНЫЙ**, -ая, -ое; -лен, -льна, -о. [Лат. visualis — зрительный]. *Спец.* Видимый или производимый простым или вооруженным глазом. *Визуальный сигнал. Визуальное наблюдение искусственного спутника Земли.*

**Визуа́льно**, *нареч.* **Визуа́льность**, -и, *ж.*

**ВИКА́РИЙ**, -я, *м.* [Лат. vicarius — заместитель]. В православной церкви: епископ, являющийся помощником и заместителем архиерея, управляющего епархией; в протестантской церкви: помощник священника. *Обязанности викария.*

**ВИ́КИНГ**, -а, *м.* Древнескандинавский воин, участник морских завоевательных походов. *Лучшими мореходами средневековья, бесспорно, были жители Скандинавии, отважные викинги, или, как их называли на Руси, варяги.* Кондратов. Века и воды.

**ВИКО́НТ**, -а, *м.* [Франц. vicomte]. Дворянский титул в странах Западной Европы, средний между титулами барона и графа, а также лицо, носящее этот титул. — *Вы меня извините, мой милый виконт, — сказал князь Василий францу-*

зу, ласково притягивая его за рукав вниз к стулу, чтобы он не вставал. Л. Толстой. Война и мир.

**Виконте́сса** [тэ], -ы, ж. (жена или дочь виконта).

**ВИКТОРИ́НА**, -ы, ж. Игра в ответы на вопросы, обычно объединенные общей темой. *Литературная, музыкальная викторина. Провести викторину.*

**ВИКТО́РИЯ**, -и, ж. [Лат. victoria (по имени богини победы в римской мифологии)]. *Устар.* Победа.— *Рад, что встретил, спасибо.. Значит, и вас — с викторией: Шлиппенбаха разбили?..* А. Н. Толстой. Петр I.

**ВИ́ЛЛА**, -ы, ж. [Лат. villa]. Богатая загородная дача или дом-особняк, обычно окруженный садом. *Осенью 1930 года пришлось мне прожить несколько дней в гостях у А. М. Горького в Сорренто. Его вилла.. казалась настоящим дворцом среди обширного сада.* Ф. Гладков. Повесть о детстве.

**ВИНЬЕ́ТКА**, -и, ж. [Франц. vignette]. Украшение в виде небольшого рисунка в начале или конце книги, главы, на листке почтовой бумаги и т. п. *[Анита] подала отцу листок почтовой бумаги с виньеткой из незабудок.* Мамин-Сибиряк. Падающие звезды.

**Винье́точный**, -ая, -ое.

**ВИО́ЛА**, -ы, ж. [Итал. viola]. Старинный смычковый музыкальный инструмент в виде большой скрипки.

С и н.: альт.

**ВИОЛОНЧЕ́ЛЬ**, -и, ж. [Итал. violoncello]. Смычковый четырехструнный музыкальный инструмент басово-тенорового диапазона, средний по размерам между скрипкой и контрабасом. *Медлительные звуки виолончели долетели до них из дому.. Кто-то играл с чувством, хотя и неопытною рукой «Ожидание» Шуберта, и медом разливалась по воздуху сладостная мелодия.* Тургенев. Отцы и дети.

**Виолонче́льный**, -ая, -ое. **Виолончели́ст**, -а, м.

**ВИ́РА**, *частица*. [От итал. vira — поворачивай]. Команда при погрузке, разгрузке, подъеме тяжестей, обозначающая: поднимай! вверх!

А н т.: ма́йна.

**ВИРА́Ж**, -а́, м. [Франц. virage]. *Спец.* **1.** Поворот, движение по кривой самолета, автомобиля, велосипеда и т. п. *Плоский вираж. Крутые виражи.* — *Высота тысяча двести метров. Два глубоких виража в одну сторону и два в другую. Четыре переворота через крыло.* Каверин. Два капитана. **2.** Поворот спортивной дорожки с уклоном внутрь. *[Шубников] даже тренировался в езде по треку, думая взять приз на гонках, но слетел с виража, разбив колено.* Федин. Первые радости.

**Вира́жный**, -ая, -ое.

**ВИРТУО́З**, -а, м. [Франц. virtuose; восх. к лат. virtus — добродетель, доблесть]. **1.** Музыкант-исполнитель, в совершенстве владеющий техникой своего искусства. *А ведь ты на фортепианах-то виртуоз, мэтр.* Рубинштейн. Достоевский. Преступление и наказание. **2.** Человек, достигший высокой степени мастерства в каком-л. деле. *Настя воображала себя виртуозом, творила чудеса на конвейере, что-то особенное, к удивлению всего часового завода!* Прилежаева. Пушкинский вальс.

С и н. (ко 2 знач.): мастер, ас, художник, артист (разг.).

**Виртуо́зный**, -ая, -ое; -зен, -зна, -о. *Виртуозная игра. Виртуозная техника.* **Виртуо́зно**, *нареч.* **Виртуо́зность**, -и, ж.

**ВИ́РУС**, -а, м. [Восх. к лат. virus — яд]. **1.** Мельчайшая неклеточная частица, возбудитель инфекционных заболеваний, размножающаяся в живых клетках. *Вирус гриппа. Вирус СПИДа.* **2.** *перен.* Возбудитель какого-л. чувства, интереса, черты; распространитель чего-л. *Вирус равнодушия, стяжательства.* ◇ *Несчастье, как чума, опасно. Таящий вирусы обид, Один заблудший и несчастный Несчастьем сотни заразит.* В. Федоров. Седьмое небо.

**Ви́русный**, -ая, -ое (к 1 знач.). *Вирусное заболевание.*

**ВИ́РШИ**, -ей, *мн.* [Польск. wiersz от лат. versus]. **1.** Силлабические стихи, распространенные в русской литературе в 17 — 18 вв., в украинской — в 16 — 18 вв. **2.** *Ирон.* Стихи вообще (обычно о плохих стихах).— *Володя,— продолжал уже он в веселом расположении,— не пишешь ли ты виршей?.. Пожалуйста, не пиши, любезный друг.. Одни пустые люди пишут вирши.* Герцен. Кто виноват?

**ВИСКО́ЗА**, -ы, ж. [От лат. viscosus — клейкий, липкий]. **1.** Густая вязкая масса, получаемая путем особой обработки целлюлозы и употребляемая для изготовления искусственного волокна, целлофана и т. п. **2.** Искусственный шелк. *Сорочка из вискозы.*

**Виско́зный**, -ая, -ое. *Вискозный шелк. Вискозное полотно.*

**ВИСОКО́СНЫЙ**, -ая, -ое. [Восх. к лат. bissextus]. ◇ **Високосный год** — каждый четвертый год, имеющий в феврале 29, а не 28 дней.

**ВИТА́ТЬ**, -а́ю, -а́ешь; вита́ющий, вита́вший; вита́я; *несов.* **1.** *Высок.* Двигаться, распространяться в вышине. *Лисица улавливала в воздухе настораживающий ее какой-то невнятный высотный звук, витавший над сумеречной степью.* Айтматов. Буранный полустанок. **2.** *перен.* Присутствовать, быть ощутимым (в окружающей среде и т. п.). *В детдоме витало предчувствие каких-то событий, ну просто пахло ими.* Астафьев. Кража. **3.** *Ирон.* Мысленно пребывать где-л., отрываясь от действительности.— *Вас это, конечно, мало заботит.. Вообще непонятно, что вас занимает. Где вы витаете?* Гранин. Иду на грозу. ◇ **Витать в облаках; витать между небом и землей**, — предаваться бесплодным мечтаниям, не замечая окружающего, быть непрактичным.— *Ах, Аким Петрович! Правильно на днях вы говорили: витаем в облаках, а на землю внимания не обращаем.* Панферов. Раздумье.

**ВИТИЕВА́ТЫЙ**, -ая, -ое; -а́т, -а, -о. Замысловатый, вычурный, лишенный простоты. *Витиеватый стиль.* □ *[Комендант] размашисто дописывал лист и под подписью «комендант города Шепетовки хорунжий» с удовольствием поставил витиеватую подпись с замыслова-*

*тым крючком на конце.* Н. Островский. Как закалялась сталь.

С и н.: цвети́стый, кудря́вый, кудрева́тый.

**Витиева́то,** *нареч. Изъясняться витиевато.*

**Витиева́тость,** -и, *ж.*

**ВИТИ́Я,** -и, *м. Трад.-поэт.* Оратор, мастер красноречия. *Древние витии.* □ *Витии Отца моего осыпали хвалой, Бессмертным его называя.* Н. Некрасов. Русские женщины.

С и н.: трибу́н (*высок.*).

**ВИТРА́Ж,** -а́ и -а, витражи́, -е́й, *м.* [Франц. vitrage]. Картина или узор из цветного стекла (в окнах, дверях и т. п.). *Витражи Домского собора в Риге.*

**Витра́жный,** -ая, -ое. *Витражное панно.*

**ВИ́ТЯЗЬ,** -я, *м. Трад.-поэт.* Храбрый воин, богатырь. *При свете трепетном луны Сразились витязи жестоко; Сердца их гневом стеснены, Уж копья брошены далеко, Уже мечи раздроблены.* Пушкин. Руслан и Людмила.

**ВИХРЬ,** -я, *м.* **1.** Стремительное круговое движение ветра, а также крутящиеся столбом частицы пыли, снега и т. п. во время такого ветра. *Снежные вихри.* □ *Внезапный вихрь закрутил и погнал по дороге столбы пыли.* Куприн. Олеся. **2.** *перен.* Стремительное течение, развитие чего-л. *Революционный вихрь. В вихре жизни.* □ *Три года провел [Глеб] в громе гражданской войны. Эти три года горел он в вихре грозных событий.* Ф. Гладков. Цемент.

С и н. (ко 2 знач.): кругово́рт, водоворо́т, коловраще́ние (*устар.*).

**Вихрево́й,** -а́я, -о́е.

**ВИ́ЦЕ-...** [От лат. vice — наподобие, вместо]. Первая составная часть сложных слов, обозначающая заместитель, помощник, напр.: *ви́це-губерна́тор, ви́це-ко́нсул, ви́це-президе́нт.*

**ВИ́ЦЕ-АДМИРА́Л,** -а, *м.* [Голл. vice-admiraal]. Воинское звание в военно-морском флоте, среднее между контр-адмиралом и адмиралом, а также лицо, носящее это звание.

**Ви́це-адмира́льский,** -ая, -ое.

**ВИЦМУНДИ́Р,** -а, *м.* [От *вице...* (см.) и *мундир* (см.)]. В дореволюционной России: форменный фрак чиновников. *[Губернатор] вечно суетился и спешил; с утра надевал тесный вицмундир и чрезвычайно тугой галстук, не доедал и не допивал, все распоряжался.* Тургенев. Отцы и дети.

**Вицмунди́рный,** -ая, -ое.

**ВКРА́ДЧИВЫЙ,** -ая, -ое; -ив, -а, -о. Рассчитанный на то, чтобы притворной любезностью вызвать расположение к себе. *Вкрадчивая речь.* □ *Поступь у него тихая и походка осторожная, вкрадчивая.* Чехов. Палата № 6.

**Вкра́дчиво,** *нареч.* **Вкра́дчивость,** -и, *ж.*

**ВКУ́ПЕ,** *нареч. Устар.* Объединившись с кем-л., вместе. *Дмитрий поехал к полкам и, ободряя их, говорил: — Братие, двинемся вкупе. Вместе победим либо падем вместе!* С. Бородин. Дмитрий Донской.

С и н.: совме́стно, сообща́, ку́пно (*устар.*).

**ВКУС,** -а, *м.* **1.** Ощущение, возникающее в результате раздражения слизистой оболочки языка. *Приятный вкус. Кислый, сладкий, горький, соленый вкус.* **2.** Способность человека по-

нимать и оценивать красивое, изящное. *Эстетический вкус. Хороший, тонкий вкус. Одеваться со вкусом.* □ *[Александр] указал ей Вальтер-Скотта, Купера, несколько французских и английских писателей и писательниц, из русских двух или трех авторов, стараясь при этом, будто нечаянно, обнаружить свой литературный вкус и такт.* И. Гончаров. Обыкновенная история. **3.** Склонность, пристрастие к чему-л. *Как-то невольно и незаметно, сам того не ожидая, я почувствовал вкус к языку и в свободные минуты без всякого понуждения лез в словарик, заглядывал и в дальние в учебнике тексты.* Распутин. Уроки французского. **4.** *Разг.* Художественная манера, стиль. *Здание в восточном вкусе. Танец в испанском вкусе.* □ *Почтенный замок был построен, Как замки строиться должны: Отменно прочен и спокоен, Во вкусе умной старины.* Пушкин. Евгений Онегин. ◇ **Не по вкусу** (прийти́сь, быть) *кому* — не понравиться. *[Дядюшке] пришлась не по вкусу петербургская жизнь, и он поселился в Москве.* Герцен. Кто виноват? **Входить (войти) во вкус** — начинать ощущать удовольствие от чего-л. *Как-то незаметно Кряжич вошел во вкус работы, разгорячился, сердце забилось напористо и упруго, и ему стало физически радостно.* Ф. Гладков. Энергия.

А н т. (ко 2 знач.): безвку́сица и безвку́сие (*устар.*).

**Вкусово́й,** -а́я, -о́е (к 1 и 2 знач.).

**ВКУСИ́ТЬ,** вкушу́, вкуси́шь; вкуси́вший; вкушённый; -шён, -шена́, -о́; вкуси́в; *сов.*, *что или чего*. **1.** *Устар. книжн.* Съесть, выпить. *[Артемий Филиппович:] Ну, вот вы, Аммос Федорович, первый и начните. [Аммос Федорович:] Так лучше ж вы: в вашем заведении высокий посетитель вкусил хлеба.* Гоголь. Ревизор. **2.** *перен. Высок.* Ощутить, испытать что-л. *Вкусить сладость победы.* □ *[Арбенин:] Вы дали мне вкусить почти все муки ада.* Лермонтов. Маскарад.

С и н. (к 1 знач.): поку́шать, отку́шать (*устар.*), отве́дать (*устар.*). С и н. (ко 2 знач.): узна́ть, позна́ть (*книжн.*), изве́дать (*высок.*), повида́ть (*разг.*).

**ВКУША́ТЬ,** -а́ю, -а́ешь; *несов.* ◇ **Вкушать плоды** *чего* — пользоваться результатами чего-л. *Невежда так же в ослепленье Бранит науки и ученье, И все ученые труды, Не чувствуя, что он вкушает их плоды.* И. Крылов. Свинья под дубом. **Вкушать сон** (*устар.*) — спать. *Я вижу терем отдаленный, Где витязь томный, воспаленный Вкушает одинокий сон.* Пушкин. Руслан и Людмила.

**ВЛАДЫ́КА,** -и, *м.* **1.** *Высок.* Властелин, повелитель. *Владыки мира.* □ *Приняв небывалый титул «владыки и потрясателя вселенной», коварный и безжалостный Чингисхан создал самую сильную и самую обширную империю в мире.* Седых. Отчий край. **2.** Почтительное наименование архиерея. *В Успенском соборе.. патриарх Адриан, окутанный дымами ладана, плакал, воздев ладони. Бояре и за ними плотной толщей именитые купцы и лучшие гостиной сотни стояли на коленях. Все плакали, глядя на слезы, текущие по запрокинутому*

*к куполу лицу владыки.* А.Н. Толстой. Петр I. ◇ **Своя рука владыка** (*посл.*) — о возможности поступать по своему усмотрению, желанию.

С и н. (*к 1 знач.*): господи́н, власти́тель (*устар. высок.*).

**Влады́чица**, -ы, *ж.* (*к 1 знач.*).

**ВЛАСТЕЛИ́Н**, -а *и* **ВЛАСТИ́ТЕЛЬ**, -я, *м. Устар. высок.* Тот, кто, обладает неограниченной властью, полный хозяин кого-, чего-л. *Властитель слабый и лукавый, Плешивый щеголь, враг труда, Нечаянно пригретый славой, Над нами царствовал тогда.* Пушкин. Евгений Онегин. *— И я теперь знаю, Соня, что кто крепок и силен умом и духом, тот над ними [людьми] и властелин.* Достоевский. Преступление и наказание. ◇ **Властитель дум** — тот, кто привлекает к себе исключительное внимание, оказывает сильное влияние на общество. *Снова перед ним провирили боевые думы, прославленные подвиги, шумной ватагой взметнулись властители дум его — бесстрашные Кочубей, Михайлов, Кандыбин, Батышев, Наливайко.* Первенцев. Кочубей.

С и н.: господи́н, повели́тель (*высок.*), влады́ка (*высок.*).

**ВЛА́СТНЫЙ**, -ая, -ое; -тен, -тна, -о. **1.** обычно кр. ф. Имеющий власть распоряжаться, управлять. *[Мавра Тарасовна:] Нет уж, миленькая моя, что я захочу, так и будет, — никто, кроме меня, не властен в доме приказывать.* А. Островский. Правда хорошо, а счастье лучше. **2.** Склонный повелевать, а также выражающий власть, повелительный. *Властный характер. Властное выражение лица.* □ *— Товарищи бойцы! — рявкнул Прищепа умеющим командовать голосом, резким и властным.* Седых. Отчий край.

С и н. (*к 1 знач.*): во́льный, свобо́дный. С и н. (*ко 2 знач.*): самовла́стный, властолюби́вый (*книжн.*).

**Вла́стно**, *нареч.* **Вла́стность**, -и, *ж.*

**ВЛАСТЬ**, -и, вла́сти, -е́й, *ж.* **1.** *ед.* Политическое господство, государственное управление и органы его. *Советская власть. Прийти к власти.* **2.** *мн.* Лица, облеченные правительственными и административными полномочиями. *Местные власти.* □ *Препятствие оказалось в независимости домовладельцев от властей города. Без согласия этих домовладельцев на стенах их домов нельзя было ничего вывешивать.* Шагинян. Четыре урока у Ленина. **3.** *ед.* Право и возможность распоряжаться кем-, чем-л., подчинять своей воле. *Родительская власть. Власть директора. Превышение власти.* □ *Он знал, что находился во власти этих людей, что только власть давала им право требовать ответы на вопросы.* Л. Толстой. Война и мир. **4.** *перен., чего.* Господство, сильное влияние. *Власть музыки.* □ *Вся его жизнь переключилась на создание книги... Он забывал обо всем, находясь во власти образов.* Н. Островский. Как закалялась сталь. ◇ **Терять власть над собой** — терять самообладание. *Потеряв над собой власть, Алексей зарыдал.* Ажаев. Далеко от Москвы.

С и н. (*к 3 знач.*): во́ля.

**ВЛАСЯНИ́ЦА**, -ы, *ж. Устар.* Грубая волосяная одежда в виде длинной рубашки, которую носили на голом теле монахи, отшельники в знак смирения. *И в монастырь уединенный Ее родные отвезли И власяницею смиренной Грудь молодую облекли.* Лермонтов. Демон.

**ВЛАЧИ́ТЬ**, -чу́, -чи́шь; влача́щий, влачи́вший; влачи́мый, влачённый; -чён, -чена́, -о́; влача́; *несов., что.* **1.** *Трад.-поэт.* Тащить, тянуть, не отрывая от поверхности чего-л., волочить. *Могила на краю дороги Вдали белеет перед ним. Туда слабеющие ноги Влачит, предчувствием томим.* Пушкин. Цыганы. **2.** *перен.* (употр. с сущ. «жизнь», «существование», «век», «дни»). *Высок.* Вести унылую, безрадостную или полную лишений, горя жизнь. *И так он свой несчастный век Влачил, ни зверь, ни человек, Ни то ни се, ни житель света, Ни призрак мертвый...* Пушкин. Медный всадник.

С и н. (*к 1 знач.*): воло́чь (*прост.*), впечь (*устар.*).

**ВЛИЯ́НИЕ**, -я, *ср.* **1.** Действие, производимое кем-, чем-л. на кого-, что-л. *Благотворное влияние климата. Влияние художественного слова. Находиться под влиянием кого-л.* **2.** Сила авторитета, власти. *Дикий Барин... пользовался огромным влиянием во всей округе; ему повиновались тотчас и с охотой.* Тургенев. Певцы.

С и н. (*к 1 знач.*): возде́йствие. С и н. (*ко 2 знач.*): авторите́т, вес, прести́ж.

**ВЛИЯ́ТЕЛЬНЫЙ**, -ая, -ое; -лен, -льна, -о. Имеющий влияние, пользующийся авторитетом. *Влиятельный человек.* □ *Мысль искать влиятельной поддержки в хлопотах о сыне не оставляла Веру Никандровну никогда.* Федин. Первые радости.

**Влия́тельность**, -и, *ж.*

**ВМЕНИ́ТЬ**, -ню́, -ни́шь; вмени́вший; вменённый; -нён, -нена́, -о́; вмени́в; *сов., что кому во что. Офиц.* Счесть чем-л., признать за что-л. *Вменить в заслугу. Вменить в вину. Вменить в обязанность.* □ *[Генерал] предлагал вменить нам тюремное заключение в наказание.* Герцен. Былое и думы.

**Вменя́ть**, -я́ю, -я́ешь; *несов.*

**ВМЕНЯ́ЕМЫЙ**, -ая, -ое; -ем, -а, -о. *Спец.* Способный по своему психическому состоянию действовать совершенно сознательно и нести ответственность перед законом за свои поступки. *Признать подсудимого вменяемым.*

А н т.: невменя́емый (*спец.*).

**Вменя́емость**, -и, *ж.*

**ВМЕША́ТЕЛЬСТВО**, -а, *ср.* **1.** Деятельное вхождение в чьи-л. дела, отношения. *Я видел, что ей [Наташе] было тяжело и что она была слишком расстроена. Всякое постороннее вмешательство возбуждало в ней только досаду, злобу.* Достоевский. Униженные и оскорбленные. **2.** Самовольные насильственные действия в чужой стране. *Вмешательство во внутренние дела. Вооруженное вмешательство.* **3.** *Спец.* Медицинское воздействие, проникновение во внутренние органы больного. *Хирургическое, оперативное вмешательство.*

А н т. (*к 1 и 2 знач.*): невмеша́тельство.

**ВНАЁМ** *и* **ВНАЙМЫ́**, *нареч.* Во временное пользование за определенную плату. *Заперев лавку, прибил он объявление о том, что дом продается и отдается внаймы.* Пушкин. Гробовщик.

**ВНЕДРИ́ТЬ**, -рю́, -ри́шь; внедри́вший; внедрённый; -рён, -рена́, -о́; внедри́в; *сов., что.* Заставить утвердиться в чем-л., заставить прочно войти во что-л. *Внедрить достижения науки в производство. Внедрить новые идеи в сознание людей.* □ *Теперь уж не установить, сколько дельных поправок внесли в машину заводские конструкторы и технологи, сколько рацпредложений внедрили заводские монтажники и слесари.* А. Аграновский. Суть дела.

С и н.: укорени́ть.

**Внедря́ть**, -я́ю, -я́ешь; *несов.* **Внедре́ние**, -я, *ср. Внедрение изобретений в промышленность.*

**ВНЕ́ШНИЙ**, -яя, -ее. **1.** Находящийся вне, за пределами чего-л., снаружи. *Внешняя среда. Внешняя стена дома.* **2.** Выражающийся только наружно, не соответствующий внутреннему состоянию. *Внешним образом она никак не выражала своего нерасположения ко мне, но я чувствовал его.* Чехов. Дом с мезонином. **3.** *перен.* Поверхностный, лишенный глубины, внутреннего содержания. *Внешний лоск, эффект.* **4.** Относящийся к сношениям с иностранными государствами. *Внешняя политика. Внешняя торговля.*

С и н. (к 1 и 2 знач.): нару́жный. С и н. (к 3 знач.): показно́й.

А н т. (к 1, 2 и 4 знач.): вну́тренний.

**Вне́шне**, *нареч.* (ко 2 и 3 знач.). **Вне́шность**, -и, *ж.* (к 1, 2 и 3 знач.).

**ВНИ́КНУТЬ**, -ну, -нешь; вни́кнувший; вни́кнув; *сов., во что или без доп.* Понять суть чего-л., разобраться в чем-л. *Вникнуть в существо дела.* □ *Ему приходится решать оперативно и однозначно бездну очень важных вопросов.. Во все нужно вникнуть, всему дать оценку, принять решение.* Колесников. Школа министров.

С и н.: вду́маться, войти́.

**Вника́ть**, -а́ю, -а́ешь; *несов.*

**ВНИМА́ТЬ**, -а́ю, -а́ешь и *(трад.-поэт.)* внемлю́ и внемлю, вне́млешь; внима́ющий и *(трад.-поэт.)* вне́млющий, внима́вший; внима́я и внемля́ и вне́мля; *несов., кому, чему.* Высок. **1.** Устар. Слышать. *У люльки дочь поет любовь. Алеко внемлет и бледнеет.* Пушкин. Цыганы. **2.** Слушать, относиться к чему-л. со вниманием. *Внимать чьим-л. мольбам.* □ *Не как девочка болтала Наталья с Рудиным: она жадно внимала его речам, она старалась вникнуть в их значение.* Тургенев. Рудин. **3.** *перен.* Сосредоточивать свое внимание на чем-л. *Весь мир внимает гигантской битве [под Москвой], не прекращающейся уже более ста дней.* А. Н. Толстой. Москве угрожает враг.

**Внять**; *сов. Внять чьей-л. просьбе.*

**ВНУ́ТРЕННИЙ**, -яя, -ее. **1.** Находящийся внутри чего-л. *Внутренняя стенка сосуда. Внутренний дворик.* **2.** Связанный с психической деятельностью человека. *Внутренний мир человека. Внутренняя душевная борьба. Внутренние побуждения.* □ *Я шла домой, занятая* внутренней перестройкой, происходившей в моем сознании. Шагинян. Четыре урока у Ленина. **3.** *перен.* Определяющий главное, сущность чего-л. *Внутренняя связь событий. Внутренние противоречия.* **4.** Относящийся к жизни и деятельности внутри государства, учреждения, организации. *Внутренняя политика. Внутренний заем. Правила внутреннего распорядка.*

С и н. (ко 2 знач.): духо́вный, душе́вный, нра́вственный.

А н т. (к 1, 3 и 4 знач.): вне́шний.

**Вну́тренне**, *нареч.* (ко 2 и 3 знач.). *Внутренне доволен собой.*

**ВНУШЕ́НИЕ**, -я, *ср.* **1.** Воздействие на волю и сознание человека с целью заставить его усвоить какие-л. мысли, убеждения, чувства. *Внушение уважения к старшим.* □ *[Чичиков] швырнул на пол саблю, которая ездила с ним в дороге для внушения надлежащего страха кому следует.* Гоголь. Мертвые души. **2.** Метод лечения, заключающийся в воздействии на психику больного, гипноз. *Лечение внушением.* **3.** Наставление, выговор. *Строгое отцовское внушение.* □ *Когда хозяин пекарни делал ему [пекарю] внушение за испорченный или опоздавший к утру товар, он бесился, ругал хозяина беспощадно.* М. Горький. Коновалов.

С и н. (к 3 знач.): нагоня́й *(разг.)*, пробо́рка *(разг.)*, разно́с *(разг.)*, нахлобу́чка *(разг.)*, головомо́йка *(разг.)*, взбу́чка *(прост.)*.

**ВНЯ́ТНЫЙ**, -ая, -ое; -тен, -тна, -о. **1.** Хорошо слышимый, ясно различаемый. *Внятное произношение.* □ *Полилась английская речь профессора, очень внятная, очень доступная тем членораздельным, легко постижимым английским языком, каким говорят обычно русские, прижившиеся в Англии.* Шагинян. Четыре урока у Ленина. **2.** Вразумительный, понятный. *Внятное объяснение.*

С и н. (к 1 знач.): чёткий, отчётливый, я́сный, я́вственный, членоразде́льный *(разг.)*. С и н. (ко 2 знач.): толко́вый, я́сный, дохо́дчивый, досту́пный.

А н т. (к 1 знач.): невня́тный, глухо́й.

**Вня́тно**, *нареч.* **Вня́тность**, -и, *ж.*

**...ВО́Д**, -а, *м.* Вторая составная часть сложных слов, обозначающих специалистов в какой-л. отрасли народного хозяйства, указанной в первой части слова, напр.: *овощево́д, садово́д, животново́д, оленево́д, пчелово́д, счетово́д.*

**ВОДЕВИ́ЛЬ** [дэ], -я, *м.* [Франц. vaudeville (по названию долины Vau de Vire в Нормандии, где появился в начале 15 в. этот жанр)]. Небольшая шутливая комедия, в которой диалоги чередуются с пением куплетов и танцами. *Одноактный водевиль. Сюжет для водевиля.* □ *— У меня голос есть,.. а у сестры голос послабее — она в водевилях играет.* Салтыков-Щедрин. Господа Головлевы.

**Водеви́льный**, -ая, -ое. *Водевильные куплеты.*

**ВОДОВОРО́Т**, -а, *м.* **1.** Место в реке, море, где течения образуют вращательное движение воды. *Попасть в водоворот. Неистовый водоворот.* **2.** *перен.* Стремительное, увлекающее за собой движение чего-л.; круговорот. *Житей-*

ский водоворот. *Водоворот событий.* ◻ *Партизаны и бывшие семеновцы, их жены и родственники... Все они целых четыре года смертельно враждовали между собой. Любой из них так или иначе был втянут в кровавый водоворот ожесточенной, не знавшей нейтральных, войны.* Седых. Отчий край.

С и н. (к *1 знач.*): воро́нка. С и н. (ко *2 знач.*): вихрь, коловраще́ние (устар.).

**ВОДОРАЗДЕ́Л**, -а, м. **1.** Возвышенность, разделяющая бассейны рек. *Водораздел Оби и Енисея.* **2.** перен. Граница, разделяющая противоположные общественные явления, течения, суждения и т. п. *Что технике русскому человеку позарез нужна и технические школы необходимы,.. с этим были согласны все. Но вот только ли одна голая техника и можно ли ее взять тоже голыми руками, здесь прошел между присутствующими непроходимый водораздел.* Шагинян. Первая Всероссийская.

**Водоразде́льный**, -ая, -ое (к *1 знач.*).

**ВОДРУЗИ́ТЬ**, -ужу́, -узи́шь; водрузи́вший; водружённый; -жён, жена́, -о́; сов., что. Высок. Установить, укрепить где-л. *Свергнем могучей рукою Гнет роковой навсегда И водрузим над землею Красное знамя труда!* Радин. Смело, товарищи, в ногу...

**Водружа́ть**, -а́ю, -а́ешь; несов.

**...ВО́ДСТВО**, -а, ср. Вторая составная часть сложных слов, обозначающих какую-л. отрасль народного хозяйства, связанную с разведением животных и растений, напр.: *животново́дство, кроликово́дство, собаково́дство, пчелово́дство, лесово́дство, садово́дство, цветово́дство.*

**ВОЕВО́ДА**, -ы, м. Начальник войска в Древней Руси, а также управляющий городом или округом (в 16—18 вв.). *Поздно ночью из похода Воротился воевода.* Пушкин. Воевода. *Но тульский воевода с дьячками и подьячими сам попал под розыск.* А. Н. Толстой. Петр I.

**ВОЕНАЧА́ЛЬНИК**, -а, м. Командующий большими войсковыми соединениями, флотом и т. п. *Один за другим поднимались на трибуну военачальники, чьи имена были хорошо известны Звягинцеву, чьи лица он знал по портретам.* Чаковский. Блокада.

С и н.: полково́дец.

**ВОЕНИЗИ́РОВАТЬ**, -рую, -руешь; военизи́рующий, военизи́ровавший; военизи́руемый, военизи́рованный; -ан, -а, -о; военизи́руя, военизи́ровав; сов. и несов., кого, что. **1.** Приспособить (приспосабливать) к военным условиям; перевести (переводить) на обслуживание военных нужд. *Военизировать промышленность.* **2.** Вооружить (вооружать), организовать (организовывать) на военный лад. *Военизированная охрана.*

**Военизация**, -и, ж. *Военизация страны.*

**ВОЕ́ННО-ПОЛЕВО́Й**, -а́я, -о́е. Существующий, действующий в условиях военного времени, боевой обстановки. *Военно-полевой суд. Военно-полевая хирургия.*

**ВОЖА́ТЫЙ**, -ого, м. **1.** Устар. Тот, кто ведет кого-л., указывая дорогу, прокладывая путь. *Друг за другом идут в молчанье сарматы; Все дале и дале седой их вожатый.* Рылеев. Иван Сусанин. **2.** Руководитель пионерского отряда. *Вожатый в пионерлагере.* **3.** Водитель трамвая.

С и н. (к *1 знач.*): вожа́к, проводни́к, поводы́рь (устар.). С и н. (к *3 знач.*): вагоновожа́тый.

**ВОЖДЕЛЕ́НИЕ**, -я, ср. Устар. и высок. **1.** Страстное желание. *В последние дни [он] с вожделением ожидал наступления вечера, чтобы дать выход клокотавшему в нем фонтану мыслей, суждений, пророчеств.* Чаковский. Блокада. **2.** Сильное чувственное влечение. *Поют неистовые девы; Их сладострастные напевы В сердца вливают жар любви, Их перси дышат вожделеньем.* Пушкин. Торжество Вакха.

С и н. (ко *2 знач.*): жела́ние, по́хоть.

**ВОЖДЬ**, -я́, м. **1.** В старину: предводитель войска, племени. *Вождь племени индейцев.* ◻ *Казалось, могилы скифских вождей овеваются дымом жертвенных костров.* Первенцев. Испытание. **2.** Общепризнанный идейный, политический руководитель. *Чернышевский и Добролюбов — вожди революционной демократии.* ◻ *— Умер вождь мирового пролетариата Ленин.. Умер тот, кто создал и воспитал в непримиримости к врагам большевистскую партию.* Н. Островский. Как закалялась сталь.

**ВОЗБУДИ́ТЬ**, -ужу́, -уди́шь; возбуди́вший; возбуждённый; -дён, дена́, -о́; возбуди́в; сов. **1.** что. Вызвать, пробудить какое-л. состояние, мысль, чувство и т. п. *Возбудить любопытство. Возбудить волнение, интерес.* ◻ *Но Онегину не суждено было умереть, не отведав из чаши жизни: страсть сильная и глубокая не замедлила возбудить дремавшие в тоске силы его духа.* Белинский. Сочинения Александра Пушкина. **2.** кого, что. Привести в состояние нервного подъема. *[Капитан] был веселый, возбужденный, разговорчивый. Громко смеялся, шутил, для каждого у него нашлось приветливое слово.* В. Кожевников. Март — апрель. **3.** что. Предложить что-л. для решения, поставить на обсуждение. *Возбудить вопрос, ходатайство, судебное дело.* **4.** кого. Настроить, восстановить. *Возбудить всех против себя.*

С и н. (к *1 знач.*): породи́ть, зароди́ть, зарони́ть, навести́, наве́ять, посели́ть (книжн.), разбуди́ть (высок.), всели́ть (высок.), посе́ять (высок.). С и н. (ко *2 знач.*): разгорячи́ть, наэлектризова́ть (книжн.), взбудора́жить (разг.), взвинти́ть (разг.).

**Возбужда́ть**, -а́ю, -а́ешь; несов. **Возбужде́ние**, -я, ср.

**ВОЗВЕСТИ́**, -еду́, -едёшь; возве́дший; возведённый; -дён, -дена́, -о́; возведя́; сов. **1.** кого. Ведя, помочь взойти наверх, на что-л. высокое. *Возвести на крыльцо, на гору.* **2.** перен., кого во что. Возвысить до какого-л. положения, звания. *Возвести в чин. Возвести в княжеское достоинство.* **3.** перен., что во что. Сообщить чему-л. особое, важное или совсем иное значение. *Возвести чистоту в принцип.* ◻ *[Гончаров] хотел добиться того, чтобы случайный образ, мелькнувший перед нами, возвести в тип, придать ему родовое и постоян-*

льзование за определенную плату. *Заперев лавку, прибил он объявление о том, что дом продается и отдается внаймы.* Пушкин. Гробовщик.

**ВНЕДРИ́ТЬ**, -рю́, -ри́шь; внедри́вший; внедрённый; -рён, -рена́, -о́; внедри́в; *сов., что.* Заставить утвердиться в чем-л., заставить прочно войти во что-л. *Внедрить достижения науки в производство. Внедрить новые идеи в сознание людей.* □ *Теперь уж не установить, сколько дельных поправок внесли в машину заводские конструкторы и технологи, сколько рацпредложений внедрили заводские монтажники и слесари.* А. Аграновский. Суть дела.
Син.: укорени́ть.
**Внедря́ть**, -я́ю, -я́ешь; *несов.* **Внедре́ние**, -я, *ср. Внедрение изобретений в промышленность.*

**ВНЕ́ШНИЙ**, -яя, -ее. **1.** Находящийся вне, за пределами чего-л., снаружи. *Внешняя среда. Внешняя стена дома.* **2.** Выражающийся только наружно, не соответствующий внутреннему состоянию. *Внешним образом она никак не выражала своего нерасположения ко мне, но я чувствовал его.* Чехов. Дом с мезонином. **3.** *перен.* Поверхностный, лишенный глубины, внутреннего содержания. *Внешний лоск, эффект.* **4.** Относящийся к сношениям с иностранными государствами. *Внешняя политика. Внешняя торговля.*
Син. (к 1 и 2 знач.): нару́жный. Син. (к 3 знач.): показно́й.
Ант. (к 1, 2 и 4 знач.): вну́тренний.
**Вне́шне**, *нареч.* (ко 2 и 3 знач.). **Вне́шность**, -и, *ж.* (к 1, 2 и 3 знач.).

**ВНИ́КНУТЬ**, -ну, -нешь; вни́кнувший; вни́кнув; *сов., во что или без доп.* Понять суть чего-л., разобраться в чем-л. *Вникнуть в существо дела.* □ *Ему приходится решать оперативно и однозначно бездну очень важных вопросов.. Во все нужно вникнуть, всему дать оценку, принять решение.* Колесников. Школа министров.
Син.: вду́маться, войти́.
**Вника́ть**, -а́ю, -а́ешь; *несов.*

**ВНИМА́ТЬ**, -а́ю, -а́ешь и *(трад.-поэт.)* внемлю́ и внемлю, вне́млешь; внима́ющий и *(трад.-поэт.)* вне́млющий, внима́ючи; внима́я и *(трад.-поэт.)* внемля́ и вне́мля; *несов., кому, чему.* Высок. **1.** Устар. Слышать. *У люльки дочь поет любовь. Алеко внемлет и бледнеет.* Пушкин. Цыганы. **2.** Слушать, относиться к чему-л. со вниманием. *Внимать чьим-л. мольбам.* □ *Не две девочки болтала Наталья с Рудиным: она жадно внимала его речам, она старалась вникнуть в их значение.* Тургенев. Рудин. **3.** *перен.* Сосредоточивать свое внимание на чем-л. *Весь мир внимает гигантской битве [под Москвой], не прекращающейся уже более ста дней. Москве угрожает враг.* А. Н. Толстой.
**Внять**; *сов.* **Внять чьей-л. просьбе.**

**ВНУ́ТРЕННИЙ**, -яя, -ее. **1.** Находящийся внутри чего-л. *Внутренняя стенка сосуда. Внутренний дворик.* **2.** Связанный с психической деятельностью человека. *Внутренний мир человека. Внутренняя душевная борьба. Внутренние побуждения.* □ *Я шла домой, занятая внутренней перестройкой, происходившей в моем сознании.* Шагинян. Четыре урока у Ленина. **3.** *перен.* Определяющий главное, сущность чего-л. *Внутренняя связь событий. Внутренние противоречия.* **4.** Относящийся к жизни и деятельности внутри государства, учреждения, организации. *Внутренняя политика. Внутренний заем. Правила внутреннего распорядка.*
Син. (ко 2 знач.): духо́вный, душе́вный, нра́вственный.
Ант. (к 1, 3 и 4 знач.): вне́шний.
**Вну́тренне**, *нареч.* (ко 2 и 3 знач.). *Внутренне доволен собой.*

**ВНУШЕ́НИЕ**, -я, *ср.* **1.** Воздействие на волю и сознание человека с целью заставить его усвоить какие-л. мысли, убеждения, чувства. *Внушение уважения к старшим.* □ *[Чичиков] швырнул на пол саблю, которая ездила с ним в дороге для внушения надлежащего страха кому следует.* Гоголь. Мертвые души. **2.** Метод лечения, заключающийся в воздействии на психику больного, гипноз. *Лечение внушением.* **3.** Наставление, выговор. *Строгое отцовское внушение.* □ *Когда хозяин пекарни делал ему [пекарю] внушение за испорченный или опоздавший к утру товар, он бесился, ругал хозяина беспощадно.* М. Горький. Коновалов.
Син. (к 3 знач.): нагоня́й *(разг.)*, пробо́рка *(разг.)*, разно́с *(разг.)*, нахлобу́чка *(разг.)*, головомо́йка *(разг.)*, взбу́чка *(прост.)*.

**ВНЯ́ТНЫЙ**, -ая, -ое; -тен, -тна, -о. **1.** Хорошо слышимый, ясно различаемый. *Внятное произношение.* □ *Полилась английская речь профессора, очень внятная, очень доступная тем членораздельным, легко постижимым английским языком, каким говорят обычно русские, прижившиеся в Англии.* Шагинян. Четыре урока у Ленина. **2.** Вразумительный, понятный. *Внятное объяснение.*
Син. (к 1 знач.): чёткий, отчётливый, я́сный, я́вственный, членоразде́льный *(разг.)*. Син. (ко 2 знач.): толко́вый, я́сный, дохо́дчивый, досту́пный.
Ант. (к 1 знач.): невня́тный, глухо́й.
**Вня́тно**, *нареч.* **Вня́тность**, -и, *ж.*

**...ВО́Д**, -а, *м.* Вторая составная часть сложных слов, обозначающих специалистов в какой-л. отрасли народного хозяйства, указанной в первой части слова, напр.: *овощево́д, садово́д, животново́д, оленево́д, пчелово́д, счетово́д.*

**ВОДЕВИ́ЛЬ** [дэ], -я, *м.* [Франц. vaudeville (по названию долины Vau de Vire в Нормандии, где появился в начале 15 в. этот жанр)]. Небольшая шутливая комедия, в которой диалоги чередуются с пением куплетов и танцами. *Одноактный водевиль. Сюжет для водевиля.* □ *— У меня голос есть,.. а у сестры голос послабее — она в водевилях играет.* Салтыков-Щедрин. Господа Головлевы.
**Водеви́льный**, -ая, -ое. *Водевильные куплеты.*

**ВОДОВОРО́Т**, -а, *м.* **1.** Место в реке, море, где течения образуют вращательное движение воды. *Попасть в водоворот. Неистовый водоворот.* **2.** *перен.* Стремительное, увлекающее за собой движение чего-л.; круговорот. *Житей-*

ский водоворот. *Водоворот событий.* □ *Партизаны и бывшие семёновцы, их жёны и родственники.. Все они целых четыре года смертельно враждовали между собой. Любой из них так или иначе был втянут в кровавый водоворот ожесточённой, не знавшей нейтральных, войны.* Седых. Отчий край.

С и н. (к *1 знач.*): воро́нка. С и н. (ко *2 знач.*): вихрь, коловраще́ние (*устар.*).

**ВОДОРАЗДЕ́Л**, -а, *м.* **1.** Возвышенность, разделяющая бассейны рек. *Водораздел Оби и Енисея.* **2.** *перен.* Граница, разделяющая противоположные общественные явления, течения, суждения и т. п. *Что технику русскому человеку позарез нужна и технические школы необходимы,.. с этим были согласны все. Но вот только ли одна голая техника и можно ли её взять тоже голыми руками, здесь прошёл между присутствующими непроходимый водораздел.* Шагинян. Первая Всероссийская.

**Водоразде́льный**, -ая, -ое (к *1 знач.*).

**ВОДРУЗИ́ТЬ**, -ужу́, -узи́шь; водрузи́вший; водружённый; -жён, -жена́, -о́; сов., *что.* Высок. Установить, укрепить где-л. *Свергнем могучей рукою Гнёт роковой навсегда И водрузим над землёю Красное знамя труда!* Радин. Смело, товарищи, в ногу...

**Водружа́ть**, -а́ю, -а́ешь; *несов.*

**...ВО́ДСТВО**, -а, *ср.* Вторая составная часть сложных слов, обозначающих какую-л. отрасль народного хозяйства, связанную с разведением животных и растений, напр.: *животново́дство, кроликово́дство, собаково́дство, пчелово́дство, лесово́дство, садово́дство, цветово́дство.*

**ВОЕВО́ДА**, -ы, *м.* Начальник войска в Древней Руси, а также управляющий городом или округом (в 16—18 вв.). *Поздно ночью из похода Воротился воевода.* Пушкин. Воевода. *Но тульский воевода с дьячками и подьячими сам попал под розыск.* А. Н. Толстой. Пётр I.

**ВОЕНАЧА́ЛЬНИК**, -а, *м.* Командующий большими войсковыми соединениями, флотом и т. п. *Один за другим поднимались на трибуну военачальники, чьи имена были хорошо известны Звягинцеву, чьи лица он знал по портретам.* Чаковский. Блокада.

С и н.: полково́дец.

**ВОЕНИЗИ́РОВАТЬ**, -рую, -руешь; военизи́рующий, военизи́ровавший; военизи́руемый, военизи́рованный; -ан, -а, -о; военизи́руя, военизи́ровав; *сов. и несов., кого, что.* **1.** Приспособить (приспосабливать) к военным условиям; перевести (переводить) на обслуживание военных нужд. *Военизировать промышленность.* **2.** Вооружить (вооружать), организовать (организовывать) на военный лад. *Военизированная охрана.*

**Воениза́ция**, -и, *ж. Военизация страны.*

**ВОЕ́ННО-ПОЛЕВО́Й**, -ая, -ое. Существующий, действующий в условиях военного времени, боевой обстановки. *Военно-полевой суд. Военно-полевая хирургия.*

**ВОЖА́ТЫЙ**, -ого, *м.* **1.** Устар. Тот, кто ведёт кого-л., указывая дорогу, прокладывая путь.

*Друг за другом йдут в молчанье сарматы; Все дале и дале седой их вожатый.* Рылеев. Иван Сусанин. **2.** Руководитель пионерского отряда. *Вожатый в пионерлагере.* **3.** Водитель трамвая.

С и н. (к *1 знач.*): вожа́к, проводни́к, поводы́рь (*устар.*). С и н. (к *3 знач.*): вагоновожа́тый.

**ВОЖДЕЛЕ́НИЕ**, -я, *ср.* Устар. и высок. **1.** Страстное желание. *В последние дни [он] с вожделением ожидал наступления вечера, чтобы дать выход клокотавшему в нём фонтану мыслей, суждений, пророчеств.* Чаковский. Блокада. **2.** Сильное чувственное влечение. *Поют неистовые девы; Их сладострастные напевы В сердца вливают жар любви, Их перси дышат вожделеньем.* Пушкин. Торжество Вакха.

С и н. (ко *2 знач.*): жела́ние, по́хоть.

**ВОЖДЬ**, -я́, *м.* **1.** В старину: предводитель войска, племени. *Вождь племени индейцев.* □ *Казалось, могилы скифских вождей овеваются дымом жертвенных костров.* Первенцев. Испытание. **2.** Общепризнанный идейный, политический руководитель. *Чернышевский и Добролюбов — вожди революционной демократии.* □ *— Умер вождь мирового пролетариата Ленин.. Умер тот, кто создал и воспитал в непримиримости к врагам большевистскую партию.* Н. Островский. Как закалялась сталь.

**ВОЗБУДИ́ТЬ**, -ужу́, -уди́шь; возбуди́вший; возбуждённый; -дён, -дена́, -о́; возбуди́в; *сов.,* что. Вызвать, пробудить какое-л. состояние, мысль, чувство и т. п. *Возбудить любопытство. Возбудить волнение, интерес.* □ *Но Онегину не суждено было умереть, не отведав из чаши жизни: страсть сильная и глубокая не замедлила возбудить дремавшие в тоске силы его духа.* Белинский. Сочинения Александра Пушкина. **2.** *кого, что.* Привести в состояние нервного подъёма. *[Капитан] был весёлый, возбуждённый, разговорчивый. Громко смеялся, шутил, для каждого у него нашлось приветливое слово.* В. Кожевников. Март — апрель. **3.** *что.* Предложить что-л. для решения, поставить на обсуждение. *Возбудить вопрос, ходатайство, судебное дело.* **4.** *кого.* Настроить, восстановить. *Возбудить всех против себя.*

С и н. (к *1 знач.*): породи́ть, зароди́ть, зарони́ть, навести́, навёять, посели́ть (*книжн.*), разбуди́ть (*высок.*), всели́ть (*высок.*), посе́ять (*высок.*). С и н. (ко *2 знач.*): разгорячи́ть, наэлектризова́ть (*книжн.*), взбудора́жить (*разг.*), взвинти́ть (*разг.*).

**Возбужда́ть**, -а́ю, -а́ешь; *несов.* **Возбужде́ние**, -я, *ср.*

**ВОЗВЕСТИ́**, -еду́, -едёшь; возве́дший; возведённый; -дён, -дена́, -о́; возведя́; *сов.* **1.** *кого.* Ведя, помочь взойти наверх, на что-л. высокое. *Возвести на крыльцо, на гору.* **2.** *перен., кого во что.* Возвысить до какого-л. положения, звания. *Возвести в чин. Возвести в княжеское достоинство.* **3.** *перен., что во что.* Придать, сообщить чему-л. особое, важное или совсем иное значение. *Возвести чистоту в принцип.* □ *[Гончаров] хотел добиться того, чтобы случайный образ, мелькнувший перед нами, возвести в тип, придать ему родовое и постоян-*

ное значение. Добролюбов. Что такое обломовщина? **4.** *что.* Построить, соорудить. *Возвести фундамент, стены, укрепления.* ▯ *Сосчитали штандарты побитых держав, Тыщи тысяч плотин Возвели на реках.* Межиров. Коммунисты, вперёд! **5.** *что к чему. Книжн.* Отнести к чему-л. происхождение, объяснить историю чего-л. *Возвести родословную к далеким временам. Возвести обычаи к глубокой древности.* ◇ **Возвести на престол** (или **трон**) — признать царём, князем и т. п.

С и н. (к *1 знач.*): взвести́. С и н. (к *4 знач.*): выстроить, воздви́гнуть (*высок.*).

**Возводи́ть,** -вожу́, -во́дишь; *несов.* **Возведе́ние,** -я, *ср. Возведение сооружения.*

**ВОЗВЫ́ШЕННЫЙ,** -ая, -ое; -ен, -енна, -о. **1.** Возвышающийся над окружающим. *Возвышенная местность.* **2.** *Высок.* Полный высокого значения, глубокого содержания, благородных мыслей и чувств. *Возвышенные мечты.* ▯ *Он в песнях гордо сохранил Всегда возвышенные чувства, Порывы девственной мечты И прелесть важной простоты.* Пушкин. Евгений Онегин.

С и н. (ко *2 знач.*): го́рдый, высо́кий (*книжн.*).

А н т.: ни́зменный.

**Возвы́шенно,** *нареч.* (ко *2 знач.*). **Возвы́шенность,** -и, *ж.*

**ВОЗДА́ТЬ,** -а́м, -а́шь; возда́вший; во́зданный; во́здан, воздана́, во́здано; возда́в; *сов., кому что или чем. Книжн.* Оказать, совершить что-л. в знак признания чего-л., а также отплатить за что-л. *Воздать должное. Воздать воинские почести.* ▯ *Твоей великодушной воле Что можем за сие воздать? Мы дар твой до небес прославим И знак щедрот твоих поставим.* Ломоносов. Ода на день восшествия на престол императрицы Елисаветы Петровны.

**Воздава́ть,** -даю́, -даёшь; *несов.* **Воздая́ние,** -я, *ср.* — *Всё знаю, — молвил Дук, — всё знаю! наконец Злодейство на земле получит воздаянье.* Пушкин. Анджело.

**ВОЗДВИ́ГНУТЬ,** -ну, -нешь; воздви́гнувший, воздви́гший; воздви́гнутый, -ут, -а, -о; воздви́гнув; *сов., что. Высок.* Построить что-л. высокое, большое. *Воздвигнуть город.* ▯ *Я памятник себе воздвиг чудесный, вечный, Металлов твёрже он и выше пирамид.* Державин. Памятник.

С и н.: вы́строить, сооруди́ть, возвести́.

**Воздвига́ть,** -а́ю, -а́ешь; *несов.* **Воздвиже́ние,** -я, *ср. Воздвижение крепостных стен.*

**ВОЗЗВА́НИЕ,** -я, *ср.* **1.** *Устар.* Призыв, обращение, обычно с просьбой. *Уж сосед В безмолвный входит кабинет И будит Ленского воззваньем: «Пора вставать: седьмой уж час. Онегин, верно, ждёт уж нас».* Пушкин. Евгений Онегин. **2.** Устное или письменное обращение с призывом к народу. *Воззвание к солдатам. Воззвание съезда. Обратиться с воззванием. Опубликовать в прессе воззвание президента к народу.* ▯ *При аресте я вынужден был уничтожить черновик замечательного, построенного на фактах воззвания к казакам.* Бахметьев. У порога.

**ВОЗЗРЕ́НИЕ,** -я, *ср.,* обычно *мн. Книжн.* Образ мыслей, точка зрения. *Материалистические воззрения. Религиозные воззрения. Отстаивать свои воззрения.* ▯ *Воззрение это [о необходимости заключить мир], сильно распространённое в высших сферах армии, находило себе поддержку и в Петербурге, и в канцлере Румянцеве, по другим государственным причинам стоявшем тоже за мир.* Л. Толстой. Война и мир.

С и н.: взгля́ды, убежде́ния, мировоззре́ние, идеоло́гия, миросозерца́ние (*книжн.*), миропонима́ние (*книжн.*), кре́до (*книжн.*).

**ВОЗЛОЖИ́ТЬ,** -ложу́, -ло́жишь; возложи́вший; возло́женный; -ен, -а, -о; возложи́в; *сов., что на кого, что.* **1.** *Высок.* Торжественно положить сверху. *Возложить венок на могилу.* **2.** *Книжн.* Поручить кому-л. что-л. *Возложить обязанности на кого-н. Справиться с возложенными поручениями.* ▯ *Уезжая, она возложила часть своей работы по «Красному Кресту» на Варвару.* М. Горький. Жизнь Клима Самгина. ◇ **Возложить вину** *на кого* — счесть виновным кого-л. **Возложить ответственность** *на кого* — сделать кого-л. ответственным за что-л.

**Возлага́ть,** -а́ю, -а́ешь; *несов.* **Возложе́ние,** -я, *ср.* ◇ **Возлагать надежды** *на кого, что* (*книжн.*) — надеяться на кого-, что-л., ожидать от кого-, чего-л. исполнения своих надежд.

**ВОЗМЕ́ЗДИЕ,** -я, *ср. Высок.* Отплата, кара за причинённое зло. *Справедливое возмездие. Час возмездия. Жажда возмездия.* ▯ *Пётр Артамонов.. все чаще вспоминал о старшем сыне. Наверное, Илья уже получил достойное возмездие за свою строптивость.* М. Горький. Дело Артамоновых.

С и н.: распла́та, наказа́ние.

**ВОЗМЕСТИ́ТЬ,** -ещу́, -ести́шь; возмести́вший; возмещённый; -щён, -щена́, -о́; возмести́в; *сов., что.* Восполнить или заменить что-л. утраченное, недостающее. *Возместить убытки. Возместить потерянное время напряжённым трудом.* ▯ *Подтаскивать артиллерию не было времени, и решили возместить её недостаток темнотой, неожиданностью и густым автоматным огнём.* Симонов. Зрелость.

С и н.: покры́ть, компенси́ровать (*книжн.*), скомпенси́ровать (*книжн.*), искупи́ть (*книжн.*).

**Возмеща́ть,** -а́ю, -а́ешь; *несов. Возмещать недостачу.* **Возмеще́ние,** -я, *ср. Возмещение потерь.*

**ВОЗМУТИ́ТЬ,** -ущу́, -ути́шь; возмути́вший; возмущённый; -щён, -щена́, -о́; возмути́в; *сов.* **1.** *кого.* Привести в негодование, вызвать недовольство, гнев. *Возмутить кого-л. грубостью.* ▯ *То, что Валька.. шляется где-то, в то время как он был мне дьявольски нужен, возмутило меня.* Каверин. Два капитана. **2.** *что. Устар.* Вывести из состояния покоя, привести в движение, волнение. *Возмутить воду. Возмутить покой.* ▯ *Но, получив посланье Тани, Онегин живо тронут был: Язык девических мечтаний В нём думы роем возмутил.* Пушкин. Евгений Онегин. **3.** *кого, что. Устар.* Побудить к мятежу, восстанию. *Отряжённый от Пугачёва ссыльный разбойник Хлопуша, вылив пушки на Овсяно--Петровском заводе и возмутив приписных кре-*

стьян и окрестных башкирцев, возвращается под Оренбург. Пушкин. История Пугачева.

С и н. (ко 2 знач.): всколыхну́ть. С и н. (к 3 знач.): взбунтова́ть (устар.).

**Возмуща́ть**, -а́ю, -а́ешь, несов. **Возмуще́ние**, -я, ср.

**ВОЗНИ́ЦА**, -ы и (устар.) **ВОЗНИ́ЧИЙ**, -его, м. Тот, кто правит лошадьми в упряжке. *Возница обрезал постромки на уцелевшей лошади, поскакал во весь дух.* Шолохов. Поднятая целина. *Лошадка бежит довольно резво, помахивает хвостом. Возничий.. только лишь изредка, когда та переходит на шаг, подергивает вожжами.* Субботин. Как кончаются войны.

С и н.: ку́чер.

**ВОЗО́К**, возка́, м. Старинная крытая зимняя повозка на полозьях, с дверцами и окнами. *Промчался золоченый, со стеклянными окнами, возок.* А. Н. Толстой. Петр I.

**ВОЗОМНИ́ТЬ**, -ню́, -ни́шь; возомни́вший; возомни́в, сов. ◊ **Возомнить себя** (или **о себе**) — составить преувеличенно высокое мнение о себе. *Возомнить много о себе. Возомнить себя героем.* □ *Не было его богаче во всей округе.. и возомнил о себе безмерно.., и все, что он рассудит, то и хорошо, и все, что повелит, то и прекрасно.* Достоевский. Подросток.

С и н.: возгорди́ться, зазна́ться (разг.), занести́сь (разг.), загорди́ться (разг.), зава́жничать (разг.).

**ВОЗРОЖДЕ́НИЕ**, -я, ср. **1.** Появление вновь чего-л., прекратившего свое существование; подъем после периода упадка, разрушения. *Возрождение сельского хозяйства. Возрождение реалистического искусства.* **2.** (с прописной буквы). *Наступивший после средневековья период в культурном и идеологическом развитии ряда стран Европы, характеризовавшийся расцветом наук и искусств. Эпоха Возрождения.*

С и н. (ко 2 знач.): Ренесса́нс.

**ВО́ЗЧИК**, -а, м. Перевозчик грузов на телегах, повозках. *Возчик обоза с провиантом.*

**ВОЗЫМЕ́ТЬ**, -е́ю, -е́ешь; возыме́вший; возыме́в, сов., что. **1.** Устар. Получить, приобрести. *[Акакий Акакиевич] вышел от него, сам не зная, возымеет ли надлежащий ход дело о шинели, или нет.* Гоголь. Шинель. **2.** Книжн. В сочетании с некоторыми существительными означает начало действия в соответствии со значением существительного: *возыметь желание (захотеть). Возыметь намерение (вознамериться). Возыметь уважение (начать уважать).*

**ВОИ́НСТВЕННЫЙ**, -ая, -ое; -ен и -енен, -енна, -о. **1.** Обладающий воинским духом, мужественный. *Воинственные племена.* □ *Нам жаль, что ты, Русь-матушка, С охотою утратила Свой рыцарский, воинственный, Величественный вид.* Н. Некрасов. Кому на Руси жить хорошо. **2.** Связанный с войной, склонный к войне. *Воинственные планы, намерения.* □ *Императоры Маньчжурской династии сделали воинственных кочевников своими покорными подданными.* Седых. Отчий край. **3.** перен. Готовый к столкновению, драке, спору. *Воинственный* тон. *Воинственный характер. С воинственным видом.* □ *[Городулин:] Я нынче в особенно воинственном расположении духа.* А. Островский. На всякого мудреца довольно простоты.

**Вои́нственно**, нареч. *Настроен воинственно.* **Вои́нственность**, -и, ж.

**ВОЙНСТВУЮЩИЙ**, -ая, -ее. Ведущий непримиримую борьбу с кем-, чем-л. *Воинствующий материализм. Воинствующий атеизм.*

**ВОИ́СТИНУ**, нареч. Высок. Подлинно, истинно, на самом деле. *Воистину грандиозные планы. Воистину великий человек.* □ *Но вот теперь наступил воистину золотой век управления. Оно формирует облик эпохи.* Колесников. Школа министров.

С и н.: действи́тельно, пои́стине (книжн.), впра́вду (прост.), взапра́вду (прост.), впрямь (прост.).

**ВО́ЙЛОК**, -а, м. [Тюрк.]. Плотный толстый материал, изготовленный из грубой шерсти путем валяния. *Обить войлоком дверь. Подошва из войлока.* □ *Крепостные пасли у них [монгольских князей] скот, стригли овец, доили коров, выделывали овчины и войлок.* Седых. Отчий край.

**Во́йлочный**, -ая, -ое. *Войлочные туфли.*

**ВОКА́Л**, -а, м. [Франц. vocal; восх. к лат. vocalis — голосовой]. Спец. Певческое искусство. *Заниматься вокалом.*

**Вока́льный**, -ая, -ое. *Вокальное искусство.* □ *Уже с зачина стало ясно, что этой капеллой достигнута такая степень спетости, такая подвижность и слаженность голосов, которую практически немыслимо достигнуть десяти разным людям, какими бы вокальными данными и мастерством они ни обладали.* Айтматов. Плаха.

**ВОКАЛИ́З**, -а, м. [Франц. vocalise]. Упражнение или этюд для голоса, не имеющий текста и исполняемый на одних гласных звуках. *Из темных раскрытых окон.. гремел рояль, покрываемый великолепным баритональным тенором, затейливыми вокализами.* Бунин. Деревня.

**ВОЛ**, -а́, м. Кастрированный бык, используемый в сельскохозяйственных работах. *Старые, седые волы медленно тащили возы.* Горбатов. Непокоренные. ◊ **Работать** (или **трудиться**) **как вол** — работать усердно, очень много.

**Воло́вий**, -ья, -ье. *Воловье стадо. Воловье здоровье (очень крепкое).*

**ВОЛА́Н**, -а, м. [Франц. volant — букв. летучий]. **1.** Пришивная оборка из легкой ткани или кружев на женском платье. *Кружевной волан.* □ *[Лаврецкому] навстречу с дивана поднялась дама в черном шелковом платье с воланами.* Тургенев. Дворянское гнездо. **2.** Легкий мячик с перьями или широким волнистым ободком для игры в бадминтон. *Кузина привезла из Корчевы воланы; в один из воланов была воткнута булавка, и она никогда не играла другим.* Герцен. Былое и думы.

**Вола́нный**, -ая, -ое.

**ВОЛЕИЗЪЯВЛЕ́НИЕ**, -я, ср. Высок. Проявление

воли, изъявление своего желания. *Свободное волеизъявление избирателей.*

ВОЛНЕ́НИЕ, -я, *ср.* **1.** Движение волн на водной поверхности. *По случаю волнения на море, пароход пришел поздно.* Чехов. Дама с собачкой. **2.** Состояние нервного напряжения, возбуждения. *Прийти в сильное волнение.* □ *— Все это от вас зависит, от вас, от вас одной,*— начал он со сверкающими глазами, почти шепотом, сбиваясь и даже не выговаривая иных слов от волнения.* Достоевский. Преступление и наказание. **3.** обычно *мн.* Массовое проявление недовольства, протеста против чего-л. *Студенческие волнения в царской России.*

С и н. (ко 2 знач.): смяте́ние, взволно́ванность, тре́пет (*книжн.*), смяте́нность (*устар.*). С и н. (к 3 знач.): броже́ние, ро́пот.

ВОЛОКИ́ТА[1], -ы, *ж. Разг.* Медленное, затяжное рассмотрение вопроса должностным лицом, учреждением и т. п., осложняемое выполнением мелких формальностей. *Бумажная волокита. Судебная волокита.* □ *За перестройку старой палаты он взялся со всей горячностью, хотя сразу же подьячие Дворцового приказа начали чинить ему преткновения и всякую приказную волокиту из-за лесу, известки, гвоздей и прочего.* А. Н. Толстой. Петр I.

С и н.: бюрократи́зм, канцеля́рщина (*разг.*).

**Волоки́тный**, -ая, -ое.

ВОЛОКИ́ТА[2], -ы, *м. Разг.* Любитель ухаживать, волочиться за женщинами. *[Вышневская:] Вы вели себя, как старый волокита, обольщающий молодых девушек подарками.* А. Островский. Доходное место.

С и н.: донжуа́н, ловела́с (*книжн.*), ба́бник (*прост.*), ухажёр (*прост.*), женолю́б (*устар.*), селадо́н (*устар.*).

ВОЛОНТЁР, -а, *м.* [Франц. volontaire от лат. voluntarius — доброволец]. *Устар.* Лицо, поступившее на военную службу по собственному желанию. *Отряд волонтеров.* □ *[Впереди].. вели верховых лошадей под дорогими чепраками и пономи.. Оглушительно гремели русские трубачи. За ними шли тридцать волонтеров в зеленых кафтанах, шитых серебром.* А. Н. Толстой. Петр I.

С и н.: доброво́лец.

**Волонтёрский**, -ая, -ое.

ВОЛОО́КИЙ, -ая, -ое; -о́к, -а, -о. *Книжн.* С большими и спокойными, как бы подернутыми дымкой глазами. *В женской прогимназии, где он преподавал, в него влюблялись самые восторженные девушки, те, полные, волоокие, до времени развившиеся, у которых бывают такие чудесные пепельные волосы.* Бунин. Чаша жизни.

**Волоо́кость**, -и, *ж.*

ВО́ЛОСТЬ, -и, во́лости, -е́й, *ж.* **1.** В Древней Руси: территория, подчиненная одной власти, преимущ. княжеской. **2.** В дореволюционной России и в СССР до 1929 г.: низшая административно-территориальная единица, подразделение уезда, состоящее из нескольких сел и деревень с окружающей их землей. *— В моем приходе числится Живущих в православии Две трети прихожан. А есть такие волости, Где сплошь почти раскольники. Так тут как быть* 

*попу?* Н. Некрасов. Кому на Руси жить хорошо? **3.** Здание, помещение управления волостью, а также селение, в котором оно находится. *На крыльце волости сидел лысый длиннобородый мужик в одной рубахе и курил трубку.* М. Горький. Мать. *— Послезавтра я поеду в волость. Буду говорить там о тебе. Может быть, добьюсь, чтобы тебя послали в город учиться.* Айтматов. Первый учитель.

**Волостно́й**, -а́я, -о́е. *Волостное правление. Волостной писарь.*

ВОЛХВ, -а́, *м.* В Древней Руси: колдун, чародей, прорицатель. *Волхвы не боятся могучих владык, А княжеский дар им не нужен; Правдив и свободен их вещий язык И с волей небесною дружен.* Пушкин. Песнь о вещем Олеге.

С и н.: волше́бник, маг, куде́сник, чарови́к (*устар.*), веду́н (*устар.*), чудоде́й (*устар.*).

ВОЛЬЕ́Р, -а, *м.* и ВОЛЬЕ́РА, -ы, *ж.* [Франц. volière — птичник]. Открытая или с навесом площадка, огороженная металлической сеткой, которая служит для содержания мелких животных в зоопарках, питомниках, специальных хозяйствах. *Седой бобр был вольным гулякой. Его не смогли отловить и упрятать в вольер живущие на берегу реки люди, но бобра ночами тянуло к вольерам.* Закруткин. Творцы земной красы.

**Вольерный**, -ая, -ое.

ВО́ЛЬНАЯ, -ой, *ж.* При крепостном праве: документ, по которому крепостной отпускался на волю. *Получить вольную.* □ *— Ну, стала она [кружевница] барам ненадобна, и дали они ей вольную, — живи-де, как сама знаешь, — а как без руки-то жить?* М. Горький. Детство.

ВО́ЛЬНИЦА, -ы, *м. и ж.* **1.** *ж.* В старину: люди, преимущ. беглые крепостные, оседавшие на окраинах Московского государства и образовывавшие независимые отряды. *Казачья вольница. Донская вольница.* □ *Кандыбин глядел на него с одобрением. Напомнил Кочубей комиссару атаманов запорожской вольницы, прославленных в казачьих песнях.* Первенцев. Кочубей. **2.** *м. и ж. Устар.* О своевольном, своенравном человеке. *— Бог его знает — бродит где-нибудь; в гости, в город ушел, должно быть; и никогда не скажет куда — такая вольница!* И. Гончаров. Обрыв.

ВОЛЬНОДУ́МСТВО, -а, *ср. Устар.* Критическое или отрицательное отношение к господствующим религиозным или политическим взглядам. *Проявлять вольнодумство. Склонен к вольнодумству. Обвинять в вольнодумстве.*

С и н.: свободомы́слие (*книжн.*), вольномы́слие (*устар.*).

ВОЛЬНООТПУ́ЩЕННЫЙ, -ая, -ое. В старину: освобожденный от рабства или от крепостной зависимости (за выкуп или за услуги, оказанные господину, государству). *В товарище Степанушки я узнал тоже знакомого: это был вольноотпущенный человек графа Петра Ильича, Михайло Савельев, по прозвищу Туман.* Тургенев. Малиновая вода.

ВО́ЛЬНОСТЬ, -и, *ж.* **1.** *ед. Устар.* Свобода, независимость. *Бороться, погибнуть за вольность. Воспеть вольность.* □ *[Фамусов:] Ах,* боже мой! он карбонари!.. Опасный человек!.. Он вольность хочет проповедать! Грибоедов. Горе от ума. **2.** *Устар.* Привилегия, преимущество, льгота. *Казацкие вольности. Императорский указ «О вольности дворянства» 1762 г.* **3.** Излишняя непринужденность, нескромность в поведении. *Не допускать никаких вольностей.* □ *[Таня] подала Сергею Ивановичу его шляпу и сделала вид, что хочет надеть на него, робкою и нежною улыбкой смягчая свою вольность.* Л. Толстой. Анна Каренина. **4.** Отступление от общих правил в чем-л. *Поэтические вольности.*

С и н. (к *1 знач.*): во́ля. С и н. (к *3 знач.*): бесцеремо́нность, фамилья́рность, панибра́тство.

**ВО́ЛЬНЫЙ**, -ая, -ое; во́лен, вольна́, во́льно. **1.** *полн. ф.* Не знающий угнетения, никому не подвластный. *И вот он стал жить, вольный, как птица.* М. Горький. Старуха Изергиль. **2.** *полн. ф.* По своей природе ничем не стесненный, не ограниченный, а также совершаемый свободно. *Вольная жизнь. Вольная птица.* □ *Придет ли час моей свободы?.. Под ризой бурь, с волнами споря, По вольному распутью моря Когда ж начну я вольный бег?* Пушкин. Евгений Онегин. **3.** *Устар.* Свободолюбивый. *Вольный народ. Вольные мысли.* **4.** *кр. ф.* Имеющий возможность, право, власть поступать по собственной воле, как угодно. *[Скотинин:] Да разве дворянин не волен поколотить слугу, когда захочет?* Фонвизин. Недоросль. **5.** Несдержанный, нескромный, развязный. *Вольное обращение. Вольные шутки.* □ *[Софья:] Возьмет он [Молчалин] руку, к сердцу жмет, Из глубины души вздохнет, Ни слова вольного, и так вся ночь проходит.* Грибоедов. Горе от ума. **6.** *полн. ф.* Не регулируемый законами, административными постановлениями, а также (*устар.*) содержащийся на частные средства. *Вольная продажа. Продавать по вольным ценам. Вольная типография.* ◊ **Вольный город** — самостоятельный город-государство в средние века. **Вольный стиль** — в спортивных соревнованиях: стиль плавания, выбираемый самим пловцом. **Вольный перевод** — приблизительный перевод, не полностью совпадающий с подлинником. **Вольные стихи** — стихи с непостоянным количеством стоп в строке, обычно написанные ямбом.

С и н. (к *1 знач.*): свобо́дный, незави́симый. С и н. (ко *2 знач.*): свобо́дный, приво́льный, вольго́тный (*разг.*), раздо́льный (*разг.*). С и н. (к *5 знач.*): сме́лый, риско́ванный, игри́вый, фриво́льный (*книжн.*).

**Во́льно**, *нареч.* (к *1, 2, 3 и 5 знач.*).

**ВОЛЬТЕРЬЯ́НСТВО** [тэ], -а, *ср.* В конце 18 — начале 19 в.: религиозное и политическое свободомыслие, связанное с философскими взглядами Вольтера — знаменитого французского писателя, буржуазного философа-просветителя, противника церкви и феодального строя.

**ВОЛЬТИЖИРО́ВКА**, -и, *ж.* [От франц. voltiger — порхать, летать]. **1.** *Спец.* Гимнастические упражнения на лошади, бегущей по кругу. **2.** Вид цирковой акробатики, заключающийся в перебрасывании партнеров, перелетах, прыжках с трапеции на трапецию и т. п. *Заниматься вольтижировкой.*

**ВОЛЮНТАРИ́ЗМ**, -а, *м.* [От лат. voluntas — воля]. **1.** Направление в идеалистической философии, приписывающее божественной или человеческой воле основную роль в развитии природы и общества, отрицающее объективную закономерность и необходимость. **2.** В политике и общественной жизни: произвольные решения, игнорирующие объективно существующие условия и закономерности. — *Ваш волюнтаризм, если хотите знать, идет от научно-технического формализма.. По вашим схемам мы не организуем объединение и за десять лет.* Колесников. Школа министров.

**Волюнтаристи́ческий**, -ая, -ое (к *1 знач.*) и **волюнтари́стский**, -ая, -ое (ко *2 знач.*). *Волюнтаристическая теория. Волюнтаристское решение.*

**Волюнтари́ст**, -а, *м.*

**ВО́ЛЯ**, -и, *ж.* **1.** Одно из свойств человеческой психики, выражающееся в способности осуществлять поставленные перед собой цели. *Несгибаемая, железная воля. Воспитание силы воли.* □ *Человек изумительно сильной воли, Ленин в высшей степени обладал качествами, свойственными лучшей революционной интеллигенции,— самоограничением, часто восходящим до самоистязания, самоуродования, до рахметовских гвоздей.* М. Горький. В. И. Ленин. **2.** *к чему.* Сознательное стремление к осуществлению чего-л. *Воля к победе.* □ *Все, чем немцы рассчитывали подавить эти [советские] войска и стоящий за ними народ.., словно не только не подавляло их, но разжигало волю к сопротивлению, ненависть к врагу.* Чаковский. Блокада. **3.** Желание, требование. *Воля народа. Исполнить чью-л. волю. Последняя воля (завещание).* □ *[Артамонов] видел, что дворник живет все так же, как-то нехотя, из милости, против воли своей.* М. Горький. Дело Артамоновых. **4.** Власть, право распоряжаться по своему усмотрению. *Это в вашей воле.* □ *[Варя:] Мамочка такая же, как была, нисколько не изменилась. Если бы ей волю, она бы все раздала.* Чехов. Вишневый сад. **5.** Свобода, независимость. *Вырваться на волю. Бороться за волю.* □ *Давным-давно задумал я Взглянуть на дальние поля, Узнать... для воли иль тюрьмы На этот свет родимся мы.* Лермонтов. Мцыри. **6.** *Устар. прост.* Освобождение крестьян от крепостной зависимости, а также манифест об отмене крепостного права. — *Вот — воля нам дана царем-государем.. Георгий, князь, еще до воли, сам догадался, говорил мне: подневольная работа невыгодна.* М. Горький. Дело Артамоновых. ◊ **Воля ваша (твоя)** — 1) как хотите (хочешь), как вам (тебе) угодно. *Не хотите — не надо, воля ваша;* 2) (*устар.*) употр. при выражении отказа, несогласия с чем-л.— *Только, воля ваша, здесь не мертвые души, здесь скрывается что-то другое.* Гоголь. Мертвые души. **Волею суде́б** (*книжн.*) — случайно, в силу обстоятельств. **Брать (взять) волю** — поступать своевольно, не считаясь с кем-л. *Петр вытянул шею, раздул ноздри, бледнея:— Волю взял со мной говорить!.. Осмелел?* А. Н. Толстой. Петр I. **Дать волю** кому, чему — перестать сдерживать, предоставить свободу в поступках, в проявлении чувств. *О друге мыслит и вздыхает, Иль, волю дав своим мечтам, К родимым киевским полям В забвенье сердца улетает.* Пушкин. Руслан и Людмила. **Люди доброй воли** — честные люди, стремящиеся к благу народов, к миру.

С и н. (к 3 знач.): хоте́ние (*разг.*), произволе́ние (*устар. книжн.*). С и н. (к 5 знач.): во́льность (*устар.*).

А н т. (к 1 знач.): безво́лие. А н т. (к 5 знач.): нево́ля (*высок.*).

**Волево́й**, -а́я, -о́е (к 1 и 4 знач.). *Волевая натура. Волевое решение.*

**ВООБРАЖЕ́НИЕ**, -я, *ср.* **1.** Одно из свойств человеческой психики, выражающееся в способности творчески мыслить, фантазировать. *Творческое воображение. Поразить чье-л. воображение.* ☐ *И она опять в своем воображении повторяла весь свой разговор с Курагиным и представляла себе лицо, жест и нежную улыбку этого красивого и смелого человека.* Л. Толстой. Война и мир. **2.** *Разг.* Мысленное представление, плод фантазии. *Его талант — это только его воображение.*

С и н. (к 1 знач.): фанта́зия.

**ВООДУШЕВИ́ТЬ**, -влю́, -ви́шь; воодушеви́вший; воодушевлённый; -лён, -лена́, -о́; воодушеви́в; *сов., кого, что.* Вызвать душевный подъем, побудить к деятельности. *Воодушевить народ на борьбу.* ☐ *Но случись удача, она сразу бы воодушевила бригаду, и люди поверили бы в нового бригадира.* Колесников. Изотопы для Алтунина.

С и н.: вдохнови́ть, одушеви́ть (*книжн.*), окрыли́ть (*высок.*).

**Воодушевля́ть**, -я́ю, -я́ешь; *несов.* **Воодушевле́ние**, -я, *ср.*

**ВОО́ЧИЮ**, *нареч.* **1.** Своими глазами. *Наблюдать воочию.* **2.** Наглядно. *Вообразить воочию.* ☐ *Теперь она воочию видела перемену, которая произошла с ним. О да, он переменился, но переменился так, что она могла гордиться им больше, чем прежде.* Федин. Первые радости.

**ВОПИЮ́ЩИЙ**, -ая, -ее. *Высок.* Вызывающий протест чрезмерной силой, степенью своего проявления. *Вопиющая несправедливость. Вопиющие противоречия.* ☐ *И несут эти люди безвестные Неисходное горе в сердцах. Что тебе эта скорбь вопиющая, Что тебе этот бедный народ?* Н. Некрасов. Размышления у парадного подъезда. ◊ **Глас вопиющего в пустыне** (*книжн.*) — о призыве, остающемся без ответа, без внимания. *В годину мрака и печали, Как люди русские молчали, Глас вопиющего в пустыне Один раздался на чужбине.* Огарев. Предисловие к «Колоколу».

**ВО́ПЛЕНИЦА**, -ы, *ж.* Исполнительница плачей, причитаний в старинных обрядах (похоронных, свадебных и т.д.). *Максимовна — известная по всему Выг-озеру вопленица, плакальщица или подголосница.* Пришвин. В краю непуганых птиц.

С и н.: пла́кальщица.

**ВОПЛОТИ́ТЬ**, -ощу́, -оти́шь; воплоти́вший; воплощённый; -щён, -щена́, -о́; воплоти́в; *сов., кого, что в ком, чем.* *Книжн.* Выразить в какой-л. конкретной, вещественной форме. *Воплотить замысел в стихотворении.* ☐ *Я знал: в ржаной коврижке скрыта Всей доброты земной душа. Святая мудрость землепашца В ней навсегда воплощена.* Рыленков. Кому какой дается жребий... ◊ **Воплотить в жизнь** что — осуществить. *Воплотить в жизнь думы и чаяния народа.* **Воплотить в себе** что — явиться выражением чего-л.

**Воплоща́ть**, -а́ю, -а́ешь; *несов.* **Воплоще́ние**, -я, *ср.*

**ВОПРО́С**, -а, *м.* **1.** Обращение к кому-л., требующее ответа, разъяснения. *Кто он? повторили ему первый вопрос, на который он сказал, что не хочет отвечать.* Л. Толстой. Война и мир. **2.** То или иное положение, задача, требующие изучения и решения в теоретическом или практическом плане. *Национальный вопрос. Вопросы воспитания. Поставить вопрос на обсуждение.* ☐ *[Глаголев:] Но, однако, вы должны знать, что нас, революционеров-большевиков, всегда волновали вопросы коренного технического переустройства всего хозяйства России.* Погодин. Кремлевские куранты. **3.** *чего.* Дело, обстоятельство, касающееся чего-л., зависящее от чего-л. *Вопрос чести. Вопрос времени.* ◊ **Риторический вопрос** — прием ораторской речи: утверждение в форме вопроса. **Ставить под вопрос** что — считать сомнительным или ненужным наличие чего-л. **Поставить вопрос ребром** — заявить о чем-л. прямо, со всей решительностью. *— И вот именно теперь.. нам необходимо ребром поставить вопрос: с кем и за кого мы?* Шолохов. Тихий Дон. **Вопрос жизни или смерти** — о чем-л. очень важном для кого-л. *Я решился, непременно, во что бы то ни стало, снова найти этого человека.. Отыскать его — это сделалось для меня вопросом жизни или смерти.* Тургенев. Сон.

С и н. (ко 2 знач.): пробле́ма.

А н т. (к 1 знач.): отве́т.

**ВОРОВА́ТЫЙ**, -ая, -ое; -а́т, -а, -о. *Разг.* **1.** Нечестный, плутоватый, хитрый. *— Мы тебе, Финоген Данилыч, не помешаем. Хочется себе на здоровье,— пряча вороватые глаза, сказал Зимовской.* Г. Марков. Строговы. **2.** Осторожный, опасливый. *Вороватая походка.* ☐ *Подстреленная утка воровата, говорят охотники, и это правда: она умеет мастерски прятаться даже на чистой и открытой воде.* С. Аксаков. Записки ружейного охотника.

**Ворова́то**, *нареч. Воровато оглядываться.* **Ворова́тость**, -и, *ж.*

**ВО́РОГ**, -а, *м. Устар. и нар.-поэт.* Враг. *— Кто тебя знает, что ты за человек: на тебя дома-то как на врага глядят.* Ф. Гладков. Вольница.

**ВОРОНИ́ТЬ**, -ню́, -ни́шь; вороня́щий, вороненный; воронённый; -нён, -нена́, -о́; *несов., что.* Покрывать стальную, чугунную поверхность окисляющим составом для предохранения от ржавления и для придания ей черного, темно-

-синего или коричневого цвета. *Воронить сталь.*

С и н.: чернить.

**ВОРОНО́Й**, -а́я, -о́е. Черный (о масти лошади). *Как теперь гляжу на эту лошадь: вороная, как смоль, ноги — струнки, и глаза не хуже, чем у Бэлы.* Лермонтов. Герой нашего времени.
◇ **Прокатить на вороных** (*устар. шутл.*) — забаллотировать, провалить на выборах (набросав черных шаров, обозначающих голоса, поданные против). *Все меры были взяты добрыми NN-цами, чтоб на выборах прокатить Бельтова на вороных.* Герцен. Кто виноват?

**ВОСКРЕСИ́ТЬ**, -ешу́, -еси́шь; воскреси́вший; воскрешённый; -шён, -шена́, -о́; воскреси́в; *сов.* **1.** *кого, что.* В религиозно-мистических представлениях: сделать вновь живым. **2.** *перен., кого.* Вызвать внутреннее обновление, вернуть силы, бодрость. *Но в этих больных и бледных лицах уже сияла заря обновленного будущего... Их воскресила любовь, сердце одного заключало бесконечные источники жизни для сердца другого.* Достоевский. Преступление и наказание. **3.** *перен., кого, что.* Восстановить в сознании утраченное, забытое. *Воскресить в памяти чей-л. образ. Воскресить минувшее.* ▢ *Я хотела рассказать, как важно сейчас.. все огромное явление Гете.. как важно воскресить его, снова о нем заговорить, и притом не о поэте, а о философе, мыслителе Гете.* Шагинян. Четыре урока у Ленина.

С и н. (к 1 и 2 знач.): оживи́ть. С и н. (к 3 знач.): воспроизвести́, воссозда́ть, возроди́ть.

**Воскреша́ть**, -а́ю, -а́ешь; *несов.* **Воскреше́ние**, -я, *ср.*

**ВОСКРЕ́СНУТЬ**, -ну, -нешь; воскре́сший и воскре́снувший; воскре́снув; *сов.* **1.** В религиозно-мистических представлениях: стать вновь живым. *[Простакова:] Как! Стародум, твой дядюшка, жив! И ты изволишь затевать, что он воскрес!.. [Софья:] Да он никогда не умирал.* Фонвизин. Недоросль. **2.** *перен.* Выйти из состояния упадка, почувствовать прилив новых сил. *Воскреснуть душой и телом.* ▢ *Раскольников воскрес, и он знал это, чувствовал вполне всем обновившимся существом своим.* Достоевский. Преступление и наказание. **3.** *перен.* Вновь возникнуть, проявиться с прежней яркостью, силой (о мыслях, ощущениях и т. п.). *Простая дева, С мечтами, сердцем прежних дней, Теперь опять воскресла в ней.* Пушкин. Евгений Онегин.

С и н. (к 1 и 2 знач.): ожи́ть. С и н. (к 3 знач.): ожи́ть, возроди́ться.

**Воскреса́ть**, -а́ю, -а́ешь; *несов.* **Воскресе́ние**, -я, *ср.*

**ВОСПЛАМЕНИ́ТЬ**, -ню́, -ни́шь; воспламени́вший; воспламенённый; -нён, -нена́, -о́; воспламени́в; *сов.* **1.** *что.* Зажечь, заставить гореть. *Воспламенить горючую смесь.* **2.** *перен., кого, что. Высок.* Возбудить, вызвать сильное проявление какого-л. чувства, мыслей и т. п. *Воспламенить душу. Воспламененный гневом.* ▢ *[Мизгирь:] Огонь любви моей воспламенит Снегурочки нетронутое сердце.* А. Островский. Снегурочка.

С и н. (ко 2 знач.): заже́чь (*высок.*).

**Воспламеня́ть**, -я́ю, -я́ешь; *несов.* **Воспламене́ние**, -я, *ср.*

**ВОСПРИИ́МЧИВЫЙ**, -ая, -ое; -ив, -а, -о. **1.** Легко воспринимающий, усваивающий, а также глубоко чувствующий что-л. *Восприимчивый ум.* ▢ *Я объясняю тем, что [Марфа Петровна] была женщина пламенная и восприимчивая и что просто-запросто она сама влюбилась.. в вашу сестрицу.* Достоевский. Преступление и наказание. **2.** Легко поддающийся заболеванию. *Восприимчивый к инфекционным болезням.*

С и н. (к 1 знач.): поня́тливый, впечатли́тельный.

**Восприи́мчивость**, -и, *ж. Детская восприимчивость. Восприимчивость организма к возбудителю инфекции.*

**ВОСПРИЯ́ТИЕ**, -я, *ср.* Отражение в человеческом сознании действующих в данное время на органы чувств предметов и явлений действительности, обеспечивающее их различение, понимание и усвоение. *Процесс восприятия. Законы восприятия. Чувственное восприятие. Изучать детское восприятие мира.* ▢ *Алексей Решетников был как раз в том приподнятом состоянии нравственного подъема, когда восприятия обостряются, углубляются чувства, ум становится гибким и быстрым.* Соболев. Зеленый луч.

**ВОСПРОИЗВО́ДСТВО**, -а, *ср. Спец.* Процесс общественного производства в его непрерывном возобновлении и развитии. *Простое, расширенное воспроизводство.*

**ВОСПРЯ́НУТЬ**, -ну, -нешь; воспря́нувший; воспря́нув; *сов. Устар.* Быстро подняться, встать, вскочить. *Вокруг Руслана ходит конь, Поникнув гордой головою,... И ждет, когда Руслан воспрянет.* Пушкин. Руслан и Людмила. ◇ **Воспря́нуть ду́хом** (*книжн.*) — прийти в бодрое состояние, преодолев уныние. **Воспрянуть ото сна** (*устар. высок.*) — проснуться.

**ВОССЛА́ВИТЬ**, -влю, -вишь; воссла́вивший; воссла́вленный; -ен, -а, -о; воссла́вив; *сов., кого, что. Трад.-поэт.* Прославить, восхвалить. *И долго буду тем любезен я народу, Что чувства добрые я лирой пробуждал, Что в мой жестокий век восславил я свободу И милость к падшим призывал.* Пушкин. Я памятник себе воздвиг нерукотворный...

С и н.: воспе́ть (*высок.*).

**Воссла́влять**, -я́ю, -я́ешь; *несов.*

**ВОССТА́НИЕ**, -я, *ср.* Массовое вооруженное выступление против существующей власти. *Восстание рабов, крестьян. Восстание декабристов.* ▢ *Будем помнить, что близится великая массовая борьба. Это будет вооруженное восстание.. Массы должны знать, что они идут на вооруженную, кровавую, отчаянную борьбу.* Ленин, т. 13, с. 376.

С и н.: бунт, мяте́ж, возмуще́ние (*устар*).

**ВОСТО́РЖЕННЫЙ**, -ая, -ое; -ен, -енна, -о. Исполненный восторга, а также склонный восторгаться. *Восторженный взгляд. Восторженная похвала.* ▢ *Круциферский, от природы* нежный, восторженный, был безумно, страстно влюблен в Любоньку. Герцен. Кто виноват?

**Восто́рженно**, *нареч.* Восторженно хвалить что-л. **Восто́рженность**, -и, *ж.* Детская восторженность.

**ВОСХОДЯ́ЩИЙ**, -ая, -ее. Поднимающийся вверх. *Но модель не падает. Она летит и летит плавными виражами. Это воздух. Восходящие потоки. Невидимые струи воздуха не дают упасть модели.* Лиханов. Обман. ◇ **Восходящая линия (родства)** — линия родства, ведущая к старшему поколению, от потомков к предкам. *Вся родословная Ноздрева была разобрана, и многие из членов его фамилии в восходящей линии сильно потерпели.* Гоголь. Мертвые души. **Восходящая звезда; восходящее светило; восходящая величина** — о человеке, начинающем приобретать славу, известность в какой-л. области науки, искусства, техники. *Зайцева — это, так сказать, восходящее светило, молодой талант, расцветший на почве нашей художественной самодеятельности.* Панова. Времена года.

Ант.: **нисходя́щий**.

**ВОСЬМЕРИ́К**, -а́, *м.* Старая русская мера (счета, веса, объема и т. п.), содержащая в себе восемь каких-л. единиц, а также предмет, состоящий из восьми частей. *Гиря восьмерик (весом в восемь фунтов). Веревка восьмерик (сплетенная из восьми прядей).*

**Восьмерико́вый**, -ая, -ое.

**ВОСЬМУ́ШКА**, -и, *ж. Устар.* **1.** Восьмая часть фунта. *Восьмушка чаю, табаку.* **2.** Восьмая часть бумажного листа. *Иные [писцы] писали на пергаменте. И эти книги писались не в полный лист, а в четверть, и даже в восьмушку.* С. Бородин. Дмитрий Донской.

**ВО́ТУМ**, -а, *м.* [Лат. votum — обет]. *Книжн.* Решение, принятое голосованием. *Окончательным результатом жарких дебатов в организации «Искры» было два вотума, приведенных уже мной в «Письме в редакцию». Первый вотум: «отвергается одна из поддерживаемых Мартовым кандидатур девятью голосами против четырех при трех воздержавшихся».* Ленин, т. 8, с. 264. ◇ **Вотум доверия** (*или* **недоверия**) — решение парламента, выражающее одобрение (или неодобрение) деятельности правительства или отдельных его членов.

**ВО́ТЧИНА**, -ы, *ж.* Наследственное земельное владение на Руси в 12—18 вв. *Княжеская, монастырская вотчина.* □ *Смерть дражайших моих родителей принудила меня подать в отставку и приехать в мою вотчину.* Пушкин. История села Горюхина.

**Во́тчинный**, -ая, -ое. *Вотчинные земли.*

**ВОТЩЕ́**, *нареч. Устар.* Напрасно, тщетно. *Ты ждал, ты звал... я был окован; Вотще рвалась душа моя: Могучей страстью очарован, У берегов остался я.* Пушкин. К морю.

С и н.: бесполе́зно, безуспе́шно, беспло́дно, впусту́ю (*разг.*), да́ром (*разг.*), по́пусту (*разг.*), понапра́сну (*разг.*), зря (*разг.*), втуне́ (*устар.*).

**ВОТЯКИ́**, -о́в, *мн.* (*ед.* **вотя́к**, -а́, *м.*). Устарелое название удмуртов.

**Вотя́чка**, -и, *ж.* **Вотя́цкий**, -ая, -ое.

**ВОЦАРИ́ТЬСЯ**, -рю́сь, -ри́шься; воцари́вшийся; воцари́вшись, *сов.* **1.** *Устар.* Вступить на престол, начать царствовать. **2.** Настать, наступить. *Воцарился порядок.* □ *Совершенное молчание воцарилось в комнате. Даже плакавшие дети притихли.* Достоевский. Преступление и наказание.

С и н. (ко 2 знач.): установи́ться, водвори́ться (*книжн.*).

**Воцаря́ться**, -я́юсь, -я́ешься; *несов.* **Воцаре́ние**, -я, *ср.* (к 1 знач.).

**ВОЩЁНЫЙ**, -ая, -ое *и* **ВОЩАНО́Й**, -а́я, -о́е. Натертый или пропитанный воском. *Вощеные нитки. Вощеный пол.* □ *Обряд известных угощенья: Несут на блюдечках варенья, На столик ставят вощаной кувшин с брусничною водой.* Пушкин. Евгений Онегин. *Отпечатано письмо на вощеной бумаге, запаковано было тщательно, прислано Чапаеву с нарочным-посыльным.* Фурманов. Чапаев.

**ВОЯ́Ж**, -а, *м.* [Франц. voyage от лат. viaticum — первонач. деньги или провизия для путешествия]. *Устар. и ирон.* Путешествие, поездка. *— Позвольте спросить, вы скоро в путешествие отправитесь? — В какое путешествие? — Ну да «вояж»-то этот.* Достоевский. Преступление и наказание.

**ВПЕРЕМЕ́ЖКУ**, *нареч.* Перемежаясь, чередуясь друг с другом. *Долго перетасовывали места, чтобы всем дамы сидели непременно вперемежку с кавалерами.. Шурочка посадила рядом с собой с одной стороны Тальмана, а с другой — Ромашова.* Куприн. Поединок.

**ВПЕРЕМЕ́ШКУ**, *нареч.* Беспорядочно перемешиваясь, смешиваясь. *Я в первый раз был у доктора и удивился, что в комнате такой беспорядок. На полу, вперемешку с пакетами чая и табака, валялись кожаные перчатки и странные красивые меховые сапоги.* Каверин. Два капитана.

**ВПЕРИ́ТЬ**, -рю́, -ри́шь; вперивший; вперённый; -рён, -рена́, -о́; впери́в, *сов., что в кого, что или на кого, что. Устар. высок.* Устремив, остановить на ком-, чем-л. (глаза, взгляд, взор). *И старец беспокойный взгляд Вперил на витязя в молчанье.* Пушкин. Руслан и Людмила.

С и н.: устреми́ть, обрати́ть, напра́вить, навести́, наце́лить, уста́вить (*разг.*), упере́ть (*разг.*), уткну́ть (*разг.*).

**Вперя́ть**, -я́ю, -я́ешь; *несов.*

**ВПЕЧАТЛЕ́НИЕ**, -я, *ср.* **1.** Образ, след, отражение, оставляемое в сознании человека предметами и явлениями внешнего мира. *Яркие впечатления от поездки. Впечатления детства.* □ *Между тем любимые образы, любимые лица, мертвые и живые, приходят на память, давным-давно заснувшие впечатления неожиданно просыпаются.* Тургенев. Лес и степь. **2.** Влияние, воздействие на кого-л. *Тяжелое впечатление. Произвести сильное впечатление.* □ *[Звягинцев] ничего не слышал и не видел, будучи весь под впечатлением всего происшедшего и еще не чувствуя того огромного облегче-*

ния, которое пришло несколькими минутами позже. Чаковский. Блокада. **3.** Мнение, оценка, сложившиеся после знакомства, соприкосновения с кем-, чем-л. *Общее впечатление. Благоприятное впечатление. Обмениваться впечатлениями.* ☐ *У меня образовалось такое впечатление: каждый день съезда придает Владимиру Ильичу все новые и новые силы, делает его бодрее, уверенней, с каждым днем речи его звучат все более твердо.* М. Горький. В. И. Ленин.

С и н. (ко 2 знач.): эффе́кт.

**ВПЕЧАТЛИ́ТЕЛЬНЫЙ**, -ая, -ое; -лен, -льна, -о. Легко и быстро поддающийся впечатлениям, живо чувствующий окружающее. *[Лариса:] Каждое слово, которое я сама говорю и которое я слышу, я чувствую. Я сделалась очень чутка и впечатлительна.* А. Островский. Бесприданница.

С и н.: восприи́мчивый.

**Впечатли́тельность**, -и, ж. *Впечатлительность натуры.*

**ВПИТА́ТЬ**, -а́ю, -а́ешь; впита́вший; впи́танный; -ан, -а, -о; впита́в; *сов., что.* **1.** Постепенно вобрать в себя, поглотить. *Впитать влагу. Впитать запах.* **2.** *перен.* Воспринять, усвоить. *Впитать новые впечатления, мысли.*

С и н.: вобра́ть, поглоти́ть.

**Впи́тывать**, -аю, -аешь; *несов.* *Впитывать тепло.*

**ВПРОК**, *нареч. Разг.* **1.** Про запас. *Засолить капусту впрок.* ☐ *Последние два дня он не успевал прочитать газет, хотя покупал аккуратно и складывал кучкой на подоконнике впрок, до свободной минуты.* Шагинян. Первая Всероссийская. **2.** *в знач. сказ.* На пользу. *Уж сколько раз твердили миру, Что лесть гнусна, вредна; но только все не впрок, И в сердце льстец всегда отыщет уголок.* И. Крылов. Ворона и лисица.

**ВРАЗРЕ́З**, *нареч.* ◇ **Идти вразрез** с чем — резко противоречить чему-л., резко расходиться с чем-л. *«Но мои мечты идут вразрез с твоими, — ответила я, — как мне быть?» Он рассердился: «Кто-то в таких случаях должен уступить».* Колесников. Изотопы для Алтунина.

**ВРАЩА́ТЬСЯ**, -а́юсь, -а́ешься; враща́ющийся, враща́вшийся; враща́ясь; *несов.* **1.** Поворачиваться, двигаться вокруг чего-л. *Земля вращается вокруг своей оси. Луна вращается вокруг Земли.* **2.** *перен., вокруг (около) чего-л.* Постоянно возвращаться к кому-, чему-л. *Их мысли давно вращались вокруг ожидавшего их обеда.* Куприн. Молох. **3.** *перен.* Постоянно бывать в каком-л. обществе. *Вращаться в кругу ученых, молодежи.* ☐ *[Растопчин]... всегда вращавшийся в высших кругах администрации... не имел ни малейшего понятия о том народе, которым он думал управлять.* Л. Толстой. Война и мир.

С и н. (к 1 знач.): обраща́ться, верте́ться, крути́ться, кружи́ться.

**Враще́ние**, -я, *ср.* (к 1 и 3 знач.).

**ВРЕМЕНЩИ́К**, -а́, *м. Устар.* Тот, кто по воле сильного покровителя на время оказался у власти. *По скорости, с каковой их [лошадей] запрягали, по торопливой услужливости брадатого казака, поставленного Пугачевым ко-*

менданты, я увидел, что.. меня принимали как придворного временщика. Пушкин. Капитанская дочка.

**ВРОЖДЁННЫЙ**, -ая, -ое; -дён, -дена́ и -дённа, -дено́ и -дённо. Свойственный от рождения. *Врожденный талант. Врожденные рефлексы.* ☐ *Особенно поражала меня в нем смесь какой-то врожденной, природной свирепости и такого же врожденного благородства, — смесь, которой я не встречал ни в ком другом.* Тургенев. Певцы.

С и н.: прирождённый, приро́дный.

**Врождённость**, -и, ж.

**ВРУКОПА́ШНУЮ**, *нареч.* Действуя руками или ручным оружием (в борьбе, в бою с противником). *Казалось,.. что борются не истребители высоко над землей, казалось, что враги сцепились врукопашную и, хрипя и задыхаясь, напрягая все силы, катаются по земле.* Б. Полевой. Повесть о настоящем человеке.

**ВСЕ...** Первая составная часть сложных слов, обозначающая: 1) охватывающий всех, распространяющийся на всех или на всё, напр.: *всеви́дящий, всепоглоща́ющий, всепроща́ющий, всепобежда́ющий, всеси́льный, всемогу́щество, вседозво́ленность, всесою́зный, всеросси́йский, всенаро́дный;* 2) самую высокую степень признака или качества, выраженного второй частью слова, напр.: *всеце́ло, всевла́стие, всенепреме́нно.*

**ВСЕВЫ́ШНИЙ**, -яя, -ее. *Устар. книжн.* **1.** По религиозным представлениям: стоящий над всем существующим (о боге), а также исходящий от бога. *Так думал молодой повеса, Летя в пыли на почтовых, Всевышней волею Зевеса Наследник всех своих родных.* Пушкин. Евгений Онегин. **2.** *в знач. сущ.* **всевы́шний**, -его, *м.* Торжественное название бога. *Мне меньше полувека — сорок с лишним. Я жив, тобой и Господом храним. Мне есть что спеть, представ перед Всевышним, Мне есть чем оправдаться перед Ним.* Высоцкий. И снизу лед, и сверху, — маюсь меж ду...

С и н. (ко 2 знач.): бог, вседержи́тель (*устар.*), вы́шний (*устар. книжн.*).

**ВСЕЛЕ́ННАЯ**, -ой, *ж.* **1.** Весь мир, вся система мироздания. *Строение вселенной. Необъятные просторы вселенной.* ☐ *Галактика неслась сквозь бесконечность, имеющую кривизну, сжималась и вновь расширялась пульсирующая Вселенная.* Гранин. Иду на грозу. **2.** Земля со всем, что на ней находится. *В пустыне чахлой и скупой, На почве, зноем раскаленной, Анчар, как грозный часовой, стоит один во всей вселенной.* Пушкин. Анчар.

С и н. (к 1 знач.): ко́смос, мирозда́ние (*книжн.*), макроко́см (*спец.*) и макроко́смос (*спец.*). С и н. (ко 2 знач.): мир, свет, плане́та, подлу́нная (*устар.*), поднебе́сная (*устар.*).

**ВСЕЛИ́ТЬ**, -лю́, -ли́шь; всели́вший; вселённый; -лён, -лена́, -о́; всели́в; *сов.* **1.** *кого во что.* Предоставить какое-л. помещение для житья. *Вселить горожан в новые квартиры.* **2.** *что в кого, что.* *Высок.* Внушить, заронить что-л. *Вселить надежду, уверенность. Вселить тревогу в серд-*

це. ☐ [Воротынский:] Печальная монахиня-царица Как он тверда, как он неумолима. Знать, сам Борис сей дух в нее вселил. Пушкин. Борис Годунов.

С и н. (к *1 знач.*): поселить, поместить, водворить (*книжн.*). С и н. (ко *2 знач.*): вызвать, возбудить, породить, заронить, навеять, насеять, разбудить (*высок.*), посеять (*высок.*).

**Вселять**, -яю, -яешь; *несов.* **Вселение**, -я, *ср.*

**ВСЕМЕ́РНЫЙ**, -ая, -ое. *Книжн.* Осуществляемый всеми мерами, способами, средствами. *Мы выпустили обращение оргбюро городского комитета партии к населению города с призывом.. оказывать всемерную помощь Красной Армии.* Козлов. В крымском подполье.

С и н.: всяческий (*разг.*).

**Всемерно**, *нареч.*

**ВСЕМИ́РНО-ИСТОРИ́ЧЕСКИЙ**, -ая, -ое. *Высок.* Имеющий значение для развития всей мировой истории. *Всемирно-историческая роль чего-л.* ☐ *Духовная драма Герцена была порождением и отражением той всемирно-исторической эпохи, когда революционность буржуазной демократии уже умирала (в Европе), а революционность социалистического пролетариата еще не созрела.* Ленин, т. 21, с. 256.

**ВСЕ́НОЩНАЯ** [шн], -ой, *ж.* Вечерняя предпраздничная церковная служба у православных христиан. *Как-то раз под вечер, девушка, ходившая за Бельтовой, попросилась у нее идти ко всенощной..— Ступай, Дуня, да помолись и об Володе,— сказала Бельтова, и слезы навернулись на ее глазах.* Герцен. Кто виноват?

**ВСЕО́БУЧ**, -а, *м.* 1. Сокращение: всеобщее обучение (обязательное обучение детей школьного возраста). *Закон о всеобуче.* 2. Широко проводимое обучение чему-л. или повышение квалификации. *Массовый механизаторский всеобуч. Правовой всеобуч.*

**ВСЕОБЪЕ́МЛЮЩИЙ**, -ая, -ее; -ющ, -а, -е. *Книжн.* Охватывающий, включающий в себя всё. *Всеобъемлющий ум. Всеобъемлющие знания.* ☐ *Первое, что охватило Мечика,— что исходило от этой спокойной фигуры [Вари]..,— было чувство какой-то бесцельной, но всеобъемлющей, почти безграничной доброты и нежности.* Фадеев. Разгром.

С и н.: всесторонний, универсальный, всеохватывающий (*книжн.*).

**ВСЕОРУ́ЖИЕ**, -я, *ср.* ◊ **Во всеоружии**— 1) в полной боевой готовности. *Встретить врага во всеоружии;* 2) *чего* (*высок.*) в совершенстве владея чем-л. *Во всеоружии знаний.* ☐ *С детства его [Н. М. Пржевальского] неразлучными друзьями были книги, они помогали ему накопить большой запас знаний. С детства он мечтал о путешествиях, и все свободное время проводил в зоологическом музее, ботаническом саду, чтобы быть во всеоружии науки.* Обручев. Слово к молодежи.

**ВСКОЛЫХНУ́ТЬ**, -ну́, -нёшь; всколыхну́вший; всколыхну́тый; всколыхну́в, *сов., кого, что.* 1. Привести в колебательное движение, заставить колыхаться. *Звук моего выстрела всколыхнул сонный воздух.* Арсеньев. Дерсу Узала. 2. *перен.* Привести в волнение, в движение. *Всколыхнуть народные массы. Всколыхнуть сердце.* ☐ *Может быть, драматизм разворачивающихся событий всколыхнул душу Нины Георгиевны, и ожила в ней мятежная девушка давних лет.* Эренбург. Буря.

С и н. (к *1 знач.*): колыхнуть, качнуть. С и н. (ко *2 знач.*): возмутить (*устар.*).

**ВСКОЛЬЗЬ**, *нареч.* 1. Быстро, не останавливая взгляда. *Пигасов усмехнулся и посмотрел вскользь на Дарью Михайловну.* Тургенев. Рудин. 2. Не останавливая внимания, не углубляясь во что-л. Заметить вскользь. ☐ *О том.. что будет через несколько дней, когда он вернется в Сталинград, Сабуров думал вскользь: ему казалось, что всё это как-то устроится.* Симонов. Дни и ночи.

С и н. (к *1 знач.*): мельком, бегло, мимолетно. С и н. (ко *2 знач.*): мимоходом (*разг.*), походя (*разг.*).

**ВСЛЕ́ДСТВИЕ**, *предлог, чего.* По причине, из-за чего-л. *На пороге.. показалась.. Прасковья Савишна, почти никогда, вследствие запрещения князя, не входившая к ней в комнату.* Л. Толстой. Война и мир.

**ВСПО́ЛОХИ**, -ов и **ВСПОЛО́ХИ**, -ов, *мн.* (*ед.* **вспо́лох**, -а и **всполо́х**, -а, *м.*); **СПО́ЛОХИ**, -ов и **СПОЛО́ХИ**, -ов, *мн.* (*ед.* **спо́лох**, -а и **споло́х**, -а, *м.*). 1. *Устар. и обл.* Северное сияние. *Играло слабое северное сияние. Поддавшись какому-то грустному обаянию, я стоял на крыше, задумчиво следя за слабыми переливами сполоха.* Короленко. Соколинец. 2. Вспышки молнии, зарницы. *Гора Талая, до самой вершины заросшая молодым сосняком, вся точно вспыхивала при каждом громовом всполохе, и можно было отчетливо рассмотреть даже отдельные ветви деревьев.* Мамин-Сибиряк. Гроза. *На востоке вспыхивали сполохи, погромыхивал гром. В эту ночь над отводом прошлась гроза.* Шолохов. Тихий Дон. 3. Сильные, яркие вспышки огня, света. *Поезд прибавил ходу, а мы все смотрели, не отрывая взгляда от сполохов огня.., от зарева над покинутым заводом.* Бек. У взорванных печей. *Все, сгрудившись перед орудием, с подозрительностью глядели то на застонавшего человека, то на всполохи ракет, то на всплески автоматных выстрелов впереди.* Бондарев. Горячий снег.

**ВСПОМОЖЕ́НИЕ**, -я *и* **ВСПОМОЩЕСТВОВА́НИЕ**, -я, *ср. Устар.* Пособие, материальная помощь. *[Крицкий] завел общество вспоможения бедным студентам.* Л. Толстой. Анна Каренина. *В этот день штаб «Молодой гвардии», с разрешения подпольного райкома, выдал денежное вспомоществование некоторым находящимся в наиболее бедственном положении семьям фронтовиков.* Фадеев. Молодая гвардия.

**ВСПЫ́ХНУТЬ**, -ну, -нешь; вспы́хнувший; вспы́хнув, *сов.* 1. Внезапно и быстро загореться, а также ярко засветиться. *Вспыхнула спичка.* ☐ *Перед домом в темноте разноцветные огни вспыхнули, завертелись, поднялись вверх колосьями, пальмами, фонтанами, посыпались дождем.* Пушкин. Дубровский. 2. *перен.* Быстро и сильно покраснеть (от волнения, смущения и т. п.) или ярко выступить (о румянце).

*Знать, забило сердечко тревогу — Все лицо твое вспыхнуло вдруг.* Н. Некрасов. Тройка. **3.** *перен.* Внезапно начаться, возникнуть. *У него вспыхнула надежда. Вспыхнувшее восстание.* ☐ *[Морозов] видел только, что между гостями вспыхнула ссора.* А. К. Толстой. Князь Серебряный. **4.** *перен.* Внезапно прийти в возбужденное, раздраженное состояние. *Вспыхнуть гневом.* ☐ *Однажды на бале..., видя его предметом внимания всех дам..., я сказал ему на ухо какую-то плоскую грубость. Он вспыхнул и дал мне пощечину.* Пушкин. Выстрел.

С и н. (к 1 знач.): зажечься, запылать, заполыхать, заняться *(разг.).* С и н. (ко 2 знач.): зарумяниться, зардеться, заалеть. С и н. (к 3 знач.): загореться, зажечься, завязаться. С и н. (к 4 знач.): вспылить, вскипеть, взорваться *(разг.).*

**Вспы́хивать**, -аю, -аешь; *несов.* **Вспы́шка**, -и, *ж.* (к 1 и 3 знач.). *Вспышки орудийных залпов. Вспышка отчаяния.*

**ВСПЯТЬ**, *нареч.* Книжн. Назад, обратно. *Дедушке иногда казалось, что время повернуло вспять, что ему, дедушке, снова сорок лет.* Катаев. Белеет парус одинокий.

**ВСТУПЛЕ́НИЕ**, -я, *ср.* Начальная, предваряющая часть чего-л. *Вступление к поэме Маяковского «Во весь голос». Оркестровое вступление.*

С и н.: введе́ние.

**ВСУ́Е**, *нареч.* Книжн. Напрасно, попусту (по отношению к чему-л. уважаемому, высокому). *Упоминать чье-л. имя всуе.*

**ВТО́РГНУТЬСЯ**, -нусь, -нешься; вто́ргнувшийся и вто́ргшийся; вто́ргшись; *сов.* **1.** *во что.* Стремительно и насильственно войти, ворваться. *Сотни германских самолетов с зажженными бортовыми огнями стремительно вторглись в воздушное пространство Советского Союза.* С. С. Смирнов. Брестская крепость. **2.** *перен., в кого, что.* Стремительно и внезапно проникнуть, наполнить собой (о чувствах, мыслях и т. п.). *То, что сразу вторглось в него и наполнило его душу, едва ли можно было бы назвать радостью, скорее это было ласково щекотавшее нервы предчувствие близкой радости.* М. Горький. Варенька Олесова. **3.** *перен., во что.* Бесцеремонно вмешаться в чьи-л. дела, отношения и т. п. *Вторгнуться в чужую жизнь.*

С и н. (к 1 знач.): вломи́ться *(разг.).* С и н. (к 3 знач.): ввяза́ться *(разг.),* впу́таться *(разг.),* су́нуться *(разг.).*

**Вторга́ться**, -а́юсь, -а́ешься; *несов.* **Вторже́ние**, -я, *ср.*

**ВТО́РИТЬ**, -рю, -ришь; вто́рящий, вто́ривший; вторя́; *несов., кому, чему.* **1.** Исполнять вторую партию в пении или игре на музыкальном инструменте. *Бас вторит тенору.* ☐ *Пели женщины, и в грубом и нежном плетении их голосов хорошо выделялся низкий, вторящий контральто Марьи Фроловны.* Фадеев. Последний из удэге. **2.** Повторять чьи-л. слова, какие-л. звуки. *И песнь моя громка!.. Ей вторят долы, нивы, И эхо дальних гор ей шлет свои отзывы.* Н. Некрасов. Элегия. **3.** *кому.* Разг. Полностью соглашаться с кем-л., поддакивать. *Жена во всем вторит мужу.*

**ВТОРИ́ЧНЫЙ**, -ая, -ое; -чен, -чна, -о. **1.** *полн. ф.* Представляющий собой вторую ступень в развитии чего-л., а также происходящий, совершающийся второй раз. *Вторичный вызов. Вторичное сырье. Вторичный период болезни.* ☐ *Бедная жена Ивана Петровича не перенесла этого удара [отъезда мужа за границу], не перенесла вторичной разлуки: безропотно, в несколько дней угасла она.* Тургенев. Дворянское гнездо. **2.** Второстепенный, являющийся следствием чего-л. *Он использовал чужое открытие, его идеи вторичны.*

С и н. (к 1 знач.): повто́рный.

А н т.: перви́чный.

**Втори́чно**, *нареч.* (к 1 знач.). **Втори́чность**, -и, *ж.*

**ВТУЗ**, -а, *м.* Сокращение: высшее техническое учебное заведение. ☐ *Токарь высокой квалификации, он сумел окончить втуз без отрыва от производства и последние два года своей жизни работал начальником цеха.* Чаковский. Блокада.

**ВТУ́НЕ**, *нареч.* Устар. Бесплодно, напрасно, без результата. *Все старания пропали втуне.*

С и н.: бесполе́зно, безуспе́шно, тщетно *(книжн.),* впусту́ю *(разг.),* да́ром *(разг.),* по́пусту *(разг.),* понапра́сну *(разг.),* зря *(разг.),* вотще́ *(устар.).*

**ВУАЛЕ́ТКА**, -и, *ж.* [См. *вуаль*]. Небольшая короткая вуаль (в 1 знач.). *Высокая, стройная дама в шляпке с короткою черною вуалеткой проворно спускалась с той же лестницы.* Тургенев. Дым.

**ВУА́ЛЬ**, -и, *ж.* [Франц. voile от лат. velum — покрывало]. **1.** Сетка из тонкой прозрачной ткани, прикрепляемая к женской шляпе и прикрывающая лицо. *Она шла очень скоро, наклонив голову и спустив вуаль на лицо.* Тургенев. Дворянское гнездо. **2.** Легкая прозрачная ткань. *Шелковая, хлопчатобумажная вуаль.*

**Вуа́левый**, -ая, -ое (ко 2 знач.).

**ВУЗ**, -а, *м.* Сокращение: высшее учебное заведение. *Студенты вузов. Поступать в вуз.*

**Ву́зовский**, -ая, -ое.

**ВУЛЬГА́РНЫЙ**, -ая, -ое; -рен, -рна, -о. [Восх. к лат. vulgaris — обыкновенный, простонародный]. **1.** Пошлый, грубый. *Вульгарное слово. Вульгарные манеры.* ☐ *[Нина] была выродком среди своих сестер, с их массивными фигурами и грубоватыми, вульгарными лицами.* Куприн. Молох. **2.** *полн. ф.* Упрощенный до крайности, до искажения смысла. *Вульгарная социология. Вульгарный материализм.*

**Вульга́рно**, *нареч.* (к 1 знач.). *Одеваться вульгарно.* **Вульга́рность**, -и, *ж.* (к 1 знач.).

**ВУНДЕРКИ́НД** [дэ], -а, *м.* [Нем. Wunderkind — чудо-ребенок]. Высокоодаренный ребенок.

**ВУРДАЛА́К**, -а, *м.* То же, что вампир (в 1 знач.). *«Сын твой болен опасною болезнью; Посмотри на белую его шею: Видишь ты кровавую ранку? Это зуб вурдалака, поверь мне».* Пушкин. Песни западных славян.

С и н.: упы́рь.

**ВЫ́БОРНЫЙ**, -ая, -ое. Замещаемый путем выборов, а не назначением. *Выборная должность.*

**Вы́борность**, -и, ж. Принцип выборности. Выборность руководящих органов.

**ВЫ́БОРОЧНЫЙ**, -ая, -ое; -чен, -чна, -о. Не сплошной, частичный. *Выборочная проверка. Выборочное чтение.*

**Вы́борочно**, *нареч.* **Вы́борочность**, -и, ж.

**ВЫ́БОРЫ**, -ов, *мн.* Избрание голосованием (депутатов, должностных лиц, членов организаций и т. п.). *Выборы в Верховный Совет России. Выборы в профсоюзный комитет. Положение о выборах. Участие в выборах.*

**ВЫ́ВОД**, -а, *м.* **1.** *ед. Устар.* Переселение крепостных крестьян на другие земли. *— Но позвольте, Павел Иванович,— сказал председатель,— как же вы покупаете крестьян без земли? разве на вывод? — На вывод.— ..А в какие места? — В места... в Херсонскую губернию.* Гоголь. Мертвые души. **2.** Логический итог рассуждения, умозаключение. *Важный, правильный вывод. Сделать вывод.* ◇ *Авторитетная комиссия после тщательного расследования аварии в экспериментальном цехе пришла к выводу, что продолжать опробование электросигнализатора Скатерщикова нет смысла.* Колесников. Изотопы для Алтунина.

Син. (ко 2 знач.): заключе́ние.

**ВЫ́ВОДОК**, -дка, *м.* Птенцы или детеныши млекопитающих, выведенные одной самкой и держащиеся вместе. *Утиный выводок.* ◇ *В общем совете охотников решено было три дня дать отдохнуть собакам и 16 сентября идти в отъезд, начиная с Дубравы, где был нетронутый волчий выводок.* Л. Толстой. Война и мир.

**Вы́водковый**, -ая, -ое.

**ВЫ́ГОВОР**, -а, *м.* **1.** Качество, характер произношения звуков того или иного языка. *Окающий северный выговор.* ◇ *Глафира завидовала брату: он так был образован, так хорошо говорил по-французски, с парижским выговором.* Тургенев. Дворянское гнездо. **2.** Порицание поведения, поступков, выраженное в словесной форме, а также один из видов дисциплинарного взыскания. *Объявить выговор в приказе.* ◇ *Лизавета Ивановна была домашней мученицею. Она разливала чай и получала выговоры за лишний расход сахара; она вслух читала романы и виновата была во всех ошибках автора.* Пушкин. Пиковая дама.

Син. (к 1 знач.): произноше́ние, проно́нс (*устар. и ирон.*). Син. (ко 2 знач.): внуше́ние, нагоня́й (*разг.*), разно́с (*разг.*), нахлобу́чка (*разг.*), головомо́йка (*разг.*), пробо́рка (*разг.*), взбу́чка (*прост.*).

**ВЫ́ГОДНЫЙ**, -ая, -ое; -ден, -дна, -о. **1.** Приносящий выгоду, прибыль, доход. *Выгодная торговля, сделка. Выгодный покупатель.* **2.** Удачный, благоприятный, положительный. *Выгодный момент. Выгодные перемены. Произвести выгодное впечатление.* ◇ *Немец [снайпер] нашел какую-то очень выгодную позицию.. Стоило кому-нибудь неосторожно высунуться из развалин — и его настигала пуля.* С. С. Смирнов. Брестская крепость. ◇ **В выгодном свете** (*или* **освещении**) — в наиболее благоприятном виде, положении. *Я в таком выгодном свете выставил ее поступки, характер, что* она *поневоле должна была простить мне мое кокетство с княжной.* Лермонтов. Герой нашего времени.

Син. (к 1 знач.): дохо́дный, при́быльный, рента́бельный. Син. (ко 2 знач.): вы́игрышный, удо́бный.

**Вы́годно**, *нареч.* **Вы́годность**, -и, ж.

**ВЫ́ГОН**, -а, *м.* Место, где пасется скот. *В тот же вечер он подкараулил гнавшую с выгона телят босоногую красавицу Ленку.* Седых. Отчий край.

Син.: па́стбище, вы́пас.

**ВЫ́ДАНЬЕ**, -я, *ср.* ◇ **На вы́данье** (*устар. и прост.*) — в возрасте, когда пора выдавать замуж (о девушке). *Одна беда: Маша; девка на выданье, а какое у ней приданое? частый гребень, да веник, да алтын денег.* Пушкин. Капитанская дочка.

**ВЫДВИЖЕ́НЕЦ**, -нца, *м.* В первые годы советской власти: передовой работник (рабочий, колхозник, служащий), выдвинутый на ответственную работу. *Рабочий класс и крестьянство непрерывно выделяют из массы своей сотни даровитых выдвиженцев.* М. Горький. *Если враг не сдается — его уничтожают.*

**Выдвиже́нка**, -и, ж. **Выдвиже́нческий**, -ая, -ое.

**ВЫ́ДВИНУТЬ**, -ну, -нешь; вы́двинувший; вы́двинутый; -ут, -а, -о; вы́двинув; *сов.* **1.** *что.* Двигая, переместить наружу, выставить вперед. *[Ромашов] молча выдвинул ящик письменного стола и достал пистолет.* Каверин. Два капитана. **2.** *перен., что.* Представить, предложить для обсуждения, рассмотрения. *Выдвинуть задачу. Выдвинуть требования. Выдвинуть обвинение.* ◇ *Выдвини он мотив, связанный с общими интересами,— Кузнецов, возможно, отнесся бы к его просьбе благосклонно.* А. Рыбаков. Лето в Сосняках. **3.** *перен., кого.* Выделив среди других, предложить для более ответственной работы. *Выдвинуть на руководящую должность.*

Син.: вы́ставить.

**Выдвига́ть**, -а́ю, -а́ешь; *несов.* *Выдвигать делегатов на съезд.* **Выдвиже́ние**, -я, *ср. Выдвижение кандидатов в депутаты.*

**ВЫДЕРЖАННЫЙ**, -ая, -ое; -ан, -анна, -о. **1.** *полн. ф.* Последовательный, твердо придерживающийся определенных принципов, правил. *Выдержанная идеология. Принципиально выдержанная программа.* **2.** Умеющий владеть собой. *По одной походке его даже и сзади угадывался в нем не только офицер, но еще и человек выдержанный, строгий к самому себе и к другим, подобранный, четкий.* Сергеев-Ценский. Севастопольская страда. **3.** *полн. ф.* Улучшенный путем долгого хранения в соответствующих условиях. *Выдержанное вино. Выдержанный сыр.*

Син. (к 1 знач.): правове́рный, ортодокса́льный (*книжн.*). Син. (ко 2 знач.): хладнокро́вный, сде́ржанный, невозмути́мый, споко́йный, уравнове́шенный.

**Вы́держанно**, *нареч.* (ко 2 знач.). *Вести себя выдержанно.* **Вы́держанность**, -и, ж. (к 1 и 2 знач.).

*Идейная выдержанность. Выдержанность характера.*

**ВЫ́ЖИГА**, -и, *м. и ж.* **1.** *Прост.* Опытный обманщик, плут, умеющий извлекать выгоду отовсюду. *Явившись в Це Ка Ка грядущих светлых лет, над бандой поэтических рвачей и выжиг я подыму, как большевистский партбилет, все сто томов моих партийных книжек.* Маяковский. Во весь голос. **2.** *Устар.* Золото или серебро, полученное путем выжигания из золотых или серебряных нитей, снятых с галунов, парчи и т. п. *На нем ветхая и совершенно затасканная серая ополченка, галуны с которой содраны и проданы на выжигу.* Салтыков-Щедрин. Господа Головлевы.

**ВЫ́ЗОВ**, -а, *м.* **1.** Приглашение, требование явиться куда-л. *Телефонный разговор по вызову.* □ *[Сергей Иванович] в десятом часу утра уже сидел в приемной члена Президиума коллегии адвокатов Кошелева и ждал вызова.* Ананьев. Годы без войны. **2.** Предложение участвовать в чем-л. *Вызов на соревнование. Принять вызов.* □ *То был приятный, благородный, Короткий вызов иль картель: Учтиво, с ясностью холодной Звал друга Ленский на дуэль.* Пушкин. Евгений Онегин. **3.** Выраженный взглядом, словами, поведением и т. п. протест, готовность к борьбе, спору. *Смотреть с вызовом. Бросить вызов всему обществу.* □ *Отвечала она без вызова, без крика, с подчеркнутой вежливостью.* Гранин. Клавдия Вилор.

**ВЫЗЫВА́ЮЩИЙ**, -ая, -ее. Выражающий готовность к столкновению, обращающий на себя внимание дерзостью. *Вызывающее поведение. Вызывающий тон.* □ *Он загородил дорогу Челкашу, встав перед ним в вызывающей позе, схватившись левой рукой за ручку кортика, а правой пытаясь взять Челкаша за ворот.* М. Горький. Челкаш.

С и н.: де́рзкий, ре́зкий, де́рзостный (*устар.*).

**Вызыва́юще**, *нареч. Вызывающе вести себя.*

**ВЫ́КЛАДКА**, -и, *ж.* **1.** *Устар.* Накладной узор из другого материала на поверхности деревянных и металлических изделий или на верхней одежде. *Вслед за чемоданом внесен был небольшой ларчик красного дерева с штучными выкладками из карельской березы.* Гоголь. Мертвые души. **2.** *обычно мн.* Цифровые расчеты, вычисления. *Статистические выкладки.* □ *Седьмой час вечера. Порфирий Владимирович успел уже выспаться после обеда и сидит у себя в кабинете, исписывая цифирными выкладками листы бумаги.* Салтыков-Щедрин. Господа Головлевы. **3.** Походное снаряжение солдата. *Вслед за ним [военным оркестром] маршировали солдаты с винтовками на плечах, с полной выкладкой.* Г. Марков. Строговы.

**ВЫ́ЛАЗКА**, -и, *ж.* **1.** Выход части войск из укрепленного или осажденного места для неожиданного нападения на неприятеля. *Ночная вылазка. Вылазка партизан.* □ *В ночь на шестнадцатое.. сто моих бойцов, отправившись за двадцать километров, совершили вылазку в расположение врага.* Бек. Волоколамское шоссе. **2.** *перен. Неодобр.* Неожиданное враждебное выступление против кого-л. *[Аркадина:] Эти постоянные вылазки против меня и шпильки, воля ваша, надоедят хоть кому!* Чехов. Чайка. **3.** Коллективная физкультурная прогулка. *Лыжная вылазка.* □ *Встретили [в бригаде] Скатерщикова довольно-таки сухо: ни о чем не расспрашивали, не пригласили даже на очередную вылазку в тайгу.* Колесников. Изотопы для Алтунина.

С и н. (ко 2 знач.): вы́пад.

**ВЫ́ЛОЩЕННЫЙ**, -ая, -ое. **1.** Блестящий от наведенного лоска. *Вылощенные сапоги.* □ *Медленно снимая вылощенную шляпу с благообразной, коротко остриженной головы, в комнату вошел мужчина лет под сорок.* Тургенев. Новь. **2.** *перен.* Тщательно отделанный внешне, принаряженный. *На порог то и дело выскакивали официанты — не вылощенные джентльмены в форменных кителях, а.. любопытные молодые, быстроглазые парни.* Шагинян. Четыре урока у Ленина.

**ВЫМОГА́ТЬ**, -а́ю, -а́ешь; вымога́ющий, вымога́вший; вымога́емый; *несов., что.* Добиваться получения чего-л. принуждением, угрозами. *Он стал.. жаловаться на грубость ефрейтора Акита и его привычку вымогать у солдат папиросы.* Диковский. Патриоты.

**Вымога́тельство**, -а, *ср.*

**ВЫ́МОРОЧНЫЙ**, -ая, -ое. **1.** *Спец.* Оставшийся без хозяина после смерти владельца, не имевшего наследников. *Выморочное имущество.* □ *В конце этой улицы.. стоял длинный двухэтажный выморочный дом купца Петунникова.* М. Горький. Бывшие люди. **2.** *перен.* Производящий впечатление чего-то неживого, вымершего. *Чувствовалось что-то выморочное и в этом доме и в этом человеке, что-то такое, что наводит невольный и суеверный страх.* Салтыков-Щедрин. Господа Головлевы.

**ВЫ́МПЕЛ**, -а, вы́мпелы, -ов *и* вымпела́, -о́в, *м.* [Голл. wimpel]. **1.** Раздвоенный внизу длинный и узкий флаг, служащий признаком национальной принадлежности плавающего военного корабля. *После полудня впервые за много дней лениво плеснулся узкий вымпел на корабле.* А. Н. Толстой. Петр I. **2.** Специальный знак в виде флажка с узким треугольным полотнищем, вручаемый за победу в соревновании, за успехи в какой-л. деятельности. *Переходящий вымпел.* □ *Начальник строительства и парторг вручили ему красный капот на радиатор и вымпел «Лучшему шоферу».* Ажаев. Далеко от Москвы. **3.** Футляр с длинной и яркой лентой, используемый при сбрасывании с летательного аппарата донесений, почты и т. п. *[Лейтенант:] Товарищ капитан, самолет из армии вымпел сбросил. Примите.* Симонов. Русские люди.

**ВЫ́НОШЕННЫЙ**, -ая, -ое. Обдуманный, зрелый. *Выношенный замысел. Выношенная идея. Выношенное убеждение.*

**ВЫ́НУДИТЬ** -ужу, -удишь; вы́нудивший; вы́нужденный; -ен, -а, -о; вы́нудив, *сов.* **1.** *кого к чему или с неопр.* Заставить сделать что-л. *Вынудить противника к отступлению.* □ *[Степан Головлев] вынужден был сознаться, что дальнейшее* бродячее существование для него не по силам. Салтыков-Щедрин. Господа Головлевы. **2.** *что.* Добиться, достичь чего-л. принуждением. *[Чацкий:] Дождусь ее и вынужу признанье: Кто наконец ей мил? Молчалин? Скалозуб?* Грибоедов. Горе от ума.

С и н. (к 1 знач.): прину́дить, пону́дить (книжн.), принево́лить (разг.). С и н. (ко 2 знач.): вы́рвать (разг.), вы́тянуть (разг.).

**Вынужда́ть**, -а́ю, -а́ешь; *несов.* Вынуждать к крутым мерам. **Вынужде́ние**, -я, *ср.*

**ВЫНУЖДЕННЫЙ**, -ая, -ое; -ен, -енна, -о. Совершаемый по необходимости или по принуждению, в зависимости от каких-л. обстоятельств. *Вынужденная посадка самолета. Вынужденный простой в работе.* □ *Обитатели подвалов.. были обречены на вынужденное бездействие. Здесь царила атмосфера мучительной неизвестности,.. напряженного, тоскливого ожидания.* С. С. Смирнов. Брестская крепость.

**Вы́нужденно**, *нареч.* **Вы́нужденность**, -и, *ж.*

**ВЫПАД**, -а, *м.* **1.** В фехтовании, гимнастике: резкое движение вперед или в сторону с упором на выставленную ногу. *Ефрейтор Сероштан выкрикивал..:— Выпад с левой и правой ноги, с выбрасываньем соответствующей руки.* Куприн. Поединок. **2.** Враждебное выступление, действие против кого-, чего-л. *Злой, горячий ветерок раздражения, иронии, ненависти гулял по залу, сотни глаз разнообразно освещали фигуру Владимира Ильича. Не заметно было, что враждебные выпады волнуют его, говорил он горячо, но веско, спокойно.* М. Горький. В. И. Ленин.

С и н. (ко 2 знач.): вы́лазка.

**ВЫПРАВКА**, -и, *ж.* Осанка, манера держаться собранно, подтянуто. *Военная выправка. Молодцеватая выправка.* □ *И, видя по выправке, по стати, чуя чутьем служилого человека в приезжем высокое начальство, Яков Лукич послушно щелкнул каблуками стоптанных чириков.* Шолохов. Поднятая целина.

**ВЫПУСК**, -а, *м.* **1.** *ед.* Выход, выдача в обращение готовой продукции, а также денег, ценных бумаг и т.п. *Выпуск товаров народного потребления. Выпуск облигаций, марок.* **2.** *Устар.* Пропуск, пропущенное место. **3.** Издаваемая отдельной книгой, брошюрой часть литературного произведения, научного труда. *«Евгений Онегин» издавался отдельными главами в продолжение нескольких лет, и между каждым предыдущим и последующим выпусками этого романа Пушкин издавал другие произведения, не имеющие с ним никакой связи.* Чернышевский. Сочинения Пушкина. **4.** Группа лиц (класс, курс), окончивших учебное заведение одновременно. *Прошлогодний выпуск. Произнести перед выпуском курсантов речь.*

**ВЫРАБОТКА**, -и, *ж.* **1.** *ед.* То, что изготовлено, выработано, а также количество выработанного. *Повысить нормы выработки. Платить с выработки.* □ *На фабрике было много больных;.. количество выработки понизилось, качество товара стало заметно хуже.* М. Горький. Дело Артамоновых. **2.** обычно *мн.* Место добычи полезных ископаемых. *Горные выработки.* □ *Александр Федорович был старый донецкий шахтер, чудесный плотник.. И в глубоких недрах донецкой земли, в самых страшных осыпях и ползунах немало закрепил выработок его чудесной топорик.* Фадеев. Молодая гвардия.

**ВЫРАЗИ́ТЕЛЬНЫЙ**, -ая, -ое; -лен, -льна, -о. **1.** Живо и ярко выражающий что-л.; яркий по своим свойствам, внешнему виду. *Выразительная речь.* □ *Наружность его была выразительна — высокий, худой, всегда худо выбритый, черноволосый.* Достоевский. Преступление и наказание. **2.** Многозначительный, заключающий в себе намек на что-л. *Причины ее [Домнушки] одиночества окружающие объясняли выразительным жестом: слегка постукивали пальцем по лбу. Это значило: слаба умом.* Г. Марков. Сибирь. **3.** Служащий для передачи чувств, оценок и т.п. *Выразительные средства языка.*

С и н. (к 1 знач.): кра́сочный, колори́тный, живопи́сный, красноречи́вый, экспресси́вный (книжн.). С и н. (к 2 знач.): значи́тельный, красноречи́вый. С и н. (к 3 знач.): экспресси́вный (книжн.).

**Вырази́тельно**, *нареч.* (к 1 и 2 знач.). *Читать выразительно.* **Вырази́тельность**, -и, *ж.* *Средства художественной выразительности.*

**ВЫ́РОДИТЬСЯ**, -дится; выродившийся; вы́родившись; *сов.* **1.** Ухудшиться в своей природе, утратив ценные свойства предшествующих поколений. *Выродившийся вид животного.* **2.** *перен.* Утратить способность к дальнейшему развитию, прийти в упадок. *Нравственно выродиться.*

С и н. (к 1 знач.): дегенери́ровать (книжн.).

**Вырожда́ться**, -а́ется; *несов.* **Вырожде́ние**, -я, *ср.* *Духовное вырождение.*

**ВЫ́СЕЛКИ**, -ов и -лок, *мн.* и **ВЫ́СЕЛОК**, -лка (в одном знач. с *мн.*), *м.* Небольшой поселок на новом месте, выделившийся из большого селения. *Он перебрался через этот ров и дошел до каких-то выселок — трех домиков с тянувшимися сзади них плетнями.* Симонов. Живые и мертвые.

**ВЫСЛУГА**, -и, *ж.* ◊ **Выслуга лет** (офиц.) — установленный законом срок службы в определенных условиях и в определенной должности, дающий право на получение дополнительных льгот или преимуществ. *Надбавка к зарплате за выслугу лет.*

**ВЫСОКОМЕ́РНЫЙ**, -ая, -ое; -рен, -рна, -о. Уверенный в своем превосходстве, пренебрежительно относящийся к окружающим. *Чиновник смотрел как-то привычно и даже со скукой, а вместе с тем и с оттенком некоторого высокомерного пренебрежения, как бы на людей низшего положения и развития, с которыми нечего ему говорить.* Достоевский. Преступление и наказание.

С и н.: го́рдый, зано́счивый, надме́нный, спеси́вый, кичли́вый, напы́щенный, наду́тый, чва́нный (разг.), чванли́вый (разг.).

**Высокоме́рно**, *нареч.* **Высокоме́рие**, -я, *ср.* и **высокоме́рность**, -и, *ж.*

**ВЫСОКОПА́РНЫЙ**, -ая, -ое; -рен, -рна, -о. Отличающийся неуместной торжественностью, приподнятостью (о речи, стиле и т.п.). *Высокопарные стихи.* □ *По всей Москве.. по-*

вторялись слова Растопчина про то, что французских солдат надо возбуждать к сражениям высокопарными фразами. *Л. Толстой. Война и мир.*

С и н.: напы́щенный, пы́шный, гро́мкий, треску́чий, ритори́чный (*книжн.*), велеречи́вый (*устар.*), вы́спренний (*устар. и книжн.*).

**Высокопа́рно,** *нареч.* Говорить высокопарно. **Высокопа́рность,** -и, *ж.*

**ВЫСОКОПОСТА́ВЛЕННЫЙ,** -ая, -ое. Занимающий высокое общественное или служебное положение. *Высокопоставленное лицо.*

**ВЫСОКОРО́ДИЕ,** -я, *ср.* (употр. с мест. «ваше», «его», «ее», «их»). В дореволюционной России: титулование гражданских чиновников пятого класса (статских советников) и их жен.

**ВЫСО́ЧЕСТВО,** -а, *ср.* (употр. с мест. «ваше», «его», «ее», «их»). В дореволюционной России: титулование некоторых членов царствующего дома. — *Ты куда?* — *спросил Борис.* — *К его величеству с поручением.* — *Вот он!* — *сказал Борис, которому послышалось, что Ростову нужно было «его высочество», вместо «его величества». И он указал ему на великого князя. Л. Толстой. Война и мир.*

**ВЫ́СПРЕННИЙ,** -яя, -ее. **1.** *Устар.* Торжественный, возвышенный. *Нейди просторною Дорогой торною.. О жизни искренней, О цели выспренней Там мысль смешна. Н. Некрасов. Кому на Руси жить хорошо.* **2.** *Устар. и книжн.* Напыщенный. □ *[Она] нелепым и выспренним слогом писала о коварном обмане. Куприн. Поединок.*

С и н.: высокопа́рный, гро́мкий, треску́чий, пы́шный, ритори́чный (*книжн.*), велеречи́вый (*устар.*).

**Вы́спренно,** *нареч.* **Вы́спренность,** -и, *ж.* *Выспренность выражений.*

**ВЫСЬ,** -и, *ж.* **1.** Пространство, находящееся высоко над землей. *Заоблачная, поднебесная высь.* □ *Перекликаются в свободной выси птицы, Встает туман, алеет неба синь. Блок. Прозрачные, неведомые тени..* **2.** *мн.* Вершины гор. *Я видел горные хребты, Причудливые, как мечты, Когда в час утренней зари Курилися, как алтари, Их выси в небе голубом. Лермонтов. Мцыри.*

С и н. (*к 1 знач.*): вышина́, поднебе́сье.

**ВЫТЯЖКА,** -и, *ж.* **1.** Прием воинской дисциплины — выпрямление стана при стойке «смирно». *Генерал подошел к той двери, из которой должен был выйти Бенкендорф, и замер в неподвижной вытяжке. Герцен. Былое и думы.* **2.** *Спец.* Вещество, извлеченное из растительной или животной ткани с помощью какой-л. жидкости и сгущенное затем путем выпаривания. *Готовить вытяжку из трав.*

С и н. (*ко 2 знач.*): экстра́кт.

**ВЫУ́ЧКА,** -и, *ж.* **1.** *Разг.* Процесс обучения. *Приняв парня в цех, его не оставлял его без внимания. Поставил на выучку к лучшему сталевару, потом к лучшему мастеру. В. Попов. Обретешь в бою.* **2.** Умения, навыки, приобретенные обучением. *Хорошая выучка.* □ *Цветухин смотрел, как Аночка здоровалась с Извековым: она, по гимназической выучке, еще не могла*

спокойно усидеть, когда к ней подходил старший. *Федин. Необыкновенное лето.*

С и н. (*к 1 знач.*): учёба. С и н. (*ко 2 знач.*): шко́ла.

**ВЫ́ХОДЕЦ,** -дца, *м.* **1.** *из чего. Устар.* Переселенец из другой страны, края. *Восканян.. принялся объяснять, что город их.. армянами, выходцами из турецкого Измаила, построен по заданию и в честь Григория Потемкина. Шагинян. Первая Всероссийская.* **2.** *из кого, чего.* Человек, перешедший из одной социальной среды в другую. *Выходец из крестьян.*

**ВЫ́ХОДКА,** -и, *ж.* **1.** Поступок, противоречащий общепринятым правилам поведения. *Мальчишеская выходка.* □ *— Тарантьев!* — *крикнул Обломов, стукнув по столу кулаком:* — *Молчи, чего не понимаешь! Тарантьев выпучил глаза на эту, никогда не бывалую, выходку Обломова. И. Гончаров. Обломов.* **2.** *Разг.* Особое движение, которым начинают танец. *[Дядя Ерошка] сделал молодецкую выходку и пошел один плясать по комнате. Л. Толстой. Казаки.*

С и н. (*к 1 знач.*): проде́лка (*разг.*), шту́ка (*разг.*), но́мер (*разг.*), фо́ртель (*разг.*), худо́жество (*прост.*).

**ВЫ́ХОЛОСТИТЬ,** -лощу, -лостишь; выхолостивший; выхолощенный; -ен, -а, -о; выхолостив; *сов.* **1.** *кого.* Произвести операцию удаления половых желез. *Выхолостить жеребца.* **2.** *перен., что.* Лишить живого содержания, устранить что-л. ценное, плодотворное (в учении, теории и т. п.). *Выхолостить идею произведения.* □ *Писал он [Лапшин] длинно и скучно. Говорил еще скучнее,.. тем выхолощенным языком, какой среди старых ученых считался признаком высокой культурности. Паустовский. Колхида.*

С и н. (*к 1 знач.*): кастри́ровать.

**Выхола́щивать,** -аю, -аешь; *несов.*

**ВЫЧУ́РНЫЙ,** -ая, -ое; -рен, -рна, -о. Излишне затейливый, нарочито усложненный, замысловатый. *Вычурный фасон платья. Вычурные украшения.* □ *Лидия Михайловна Гасилова несла в руках громадную вычурную сумку. Липатов. И это все о нем.*

С и н.: причу́дливый, прихотли́вый, хи́трый, изы́сканный (*устар.*).

**Вы́чурно,** *нареч.* Говорить вычурно. **Вы́чурность,** -и, *ж.* *Вычурность обстановки.*

**ВЫ́ШНИЙ,** -яя, -ее. **1.** *Трад.-поэт.* Находящийся на значительной высоте над землей. *А за ленинским мавзолеем, за кремлевской стеной, на вышнем холодном ветру, в озаренном небе трепещет и свивается полотнище красного флага. Шолохов. Поднятая целина.* **2.** *в знач. сущ.* **вы́шний,** -его, *м. Устар. книжн.* Божество, бог. *Когда на трон она вступила, Как вышний подал ей венец, Тебя в Россию возвратила, Войне поставила конец. Ломоносов. Ода на день восшествия на престол императрицы Елисаветы Петровны.*

С и н. (*ко 2 знач.*): вседержи́тель (*устар.*), всевы́шний (*устар. книжн.*).

**ВЫЩЕ́РБЛЕННЫЙ,** -ая, -ое. Имеющий щербины, зазубрины. *Выщербленные ступени лестницы.* □ *[Обоз] потянулся к серым вы-*

щербленным камням старинной крепости. Первенцев. Честь смолоду.

**ВЫ́Я**, -и, ж. Устар. Шея. *Перед сатрапом горделивым Израил выи не склонил.* Пушкин. Когда владыка ассирийский...

**ВЬЮК**, -á и -а, вьюки́, -óв и вью́ки, -ов, м. [Тюрк.]. Упакованная поклажа, перевозимая на спине животного, а также мешок, сумка для такой поклажи. *Звонков раздавались нестройные звуки, Пестрели коврами покрытые вьюки. И шел, колыхаясь, как в море челнок, Верблюд за верблюдом, взрывая песок.* Лермонтов. Три пальмы.

**Вью́чный**, -ая, -ое.

**ВЯ́ЗАНКА**, -и, ж. Связка (дров, хвороста, соломы и т. п.). *Ярмола вошел в комнату, согнувшись под вязанкой дров, сбросил ее с грохотом на пол.* Куприн. Олеся.

**ВЯЗЬ**, -и, ж. 1. Узор из переплетающихся между собой линий. [*Мир красоты, веселья, достатка*] *светился в ее улыбке, в ее всегда аккуратно уложенных волосах,.. в ее платье.. и мягких, по восточной вязью серебряных и золотых нитей туфлях.* Ананьев. Годы без войны. Соединение, сплетение смежных букв в одно целое, а также вид письма, при котором строка из сплетенных букв образует непрерывный орнамент. *Арабская вязь.* ◊ *Он устроил.. «оригинальную русскую столовую», с красивым деревянным плакатом, где славянской вязью начертаны были стихи Пушкина из «Руслана и Людмилы».* Шагинян. Первая Всероссийская.

**ВЯ́НУТЬ**, вя́ну, вя́нешь; вя́нущий, вя́нувший; несов. 1. Лишаться свежести, увядать (о растениях). *Вянущая роза. Вянуть от засухи.* 2. *перен.* Терять силы, здоровье, бодрость, а также интерес к окружающему. *К добру и злу постыдно равнодушны, В начале поприща мы вянем без борьбы.* Лермонтов. Дума. ◊ **Уши вя́нут** (*разг.*) — невозможно слушать что-л., настолько это нелепо, глупо и т. п. *Все только слушают его, разинув рот, Хоть он такую дичь несет, Что уши вянут.* И. Крылов. Мешок.

С и н. (к 1 знач.): со́хнуть, засыха́ть, жу́хнуть.
С и н. (ко 2 знач.): га́снуть, ча́хнуть, угаса́ть, та́ять.

**ВЯ́ЩИЙ**, -ая, -ее. Устар. и ирон. Наибольший, более сильный. *Для вящего удовольствия. Для вящей убедительности.* ◊ *Можно было думать, что это делается нарочно, для вящей оригинальности.* М. Горький. Жизнь Клима Самгина.

С и н.: пу́щий (*устар.*).

# Г

**ГАБАРДИ́Н**, -а, м. [Франц. gabardine]. Сорт плотной шерстяной ткани с мелким рубчиком, используемой для верхней одежды. *Светлый габардин. Пальто из габардина.*

**Габарди́новый**, -ая, -ое. *Габардиновый костюм.*

**ГАБАРИ́Т**, -а, м. [Франц. gabarit]. 1. *Спец.* Предельные внешние очертания предмета, а также вообще размер предмета. *Габарит груза. Габариты станков. Товары крупных габаритов.* 2. *мн. Разг. шутл.* Размеры, объем фигуры крупного, полного человека. — *Такая ты объемистая в габаритах, а видеть тебя, мамаша, не приходилось.* Шолохов. Поднятая целина.

**Габари́тный**, -ая, -ое (к 1 знач.).

**ГА́ВАНЬ**, -и, ж. [Голл. haven]. Защищенная от ветра и волн прибрежная часть водного пространства, служащая местом стоянки судов. *Естественная, искусственная гавань. Войти в гавань.* ◊ *В сверкающей гавани стояли в непонятном ожидании одинокие унылые пароходы.* Ф. Гладков. Цемент.

С и н.: бу́хта.

**ГАВО́Т**, -а, м. [Франц. gavotte]. Старинный французский танец в умеренном темпе, а также музыка к этому танцу. *Танцевать гавот. Звуки гавота.*

**ГА́ЕР**, -а, м. [Франц. gaillard — весельчак]. 1. В старину: шут в барском доме, а также балаганный шут. *Вот серый, старый дом.. Теперь он пуст и глух: Ни женщин, ни собак, ни гаеров, ни слуг.* Н. Некрасов. Родина. 2. *перен. Неодобр.* Тот, кто паясничает, кривляется, балагурит на потеху другим.

С и н. (ко 2 знач.): пая́ц, фигля́р, кло́ун (*разг.*), шут (*разг.*), скоморо́х (*разг.*).

**Га́ерский**, -ая, -ое. *Гаерские ужимки и остроты.*

**ГАЗ**[1], -а, м. [Франц. gaze (по названию города Газа в Палестине)]. 1. Вещество в таком состоянии, при котором его частицы движутся свободно и распространяются по всему доступному пространству, равномерно заполняя его. *Атмосферные газы. Слезоточивые газы.* 2. Газообразное топливо. *Природный газ.* 3. *Разг.* Нагревательное, осветительное или другое устройство, потребляющее такое топливо. *Включить газ.* ◊ **Дать** (или **сбавить**) **газ** (*разг.*) — увеличить или уменьшить скорость автомобиля.

**Га́зовый**, -ая, -ое. *Газовая плита.*

**ГАЗ**[2], -а, м. [Франц. gaze]. Шелковая прозрачная ткань. *Екатерина Дмитриевна заказала Даше.. большую шляпу из белого газа с черной лентой.* А. Н. Толстой. Хождение по мукам.

С и н.: кисея́, ды́мка (*устар.*).

**Га́зовый**, -ая, -ое. *Газовый шарф.*

**ГАЗЕ́ЛЬ**, -и, ж. [Франц. gazelle от араб. ghazal]. Горная коза из породы антилоп, отличающаяся быстротой бега и стройностью. *Легкая газель. Стадо газелей.*

**Газе́лий**, -ья, -ье.

**ГАЗО...** Первая составная часть сложных слов, обозначающая **газовый**, относящийся к **газу**[1], напр.: *газоаппарату́ра, газоочи́стка, газопрово́д, газоснабже́ние.*

**ГАЙДАМА́К**, -а, м. [Турецк. haidamak — грабитель]. 1. На Украине в 18 в.: участник народно-освободительного движения против польских помещиков. *Восстание гайдамаков.* ◊ *Враг хищных крымцев, враг поляков, Я часто за Палеем вслед С ватагой храбрых гайдамаков Искал иль смерти, иль побед.* Рылеев. Войнаровский.

**2.** Солдат контрреволюционных отрядов на Украине, боровшихся против советской власти в период гражданской войны 1918 — 1920 гг.

Гайдама́цкий, -ая, -ое.

**ГАЙДУ́К**, -а, *м.* [Польск. hajduk от венг. haidú (*мн.* haidúk) — пехотинец]. **1.** В 15 — 19 вв. у южных славян: участник вооруженной борьбы против турецкого владычества. *В пещере, на острых каменьях Притаился храбрый гайдук Хризич.* Пушкин. Песни западных славян. **2.** Слуга, выездной лакей в богатом помещичьем доме в 18 — 19 вв. *У крыльца толпились кучера.., гусары, пажи, неуклюжие гайдуки, навьюченные шубами и муфтами своих господ: свита необходимая, по понятиям бояр тогдашнего времени.* Пушкин. Арап Петра Великого.

**ГАЛА́**, *неизм. прил.* [Франц. gala]. О зрелище: большой и яркий, праздничный. *Концерт гала. Гала-представление.*

**ГАЛА́КТИКА**, -и, *ж.* [Греч. galaxias — Млечный Путь]. Звездная система. *Открывать новые галактики. Тайны галактики.* ◊ **Наша Галактика** (с прописной буквы) — звездная система, в которую входит Солнце с планетами.

Галакти́ческий, -ая, -ое.

**ГАЛАНТЕРЕ́ЙНЫЙ**, -ая, -ое. [От франц. galanterie — вежливость, любезность]. **1.** Относящийся к галантерее (мелким принадлежностям туалета, личного обихода). *Лаптевы в Москве вели оптовую торговлю галантерейным товаром: бахромой, тесьмой,.. пуговицами и проч.* Чехов. Три года. **2.** *перен. Устар. разг.* Чрезмерно любезный, неумело подражающий галантному поведению. *[Осип:] Пойдешь на Щукин [рынок] — купцы тебе кричат: «Почтенный!»;.. компании захотел — ступай в лавочку: там тебе кавалер расскажет про лагери и объявит, что всякая звезда значит на небе.. Галантерейное, черт возьми, обхождение! Невежливого слова никогда не услышишь, всякий тебе говорит «вы».* Гоголь. Ревизор.

Галантере́йно, *нареч.* (ко 2 знач.). **Галантере́йность**, -и, *ж.* (ко 2 знач.).

**ГАЛА́НТНЫЙ**, -ая, -ое; -тен, -тна, -о. [Франц. galant]. Изысканно вежливый, любезный. *Галантный молодой человек. Галантные манеры.* □ *Я отвешиваю самый галантный поклон, нагнув вперед туловище.* Куприн. Прапорщик армейский.

С и н.: воспи́танный, учти́вый, корре́ктный, обходи́тельный, предупреди́тельный.

Гала́нтно, *нареч.* Гала́нтность, -и, *ж.*

**ГАЛЕ́РА**, -ы, *ж.* [Итал. galera]. Старинное гребное многовесельное военное судно, на котором в Западной Европе гребцами обычно были невольники. *На зеркальной излучине Дона стояли.. длинноносые галеры, с веслами только на передней части, с прямым парусом и чуланом на корме.* А. Н. Толстой. Петр I.

Гале́рный, -ая, -ое.

**ГАЛЕРЕ́Я**, -и, *ж.* [Восх. к итал. galleria — первонач. паперть]. **1.** Длинный узкий крытый балкон вдоль здания или проход, соединяющий части здания. *Отыскав в углу на дворе вход на.. лестницу, он поднялся наконец во второй этаж и вы-*

*шел на галерею, обхвативающую его со стороны двора.* Достоевский. Преступление и наказание. **2.** Длинное узкое, открытое с боков или застекленное строение, расположенное отдельно от жилья и предназначенное для прогулок, отдыха. *На площадке.. построен домик с красной кровлею над ванной, а подальше галерея, где гуляют во время дождя.* Лермонтов. Герой нашего времени. **3.** *Устар.* Верхний ярус в театре. *Еще задолго до занавеса театр уже был полон: партер, ложи и галерея были усыпаны публикой.* Мамин-Сибиряк. Бурный поток. **4.** Помещение, где размещены для обозрения произведения искусства; художественный музей. *Картинная галерея.* □ *В Ватикане есть новая галерея, в которой, кажется, Пий 7 собрал огромное количество статуй, бюстов, статуэток, вырытых в Риме и его окрестностях.* Герцен. Былое и думы. **5.** *перен.*, *кого*, *чего.* Длинный ряд, вереница. *Комедия «Горе от ума» есть и картина нравов, и галерея живых типов, и вечно острая, жгучая сатира, и вместе с тем и комедия.* И. Гончаров. «Мильон терзаний».

С и н. (к 3 знач.): галёрка (*разг.*), раёк (*устар.*), пара́диз (*устар. разг.*).

Галере́йный, -ая, -ое (к 1 знач.).

**ГАЛЕ́ТА**, -ы, *ж.* [Франц. galette от ст.-франц. gal — булыжник, галька]. Сухое печенье из пресного теста (первонач. плоская сушеная лепешка). *Наша жизнь на «Нептуне», как и на всех других подобных судах, проходит в тяжелых условиях: мы надрываемся от работы и питаемся сухими и жесткими, как камень, галетами.* Новиков-Прибой. Море зовет.

**ГАЛИО́Т**, -а, *м.* [Голл. galjoot или франц. galiote]. Старинное парусное плоскодонное транспортное судно (введено в России Петром I). *Восемнадцать двухпалубных кораблей, впереди и позади них.. двадцать галиотов и двадцать бригантин.. далеко растянулись на поворотах реки.* А. Н. Толстой. Петр I.

**ГАЛИФЕ́** [фэ], *нескл., мн. и ср.* [По имени франц. генерала Gallifet]. Брюки особого покроя, обтягивающие колени и сильно расширяющиеся кверху. *Штабной офицерик в широких, как крылья летучей мыши, галифе диктовал что-то хорошенькой блондиночке.* А. Н. Толстой. Хождение по мукам.

**ГАЛЛИЦИ́ЗМ**, -а, *м.* [Франц. gallicisme; восх. к лат. Gallicus — галльский]. Слово или оборот речи, заимствованные из французского языка или построенные по французскому образцу. *Дарья Михайловна.. щеголяла знанием родного языка, хотя галлицизмы, французские словечки попадались у ней частенько.* Тургенев. Рудин.

**ГА́ЛЛЫ**, -ов, *мн.* (*ед.* галл, -а, *м.*). **1.** Римское название древних кельтских племен, населявших преимущ. территорию современной Франции. **2.** *Устар. книжн.* Французы. *Сразились. Русский — победитель! И вспять бежит надменный галл.* Пушкин. Воспоминания в Царском Селе.

Га́лльский, -ая, -ое. *Галльские племена.*

**ГАЛЛЮЦИНА́ЦИЯ**, -и, *ж.* [Франц. hallucination от лат. hallucinatio — пустые мечты, бред]. Явление обмана зрения, слуха, обоняния и т. п. вследствие психического расстройства. *Зрительные, слуховые* галлюцинации. □ *Ему пришло в голову, что если этого странного, сверхъестественного монаха видел только он один, то, значит, он болен и дошел уже до галлюцинации.* Чехов. Черный монах.

**ГАЛО́П**, -а, м. [Франц. galop]. **1.** Быстрый бег, при котором лошадь идет вскачь. *Пустить коня в галоп.* □ *Едва они [драгуны] сошли под гору, как невольно их аллюр рыси перешел в галоп, становившийся все быстрее и быстрее.* Л. Толстой. Война и мир. **2.** Старинный бальный танец в стремительном темпе, а также музыка к этому танцу. *Звуки галопа. Танцевать галоп.*

**ГАЛУ́Н**, -а́, м. [Франц. galon]. Нашивка из золотой или серебряной тесьмы на форменной одежде. *Из дверей.. выпорхнула дама.., сопровождаемая лакеем в шинели с несколькими воротниками и золотым галуном на круглой лощеной шляпе.* Гоголь. Мертвые души.

С и н.: позуме́нт.

Галу́нный, -ая, -ое. *Галунные нашивки.*

**ГА́ММА¹**, -ы, ж. [Восх. к итал. gamma — первонач. первый тон гаммы]. **1.** В музыке: последовательный ряд звуков, повышающихся в определенной системе. *Мажорная, минорная гамма.* □ *Сверху доносились слабые звуки гамм, разыгрываемых неверными пальчиками Леночки.* Тургенев. Дворянское гнездо. **2.** *перен., чего.* Ряд однородных последовательно изменяющихся признаков, явлений, качеств и т. п. *Цветовая гамма. Гамма красок. Гамма чувств.* □ *По небу лилась тихая гамма чудесных вечерних оттенков.* Короленко. У казаков.

**ГА́ММА²**, -ы, ж. [Греч. gamma]. Название третьей буквы греческого алфавита.

**ГА́НГСТЕР**, -а, м. [Англ. gangster]. В некоторых странах: член организованной группы преступников. *Нападение гангстеров.* ◇ **Гангстеры пера** (*перен.*) — о продажных журналистах, писателях.

С и н.: банди́т, налётчик, головоре́з (*разг.*), громи́ла (*разг.*).

Га́нгстерский, -ая, -ое. *Гангстерские группировки.*

**ГАНДБО́Л**, -а, м. [Англ. hand-ball от hand — рука и ball — мяч]. Ручной мяч — спортивная командная игра, в которой игроки стремятся руками забросить мяч в ворота соперника.

Гандбо́льный, -ая, -ое. *Гандбольная команда.*

Гандболи́ст, -а, м.

**ГАРАНТИ́РОВАТЬ**, -рую, -руешь; гаранти́рующий, гаранти́ровавший; гаранти́руемый, гаранти́рованный; -ан, -а, -о; гаранти́руя, гаранти́ровав; *сов. и несов.* [См. *гарантия*]. **1.** *что.* Дать (давать) гарантию в чем-л., обеспечить (обеспечивать). *Гарантировать безопасность. Гарантировать качество продукции. Гарантировать успех.* **2.** *от чего.* Книжн. Оградить (ограждать), защитить (защищать). *Гарантировать от всяких неожиданностей. Гарантировать от ошибок, неприятностей.* □ *Но в конце концов вы же знаете, что на войне никто, нигде и никогда не гарантирован ни от осколка, ни от пули.* Бондарев. Горячий снег.

С и н. (*к 1 знач.*): руча́ться.

**ГАРА́НТИЯ**, -и, ж. [Франц. garantie; восх. к др.-нем. wërënto — поручитель]. **1.** Ручательство, порука в чем-л. *Часы с гарантией. Гарантия прочности изделия. Заручиться надежной гарантией.* □ *Он спешил успокоить Южина, он готов был обещать всё, что угодно, любые гарантии.* Гранин. Иду на грозу. **2.** Обеспечение чего-л. *Конституционные гарантии прав личности.* □ *[России нужны] права и законы, сообразные.. с здравым смыслом и справедливостью, и строгое, по возможности, их выполнение. А вместо этого она представляет собою ужасное зрелище страны, где.. нет не только никаких гарантий для личности, чести и собственности, но нет даже и полицейского порядка.* Белинский. Письмо к Гоголю.

Гаранти́йный, -ая, -ое (*к 1 знач.*). *Гарантийный срок, ремонт. Гарантийное письмо.*

**ГАРДЕМАРИ́Н**, -а, гардемари́ны, -ин (*при обозначении рода войск*) и -ов (*при обозначении отдельных лиц*), м. [Франц. garde-marine от garder — охранять и marine — морской]. В дореволюционной России: воспитанник старших классов морского кадетского корпуса. *Не вешать нос, гардемарины, Дурна ли жизнь иль хороша — Едины парус и душа, Судьба и Родина едины!* Рященцев. Песня гардемаринов.

Гардемари́нский, -ая, -ое. *Гардемаринская каюта.*

**ГАРДИ́НА**, -ы, ж. [Нем. Gardine]. Занавеска, закрывающая все окно. *Тяжелые гардины. Гардины из тюля.* □ *В Англии эти арендаторы чужих земель считаются бедными, но эта бедность для меня, выросшего в русской деревне, кажется странной: в больших каменных домах — чистота, на окнах — гардины, на стенах — зеркала в человеческий рост, на полу — ковры.* Новиков-Прибой. Море зовет.

Гарди́нный, -ая, -ое. *Гардинное полотно.*

**ГАРЕ́М**, -а, м. [Франц. harem; восх. к араб. ḥarām — святыня, запретное]. **1.** Женская половина дома у мусульман. *Жила грузинка молодая, В гареме душном увядая.* Лермонтов. Грузинская песня. **2.** *собир.* Жены и наложницы богатого мусульманина. *— А то еще турка любила я. В гареме у него была, в Скутари.* М. Горький. Старуха Изергиль.

С и н.: сера́ль.

Гаре́мный, -ая, -ое.

**ГАРМОНИ́РОВАТЬ**, -рую, -руешь; гармони́рующий, гармони́ровавший; гармони́руя; *несов.*, обычно *с чем.* [См. *гармония*]. Книжн. Быть в соответствии с чем-л. *Взгляд этих глаз как-то странно не гармонировал со всею фигурой.. и придавал ей нечто гораздо более серьезное, чем с первого взгляда можно было от нее ожидать.* Достоевский. Преступление и наказание.

С и н.: сочета́ться, согласо́вываться.

**ГАРМО́НИЯ¹**, -и, ж. [Восх. к греч. harmonia]. **1.** Благозвучие, стройность и приятность звучания. *Всё дремлет, но дремлет напряженно и чутко, и кажется, что вот в следующую секунду всё встрепенется и зазвучит в стройной гармонии неизъяснимо сладких звуков.* М. Горький. Песня о Соколе. **2.** *перен.* Согласованность, стройное сочетание, взаимное соответствие чего-л. *Гармония красок. Гармония интересов. Душевная гармония.* □ *Поступки Катерины находятся в гармонии с её натурой, они для нее естественны, необходимы, она не может от них отказаться.* Добролюбов. Луч света в темном царстве.

С и н. (к *1 знач.*): благозву́чность, мелоди́чность. С и н. (ко *2 знач.*): созву́чие, строй, согла́сие.

А н т.: дисгармо́ния.

**Гармони́ческий**, -ая -ое и **гармони́чный**, -ая, -ое; -чен, -чна, -о. *Гармоническое звучание. Гармоничное развитие личности.*

**Гармони́чно**, *нареч.* **Гармони́чность**, -и, *ж.*

**ГАРМО́НИЯ**[2], -и, *ж.* [От нем. Harmonika; восх. к греч. harmonía (см. гармония[1])]. *Разг.* Духовой музыкальный инструмент, представляющий собой подвижные меха с двумя дощечками, снабженными клавиатурой; гармоника. *Невдалеке.. сибиряк играл на гармонии и зорким, хищным взглядом искоса следил за певцами. Это не мешало ему добросовестно перебирать лады гармонии, резавшей ухо визгливой частушкой.* Короленко. Феодалы.

С и н.: гармо́нь (*разг.*), гармо́шка (*разг.*).

**ГАРНИЗО́Н**, -а, *м.* [Франц. garnison]. Войсковые части, расположенные в каком-л. населенном пункте, крепости, укрепленном районе. *Начальник гарнизона. Служить в гарнизоне.* □ *Там [на валу] уже толпились все жители крепости. Гарнизон стоял в ружье.* Пушкин. Капитанская дочка.

**Гарнизо́нный**, -ая, -ое. *Гарнизонная служба.*

**ГА́РУС**, -а, *м.* [Польск. harus (по названию города Arras во Фландрии)]. **1.** Род мягкой крученой шерстяной пряжи. *Вышивать гарусом.* □ *На Леню костюмов недостало; была только надета на голову красная вязаная из гаруса шапочка.* Достоевский. Преступление и наказание. **2.** Род хлопчатобумажной ткани, на ощупь похожей на шерстяную. *Костюмный гарус.*

**Га́русный**, -ая, -ое.

**ГАРЦЕВА́ТЬ**, -цу́ю, -цу́ешь; гарцу́ющий, гарцева́вший; гарцу́я; *несов.* [Польск. harcować от harc — стычка]. Щеголять верховой ездой, красиво держаться в седле. *[Чертопханов] гарцует в отдалении.., удивляя всех зрителей красотой и быстротой своего коня и близко никого к себе не подпуская.* Тургенев. Конец Чертопханова.

**ГАСТРО́ЛИ**, -ей, *мн.* (*ед.* **гастро́ль**, -и, *ж.*). [Нем. Gastrolle от Gast — гость и Rolle — роль]. Выступления, спектакли приезжего артиста или коллектива артистов. *Удачные гастроли. Гастроли за рубежом. Гастроли популярного певца. Пригласить театр на гастроли.*

**Гастро́льный**, -ая, -ое. *Гастрольный спектакль. Гастрольный репертуар. Гастрольная поездка.* **Гастролёр**, -а, *м.*

**ГАСТРОНО́М**, -а, *м.* [От греч. gastēr — желудок и nomos — закон]. **1.** *Устар.* Знаток и любитель вкусной еды. *Он прикидывался.. самым тонким гастрономом, хотя.. втайне предпочитал печеный картофель всевозможным изобретениям французской кухни.* Пушкин. Египетские ночи. **2.** Название продовольственного магазина. *Витрина гастронома.*

С и н. (к *1 знач.*): чревоуго́дник, гурма́н (*книжн.*).

**ГАТЬ**, -и, *ж.* Настил из бревен или хвороста для проезда через болото или топкое место. *Возбужденные лошади не слушались поводырей и бились, как припадочные; задние, обезумев, лезли на передних; гать трещала, разлезалась. У выхода на противоположный берег сорвалась с гати лошадь Мечика.* Фадеев. Разгром.

**ГА́УБИЦА**, -ы, *ж.* [Нем. Haubitze от др.-чеш. haufnicě — орудие для метания одновременно большого количества камней]. Артиллерийское орудие со стволом средней длины, стреляющее навесным огнем. *Легкая, тяжелая гаубица.* □ *Как черепахи, ползли гаубицы на широких и низких колесах.* А. Н. Толстой. Петр I.

**Га́убичный**, -ая, -ое. *Гаубичная батарея.*

**ГАУПТВА́ХТА**, -ы, *ж.* [Нем. Hauptwacht — главное караульное помещение]. **1.** *Устар.* Караульное помещение с площадкой для построения караула. *[Хлестаков:] А один раз меня приняли даже за главнокомандующего: солдаты выскочили из гауптвахты и сделали ружьем.* Гоголь. Ревизор. **2.** Помещение для содержания под арестом военнослужащих. *Гарнизонная гауптвахта. Отправить на гауптвахту. Сидеть на гауптвахте.*

**Гауптва́хтенный**, -ая, -ое (к *1 знач.*).

**ГВАРДЕ́ЕЦ**, -е́йца и (*устар.*) **ГВАРДИО́НЕЦ**, -нца, *м.* [См. *гвардия*]. Военнослужащий гвардии. *Отважные гвардейцы.* □ *[Скалозуб:] Мне нравится,.. Искусно как коснулись вы Предубеждения Москвы К любимцам, к гвардии, К гвардейским, к гвардионцам: Их золоту, шитью дивятся, будто солнцам!* Грибоедов. Горе от ума. *Из письма узнал Алексей, что в полку его еще помнят.. и что гвардейцы не теряют надежды увидеть его снова у себя.* Б. Полевой. Повесть о настоящем человеке.

**ГВА́РДИЯ**, -и, *ж.* [Итал. guardia — стража]. **1.** Лучшие, отборные части войск. *Морская гвардия. Гвардии капитан.* □ *Владимир Дубровский воспитывался в Кадетском корпусе и выпущен был корнетом в гвардию.* Пушкин. Дубровский. **2.** *перен.* Испытанные, передовые деятели на каком-л. поприще. *Гвардия ветеранов труда.* □ *Еще в караул вставала в почетный суровая гвардия ленинской выправки.* Маяковский. Владимир Ильич Ленин. ◇ **Красная гвардия** — боевые отряды рабочих, организованные в Советской России в 1917—1918 гг. для борьбы с контрреволюцией, ставшие первоначальным ядром Красной Армии. **Белая гвардия** — контрреволюционные войска в период гражданской войны в Советской России в 1918—1920 гг.

**Гварде́йский**, -ая, -ое (к *1 знач.*). *Гвардейская дивизия. Гвардейское знамя. Гвардейская выправка.*

**ГЕГЕМО́НИЯ**, -и, *ж.* [Греч. hēgemonía — предводительство, руководство]. *Книжн.* Первенство, руководство, превосходство в силе, влиянии.

С и н.: госпо́дство.

**Гегемо́н**, -а, *м.* Рабочий класс при политической стачке выступает как передовой класс всего народа. *Пролетариат играет в таких случаях роль не просто одного из классов буржуазного общества, а роль гегемона, т. е. руководителя, передовика, вождя.* Ленин, т. 21, с. 319.

**ГЕГЕМОНИ́ЗМ**, -а, м. [См. *гегемония*]. *Книжн.* Политика, основанная на стремлении к мировому господству.

**Гегемони́стский**, -ая, -ое. *Гегемонистские устремления.*

**ГЕЕ́ННА**, -ы, ж. [Греч. geenna от др.-евр. ge-hinnôm — долина Еннома (близ Иерусалима, где совершалось идолослужение Молоху)]. В религиозных представлениях: место, где души умерших грешников подвергаются вечным мукам. *[Первый, осматривая стены:] Что бы это такое, братец ты мой, тут нарисовано было; довольно затруднительно это понимать. [Второй:] Это геенна огненная.* А. Островский. Гроза.

С и н.: ад, пе́кло, та́ртар, преиспо́дняя (*устар.*).

А н т.: рай, эде́м (*книжн.*).

**ГЕ́ЙЗЕР**, -а, м. [Исл. geysir]. Горячий источник вулканического происхождения, периодически выбрасывающий в виде фонтанов воду и пары. *Камчатские гейзеры.*

**Ге́йзерный**, -ая, -ое. *Гейзерный источник.*

**ГЕКАТО́МБА**, -ы, ж. [Греч. hecatombē]. В Древней Греции: жертвоприношение (первонач. из ста быков или других животных; впоследствии всякое значительное жертвоприношение). *Совершить гекатомбу.*

**ГЕКТО́ГРАФ**, -а, м. [От греч. hekaton — сто и graphein — писать]. Простейший печатный прибор для получения копий с машинописного или рукописного текста и иллюстраций. *«Некоторые» [сочинения], напечатанные на гектографе, я тоже читал,.. и я знал, что о них не следует рассуждать с полицией.* М. Горький. Мои университеты.

**ГЕЛИКО́Н**, -а, м. [От греч. helix, helikos — витой, изогнутый; *также* Helikŏn — гора в Греции, посвящённая музам]. Медный духовой инструмент басовой группы, представляющий собой трубу, согнутую в кольцо. *Играть на геликоне.*

**ГЕЛИО...** [От греч. hēlios — солнце]. Первая составная часть сложных слов, обозначающая: относящийся к Солнцу или действующий при помощи солнечных лучей, напр.: *гелиофизика, гелиотерапия, гелиоте́хника, гелиоустано́вка.*

**ГЕНЕАЛО́ГИЯ**, -и, ж. [Греч. genealogia]. *Книжн.* 1. История ряда поколений, происходящих от одного предка; родословная. *Генеалогия Пушкина.* □ *Генеалогия главных лиц моего рассказа: Веры Павловны, Кирсанова и Лопухова не восходит.. дальше дедушек с бабушками.. Рахметов был из фамилии, известной с 13 века, то есть одной из древнейших не только у нас, а и в целой Европе.* Чернышевский. Что делать? 2. Вспомогательная историческая дисциплина, изучающая историю отдельных родов и происхождение отдельных лиц. *Генеалогия русских дворянских родов. Изучать восточную генеалогию.*

**Генеалоги́ческий**, -ая, -ое. *Генеалогические таблицы.* ◇ **Генеалогическое древо** (*или* **дерево**) — родословная семьи, изображенная в виде дерева. *Князь Андрей глядел на огромную.. золотую раму с изображением генеалогического дерева князей Болконских.* Л. Толстой. Война и мир.

**ГЕ́НЕЗИС** [нэ], -а, м. [Восх. к греч. genesis]. *Книжн.* Происхождение, возникновение. *Генезис млекопитающих. Генезис русского языка. Генезис капитала.*

**Генети́ческий**, -ая, -ое. *Генетические связи славянских языков.*

**ГЕНЕРА́Л-ГУБЕРНА́ТОР**, генера́л-губерна́тора, м. [От *генерал* (восх. к лат. generalis — общий, главный) и *губернатор* (см.)]. В дореволюционной России и некоторых других странах: начальник одной или нескольких губерний, обладающий высшей военно-административной властью. *Генерал-губернатор Западной Сибири.. завел открытый, систематический грабеж во всем крае, отрезанном его лазутчиками от России.* Герцен. Былое и думы.

**ГЕНЕРАЛИТЕ́Т**, -а, м., *собир.* [Нем. Generalität от лат. generalis — родовой, общий]. Высший командный состав армии; генералы. *Она успела уже повторить в сотый раз,.. как она в 1809 г. ездила в Питер к родным, как всякий день у её родных собирался весь генералитет.* Герцен. Кто виноват?

**ГЕНЕРА́ЛЬНЫЙ**, -ая, -ое. [Восх. к лат. generalis — родовой, общий]. **1.** Главный, основной, ведущий. — *Вот тогда именно у меня зародилась идея, генеральная идея моей жизни.* А. Н. Толстой. Гиперболоид инженера Гарина. **2.** Общий, всеобщий, коренной. *Генеральный план развития города. Генеральная ревизия. Генеральная уборка.* □ *Шли вторые сутки генерального наступления.* Симонов. Дни и ночи. **3.** Возглавляющий какую-л. систему учреждений, организаций. *Генеральный секретарь ООН. Генеральный директор объединения.*

С и н. (к 1 знач.): важне́йший, узлово́й, стержнево́й, центра́льный, магистра́льный, кардина́льный (*книжн.*).

**ГЕНЕ́ТИКА** [нэ́], -и, ж. [Греч. genetikos — относящийся к рождению, происхождению]. Наука о законах наследственности и изменчивости организмов. *Генетика микроорганизмов. Разрабатывать теорию и методы генетики для создания новых сортов растений и пород животных.*

**Генети́ческий**, -ая, -ое. *Генетические признаки.*

**ГЕ́НИЙ**, -я, м. [Восх. к лат. genius — божество, покровитель рода или отдельного человека]. **1.** Высшая степень творческой одаренности, талантливости. *Творческий гений народа.* □ *[Гражданин:] Будь гражданин! служа искусству, Для блага ближнего живи, Свой гений подчиняя чувству Всеобнимающей любви.* Н. Некрасов. Поэт и гражданин. **2.** Человек, обладающий высшей степенью одаренности в какой-л. сфере деятельности. *Пушкин принадлежал к числу тех творческих гениев, тех великих исторических натур, которые, работая для настоящего, приуготовляют будущее.* Белинский. Сочинения Александра Пушкина. **3.** *чего.* Олицетворение, высшее прояв-

ление чего-л. *Я помню чудное мгновенье: Передо мной явилась ты, Как мимолетное виденье, Как гений чистой красоты.* Пушкин. К***. — *[Сцену драки] он нарочно устроил именно для отводу.. Что ж, по-моему, это только гений притворства и находчивости, гений юридического отвода.* Достоевский. Преступление и наказание. ◊ **Добрый гений** — о человеке, оказывающем на кого-л. благотворное влияние, приносящем кому-л. пользу. **Злой гений** — о человеке, оказывающем на кого-л. дурное влияние, приносящем кому-л. зло.
С и н. (к 1 знач.): гениа́льность. С и н. (ко 2 знач.): гига́нт, тита́н (*высок.*).

**Гениа́льный**, -ая, -ое; -лен, -льна, -о (к 1 знач.). *Гениальный ученый.*

**ГЕНОЦИ́Д**, -а, *м.* [Франц. génocide от греч. genos — род, племя и лат. caedere — убивать]. Политика истребления отдельных групп населения, целых народов по расовым, национальным или религиозным мотивам.

**ГЕ́НЫ**, -ов, *мн.* (*ед.* ген, -а, *м.*). [Восх. к греч. genos — род, происхождение]. *Спец.* Материальные носители наследственности в животных или растительных организмах, способные к воспроизведению и обеспечивающие преемственность в поколениях того или иного признака или свойства организма. — *Кое-кто считает, что я не обладаю научными способностями.. Чем я виноват? Не досталось соответствующих генов от родителей.* Гранин. Иду на грозу.

**Ге́нный**, -ая, -ое *и* **генети́ческий**, -ая, -ое. *Генетическая информация.* ◊ **Генная инженерия** — конструирование новых сочетаний генов.

**ГЕО...** [От греч. gē — земля]. Первая составная часть сложных слов, обозначающая: относящийся к Земле, связанный с Землей, напр.: *геоло́гия, геогра́фия, геофи́зика, геосфе́ра.*

**ГЕРА́ЛЬДИКА**, -и, *ж.* [Восх. к ст.-франц. héraldique *и* ср.-лат. heraldus — глашатай]. Вспомогательная историческая дисциплина, изучающая и описывающая гербы.

**Геральди́ческий**, -ая, -ое.

**ГЕРБ**, -а́, *м.* [Польск. herb; восх. к ср.-в.-нем. erbe — наследство]. Эмблема, отличительный знак государства, города, сословия, рода и т. п., изображаемая на флагах, монетах, печатях и т. п. *Государственный герб СССР. Дворянские гербы. Герб Новгорода. Изображение герба на рыцарском щите.* □ *В домовой церкви, где кругом Почиют мощи хладным сном, С короной, с княжеским гербом Воздвиглась новая гробница.* Пушкин. Бахчисарайский фонтан.

**Ге́рбовый**, -ая, -ое. *Гербовая печать.*

**ГЕРКУЛЕ́С**, -а, *м.* [Лат. Hercules — римское имя греческого героя Геракла]. **1.** Человек, обладающий громадной физической силой и атлетическим телосложением. *[Дон Гуан:] Каким он здесь представлен исполином! Какие плечи! что за Геркулес!* Пушкин. Каменный гость. **2.** Сорт овсяной крупы. *Каша из геркулеса.* ◊ **Геркулесовы столбы** (*или* **столпы**) — 1) две скалы у Гибралтарского пролива на европейском и африканском берегах, бывшие в представлении древних народов Европы краем мира; 2) (*перен.*) предел, граница чего-л. **Дойти до геркулесовых столбов** (*или* **столпов**) — дойти до крайнего предела, границы чего-л.

С и н. (к 1 знач.): сила́ч, богаты́рь.

**Геркуле́совский**, -ая, -ое (к 1 знач.), **геркуле́совый**, -ая, -ое (ко 2 знач.) *и* **геркуле́сов**, -а, -о (к 1 знач.).

**ГЕРМА́НЦЫ**, -ев, *мн.* (*ед.* герма́нец, -нца, *м.*). **1.** Общее название древних племен, обитавших в центральной, западной и юго-западной Европе. *Родовой строй у древних германцев. Военные союзы германцев.* **2.** *Устар.* Немцы.

**Герма́нка**, -и, *ж.* **Герма́нский**, -ая, -ое. *Германские племена, языки.*

**ГЕРМАФРОДИ́Т**, -а, *м.* [Восх. к греч. Hermaphroditos — древнегреческое мифическое существо, сын Гермеса и Афродиты, соединенный по воле богов в одно тело с нимфой Салмакидой]. Организм с признаками мужского и женского пола.

**ГЕРМЕТИЗА́ЦИЯ**, -и, *ж.* [По имени египетского божества Гермеса Трисмегиста, позднее причисленного к греческим богам]. Создание непроницаемости стенок и соединений, ограничивающих внутренние объемы чего-л., для жидкостей и газов. *Герметизация космических аппаратов.*

**ГЕРМЕТИ́ЧЕСКИЙ**, -ая, -ое *и* **ГЕРМЕТИ́ЧНЫЙ**, -ая, -ое; -чен, -чна, -о. [См. *герметизация*]. Непроницаемый для жидкостей и газов. *Герметический корпус подводной лодки. Герметичный сосуд.*

**Герметически** *и* **герметично**, *нареч.* *Герметически (герметично) закупорить баллон.* **Герметичность**, -и, *ж.*

**ГЕ́РЦОГ**, -а, *м.* [Нем. Herzog]. Титул высшего дворянства или владетельных князей в Западной Европе, а также лицо, имеющее этот титул. *В полках и сотнях.. читали царский указ о вручении войска преславному и непобедимому имперскому герцогу фон Круи.* А. Н. Толстой. Петр I.

**Герцоги́ня**, -и, *ж.* **Ге́рцогский**, -ая, -ое. *Герцогский титул.*

**ГЕСТА́ПО**, *нескл., ср.* [Нем Gestapo, *сокращение от* Geheime Staatspolizei]. Тайная государственная полиция в фашистской Германии. *Агенты гестапо. Офицер гестапо.* □ *Олег был брошен в застенок гестапо, и для него началась та страшная жизнь, которую не то что выдержать, о которой невозможно писать человеку, имеющему душу.* Фадеев. Молодая гвардия.

**Геста́повский**, -ая, -ое. **Геста́повец**, -вца, *м.*

**ГЕ́ТМАН**, -а, *м.* [Польск. hetman от ср.-нем. häuptmann — капитан, военачальник]. **1.** В 16—17 вв. на Украине: выборный начальник казацкого войска; в 17—18 вв. — правитель Украины. *Гетман Левобережной Украины. Гетман Богдан Хмельницкий.* **2.** В 16—18 вв. в Польше и Литве: главнокомандующий вооруженными силами. *Ланген.. передал просьбу Августа — прислать денег: Польшу-де можно поднять на войну, если передать.. коронному гетману тысяч двадцать червонцев для раздачи панам.* А. Н. Толстой. Петр I.

**Ге́тманский**, -ая, -ое.

**ГЕ́ТТО**, *нескл., ср.* [Итал. ghetto]. В некоторых странах: часть города, отведенная для принудительного поселения людей определенной расы, национальности, религии. *Еврейское гетто* (при фашизме). *Негритянское гетто. Католические гетто.*

**ГИ́БКИЙ**, -ая, -ое; ги́бок, гибка́, ги́бко. **1.** Способный легко гнуться, сгибаться. *Гибкое тело. Гибкие пальцы музыканта. Гибкая ветка.* **2.** перен. Способный легко изменяться, богатый оттенками. *Гибкий голос. Гибкий стих.* **3.** перен. Умело и быстро приноравливающийся к условиям, обстоятельствам. *Гибкий ум. Гибкая политика. Гибкое руководство.* □ *Странно, что никогда в другое время мысль его не была так гибка и изобретательна, как теперь, когда он каждый день выдумывал тысячи разнообразных поводов к тому, чтобы серьезно опасаться за свою свободу и честь.* Чехов. Палата № 6.

**Ги́бко**, нареч. **Ги́бкость**, -и, ж.

**ГИБРИ́Д**, -а, м. [Лат. hybrida от греч. hybris — дерзость, кровосмешение]. Организм, возникший в результате скрещивания растений или животных различных пород, сортов, видов. *Гибриды сельскохозяйственных культур.*

**Гибри́дный**, -ая, -ое. *Гибридные сорта.*

**ГИГА́НТ**, -а, м. [Греч. gigas, gigantos]. **1.** Человек необычайно высокого роста и могучего телосложения. *Никитушка Ломов, бурлак, ходивший по Волге лет двадцать-пятнадцать тому назад, был гигант геркулесовской силы; пятнадцати вершков ростом, он был так широк в груди и в плечах, что весил пятнадцать пудов, хотя был человек только плотный, а не толстый.* Чернышевский. Что делать? **2.** перен. Что-л. чрезвычайно большое по размерам и значению. *Промышленные гиганты. Новостройки-гиганты.* □ *— Одна из наших побед на хозяйственном фронте — ..это пуск нашего завода, этого гиганта республики.* Ф. Гладков. Цемент. **3.** перен. О людях, выдающихся в какой-л. области. *— Мы говорим не о таких гигантах, как Шекспир или Гете, мы говорим о сотне талантливых и посредственных писателей.* Чехов. Три года.

С и н. (к 1 знач.): велика́н, богаты́рь, исполи́н, голиа́ф (книжн.). С и н. (ко 2 знач.): исполи́н, коло́сс (книжн.). С и н. (к 3 знач.): ге́ний, коло́сс (книжн.), исполи́н (высок.), тита́н (высок.).

А н т. (к 1 знач.): ка́рлик, лилипу́т.

**Гига́нтский**, -ая, -ое (к 1 и 2 знач.). *Гигантские пространства. Гигантское строительство.*

**ГИГИЕ́НА**, -ы, ж. [Восх. к греч. hygieinos — здоровый, способствующий здоровью]. **1.** Раздел медицины, изучающий влияние различных факторов внешней среды на организм человека и разрабатывающий меры сохранения здоровья. *Правила гигиены.* **2.** Совокупность практических мер, обеспечивающих сохранение здоровья. *Гигиена питания. Гигиена труда. Личная гигиена.*

**Гигиени́ческий**, -ая, -ое и **гигиени́чный**, -ая, -ое; -чен, -чна, -о (ко 2 знач.). *Гигиенический душ. Гигиеничная одежда.* **Гигиени́чность**, -и, ж.

**ГИД**, -а, м. [Франц. guide]. **1.** Человек, показывающий туристам или экскурсантам достопримечательности города, местности и т. п. *Опытный гид. Слушать объяснения гида.* **2.** Устар. Путеводитель. *Описание гор и пропастей, цветущих лугов и голых гранитов,— все это есть в гиде.* Герцен. Былое и думы.

С и н. (к 1 знач.): экскурсово́д.

**ГИДА́ЛЬГО** см. идальго.

**ГИ́ДРА**, -ы, ж. [Восх. к греч. hydrē]. **1.** В древнегреческой мифологии: многоголовая змея, у которой на месте отрубленных голов вырастали новые. **2.** перен. Коварный враг, выступающий под разными масками. *Половцы новым грабительством доказали Мономаху, что он еще не сокрушил гидры и что не все главы ее пали от меча Российского.* Карамзин. История государства Российского.

**ГИДРО...** [От греч. hydōr — вода]. Первая составная часть сложных слов, указывающая на отношение к воде, водоемам, водной энергии, напр.: *гидроаэродро́м, гидробиоло́гия* (наука об организмах, обитающих в воде), *гидроресу́рсы, гидроэлектроста́нция.*

**ГИ́ЛЬДИЯ**, -и, ж. [Нем. Gilde — товарищество, цех]. **1.** В средние века в Западной Европе: объединение купцов или ремесленников, защищавшее интересы своих членов. *Вступить в ремесленную гильдию.* **2.** В дореволюционной России: один из трех сословных разрядов, на которые делилось купечество в зависимости от величины капитала. *Любонька.. была бы при своих понятиях чрезвычайно счастлива, вышла бы замуж за купца третьей гильдии.. народила бы целую семью купчиков.* Герцен. Кто виноват?

**ГИЛЬОТИ́НА**, -ы, ж. [По имени французского изобретателя — врача Ж. Гийотена]. Орудие для совершения смертной казни путем отсечения головы (введено во Франции во время Великой французской революции). *Отправить на гильотину. Спасти от гильотины.* □ *— Вы убили Виктора Ленуара, моего помощника.. Роллинг пойдет на гильотину.* А. Н. Толстой. Гиперболоид инженера Гарина.

**ГИМН**, -а, м. [Восх. к греч. hymnos]. **1.** Торжественная песня, принятая как символ государственного или социального единства. *Государственный гимн России. Студенческий гимн «Гаудеамус».* **2.** Хвалебная песня, музыкальное произведение торжественного характера, прославляющее кого-, что-л. *Хоровые гимны. Слагать гимны в честь победителей.* □ *И бессмертные гимны, прощальные гимны над бессонной планетой плывут величаво.* Р. Рождественский. Реквием.

**ГИМНА́ЗИЯ**, -и, ж. [Восх. к греч. gymnasion]. Общеобразовательное среднее учебное заведение (первонач. в Древней Греции: учебно-воспитательное заведение, где знатные афинские юноши обучались политике, философии и литературе, одновременно занимаясь гимнастикой). *Надобно стало готовить в гимназию маленького брата Верочки.* Чернышевский. Что делать? ◊ **Класси́ческая гимна́зия** — в дореволюционной России: гимназия с обучением греческому и латинскому языкам, с незначительным количеством часов на военные науки. **Реальная гимназия** — в дореволюционной России: гимназия с преобладанием естественных наук, без обучения древним языкам.

**Гимнази́ческий**, -ая, -ое. *Гимназическое образование.* **Гимнази́ст**, -а, *м. Гимназист второго класса.*

**ГИНЕКОЛО́ГИЯ**, -и, *ж.* [От греч. gynē, gynaikos — женщина и logos — учение]. Отрасль медицины — наука, изучающая особенности женского организма, заболевания женских половых органов и их лечение.

**Гинекологи́ческий**, -ая, -ое. *Гинекологическая клиника. Гинекологическая операция.* **Гинеко́лог**, -а, *м. Консультация гинеколога.*

**ГИНЕ́Я**, -и, *ж.* [Англ. guinea]. Старинная английская золотая монета достоинством в 21 шиллинг.

**ГИПЕРТРОФИ́РОВАННЫЙ**, -ая, -ое; -ан, -анна, -о. [От греч. hyper — сверх и trophē — питание]. *Книжн.* **1.** О части тела, каком-л. органе и т. п.: чрезмерно увеличенный вследствие болезни, усиленной работы, тренировки и т. п. *Гипертрофированные мышцы спортсмена.* **2.** *перен.* Вообще слишком большой, избыточный. *Гипертрофированное самолюбие.* ☐ *Жесткий порядок и контроль несносны для ребенка, который и без того страдает от гипертрофированного чувства ответственности.* Макарова. Затерянный мир.

С и н. (ко 2 знач.): чрезме́рный, непоме́рный, неуме́ренный, и́злишний.

**ГИПНО́З**, -а, *м.* [Восх. к греч. hypnos — сон]. **1.** Состояние неполного, частичного сна, вызываемое внушением и сопровождающееся подчинением воле усыпляющего, а также само такое внушение. *Глубокий гипноз. Находиться под гипнозом, в состоянии гипноза. Лечить гипнозом.* ☐ *Интересно проверить, как проходит гипноз, если гипнотизера оградить сильным полем [тока].* Гранин. Иду на грозу. **2.** *перен.* Сила влияния, присущая кому-л. *Гипноз сильной личности.* ☐ *[Федор:] Меня зовут Андрей. Фамилия моя — Колесников. (Общее движение, происходящее от одного гипноза знаменитого имени.)* Леонов. Нашествие.

С и н.: магнети́зм (*устар.*).

**Гипноти́ческий**, -ая, -ое. *Гипнотическое влияние.*

**ГИПНОТИЗИ́РОВАТЬ**, -рую, -руешь; гипнотизи́рующий, гипнотизи́ровавший; гипнотизи́руемый, гипнотизи́рованный; -ан, -а, -о; гипнотизи́руя; *несов., кого.* [См. гипноз]. Воздействовать гипнозом. *Гипнотизировать взглядом (перен.).*

**Гипнотизёр**, -а, *м. Выступление гипнотизера.*

**ГИПО́ТЕЗА**, -ы, *ж.* [Восх. к греч. hypothesis — предположение]. *Книжн.* Выдвигаемое для объяснения каких-л. явлений научное предположение, достоверность которого еще не доказана опытным путем, а также всякое предположение, допущение, догадка. *Смелая гипотеза. Гипотеза о происхождении жизни. Выдвинуть гипотезу.* ☐ *Осуществление гипотезы.. нуждается в огромном экспериментальном материале.* Гранин. Иду на грозу.

**Гипотети́ческий** [тэ], -ая, -ое *и* **гипотети́чный** [тэ], -ая, -ое; -чен, -чна, -о. *Гипотетические построения.* **Гипотети́чность** [тэ], -и, *ж. Гипотетичность суждений.*

**ГИРЛЯ́НДА**, -ы, *ж.* [Восх. к итал. ghirlanda]. **1.** Сплетенные в виде цепи цветы, зелень, ветви, а также орнамент, узор такой формы. *Украсить зал гирляндами.* ☐ *Гирлянды цветов обвивали его [гроб] со всех сторон.* Достоевский. Преступление и наказание. **2.** *перен.*, обычно *чего.* Однородные предметы, расположенные цепью. *Гирлянды огней, фонарей.* ☐ *И там, под горами, за заливом, путаными гирляндами лучились электрические звезды. Это воскресал к жизни завод.* Ф. Гладков. Цемент.

**ГЛАВА́¹**, -ы́, гла́вы, глав, *ж. и м.* **1.** *ж. Устар. и высок.* Голова. *Перед гробницею святой Стою с поникшею главой.* Пушкин. Перед гробницею святой... **2.** *ж., перен. Устар. и высок.* Верх, вершина, самая высокая часть чего-л. *Забытый светом и молвою, Далече от брегов Невы, Теперь я вижу пред собою Кавказа гордые главы.* Пушкин. Руслан и Людмила. **3.** *ж.* Купол церкви. *Сияли золотые главы церквей и кресты на них.* М. Горький. Жизнь Клима Самгина. **4.** *м.*, обычно *чего.* Руководитель, старший по положению. *Глава правительства. Глава делегации. Глава семьи.* ☐ *Я был рад случаю повидать административного главу приисковой резиденции.* Короленко. Феодалы. ◇ **Во главе** *кого, чего* (и д т и) — впереди, в первых рядах. *Идти во главе колонны.* **Во главе** *кого, чего* (быть, стоять и т. п.) — возглавлять что-л. **Во главе** *с кем* — имея кого-л. в качестве руководителя. *Делегация во главе с министром.* **Во главу угла ставить** *что* — считать что-л. самым главным, основным. *Ставить во главу угла задачи нравственного воспитания.*

С и н. (ко 2 знач.): верху́шка, маку́шка. С и н. (к 3 знач.): ма́ковка (*разг.*). С и н. (к 4 знач.): нача́льник, голова́ (*разг.*), шеф (*офиц.*).

**Гла́вка**, -и, *ж.* (*уменьш.*) (к 3 знач.).

**ГЛАВА́²**, -ы́, гла́вы, глав, *ж.* Раздел книги, статьи, отмечаемый нумерацией или особым заголовком. *Прочитать три главы романа.* ☐ *«Онегин» писан был в продолжение нескольких лет, — и потому сам поэт рос вместе с ним, и каждая новая глава поэмы была интереснее и зрелее.* Белинский. Сочинения Александра Пушкина.

**Гла́вка**, -и, *ж.* (*уменьш.*).

**ГЛАГО́ЛЬ**, -я, *м.* Устарелое название буквы «г».

**ГЛАДИА́ТОР**, -а, *м.* [Лат. gladiator от gladius — меч]. В Древнем Риме: борец из рабов или военнопленных, специально обученный для сражения с другим борцом или дикими зверями на арене цирка. *Раненый гладиатор. Бой гладиаторов. Восстание гладиаторов.*

**Гладиа́торский**, -ая, -ое.

**ГЛАДЬ¹**, -и, *ж.* Ровная, гладкая поверхность. *Зеркальная гладь озера.* ☐ *Эшелон.. стоял среди сверкающей до горизонта глади снегов.* Бондарев. Горячий снег.

**ГЛАДЬ**², -и, ж. Вышивка сплошными плотно прилегающими друг к другу стежками. *Учиться вышивать гладью* (в знач. нареч.).

**ГЛАЗЕ́Т**, -а, м. [Франц. glacet]. Сорт парчи с цветной шелковой основой и вытканными на ней золотыми или серебряными узорами.

**Глазе́товый**, -ая, -ое. *Глазетовый кафтан.*

**ГЛАЗУ́РЬ**, -и, ж. [Нем. Glasur]. **1.** Стекловидный сплав, которым покрывают керамические изделия. *Иногда Володимирыч шутейно.. тянулся своей обгрызанной ложкой в нашу огромную глиняную чашку с желто-зеленой глазурью.* Ф. Гладков. Повесть о детстве. **2.** Густой сахарный сироп, в котором варят фрукты и которым покрывают мучные изделия. *Печенье с глазурью.*
◊ С и н. (к 1 знач.): поли́ва (*спец.*).

**Глазу́ревый**, -ая, -ое и **глазу́рный**, -ая, -ое.

**ГЛАСИ́ТЬ**, -си́т; гласящий, гласивший; глася; *несов., что.* **1.** *Книжн.* Содержать в себе какие-л. сообщения, утверждения. *Татьяна любопытным взором На воск потопленный глядит: Он чудно вылитым узором Ей что-то чудное гласит.* Пушкин. Евгений Онегин. **2.** *Трад.-поэт.* Провозглашать, возвещать, объявлять. *Еще в полях белеет снег, А воды уж весной шумят — Бегут и будят сонный брег, Бегут и блещут и гласят... Они гласят во все концы: «Весна идет, весна идет!»* Тютчев. Весенние воды.
◊ С и н. (ко 2 знач.): говори́ть, сообща́ть, веща́ть (*устар.*).

**ГЛА́СНОСТЬ**, -и, ж. Один из важнейших демократических принципов, при котором все основные сферы общественно значимой деятельности (кроме сведений, содержащих государственную тайну) доступны для широкого ознакомления и обсуждения. *В обстановке гласности.* ◊ **Предать гласности** — сделать известным, опубликовать.

**ГЛА́СНЫЙ**¹, -ая, -ое; -сен, -сна, -о. Доступный для общественного ознакомления и обсуждения. *Гласный суд. Гласный протест.*
С и н.: откры́тый, публи́чный.
А н т.: негла́сный (*книжн.*).
**Гла́сно**, *нареч.*

**ГЛА́СНЫЙ**², -ого, м. В дореволюционной России: выборный член местного самоуправления. *На старости лет [отец] выставил свою кандидатуру в земские гласные Ржевского уезда.* Игнатьев. Пятьдесят лет в строю.

**ГЛАША́ТАЙ**, -я, м. **1.** В старину: тот, кто всенародно объявлял официальные известия. **2.** *перен., чего. Высок.* Тот, кто провозглашает, утверждает и защищает что-л. *Глашатай мира и свободы.* □ *А ты, поэт! избранник неба, Глашатай истин вековых, Не верь, что не имущий хлеба Не стоит вещих струн твоих!* Н. Некрасов. Поэт и гражданин.
С и н. (к 1 знач.): ве́стник. С и н. (ко 2 знач.): провозве́стник (*высок.*).

**ГЛИНОБИ́ТНЫЙ**, -ая, -ое. Сделанный из плотно сбитой глины, смешанной с рубленой соломой, песком и т. п. *Глинобитные хаты.*

**ГЛИ́ССЕР**, -а, глиссеры, -ов и глиссера́, -о́в, м. [От франц. glisser — скользить]. Плоскодонное мелкосидящее быстроходное судно, легко скользящее по поверхности воды. *Пассажирский глиссер. Спортивный глиссер. Глиссер охранной службы. Прогулка на глиссере.*

**Гли́ссерный**, -ая, -ое.

**ГЛОБА́ЛЬНЫЙ**, -ая, -ое; -лен, -льна, -о. [Франц. global от лат. globus — шар]. **1.** *полн. ф.* Всеобщий, всемирный, охватывающий весь земной шар. *Глобальный договор.* **2.** Полный, всеобъемлющий. *Глобальный подход.* ◊ **Глобальная война** — мировая война, охватывающая весь земной шар и околоземное пространство, с применением всех видов оружия массового поражения. **Глобальная ракета** — ракета, способная доставить боевой заряд в любую точку земного шара.

**Глоба́льность**, -и, ж. (ко 2 знач.).

**ГЛУБО́КИЙ**, -ая, -ое; -бо́к, -бока́, -боко́ и -бо́ко. **1.** Имеющий большую глубину, находящийся на значительной глубине, а также не имеющий видимого предела. *Глубокий колодец. Глубокие корни дерева.* □ *Небо было глубокое, как летом, и воздух прозрачный и золотой в далях.* Ф. Гладков. Цемент. **2.** *перен.* Отличающийся значительностью, основательностью, содержательностью; очень сильный (о чувствах, состоянии и т. п.). *Глубокие знания. Глубокий ум. Относиться с глубоким уважением. Испытывать глубокую скорбь, глубокое разочарование.* □ *На другой день Круциферский сидел у себя в комнате, погруженный в глубокую думу.* Герцен. Кто виноват? **3.** Достигший предела в своем проявлении, развитии; полный, совершенный. *Глубокий покой. Глубокая тишина. Глубокая осень. Глубокая старость.* □ *Мы проехали версты четыре в глубоком молчании.* Короленко. Убивец. ◊ **Глубокий взгляд (или взор)** — очень выразительный, серьезный. *Я был вознагражден глубоким, чудесным взглядом.* Лермонтов. Герой нашего времени.
С и н. (к 1 знач.): бездо́нный. С и н. (ко 2 знач.): большо́й, основа́тельный, фундамента́льный.
С и н. (к 3 знач.): абсолю́тный.
А н т. (к 1 знач.): ме́лкий. А н т. (ко 2 знач.): пове́рхностный.

**Глубоко́** и **глубо́ко**, *нареч.* *Находиться глубоко под землей. Глубоко знать предмет.*

**ГЛУБОКОМЫ́СЛЕННЫЙ**, -ая, -ое; -ен, -енна, -о. Обладающий серьезными, значительными мыслями, высказывающий их, а также серьезный, свойственный мыслящему человеку. *Глубокомысленное замечание, рассуждение. Глубокомысленный вид.* □ *Через несколько дней, которые Бельтов провел в глубокомысленном чтении и изучении устава о дворянских выборах, он.. отправился делать нужнейшие визиты.* Герцен. Кто виноват?

**Глубокомы́сленно**, *нареч.* **Глубокомы́сленность**, -и, ж.

**ГЛУМИ́ТЬСЯ**, -млю́сь, -ми́шься; глумя́щийся; глуми́вшийся; глумя́сь; *несов., обычно над кем, чем.* Издеваться, зло насмехаться. *Глумиться над святыней. Жестоко глумиться.* □ *Вы сотни лет глядели на Восток, Копя и плавя на-*

ши перлы, И вы, глумясь, считали только срок, Когда наставить пушек жерла! Блок. Скифы.

С и н.: измыва́ться (разг.), кура́житься (прост.), изгаля́ться (прост.).

**Глумле́ние**, -я, ср.

**ГЛУХО́Й**, -а́я, -о́е; глух, глуха́, глу́хо. **1.** Полностью или частично лишенный слуха. *Глухой старик. Глухой от рождения. Азбука для глухих* (в знач. сущ.). **2.** *перен.*, обычно *к чему.* Равнодушный, неотзывчивый. *Глух ко всем просьбам. Глух к поэзии.* □ *С ним обращались как с больным, осторожно, стараясь не тронуть раны,.. он отвечал принужденной улыбкой, но глаза его оставались глухими.* Гранин. Иду на грозу. **3.** Невнятный, приглушенный (о звуках). *Глухие раскаты грома. Глухие рыдания.* □ *Александр продолжал читать глухим, едва слышным голосом.* И. Гончаров. Обыкновенная история. **4.** Смутный, затаенный, скрытый. *Глухое недовольство. Глухой ропот. Глухая молва.* □ *И он убит — и взят могилой, Как тот певец, неведомый, но милый, Добыча ревности глухой.* Лермонтов. Смерть поэта. **5.** Находящийся далеко от населенных мест, захолустный, а также пустынный, безлюдный. *Глухая сторона, местность. Глухой переулок.* □ *Блестящее воспитание, полученное ею в Петербурге, не подготовило к перенесению забот по хозяйству и по дому, — к глухому деревенскому житью.* Тургенев. Отцы и дети. ◊ **Глухое время, глухая пора** — время, характеризующееся застоем, упадком, отсутствием какой-л. деятельности.

С и н. (к 1 знач.): тугоу́хий. С и н. (к 3 знач.): незво́нкий, неотчётливый, сда́вленный, тупо́й. С и н. (к 4 знач.): нея́сный, неотчётливый. С и н. (к 5 знач.): перифери́йный.

А н т. (ко 2 знач.): отзы́вчивый. А н т. (к 3 знач.): зво́нкий, зву́чный, вня́тный, чёткий, отчётливый. А н т. (к 4 знач.): откры́тый.

**Глу́хо**, *нареч.* (к 3 и 4 знач.). *Глухо кашлянуть. Глухо роптать.*

**ГЛЯ́НЕЦ**, -нца, м. [Нем. Glanz]. Блеск начищенной, отполированной или покрытой блестящим материалом поверхности. *Зеркальный глянец. Глянец журнальной обложки.* □ *Шерсть на нем [коне] отливала серебром — да не старым, а новым, что с темным глянцем; повести по ней ладонью — тот же бархат!* Тургенев. Конец Чертопханова. ◊ **Навести глянец** — окончательно отделать законченную работу.

С и н.: лоск.

**Гля́нцевый**, -ая, -ое.

**ГНЕДО́Й**, -а́я, -о́е. Красновато-рыжий с черным хвостом и гривой (о масти лошади). *Запрячь четверку гнедых* (в знач. сущ.). □ *Прежде всего пошли они обсматривать конюшню, где видели двух кобыл, одну серую в яблоках, другую каурую, потом гнедого жеребца, на вид и неказистого, но за которого Ноздрев божился, что заплатил десять тысяч.* Гоголь. Мертвые души.

**ГНЁТ**, -а, м. **1.** Тяжесть, груз, давящий на что-л., прессующий что-л. *Положить творог под гнет.* **2.** *перен.* То, что тяготит, угнетает, мучит. *Гнет тяжелых воспоминаний.* □ *Я заглянул в эту душу: тайный гнет давил её постоянно,.. но всё существо её стремилось к правде.* Тургенев. Ася. **3.** *чего* или *какой*. Насильственное воздействие сильного на более слабого; притеснение, угнетение. *Колониальный гнет. Гнет рабства. Гнет самодержавия.* □ *Но в нас горит еще желанье, Под гнетом власти роковой Нетерпеливою душой Отчизны внемлем призыванье.* Пушкин. К Чаадаеву.

С и н. (к 1 знач.): пресс. С и н. (к 2 знач.): тя́жесть, тя́готы, бре́мя (книжн.), и́го (устар.). С и н. (к 3 знач.): ярмо́ (высок.), и́го (высок.), ярём (устар.).

**ГНОМ**, -а, м. [Нем. Gnom]. В западноевропейской мифологии: бородатый уродливый карлик, охраняющий подземные сокровища.

**Гно́мик**, -а, м. (уменьш.).

**ГНУ́СНЫЙ**, -ая, -ое; гну́сен, гнусна́, гну́сно. **1.** Вызывающий отвращение, омерзительный. *Гнусный поступок. Гнусное предложение.* □ *— Но клевета,.. гнусная, подлая клевета, показала мне всю меру вашей низости.* Герцен. Кто виноват? **2.** Подлый, в высшей степени непорядочный, бесчестный (о человеке). *Гнусный тип.* □ *Неужели Вы, автор «Ревизора» и «Мертвых душ», неужели Вы искренно, от души, пропели гимн гнусному русскому духовенству?* Белинский. Письмо к Гоголю.

С и н.: га́дкий, ме́рзкий, скве́рный, отврати́тельный, ни́зкий, ме́рзостный (разг.), па́костный (разг.), отвра́тный (разг.), паску́дный (прост.).

**Гну́сно**, *нареч.* **Гну́сность**, -и, ж. *Гнусность поступков.*

**ГОБЕЛЕ́Н**, -а, м. [Франц. gobelin]. Стенной ковер ручной работы с художественно вытканным изображением, картиной, а также декоративная ткань. *Выставка гобеленов. Коллекция гобеленов.*

**Гобеле́новый**, -ая, -ое. *Гобеленовые ткани.*

**ГОБО́Й**, -я, м. [Нем. Hoboe от франц. haut-bois — высокая флейта]. Духовой деревянный музыкальный инструмент в виде трубки с расширением на конце, по высоте звука средний между кларнетом и флейтой. *Звуки гобоя.* □ *Скрипки, альты, гобои и литавры играли на хорах старые немецкие песни, русские плясовые.* А. Н. Толстой. Петр I.

**Гобо́йный**, -ая, -ое.

**ГОВЕ́ТЬ**, -е́ю, -е́ешь; гове́ющий, гове́вший; говея; *несов.* У верующих: поститься и ходить в церковь, готовясь к исповеди и причастию в установленные церковью сроки. *Марина.. стала богомольной, говела весь великий пост, на третьей неделе ходила каждодневно молиться в.. церковь, исповедалась и причастилась.* Шолохов. Поднятая целина.

**Гове́нье**, -я, ср.

**ГОЛИА́Ф**, -а, м. [По имени библейского великана, которого убил камнем из пращи пастух Давид]. *Книжн.* Человек очень высокого роста и большой физической силы. *Когда.. [почтенные лица] слились в одно фантастическое лицо какого-то колоссального чиновника,.. Бельтов увидел, что ему не совладать с этим Голиафом и что его не только не собьешь с ног обыкновенной пращой,* *но и гранитным утесом, стоящим под монументом Петра I.* Герцен. Кто виноват?

С и н.: велика́н, гига́нт, исполи́н, коло́сс (книжн.).

А н т.: ка́рлик, лилипу́т.

**ГОЛЛА́НДКА** [ла́нк], -и, ж. Комнатная, обычно кафельная печь. *Вера Никандровна еще.. не приноровилась.. топить капризно дымившую крошечную голландку.* Федин. Первые радости.

**ГОЛОВОКРУЖИ́ТЕЛЬНЫЙ**, -ая, -ое; -лен, -льна, -о. **1.** Вызывающий головокружение. *Головокружительная скорость. Головокружительная высота.* **2.** *перен.* Чрезвычайный, потрясающий. *Головокружительные перспективы, возможности. Головокружительный успех.*

С и н. (ко 2 знач.): ошеломи́тельный и ошеломля́ющий, рази́тельный, умопомрачи́тельный, порази́тельный, сногсшиба́тельный (*разг.*).

**Головокружи́тельно**, *нареч.* (ко 2 знач.). **Головокружи́тельность**, -и, ж.

**ГОЛОСЛО́ВНЫЙ**, -ая, -ое; -вен, -вна, -о. Не подтвержденный доказательствами, фактами. *Голословное обвинение, заявление. Не быть голословным.*

С и н.: необосно́ванный, неоснова́тельный, безоснова́тельный, беспо́чвенный, бездоказа́тельный.

**Голосло́вно**, *нареч.* **Голосло́вность**, -и, ж. *Голословность утверждения.*

**ГОЛОСОВА́ТЬ**, -су́ю, -су́ешь; голосу́ющий, голосова́вший; голосу́емый; *несов.* **1.** *за кого, что.* Подавать голос (заявлять свое мнение при решении государственных, общественных вопросов). *Голосовать за кандидата в народные депутаты. Голосовать на собрании.* **2.** *что.* Ставить на голосование, решать путем голосования. *Голосовать поступившее предложение.* **3.** *Разг.* Поднятием руки останавливать попутную машину. *Голосовать на шоссе.*

**Голосова́ние**, -я, *ср.* (к 1 и 2 знач.). *Открытое, тайное голосование. Ставить вопрос на голосование. Участвовать в голосовании.*

**ГОЛЫТЬБА́**, -ы́ и **ГОЛЬ**, -и, ж., *собир. Устар.* Беднота. *Много их в Петербурге, молоденьких дур, сегодня в атласе да бархате, а завтра, поглядишь, метут улицу вместе с голью кабацкою.* Пушкин. Станционный смотритель. *Квартиры в землянках и флигелях отдавал [Лейба] внаем всякой городской голытьбе.* Гарин-Михайловский. Детство Темы. ◊ **Голь перекатная** (*устар.*) — то же, что голь.

С и н.: нищета́, гольтепа́ (*прост.*).

**ГОМЕОПА́ТИЯ**, -и, ж. [От греч. homoios — подобный и pathos — страдание]. Метод лечения болезней малыми дозами тех лекарств, которые в больших дозах вызывают у здорового человека признаки данного заболевания. *Базаров толковал о медицине, о гомеопатии, о ботанике.* Тургенев. Отцы и дети.

**Гомеопати́ческий**, -ая, -ое. *Гомеопатические средства. Гомеопатическое лечение.* **Гомеопа́т**, -а, м.

**ГОМЕРИ́ЧЕСКИЙ**, -ая, -ое. Огромный, обильный; напоминающий своими размерами, количеством и т. п. пиршества олимпийских богов, описанные в «Илиаде» Гомера. *Антон Иваныч сделал полную честь этому гомерическому завтраку.* И. Гончаров. Обыкновенная история. ◊ **Гомерический смех** (или **хохот**) — неудержимый, громкий, необычайной силы смех. *Глаза наши встречаются, и мы заливаемся таким гомерическим хохотом, что у нас на глазах слезы и мы не в состоянии удержать порывов смеха, который душит нас.* Л. Толстой. Отрочество.

**ГОНГ**, -а, м. [Англ. gong от малайск. gōng]. Ударный музыкальный инструмент в виде металлического диска, издающего звуки от удара колотушки (применяется также для подачи сигнала). *Звуки гонга. Ударить в гонг.* □ *До 8-ми часов Нежданов оставался в саду, наслаждаясь.. свежестью воздуха, пеньем птиц; завывания гонга призвали его в дом.* Тургенев. Новь.

**ГОНДО́ЛА**, -ы, ж. [Итал. gondola]. Длинная плоскодонная одновесельная венецианская лодка с поднятыми фигурными оконечностями, обычно снабженная навесом или каютой. *Ночей Италии златой Я негой наслажусь на воле С венецианкою младой, То говорливой, то немой, Плывя в таинственной гондоле.* Пушкин. Евгений Онегин.

**Гондолье́р**, -а, м. (гребец на гондоле).

**ГОНЕ́НИЕ**, -я, *ср. Книжн.* Преследование, враждебное отношение к кому-, чему-л. *Подвергаться гонениям.* □ *Я рано скорбь узнал, постигнут был гоненьем; Я жертва клеветы и мстительных невежд.* Пушкин. Кавказский пленник.

С и н..: тра́вля.

**ГОНОРА́Р**, -а, м. [Восх. к лат. honorarium (munus) — почетный дар]. Денежное вознаграждение по договору за труд, выплачиваемое литераторам, художникам, ученым и т. п. *Авторский гонорар.* □ *К немецкой партии у меня было.. дело: видный её член.. Парвус имел от «Знания» доверенность на сбор гонорара с театров за пьесу «На дне».* М. Горький. В. И. Ленин.

**Гонора́рный**, -ая, -ое. *Гонорарное издание.*

**ГОНЧА́Р**, -а́, м. Мастер, выделывающий из глины посуду и другие изделия. *Елена Ильинична изучала гончарное искусство и много времени уделяла гончарам.* В. Кожевников. Ваза.

**Гонча́рный**, -ая, -ое. *Гончарные изделия. Гончарный круг.*

**ГОПА́К**, -а́, м. Украинская народная пляска, а также музыка к этой пляске. *Танцевать гопак.*

**ГОРДЕЛИ́ВЫЙ**, -ая, -ое; -и́в, -а, -о. Исполненный гордости, достоинства, сознания своей ценности, превосходства. *Полная горделивого сознания, что ею совершено что-то смелое и необыкновенное,.. Зинаида Федоровна упивалась новою жизнью.* Чехов. Рассказ неизвестного человека.

**Горделиво**, *нареч.* **Горделивость**, -и, ж.

**ГО́РДИЕВ**, -а, -о. [По имени царя Гордия, завязавшего, согласно древнегреческому преданию, чрезвычайно запутанный узел, который был разрублен Александром Македонским]. ◊ **Гордиев узел** (*книжн.*) — о запутанном сплетении обстоятельств. **Разрубить (или рассечь) гордиев узел** (*книжн.*) — быстро и смело разрешить сложный, запутанный вопрос, какие-л. затруднения. *Этот приезд, верил он, разрубит гордиев узел, разъяснит всю неясность создавшегося положения.* Фурманов. Чапаев.

**ГО́РДЫЙ**, -ая, -ое; горд, горда́, го́рдо. **1.** Обладающий чувством собственного достоинства, самоуважения; выражающий это чувство. *Гордый человек. Гордая поступь, осанка. Горд своими успехами.* □ *И ничего-то она никогда ни у кого не попросит; гордая, сама скорей отдаст последнее.* Достоевский. Преступление и наказание. **2.** *перен.* Высокий, возвышенный, величественный. *Гордая мечта.* □ *Он был так хорош, так увлекателен в своей гордой страсти.* Герцен. Кто виноват? **3.** Считающий себя выше, лучше других и с пренебрежением относящийся к другим; надменный. *Тетя входила к Вере и говорила: ты бы посидела с гостями, а то подумают, что ты гордая.* Чехов. В родном углу.

С и н. (к 3 знач.): высокоме́рный, зано́счивый, спеси́вый, кичли́вый, напы́щенный, наду́тый, чва́нный (*разг.*), чванли́вый (*разг.*).

**Го́рдо**, *нареч.* **Го́рдость**, -и, *ж.*

**ГОРЕЛЬЕ́Ф**, -а, *м.* [Франц. haut-relief — высокий рельеф]. *Спец.* Скульптурное изображение на плоской поверхности, при котором фигуры выступают более чем на половину своего объема. *Использование горельефов в архитектуре.*

**Горелье́фный**, -ая, -ое. *Горельефное изображение.*

**ГОРЖЕ́Т**, -а, *м.* и **ГОРЖЕ́ТКА**, -и, *ж.* [От франц. gorgerette — воротничок, шейная косынка]. Принадлежность женского туалета — полоса меха или шкурка зверя, носимая в качестве воротника. *Песцовая горжетка. Горжетка из лисы.*

**ГОРИЗО́НТ**, -а, *м.* [Восх. к греч. horizōn, horizontos — *букв.* ограничивающее]. **1.** *ед.* Линия кажущегося соединения неба с земной или водной поверхностью, а также часть неба над этой линией. *Туманный, ясный горизонт. Скрыться за горизонтом.* □ *Далеко, почти на горизонте, темной тучкой стлался дымчатый след парохода.* Н. Островский. Как закалялась сталь. **2.** *ед., перен., обычно какой.* Круг знаний, идей, интересов. *Духовный горизонт. Ограниченный горизонт. Расширять свой умственный горизонт.* □ *Я со многими людьми встречался, у каждого рано или поздно дойдешь до его горизонта, дойдешь до рва, чрез который он пересадить не может; в ней я не видел этого горизонта.* Герцен. Кто виноват? **3.** *мн., перен.* Круг будущих действий, возможностей. *Житейские горизонты.* □ *[Болконский] даже боялся вспомнить об этих мыслях, раскрывавших бесконечные и светлые горизонты.* Л. Толстой. Война и мир. ◊ **Появиться на чьем горизонте** — появиться в чьем-л. обществе. **Исчезнуть с чьего горизонта** — перестать появляться в чьем-л. обществе.

С и н. (ко 2 знач.): кругозо́р.

**ГО́РНИЙ**, -яя, -ее. *Трад.-поэт.* Находящийся в вышине, небесный. *И внял я неба содроганье, И горний ангелов полет.* Пушкин. Пророк.

**ГОРНИ́ЛО**, -а, *ср.* **1.** *Устар.* Печь для нагрева или переплавки металлов, для обжига керамических изделий и т. п. **2.** *перен., чего. Высок.* То, что является средоточием испытаний, переживаний, трудностей и т. п., требующих твердости, мужества. *Горнило испытаний. Пройти через горнило войны.* □ *Верно, было мне назначение высокое.. Но я не угадал этого назначения, я увлекся приманками страстей пустых и неблагодарных; из горнила их я вышел тверд и холоден, как железо, но утратил навеки пыл благородных стремлений — лучший цвет жизни.* Лермонтов. Герой нашего времени.

**ГО́РНИЦА**, -ы, *ж. Устар.* Комната (первонач. в верхнем этаже). *Петру очень понравилось жилище, и он занял горницу в два окна, небольшой темный чулан.. и чердак.* А. Н. Толстой. Петр I.

**Го́ренка**, -и, *ж. (уменьш.).*

С и н.: поко́й (*устар.*), светли́ца (*устар.*), светёлка (*устар.*).

**ГО́РНИЧНАЯ**, -ой, *ж.* **1.** Работница, убирающая комнаты в господском доме и прислуживающая в них. *Горничная вошла в комнату с графином на серебряном подносе.* Тургенев. Отцы и дети. **2.** Работница в гостинице, убирающая комнаты.

**ГОРОДИ́ЩЕ**, -а, *ср.* Место, где в древности был город или укрепленное поселение. *Раскопки городища.*

**ГОРОДНИ́ЧИЙ**, -его, *м.* В России до середины 19 в.: начальник уездного города. — *Я здешний городничий, — ответил незнакомец голосом, в котором звучало глубокое сознание высоты такого общественного положения.* Герцен. Былое и думы.

**ГОРОДОВО́Й**, -о́го, *м.* В дореволюционной России: низший чин городской полиции. *Она кинулась к дверям, и двум городовым пришлось стать плечом к плечу, чтобы преградить ей путь.* И. Яковлев. Первая бастилия.

**ГОРОСКО́П**, -а, *м.* [Восх. к греч. hōroskopeion от hōra — время, пора и skopein — наблюдать]. В астрологии: таблица расположения звезд, служащая для предсказаний о чьей-л. судьбе или исходе того или иного события. *Ждите от него разорения людям.. и крови пролитой — потоки.. Когда гороскоп его составлял, — волосы у меня торчком поднялись, слова-то, цифры, линии — кровью набухали.. Давно сказано: ждите сего гороскопа.* А. Н. Толстой. Петр I.

**ГОРСТЬ**, -и, го́рсти, -е́й, *ж.* **1.** Ладонь и пальцы, сложенные так, чтобы можно было ими зачерпнуть, захватить или удержать что-л. *Латугин высыпал из шапки в горсть остатки зерна.* А. Н. Толстой. Хождение по мукам. **2.** Количество чего-л., помещающееся в руке, сложенной таким образом. *Горсть семечек.* **3.** *перен.,* *кого.* Незначительное количество (обычно о людях). *Горсть храбрецов.*

**Го́рстка**, -и и **го́рсточка**, -и, *ж.* (*уменьш.*). Детская горсточка. Горсточка пепла. Горстка солдат.

**ГОРЯ́ЧИЙ**, -ая, -ее; -ря́ч, -ряча́, -ря́чо́. **1.** Имеющий высокую температуру, сильно нагретый, а также жаркий, знойный. *Горячий чай. Горячие лучи солнца.* **2.** *перен.* Пылкий, страстный; отличающийся глубиной и силой чувства. *Горячая любовь. Горячий спор.* ◇ *Ему захотелось вдруг приписать еще несколько слов, горячих, как клятва,— что-.. верит он в нашу победу и рад за нее жизнь отдать.* Горбатов. Непокоренные. **3.** *перен.* Вспыльчивый, легко возбуждающийся; нетерпеливый. *Горячий нрав.* ◇ *Он увидел, во-первых, что Дубровский мало знает толку в делах, во-вторых, что человека столь горячего и неосмотрительного нетрудно будет поставить в самое невыгодное положение.* Пушкин. Дубровский. **4.** *перен.* Напряженный, проходящий в спешной работе, требующий сосредоточения всех сил (о времени). *Горячая пора сенокоса, жатвы. Горячие дни экзаменов.* ◇ **По горячим следам, по горячему следу** — 1) по свежим следам; 2) (*перен.*) тотчас, сразу же после какого-л. события. **Горячая точка** — о месте возникновения опасной ситуации.

С и н. (к 1 знач.): паля́щий, жгу́чий. С и н (ко 2 знач.): жа́ркий, пла́менный (*высок.*). С и н. (к 3 знач.): запа́льчивый.

А н т. (к 1 знач.): холо́дный. А н т. (к 3 знач.): хладнокро́вный.

**Горячо́**, *нареч.* (к 1 и 2 знач.).

**ГОСПОДИ́Н**, -а, господа́, -по́д, *м.* **1.** Человек, обладающий властью по отношению к зависимым от него людям. *Жестокий господин. Господа и крепостные. Раб и господин.* ☐ *Церковь полна была кистеневскими крестьянами, пришедшими отдать последнее поклонение господину своему.* Пушкин. Дубровский. **2.** В буржуазно-дворянском обществе: человек, принадлежащий к привилегированным слоям общества. *В ворота гостиницы въехала.. бричка, в какой ездят холостяки: отставные подполковники, штабс-капитаны, помещики, имеющие около сотни душ крестьян,— словом, все те, которых называют господами средней руки.* Гоголь. Мертвые души. **3.** Форма вежливого обращения или упоминания при фамилии или звании. *Господин министр. Господин посол.* ☐ *Я отвечал, что приехал на службу и явился по долгу своему к господину капитану.* Пушкин. Капитанская дочка. ◇ **Служить двум господам** — о поведении кого-л., пытающегося одновременно служить двум направлениям, партиям и т. п.

С и н. (к 1 знач.): влады́ка (*высок.*), повели́тель (*высок.*), властели́н (*устар. высок.*), власти́тель (*устар. высок.*).

**Госпожа́**, -и́, *ж.* **Госпо́дский**, -ая -ое (к 1 и 2 знач.).

**ГОСТИ́НАЯ**, -ой, *ж.* **1.** Комната для приема гостей. *Полчаса спустя Базаров с Аркадием сошли в гостиную. Это была просторная, высокая комната, убранная довольно роскошно, но без особенного вкуса.* Тургенев. Отцы и дети. **2.** Комплект мебели для такой комнаты.

**ГОСТИНОДВО́РЕЦ**, -рца, *м.* В дореволюционной России: купец — владелец магазина в гостином дворе или приказчик, торгующий в гостином дворе. *Гостинодворцы уже снимали с дверей замки, вывешивали на шестах товары.* А. Н. Толстой. Петр I.

**ГОСТИ́НЫЙ**, -ая, -ое. ◇ **Гостиный двор** — в старину: торговые ряды в специально выстроенном здании, обычно каменном. *Немного наискось тянулся гостиный двор, белый снаружи, темный внутри, вечно сырой и холодный; в нем можно было все найти — ..кроме того, что нужно купить.* Герцен. Кто виноват?

**ГОСУДА́РСТВО**, -а, *ср.* Основная политическая организация общества, осуществляющая его управление, охрану его экономической и социальной структуры; страна с такой политической организацией. *Социалистическое, капиталистическое, феодальное, рабовладельческое государство. Внешняя политика государства.*

С и н.: держа́ва (*высок.*), земля́ (*высок.*).

**Госуда́рственный**, -ая, -ое. *Государственный герб. Государственные границы. Государственная собственность.* **Госуда́рственность**, -и, *ж. Совершенствовать российскую государственность.*

**ГОСУДА́РЬ**, -я, *м. Устар.* Глава монархического государства. *Вдруг закричали в толпе, что государь на площади ожидает пленных и принимает присягу.* Пушкин. Капитанская дочка. ◇ **Милостивый государь** (*устар.*) — форма вежливого обращения. *Сильвио встал, побледнев от злости, и, с сверкающими глазами сказал: «Милостивый государь, извольте выйти, и благодарите бога, что это случилось у меня в доме».* Пушкин. Выстрел.

С и н.: мона́рх, самоде́ржец (*устар. высок.*), венцено́сец (*устар. высок.*), порфироно́сец (*устар. высок.*).

**Госуда́рыня**, -и, *ж.*

**ГО́ТИКА**, -и, *ж.* [Восх. к лат. gothicus — готский]. Художественный (преимущ. архитектурный) стиль европейского средневековья, отличающийся высокими остроконечными сооружениями, стрельчатыми сводами, обилием каменной резьбы и скульптурных украшений. *Ранняя, поздняя готика. Развитие искусства готики. Германская готика.*

**Готи́ческий**, -ая, -ое. *Готическая архитектура. Готические башни.* ◇ **Готический шрифт** — шрифт, отличающийся угловатыми заостренными буквами (употребляется в Германии и некоторых других странах). **Готический роман** — роман «ужасов» в прозе предромантизма и романтизма, содержащий мистику, таинственные приключения и т. п., в центре которого стоит демоническая личность.

**ГО́ТЫ**, -ов, *мн.* (*ед.* гот, -а, *м.*). Группа древнегерманских племен.

**ГОФРИРОВА́ТЬ**, -ру́ю, -ру́ешь; гофриру́ющий, гофрирова́вший; гофриру́емый, гофриро́ванный; -ан, -а, -о; гофриру́я; *сов. и несов., что.* [Франц. gaufrer]. Сделать (делать) ряды параллельных волнообразных складок на чем-л. *Гофрировать бумагу. Гофрированная юбка. Гофрированный шланг.*

**Гофрирова́ние**, -я, *ср. и* **гофриро́вка**, -и, *ж.*
**ГРАВИРОВА́ТЬ**, -ру́ю, -ру́ешь; гравиру́ющий, гравирова́вший; гравиру́емый, гравиро́ванный; -ан, -а, -о; гравиру́я, гравирова́в; *несов., что.* [Франц. graver]. Наносить на поверхность какого-л. твердого материала рисунок или надпись при помощи режущих инструментов или химических средств. *Гравировать на металле.*

**Гравирова́ние**, -я, *ср. и* **гравиро́вка**, -и, *ж.* **Гравирова́льный**, -ая, -ое *и* **гравиро́ванный**, -ая, -ое. **Граве́р**, -а, *м.* **Граве́рный**, -ая, -ое. *Граверные работы.*
**ГРАВЮ́РА**, -ы, *ж.* [Франц. gravure]. Рисунок, вырезанный или вытравленный на поверхности какого-л. твердого материала, а также печатный оттиск такого рисунка на бумаге. *Цветная гравюра. Гравюра на дереве, кости, стекле. Книга с гравюрами.* □ *Санька показывала только что привезенные из Гамбурга печатные листы — гравюры — славных голландских мастеров.* А. Н. Толстой. Петр I.

**Гравю́рный**, -ая, -ое.
**ГРАДА́ЦИЯ**, -и, *ж.* [Восх. к лат. gradatio от gradus — шаг]. *Книжн.* Последовательность, постепенность (обычно нарастающая) в расположении чего-л., при переходе от одного к другому. *Принцип градации.*

**Градацио́нный**, -ая, -ое.
**ГРАДОНАЧА́ЛЬНИК**, -а, *м.* В дореволюционной России: тот, кто управлял на правах губернатора городом, выведенным из губернского подчинения в особую административную единицу. *Прием Гумбольдта в Москве и в университете было дело нешуточное. Генерал-губернатор, разные вое- и градоначальники, сенат — всё явилось.* Герцен. Былое и думы.
**ГРАЖДАНИ́Н**, -а, гра́ждане, -ан, *м.* **1.** Тот, кто принадлежит к постоянному населению данного государства, пользуется всеми правами и исполняет все обязанности в соответствии с законами этого государства. *Равноправие граждан.* □ *Читайте, завидуйте, я — гражданин Советского Союза.* Маяковский. Стихи о советском паспорте. **2.** Взрослый человек, мужчина, а также форма обращения к нему. *Незнакомый гражданин. Гражданин среднего роста.* □ *Слово поэта — ваше воскресение, ваше бессмертие, гражданин канцелярист.* Маяковский. Разговор с фининспектором о поэзии. **3.** *Высок.* Человек, подчиняющий свои личные интересы общественным, служащий родине, народу. *И прах наш, с строгостью судьи и гражданина, Потомок оскорбит презрительным стихом.* Лермонтов. Дума.

**Гражда́нка**, -и, *ж.* (*к 1 и 2 знач.*).
**ГРАЖДА́НСКИЙ**, -ая, -ое. **1.** Относящийся к правовому положению граждан (*в 1 знач.*) в государстве. *Гражданское право. Гражданский судебный процесс.* **2.** *Высок.* Свойственный гражданину (*в 3 знач.*), а также проникнутый идеей общественного блага. *Гражданское сознание, мужество. Гражданский подвиг. Гражданская лирика Пушкина.* **3.** Не относящийся к военной службе, не связанный с ней. *Гражданская авиация. Гражданская специальность. Гражданская одежда.* **4.** Нецерковный, светский. *Гражданская азбука.* ◊ **Гражданская азбука, гражданский шрифт** — азбука, введенная Петром I взамен церковнославянской. **Гражданский брак** (*устар.*) — брак, заключаемый в органах государственной власти без участия церкви. **Гражданская война** — вооруженная борьба внутри государства. **Гражданская панихида** — собрание перед похоронами, посвященное памяти умершего, траурный митинг. **Гражданская оборона** — система оборонных мероприятий, проводимых в мирное и военное время в целях защиты населения от возможного нападения противника. **Гражданская казнь** (*устар.*) — политическая кара — лишение всех прав гражданина и покровительства закона.

С и н. (к 3 знач.): шта́тский, партикуля́рный (*устар.*), цивильный (*устар.*), ста́тский (*устар.*).
**ГРАММОФО́Н**, -а, *м.* [От греч. gramma — буква, запись и phōnē — звук]. Механический аппарат с рупором, воспроизводящий звуки, записанные на пластинку. *Старый граммофон. В доме ему отводилась особая половина. Там он собирал книги,.. заводил граммофон с блестящим, как у тромбона, рупором.* Федин. Первые радости.

**Граммофо́нный**, -ая, -ое. *Граммофонная пластинка, игла.*
**ГРА́МОТА**, -ы, *ж.* **1.** *ед.* Умение читать и писать. *Знать грамоту. Учить грамоте.* □ *В том селе, где я родился и вырос, раньше совсем не было школы. Первую мудрость грамоты мне пришлось познать от псаломщика.. От него я научился лишь названиям букв.* Новиков-Прибой. Море зовет. **2.** Официальный документ, устанавливающий или удостоверяющий что-л. *Охранная грамота. Похвальная грамота учащегося.* **3.** *Устар. и спец.* Письмо, записка. *Древнерусские берестяные грамоты.* □ *Я не мог несколько раз не улыбнуться, читая грамоту доброго старика. Отвечать батюшке я был не в состоянии; а чтоб успокоить матушку, письмо Савельича мне показалось достаточным.* Пушкин. Капитанская дочка. ◊ **Китайская грамота** (*разг.*) — о чем-л. совершенно непонятном. **Филькина грамота** (*прост. презр.*) — недействительный, неправильно и безграмотно составленный документ.

С и н. (к 3 знач.): цидулка (*разг.*), послание (*устар.*), эпистола (*устар.*), цидулка (*устар. разг.*).
**Гра́мотный**, -ая, -ое (*к 1 знач.*).
**ГРАНА́Т¹**, -а, *м.* [Восх. к лат. pomum granatum — букв. зернистое яблоко]. Колючее южное дерево или кустарник, а также его съедобный ярко-красный плод круглой формы. *Лучшие сорта граната.*

**Грана́товый**, -ая, -ое. *Гранатовое дерево. Гранатовый сок.*
**ГРАНА́Т²**, -а, *м.* [По сходству с зернами растения граната (см. гранат¹)]. Полудрагоценный камень, обыч-

но темно-красного цвета. *Перстень с гранатом. Ожерелье с гранатами.*
**Грана́товый**, -ая, -ое. *Гранатовый браслет.*
**ГРАНД**, -а, *м.* [Исп. grande от лат. grandis — великий, большой]. В Испании до 1931 г.: дворянин, принадлежащий к высшей придворной знати. *[Лепорелло:] Испанский гранд, как вор, Ждет ночи и луны боится — боже!* Пушкин. Каменный гость.
**ГРАНДИО́ЗНЫЙ**, -ая, -ое; -зен, -зна, -о. [Итал. grandioso; восх. к лат. grandis — великий, большой]. Огромный, величественный, мощный. *Грандиозное сооружение. Грандиозные планы, задачи.* □ *Что за чудный край! Нет, правда, там моря, нет высоких гор, скал и пропастей, ни дремучих лесов — нет ничего грандиозного, дикого и угрюмого.* И. Гончаров. Обломов.
С и н.: грома́дный, колосса́льный, гига́нтский, исполи́нский, циклопи́ческий (*книжн.*), титани́ческий (*высок.*).
**Грандио́зно**, *нареч.* **Грандио́зность**, -и, *ж.* *Грандиозность замысла.*
**ГРАНЬ**, -и, *ж.* 1. Плоская поверхность предмета, составляющая угол с другой такой же поверхностью. *Грани куба. Грани бриллианта.* 2. *перен.* То, что отличает, отделяет одно от другого. *Стирание граней между физическим и умственным трудом.* □ *Мы в таинственной стихии моря. У меня такое чувство, как будто я стою на грани жизни и смерти.* Новиков-Прибой. Подводники. ◊ **На грани** *чего* (*книжн.*) — в непосредственной близости к переходу в другое состояние. *На грани безумия. Балансирование на грани войны.* **Провести грань** *между кем, чем* — установить различия между кем-л., чем-л.
**ГРАССИ́РОВАТЬ**, -рую, -руешь; грасси́рующий, грасси́ровавший; грасси́руя; *несов.* [Франц. grasseyer]. *Книжн.* Произносить звук «р» на французский манер, картавить.
**Грасси́рование**, -я, *ср.*
**ГРАФ**, -а, *м.* [Нем. Graf]. В Западной Европе и дореволюционной России: дворянский титул, средний между князем и бароном, а также лицо, имеющее этот титул. *[Марина:] У ног своих видала Я рыцарей и графов благородных, Но их мольбы я хладно отвергала.* Пушкин. Борис Годунов.
**Графи́ня**, -и, *ж.* **Гра́фский**, -ая, -ое. *Графские имения.*
**ГРА́ФИКА**, -и, *ж.* [Восх. к греч. graphikē]. Искусство изображения предметов линиями и штрихами, без красок, а также (*собир.*) произведения этого искусства. *Выставка произведений графики и живописи. Старинная графика.*
**Графи́ческий**, -ая, -ое. *Графическое искусство.* **Гра́фик**, -а, *м.* Талантливый график.
**ГРАЦИО́ЗНЫЙ**, -ая, -ое; -зен, -зна, -о. [Итал. grazioso от лат. gratiosus — приятный]. Исполненный грации, утонченно красивый. *Грациозный танец. Грациозный олень.* □ *По улице он двигался гордо и с грациозной осанкой, вскидывая игриво тросточку.* Федин. Первые радости.
**Грацио́зно**, *нареч.* *Грациозно поклониться.* **Грацио́зность**, -и, *ж.* *Грациозность движений.*
С и н.: изя́щный, пласти́чный.

**ГРА́ЦИЯ**, -и, *ж.* [Лат. gratia — приятность, милость; также название богинь красоты]. 1. *ед.* Изящество, красота в позах, движениях. *Я смотрю вниз на давно знакомые гондолы, которые плывут с женственною грацией, плавно и величаво.* Чехов. Рассказ неизвестного человека. 2. *Устар.* Красавица. *Младые грации Москвы Сначала молча озирают Татьяну с ног до головы.* Пушкин. Евгений Онегин.
**ГРЁЗА**, -ы, *ж.* 1. обычно *мн.* Мечта, создание воображения. *Девичьи, юношеские грёзы.* □ *О грёзах юности томим воспоминаньем, С отрадой тайною и тайным содроганьем, Прекрасное дитя, я на тебя смотрю.* Лермонтов. Ребенку. 2. *мн. Устар.* Сновидение; видение в бредовом состоянии. *Болезненные грезы.* □ *Раскольников сидел, смотрел неподвижно, не отрываясь; мысль его переходила в грезы, в созерцание; он ни о чем не думал, но какая-то тоска волновала его и мучила.* Достоевский. Преступление и наказание.
С и н. (к 1 знач.): фанта́зия. С и н. (ко 2 знач.): сон.
**ГРЕНАДЁР** [*не дё*], -а, гренадёры, -ёр и -ов, *м.* [Восх. к франц. grenadier]. 1. В царской и некоторых иностранных армиях: солдат или офицер отборных (по высокому росту) пехотных или кавалерийских частей (первонач. солдат, обученный метанию ручных гранат). *Дворцовые гренадеры. Гренадер Преображенского полка.* □ *Гренадеры и московские стрелки в ярости.. кололи, рубили и гнали неприятеля по узким уличкам до городской площади.* А. Н. Толстой. Петр I. 2. *перен. Разг. шутл.* Рослый и сильный человек.
**Гренаде́рский**, -ая, -ое. *Гренадерский полк. Гренадерский рост.*
**ГРЕХ**, -а́, *м.* 1. У верующих: нарушение религиозных предписаний. *Совершить грех. Каяться в грехах. Отпущение грехов.* 2. Предосудительный поступок, ошибка. *Грехи молодости.* □ *Прихвастнуть любил — этот грех за ним водился, — может, и тут чего приплел для красного словца.* Фурманов. Чапаев. 3. *в знач. сказ., с неопр. Разг.* Нехорошо, грешно. *Смеяться над калекой грех.* ◊ **(И) смех и грех** (*разг.*) — и смешно, и досадно. **Что** (или **нечего**) **греха таить** (*разг.*) — следует признаться в чем-л. **С грехом пополам** (*разг.*) — кое-как. **Как на грех** (*разг.*) — как будто нарочно. **Как смертный грех** (н е к р а с и в, с т р а ш е н) *кто* — об очень некрасивом человеке.
С и н. (к 1 знач.): прегреше́ние (*устар.*).
**Гре́шный**, -ая, -ое; -шен, -шна, -о (к 1 знач.) и **грехо́вный**, -ая, -ое; -вен, -вна, -о (к 1 знач.). *Грешный человек. Греховные помыслы.* **Грехо́вность**, -и, *ж.* (к 1 знач.).
**ГРЕХОПАДЕ́НИЕ**, -я, *ср.* 1. По библейскому преданию: нарушение заветов бога первыми людьми Адамом и Евой, вкусившими запретный плод от древа познания. 2. *перен. Книжн.* Нравственное падение, нарушение моральных норм.
**ГРИ́ВЕННИК**, -а, *м. Разг.* Монета в десять копеек. *Хозяин.. пощелкивал на счетах; проклятая конторка приподнимала свою верхнюю до-*

ску, поглощала синенькие и целковые, выбрасывая за них гривенники, пятаки и копейки, потом щелкала ключом — и деньги были схоронены. Герцен. Кто виноват?

С и н.: гри́вна (устар.).

**ГРИ́ВНА**, -ы, ж. **1.** Денежная и весовая единица на Руси, представляющая собой серебряный слиток весом около полуфунта. **2.** Устар. Десять копеек. Достать пролетку. За шесть гривен, Чрез благовест, чрез клик колес, Перенестись туда, где ливень, Еще шумней чернил и слез. Пастернак. Февраль. Достать чернил и плакать... **3.** В древности: серебряное или золотое шейное украшение.

С и н. (ко 2 знач.): гри́венник (разг.).

**ГРИГОРИА́НСКИЙ**, -ая, -ое. [Лат. Gregorianus].
◇ Григорианский календарь, григорианское летосчисление, — система летосчисления, введенная в 1582 г. при папе римском Григории XIII вместо юлианского календаря, или так наз. старого стиля; новый стиль.

**ГРИЛЬ**, -я, м. [Франц. gril — решетка для жарения, жаровня]. Электрический прибор для быстрой жарки тушек птицы, крупных кусков мяса и т. п. на решетках или вращающихся вертелах. Жарить курицу на гриле.

**ГРИМ**, -а, м. [Восх. к франц. grime — амплуа смешного старика от итал. grimo — морщинистый]. Требуемый вид, приданный лицу актера при помощи специальных средств (косметических красок, наклеек, парика и т. п.), а также сами эти средства. Театральный грим. Накладывать, снимать грим. Играть без грима. □ Коридором.. шел трагик, сыгравший Актера и, вытирая низко мраморной от грима салфеткой, зычно повторял слова своей роли. Федин. Первые радости.

**ГРИМИРОВА́ТЬ**, -ру́ю, -ру́ешь; гримиру́ющий, гримирова́вший; гримиру́емый, гримиро́ванный; -ан, -а, -о; гримиру́я; несов., кого, что. [См. грим]. Накладывать грим. Гримировать лицо.

**Гримирова́ться**, -ру́юсь, -ру́ешься; возвр. Гри́мёр, -а, м. Театральный гример.

**ГРИФ¹**, -а, м. [Нем. Grif; восх. к греч. gryps, grypos]. **1.** В античной мифологии: фантастическое животное с туловищем льва, головой и крыльями орла. **2.** Крупная хищная птица, питающаяся падалью.

С и н. (к 1 знач.): грифо́н.

**ГРИФ²**, -а, м. [От нем. Griff — рукоятка]. Длинная узкая часть струнных музыкальных инструментов, вдоль которой натянуты струны.

**ГРИФ³**, -а, м. [Франц. griffe]. Штемпельный оттиск с образцом подписи, а также надпись на книгах и документах, указывающая на их особый характер. Документ с грифом «для служебного пользования».

**ГРИФО́Н**, -а, м. [Франц. griffon]. То же, что гриф¹ (в 1 знач.), а также скульптурное, живописное и т. п. изображение античного грифа. Под тускло-золотым сводом стоял на крылатых грифонах стол, на нем горели свечи. А. Н. Толстой. Петр I.

**ГРОССМЕ́ЙСТЕР**, -а, м. [Нем. Grossmeister — букв. большой мастер]. В шахматах и шашках: высшее спортивное звание, а также лицо, имеющее это звание. Советский гроссмейстер. Международный гроссмейстер по шахматам. Турнир гроссмейстеров.

**Гроссме́йстерский**, -ая, -ое. Гроссмейстерское звание.

**ГРОТ**, -а, м. [Франц. grotte; восх. к греч. kryptē — тайник]. Неглубокая пещера с широким входом, а также искусственное сооружение в виде пещеры (в парках, садах и т. п.). Каменный грот. Войти в грот.

**ГРОТЕ́СК** [тэ], -а, м. [Восх. к итал. grottesco — первонач. стенная живопись в старых гротах или зданиях]. В искусстве: художественный прием, основанный на чрезмерном преувеличении, неожиданных сочетаниях и резких контрастах. Сатирический гротеск. Гротеск в произведениях Салтыкова-Щедрина.

**Гроте́скный**, -ая, -ое и **гроте́сковый**, -ая, -ое. Гротескные образы. Гротесковая картина.

**ГРОШ**, -а́, м. [Восх. к лат. denarius grossus — букв. толстый динарий (название монеты)]. **1.** Старинная русская денежная единица достоинством в две копейки, позднее — полкопейки, а также монета такого достоинства. Не было ни гроша, да вдруг алтын (посл.). □ Чичиков дал ей медный грош. Гоголь. Мертвые души. **2.** обычно мн. Разг. Ничтожная сумма денег. Матерям за поденщину платили гроши, только на черный хлеб хватало. Голубева. Мальчик из Уржума. ◇ Грош цена кому, чему — имеет малую ценность или никакой ценности. Гроша медного (или ломаного) не стоит — ничего не стоит, никуда не годится. Ни в грош не ставить кого, что — совсем не уважать, совсем не считаться с кем-, чем-л.

**Грошо́вый**, -ая, -ое (ко 2 знач.). Грошовые расходы.

**ГРУНТ**, -а, м. [Восх к нем. Grund]. **1.** Земля, почва. Песчаные, глинистые грунты. Рыхлый грунт. **2.** Первый, нижний слой краски, которым покрывают холсты или поверхности, предназначенные для живописи или окраски. Накладывать грунт.

**Грунтово́й**, -а́я, -о́е. Грунтовые воды. Грунтовая дорога. Грунтовые краски.

**ГРЯДА́**, -ы́, гряды и гряды́, гряд, ж. **1.** (мн. гряды́). Вытянутая в длину возвышенность, а также ряд небольших гор, холмов. На западе в синеве тумана высилась высокая гряда Сихотэ-Алиня; на севере тоже тянулись горные хребты. Арсеньев. Дерсу Узала. **2.** (мн. гря́ды). Узкая полоска вскопанной земли в огороде или цветнике. Гряда с капустой. **3.** (мн. гряды́) чего. Полоса, ряд однородных предметов. Редеет облаков летучая гряда. Звезда печальная, вечерняя звезда! Твой луч осеребрил увядшие равнины, И дремлющий залив, и черных скал вершины. Пушкин. Редеет облаков летучая гряда...

С и н. (к 1 знач.): хребе́т, кряж. С и н. (к 3 знач.): верени́ца, цепь, цепо́чка, череда́, чреда́ (трад.-поэт.).

**Гря́дка**, -и, ж. (уменьш.) (ко 2 знач.).

**ГРЯДУ́ЩИЙ**, -ая, -ее. Высок. **1.** Наступающий, будущий, приближающийся. Грядущие поколения. □ И этот год в кровавой пене и эти раны в рабочем стане покажутся школой первой ступени в грозе и буре грядущих восстаний. Маяковский. Владимир Ильич Ленин. **2.** *в знач. сущ.* **грядущее**, -его, *ср.* Будущее. *Печально я гляжу на наше поколенье! Его грядущее — иль пусто, иль темно*. Лермонтов. Дума. ◇ **На сон грядущий** — перед сном.

**ГУА́ШЬ**, -и, *ж.* [Франц. gouache]. Непрозрачная краска, растертая на воде с клеем и примесью белил, а также картина, написанная такой краской. *Красная гуашь. Писать гуашью.*

**Гуа́шевый**, -ая, -ое.

**ГУБА́**[1], -ы́, гу́бы, губ, *ж.* Одна из двух подвижных кожно-мышечных складок, образующих края рта. *Тонкие губы. Сжать губы.*

**ГУБА́**[2], -ы́, гу́бы, губ, *ж.* Название морских заливов и бухт на севере Российской Федерации. *Онежская губа.*

**ГУБА́**[3], -ы́, гу́бы, губ, *ж.* В Русском государстве 16—17 вв.: территориальный округ, соответствовавший позднейшему уезду.

**ГУБЕРНА́ТОР**, -а, *м.* [Восх. к лат. gubernator — правитель от греч. kybernētēs]. **1.** В дореволюционной России: начальник губернии. *Город ***.. состоял в ведении губернатора из молодых, прогрессиста и деспота, как это сплошь да рядом случается на Руси*. Тургенев. Отцы и дети. **2.** В некоторых современных государствах: высшее должностное лицо административно-территориальной единицы. *Губернатор штата в США.*

**Губерна́торский**, -ая, -ое. *Губернаторская должность.*

**ГУБЕ́РНИЯ**, -и, *ж.* [См. *губернатор*]. Основная административно-территориальная единица в России с начала 18 в. и в СССР до районирования (1924—1929 гг.). *Уроженец Рязанской губернии.* □ *В одной из отдаленных наших губерний находилось имение Ивана Петровича Берестова.* Пушкин. Барышня-крестьянка.

**Губе́рнский**, -ая, -ое. ◇ **Губернский город** — главный город в губернии.

**ГУВЕРНЁР**, -а, *м.* [Франц. gouverneur]. Воспитатель детей в дворянских и буржуазных семьях, обычно иностранец. *Этот Шампунь был когда-то у Камышева гувернёром, учил его детей манерам, хорошему произношению и танцам.* Чехов. На чужбине.

**Гуверна́нтка**, -и, *ж.*

**ГУГЕНО́ТЫ**, -ов, *мн.* (*ед.* **гугено́т**, -а, *м.*). [Восх. к франц. huguenot от нем. Eidgenosse — союзник, член конфедерации]. Французские протестанты 16—18 вв., преследовавшиеся католической церковью и правительством. *Борьба гугенотов с католиками.*

**Гугено́тка**, -и, *ж.* **Гугено́тский**, -ая, -ое.

**ГУЖ**, -а́, *м.* Часть конской упряжи — кожаная петля в хомуте, служащая для скрепления оглобель и дуги. *Ямщик погонял свою тройку, но мне казалось, что он, по обыкновению ямскому, уговаривая лошадей и размахивая кнутом, все-таки затягивал гужи.* Пушкин. История села Горюхина.

**Гужево́й**, -а́я, -о́е. *Гужевой ремень.*

**ГУ́ЛЬДЕН** [дэ], -а, *м.* [Нем. Gulden — первонач. золо- той]. Денежная единица Нидерландов, а также золотая и серебряная монета в некоторых европейских странах в 14—19 вв. *Тогда фрау Леноре заметила ему, что г-н Клюбер.. уже теперь обладает восемью тысячами гульденов дохода — и с каждым годом эта сумма будет быстро увеличиваться.* Тургенев. Вешние воды.

**ГУМАНИ́ЗМ**, -а, *м.* [См. *гуманный*]. **1.** Мировоззрение, характеризующееся любовью к людям, уважением к человеческому достоинству, заботой о благе людей. *Развитие идей гуманизма.* **2.** Прогрессивное движение эпохи Возрождения, провозгласившее принципы свободного развития человеческой личности, освобождение человека от оков феодализма и католицизма.

С и н. (к *1 знач.*): гума́нность, челове́чность, человеколю́бие, челове́чество (*устар.*).

**Гуманисти́ческий**, -ая, -ое. *Гуманистические идеалы.* **Гумани́ст**, -а, *м.*

**ГУМАНИТА́РИЙ**, -я, *м.* [См. *гуманитарный*]. Тот, кто занимается гуманитарными науками.

**ГУМАНИТА́РНЫЙ**, -ая, -ое. [Франц. humanitaire от лат. humanitas — человечность, образованность]. **1.** Обращенный к человеку, к его правам и интересам. *Гуманитарные проблемы.* **2.** О науках: относящийся к изучению человеческого общества, его истории и культуры. *Гуманитарное образование.* ◇ **Гуманитарное право** — нормы международного права, направленные на защиту прав и свобод человека.

**ГУМА́ННЫЙ**, -ая, -ое; -а́нен, -а́нна, -о. [Лат. humanus — человеческий]. Человечный, человеколюбивый, проникнутый уважением к человеческой личности и заботой о ее благе. *Гуманное отношение к кому-, чему-л. Гуманные законы.*

С и н.: челове́ческий, челове́чественный (*устар.*).

**Гума́нно**, *нареч.* *Поступить гуманно.* **Гума́нность**, -и, *ж.* *Подлинная гуманность.*

**ГУМАНО́ИД**, -а, *м.* [От лат. humanus — человеческий и греч. eidos — вид]. В фантастике: человекоподобное существо. *Встреча с гуманоидами.* □ *Это были следы босых ног. Кто-то спустился с обрыва и ушел в реку. Кто-то с большими широкими ступнями, тяжелый, косолапый, неуклюжий — несомненно, гуманоид, но на ногах у него было по шесть пальцев.* А. Стругацкий, Б. Стругацкий. Обитаемый остров.

**ГУМНО́**, -а́, гу́мна, гу́мен и гумён, *ср.* **1.** Помещение, сарай для сжатого хлеба. *С отрадой, многим незнакомой, Я вижу полное гумно, Избу, покрытую соломой, С резными ставнями окно.* Лермонтов. Родина. **2.** Крытая площадка для молотьбы, ток[2]. *Дворы у нас крыты железом, У каждого сад и гумно.* Есенин. Анна Снегина.

**ГУ́ННЫ**, -ов, *мн.* (*ед.* **гунн**, -а, *м.*). Тюркские кочевые племена, вторгшиеся в Европу в начале н.э. *Предания древности рассказывали нам о кровопролитных нашествиях гуннов.* Шолохов. Письмо американским друзьям.

**ГУРМА́Н**, -а, *м.* [Франц. gourmand]. *Книжн.* Любитель и ценитель изысканной пищи. *Тонкий вкус гурмана.*

С и н.: чревоуго́дник, гастроно́м (*устар.*).

**Гурма́нка**, -и, *ж.* **Гурма́нский**, -ая, -ое. *Гурманские пристрастия.*

**ГУРТ**, -а́, *м.* [Восх. к ср.-в.-нем. hurt — загон для овец]. Стадо скота, перегоняемое с одного места на другое. *Гурт крупного рогатого скота, овец. Гурт молодняка.* □ *И сколько вывалило вдруг Гуртов, возов, трехтонок.* Твардовский. Дом у дороги.

С и н.: табу́н, кося́к.

**Гуртово́й**, -а́я, -о́е. *Гуртовой бригадир.* **Гуртовщи́к**, -а́, *м.*

**ГУСА́Р**, -а, гуса́ры, -а́р (*при обозначении рода войск*) и -ов (*при обозначении отдельных лиц*), *м.* [Восх. к венг. huszár]. В царской и некоторых иностранных армиях: военный из частей легкой кавалерии, носивших форму венгерского образца. *Эскадрон гусар. Пять гусаров. Служить в гусарах.* □ *Сюда гусары отпускные Спешат явиться прогреметь, Блеснуть, пленить и улететь.* Пушкин. Евгений Онегин.

**Гуса́рский**, -ая, -ое. *Гусарский полк.*

**ГУ́СЛИ**, -ей, *мн.* Старинный русский многострунный щипковый музыкальный инструмент. *Играть на гуслях.*

**Гу́сельный**, -ая, -ое и **гусля́рный**, -ая, -ое. **Гусля́р**, -а́ и -а, *м.* *Слушать песни гусляра.*

**ГУТТАПЕ́РЧА**, -и, *ж.* [Англ. guttapercha от малайск. gětah — смола и pěrtča — вид дерева]. Упругое, похожее на кожу вещество, получаемое из затвердевшего сока некоторых растений. *Техническая гуттаперча.*

**Гуттапе́рчевый**, -ая, -ое. *Гуттаперчевая кукла.*

**ГУЦУ́ЛЫ**, -ов, *мн.* (*ед.* гуцу́л, -а, *м.*). Этническая группа западных украинцев, живущих в Карпатах, а также лица, относящиеся к этой группе. *В то время гуцулы шайкой ходили по тем местам.* М. Горький. Старуха Изергиль.

**Гуцу́лка**, -и, *ж.* **Гуцу́льский**, -ая, -ое. *Гуцульские обычаи. Гуцульский народный костюм.*

**ГЯУ́Р**, -а, *м.* [Турецк. giaur от араб. kāfir — неверный]. У мусульман: название человека иной веры. *За мной неслись четыре казака; уж я слышал за собою крики гяуров, и передо мною был густой лес.* Лермонтов. Герой нашего времени.

# Д

**ДАБЫ́** и **ДА́БЫ**, *союз. Устар.* Соответствует по значению союзу *чтобы*. *Умел он весело поспорить.. Друзей поссорить молодых И на барьер поставить их, Иль помириться их заставить, Дабы позавтракать втроем.* Пушкин. Евгений Онегин.

**ДАГЕРРОТИ́П**, -а, *м.* [По имени французского изобретателя Дагерра и франц. type — отпечаток]. Снимок, сделанный способом фотографирования на металлической пластинке, покрытой йодистого серебра, применявшимся до введения методов современной фотографии. *Можно снять посредством дагерротипа, пожалуй, и море, и небо, и гору с садами, но не нарисуешь этого воздуха, которым дышит грудь, не передашь его легкости и сладости.* И. Гончаров. Фрегат «Паллада».

**Дагеротти́пный**, -ая, -ое. *Дагерротипный портрет.*

**ДАКТИЛОСКОПИ́Я**, -и, *ж.* [От греч. daktylos — палец и skopein — смотреть]. *Спец.* Наука, изучающая строение кожных узоров на пальцах рук человека, а также метод установления личности по отпечаткам пальцев. *Данные дактилоскопии.*

**Дактилоскопи́ческий**, -ая, -ое. *Дактилоскопический анализ.*

**ДАЛЬТОНИ́ЗМ**, -а, *м.* [По имени английского ученого Дальтона]. Недостаток зрения, заключающийся в неспособности глаза различать некоторые цвета (обычно красный и зеленый).

**Дальто́ник**, -а, *м.*

**ДАМА́ССКИЙ**, -ая, -ое. [От названия г. Дамаска (столицы Сирии)]. Сделанный из дамасской стали. *Дамасский клинок.* ◇ **Дамасская сталь** — высокий сорт узорчатой стали, изготовляемой особым способом (применялась для изготовления кинжалов и сабель).

**ДА́МБА**, -ы, *ж.* [Голл. dam или нем. Damm]. Гидротехническое сооружение в виде искусственной насыпи (из земли, камня, бетона) для предохранения местности от затопления, для ограждения водохранилищ и т. п. *Железнодорожный путь перед самым Доном идет по высокой дамбе, где справа и слева.. лежат озера, затененные лозой, орешником, корявыми осокорями.* А. Н. Толстой. Хлеб.

**ДАМО́КЛОВ**, -а, -о. [Из предания о сиракузском тиране Дионисии, который во время пира посадил на свое место завидовавшего ему Дамокла и повесил над ним меч на конском волосе]. ◇ **Дамоклов меч** (*книжн.*) — о постоянно грозящей опасности. *Лето по-прежнему дамокловым мечом висит над головой Каширина, — лето мертвое, голодное, требующее во что бы то ни стало обеда на собственный счет!* Салтыков-Щедрин. Старческое горе.

**ДА́ННЫЕ**, -ых, *мн.* 1. Сведения, показатели, необходимые для каких-л. выводов, решений. *Анкетные, статистические данные. Данные разведки.* 2. Свойства, способности, качества как условия или основания, необходимые для чего-л. *Артистические данные. Учитывать психологические данные человека.* □ — *Товарищ Корчагин! У вас есть большие данные. При углубленной работе над собой вы можете стать в будущем литературным работником.* Н. Островский. Как закалялась сталь.

С и н. (к 1 знач.): информа́ция, материа́л.

**ДАНТИ́СТ**, -а, *м.* [Франц. dentist; восх. к лат. dens, dentis — зуб]. *Устар.* Зубной врач. *Пан же Врублевский оказался вольнопрактикующим дантистом, по-русски зубным врачом.* Достоевский. Братья Карамазовы.

С и н.: стомато́лог.

**ДАНЬ**, -и, *ж.* 1. В старину: подать с населения или налог, взимаемый победителем с побежденного народа. — *Жить стало не можно.. Нарышкины до царской казны дорвались.. Ждите теперь таких пошлин и даней, — все живо-*

ты отдадите. А. Н. Толстой. Петр I. **2.** *перен., чего. Книжн.* То должное, что следует воздать кому-, чему-л. *Тургенев не полюбил Базарова, но признал его силу, признал его перевес над окружающими людьми и сам принес ему полную дань уважения.* Писарев. Базаров. **3.** *перен.* чему. Необходимая или невольная уступка чему-л. *Отдать дань моде. Дань молодости.*

**ДАР**, -а, дары́, -о́в, м. **1.** *Высок.* То, что дается совершенно безвозмездно; подарок. *Принести в дар что-л.* □ *Волхвы не боятся могучих владык, А княжеский им дар не нужен.* Пушкин. Песнь о вещем Олеге. **2.** Ярко выраженные способности к чему-л. *Литературный, музыкальный дар. Обладать даром перевоплощения.* □ *Федор Иванович владел счастливым даром — он умел разглядеть в человеке основное.* Прилежаева. Юность Маши Строговой. ◊ **Дар речи** (или **слова**) — способность говорить. *Лишиться дара речи от изумления.*

С и н. (к *1 знач.*): подноше́ние, приноше́ние, поже́ртвование, преподноше́ние (*книжн.*), презе́нт (*устар. и разг.*), гости́нец (*прост.*), дая́ние (*устар.*).
С и н. (ко *2 знач.*): тала́нт, дарова́ние (*книжн.*).

**ДАРОВА́НИЕ**, -я, ср. **1.** *Устар. и высок.* Пожалование, дарение. *Каждую неделю в среду, перед началом занятий происходила торжественная молитва о даровании победы.* Гайдар. Школа. **2.** *Книжн.* Способности к чему-л. *Проявить большое дарование в живописи.* □ *Роль Виолетты исполняла артистка, не имевшая репутации,.. мало любимая, но не лишенная дарования.* Тургенев. Накануне.

С и н. (ко *2 знач.*): дар, тала́нт.

**ДАРОВИ́ТЫЙ**, -ая, -ое; -и́т, -а, -о. Обладающий дарованием (*во 2 знач.*), талантливый. *Даровитый художник.*

С и н.: одарённый.
А н т.: безда́рный.

**Дарови́тость**, -и, ж.

**ДА́РСТВЕННЫЙ**, -ая, -ое. **1.** *Устар.* Подаренный кем-л., полученный в подарок. — *Не беспокойся, у меня в запасе второй [пистолет] есть. Этот был расходный, а тот я блюду, как зеницу ока, он у меня дарственный, именной.* Шолохов. Поднятая целина. **2.** *Спец.* Удостоверяющий какой-л. дар, подарок. *Дарственная надпись. Оформить дарственную (в знач. сущ.) у нотариуса.*

С и н. (к *1 знач.*): пода́ренный, дарёный (*разг.*).

**ДАТИ́РОВАТЬ**, -рую, -руешь; дати́рующий, дати́ровавший; дати́руемый, дати́рованный; -ан, -а, -о; дати́руя, дати́ровав, *сов. и несов., что.* [Франц. dater]. **1.** Надписать (надписывать) дату на чем-л. *Датировать письмо сегодняшним числом.* **2.** *Книжн.* Установить (устанавливать) время совершения какого-л. события. *Датировать появление русских исторических песен.*

**Дати́ровка**, -и, ж.

**ДАЯ́НИЕ**, -я, ср. *Устар.* Дар, приношение. *Даяние их [казаков на церковь] было бедное, потому что почти всё пропили еще при жизни своей.* Гоголь. Тарас Бульба.

С и н.: поже́ртвование, подноше́ние, преподноше́ние (*книжн.*).

**ДВИ́ЖИМОСТЬ**, -и, ж. *Спец.* Движимое имущество. *Дом и вся движимость были проданы с молотка, и Иван Дмитриевич с матерью остались без всяких средств.* Чехов. Палата № 6.

**ДВИ́ЖИМЫЙ**, -ая, -ое; -им, -а, -о. **1.** *чем. Высок.* Побуждаемый. *Движим благородными чувствами..* **2.** *полн. ф. Офиц.* Такой, который может быть перемещен с места на место. ◊ **Движимое имущество** — имущество, которое не связано непосредственно с землей и может быть перемещено (ценности, различные вещи, мебель и т. п.).

**ДВОЕВЛА́СТИЕ**, -я, ср. Одновременное существование двух властей (в стране, городе, организации и т. п.). *В чем состоит двоевластие? В том, что рядом с Временным правительством.. сложилось.. другое правительство: Советы рабочих и солдатских депутатов.* Ленин, т. 31, с. 145.

**ДВО́ЙСТВЕННЫЙ**, -ая, -ое; -ен и -енен, -енна, -о. **1.** Такой, который содержит в себе два различных качества, часто противоречащих друг другу. *Двойственное впечатление. Двойственная натура.* □ *Вода выполняла двойственную роль: защищала нас от огня и в то же время (попадая в пробоины) была главным нашим врагом.* Новиков-Прибой. Цусима. **2.** Двуличный. *Двойственная политика.* **3.** Касающийся двух, двоих. *Двойственный союз. Двойственное соглашение.*

С и н. (к *1 знач.*): двоя́кий, двойно́й, противоречи́вый. С и н. (ко *2 знач.*): лицеме́рный, двоеду́шный, двули́кий (*книжн.*), криводу́шный (*устар.*).

**Дво́йственно**, *нареч.* (к *1 и 2 знач.*). **Дво́йственность**, -и, ж. (к *1 и 2 знач.*). *Двойственность позиции. Двойственность характера.*

**ДВОР**¹, -а́, м. **1.** Участок земли при доме, огороженный забором или стенами зданий. *Вход в дом со двора.* **2.** Дом со всеми хозяйственными пристройками (обычно в деревне). *Крестьянский, колхозный двор. Деревня в сто дворов.* □ *Мамонтов проехал хутор Рычков, где половина дворов была сожжена.* А. Н. Толстой. Хождение по мукам. **3.** Помещение, постройка для скота, хозяйственного инвентаря и т. п. *Скотный двор. Конный двор.* □ *Хозяин и гости пошли на псарный двор, где более пятисот гончих и борзых жили в довольстве и тепле.* Пушкин. Дубровский. ◊ **Монетный двор** — государственное предприятие, где изготавливаются металлические деньги, медали, ордена. **Постоялый** (или **заезжий**) **двор** — в дореволюционной России: дом с помещением для ночлега проезжающих и стоянки лошадей. **Почтовый двор** — в дореволюционной России: почтовая станция, почта; место, где едущие перемeняли лошадей.

**ДВОР**², -а́, м. В монархических государствах: монарх и приближенные к нему лица, составляющие его окружение. *Царский двор.* □ *Безмолвно раболепный двор Вкруг хана грозного теснился.* Пушкин. Бахчисарайский фонтан.

**ДВОРЕ́ЦКИЙ**, -ого, м. В помещичьем и буржуазном быту: старший слуга, ведающий столом и домашней прислугой. *Приятелей наших* встретили в передней два рослые лакея в ливрее; один из них тотчас побежал за дворецким. Дворецкий.. немедленно явился и направил гостей по устланной коврами лестнице в особую комнату. Тургенев. Отцы и дети.

С и н.: мажордо́м.

**ДВО́РНЯ**, -и, ж., *собир.* При крепостном праве: домашняя прислуга в помещичьем доме; дворовые люди. *Через десять минут въехал он на барский двор.. Дворня высыпала из людских изб и окружила молодого барина.* Пушкин. Дубровский.

**ДВОРО́ВЫЙ**, -ая, -ое. **1.** Прил. к двор¹. *Дворовые постройки. Дворовая собака.* **2.** Взятый на барский, господский двор (о крепостных, оторванных от земли для обслуживания помещика). *Дворовые люди.* ☐ *С крестьянами и дворовыми* (в знач. сущ.) *обходился он строго и своенравно.* Пушкин. Дубровский.

**ДВОРЯНИ́Н**, -а, дворя́не, -я́н, м. Лицо, принадлежащее к дворянству.— *Вы — плебей по крови, а я — польский дворянин, одной из самых старых фамилий.* Шолохов. Поднятая целина.
◇ **Ли́чный дворяни́н** — дворянское звание без права передачи по наследству, а также лицо, имеющее это звание. **Пото́мственный дворяни́н** — звание дворянина, принадлежащего к дворянскому сословию по рождению или по службе с правом передачи звания по наследству, а также лицо, имеющее это звание. **Столбово́й дворяни́н** — звание дворянина, принадлежащего к знатному древнему роду, а также лицо, имеющее это звание. *Родители его были дворяне, но столбовые или личные — бог ведает.* Гоголь. Мертвые души.

**Дворя́нка**, -и, ж. **Дворя́нский**, -ая, -ое. *Дворянская усадьба. Дворянское происхождение.*

**ДВОРЯ́НСТВО**, -а, *ср.* В феодальном и буржуазном обществе: привилегированный эксплуататорский класс, состоящий из помещиков и выслуживших чиновников, а также звание дворянина. *Русское дворянство. Уездное дворянство. Предводитель дворянства.* ☐ *Тоись, сватался к ней благородной.. Да, знать, счастья ей бог не сулил: Не нужна-ста в дворянстве холопка!* Н. Некрасов. В дороге.

**ДВУГРИ́ВЕННЫЙ**, -ого и (*устар.*) **ДВУГРИ́ВЕННИК**, -а, *м. Разг.* Монета в двадцать копеек. *Случись, работой, хлебушком Ему бы помогли, А вынуть два двугривенных, Так сам ни с чем останешься.* Н. Некрасов. Кому на Руси жить хорошо. *Лена дала ему серебряный двугривенник.* Фадеев. Последний из удэге.

**ДВУКО́ЛКА**, -и, ж. Двухколесная повозка. *Проходили обозы, повозки с сеном.., санитарные двуколки.* Горбатов. Непокоренные.

**ДВУЛИ́КИЙ**, -ая, -ое; -и́к, -а, -о. **1.** С двумя лицами. *Двуликая икона.* **2.** *перен. Книжн.* Заключающий в себе два противоречивых свойства, начала. *Боюсь души моей двуликой И осторожно хороню Свой образ дьявольский и дикий В сию священную броню.* Блок. Люблю высокие соборы... **3.** *перен. Книжн.* Двуличный.— *Я тебе верю, Мирон.. некоторые мужчины двулики и лицемерны.. Ты не такой.* Ф. Гладков. Энергия. ◇ **Двуликий Янус** [по имени древнеримского божества, изображаемого с двумя лицами, юношеским и старческим, обращенными в противоположные стороны] — о двуличном, лицемерном человеке.

С и н. (*к 3 знач.*): лицеме́рный, дво́йственный, двоеду́шный, криводу́шный (*устар.*).

**Двули́кость**, -и, ж.

**ДВУЛИ́ЧНЫЙ**, -ая, -ое; -чен, -чна, -о. Лицемерный, неискренний. *Двуличное поведение. Двуличный человек.* ☐ *[Хлестаков:] Я не люблю людей двуличных. Мне очень нравится ваша откровенность и радушие.* Гоголь. Ревизор.

С и н.: дво́йственный, двоеду́шный, двули́кий (*книжн.*), криводу́шный (*устар.*).

**Двули́чно**, нареч. *Вести себя двулично.* **Двули́чность**, -и, ж.

**ДВУРУ́ШНИК**, -а, м. Тот, кто будучи внешне преданным кому-, чему-л., тайно действует в пользу враждебной стороны. *Политические двурушники.*

**Двуру́шница**, -ы, ж. **Двуру́шнический**, -ая, -ое.

**ДВУСМЫ́СЛЕННЫЙ**, -ая, -ое; -ен, -енна, -о. **1.** Имеющий двоякий смысл, допускающий двоякое понимание, толкование. *Двусмысленный разговор. Двусмысленное поведение.* ☐ *О состоянии Кураевых носились какие-то двусмысленные слухи.* Писемский. Тюфяк. **2.** Содержащий неприличный, нескромный намек. *В первом упоении страсти Ибрагим и графиня ничего не замечали, но вскоре двусмысленные шутки мужчин и колкие замечания женщин стали до них доходить.* Пушкин. Арап Петра Великого.

С и н. (*ко 2 знач.*): нескро́мный, сме́лый, во́льный, игри́вый, пика́нтный, риско́ванный, фриво́льный (*книжн.*).

**Двусмы́сленно**, нареч. *Улыбнуться двусмысленно.* **Двусмы́сленность**, -и, ж.

**ДЕ...** [Лат. de...]. Приставка, обозначающая отсутствие, прекращение чего-л., противоположность чему-л., напр.: *деблоки́ровать, дешифрова́ть, демилитариза́ция, демонта́ж.*

**ДЕБАРКА́ДЕР** [дэ; дэр], -а и (*устар.*) **ДЕБАРКАДЕ́Р** [дэ; дэр], -а, м. [Франц. débarcadère]. **1.** Крытая платформа на железнодорожной станции. *К приходу каждого поезда на дебаркадер скромного вокзала собирается самая изящная публика.* Короленко. Смиренные. **2.** Плавучая пароходная пристань, закрепленная у берега. *От буксира «В. Маяковский» на обском плесе оставались.. сигнальные огни, зажглись уже лампочки на маленьком дебаркадере.* Липатов. И это все о нем.

С и н. (*к 1 знач.*): перро́н.

**ДЕБАТИ́РОВАТЬ**, -рую, -руешь; дебати́рующий, дебати́ровавший, дебати́руемый, дебати́рованный; -ан, -а, -о; дебати́руя; *несов.*, *что или без доп.* [См. *дебаты*]. *Книжн.* Обсуждать какой-л. вопрос; вести дебаты. *Дебатировать на съезде народных депутатов. Дебатировать законопроект.*

**ДЕБА́ТЫ**, -ов, *мн.* [Восх. к франц. débats]. *Книжн.* Обсуждение какого-л. вопроса; прения, обмен мнениями. *Парламентские дебаты.* ☐ *Обсуждение вопроса переросло в жаркие дебаты. Разность взглядов, разность подходов все бо-*

ценных свойств и качеств; упадок. *Деградация искусства. Деградация почв.*

**ДЕГУСТА́ЦИЯ**, -и, *ж.* [Восх. к лат. degustatio]. Определение качества какого-л. продукта (вина, табака, чая, духов и т. п.) по виду, вкусу, запаху особым специалистом — дегустатором — при его изготовлении. *Провести дегустацию национальных блюд.*

Дегустацио́нный, -ая, -ое. *Дегустационная комиссия.*

**ДЕДУ́КЦИЯ** [дэ *и* де], -и, *ж.* [Лат. deductio — выведение]. Способ рассуждения от общих положений к частным; логический вывод частных положений из какой-л. общей мысли.

А н т.: инду́кция.

Деду́ктивный, -ая, -ое. *Дедуктивный ход рассуждений. Дедуктивный метод.*

**ДЕЕСПОСО́БНЫЙ**, -ая, -ое; -бен, -бна, -о. **1.** *Книжн.* Способный к действию, деятельности. *Дееспособный организм. Дееспособная организация.* **2.** *Спец.* Имеющий право на совершение каких-л. юридических действий и несущий ответственность за свои поступки. *Дееспособный гражданин.*

А н т.: недееспосо́бный *(книжн. и спец.).*

Дееспосо́бность, -и, *ж.*

**ДЕЗ...** [Франц. dés... *от лат.* dis...]. Приставка, обозначающая отсутствие, прекращение чего-л., противоположность чему-л. (употр. вместо «де» перед гласными), напр.: *дезорганиза́ция, дезинфе́кция* (уничтожение болезнетворных микробов), *дезинсе́кция* (уничтожение вредных насекомых), *дезодора́ция* (устранение неприятных запахов).

**ДЕЗАКТИВА́ЦИЯ**, -и, *ж.* [От *дез...* (см.) *и лат.* activus — деятельный]. *Спец.* Удаление радиоактивных веществ с зараженных объектов. *Дезактивация местности.*

Дезактивацио́нный, -ая, -ое.

**ДЕЗЕРТИ́Р**, -а, *м.* [Франц. déserteur]. Тот, кто совершил дезертирство. *Поймать дезертира.*

Дезерти́рский, -ая, -ое.

**ДЕЗЕРТИ́РСТВО**, -а, *ср.* [Восх. к франц. déserter — покидать, дезертировать]. **1.** Самовольное оставление военнослужащим воинской части с целью уклонения от военной службы, а также уклонение от призыва в армию. *Команда покинула судно, не дожидаясь приказа.. Евгений Степанович пробирается сквозь густую толпу солдат и беженцев к сходням.. Он стаскивает с головы фуражку и.. срывает.. кокарду.— Капитан, прекратите дезертирство! — Этот резкий окрик заставлял его втянуть голову в плечи.* Крымов. Танкер «Дербент». **2.** *перен.* Уклонение от исполнения своего гражданского долга, своих служебных или общественных обязанностей.— *Надо на Абакашина повлиять.. Надо срочно принять меры,.. а не мириться с [его] дезертирством и срывом общего дела [поездки на стройку всем классом].* Прилежаева. Пушкинский вальс.

**ДЕЗИНФОРМА́ЦИЯ**, -и, *ж.* [От *дез...* (см.) *и информация* (см.)]. Распространение ложной информации с целью ввести кого-л. в заблуждение. *Этим объяснением Курышев как бы упреждающе подсказывал командующему, что при допросе следовало бы иметь в виду возможность дезинформации.* Бондарев. Горячий снег.

Дезинформацио́нный, -ая, -ое.

**ДЕЗОРИЕНТА́ЦИЯ**, -и, *ж.* [Франц. désorientation]. Введение в заблуждение, лишение правильной ориентации, правильного представления о чем-л. *Дезориентация противника в бою.*

**ДЕ́ЙСТВЕННЫЙ**, -ая, -ое; -ен *и* -енен, -енна, -о. Способный активно воздействовать на что-л. *Действенные меры. Действенное средство. Действенная помощь. Действенная солидарность.*

С и н.: эффекти́вный, результати́вный.

Де́йственно, *нареч.* Де́йственность, -и, *ж.* Действенность критики.

**ДЕЙСТВИ́ТЕЛЬНОСТЬ**, -и, *ж.* Объективный мир во всем его многообразии; окружающая обстановка. *Современная действительность. Воплотить мечту в действительность.* □ *Я хорошо видел, что.. действительность не занимала их, и все мечтательно заглядывали в будущее, не желая видеть бедность и уродство настоящего.* М. Горький. В людях.

С и н.: реа́льность, явь, суще́ственность *(устар.).*

**ДЕЙСТВИ́ТЕЛЬНЫЙ**, -ая, -ое; -лен, -льна, -о. **1.** *полн. ф.* Существующий на самом деле; подлинный, настоящий. *Действительное событие. Действительная польза.* □ *Паншин скоро понял тайну светской науки; он умел проникнуться действительным уважением к ее уставам.* Тургенев. Дворянское гнездо. **2.** Сохраняющий силу, правомочность; действующий. *Пропуск действителен в течение года.* ◊ **Действительная военная служба** — установленная законом воинская обязанность, служба в рядах вооруженных сил в течение определенного срока. **Действительный член** *чего* — звание члена некоторых научных учреждений, обществ и т. п. *Действительный член академии.*

С и н. (к 1 знач.): реа́льный, и́стинный.

А н т. (к 1 знач.): мни́мый.

*Действи́тельно, нареч. (к 1 знач.).*

**ДЕКА́ДА**, -ы, *ж.* [Восх. к греч. dekas, dekados — десяток]. **1.** Промежуток времени в десять дней. *В первую декаду каждого месяца он [директор совхоза] обходил все участки первой фермы; во второй декаде обследовал вторую ферму; в третьей декаде выезжал в третью.* Панова. Ясный берег. **2.** *чего.* Десятидневный промежуток времени, посвященный чему-л. *Декада французского кинематографа. Декада грузинской литературы в Москве.*

Дека́дный, -ая, -ое.

**ДЕКАДА́НС** [дэ], -а, *м. и* **ДЕКАДЕ́НТСТВО** [дэкадэ́ *и* декадэ́], -а, *ср.* [Франц. décadence — упадок]. Общее название нереалистических течений в литературе и искусстве конца 19 — начала 20 в., отличающихся упадочничеством, крайним индивидуализмом.

Декаде́нтский, -ая, -ое. *Декадентская литература.* □ *Декадентская картина.. изображала худенького черноволосого мужчину с испу-*

льше принимала характер непримиримых позиций. Айтматов. Буранный полустанок.

С и н.: спор, поле́мика, диску́ссия, ди́спут.

**ДЕБЕ́ЛЫЙ**, -ая, -ое; -е́л, -а, -о. *Прост.* Полный, упитанный. *Из дому вышла няня в сарафане.., дебелая и пышная.* Серафимович. Город в степи.

С и н.: то́лстый, ту́чный, гру́зный, ожире́лый, доро́дный, полноте́лый, жи́рный.

А н т.: худо́й, то́щий, костля́вый, отоща́лый (*разг.*).

**ДЕБИ́Л**, -а, *м.* [Восх. к лат. debilis — слабый]. Психически недоразвитый человек, страдающий относительно легкой степенью врожденного слабоумия.

**Деби́льный**, -ая, -ое. **Деби́льность**, -и, *ж.* Признаки дебильности.

**ДЕБО́Ш**, -а, *м.* [Франц. débauche]. *Разг.* Ссора, скандал с шумом и дракой. *Устроить дебош.* □ — *От безделья-то с ума сойти можно.. Чего он только не вытворял! Что ни день, то пьянка, дебош.* В. Титов. Всем смертям назло.

С и н.: буза́ (*прост.*).

**Дебоши́р**, -а, *м.*

**ДЕ́БРИ**, -ей, *мн.* **1.** Места, заросшие густым, непроходимым лесом, а также глухая, малодоступная местность. *Лесные дебри.* □ *Несколько шагов от шоссе, и не продерешься — непролазные дебри; все опутано хмелем, лианами.* Серафимович. Железный поток. **2.** *перен., чего или какие.* Сложные или малоисследованные стороны, области чего-л. *Научные дебри.* □ *Разговор терялся в дебрях отвлеченностей, как уплывающие в туман паруса.* Федин. Первые радости.

С и н. (к 1 знач.): глушь, трущо́ба, глухома́нь, ча́ща, чащо́ба, дичь (*разг.*).

**ДЕБЮ́Т**, -а, *м.* [Франц. début]. **1.** Первое выступление артиста на сцене, а также первое публичное выступление на каком-л. поприще. *Дебют юной поэтессы.* □ *Студенты консерватории поставили «Пиковую даму», и Нина — это был ее дебют — сегодня впервые пела графиню.* Каверин. Открытая книга. **2.** Начало (первые ходы) в шахматной и шашечной партиях. *Ферзевый дебют. Разыграть дебют.*

**Дебю́тный**, -ая, -ое. **Дебюта́нт**, -а, *м.* Выступление дебютанта.

**ДЕБЮТИ́РОВАТЬ**, -рую, -руешь; дебюти́рующий, дебюти́ровавший; дебюти́руя, дебюти́ровав; *сов. и несов.* [Франц. débuter]. Впервые выступить (выступать) публично. *Дебютировать на чемпионате мира.*

**ДЕВАЛЬВА́ЦИЯ**, -и, *ж.* [Нем. Devalvation; восх. к лат. de — вниз и valere — стоить]. *Спец.* Осуществляемое в законодательном порядке понижение официального курса обращающихся бумажных денег по отношению к золоту или иностранной валюте.

**ДЕ́ВЕРЬ**, -я, деверья́, -ре́й, *м.* Брат мужа. *Сижу одна, работаю, И муж и оба деверя уехали с утра.* Н. Некрасов. Кому на Руси жить хорошо.

**ДЕВИ́З**, -а, *м.* [Франц. devise]. **1.** Краткое изречение, в котором выражается руководящая идея поведения или деятельности кого-л. *Вышли мы все из народа, дети семьи трудовой, Братский союз и свобода — вот наш девиз* дин. *Смело, товарищи, в ногу...* **2.** Краткое или слово, поставленное на прои проекте и т. п. вместо имени автора (к том конкурсе). *Первая премия [прис проекту под девизом «Непобедимый»* Журбины. **3.** Краткая надпись на герб щите, обычно объясняющая смысл ге дена и т. п. *На острове Родосе замеч улица Рыцарей, в которой хорошо сох древние здания с гербами, девизами и* ский. Старая записная книжка.

**ДЕ́ВИЧНИК** [шн], -а, *м.* **1.** В русском на свадебном обряде: прощальная веч с подругами в доме невесты накануне бы. *Еще в моей памяти живы.. девични торые весело справлялись в доме накан дьбы. Девушки пели песни и величали н ных.* Салтыков-Щедрин. Пошехонская старина. Вечеринка, на которую собираются од вушки, женщины.

**ДЕ́ВИЧЬЯ**, -ей, *ж.* Комната для дворов вушек в помещичьих, барских домах. *Д стей Ночлег отводят от сеней До самой чьи.* Пушкин. Евгений Онегин.

**ДЕ́ВСТВЕННЫЙ**, -ая, -ое; -ен *и* -енен, -о. **1.** Не живший половой жизнью, цел ренный; отличающийся высокой нрав ной чистотой. *Душа его была еще чис девственна; она, может быть, ждала любви, своей поры, своей патетической с сти.* И. Гончаров. Обломов. **2.** Находящийся в вобытном состоянии; нетронутый, нев ланный. *Девственные снега.* □ *Тогда весь все то пространство, которое составляет нешнюю Новороссию,.. было зеленою, девст ною пустынею. Никогда плуг не проходил неизмеримым волнам диких растений.* Го Тарас Бульба.

С и н. (к 1 знач.): чи́стый, неви́нный, непор ный (*высок.*). С и н. (ко 2 знач.): первозда́нн (*книжн.*), первобы́тный (*устар.*).

**Де́вственность**, -и, *ж.* Обет девственност Девственность леса.

**ДЕГЕНЕРА́ЦИЯ**, -и, *ж.* [Восх. к лат. degenerare вырождаться]. *Книжн.* Вырождение, ухудшен биологических и психических признаков орг низма от поколения к поколению в результ неблагоприятных условий существовани Две трети населения Ляс Урдес отмечен признаками дегенерации. Эренбург. Испания.

**Дегенерати́вный**, -ая, -ое; -вен, -вна, -о. *Деге неративные изменения.* **Дегенерати́вность**, -и *ж.* Признаки дегенеративности.

**ДЁГОТЬ**, дёгтя, *м.* Густая темная смолистая жидкость с характерным запахом, получаемая путем сухой перегонки древесины, торфа или каменного угля. *Древесный деготь. Гнать деготь.* □ *На ногах у него тяжелые мужицкие сапоги, от них крепко пахнет дегтем.* М. Горький. Мои университеты.

**Дегтя́рный**, -ая, -ое *и* дегтево́й, -а́я, -о́е. *Дег тярный завод. Дегтевая смола.*

**ДЕГРАДА́ЦИЯ** [дэ], -и, *ж.* [Восх. к ср.-лат. degrada re — спускаться]. Постепенное ухудшение, утрата ганными глазами. *Неизвестно для чего художник приклеил к его тощим бокам красно-зеленые крылья.* Саянов. Небо и земля. **Декаде́нт,** -а, *м.*

**ДЕКА́Н,** -а, *м.* [Восх. к лат. decanus — десятник (в древнеримских войсках — начальник десяти солдат)]. Руководитель факультета в высшем учебном заведении. *Декан математического факультета. Распоряжение декана.*

**ДЕКВАЛИФИКА́ЦИЯ** [дэ], -и, *ж.* [От *де...* (см.) и *квалификация* (см.)]. Утрата квалификации, профессиональных знаний и опыта. *Перерыв в работе на несколько лет может привести к полной деквалификации.*

**ДЕКЛАМА́ЦИЯ** [не *дэ*], -и, *ж.* [Лат. declamatio]. **1.** Искусство выразительного чтения художественных произведений. *Декламация стихов.* □ *[Артист Давыдов] заставил нас задуматься о том секрете декламации, произношения и выразительности, который был ему известен.* Станиславский. Моя жизнь в искусстве. **2.** *перен.* Напыщенная, искусственно приподнятая манера говорить; напыщенные речи. *Послушать кадетских балалайкиных из «Речи» — сочувствие их Толстому самое полное и самое горячее. На деле, рассчитанная декламация и напыщенные фразы о «великом богоискателе» — одна сплошная фальшь.* Ленин, т. 17, с. 209.

**ДЕКЛАРАТИ́ВНЫЙ,** -ая, -ое; -вен, -вна, -о. [См. *декларация*.]. *Книжн.* **1.** Имеющий форму декларации (в *1 знач.*), торжественный. *Декларативное заявление.* **2.** Чисто словесный, внешний. *Декларативные обещания.*

**Деклараты́вно,** *нареч.* **Деклараты́вность,** -и, *ж.*

**ДЕКЛАРА́ЦИЯ,** -и, *ж.* [Лат. declaratio — объявление]. **1.** *Книжн.* Официальное или торжественное программное заявление (от лица государства, партии, международных организаций и т. п.). *Правительственная декларация. Выступить с декларацией на конференции.* **2.** *Спец.* Название некоторых официальных документов с сообщением каких-л. нужных сведений. *Торговая, таможенная декларация.*

**Декларацио́нный,** -ая, -ое.

**ДЕКЛАССИ́РОВАННЫЙ,** -ая, -ое. [Франц. déclassé]. Утративший связь со своим классом и не примкнувший к другому социальному классу, не участвующий в общественном производстве, морально опустившийся и разложившийся. *Деклассированные элементы.*

**ДЕКО́КТ** [дэ], -а, *м.* [Лат. decoctum]. Отвар из лекарственных растений. — *Вот лекарства разные, травы целебные, пластыри, декокты — все это ум изобретает и открывает.* Салтыков-Щедрин. Господа Головлевы.

**ДЕКОЛЬТЕ́** [дэ; тэ]. [Франц. décolleté]. **1.** *нескл., ср.* Большой вырез у женского платья, открывающий шею, плечи, верхнюю часть груди, спины. *Глубокое декольте.* □ *Туча пудры осыпала ее декольте в форме воинского каре, и белизну шеи искусно оттеняла узкая черная бархотка.* Пикуль. Фаворит. **2.** *неизм. прил.* Декольтированный. *Наконец, вошла Екатерина Ивановна в бальном платье, декольте, хорошенькая, чистенькая.* Чехов. Ионыч.

**ДЕКОЛЬТИ́РОВАННЫЙ** [дэ], -ая, -ое; -ан, -а, -о. [См. *декольте*]. С декольте (в *1 знач.*). *Декольтированная дама.* □ *По аллейкам.. кружились полнотелые немки в декольтированных тяжелых платьях с брошками и веерами на длинных золоченых цепочках.* Федин. Первые радости.

**ДЕКОРАТИ́ВНЫЙ,** -ая, -ое; -вен, -вна, -о. [См. *декорация*]. **1.** *полн. ф.* Предназначенный для украшения чего-л. *Декоративные растения. Декоративные ткани.* □ *Не надевая плащей, они прошли.. к домику, увитому бурым декоративным плющом.* В. Кожевников. Щит и меч. **2.** Живописный, красочно-нарядный. *Декоративная обстановка.* □ *Все время они [белые ночи] вспоминались мне здесь, на юге, среди этой чрезмерной, пышной и декоративной природы.* Куприн. Белые ночи.

**Декорати́вность,** -и, *ж.* (ко *2 знач.*). *Живописная декоративность сада.*

**ДЕКОРА́ЦИЯ** [не *дэ*], -и, *ж.* [Восх. к лат. decoratio — украшение]. **1.** Живописное или архитектурное изображение места и обстановки спектакля, устанавливаемое на сцене. *Декорации первого акта. Играть спектакль без декораций.* **2.** *перен.* Что-л. показное, служащее для прикрытия чего-л. (недостатков, непривлекательной сущности чего-л., истинного намерения). *В горных делах царила фамилия Каблуковых.. В них была вся сила, а горные инженеры и разное начальство служили только для декорации.* Мамин-Сибиряк. Золото. ◊ **Перемена декораций; декорации переменились** и т.п. — об изменении обстановки, положения дел, общего вида чего-л. и т. п. *Напряженное молчание длилось с минуту, и, наконец,.. произошла маленькая перемена декорации.. Вошедший господин несколько смягчился и вежливо [заговорил].* Достоевский. Преступление и наказание.

**Декорацио́нный,** -ая, -ое (к *1 знач.*). *Декорационное оформление сцены. Декорационные мастерские.*

**ДЕКО́РУМ** [дэ], -а, *м.* [Лат. decorum — приличие]. *Книжн.* Внешнее условное приличие, внешняя благопристойность. *Соблюсти декорум.* □ *Лицемерие — это приглашение к приличию, к декоруму, к красивой внешней обстановке.* Салтыков-Щедрин. Господа Головлевы.

**ДЕКРЕ́Т** [не *дэ*], -а, *м.* [Восх. к лат. decretum — решение]. **1.** Постановление верховной власти по какому-л. вопросу, имеющее силу закона. *Декрет о земле. Декрет о мире.* **2.** *Разг.* То же, что д е к р е т н ы й о т п у с к. *Уйти в декрет.*

**Декре́тный,** -ая, -ое. ◊ **Декретное время** — поясное время, переведенное для территории СССР на один час вперед. **Декретный отпуск** — отпуск по беременности и родам.

**ДЕ́ЛАННЫЙ,** -ая, -ое. Искусственный, неестественный. *Деланное равнодушие.* □ *Улыбка на хорошеньком личике была гордая, надменная.. но деланная.* Чехов. Ненужная победа.

С и н.: неискренний, притво́рный, напускно́й, наи́гранный, жема́нный, мане́рный, напряжённый, принуждённый, театра́льный, драмати́ческий, аффекти́рованный (*книжн.*).

**Де́ланно**, *нареч.* Деланно кашлянуть. **Де́ланность**, -и, *ж.*

**ДЕЛЕГА́Т**, -а, *м.* [Восх. к лат. delegatus — посланный, уполномоченный]. Выборный или назначенный представитель какого-л. государства, коллектива. *Выборы делегатов партийной конференции. Регистрация делегатов.* ▢ *Резко зазвенел звонок, собирая делегатов в зал.* Проскурин. Горькие травы.

**Делега́тский**, -ая, -ое.

**ДЕЛЕГА́ЦИЯ**, -и, *ж.* [См. *делегат*]. Группа делегатов, представляющих кого-, что-л. *Делегация иностранных рабочих.*

**ДЕЛЕГИ́РОВАТЬ**, -рую, -руешь; делеги́рующий, делеги́ровавший; делеги́руемый, делеги́рованный; -ан, -а, -о; делеги́руя, делеги́ровав, *сов. и несов., кого, что.* [Лат. delegare]. *Книжн.* Послать (посылать) делегатом. *Делегировать представителей коллектива на митинг.*

**ДЕЛИКАТЕ́С** [тэ], -а, *м.* [Франц. délicatesse — нежность, изысканность]. Изысканное кушанье. *[Гвоздев] сунул под подушку кусок сладкого пирога, точно этот госпитальный деликатес должен был особенно понравиться горластым нахлебникам [воробьям].* Б. Полевой. Повесть о настоящем человеке.

**Деликате́сный**, -ая, -ое. Деликатесный соус.

**ДЕЛИКА́ТНЫЙ**, -ая, -ое, -тен, -тна, -о. [Восх. к лат. delicatus — нежный, утонченный]. **1.** Вежливый, предупредительный, мягкий в обращении. *Нравится мне он сам, вежливый, услужливый и необыкновенно деликатный в обращении со всеми.* Чехов. Палата № 6. **2.** Требующий осторожного и тактичного отношения или выражающий это отношение. *Деликатный вопрос.* ▢ *— Да, с вами можно говорить, вы имеете характер, — и в самых осторожных, деликатных выражениях рассказала ей о вчерашнем пари.* Чернышевский. Что делать? **3.** *Разг.* Нежный, слабый, хрупкий. *[Простакова:] Не говорила ль я тебе.., чтоб ты кафтан пустил шире. Дитя, первое, растет; другое, дитя и без узкого кафтана деликатного сложения.* Фонвизин. Недоросль.
С и н. (к 1 знач.): такти́чный, полити́чный *(разг.).* С и н. (ко 2 знач.): щекотли́вый, то́нкий, щепети́льный.

**Делика́тно**, *нареч.* (к 1 знач.). **Делика́тность**, -и, *ж.* Сделать что-л. из деликатности. *Деликатность положения.*

**ДЕ́ЛЬТА**[1] [дэ], -ы, *ж.* [Греч. delta (по названию четвертой буквы греческого алфавита, имеющей форму треугольника, по сходству с которой была названа дельта Нила)]. Устье реки с наносной равниной, образованной речными отложениями и прорезанной многочисленными рукавами и протоками. *Дельта Волги.* ▢ *Река Аной в устье разбивается на шесть рукавов, образуя дельту.* Арсеньев. В горах Сихотэ-Алиня.

**ДЕ́ЛЬТА**[2] [дэ], -ы, *ж.* [Греч. delta]. Название четвертой буквы греческого алфавита.

**ДЕЛЬТАПЛА́Н** [дэ], -а, *м.* [От греч. delta — название буквы и лат. planum — плоскость]. Легкий безмоторный летательный аппарат с подвесной системой и ручкой, за которую держится спортсмен, управляя им.

**Дельтапланери́ст**, -а, *м.* Соревнования дельтапланеристов.

**ДЕЛЬФИНА́РИЙ**, -я, *м.* [От греч. delphis, delphinos — дельфин]. Комплекс сооружений с бассейном, предназначенный для содержания дельфинов в целях их изучения, дрессировки и показа посетителям.

**ДЕМАГО́ГИЯ**, -и, *ж.* [Восх. к греч. dēmagōgía — первонач. руководство народом]. **1.** Намеренное воздействие на чувства, инстинкты малосознательной части масс для достижения своих целей. **2.** Рассуждения или требования, основанные на одностороннем истолковании чего-л. — *Интересно бы выяснить, кто из местных властей виноват, наверное, какой-нибудь бюрократ. Нина Сергеевна обиделась и говорит: «Прошу не разводить демагогию по поводу местных властей; мы знали, что идем на трудности».* Прилежаева. Пушкинский вальс.

**Демагоги́ческий**, -ая, -ое. Демагогические обещания. **Демагоги́чески**, *нареч.* Демагогически рассуждать. **Демаго́г**, -а, *м.*

**ДЕМАРКА́ЦИЯ**, -и, *ж.* [Франц. démarcation — разграничение]. *Спец.* Обозначение на местности государственных границ с помощью специальных знаков.

**Демаркацио́нный**, -ая, -ое. ◇ **Демаркационная линия** — линия, разделяющая войска противников во время перемирия.

**ДЕМАСКИ́РОВАТЬ** [дэ], -рую, -руешь; демаски́рующий, демаски́ровавший; демаски́руемый, демаски́рованный; -ан, -а, -о; демаски́руя, демаски́ровав, *сов. и несов., что.* Снять (снимать) или нарушить (нарушать) маскировку. *Демаскировать военный объект.*

**Демаскиро́вка**, -и, *ж.* и **демаски́рование**, -я, *ср.*

**ДЕМИКОТО́Н**, -а, *м.* [Франц. demi-coton — букв. полухлопок]. Плотная хлопчатобумажная ткань, вышедшая из употребления.

**Демикото́нный**, -ая, -ое и **демикото́новый**, -ая, -ое. *Он выбежал проворно с салфеткой в руке, весь длинный и в длинном демикотонном сюртуке.* Гоголь. Мертвые души.

**ДЕМОГРА́ФИЯ**, -и, *ж.* [От греч. dēmos — народ и graphein — писать]. Наука, изучающая состав населения и закономерности его развития на основе статистического учета рождаемости, смертности и других явлений и процессов.

**Демографи́ческий**, -ая, -ое. *Демографические исследования. Демографическая политика.* ◇ **Демографический взрыв** — резкое ускорение темпов роста населения. **Демо́граф**, -а, *м.*

**ДЕМОКРА́Т**, -а, *м.* [См. *демократия*]. **1.** *Устар.* Тот, кто происходит из народа, придерживается образа жизни, свойственного широким слоям трудового народа. *Демократ по происхождению.* **2.** Сторонник демократии. *Русские революционные демократы. Демократ по убеждениям.* ▢ *Чернышевский, развивший вслед за Герценом народнические взгляды, сделал громадный шаг вперед против Герцена. Чернышевский был гораздо более последовательным и боевым демократом.* Ленин, т. 25, с. 94. **3.** Член демократической партии. *Победа демократов на выборах.*

**Демокра́тка**, -и, *ж.*

**ДЕМОКРАТИЗА́ЦИЯ**, -и, *ж.* [См. *демократия*]. Внедрение демократических начал, переустройство государства, общества, организации и т. п. на демократических основах. *Всесторонняя демократизация общества.*

**ДЕМОКРАТИ́ЧЕСКИЙ**, -ая, -ое. [См. *демократия*]. **1.** Основанный на принципах демократии, осуществляющий демократию. *Демократический строй. Демократические преобразования. Демократические взгляды.* **2.** Свойственный широким слоям народа, не принадлежащим к привилегированным классам. *Демократическое воспитание.* □ *Ливрейные лакеи, чинные дворецкие оскорбляли его демократическое чувство.* Тургенев. Отцы и дети.

**ДЕМОКРАТИ́ЧНЫЙ**, -ая, -ое; -чен, -чна, -о. [См. *демократия*]. **1.** То же, что демократический (во 2 знач.). *Демократичные привычки, манеры.* **2.** Простой и доступный в своих отношениях с людьми. *Демократичный директор.*

**Демократи́чно**, *нареч.* *Держаться демократично.* **Демократи́чность**, -и, *ж.*

**ДЕМОКРА́ТИЯ**, -и, *ж.* [Восх. к греч. dēmokratia — власть народа]. **1.** Политический строй, основанный на принципах народовластия, признания свободы и равенства граждан. *Принципы демократии.* **2.** Принцип организации коллективной деятельности, при котором обеспечивается активное и равноправное участие в ней всех членов коллектива. *Внутрипартийная демократия.* □ *— Барышев исключен из комсомола при нарушении демократии.* Липатов. И это все о нем.

С и н. (к *1 знач.*): народовла́стие (*высок.*).

**ДЕ́МОН**, -а, *м.* [Греч. daimōn — божество]. **1.** В христианской мифологии: злой дух, дьявол. *В той башне высокой и тесной Царица Тамара жила: Прекрасна, как ангел небесный, Как демон, коварна и зла!* Лермонтов. Тамара. **2.** *перен., чего. Устар.* Олицетворение какой-л. страсти, увлечения, порока. *Демон зла. Демон лести.* □ *Мы положили путешествовать вместе; но демон нетерпения опять мною овладел.. Я отправился один, даже без проводника.* Пушкин. Путешествие в Арзрум.

С и н. (к *1 знач.*): чёрт, сатана́, бес, лука́вый (*устар. и прост.*), нечи́стый (*устар. и прост.*).

**ДЕМОНИ́ЧЕСКИЙ**, -ая, -ое. [См. *демон*]. Олицетворяющий собою зло, отрицающий принятое всеми; отличающийся сильным, властным характером. *Демоническая личность.*

**ДЕМОНСТРАТИ́ВНЫЙ**, -ая, -ое; -вен, -вна, -о. [См. *демонстрация*]. Подчеркнуто выражающий протест против чего-л., несогласие с чем-л.; вызывающий. *Демонстративный уход.* □ *Зоя не показывалась целых три дня, что уже принимало демонстративный характер.* Мамин-Сибиряк. Без особенных прав.

**Демонстрати́вно**, *нареч.* **Демонстрати́вность**, -и, *ж.* *Демонстративность отказа.*

**ДЕМОНСТРА́ЦИЯ**, -и, *ж.* [Восх. к лат. demonstratio — доказательство, показ]. **1.** Массовое шествие в знак выражения каких-л. общественно-политических настроений. *Первомайская демонстрация. Многолюдная демонстрация. Демонстрация протеста. Участники демонстрации.* **2.** Какое-л. действие, поступок, совершаемый с вызовом, напоказ, для выражения протеста, несогласия с чем-л. *[Аркадина:] Стало быть, устроил он [Треплев] этот спектакль.. не для шутки, а для демонстрации. Эти постоянные вылазки против меня и шпильки.. надоедят хоть кому!* Чехов. Чайка. **3.** Публичный показ чего-л., наглядный способ ознакомления с чем-л. *Демонстрация кинофильма. Демонстрация новых моделей одежды.* **4.** Проявление, свидетельство чего-л. *Проводы [советской делегации] вылились в большую и волнующую демонстрацию дружбы.* Первенцев. В Исландии.

С и н. (к *1 знач.*): манифеста́ция.

**Демонстрацио́нный**, -ая, -ое (к *1 и 3 знач.*). *Демонстрационный зал.*

**ДЕМОРАЛИЗА́ЦИЯ**, -и, *ж.* [Франц. démoralisation]. **1.** Моральное разложение, упадок нравственности. **2.** Упадок духа, дисциплины, потеря способности к действию. *Деморализация войск противника.*

**ДЕ́НДИ** [дэ], *нескл., м.* [Англ. dandy]. *Устар.* Изысканно и модно одетый светский человек. *Вот мой Онегин на свободе: Острижен по последней моде; Как денди лондонский одет.* Пушкин. Евгений Онегин.

С и н.: щёголь, франт, мо́дник (*разг.*), пижо́н (*разг.*).

**ДЕНДРА́РИЙ** [дэ], -я, *м.* [От греч. dendron — дерево]. Сад или парк, в котором с научно-опытными целями выращиваются различные виды деревьев и кустарников. *Дендрарий в Сочи.*

**ДЕННИ́К**, -а́, *м.* Отдельное закрытое стойло в конюшне, где лошадь стоит без привязи, а также отгороженное теплое отделение в хлеву для животных, которым нужен особый уход. *Левин вошел в денник, оглядел Паву [корову] и поднял краснопегого теленка на его шаткие длинные ноги.* Л. Толстой. Анна Каренина.

**ДЕННИ́ЦА**, -ы, *ж.* *Трад.-поэт.* Утренняя заря. *В тонкий занавес окна Светит луч денницы.* Жуковский. Светлана.

С и н.: рассве́т, авро́ра (*трад.-поэт.*).

**ДЕНЩИ́К**, -а́, *м.* **1.** В царской армии: солдат, состоявший при офицере для личных услуг. *— При мне исправлял должность денщика линейный казак. Велев ему выложить чемодан и отпустить извозчика, я стал звать хозяина.* Лермонтов. Герой нашего времени. **2.** При Петре I: дворянин, находившийся при царе для выполнения распоряжений, особых поручений, услуг. *Государев денщик подал ему деревянную ложку, ножик и вилку с зелеными костяными черенками, ибо Петр никогда не употреблял другого прибора, кроме своего.* Пушкин. Арап Петра Великого.

**ДЕПАРТА́МЕНТ**, -а, *м.* [Франц. département — первонач. разделение]. **1.** В некоторых странах: отдел министерства, какого-л. высшего государственного учреждения. *Павел Константинович.. служил помощником столоначальника в каком-то департаменте.* Чернышевский. Что делать?

**2.** В США и Швейцарии: название некоторых министерств. *Государственный департамент* (внешнеполитическое ведомство США). **3.** Административно-территориальный округ во Франции. *Старое историческое разделение на провинции было отменено, и вся Франция распалась на 83 департамента.* Писарев. Исторические эскизы.

**Департа́ментский**, -ая, -ое. *Департаментские служащие.*

**ДЕПЕ́ША**, -и, ж. [Франц. dépêche]. **1.** *Офиц.* Спешное уведомление, донесение (дипломатическое, военное и т.п.). *Ему [австрийскому канцлеру] принесли депеши, предварительно изученные его секретарями.* Пикуль. Фаворит. **2.** *Устар.* Телеграмма. *А из завода письмо за письмом, депеша за депешей.* Чехов. Староста.

**ДЕПО́**, нескл., ср. [Франц. dépôt от лат. depositum — вещь, отданная на хранение]. **1.** *Устар.* Склад для хранения чего-л. *Выстроены были какие-то дома.. На одном было написано золотыми буквами: «Депо земледельческих орудий».* Гоголь. Мертвые души. **2.** Здание, специально оборудованное для стоянки и текущего ремонта локомотивов, вагонов, трамваев, а также здание для пожарных машин. *Железнодорожное, пожарное, трамвайное депо. Работать в депо.* □ *Когда стали подъезжать к большой станции, Кондратьев сказал: — ..Паровоз в депо пойдет, на починку.* Неверов. Ташкент — город хлебный.

**ДЕПОРТИ́РОВАТЬ**, -рую, -руешь; депорти́рующий, депорти́ровавший; депорти́руемый, депорти́рованный; -ан, -а, -о; депорти́руя, депорти́ровав; *сов. и несов., кого.* [Лат. deportāre]. *Спец.* Выслать (высылать) за пределы страны.

**Депорта́ция**, -и, ж. *Депортация иностранного журналиста.*

**ДЕПРЕ́ССИЯ**, -и, ж. [Восх. к лат. depressio — придавливание, подавление]. **1.** *Спец.* Угнетенное, подавленное психическое состояние. *Впасть в депрессию.* **2.** Фаза хозяйственного цикла, сменяющая собой кризис перепроизводства, характеризующаяся спадом производства, застоем экономики, массовой безработицей.

С и н. (к 1 знач.): уны́ние, меланхо́лия, ипохо́ндрия, хандра́, мерехлю́ндия *(разг.)*, сплин *(устар.)*.

**Депресси́вный**, -ая, -ое. *Депрессивное состояние. Депрессивные явления в экономике.*

**ДЕПУТА́Т**, -а, м. [Восх. к лат. deputatus — назначенный, уполномоченный]. **1.** Выборный представитель, член выборного государственного учреждения. *Народный депутат России. Выступление депутата городского Совета.* □ *Когда я был молод, тоже мечтал: может быть, буду депутатом рабочего парламента, хотя знал, что сначала придется в тюрьмах сидеть.* Прилежаева. Юность Маши Строговой. **2.** Лицо, избранное кем-л. и уполномоченное для выполнения каких-л. поручений. *Десятки голосов сразу крикнули: — Директора сюда! — Депутатов послать за ним!* М. Горький. Мать.

**Депута́тский**, -ая, -ое. *Депутатские полномочия. Депутатский мандат.*

**ДЕПУТА́ЦИЯ**, -и, ж. [См. *депутат*]. Группа депутатов *(во 2 знач.)*, действующих по поручению и в качестве представителей какого-л. коллектива. *Принять депутацию от рабочих завода.*

**ДЕ́РВИШ** [дэ], -а, м. [Восх. к перс. därvēš — нищий]. Мусульманский нищенствующий монах.

С и н.: факи́р.

**ДЕРЕВЯ́ННЫЙ**, -ая, -ое. **1.** Сделанный из дерева. *Деревянный стол.* **2.** Относящийся к постройкам из дерева. *Русское деревянное зодчество.* **3.** *перен.* Лишенный естественной подвижности, гибкости; маловыразительный, бесчувственный. *Деревянная походка.* □ *На этом деревянном лице вдруг скользнул какой-то теплый луч, выразилось не чувство, а какое-то бледное отражение чувства.* Гоголь. Мертвые души. ◇ **Деревянное масло** — низший сорт оливкового масла, употреблявшийся для масляных ламп и лампадок. *Вот.. лампадка не в исправности — я лампадку поправлю, маслица деревянного подолью.* Салтыков-Щедрин. Господа Головлевы.

**ДЕРЖА́ВА**, -ы, ж. **1.** *Высок.* Независимое государство, ведущее самостоятельную политику, обладающее силой и влиянием в международных делах. *[Самозванец:] Твоя любовь... что без нее мне жизнь, И славы блеск, и русская держава?* Пушкин. Борис Годунов. **2.** *Устар. высок.* Верховная власть; владычество. *[Воротынский:] Его сестру напрасно умоляли Благословить Бориса на державу.* Пушкин. Борис Годунов. **3.** Золотой шар с крестом или короной наверху — эмблема власти монарха. *Борис Годунов и Вельский.. приблизились к трону и вложили в руки царевича Федора державу и скипетр.* Костылев. Иван Грозный.

С и н. (к 1 знач.): страна́, земля́ *(высок.)*.

**ДЕРЖА́ВНЫЙ**, -ая, -ое. *Высок.* **1.** Обладающий верховной властью, связанный с управлением державой. *[Пимен:] Так говорил державный государь, И сладко речь из уст его лилася — И плакал он.* Пушкин. Борис Годунов. **2.** *перен.* Величественный, могучий, сильный. *Люблю тебя, Петра творенье, Люблю твой строгий, стройный вид, Невы державное теченье, Береговой ее гранит.* Пушкин. Медный всадник.

С и н. (ко 2 знач.): ца́рственный, велича́вый.

**ДЕРЗА́ТЬ**, -а́ю, -а́ешь; дерза́ющий, дерза́вший; дерза́я; *несов.* **1.** *Высок.* Смело стремиться к чему-л. высокому, благородному, неизведанному. *Юности свойственно дерзать.* **2.** *на что или с неопр. Устар. книжн.* Осмеливаться, отваживаться. *Остается ей [Катерине] покориться.. и никогда уже не дерзать на какие-нибудь попытки опять обнаружить свои требования.* Добролюбов. Луч света в темном царстве.

С и н. (ко 2 знач.): реша́ться, рискова́ть, сметь.

**Дерзну́ть**, -ну́, -нёшь; *сов.* (ко 2 знач.) *(однокр.)*.

**Дерза́ние**, -я (к 1 знач.) и *(устар.)* **дерзнове́ние**, -я (к 1 знач.), ср.

**ДЕРЗИ́ТЬ**, -зи́шь; дерзя́щий, дерзи́вший; *несов. Разг.* Говорить дерзости, грубить. *[Погосова] сказала, что мальчишки и в самом деле отбились от рук — дерзят взрослым.* Мусатов. Стожары.

С и н.: грубия́нить (разг.), хами́ть (разг.).
**ДЕ́РЗКИЙ**, -ая, -ое; де́рзок, дерзка́, де́рзко. **1.** Непочтительный, оскорбляющий. *Дерзкие слова.* □ *[Гурмыжская:] Хитрая и дерзкая девчонка! Никогда в ней ни благодарности, ни готовности угодить!* А. Островский. Лес. **2.** *Высок.* Вызывающе смелый, пренебрегающий опасностью. *Дерзкая операция.* □ *[На военном совете] решено было идти к Оренбургу: движение дерзкое, и которое чуть было не увенчалось бедственным успехом!* Пушкин. Капитанская дочка.
С и н. (к 1 знач.): ре́зкий, вызыва́ющий, де́рзостный (*устар.*). С и н. (ко 2 знач.): отва́жный, дерзнове́нный (*высок.*).
**Де́рзко**, *нареч.* Отвечать дерзко. **Де́рзость**, -и, *ж.* Сказать дерзость. Проявить дерзость.
**ДЕРЗНОВЕ́ННЫЙ**, -ая, -ое; -ён и -е́нен, -е́нна, -о. *Высок.* То же, что д е р з к и й (во 2 знач.). *Дерзновенные мечты.* □ *Последние происшествия обратили уже не на шутку внимание правительства на дерзновенные разбои Дубровского.* Пушкин. Дубровский.
С и н.: сме́лый, отва́жный.
**Дерзнове́нно**, *нареч.* Дерзновенно стремиться к победе. **Дерзнове́нность**, -и, *ж.*
**ДЕ́РЗОСТНЫЙ**, -ая, -ое; -тен, -тна, -о. *Устар.* То же, что д е р з к и й (в 1 знач.). *Выпалив без передышки свою дерзостную речь, Усков шумно придвинул стул и, бледный от волнения, сел.* Прилежаева. Юность Маши Строговой.
С и н.: непочти́тельный, вызыва́ющий, ре́зкий.
**Де́рзостно**, *нареч.* **Де́рзостность**, -и, *ж.*
**ДЕРМАТИ́Н**, -а, *м.* [Восх. к греч. derma, dermatos — кожа]. Вид искусственной кожи типа клеенки (употребляется для обивки мебели, сидений в автомобилях, для переплета книг и т. п.). *Они забрались в кабину трактора,.. стали рассматривать самодельное сиденье из дерматина, матрасных пружин и конского волоса.* Липатов. И это все о нем.
**Дермати́новый**, -ая, -ое. Дерматиновый переплет.
**ДЕРМАТОЛО́ГИЯ**, -и, *ж.* [От греч. derma, dermatos — кожа и logos — учение]. Раздел медицины, изучающий кожные заболевания.
**Дермато́лог**, -а, *м.*
**ДЕРН**, -а, *м.* Верхний слой почвы, густо заросший травянистыми растениями и скрепленный их переплетающимися корнями, а также вырезанные из этого слоя пласты. *Господский дом стоял одинокой.. на возвышении, покатость горы, на которой он стоял, была одета подстриженным дёрном.* Гоголь. Мертвые души.
**ДЕСА́НТ**, -а, *м.* [Франц. descente — высадка, спуск]. **1.** Войска, специально подготовленные и высаженные (с корабля, самолета и т. п.) на территорию противника для ведения боевых действий, а также сама высадка войск на территории противника. *Воздушный, морской, танковый десант. Десант из двухсот матросов. Разгромить десант противника. Произвести десант.* □ *Обещает Александр Анисимович и десант из-за границы, и подмогу от кубанцев.* Шолохов. Поднятая целина. **2.** *перен.* Группа людей, специально подготовленная и высаженная на какую-л. территорию для проведения определенных работ. *Строительный десант.*
**Деса́нтный**, -ая, -ое (к 1 знач.). *Десантный полк. Десантные войска.* **Деса́нтник**, -а, *м.* (к 1 знач.).
**ДЕСЕ́РТ**, -а, *м.* [Франц. dessert — последнее блюдо; *первонач.* убирание со стола]. Сладкие блюда, фрукты, подаваемые в конце обеда. *Подать на десерт мороженое.* □ *Ели дворяне сытно,.. на столе икра гурьевская, на десерт — желе лимонное с вином «розен-бэ».* Пикуль. Фаворит.
С и н.: сла́дкое.
**Десе́ртный**, -ая, -ое. Десертное вино.
**ДЕСНИ́ЦА**, -ы, *ж.* Устар. высок. Правая рука, а также вообще рука. *[Статуя:] Дай руку. [Дон Гуан:] Вот она... о, тяжело Пожатье каменной его десницы! Оставь меня, пусти, пусти мне руку.* Пушкин. Каменный гость.
С и н.: дланъ (*устар. и высок.*).
**ДЕ́СПОТ**, -а, *м.* [Греч. despotēs]. **1.** В рабовладельческих монархиях Древнего Востока: верховный правитель, пользующийся неограниченной властью. **2.** *перен.* Самовластный человек, не считающийся с чужими желаниями и волей. *Быть деспотом в семье.* □ *Он хочет быть деспотом, хочет, чтоб я была его рабой. Нет-с, этого не будет.* Чернышевский. Что делать?
С и н. (ко 2 знач.): тира́н, самоду́р.
**Деспоти́ческий**, -ая, -ое и **деспоти́чный**, -ая, -ое; -чен, -чна, -о (ко 2 знач.)
**ДЕСПОТИ́ЗМ**, -а, *м.* [См. *деспот*]. **1.** Власть, правление, основанные на произволе, насилии. *Деспотизм самодержавия. Воспитать ненависть к деспотизму.* **2.** Произвол и самовластие по отношению к окружающим. — *А если бы ты был и прав, — разве не безжалостно с твоей стороны так со мной говорить?.. Это деспотизм, это насилие! Если я погублю кого, так только себя одну.* Достоевский. Преступление и наказание.
С и н. (к 1 знач.): тирани́я. С и н. (ко 2 знач.): тирани́я (*книжн.*) и тира́нство (*разг.*).
**Деспоти́ческий**, -ая, -ое и **деспоти́чный**, -ая, -ое; -чен, -чна, -о (ко 2 знач.). *Деспотический режим. Деспотический характер. Деспотичный старик.* **Деспоти́чески** (ко 2 знач.) и **деспоти́чно** (ко 2 знач.), *нареч.* **Деспоти́чность**, -и, *ж.* (ко 2 знач.).
**ДЕСПОТИ́Я**, -и, *ж.* [Греч. despoteia]. Форма неограниченной самодержавной власти, берущая начало в рабовладельческих монархиях Древнего Востока; государство, управляемое деспотом (в 1 знач.).
С и н.: тирани́я.
**ДЕСТЬ**, -и, *ж.* [Тюрк. турецк.] dästä — горсть, пачка от перс. dest — рука]. Старая единица счета писчей бумаги. *Метрическая десть (50 листов). Русская десть (24 листа).* □ *Ни комнаты, ни вещей его [после смерти] не опечатывали, потому что.. оставалось очень немного наследства, а именно: пучок гусиных перьев, десть белой казенной бумаги, три пары носков.* Гоголь. Шинель.
**ДЕСЯТЕРИ́К**, -а́, *м.* Старая русская мера (счета, веса, объема и т. п.), содержащая в себе десять каких-л. единиц, а также предмет, состоя-

щий из десяти частей. *Гиря-десятерик* (весом в десять фунтов).

**Десятерико́вый**, -ая, -ое.

**ДЕСЯТИ́НА**, -ы, *ж.* **1.** Старая русская мера земельной площади, равная 2400 кв. саженям или 1,09 гектара, применявшаяся до введения метрической системы. *В этой конторе я продал купцу Аллилуеву четыре десятины лесу за выгодную цену.* Тургенев. Хорь и Калиныч. **2.** Налог на содержание церкви и духовенства в период феодализма в Древней Руси и в Западной Европе в размере одной десятой части дохода.

**Десяти́нный**, -ая, -ое.

**ДЕСЯ́ТНИК**, -а, *м.* **1.** Начальник низшего административно-полицейского подразделения уезда в царской России, а также младший чин в казачьем войске. *Вышел урядник и десятник [на звон колокольчика]. Я им объяснил, что я офицер.. и стал требовать казенной квартиру. Десятник нас повел по городу.* Лермонтов. Герой нашего времени. **2.** *Устар.* Старший над группой рабочих (на строительстве, в лесном промысле и т. п.). *— Будешь ты у меня вроде десятника, принимать всякий материал, смотреть, чтобы все было вовремя на месте и чтоб рабочие не воровали.* М. Горький. В людях.

**ДЕСЯ́ТСКИЙ**, -ого, *м.* В дореволюционной России: выборное должностное лицо из крестьян, исполнявшее полицейские обязанности в деревне. *Староста.. держал на огромном блюде страшной величины кулич, за которым он посылал десятского в уездный город.* Герцен. Кто виноват?

**ДЕТЕКТИ́В** [дэтэ], -а, *м.* [Англ. detective — *букв.* разоблачающий]. **1.** В некоторых странах: агент сыскной полиции, сыщик. **2.** Литературное произведение или кинофильм, изображающие раскрытие преступлений, похождения сыщиков. — *Почему ты не читаешь детективов? Великолепный тренаж! Хочешь, дам? «Смерть в клетке».* Блеск. Гранин. Иду на грозу.

**Детекти́вный**, -ая, -ое (*ко 2 знач.*). *Детективный роман. Детективный фильм.*

**ДЕ-ФА́КТО** [дэ], *нареч.* [Лат. de facto]. *Книжн.* Фактически, на деле (в отличие от де-юре). *Признать правительство де-факто.*

**ДЕФЕ́КТ**, -а, *м.* [Восх. к лат. defectus]. Недостаток, изъян, недочет. *Обнаружить дефект мотора. Незначительный дефект в проекте.*

Син.: порок, несовершенство, пробел, минус (*разг.*).

Ант.: достоинство, плюс (*разг.*).

**Дефе́ктный**, -ая, -ое; -тен, -тна, -о. *Дефектный экземпляр книги.* **Дефе́ктность**, -и, *ж. Дефектность детали.*

**ДЕФЕКТИ́ВНЫЙ**, -ая, -ое; -вен, -вна, -о. [См. *дефект*]. Имеющий физические или психические недостатки; ненормальный. *Дефективный ребенок.*

**Дефекти́вность**, -и, *ж.*

**ДЕФИЛИ́РОВАТЬ**, -рую, -руешь; дефили́рующий, дефили́ровавший; дефили́руя, *несов.* [Франц. défiler — тянуться нитью, проходить вереницей]. *Книжн.* Торжественно проходить, шествовать (на парадах, демонстрациях и т. п.). *По площади дефилировали демонстранты.*

**Дефили́рование**, -я, *ср.*

**ДЕФИЦИ́Т** [не дэ], -а, *м.* [Восх. к лат. deficit — недостает]. **1.** *Спец.* Недостаток средств как следствие превышения расходов над доходами. *Бюджетный дефицит.* □ *[Луковников] пришел к печальному открытию, что он разорен.. Все капиталы съела мельница, дававшая в последние годы дефицит около тридцати тысяч рублей.* Мамин-Сибиряк. Хлеб. **2.** Недостаток чего-л., нехватка в чем-л. *Дефицит топлива.* □ *Они пока не знают дефицита в производстве продуктов питания.* Айтматов. Буранный полустанок. **3.** *Разг.* Что-л., не имеющееся в достаточном количестве. *Достать дефицит.*

Син. (*ко 2 знач.*): недоста́ча (*разг.*).

Ант. (*ко 2 знач.*): избы́ток.

**Дефици́тный**, -ая, -ое; -тен, -тна, -о (*к 1 и 2 знач.*). *Дефицитная экономика. Дефицитный товар.*

**ДЕФОРМА́ЦИЯ**, -и, *ж.* [Лат. deformatio — искажение]. Изменение размеров и формы тела под воздействием механических сил, в результате усадки материала и т. п. *Деформация рельсов от тяжести переполненных вагонов.*

**Деформацио́нный**, -ая, -ое. *Деформационные процессы.*

**ДЕХКА́НИН** [дэ], -а, дехка́не, -а́н, *м.* [Тюрк.]. В Средней Азии и некоторых странах Востока: крестьянин, земледелец.

**Дехка́нка**, -и, *ж.* **Дехка́нский**, -ая, -ое. *Дехканское хозяйство.*

**ДЕЦЕНТРАЛИЗА́ЦИЯ** [дэ], -и, *ж.* [От *де...* (см.) и *централизация* (см.)]. Система управления, при которой часть функций центральной власти переходит к местным органам самоуправления; расширение прав низовых органов управления.

**ДЕ-Ю́РЕ** [дэ; ре], *нареч.* [Лат. de jure]. *Книжн.* Юридически, на основании закона, формально (в отличие от де-факто).

**ДЕЯ́НИЕ**, -я, *ср. Высок.* и *спец.* Действие, поступок. *Преступные деяния.* □ *[Pater Самозванцу:] Твои слова, деянья судят люди. Намеренья единый видит бог.* Пушкин. Борис Годунов.

Син.: акт, а́кция (*книжн.*).

**ДЖАЗ**, -а, *м.* [Англ. jazz]. **1.** Род музыкального искусства, сложившийся на рубеже 19—20 вв. на основе соединения черт европейской и африканской музыкальной культуры. *Негритянский джаз. Телепередача о джазе.* **2.** Оркестр, состоящий преимущественно из духовых и ударных инструментов, исполняющий такую музыку. *Невыносимо было слушать пошлый джаз и шарканье подошв под квакающий такт фокстрота.* Ф. Гладков. Мать.

**Джа́зовый**, -ая, -ое (*к 1 знач.*). *Джазовый оркестр. Джазовая музыка.* **Джази́ст**, -а, *м.*

**ДЖЕНТЛЬМЕ́Н** [мэ́ и ме́], -а, *м.* [Англ. gentleman]. **1.** В Великобритании: человек, принадлежащий к высшим кругам буржуазно-аристократического общества и строго соблюдающий установленные в нем правила и нормы поведения. **2.** О корректном, благовоспитанном человеке, отличающемся строгим изяществом манер и костюма. *С англичанами он [Павел Петрович] держится просто, почти скромно, но не без достоинства; они находят его немного скучным, но уважают в нем совершенного джентльмена.* Тургенев. Отцы и дети. ◊ **Джентльмены удачи** (*разг. шутл.*) — о мошенниках.

**Джентльме́нский**, -ая, -ое. *Джентльменские манеры. Джентльменский поступок.* ◊ **Джентльменское соглашение** (*спец.*) — международный договор, заключаемый без соблюдения официальных формальностей, в устной форме, предполагающей взаимное доверие сторон.

**ДЖЕРСИ́** и **ДЖЕ́РСИ**, *нескл., ср.* [Англ. jersey (по названию острова Джерси)]. Шерстяная или шелковая трикотажная ткань, а также одежда из такой ткани. *Пальто из джерси. Темно-серое джерси.*

**Джерсо́вый**, -ая, -ое. *Джерсовый костюм.*
**ДЖИГИ́Т**, -а, *м.* [Тюрк.]. Искусный и отважный наездник (первонач. у кавказских горцев). — *Послушай, Казбич,.. ты храбрый джигит,.. отдай мне свою лошадь, и я сделаю все, что ты хочешь.* Лермонтов. Герой нашего времени.

**ДЖИГИТО́ВКА**, -и, *ж.* [См. джигит]. Разнообразные сложные упражнения на скачущей лошади (первонач. у кавказских горцев). — *На действительной службе [отец] в полку всегда первые призы забирал по скачке, по рубке и по джигитовке.* Шолохов. Поднятая целина.

**ДЖИ́ННЫ**, -ов, *мн.* (*ед.* **джинн**, -а, *м.*). [Араб. džinn]. В арабской и персидской мифологии: название добрых и злых духов. ◊ **Выпустить джинна из бутылки** [по сюжету арабских сказок о злом духе — джинне, заключенном в сосуд и нечаянно из него выпущенном] (*книжн.*) — дать свободу злым силам.

**ДЖИП**, -а, *м.* [Англ. jeep]. Американский военный легковой автомобиль повышенной проходимости. *[Президент] сел в машину. Ее со всех сторон немедленно окружили «джипы». Вооруженные солдаты расположились не только на сиденьях — они висели на машинах буквально гроздьями.* Чаковский. Победа.

**ДЖИУ-ДЖИ́ТСУ**, *нескл., ср.* [Яп.]. Японская система приемов самозащиты и нападения без оружия.

**ДЖУ́НГЛИ**, -ей, *мн.* [Англ. jungle от хинди jangal — невозделанная земля]. Густые, труднопроходимые лесные заросли в болотистых местностях тропических стран. *Пробираться сквозь джунгли.* □ *Все время ждешь, что из непроходимой чащи джунглей вот-вот покажется какое-нибудь необыкновенное чудовище.* Новиков-Прибой. Цусима. ◊ **Закон джунглей** — об открытом произволе и насилии.

**ДЖУТ**[1], -а, *м.* [Англ. jute от бенг. jhuto (др.-инд. jūta — коса)]. Травянистое южное растение сем. липовых, волокна которого употребляются для изготовления грубых тканей, ковров, веревок. *Разведение джута в Индии.*

**Джу́товый**, -ая, -ое. *Джутовое волокно, сырье. Джутовый канат. Джутовые стебли.*
**ДЖУТ**[2], -а, *м.* [Монг.]. Массовая гибель скота на зимних пастбищах из-за невозможности использовать растительность в качестве корма во время стихийных бедствий или после них.

**ДЗОТ**, -а, *м.* [Сокращение по начальным буквам: дерево-земляная огневая точка]. Укрепленная оборонительная огневая точка. *Из пулеметного дзота Травкин наблюдал в стереотрубу немецкий передний край. В его дзот обычно заходили командир батальона капитан Муштаков и артиллерист капитан Гуревич.* Казакевич. Звезда.

**ДЗЮДО́**, *нескл., ср.* [Яп. judo — *букв.* искусство ловкости]. Японская национальная борьба, возникшая на основе модернизации приемов джиу-джитсу, а также вид спортивной борьбы вольного стиля. *Приемы дзюдо. Получить приз по борьбе дзюдо. Секция дзюдо.*

**Дзюдои́ст**, -а, *м.*
**ДИА́ГНОЗ**, -а, *м.* [Восх. к греч. diagnōsis — распознавание]. Определение болезни на основании данных исследования больного. *Поставить диагноз. Окончательный диагноз.* □ — *Я была уверена, что это не воспаление легких.. Но он [профессор] подтвердил диагноз.* Каверин. Два капитана.

**Диагно́ст**, -а, *м.* (врач, ставящий диагноз). *Опытный диагност.*

**ДИАДЕ́МА** [дэ], -ы, *ж.* [Восх. к греч. diadēma — головная повязка]. **1.** Венец или головная повязка из драгоценных камней, которые надевали цари, верховные правители, верховные жрецы в знак их сана. *В замке Роз, под зеленою сенью плющей, В диадеме на троне Тамара сидит.* Полонский. Тамара и певец ее Шота Руставели. **2.** Женское драгоценное украшение в форме небольшой короны. *Карл.. из потайного ящика вынул футляр,.. — в нем лежала алмазная диадема.. [Он] приложил драгоценность к черным кудрям Атали.* А. Н. Толстой. Петр I.

**ДИАЛЕ́КТ**, -а, *м.* [Восх. к греч. dialektos — разговор, речь, говор]. Разновидность общего национального языка, характерная для какой-л. местности, имеющая фонетические, лексические и иные особенности, отличающие ее от других разновидностей того же языка. *Говорить на местном диалекте. Особенности орловского диалекта.* □ *На охоте он [пес] отличался неутомимостью и.. если случайно догонял подраненного зайца, то уже и съедал его.. в почтительном отдалении от Ермолая, ругавшегося на всех известных и неизвестных диалектах.* Тургенев. Ермолай и мельничиха. *Он без всякого акцента говорил на южнояпонском диалекте.* Диковский. Патриоты.

С и н.: наречие, говор.
**Диале́ктный**, -ая, -ое. *Диалектные особенности речи.*
**ДИАЛЕ́КТИКА**, -и, *ж.* [Восх. к греч. dialektikē (technē) — искусство вести беседу, спор]. **1.** Философское учение и метод познания явлений действительности в их развитии и самодвижении путем вскрытия внутренних противоречий и их борьбы, приводящей к скачкообразному переходу из одного состояния в другое. *Материалистическая, идеалистическая диалектика.* □ Он

[*Герцен*] *усвоил диалектику Гегеля.. Он пошел дальше Гегеля, к материализму, вслед за Фейербахом.* Ленин, т. 21, с. 256. **2.** Процесс движения, развития чего-л. *Диалектика истории.* **3.** *Устар.* Искусство вести спор, обнаруживая противоречия в суждениях противника. *В спорах он редко давал высказываться своему противнику и подавлял его своей стремительной и страстной диалектикой.* Тургенев. Рудин.

А н т. (к 1 знач.): метафи́зика.

**Диалекти́ческий**, -ая, -ое (*к 1 и 2 знач.*) и **диалекти́чный**, -ая, -ое; -чен, -чна, -о (*к 1 и 2 знач.*). *Диалектический материализм. Диалектичное мышление. Диалектический метод познания.* **Диалекти́чески** (*к 1 и 2 знач.*) и **диалекти́чно** (*к 1 и 2 знач.*), *нареч.* **Диалекти́чность**, -и, *ж.* (*к 1 и 2 знач.*). *Диалектичность суждений.* **Диале́ктик**, -а, *м.*

**ДИАЛО́Г**, -а, *м.* [Греч. dialogos]. **1.** Разговор между двумя или несколькими лицами. *Вести диалог в телепередаче.* **2.** Часть литературного произведения, представляющая собой разговор двух лиц. *Диалог его* [*Горького*] *пьес.. предельно выразителен и жив до сегодня.* Леонов. Горький сегодня. **3.** *перен.* Переговоры между двумя сторонами, государствами. *Политический диалог.*

**Диалоги́ческий**, -ая, -ое (*к 1 знач.*). *Диалогическая речь.*

**ДИАМЕТРА́ЛЬНЫЙ**, -ая, -ое. [Восх. к греч. diametros — диаметр, поперечник круга]. **1.** Делящий пополам по линии диаметра, поперечника. *Диаметральная плоскость.* **2.** *перен. Книжн.* Совершенный, полный (обычно со словами «противоположность», «противопоставление» и т. п.). *Диаметральная противоположность.*

**ДИАПАЗО́Н**, -а, *м.* [Восх. к греч. dia pasōn (chordōn) — через все (струны)]. **1.** *Спец.* Звуковой объем (интервал между самым низким и самым высоким звуками) певческого голоса, музыкального инструмента и т. п. *Диапазон человеческого голоса.* **2.** *перен., чего. Книжн.* Объем чего-л. (знаний, интересов и т. п.). *Широкий диапазон интересов. Жанровый диапазон творчества поэта.*

С и н. (*ко 2 знач.*): масшта́б, разме́р.

**ДИАПОЗИТИ́В**, -а, *м.* [От греч. dia — через и лат. positivus — положительный]. Фотографический снимок на прозрачном материале для демонстрации на экране в увеличенном виде с помощью проекционного фонаря. *Показ диапозитивов во время лекции.*

С и н.: слайд.

**Диапозити́вный**, -ая, -ое. *Диапозитивное стекло.*

**ДИАФИ́ЛЬМ**, -а, *м.* [От греч. dia — через и англ. film — букв. пленка]. Фильм, составленный из диапозитивов. *Диафильмы для детей.*

**ДИВ**, -а, *м.* В восточной мифологии: то же, что демон.

**ДИВЕ́РСИЯ**, -и, *ж.* [Восх. к ср.-лат. diversio — поворот, отвлечение]. **1.** *Устар.* Военная операция, имеющая целью отвлечь силы противника от места нанесения главного удара. **2.** *Спец.* Подрывная деятельность (поджоги, взрывы важных промышленных и военных объектов, разрушение средств связи, транспорта и т. п.) в тылу противника или в какой-л. стране агентами иностранного государства. ◇ **Идеологи́ческая диве́рсия** — заведомо ложная, дезориентирующая политическая информация и пропаганда.

**Диверсио́нный**, -ая, -ое. *Диверсионные действия. Диверсионная группа.* **Диверса́нт**, -а, *м.* (*ко 2 знач.*).

**ДИВЕРТИСМЕ́НТ**, -а, *м.* [Франц. divertissement — развлечение]. Театральное представление из различных эстрадных номеров, даваемое в дополнение к основному спектаклю или концерту. *В театре.. давались дневные спектакли с большим дивертисментом.* Катаев. За власть Советов.

**ДИВИДЕ́НД**, -а, *м.* [Восх. к лат. dividendum — подлежащее делению]. *Спец.* Доход, периодически (обычно ежегодно) выплачиваемый акционерам на каждую акцию из прибыли акционерного общества. *Выплата дивидендов.* □ *Концерн Рехлинга захватил всю тяжелую индустрию Северной Франции и Бельгии. Дивиденды различных акционерных обществ увеличились втрое-вчетверо.* Эренбург. Война 1941—1942 гг. Бешеные волки.

**ДИВИЗИО́Н**, -а, *м.* [Нем. Division; восх. к лат. divisio, divisionis — деление, разделение]. **1.** Войсковое подразделение в ракетных войсках и в артиллерии, а также в кавалерийских и бронетанковых частях. *Кавалерийский дивизион. Командир дивизиона.* □ *Отсюда сверху открывалась вся станица, бегло стреляющие орудия противотанковых батарей.., площадь с дивизионом катюш, приведенных к бою.* Бондарев. Горячий снег. **2.** Соединение из нескольких военных кораблей одного класса. *Дивизион миноносцев. Дивизион бронекатеров.*

**Дивизио́нный**, -ая, -ое. *Дивизионный командир. Дивизионный штаб.*

**ДИВИ́ЗИЯ**, -и, *ж.* [Восх. к лат. divisio, divisionis — деление]. Крупное войсковое соединение из нескольких полков или бригад в различных видах вооруженных сил. *Пехотная, бронетанковая, стрелковая дивизия.* □ *Дружины превратились в батальоны, а батальоны.. были сведены в полки. Еще через два-три дня из полков организовались дивизии.* Симонов. От Черного до Баренцева моря.

**Дивизио́нный**, -ая, -ое. *Дивизионные фронтовые газеты.*

**ДИ́ВНЫЙ**, -ая, -ое; ди́вен, ди́вна, -о. **1.** *Устар.* Вызывающий удивление, поразительный, невиданный. *Диво дивное.* □ [*Хлестова:*] *На свете дивные бывают приключенья! В его лета с ума спрыгнул!* Грибоедов. Горе от ума. **2.** *Разг.* Чудный, прекрасный, восхитительный. *Дивный голос. Дивная красота.* □ *Началась увертюра.. Кларнеты, тромбоны и скрипки сливались в невиданно прекрасном согласии. Что-то дивное творилось в его душе.* Прилежаева. Юность Маши Строговой.

С и н. (к 1 знач.): удиви́тельный, изуми́тельный. С и н. (ко 2 знач.): чуде́сный, волше́бный, ска́зочный, очарова́тельный, преле́стный.

**Ди́вно**, *нареч.* (ко 2 знач.).

**ДИЕ́ТА** [иэ́], -ы и (устар.) **ДИЭ́ТА**, -ы, ж. [Восх. к греч. diaita — образ жизни]. Определенный режим питания. *Строгая диета. Соблюдать диету. Быть на диете.* ☐ *Выдумали диету, лечить голодом.* Гоголь. Мертвые души. *[Доктор] уехал, прописав Нилу Андреевичу диэту и покой.* И. Гончаров. Обрыв.

**Диети́ческий**, -ая, -ое. *Диетическое питание. Диетическая столовая.*

**ДИЗА́ЙН**, -а, м. [От англ. design — проектировать, конструировать]. Проектирование вещей, машин, интерьеров, основанное на принципах сочетания красоты, удобства, экономичности. *Я хотел спроектировать комбайн.. И Саша показывает мне модель, сооруженную по всем правилам дизайна в масштабе 1:20.* Берендеев. Бабушки за дизайн.

**Диза́йнер**, -а, м. *Квалифицированный дизайнер.*

**ДИ́ЗЕЛЬ**, -я, ди́зели, -ей и дизеля́, -е́й, м. [По имени немецкого изобретателя Дизеля]. Двигатель внутреннего сгорания, работающий на жидком топливе.

**Ди́зельный**, -ая, -ое. *Дизельное топливо.*

**ДИКТА́Т**, -а, м. [Восх. к лат. dictatus — предписанный]. *Книжн.* Требования, условия, навязываемые сильной стороной слабой стороне для безусловного исполнения. *Политика диктата.* ☐ *Впервые прорезался голос Екатерины — ее резкий диктат в делах политики.. И сразу поскакали курьеры посольские — в Берлин, оттуда понеслись курьеры королевские — в Крым.* Пикуль. Фаворит.

**ДИКТА́ТОР**, -а, м. [Восх. к лат. dictator]. **1.** Правитель страны, пользующийся неограниченной властью. *Он не считал немецкого диктатора настолько безрассудным, чтобы навязать себе второй, затяжной фронт.* Чаковский. Блокада. **2.** *перен.* Тот, кто пользуется большим влиянием в какой-л. области, а также тот, кто ведет себя по отношению к другому лицу властно и нетерпимо. *В дверях другой диктатор бальный Стоял картинкою журнальной, Румян как вербный херувим, Затянут, нем и недвижим.* Пушкин. Евгений Онегин.

**Дикта́торский**, -ая, -ое. *Диктаторское могущество. Диктаторский тон. Диктаторские замашки.*

**ДИКТАТУ́РА**, -ы, ж. [Восх. к лат. dictatura]. **1.** Ничем не ограниченная государственная власть, опирающаяся на прямое насилие. *Военная диктатура. Свергнуть фашистскую диктатуру.* **2.** В Древнем Риме: полномочия, власть или время властвования диктатора. *Диктатура Юлия Цезаря.* ◇ **Диктатура пролетариата** — в марксистской концепции: государственная власть рабочего класса, устанавливаемая в результате социалистической революции.

**ДИКТОВА́ТЬ**, -ту́ю, -ту́ешь; дикту́ющий, диктова́вший; дикту́емый; дикту́я; *несов., что.* [Лат. dictare]. **1.** Медленно и раздельно произносить что-л. вслух с тем, чтобы слушающие записывали. *Диктовать предложение.* **2.** *кому.* Предлагать для безоговорочного выполнения. *Диктовать свою волю кому-л.* ☐ *— Вы, Виктор Петрович, привыкли диктовать каждому. Но это не метод руководства.* Коптяева. Иван Иванович. **3.** Внушать, подсказывать. *Так мне диктует совесть.*

С и н. (ко 2 знач.): предпи́сывать.

**Дикто́вка**, -и, ж. (к 1 знач.). *Писать под диктовку.*

**ДИКТОФО́Н**, -а, м. [От лат. dictare — диктовать и греч. phōnē — звук]. Прибор для магнитной записи устной речи с целью ее последующего воспроизведения. *Включить диктофон.*

**Диктофо́нный**, -ая, -ое. *Диктофонная лента, запись.*

**ДИ́КЦИЯ**, -и, ж. [Лат. dictio — произношение]. Степень отчетливости в произношении слов и слогов при разговоре, пении, художественном чтении и т. п. *Хорошая дикция. Работать над дикцией.* ☐ *Я слышала из соседней комнаты, как Щепкин учил его дикции и отучал от природного недостатка в выговоре. Шумский тогда заметно шепелявил.* Панаева. Воспоминания.

**ДИЛЕ́ММА**, -ы, ж. [Восх. к греч. dilēmma]. **1.** *Спец.* Суждение или умозаключение, содержащее два исключающих друг друга положения, из которых необходимо выбрать одно. *— Если это неправда, то... что́ обидного в моей догадке? — сказал он, — а если правда, то опять-таки.. что обидного в этой правде? Подумайте над этой дилеммой.* И. Гончаров. Обрыв. **2.** *Книжн.* Положение, при котором выбор одной из двух противоположных возможностей одинаково затруднителен. *— Итак, дилемма, — рассмеялся Крутов, подняв палец кверху. — Ждать или догонять? Говорят, что и то и другое одинаково неприятно.* Либединский. Новое море.

**ДИЛЕТА́НТ**, -а, м. [Итал. dilettante]. Тот, кто занимается наукой или искусством, не имея профессиональной подготовки, специальных знаний. *[Ребята] спорят о взаимоотношении микро- и макромира, радиоастрономии, кибернетике, о вещах, которые занимали тогда всех.. и дилетантов, и специалистов.* Гранин. Иду на грозу.

С и н.: люби́тель.

**Дилета́нтка**, -и, ж. **Дилета́нтский**, -ая, -ое. *Дилетантский подход к проблеме.*

**ДИЛИЖА́НС**, -а, м. [Франц. diligence]. Многоместная карета, используемая для регулярной перевозки пассажиров и почты (применялась до развития железных дорог и автотранспорта). *Почтовый дилижанс.* ☐ *А дилижанс между тем катился от станции к станции из.. отставного коннегерского полковника с седыми усами, архангельского чиновника.. и лакея.* Герцен. Кто виноват?

**ДИЛО́ГИЯ**, -и, ж. [От греч. di(s) — дважды и logos — слово, речь]. Два произведения одного автора, связанные единством замысла и преемственностью сюжета. *Дилогия Г. Манна «Молодые годы короля Генриха IV» и «Зрелые годы короля Генриха IV».*

**Дилоги́ческий**, -ая, -ое.

**ДИНА́МИКА**, -и, ж. [От греч. dynamis — сила]. **1.**

Раздел механики, изучающий движение тел под действием приложенных к ним сил. **2.** *Книжн.* Состояние движения, ход развития, изменения чего-л. *Динамика событий. Динамика роста производительности труда. Динамика роста численности населения.* **3.** *перен.* Обилие движения, действия. *Насыщенность сюжета динамикой. Видеть жизнь в динамике. Русская пляска полна динамики.*

А н т. (*к 1 и 2 знач.*): ста́тика.

**Динами́ческий**, -ая, -ое (*к 1 и 3 знач.*) и **динами́чный**, -ая, -ое; -чен, -чна, -о (*к 3 знач.*). *Динамическая теория. Динамическое развитие пьесы. Динамичный танец.* **Дина́мично**, *нареч.* (*к 3 знач.*). **Дина́мичность**, -и, *ж.* (*к 3 знач.*). *Динамичность рисунка.*

**ДИНА́Р**, -а, *м.* [Восх. к лат. denarius — название римской серебряной монеты]. Денежная единица Югославии, Ирака, Туниса и некоторых других стран.

**ДИНА́СТИЯ**, -и, *ж.* [Восх. к греч. dynasteia — господство, власть]. **1.** Ряд монархов из одного и того же рода, последовательно сменяющих друг друга на троне (по праву родства и наследования). *Династия Романовых в России. Династия Бурбонов во Франции. Правление династии Тюдоров в Англии.* ⃞ *Мерцалов.. читал какое-то новое сочинение — то ли Людовика XIV, то ли кого другого из той же династии.* Чернышевский. Что делать? **2.** *перен.* Ряд поколений, передающих из рода в род профессиональное мастерство, трудовые традиции. *Династия сталеваров. Традиции рабочей династии. Учительская династия.*

**Династи́ческий**, -ая, -ое (*к 1 знач.*).

**ДИОРА́МА**, -ы, *ж.* [От греч. dia — через, сквозь и horama — зрелище, вид]. *Спец.* **1.** Картина, написанная с обеих сторон просвечивающего материала и специально освещенная сверху и сзади для создания впечатления объемности. **2.** Картина с расположенными на переднем плане объемными предметами. *Диорама «Штурм Сапун-горы».*

**ДИП...** Первая составная часть сложных слов, обозначающая д и п л о м а т и ч е с к и й, напр.: *дипкупе́, дипкурье́р.*

**ДИПЛО́М**, -а, *м.* [Восх. к греч. diplōma — *букв.* сложенный вдвое (документ)]. **1.** Свидетельство об окончании учебного заведения или о присвоении какого-л. звания, ученой степени. *Диплом кандидата юридических наук. Диплом об окончании педагогического института.* ⃞ *На первом курсе ей казалось, что она знает очень многое. Она кончила институт с дипломом отличницы и убедилась в том, как мало знает.* Прилежаева. Юность Маши Строговой. **2.** Работа, исследование, проект, выполняемые для получения свидетельства об окончании учебного заведения; дипломная работа. *Работа над дипломом. Обсуждение диплома.* ⃞ *— Что сын?.. Работает, учится сейчас заочно — будет инженером, диплом защищать собирается.* Проскурин. Горькие травы. **3.** Свидетельство, выдаваемое как награда за успешное выступление на конкурсе, фестивале и т. п., а также за высокое качество представленных на выставку экспонатов. *Диплом призера чемпионата мира. Диплом 2-й степени за участие в конкурсе. Диплом лауреата. Диплом ВДНХ СССР.*

**Дипло́мный**, -ая, -ое. *Дипломный проект.* **Дипло́мник**, -а, *м.* (*ко 2 знач.*) (студент, выполняющий дипломную работу).

**ДИПЛОМА́НТ**, -а, *м.* [См. *диплом*]. Тот, кто удостоен диплома (*в 3 знач.*). *Дипломант международного конкурса пианистов.*

**Диплома́нтка**, -и, *ж.*

**ДИПЛОМА́Т**, -а, *м.* [Франц. diplomate; восх. к греч. diplōma — *букв.* сложенный вдвое (документ)]. **1.** Лицо, уполномоченное правительством для сношений с иностранными государствами. *[Билибин] был еще молодой человек, но уже немолодой дипломат, так как он начал служить с шестнадцати лет, был в Париже, в Копенгагене и теперь в Вене занимал довольно значительное место.* Л. Толстой. Война и мир. **2.** *перен.* О том, кто тонко и умело действует в сношениях с другими людьми. — *Может быть, не надо было говорить при них [офицерах], да я не дипломат. Я затем в гусары и пошел, думал, что здесь не нужно тонкостей.* Л. Толстой. Война и мир. **3.** *Разг.* Плоский чемоданчик для ношения бумаг, книг и т. п.

С и н. (*ко 2 знач.*): поли́тик (*разг.*).

**ДИПЛОМА́ТИЯ**, -и, *ж.* [Франц. diplomatie; восх. к греч. diplōma — *букв.* сложенный вдвое (документ)]. **1.** Официальная деятельность правительства по осуществлению внешней политики государства. *Нас штык от врагов защищает в грозу, А в мирный день — дипломатия.* Маяковский. Праздник урожая. **2.** *перен. Разг.* Искусство добиваться своих целей методами ухищрений и уклончивости. *Давыдов.. видел, как секретарь, будто бы вынимая попавшую за голенище бурьянинку, не раз и не два промерил глубину вспашки. Давыдов не выдержал: — Да ты уж меряй не таясь! Ну что ты дипломатию со мной разводишь?* Шолохов. Поднятая целина.

**Дипломати́ческий**, -ая, -ое и **дипломати́чный**, -ая, -ое; -чен, -чна, -о (*ко 2 знач.*). *Дипломатические переговоры. Дипломатические ухищрения. Дипломатичный ответ.* ◊ *Дипломатический корпус* — иностранные дипломаты, аккредитованные в данной стране. **Дипломати́чески** (*ко 2 знач.*) и **дипломати́чно** (*ко 2 знач.*), *нареч.* **Дипломати́чность**, -и, *ж.* (*ко 2 знач.*).

**ДИРЕКТИ́ВА**, -ы, *ж.* [Франц. directive; восх. к лат. dirigere — направлять]. Обязательное для исполнения руководящее указание вышестоящего органа. *Правительственные директивы.* ⃞ *— Я думаю так..: мы, коммунисты, не только должны быть точными исполнителями директив и предписаний, но и,.. самое главное,.. орудовать инициативой и творчеством.* Ф. Гладков. Цемент.

С и н.: предписа́ние, устано́вка, инстру́кция, ука́зка (*разг.*).

**Директи́вный**, -ая, -ое. *Директивная статья.*

**ДИРИЖА́БЛЬ**, -я, *м.* [Франц. dirigeable — *букв.* управляемый (аэростат)]. Управляемый аэростат, снабженный двигателем. *Какой-то маленький ма-*

льчик,.. задрав голову, с любопытством разглядывает небо, по которому плавно несется *длинный стремительный дирижабль.* Гайдар. Дальние страны.

**ДИРИЖЁР**, -а, м. [От франц. diriger — управлять]. Тот, кто управляет оркестром, хором, оперным или балетным спектаклем. *Хороший дирижер, передавая мысль композитора, делает сразу двадцать дел: читает партитуру, машет палочкой, следит за певцом, делает движение в сторону то барабана, то валторны и прочее.* Чехов. Скучная история.

Дирижёрский, -ая, -ое. *Дирижерское мастерство. Дирижерская палочка.*

**ДИС...** [Лат. dis... — раз; греч. dys... — не]. Приставка, обозначающая отсутствие чего-л., противоположность чему-л., напр.: *дисбаланс, диспропорция, дисфункция, дискомфорт.*

**ДИСГАРМОНИЯ**, -и, ж. [От *дис...* (см.) и *гармония* (см.)]. 1. В музыке: нарушение гармонии, отсутствие созвучности. *Дисгармония звуков.* 2. *перен. Книжн.* Несогласованность, нарушение соответствия чего-л. *Это [в «Демоне»] не минута духовной дисгармонии, сердечного отчаяния: это — похоронная песня всей жизни!* Белинский. Стихотворения М. Лермонтова. *Наш вкус находит дисгармонию в сочетаниях зеленого и голубого цветов.* Мамин-Сибиряк. Дикое счастье.

С и н. (к 1 знач.): неблагозвучие, неблагозвучность, какофония (*книжн.*), диссонанс (*спец.*).

А н т.: гармония.

Дисгармонический, -ая, -ое и дисгармоничный, -ая, -ое; -чен, -чна, -о. *Дисгармоническая музыка. Дисгармоничное сочетание цветов.*

**ДИСК**, -а, м. [Восх. к греч. diskos]. 1. Предмет, имеющий вид плоского круга. *Во многих цехах до сих пор сохранился обычай оповещать о предстоящем выпуске [стали] ударами в звонкий металлический диск.* Попов. Сталь и шлак. 2. В легкой атлетике: снаряд для метания в виде скрепленного металлическим ободом деревянного круга. *Метание диска.* 3. Приспособление ручного пулемета, автомата, вмещающее патроны. *Пулеметы Жаркого брызгал смертью, ни разу не останавливая свой бег... С лихорадочной быстротой вставлял Жаркий все новые и новые диски.* Н. Островский. Как закалялась сталь. 4. Пластинка со звуковой записью для проигрывания и прослушивания. *Эстрадные диски.*

Дисковый, -ая, -ое.

**ДИСКАНТ**, -а и (устар.) **ДИСКАНТ**, -а, м. [Ср.-лат. discantus]. Высокий детский голос, а также мальчик-певец с таким голосом. *Десяток голосов дружно подхватывают песню... Пашка Одинцов.. великолепным дискантом ведет подголосье.* М. Горький. В людях.

Дискантовый, -ая, -ое и дискантный, -ая, -ое. *Дискантовая партия.*

**ДИСКВАЛИФИКАЦИЯ**, -и, ж., *кого.* [От *дис...* (см.) и *квалификация* (см.)]. 1. Лишение квалификации, объявление кого-л. неспособным выполнять определенную работу. *Дисквалификация врача.* 2. Лишение спортсмена права участвовать в спортивных соревнованиях (за грубое нарушение правил игры, за нарушение спортивной этики и т. п.). *Дисквалификация игрока футбольной команды.*

**ДИСКО**, *неизм. прил.* [Англ. disco]. О музыкальном стиле: характеризующийся жестким ритмом и упрощенной мелодикой. *Музыка в стиле диско.*

**ДИСКОБОЛ**, -а, м. [От греч. diskos — диск и ballein — бросать]. Спортсмен — метатель диска.

**ДИСКОТЕКА**, -и, ж. [От греч. diskos — диск и thēkē — хранилище]. 1. Собрание дисков (*в 4 знач.*). *Фонды дискотеки.* 2. Музыкальный молодежный клуб, в котором проигрываются музыкальные записи. *Пойти на дискотеку.*

Дискотечный, -ая, -ое.

**ДИСКРЕДИТАЦИЯ**, -и, ж., *кого, чего.* [От франц. discréditer — дискредитировать]. Подрыв доверия к кому-л., умаление чьего-л. авторитета. *Преднамеренная дискредитация.*

**ДИСКРИМИНАЦИЯ**, -и, ж. [Восх. к лат. discriminatio — разделение]. *Книжн.* Ограничение в правах, лишение равноправия. *Осуждение политики расовой дискриминации.*

Дискриминационный, -ая, -ое. *Дискриминационная политика.*

**ДИСКУССИОННЫЙ**, -ая, -ое; -нен, -нна, -о. [См. *дискуссия*]. 1. *Прил.* к дискуссия. 2. *Книжн.* Спорный, сомнительный. *Дискуссионная статья. Дискуссионное решение.*

Дискуссионность, -и, ж.

**ДИСКУССИЯ**, -и, ж. [Восх. к лат. discussio — исследование, рассмотрение]. Свободное публичное обсуждение какого-л. проблемного, спорного вопроса. *Острая научная дискуссия. Начать дискуссию в печати.* — *Я не раз слышала горячие дискуссии о роли литературы, искусства в созидательном потоке нашего народа, который становится все шире и полноводнее.* Проскурин. Горькие травы.

С и н.: спор, полемика, диспут, прения, дебаты (*книжн.*).

Дискуссионный, -ая, -ое. *Дискуссионный клуб. Дискуссионный вопрос.*

**ДИСКУТИРОВАТЬ**, -рую, -руешь; дискутирующий; дискутировавший; дискутируемый; дискутированный; -ан, -а, -о; дискутируя; *несов., что или о чем.* [Восх. к лат. discutere — исследовать, разбирать]. Обсуждать что-л., участвуя в дискуссии. *Дискутировать законопроект в парламенте. Дискутировать о новом произведении известного писателя.*

**ДИСЛОКАЦИЯ**, -и, ж. [Восх. к лат. dislocatio — смещение]. *Спец.* Расположение войск на какой-л. территории, кораблей флота и военной авиации по местам базирования. *Накануне чех-перебежчик сообщил командованию о дислокации австрийских частей.* Шолохов. Тихий Дон.

Дислокационный, -ая, -ое.

**ДИСПАНСЕР** [сэ], -а, м. [Франц. dispensaire]. Медицинское учреждение, занимающееся специальным лечением и предупреждением болезней путем систематического наблюдения. *Туберкулезный, онкологический, психоневрологический диспансер.*

**Диспансе́рный**, -ая, -ое. *Диспансерное наблюдение. Диспансерный метод лечения.*

**ДИСПЕ́ТЧЕР**, -а, м. [Англ. dispatcher — букв. отправитель]. Работник, регулирующий из центрального пункта движение транспорта или ход работы предприятия. *Опытный диспетчер. Диспетчер аэропорта. Работать диспетчером на автобазе.*

**Диспе́тчерский**, -ая, -ое. *Диспетчерская служба. Диспетчерский пункт.*

**ДИСПЛЕ́Й**, -я, м. [От англ. display — показывать, воспроизводить]. *Спец.* Электронное устройство для ввода и вывода информации из электронно-вычислительной машины с клавиатурой и экраном для зрительного отображения информации (в виде текстов, чертежей, схем). *Нина Михайловна нажала на клавиатуру, и на экране дисплея мгновенно появилась надпись: «Вылет — 20.30. Прибытие 03.23.».* И. Фролов. «Собеседник» пассажира.

**ДИСПОЗИ́ЦИЯ**, -и, ж. [Лат. dispositio — расположение]. 1. *Спец.* План расположения войск, флота для боя или на месте стоянки. *В тот же вечер над развернутой картой.. три генерала составили диспозицию:.. [Веллинг] идет на помощь Риге; Ливенгаупт и Шлиппенбах под видом маневров стягивают гвардию и армию в Ландскрону.* А. Н. Толстой. Петр I. 2. Письменный боевой приказ в русской армии в 18—19 вв. *4 октября утром Кутузов подписал диспозицию. Толь прочел ее Ермолову, предлагая ему заняться дальнейшими распоряжениями.* Л. Толстой. Война и мир.

**Диспозицио́нный**, -ая, -ое.

**ДИСПРОПО́РЦИЯ**, -и, ж. [Франц. disproportion]. Отсутствие пропорциональности, соразмерности в соотношении чего-л. *Диспропорция между спросом на какие-л. товары и предложением.*

С и н.: несоотве́тствие, непропорциона́льность, несоразме́рность.

**Диспропорциона́льный**, -ая, -ое. **Диспропорциона́льность**, -и, ж.

**ДИ́СПУТ**, -а, м. [Восх. к лат. disputare — рассуждать, спорить]. м. Публичный спор на научные или общественно важные темы. *Пелена упала, он увидел жизнь в заманчивом разнообразии. Каждый вечер в двадцати театрах раздвигался бархат занавесов. На экранах появились новые картины, заграничные и наши. Шли литературные диспуты. Молодые художники устроили выставку.* Гранин. Иду на грозу.

С и н.: поле́мика, диску́ссия, пре́ния, деба́ты (книжн.).

**ДИССЕРТА́ЦИЯ**, -и, ж. [Восх. к лат. dissertatio — исследование]. 1. Научная работа, публично защищаемая автором на заседании ученого совета научного учреждения для получения ученой степени. *Кандидатская диссертация. Защита диссертации.* □ *[Лопухов и Кирсанов] теперь оба работали для докторских диссертаций..; оба они выбрали своею специальностью нервную систему и.. работали вместе.* Чернышевский. Что делать? 2. *перен. Устар.* О длинных рассуждениях на какую-л. тему. *Тут он [Мак-сим Максимыч] пустился в длинную диссертацию о том, как неприятно узнавать новости годом позже — вероятно, для того, чтобы заглушить печальные воспоминания.* Лермонтов. Герой нашего времени.

**Диссертацио́нный**, -ая, -ое (к 1 знач.). *Диссертационная тема.* **Диссерта́нт**, -а, м. (к 1 знач.). *Эрудированный диссертант.*

**ДИССИДЕ́НТ**, -а, м. [Восх. к лат. dissidens, dissidentis — несогласный]. *Книжн.* 1. *Устар.* Тот, кто отступил от господствующего в стране вероисповедания. 2. *перен.* Тот, кто не согласен с господствующей идеологией; инакомыслящий.

С и н. (к 1 знач.): вероотсту́пник.

**ДИССОНА́НС**, -а, м. [Франц. dissonance от лат. dissonans — нестройно звучащий]. 1. *Спец.* Негармоническое сочетание музыкальных звуков. 2. *перен.* То, что вносит разлад во что-л., вступает в противоречие с чем-л., резко не соответствует чему-л. *Душевный диссонанс. Внести диссонанс в работу.* □ *— Нет ничего в мире труднее прямодушия и нет ничего легче лести. Если в прямодушии только одна сотая доля нотки фальшивая, то происходит тотчас диссонанс.* Достоевский. Преступление и наказание.

С и н. (к 1 знач.): неблагозву́чие и неблагозву́чность, дисгармо́ния, какофо́ния (книжн.).

А н т. (к 1 знач.): консона́нс (спец.).

**Диссона́нсный**, -ая, -ое (спец.).

**ДИСТА́НЦИЯ**, -и, ж. [Лат. distantia]. 1. Расстояние, промежуток между чем-л. *Соблюдать дистанцию. Бег на длинные дистанции.* □ *Демка Ушаков шел за нею поодаль и, вероятно, не рискуя приближаться на более короткую опасную дистанцию, просил: — Марина!.. Не могу же я отдать тебе имущество, раз оно у меня по описи числится!* Шолохов. Поднятая целина. 2. Участок административно-технического деления железнодорожного пути. *Начальник дистанции.* □ *Николай и Быков мчались на дрезине по пригородной ветке, подымая на забастовку дистанцию за дистанцией, полустанок за полустанком.* Саянов. Небо и земля. ◇ **Сойти с дистанции** — отказаться от дальнейшего участия в соревнованиях по бегу, в гонках и т. п.

**Дистанцио́нный**, -ая, -ое (спец.).

**ДИСТРОФИ́Я**, -и, ж. [От греч. dys...— не- и trophē — питание]. Расстройство, нарушение питания тканей и органов. *Дистрофия сердечной мышцы.*

С и н.: истоще́ние.

**Дистрофи́ческий**, -ая, -ое. **Дистро́фик**, -а, м.

**ДИФИРА́МБ**, -а, м. [Греч. dithyrambos]. 1. В Древней Греции: торжественная хоровая песнь в честь бога Диониса. 2. Хвалебное лирическое стихотворение, близкое к оде и гимну. *Время расцвета дифирамба.* 3. *Книжн.* Преувеличенная, восторженная похвала. *Не буду распространяться о Вашем дифирамбе любовной связи русского народа с его владыками. Скажу прямо: этот дифирамб ни в ком не встретил себе сочувствия.* Белинский. Письмо к Гоголю. ◇ **Петь дифирамбы** кому, чему — чрезмерно восхвалять. *Несомненно, что критики недостатки видели, но.. говорили о них невнятно и глухо, в подавляющем же большинстве.. пели* сплошные и неумные дифирамбы. Шолохов. За честную работу писателя и критика.

**ДИФФЕРЕНЦИ́РОВАТЬ**, -рую, -руешь; дифференци́рующий, дифференци́ровавший; дифференци́руемый, дифференци́рованный; -ан, -а, -о; дифференци́руя, дифференци́ровав; *сов. и несов., что. Книжн.* [Восх. к лат. differentia — различие]. Разграничить (разграничивать), расчленить (расчленять), выделить (выделять) разнородные элементы при рассмотрении чего-л. *Дифференцировать заработную плату в зависимости от квалификации. Дифференцированный подход к чему-л.*

**Дифференци́рование**, -я, *ср.* и **дифференциа́ция**, -и, *ж. Классовая дифференциация.*

**ДИЭ́ТА** см. диета.

**ДЛАНЬ**, -и, *ж. Устар. и высок.* Рука, ладонь. *Тяжелая длань.* ☐ *С простертой дланью вдохновенно Полонский здесь читал стихи.* Блок. Возмездие.

С и н.: десни́ца *(устар. высок.).*

**ДНЕСЬ**, *нареч. Устар.* Ныне, теперь; сегодня. *[Патриарх:] Твой верный богомолец, В делах мирских не мудрый судия, Дерзает днесь подать тебе свой голос.* Пушкин. Борис Годунов.

С и н.: ны́нче *(разг.).*

**ДОБРОДЕ́ТЕЛЬ**, -и, *ж. Книжн.* Положительное нравственное качество, высокая нравственность. *[Князь Болконский] говорил, что есть только два источника людских пороков: праздность и суеверие, и что есть только две добродетели: деятельность и ум.* Л. Толстой. Война и мир.

А н т.: недоста́ток, несоверше́нство, поро́к, ми́нус *(разг.).*

**Доброде́тельный**, -ая, -ое; -лен, -льна, -о. *Добродетельный человек. Добродетельная жизнь.* **Доброде́тельно**, *нареч. Вести себя добродетельно.*

**ДОБРОНРА́ВНЫЙ**, -ая, -ое; -вен, -вна, -о. *Устар.* Отличающийся скромным поведением, хорошим нравом. *Добронравный юноша.*

А н т.: злонра́вный *(устар.).*

**Добронра́во**, *нареч.* **Добронра́вие**, -я, *ср.*

**ДОБРОХО́ТНЫЙ**, -ая, -ое; -тен, -тна, -о. *Устар.* **1.** Доброжелательный, проявляющий расположение. *Доброхотная услуга. Доброхотные советы.* ☐ *Хоть часто крутонравные, Однако доброхотные То были господа.* Н. Некрасов. Кому на Руси жить хорошо. **2.** Добровольный, совершаемый по собственному желанию. *На доброхотные пожертвования они [крестьяне] построили у себя в деревне школу.* Арсеньев. По Уссурийской тайге.

С и н. (к 1 знач.): благожела́тельный *(книжн.),* благоскло́нный *(книжн.),* благорасполо́женный *(устар.).*

А н т. (к 1 знач.): недоброхо́тный *(устар.).*

**Доброхо́тно**, *нареч.* **Доброхо́тство**, -а, *ср.*

**ДОВЕ́РЕННЫЙ**, -ая, -ое. **1.** Облеченный доверием. *Роль доверенного лица при выдвижении кандидата в депутаты.* **2.** *в знач. сущ.* **дове́ренный**, -ого, *м.* Тот, кто действует по чьей-л. доверенности, чьему-л. поручению. *Большой бородатый человек в поддевке,..— должно быть, хозяин груза или доверенный его,— вдруг заорал возбужденно.* М. Горький. Мои университеты.

**ДОВЕРИ́ТЕЛЬНЫЙ**, -ая, -ое; -лен, -льна, -о. **1.** Выказывающий, выражающий доверие кому-, чему-л. *Доверительный тон. Доверительная просьба.* ☐ *С некоторых пор у Семена с отцом установились особо доверительные отношения и у них появилась общая тайна.* Ардаматский. Суд. **2.** *полн. ф. Устар.* Секретный, не подлежащий разглашению. *Доверительное письмо.* **3.** *полн. ф. Устар.* Являющийся документом, дающим кому-л. право действовать от имени лица, его выдавшего. *Доверительный акт.*

С и н. (ко 2 знач.): конфиденциа́льный *(книжн.).*

**Довери́тельно**, *нареч.* (к 1 и 2 знач.). *Доверительно сообщить о чем-л.* **Довери́тельность**, -и, *ж. (к 1 знач.).*

**ДОВЕ́РЧИВЫЙ**, -ая, -ое; -ив, -а, -о. **1.** Легко доверяющий, питающий ко всем доверие. *Доверчивый человек.* ☐ *— Я прочел Души доверчивой признанья, Любви невинной излиянья; Мне ваша искренность мила.* Пушкин. Евгений Онегин. *Среди доверчивых белок вы непременно встретите одну с голым, как палочка, опаленным хвостом.* В. Песков. Шаги по росе. **2.** Основанный на доверии, выражающий его. *Доверчивые отношения. Доверчивый взгляд.* ☐ *И братья его были тоже милые, тоже вызывали широкое доверчивое чувство к ним... но старший больше нравился мне.* М. Горький. В людях.

**Дове́рчиво**, *нареч. Доверчиво улыбнуться.* **Дове́рчивость**, -и, *ж.*

**ДО́ВОД**, -а, *м.* Факт или какое-л. положение, мысль, приводимые в доказательство чего-л. *Убедительный довод. Согласиться с чьими-л. доводами.* ☐ *Князь Андрей решился осенью ехать в Петербург и придумал разные причины этого решения. Целый ряд разумных, логических доводов, почему ему необходимо ехать в Петербург и даже служить, ежеминутно был готов к его услугам.* Л. Толстой. Война и мир.

С и н: аргуме́нт, моти́в, резо́н *(устар. и разг.).*

**ДО́ГМА**, -ы, *ж.* [Лат. dogma от греч. dogma, dogmatos — мнение, учение]. Положение, принимаемое за непреложную истину, неизменную при всех обстоятельствах. *— Крылов дал мне почитать свои работы.. Я чувствую, тут зарыта истина. Когда-то я верил в метод Голицына, но сейчас — это уже догма.* Гранин. Иду на грозу.

**ДО́ГМАТ**, -а, *м.* [Греч. dogma, dogmatos — мнение, учение]. Положение в религиозном вероучении, принимаемое слепо на веру и не подлежащее критике. *Догматы православия.* ☐ *— Скажите мне, есть ли у вас в душе вера хоть в один догмат богословия, которому вас учат?* Герцен. Былое и думы.

**ДОГМАТИ́ЗМ**, -а, *м.* [См. *dogma*]. Метод мышления, опирающийся на догмы, оперирующий неизменными понятиями, формулами, без учета конкретных условий. *Абстрактный догматизм.*

**Догмати́ческий**, -ая, -ое. **Догмати́чески**, *нареч.* **Догма́тик**, -а, *м.*

**ДОГОВО́Р**, -а, догово́ры, -ов и *(разг.)* **ДО́ГОВОР**, -а, договора́, -ов, *м.* Письменное или устное соглашение о взаимных обязательствах. *Мирный договор. Договор о дружбе и сотрудничестве между двумя странами. Заключить, расторгнуть договор. Договор о поставках сырья предприятию.*

**С и н.:** контра́кт (*книжн.*), пакт (*офиц.*), тракта́т (*устар.*), усло́вие (*устар.*), конве́нция (*спец.*).

**Договóрный,** -ая, -ое. *Договорная цена.*

**ДОДНЕ́СЬ,** *нареч. Устар.* Доныне, до сих пор. *А за луга поемные Наследники с крестьянами Тягаются доднесь.* Н. Некрасов. Кому на Руси жить хорошо.

**С и н.:** поны́не (*книжн.*), досе́ле (*устар.*) и досе́ль (*устар.*).

**ДОЕЗЖА́ЧИЙ,** -его, *м.* Старший псарь, обучающий собак и распоряжающийся ими на охоте. — *А в разных должностях состоял: сперва в казачках находился, фалетором был, садовником, а то и доезжачим. — Доезжачим?.. И с собаками ездил?* Тургенев. Льгов.

**ДО́ЗА,** -ы, *ж.* [Греч. dosis]. Точно отмеренное количество чего-л. *Доза лекарства. Доза облучения.* ▢ *Чтобы тропические плоды могли созреть, нужна определенная доза солнечного тепла в год. Не меньше трех тысяч градусов.* Паустовский. Колхида.

**ДОЗИМЕ́ТРИЯ,** -и и **ДОЗИМЕТРИ́Я,** -и, *ж.* [От греч. dosis — доза и metreín — измерять]. Определение дозы радиоактивного излучения и активности его источников.

**Дозиметри́ческий,** -ая, -ое. *Дозиметрический прибор.*

**ДОЗНА́НИЕ,** -я, *ср. Офиц.* Предварительное административное расследование. *Произвести дознание.* ▢ — *Я имею поручение сделать дознание об истинном состоянии раскола.* Салтыков-Щедрин. Губернские очерки.

**С и н.:** следствие.

**ДОЗО́Р,** -а, *м.* **1.** Обход для осмотра. *Вот, как стало лишь смеркаться, Начал старший брат сбираться, Вынул вилы и топор И отправился в дозор.* Ершов. Конек-Горбунок. **2.** Небольшой отряд, высылаемый для охранения и разведки. *Конный дозор.* ▢ *Рассвело — шведов не было видно. Посланные дозоры нигде вблизи врага не обнаружили.* А. Н. Толстой. Петр I. ◊ **Обходить** (или **объезжать** и т. п.) **дозором** (*устар.*) — проверять, охранять. *Дворец утих; уснул гарем, Объятый негой безмятежной; Не прерывается ничем Спокойствие ночи; Страж надежный, Дозором обошел евнух.* Пушкин. Бахчисарайский фонтан. **Быть** (или **находиться** и т. п.) **в дозоре** — выполнять службу по охране чего-л., наблюдению за чем-л. *На посту стоит в дозоре Пограничник Корольков.* Михалков. Миша Корольков.

**Дозо́рный,** -ая, -ое (*ко 2 знач.*). *Дозорный крейсер. Дозорные вышки.*

**ДОИСТОРИ́ЧЕСКИЙ,** -ая, -ое. Относящийся к древнейшему периоду, о котором нет письменных свидетельств. *Доисторическое прошлое.*

**ДОК,** -а, *м.* [Голл. doc или англ. dock]. Портовое сооружение для ремонта и постройки судов. *Танкер «Дербент» сейчас проходит сдаточные испытания. На днях выйдет из доков.* Крымов. Танкер «Дербент».

**До́ковый,** -ая, -ое. *Доковые сооружения.*

**ДО́КЕР,** -а, *м.* [Англ. docker]. Портовый грузчик, рабочий в доках, на верфях. *Однажды после собрания в порту к ней подошел старый докер, один из профсоюзных руководителей.* Чаковский. Победа.

**ДОКЛА́Д,** -а, *м.* **1.** Публичное сообщение на определенную тему. *Научный доклад. Прения по докладу.* ▢ [*Листопад*] *готовился к докладу на заводской партийной конференции.* Панова. Кружилиха. **2.** Официальное устное или письменное сообщение руководителю, вышестоящему лицу о служебном деле. *Доклад директору завода.* ▢ *С поля сражения беспрестанно прискакивали к Наполеону его посланные адъютанты.. с докладами о ходе дела.* Л. Толстой. Война и мир. **3.** Извещение о приходе посетителя. *Алексей спрыгнул с лошади, отдал поводья в руки лакею и пошел без доклада.* Пушкин. Барышня-крестьянка.

**Докладно́й,** -а́я, -о́е (*ко 2 знач.*). *Докладная записка.*

**ДОКЛА́ССОВЫЙ,** -ая, -ое. Существовавший до разделения общества на классы. *Доклассовое общество.*

**ДОКТРИ́НА,** -ы, *ж.* [Лат. doctrina]. *Книжн.* Учение, научная концепция; руководящий теоретический или политический принцип. *Военная доктрина.* ▢ *Доктрина Маркса связала в одно неразрывное целое теорию и практику классовой борьбы.* Ленин, т. 14, с. 375.

**С и н.:** тео́рия.

**ДОКТРИНЁР,** -а, *м.* [См. *доктрина*]. *Книжн.* Тот, кто слепо и педантически следует какой-л. определенной доктрине (обычно устаревшей, оторванной от жизни). *Беневоленский был.. доктринёр, которому казалось предосудительным даже утереть себе нос, если в законах не формулировано ясно, что «всякий имеющий надобность утереть свой нос — да утрет».* Салтыков-Щедрин. История одного города.

**С и н.:** схола́ст, начётчик, талмуди́ст (*книжн.*).

**Доктринёрский,** -ая, -ое. *Доктринерский подход к делу.*

**ДОКУ́КА,** -и, *ж. Устар.* Надоедливая просьба, забота, а также вообще нечто надоедливое, досаждающее. *Молодые чиновники подсмеивались и острили над ним [Акакием Акакиевичем].. Это не имело даже влияния на занятия его: среди всех этих докук он не делал ни одной ошибки в письме.* Гоголь. Шинель. — *А насчет завещания своего я накажу молодым.. Скажу я им, что наказ свой возлагаю на них — похоронить меня здесь.. Вот и вся докука моя и печаль.* Айтматов. Буранный полустанок.

**ДОКУМЕ́НТ,** -а, *м.* [Восх. к лат. documentum — объяснение, доказательство]. **1.** Деловая бумага, служащая доказательством чего-л., подтверждающая право на что-л. *Секретные документы. Приложить необходимые документы к заявлению.* ▢ *Бухгалтерская дотошность, с которой он рассматривал любой финансовый документ, снискала ему репутацию человека* неподкупного и кристально порядочного. Чаковский. Победа. **2.** Письменное удостоверение, подтверждающее личность предъявителя.— *На каждой улице меня останавливает и проверяет документы комендантский патруль.* Каверин. Два капитана. **3.** Письменный акт *(во 2 знач.)*, грамота, рисунок, какое-л. произведение и т. п., имеющие значение исторического свидетельства. *Исторический документ.* □ *Я посетил места, где произошли главные события эпохи, мной описанной, поверяя мертвые документы словами еще живых, но уже престарелых очевидцев.* Пушкин. История Пугачева.

**Документа́льный,** -ая, -ое; -лен, -льна, -о (к 1 и 3 знач.). *Документальные данные. Документальное описание.* ◊ **Документальный фильм** — фильм, показывающий подлинные факты, события.

**ДОЛ** см. долина.

**ДОЛЖЕНСТВОВА́ТЬ,** -вую, -вуешь; долженствующий, долженствова́вший; долженству́я; *несов., с неопр. Устар. и книжн.* Быть должным. *Площадь, на которой долженствовала производиться казнь, нетрудно было отыскать: народ валил туда со всех сторон.* Гоголь. Тарас Бульба.

**Долженствова́ние,** -я, *ср.*

**ДО́ЛЖНОСТЬ,** -и, до́лжности, -ей и -ей, *ж.* **1.** Служебное положение, место в каком-л. учреждении, на предприятии и т. п. и связанные с ним служебные обязанности. *Руководящая должность. Должность начальника отдела.* □ — *Да как же жить без работы? Как быть на свете без должности, без места?* Гоголь. Мертвые души. **2.** *Устар.* Обязанности, связанные с каким-л. положением, обстоятельствами. *Прошла неделя, и между ними началась переписка.. Настя втайне исправляла должность почтальона.* Пушкин. Барышня-крестьянка. ◊ **В должность** (и д т и, е х а т ь и т. п.) *(устар.)* — на службу. **Из должности** (п р и х о д и т ь, п р и е з ж а т ь и т. п.) *(устар.)* — со службы. *В четыре часа чиновники вышли из должности и тихо побрели по домам.* И. Гончаров. Обыкновенная история.

**Должностно́й,** -а́я, -о́е (к 1 знач.). *Должностная ответственность.* ◊ **Должностное лицо** — лицо, которое осуществляет функцию представителя власти или занимает должность, связанную с выполнением организационно-распорядительных или административно-хозяйственных обязанностей.

**ДО́ЛЖНЫЙ,** -ая, -ое. *Книжн.* **1.** Такой, какой нужно, подобающий. *Оказать должное внимание. На должном уровне.* **2.** *в знач. сущ.* **до́лжное,** -ого, *ср.* То, что следует. *Воздать должное кому-л. чему-л.*

С и н. (к 1 знач.): соответствующий, положенный, надлежащий *(офиц.).*

**ДОЛИ́НА,** -ы, *ж.* и *(трад.-поэт.)* **ДОЛ,** -а, до́лы, -о́в и -ов, *м.* Ровное пространство вдоль речного русла; удлиненная впадина между горами или в холмистой местности. *Речная, горная долина.* □ *С высоты Гут-горы открывается Койшаурская долина с ее.. обитаемыми скалами, с ее садами, с ее светлой Арагвой, извивающейся, как серебряная лента.* Пушкин. Путешествие в Арзрум. *И песнь моя громка! Ей вторят долы, нивы, И эхо дальних гор ей шлет свои отзывы.* Н. Некрасов. Элегия.

**ДО́ЛЛАР,** -а, *м.* [Англ. dollar]. Денежная единица США, Канады, Австралии и некоторых других стран. *[Кутов:] Кроме чести я имею сорок тысяч долларов в Лондонском банке, и все это тебе.* Тренев. Любовь Яровая.

**ДОЛОМА́Н,** -а, *м.* [Восх. к турецк. doloman — одежда янычар]. Гусарский мундир особого покроя, расшитый шнурами. *Мне одному она доверила тайну любви к одному офицеру.. гусарского полка, в черном.. доломане; это была действительная тайна.* Герцен. Былое и думы.

**ДО́ЛЯ,** -и, до́ли, -ей, *ж.* **1.** Часть чего-л. *Разделить на пять долей.* □ *[Чацкий:] Хотел объехать целый свет, И не объехал сотой доли.* Грибоедов. Горе от ума. **2.** *ед.* Судьба, участь. *Счастливая доля.* □ *В полном разгаре страда деревенская.. Доля ты! — русская долюшка женская! Вряд ли труднее сыскать.* Н. Некрасов. В полном разгаре страда деревенская... **3.** Старая русская мера веса, равная 44 мг, применявшаяся до введения метрической системы. ◊ **Быть в доле; войти в долю; принять в долю** — об участии в каком-л. деле, предприятии. **На долю** чью или кому (в ы п а с т ь, д о с т а т ь с я и т. п.) — сложиться тем или иным образом для кого-л., оказаться неизбежным для кого-л.

С и н. (ко 2 знач.): звезда, судьби́на *(трад.-поэт.)*, плани́да *(прост.)*, ли́ния *(прост.)*, жре́бий *(устар.)*, часть *(устар.)*, плане́та *(устар.)*, уде́л *(устар. и книжн.)*.

**До́лька,** -и (к 1 знач.) *(уменьш.)* и **до́люшка,** -и (ко 2 знач.) *(ласк.), ж.* **Долево́й,** -а́я, -о́е (к 1 знач.). *Долевое участие в предприятии.*

**ДОМБРА́ и ДО́МБРА,** -ы, *ж.* [Тюрк. (казах.) dombra]. Казахский народный щипковый двухструнный музыкальный инструмент с треугольным или полуовальным корпусом. *[Эрлепес] ударил по струнам и пробежал длинными цепкими пальцами вверх и вниз по высокой.. шейке домбры, успев извлечь разом целую гроздь звуков.* Айтматов. Буранный полустанок.

**ДОМИНА́НТА,** -ы, *ж.* [Восх. к лат. dominans, dominantis — господствующий]. *Книжн.* Основная, господствующая идея; основной признак или важнейшая составная часть чего-л.

**Домина́нтный,** -ая, -ое.

**ДОМИНИО́Н,** -а, *м.* [Англ. dominion; восх. к лат. dominium — владение]. Самоуправляющееся государство, входившее в состав бывшей Британской империи и зависевшее от нее в своей внутренней и внешней политике. *Диктор говорит, что могущество Великобритании, ее богатство основаны на колоссальных заморских владениях.. Панорама колоний и доминионов.. Безграничные территории. Миллионы людей. И всем этим владеет Великобритания, точнее, Англия.* Чаковский. Победа.

**ДОМИНИ́РОВАТЬ,** -рую, -руешь; домини́рующий, домини́ровавший; домини́руя; *несов.* [Восх. к лат. dominari — господствовать]. *Книжн.* **1.** Возвышаться над окружающей местностью. *Северный берег залива значительно доминировал* над позицией, а особенно над стрелковыми окопами. Степанов. Порт-Артур. **2.** Преобладать, быть основным. *Играть доминирующую роль в чем-л. Доминирующая идея.*

С и н. (ко 2 знач.): госпо́дствовать, превали́ровать (книжн.).

**ДОМОРО́ЩЕННЫЙ**, -ая, -ое. **1.** Выращенный дома, в своем хозяйстве. *Махорку заменял доморощенный табак-самосад.* Шолохов. Тихий Дон. **2.** *перен. Ирон.* Не обладающий высокими достоинствами, систематическим образованием; примитивный. *Доморощенный философ.* □ *—Прошу простить меня за напыщенное философствование, но ведь именно вы, товарищ Сухов, помогли утвердиться Гасилову в его доморощенной теории посредственности.* Липатов. И это все о нем.

**ДОМОСТРО́Й**, -я, *м.* [По названию русского письменного памятника 16 в., содержащего свод житейских правил и наставлений]. Патриархально-суровый и косный семейный уклад. *—Вы славянофил. Вы последователь Домостроя. Вам бы плетку в руки!* Тургенев. Отцы и дети.

**Домостро́евский**, -ая, -ое. *Домостроевские порядки. Домостроевские нравы.*

**ДОМОТКА́НЫЙ**, -ая, -ое. Вытканный домашним способом. *Домотканая скатерть.* □ *Зыков жил в передней избе, обставленной с известным комфортом: на полу домотканые половики из ветоши, стены оклеены дешевенькими обоями.* Мамин-Сибиряк. Золото.

**ДО́МРА**, -ы, *ж.* [Тюрк.]. Русский народный струнный музыкальный инструмент с деревянным корпусом овальной формы, похожий на мандолину. *Трехструнная домра.*

**ДО́МЫСЕЛ**, -сла, *м.* Ничем не подтвержденная догадка, предположение. *Пустые домыслы.*

**ДОН**, -а, *м.* и **ДОН-**... [Исп. don от лат. dominus—господин]. Частица, присоединяемая к мужским именам представителей знати в Испании; почетный титул духовенства и дворян в Италии. *Дон-Кихот. Дон Жуан.* □ *[Лепорелло:] Ого!.. Молва о Дон Гуане И в мирный монастырь проникла даже.* Пушкин. Каменный гость.

**До́нья**, -и (в Испании) и **до́нна**, -ы (в Италии), *ж.*

**ДОНЖУА́Н**, -а, *м.* [По имени Дон Жуана — героя многих произведений западноевропейской литературы 17-19 вв.]. Искатель любовных приключений. *На нее [Аню] жадно и с любопытством смотрел Артынов, этот известный донжуан и баловник.* Чехов. Анна на шее.

С и н.: ловела́с (книжн.), волоки́та (разг.), уха́жёр (прост.), ба́бник (прост.), женолю́б (устар.), селадо́н (устар.).

**Донжуа́нский**, -ая, -ое.

**ДОНКИХО́Т**, -а, *м.* [По имени Дон-Кихота — героя одноименного романа испанского писателя Сервантеса]. Мечтатель, странный для окружающих человек, самоотверженно борющийся за отвлеченные идеалы добра. *—Есть и донкихоты между нами [артистами]: они хватаются за какую-нибудь невозможную идею, преследуют ее,*

*иногда искренно, вообразят себя пророками.* И. Гончаров. Обрыв.

**Донкихо́тский**, -ая, -ое.

**ДО́НОР**, -а, *м.* [Англ. donor; восх. к лат. donare — дарить]. Тот, у кого берут кровь для переливания или какой-л. орган для пересадки раненым и больным.

**До́норский**, -ая, -ое. *Донорская кровь.*

**ДОНЫ́НЕ**, *нареч. Высок.* До настоящего времени, до сих пор. *Доныне гордый наш язык К почтовой прозе не привык.* Пушкин. Евгений Онегин.

С и н.: поны́не (книжн.), досе́ле (устар.) и досе́ль (устар.), доднє́сь (устар.).

**ДО́ПИНГ**, -а, *м.* [Англ. doping]. Средство, искусственно взбадривающее организм на непродолжительное время.

**До́пинговый**, -ая, -ое. *Допинговый контроль.*

**ДОПОТО́ПНЫЙ**, -ая, -ое. **1.** Вымерший, чрезвычайно древний (букв. — существовавший до легендарного библейского потопа). *Допотопные животные.* **2.** *Разг.* Устарелый, старомодный, отживший. *Допотопные взгляды.* □ *Прокопченные паровозы допотопной конструкции толкали целыми днями по разъезду вагоны.* Федин. Города и годы.

С и н. (ко 2 знач.): несовреме́нный, архаи́ческий и архаи́чный, обветша́лый, ветхозаве́тный, староза́ветный, патриарха́льный, ископа́емый (разг.).

**ДОРМЕ́З** [до; мэ́], -а, *м.* [Франц. dormeuse — букв. соня]. Старинная большая дорожная карета, приспособленная для сна в пути. *Они нагнали в Коппенбурге царский дормез и.. поспешили в замок.* А.Н. Толстой. Петр I.

**ДОРО́ДНЫЙ**, -ая, -ое; -ден, -дна, -о. Крупный, плотного телосложения. *Дородная фигура.* □ *С ним была дородная женщина, почти вдвое больше его телом, ее круглое лицо лоснилось, как сафьян.* М. Горький. В людях.

С и н.: по́лный, упи́танный, то́лстый, ту́чный, гру́зный, полноте́лый, жи́рный, дебе́лый (прост.).

А н т.: худо́й, то́щий, худосо́чный, костля́вый, отоща́лый (разг.).

**Доро́дность**, -и, *ж.* и **доро́дство**, -а, *ср.*

**ДОСА́ДА**, -ы, *ж.* **1.** Чувство раздражения, неудовольствия, огорчения, вызванное чем-л. *Заплакать от досады.* □ *Кирила Петрович без него скучал, и досада его громко изливалась в самых оскорбительных выражениях.* Пушкин. Дубровский. **2.** *Устар.* Неприятность, причиняемая кому-л. *[Шуйский Годунову:] Таких досад, как от тебя, боярин, И при Иване не было царе!* А.К. Толстой. Царь Федор Иоаннович.

**Доса́дный**, -ая, -ое (к 1 знач.). *Досадная ошибка.*

**ДОСЕ́ЛЕ** и **ДОСЕ́ЛЬ**, *нареч. Устар.* До настоящего времени. *— Что делать!* — *воскликнула она, вдруг вскочив с места, и глаза ее, доселе полные слез, вдруг засверкали.* Достоевский. Преступление и наказание.

С и н.: поны́не (книжн.), доны́не (высок.), доднє́сь (устар.).

**ДОСКОНА́ЛЬНЫЙ**, -ая, -ое; -лен, -льна, -о. [Польск. doskonały — совершенный, прекрасный]. Подробный, тщательный, основательный. *Доскональный разбор урока. Доскональное знание предмета.*

С и н.: детальный, обстоятельный, развёрнутый.

**Досконально,** *нареч. Изучить что-л. досконально.* **Доскональность,** -и, *ж.*

**ДОСПЕХИ,** -ов, *мн. (ед.* **доспех,** -а, *м.).* **1.** Боевое снаряжение воина в старину (латы, кольчуга, панцирь, броня и т. п.). *Рыцарские доспехи.* □ *Снимает со стены отец Свои доспехи ратны: «Прости, вот мой меч кладенец, Мой щит и шлем булатный».* Жуковский. Вадим. **2.** *перен. Разг. шутл.* Какое-л. снаряжение вообще. *Туристские доспехи.* □ *Я снял свои охотничьи доспехи, поставил ружье в угол.* Тургенев. Мой сосед Радилов.

**ДОСТОВЕРНЫЙ,** -ая, -ое; -рен, -рна, -о. Не вызывающий сомнений, подлинный. *Достоверные сведения. Из достоверных источников.* □ *Сей исторический отрывок составлял часть труда, мною оставленного. В нем собрано все, что было обнародовано правительством касательно Пугачева, и то, что показалось мне достоверным в иностранных писателях, говоривших о нем.* Пушкин. История Пугачева.

С и н.: справедливый, верный.

**Достоверно,** *нареч. Исторически достоверно. Достоверно известно.* **Достоверность,** -и, *ж. Жизненная достоверность. Достоверность изображаемых в книге событий.*

**ДОСТОИНСТВО,** -а, *ср.* **1.** Положительное качество. *Художественные достоинства книги. Иметь много достоинств.* □ *Главное достоинство писателя-художника состоит в правде его изображений.* Добролюбов. Темное царство. **2.** *ед.* Сознание своих человеческих прав, своей моральной ценности и уважение их к себе. *Чувство собственного достоинства. Женское достоинство. Держаться с достоинством. Защищать свое достоинство.* □ *Балашеву становилось тяжело: он, как посол, боялся уронить свое достоинство и чувствовал необходимость возражать.* Л. Толстой. Война и мир. **3.** *ед. Спец.* Стоимость, ценность денежных знаков или ценных бумаг. *Облигация достоинством в 20 рублей.* □ *[Островнов], вынув из кармана полученные от Лятьевского деньги,.. пытался разглядеть, какого они достоинства.* Шолохов. Поднятая целина. **4.** *Устар.* Титул, чин, звание. *[Троекуров],.. взяв в уважение княжеское достоинство, две звезды и 3000 душ родового имения,.. до некоторой степени почитал князя Верейского себе равным.* Пушкин. Дубровский.

◇ **Оценить по достоинству** *кого, что*—составить о ком, чем-л. правильное (положительное или отрицательное) мнение.

С и н. (к 1 знач.): совершенство, добродетель (*книжн.*), плюс (*разг.*). С и н. (к 4 знач.): ранг.

А н т. (к 1 знач.): недостаток, несовершенство, минус (*разг.*).

**ДОСТОПРИМЕЧАТЕЛЬНОСТЬ,** -и, *ж.* Место, предмет, заслуживающие особого внимания. *Историческая достопримечательность города.*

**ДОСТОПРИМЕЧАТЕЛЬНЫЙ,** -ая, -ое; -лен,-льна, -о. *Устар.* Замечательный чем-л., достойный особого внимания. *Прошло несколько дней, и не случилось ничего достопримечательного. Жизнь обитателей Покровского была однообразна.* Пушкин. Дубровский.

С и н.: примечательный.

**ДОСТОЯНИЕ,** -я, *ср. Книжн.* **1.** Имущество, собственность. *Народное достояние.* □ *Бедное его достояние могло отойти от него в чужие руки — в таком случае нищета ожидала его.* Пушкин. Дубровский. **2.** *перен.* То, что безраздельно принадлежит кому-л. *Благодаря газетной публикации, новость быстро стала достоянием читателей.*

**ДОСЬЕ,** *нескл., ср.* и (*устар.*) *м.* [Франц dossier]. Совокупность документов, материалов, относящихся к какому-л. делу, лицу, а также папка с такими документами.— *А вот и дело,— сказал Дубельт, принимая толстую тетрадь из рук чиновника (..В 1850 году я видел в кабинете Карлье мой «досье» в Париже; интересно было бы сличить); порывшись в ней, он мне ее подал раскрытую, это была докладная записка Бенкендорфа.* Герцен. Былое и думы. *На столе перед каждым членом комиссии.. лежало досье с полным текстом посланий паритет-космонавтов 1-2 и 2-1. Изучалась каждая мысль, каждое слово документов.* Айтматов. Буранный полустанок.

**ДОТ,** -а, *м.* [Сокращение по начальным буквам: долговременная огневая точка]. Пулеметное или артиллерийское оборонительное сооружение. *Впервые я увидела дот; там.. металл, бетон, ничего деревянного.. Это круглая крепость. Амбразуры во все стороны. Для пулеметчиков сделаны сиденья.* Инбер. Почти три года.

**ДОТАЦИЯ,** -и, *ж.* [Восх. к лат. dotatio — дар, пожертвование]. Государственное денежное пособие предприятиям, учреждениям и организациям для покрытия расходов и других нужд.

**Дотационный,** -ая, -ое.

**ДОЦЕНТ,** -а, *м.* [Восх. к лат. docens, docentis — обучающий]. Ученое звание и должность преподавателя высшего учебного заведения (ниже профессора и выше ассистента), а также лицо, имеющее это звание и занимающее эту должность. *Доцент кафедры литературы. Получить звание доцента. Дипломная работа под руководством доцента.*

**ДОЩАНИК,** -а, *м.* Плоскодонная лодка или небольшое плоскодонное речное судно (для переправы, перевоза тяжелых грузов). *Река была в разливе;.. два дощаника ходили беспрерывно взад и вперед; битком набитые людьми, лошадьми и экипажами, они медленно двигались на веслах, похожие на каких-то ископаемых многоножных раков, последовательно поднимавших и опускавших свои ноги.* Герцен. Кто виноват?

**ДРАГОМАН,** -а, *м.* [Восх. к араб. tarǧumān]. Переводчик при европейском посольстве в странах Востока.

**ДРАГУН,** -а, драгуны, -ун (*при обозначении рода войск*) и -ов (*при обозначении отдельных лиц*), *м.* [Франц. dragon; восх. к греч. drakōn — дракон]. В царской и некоторых иностранных армиях: солдат или офицер некоторых кавалерийских частей (первонач. предназначенных как для конных, так и для пеших военных действий). *Пять драгунов. Полк драгун.* □ *Между оранжевыми уланами на рыжих лошадях и позади их.. видны были синие французские драгуны на серых лошадях.* Л. Толстой. Война и мир.

**Драгу́нский**, -ая, -ое. *Драгунский полк. Драгунский капитан.*

**ДРАДЕДА́М** [дэ], -а, м. [Франц. drap de dames — дамское сукно]. *Устар.* Сорт легкого сукна. *[Платье] из коричневого драдедаму было очень просто.* Тургенев. Новь.

**Драдеда́мовый**, -ая, -ое. *Драдедамовая шаль.*

**ДРАКО́НОВСКИЙ**, -ая, -ое. [По имени древнегреческого законодателя Дра́кона]. *Книжн.* Крайне жестокий, беспощадный. *Драконовский закон. Драконовские меры.*

С и н.: стро́гий, суро́вый, круто́й, жёсткий.

**ДРА́МА**, -ы, ж. [Восх. к греч. drama — действие, сценическое представление]. **1.** *ед.* Один из трех (наряду с лирикой и эпосом) основных родов литературы, представляющий собой произведения, написанные в форме диалога без авторской речи и предназначенные для исполнения на сцене. **2.** Литературное произведение такого рода, серьезного (в отличие от комедии), но не героического (в отличие от трагедии) содержания. *Драма А. Островского «Гроза». Заключительные сцены драмы. Театр драмы и комедии.* □ *Женьке Столетову шел только двадцатый год;.. он был еще в том возрасте, когда человек тянется к театральным действиям, когда драмы и мелодрамы еще нравятся больше, чем трагедии.* Липатов. И это все о нем. **3.** *перен.* Тяжелое событие, переживание, причиняющее нравственные страдания. *Семейная, душевная драма.* □ *Весь город взволнован: застрелилась, приехав из-под венца, насильно выданная замуж дочь богатого торговца чаем.. Все кричат об этой драме.* М. Горький. Мои университеты.

С и н. (к 3 знач.): траге́дия.

**ДРАМАТИ́ЧЕСКИЙ**, -ая, -ое. [См. *драма*]. **1.** Прил. к *драма* (в 1 знач.). *Драматическое искусство. Драматический театр.* □ *Дело в том, что характер Катерины.. составляет шаг вперед не только в драматической деятельности Островского, но и во всей нашей литературе.* Добролюбов. Луч света в темном царстве. **2.** Рассчитанный на эффект; напыщенный, деланный. *Драматический жест, тон.* □ *[Дамы] поравнялись с нами. Грушницкий успел принять драматическую позу с помощью костыля и громко отвечал мне по-французски.* Лермонтов. Герой нашего времени. **3.** Характеризующийся напряженностью, тяжелыми обстоятельствами. *Драматический момент. Драматический исход событий.* □ *Не было в ее жизни ничего драматического, с покойным мужем жили они хорошо, работу свою она любила.* Эренбург. Буря.

С и н. (ко 2 знач.): иску́сственный, наи́гранный, жема́нный, мане́рный, театра́льный.

**ДРАМАТУРГИ́Я**, -и, ж. [Греч. dramaturgia]. **1.** Драматическое искусство. *Произведения драматургии.* **2.** *собир.* Совокупность драматических произведений какого-л. писателя, литературного направления, народа, эпохи. *Русская драматургия. Драматургия классицизма. Драматургия М. Горького.*

**Драматурги́ческий**, -ая, -ое. **Драмату́рг**, -а, м.

**ДРА́НКА**, -и, ж. **1.** *собир.* Тонкие деревянные дощечки для обивки стен и потолков под штукатурку или для покрытия кровли. *Все фермы совхоза на первый взгляд одинаковы: много построек, деревянных и кирпичных; крыши — те крытые дранкой, а те железом.* Панова. Ясный берег. **2.** Каждая из таких дощечек. *В саду — беседка из тонких дранок, окрашенных зеленою краской.* М. Горький. В людях.

**ДРАПИРОВА́ТЬ**, -ру́ю, -ру́ешь; драпиру́ющий, драпирова́вший; драпиру́емый, драпиро́ванный; -ан, -а, -о; драпиру́я; *несов., кого, что.* [Восх. к франц. draper]. Обивать, украшать тканями, занавесками, а также одевать, окутывать, располагая ткань красивыми складками. *Драпировать дверь портьерой.* □ *Больше всего смущала Анну Федоровну шея,.. и поэтому она драпировала ее высокими рюшами или воротником.* Мамин-Сибиряк. Встреча.

**Драпиро́вка**, -и, ж.

**ДРАПИРО́ВКА**, -и, ж. [См. *драпировать*]. Занавеска, ткань, опускающаяся широкими складками. *Между окнами висел большой портрет царя.., тяжелые малиновые драпировки окон прикрывали раму с боков прямыми складками.* М. Горький. Мать.

С и н.: портье́ра, драпри́.

**Драпиро́вочный**, -ая, -ое. *Драпировочная мастерская.*

**ДРАПРИ́**, *нескл., ср.* [Франц. draperie]. То же, что *драпировка*.

**ДРА́ТВА**, -ы, ж. Пеньковая или льняная нитка, просмоленная или покрытая воском, применяемая для шитья или ремонта обуви. *[Пахом] подшивал голенище: осторожно шилом протыкал кожу.. и, зажав голенище между колен, тянул дратву за два конца.* А. Н. Толстой. Детство Никиты.

**ДРЕДНО́УТ**, -а, м. [Англ. dreadnought — букв. ничего не боящийся]. Крупный быстроходный броненосец с мощным вооружением, предшественник современного линейного корабля. *Вот он флот. Дредноуты, почти неподвижно вкованные в сумеречную, лазурную воду.. На каждом тысяча двести человек команды и сорок восемь орудий, из которых двенадцать дальнобойных, двенадцать дюймового калибра.* Малышкин. Севастополь.

**ДРЕЗИ́НА**, -ы, ж. [По имени немецкого изобретателя Дреза]. Механическая железнодорожная тележка, передвигаемая по рельсам с помощью ручного привода или с помощью двигателя. *Приехал начальник дистанции на дрезине; четверо рабочих рукоятки вертят;.. мчится тележка верст по двадцать в час, только колеса воют.* Гаршин. Сигнал.

**ДРЕЙФ**, -а, м. [От голл. drijven — гнать, отклоняться от курса, дрейфовать]. *Спец.* **1.** Отклонение движущегося судна от курса под влиянием ветра или течения. 2. Непроизвольное движение чего-л., несомого течением или ветром. *Дрейф песков.* □ *Направление нашего дрейфа не оставляло сомнений. Судно двигалось вместе со льдом генеральным курсом норд 7° к весту.* Каверин. Два капитана. ◊ **Лечь в дрейф; лежать в дрейфе** (*спец.*) — удерживать судно на месте в результате специального маневрирования парусами, двигателем, плавучим якорем и т. п. *Утром по курсу открылась панорама флотилии, лежащей в дрейфе.* Пикуль. Фаворит.

**ДРЕКО́ЛЬЕ**, -я, *ср., собир.* и **ДРЕКО́ЛЬЯ**, -ев, *мн.* Дубины, палки, колья, употребляемые в старину в качестве оружия. — *А чем ополчение-то его воевало? Дрекольем.. Ныне, слава богу, оружия у нас достаточно.. пушки льем не хуже турецких.* А. Н. Толстой. Петр I.

**ДРЕНА́Ж**, -а и -á, *м.* [Восх. к англ. drainage]. Осушение почвы посредством системы траншей или труб (дрен), а также сама система таких траншей, труб. *Дренаж почвы.* □ *До недавнего времени не знали, как возвращать здоровье таким полянам; но теперь открыто средство; это — дренаж: лишняя вода сбегает по канавам, остается воды сколько нужно.* Чернышевский. Что делать?

**Дрена́жный**, -ая, -ое. *Дренажные трубы. Вести дренажные работы.*

**ДРИА́ДА**, -ы, *ж.* [Греч dryas, dryados от drys — дуб, дерево]. В греческой мифологии: покровительница деревьев, обитавшая в лесах и рощах; лесная нимфа. *Послышался торопливый топот легких шагов, сквозь зеленую чащу замелькала.. живая алость обнаженных тел.. То нимфы, дриады, вакханки бежали с высоты в равнину!* Тургенев. Нимфы.

**ДРО́ВНИ**, -ей, *мн.* Крестьянские сани без кузова для перевозки дров, сена и других грузов. *Зима! Крестьянин, торжествуя, На дровнях обновляет путь.* Пушкин. Евгений Онегин.

**ДРО́ГИ**, дрог, *мн.* Длинная телега без кузова, передок и задок которой соединены продольными брусьями. *Шестернею цугом показались дроги: На дрогах высоких гроб стоит дубовый, А в гробу-то барин; а за гробом — новый.* Н. Некрасов. Забытая деревня.

**ДРО́ЖКИ**, -жек, *мн.* Легкий открытый экипаж на одного-двух человек. *Вдруг промчались перед ним щегольские дрожки, и смотритель узнал Минского.* Пушкин. Станционный смотритель.

**ДРО́ТИК**, -а, *м.* [Восх. к греч. doration — копье]. Короткое метательное копье, употреблявшееся в древности и в средние века, а также казацкая пика. — *Урааааа! — зашумело по лесу, и одна сотня за другою, как из мешка высыпаясь, полетели весело казаки с своими дротиками наперевес, через ручей к лагерю.* Л. Толстой. Война и мир.

**ДРУЖИ́НА**, -ы, *ж.* 1. В Древней Руси: вооруженный отряд при князе, составлявший основное ядро княжеского войска, участвовавший в управлении княжеством и личным хозяйством князя-феодала. *На трубный звук, на голос боя Дружины конные славян Помчались по следам героя.* Пушкин. Руслан и Людмила. 2. В царской армии: войсковая часть в ополчении. — *Я по-настоящему ополченный офицер, только моей дружины тут нет; я.. потерял своих.* Л. Толстой. Война и мир. 3. *какая.* Отряд, добровольное объединение, созданные с какой-л. целью. *Пионерская дружина. Санитарная дружина. Народная дружина по охране общественного порядка.*

**ДРУ́ЖКА**, -и, *м.* Один из главных участников старинного свадебного обряда, распорядитель на свадьбе со стороны жениха. — *Не послать ли за попом, да не заставить ли его обвенчать племянницу? Пожалуй, я буду посаженным отцом, Швабрин дружкою.* Пушкин. Капитанская дочка.

**ДУБЛЁР**, -а, *м.* [Франц. doubleur]. 1. Тот, кто параллельно с кем-л. выполняет одну и ту же работу и может заменить его в нужный момент. *Завод-дублер. Водитель-дублер. Дублер космонавта.* 2. Актер, заменяющий основного исполнителя роли, а также киноактер, воспроизводящий текст при переводе фильма с одного языка на другой.

**ДУБЛЕ́Т**, -а, *м.* [Франц. doublet]. *Спец.* 1. Второй экземпляр какой-л. вещи. *Дублет рукописи.* 2. Одновременный выстрел из обоих стволов двуствольного охотничьего ружья.

**Дубле́тный**, -ая, -ое (*к 1 знач.*). *Дублетный экземпляр.*

**ДУБЛИКА́Т**, -а, *м.* [Восх. к лат. duplicatus — удвоенный]. *Офиц.* Второй экземпляр какого-л. документа, имеющий одинаковую с подлинником юридическую силу. *Дубликат водительских прав. Дубликат телеграммы.*

**ДУБЛО́Н**, -а, *м.* [Франц. doublon]. Старинная золотая монета Испании, Италии и Швейцарии. — *Известно вам, — король Карл принудил Христиана к позорному миру, принудил уплатить двести пятьдесят тысяч золотых дублонов контрибуции.* А. Н. Толстой. Петр I.

**ДУБЛЬ**, -я, *м.* [От франц. double]. *Спец.* 1. Повторная съемка эпизода в фильме. *Заснять пять дублей.* 2. Запасная команда, служащая резервом для основной команды на спортивных соревнованиях. *Играть за дубль в «Спартаке». Взять из школы футболиста в дубль.*

**ДУБРА́ВА**, -ы и (*устар.*) **ДУБРО́ВА**, -ы, *ж.* Лиственный лес, роща, обычно с преобладанием дуба, а также (*трад.-поэт.*) лес вообще. *Два дня ему казались новы Уединенные поля, Прохлада сумрачной дубровы, Журчанье тихого ручья.* Пушкин. Евгений Онегин. *Вдали виднелася дубрава, или, попросту, чистая березовая роща, расстилавшаяся на значительное пространство.* Салтыков-Щедрин. Пошехонская старина.

**Дубра́вушка**, -и и **дубро́вушка**, -и, *ж.* (*ласк.*). **Дубра́вный**, -ая, -ое и **дубро́вный**, -ая, -ое. *Дубравный шум.*

**ДУГА́**, -и́, *ду́ги, дуг, ж.* 1. Круто изогнутая деревянная часть конской упряжи, служащая для скрепления оглобель с хомутом. *Бредет в оглоблях серый конь Под расписной дугой, И крепко стянута супонь Хозяйскою рукой.* Твардовский. Страна Муравия. 2. Что-л. имеющее форму кривой, изогнутой линии. *Брови дугой.* □ *Сперва они двинулись вдоль железной дороги.*

но постепенно отклонились.. в сторону.. Они срезали.. километров десять, так как железная дорога делала здесь большую дугу. Айтматов. Буранный полустанок. **3.** *Разг.* Токоприемник на трамвайных вагонах. *Трамвайная дуга.* ◇ **Согну́ть в дугу́** (*или* **в три дуги́**) *кого* (*перен.*) — принуждением заставить повиноваться.

**ДУКА́Т,** -а, *м.* [Итал. ducato — *букв.* монета с изображением герцога (от duca — герцог)]. Старинная серебряная, а затем золотая монета в некоторых западноевропейских странах.

**ДУ́МА,** -ы, *ж.* **1.** Мысль, размышление, раздумье. *Думы о Родине.* □ *Заметив, что Владимир скрылся, Онегин, скукой вновь гоним, Близ Ольги в думу погрузился.* Пушкин. Евгений Онегин. **2.** Род украинской народной песни, а также стихотворение на гражданскую, политическую тему в русской поэзии 19 в. *Думы Рылеева.* □ *Светлица была убрана во вкусе того времени, о котором живые намеки остались только в песнях, да и в народных думах, уже не поющихся более на Украине бородатыми старцами-слепцами.* Гоголь. Тарас Бульба. **3.** В дореволюционной России: название некоторых государственных учреждений. *Боярская дума* (совет бояр в Московской Руси). *Государственная дума* (выборное представительное учреждение, которому по положению принадлежали законодательные функции). *Городская дума* (выборный орган городского самоуправления). □ *[Пленник:] Царь наградил его заслуги честью И золотом. Басманов в царской Думе Теперь сидит.* Пушкин. Борис Годунов.

С и н. (к 1 знач.): по́мысел (*книжн.*), помышле́ние (*устар.*)

**ДУ́МНЫЙ,** -ая, -ое (к 3 знач.) (относящийся к Боярской думе) и **ду́мский,** -ая, -ое (к 3 знач.) (относящийся к Государственной или Городской думе). *Думный дьяк. Думные бояре. Думский депутат.*

**ДУХ,** -а, *м.* **1.** *ед.* Психические особенности, сознание, мышление. *В здоровом теле здоровый дух.* □ *Человеку нужно не три аршина земли, не усадьба, а весь земной шар, вся природа, где на просторе он мог бы проявить все свойства и особенности своего свободного духа.* Чехов. Крыжовник. **2.** *ед.* Внутреннее состояние, моральная сила человека, коллектива. *Высокий боевой дух войска. Упадок духа. Поднять чей-л. дух.* □ *Пускай ты умер!.. Но в песне смелых и сильных духом всегда ты будешь живым примером, призывом гордым к свободе, к свету!* М. Горький. Песня о Соколе. **3.** *ед., чего или какой.* Содержание, сущность чего-л.; какое-л. начало, определяющее поведение кого-л. *В духе времени. Стихотворение проникнуто народным духом. Дух противоречия. Воинственный дух.* **4.** По мифологическим и религиозным представлениям: сверхъестественное существо, принимающее участие в жизни природы и человека. *Лесные духи.* □ *Кони снова понеслися; Колокольчик дин-дин-дин... Вижу: духи собралися Средь белеющих равнин.* Пушкин. Бесы. **5.** *Разг.* Дыхание. *Дух захватило от страха. Затаить дух. Перевести дух* (отдышаться). **6.** *Разг.* Воздух. *Лесной дух.* **7.** *Прост.* Запах. — *Откроешь кастрюлю, а из нее пар, грибной дух... даже слеза прошибает иной раз!* Чехов. Сирена. ◇ **Злой** (*или* **нечистый**) **дух** — бес, дьявол. **Святой дух** — по христианскому вероучению: одно из лиц святой троицы. **Расположение** (*или* **состояние**) **духа** — настроение, душевное состояние. **Присутствие духа** — самообладание, хладнокровие. *Сохранять присутствие духа.* **Быть в духе** (*или* **не в духе**) — быть в хорошем (или в плохом) настроении. *Он сегодня не в духе.* **Как на духу** (*устар. прост.*) — откровенно, не таясь. *Рассказать все как на духу.* **Испустить дух** (*устар.*) — умереть.

С и н. (к 1 знач.): пси́хика.

**ДУХА́Н,** -а, *м.* [Тюрк. (турецк.) dükan от араб. dukkān]. Старинное название небольшого трактира, ресторана, харчевни на Кавказе и Ближнем Востоке. *Мы нашли его [владельца деревни] в духане (так называются грузинские харчевни).* Пушкин. Путешествие в Арзрум.

**Духа́нщик,** -а, *м.*

**ДУХОБО́РЫ,** -ов и **ДУХОБО́РЦЫ,** -ев, *мн.* (*ед.* **духобо́р,** -а и **духобо́рец,** -рца, *м.*). Члены религиозной секты, возникшей во второй половине 18 в. в России, отрицавшей обряды и догматы православной церкви. *В Новгородской губернии в царствовании Екатерины было много духоборцев. Их начальник... пользовался огромным почетом.* Герцен. Былое и думы. *У Черткова, известного толстовца, сделали обыск, отобрали все, что толстовцы собрали о духоборах и сектантстве.* Чехов. Письмо Суворину, 8 февраля 1897 г.

**Духобо́рка,** -и, *ж.* **Духобо́рческий,** -ая, -ое. *Духоборческая община.*

**ДУХОВЕ́НСТВО,** -а, *ср., собир.* Служители религиозного культа. *Православное, католическое, мусульманское духовенство.* □ *Духовенство возобновило службы во многих непогоревших церквах.* Л. Толстой. Война и мир. ◇ **Черное духовенство** — часть православного духовенства, связанная монашеским обетом. **Белое духовенство** — часть православного духовенства, не принадлежащая к монашеству.

**ДУХОВНИ́К,** -а́, *м., кого или чей.* Священник, постоянно принимающий исповедь у кого-л.

**ДУХО́ВНОСТЬ,** -и, *ж.* Свойство души, состоящее в преобладании духовных, нравственных и интеллектуальных интересов человека над материальными. *Высокая духовность русской поэзии.*

А н т.: бездухо́вность.

**ДУХО́ВНЫЙ,** -ая, -ое. **1.** Прил. к **дух** (в 1 знач.); связанный с внутренним миром человека. *Духовный мир человека. Духовные запросы и интересы. Духовное возрождение.* □ *В тесной комнате [Власовых] рождалось чувство духовного родства рабочих всей земли. Это чувство сливало всех в одну душу, волнуя и мать.* М. Горький. Мать. **2.** Связанный с религией, с церковью, относящийся к ним. *Книги духовного содержания. Духовный сан. Духовная семинария.* □ *[Пимен:] Ты Никодим, ты Сергий, ты

Кирилл, Вы все — обет примите мой духовный. Пушкин. Борис Годунов. ◇ **Духовное завещание** (*устар.*) — в русском дореволюционном праве: официальный письменный документ, содержащий распоряжение какого-л. лица о своем имуществе на случай смерти. **Духовный отец** — священник, принимающий исповедь у кого-л. постоянно. **Духовный сын (духовная дочь)** — тот (та), кто постоянно исповедуется у своего духовного отца.

С и н. (к 1 знач.): вну́тренний, душе́вный, нра́вственный. С и н. (ко 2 знач.): церко́вный, религио́зный, боже́ственный (*устар.*).

А н т. (ко 2 знач.): све́тский (*устар.*), мирско́й (*устар.*).

**ДУХОВО́Й**, -а́я, -о́е. **1.** Действующий посредством вдувания струи воздуха (о музыкальных инструментах) или под напором струи сжатого воздуха. *Духовой оркестр* (состоящий из духовых инструментов). *Духовой пистолет.* □ *Вдруг раздалась духовая музыка, и шестивесельная лодка причалила к самой беседке.* Пушкин. Дубровский. **2.** Действующий посредством нагретого воздуха. *Духовой шкаф. Духовая печь.* **3.** Приготовленный в плотно закрытом сосуде под действием пара (о кушаньях). *Духовые котлеты.*

**ДУША́**, -и́, ду́ши, душ, *ж.* **1.** Внутренний психический мир человека, его переживания, настроения, чувства. *Душа ребенка. Благородство души. Горечь души.* □ *Пока свободою горим, Пока сердца для чести живы, Мой друг, отчизне посвятим Души прекрасные порывы!* Пушкин. Во глубине сибирских руд... **2.** обычно *какая*. Совокупность характерных свойств, черт, присущих личности, а также человек с теми или иными свойствами. *Чуткая душа. Человек щедрой души.* □ *Я скоро его [Гагина] понял. Это была прямо русская душа, правдивая, честная, простая.* Тургенев. Ася. **3.** *чего.* Главное лицо, вдохновитель чего-л. *Душа общества. Быть душою всего дела.* **4.** В старину: крепостной крестьянин. *[Хлестова:] А Чацкого мне жаль... Был острый человек, имел душ сотни три.* Грибоедов. Горе от ума. ◇ **Бумажная душа** — о бюрократе. **Мертвые души** — о людях, фиктивно числящихся где-л. (первонач. — крепостные, умершие в период между двумя переписями и официально числившиеся живыми). **Чернильная душа** (*устар. шутл.*) — о канцелярском чиновнике. **Заячья душа** — о трусливом человеке. **Нет ничего за душой** у кого — ничего нет у кого-л. **Жить душа в душу** — жить дружно, в согласии. **На душу населения** — на каждого жителя данной страны. *Потребление электроэнергии на душу населения.*

С и н. (к 1 знач.): се́рдце. С и н. (ко 2 знач.): хара́ктер, нату́ра, нрав.

**Душе́вный**, -ая, -ое (к 1 знач.) и **душево́й**, -а́я, -о́е (к 4 знач.). *Душевная скорбь. Душевая пода́ть.* ◇ **Душевные болезни** (или **заболевания**) — болезни, вызванные расстройством психической деятельности человека.

**ДУШЕПРИКА́ЗЧИК**, -а, *м. Устар.* Тот, на кого завещатель возлагает исполнение завещания.

*Голохвастов отказался от всякого участия в его делах и пуще всего от звания душеприказчика.* Герцен. Былое и думы.

**Душеприка́зчица**, -ы, *ж.*

**ДУЭ́ЛЬ**, -и, *ж.* [Восх. к лат. duellum — поединок, война]. **1.** Поединок с применением оружия между двумя лицами (обиженным и обидчиком) на заранее определенных условиях. *Вызвать на дуэль. Драться на дуэли. Дуэль на шпагах.* □ *— Вы хотите сказать,.. какое бы ни было ваше теоретическое воззрение на дуэль, на практике вы бы не позволили оскорбить себя, не потребовав удовлетворения?* Тургенев. Отцы и дети. **2.** *перен.* Борьба, состязание двух сторон. *Этот спектакль — была дуэль насмерть между двумя признанными талантами.* С. Аксаков. Литературные и театральные воспоминания.

С и н.: поеди́нок.

**Дуэли́ст**, -а и **дуэля́нт**, -а, *м.* (к 1 знач.). **Дуэ́льный**, -ая, -ое (к 1 знач.).

**ДУЭ́Т**, -а, *м.* [Итал. duetto]. **1.** Музыкальное произведение для двух исполнителей (музыкантов, певцов, танцоров) с самостоятельными партиями для каждого. *Дуэт Лизы и Полины из оперы Чайковского «Пиковая дама». Дуэт для скрипки и виолончели.* □ *Супруги жили очень хорошо и тихо: они почти никогда не расставались, читали вместе, играли в четыре руки на фортепиано, пели дуэты.* Тургенев. Отцы и дети. **2.** Ансамбль из двух исполнителей (певцов или музыкантов). *Выступление дуэта гитаристов. Вокальный дуэт.* **3.** Об участниках парного спортивного выступления. *Дуэт фигуристов.*

**ДЫ́БА**, -ы, *ж.* Средневековое орудие пытки, на котором растягивали тело обвиняемого (в России в 14—18 вв.). *Вздернуть на дыбу.* □ *Когда в первый раз заскрипела дыба и на ней повис, голый по пояс, широкогрудый и мускулистый Обросим Петров,.. Петр подался со стулом в тень.. Весь тот день был бледен и задумчив.* А. Н. Толстой. Петр I.

**ДЫ́МКА**, -и, *ж.* **1.** Легкая, похожая на дым, застилающая пелена чего-л. *Дымка тумана. Предрассветная дымка над заливом.* □ *Впереди за легкою дымкой, едва смягчающей переливы красок, виднеется красивая цепь невысоких гор.* Короленко. Над лиманом. **2.** *Устар.* Легкая прозрачная ткань (идущая на вуали, шарфы и т. п.). *Сквозь дымку легкую заметил я невольно И девственных ланит и шеи белизну.* Лермонтов. Из-под таинственной, холодной полумаски...

С и н. (к 1 знач.): ма́рево, мгла, тума́н, ку́рево, марь (*обл.*), ма́ра (*обл.*), мга (*обл.*). С и н. (ко 2 знач.): газ, кисея́.

**ДЫ́ШЛО**, -а, ды́шла, ды́шел и дышл, *ср.* [Восх. к ср.-в.-нем. dihsel]. Оглобля между двумя лошадьми, прикрепляемая к середине передней оси какой-л. повозки при парной запряжке. *Карета, ехавшая сзади конвойных, надвинулась на повозку конвойных и пробила ее дышлом.* Л. Толстой. Война и мир.

**ДЬЯ́ВОЛ**, -а, *м.* [Греч. diabolos — клеветник, смутьян, дьявол]. **1.** По религиозным представлениям: злой дух, черт, сатана. *[Духовный:] Вы дьяволом одер-*

жимы, у вас повадки бешеные, уверяю вас. Погодин. Кремлевские куранты. **2.** *Прост.* Употр. как бранное слово. *А люди неслись по палубе все быстрее, выскочили классные пассажиры, кто-то прыгнул за борт..* — *Лодку, дьяволы!* — *кричал толстый барин.* М. Горький. В людях. ◊ **Умен** (или **хитер**) **как дьявол** (*разг.*) — очень умен, хитер.

С и н.: де́мон, бес, лука́вый (*устар.* и *прост.*), нечи́стый (*устар.* и *прост.*).

**Дья́вольский**, -ая, -ое. *Дьявольское наваждение. Дьявольский характер.*

**ДЬЯК**, -а́, дьяки́, -о́в *и* -а, дья́ки, -ов, м. [Ср.-греч. diakos — слуга]. В Древней Руси: до 14 в. — княжеский писец, в 14—17 вв. — должностное лицо, занимавшее ответственные посты в государственных учреждениях. *Государевых людей нынче развелось — плюнь, и там дьяк, али подьячий, али целовальник сидит, пишет.* А. Н. Толстой. Петр I.

**ДЬЯ́КОН**, -а, дьяконы, -ов *и* дьякона́, -о́в, м. [Греч. diakonos — слуга, служитель]. Священнослужитель, имеющий первую степень священства, помощник священника при совершении церковной службы. *«Едем! Поп уж в церкви ждет С дьяконом, дьячками; Хор венчальну песнь поет, Храм блестит свечами».* Жуковский. Светлана.

**Дья́конский**, -ая, -ое.

**ДЬЯЧО́К**, -чка́, м. [См. *дьяк*]. Низший церковный служитель, не имеющий степени священства. *Приходский дьячок.* ◊ *Владимир и трое слуг подняли гроб. Священник пошел вперед, дьячок сопровождал его, воспевая погребальные молитвы.* Пушкин. Дубровский.

**ДЮ́ЖИНА**, -ы, ж. [Франц. douzaine]. Двенадцать одинаковых, однородных предметов. *Дюжина ножей, платков, стульев.* ◊ **Чертова дюжина** — тринадцать (в суеверных представлениях — несчастливое число).

**ДЮ́ЖИННЫЙ**, -ая, -ое. [См. *дюжина*]. Обыкновенный, ничем особенным не выделяющийся. *[Миша] имел вид общий всем дюжинным детям богатых помещиков, живущих в деревне.* Герцен. Кто виноват?

С и н.: обы́чный, рядово́й, зауря́дный, просто́й, ордина́рный (*книжн.*).

А н т.: недю́жинный.

**ДЮЙМ**, -а, м. [Голл. duim — *первонач.* большой палец]. Старая мера длины, равная 1/12 фута (2,54 см).

**Дюймо́вый**, -ая, -ое.

**ДЮ́НЫ**, дюн, *мн.* (*ед.* **дю́на**, -ы, ж.). [Нем. Düne]. Прибрежные песчаные холмы, нанесенные и передвигаемые ветром. *Цепь дюн.* ◊ *Шумело и гудело море шагах в пятидесяти от меня. Я увидал, что иду по песку дюн.* Тургенев. Сон.

**Дю́нный**, -ая, -ое. *Дюнный песок.*

# Е

**ЕВА́НГЕЛИЕ**, -я, *ср.* [Греч. euaggelion — благовествование]. Часть Библии, содержащая повествование о жизни и учении Иисуса Христа и являющаяся основой христианского вероучения. *Обедня началась, дьякон уже прочитал евангелие, зазвонили к достойной.* Тургенев. Дворянское гнездо. ◊ **Двенадцать евангелий** — двенадцать отрывков евангелия, читаемых во время всенощной перед пасхой. *Иудушка и Аннинька сидели вдвоем в столовой. Не далее как час тому назад кончилась всенощная, сопровождаемая чтением двенадцати евангелий, и в комнате еще слышался сильный запах ладана.* Салтыков-Щедрин. Господа Головлевы.

**Ева́нгельский**, -ая, -ое. *Евангельский текст.*

**Евангели́ст**, -а, *м.* (составитель евангелия). *Евангелист Лука.*

**Е́ВНУХ**, -а, *м.* [Греч. eunuchos — *букв.* блюститель ложа]. Кастрированный служитель, наблюдающий за женщинами, живущими в гареме. *18 лет попался он в плен к персиянам. Его скопили, и он более 20 лет служил евнухом в гареме одного из сыновей шаха.* Пушкин. Путешествие в Арзрум.

**Е́внушеский**, -ая, -ое.

**ЕВРОПЕ́ЕЦ**, -е́йца, *м.* **1.** Житель или уроженец Европы. *Но европейца все вниманье Народ сей чудный привлекал. Меж горцев пленник наблюдал Их веру, нравы, воспитанье.* Пушкин. Кавказский пленник. **2.** *Устар.* Человек европейской культуры, образованности. *Штольц — вполне европеец по развитию и по взгляду на жизнь.* Писарев. Обломов. Роман И. А. Гончарова.

**Европе́йка**, -и, *ж.* (*устар.*). **Европе́йский**, -ая, -ое. *Европейские страны. Европейское воспитание.*

**ЕВРОПЕО́ИДНЫЙ**, -ая, -ое. ◊ **Европеоидная раса** — одна из трех основных рас человечества, представители которой характеризуются светлой кожей, мягкими (прямыми или волнистыми) волосами, слабым выступанием скул.

**Е́ГЕРЬ**, -я, егеря́, -е́й *и* е́гери, -ей, *м.* [Нем. Jäger — охотник]. **1.** Должностное лицо в охотничьих хозяйствах, в обязанности которого входит надзор за дикими животными и их прикармливание, устройство охот и т. п. *Животные в этом году были ручные, и, хотя теперь их часто подстреливали то солдаты, то сами егеря, они все еще не опасались человека.* Асанов. Свет в затемненном мире. **2.** В некоторых армиях: солдат особых стрелковых полков (конных или пеших). *[Наполеон] проехал по одному из качавшихся на лодках мостов.., предшествуемый замиравшими от счастия восторженными гвардейскими конными егерями, которые, расчищая дорогу по войскам, скакали впереди его.* Л. Толстой. Война и мир.

**Е́герский**, -ая, -ое. *Егерская охота. Егерский полк.*

**ЕГИ́ПЕТСКИЙ**, -ая, -ое. ◊ **Египетская казнь** (*устар.*) — о тяжком наказании, стихийном бедствии (из библейского сказания о десяти бедствиях, постигших Египет за отказ отпустить евреев из плена). — *Такое кругом безобразие, притеснение, — прямо — египетские казни, я, знаете, второй месяц не выхожу со двора.* А. Н. Толстой. Хождение по мукам. **Египетская тьма** (*устар.*) — о беспросветной тьме (из библейского сказания об одной египетской казни — тьме, постигшей Египет). **Египетская работа, египетский труд** — о тяжелой, изнурительной работе, подобной труду рабов, применявшемуся в Древнем Египте при сооружении пирамид.

**ЕДВА́. 1.** *нареч.* Чуть, совсем немного. *Луговой берег едва виден за серебряной водою.* М. Горький. В людях. **2.** *нареч.* С большим трудом, напряжением. *[Софья:] Позвольте, батюшка, кружится голова; Я от испуги дух перевожу едва, Изволили вбежать вы так проворно, Смешалась я.* Грибоедов. Горе от ума. **3.** *союз.* Употр. в придаточном временном предложении в значении как только, чуть только, лишь только. *Едва злодей узнал Руслана, В нем кровь остыла, взор погас.* Пушкин. Руслан и Людмила. *Но едва только он отъехал от Багратиона, как силы изменили ему.* Л. Толстой. Война и мир.

С и н. (к 1 знач.): е́ле, чуть-чу́ть. С и н. (к 2 знач.): е́ле, е́ле-е́ле, ко́е-ка́к, наси́лу (*разг.*). С и н. (к 3 знач.): то́лько, лишь, чуть.

**ЕДИНЕ́НИЕ**, -я, *ср.* Высок. Прочная, тесная связь, приводящая к единству, сплоченности. *Впервые в истории русского Артура мы видим столь тесное единение нашей армии и флота.* Степанов. Порт-Артур.

С и н.: сплочённость, спа́янность, спа́йка, моноли́тность (*высок.*).

**ЕДИНИ́ЧНЫЙ**, -ая, -ое; -чен, -чна, -о. **1.** Только один, единственный. *Единичный факт.* □ *Случай с «Народовольцем» далеко не единичный, и почти ежегодно он повторяется в той или иной гавани.* А. Крылов. Мои воспоминания. **2.** Отдельный, обособленный, индивидуальный. *Единичные случаи заболеваний.* □ *Единичное доброе дело останется всегда, потому что оно есть потребность личности.* Достоевский. Идиот.

С и н. (к 1 знач.): еди́ный. С и н. (ко 2 знач.): ча́стный.

**Едини́чность**, -и, *ж. Единичность явлений.*

**ЕДИНОБО́РСТВО**, -а, *ср.* Борьба один на один между двумя противниками или борьба одного с несколькими противниками. *Вступить в единоборство с кем-л. Спортивное единоборство.* □ *И неожиданно для всех вызвал [Ситанов] мордвина на единоборство — тот встал в позицию, весело помахивая кулаками.* М. Горький. В людях.

С и н.: поеди́нок.

**ЕДИНОВЛА́СТИЕ**, -я, *ср.* Сосредоточение власти в одних руках; полнота, неограниченность чьей-л. власти. *Единовластие монарха.*

**ЕДИНОКРО́ВНЫЙ**, -ая, -ое; -вен, -вна, -о. **1.** Происходящий от одного отца, но от разных матерей (о детях). *Единокровные братья.* **2.** Высок. Принадлежащий к одному племени или одной национальности, а также связанный общностью происхождения. *Нам нужен мир с Польшей и Литвой.. Царь не хочет воевать с единокровным славянским и христианским народом, нашим соседом.* Костылев. Иван Грозный.

**ЕДИНОЛИ́ЧНИК**, -а, *м.* Крестьянин, ведущий отдельное, самостоятельное хозяйство и не являющийся членом сельскохозяйственной артели. *Хозяйство единоличника.*

**Единоли́чница**, -ы, *ж.*

**ЕДИНОМЫ́ШЛЕННИК**, -а, *м.* **1.** Человек одинаковых с кем-л. мыслей, взглядов, убеждений. *Политические единомышленники.* □ *— Вполне разделяю ваше мнение. Мы с вами единомышленники, и мне было бы очень приятно поговорить с вами.* Чехов. Учитель словесности. **2.** Сообщник, соучастник, сторонник. *Выдать своих единомышленников.* □ *Комендант думал в тот же день допросить своего арестанта; но урядник бежал из-под караула, вероятно, при помощи своих единомышленников.* Пушкин. Капитанская дочка.

С и н. (к 1 знач.): сторо́нник, сою́зник.

**ЕДИНОНАЧА́ЛИЕ**, -я, *ср.* Принцип управления, при котором все руководство сосредоточено в руках одного лица. *Осуществление единоначалия на практике.*

**ЕДИНОРО́Г**, -а, *м.* **1.** Редкое морское животное семейства дельфиновых с длинным бивнем в виде рога в верхней челюсти; нарвал. *Посох подали [царю] — это рог единорога, украшенный алмазами, сапфирами, изумрудами.* Костылев. Иван Грозный. **2.** Старинное артиллерийское орудие, род гаубицы, с украшением на стволе в виде отлитой фигуры мифического зверя с рогом. *Одна разбитая пушка и единорог были оставлены.* Л. Толстой. Война и мир. **3.** Фантастическое животное, изображаемое на гербах, на барельефах и т. п. в виде лошади с рогом на лбу.

**ЕДИНОРО́ДНЫЙ**, -ая, -ое; -ден, -дна, -о. *Устар.* Единственный у родителей (о сыне, дочери).

**ЕДИНОУТРО́БНЫЙ**, -ая, -ое; -бен, -бна, -о. *Устар.* Рожденный одной матерью, но от разных отцов. *Единоутробные сестры.*

**ЕДИ́НЫЙ**, -ая, -ое; еди́н, -а, -о. **1.** Один, единственный (обычно с отрицанием). *Ни единого звука. Ни единого возражения.* □ *Он меня любил, Он мне единой посвятил Рассвет печальный жизни бурной!* Пушкин. Евгений Онегин. **2.** Цельный, нераздельный. *Единая система.* □ *Петербург, как всякий город, жил единой жизнью, напряженной и озабоченной.* А. Н. Толстой. Хождение по мукам. **3.** Один и тот же, общий; одинаковый. *Единое мнение. Единые правила игры. Единые педагогические требования.* ◊ **Все до единого** — все без исключения. **Единым духом** — очень быстро, мигом.

С и н. (к 1 знач.): едини́чный. С и н. (ко 2 знач.): неразры́вный, неделимый, неразделимый (*книжн.*), нерасчлени́мый (*книжн.*).

**ЕЖЕГО́ДНИК**, -а, *м.* Периодическое издание, выходящее один раз в год. *Ежегодник Большой Советской Энциклопедии. Астрономический ежегодник.*

**ЕЖЕМЕ́СЯЧНИК**, -а, *м.* Периодическое издание, выходящее один раз в месяц; ежемесячный журнал. *Популярный ежемесячник «Нева».*

**ЕЖЕНЕДЕ́ЛЬНИК**, -а, *м.* Периодическое издание, выходящее один раз в неделю; еженедельный журнал или газета. *Иллюстрированный еженедельник.* ☐ *В лучшем тогда медицинском еженедельнике «Врач»,... в двух номерах подряд были помещены два некролога отца.* Вересаев. В юные годы.

**ЕЗДОВО́Й**, -а́я, -о́е. **1.** Предназначенный для езды. *Ездовые сани.* ☐ *Затем он собрал всех ездовых собак на один длинный ремень и с ружьем в руках отправился в лес.* Арсеньев. В горах Сихотэ-Алиня. **2.** *в знач. сущ.* **ездово́й**, -о́го, *м.* Солдат, правящий конной упряжкой. *Артиллерийские ездовые с громким криком рысью пускали лошадей в воду.* Л. Толстой. Набег.

**ЕКАТЕРИ́НОВКА**, -и, *ж. Устар. разг.* Сторублевый кредитный билет с изображением Екатерины II. *Хутору было доподлинно известно, что Лапшинов в старое время раза три в год возил менять в станицу бумажные екатериновки на золотые империалы.* Шолохов. Поднятая целина.

**ЕЛЕ́Й**, -я, *м.* [Греч. elaion]. **1.** Оливковое масло, употребляемое в церковном обиходе. *Помазание елеем.* ☐ *Зажег ты солнце во вселенной, Да светит небу и земле, Как лен, елеем напоенный, В лампадном светит хрустале.* Пушкин. Подражания Корану. **2.** *перен.* То, что успокаивает; средство утешения. *Я лил потоки слез нежданных, И ранам совести моей Твоих речей благоуханных Отраден чистый был елей.* Пушкин. В часы забав иль праздной скуки...

С и н. (ко 2 знач.): ба́льза́м.

**ЕЛЕ́ЙНЫЙ**, -ая, -ое. **1.** *Прил. к* елей. **2.** *перен.* Приторно ласковый, чрезмерно угодливый. *Елейные речи.* ☐ *По сю пору звучит у меня в ушах.. вкрадчивый, почти елейный.. голос Фокина.* Бахметьев. У порога.

С и н. (ко 2 знач.): слаща́вый, при́торный, сла́дкий (*разг.*), са́харный (*устар.*), медоточи́вый (*устар.*).

**Еле́йно**, *нареч.* **Еле́йность**, -и, *ж.*

**ЕЛИСЕ́ЙСКИЙ**, -ая, -ое. ◇ **Елисейские поля** — 1) в древнегреческой мифологии: прекрасное поле, куда попадали после смерти герои, любимцы богов; рай, элизиум. *— А вам случалось видеть, что люди в моем положении не отправляются в Елисейские? — спросил Базаров.. — Сила-то, сила, — промолвил он, — вся еще тут, а надо умирать!* Тургенев. Отцы и дети; 2) одна из главных магистралей Парижа, где расположена резиденция президента Франции — Елисейский дворец.

**ЁМКИЙ**, -ая, -ое; ёмок, ёмка, -о. **1.** Вместительный. *Емкий сосуд.* ☐ *[Старик] отыскал в чулане два емких охотничьих рюкзака и принялся укладываться.* Б. Полевой. Золото. **2.** *перен.* О мысли, фразе, каком-л. произведении и т. п.: краткий, но содержательный. *В эти радужные издали камни, полонившие когда-то нашего живописца Щедрина, вписано больше, чем в самую емкую страницу истории.* Леонов. О Горьком.

**Ёмко**, *нареч.* **Ёмкость**, -и, *ж.*

**ЕНДОВА́**, -ы́, *ж.* Старинная русская посуда для вина в виде большой широкой чаши с носиком или рыльцем. *Медная ендова.* ☐ *[В Кремле] все покои были низенькие, сводчатые.. За слюдяными дверцами.. поблескивали ендовы и кувшины, из которых, может быть, пивал Иван Грозный, но нынче их уже не употребляли.* А. Н. Толстой. Петр I.

**ЕПАНЧА́**, -и́, *ж.* [Тюрк. (турецк.) japunža]. Старинная верхняя одежда в виде широкого плаща. *Из церкви вышел в персидских латах, в епанче, в шлеме с малиновыми перьями князь Голицын, за ним вся казацкая старшина.* А. Н. Толстой. Петр I.

**Епанчо́вый**, -ая, -ое.

**ЕПА́РХИЯ**, -и, *ж.* [Греч. eparchia]. Церковно-административный округ, находящийся под управлением архиерея (епископа). *Отец Киприан рассказал о своем разговоре с архиереем, когда тот, объезжая епархию, вызвал всех священников уезда к себе в город, в монастырь.* Тургенев. Новь.

**Епархиа́льный**, -ая, -ое. *Епархиальный округ.*

**ЕПИ́СКОП**, -а, *м.* [Греч. episcopos]. Высший духовный сан в христианской церкви, а также лицо, имеющее этот сан; архиерей. *Право на исконные земли рыцарей, гроссмейстеров ордена и епископов нужно было доказывать древними грамотами.* А. Н. Толстой. Петр I.

**Епи́скопский**, -ая, -ое.

**ЕПИТИМЬЯ́**, -и́, епитимьи́, -ми́й, *ж.* [От греч. epitimia — наказание, кара]. Наказание, налагаемое церковью на нарушившего религиозные нормы, состоящее в посте, длительных молитвах и т. п. *Наложить епитимью.*

**ЕР**, -а, е́ры, -о́в *и* еры́, -о́в, *м.* В старой русской азбуке: название буквы; твердый знак. *[Кошкин:] Кто это с ятем и с ером пишет? [Елистратов:] Это — секретарь из финансового отдела. Никак не может отвыкнуть.* Тренев. Любовь Яровая.

**Е́РЕСЬ**, -и, *ж.* [Греч. hairesis — выбор; образ мыслей; философская или религиозная секта]. **1.** Религиозное учение, противоречащее догмам господствующей религии, отступающее от нее. *[Григорий читает:] Григорий, из роду Отрепьевых, впал в ересь и дерзнул, наученный диаволом, возмущать святую братию всякими соблазнами и беззакониями.* Пушкин. Борис Годунов. **2.** *перен.* Нечто противоречащее общепринятому пониманию. *Ересь в науке.* **3.** *перен. Разг.* Вздор, чепуха. *Вобьет себе в голову какую-нибудь ересь, и потом его сам черт не уговорит.* Саянов. Небо и земля.

С и н. (к 3 знач.): ерунда́ (*разг.*), чушь (*разг.*), белиберда́ (*разг.*), галиматья́ (*разг.*), ахине́я (*разг.*), околе́сица (*разг.*), бред (*разг.*).

**ЕРЕТИ́К**, -а́, *м.* [Греч. hairetikos]. **1.** Последователь ереси (в 1 знач.). *Песен этих ни ему петь, ни тебе слушать не надобно. Это.. раскольниками придумано, еретиками.* М. Горький. Детство. **2.** О том, кто отступает от господствующих или общепринятых взглядов, правил, положений. *Из поколения, образованного под влиянием карамзинского направления, многие смотрели на Пушкина косо, как на литературного еретика.* Белинский. Русская литература в 1844 г.

**Ерети́чка**, -и, *ж.* **Ерети́ческий**, -ая, -ое. *Еретическая секта.*

**ЕРМО́ЛКА**, -и, ж. [Польск. jarmułka]. Маленькая круглая шапочка из мягкой ткани без околыша. *На седых кудрях [Широкогорова] изящно сидела черная шелковая ермолка.* Павленко. Счастье.

**ЕРЫ́**, нескл., ср. Устарелое название буквы «ы».

**ЕРЬ**, -я, м. В старой русской азбуке: название буквы; мягкий знак.

**ЕСАУ́Л**, -а, м. [Тюрк. (турецк.) jasaul — распорядитель, исполнитель приказаний]. В царской армии: офицерский чин в казачьих войсках, соответствующий чину капитана в пехоте, а также лицо, имеющее этот чин. *Рядом с Денисовым, также в бурке и папахе, на сытом, крупном донце ехал казачий есаул.* Л. Толстой. Война и мир.

**ЕСТЕ́СТВЕННЫЙ**, -ая, -ое; -вен и -венен, -венна, -о. **1.** *полн. ф.* Созданный природой без вмешательства человека. *Естественные богатства страны. Естественные пастбища.* □ *Мы подъехали к оврагам, естественным укреплениям слободы.* Пушкин. Капитанская дочка. **2.** *полн. ф.* Обусловленный законами природы, а не посторонним вмешательством. *Естественная смерть. Естественное воспитание.* **3.** Нормальный, закономерный, обычный. *Естественный путь развития. Естественное желание.* □ *Благородство Ули по отношению к подруге не только не казалось Анатолию удивительным, — оно казалось ему вполне естественным.* Фадеев. Молодая гвардия. **4.** Непринужденный, не напускной. *Естественная улыбка. Естественная поза.* □ *Он был прост и естествен в речах и движениях.* Паустовский. Повесть о жизни. **5.** О науках: относящийся к изучению природы. ◇ **Естественный отбор** — процесс развития живой природы, в котором сохраняются организмы, наиболее приспособленные к изменяющимся условиям жизни.
С и н. (к 1 знач.): приро́дный, нату́ральный.
С и н. (к 4 знач.): непосре́дственный, свобо́дный, просто́й, безыску́сственный.
А н т. (к 1 знач.): иску́сственный. А н т. (ко 2 и 3 знач.): неесте́ственный. А н т. (к 4 знач.): неесте́ственный, иску́сственный, принуждённый, напускно́й.

**Есте́ственно**, *нареч.* (к 3 и 4 знач.). **Есте́ственность**, -и, ж. (к 3 и 4 знач.).

**ЕСТЕСТВО́**, -а́, ср. *Устар.* **1.** Природное основное свойство чего-л.; суть, сущность. *Филипп Александрович не узнавал дочери: в прежнюю оболочку новое влилось естество.* Леонов. Соть. **2.** Природа. *Любовью, миром наслаждайся, Дарами естества питайся, Сбирай с земли сторичный плод.* А. Х. Востоков. К фантазии.
С и н. (ко 2 знач.): нату́ра (устар.).

**ЕСТЕСТВОЗНА́НИЕ**, -я и (устар.). **ЕСТЕСТВОВЕ́ДЕНИЕ**, -я, ср. Совокупность наук о явлениях и закономерностях природы. *Между тем, стало уясняться, что философия без естествоведения так же невозможна, как естествоведение без философии.* Герцен. Письма об изучении природы. *С жадностью стал читать книги по естествознанию.* М. Горький. Мои университеты.

**ЕФРЕ́ЙТОР**, -а, м. [Нем. Gefreiter — освобожденный (от некоторых обязанностей рядового)]. Первое воинское звание, присваиваемое рядовому, а также лицо, носящее это звание. *Побывал ефрейтор.. Бакасов и на Западе, и на Востоке.* Айтматов. Прощай, Гульсары!

**Ефре́йторский**, -ая, -ое. *Ефрейторское звание.*

**ЕХИ́ДНЫЙ**, -ая, -ое; -ден, -дна, -о. [От греч. echidna — мифологическое чудовище, полуженщина-полузмея]. Отличающийся тонкой, злой насмешливостью, язвительный. *Ехидное замечание.* □ *[Усков] с ехидной усмешкой перечислил в дополнение ряд малоизвестных имен. Для студента Ускова не существовало авторитетов.* Прилежаева. Юность Маши Строговой.
С и н.: е́дкий, ко́лкий, ядови́тый, саркасти́ческий и саркасти́чный, сардони́ческий (книжн.).

**Ехи́дно**, *нареч.* **Ехи́дность**, -и, ж. и **ехи́дство**, -а, ср.

# Ж

**ЖАБО́**, *нескл.* [Франц. jabot — букв. птичий зоб]. **1.** ср. и м. В 18 в.: кружевная или кисейная сборчатая обшивка вокруг ворота или на груди мужской сорочки; позже — высокий стоячий воротник мужской сорочки, закрывавший низ щек. *На шее было надето что-то вроде ожерелья, и из-за ожерелья выступал высокий белый жабо, окаймлявший его продолговатое лицо.* Л. Толстой. Война и мир. **2.** ср. Пышная отделка из кружев или легкой ткани на груди у ворота женской блузки или платья.

**ЖА́ЖДАТЬ**, -ду, -дешь; жа́ждущий, жа́ждавший; жа́ждя; *несов.* **1.** *Устар.* Сильно хотеть пить. *Влево, в углу у дверей, на табурете — ведро воды для жаждущих.* Помяловский. Очерки бурсы. **2.** *перен.*, чего или с неопр. *Высок.* Сильно, страстно желать чего-л. *Жаждать успеха.* □ — *Я не видел вас целую неделю, я не слышал вас так долго. Я страстно хочу, я жажду вашего голоса. Говорите.* Чехов. Ионыч.
С и н. (ко 2 знач.): вожделе́ть (высок.), алка́ть (устар. книжн.).

**ЖАЛЕ́ЙКА**, -и, ж. Русский и украинский народный музыкальный инструмент из бересты или коровьего рога, представляющий собой дудку с небольшим раструбом. *Звуки жалейки.* □ *Пастушок шел, закинув голову, и играл на жалейке.* Фадеев. Последний из удэге.

**ЖА́ЛКИЙ**, -ая, -ое; жа́лок, жалка́, жа́лко. **1.** Вызывающий жалость, достойный сострадания. *Жалкий вид.* □ *[Она] — жалкая девушка. У нее никого нет.. Батюшка взял ее сиротой на улице.* Л. Толстой. Война и мир. **2.** Невзрачный, бедный; вызывающий сожаление своим убожеством. *[Ежевикин] был во фраке, очень изношенном и, кажется, с чужого плеча.. Дырявые сапоги, засаленная фуражка гармонировали с его жалкой одеждой.* Достоевский. Село Степанчиково и его обитатели. **3.** Ничтожно малый, незначительный. *Жалкие результаты. Жалкая сумма денег.* □ *Жалкие остатки добровольческих полков на транспортах переправлялись* в Крым. А. Н. Толстой. Хождение по мукам. **4.** Жалобный, взывающий к сочувствию. *Бедное животное жалким мяуканьем призывало на помощь.* Пушкин. Дубровский.

С и н. (к *1 знач.*): несча́стный, бе́дный. С и н. (ко *2 знач.*): убо́гий, ску́дный, ни́щий, ни́щенский. С и н. (к *3 знач.*): ничто́жный, мизе́рный и ми́зерный, ни́щенский (*разг.*), пустяко́вый (*разг.*), пустя́чный (*разг.*). С и н. (к *4 знач.*): жа́лостный (*разг.*).

**Жа́лко,** *нареч.* (к *1, 2 и 4 знач.*). **Жа́лкость,** -и, *ж.*

**ЖА́ЛОБА,** -ы, *ж.* **1.** Выражение неудовольствия, страдания, боли. *Печорин вернулся с охоты, Бэла бросилась ему на шею, и ни одной жалобы, ни одного упрека за долгое отсутствие.* Лермонтов. Герой нашего времени. **2.** Официальное заявление о незаконном или неправильном действии какого-л. лица, учреждения, организации. *Подать жалобу в вышестоящую организацию.* □ *[Городничий:] Если на случай попадется жалоба или донесение, то, без всяких рассуждений, задерживайте.* Гоголь. Ревизор.

С и н. (к *1 знач.*): се́тование (*книжн.*), пе́ня (*устар.*).

**Жа́лобный,** -ая, -ое (ко *2 знач.*). *Жалобная книга.*

**ЖА́ЛОВАННЫЙ,** -ая, -ое. *Устар.* **1.** Полученный в виде награды, не наследственный. *Жалованное имение. Жалованные земли.* **2.** Награжденный. *[Устинья Наумовна:] Подавай ты ей беспременно купца, да чтобы был жалованный.* А. Островский. Свои люди — сочтемся. ◊ **Жалованная грамота** — в старину: документ, по которому предоставлялись какие-л. льготы, преимущества.

**ЖА́ЛОВАНЬЕ,** -я, *ср. Устар.* Денежное вознаграждение за службу, работу. *Месячное жалованье.* □ *Мне негде было взять денег — жалованье мое платили деду, я терялся, не зная — как быть?* М. Горький. В людях.

С и н.: зарпла́та.

**ЖА́ЛОВАТЬ,** жа́лую, жа́луешь; жа́лующий, жа́ловавший; жа́луемый, жа́лованный; -ан, -а, -о; жа́луя; *несов.* **1.** *кого чем или кому что. Устар.* Награждать чем-л., дарить что-л. — *Его благородие мне жалует шубу с своего плеча: его и то барская воля.* Пушкин. Капитанская дочка. *Военный министр подошел, поздравляя его с орденом Марии-Терезии 3-й степени, которым жаловал его император.* Л. Толстой. Война и мир. **2.** *кого, что. Разг.* Быть расположенным к кому-л., оказывать внимание кому-л. — *Товарищ прокурора меня не жалует. Я дважды просил, чтобы он разрешил сопровождать его на допросы. Обещает, но...* Федин. Первые радости. **3.** *к кому. Устар.* Приходить куда-л., посещать кого-л. *[Фамусов:] Ко мне он жаловать частенько; Я всякому, ты знаешь, рад.* Грибоедов. Горе от ума.

С и н. (к *1 знач.*): подноси́ть, преподноси́ть, презентова́ть (*устар. и разг.*), дарова́ть (*устар. и высок.*). С и н. (ко *2 знач.*): симпатизи́ровать, благоволи́ть (*устар.*).

**ЖАЛЮЗИ́,** *нескл., ср.* и *мн.* [Франц. jalousie]. Солнцезащитные воздухопроницаемые ставни или шторы из узких поперечных параллельных пластинок. *Поднять, опустить жалюзи.* □ *Сквозь щель жалюзи пробивался солнечный луч.* Гранин. Иду на грозу.

**ЖАНДА́РМ,** -а, *м.* [Франц. gendarme]. **1.** В некоторых странах: тот, кто состоит на службе в жандармерии (особых полицейских войсках, предназначенных для политической охраны и сыска). *Корпус жандармов.* □ *Жандармы вошли в камеру, соседнюю с той, где сидели Валько и Матвей Костиевич.* Фадеев. Молодая гвардия. **2.** *перен.* Душитель революционного, национально-освободительного и т. п. движений, применяющий военные и политические силы для расправы с такими движениями. *Николай I вошел в историю как жандарм Европы.*

**Жанда́рмский,** -ая, -ое. *Жандармское управление.*

**ЖАНР,** -а, *м.* [Франц. genre от лат. genus, generis — род; жанр]. **1.** Вид произведений в области какого-л. искусства, характеризующийся теми или иными сюжетными и стилистическими признаками. *Вокальный жанр. Жанр портрета. Комедийный жанр. Проза — ведущий жанр литературы 19 в. Роман приключенческого жанра.* **2.** *Спец.* Живопись на бытовые сюжеты; картина на бытовой сюжет. *Такие произведения,.. как пейзажи Шишкина, Левитана, жанры Прянишникова и Маковского, как портреты Серова, порождали вокруг себя целую литературу.* Телешов. Записки писателя. **3.** *перен.* Стиль, манера. *Но чтобы Любинька могла петь по-цыгански,.. это — ложь-с. Вот она, Аннинька, может так петь — это несомненно. Это ее жанр, это ее амплуа.* Салтыков-Щедрин. Господа Головлевы.

**Жа́нровый,** -ая, -ое (к *1 и 2 знач.*). *Жанровые особенности произведения. Жанровые разновидности. Жанровая живопись.*

**ЖАРГО́Н,** -а, *м.* [Франц. jargon]. Условный язык какой-л. социальной группы, отличающийся от общенародного языка лексикой, но не обладающий собственной фонетической и грамматической системой. *Салонный, студенческий жаргон. Пользоваться жаргоном.* □ *Прохоров подумал, что Заварзин на воровской жаргон перешел именно потому, что его приперли к стенке.* Липатов. И это все о нем.

С и н.: арго́.

**Жарго́нный,** -ая, -ое. *Жаргонное выражение.*

**ЖАРО́ВНЯ,** -и, *ж.* Сосуд для горящих углей, заменяющий печку. *Женщины выгребли из печки и перенесли горящие уголья в жаровню.* Арсеньев. В горах Сихотэ-Алиня.

**Жаро́венный,** -ая, -ое.

**ЖА́ТВА,** -ы, *ж.* **1.** Уборка хлебных злаков и других растений путем срезывания их стеблей под корень, а также время такой уборки. *Жатва пшеницы. Жатва в разгаре.* □ *Целый месяц.. шли дожди, и.. пшеница начинала ложиться. Подступала жатва, а сейчас ни к чему.* Проскурин. Горькие травы. **2.** Спелые хлеба на корню, а также сжатые хлеба; урожай. *Зеленая жатва.* □ *Я ехал посреди плодоносных нив и цветущих лугов. Жатва струилась, ожидая серпа.* Пушкин. Путешествие в Арзрум.

С и н. (ко 2 знач.): жи́то.

**Жа́твенный**, -ая, -ое.

**ЖА́ТКА**, -и и **ЖНЕ́ЙКА**, -и, ж. Жатвенная машина. *Колонисты хорошо знали хозяйство каждого нашего соседа, знали даже состояние отдельной сеялки или жатки.* Макаренко. Педагогическая поэма. *Лишь к вечеру жена пришла домой — она за жнейкою снопы вязала.* А. Яшин. Алена Фомина.

**ЖБАН**, -а, м. Сосуд в виде кувшина с крышкой. *Заглянул бы кто-нибудь к нему на рабочий двор,.. горами белеет всякое дерево — шитое, точеное, луженое, плетеное: бочки,.. жбаны.* Гоголь. Мертвые души.

**ЖГУТ**, -а́, м. **1.** Туго закрученный в виде веревки кусок ткани, пук соломы и т. п. *Соломенный жгут.* □ *Иногда они доводили меня до того, что я шлепал их жгутами мокрого белья.* М. Горький. В людях. **2.** Особого рода медицинская стягивающая повязка для временной остановки кровотечения. *Эластичный жгут.* □ *Действительно, это был поясной ремень, жгутом наложенный ниже колена над неумелой перевязкой.* Бек. События одной ночи. ◊ *Горячий снег.*

**ЖГУ́ЧИЙ**, -ая, -ее; жгуч, -а, -е. **1.** Такой, который жжет, вызывает ощущение жжения. *Жгучие лучи солнца. Жгучий мороз. Жгучая боль. Жгучая крапива.* □ *Из отверстия струится жгучий жар, внутри печи видны раскаленные красные стенки.* Бек. **2.** *перен.* Остро переживаемый, мучительный. *Жгучий стыд.* □ *Хотя бы судьба послала ему.. жгучее раскаяние,.. такое раскаяние, от ужасных мук которого мерещится петля и омут.* Достоевский. Преступление и наказание. ◊ **Жгучий брюнет, жгучая брюнетка** — человек с очень темными, черными волосами. **Жгучий вопрос** — злободневный вопрос, имеющий общественный интерес. — *Тебя называли чутким талантом, который в каждой работе затрагивал жгучие вопросы.* Невежин. Неугомонная.

С и н. (к 1 знач.): обжига́ющий. С и н. (ко 2 знач.): жесто́кий, о́стрый.

**ЖЕЗЛ**, -а́ и -а, м. **1.** Короткая палка, обычно украшенная, служащая символом власти, почетного положения, чина и т. п. *Орловы добровольно уступили жезл маршала Комиссии генералу Александру Ильичу Бибикову.* Пикуль. Фаворит. **2.** *Спец.* Особая палка, которой регулировщик движения делает указания пешеходам, транспорту. *Не так давно он хотел быть зенитчиком. А еще раньше торчал часами на перекрестках, восхищаясь милицейским жезлом, властным остановить движение улицы.* Прилежаева. Юность Маши Строговой.

**ЖЕЛЕ́**, нескл., ср. [Франц. gelée — букв. замороженный]. **1.** Сладкое студенистое кушанье, приготовляемое с помощью желатина из фруктово-ягодных соков, а также из вина, молока и других продуктов. *Брусничное желе.* □ *Под яблонею вечно был разложен огонь, и никогда почти не снимался с железного треножника.. таз с вареньем, желе, пастилою.* Гоголь. Старосветские помещики. **2.** Студенистое кушанье из сгустившегося мясного или рыбного навара. *Мясо в желе.*

**ЖЁЛТЫЙ**, -ая, -ое; жёлт, желта́, жёлто. **1.** Имеющий окраску одного из основных цветов спектра — среднего между оранжевым и зеленым; цвет яичного желтка, золота, лимона. *В октябре деревья желты, Пахнет спиртом палый лист.* Козин. В октябре. **2.** *перен.* Соглашательский, реформистский; предающий интересы народа. *Желтая пресса.* ◊ **Желтый дом** (*устар.*) — больница для душевнобольных (стены этих домов обычно красили в желтый цвет). *[Загорецкий:] Его в безумные упрятал дядя-плут; Схватили, в желтый дом, и на́ цепь посадили.* Грибоедов. Горе от ума. **Желтый билет** — паспорт на желтом бланке, выдававшийся проституткам в дореволюционное время.

С и н. (к 1 знач.): золото́й, лимо́нный, канаре́ечный, шафра́нный и шафра́новый, янта́рный, соло́менный, яи́чный. С и н. (ко 2 знач.): прода́жный.

**ЖЁЛЧЬ**, -и и **ЖЕЛЧЬ**, -и, ж. **1.** Желто-зеленая горькая жидкость, выделяемая печенью. *Разлитие желчи.* **2.** *перен.* Раздражение, злоба, а также горечь. *[Чацкий:] Теперь не худо б было сряду На дочь и на отца, И на любовника-глупца, И на весь мир излить всю желчь и всю досаду.* Грибоедов. Горе от ума.

С и н. (ко 2 знач.): злость, зло, озлобле́ние, ожесточе́ние, яд, се́рдце (*разг.*).

**ЖЁЛЧНЫЙ**, -ая, -ое; -чен, -чна, -о и **же́лчный**, -ая, -ое; -чен, -чна, -о. *Желчный пузырь. Желчный характер.* **Жёлчно и же́лчно**, *нареч.* (ко 2 знач.). *Желчно рассмеяться.* **Жёлчность**, -и и **же́лчность**, -и, ж. (ко 2 знач.).

**ЖЕМА́ННЫЙ**, -ая, -ое; -а́нен, -а́нна, -о. Лишенный простоты и естественности; манерный. *Жеманное поведение.* □ *Ее находят что-то странной, Провинциальной и жеманной.* Пушкин. Евгений Онегин.

С и н.: неесте́ственный, де́ланный, ненатура́льный, напускно́й, напряжённый, принуждённый, наи́гранный, театра́льный, драмати́ческий, аффекти́рованный (*книжн.*).

**Жема́нно**, *нареч.* Жеманно поджать губы. **Жема́нность**, -и, ж. и **жема́нство**, -а, ср.

**ЖЕ́МЧУГ**, -а, жемчуга́, -о́в, м. [Тюрк.]. Твердое перламутровое вещество, образующееся в раковине некоторых моллюсков в виде зерен белого или желтоватого (реже черного) цвета, употребляющееся как драгоценное украшение. *Речной жемчуг. Добыча жемчуга. Низать жемчуг.* □ *Наполеон перед отъездом.. [одарил] жемчугами и бриллиантами императрицу австрийскую.* Л. Толстой. Война и мир.

**Жемчу́жный**, -ая, -ое. *Жемчужное ожерелье.*

**ЖЕМЧУ́ЖИНА**, -ы, ж. **1.** Отдельное зерно жемчуга. *Мы заметили на нем золотые часы, булавку с жемчужиной.* Чехов. Злоумышленники. **2.** *перен., чего. Высок.* Сокровище, лучшее украшение. *«Бэла» и «Тамань» в особенности могут считаться одними из драгоценнейших жемчужин русской поэзии.* Белинский. Герой нашего времени. Сочинение М. Лермонтова.

С и н. (к *1 знач.*): перл (*устар.*). С и н. (*ко 2 знач.*): драгоце́нность, перл (*устар. высок.*).

**ЖЕМЧУ́ЖНИЦА**, -ы, *ж*. Моллюск, в раковине которого образуется жемчуг. *Морская жемчужница. Добыча жемчужниц.*

**ЖЕНА́**, -ы́, жёны, жён, *ж*. **1.** Замужняя женщина (по отношению к своему мужу). **2.** *Устар. и высок.* Женщина. *Настанет год, России черный год, Когда царей корона упадет; Забудет чернь к ним прежнюю любовь, И пища многих будет смерть и кровь; Когда детей, когда невинных жен Низвергнутый не защитит закон.* Лермонтов. Предсказание.

С и н. (к *1 знач.*): благове́рная (*разг.*), супру́жница (*прост.*), ба́ба (*прост.*), хозя́йка (*прост.*), супру́га (*устар. и офиц.*).

**ЖЕ́НСТВЕННЫЙ**, -ая, -ое; -ен и -енен, -енна, -о. Обладающий качествами, присущими женщине; мягкий, нежный, изящный. *Женственная натура.* □ *Насколько последняя [Аленка] была плавна и женственна во всех движениях, настолько же первая [Домашка] — резка, решительна и мужественна.* Салтыков-Щедрин. История одного города.

**Же́нственность**, -и, *ж*. Отсутствие женственности в чьем-л. облике.

**ЖЕРЕБЬЁВКА**, -и, *ж*. Решение какого-л. вопроса (о праве, очередности и т. п.) по жребию. *Жеребьевка участников соревнования.* □ *Я все-таки принял участие в этой идиотской жеребьёвке и.., конечно, вытащил узелок.* Куприн. Путаница.

**ЖЁРНОВ**, -а, жернова́, -о́в, *м*. Мельничный каменный круг для перетирания, размола зерен в муку. *[Князь:] Вот мельница! Она уж развалилась; Веселый шум ее колес умолкнул; Стал жернов — видно, умер и старик.* Пушкин. Русалка.

Жерново́й, -а́я, -о́е.

**ЖЕ́РТВА**, -ы, *ж*. **1.** По обрядам некоторых древних религий: приносимый в дар божеству предмет или живое существо (обычно убиваемое), а также сам обряд принесения этого дара. *Жертва богам.* □ *[Оракул] стоял в наряде пребогатом, Завален жертвами, мольбами заглушен И фимиамом задушен.* И. Крылов. Оракул. **2.** *Высок.* Добровольный отказ, отречение в пользу кого-, чего-л.; самопожертвование.— *Ты выходишь за Лужина для меня. А я жертвы не принимаю.* Достоевский. Преступление и наказание. **3.** О том, кто пострадал, погиб от какого-л. несчастного случая, насилия и т. п., а также о том, кто подвергся страданиям, неприятностям вследствие чего-л. *Наводнение с человеческими жертвами. Жертвы фашизма.* □ *Евгений Васильевич считал себя невинно пострадавшим, жертвой судебной ошибки.* Мамин-Сибиряк. Человек с прошлым. ◇ **Принести жертву** *чему* — сделать что-л. во имя чего-л. **Принести в жертву** *что* — отказаться от чего-л., пожертвовать чем-л. *Принести свои интересы в жертву общему делу.* **Пасть жертвой** *чего* — погибнуть от чего-л. или ради, во имя чего-л. *Пасть жертвой своей неосторожности.*

С и н. (к *1 знач.*): жертвоприноше́ние. С и н. (*ко 2 знач.*): самоотрече́ние (*книжн.*). С и н. (к *3 знач.*): пострада́вший, потерпе́вший (*спец.*).

**Же́ртвенный**, -ая, -ое (к *1 и 2 знач.*). *Жертвенное животное. Жертвенный подвиг.*

**ЖЕ́РТВЕННИК**, -а, *м*. **1.** Место (особый стол, очаг и т. п.), на котором приносились жертвы божеству. *[Жрец] отрезал птице голову, вынул у нее из груди сердце и кровью ее окропил жертвенник и священный нож.* Куприн. Суламифь. **2.** Стол в алтаре православной церкви для совершения некоторых обрядов.

С и н. (к *1 знач.*): алта́рь.

**ЖЕРТВОПРИНОШЕ́НИЕ**, -я, *ср*. В древности: обряд принесения жертвы божеству, а также то, что приносится в жертву. *Совершать жертвоприношения.*

С и н.: же́ртва.

**ЖЕСТ**, -а, *м*. [Франц. geste от лат. gestus]. **1.** Телодвижение, преимущ. движение рукой, сопровождающее речь для усиления ее выразительности или имеющее значение какого-л. сигнала, знака. *Выразительный жест. Язык жестов.* □ *Кузнецов с пылающим от печного жара лицом.. поднялся, выработанным строевым жестом оправил кобуру пистолета.* Бондарев. Горячий снег. **2.** *перен.* Поступок, совершаемый с каким-л. умыслом или в знак чего-л. *Сделать красивый жест.* □ *Друзья присылают цветы.. Присланные цветы трогают нас. Еще один скромный дружеский жест.* Первенцев. В Исландии. ◇ **Широкий жест** — поступок, совершенный с целью показать свое бескорыстие, великодушие, щедрость и т. п.

Же́стовый, -ая, -ое (к *1 знач.*).

**ЖЕСТИКУЛИ́РОВАТЬ**, -рую, -руешь; жестикули́рующий, жестикули́ровавший; жестикули́руя; *несов*. [Франц. gesticuler от лат. gesticulari]. Делать жесты (в *1 знач.*). *Рассказывая, Женька оживленно жестикулировал, надувал щеки и морщил многозначительно лоб, чтобы походить на фельдшера.* Липатов. И это все о нем.

Жестикули́рование, -я, *ср*. и жестикуля́ция, -и, *ж*.

**ЖЁСТКИЙ**, -ая, -ое; жёсток, жестка́, жёстко. **1.** Твердый, плотный и грубый на ощупь. *Жесткие волосы.* □ *Старик молча старческими жесткими руками, как тисками, обхватил шею сына и зарыдал как ребенок.* Л. Толстой. Война и мир. **2.** *перен.* Суровый, резкий, грубоватый. *Жесткий характер. Жесткая критика. Жесткая игра в футбол.* □ *Черты лица его [городничего] грубы и жестки, как у всякого, начавшего тяжелую службу с низших чинов.* Гоголь. Ревизор. **3.** *перен.* Не допускающий отклонений, строгий. *Жесткие условия. Жесткий режим.* □ *Сроки, поставленные Комитетом Обороны для продолжения выпуска танков,.. были чрезвычайно жестки.* Первенцев. Испытание. ◇ **Жесткий вагон** — пассажирский вагон с жесткими сиденьями. **Жесткая вода** — вода, насыщенная солями калия и магния, плохо растворяющая мыло.

С и н. (к *2 знач.*): круто́й. С и н. (к *3 знач.*): желе́зный (*разг.*).

А н т.: мя́гкий.

**ЖЕСТО́КИЙ**, -ая, -ое; -о́к, -а, -о. **1.** Крайне суровый, безжалостный, беспощадный. *Жестокое сердце.* □ *[Пушкин:] Московские граждане! Мир ведает, сколь много вы терпели Под властью жестокого пришельца: Опалу, казнь, бесчестье, налоги И труд, и глад,— все испытали вы.* Пушкин. Борис Годунов. **2.** Очень сильный, выходящий за пределы обычного. *Жестокое сопротивление. Жестокая болезнь.* □ *Задул жестокий ветер, сообщения с берегом не было.* И. Гончаров. Фрегат «Паллада».

С и н. (к 1 знач.): бессерде́чный, бесчелове́чный, немилосе́рдный (*книжн.*), жестокосе́рдный (*высок.*) и жестокосе́рдый (*устар. высок.*). С и н. (ко 2 знач.): лю́тый, ужа́сный (*разг.*), чудо́вищный (*разг.*), жу́ткий (*разг.*), свире́пый (*разг.*).

**Жесто́ко**, *нареч.* **Жесто́кость**, -и, *ж.*

**ЖЕСТОКОСЕ́РДНЫЙ**, -ая, -ое; -ден, -дна, -о и (*устар.*) **ЖЕСТОКОСЕ́РДЫЙ**, -ая, -ое; -е́рд, -а, -о. *Высок.* Бессердечный, безжалостный. *Жестокосердый помещик! Посмотри на детей крестьян, тебе подвластных. Они почти наги. Отчего? Не ты ли родших их в болезни и горести обложил сверх всех полевых работ оброком?* Радищев. Путешествие из Петербурга в Москву. *Председатель колхоза Тимофей Ильич, в сущности, был жестокосердным человеком.* А. Калинин. Цыган.

С и н.: жесто́кий, беспоща́дный, бесчелове́чный, немилосе́рдный (*книжн.*).

**Жестокосе́рдие**, -я, *ср.*

**ЖЕТО́Н**, -а, *м.* [Франц. jeton]. **1.** Металлический значок, указывающий на принадлежность к какому-л. обществу и носимый в петлице ее членами, а также выдаваемый в память какого-л. события или в качестве приза. *Купеческое происхождение выдавала только массивная золотая цепочка с десятком каких-то жетонов и брелоков.* Мамин-Сибиряк. Под липой. **2.** Металлический или пластмассовый кружок, служащий условным знаком чего-л., дающий право на что-л. *Жетон на получение багажа.* □ *Проверили пропуск и вручили жетон на получение похлебки.* В. Попов. Сталь и шлак.

**Жето́нный**, -ая, -ое.

**ЖИВЕ́ТЕ**, *нескл., ср.* Устарелое название буквы «ж».

**ЖИВИ́ТЕЛЬНЫЙ**, -ая, -ое; -лен, -льна, -о. Возбуждающий и укрепляющий жизненные силы. *Живительная влага.* □ *Живительный горный воздух возвратил ей цвет лица и силы.* Лермонтов. Герой нашего времени.

С и н.: целе́бный, цели́тельный (*книжн.*), животво́рный (*высок.*).

**Живи́тельно**, *нареч.* **Живи́тельность**, -и, *ж.*

**ЖИВО́Й**, -а́я, -о́е; жив, жива́, жи́во. **1.** Такой, который живет, обладает жизнью. *Кто у соседей в полку сейчас живой и кто неживой, политрук не знал.* Симонов. Солдатами не рождаются. **2.** Подлинный, существующий в действительности, а также жизненный, актуальный. *Живые факты.* □ *[Петр:] Я говорю о том, что, называя всю эту вашу.. беготню и суету живым делом, вы обманываетесь.* М. Горький. Мещане. **3.** Полный жизненных сил, энергии. *Живой ребе-*нок. □ *Ласково поблескивая удивительно живыми глазами, Ленин тотчас же заговорил о недостатках книги «Мать».* М. Горький. В. И. Ленин. **4.** Полный движения, оживления, исполненный жизни. *Пустынная [река] Лена стала живым, не умолкающим, ни летом, ни зимою, путем.* И. Гончаров. Фрегат «Паллада». **5.** Яркий, выразительный. *Речью своей, страстной и живой, Беридзе увлек всех, и когда сел на место, собравшиеся не удержались от аплодисментов.* Ажаев. Далеко от Москвы. **6.** Остро переживаемый. *Живая обида. Живое воспоминание.* **7.** *кр. ф.* Такой, который существует, сохраняется. *Некоторые пьесы я смотрел по многу раз, и они до сих пор живы в моей памяти.* Юрьев. Записки. ◇ **Живая вода** — в сказках: оживляющая мертвых. **Живая изгородь** — ряд часто посаженных деревьев или кустов, образующих ограду. **Живой портрет** — о ком-л. очень похожем на кого-л. **Живая природа** (или **материя**) — о том, что принадлежит к животному и растительному миру. **Живая рана** — 1) рана, еще не зажившая; 2) (*перен.*) острое, не смягченное временем горе, душевное страдание. **Живое предание** — устное, незаписанное, передающееся от поколения к поколению. **Живая сила** — люди и животные (при противопоставлении механической силе, технике). **Живой уголок** — уголок живой природы, представляющий собой набор растений и животных, используемых в учебных целях.

С и н. (к 1 знач.): здра́вствующий. С и н. (ко 2 знач.): животрепе́щущий, злободне́вный. С и н. (к 3 знач.): оживлённый, бо́йкий. С и н. (к 4 знач.): оживлённый.

А н т. (к 1, 3 и 4 знач.): мёртвый.

**ЖИВОПИ́СНЫЙ**, -ая, -ое; -сен, -сна, -о. **1.** *полн. ф.* Прил. к живопись. *Живописная мастерская. Живописный портрет.* **2.** Привлекающий внимание яркостью красок, необычностью, красотой; достойный изображения в живописи. *Живописная окрестность. Живописная поза. Живописный наряд.* □ *Дорога наша сделалась живописна. Горы тянулись над нами. На их вершинах ползали чуть видные стада и казались насекомыми.* Пушкин. Путешествие в Арзрум. **3.** *перен.* Яркий, образный, выразительный (о языке, слове и т. п.). *Живописное сравнение. Живописное повествование.* □ *Все знали, что... [Кирюшкин] чрезвычайно любит песцовую охоту и богатую северную рыбалку, и начальники соревновались в живописнейших описаниях своей непуганой фауны.* Санин. За тех, кто в дрейфе!

С и н. (ко 2 и 3 знач.): кра́сочный, колори́тный, красноречи́вый, экспресси́вный (*книжн.*).

**Живопи́сно**, *нареч.* (ко 2 и 3 знач.). **Живопи́сность**, -и, *ж.* (ко 2 и 3 знач.).

**ЖИ́ВОПИСЬ**, -и, *ж.* **1.** Вид изобразительного искусства, воспроизводящий предметы и явления реального мира с помощью красок. *Портретная, пейзажная, жанровая живопись. Заниматься живописью. История развития живописи.* **2.** *собир.* Произведения этого искусства. *Выставка живописи.* □ *Эти вечера Владимир проводил очень часто у одной вдовы,* страстной любительницы живописи. Герцен. Кто виноват?

**Живопи́сец**, -сца, м.

**ЖИВОТВО́РНЫЙ**, -ая, -ое; -рен, -рна, -о. *Высок.* Восстанавливающий силы, оживляющий. *Животворная сила любви. Животворный сок.* □ *[Больные] спускались в лазаретный двор погреться на солнышке, веря в его целящую, животворную силу.* Злобин. Пропавшие без вести.

С и н.: живи́тельный, целе́бный, цели́тельный (*книжн.*).

**Животво́рно**, *нареч.* **Животво́рность**, -и, *ж.*

**ЖИВОТРЕПЕ́ЩУЩИЙ**, -ая, -ее. Злободневный, важный в настоящий момент. *Животрепещущий вопрос. Животрепещущая тема.* □ *Петербург любит читать все новое, современное, животрепещущее, о чем все говорят.* Белинский. Петербургская литература.

С и н.: актуа́льный, живо́й, жи́зненный.

**ЖИЗНЕДЕЯ́ТЕЛЬНЫЙ**, -ая, -ое; -лен, -льна, -о. **1.** *Спец.* Способный к жизненной деятельности. *Жизнедеятельный орган.* **2.** *перен. Книжн.* Живой, деятельный, энергичный. *Жизнедеятельный ум.*

**Жизнедея́тельность**, -и, *ж.* Человеческая жизнедеятельность.

**ЖИЗНЕРА́ДОСТНЫЙ**, -ая, -ое; -тен, -тна, -о. Не знающий уныния, не поддающийся невзгодам; радостный, бодрый. *Жизнерадостный человек, характер.* □ *Егор включил магнитофон. И грянул тот самый марш.. Жизнерадостный марш, жизнеутверждающий.* Шукшин. Калина красная.

С и н.: жизнелюби́вый, неуныва́ющий, оптимисти́ческий *и* оптимисти́чный, жизнеутвержда́ющий (*высок.*).

**Жизнера́достно**, *нареч.* Жизнерадостно улыбаться. **Жизнера́достность**, -и, *ж.*

**ЖИЗНЕСПОСО́БНЫЙ**, -ая, -ое; -бен, -бна, -о. **1.** Обладающий способностью поддерживать и сохранять свою жизнь. *Жизнеспособный организм.* **2.** *перен.* Способный существовать и развиваться. *Жизнеспособный коллектив. Жизнеспособная система.*

С и н.: живу́чий, жизносто́йкий, си́льный.
А н т.: нежизнеспосо́бный.

**Жизнеспосо́бность**, -и, *ж.*

**ЖИЗНЕУТВЕРЖДА́ЮЩИЙ**, -ая, -ее. *Высок.* Проникнутый бодростью, оптимистическим отношением к жизни. *Жизнеутверждающие идеи.*

С и н.: жизнера́достный, жизнелюби́вый, оптимисти́ческий *и* оптимисти́чный.

**ЖИТИЕ́**, -я́, жития́, -и́й, *ср.* **1.** Произведение религиозной (христианской) литературы, представляющее собой описание жизни какого-л. святого, подвижника и т. п. *Житие Александра Невского.* □ *Слова своей речи он произносил на тот певучий лад, которым умелые рассказчики сказывают сказки или жития святых.* М. Горький. Трое. **2.** *Устар.* Жизнь, житье. *Монастырское житие.*

**Жити́йный**, -ая, -ое (*к 1 знач.*). *Житийная литература.*

**ЖИ́ТНИЦА**, -ы, *ж.* **1.** *Устар.* Помещение для хранения зерна. *[Царь:] Народ завыл, в мученьях погибая; Я отворил им житницы, я злато Рассыпал им, я им сыскал работы.* Пушкин. Борис Годунов. **2.** *перен.* Богатая хлебородная область, снабжающая хлебом другие области. *Кубань — одна из главных житниц нашей страны.*

С и н. (*к 1 знач.*): амба́р.

**ЖИ́ТО**, -а, *ср.* Всякий хлеб в зерне или на корню. *Готовились косить жито косами. Жатву решили открыть торжественно, праздником первого снопа.* Макаренко. Педагогическая поэма.

С и н.: жа́тва.

**Жи́тный**, -ая, -ое. *Житные поля.*

**ЖНЕ́ЙКА** *см.* жатка.

**ЖНЕЦ**, -а́, *м.* Тот, кто жнет в поле хлебные злаки. *Труд жнеца.*

**Жни́ца**, -ы, *ж.* *Внимаю ль песни жниц над жатвой золотою, Старик ли медленный шагает за сохою,.. Сверкают ли серпы, звенят ли дружно косы, — Ответа я ищу на тайные вопросы.* Н. Некрасов. Элегия.

**ЖНИВЬЁ**, -я́, жни́вья, -ев, *ср.*, **ЖНИ́ВА**, -ы, *ж.* (*обл.*) *и* **ЖНИ́ВО**, -а, *ср.* (*обл.*). Сжатое, но еще не вспаханное поле с остатками стеблей зерновых культур. *Люблю дымок спаленной жнивы, В степи кочующий обоз, И на холме средь желтой нивы Чету белеющих берез.* Лермонтов. Родина. *На нивах все было скошено, и на них торчало только приземистое желтое жниво.* Потапенко. Любовь. *На полях все гуще вставали скирды, стога на лугах успели слежаться и потемнеть, и тракторы уже запахивали жнивье.* Проскурин. Горькие травы.

С и н.: стерня́, по́жня.

**ЖОКЕ́Й**, -я, *м.* [Англ. jockey]. **1.** Профессиональный наездник на скачках, бегах. *Я жадно пристрастился к скачкам, мне нравилась эта борьба лошадей и жокеев за первенство.* Брюсов. Из моей жизни. **2.** *Устар.* Слуга при лошадях.

**Жоке́йский**, -ая, -ое.

**ЖОНГЛИ́РОВАТЬ**, -рую, -руешь; жонгли́рующий, жонгли́ровавший; жонгли́руя; *несов.*, чем или без доп. [Франц. jongler; восх. к лат. joculari — шутить, забавляться]. **1.** Искусно подбрасывать и ловить одновременно несколько предметов. *Жонглировать тарелками, шарами.* □ *Китаец жонглировал копьями и мечами, фокусник превращал голубей в ленты, воду, — в дым.* Федин. Первые радости. **2.** *перен.* Ловко, но произвольно пользоваться чем-л. (фактами, словами и т. п.). *Жонглировать цифрами.*

**Жонгли́рование**, -я, *ср.* Жонглирование на лошадях. **Жонглёр**, -а, *м.*

**ЖРЕ́БИЙ**, -я, *м.* **1.** Условный предмет, вынимаемый наудачу из числа других подобных предметов для выяснения какого-л. права или обязанности, а также само решение вопроса подобным образом. *Тянуть жребий. Достаться по жребию.* □ *— Мы бросим жребий, кому первому стрелять. Объявляю вам в заключение, что иначе я не буду драться.* Лермонтов. Герой нашего времени. **2.** *перен. Устар.* Судьба, участь. *Печальный жребий.* □ *Загадай, Светлана; В чистом зеркала стекле В полночь, без* обмана Ты узнаешь жребий свой. Жуковский. Светлана. ◇ **Жребий брошен** — конец колебаниям, решение принято.

С и н. (ко 2 знач.): до́ля, звезда́, судьби́на (*трад.- -поэт.*), плани́да (*прост.*), ли́ния (*прост.*), часть (*устар.*), планёта (*устар.*), уде́л (*устар. и книжн.*).

**ЖРЕЦ**, -а́, *м.* 1. В древних религиях: священнослужитель, совершавший жертвоприношения. 2. *перен., чего. Устар. высок. и ирон.* Тот, кто посвятил себя служению чему-л. (искусству, науке и т. п.). *Жрецы чистого искусства.* □ [*Сальери:*] *Мы все, жрецы, служители музыки, Не я один с моей глухою славой.* Пушкин. Моцарт и Сальери.

**Жри́ца**, -ы, *ж.* **Жре́ческий**, -ая, -ое (*к 1 знач.*). *Жреческая каста.*

**ЖУИ́РОВАТЬ**, -рую, -руешь; жуи́рующий, жуи́ровавший; жуи́руя; *несов. Устар.* [Франц. jouir — пользоваться, наслаждаться от лат. gaudere — радоваться]. Предаваться наслаждениям, удовольствиям; вести веселую и праздную жизнь. [*Хлестаков:*] *И я теперь живу у городничего, жуирую, волочусь напропалую за его женой и дочкой.* Гоголь. Ревизор.

**ЖУПА́Н**, -а, *м.* [Польск. župan от итал. giuppone]. Старинная верхняя мужская одежда у украинцев и поляков; род полукафтана. *Пану-отцу прислали из Киева по особому заказу бархатный жупан, отороченный мехом, точь-в-точь как на известном портрете гетмана Мазепы.* А. Н. Толстой. Хождение по мукам.

**ЖУ́ПЕЛ**, -а, *м.* [Др.-в.-нем. swëbal — сера]. Нечто внушающее страх, отвращение (первонач. горящая сера или смола, уготованная в аду грешникам). *Пора бросить старые жупелы, будто всякая.. борьба есть раскол, пора перестать прятать себе голову под крыло.* Ленин, т. 46, с. 359.

С и н.: пу́гало, пу́галище (*устар.*).

**ЖУРА́ВЛЬ**, -я́, *м.* 1. Болотная перелетная птица с длинными ногами, шеей и клювом. *Крик журавля. Стаи журавлей.* 2. Длинный шест у колодца, служащий рычагом при подъеме воды. *Потянул [Цыган] из колодца обледенелую бадью.. Бадья звякала железом, скрипел журавль, моталось привязанное к его концу сломанное колесо.* А. Н. Толстой. Петр I.

**Журавли́ный**, -ая, -ое (*к 1 знач.*).

**ЖУРИ́ТЬ**, журю́, жури́шь; журя́щий; жури́вший; жури́мый; журя́; *несов., кого. Разг.* Слегка выговаривать кому-л.; выражать порицание, наставляя. *Журить шалуна.* □ [*Адриан*] *разрешал молчание разве только для того, чтобы журить своих дочерей, когда заставал их без дела глазеющих в окно на прохожих.* Пушкин. Гробовщик.

**ЖУРНАЛИ́СТ**, -а, *м.* [Франц. journaliste]. Профессиональный литературный работник, занимающийся журналистикой. *Иностранные журналисты.* □ *Среди советских журналистов оказался фотокорреспондент журнала «Луч» Николай Дувак, с которым Воронову уже доводилось встречаться.* Чаковский. Победа.

**Журнали́стка**, -и, *ж.* **Журнали́стский**, -ая, -ое.

**ЖУРНАЛИ́СТИКА**, -и, *ж.* [См. *журналист*]. 1. Литературно-публицистическая деятельность в журналах, газетах, на радио, телевидении. *Заниматься журналистикой.* 2. *собир.* Периодические издания в целом. *Российская журналистика.* □ *Журналистика не стоит в стороне от жизни страны.* Салтыков-Щедрин. Мелочи жизни.

С и н. (ко 2 знач.): пре́сса, печа́ть.

**ЖУ́ХЛЫЙ**, -ая, -ое; жухл, -а, -о. Утративший яркость, свежесть, гладкость. *Жухлый лед. Жухлая кожа.* □ *Кроткий весенний день таял в бледном небе, тихо качался прошлогодний жухлый бурьян.* М. Горький. Жизнь Матвея Кожемякина.

**Жу́хлость**, -и, *ж.*

**ЖЮРИ́** [не *жу*], *нескл., ср., собир.* [Франц. jury]. Группа специалистов, решающих вопрос о присуждении премии или награды на конкурсах, выставках, спортивных соревнованиях и т. п. *Авторитетное жюри. Решение жюри.* □ *Было четыре отборочных тура. Состав жюри я утверждала лично.* Проскурин. Горькие травы.

# З

**ЗАБАЛЛОТИ́РОВАТЬ**, -рую, -руешь; забаллоти́ровавший; забаллоти́рованный; -ан, -а, -о; забаллоти́ровав; *сов., кого, что.* Не избрать, отклонить при баллотировке (голосовании). *Забаллотировать предложение. Забаллотированный кандидат.*

**ЗАБАСТО́ВКА**, -и, *ж.* Организованный массовый отказ от работы с целью добиться выполнения каких-л. требований (экономических, политических). *Массовая забастовка. Объявить забастовку.* □ *Грандиозная майская забастовка всероссийского пролетариата и связанные с ней уличные демонстрации, революционные прокламации и революционные речи перед толпами рабочих ясно показали, что Россия вступила в полосу революционного подъема.* Ленин, т. 21, с. 339.

С и н.: ста́чка.

**Забасто́вочный**, -ая, -ое. *Забастовочный комитет.* **Забасто́вщик**, -а, *м.*

**ЗАБВЕ́НИЕ**, -я, *ср.* 1. *Книжн.* Утрата воспоминаний, памяти о ком-, чем-л. *Предать забвению.* □ *Но нет забвенья, нет забвенья Тому, кто был в этом аду.* Дудин. На Невском пятачке. 2. Пренебрежение чем-л., невнимание к чему-л. *Забвение своих обязанностей.* □ *С этим.. связано почти полное забвение у нас такой выгодной и емкой формы, как.. авторские отступления.* Соболев. Литература и наша современность. 3. *Устар.* То же, что з а б ы́ т ь е (*в 3 знач.*). *В забвенье шепчет наизусть Письмо для милого героя.* Пушкин. Евгений Онегин. ◇ **Река́ забве́ния** (*трад.-поэт.*) — в античной мифологии: река подземного царства, из которой души умерших пили забвение своего земного существования; река Лета. *И слухи о капитане Копейкине канули в реку забвения, в какую-нибудь этакую Лету, как называют поэты.* Гоголь. Мертвые души.

Син. (ко 2 знач.): игнори́рование, презре́ние, небреже́ние (устар.). Син (к 3 знач.): заду́мчивость.

**ЗАБЛАГОРАССУ́ДИТЬ**, -у́жу, -у́дишь; заблагорассу́дивший; заблагорассу́дится; сов. Устар. Счесть правильным, нужным или желательным. *С своими соседями по имению он не заблагорассудил познакомиться.* Достоевский. Униженные и оскорбленные.

**ЗАБЛАГОРАССУ́ДИТЬСЯ**, -дится; безл., сов. Прийти на ум, вздуматься. *Итак, я бы желал знать, можете ли вы мне.. [крестьян], не живых в действительности, но живых относительно законной формы, передать, уступить, или как вам заблагорассудится лучше?* Гоголь. Мертвые души.

**ЗАБЛУЖДЕ́НИЕ**, -я, ср. **1.** Состояние ошибающегося. *Впасть в заблуждение.* ◻ *Конечно, как ни тверды мысли человека, находящегося в заблуждении, но, если другой человек, более развитой, более знающий, более понимающий дело, будет постоянно работать над тем, чтобы вывесть его из заблужденья, заблужденье не устоит.* Чернышевский. Что делать? **2.** Неправильное, ошибочное мнение, представление о чем-л. *Мне можно и должно знать, где истина, где заблуждение.* И. Гончаров. Обломов.

**ЗАБО́Й**[1], -я, м. Спец. В шахте: постепенно перемещающийся в ходе работ конец горной выработки, являющийся рабочим местом горняка. *[Матюшка] спустился в самую шахту и отыскал Родиона Потапыча в забое, где он закладывал динамитные патроны для взрыва.* Мамин-Сибиряк. Золото.

**Забо́йный**, -ая, -ое.

**ЗАБО́Й**[2], -я, м. Спец. Лишение жизни животных на бойне или на охоте. *Забой скота.*

**ЗАБРА́ЛО**, -а, ср. **1.** В старинном вооружении: передняя подвижная часть шлема, прикрывающая лицо воина от ударов. *Подъехал король. Он.. был так великолепен в легком золоченом шлеме, с закинутым наверх забралом.* А. Н. Толстой. Петр I. **2.** Спец. О щите, прикрывающем какое-л. устройство. *Купол нового башенного солнечного телескопа оборудован забралом, которое открывает почти половину купола.* Можжерин. Башенный солнечный телескоп. ◊ **С открытым** (или **поднятым**) **забралом** — открыто, не скрывая истинных намерений.

**Забра́льный**, -ая, -ое.

**ЗАБРИ́ТЬ**, забре́ю, забре́ешь; забри́вший; забри́тый; -и́т, -а, -о; забри́в; сов., кого. Устар. прост. Взять в солдаты (при рекрутских наборах до 1874 г. брили наголо переднюю часть головы тем, кто был годен к военной службе). — *Очередь на твоего сына была, а ты своего.. пожалел,—вдруг быстро заговорил маленький старичок, нападая на Дрона,—а моего Ваньку забрил.* Л. Толстой. Война и мир. ◊ **Забрить лоб** кому (устар.) — то же, что забрить.

**Забрива́ть**, -а́ю, -а́ешь; несов.

**ЗАБУБЁННЫЙ**, -ая, -ое. Прост. Отчаянный, бесшабашный, разгульный. *Забубенный гуляка.* ◻ — *Ну да,.. человек поведения забубенного, и вдруг застрелился, и так скандально.* Достоевский. Преступление и наказание. ◊ **Забубенная головушка** (прост.) — о бесшабашном, разгульном человеке.

Син.: беспу́тный, непутёвый (разг.).

**ЗАБЫТЬЁ**, -я́, ср. **1.** Дремотное состояние, полусон. *Разговор мальчиков угасал вместе с огнями.. Слабое забытье напало на меня; оно перешло в дремоту.* Тургенев. Бежин луг. **2.** Неглубокая потеря сознания; непродолжительное беспамятство. *Жизнь медленно возвращалась к Ивану Ильичу Телегину.. Вначале было забытье. Потом оно сменилось сном с короткими перерывами.* А. Н. Толстой. Хождение по мукам. **3.** Состояние глубокой задумчивости, отрешенности от всего окружающего. *Вздыхают, жалуясь, басы, И, словно в забытьи, Сидят и слушают бойцы — Товарищи мои.* Исаковский. В лесу прифронтовом.

Син. (к 1 знач.): дремо́та, дрёма, полузабытьё. Син. (ко 2 знач.): бесчу́вствие, о́бморок. Син. (к 3 знач.): заду́мчивость.

**ЗАВА́ЛИНКА**, -и и **ЗАВА́ЛИНА**, -ы, ж. Невысокая, обычно земляная насыпь вдоль наружных стен дома, сделанная для утепления (нередко используется как место для сидения). *Марья с Дарьей, Анна.. [с Меланьей] в четыре лопаты завалины заканчивают по самые окошки, чтобы тепло было учительнице с ребятишками.* Неверов. Горшки. *В будни можно посидеть на завалинке.* Прилежаева. Удивительный год.

**ЗАВЕДЕ́НИЕ**, -я, ср. **1.** Устар. Учреждение (предназначенное преимущ. для помощи, содействия кому-, чему-л.). *Лечебное заведение.* ◻ *[Городничий:] Не угодно ли будет вам осмотреть теперь некоторые заведения в нашем городе, как-то — богоугодные и другие?* Гоголь. Ревизор. **2.** какое. Учреждение, предназначенное для воспитания, обучения и т. п. *Высшие учебные заведения (институты, университеты).* **3.** Устар. Торговое или промышленное предприятие (мастерская, трактир, магазин и т. п.). *Кожевенное, кондитерское заведение. Питейное заведение (трактир).* ◻ *Хозяин прядильной мастерской, посадив работников по местам, прохаживается по заведению.* Л. Толстой. Война и мир. ◊ **У нас** (**у них** и т. п.) **такое заведение** (прост.) — у нас (у них и т. п.) такой порядок, так заведено.

**ЗАВЕ́ДОМЫЙ**, -ая, -ое. Хорошо и заранее известный; несомненный (обычно о чем-л. отрицательном). *Заведомая ложь.* ◻ *Отчеты их отличались заведомою тенденциозностью.* Чехов. Остров Сахалин.

**Заве́домо**, нареч. *Заведомо неверные слухи.*

**ЗАВЕ́СА**, -ы, ж. и (устар.) **ЗА́ВЕС**, -а, м. **1.** Устар. Большая занавеска; кусок ткани, служащий для завешивания чего-л. *Наталья Павловна спешит Взбить пышный локон, шаль накинуть, Задернуть завес, стул подвинуть. И ждет.* Пушкин. Граф Нулин. *Тяжелая, негнущаяся шелковая завеса.. закрывала свет.* И. Гончаров. Обрыв. **2.** перен., обычно чего или какая. То, что закрывает собой что-л.; прикрытие. *Снежная завеса. Под завесой темноты.* ◻ *Как часто бывает, что вы года видите семейство под одной и той же ложной завесой приличия, и истинные отноше-*

ния его членов остаются для вас тайной. Л. Толстой. Юность. ◇ **Дымовая завеса** — искусственно создаваемая полоса дыма, служащая средством маскировки. **Приподнять (или приоткрыть) завесу** — сделать известным, раскрыть что-л. скрытое. **Упала (или спала) завеса** — стало ясно, известно то, что было скрытым, непонятным.

С и н. (к 1 знач.): за́навес (устар.). С и н. (ко 2 знач.): покро́в, по́лог, пелена́ (книжн.), флёр (устар. книжн.).

**ЗАВЕ́Т**, -а, м. Высок. Наказ, наставление, завещание, оставляемые потомкам или последователям. [Снегурочка:] Завет отца и матери, о милый, Не смею я нарушить..— таить Велели мне мою любовь от Солнца. А. Островский. Снегурочка. ◇ **Ветхий завет** — первый раздел Библии, ее дохристианская часть. **Новый завет** — христианская часть Библии, повествующая о жизни Иисуса Христа.

С и н.: за́поведь (высок.).

**ЗАВЕ́ТНЫЙ**, -ая, -ое. **1.** Особо ценимый, свято хранимый, оберегаемый. Но час настал, и ты ушла из дому. Я бросил в ночь заветное кольцо. Блок. О доблестях, о подвигах, о славе... **2.** Сокровенный, задушевный. Заветные мечты. □ [Самозванец:] Клянусь тебе, что никогда, нигде.. Ни в дружеском, заветном разговоре, Ни под ножом, ни в муках истязаний Сих тяжких тайн не выдаст мой язык. Пушкин. Борис Годунов. **3.** Скрываемый от других, тайный. Заветный клад. Подать заветный знак.

С и н. (ко 2 знач.): инти́мный. С и н (к 3 знач.): запове́дный.

**ЗАВЕЩА́НИЕ**, -я, ср. **1.** Официальный документ, содержащий распоряжение какого-л. лица о его имуществе на случай смерти. [Борис:] Бабушка.. умерла и оставила завещание, чтобы дядя нам выплатил часть,.. когда мы придем в совершеннолетие. А. Островский. Гроза. **2.** Чья-л. предсмертная воля, распоряжение. Простите, милые друзья.. И дайте, дайте обещанье, Когда навек укроюсь я, Мое исполнить завещанье. Пушкин. Мое завещание.

С и н. (к 1 знач.): духо́вная (устар.). С и н. (ко 2 знач.): заве́т (высок.), за́поведь (высок.).

**ЗАВЗЯ́ТЫЙ**, -ая, -ое. Разг. С увлечением, страстью предающийся какому-л. занятию. Завзятый шахматист, театрал, охотник.

С и н.: зая́длый (разг.), закля́тый (устар., разг.).

**ЗА́ВОДЬ**, -и, ж. Небольшой залив, часть реки или озера около берега с замедленным течением. Речная заводь. □ На этом-то пруде, в заводях или затишьях между тростниками, выводилось и держалось бесчисленное множество уток всех возможных пород. Тургенев. Льгов.

С и н.: зато́н.

**ЗАВСЕГДА́ТАЙ**, -я, м. Обычный, постоянный посетитель чего-л. Театральный завсегдатай. Завсегдатай ресторана. □ Челкаш, подойдя к буфету, фамильярным тоном завсегдатая заказал бутылку водки, щей. М. Горький. Челкаш.

**ЗАВУАЛИ́РОВАТЬ**, -рую, -руешь; завуали́ровавший; завуали́рованный; -ан, -а, -о; завуали́ровав, сов., что. **1.** Закрыть дымкой, легким туманом. Город, завуалированный туманом и инеем, дремно молчал. Шолохов. Тихий Дон. **2.** перен. Намеренно сделать не вполне ясным. Завуалировать факты. Беседа в завуалированной форме.

**ЗА́ГОВОР**[1], -а, м. Тайное соглашение нескольких лиц о действиях против кого-, чего-л. Политический заговор. Раскрыть заговор. □ Марья Гавриловна долго колебалась; множество планов побега [из дома для тайного венчания] было отвергнуто. Наконец она согласилась.. Девушка ее была в заговоре. Пушкин. Метель. ◇ **Заговор молчания** — общее замалчивание чего-л.

**Загово́рщик**, -а, м.

**ЗА́ГОВОР**[2], -а, м. По суеверным представлениям: магические слова, обладающие колдовской или целебной силой. Заговор от болезни. □ В Судже знахарка живет,.. она первой весенней водой лечит. И заговорами: На море, на окияне, на острове Буяне лежит камень Алатырь..— и Машенька досказала заговор до конца. Каверин. Открытая книга.

С и н.: заклина́ние, наго́вор, закля́тие (устар.).

**Загово́рный**, -ая, -ое.

**ЗАГО́Н**, -а, м. **1.** Огороженное место для скота (под открытым небом). Он зашагал к загону, возле которого стоял на привязи.. пригнанный им с выпаса Буранный Каранар. Айтматов. Буранный полустанок. **2.** Полоса поля, луга и т. п. Яшка Чухляев доканчивает пахоту своего загона. Панферов. Бруски. ◇ **В загоне** кто, что (разг.) — в заброшенном состоянии.

**Заго́нный**, -ая, -ое.

**ЗАДА́ТКИ**, -ов, мн. Зачатки каких-л. способностей, наклонностей. Хорошие, плохие задатки. Задатки художника. □ — Лучше быть фельдшером с задатками гения, чем гением с кругозором коновала. Павленко. Счастье.

**ЗАДА́ТОК**, -тка, м. Часть суммы, уплачиваемая вперед при покупке или иной сделке. Внести задаток. □ [Собакевич] написал на лоскутке бумаги, что задаток двадцать пять рублей государственными ассигнациями за проданные души получил сполна. Гоголь. Мертвые души.

**ЗАДУШЕ́ВНЫЙ**, -ая, -ое; -вен, -вна, -о. Глубоко искренний, сердечный. Задушевный друг. Задушевная песня. □ После чая Николай, Соня и Наташа пошли в диванную, в свой любимый угол, в котором всегда начинались их самые задушевные разговоры. Л. Толстой. Война и мир.

С и н.: заве́тный, инти́мный, сокрове́нный (книжн.).

**Задуше́вно**, нареч. **Задуше́вность**, -и, ж.

**ЗАДЫ́**, -о́в, мн. Устар. разг. То, что давно пройдено, изучено, всем известно. [Цыфиркин:] Дал мне бог ученичка.. Бьюсь с ним третий год: трех перечесть не умеет. [Кутейкин:] Так у нас одна кручина.. [За четыре года] кроме задов, новой строки не разберет; да и зады мямлит. Фонвизин. Недоросль.

**ЗАЁМ** [не займ], за́йма, м. Взятие денег в долг на определенных условиях возврата, а также подобная финансовая операция в пределах одного государства или между государствами. *Внешний заем. Облигации государственного займа. Погашение государственных займов.* ☐ *Вечером.. была подписка на заем, и Настена размахнулась на две тысячи.* Распутин. Живи и помни.

**За́ймовый,** -ая, -ое.

**ЗАЖИГА́ТЕЛЬНЫЙ,** -ая, -ое; -лен, -льна, -о. **1.** *полн. ф.* Предназначенный для зажигания. *Зажигательная бомба. Зажигательная смесь.* **2.** *перен.* Волнующий, производящий большое впечатление. *Зажигательная речь.*

С и н. (ко 2 знач.): возбужда́ющий, опьяня́ющий, пьяня́щий.

**Зажига́тельно,** нареч. (ко 2 знач.). **Зажига́тельность,** -и, ж. (ко 2 знач.).

**ЗАЖИ́ТОЧНЫЙ,** -ая, -ое; -чен, -чна, -о. Обладающий хорошим достатком; состоятельный, обеспеченный. *Зажиточная семья.* ☐ *Мать творила тесто. Двор все-таки был зажиточный — конь, корова,.. четыре курицы.* А. Н. Толстой. Петр I.

С и н.: бога́тый, иму́щий (*книжн.*), де́нежный (*разг.*), сы́тый (*разг.*).

А н т.: бе́дный, неиму́щий (*книжн.*).

**Зажи́точно,** нареч. **Зажи́точность,** -и, ж.

**ЗАЖО́Р,** -а, м. и **ЗАЖО́РА,** -ы, ж. **1.** Скопление льда в русле реки во время ледохода. *Он переплывал на утлой ладье ре́ки, бывшие еще в полном разливе, застревал в зажорах.* Г. Успенский. Из деревенского дневника. **2.** Вода под снегом при таянии (в рытвинах и ложбинах). *Зажоры на дорогах.* ☐ *Дорога прерывалась на каждом шагу, и во всяком долочке была зажора, то есть снег, насыщенный водою: ехать было почти невозможно.* С. Аксаков. Воспоминания.

**ЗАЙМКА,** -и, ж. **1.** В старину: земельный участок, занятый кем-л. по праву первого владения, обычно вдали от других пахотных земель. **2.** В Сибири и на Урале: отдельная усадьба, промысловая хозяйственная постройка, а также небольшой поселок за пределами основного селения. *Отсиживался [Гуськов] на займках, в зимовьях, в зародах сена, высматривал и пугался каждой фигуры.* Распутин. Живи и помни.

**ЗАЙМСТВОВАТЬ,** -твую, -твуешь; займствующий, займствовавший; займствуемый, займствованный; -ан, -а, -о; займствуя, займствовав, *сов. и несов., что.* Перенять (перенимать), взять (брать) откуда-л. *Займствовать опыт передовиков. Займствовать сюжет.* ☐ *Происшествие, описанное в сей повести, основано на истине. Подробности наводнения займствованы из тогдашних журналов.* Пушкин. Медный всадник (предисловие).

С и н.: почерпну́ть (че́рпать).

**Займствование,** -я, *ср.*

**ЗАКА́ЗНИК,** -а и (*обл.*) **ЗАКА́З,** -а, *м.* Род заповедника (земельный или водный участок), в пределах которого находятся под особой охраной животные или растения. *Мы поехали в лес или, как у нас говорится, в «заказ». В этом «заказе» нашли мы глушь и дичь страшную.* Тургенев. Бурмистр. *Они [крестьяне] сами отвели заказник, сами установили границы его и дали друг другу зарок там не охотиться.* Арсеньев. По Уссурийской тайге.

**ЗАКЛА́Д,** -а, *м. Устар. разг.* **1.** То же, что з а л о г (в 1 знач.). *Взять денег под заклад. Отнести вещь в заклад. Шуба в закладе.* ☐ *[Иван:] Он говорит, что более не может Взаймы давать вам денег без заклада.* Пушкин. Скупой рыцарь. **2.** Спор о чем-л. на какую-л. вещь. *Выиграть заклад.* ◇ **Би́ться** (или **уда́риться** и т. п.) **об закла́д** (*разг.*) — держать, заключать пари, поспорить на что-л. *Яшка-то с рядчиком об заклад побились: осьмуху пива поставили — кто кого одолеет, лучше споет, то есть.* Тургенев. Певцы.

С и н. (ко 2 знач.): пари́.

**Закла́дчик,** -а, *м.* (тот, кто отдает, а также тот, кто принимает вещи в заклад).

**ЗАКЛЕЙМИ́ТЬ,** -млю́, -ми́шь; заклейми́вший; заклеймённый; -мён, -мена́, -о́; заклейми́в, *сов., кого, что.* **1.** Поставить клеймо, метку. *Заклеймить партию товара.* ☐ *Ропот.. народа заставил полицию поторопиться, палачи отпустили законное число ударов [осужденным], других заклеймили, третьим сковали ноги.* Герцен. Былое и думы. **2.** *перен. Высок.* Сурово осудить, предать позору. *Преступление мое.. должно быть осуждено как дезертирство с фронта, а сам я должен быть заклеймен как трус.* Бахметьев. Преступление Мартына.

**ЗАКЛИНА́НИЕ,** -я, *ср.* **1.** По суеверным представлениям: словесная формула, имеющая магическую силу и служащая для достижения какой-л. цели (хорошего урожая, изменения погоды, избавления от болезни и т. п.); заговор. *[Шаман] бил в бубен и глухим голосом пел какие-то заклинания, очевидно отгоняя злых духов.* Обручев. Земля Санникова. **2.** *перен.* Страстная мольба, просьба. *Меня с слезами заклинаний Молила мать; для бедной Тани Все были жребии равны... Я вышла замуж.* Пушкин. Евгений Онегин.

С и н. (к 1 знач.): наговор, закля́тие (*устар.*).
С и н. (ко 2 знач.): моле́ние (*книжн.*).

**ЗАКЛЮЧЕ́НИЕ,** -я, *ср.* **1.** Совершение чего-л. в официально установленной форме. *Заключение мира. Заключение брака. Заключение договора о дружбе и сотрудничестве.* **2.** Состояние того, кто лишен свободы. *Отбывать заключение. Выйти из заключения.* **3.** Вывод, мнение, составленные на основании чего-л. *Заключение специалиста. Медицинское заключение. Прийти к заключению.* ☐ *Очень удивлялись, отчего градоначальник не был на бале, и выводили из этого разные заключения.* Жихарев. Воспоминания. **4.** Последняя, завершающая часть, конец чего-л. *Заключение доклада.* ☐ *[Арбенин:] Да! сцена хорошо придумана, — но вы Не отгадали заключенья.. Утешьтесь же теперь: вы будете убиты.* Лермонтов. Маскарад. ◇ **В заключе́ние** — под конец, заканчивая. *[Мать] торопливо уверяла, что сделает все хорошо,.. и в заключение торжественно воскликнула: — Они увидят — Павла нет, а рука его даже из острога достигает.* М. Горький. Мать.

С и н. (ко 2 знач.): заточе́ние (устар.). С и н. (к 3 знач.): умозаключе́ние (книжн.). С и н. (к 4 знач.): оконча́ние, заверше́ние, исхо́д, фина́л, развя́зка.

**ЗАКЛЯ́ТЫЙ**, -ая, -ое. **1.** Непримиримый, вечный, ненавистный (о враге, противнике). *И знаю я, когда придет, непрошен, Заклятый враг в советские края, Нас много встанет — девушек хороших, И, может статься, первой буду я.* Исаковский. В лесном поселке. **2.** *Устар. разг.* Страстный, рьяный; завзятый. *В это время все наши помещики, чиновники, купцы.. [сделались] заклятыми политиками.* Гоголь. Мертвые души.

С и н. (ко 2 знач.): зая́длый (разг.).

**ЗАКО́Н**, -а, м. **1.** Постановление высшего органа государственной власти, принятое в установленном конституцией порядке и обладающее высшей юридической силой. *Конституция — основной закон государства. Закон о браке и семье. Закон о приватизации собственности. Закон об охране природы. Статья закона. Принять закон.* **2.** Необходимая и устойчивая связь и взаимозависимость каких-л. явлений объективной действительности. *Изучать законы природы. Законы общественного развития.* □ *Маркс раскрыл истории законы, пролетариат поставил у руля.* Маяковский. Владимир Ильич Ленин. **3.** Общепринятое правило общежития, общественного поведения; то, что признается обязательным. *Законы нравственности. Закон дружбы. Неписаные законы.* □ *Гостеприимство у нас в таком ходу, что и скряга не в силах преступить его законов.* Гоголь. Мертвые души. ◊ **Закон божий** — православное вероучение как предмет преподавания. **Вступить в закон, принять закон** (устар. прост.) — вступить в законный брак. **Буква закона** — точное, не допускающее отклонений толкование закона. **Вне закона** — вне охраны и покровительства законов. *Объявить кого-л. вне закона.*

**Зако́нный**, -ая, -ое (к 1 и 3 знач.).

**ЗАКОНОДА́ТЕЛЬСТВО**, -а, *ср.* Составление и издание законов специальными органами государственной власти, а также совокупность законов какой-л. страны. *Российское законодательство. Гражданское, уголовное законодательство. Совершенствование законодательства.*

**Законода́тельный**, -ая, -ое. *Законодательный акт.*

**ЗАКОНОМЕ́РНЫЙ**, -ая, -ое; -рен, -рна, -о. **1.** Соответствующий законам (*во 2 знач.*). *Закономерное явление в природе.* □ *Наблюдать жизнь и думать о ней — значит уметь видеть частное, никогда не упуская из виду общее и отделяя случайное от закономерного (в знач. сущ.).* Федин. О мастерстве. **2.** Вполне понятный, обоснованный. *Закономерный вопрос.*

**Закономе́рно**, нареч. **Закономе́рность**, -и, ж. *Исторические закономерности.*

**ЗАКОНОПРОЕ́КТ**, -а, м. Проект закона (*в 1 знач.*). *Обсуждать законопроект в парламенте.*

**ЗАКОРЕНЕ́ЛЫЙ**, -ая, -ое. Застарелый, глубоко укоренившийся; неисправимый. *Закоренелые предрассудки.* □ *С людьми он сходится туго, как и всякий закоренелый холостяк.* Куприн. Прапорщик армейский.

С и н.: заматере́лый, закосне́лый, заскору́злый (разг.).

**Закорене́лость**, -и, ж. Закоренелость привычек.

**ЗАКОСНЕ́ЛЫЙ**, -ая, -ое. Застарелый, закоренелый. *Закоснелые привычки, пороки.*

С и н.: заматере́лый, заскору́злый (разг.).

**Закосне́лость**, -и, ж. *[Романтики] были в свое время очень полезны: они восстали против закоснелости, неподвижной заплесневелости.* Чернышевский. Очерки гоголевского периода русской литературы.

**ЗА́КРОМ**, -а, закрома́, -о́в, м. **1.** Отгороженное место в амбаре для ссыпки зерна, муки. **2.** *перен. Высок.* Место хранения урожая. *Со всех сторон течет молодое зерно нового урожая в общий закром великой страны.* Закруткин. Апрельским утром.

**ЗАКУЛИ́СНЫЙ**, -ая, -ое. **1.** Находящийся или происходящий за кулисами. *Закулисная жизнь.* **2.** *перен.* Тайный, скрываемый. *Закулисные переговоры.* □ *— Вести закулисные интриги не к лицу коммунисту. Думаю, Юлия Сергеевна найдет мужество пересмотреть взгляды на партийную этику.* Проскурин. Горькие травы.

**ЗАЛ**, -а, м. и (устар.) **ЗА́ЛА**, -ы, ж, [Нем. Saal]. **1.** Большое помещение для многолюдных собраний или других целей. *Читальный зал. Зал ожидания на вокзале. Спортивный, театральный зал.* **2.** Просторная парадная комната в частном доме для приема гостей, для танцев. *Девицы чинно Едва за блюдечки взялись, Вдруг из-за двери в зале длинной Фагот и флейта раздались.. И в залу высыпали все, И бал блестит во всей красе.* Пушкин. Евгений Онегин.

**За́льный**, -ая, -ое.

**ЗА́ЛЕЖЬ**, -и, ж. *Спец.* **1.** обычно мн. Месторождение полезных ископаемых. *Залежи каменного угля. Открыть новые залежи нефти.* **2.** Пашня, не обрабатываемая длительное время. *Почву, утратившую плодородную силу, в прежние времена обычно бросали пахать, оставляли под залежь, нередко на десять, на пятнадцать лет.* Соколов-Микитов. В Каменной степи.

**За́лежный**, -ая, -ое (ко 2 знач.). *Освоение залежных земель.*

**ЗАЛИВНО́Й**[1], -а́я, -о́е. **1.** Затопляемый водой при разливе. *Заливные луга.* **2.** Залитый студенистым наваром (о кушаньях). *Заливная осетрина. Есть заливное (в знач. сущ.).*

С и н. (к 1 знач.): поёмный, по́йменный.

**ЗАЛИВНО́Й**[2], -а́я, -о́е. С переливами, звонкий. *Гей вы, ребята удалые, Гусляры молодые, Голоса заливные!* Лермонтов. Песня про купца Калашникова.

С и н.: зали́вистый, зали́вчатый (разг.).

**ЗАЛИХВА́ТСКИЙ**, -ая, -ое. *Разг.* Удалой, лихой, бесшабашный. *Брайт сидел [за рулем] не прямо.., а откинувшись на спинку, чуть ли не* развалившись.. Всей своей позой он демонстрировал залихватскую беспечность. Чаковский. Победа.

С и н.: молодецкий (разг.), разудалый (разг.), ухарский (разг.).

**Залихва́тски,** нареч. Залихватски играть на гармонике.

**ЗАЛО́Г,** -а, м. **1.** Отдача (имущества) в обеспечение обязательств, под ссуду, а также вещь, взамен которой выдается ссуда. Выкупить залог. ☐ [Нароков] вынимает из кармана часы и подает их Васе, прося у него под их залог десять рублей. Юрьев. Записки. **2.** перен., чего. Знак, свидетельство, доказательство чего-л. Залог дружбы. ☐ Мисс Жаксон.. поцеловала Лизу и в залог примирения подарила ей баночку английских белил. Пушкин. Барышня-крестьянка.

С и н. (к 1 знач.): заклад (устар. разг.).

**Зало́говый,** -ая, -ое (к 1 знач.). Залоговая квитанция.

**ЗАЛО́М,** -а, м. Спец. Скопление сплавляемых россыпью бревен или дров, вызванное остановкой их движения. Стоит запнуться одному полену, как вслед за ним остановится вся сплошная масса дров; течение будет напирать, а дрова начнут лезть друг на друга рядов в пять, иногда десять, иногда до самого дна образуется сплошная масса дров. Это называется «заломъ». Г. Успенский. Бог грехам терпит.

**ЗАМЕША́ТЕЛЬСТВО,** -а, ср. **1.** Внезапное нарушение порядка. Внести замешательство в неприятельские ряды. ☐ Он споткнулся, упал, но тут же вскочил, поняв, что, пока вокруг замешательство, надо куда-то убежать, скрыться. В. Быков. Альпийская баллада. **2.** Смущение, растерянность. Быть в замешательстве. ☐ При появлении Марьи Кирилловны князь встал и молча поклонился ей с замешательством, для него необыкновенным. Пушкин. Дубровский.

**ЗА́МКНУТЫЙ,** -ая, -ое; -ут, -а, -о. **1.** Отъединенный от общества, занятый только своими узкими интересами; обособленный. Сначала пансион, потом кадетский корпус, военное училище, замкнутая офицерская жизнь. Куприн. Поединок. **2.** Необщительный, скрытный. Замкнутый человек. Замкнутый характер. ☐ [Лена старалась] по лицам определить, за кого они могут голосовать. Но лица одних были сурово замкнуты, у других — несколько сконфуженные. Фадеев. Последний из удэге. **3.** полн. ф. Смыкающийся, соединенный концами. Замкнутая кривая. Замкнутая электрическая цепь.

С и н. (к 1 знач.): изолированный. С и н. (ко 2 знач.): нелюдимый, некоммуникабельный.

А н т. (ко 2 знач.): открытый.

**За́мкнуто,** нареч. (к 1 и 2 знач.). Держаться замкнуто. **За́мкнутость,** -и, ж.

**ЗА́МОК,** за́мка, м. **1.** Дворец и крепость феодала. Средневековые замки. ☐ Я сижу на балконе, в нашем замке Дальтоне, ведь я шотландка,.. подле лес и река Брингал. Чернышевский. Что делать? **2.** О большом доме-особняке затейливой архитектуры. Инженерный замок в Санкт-Петербурге. ☐ Почтенный замок был построен, Как замки строиться должны: Отменно прочен и спокоен Во вкусе умной старины. Пушкин. Евгений Онегин. **3.** Устар. Название некоторых тюрем. У раскрытых ворот тюремного замка стояли оба часовые. Пришвин. Кащеева цепь. ◇ **Строить воздушные замки** — предаваться неосуществимым мечтам.

**За́мковый,** -ая, -ое.

**ЗАМУРОВА́ТЬ,** -ру́ю, -ру́ешь; замурова́вший; замуро́ванный; -ан, -а, -о; замурова́в, сов., кого, что. Заделать, заложить наглухо каменной кладкой, глиной и т. п. Замуровать дверь. Замуровать ценности в стене. ☐ Он решился.. наказать неверную жену и вероломного друга, — попросту хотел замуровать их в стенке. Мамин-Сибиряк. Приваловские миллионы.

**Замуро́вывать,** -аю, -аешь; несов. **Замуро́вывание,** -я, ср. Замуровывание урны в стену.

**ЗАМШЕ́ЛЫЙ,** -ая, -ое. Покрывшийся мхом. Замшелый пень. ☐ Прохоров понял, что лошадиное ржание доносится из старой, замшелой конюшни. Липатов. И это все о нем.

С и н.: обомшелый, мшистый.

**ЗАМЫСЛОВА́ТЫЙ,** -ая, -ое; -а́т, -а, -о. Сложный, мудреный, не сразу понятный. Замысловатые обороты речи. Замысловатая прическа. ☐ На столике.. замысловатые старинные часы, — мерно и дробно танцуют блестящие колесики, пульсирует пружина, качается.., гримасничает крошечный фарфоровый паяц. Крымов. Танкер «Дербент».

С и н.: причудливый, затейливый, прихотливый, вычурный, изысканный.

А н т.: незамысловатый.

**Замыслова́то,** нареч. **Замыслова́тость,** -и, ж.

**ЗАНИМА́ТЕЛЬНЫЙ,** -ая, -ое; -лен, -льна, -о. Вызывающий интерес, внимание. Занимательный рассказ, собеседник. ☐ Разговор его был остер и занимателен. Пушкин. Капитанская дочка.

С и н.: интересный, увлекательный, захватывающий, любопытный, занятный (разг.).

**Занима́тельно,** нареч. **Занима́тельность,** -и, ж. Внешняя занимательность произведения.

**ЗАНО́СЧИВЫЙ,** -ая, -ое; -ив, -а, -о. Высокомерный, чрезмерно самоуверенный. Дружелюбный с низшим сортом людей, он был самонадеян и даже заносчив с равными и высшими. Салтыков-Щедрин. Невинные рассказы.

С и н.: надменный, гордый, надутый, спесивый, кичливый, напыщенный, чванный (разг.), чванливый (разг.).

**Зано́счиво,** нареч. Держаться заносчиво. **Зано́счивость,** -и, ж.

**ЗАО́БЛАЧНЫЙ,** -ая, -ое. **1.** Находящийся за облаками, выше облаков. Заоблачная высь. ☐ Полный месяц глядит с заоблачных высот. Салтыков-Щедрин. Губернские очерки. **2.** перен. Оторванный от действительности, далекий от жизни. Заоблачные мечты.

**ЗАО́ЧНЫЙ,** -ая, -ое. Происходящий в отсутствии лица, имеющего отношение к делу. Заочная оценка кого-, чего-л. Заочное знакомство. ☐ [Струнников] на судьбище не явился, так что приговор состоялся заочно. Салтыков-Щедрин. Пошехонская старина. ◇ **Заочное обучение** —

обучение без постоянного посещения занятий, опирающееся на самостоятельное изучение предмета, в отличие от очного обучения.

С и н.: загла́зный (*разг.*).

А н т.: о́чный.

**Зао́чно**, *нареч.* *Заочно хвалить, ругать кого-л. Учиться заочно.*

**ЗАПА́ЛЬЧИВЫЙ**, -ая, -ое; -ив, -а, -о. Легко приходящий в раздражение, а также свидетельствующий об излишней горячности. *Запальчивый человек, характер. Запальчивый ответ.* ☐ *Не раз дивился отец.. Андрию, видя, как он, понуждаемый одним только запальчивым увлечением, устремлялся на то, на что бы никогда не отважился хладнокровный и разумный.* Гоголь. Тарас Бульба.

С и н.: вспыльчивый, горячий.

**Запа́льчиво**, *нареч.* *Запальчиво возразить.* **Запа́льчивость**, -и, *ж.*

**ЗАПАНИБРА́ТСТВО**, -а, *ср.* [От польск. panie bracie — приятель]. *Разг.* Бесцеремонность в обращении. *Ломоносов, рожденный в низком сословии, не думал возвысить себя.. запанибратством с людьми высшего состояния.* Пушкин. Мысли на дороге.

С и н.: фамилья́рность, панибра́тство, амикоше́нство (*разг.*).

**ЗАПЕЧАТЛЕ́ТЬ**, -е́ю, -е́ешь; запечатле́вший; запечатлённый; -лён, -лена́, -о́; запечатле́в; *сов. Книжн.* **1.** *кого, что.* Передать, воплотить что-л. в чем-л. *Запечатлеть картину боя на полотне. Запечатлеть в образах.* **2.** *что.* Отметить, ознаменовать чем-л. *Тесним мы шведов рать за ратью; Темнеет слава их знамен, И бога браней благодатью Наш каждый шаг запечатлен.* Пушкин. Полтава. **3.** *кого, что в чем.* Закрепить, сохранить надолго в памяти, в сознании. ☐ *Ночь была так великолепна, что я хотел запечатлеть ее в своей памяти на всю жизнь.* Арсеньев. В горах Сихотэ-Алиня. ◇ **Запечатлеть поцелуй** *на чем* (*устар.*)— поцеловать.

С и н. (к 1 знач.): изобрази́ть, воспроизвести́, воссозда́ть, отобрази́ть.

**Запечатлева́ть**, -а́ю, -а́ешь; *несов.* **Запечатле́ться**, -е́юсь, -е́ешься; *возвр.*

**ЗАПЛО́Т**, -а, *м. Обл.* Забор из досок или бревен. *[Настенка] перелезла, чтобы не скрипнуть калиткой, через заплот, потопталась возле бани.. и лишь тогда тихонько потянула на себя низенькую дверку.* Распутин. Живи и помни.

**ЗАПОВЕ́ДНИК**, -а, *м.* Специально выделенное место, где оберегаются и сохраняются редкие и ценные растения, животные, уникальные участки природы, культурные ценности и т. п. *Государственный лесной заповедник. Пушкинский заповедник. Рыбный заповедник на Байкале. Охотничий заповедник.*

**ЗА́ПОВЕДЬ**, -и, *ж.* **1.** Религиозно-нравственное предписание, правило. *Библейская заповедь. Соблюдать заповеди.* ☐ *Молитвы и заповеди с малолетства заставляли меня учить наизусть.* Салтыков-Щедрин. Пошехонская старина. **2.** *перен. Высок.* Повеление, предписание, завет. *Молчалин, даже перед горничной, втихомолку, не сознается теперь в тех заповедях,* *которые завещал ему отец.* И. Гончаров. Мильон терзаний.

С и н. (ко 2 знач.): нака́з.

**ЗАПРО́С**, -а, *м.* **1.** Официальное обращение с требованием, просьбой дать какие-л. сведения. *Послать запрос в архив.* ☐ *На запрос вашего превосходительства касательно прапорщика Гринева, якобы.. вошедшего в сношения с злодеем, службою недозволенные и долгу присяги противные, объяснить имею честь.* Пушкин. Капитанская дочка. **2.** обычно *мн.* Требования, спрос, а также потребности, интересы. *Удовлетворять запросы населения. Культурные запросы.* ☐ *На покойного отца вашего смотрел я всегда как на богато одаренную натуру.. с высокими запросами.* Боборыкин. Василий Теркин.

**ЗАПРУ́ДА**, -ы, *ж.* **1.** Простейшая плотина, обычно в виде насыпи, преграждающая течение воды. *[За садом] находилась речка, превращенная запрудой в большое озеро.* Н. Морозов. Повести моей жизни. **2.** Запруженный водоем. *Мельничная запруда.* ☐ *Дно в запруде чистое, песчаное, вода течет спокойно.* В. Беляев. Старая крепость.

**Запру́дный**, -ая, -ое.

**ЗАПУСТЕ́НИЕ**, -я, *ср.* Состояние запущенности, упадка. *Хозяйство в запустении. Следы запустения в квартире.* ☐ *Грустью и запустением пахнуло на Григория, когда через поваленные ворота въехал он на заросший лебедою двор имения.* Шолохов. Тихий Дон.

С и н.: забро́шенность, запу́щенность.

**ЗАПЯ́ТКИ**, -ток, *мн.* В старину: место для слуги на задке кареты, экипажа. *Целым домом, в трех открытых колясках, с лакеями на запятках, отправились господа к обедне.* Тургенев. Новь.

**ЗАРДЕ́ТЬСЯ**, -е́юсь, -е́ешься; зарде́вшийся; зарде́вшись; *сов.* Стать рдяным, покраснеть. *— Давай уж хоть простимся как следует,— сказала, зардевшись от бега и смущения [Варя].* Фадеев. Разгром.

С и н.: зарумя́ниться, заале́ть, вспы́хнуть.

**ЗАРЕКОМЕНДОВА́ТЬ**, -ду́ю, -ду́ешь; зарекомендова́вший; зарекомендова́в; *сов.* ◇ **Зарекомендовать себя** — проявить, показать себя с какой-л. стороны. *Зарекомендовать себя хорошим работником.*

**ЗАРИСО́ВКА**, -и, *ж.* Рисунок, набросок с натуры, обычно выполненный с целью собирания материала для значительной работы. *Моментальная зарисовка. Фронтовые зарисовки.*

**ЗАРНИ́ЦА**, -ы, *ж.* Отдаленная вспышка без грома на небосклоне — отблеск молний далекой грозы. *Над полями вспыхивали зарницы, обнимая половину небес.* М. Горький. Мои университеты.

С и н.: вспо́лох и всполо́х, спо́лох и споло́х.

**ЗАРОНИ́ТЬ**, -оню́, -о́нишь; зарони́вший; заро́ненный; -ен, -ена, -о и заронённый; -нён, -нена́, -о́; зарони́в; *сов., что.* **1.** По неосторожности уронить что-л. горящее и вызвать этим пожар. *— Может, парни курили у двора и заронили огонь.* В. Смирнов. Открытие мира. **2.** *перен., в ком.* Вызвать, возбудить (какое-л. чувство, мысль)

*Заронить в ком-л. подозрение, надежду. Заронить любовь к музыке.* ◇ **Заронить искру (или зерно, семя)** *чего* — возбудить, вызвать что-л. *Не знаю, кто первый заронил искру подозрения, из которой потом вспыхнул пожар.* Горбатов. Мы и радист Вовнич.

С и н. (ко 2 знач.): породи́ть, зароди́ть, посели́ть (книжн.), разбуди́ть (высок.), всели́ть (высок.), посе́ять (высок.).

**ЗАРЯ́**, -и́, зо́ри, зорь, ж. **1.** Яркое освещение горизонта перед восходом и после захода солнца. *Вечерняя, утренняя заря.* □ *Но вот наступает вечер. Заря запылала пожаром и обхватила полнеба.* Тургенев. Лес и степь. **2.** *перен.*, обычно *чего*. Начало, зарождение, ранняя пора чего-л. *На заре жизни.* □ *И над отечеством свободы просвещённой Взойдет ли, наконец, прекрасная заря?* Пушкин. Деревня. **3.** Военный сигнал на барабане, горне или трубе в часы подъема и при отходе ко сну. *Пробили зарю, сделали расчет, поужинали и разместились на ночь у костров.* Л. Толстой. Война и мир. ◇ **От зари до зари** 1) весь день, с утра до ночи. *Что за звуки, за песни польются День-деньской, от зари до зари.* И. Никитин. Полно, степь моя, спать беспробудно...; 2) всю ночь.

**Зо́ренька**, -и (*к 1 знач.*) (*ласк.*) и **зо́рька**, -и (*к 1 знач.*) (*ласк.*), ж.

**ЗАРЯ́Д**, -а, м. **1.** Взрывчатое вещество, содержащееся в определенном количестве в снаряде, патроне, а также снаряд, патрон, введенные в канал огнестрельного орудия. *Патроны с картечным зарядом.* □ *— А вы, батюшка, уж более не стреляйте. Побережём последний заряд.* Пушкин. Капитанская дочка. **2.** *ед., перен., чего.* Запас каких-л. качеств, чувств, способностей и т.п. *Заряд творчества.* □ *Володьке можно было только позавидовать, такой он нес в себе заряд бодрости, здоровья, энергии.* Кочетов. Журбины. **3.** Количество электричества, содержащееся в каком-л. теле.

**ЗАСА́ДА**, -ы, ж. **1.** Скрытое место, используемое для внезапного удара. *[Поляки] оставили лес, служивший вчера для них засадою, и расположились станом на равнине.* Нарежный. Бурсак. **2.** Отряд войск, находящийся в укрытии и готовый к нападению. *Выставить засаду.* □ *Пьер не знал того, что войска.. были поставлены в скрытое место для засады, т.е. для того, чтобы быть незамеченными и вдруг ударить на.. неприятеля.* Л. Толстой. Война и мир.

**Заса́дный**, -ая, -ое.

**ЗАСВИДЕ́ТЕЛЬСТВОВАТЬ**, -ствую, -ствуешь; засвиде́тельствовавший; засвиде́тельствованный; -ан, -а, -о; засвиде́тельствовав; *сов., что.* Подтвердить, удостоверить истинность чего-л. *Я видел много раз эти пьесы на сцене.. и могу засвидетельствовать, что публика и плакала навзрыд, и хлопала до неистовства.* С. Аксаков. Литературные и театральные воспоминания. ◇ **Засвидетельствовать почтение** *кому* (*устар.*) — выразить свое почтение, уважение кому-л. посещением, письмом и т.п. *Приезжий оказал необыкновенную деятельность насчет визитов: он явился даже засвидетельствовать почтение инспектору врачебной управы и городскому архитектору.* Гоголь. Мертвые души.

**ЗАСЕДА́ТЕЛЬ**, -я, м. В дореволюционной России: выборный представитель для участия в работе какого-л. учреждения. *Оказалось, что исправник, заседатель земского суда, стряпчий и писарь.. пропали неизвестно куда.* Пушкин. Дубровский. ◇ **Народный заседатель** — лицо, избранное в установленном законом порядке для участия в рассмотрении гражданских и уголовных дел в суде.

**Заседа́тельский**, -ая, -ое.

**ЗАСКОРУ́ЗЛЫЙ**, -ая, -ое. **1.** *Разг.* Затвердевший, загрубевший, шершавый. *Заскорузлые руки.* □ *Запнувшись о валежник, погребенный под заскорузлым снегом, капитан упал.* В. Кожевников. Март-апрель. **2.** *перен.* Закоснелый. *Толстовские идеи, это — зеркало слабости, недостатков нашего крестьянского восстания, отражение мягкотелости патриархальной деревни и заскорузлой трусливости «хозяйственного мужичка».* Ленин, т. 17, с. 212.

С и н. (*к 1 знач.*): загрубе́лый, огрубе́лый. С и н. (*ко 2 знач.*): закорене́лый, застаре́лый, заматере́лый.

**Заскору́злость**, -и, ж. *Заскорузлость рук.*

**ЗАСЛО́Н**, -а, м. **1.** Прикрытие, преграда. *Снежный заслон.* **2.** Отряд войск, выставленный для прикрытия какой-л. операции. *Выставить заслон.* □ *На юге.. с каждым часом все ближе и ближе бухали пушки, вспыхивала и замирала ружейная трескотня. Там сражались насмерть отборные партизанские заслоны.* Седых. Отчий край. **3.** *перен., кому, чему.* Препятствие, противодействие. *Заслон разгильдяйству.*

С и н. (*к 1 знач.*): защи́та, щит (*книжн.*). С и н. (*ко 2 знач.*): прикрытие (*спец.*).

**Засло́нный**, -ая, -ое (*к 1 и 2 знач.*).

**ЗАСЛО́НКА**, -и, ж. Приспособление в виде железного листа с ручкой, закрывающее отверстие печи. *Из-за раскаленных докрасна печных заслонок слышалось сердитое ворчание и треск пламени.* Короленко. На заводе.

**Засло́ночный**, -ая, -ое.

**ЗАСТА́ВА**, -ы, ж. **1.** В дореволюционной России: место въезда в город, пункт контроля привозимых грузов и приезжающих и взимания пошлин. *Не доезжая заставы, у которой, вместо часового, стояла развалившаяся будка, француз велел остановиться.* Пушкин. Дубровский. **2.** Воинское подразделение, несущее охранение чего-л. *Пограничная застава.* □ *Передовые заставы, отстреливаясь, отошли к окопам.* А. Н. Толстой. Хождение по мукам.

**Заста́вный**, -ая, -ое.

**ЗАСТЕ́НОК**, -нка, м. Место пыток, тюремных истязаний. *Фашистские застенки.* □ *И он писал им.., как воин воинам, о том, как умирали в застенках и на виселицах лучшие люди, плюя врагу в лицо.* Горбатов. Непокоренные.

**ЗАСТО́Й**, -я, м. **1.** Отсутствие движения, неподвижность. *Застой крови.* **2.** *перен.* Отсутствие развития, остановка в какой-л. области жизни, деятельности. *Временный застой в делах предприятия.* □ *Я приезжаю в Навозный и вижу, что торговля у меня в застое.* Салтыков-Щедрин. Помпадуры и помпадурши. **3.** Время пассивного, вялого состояния общественной жизни. *Период застоя.* □ *В обществе застой совершенный; все скучают адски.* Тургенев. Новь.

С и н. (к 3 знач.): безвре́менье (*устар.*).

**Засто́йный**, -ая, -ое.

**ЗАСТРЕ́ЛЬЩИК**, -а, м. **1.** *Устар.* Солдат в рассыпном строю, который первым встречался с противником.— *Спросите, поставлены ли застрельщики,— прибавил он.* Л. Толстой. Война и мир. **2.** *перен.* Тот, кому принадлежит почин в каком-л. деле. *Катя Ставрова и Валька Бессонов выступили застрельщиками зимнего спорта.* Кетлинская. Мужество.

С и н. (ко 2 знач.): инициа́тор, пионе́р (*книжн.*), зачина́тель (*высок.*), начина́тель (*высок.*).

**Застре́льщица**, -ы, ж. (ко 2 знач.).

**ЗАСТРЕ́ХА**, -и, ж. В избах, сараях и т. п.: нижний свисающий край крыши, а также брус, поддерживающий этот край. *Гнездо под застрехой.*

**ЗАТВО́РНИК**, -а, м. **1.** Монах, отшельник, давший обет не выходить из своей кельи.— *Вы знаете, что в монастыре есть затворник, который никого не видит.* Гоголь. Мертвые души. **2.** *перен.* Человек, ведущий уединенный, замкнутый образ жизни.— *Он у меня затворник. Запрется у себя в кабинете, и не вызовешь его оттуда.* Салтыков-Щедрин. Пошехонская старина.

С и н. (ко 2 знач.): отше́льник, мона́х, пусты́нник (*устар.*), анахоре́т (*устар. книжн.*).

**Затво́рница**, -ы, ж.

**ЗАТЕ́Я**, -и, ж. **1.** Замысел, намерение, план (обычно малоосуществимые). *Нелепая затея.* □ *Но муж любил ее сердечно, В ее затеи не входил.* Пушкин. Евгений Онегин. **2.** Забава, развлечение. *Ребячьи затеи.* □ *Боярин глядел на двор. Запустенье!.. за царскими затеями да забавами и подумать некогда о своем-то.* А. Н. Толстой. Петр I. **3.** *мн. Устар.* Причудливые, замысловатый приемы, украшения и т. п. *Рассказ с затеями. Фасад с разными затеями.* □ *Деревенские избы мужиков.. срублены были на диво: не было.. резных узоров и прочих затей, но все было признано плотно и как следует.* Гоголь. Мертвые души. ◇ **Без затей** — просто, без ухищрений.

**ЗАТМЕ́НИЕ**, -я, ср. **1.** Временное затемнение небесного тела (когда оно закрывается другим или попадает в тень другого тела). *Солнечное затмение. Затмение Луны.* **2.** Временное помрачение сознания, потеря способности правильно мыслить.— *Вот оказия, никак его фамилии не вспомню.. На языке вертится, а не вспомню. Прямо затмение какое-то.* Седых. Даурия.

**ЗАТМИ́ТЬ**, -ми́шь; затми́вший; затми́в; сов., кого, что. **1.** Заслонив собой, сделать невидимым, незаметным. *Звезду затмила туча злая, Звезда померкла.* Лермонтов. Корсар. **2.** *перен.* Превзойти в каком-л. отношении. *Затмить всех своим остроумием.* □ *Она сидела у стола С блестящей Ниной Воронскою, Сей Клеопатрою Невы: И, верно б, согласились вы, Что Нина мраморной красою Затмить соседку не могла, Хоть ослепительна была.* Пушкин. Евгений Онегин.

С и н. (ко 2 знач.): перещеголя́ть (*разг.*), перепло́хнуть (*прост.*), заби́ть (*прост.*).

**Затмева́ть**, -а́ю, -а́ешь; *несов.*

**ЗАТО́Н**, -а, м. **1.** Вдавшийся в сушу речной залив. *Мелководный затон. Искупаться в затоне.* **2.** Специально защищенное от ледохода место на реке для зимовки и ремонта судов. *Буксирный пароход тяжело тащит из затона пустые тупоносые баржи.* М. Горький. Пожар.

С и н. (к 1 знач.): за́водь.

**Зато́нный**, -ая, -ое.

**ЗАТОЧЕ́НИЕ**, -я, ср. *Устар.* Пребывание в ссылке, в тюрьме, а также место такого пребывания. *Многолетнее заточение.* □ *В глуши, во мраке заточенья Тянулись тихо дни мои Без божества, без вдохновенья, Без слез, без жизни, без любви.* Пушкин. К***

С и н.: заключе́ние.

**ЗАТРАПЕ́ЗНЫЙ**[1], -ая, -ое; -зен, -зна, -о. **1.** *полн. ф. Устар.* Сшитый из дешевой грубой полосатой ткани (затрапе́з или затрапе́за). *Дворовые мужчины.. без шапок, женщины в затрапезных, полосатых платках, с детьми на руках,.. стояли около крыльца.* Л. Толстой. Детство. **2.** *Разг.* Будничный, повседневный, заношенный. *Затрапезный халат, вид.* □ *[Борис] чувствовал себя точно в праздник, когда.. снимаешь свое затрапезное платье.* Боборыкин. В путь-дорогу.

**Затрапе́зность**, -и, ж. (ко 2 знач.).

**ЗАТРАПЕ́ЗНЫЙ**[2], -ая, -ое. *Устар.* Происходящий, совершающийся во время еды (трапезы). □ *Оставался досуг, тратившийся на затрапезные и чайные беседы со своими, на прогулки.* И. Гончаров. Воспоминания.

С и н.: засто́льный.

**ЗА́ТХЛЫЙ**, -ая, -ое; затхл, -а, -о. **1.** Пахнущий сыростью, гнилью. *Затхлый воздух.* □ *Они очутились в небольшом затхлом подвальчике, заваленном мусором и щебнем.* Гайдар. Военная тайна. **2.** *перен.* Закосневший, со следами внутреннего разложения. *Затхлая жизнь.* □ *— Какой ты интерес видишь в этой затхлой среде? —* восклицал брат. Писемский. Мещане.

С и н. (к 1 знач.): несве́жий.

**За́тхлость**, -и, ж.

**ЗАУ́МНЫЙ**, -ая, -ое; -мен, -мна, -о. Излишне мудреный, непонятный. *Заумная речь.* □ *— Я замечала: чем больше человек знает, тем проще и понятнее говорит. Самые заумные доклады делают невежды.* Кетлинская. Дни нашей жизни.

**Зау́мно**, *нареч.* **Зау́мность**, -и, ж.

**ЗАУРЯ́ДНЫЙ**, -ая, -ое; -ден, -дна, -о. Ничем не выделяющийся, обыкновенный; посредственный. *Заурядный писатель. Заурядные способности.* □ *[Ленин:] Мне бы хотелось, чтобы [газета] «Правда» писала о героическом опыте простых, заурядных людей.* Погодин. Человек с ружьем.

С и н.: обы́чный, рядово́й, дю́жинный, просто́й, ордина́рный (*книжн.*).

А н т.: необыкнове́нный, необы́чный, незауря́дный, недю́жинный.

**Заури́дно**, *нареч.* **Заури́дность**, -и, ж.

**ЗАУ́ТРА**, *нареч. Трад.-поэт.* Завтра утром. *Окован, Кочубей сидит И мрачно на небо глядит.*

*Заутра казнь. Но без боязни Он мыслит об ужасной казни.* Пушкин. Полтава.

**ЗАУ́ТРЕНЯ**, -и, *ж.* Церковная служба у христиан, совершаемая рано утром, до обедни. *Протяжный звон колоколов В Печерской лавре раздавался; С рассветом из своих домов Народ к заутрене стекался.* Рылеев. Наливайко.

С и н.: у́треня.

**ЗАЧАРО́ВАННЫЙ**, -ая, -ое. **1.** По суеверным представлениям: находящийся под действием чьих-л. чар; заколдованный. *Никите казалось, что он идет во сне, в заколдованном царстве. Только в зачарованном царстве бывает так странно и так счастливо на душе.* А. Н. Толстой. Детство Никиты. **2.** *перен.* Плененный, восхищенный чарующим действием чего-л. *Наверное, этот огонь.. [напоминал] «ночное» в детстве: росистый месячный луг,.. резвое пламя костра перед детскими зачарованными глазами.* Фадеев. Разгром.

С и н.: очаро́ванный, заворожённый, околдо́ванный.

*Зачаро́ванно, нареч.* (ко 2 знач.). *Зачарованно слушать музыку.* **Зачаро́ванность**, -и, *ж.*

**ЗАЧА́ТОК**, -тка, *м.* **1.** Первоначальная форма чего-л., способная к дальнейшему развитию, росту; зародыш. **2.** обычно *мн.*, *чего.* Первое проявление чего-л.; начало. *Зачатки новой жизни.* ☐ *Дул ветерок, и по небу слегка обозначались зачатки перистых облачков.* Лесков. Гора. ◇ **В зача́тке** (быть, находиться и т.п.) — представлять собой начальную стадию чего-л., находиться на начальной стадии.

С и н. (ко 2 знач.): ростки́.

*Зача́точный, -ая, -ое. В зачаточном состоянии.*

**ЗАЧИНА́ТЕЛЬ**, -я, *м. Высок.* Тот, кто положил начало какому-л. делу, движению, течению и т. п. *Зачинатели движения разоружения.* ☐ *Мы — зачинатели, мы застрельщики новой пятилетки боев за социализм.* Маяковский. Застрельщики.

С и н.: инициа́тор, застре́льщик, пионе́р (*книжн.*), начина́тель (*высок.*).

*Зачина́тельница, -ы, ж.*

**ЗАЧИ́НЩИК**, -а, *м.* Тот, кто начинает что-л. (обычно неблаговидное). *Зачинщики забастовки. Зачинщик драки.* ☐ *— Но я уверена, что не вы зачинщик ссоры.* Пушкин. Капитанская дочка.

С и н.: запева́ла (*разг.*), заводи́ла (*разг.*), зате́йщик (*прост.*), закопёрщик (*прост.*).

*Зачи́нщица, -ы, ж.*

**ЗАШИФРОВА́ТЬ**, -ру́ю, -ру́ешь; зашифрова́вший; зашифро́ванный; -ан, -а, -о; зашифрова́в; *сов., что.* Засекретить с помощью шифра, условных обозначений. *Зашифровать радиограмму. Зашифровать сочинения абитуриентов.*

*Зашифро́вывать, -аю, -аешь; несов.* **Зашифро́вка**, -и, *ж.* и **зашифро́вывание**, -я, *ср. Зашифровка донесения.*

**ЗАЩИ́ТНЫЙ**, -ая, -ое. **1.** Защищающий от чего-л. *Защитные очки. Защитные лесные насаждения.* ☐ *Замелькали покрытые защитной броней вагоны с пушками и пулеметами.* А. Листовский. Конармия. **2.** О цвете: серовато-зеленый, делающий малозаметным, плохо различимым кого-, что-л. *Защитная гимнастерка. Ткань защитного цвета.*

С и н. (ко 2 знач.): ха́ки.

**ЗАЯВЛЕ́НИЕ**, -я, *ср.* **1.** Официальное сообщение о чем-л. (в устной или письменной форме). *Заявление главы государства. Выступить с заявлением в печати.* ☐ *[Наполеон] не получил ни одного ответа на свои неоднократные заявления о желании вести переговоры.* Л. Толстой. Война и мир. **2.** Письменная просьба о чем-л. в официальной форме. *Заявление о приеме в партию. Написать заявление об отпуске.*

**ЗВА́НИЕ**, -я, *ср.* **1.** *Устар.* Должность, чин (служебное положение по табели о рангах). *Звание коллежского асессора.* ☐ *Семен Петрович служил в министерстве двора, имел в этом звание камер-юнкера.* Тургенев. Новь. **2.** В дореволюционной России: сословная принадлежность, общественное положение с наследственными правами и обязанностями. *Духовное, купеческое, мещанское звание.* ☐ *Глядя на лицо, никак не поймешь, какого он звания: барин ли, купец или мужицкого звания?* Чехов. Гусев. **3.** Официально присвоенное наименование лицу, имеющему какие-л. специальные знания, получившему специальную подготовку. *Воинские звания. Получить ученое звание профессора.* ☐ *— Я готовился.. в кондиторы, но мне сказали, что в вашей земле звание учительское не в пример выгоднее.* Пушкин. Дубровский. **4.** Почетное наименование, присваиваемое за какие-л. заслуги и являющееся одним из видов награды, поощрения. *Звание заслуженного мастера спорта. Получить звание народного артиста.* ◇ **Только** (или **одно**) **зва́ние** (*разг.*) — о том, что не отвечает своему названию. *Одно звание, что повар: готовить не умеет.*

**ЗВА́НЫЙ**, -ая, -ое. **1.** Получивший приглашение, приглашенный. *Званый гость.* ☐ *[Фамусов:] Кто хочет к нам пожаловать — изволь, Дверь отперта для званых и незваных* (в знач. сущ.). Грибоедов. Горе от ума. **2.** Со специально приглашенными гостями (о вечере, обеде и т. п.). *Званый обед в честь высокого гостя.*

**ЗВЕЗДА́**, -ы́, *звёзды, звёзд, ж.* **1.** Небесное тело, видимое ночью на небе как яркая точка. *Далекая звезда. Рассмотреть звезду в телескоп.* ☐ *Темно; луна зашла в туманы, Чуть брезжит звезд неверный свет.* Пушкин. Цыганы. **2.** *перен.* Судьба, участь. *Верить в свою звезду.* **3.** О человеке, чем-то прославившемся; о знаменитости. *Звезда экрана.* ☐ *[Инженер] начал долго и обстоятельно докладывать.. о предстоящем музыкальном сезоне, о восходящих звездах музыкального мира.* Серафимович. Город в степи. **4.** Геометрическая фигура с треугольными остроконечными выступами по окружности, а также предмет такой формы. *Кремлевские звезды.* ☐ *Мелькает, вьется первый снег, Звездами падая на брег.* Пушкин. Евгений Онегин. **5.** Знак отличия, орден, имеющий такую форму. *Орден Красной Звезды. Звезда Героя Советского Союза. Маршальская звез-*

да. ☐ [Колязину] недавно минуло сорок лет, но он уже метил в государственные люди и на каждой стороне груди носил по звезде. Тургенев. Отцы и дети. ◇ **Родиться под счастливой звездой** — быть удачливым во всем, счастливым. **Звезды с неба хватать** — отличаться необыкновенными способностями, умом. **Звезд с неба не хватать** — не отличаться особыми способностями.

С и н. (*к 1 и 3 знач.*): свети́ло (*высок.*). С и н. (*ко 2 знач.*): до́ля, судьби́на (*трад.-поэт.*), плани́да (*прост.*), ли́ния (*прост.*), жре́бий (*устар.*), часть (*устар.*), плане́та (*устар.*), уде́л (*устар. и книжн.*).

**Звёздный**, -ая, -ое (*к 1 знач.*). ◇ **Звездная болезнь** — о высокомерном, чванливом поведении человека, пользующегося известностью. **Звездный дождь** — обильное падение метеоров; звездопад.

**ЗВЕЗДОЧЁТ**, -а, *м. Устар.* Предсказатель и гадатель по звездам. *Вот он с просьбой о помоге Обратился к мудрецу, Звездочету и скопцу.* Пушкин. Сказка о золотом петушке.

С и н.: астро́лог.

**ЗВЕНО́**, -а́, зве́нья, -ев, *ср.* **1.** Отдельная составная часть (кольцо) цепи. *Задние колеса [машины] были туго обмотаны цепями. В стальные звенья набился потемневший спрессованный снег.* Бек. Волоколамское шоссе. **2.** *перен.* Составная часть чего-л. целого. *Я для развлечения вздумал записывать рассказ Максима Максимыча о Бэле, не воображая, что он будет первым звеном длинной цепи повестей.* Лермонтов. Герой нашего времени. **3.** Самая мелкая организационная единица в каком-л. объединении. *Пионерское, полеводческое звено. Звено самолетов.* ☐ *Таня подносила цемент, песок и делала все, что приказывали ее звену каменщики.* Караваева. Огни.

С и н. (*ко 2 знач.*): элеме́нт.

**Звеньево́й**, -а́я, -о́е (*к 3 знач.*). *Звеньевой метод.*

**ЗВОНА́РЬ**, -я́, *м.* Церковный служитель, звонящий в колокола. *У Николы [в церкви] звонарь бил неровно — то с большою силою, то едва касаясь языком меди, — медь всхлипывала, кричала.* М. Горький. Жизнь Матвея Кожемякина.

**ЗВО́ННИЦА**, -ы, *ж.* Сооружение с проемами для церковных колоколов; тип колокольни. *Находили сумерки, и по всей Москве на звонницах и колокольнях начали звонить к вечерне.* А. Н. Толстой. Петр I.

**ЗДРА́ВИЦА**, -ы, *ж. Высок.* Заздравный тост. *Провозгласить здравицу в честь юбиляра.* ☐ *Дослушав до конца здравицу государя, все дружно осушили свои чарки.* Костылев. Иван Грозный.

**ЗДРА́ВНИЦА**, -ы, *ж.* Общее название санаториев, домов отдыха. *Крымские здравницы.* ☐ *Отдыхал я в Сочи в санатории «Донбасс». Это замечательная здравница для угольщиков.* Стаханов. Рассказы о моей жизни.

**ЗДРА́ВСТВОВАТЬ**, -ствую, -ствуешь; здра́вствующий, здра́вствовавший; здра́вствуя; *несов.* Быть живым, здоровым, находиться в благополучном состоянии. — *Дай бог тебе сто лет здравствовать за то, что меня, старика,*

*призрел и успокоил.* Пушкин. Капитанская дочка. ◇ **Да здравствует (здравствуют)!** (*высок.*) — пожелание успеха, процветания. *Да здравствует мир во всем мире!* ☐ *Да здравствует солнце, да скроется тьма!* Пушкин. Вакхическая песнь.

**ЗДРА́ВЫЙ**, -ая, -ое; здрав, -а, -о. **1.** Разумный, правильный. *Здравый смысл высказанного. Здравое рассуждение.* ☐ *Он был неглуп; и мой Евгений, Не уважая сердца в нем, Любил и дух его суждений, И здравый толк о том, о сем.* Пушкин. Евгений Онегин. **2.** Обладающий здоровьем, не больной. *Здрав и невредим. В здравом уме и твердой памяти.* ☐ *Уж князь готов, уж он верхом, Уж он летит живой и здравый Через поля, через дубравы.* Пушкин. Руслан и Людмила.

С и н. (*к 1 знач.*): благоразу́мный, рассуди́тельный, реалисти́ческий, трёзвый, здравомы́слящий (*книжн.*). С и н. (*ко 2 знач.*): здоро́вый.

**Здра́во**, *нареч. Устар.* Здраво судить о чем-л. **Здра́вость**, -и, *ж.* (*к 1 знач.*).

**ЗЕЛЕНЯ́**, -е́й, *мн. Обл.* Молодые зеленые всходы хлебов (преимущ. озимых). *Впереди лежало хлебное поле, едва покрывшееся свежими, нежными зеленями.* Злобин. Степан Разин.

**ЗЕЛО́**[1], *нареч. Устар.* Очень, весьма. *Скоро увидели Царьград, достойный удивления.. Весь город под черепицу, зело предивные и превеликолепные стоят мечети белого камня.* А. Н. Толстой. Петр I.

**ЗЕЛО́**[2], -а́, *ср.* Название восьмой буквы (s) церковнославянской и старой русской азбуки, обозначавшей, как и буква з е м л я (з), звук «з».

**ЗЕ́ЛЬЕ**, -я, зе́лья, зе́лий, *ср. Устар.* **1.** Настой на травах как лечебное или отравляющее средство, а также табак, водка, чай, кофе и т. п. *[Становой:] А зельем не поила [сына] ты? А мышьяку не сыпала?* Н. Некрасов. Кому на Руси жить хорошо. **2.** *Разг.* О зловредном, язвительном человеке, а также о привлекательной, соблазнительной женщине. *[Кабанова:] Видишь, что она делает! Вот какое зелье! Как она характер-то свой хочет выдержать!* А. Островский. Гроза. **3.** Порох. — *Мушкетов прислали бы не ломаных и огневого зелья к ним.. Да две чугунных пушки, чтоб стрелять.* А. Н. Толстой. Петр I.

**ЗЕМЛЯ́**[1], -и́, зе́мли, земе́ль, *ж.* **1.** (с прописной буквы). Третья от Солнца планета Солнечной системы. *Космонавты возвратились на Землю.* **2.** Суша, твердая поверхность. *Самолет оторвался от земли. Матрос увидел на горизонте землю.* **3.** Верхний слой земной коры; почва. *Взрыхлить землю.* **4.** *Высок.* Страна, государство, а также какая-л. местность. *Родная земля.* **5.** Территория, находящаяся в чьем-л. владении, пользовании. *Помещичья земля. Фермерские земли.*

С и н. (*к 4 знач.*): край, сторона́ (*разг.*).

**Земно́й**, -а́я, -о́е (*к 1 и 2 знач.*), **земляно́й**, -а́я, -о́е (*к 3 знач.*) и **земе́льный**, -ая, -ое (*к 5 знач.*). *Земной шар. Земляной вал. Земельная собственность.*

**ЗЕМЛЯ́**[2], -и́, *ж.* Устарелое название буквы «з».

**ЗЕМЛЯ́НКА**, -и, ж. Жилье, вырытое в земле, иногда выступающее над поверхностью земли. *Партизанская землянка.* □ *Глядь: опять перед ним землянка; На пороге сидит его старуха, А перед нею разбитое корыто.* Пушкин. Сказка о рыбаке и рыбке.

**ЗЕ́МСТВО**, -а, ср. В дореволюционной России: местное сельское самоуправление с преобладанием дворянства в его органах (ведало просвещением, здравоохранением, строительством дорог и т. п.). *Губернское, уездное земство.* □ *Года два тому назад земство расщедрилось и постановило выдавать триста рублей ежегодно в качестве пособия на усиление медицинского персонала в городской больнице впредь до открытия земской больницы.* Чехов. Палата № 6.

**Зе́мский**, -ая, -ое. *Земские выборы.* ◊ **Земский начальник** — в дореволюционной России: должностное лицо в сельских местностях, наделенное административной и судебной властью. **Земские школы** — начальные школы в дореволюционной России с 3- и 4-летним сроком обучения.

**ЗЕНИ́Т**, -а, м. [Франц. zénith из араб.]. **1.** Наивысшая точка небесной сферы над головой наблюдателя. *Солнце в зените.* □ *А высоко над степью,.. будто купаясь в морозной синеве, то ввинчивалась в зенит неба, то падала на тонкие серебристые плоскости пара наших ястребков, патрулируя эшелон.* Бондарев. Горячий снег. **2.** *перен. Высок.* Высшая точка развития чего-л., высшая степень, предел. *В зените славы. Находиться в зените счастья.*

С и н. (ко 2 знач.): верх, верши́на, апоге́й (*книжн.*), вене́ц (*высок.*).

**Зени́тный**, -ая, -ое (к 1 знач.). ◊ **Зенитное орудие** — орудие для стрельбы по самолетам и другим воздушным целям.

**ЗЕНИ́ТКА**, -и, ж. *Разг.* Зенитное орудие. *Стучали зенитки, белое пламя прожекторов копалось в небе своими негнущимися щупальцами.* В. Кожевников. Март-апрель.

**ЗЕНИ́ЦА**, -ы, ж. *Устар.* Зрачок; глаз. *Перстами легкими как сон Моих зениц коснулся он.* Пушкин. Пророк. ◊ **Как зеницу ока (беречь, хранить** и т. п.) *кого, что* — тщательно, заботливо. — *Не беспокойся, у меня в запасе второй [пистолет] есть. Этот был расхожий, а тот я блюду, как зеницу ока, он у меня дарственный, именной.* Шолохов. Поднятая целина.

**ЗЕФИ́Р**, -а, м. [Греч. zephyros]. **1.** *Трад.-поэт.* Легкий ветерок (у древних греков: западный ветер). *Приди ко мне, когда зефир Колышет рощами лениво.* А. Кольцов. Приди ко мне... **2.** Легкая бельевая хлопчатобумажная ткань. *Рубашка из зефира.* **3.** Сорт легкой фруктовой пастилы. *Зефир в шоколаде.*

**ЗИЖДИ́ТЕЛЬ**, -я, м. *Устар. книжн.* Творец, создатель, основатель. *Кирила Петрович сам подтягивал, молился,.. И с гордым смирением поклонился в землю, когда дьякон громогласно упомянул и о зиждителе храма сего.* Пушкин. Дубровский.

**Зижди́тельница**, -ы, ж.

**ЗИ́ЖДИТЬСЯ**, -дется; зи́ждущийся; *несов.*, *на чем. Высок.* Основываться на чем-л., опираться на что-л. *Брак зиждется на любви.*

С и н.: поко́иться (*книжн.*).

**ЗИМО́ВЬЕ**, -я, зимо́вья, -ий, ср. Место, помещение, где живут зимой или останавливаются для какого-л. промысла. *Укрылся Андрей Гуськов в Андреевском, в старом зимовье возле речки.* Распутин. Живи и помни.

С и н.: зимо́вка.

**ЗИПУ́Н**, -а́, м. Старинная верхняя крестьянская одежда в виде кафтана без воротника, обычно из грубого самодельного сукна. — *Выдам тебе зипун,.. штаны, сапоги нарядные, а свое, худое, пока спрячь.* А. Н. Толстой. Петр I.

**ЗИЯ́ТЬ**, зия́ет; зия́ющий; зия́вший; зия́я; *несов. Книжн.* Быть раскрытым, обнаруживать глубину, провал (об отверстии, ране и т. п.). *Налево зияла глубокая расселина, где катился поток.* Лермонтов. Герой нашего времени.

**Зия́ние**, -я, ср. *Зияние выбитых окон.*

**ЗЛА́ТО**, -а, ср. *Трад.-поэт.* Золото. *Видит: весь сияя в злате, Царь Салтан сидит в палате.* Пушкин. Сказка о царе Салтане.

**ЗЛАТОГЛА́ВЫЙ**, -ая, -ое; -а́в, -а, -о. *Трад.-поэт.* С позолоченными главами, куполами. *Остров на́ море лежит. Град на острове стоит С златоглавыми церквами, С теремами да садами.* Пушкин. Сказка о царе Салтане.

**ЗЛАТОУ́СТ**, -а, м. [По прозвищу выдающегося византийского проповедника и церковного деятеля Иоанна Златоуста]. *Устар. и ирон.* Красноречивый оратор. *Отдельные фразы, врывавшиеся совершенно неожиданно в речь этого салонного златоуста, опрокидывали все сказанное им.* Юрьев. Записки.

**ЗЛА́ЧНЫЙ**, -ая, -ое; -чен, -чна, -о. *Устар.* Обильный, богатый злаками; плодородный. *А там уж и люди гнездятся в горах, И ползают овцы по злачным стремнинам.* Пушкин. Кавказ. ◊ **Злачное место** (*разг. шутл.*) — место, где предаются кутежу, разврату. *[Путохин] напился пьян и в пьяном образе, забыв про семью и службу, ровно пять дней и ночей шатался по злачным местам.* Чехов. Беда.

**ЗЛОБОДНЕ́ВНЫЙ**, -ая, -ое; -вен, -вна, -о. Интересующий всех в данное время; острый, существенный для данного момента. *Злободневный вопрос. Злободневное произведение. Разговор на злободневную тему.*

С и н.: актуа́льный, животрепе́щущий, живо́й, жи́зненный.

**Злободне́вность**, -и, ж. *Политическая злободневность. Злободневность романа.*

**ЗЛОВЕ́ЩИЙ**, -ая, -ее; -е́щ, -а, -е. Предвещающий несчастье, зло. *Зловещая тишина. Зловещие признаки болезни.* □ *Но сон зловещий ей сулит Печальных много приключений.* Пушкин. Евгений Онегин.

**Злове́ще**, *нареч. Зловеще предрекать.*

**ЗЛОДЕЯ́НИЕ**, -я, ср. *Высок.* Тяжкое преступление. *Чудовищные злодеяния фашистов.* □ *Мысль, что вы меня можете считать участницей в том ужасном злодеянии, была всегда для меня самая убийственная мысль!* Тургенев. История лейтенанта Ергунова.

С и н.: злодейство (высок.), лиходейство (устар. и нар.-поэт.).

**ЗЛОКЛЮЧЕ́НИЕ**, -я, ср. Книжн. Несчастное приключение. *Поведать о своих злоключениях.*

**ЗЛОКО́ЗНЕННЫЙ**, -ого, м. Устар. Со злым умыслом, коварный. *Злокозненные действия.*

С и н.: злостный, злонамеренный (книжн.).

**ЗЛОПОЛУ́ЧНЫЙ**, -ая, -ое; -чен, -чна, -о. Несчастный, полный бедствий и неудач. *Злополучный виновник происшествия. Злополучный день.*

С и н.: несчастливый, злосчастный, неудачливый, незадачливый (разг.), горемычный (прост.), бесталанный (нар.-поэт.), бессчастный (устар.).

**Злополу́чность**, -и, ж.

**ЗЛО́СТНЫЙ**, -ая, -ое; -тен, -тна, -о. 1. Исполненный злобы, злых умыслов. *Злостные намерения. Злостная клевета.* □ *[Кулигин:] [Пьяные приказные] за малую благостыню на гербовых листах злостные кляузы строчат на ближних.* А. Островский. Гроза. 2. Сознательно недобросовестный. *Злостный неплательщик. Злостный нарушитель дисциплины.*

С и н. (к 1 знач.): злонамеренный (книжн.), злокозненный (устар.).

**Зло́стность**, -и, ж.

**ЗЛОСЧА́СТНЫЙ**, -ая, -ое; -тен, -тна, -о. Несчастный. *Злосчастная судьба, любовь.*

С и н.: несчастливый, злополучный, неудачливый, незадачливый (разг.), горемычный (прост.), бесталанный (нар.-поэт.), бессчастный (устар.).

**Злосча́стие**, -я, ср. и **злосча́стность**, -и, ж.

**ЗЛО́ТЫЙ**, -ого, м. Денежная единица Польши, а также монета соответствующего достоинства.

**ЗЛОУМЫ́ШЛЕННИК**, -а, м. Устар. Лицо, замыслившее (или совершившее) преступление. *Арестовать злоумышленников.* □ *Рыбинспектор не удостаивал разговором Грохотало,.. не пригласил: «Распишись», лишь ткнул костлявым.. пальцем в то место, где злоумышленник обязан учинить подпись.* Астафьев. Царь-рыба.

С и н.: преступник, злодей, правонарушитель (офиц.), лиходей (устар. и нар.-поэт.).

**Злоумы́шленница**, -ы, ж.

**ЗЛОУПОТРЕБИ́ТЬ**, -блю́, -би́шь; злоупотреби́вший; злоупотреби́в; сов., чем. Употребить во зло, использовать во вред кому-, чему-л. *Злоупотребить терпением, доверием.*

**ЗЛОУПОТРЕБЛЯ́ТЬ**, -я́ю, -я́ешь; несов. *Иван Ильич никогда не злоупотреблял этой своею властью, напротив, старался смягчить выражение ее.* Л. Толстой. Смерть Ивана Ильича. **Злоупотребле́ние**, -я, ср. *Злоупотребления служебным положением.*

**ЗНАК**, -а, м. 1. Предмет, изображение (нередко с условным значением), метка и т. п., служащие для обозначения чего-л. *Заводской знак на станке. Опознавательные знаки. Знаки умножения и деления. Нотный знак. Дорожные знаки.* □ *[Пьер] рассмотрел перстень. Он увидел на нем адамову голову, знак масонства.* Л. Толстой. Война и мир. 2. Жест, выражающий волю, желание, приказ или предупреждающий о чем-л. *Знак молчания. Условный знак.* □ *Пугачев дал знак, и меня тотчас развязали и оставили.* Пушкин. Капитанская дочка. 3. След, отметина, оставшиеся после чего-л. *Знаки боевых ран. Знак привитой оспы.* ◇ **В знак** *чего* — как свидетельство, доказательство чего-л. *В знак дружбы. В знак протеста. Кивнуть в знак согласия.* **Знаки отличия** — ордена и медали. **Знаки различия** — значки, нашивки, погоны, петлицы на форменной одежде, служащие для обозначения звания, рода службы. **Под знаком** *чего* (высок.) — обнаруживая что-л., под знаменем чего-л. *Под знаком единства и сплоченности.*

С и н. (к 1 знач.): эмблема, символ. С и н. (к 3 знач.): мета, метина (разг.).

**Зна́ковый**, -ая, -ое (к 1 знач.). *Знаковая система.*

**ЗНА́МЕНИЕ** [не знамение], -я, ср. Устар. Признак, предвещающий что-л., предзнаменование. *[Борис:] Да будет В сей светлый день Нам знамением добрым Благая весть!* А. К. Толстой. Царь Борис. ◇ **Знамение времени** (или **эпохи**) (книжн.) — общественное явление, характерное, типичное для данного времени. *Недавно родился этот тип и быстро распложается. Он рожден временем, он знамение времени.* Чернышевский. Что делать? **Крестное знамение** — молитвенный жест христиан (изображение движением правой руки креста). *Осенить себя крестным знамением.*

С и н.: примета, предвестие (книжн.).

**ЗНА́ТНЫЙ**, -ая, -ое; зна́тен, знатна́, зна́тно. 1. Принадлежащий к знати, к верхушке привилегированного класса. *Знатный дворянин. Знатный род.* □ *Богат и знатен Кочубей.* Пушкин. Полтава. 2. Известный, знаменитый, прославленный. *Знатная текстильщица.* □ *Судья.. [повернула голову] к знатной звеньевой пригородного совхоза Мигуновой.* Проскурин. Горькие травы.

С и н. (к 1 знач.): родовитый, сановный, сановитый (устар.), вельможный (устар.), именитый (устар.). С и н. (ко 2 знач.): популярный, именитый, признанный.

**Зна́тность**, -и, ж. (к 1 знач.). *Знатность происхождения.*

**ЗНАТЬ**, -и, ж. Высший слой привилегированного класса в буржуазно-дворянском обществе. *Родовая знать.* □ *Гостиная Анны Павловны начала понемногу наполняться. Приехала высшая знать Петербурга.* Л. Толстой. Война и мир.

С и н.: аристократия.

**ЗНА́ХАРЬ**, -я, м. Лекарь-самоучка, лечащий собственными примитивными средствами, часто с колдовством. *[Мигун] умел заговаривать кровь, лечил и рвал зубы, поил больных наговорной травой и считался знахарем.* Скиталец. Кандалы.

**Зна́харка**, -и и **знаха́рка**, -и, ж. **Зна́харский**, -ая, -ое.

**ЗНАЧЕ́НИЕ**, -я, ср. 1. Смысл, содержание чего-л. *Значение слова.* □ *Ее тревожит снови-*

денье. *Не зная, как его понять, Мечтанья страшного значенье Татьяна хочет отыскать.* Пушкин. Евгений Онегин. **2.** Важность, значительность, роль чего-л. *Историческое значение Великой французской революции. Иметь большое значение. Не имеет значения.* ☐ *Черная черта смерти только еще резче подчеркнет в глазах всего мира его значение — значение вождя всемирного трудового народа.* М. Горький. В. И. Ленин.

С и н. (ко 2 знач.): зна́чимость.

**ЗНА́ЧИМЫЙ**, -ая, -ое; -им, -а, -о. Имеющий какое-л. значение, выражающий что-л. *Значимые части слова (приставка, корень, суффикс, окончание). Значимое отсутствие чего-л.*

**Зна́чимость**, -и, *ж.* Общественная значимость события.

**ЗНАЧИ́ТЕЛЬНЫЙ**, -ая, -ое; -лен, -льна, -о. **1.** Большой по размерам, величине, численности, силе и т. п. *Значительная сумма денег. На значительном расстоянии.* ☐ *Вода в море поднялась и затопила значительную часть берега.* Арсеньев. Дерсу Узала. **2.** Важный по значению, содержанию. *Значительное научное открытие. Значительные события.* ☐ *Можно пока начертить лишь наброски к портрету этого человека, могуче вставшего на рубеже двух значительнейших наших эпох.* Леонов. О Горьком. **3.** Многозначительный, выражающий что-л. *Бросить значительный взгляд.*

С и н. (к 1 знач.): основа́тельный, поря́дочный (*разг.*), изря́дный (*разг.*), соли́дный (*разг.*), внуши́тельный (*разг.*). С и н. (ко 2 знач.): суще́ственный. С и н. (к 3 знач.): вырази́тельный, красноречи́вый.

А н т. (к 1 знач.): незначи́тельный.

**Значи́тельно,** *нареч.* **Значи́тельность,** -и, *ж.*

**ЗОДИА́К**, -а, *м.* [Восх. к греч. zōdiakos (kyklos) — букв. звериный круг (от zōon — зверь)]. *Спец.* Совокупность двенадцати созвездий, через которые проходит Солнце, совершая свой видимый годичный путь. ◊ **Знаки зодиака** — обозначения двенадцати созвездий (Водолей, Рыбы, Овен, Телец, Близнецы, Рак, Лев, Дева, Весы, Скорпион, Стрелец, Козерог). *Огромный дом был тих, мертв. Чуть поблескивали знаки зодиака на потолке.* А. Н. Толстой. Петр I.

**ЗО́ДЧЕСТВО**, -а, *ср.* Искусство проектировать и строить здания. *Памятники древнего зодчества. Современное зодчество.*

С и н.: архитекту́ра.

**ЗО́ДЧИЙ**, -его, *м.* Строитель, архитектор. *Итальянские зодчие оживили этот уголок.. увядающим дыханьем Ренессанса, над тихими водами застыли замки, мосты.* Пикуль. Фаворит.

**ЗОЛО́ВКА**, -и, *ж.* Сестра мужа. *Илья Андреич придумал эту дипломатическую хитрость для того, чтобы дать простор будущей золовке объясниться с своею невесткой.* Л. Толстой. Война и мир.

**ЗОЛОТНИ́К**, -а́, *м.* Русская мера веса, равная 1/96 фунта или 4,26 г.

**ЗО́ЛОТО**, -а, *ср.* **1.** Благородный металл желтого цвета, обладающий большой ковкостью и тягучестью (употр. для выделки драгоценных изделий и в качестве международного мерила ценности). *Запасы золота. Добыча золота.* **2.** *собир.* Изделия из этого металла. *Золото в витрине магазина.* ☐ *[Фамусов:] Максим Петрович: он не то на серебре, На золоте едал; сто человек к услугам.* Грибоедов. Горе от ума. **3.** *собир.* Золотые монеты, деньги. *Платить золотом.* ☐ *Он ставил карту за картой,.. выигрывал беспрестанно, и загребал к себе золото, и клал ассигнации в карман.* Пушкин. Пиковая дама. **4.** *перен.* О ком-, чем-л. отличающемся большими достоинствами. *В рабстве спасенное Сердце свободное — Золото, золото Сердце народное.* Н. Некрасов. Кому на Руси жить хорошо. **5.** *Разг.* О медали за первое место в спортивных соревнованиях, на конкурсе. *Выиграть золото.* ◊ **Черное золото** — о нефти. **Белое золото** — о хлопке. **Червонное золото** — высокопробный сплав золота с медью, применявшийся для изготовления червонцев и других монет.

**Золото́й**, -а́я, -о́е. *Золотые монеты. Золотая медаль. Золотые руки.* **Золотой век** — об эпохе расцвета наук и искусств в истории какого-л. народа. **Золотое дно** — о богатом источнике дохода. **Золотая рота** (*устар. прост.*) — бродяги, босяки, оборванцы. *[Пепел:] Живут же люди. [Клещ:] Эти? Какие они люди? Рвань, золотая рота.* М. Горький. На дне. **Золотая свадьба** — день пятидесятилетия супружеской жизни. **Золотой телец** (*книжн.*) — золото, деньги, а также власть золота, денег. **Золотой фонд** — 1) фонд драгоценных металлов (главным образом золота) в слитках или монетах, принадлежащий государству; 2) о ком-, чем-л. особенно ценном. *Золотой фонд русской литературы.* **Золотых дел мастер** (*устар.*) — ювелир.

**ЗО́НА**, -ы, *ж.* [Восх. к греч. zōnē — пояс]. Определенное пространство, район, характеризующиеся какими-л. общими признаками. *Пограничная зона. Лесостепная зона. Зона тундры. Зона отдыха. Запретная зона.*

С и н.: о́бласть, полоса́, по́яс.

**Зона́льный**, -ая, -ое и **зо́нный**, -ая, -ое. *Зональные границы. Зональная растительность. Зонный тариф.*

**ЗОНДИ́РОВАТЬ**, -рую, -руешь; зонди́рующий, зонди́ровавший; зонди́руемый, зонди́рован-ный; -ан, -а, -о; зонди́руя; *несов., что.* [Франц. sonder]. **1.** Исследовать состояние чего-л. (внутренних органов человека, почвы, атмосферы и т. п.) при помощи приборов (зондов). *Зондировать рану, почву.* **2.** *перен. Книжн.* Предварительно осторожно выяснять, разведывать что-л. с целью определения позиции, точки зрения другой стороны. ◊ **Зондировать почву** (*книжн.*) — то же, что з о н д и р о в а т ь (во 2 знач.). *Зондировать почву для заключения перемирия.*

**Зонди́рование**, -я, *ср.*

**ЗОО...** [От греч. zōon — животное]. Первая составная часть сложных слов, указывающая на отношение к животному миру, напр.: *зооло́гия, зоогеогра́фия, зоопа́рк, зоомагази́н, зооса́д, зоофе́рма.*

**ЗРЕ́ЛЫЙ**, -ая, -ое; зрел, зрела́ и зре́ла, зре́ло.

1. Созревший, спелый. *Кисти ягод висели везде, зрелые и крупные, янтарного цвета.* И. Гончаров. Фрегат «Паллада». **2.** Достигший полного развития, возмужалый, а также свойственный человеку, достигшему полного развития. *Зрелый возраст.* ◻ *Душевный опыт, который отличает зрелого человека от юноши, приобретается медленно.* Эренбург. Буря. **3.** *перен.* Полностью сложившийся; достигший опытности, мастерства и т.п., а также свидетельствующий об опытности, мастерстве. *Зрелый ученый. Зрелое решение вопроса.* ◻ *Наиболее зрелые, глубокие и прекраснейшие создания Пушкина были приняты публикою холодно.* Белинский. Сочинения Александра Пушкина.
С и н. (*к 1 знач.*): поспе́вший, созре́лый (*устар.*).
**Зре́ло**, *нареч.* (*ко 2 и 3 знач.*). **Зре́лость**, -и, *ж.*

**ЗРИ́МЫЙ**, -ая, -ое; зрим, -а, -о. *Книжн.* **1.** Видимый, доступный зрению; воспринимаемый зрением. *От шпал струился зной — стеклянный, зримый.* Берггольц. Воспоминание. **2.** *перен.* Ощутимый, явственный, заметный. *Зримые общественные перемены проявляются все ярче и ярче.* Полторацкий. Для счастья народа.
С и н. (*к 1 знач.*): ви́дный, различи́мый. С и н. (*ко 2 знач.*): осяза́емый *и* осяза́тельный, ощути́мый *и* ощути́тельный, приме́тный.
**Зри́мо**, *нареч. Зримо представить что-л.* **Зри́мость**, -и, *ж.*

**ЗУБР**, -а, *м.* **1.** Дикий лесной бык. *В Беловежской пуще сохранились зубры — дикие быки прежних лесов Европы. Это большие, красивые, сильные животные.* Н. Михайлов. Твоя родина. **2.** *перен.* О косном, консервативно настроенном человеке. *Жест поручика показался Тентенникову фальшивым и неискренним: конечно же, неспособен был такой зубр, как Васильев, жалеть погибшего в честном бою офицера.* Саянов. Небо и земля. **3.** *Разг. шутл.* Об опытном и ценном специалисте.
С и н. (*ко 2 знач.*): реакционе́р, мракобе́с, ретрогра́д, обскура́нт (*книжн.*).

**ЗУБЧА́ТЫЙ** [не *зу́бчатый*], -ая, -ое. С зубцами, а также имеющий неровные, ломаные очертания. *Зубчатая крепостная стена. Зубчатое колесо.* ◻ *И чернеет там зубчатый За холодною чертой Недоступный, непочатый Лес над черною водой.* Твардовский. Василий Теркин.

**ЗУ́ММЕР**, -а, *м.* [Нем. Summer от summen — жужжать]. Электрический прибор, применяемый для подачи звуковых сигналов. *Зуммер полевого телефона.* ◻ *Басовито трещал в блиндаже зуммер высокочастотного аппарата, телефонист, сняв трубку, смотрел на Бессонова не смело приглашающими глазами, говоря шепотом: — Вас, товарищ командующий, из штаба фронта.* Бондарев. Горячий снег.
**Зу́ммерный**, -ая, -ое.

**ЗУРНА́**, -ы́, *ж.* [Турецк. zurna от перс. surnâj (sur — праздник и nâj — флейта)]. Восточный духовой деревянный музыкальный инструмент в виде рожка или свирели. *Звуки зурны.* ◻ *Он музыку любил,.. Чтоб в комнату набились до отказа.. Баян из Тулы и зурна с Кавказа.* Антокольский. Сын.

**Зурни́ст**, -а, *м.*

**ЗЫ́БКИЙ**, -ая, -ое; зы́бок, зыбка́ *и* зы́бка, зы́бко. **1.** Легко приходящий в состояние движения, колебания. *Зыбкий грунт. Зыбкая поверхность озера. Зыбкая шлюпка.* ◻ *По зыбкому, гибельному льду, чуть схваченному вечерним морозцем, подрывники перешли реку.* Леонов. Твой брат Володя Куриленко. **2.** *перен.* Неустойчивый, ненадежный, изменчивый. *Зыбкое положение. Зыбкий довод.* ◻ *Кузнецов не смог бы объяснить себе, зачем успокаивал он Зою в этой неопределенно зыбкой.. обстановке, когда неизвестно, что может случиться через час, через два этой ночью, кто из них проживет до утра.* Бондарев. Горячий снег.
С и н. (*к 1 знач.*): ша́ткий, ва́лкий.
**Зы́бкость**, -и, *ж.*

**ЗЫБЬ**, -и, *ж.* **1.** Легкое колебание, волнение водной поверхности, а также слабое волнообразное колыхание верхушек растений на большом пространстве. *Зыбь на озере. Зыбь пшеницы.* ◻ *За целиной катилась на запад крупная зыбь осеннего поля.* Бубеннов. Белая береза. **2.** *Трад.-поэт.* Волна. *Смиренный парус рыбарей, Твоею прихотью хранимый, Скользит отважно средь зыбей.* Пушкин. К морю. ◇ **Мертвая зыбь** — волнение на водной поверхности при полном безветрии.
С и н. (*к 1 знач.*): рябь.

**ЗЫ́ЧНЫЙ**, -ая, -ое; зы́чен, зы́чна, -о. Громкий, звонкий, резкий. *Зычный хохот.* ◻ *Опять докатился его зычный, разливающийся голос.* Куприн. Поединок.
С и н.: тру́бный, гу́лкий, громогла́сный, громово́й.
**Зы́чно**, *нареч. Зычно закашлять.* **Зы́чность**, -и, *ж.*

**ЗЯБЬ**, -и, *ж.* Осенняя вспашка поля, а также поле, вспаханное с осени под весенний посев яровых. *Плывут паутины Над сонным жнивьем.. Поют трактористы, На зябь выезжая.* Твардовский. За тысячу верст.
**Зя́блевый**, -ая, -ое. *Зяблевая вспашка.*

**ЗЯТЬ**, -я, зятья́, -ёв, *м.* Муж дочери или сестры. *[Лиза:] Как все московские, ваш батюшка таков: Желал бы зятя он с звездами да с чинами.* Грибоедов. Горе от ума.

# И

**ИВА́НОВСКИЙ**, -ая, -ое. ◇ **Во всю ивановскую** (к р и ч а т ь, в о п и т ь и т.п.) (*разг.*) — очень громко, изо всех сил (от первонач. выражений: «звонить во всю Ивановскую» — во все колокола колокольни Ивана Великого в московском Кремле или «кричать во всю Ивановскую» — от названия Ивановской площади в Кремле, где в старину оглашались царские указы). *Машина.. ползет по суметам еле-еле, зато гудит во всю ивановскую.* Астафьев. Последний поклон.

**ИГНОРИ́РОВАТЬ**, -рую, -руешь; игнори́рующий, игнори́ровавший; игнори́руемый, игнорированный; -ан, -а, -о; игнори́руя, игнори́ровав; *сов. и несов., кого, что.* [Восх. к лат. ignorare — знать]. Умышленно не заметить (не замечать), не обратить (не обращать) внимания на кого-, что-л.; пренебречь (пренебрегать) чем-л. *Игнори́ровать указания тренера.* □ *[Иудушка] почти игнорировал Евпраксеюшку и даже не называл ее по имени.* Салтыков-Щедрин. Господа Головлевы.

С и н.: манки́ровать (устар.).

**Игнори́рование**, -я, *ср.* *Игнорирование требований техники безопасности привело к аварии.*

**И́ГО**, -а, *ср.* **1.** *Высок.* Владычество, господство, связанное с угнетением; гнет. *Монголо-татарское иго эксплуататоров.* □ *Нет, не способен я в объятьях сладострастья В постыдной праздности влачить свой век младой И изнывать кипящею душой Под тяжким игом самовластья.* Рылеев. Гражданин. **2.** обычно *чего. Устар.* Бремя, тяжесть. *[Поэт:] Под игом лет душа погнулась, Остыла ко всему она.* Н. Некрасов. Поэт и гражданин.

С и н. (к 1 знач.): угнете́ние, ярмо́ (высок.), яре́м (устар.). С и н. (ко 2 знач.): тя́готы, гнёт.

**ИГРЕ́К**, -а, *м.* **1.** Название предпоследней буквы латинского алфавита. **2.** Условное обозначение неизвестной величины, неизвестного или умышленно не называемого лица. *Ни одного громкого, заманчивого для Москвы имени не было в труппе. По словам набалованных театралов, все они были «иксы, игреки и знаки вопроса».* Телешов. Записки писателя.

**ИГРЕ́НЕВЫЙ**, -ая, -ое и **ИГРЕ́НИЙ**, -яя, -ее. Рыжий со светлой гривой и хвостом (о масти лошади). *[Ростов] достал себе лихую донскую, крупную и добрую, игреневую лошадь.* Л. Толстой. Война и мир. *[Шубников] вывез из степи, с Бухарской стороны, конька-иноходца игреней масти.* Федин. Первые радости.

**ИГРИ́ВЫЙ**, -ая, -ое; -и́в, -а, -о. **1.** Любящий играть, резвый. *Игривый котенок.* □ *Добрый конь в зеленом поле Без узды, один, по воле Скачет весел и игрив.* Лермонтов. Узник. **2.** Веселый, несерьезный, шутливый. *Игривое выражение лица.* □ *Наперсница волшебной старины, друг вымыслов игривых и печальных, Тебя я знал во дни моей весны.* Пушкин. Наперснице волшебной старины... **3.** Двусмысленный, нескромный или не вполне пристойный. *[Весельчак] рассказывал какой-нибудь анекдот игривого свойства.* Григорович. Рождественская ночь.

С и н. (к 1 знач.): игри́стый (разг.). С и н. (ко 2 знач.): шаловли́вый. С и н. (к 3 знач.): во́льный, пика́нтный, риско́ванный, сме́лый, фриво́льный (книжн.).

**Игри́во**, *нареч.* *Игриво подмигнуть.* **Игри́вость**, -и, *ж.*

**ИГРИ́СТЫЙ**, -ая, -ое; -и́ст, -а, -о. **1.** Пенящийся, шипучий (о напитках). *Игристое вино. Игристый квас.* **2.** *Разг.* То же, что и г р и́ в ы й (в 1 знач.); веселый, шаловливый. *Игристого этого конька больше всех любил в своем стаде Ганька.* Леонов. Соть.

**ИГРОТЕ́КА**, -и, *ж.* Собрание детских игр для выдачи их во временное пользование, а также помещение, оборудованное для игр. *Клубная игротека. Оборудовать игротеку в детском саду.*

**ИГУ́МЕН**, -а, *м.* [Греч. hēgumenos — *букв.* предводительствующий]. Настоятель православного мужского монастыря. *Вослед игумену-отцу Монахи сходят по крыльцу И прямо в трапезу идут.* Лермонтов. Боярин Орша.

**Игу́менья**, -и, *ж.* (настоятельница православного женского монастыря). *Теперешняя игуменья.. не пожелала, чтобы монашенки жили порознь, в далеко одна от другой стоящих кельях.* А. Н. Толстой. Чудаки.

**ИДА́ЛЬГО** и **ГИДА́ЛЬГО**, *нескл., м.* [Исп. hidalgo]. Мелкопоместный рыцарь, дворянин в средневековой Испании.

**ИДЕА́Л**, -а, *м.* [Франц. idéal; восх. к греч. idea — понятие, образ]. **1.** Высшая цель, к которой стремятся люди и которая руководит их деятельностью. *Мелкий чиновник ставил себе идеалом получить в награду землю и крепостных людей и переходил в помещика.* Огарев. Настоящее и ожидаемое. *[Сарафанов:] Если ты думаешь, что твой отец полностью отказался от идеалов своей юности, то ты ошибаешься. Зачерстветь, покрыться плесенью, раствориться в суете — нет, нет, никогда.* Вампилов. Старший сын. **2.** *кого, чего или чей.* Совершенство, лучший образец чего-л. *Как я обрадовался, встретив в Катерине Федоровне идеал девушки, которую бы я желал в жены своему сыну.* Достоевский. Униженные и оскорбленные. *Брак их был не только «супружеством», но и «содружеством» — идеал всякого брака.* Щепкина-Куперник. Театр в моей жизни. ◇ **В идеа́ле** — в своей конечной цели, в своих самых больших желаниях. *Мы, в идеале, против всякого насилия над людьми.* М. Горький. В. И. Ленин.

**Идеа́льный**, -ая, -ое; -лен, -льна, -о. *Идеальное общество. Идеальное исполнение роли в спектакле.* **Идеа́льно**, *нареч.* **Идеа́льность**, -и, *ж.*

**ИДЕАЛИЗИ́РОВАТЬ**, -рую, -руешь; идеализи́рующий, идеализи́ровавший; идеализи́руемый, идеализи́рованный; -ан, -а, -о; идеализи́руя, идеализи́ровав; *сов. и несов., кого, что.* [См. идеал]. Представить (представлять) лучшим, чем есть в действительности; наделить (наделять) идеальными свойствами. *Не всякий образ жизни может быть идеализирован.. Трудно идеализировать бессмыслие и дрязги.* Чернышевский. Роман и повесть Авдеева «Два дома».

С и н.: поэтизи́ровать (книжн.), романтизи́ровать (книжн.).

**Идеализа́ция**, -и, *ж.* *Идеализация прошлого.*

**ИДЕАЛИ́ЗМ**, -а, *м.* [См. идеал]. **1.** Направление в философии, в противоположность материализму утверждающее, что дух, сознание, психическое — первичны, а материя, природа, физическое — вторичны, провозглашающее идеальность и непознаваемость мира. *Идеализм стремится объяснять все явления природы, все свойства материи теми или иными свойствами духа. Материализм поступает как раз наоборот.* Плеханов. К вопросу о развитии монистического взгляда на историю. **2.** Приверженность к высоким нравственным идеалам, бескорыстное служение какому-л. делу. *Когда эти люди и эти картины встают в моей памяти,.. я вижу только черты глубокого трагизма, глубокого горя и нужды. Детство, юность — это великие источники идеализма!* Короленко. В дурном обществе. **3.** Склонность к идеализации действительности; наивность, мечтательность. *Беспочвенный идеализм.* ☐ *Необходимо отрезвить этого фантаста, выбить у него из головы мальчишеский идеализм.* Гранин. Искатели.

А н т. (*к 1 знач.*): материали́зм.

**Идеалисти́ческий**, -ая, -ое и **идеалисти́чный**, -ая, -ое; -чен, -чна, -о (*к 3 знач.*). *Идеалистическое мировоззрение. Идеалистичный взгляд на мир.* **Идеали́ст**, -а, *м. Убеждения идеалиста. Благородство идеалиста. Восторженный идеалист.*

**ИДЕНТИ́ЧНЫЙ** [дэ], -ая, -ое; -чен, -чна, -о. [Восх. к ср.-лат. identicus]. *Книжн.* Полностью совпадающий или точно соответствующий чему-л. *Идентичные документы. Идентичные экземпляры рукописи.*

С и н.: тожде́ственный и тоже́ственный, равноце́нный, адеква́тный (*книжн.*), эквивале́нтный (*книжн.*).

**Иденти́чность**, -и, *ж. К его консультации прибегают обычно, когда возникают сомнения в точности и идентичности перевода текста.* Б. Полевой. В конце концов.

**ИДЕОЛО́ГИЯ**, -и, *ж.* [От идея (см.) и греч. logos — учение]. Система взглядов, идей, представлений, характеризующих то или иное общество, тот или иной класс, политическую партию. *Марксистско-ленинская идеология.* ☐ *Сражаются не только полки, дивизии,.. сражаются, и яростно сражаются, две идеологии, два диаметрально противоположных мировоззрения.* Б. Полевой. Самые памятные.

С и н.: убежде́ния, мировоззре́ние, воззре́ния (*книжн.*), миросозерца́ние (*книжн.*), миропонима́ние (*книжн.*), кре́до (*книжн.*).

**Идеологи́ческий**, -ая, -ое. *Идеологическая работа. Идеологические вопросы.* **Идео́лог**, -а, *м.*

**ИДЕ́Я**, -и, *ж.* [Восх. к греч. idea — понятие, образ]. **1.** Сложное понятие, отражающее обобщение опыта в сознании человека, выражающее его отношение к действительности и являющееся основным принципом мировоззрения. *Передовые идеи.* ☐ *Посмотрите — у вас уже нет людей, которые могли бы идейно бороться за вашу власть,.. вы не можете создать ничего нового в области идей, вы духовно бесплодны. Наши идеи растут, они все ярче разгораются, они охватывают народные массы, организуя их для борьбы за свободу.* М. Горький. Мать. **2.** Основная мысль, замысел, определяющие содержание какого-л. произведения, а также основной принцип устройства чего-л. *Идея романа, картины. Идея новой конструкции самолета.* ☐ *В «Цыганах» идея произведения выражена в характере и действиях Алеко.* Чернышевский. Сочинения Пушкина. **3.** Мысль, намерение, план. *Выдвинуть, подать, осуществить какую-л. идею.* ☐ *[Глаголев:] Как инженер и как революционер одновременно, я со всей энергией готов проводить в жизнь идею электрификации России.* Погодин. Кремлевские куранты. **4.** *чего. Книжн.* Мысленный образ чего-л., понятие о чем-л. *Идеи добра и зла.*

**Иде́йка**, -и, *ж.* (*уменьш. и пренебр.*). **Иде́йный**, -ая, -ое; иде́ен, иде́йна, -о (*к 1 и 2 знач.*). *Идейная убежденность. Идейный замысел романа.* **Иде́йно**, *нареч.* (*к 1 знач.*). *Идейно выдержанный человек.* **Иде́йность**, -и, *ж.* (*к 1 знач.*).

**ИДИ́ЛЛИЯ**, -и, *ж.* [Восх. к греч. eidyllion — первонач. картинка]. **1.** Небольшое поэтическое произведение, изображающее счастливую, безмятежную жизнь на лоне природы. *Идиллии Дельвига.* ☐ *Давно уже, читая идиллии и эклоги, желал он полюбоваться золотым веком, царствующим в деревнях; давно желал быть свидетелем нежности пастушков и пастушек.* И. Крылов. Каиб. **2.** *ед., перен.* Мирное, безмятежно-счастливое, ничем не омрачаемое существование. *Ефим Федорович, как бы забыв все в мире, предавался идиллии и жил на прелестнейшей даче в Петергофе.* Писемский. Мещане.

**Идилли́ческий**, -ая, -ое. *Идиллический жанр.* ☐ *Мне показалось, что.. за рядом высоких тополей я покинул что-то вроде маленького рая, где в идиллической обстановке милые люди живут легкой, светлой жизнью без невзгод и огорчений.* Конашевич. О себе и своем деле.

**И́ДОЛ**, -а, *м.* [Греч. eidōlon — образ, изображение]. **1.** Статуя, изваяние, которым язычники поклоняются как божеству. *Каменные бабы стояли на округлых курганах, и Митяй сурово смотрел на серых, высеченных языческим резцом идолов.* С. Бородин. Дмитрий Донской. **2.** *перен. Устар.* Тот, кто (или то, что) является предметом обожания, восторженного преклонения. *Отец находил ее красавицей и благоговел пред своим идолом.* Мамин-Сибиряк. Гусь. **3.** *Разг. бран.* О ком-л. бестолковом или бесчувственном. — *И в кого такого идола уродила!* Набычится и сопит. *Чего же молчишь-то?* Шолохов. Поднятая целина.

◇ **Стоять (сидеть) идолом** — оставаться неподвижным, безучастным.

С и н. (*к 1 знач.*): истука́н, куми́р, болва́н (*устар.*). С и н. (*ко 2 знач.*): люби́мец, куми́р, божество́, фети́ш, божо́к. С и н. (*к 3 знач.*): истука́н (*разг.*), болва́н (*разг.*).

**ИДОЛОПОКЛО́ННИК**, -а, *м.* Тот, кто поклоняется идолам. *[Порфирий Владимирович] чтил «святые» дни, но чтил исключительно с обрядной стороны, как истый идолопоклонник.* Салтыков-Щедрин. Господа Головлевы.

С и н.: язы́чник.

**Идолопокло́нница**, -ы, *ж.*

**ИДОЛОПОКЛО́ННИЧЕСТВО**, -а и **ИДОЛОПОКЛО́НСТВО**, -а, *ср.* Поклонение идолам как религиозный культ. *Времена идолопоклонничества.* ☐ *Георгий Папанек, автор истории славянского народа, [писал] о нравах и обычаях славянских во времена их идолопоклонства.* Архипов. Братья Тургеневы.

С и н.: язы́чество.

**Идолопокло́ннический**, -ая, -ое.

**ИЕЗУИ́Т**, -а, м. [От лат. Jesus — форма имени Иисус]. **1.** Член монашеского ордена римско-католической церкви, называемого «Общество Иисуса», направленного на упрочение католицизма и власти папы, на борьбу с Реформацией и ересями. **2.** *перен.* О хитром, двуличном, коварном человеке. — *Ты иезуит: показывая при людях к ней [жене] ласковость и доброту, ты мучил ее ревностью.* Писемский. Горькая судьбина.

**Иезуи́тский**, -ая, -ое. *Иезуитский орден. Иезуитские приемы.*

**ИЕ́НА**, -ы, ж. [Яп. уеn]. Денежная единица Японии.

**ИЕРА́РХИЯ**, -и, ж. [От греч. hieros — священный и archē — власть]. *Книжн.* Система должностей, званий, чинов и т. п., расположенных в порядке подчинения — от низших к высшим, а также вообще расположение чего-л. от низшего к высшему. *Иерархия нравственных ценностей.* ◇ *Игнатию Петровичу не привелось.. быть повышенным в рабочей иерархии, хотя он был из лучших работников; он так и умер рабочим на руднике.* Решетников. Глумовы. *Хотя Денис был уже гвардии ефрейтор.., однако между братьями сохранялись отношения семейной иерархии, и Денис молчаливо подчинялся старшему брату, как отцу.* Гончар. Знаменосцы.

**Иерархи́ческий**, -ая, -ое. ◇ *Иерархическая лестница* — ступени подчинения от низших к высшим. *Казалось, сама судьба ведет его вверх по иерархической лестнице.* Чаковский. Победа.

**ИЕРЕ́Й**, -я, м. [Греч. hiereus — букв. жрец]. Священник в православной церкви.

С и н.: батюшка, поп (*разг.*).

**Иере́йский**, -ая, -ое. *Иерейский сан.*

**ИЕРО́ГЛИФ**, -а, м. [От греч. hieroglyphika (grammata) — букв. священные, вырезанные (на камне) надписи (у египтян)]. **1.** Фигурный знак в системе неалфавитного письма, обозначающий понятие, слог или звук. *На воске пробки видна была печать с китайским иероглифом.* Обручев. В дебрях Центральной Азии. **2.** *обычно мн.* Непонятное, трудно разбираемое письмо, почерк. *Ваш Ридель пишет такими иероглифами, что я половины не мог разобрать.* А. Бородин. Письмо В. В. Бесселю, 23—27 апреля 1878 г.

**Иероглифи́ческий**, -ая, -ое (*к 1 знач.*). *Иероглифическая надпись.*

**ИЖДИВЕ́НИЕ**, -я, *ср.* Обеспечение неработающего лица средствами, необходимыми для существования. *Быть на чьем-л. иждивении.*

**Иждиве́нец**, -нца, м.

**ИЖДИВЕ́НЧЕСТВО**, -а, *ср.* Стремление жить на готовом, рассчитывать на чью-л. помощь, а не на свои силы.

**Иждиве́нческий**, -ая, -ое. *Иждивенческие настроения.*

**И́ЖИЦА**, -ы, *ж.* Название последней буквы церковнославянской и старой русской азбуки, обозначавшей звук «и». *Была даже поговорка о плетке при учении: аз, буки — бери указку в руки, фита, ижица — плетка ближится.* Лейкин. Мои воспоминания. ◇ *Прописать ижицу* (*устар.*) — сделать строгое внушение, высечь.

**ИЗБИРА́ТЕЛЬНЫЙ**, -ая, -ое; -лен, -льна, -о. **1.** *полн. ф.* Относящийся к выборам должностных лиц и представителей кого-, чего-л. путем голосования. *Избирательное право. Избирательная кампания. Избирательный участок.* **2.** *Книжн.* Основанный на свойстве производить отбор. *Избирательный подход. Избирательное действие лекарств.* ◇ *Мы часто видим, что мужчина кое-какой, а женщина превосходная. Это значит, мы не знаем скрытого достоинства этого мужчины, оцененного женщиной: это любовь избирательная.* Пришвин. Глаза земли.

С и н. (*ко 2 знач.*): выборочный.

**Избира́тельно**, *нареч.* (*ко 2 знач.*). **Избира́тельность**, -и, *ж.* (*ко 2 знач.*).

**ИЗБИ́ТЫЙ**, -ая, -ое; -и́т, -а, -о. **1.** Поврежденный ударами, толчками, ходьбой и т. п. *[Женщины] вышли в поле и зашагали плечо к плечу по широкой, избитой дороге.* М. Горький. Мать. **2.** *перен.* Общеизвестный, надоевший, опошленный частым употреблением. *Избитая фраза. Избитый комплимент.* ◇ *Положение нападающего всегда выгоднее положения защищающегося. Это слишком избитая истина, чтобы еще раз доказывать ее.* Мамин-Сибиряк. Бурный поток. **3.** Проторенный, всем хорошо известный, привычный. *Он не ходил тропой избитой, Свой путь умея пролагать.* Лермонтов. Тамбовская казначейша.

С и н. (*ко 2 знач.*): пошлый, плоский, банальный, затасканный, тривиальный (*книжн.*), заезженный (*разг.*), истёртый (*разг.*), затрёпанный (*разг.*). С и н. (*к 3 знач.*): торный.

**Изби́тость**, -и, *ж.* (*ко 2 знач.*). *Избитость сравнения.*

**ИЗБРА́ННИК**, -а, *м. Высок.* **1.** Лицо, избранное кем-л., предпочтенное другим. *Депутаты — народные избранники.* ◇ *Егор Павлович сказал ей, чтобы она выбрала в публике какое-нибудь лицо, которое ей понравится, и потом играла бы для этого лица: — Я всегда для кого-нибудь играл и думал, что мой избранник будет меня судить.* Федин. Необыкновенное лето. **2.** Любимый человек, возлюбленный. *И вот уехала она с избранником своим.* Н. Некрасов. Русские женщины. **3.** Человек, выделяющийся среди других своим талантом, способный совершить то, что недоступно другим. *[Искусство] дается редким избранным и поднимает избранника на такую высоту, на которой голова кружится.* Л. Толстой. Альберт.

С и н. (*ко 2 знач.*): друг (*разг.*), лада (*нар.-поэт.*), симпа́тия (*устар.*).

**Избра́нница**, -ы, *ж. Избранница его сердца.*

**И́ЗБРАННЫЙ**, -ая, -ое. **1.** *мн.* Отобранный, выбранный для массового издания. *Избранные сочинения Лермонтова.* **2.** Лучший, выдающийся чем-л. среди других, а также предпочтенный другим, выбранный среди других. *Избранное общество. Для избранных* (*в знач. сущ.*). ◇ *По вечерам сидит [Райский] в «своем* кружке», т. е. избранных товарищей, горячих голов, великодушных сердец. И. Гончаров. Обрыв.

**ИЗВАЯ́НИЕ**, -я, *ср.* Скульптурное изображение, статуя. *В нише стояло изваяние мадонны с младенцем на руках.* Закруткин. Матерь человеческая.

С и н.: скульпту́ра.

**ИЗВЕ́ДАТЬ**, -аю, -аешь; изве́давший; изве́данный; -ан, -а, -о; изве́дав; *сов., что. Высок.* Узнать, испытать на собственном опыте. *Изведать горе, счастье. Изведать любовные муки.* □ *Людей и свет изведал он И знал неверной жизни цену.* Пушкин. Кавказский пленник.

С и н.: уви́деть, позна́ть (*книжн.*), вкуси́ть (*высок.*), увида́ть (*разг.*), повида́ть (*разг.*).

**Изве́дывать**, -аю, -аешь; *несов.*

**И́ЗВЕРГ**, -а, *м.* Жестокий человек, мучитель (первонач.: извергнутый из человеческого общества). *Фашистские изверги.* □ *— Я не устану повторять: у вас камень вместо сердца! Вы — изверг!* А. Н. Толстой. Петр I.

С и н.: изуве́р, зверь, пала́ч, истяза́тель (*книжн.*), живодёр (*прост.*), и́род (*прост.*).

**ИЗВЕ́РГНУТЬ**, -ну, -нешь; изве́ргнувший и изве́ргший; изве́ргнутый; -ут, -а, -о и (*устар.*) изве́рженный; -ен, -а, -о; изве́ргнув; *сов.* **1.** *что. Книжн.* Выбросить из себя. *Вулкан изверг лаву.* □ *Нависших бурь громады Извергли дождь из черных недр.* Тютчев. Послание Горация к Меценату. **2.** *перен., кого. Высок.* Изгнать, удалить. *Люди с отвращением отвернутся от вас и общество извергнет вас из себя.* Белинский. Герой нашего времени. Сочинение М. Лермонтова.

С и н. (*к 1 знач.*): изрыгну́ть. С и н. (*ко 2 знач.*): исто́ргнуть (*высок.*).

**Изверга́ть**, -а́ю, -а́ешь; *несов.* **Изверже́ние**, -я, *ср. Извержение вулкана.*

**ИЗВЕ́Т**, -а, *м. Устар.* Донос, наговор, клевета. *Допрошено было много всякого народу, иные сами приносили изветы и давали сказки. Удалось взять Кузьму Чермного.* А. Н. Толстой. Петр I.

С и н.: инсинуа́ция (*книжн.*), поклёп (*разг.*), навёт (*устар.*), огово́р (*устар. и прост.*), напра́слина (*устар. и прост.*).

**Изве́тчик**, -а, *м. Нашептывание изветчика.*

**ИЗВЕ́ЧНЫЙ**, -ая, -ое; -чен, -чна, -о. *Книжн.* Существующий с самого начала, с незапамятных времен, а также очень давний, исконный. *Извечная природа. Извечные проблемы.* □ *Мы сапожники старинные, извечные. И отцы, и деды наши исстари землю покинули.* Салтыков-Щедрин. Благонамеренные речи.

С и н.: ве́чный, изнача́льный (*книжн.*).

**Изве́чно**, *нареч.* **Изве́чность**, -и, *ж. Извечность жизни.*

**ИЗВЛЕ́ЧЬ**, -леку́, -ечёшь; извлёкший, извлечённый; -чён, -чена́, -о́; извлёкши; *сов.* **1.** *кого, что из кого, чего.* Вынуть, вытащить, достать откуда-л. *Извлечь пулю из тела.* □ *Он полез в свой карман, откуда извлек кусок колбасы, пару печеных яиц и булку.* Елеонов. Папаша-крестный. **2.** *что из чего.* Добыть, получить что-л. путем обработки, а также выбрать из чего-л. *Извлечь сок из растений. Извлечь новые данные из архивных материалов.* □ *Показания мои извлечены из* официальных, неоспоримых документов. Пушкин. История села Горюхина. **3.** *перен., что из чего. Книжн.* Вызвать, заставить появиться. *Извлечь из клавиши звук.* □ *— Всем вашим пыткам не извлечь Слезы из глаз моих!* Н. Некрасов. Русские женщины.

◊ **Извлечь урок** (*или* **опыт, пользу** и т. п.) *из чего-* получить, приобрести в результате чего-л. *Русское командование извлекло уроки из боев на Западном фронте.* С. Смирнов. Брестская крепость.

С и н. (*к 1 знач.*): вы́тянуть (*разг.*), вы́удить (*разг.*).

**Извлека́ть**, -а́ю, -а́ешь; *несов.* **Извлече́ние**, -я, *ср.*

**ИЗВНЕ́**, *нареч. Книжн.* Снаружи, со стороны. *[В избе] все было тихо; извне слышались иногда треск мороза да отдаленный лай собаки.* Григорович. Деревня. *Я не ждал помощи извне и не надеялся на счастливый случай.* М. Горький. Мои университеты.

А н т.: изнутри́.

**ИЗВО́З**, -а, *м.* В дореволюционной России: перевозка грузов или людей на лошадях, а также особый промысел, состоявший в таких перевозках. *Заниматься извозом.* □ *Мужик он был умный, бывалый, ходил в извозе, сам держал несколько троек.* Герцен. Былое и думы.

**Изво́зный**, -ая, -ое. *Извозный промысел.*

**ИЗВО́ЛИТЬ**, -лю, -лишь; изво́лящий, изво́ливший; *несов. Устар. и ирон.* **1.** *чего или с неопр.* Хотеть, желать. *— Не изволишь ли покушать? — спросил Савельич.* Пушкин. Капитанская дочка. **2.** **изво́ль(те)**, *с неопр.* Обозначает строгое побуждение к соответствующему действию. *Изво́льте выйти.* □ *— Изво́льте ехать! — повелительно прибавила она.* И. Гончаров. Обломов. **3.** **изво́ль(те)**. Обозначает согласие. *[Самозванец:] А хочешь ли ты знать, кто я таков? Изволь; скажу: я бедный черноризец.* Пушкин. Борис Годунов. ◊ **Чего изволите?** (*устар.*) — форма почтительного вопроса в значении что угодно? *— Карпушка! — окликнул купец приказчика.. — Чего изволите? — откликнулся Карп.* М. Горький. Трое.

**ИЗВРАТИ́ТЬ**, -ащу́, -ати́шь; извративший; извращённый; -щён, -щена́, -о́; изврати́в; *сов., что.* **1.** Представить в ложном виде, исказить. *Извратить факты.* □ *Мемуары одного генерала противоречат мемуарам другого, переврали даты, самовольно извращена боевая обстановка.* Павленко. Писатель и жизнь. **2.** Оказать дурное влияние, испортить. *Воспитание извратило его ум и сердце, а он не имел силы пересоздать себя.* Салтыков-Щедрин. Брусник.

С и н. (*к 1 знач.*): переина́чить (*разг.*). С и н. (*ко 2 знач.*): разврати́ть.

**Извраща́ть**, -а́ю, -а́ешь; *несов.* **Извраще́ние**, -я, *ср.*

**ИЗГИ́Б**, -а, *м.* **1.** Дугообразный поворот, искривление, а также округлая линия контура чего-л. *Лазоревые изгибы речки скрывались в камышах.* А. Н. Толстой. Хромой барин. **2.** *перен., чего или какой.* Тонкий оттенок, переход. □ *Психологом называется тот, кто описывает изгибы человеческой души.* Чехов. Учитель словесности.

С и н. (к 1 знач.): изви́лина, изви́в, изворо́т, изло́м.

**ИЗГЛА́ДИТЬ**, -а́жу, -а́дишь; изгла́дивший; изгла́женный; -ен, -а, -о; изгла́див, *сов., что*. *Книжн.* **1.** Стереть что-л. с поверхности, сделать незаметным. *Еще приметны некоторые остатки изглаженной надписи.* Жуковский. Мысли при гробнице. **2.** *перен.* Устранить, уничтожить; сделать незаметным. *Он повел носом, скосил глаза и — должно быть, желая изгладить впечатление своего зевка, — глубоко и благочестиво вздохнул.* М. Горький. Дело с застежками. ◊ **Изгла́дить из па́мяти** — заставить исчезнуть из памяти; забыть. *И не изгладишь ты никак из памяти своей Не только чувств и слов моих — минуты прежних дней!* Лермонтов. Романс.

С и н. (ко 2 знач.): стере́ть.

**Изгла́живать**, -аю, -аешь; *несов.*

**ИЗГНА́НИЕ**, -я, *ср*. **1.** Насильственное удаление откуда-л. *Изгнание врага.* □ *Степан подвергся высшей мере наказания по закону зимовки — изгнанию с острова.* Горбатов. Суд над Степаном Грохотом. **2.** *Книжн.* Вынужденное пребывание где-л. в качестве изгнанного; ссылка. *Годы изгнания.* □ *На острове Джерси в Ла-Манше, где Виктор Гюго жил в изгнании, ему сооружен памятник.* Паустовский. Золотая роза.

С и н. (к 1 знач.): вы́сылка.

**Изгна́нник**, -а, *м.* (ко 2 знач.). Участь изгнанника.

**ИЗГО́Й**, -я, *м.* **1.** В Древней Руси: человек, вышедший из своего прежнего социального состояния (выкупившийся на свободу холоп, разорившийся купец и т. п.). **2.** *перен.* Человек, отвергнутый общественной средой или порвавший с ней. *Если бы не эта маленькая женщина.., Меркурий Авдеевич похрапывал бы у себя в спальне, под простынкой, а не жался бы у чужого порога не то нищим, не то изгоем.* Федин. Первые радости.

С и н. (ко 2 знач.): отщепе́нец, отве́рженный (*книжн.*), па́рия (*книжн.*).

**ИЗДА́НИЕ**, -я, *ср*. **1.** Выпуск в свет, публикация какого-л. произведения. *Издание указа.* □ *Издание творений нашего великого поэта.. быстро приближается к окончанию.* Чернышевский. Сочинения Пушкина. **2.** обычно *какое*. Отдельное печатное произведение. *Исправленное и дополненное издание словаря. Периодические издания.* □ *Домашняя библиотека, составленная из самых ценных и редких изданий, стоила несколько десятков тысяч.* Мамин-Сибиряк. Бурный поток. **3.** Единовременный выпуск в свет печатного произведения в определенном количестве экземпляров. *Книга выдержала несколько изданий.*

**ИЗДЕ́РЖКИ**, -жек, *мн.* Расходы, затраты на что-л. *Издержки производства* (*спец.*). *Хозяйственные издержки.* □ *Судья отказал Ивану Миронову в иске, положил взыскать с него пять рублей судебных издержек.* Л. Толстой. Фальшивый купон.

**ИЗДРЕ́ВЛЕ**, *нареч. Книжн.* С древних времен, исстари. *Село Горюхино издревле принадлежало знаменитому роду Белкиных.* Пушкин. История села Горюхина.

С и н.: и́здавна, изве́чно (*книжн.*), изнача́ла (*книжн.*), искони́ (*высок.*), сы́здавна (*прост.*).

**ИЗЖИ́ТЬ**, изживу́, изживёшь; изжи́вший; изжи́тый; изжи́т, изжита́, изжи́то; изжи́в; *сов., что*. **1.** *Устар.* Прожить, а также пережить, перенести. *Демидов, кажется, давно уже изжил всю свою жизнь и лишился всех своих душевных сил.* Белинский. Заветные думы. Стихотворения М. Демидова. **2.** Избавиться, освободиться от чего-л. дурного, нежелательного. *Изжить имеющиеся недостатки.* ◊ **Изжи́ть себя́** — отжить, устареть; стать ненужным. — *Не назову себя революционеркой, но я человек совершенно убежденный, что классовое государство изжило себя.* М. Горький. Жизнь Клима Самгина.

С и н. (ко 2 знач.): искорени́ть, вы́корчевать, устрани́ть, уничто́жить, истреби́ть, ликвиди́ровать.

**Изжива́ть**, -а́ю, -а́ешь; *несов.* *Изживать дурные привычки.* **Изжива́ние**, -я и **изжи́тие**, -я, *ср.* (ко 2 знач.).

**ИЗЛИ́ТЬ**, изолью́, изольёшь; изли́вший; изли́тый; изли́т, излита́, изли́то; изли́в; *сов., что.* *Книжн.* **1.** *Устар.* Вылить, пролить. *Излить потоки слез.* **2.** *перен.* Выразить, высказать что-л., дать выход каким-л. мыслям, чувствам, настроениям. *Излить гнев на кого-л.* □ *Я чувствовал необходимость излить свои мысли в дружеском разговоре.* Лермонтов. Герой нашего времени. ◊ **Изли́ть ду́шу** — высказать откровенно, до конца самое заветное.

С и н. (к 1 знач.): источи́ть (*устар. высок.*). С и н. (ко 2 знач.): вы́ложить (*разг.*).

**Излива́ть**, -а́ю, -а́ешь; *несов.* **Излия́ние**, -я, *ср.* *Дружеские излияния.*

**ИЗЛО́М**, -а, *м.* **1.** Место перелома, разлома. *Но если она [глиняная посуда] разбивалась, черепок в изломе был темноватый, а не белый, как у китайской посуды.* Данько. Китайский секрет. **2.** Резкий, идущий под углом поворот. *Излом реки. Излом бровей.* □ *Вообще в ландшафте здесь безраздельно господствуют мягкие линии. Ни одного излома, ни одного резкого поворота или подъема.* Ушаков. По нехоженой земле.

С и н. (ко 2 знач.): изги́б, изви́в, изви́лина, изворо́т.

**ИЗЛУЧА́ТЬ**, -а́ю, -а́ешь; излуча́ющий, излуча́вший; излуча́емый; излуча́я; *несов., что.* **1.** Испускать какие-л. лучи, выделять лучистую энергию. *Излучать свет.* □ *Нагретая земля и вечером еще продолжала излучать теплоту.* Арсеньев. По Уссурийской тайге. **2.** *перен.* Быть исполненным сияния, светиться чем-л. (о глазах, взгляде). *Он глядел на Таню и удивлялся необыкновенному свету, который излучали ее огромные серые глаза.* Казакевич. Весна на Одере.

С и н. (ко 2 знач.): лить, источа́ть (*книжн.*), струи́ть (*книжн.*), излива́ть (*устар.*), точи́ть (*устар.*).

**Излуче́ние**, -я, *ср.* (к 1 знач.). *Солнечное излучение.*

**ИЗЛУ́ЧИНА**, -ы, *ж.* Крутой поворот, изгиб

(преимущ. реки). *На степной речке Рохле приютился город Бельск. В этом месте она делает несколько крутых излучин, соединенных протоками.* Гаршин. Медведи.

С и н.: излу́ка, лука́.

**ИЗМЕЛЬЧА́ТЬ**, -а́ю, -а́ешь; измельча́вший; измельча́в; *сов.* **1.** Стать небольшим, мелким. *После отмены казенной аренды хозяйство приволжских сел измельчало.* Скиталец. Кандалы. **2.** Стать мелким, неглубоким. *Река измельчала.* **3.** *перен.* Утратить значительность, стать посредственным. *Говорят, что нынешние люди измельчали, стали неспособны к высоким стремлениям, к благородным увлечениям страсти.* Добролюбов. Литературные мелочи.

С и н. (ко 2 знач.): обмеле́ть.

*Измельча́ние, -я, ср. Измельчание скота. Измельчание озера. Измельчание нравов.*

**ИЗМОЖДЁННЫЙ**, -ая, -ое; -дён, -дена́, -о́. Крайне истощённый, изнуренный, а также выражающий крайнее истощение, изнурение. *Измождённый старик. Измождённый вид.* □ *Из копны вылезла черноглазая девочка лет тринадцати, такая измождённая и худая, что Мария дрогнула от жалости.* Закруткин. Матерь человеческая.

*Измождённость, -и, ж. Измождённость облика.*

**И́ЗМОРОЗЬ**, -и, *ж.* Снегообразный осадок, образующийся в туманную морозную погоду на ветвях деревьев, проводах и т. п.; род инея. *В запушенные изморозью окна точился розовый сумеречный свет.* Шолохов. Поднятая целина.

**И́ЗМОРОСЬ**, -и, *ж.* Очень мелкий, медленно падающий дождь. *Осенняя изморось.* □ *Серый, ненастный день почти незаметно превращался в сумерки; в воздухе сеялась мелкая изморось.* Слепцов. Трудное время.

**ИЗМЫШЛЕ́НИЕ**, -я, *ср.* Вымысел, выдумка. *Антинаучные измышления.* □ — *У меня нет времени отвечать на все ваши канцелярские измышления.* Чехов. Много бумаги.

**ИЗНАЧА́ЛЬНЫЙ**, -ая, -ое; -лен, -льна, -о. *Книжн.* Существующий с самого начала; первоначальный. *Все эти изначальные народные верования сохраняются и до сих пор на Севере.* Пришвин. В краю непуганых птиц.

С и н.: ве́чный, иско́нный *(книжн.)*, изве́чный *(книжн.)*.

*Изнача́льно, нареч. Существовать изначально. Изнача́льность, -и, ж.*

**ИЗНЕМОЖЁННЫЙ**, -ая, -ое; -жён, -жена́, -о́. Совершенно обессиленный, крайне утомленный, а также выражающий такое состояние. *Изнеможённый путник.* □ *Он и теперь передо мной; Лохмотья жалкой нищеты, Изнеможённые черты.* Н. Некрасов. На Волге.

С и н.: уста́лый, истомлённый.

*Изнеможённо, нареч. Изнеможённость, -и, ж.*

**ИЗНУРЁННЫЙ**, -ая, -ое. Крайне утомленный, дошедший до полного истощения сил; выражающий крайнее утомление, истощение. *Изнурённый вид.* □ *Изнурённые почтовые лошаденки едва тащили мой легонький тарантас.* Тургенев. Странная история.

С и н.: истощённый, измождённый.

*Изнурённо, нареч. Выглядеть изнуренно. Изнурённость, -и, ж. Следы изнуренности на лице.*

**ИЗНУРИ́ТЕЛЬНЫЙ**, -ая, -ое; -лен, -льна, -о. Крайне утомительный, истощающий силы. *Изнурительная болезнь. Изнурительный труд.* □ *В далеких и трудных путешествиях, в тяжелых, изнурительных походах жизнерадостные, бодрые люди незаменимы.* Соколов-Микитов. Спутники.

*Изнури́тельно, нареч. В комнате изнурительно душно. Изнури́тельность, -и, ж.*

**ИЗНЫВА́ТЬ**, -а́ю, -а́ешь; изныва́ющий, изныва́вший; изныва́я; *несов.* Мучиться, томиться. *И много юношей по ней В страданьи тайном изнывали.* Пушкин. Бахчисарайский фонтан. *Изнывая от безделья, Островнов и кладовщик долго еще «перемывали косточки» Давыдова.* Шолохов. Поднятая целина.

С и н.: изнемога́ть.

**Изны́ть**, изно́ю, изно́ешь; *сов. (устар.).*

**ИЗОБИ́ЛИЕ**, -я, *ср.* **1.** *кого, чего.* Большое количество, множество. *В этом лесу великое изобилие ягод, грибов, пернатых.* Салтыков-Щедрин. Пестрые письма. **2.** Богатство, достаток. *Отовсюду начали в город навозить запасы. Настало изобилие, и бедственная шестимесячная осада была забыта.* Пушкин. История Пугачева. ◇ **Как из рога изобилия** — в очень большом количестве. *Штабы кишели бесчисленными представлениями к наградам, награды посыпались, как из рога изобилия.* Вересаев. На японской войне.

С и н. (к 1 знач.): оби́лие, мо́ре (высок.), бе́здна *(разг.)*, ма́сса *(разг.)*, тьма *(разг.)*, про́пасть *(разг.)*, у́йма *(разг.)*, ку́ча *(разг.)*, гора́ *(разг.)*, ги́бель *(разг.)*, про́рва *(прост.)*, си́ла *(прост.)*. С и н. (ко 2 знач.): оби́лие *(устар.)*.

А н т. (к 1 знач.): недоста́ток, нехва́тка *(разг.)*. А н т. (ко 2 знач.): нужда́.

**ИЗОБЛИЧА́ТЬ**, -а́ю, -а́ешь; изобличаю́щий; изоблича́вший; изоблича́емый; изоблича́я; *несов. Книжн.* **1.** *кого.* Обнаруживать в ком-л. что-л. предосудительное, уличать в чем-л. *Изобличать во лжи.* **2.** *кого, что в ком, чем.* Обнаруживать, выявлять. *Паклин недаром обзывал его [Нежданова] аристократом; все в нем изобличало породу.* Тургенев. Новь.

С и н. (к 1 знач.): облича́ть *(книжн.)*. С и н. (ко 2 знач.): облича́ть *(книжн.)*, явля́ть *(высок.)*, выка́зывать *(разг.)*.

**Изобличи́ть**, -чу́, -чи́шь; *сов.* (к 1 знач.). *[Шуйский:] И возвратясь, я мог единым словом Изобличить сокрытого злодея.* Пушкин. Борис Годунов. *Изобличе́ние, -я, ср.* (к 1 знач.). *Изобличение преступника. Изобличи́тель, -я, м.* (к 1 знач.).

**ИЗОБРАЗИ́ТЕЛЬНЫЙ**, -ая, -ое; -лен, -льна, -о. *Книжн.* Наглядный, хорошо изображающий. *Изобразительные средства, приемы.* ◇ **Изобразительные искусства** — общее название искусств, воплощающих художественные образы на плоскости и в пространстве (живопись, графика, скульптура, архитектура, фотоискусство).

**Изобрази́тельность**, -и, ж. [В картине] есть удивительная яркость целого, есть изобразительность и сила. Писарев. Первые литературные опыты.

**ИЗОБРАЗИ́ТЬ**, -ажу́, -ази́шь; изобрази́вший; изображённый; -жён, -жена́, -о́; изобрази́в; *сов.* **1.** *что.* Выразить, обнаружить. *Лицо Грушницкого изобразило удовольствие.* Лермонтов. Герой нашего времени. **2.** *кого, что или с союзом как.* Передать, воспроизвести в художественном образе, а также вообще показать, представить.— *Во французском романе.. изображен человек, молодой ученый, который.. чахнет от тоски по славе.* Чехов. Черный монах. *Бабушка надулась и изобразила, как Николай Антонович говорит о себе.* Каверин. Два капитана.

С и н. (ко 2 знач.): воссозда́ть, отобрази́ть, запечатле́ть.

**Изобража́ть**, -а́ю, -а́ешь; *несов.* **Изображе́ние**, -я, *ср.* (ко 2 знач.) *Монета с изображением герба. Изображение в зеркале.*

**ИЗОБРЕТА́ТЕЛЬНЫЙ**, -ая, -ое; -лен, -льна, -о. Находчивый, быстрый на выдумку, способный изобретать. *Изобретательный человек, ум.* □ *Странно, что никогда в другое время мысль его не была так гибка и изобретательна, как теперь.* Чехов. Палата № 6.

**Изобрета́тельно**, *нареч.* Действовать изобретательно. **Изобрета́тельность**, -и, *ж.* Дар изобретательности.

**ИЗОЛИ́РОВАТЬ**, -рую, -руешь; изоли́рующий, изоли́ровавший; изоли́руемый, изоли́рованный; -ан, -а, -о; изоли́руя, изоли́ровав; *сов. и несов.* **1.** *кого, что.* Обособить (обособлять), отделить (отделять) от окружающей среды, обстановки. *Изолировать больного.* □ *Моя камера была в этом коридоре изолирована от всех других.* Н. Морозов. Повести моей жизни. **2.** *что.* Защитить (защищать) источник энергии, проводника какой-л. энергии оболочкой. *Изолировать электрический провод.*

С и н. (к 1 знач.): отгороди́ть (отгора́живать), отъедини́ть (отъединя́ть).

**Изоля́ция**, -и, *ж.* *Изоляция инфекционного больного. Изоляция кабеля.*

**ИЗОЩРЁННЫЙ**, -ая, -ое; -ён, -ённа, -о. **1.** Хорошо развитый, утонченный. *Изощрённый ум.* □ *Его изощрённый слух уловил какие-то отдаленные, слабые звуки.* Куприн. На глухарей. **2.** Отличающийся умением, доведенного до самой высокой степени, до крайности. *Враги пытали его три дня, подвергая всем тем изощренным мучениям, какие мог придумать только фашизм: его жгли раскаленным железом, сдирали кожу, загоняли иглы под ногти.* Ильенков. Большая дорога.

С и н. (к 1 знач.): то́нкий, о́стрый, изы́сканный, рафини́рованный (*книжн.*). С и н. (ко 2 знач.): утончённый.

**Изощрённо**, *нареч.* Изощренно издеваться. **Изощрённость**, -и, *ж.* Изощренность вкуса.

**ИЗРАЗЕ́Ц**, -зца́, *м.* Плитка из обожженной глины для облицовки стен и печей, покрытая с лицевой стороны глазурью. *Самгин, присло-*нясь спиною к теплым изразцам печки, закурил папиросу, ждал. М. Горький. Жизнь Клима Самгина.

С и н.: ка́фель.

**Изразцо́вый**, -ая, -ое. *Изразцовая печь.*

**ИЗРЕЧЕ́НИЕ**, -я, *ср.* Глубокая мысль, суждение, выраженные кратко и ярко. *Читая, [она] порою выписывала из книг мысли и изречения, ей нравившиеся.* Бунин. Дело корнета Елагина.

С и н.: афори́зм.

**ИЗУВЕ́Р**, -а, *м.* Человек, доходящий до крайней жестокости (первонач. на почве религиозной нетерпимости). *Фашистские изуверы.*

С и н.: и́зверг, зверь, пала́ч, истяза́тель (*книжн.*), живодёр (*прост.*), и́род (*прост.*).

**Изуве́рка**, -и, *ж.* **Изуве́рский**, -ая, -ое.

**ИЗУВЕ́РСТВО**, -а, *ср.* Жестокость, а также варварское отношение к кому-, чему-л. (первонач. на почве религиозного фанатизма и нетерпимости). *Жертва изуверства.* □ *Озирая развалины.., Иван Степанович, как в ознобе, передернул плечами и вымолвил:— Чистое изуверство! Попробуй-ка теперь все воскресить!* Караваева. Родной дом.

**ИЗУМРУ́Д**, -а, *м.* [Турецк. zümrüt или перс. zumurrud; восх. к греч. smaragdos]. Драгоценный прозрачный камень ярко-зеленого цвета. *Кольцо с изумрудом.*

С и н.: смара́гд (*устар.*).

**Изумру́дный**, -ая, -ое. *Изумрудный перстень. Изумрудный цвет.*

**ИЗУ́СТНЫЙ**, -ая, -ое. *Устар.* Передающийся из уст в уста. *Русский народ создал огромную изустную литературу: мудрые пословицы и хитрые загадки,.. песни, торжественные былины.* А. Н. Толстой. Родина.

С и н.: у́стный.

А н т.: пи́сьменный, печа́тный.

**Изу́стно**, *нареч.*

**ИЗЪЯВИ́ТЬ**, -явлю́, -я́вишь; изъяви́вший; изъя́вленный; -ен, -а, -о; изъяви́в; *сов., что.* Высказать, выразить. *Изъявить желание, согласие.* □ *Швабрин пришел ко мне; он изъявил глубокое сожаление о том, что случилось между нами.* Пушкин. Капитанская дочка.

**Изъявля́ть**, -я́ю, -я́ешь; *несов.* **Изъявле́ние**, -я, *ср.* Изъявление благодарности.

**ИЗЪЯ́Н**, -а, *м.* **1.** Неисправность, повреждение. *Прибор с изъяном.* **2.** Несовершенство, недостаток. *Единственный физический изъян его была близорукость.* Л. Толстой. Дьявол. **3.** *Устар.* Ущерб, убыток. *Ввести в изъян.*

С и н. (к 1 знач.): дефе́кт. С и н. (ко 2 знач.): поро́к, дефе́кт, недочёт, пробе́л, ми́нус (*разг.*). С и н. (к 3 знач.): уро́н.

**ИЗЫСКА́НИЯ**, -ий, *мн.* (*ед.* **изыска́ние**, -я, *ср.*). **1.** Научные исследования. *Исторические изыскания.* □ *Лишь в настоящее время выясняется вся глубина и важность филологических изысканий В. К. Тредиаковского.* С. Вавилов. Тридцать лет советской науки. **2.** Предварительное исследование местных условий для строительства каких-л. крупных объектов, для разработки естественных богатств и т. п. *Геологические изыскания.* □ *Специальные разведывательные отряды производили первые изыскания*

для великой сибирской железнодорожной магистрали. Игнатьев. Пятьдесят лет в строю.
С и н.: разыска́ние (книжн.).

**ИЗЫ́СКАННЫЙ**, -ая, -ое; -ан, -анна, -о. 1. Устар. Лишенный простоты; вычурный, манерный. *Напыщенным, изысканным языком он возвещал нам.. заповеди французских критиков.* И. Гончаров. Воспоминания. 2. Утонченный, изящный. *Изысканный вкус. Изысканная учтивость.* ☐ *Внешность штабных офицеров.. [была] столь изысканна, как если бы мы встретили их не в походе, не вблизи фронта, а в Красном Селе.* Игнатьев. Пятьдесят лет в строю.
С и н. (к 1 знач.): зате́йливый, замыслова́тый, причу́дливый, прихотли́вый, хи́трый. С и н. (ко 2 знач.): то́нкий, изощрённый, рафини́рованный (книжн.).

**Изы́сканно**, нареч. Выража́ться изысканно. *Изысканно одеваться.* **Изы́сканность**, -и, ж. *Изысканность манер.*

**ИЗЯ́ЩНЫЙ**, -ая, -ое; -щен, -щна, -о. Отличающийся изяществом — тонким и строгим соответствием, соразмерностью во всем, отвечающий требованиям художественного вкуса. *Изящные телодвижения. Изящная статуэтка.* ☐ *Санина в тот день особенно поразила изящная красота ее рук;.. взор его не мог оторваться от ее пальцев, гибких и длинных.* Тургенев. Вешние воды. ◊ **Изящные искусства** (устар.) — общее название видов искусства (живописи, скульптуры, архитектуры, музыки). **Изящная литература** (или **словесность**) (устар.) — художественная литература, беллетристика.
С и н.: изы́сканный, то́нкий, утончённый, грацио́зный, пласти́чный, точёный.

**Изя́щно**, нареч. **Изя́щность**, -и, ж.

**ИКЕБА́НА**, -ы, ж. [Яп. ikebana]. Искусство составления букетов, распространенное в Японии, а также сам букет, составленный по принципам этого искусства.

**ИКО́НА**, -ы, ж. [Ср.-греч. eikona от греч. eikōn — изображение]. Живописное изображение бога или святого (святых), являющееся предметом религиозного поклонения. *В комнате Сухоруковых обстановка была чисто мещанская. В углу перед иконой теплилась лампадка.* Короленко. История моего современника.
С и н.: о́браз.

**Ико́нный**, -ая, -ое. *Иконный лик.*

**И́КОНОПИСЬ** [не ико́нопись], -и, ж. Вид религиозной живописи — писание икон. *Памятники древнерусской иконописи.*

**Иконопи́сный**, -ая, -ое.

**ИКС**, -а, м. 1. Название третьей от конца буквы латинского алфавита. 2. Условное обозначение неизвестной величины, неизвестного или умышленно не называемого лица.

**ИЛЛЮЗИОНИ́ЗМ**, -а, м. [См. *иллюзия*]. Вид циркового и эстрадного искусства, основанный на умении создавать при помощи специальной аппаратуры видимость чудес.

**Иллюзиони́ст**, -а, м. *Во Дворце культуры заканчивался концерт. Последний раз цирковой иллюзионист проглотил горящую паклю, по-* следний раз пронзил кинжалом свою [грудь]. Письменный. Приговор.

**ИЛЛЮ́ЗИЯ**, -и, ж. [Восх. к лат. illusio — обман, заблуждение]. 1. Спец. Искаженное восприятие действительности, основанное на обмане чувств; принятие кажущегося, мнимого за действительно существующее. *Оптическая иллюзия.* ☐ *Движение коляски производит странную иллюзию: кажется, что.. гора стоит на месте.., а курганы передвигаются.* Короленко. Наши на Дунае. 2. перен. Нечто несбыточное, мечта. *Предаваться иллюзиям. Пустота иллюзий.* ☐ *— Вы еще можете обольщать себя иллюзиями насчет равенства, братства.* Чехов. В усадьбе.
С и н. (ко 2 знач.): фанта́зия, уто́пия, химе́ра (книжн.).

**ИЛЛЮЗО́РНЫЙ**, -ая, -ое; -рен, -рна, -о. [См. *иллюзия*]. Книжн. Призрачный, обманчивый, кажущийся, а также несбыточный. *Иллюзорные надежды. Иллюзорные представления.*
С и н.: мни́мый, фантасти́ческий, нереа́льный, неосуществи́мый, недостижи́мый, утопи́ческий, эфеме́рный (книжн.), иреа́льный (книжн.), химери́ческий (книжн.).

**Иллюзо́рно**, нареч. **Иллюзо́рность**, -и, ж. *Иллюзорность мечты.*

**ИЛЛЮМИНА́ТОР**, -а, м. [Восх. к лат. illuminator — осветитель]. Герметически закрывающееся круглое окно на корабле, в самолете и т. п. *Задраить иллюминаторы.* ☐ *Зеленые волны с белыми пенными гребнями бились о крепкие круглые стекла иллюминаторов.* Куприн. Жаркое солнце.

**Иллюмина́торный**, -ая, -ое.

**ИЛЛЮМИНА́ЦИЯ**, -и, ж. [Восх. к лат. illuminatio — освещение]. Декоративное освещение улиц, зданий, кораблей и т. п. по случаю какого-л. торжества. *Вечером была иллюминация. По улицам, освещенным плошками и бенгальским огнем, до позднего вечера гуляли толпами солдаты.* Чехов. Остров Сахалин.

**Иллюминацио́нный**, -ая, -ое.

**ИЛЛЮСТРА́ЦИЯ**, -и, ж. [Восх. к лат. illustratio — наглядное изображение]. 1. Изображение, сопровождающее и поясняющее текст (рисунок, фотоснимок, репродукция, карта и т. п.). *Среди старых изданий «Братьев Карамазовых» я нашел.. затрепанный томик с иллюстрациями. Последняя картинка изображала Алешу Карамазова, окруженного мальчиками.* Гранин. Обратный билет. 2. перен. Пример, наглядно поясняющий что-л. (явление, процесс, утверждение). *Придумать иллюстрации к грамматическому правилу.* ☐ *Завод со своими пятью доменными печами.. представлял яркую иллюстрацию развития техники производства чугуна на антраците в течение 50 лет.* М. Павлов. Воспоминания металлурга.

**Иллюстрацио́нный**, -ая, -ое и **иллюстрати́вный**, -ая, -ое. *Иллюстративный материал.*

**ИЛО́Т**, -а, м. [Греч. heilōs, heilōtos]. 1. Земледелец в Древней Спарте, считавшийся собственностью государства. *Восстание илотов.* 2. перен. Книжн. Бесправный человек, раб. *Я и не подозревал тогда, что часть этих актеров была не служителем, а илотом искусства и пол-*

ное имела право смотреть на сцену, как на барщину. Белинский. Александринский театр.

С и н.: невольник (книжн.).

**ИМАЖИНИ́ЗМ**, -а, м. [От франц. image — образ]. Течение в русской литературе начала 20 в., утверждавшее, что цель творчества состоит в создании самоценных словесных образов. *Образ — одно из всегдашних средств поэзии, и течения, как, например, имажинизм, делавшие его целью, обрекали себя по существу на разработку только одной из технических сторон поэзии.* Маяковский. Как делать стихи.

**Имажини́стский**, -ая, -ое. **Имажини́ст**, -а, м.

**ИМА́М**, -а, м. [Восх. к араб. imam — первонач. предшествующий, начальник]. **1.** Духовный глава у мусульман, а также правитель мусульманского государства, соединяющий в своем лице светскую и духовную власть. — *У меня спросили, кому быть имамом после Шамиля.* Л. Толстой. Хаджи Мурат. **2.** Духовное лицо, руководящее богослужением в мечети; мулла. — *Этот несчастный юноша позволял себе спорить с седобородыми.. имамами, ввергая в смущение других простодушных слушателей.* Ян. Чингиз-хан.

**ИМБИ́РЬ**, -я́, м. [Нем. Ingber; восх. к др.-инд. çṇgavēram]. Тропическое травянистое растение, корневища которого богаты эфирным маслом, а также пряность, приготовляемая из корневища этого растения. *Была приготовлена закуска: творог, сливки.., даже толченый сахар с имбирем.* Тургенев. Степной король Лир.

**Имби́рный**, -ая, -ое. *Имбирный пряник.*

**ИМЕ́НИЕ**, -я, ср. **1.** Земельное владение помещика, обычно с усадьбой; поместье. *У него есть родовое имение, которое он отдает в аренду.* Чехов. Анна на шее. **2.** *Устар.* Имущество, собственность. — *У тебя всего-навсего имения было кафтан да топор.* М. Горький. Злодеи.

**ИМЕНИ́НЫ**, -и́н, мн. У православных и католиков: чей-л. личный праздник в день, когда церковь отмечает память одноименного святого.

**ИМЕНИ́ТЫЙ**, -ая, -ое; -и́т, -а, -о. **1.** *Устар.* Занимающий высокое общественное положение; почтенный. *Именитый купец.* □ *По Зауралью Луковников слыл за миллионера, а затем он был уже четвертое трехлетие городским головой. Вообще именитый человек.* Мамин-Сибиряк. Хлеб. **2.** Широко известный, знаменитый, прославленный. *Вместе с детворой.. танцевали в этот день вокруг елки именитые писатели, известные журналисты, фотокорреспонденты с громкими именами.* Б. Полевой. Елка.

С и н. (к 1 знач.): зна́тный, родови́тый, сано́вный, санови́тый (устар.), вельмо́жный (устар.). С и н. (ко 2 знач.): популя́рный, зна́тный, при́знанный.

**Имени́тость**, -и, ж. *Именитость рода.*

**ИМЕННО́Й**, -а́я, -о́е. Помеченный именем владельца; выданный на чье-л. имя. *Наградить именными часами. Именной пригласительный билет.* ◊ **Именное повеление**, **именной указ** (устар.) — правительственное распоряжение, подписанное царем. *[Жандарм:] Приехавший по именному повелению из Петербурга чиновник требует вас сей же час к себе.* Гоголь. Ревизор.

**И́МИДЖ**, -а, м. [Англ. image]. Рекламный образ кого-л. (политического деятеля, эстрадного артиста и т. п.), создаваемый средствами массовой информации.

**ИМИТА́ЦИЯ**, -и, ж. [Восх. к лат. imitatio — подражание]. **1.** *ед.* Искусное подражание кому-, чему-л., точное воспроизведение чего-л. *Запомнилась.. молодая, красивая женщина, обладавшая большими способностями к имитации. Она то представляла Сару Бернар,.. то какую-нибудь из знакомых актрис.* Щепкина-Куперник. Театр в моей жизни. **2.** *чего.* Подделка. *Имитация жемчуга, мрамора.* □ *В Петербурге выраста-ли.. каменные громады с фасадами поддельного ренессанса, напыщенная имитация старых дворцов.* Вишневский. Война.

С и н. (к 1 знач.): копи́рование.

**ИМИТИ́РОВАТЬ**, -рую, -руешь; имити́рующий, имити́ровавший, имити́руемый; имити́руя; несов., кого, что. [Восх. к лат. imitare]. Воспроизводить с возможной точностью, подражать кому-, чему-л. *Имитировать детский голос.*

С и н.: копи́ровать.

**Имита́тор**, -а, м.

**ИММАНЕ́НТНЫЙ**, -ая, -ое; -тен, -тна, -о. [Восх. к лат. immanens, immanentis]. *Книжн.* Внутренне присущий какому-л. предмету, явлению, проистекающий из его природы. *Данные о наемном труде яснее ясного показывают внутреннюю, неотвратимую при современном общественном строе, имманентную тенденцию всякого мелкого производителя превратиться в мелкого капиталиста.* Ленин, т. 5, с. 188.

**Имма́нентно**, *нареч.* **Имма́нентность**, -и, ж.

**ИММИГРИ́РОВАТЬ**, -рую, -руешь; иммигри́рующий, иммигри́ровавший; иммигри́руя, иммигри́ровав; сов. и несов. [Восх. к лат. immigrare — вселяться]. Поселиться (поселяться) в чужой стране на постоянное жительство.

**Иммигра́ция**, -и, ж. **Иммигра́нт**, -а, м. (тот, кто иммигрировал). *Американский народ образовался от смешения разноплеменных пришельцев. Многие иммигранты еще сохранили родной язык.* Эренбург. В Америке.

**ИММУНИТЕ́Т**, -а, м. [Нем. Immunität от лат. immunitas, immunitatis — букв. освобождение от налогов, службы]. **1.** *Спец.* Невосприимчивость организма к какому-л. инфекционному заболеванию или яду. *Иммунитет против скарлатины. Своевременная вакцинация помогает организму вырабатывать иммунитет.* **2.** *перен.* Способность противостоять чему-л. *Иммунитет против хамства.* **3.** *Спец.* Нераспространение некоторых законов на лиц, занимающих особое положение в государстве. *Дипломатический иммунитет.*

**Имму́нный**, -ая, -ое (к 1 знач.) и **иммуните́тный**, -ая, -ое.

**ИМПЕРАТИ́В**, -а, м. [Лат. imperativus — повелительный]. *Книжн.* Настоятельное, безусловное требование, повеление. *Подчиняться императиву нравственных законов.*

С и н.: веле́ние (*устар. и высок.*).

**Императи́вный**, -ая, -ое. *Разоружение — императивная необходимость в современном мире.*

**ИМПЕРА́ТОР**, -а, *м.* [Восх. к лат. imperator — *букв.* повелитель]. Титул некоторых монархов, а также лицо, носящее этот титул (первонач. в Древнем Риме почетный титул полководцев). *Езерские явились В великой силе при дворе, При императоре Петре.* Пушкин. Родословная моего героя.

**Императри́ца**, -ы, *ж.* **Импера́торский**, -ая, -ое. *Императорская власть. Императорский дворец.*

**ИМПЕРИА́Л**[1], -а, *м.* [Восх. к лат. imperialis — императорский]. Русская золотая монета, существовавшая с 1755 г., достоинством в 10 рублей, а после 1897 — в 15 рублей. — *Держу пари на пятьдесят империалов.* Л. Толстой. Война и мир.

**ИМПЕРИА́Л**[2], -а, *м.* [Франц. impérial от лат. imperialis — императорский]. *Устар.* Верхняя часть конки, дилижанса или омнибуса с местами для пассажиров. *Захлопал бич, и дилижанс покатился... По прошествии пяти минут все сидевшие в империале, не выключая кучера и кондуктора, вели между собою оживленную беседу.* Григорович. Корабль «Ретвизан».

**ИМПЕРИАЛИ́ЗМ**, -а, *м.* [Франц. impérialisme; восх. к лат. imperium — власть]. В марксистской концепции: высшая стадия капитализма, характеризующаяся господством монополий и финансового капитала, борьбой между капиталистическими странами за источники сырья и рынки сбыта.

**Империалисти́ческий**, -ая, -ое. *Империалистическая держава. Империалистическая война.* **Империали́ст**, -а, *м.*

**ИМПЕ́РИЯ**, -и, *ж.* [Восх. к лат. imperium — власть, империя]. **1.** Монархическое государство, во главе которого стоит император. *Византийская империя. Империя Карла Великого. Южные окраины Российской империи.* **2.** Государство, имеющее колониальные владения. *Британская империя. Французская колониальная империя.* **3.** *перен.* Крупная монополия, осуществляющая контроль над целой отраслью промышленности. *Газетная империя.*

**Импе́рский**, -ая, -ое (*к 1 знач.*). *Имперский герб.*

**ИМПОЗА́НТНЫЙ**, -ая, -ое; -тен, -тна, -о. [Восх. к франц. imposant]. *Книжн.* Производящий сильное впечатление, поражающий своим внушительным видом, уверенным поведением и т. п. *Несмотря на свой импозантный вид, военную осанку, седые виски, он в сущности очень жалок, этот гитлеровский фельдмаршал.* Б. Полевой. В конце концов.

С и н.: внуши́тельный, ви́дный, соли́дный, представи́тельный (*разг.*), презента́бельный (*устар.*), аванта́жный (*устар. разг.*).

**Импоза́нтно**, *нареч.* *Выглядеть импозантно.* **Импоза́нтность**, -и, *ж.*

**ИМПОНИ́РОВАТЬ**, -рую, -руешь; импони́рующий, импони́ровавший; импони́руя, *сов.* и *несов.* [Нем. imponieren от лат. imponere — класть, накладывать]. *Книжн.* Производить положительное впечатление, внушать уважение, располагать к себе. *Импонировать своей прямотой и честностью.* □ *[Вронский] здесь, у себя дома, еще более импонировал ей.* Л. Толстой. Анна Каренина.

С и н.: нра́виться.

**И́МПОРТ**, -а, *м.* [Восх. к лат. importare — ввозить]. Ввоз в какую-л. страну товаров из-за границы, а также (*собир.*) сами ввозимые товары, изделия. *Превышение импорта над экспортом. Импорт станков.*

А н т.: э́кспорт.

**И́мпортный**, -ая, -ое. *Импортные товары. Работать на импортном сырье.*

**ИМПРЕСА́РИО**, *нескл., м.* [Итал. impresario]. Предприниматель, устроитель театральных представлений, концертов и т. п. зрелищ. *Импресарио.. за полчаса до начала полетов прибежал в ангар. — Сбор небывалый, — больше у меня ни одной билетной книжки не осталось.* Саянов. Небо и земля.

**ИМПРЕССИОНИ́ЗМ**, -а, *м.* [Франц. impressionnisme (по названию картины К. Моне «L'Impression» — впечатление)]. Направление в искусстве конца 19 — начала 20 в., основанное на стремлении к воспроизведению впечатлений, настроений и переживаний художника. *Импрессионизм в живописи, музыке, поэзии.* □ *Иногда мы видим, что молодых театральных художников учат живописи в манере импрессионизма — манере, стремящейся передавать в основном эффекты освещения, эффекты цвета.* Акимов. О театре.

**Импрессионисти́ческий**, -ая, -ое *и* **импрессиони́стский**, -ая, -ое. *Импрессионистические тенденции в литературе. Импрессионистская картина.* **Импрессиони́ст**, -а, *м.* *Пейзажи французских художников-импрессионистов.*

**ИМПРОВИЗИ́РОВАТЬ**, -рую, -руешь; импровизи́рующий, импровизи́ровавший; импровизи́руемый, импровизи́рованный; -ан, -а, -о; импровизи́руя, *сов.* и *несов.*, *что* или *без доп.* [Восх. к лат. improvisus — неожиданный, непредусмотренный]. **1.** Сочинить (сочинять) стихи, музыку и т. п. в момент исполнения, без предварительной подготовки. *Импровизировать на заданную тему.* □ *После ужина все смолкли, потому что Глинка, почувствовав вдохновение, сел к фортепьяно и начал импровизировать.* Панаев. Литературные воспоминания. **2.** Сказать (говорить) то, что приходит в голову; выдумывать, фантазировать. *Я был в духе, импровизировал разные необыкновенные истории.* Лермонтов. Герой нашего времени. **3.** Сделать (делать), устроить (устраивать) что-л. наскоро, без предварительной подготовки. *Импровизированный ужин.*

**Импровиза́ция**, -и, *ж.* **Импровиза́тор**, -а, *м.* (*к 1 и 2 знач.*).

**И́МПУЛЬС**, -а, *м.* [Восх. к лат. impulsus — толчок]. **1.** *Спец.* Побудительный момент, толчок, вызывающий какое-л. действие. *Электрический импульс.* **2.** *Книжн.* Внутреннее побуждение к чему-л., интеллектуальный или эмоциональный толчок. *Не нужно бояться, что ребенок чего-то не поймет.., непонимание всегда есть* импульс к творчеству. А. Н. Толстой. Книга для детей.

**ИМПУЛЬСИ́ВНЫЙ**, -ая, -ое; -вен, -вна, -о. [См. *импульс*]. *Книжн.* **1.** Совершаемый не вполне осознанно; непроизвольный. *Импульсивное движение.* ☐ *Это был полуосознанный вздох о краткости человеческой жизни: юности свойственно импульсивное это сжимание сердца.* И. Новиков. Феодосия. **2.** Действующий под влиянием внезапного побуждения; порывистый.— *Обладая импульсивным, увлекающимся характером, мой ученик часто предпочитал необдуманные поступки рациональным.* Липатов. И это все о нем.

**Импульси́вно**, *нареч.* **Импульси́вность**, -и, *ж.*

**ИМУ́ЩИЙ**, -ая, -ее. *Книжн.* **1.** Богатый, состоятельный. *Имущие классы.* ☐ *[Борис:] Всем сегодня Свободный вход! Кто нищим вступит в терем, Имущим тот воротится домой!* А. К. Толстой. Царь Борис. **2.** *в знач. сущ.* **иму́щие**, -их, *мн.* Люди, принадлежащие к наиболее обеспеченным классам, слоям общества. *Борьба имущих с неимущими идет в России везде, не только на фабриках и заводах, а и в самой глухой деревушке, и везде эта борьба есть борьба буржуазии и пролетариата, складывающихся на почве товарного хозяйства.* Ленин, т. 1, с. 237—238. ◇ **Власть имущие** (*книжн.*) — облеченные властью, влиятельные люди. *Другой полюс населения составляли представители власти: исправник, два проживавших в городе земских начальника, творивших суд и расправу в деревнях, и другие власть имущие.* Караваев. В дооктябрьские годы.

С и н. (*к 1 знач.*): обеспе́ченный, зажи́точный, сы́тый, де́нежный (*разг.*).

**И́МЯ**, и́мени, имена́, имён, *ср.* **1.** Личное название человека, даваемое ему при рождении. *Дать имя ребенку. Звать своих учеников по именам.* **2.** Личное название человека вместе с отчеством и фамилией (или одна фамилия). *Скрываться под чужим именем.* ☐ *Гоголь, Белинский, Добролюбов — вот вам в трех именах полный отчет о всей нашей умственной жизни за целое тридцатилетие.* Писарев. Реалисты. **3.** Название города, реки и т. п.; кличка животного. *«Где ж та деревня?» — Далёко, Имя ей: Тарбагатай.* Н. Некрасов. Дедушка. **4.** Нарицательное словесное обозначение предмета, явления, понятия; название.— *[Ученый] мне сообщил, что плесень на штукатурке и на мочалке тождественна. И латинское имя ее назвал.* В. Кожевников. Особое подразделение. **5.** Известность, популярность, а также сложившееся о ком-л. мнение, репутация. *Ученый с мировым именем. Порочить чье-либо честное имя. Сделать себе имя.* ☐ *На моем ученом имени нет ни одного пятна.* Чехов. Скучная история. ◇ **Во имя** *кого, чего* (*высок.*) — ради кого-, чего-л. *Во имя мира во всем мире.* ☐ *— Есть у меня к тебе великое дело. Дай мне, пожалуйста, слово, что умрешь, если нужно, во имя революции.* Пантелеев. Пакет. **От имени** *кого и* (*устар.*) **именем** *кого* — по чьему-л. поручению или выражая чье-л. мнение.— *Выдай его [хлеб] мужикам, выдай все, что им нужно: я тебе именем брата разрешаю,— сказала княжна Марья.* Л. Толстой. Война и мир. *В доверенности говорилось, что товарищ Мамонтов уполномочен от имени совхоза совершать такие-то и такие-то операции.* Солоухин. Рождение Зернограда. **Именем закона (революции** и т. п.) — властью, правом, предоставленным кому-л. законом (революцией и т. п.). *Леон со своими дружинниками ворвался в здание полиции, и оно огласилось грозным окриком: — Руки вверх! Именем революции вы арестованы!* М. Соколов. Искры. **Называть вещи своими (**или **собственными, настоящими) именами** — говорить прямо, не подыскивая смягчающих слов, выражений. *[Смирнов:] Позвольте мне называть вещи настоящими их именами. Я.. привык высказывать свое мнение прямо.* Чехов. Медведь. **Христовым именем** (жить, кормиться, перебиваться и т. п.) (*устар.*) — нищенствовать, побираться, просить подаяния «Христа ради». *[Сергий] триста верст прошел христовым именем, и оборвался, и похудел, и почернел.* Л. Толстой. Отец Сергий.

**ИМЯРЕ́К**, -а, *м.* [От церковнославянского выражения *имя рекъ* — употреблялось в юридических актах и церковных текстах там, где надо было повторить уже называвшееся имя]. *Устар.* **1.** Слово, заменяющее какое-л. ранее упомянутое собственное имя или название. *Аксаков начинает свое «Объяснение» тем, что брошюра (имярек) принадлежит ему, и что в конце ее выставлено его имя.* Белинский. Объяснение на объяснение по поводу поэмы Гоголя «Мертвые души». **2.** Служит заменой имени неизвестного или умышленно не называемого лица; некто. *Только очень немногие продолжают видеть в Имяреке человека, более нежели когда-либо нуждающегося в сочувствии.* Салтыков-Щедрин. Мелочи жизни.

**ИНАКОМЫ́СЛЯЩИЙ**, -ая, -ее. Имеющий иной, не сходный с кем-л. образ мыслей, иные убеждения, взгляды. *Настроения [Вельяминова].. совпадали с ермоловскими. Это и естественно,— нельзя предположить, чтобы всесильный «проконсул Кавказа».. выбрал бы в начальники штаба человека инакомыслящего.* Нечкина. Грибоедов и декабристы.

**ИНВЕНТА́РЬ**, -я́, *м.* [Лат. inventarium]. **1.** Совокупность вещей, орудий труда и предметов хозяйственного обихода, принадлежащих кому-л. предприятию, учреждению. *Садовый инвентарь. Школьный инвентарь.* ☐ *— Им гулять сейчас некогда.. Ремонтируют инвентарь к весеннему севу.* Панова. Кружилиха. **2.** Подробная опись имущества; реестр. *Занести что-л. в инвентарь. Составить инвентарь.* ◇ **Живой инвентарь** — рабочий скот. **Мертвый инвентарь** — предметы хозяйственного оборудования.

**Инвента́рный**, -ая, -ое. *Инвентарный номер. Инвентарная книга.*

**ИНВЕСТИ́ЦИЯ**, -и, *ж.* [Нем. Investition; восх. к лат. investire — облачать]. *Спец.* Долгосрочное вложение капитала в какое-л. предприятие, дело. *Государственные инвестиции.*

**Инвестицио́нный**, -ая, -ое. *Инвестиционная политика.*

**ИНГАЛЯ́ЦИЯ**, -и, ж. [Восх. к лат. inhalatio — вдыхание]. Лечение верхних дыхательных путей посредством вдыхания лекарственных веществ (в виде паров, газов, распыленных жидкостей). *Делать ингаляцию.*

**Ингаляцио́нный**, -ая, -ое. *Ингаляционный метод лечения.* **Ингаля́тор**, -а, м.

**ИНГРЕДИЕ́НТ** [иэ́], -а, м. [Восх. к лат. ingrediens, ingredientis — букв. входящий]. **1.** *Спец.* Составная часть какого-л. сложного соединения, смеси. *Химические ингредиенты крови.* **2.** *перен. Книжн.* Составная часть чего-л. *Не начальство стесняет.., стесняет сама жизнь, пропитанная ингредиентами крепостного права.* Салтыков-Щедрин. Похороны.

С и н.: элеме́нт, компоне́нт *(книжн.).*

**И́НДЕВЕТЬ**, -ею, -еешь и **ИНДЕВЕ́ТЬ**, -е́ю, -е́ешь; и́ндевеющий и индеве́ющий, и́ндевевший и индеве́вший; и́ндевея и индеве́я; *несов.* Покрываться инеем. *Красивая борода, усы и пышные стариковские брови его от мороза индевели.* Яшин. Последняя тропинка.

**ИНДЕ́ЙЦЫ**, -ев, мн. *(ед.* **инде́ец**, -е́йца, м.). Общее название племен и народностей, составлявших древнейшее коренное население Америки и сохранившихся там ныне лишь в некоторых районах.

**Индиа́нка**, -и, ж. **Инде́йский**, -ая, -ое. *Первобытная индейская община.*

**И́НДЕКС** [дэ], -а, м. [Лат. index]. *Спец.* **1.** Список, перечень чего-л. *Индекс выходящих книг. Индекс товаров.* ☐ *Я исподволь выбирал по индексу.. те сочинения, которые меня интересовали в первую очередь.* Крачковский. Над арабскими рукописями. **2.** Система условных обозначений (буквенных, цифровых или комбинированных) для чего-л. *Почтовый индекс. Библиографический индекс. Индекс на упаковке товара.*

С и н. (к 1 знач.): указа́тель.

**ИНДИВИ́Д**, -а и **ИНДИВИ́ДУУМ**, -а, м. [Лат. individuum — букв. неделимое]. **1.** *Книжн.* Человек как отдельная личность в среде других людей. *Художник — не мессия, не проповедник, а индивидуум, обостренно чувствующий внешние и глубинные проявления окружающей его жизни.* Бондарев. Поиск истины. **2.** *Спец.* Отдельный живой организм, особь.

**ИНДИВИДУАЛИ́ЗМ**, -а, м. [См. *индивид*]. **1.** Нравственный принцип, согласно которому интересы отдельной личности, индивидуума ставятся выше интересов общества, коллектива. *Мещанский индивидуализм.* ☐ *Основное течение новой истории направлено против индивидуализма за преобразование жизни на коллективных, социалистических началах.* М. Горький. Ответ. **2.** Стремление к выражению своей личности, своей индивидуальности в противопоставлении себя другим. *Черты индивидуализма в характере.* ☐ *— Подумайте, Ромашов: кто вам дороже и ближе себя? Никто. Вы — царь мира, его гордость и украшение. Вы — бог всего живущего.. Какой-нибудь про-*
*фессор.. скажет..: «Но ведь это проявление крайнего индивидуализма».* Куприн. Поединок.

А н т. (ко 2 знач.): коллективи́зм.

**Индивидуалисти́ческий**, -ая, -ое и **индивидуалисти́чный**, -ая, -ое; -чен, -чна, -о *(ко 2 знач.).* *Индивидуалистическая психология.* **Индивидуали́ст**, -а, м.

**ИНДИВИДУА́ЛЬНЫЙ**, -ая, -ое; -лен, -льна, -о. [См. *индивид*]. **1.** Личный, присущий только данному индивидууму, отличающий его; своеобразный, неповторимый. *Индивидуальные человеческие качества.* ☐ *Врубель настолько индивидуален и глубиной своего содержания, и своей техникой, что трудно представить себе произведение, похожее на его творчество.* Рылов. Воспоминания. **2.** Осуществляемый, производимый отдельными лицами; не коллективный. *Индивидуальное жилищное строительство. Футболист злоупотребляет индивидуальной игрой.* **3.** Находящийся в единоличном пользовании, распоряжении. *Индивидуальный телефон. Индивидуальные земельные участки.* **4.** Отдельный, единичный, частный. *Индивидуальный случай.* **5.** Относящийся к каждому в отдельности; особенный для каждого лица, случая. *Индивидуальное обучение. Индивидуальный подход к учащимся.* ◇ **Индивидуа́льный (перевязочный) паке́т** — особо упакованный набор перевязочного и другого материала для оказания себе первой помощи. *Телегин, морщась и знобясь от боли, бинтовал себе голову марлей из индивидуального пакета.* А. Н. Толстой. Хождение по мукам.

С и н. (к 1 знач.): самобы́тный, своеобы́чный, специфи́ческий и специфи́чный, характе́рный, субъекти́вный, оригина́льный. С и н. (к 3 знач.): ли́чный, персона́льный.

А н т. (к 1 знач.): типи́чный и типи́ческий, о́бщий. А н т. (ко 2 и 3 знач.): коллекти́вный, обще́ственный.

**Индивидуа́льно**, *нареч.* **Индивидуа́льность**, -и, ж. (к 1 знач.). *Яркая индивидуальность.*

**ИНДИВИ́ДУУМ** см. *индивид.*

**ИНДИ́ГО**. [Исп. indigo; восх. к греч. indikos — индийский]. **1.** *нескл., ср.* Темно-синее красящее вещество, получаемое химическим путем (в прошлом добывалось из сока некоторых тропических растений). *Океан сохранял холодный, густой, как индиго, колер.* Григорович. Корабль «Ретвизан». **2.** *неизм. прил.* Темно-синий. *Цвет индиго.*

**Инди́говый**, -ая, -ое (к 1 знач.).

**ИНДИ́ЙЦЫ**, -ев, мн. *(ед.* **инди́ец**, -и́йца, м.). Общее название коренного населения Индии независимо от национальной и религиозной принадлежности.

**Индиа́нка**, -и, ж. **Инди́йский**, -ая, -ое.

**ИНДИФФЕРЕ́НТНЫЙ**, -ая, -ое; -тен, -тна, -о. [Лат. indifferens, indifferentis — безразличный]. **1.** *Книжн.* Безразличный, безучастный. *Яким с женой.. были довольно индифферентны к религиозным вопросам.* Златовратский. Деревенские будни. **2.** *Устар.* Не представляющий интереса, не вызывающий интереса к себе. *Румянцев держит себя так, как будто бы Нади не было тут. Она для* него *существо совершенно индифферентное.* Чернышевский. Мастерица варить кашу.

Син. (к 1 знач.): равноду́шный.

**Индифферéнтно**, *нареч.* (к 1 знач.). *Относиться к чему-л. индифферентно.* **Индифферéнтность**, -и, *ж.* (к 1 знач.).

**ИНДОЕВРОПÉЙСКИЙ**, -ая, -ое. ◊ **Индоевропéйские языки** — общее название обширной группы современных и древних родственных языков Азии и Европы, к которой принадлежат языки индийские, иранские, греческий, славянские, балтийские, германские, кельтские, романские и некоторые другие.

**ИНДУИ́ЗМ**, -а, *м.* Одна из наиболее распространенных религий мира, господствующая в Индии.

**ИНДУ́КЦИЯ**, -и, *ж.* [Восх. к лат. inductio — введение, наведение]. *Книжн.* Способ рассуждения, ведущий от отдельных, частных фактов и положений к общим выводам, от единичных наблюдений к обобщению. *На практике наука пользуется преимущественно и почти исключительно индукцией. Ученый идет к своим выводам, к научным истинам, к законам — от фактов, от наблюдений, от экспериментов.* Брюсов. Синтетика поэзии.

Ант.: деду́кция (книжн.).

**Индукти́вный**, -ая, -ое. *Индуктивный метод исследования.*

**ИНДУЛЬГÉНЦИЯ**, -и, *ж.* [Лат. indulgentia — букв. снисхождение, милость]. У католиков: грамота об отпущении грехов, выдаваемая обычно за особую плату церковью от имени папы римского. *Продажа индульгенций.* □ *[Соррини:] Через него [золото] мы можем, Купивши индульгенцию, Грешить без всяких дальних опасений, И, несмотря на то, попасть и в рай.* Лермонтов. Испанцы. ◊ **Дать** (или **выдать**) **индульгéнцию** кому (книжн.) — дать разрешение на какие-л. действия, поступки.

**ИНДУ́СТРИЯ**, -и и (*устар.*) **ИНДУСТРИ́Я**, -и, *ж.* [Восх. к лат. industria — трудолюбие, деятельность]. Отрасль производства, охватывающая переработку сырья, разработку недр, создание средств производства и предметов потребления. *Тяжелая индустрия. Легкая индустрия.* □ *Единственной материальной основой социализма [в СССР] могла стать крупная машинная индустрия.* Н. Михайлов. Над картой Родины.

Син.: промы́шленность.

**Индустриáльный**, -ая, -ое. *Индустриальная база страны. Индустриальный центр.*

**ИНДУ́СЫ**, -ов, *мн.* (*ед.* **инду́с**, -а, *м.*). **1.** Последователи религии индуизма. **2.** Устарелое название индийцев.

**Инду́ска**, -и, *ж.* **Инду́сский**, -ая, -ое. *Он преклонялся и перед другими богами, перед ужасными индусскими статуями, он и в них верил.* Бунин. Братья.

**ИНÉРТНЫЙ** [нэ́], -ая, -ое; -тен, -тна, -о. **1.** *полн. ф. Спец.* Обладающий инерцией (в 1 знач.). **2.** Бездеятельный, пассивный. *Встречаются еще у нас люди инертные, вялые, у которых нет ни определенных целей в жизни, ни твердой воли.* Кочетов. Журбины.

Син. (ко 2 знач.): безынициати́вный.

Ант. (ко 2 знач.): акти́вный, де́ятельный, энерги́чный, инициати́вный.

**Инéртно**, *нареч.* (ко 2 знач.). **Инéртность**, -и, *ж.* (ко 2 знач.). *Инертность характера.*

**ИНÉРЦИЯ** [нэ́], -и, *ж.* [Восх. к лат. inertia — бездеятельность]. **1.** Свойство тела сохранять неизменным состояние покоя или движения, пока какая-л. внешняя сила не выведет его из этого состояния. *[Осел], разбежавшись, сразу останавливался: седок, конечно, но инерции летел вперед.* Алтаев. Памятные встречи. **2.** *перен.* Продолжающееся влияние причины, силы и т. п., действовавших ранее. *Какая-то неотвязная инерция ожидания держала нас в этом неудобном положении на солнцепеке.* Короленко. История моего современника. **3.** *перен. Устар.* Бездеятельное, вялое состояние, отсутствие активности; инертность. *Прежняя сонная инерция еще сильно держит нас на одном месте, несмотря на все наши толки о прогрессе.* Добролюбов. Литературные мелочи прошлого года. ◊ **По инéрции** (делать что, поступать и т. п.) — по привычке, без сознательных усилий, машинально. *Я возвращаюсь к себе в кабинет, лицо мое все еще продолжает улыбаться, должно быть, по инерции.* Чехов. Скучная история.

Син. (к 3 знач.): бездеятельность, бездействие, безынициативность, пассивность.

**ИНЖЕНÉР**, -а, *м.* [Франц. ingénieur; восх. к лат. ingenium — способности, ум, изобретательность]. Специалист с высшим техническим образованием. *Получить диплом инженера.* ◊ **Инженер человéческих душ** — о писателе, художнике, учителе, воспитателе и т. п.

**Инженéрский**, -ая, -ое и **инженéрный**, -ая, -ое (технический). *Инженерное сооружение. Инженерные войска.*

**ИНИЦИÁЛЫ**, -ов, *мн.* (*ед.* **инициа́л**, -а, *м.*). [Восх. к лат. initialis — начальный]. **1.** Первые буквы имени и отчества или имени и фамилии (реже — имени, отчества и фамилии). *Напишите свою фамилию и инициалы.* □ *Цензурные условия и политическое прошлое принуждали Богдановича скрываться за скромными инициалами.* Куприн. Памяти Богдановича. **2.** *Спец.* Крупные и обычно украшенные заглавные буквы в начале книги, главы или абзаца. *[Гравер] сделал большое количество обложек, титульных листов, инициалов, заставок.* И. Н. Павлов. Моя жизнь и встречи.

**Инициáльный**, -ая, -ое. *Инициальная монограмма.*

**ИНИЦИАТИ́ВА**, -ы, *ж.* [Франц. initiative от лат. initiare — начинать]. **1.** Почин, побуждение к началу какого-л. дела. *Выступить с инициативой. Митинг по инициативе трудящихся.* **2.** *ед.* Руководящая роль в каких-л. действиях. *Взять инициативу в свои руки.* □ *Нашей задачей было — нанести неприятелю внезапный, стремительный удар в тылу, вырвать у него инициативу наступления, произвести панику, разрушить все планы.* Фурманов. Красный десант. **3.** *ед.* Предприимчивость, способность к самостоятельным активным действиям, поступкам. *Развивать творческую инициативу.* □ *Сам вес-*

ти он не может не только других, но даже и себя самого: инициативы нет у него в натуре. Добролюбов. Когда же придет настоящий день? ◇ **Законодательная инициатива** — право вносить проекты законов в законодательный орган.

С и н. (к 1 знач.): начина́ние (книжн.). С и н. (к 3 знач.): инициати́вность.

**Инициати́вный**, -ая, -ое; -вен, -вна, -о (к 1 и 3 знач.). *Инициативные действия. Инициативный руководитель.* **Инициа́тор**, -а, м. (к 1 знач.). *Одним из его замечательных начинаний было книгоиздательство «Знание», где Горький был не только инициатором, но и душою всего дела.* Телешов. Записки писателя.

**ИНКАССА́ТОР**, -а, м. [От итал. incassare — укладывать в ящик; получать деньги]. Должностное лицо, производящее прием денег от организаций, предприятий и т. п. для сдачи в банк. *[Кассир банка] обычно в экстренных случаях вызывал вооруженных инкассаторов для перевозки и охраны в пути крупных банковских сумм и ценных бумаг.* Б. Полевой. Золото.

**Инкасса́торский**, -ая, -ое. *Инкассаторская сумка.*

**ИНКВИЗИ́ЦИЯ**, -и, ж. [Лат. inquisitio — изыскание; подыскивание доказательств обвинения]. **1.** Особый церковный суд, учрежденный католической церковью в 13 в. для борьбы с еретиками, действовавший с крайней жестокостью. *Испанская инквизиция.* □ *Многие знаменитые врачи [средневековья].. попадали в тюрьму священной инквизиции и умирали на кострах.* Писарев. Процесс жизни. **2.** *перен. Книжн.* Мучение, пытка. *Орлов жаловался своим приятелям на невыносимо тяжелую жизнь..— Это не жизнь, а инквизиция.* Чехов. Рассказ неизвестного человека.

**Инквизицио́нный**, -ая, -ое (к 1 знач.). **Инквизи́тор**, -а, м. (член суда инквизиции, а также жестокий человек, мучитель). **Инквизи́торский**, -ая, -ое.

**ИНКО́ГНИТО**. [Восх. к лат. incognitus — неизвестный, неузнанный]. **1.** *нареч.* Под вымышленным именем, не открывая своего имени. *Путешествовать инкогнито.* □ *[Дон-Жуан:] Я думаю, придется в Барселоне Дня иль три инкогнито прожить.* А. К. Толстой. Дон-Жуан. **2.** *нескл., ср.* Сохранение своего имени в неизвестности, в тайне, пребывание под вымышленным именем. *Проселочными путями, соблюдая строжайшее инкогнито, спешил Петр Петрович Посудин в уездный городишко.* Чехов. Шило в мешке. **3.** *нескл., м. и ср.* Лицо, скрывающее свое настоящее имя. *Когда какое-нибудь журнальное инкогнито, нападая на вас, искажает ваши мысли.., то почему ж вам не оправдаться?* Белинский. Литературное объяснение.

**ИНКРИМИНИ́РОВАТЬ**, -рую, -руешь; инкримини́рующий, инкримини́ровавший; инкримини́руемый, инкримини́рованный; -ан, -а, -о; инкримини́руя, инкримини́ровав; *сов. и несов., что кому.* [Восх. к лат. incriminare — обвинять]. *Книжн.* Предъявить (предъявлять) кому-л. обвинение в чем-л., вменить (вменять) что-л. в вину. *Инкриминируемое подсудимому преступление было доказано.* □ *Инкриминировали ей [актри-*

*се]..* «недостаток дисциплины и уважения к театру». Щепкина-Куперник. Театр в моей жизни.

С и н.: обвини́ть (обвиня́ть).

**ИНКРУСТА́ЦИЯ**, -и, ж. [Восх. к лат. incrustatio — облицовка]. **1.** Узоры, рисунки, орнамент из тонких пластинок кости, перламутра, ценных пород дерева и т. п., врезанных в поверхность украшаемых предметов (отличающихся обычно по цвету и материалу). *Везде стояла старинная мебель красного дерева с бронзовыми инкрустациями.* Мамин-Сибиряк. Приваловские миллионы. **2.** *ед.* Искусство исполнения такого украшения. *Мастер инкрустации по дереву. Освоить инкрустацию на металле.*

**ИНКУНА́БУЛЫ**, -ул, *мн.* (*ед.* **инкуна́була**, -ы, ж.). [Лат. incunabula — букв. колыбель]. Первые книги, напечатанные наборными буквами в начальную пору книгопечатания (до 1501 г.), сходные по оформлению с рукописными.— *Особенно много здесь изданий шестнадцатого, семнадцатого и восемнадцатого веков, и представь, есть девяносто книг-инкунабул, напечатанных до тысяча пятисотого года по методу, изобретенному еще Гутенбергом!* Серебрякова. Похищение огня.

**ИНОВЕ́РЕЦ**, -рца, м. *Устар.* Тот, кто исповедует иную по сравнению с чьей-л. веру, иную религию. *Власть, призывавшая к единению, имела в виду лишь православных, прочие же — иноверцы — считались вредными, «погаными».* Вишневский. Война.

**Инове́рка**, -и, ж. **Инове́рческий**, -ая, -ое.

**И́НОК**, -а, м. *Устар.* Православный монах. *В безмолвии монастырей иноки вели свою беспрерывную летопись.* Пушкин. Мысли на дороге.

С и н.: чернец (устар.), черноризец (устар.).

**И́нокиня**, -и, ж. **И́ноческий**, -ая, -ое. *Инокиня Александра с тоскою думала, что вновь надо идти в монастырь. Вот уже пятый месяц она томится в нем, не в силах привыкнуть к иноческой жизни.* Костылев. Иван Грозный.

**ИНОРО́ДЕЦ**, -дца, м. В дореволюционной России: официальное название представителя нерусской народности, обычно уроженца восточной окраины Российской империи. *[Орлову] приходилось делать описи неведомых берегов, заводить сношения с инородцами.* Задорнов. Капитан Невельской.

**Иноро́дка**, -и, ж. **Иноро́дческий**, -ая, -ое. *Инородческое население.*

**ИНОРО́ДНЫЙ**, -ая, -ое; -ден, -дна, -о. Обладающий иными свойствами, чуждый. *Инородное явление.* □ *Тревожные сообщения [о начале войны].. воспринимаются людьми как нечто временное, инородное, не способное изменить то, что еще только вчера составляло их жизнь.* Чаковский. Блокада. ◇ **Инородное тело** — 1) предмет, попавший в организм извне и находящийся в тканях, органах или полостях тела. *Раны были глубоко вскрыты, очищены от гноя и инородных тел.* Степанов. Порт-Артур; 2) о ком-, чем-л. чуждом, постороннем, мешающем. *Он был инородным телом в этой веселой компании.* □ *Петр Васильевич все время чув-*

ствовал его [кольцо] на своей простой руке как некое инородное тело. Катаев. За власть Советов.

С и н.: чужеро́дный (книжн.).

**ИНОСКАЗА́НИЕ**, -я, ср. Высказывание, выражение, содержащее скрытый, тайный смысл. Говорить иносказаниями. ◻ До того прозрачно было иносказание, что пояснений не требовалось. Шолохов. Поднятая целина.

С и н.: аллего́рия.

**ИНОХО́ДЕЦ**, -дца, м. Лошадь, которая бегает иноходью. Никифор поймал вороного гривастого иноходца, уселся на него верхом и тряской иноходью припустил в поселок. Седых. Даурия.

**И́НОХОДЬ**, -и, ж. Особый бег лошади, при котором она попеременно выносит и опускает то обе правые, то обе левые ноги. Конь, храпя и фыркая, шел то шагом, то переходил на иноходь, когда чуть утихал ветер. Л. Никулин. России верные сыны.

**ИНОЯЗЫ́ЧНЫЙ**, -ая, -ое. 1. Говорящий на ином языке; написанный на ином языке. Иноязычное население. Иноязычные издания романа. 2. Принадлежащий иному языку, заимствованный из иного языка. Иноязычные слова и выражения.

**ИНСИНУА́ЦИЯ**, -и, ж. [Восх. к лат. insinuatio — вкрадчивость, заискивание]. Книжн. Клеветнический вымысел, имеющий целью опорочить кого-л. Поток инсинуаций разливался все шире. Клевета проникла.. на столбцы министерского органа «Россия». Короленко. Сорочинская трагедия.

С и н.: клевета́, наго́вор (разг.), поклёп (разг.), наве́т (устар.), ябе́да (устар.), огово́р (устар. и прост.), напра́слина (устар. и прост.).

**ИНСПЕ́КТОР**, -а, инспектора́, -о́в и инспе́кторы, -ов, м. [См. инспекция]. 1. Должностное лицо, осуществляющее надзор и контроль за правильностью действий подведомственных органов и лиц, за соблюдением законов в какой-л. специальной области. Инспектор рыболовного надзора. Санитарный инспектор. 2. В дореволюционной России: помощник директора по учебной и воспитательной работе в мужских учебных заведениях. Инспектор гимназии. Инспектор реального училища.

**Инспектри́са**, -ы, ж. **Инспе́кторский**, -ая, -ое. Инспекторская проверка. Инспекторские обязанности.

**ИНСПЕ́КЦИЯ**, -и, ж. [Восх. к лат. inspectio — осмотр, исследование]. 1. ед. Проверка правильности чьих-л. действий с целью контроля и инструктирования; инспектирование. Проводить инспекцию. 2. Учреждение, организация, осуществляющие инспектирование чего-л. Торговая инспекция. ◻ [Маша] записала его служебный телефон, чтобы мать позвонила ему, в Главную авиационную инспекцию, когда вернется. Симонов. Живые и мертвые.

**Инспекцио́нный**, -ая, -ое. Инспекционная комиссия.

**ИНСПИРИ́РОВАТЬ**, -рую, -руешь; инспирирующий, инспирировавший; инспирируемый, инспирированный; -ан, -а, -о; инспирируя, инспирировав; сов. и несов., что. [Восх. к лат. inspirare —

вдыхать, воодушевлять]. 1. Книжн. Внушить (внушать) кому-л. какой-л. образ действий, мыслей, не соответствующий действительному положению дел. Газетные сведения о предстоящей жестокой расправе с нами были инспирированы правящими верхами, чтобы узнать, как на это будут реагировать рабочие. Ф. Самойлов. По следам минувшего. 2. Вызвать (вызывать) что-л. внушением, подстрекательством. Инспирировать беспорядки.

С и н. (ко 2 знач.): породи́ть (порожда́ть), созда́ть (создава́ть), провоци́ровать.

**ИНСТА́НЦИЯ**, -и, ж. [Восх. к лат. instantia — наступление (чего-л.), непосредственная близость]. Отдельная ступень в системе подчиненных друг другу органов (государственных, партийных, судебных и т. п.). Обратиться в вышестоящие инстанции. ◻ Тяжбы с клиентами он обычно выигрывал.. Проиграв в первой инстанции, он подавал в следующую, затем в высшую, никогда не сомневаясь в успехе. А. Рыбаков. Водители.

◇ **Истина в последней инстанции** — суждение или мнение, которое кто-л. самонадеянно считает неоспоримо верным и безусловным. Писатель не должен считать свое собственное суждение о собственном вкусе истиной в последней инстанции. Симонов. Жизнь, книги, рукописи.

**ИНСТИ́НКТ**, -а, м. [Лат. instinctus — побуждение]. 1. Врожденная способность животных организмов к совершению бессознательных целесообразных действий в ответ на изменение внутренней или внешней среды. Инстинкт самосохранения. ◻ При перелетах птицы руководятся только инстинктом, передаваемым из поколения в поколение. Обручев. Земля Санникова. 2. Подсознательное, безотчетное непреодолимое влечение, чувство. Показать преодоление человеком его страстишки к приобретению лишних вещей — полезно, ибо инстинкт собственности.. ныне стал врагом общества. М. Горький. Беседа с молодыми. 3. перен. Внутреннее чутье. Мой инстинкт не обманул меня: я точно прочел на его изменившемся лице печать близкой кончины. Лермонтов. Герой нашего времени.

С и н. (к 3 знач.): интуи́ция, нюх (разг.).

**Инстинкти́вный**, -ая, -ое; -вен, -вна, -о. Инстинктивный страх. **Инстинкти́вно**, нареч. **Инстинкти́вность**, -и, ж.

**ИНСТИТУ́Т**, -а, м. [Восх. к лат. institutum — установление, учреждение]. 1. Название некоторых высших учебных заведений и научно-исследовательских учреждений. Медицинский, политехнический, текстильный, педагогический институт. Институт мировой литературы им. А. М. Горького. 2. В дореволюционной России: привилегированное женское среднее учебное заведение закрытого типа. Институт благородных девиц. Смольный институт. ◻ [Аянов] овдовел и имел двенадцати лет дочь, воспитывавшуюся на казенный счет в институте. И. Гончаров. Обрыв. 3. Книжн. Правовые нормы в какой-л. области общественных отношений, та или иная форма общественного устройства. Институт брака. Институт церкви. ◻ Когда появились классы, везде и

всегда вместе с ростом и укреплением этого деления появлялся и особый институт— государство. Ленин, т. 39, с. 74.

С и н. (к 3 знач.): установле́ние (устар.), учрежде́ние (устар.).

Институ́тский, -ая, -ое (к 1 и 2 знач.). Институ́тское здание. Институ́тские порядки.

ИНСТИТУ́ТКА, -и, ж. Устар. 1. Воспитанница института (во 2 знач.). К этому письму была приложена фотография институтки в белом переднике с белой пелеринкой на плечах. Каверин. Перед зеркалом. 2. Разг. О восторженном, наивном, неопытном человеке. [Товарищи] прозвали меня институткой: я никак не мог заставить себя курить табак. Тургенев. Несчастная.

ИНСТРУ́КЦИЯ, -и, ж. [Восх. к лат. instructio — наставление]. 1. Свод правил, устанавливающих порядок использования чего-л., способ осуществления чего-л. Собрать модель по инструкции. 2. обычно мн. Вообще указания. Поговорив с Половцевым, Яков Лукич шел вечерять, а перед сном опять шел к нему и получал инструкции: что делать на следующий день. Шолохов. Поднятая целина.

С и н. (к 1 знач.): руково́дство, наставле́ние.
С и н. (ко 2 знач.): директи́ва, предписа́ние, устано́вка, ука́зка (разг.).

Инструкцио́нный, -ая, -ое и инструкти́вный, -ая, -ое; -вен, -вна, -о. Инструкцио́нные требования. Инструкти́вный доклад.

ИНСТРУМЕНТА́РИЙ, -я, м. [От лат. instrumentum — орудие]. 1. Спец. Совокупность или набор необходимых инструментов, применяемых в какой-л. области. Хирургический, измерительный инструментарий. □ Смотрите, как подобран инструментарий, ничто не забыто, можно сделать в случае нужды любую операцию. Панова. Спутники. 2. перен. Совокупность средств, способствующих достижению какой-л. цели. Научный инструментарий исследования. □ Литературная молодежь стремилась воспринять у Горького значительную часть его изобразительного инструментария. Леонов. О Горьком.

ИНСЦЕНИ́РОВАТЬ, -рую, -руешь; инсценирующий, инсцени́ровавший; инсцени́руемый, инсцени́рованный; -ан, -а, -о; инсцени́руя, инсцени́ровав; сов. и несов., что. [От лат. in — на и scaena (от греч. skēnē) — сцена]. 1. Приспособить (приспособлять) литературное произведение для постановки его в театре или в кино, придать (придавать) ему сценическую форму. Инсцени́ровать повесть. 2. перен. Книжн. Притворно изобразить (изображать) что-л. с намерением ввести в заблуждение, заставить кого-л. поверить в подлинность изображаемого. Инсцени́ровать обморок. □ — Инсценирую ограбление заготовителей, и шито-крыто! Шолохов. Поднятая целина.

Инсцениро́вка, -и, ж. Репетировать инсцениро́вку романа (инсценированное произведение). Позо́рная инсцениро́вка судебного процесса.

ИНТЕГРА́ЦИЯ [тэ], -и, ж. [Восх. к лат. integratio от integer — целый]. Спец. Объединение в целое каких-л. однородных частей, элементов. Экономическая интеграция ряда стран. Интеграция сельского хозяйства и перерабатывающих отраслей промышленности.

Интеграцио́нный, -ая, -ое. Интеграцио́нные процессы.

ИНТЕЛЛЕ́КТ, -а, м. [Восх. к лат. intellectus — восприятие, разумение]. Мыслительные способности человека, разум, уровень умственного развития. Высокий, низкий интеллект.

С и н.: ум, рассу́док.

Интеллектуа́льный, -ая, -ое. Интеллектуа́льный уровень человека. Интеллектуа́льные запросы, способности. Интеллектуа́льно, нареч. Интеллектуа́льно развит кто-л. Интеллектуа́льность, -и, ж.

ИНТЕЛЛЕКТУА́Л, -а, м. Интеллектуа́льный человек. Университе́тские интеллектуа́лы.

Интеллектуа́лка, -и, ж. (разг.).

ИНТЕЛЛИГЕ́НТ, -а, м. [См. интеллигенция]. Тот, кто принадлежит к интеллигенции. Исполнение роли Жукова убедило меня в том, что я, актер, игравший главным образом интеллигентов, могу и должен играть простых людей. Гардин. Воспоминания.

Интеллиге́нтский, -ая, -ое.

ИНТЕЛЛИГЕ́НТНЫЙ, -ая, -ое; -тен, -тна, -о. [См. интеллигенция]. 1. Принадлежащий к интеллигенции, а также вообще образованный, культурный, с высоким уровнем развития интеллекта. Увлечение марксизмом становилось среди интеллигентной молодежи Питера повальным. Коптелов. Большой зачин. 2. Свойственный интеллигенту. Командующий артиллерией дивизии, скромного роста полковник с дородным, интеллигентным лицом, приблизился к Бессонову. Бондарев. Горячий снег.

С и н. (к 1 знач.): цивилизо́ванный, просвещённый.

Интеллиге́нтно, нареч. Интеллиге́нтно держа́ться. Интеллиге́нтность, -и, ж. Отлича́ться интеллиге́нтностью.

ИНТЕЛЛИГЕ́НЦИЯ, -и, ж. [Восх. к лат. intelligentia — понимание, знание]. Социальная группа, в которую входят люди, профессионально занимающиеся умственным трудом и обладающие необходимым для такого труда специальным образованием в различных областях науки, техники и культуры. Передовая русская интеллигенция. Творческая интеллигенция. □ — К технической интеллигенции Петр Петрович не может быть отнесен по элементарной причине: мастер нигде не учился после десятилетки. Липатов. И это все о нем.

ИНТЕНДА́НТ, -а, м. [Восх. к франц. intendant]. Военнослужащий офицерского состава, ведающий снабжением войск всеми видами довольствия (продовольствием, фуражом, обмундированием и т. п.).— Я протопал всю войну в пехоте старшиной, только под конец мои хозяйственные способности заметили и нацепили звездочки — стал интендантом. Проскурин. Горькие травы.

Интенда́нтский, -ая, -ое. Интенда́нтская служба.

**ИНТЕНСИ́ВНЫЙ** [тэ], -ая, -ое; -вен, -вна, -о. [Франц. intensif от лат. intensus — натянутый, напряженный]. **1.** Напряженный, усиленный. *Интенсивная работа.* ◇ *[Для] Бессонова стало очевидным, что, несмотря на.. интенсивный огонь.. реактивных минометов, немцев не удалось столкнуть [с северобережного плацдарма].* Бондарев. *Горячий снег.* **2.** *полн. ф.* Дающий наибольшую производительность. *Интенсивная система сельского хозяйства. Применение интенсивных методов производства. Интенсивное выращивание и откорм молодняка крупного рогатого скота.* **3.** Яркий, густой, насыщенный (о цвете). *Интенсивные тона.*
А н т. (ко 2 знач.): экстенси́вный.
**Интенси́вно**, *нареч.* (к 1 знач.). *Интенсивно развиваться.* **Интенси́вность**, -и, *ж.* (к 1 и 3 знач.). *Интенсивность труда. Интенсивность цвета.*
**ИНТЕНСИФИКА́ЦИЯ** [тэ], -и, *ж.* [От лат. intensus — напряженный и facere — делать]. *Книжн.* Увеличение производительности (за счет достижений науки и передового опыта, улучшения технологии производства). *Интенсификация производства.*
**ИНТЕР...** [1] [тэ]. [Лат. inter]. Приставка со значением м е ж, м е ж д у, напр.: *интерпози́ция, интерфа́за, интернациона́льный.*
**ИНТЕР...** [2] [тэ]. [См. *интернационал*]. Первая составная часть сложных слов, обозначающая и н т е р н а ц и о н а л ь н ы й, напр.: *интерклу́б, интербрига́да.*
**ИНТЕРВА́Л** [тэ], -а, *м.* [Лат. intervallum]. **1.** Расстояние между равномерно отстоящими друг от друга предметами. *Интервал между строчками в рукописи.* **2.** Промежуток времени. *[Звуки] следовали друг за другом с интервалом в несколько секунд.* Куприн. *На глухарей.* **3.** *Спец.* В музыке: соотношение двух звуков по высоте. *Прима, секунда, терция — музыкальные интервалы.*
С и н. (ко 2 знач.): па́уза.
**ИНТЕРВЕ́НЦИЯ** [тэ], -и, *ж.* [Восх. к лат. interventio — приход, вмешательство]. Насильственное вмешательство одного или нескольких государств во внутренние дела какой-л. страны, преимущ. вооруженное (с целью захвата территории, подавления революционного или национально-освободительного движения и т. п.). *Военная интервенция.*
С и н.: наше́ствие, вторже́ние.
**Интервенцио́нный**, -ая, -ое *и* **интервенциони́стский**, -ая, -ое. *Интервенционные войска. Интервенционистские планы.*
**ИНТЕРВИ́ДЕНИЕ** [тэ], -я, *ср.* (с прописной буквы). Система международных телевизионных передач, а также сами эти передачи. *Позывные Интервидения.*
**ИНТЕРВЬЮ́** [тэ], *нескл., ср.* [Англ. interview]. Предназначенная для печати (или передачи по радио, телевидению) беседа журналиста с каким-л. лицом, а также газетная или журнальная статья, излагающая содержание такой беседы. *Дать интервью для телевидения. Интересное интервью. Интервью с космонавтом.* □ *И все же.. существовал номер газеты с его фотографией.. А внизу интервью: «Сегодня Москва встречала Олега Тулина; в беседе с нашим корреспондентом Олег Николаевич рассказал..»* Гранин. *Иду на грозу.*
**ИНТЕРВЬЮИ́РОВАТЬ** [тэ], -рую, -руешь; интервьюи́рующий, интервьюи́ровавший; интервьюи́руемый, интервьюи́рованный; -ан, -а, -о; интервьюи́руя, интервьюи́ровав; *сов. и несов., кого.* [См. *интервью*]. *Книжн.* Взять (брать) интервью. *Интервьюировать чемпиона.*
**Интервьюе́р**, -а, *м.* (тот, кто берет интервью).
**ИНТЕРЛЮ́ДИЯ** [тэ], -и, *ж.* [Итал. interludio от лат. inter — между и ludus — игра]. Небольшая пьеса или отрывок, связывающие две другие части музыкального произведения.
С и н.: интерме́дия.
**ИНТЕРМЕ́ДИЯ** [тэ], -и, *ж.* [Восх. к лат. intermedius — промежуточный]. **1.** Небольшая пьеска, сценка комического содержания, исполняемая между актами драматического представления. *Интермедии Сервантеса.* **2.** Небольшая музыкальная пьеса или отрывок, исполняемые в промежутках между частями другого музыкального произведения.
С и н. (ко 2 знач.): интерлю́дия.
**ИНТЕРНАЦИОНА́Л** [тэ], -а, *м.* [От лат. inter — между и natio, nationis — народ]. **1.** Название крупных международных объединений. *Первый Интернационал* (первая международная организация пролетариата, основанная К. Марксом и Ф. Энгельсом в 1864 г.). *Коммунистический Интернационал* (Коминтерн, Третий Интернационал, объединивший коммунистические партии всего мира с 1919 по 1943 г.). **2.** (с прописной буквы). Название международного пролетарского гимна (текст французского поэта Э. Потье, музыка французского композитора П. Дегейтера). *[Шульга] запел: «Вставай, проклятьем заклейменный, Весь мир голодных и рабов..» ..И медленные волны «Интернационала» неслись из-под земли к темному, тучами несущемуся над миром небу.* Фадеев. *Молодая гвардия.*
**ИНТЕРНАЦИОНАЛИ́ЗМ** [тэ], -а, *м.* [См. *интернационал*]. Мировоззрение, утверждающее, в противоположность национализму, равенство, независимость, солидарность и сотрудничество всех народов. *Верность принципу интернационализма. Проникнуться духом интернационализма.*
**Интернационалисти́ческий**, -ая, -ое. **Интернационали́ст**, -а, *м.*
**ИНТЕРНАЦИОНА́ЛЬНЫЙ** [тэ], -ая, -ое; -лен, -льна, -о. [См. *интернационал*]. **1.** Международный. *Интернациональный коллектив. Крепить интернациональные связи.* **2.** Соответствующий принципам интернационализма. *Интернациональная солидарность. Интернациональное воспитание молодежи.*
**Интернациона́льность**, -и, *ж.*
**ИНТЕРНИ́РОВАТЬ** [тэ], -рую, -руешь; интерни́рующий, интерни́ровавший; интерни́руемый, интерни́рованный; -ан, -а, -о; интерни́руя, интерни́ровав; *сов. и несов.* [Восх. к лат. internus — внутренний]. *Спец.* **1.** *кого, что.* В международном

**ИНТ** 193 **ИНФ**

праве: лишить (лишать) свободы передвижения и выхода из пределов страны (иностранных граждан), а также задержать (задерживать) войска, вступившие на территорию нейтрального государства. *Интернировать военный корабль.* **2.** *кого.* Подвергнуть (подвергать) временному аресту.

**Интерни́рование**, -я, *ср.* Интернирование иностранных туристов.

**ИНТЕРПРЕТА́ЦИЯ** [тэ], -и, *ж.* [Восх. к лат. interpretatio]. *Книжн.* Толкование, объяснение, раскрытие смысла чего-л. с определенной точки зрения. *Интерпретация фактов. Режиссерская интерпретация пьесы.*

С и н.: истолкова́ние, тракто́вка (*книжн.*).

**ИНТЕРЬЕ́Р** [тэ], -а, *м.* [Франц. intérieur от лат. interior — внутренний]. *Спец.* **1.** Внутренняя часть здания, помещения, архитектурно и художественно оформленная. *Интерьер жилой комнаты. Уютный интерьер.* **2.** Картина, рисунок, изображающие внутреннее пространство помещения. *Интерьеры русских живописцев-передвижников.* □ *Особенно удачно вышел интерьер — передняя и кухня с топящейся плитой.* Рылов. Воспоминания.

**ИНТИ́МНЫЙ**, -ая, -ое; -мен, -мна, -о. [Франц. intime от лат. intimus — внутренний, задушевный]. **1.** Глубоко личный, сокровенный, задушевный. *Интимные переживания.* □ *Сама жизнь наша устроилась странно. Редко бывали тихие вечера интимной беседы, мирного покоя. Мы не умели еще запирать дверей от посторонних.* Герцен. Былое и думы. **2.** Касающийся области чувств, отношений между близкими людьми, отношений между мужчиной и женщиной. *Интимный круг друзей. Интимная лирика.* □ *[Белавин] был в самых интимных отношениях с очень милой и умной дамой, которая умерла.* Писемский. Тысяча душ.

С и н. (к 1 знач.): заве́тный. С и н. (ко 2 знач.): бли́зкий, коро́ткий, те́сный.

**Инти́мно**, *нареч.* **Инти́мность**, -и, *ж.*

**ИНТРИ́ГА**, -и, *ж.* [Франц. intrigue; восх. к лат. intricare — запутывать]. **1.** обычно *мн.* Скрытые действия неблаговидного характера для достижения какой-л. цели. *Придворные интриги. Плести интриги.* □ *— Я была до сих пор очень довольна вами,.. но теперь интриги, в которых вы, может быть, не участвовали, могут заставить меня поссориться с вами.* Чернышевский. Что делать? **2.** *Книжн.* Развитие основного действия в романе, драме. *Интрига драмы Лермонтова «Маскарад». Запутанная интрига.* □ *[Комедия «Горе от ума»] замаскирована.. всеми поэтическими силами, так обильно разлитыми в пьесе. Действие, то есть собственно интрига в ней, перед этими капитальными сторонами кажется бледным, лишним.* И. Гончаров. Мильон терзаний. **3.** *Устар.* Мимолетная любовная связь. *Рассказывали про несколько интриг его [Анатоля] с московскими дамами.* Л. Толстой. Война и мир.

С и н. (к 1 знач.): про́иски, ко́зни, подко́п (*разг.*), подво́х (*разг.*), ка́верза (*разг.*), подси́живание (*разг.*), ко́вы (*устар.*). С и н. (ко 2 знач.): фа́була,

сюже́т. С и н. (к 3 знач.): любо́вь, рома́н, ша́шни (*прост.*), аму́ры (*устар. прост.*).

**Интри́жка**, -и, *ж.* (*уменьш.*) (к 1 и 3 знач.). **Интрига́н**, -а, *м.* (к 1 знач.).

**ИНТУИ́ЦИЯ**, -и, *ж.* [Франц. intuition от ср.-лат. intuitio — взгляд]. **1.** Безотчетное чувство, основанное на предшествующем опыте и подсказывающее правильное понимание, проникновение в самую суть чего-л. *Обладать интуицией. Богатая интуиция.* □ *По его предположениям, именно в таких местах могла обитать эта редкая рыба. Доказательств тому не имелось, то была чистая интуиция.* Айтматов. Буранный полустанок. **2.** *Спец.* Непосредственное постижение истины без помощи научного опыта и логических умозаключений.

С и н. (к 1 знач.): чутьё, инсти́нкт, нюх (*разг.*).

**Интуити́вный**, -ая, -ое; -вен, -вна, -о. **Интуити́вно**, *нареч. Интуитивно предчувствовать что-л.*

**ИНФАНТИ́ЛЬНЫЙ**, -ая, -ое; -лен, -льна, -о. [Восх. к лат. infantilis — младенческий]. **1.** *Спец.* Сохраняющий во взрослом состоянии физическое строение или психические черты, свойственные детскому возрасту; недоразвитый. *Инфантильный организм.* **2.** *Книжн.* Сходный с поведением, манерами, мировосприятием ребенка. *Инфантильные привычки. Инфантильный тон, вид.*

С и н. (ко 2 знач.): де́тский, ребя́ческий, ребя́чливый (*разг.*).

**Инфанти́льно**, *нареч.* **Инфанти́льность**, -и, *ж. Инфантильность в поведении.*

**ИНФЕ́КЦИЯ**, -и, *ж.* [От лат. inficere — заражать]. Проникновение в организм болезнетворных микробов; заражение. *Получить инфекцию.*

**Инфекцио́нный**, -ая, -ое. *Инфекционные болезни.*

**ИНФЛЯ́ЦИЯ**, -и, *ж.* [Восх. к лат. inflatio — вздутие]. *Книжн.* **1.** Обесценивание бумажных денег вследствие выпуска их в обращение в размерах, превышающих потребности товарооборота. **2.** *перен., чего.* Обесценивание чего-л. часто употребляемого. *Об аполитичности, о ненависти к лозунгам, недоверии к обещаниям, об инфляции слова нам во Франции говорили много.* В. Некрасов. Месяц во Франции.

**Инфляцио́нный**, -ая, -ое (к 1 знач.).

**ИНФОРМАТИ́ВНЫЙ**, -ая, -ое; -вен, -вна, -о. Несущий информацию, насыщенный информацией. *Информативное выступление.*

**Информати́вно**, *нареч.* **Информати́вность**, -и, *ж.*

**ИНФОРМА́ТИКА**, -и, *ж.* [См. *информация*]. Наука, изучающая структуру, общие свойства и методы передачи информации. *Занятия по информатике.*

**ИНФОРМА́ЦИЯ**, -и, *ж.* [Восх. к лат. informatio — разъяснение, осведомление]. **1.** Сведения об окружающем мире и происходящих в нем процессах, воспринимаемые человеком или специальными устройствами. *Ориентироваться в потоке информации. Автоматизированная обработка информации. Сбор научной информации.* □ *— Борьба обостряется, нельзя спугнуть*

7 Заказ 660

врага раньше времени. Нам просто невыгодно, у нас еще нет исчерпывающей информации. Проскурин. Горькие травы. **2.** Сообщение о положении дел где-л., о каких-л. событиях и т. п. *Информация о ходе строительства. Газетная информация.* ◇ **Средства массовой информации** — печать, радио, телевидение.

С и н. (к 1 знач.): да́нные, материа́л. С и н. (ко 2 знач.): изве́стие, извеще́ние, оповеще́ние, уведомле́ние *(офиц.)*.

**Информацио́нный**, -ая, -ое. *Информационное бюро. Информационное сообщение.*

**ИНФОРМИ́РОВАТЬ**, -рую, -руешь; информи́рующий, информи́ровавший; информи́руемый, информи́рованный; -ан, -а, -о; информи́руя, информи́ровав; *сов. и несов., кого.* [См. *информа́ция*]. Дать (давать) информацию.

С и н.: сообщи́ть (сообща́ть), извести́ть (извеща́ть), осве́домить (осведомля́ть), оповести́ть (оповеща́ть) *(офиц.)*, повести́ть (повеща́ть) *(устар.)*, уве́домить (уведомля́ть) *(устар. и книжн.)*.

**Информа́тор**, -а, *м.*

**ИНФРАСТРУКТУ́РА**, -ы, *ж.* [От лат. infra — под и *структура* (см.)]. *Спец.* Отрасли экономики, научно-технических знаний, обслуживания, носящие подчиненный характер по отношению к другим, главным отраслям и обеспечивающие их нормальное функционирование. *Инфраструктура промышленного производства. Инфраструктура города.*

**ИНЦИДЕ́НТ** [не *инцидэнт*], -а, *м.* [Восх. к лат. incidens, incidentis — случающийся]. Неприятный случай, недоразумение. *Пограничный инцидент.* ◇ — *И для меня, конечно, не прошел бесследно инцидент с лектором Реутовым. Мне его впоследствии ставили в упрек.* Липатов. И это все о нем.

С и н.: исто́рия *(разг.)*.

**ИПОКРИ́Т**, -а, *м.* [Греч. hypokritēs — актер, лицемер]. *Устар.* Человек, притворяющийся добродетельным.

С и н.: ханжа́, лицеме́р, фарисе́й, свято́ша, тартю́ф *(книжн.)*.

**Ипокри́тка**, -и, *ж.* — *Я не ипокритка и не обманщица, мсье Сторешник: я не хвалюсь и не терплю, чтобы другие хвалили меня за то, что у меня плохо.* Чернышевский. Что делать?

**ИПОСТА́СЬ**, -и, *ж.* [Греч. hypostasis — лицо, сущность]. ◇ **В ипостаси** *кого (ирон.)* — в качестве, в роли. *Олег Олегович числился в двух ипостасях: директора и главного инженера.* Липатов. Сказание о директоре Прончатове.

**ИПОХО́НДРИЯ**, -и, *ж.* [Греч. hypochondria — букв. часть тела ниже грудной кости, заболеванием которой объясняли меланхолию]. Угнетенное, подавленное состояние, болезненная мнительность, тоска. *[Раскольников] был в раздражительном и напряженном состоянии, похожем на ипохондрию. Он до того углубился в себя и уединился от всех, что боялся даже всякой встречи, не только встречи с хозяйкой.* Достоевский. Преступление и наказание.

С и н.: уны́ние, меланхо́лия, хандра́, мерехлю́ндия *(разг.)*, сплин *(устар.)*, депре́ссия *(спец.)*.

**Ипохо́ндрик**, -а, *м.* **Ипохондри́ческий**, -ая, -ое. *Ипохондрическое состояние.*

**ИППОДРО́М**, -а, *м.* [Греч. hippodromos от hippos — лошадь и dromos — место для бега]. Комплекс сооружений для испытания скаковых лошадей и соревнований по конному спорту. *Дорожки ипподрома.*

**ИРО́НИЯ**, -и, *ж.* [Восх. к греч. eirōneia — притворство, насмешка]. Тонкая насмешка, выраженная в скрытой форме. *Злая, горькая ирония.* ◇ *Красиво, страстно и резко говорила Роза Люксембург, отлично владея оружием иронии.* М. Горький. В. И. Ленин. ◇ **Ирония судьбы** — о нелепой случайности.

**Ирони́ческий**, -ая, -ое и **ирони́чный**, -ая, -ое; -чен, -чна, -о. *Ироническая усмешка. Ироничное отношение к чему-л.* **Ирони́чески** и **ирони́чно**, *нареч.* **Ирони́чность**, -и, *ж.*

**ИРРАЦИОНА́ЛЬНЫЙ**, -ая, -ое; -лен, -льна, -о. [От лат. irrationalis — неразумный]. *Книжн.* Лишенный закономерности и потому не постижимый разумом, логически не объяснимый. — *А вы лучше не понимайте,— морщась, отвечал Войцеховский.— Социальные катаклизмы вблизи иррациональны, то есть вообще непонятны.* Диковский. На острове Анна.

А н т.: рациона́льный.

**Иррациона́льность**, -и, *ж.* *Иррациональность поведения.*

**ИРРЕА́ЛЬНЫЙ**, -ая, -ое; -лен, -льна, -о. [Восх. к ср.-лат. irrealis — букв. невещественный]. *Книжн.* Не существующий в действительности, нереальный. *Ирреальный образ Мефистофеля не дает такого символа «бесовского», как.. этот реалистический образ [Иудушки Головлева].* Луначарский. Этюды критические и полемические.

С и н.: мни́мый, при́зрачный, фантасти́ческий, нереа́льный, утопи́ческий, эфеме́рный *(книжн.)*, иллюзо́рный *(книжн.)*, химери́ческий *(книжн.)*.

А н т.: реа́льный.

**Ирреа́льность**, -и, *ж.* *Ирреальность сюжета.*

**ИРРИГА́ЦИЯ**, -и, *ж.* [Восх. к лат. irrigatio]. Искусственное орошение недостаточно увлажненных почв с целью повышения их плодородия. *Ирригация засушливых земель. Проводить работы по ирригации.*

**Ирригацио́нный**, -ая, -ое. *Ирригационные сооружения.*

**ИСК**, -а, *м.* Заявление в суд о разрешении какого-л. гражданского спора. *Предъявить иск. Иск о расторжении брака.*

**Исково́й**, -а́я, -о́е.

**ИСКАЗИ́ТЬ**, -ажу́, -ази́шь; искази́вший, искажённый; -жён, -жена́, -о́; искази́в; *сов., что.* **1.** Представить в ложном, неправильном виде. *Исказить смысл чьих-л. слов.* ◇ — *Я не получил ни одной телеграммы, которая не была бы искажена самым варварским образом.* Чехов. Остров Сахалин. **2.** Очень сильно изменить, придать неестественный, уродливый вид (лицу, наружности). *Болезненная гримаса на мгновение исказила лицо Вольфа. Но он тут же овладел собой и натянуто улыбнулся.* Чаковский. Победа.

С и н. (к 1 знач.): изврати́ть, переина́чить *(разг.)*.

Син. (ко 2 знач.): искривить, исковеркать, изуродовать, перекосить (разг.).

**Исказиться**, -ится; *возвр.* **Искажать**, -аю, -аешь; *несов.* **Искажение**, -я, *ср.* Искажение мысли.

**ИСКАНИЕ**, -я, *ср.* **1.** *Устар.* Стремление добиться чего-л. путем лести, угодничества. *[Чацкий:] Теперь пускай из нас один, Из молодых людей, найдется: враг исканий, Не требуя ни мест, ни повышенья в чин, В науки он вперит ум, алчущий познаний.* Грибоедов. Горе от ума. **2.** *мн.* Стремление к новому, поиски новых, более совершенных путей в науке, искусстве. *Творческие искания. Искания художника.* □ *— Творческая мысль комсомольца должна пребывать в состоянии вечного беспокойства, на пути постоянных исканий.* В. Беляев. Старая крепость.

Син. (к 1 знач.): заискивание, искательство (устар. книжн.).

**ИСКОМЫЙ**, -ая, -ое. *Книжн.* Такой, которого ищут; подлежащий разысканию, установлению. *Искомая величина.* □ *Когда искомый писарь был найден, комиссия приступила к разборке груды бумаг.* Короленко. В голодный год.

**ИСКОНИ́**, *нареч.* *Высок.* Издавна, с незапамятных времен, с самого начала, всегда. *В нем [русском народе] искони жило и не угасало стремление к нравственному совершенству.* А. Н. Толстой. Разгневанная Россия.

Син.: исстари, извечно (книжн.), изначала (книжн.), издревле (книжн.), сыздавна (прост.).

**ИСКОННЫЙ**, -ая, -ое; -нен, -нна, -о. *Книжн.* Существующий с самого начала, с незапамятных времен, всегда. *Русский народ решил отвоевать свои исконные земли на берегах Черного моря, укрепить и обезопасить южные границы государства.* Раковский. Адмирал Ушаков.

Син.: вечный, извечный (книжн.), изначальный (книжн.).

**Исконно**, *нареч.* **Исконность**, -и, *ж.*

**ИСКОПАЕМЫЙ**, -ая, -ое. **1.** Добываемый из недр земли. *Ископаемые минералы. Полезные ископаемые* (в знач. сущ.). **2.** Существовавший в древнейшие эпохи и находимый в отложениях земной коры. *Ископаемые животные. Остатки ископаемых* (в знач. сущ.). **3.** *Разг.* Чрезвычайно устарелый, отсталый. *[Гуга:] У вас ископаемые взгляды какие-то.* Леонов. Унтиловск.

Син. (к 3 знач.): несовременный, отживший, старомодный, архаический *и* архаичный, обветшалый, старозаветный, ветхозаветный, патриархальный, допотопный (разг.).

**ИСКОРЕНИТЬ**, -ню, -нишь; искоренивший; искорененный; -нён, -нена, -о; искоренив, *сов., что.* Окончательно уничтожить, устранить. *Искоренить зло. Искоренить дурные привычки.* □ *— Я искореню взятки,— сказал московский губернатор Сенявин седому крестьянину, подавшему жалобу на какую-то явную несправедливость.* Герцен. Былое и думы.

Син.: изжить, выкорчевать, истребить, ликвидировать.

**Искоренять**, -яю, -яешь; *несов.* **Искоренение**, -я, *ср.* Искоренение бюрократизма.

**ИСКРЕННИЙ**, -яя, -ее; -енен, -енна, -е *и* -о. Выражающий подлинные мысли и чувства; правдивый, откровенный. *Искренний человек. Искреннее признание.* □ *Лобов понял, что для Дербачева разговор этот не просто формальность, разговор по обязанности, он увидел искреннее желание разобраться, помочь и что-то сделать.* Проскурин. Горькие травы.

Син.: неподдельный, непритворный, нелицемерный.

Ант.: неискренний, поддельный, притворный, лицемерный, фальшивый, лживый.

**Искренне** *и* **искренно**, *нареч.* **Искренность**, -и, *ж.*

**ИСКРОМЕТНЫЙ**, -ая, -ое; -тен, -тна, -о. *Книжн.* **1.** *Устар.* Мечущий искры, искрящийся. *Вдруг солнца луч приветный Войдет украдкой к нам И брызнет искрометной Струею по стенам.* Тютчев. В часы, когда бывает... **2.** *перен.* Яркий, сверкающий. *Искрометный взгляд.* □ *Самобытный, искрометный талант баснописца приковал к себе внимание читающей России.* Михалков. Слово о Крылове.

Син. (ко 2 знач.): блестящий, блистательный.

**ИСКУПИТЬ**, искуплю, искупишь; искупивший; искупленный; -ен, -а, -о; искупив; *сов., что.* **1.** Заслужить чем-л. прощение. *Искупить свою вину.* □ *В душе своей он считал себя негодяем, подлецом, который целою жизнью не мог искупить своего преступления.* Л. Толстой. Война и мир. **2.** *Книжн.* Возместить, сделать незаметным какой-л. недостаток. *Низкое качество кораблей судостроители пытались искупить множеством различных спасательных средств.* В. Кожевников. Последний рейс.

Син. (к 1 знач.): загладить. Син. (ко 2 знач.): покрыть, компенсировать (книжн.), скомпенсировать (книжн.), восполнить (книжн.).

**Искупать**, -аю, -аешь; *несов.* **Искупление**, -я, *ср.* (к 1 знач.)

**ИСКУ́С**, -а *и* **И́СКУС**, -а, *м. Устар.* Серьезное испытание, длительная и трудная проверка чьих-л. качеств. *Это были сорок дней в пустыне, дни искуса, сомнений и мучительного ожидания.* Герцен. Былое и думы.

**ИСКУСИТЕЛЬ**, -я, *м. Книжн.* Тот, кто искушает кого-л.; соблазнитель. *[Дона Анна:] О, Дон Гуан красноречив — я знаю, Слыхала я; он хитрый искуситель.* Пушкин. Каменный гость.

Син.: обольститель (устар.).

**Искусительница**, -ы, *ж.*

**ИСКУСНЫЙ**, -ая, -ое; -сен, -сна, -о. **1.** Тонко знающий свое дело, обладающий высоким мастерством в чем-л. *Искусный врач.* □ *[Пекарский] был искуснейший адвокат, и тягаться с ним было нелегко.* Чехов. Рассказ неизвестного человека. **2.** Сделанный, выполненный с большим умением и тонкостью, мастерски. *Искусная резьба по дереву.* □ *— Посмотрите, я дала ей самое тонкое [поручение].. Тут надобно вести себя самым деликатнейшим манером, действовать самым искусным образом.* Достоевский. Преступление и наказание.

Син. (к 1 знач.): умелый, квалифицированный. Син. (ко 2 знач.): мастерской, артистический *и* артистичный, виртуозный, тонкий.

**Искусно**, *нареч.* Искусно выполненная работа.

**ИСКУССТВЕННЫЙ**, -ая, -ое; -ен *и* -енен,

-енна, -о. 1. *полн. ф.* Не природный, сделанный наподобие настоящего, подлинного. *Искусственные цветы. Первый искусственный спутник Земли. Искусственное освещение. Платье из искусственного шелка.* □ *Трудно было сказать, что это такое — природная речка или искусственный канал.* Короленко. Софрон Иванович. 2. Притворный, неискренний. *Искусственный смех.* □ *[Елена Андреевна:] Любовь была не настоящая, искусственная, но ведь мне казалось тогда, что она настоящая.* Чехов. Дядя Ваня.

С и н. (к 1 знач.): ненастоящий, ненатуральный, поддельный, суррогатный. С и н. (ко 2 знач.): неестественный, деланный, жеманный, манерный, ненатуральный, напускной, напряжённый, принуждённый, наигранный, театральный, драматический, аффектированный (книжн.).

А н т.: естественный.

**Искусственно**, *нареч. Искусственно созданный остров. Искусственно засмеяться.* **Искусственность**, -и, *ж.* (ко 2 знач.). *Искусственность в манерах.*

**ИСКУССТВО**, -а, *ср.* 1. *ед.* Творческое воспроизведение действительности в художественных образах. *Народное искусство. Произведение искусства. Отражение жизни в искусстве.* □ *Он [Пушкин] для русского искусства то же, что Ломоносов для русского просвещения вообще.* И. Гончаров. Мильон терзаний. 2. Отрасль творческой художественной деятельности. *Сценическое, изобразительное, музыкальное искусство. Искусство кино. Искусство балета. Декоративно-прикладное искусство.* 3. Умение, мастерство, тонкое знание дела. *Владеть искусством воспитания. С большим искусством составленный букет.* □ *Максим Максимыч имел глубокие сведения в поваренном искусстве: он удивительно хорошо зажарил фазана.* Лермонтов. Герой нашего времени. ◇ **Из любви к искусству** (*разг. шутл.*) — из любви к самому делу, занятию, без всяких корыстных целей. **Чистое искусство** — название эстетических концепций, утверждающих самоценность художественного творчества, независимость его от общественных требований.

**ИСКУШАТЬ**, -аю, -аешь; искушающий, искушавший; искушаемый; искушая; *несов., кого, что.* Соблазнять, прельщать. *Он мыслит: «Буду ей спаситель. Не потерплю, чтоб развратитель Огнем и вздохов и похвал Младое сердце искушал».* Пушкин. Евгений Онегин. ◇ **Искушать судьбу** — делать что-л., сопряженное с излишним риском, опасностью.

**Искусить**, -ушу, -усишь; *сов.* **Искушение**, -я, *ср. Долго противился я искушению прилечь где-нибудь в тени хоть на мгновение.* Тургенев. Малиновая вода.

**ИСЛАМ**, -а, *м.* [Восх. к араб. islām — покорность]. Одна из наиболее распространенных (наряду с христианством и буддизмом) религий мира, в основе которой лежит культ Аллаха.

С и н.: мусульманство, магометанство.

**Исламский**, -ая, -ое.

**ИСПОВЕДОВАТЬ**, -дую, -дуешь; исповедующий, исповедовавший; исповедуя, исповедовав. 1. *сов. и несов., кого.* Принять (принимать) исповедь (в 1 знач.). *Потом ей привели долгополого аббата; он исповедовал ее и отпустил ей грехи ее.* Л. Толстой. Война и мир. 2. *несов., что. Книжн.* Следовать какой-л. религии, а также учению, убеждению и т. п. *Исповедовать строгие нравственные правила.* □ *Веру он исповедовал православную.* И. Гончаров. Обломов.

**ИСПОВЕДОВАТЬСЯ**, -дуюсь, -дуешься; исповедующийся, исповедовавшийся; исповедуясь, исповедовавшись; *сов. и несов.* 1. Признаться (признаваться) в своих грехах на исповеди (в 1 знач.). *Исповедоваться перед алтарем.* 2. *перен., кому или перед кем.* Признаться (признаваться) в чем-л.; рассказать (рассказывать) о себе что-л. сокровенное, тайное. *Привалова вдруг охватило страстное желание рассказать — нет, исповедоваться ей во всем.. Все другие могли видеть только одну внешность, а ей он откроет свою душу.* Мамин-Сибиряк. Приваловские миллионы.

**ИСПОВЕДЬ**, -и, *ж.* 1. У христиан: обряд покаяния в грехах перед священником и получения от него отпущения грехов. *Готовиться к исповеди.* □ *«Ты слушать исповедь мою Сюда пришел, благодарю. Все лучше перед кем-нибудь Словами облегчить мне грудь».* Лермонтов. Мцыри. 2. *перен. Книжн.* Откровенное признание в чем-л., сообщение своих сокровенных мыслей, взглядов. *К ней, Соне, к первой пришел он со своей исповедью; в ней искал он человека, когда ему понадобился человек; она же и пойдет за ним, куда пошлет судьба.* Достоевский. Преступление и наказание.

**Исповедный**, -ая, -ое.

**ИСПОДВОЛЬ**, *нареч. Разг.* Постепенно, понемногу. *Исподволь готовить кого-л. к чему-л.* □ *У графини в доме [перед сватовством] начались исподволь важные перемены: с окон сняли сторы.. и велели вымыть, замки было велено вычистить.* Герцен. Кто виноват?

С и н.: понемножку, мало-помалу (*разг.*), помаленьку (*разг.*), потихоньку (*разг.*), полегоньку (*прост.*).

**ИСПОЛАТЬ**, *частица. Устар.* Хвала! слава! *Исполать тебе, детинушка крестьянский сын, Что умел ты воровать, умел ответ держать!* Пушкин. Капитанская дочка (бурлацкая песня).

**ИСПОЛИН**, -а, *м.* 1. Человек необыкновенно высокого роста и крупного телосложения. *[Дон Гуан:] Каким он здесь представлен исполином! Какие плечи! Что за Геркулес!* Пушкин. Каменный гость. 2. *перен.* Что-л. имеющее чрезвычайно большие размеры или исключительное по силе, размаху, значению. *— А только вот — глядите, какой заводище.. исполин!* Ф. Гладков. Цемент. 3. *перен.,* обычно *чего или какой.* Высок. Человек, выдающийся в какой-л. области своими достижениями. *Исполин науки.* □ *Здесь Озеров с Расином, Руссо и Карамзин, с Мольером-исполином Фон-Визин и Княжнин.* Пушкин. Городок.

С и н. (к 1 знач.): великан, богатырь, гигант, колосс (книжн.), голиаф (книжн.). С и н. (ко 2 знач.):

гига́нт. С и н. (к 3 знач.): гига́нт, ге́ний, коло́сс (книжн.), тита́н (высок.).

А н т. (к 1 знач.): ка́рлик, лилипу́т.

**Исполи́нский**, -ая, -ое. Человек исполинского роста.

**И́СПОЛУ**, нареч. Устар. На половинных началах, пополам с кем-л. *Мужик, нуждающийся в семенах, обращается к благодетелю, и тот дает их ему «исполу». Это значит, что мужик обработает землю, посеет, сожнет, вымолотит и привезет половину урожая на двор благодетеля*. Шелгунов. Очерки русской жизни.

**ИСПРА́ВНИК**, -а, м. В царской России: начальник уездной полиции. *В его отсутствии пришли становой, исправник и полицейские с солдатами.. Они запечатали обе его двери и, приставив к ним часового, ушли обратно*. Н. Морозов. Повести моей жизни.

**Испра́вница**, -ы, ж. (жена исправника). **Испра́внический**, -ая, -ое и **испра́вничий**, -ья, -ье.

**ИСПЫТУ́ЮЩИЙ**, -ая, -ее. Проницательный, внимательный, пытливый (о взгляде). *Я пристально посмотрел ему в глаза, но он спокойным и неподвижным взором встретил мой испытующий взгляд*. Лермонтов. Герой нашего времени.

**Испыту́юще**, нареч. Смотреть испытующе.

**ИССЛЕ́ДОВАНИЕ**, -я, ср. 1. Изучение, обследование, тщательный осмотр кого-, чего-л. *Исследование космического пространства. Проведение научных исследований. Исследование какого-л. вопроса.* 2. Научное сочинение, в котором исследуется какой-л. вопрос. *Маслов показал Кате свои рукописи.., это было историческое исследование о классиках-социалистах*. А. Н. Толстой. Хождение по мукам.

С и н. (к 1 знач.): изыска́ние, разыска́ние.

**И́ССТАРИ**, нареч. С давних пор, издавна. *Женщины этой станицы исстари славились своею красотой по всему Кавказу*. Л. Толстой. Казаки.

С и н.: издре́вле (книжн.), изве́чно (книжн.), изнача́ла (книжн.), искони́ (высок.), сы́здавна (прост.).

**ИССТУПЛЕ́НИЕ**, -я, ср. Крайняя степень душевного возбуждения, сопровождающаяся потерей самообладания. *Вдруг она взглянула на виселицу и узнала своего мужа. «Злодеи!» — закричала она в исступлении*. Пушкин. Капитанская дочка.

С и н.: неи́стовство, я́рость, бу́йство, сумасше́ствие, бе́шенство, беспа́мятство, умоисступле́ние, остервене́ние (разг.), раж (разг.).

**ИССЯ́КНУТЬ**, -нет; исся́кший и исся́кнувший; иссякнув; сов. 1. Высохнуть, лишиться воды, влаги. *Исся́кший источник.* □ *Копали они пруды в каменистом ложе давно иссякнувшей речки Каменки*. Бунин. Суходол. 2. перен. Прийти к концу, исчезнуть. *Терпение иссякло.* □ *Запасы, выданные в санатории, иссякли*. Б. Полевой. Повесть о настоящем человеке.

С и н. (к 1 знач.): засо́хнуть, иссо́хнуть, пересо́хнуть. С и н. (ко 2 знач.): истощи́ться, истра́титься, вы́йти, исче́рпаться (книжн.).

**Иссяка́ть**, -а́ет; несов.

**ИСТЕ́КШИЙ** [не истёкший], -ая, -ее. Прошедший, окончившийся (о периоде времени). *За истекший период. В истекшем месяце.* □ *Сердце.. кусали и царапали маленькие обиды истекшего дня*. М. Горький. В людях.

С и н.: про́шлый, мину́вший, проше́дший.

**ИСТЕ́РИЯ**, -и, ж. [Восх. к греч. hystera — матка (медицина 19 в. считала истерию присущей лишь женщинам)]. 1. Нервно-психическое заболевание, выражающееся в припадках, повышенной раздражительности, судорожном смехе, слезах. 2. перен., чего или какая. Безудержная, лихорадочная, судорожная деятельность в каком-л. направлении. *Пропагандистская истерия.*

**Истери́ческий**, -ая, -ое и **истери́чный**, -ая, -ое; -чен, -чна, -о. *Истерический припадок. Истеричные выкрики.*

**И́СТИНА**, -ы, ж. 1. То, что существует в действительности, отражает действительность. *Узнать истину.* □ *Происшествие, описанное в сей повести, основано на истине. Подробности наводнения заимствованы из тогдашних журналов*. Пушкин. Медный всадник (предисловие). 2. Утверждение, проверенное практикой, опытом. *Избитая истина.* □ *— Милостивый государь, — начал он почти с торжественностию, — бедность не порок, это истина*. Достоевский. Преступление и наказание. 3. В философии: верное отражение объективной действительности в сознании человека. *Ни знание, ни мышление никогда не начинаются с полной истины — она их цель*. Герцен. Письма об изучении природы.

◇ **Святая истина** (книжн.) — непререкаемое положение, утверждение.

С и н. (к 1 знач.): пра́вда.

А н т. (к 1 знач.): ложь, обма́н, непра́вда.

**И́стинный**, -ая, -ое; -нен, -нна, -о.

**ИСТЛЕ́ТЬ**, -е́ю, -е́ешь; истле́вший; истле́в; сов. 1. Тлея, обратиться в труху, пыль. *Погибла жатва в поле, истлели зерна под глыбами земли,.. не стало хлеба*. Короленко. В голодный год. 2. Тлея, сгореть, обратиться в пепел. *Угли истлели.* □ *Истлевшая папироса лежала на спичечной коробке*. Федин. Похищение Европы.

С и н. (к 1 знач.): сгнить, разложи́ться, сопре́ть.

**Истлева́ть**, -а́ю, -а́ешь; несов.

**ИСТО́К**, -а, м. 1. Место, где начинается водный источник; начало реки, ручья. *От истока до устья.* □ *[Больные] жили в двух, трех хижинах, построенных далеко от истока ключей*. И. Гончаров. Фрегат «Паллада». 2. обычно мн., перен., чего. Начало, первоисточник чего-л. *У истоков русской реалистической литературы. Прослеживать истоки русской национальной культуры.*

С и н. (к 1 знач.): верхо́вье.

**ИСТО́МА**, -ы, ж. Чувство приятной расслабленности. *Раскидывал он таким образом своим умом и дремал.. разлилась по всему телу истома. И привиделся ему тут прежний соблазнительный сон*. Салтыков-Щедрин. Премудрый пискарь.

С и н.: томле́ние.

**ИСТО́РГНУТЬ**, -ну, -нешь; исто́ргнувший и исто́ргший; исто́ргнутый; -ут, -а, -о и (устар.) исто́ржен; -ен, -а, -о; исто́ргнув, сов. 1. что из кого, чего. Устар. Вынуть, извлечь. *И вмиг она из* рук знаменосца *Исторгла знамя.* Жуковский. Орлеанская дева. **2.** *кого.* Высок. Изгнать, исключить. *Исторгнуть предателя из своей среды.* **3.** *перен., что у кого, чего или из кого, чего.* Устар. Вызвать, заставить появиться. *Мы теперь не станем восхищаться «Бедною Лизою»; однако ж эта повесть.. исторгла много слез из прекрасных глаз.* Белинский. Сочинения Александра Пушкина.

С и н. (ко 2 знач.): изве́ргнуть (*высок.*).

**Исторга́ть**, -а́ю, -а́ешь; *несов.* **Исторже́ние**, -я, *ср.*

**ИСТОЧА́ТЬ**, -а́ю, -а́ешь; источа́ющий, источа́вший; источа́емый; источа́я; *несов., что.* **1.** Устар. высок. Выделять из себя какую-л. влагу. *Источать слезы.* □ *Тихо стояли сосны,.. нагретые солнцем стволы источали смолу, пахло хвоей.* Баранская. Неделя как неделя. **2.** *Книжн.* Издавать, испускать, распространять что-л. (свет, запах и т. п.). *По-северному быстро темнело, тайга источала льдистый холод, проглядывали.. белые снеги.* Липатов. И это все о нем.

С и н. (к 1 знач.): излива́ть (*устар. книжн.*). С и н. (ко 2 знач.): лить, излуча́ть, струи́ть (*книжн.*), излива́ть (*устар.*), точи́ть (*устар.*).

Источи́ть, -чу́, -чи́шь; *сов.*

**ИСТО́ЧНИК**, -а, *м.* **1.** Струя жидкости, вытекающая из-под земли. *Минеральный источник. Открыть новый нефтяной источник.* □ *Проходя мимо кислосерного источника, я остановился у крытой галереи.* Лермонтов. Герой нашего времени. **2.** *перен., обычно чего.* То, что дает начало чему-л., откуда исходит что-л. *Солнце — источник света. Книга — источник знаний. Источники сырья.* □ *— Что такое Кара-Бугаз? Величайший в мире и неисчерпаемый источник глауберовой соли.* Паустовский. Кара-Бугаз. **3.** Документ, письменный памятник, на основе которого строится научное исследование. *Архивные источники.* □ *Ознакомившись довольно с.. памятниками, я стал искать новых источников истории села Горюхина.* Пушкин. История села Горюхина.

С и н. (к 1 знач.): ключ, родни́к.

**ИСТУКА́Н**, -а, *м.* **1.** Статуя, изваяние, которым язычники поклоняются как божеству. **2.** *Разг. бран.* О бессердечном или тупом, бестолковом человеке. ◇ **Стоять истуканом** (*разг.*) — 1) стоять совершенно неподвижно, подобно изваянию; 2) стоять, ничего не воспринимая, не понимая.

С и н. (к 1 знач.): и́дол, куми́р, болва́н (*устар.*). С и н. (ко 2 знач.): и́дол (*разг.*), болва́н (*разг.*).

**И́СТЫЙ**, -ая, -ое. Настоящий, подлинный, а также усердный, ревностный. *Истый рыбак. Быть истым художником.* □ *Конечно, истые критики.. упрекнут нас опять, что статья наша написана не об Обломове, а только по поводу Обломова.* Добролюбов. Что такое обломовщина?

С и н.: и́стинный, су́щий, фо́рменный (*разг.*), чи́стый (*разг.*).

**ИСХО́Д**, -а, *м.* **1.** Устар. Способ разрешить какое-л. затруднение; выход. *[Захарьин:] Пойдем к царю — другого нет исхода.* А. К. Толстой. Смерть Иоанна Грозного. **2.** Окончание, завершение, конец чего-л. *Счастливый исход дела.* □ *Напряжение было огромное. Все понимали, что исход первого боя решает судьбу армии.* А. Н. Толстой. Хождение по мукам. ◇ **В исходе** — к концу чего-л. **На исходе** *чего* — в конце чего-л. *На наше счастье на исходе вторых суток ветер.. начал слабеть.* Ушаков. По нехоженой земле. **Летальный исход** (*спец.*) — смерть.

С и н. (ко 2 знач.): заключе́ние, фина́л, эпило́г, развя́зка, фи́ниш.

**ИСЧА́ДИЕ**, -я, *ср.* ◇ **Исчадие ада** (*устар.*) — о ком-л., кто внушает отвращение, ужас своим видом, действиями. *— Вы считаете нас злыми и жестокими, мы считаем вас исчадием ада.* Бондарев. Горячий снег.

**ИСЧЕ́РПЫВАЮЩИЙ**, -ая, -ее. Полный, всесторонний, законченный. *Исчерпывающий ответ.* □ *Она дала исчерпывающую консультацию по части костюма и грима.* Бруштейн. Страницы прошлого.

**Исче́рпывающе**, *нареч. Исчерпывающе осветить какой-л. вопрос.*

**ИУ́ДА**, -ы, *м.* [По имени одного из учеников Иисуса Христа, предавшего, по евангельскому сказанию, своего учителя]. *Прост. презр.* Предатель, изменник. *— И где ж Мазепа? где злодей? Куда бежал Иуда в страхе?.. Зачем изменник не на плахе?* Пушкин. Полтава.

**ИУДАИ́ЗМ**, -а, *м.* [Восх. к греч. iudaismos от др.-евр. уĕhūdī — иудеи (по имени Иуды — родоначальника одного из двенадцати колен (племен) Израиля)]. Одна из древнейших религий, распространенная среди еврейского населения в разных странах мира, в основе которой лежит культ бога Яхве.

**Иудаи́стский**, -ая, -ое.

**И́ЧИГИ**, -ов, *мн.* (*ед.* и́чиг, -а, *м.*). [Тюрк.] Легкая обувь на мягкой подошве без каблуков. *Левинсон слушал, не вмешиваясь.. Он был такой маленький, неказистый на вид — весь состоял из шапки, рыжей бороды да ичигов выше колен.* Фадеев. Разгром.

# Й

**ЙО́ГА** [ёга], -и, *ж.* [Др.-инд. уōga — соединение, сосредоточение мыслей, созерцание]. **1.** В Индии: религиозно-философское учение о приемах и методах самопознания человека, позволяющего ему управлять психикой и физиологическим состоянием организма. **2.** Система физических упражнений, выработанная последователями этого учения. *Занятия йогой.*

**Йог**, -а, *м.* (к 1 знач.).

**ЙО́ТА** [ёта], -ы, *ж.* [Греч. iota]. Буква греческого алфавита, обозначающая звук «и». ◇ **Ни на йоту** — ни насколько, ничуть. *Не уступить ни на йоту.*

# К

**КАБА́К**, -а́, *м.* **1.** В дореволюционной России: питейное заведение низшего разряда.

— *Мужик ленив, работать не любит, думает, как бы в кабак.* Гоголь. Мертвые души. **2.** *Разг. пренебр.* О чем-л. напоминающем обстановку такого заведения беспорядком, нечистотой, шумом. *[Иванов:] Господа, опять в моем кабинете кабак завели!.. Ну, вот, бумагу водкой облили.. крошки.. огурцы.. Ведь противно!* Чехов. Иванов.

**Кабачо́к**, -чка́, *м.* (к 1 знач.) (уменьш.). **Каба́цкий**, -ая, -ое. *Кабацкие мужики.*

**КАБАЛА́**, -ы́, *ж.* [Восх. к араб. kabalet — договор]. **1.** В Древней и Московской Руси: долговое обязательство, ставившее работника в личную зависимость от заимодавца, а также пожизненная зависимость, основанная на долговом обязательстве. *Заемная кабала.* □ *Осенью пришлось с голоду, за недоимку отдать его [Алешку] боярину в вечную кабалу.* А. Н. Толстой. Петр I. **2.** *перен.* Полная, почти рабская экономическая зависимость. *Попасть в кабалу. Быть у кого-л. в кабале.* □ *— Софрон Яковлевич за меня недоимку внес — в кабалу меня и забрал.* Тургенев. Бурмистр.

**Каба́льный**, -ая, -ое. *Кабальная зависимость. Кабальный договор.*

**КАБАЛИ́СТИКА**, -и, *ж.* [От др.-евр. ḳabbālā — букв. предание]. **1.** Средневековое мистическое учение, а также магические религиозные обряды у евреев. *[Ладанов] занимался химией, анатомией, кабалистикой, хотел продлить жизнь человеческую.* Тургенев. Фауст. **2.** *перен. Книжн.* Что-л. имеющее свой особый смысл, непонятный для непосвященных. *— Как! — сказал Нарумов, — у тебя есть бабушка, которая угадывает три карты сразу, а ты до сих пор не перенял у неё её кабалистики?* Пушкин. Пиковая дама.

**Кабалисти́ческий**, -ая, -ое.

**КАБАРЕ́** [рэ], *нескл., ср.* [Франц. cabaret]. Небольшой ресторан с эстрадной программой. *Певица из кабаре.* □ *На площади Пигаль до утра кружились карусели и хлопали двери ночных кабаре.* Полторацкий. Парижская осень.

**КАБОТА́Ж**, -а, *м.* [Франц. cabotage]. *Спец.* Судоходство между портами одной страны. *Большой каботаж* (между портами разных морей). *Малый каботаж* (в пределах одного моря).

**Кабота́жный**, -ая, -ое. *Каботажное судно. Каботажные рейсы.*

**КАБРИОЛЕ́Т**, -а, *м.* [Франц. cabriolet]. **1.** Легкий одноконный двухколесный экипаж с одним сидением без козел. *Она ехала откуда-то на хорошеньком легком кабриолете и правила красивой белой лошадью.* Чехов. Пустой случай. **2.** Кузов легкового автомобиля с откидывающимся верхом.

**Кабриоле́тный**, -ая, -ое.

**КАВАЛЕ́Р**[1], -а, *м.* [Франц. cavalier — всадник; кавалер]. **1.** *Устар.* Мужчина, занимающий или развлекающий даму в обществе, ухаживающий за ней. *Анна Павловна сидела.. с кавалером и, обмахиваясь веером, кокетливо щурила глаза.* Чехов. Муж. **2.** Мужчина, танцующий в паре с дамой. *Музыканты играли польский. Больше половины дам имели кавалеров и.. приготовлялись идти в польский.* Л. Толстой. Война и мир.

С и н. (к 1 знач.): покло́нник, обожа́тель (*разг.*), ухажёр (*прост.*), воздыха́тель (*устар.*).

**КАВАЛЕ́Р**[2], -а, *м.* [Итал. cavaliere]. **1.** *чего.* Человек, награжденный каким-л. орденом. *Кавалер трех боевых орденов.* □ *Майора Ковалева видели.. покупавшего какую-то орденскую ленточку, неизвестно для каких причин, потому что он сам не был кавалером никакого ордена.* Гоголь. Нос. **2.** *Устар. прост.* Вежливое прозвище солдата (преимущ. в обращении). *[Параша:] Ах, постой, кавалер, постой [солдат и Вася останавливаются].* А. Островский. Горячее сердце.

◇ **Гео́ргиевский кавале́р** — в дореволюционной русской армии: солдат или офицер, награжденный за храбрость георгиевским крестом (орденом св. Георгия, учрежденным в России в 1769 г. и имевшим 4 степени).

С и н. (к 1 знач.): орденоно́сец.

**КАВАЛЕРГА́РД**, -а, *м.* [От франц. cavalier — всадник и garde — стража, гвардия]. В царской армии: военнослужащий особого полка гвардейской тяжелой кавалерии (первонач. — с 1724 г. — почетная стража при лицах императорской фамилии во время торжеств). *Толпа мазуркой занята;.. Бренчат кавалергарда шпоры; Летают ножки милых дам.* Пушкин. Евгений Онегин.

**Кавалерга́рдский**, -ая, -ое. *Кавалергардский офицер.*

**КАВАЛЬКА́ДА**, -ы, *ж.* [Франц. cavalcade от итал. cavalcata]. Группа всадников и всадниц на прогулке, а также вообще группа всадников. *С батареи было видно, как вся сопровождающая генерала кавалькада вдруг вскачь понеслась в гору, обгоняя генеральский экипаж.* Степанов. Порт-Артур.

**Кавалька́дный**, -ая, -ое.

**КА́ВЕРЗА**, -ы, *ж.* *Разг.* Интрига, проделка, затеваемая с целью запутать что-л., повредить кому-л. *— Никаких интриг и каверз не затевать. Можете не любить друг друга.., но на работе обязаны помогать друг другу, дружить.* Ажаев. Далеко от Москвы.

С и н.: про́иски, ко́зни, подво́х (*разг.*), подси́живание (*разг.*), подко́п (*разг.*), ко́вы (*устар.*).

**Ка́верзный**, -ая, -ое. *Задумать каверзное дело. Каверзный вопрос.* **Ка́верзник**, -а, *м.*

**КАДЕ́Т**[1], -а, каде́ты, -е́т *и* -ов, *м.* [Франц. cadet]. В дореволюционной России: воспитанник кадетского корпуса. *Давно ли я был еще кадетом?.. давно ли я твердил немецкий урок при вечном шуме корпуса?* Пушкин. Записки молодого человека.

**Каде́тский**, -ая, -ое. *Кадетский мундир.*

◇ **Каде́тский ко́рпус** — в дореволюционной России: закрытое среднее военно-учебное заведение для подготовки сыновей дворян к офицерской службе. *Владимир Дубровский воспитывался в Кадетском корпусе и выпущен был корнетом в гвардию.* Пушкин. Дубровский.

**КАДЕ́Т**[2], -а, *м.* Сокращение по названиям первых букв слов: конституционный демократ (член конституционно-демократической партии). *[Захар Захарович:] В единой цели уничтожения большевизма примиряются интересы течений и партий в нашем обществе.*

*Кадет протягивает руку монархисту, и монархист пойдет с любым социалистом, ибо у нас и у них единственный смертельный враг — большевики.* Погодин. Человек с ружьем.
**Каде́тский**, -ая, -ое.
**КАДИ́ЛО**, -а, *ср.* Металлическая чаша, заполняемая тлеющим углем, ладаном и другими ароматическими веществами, используемая при богослужении. *Когда его соборовали,.. казалось, при виде священника в облачении, дымящегося кадила, свеч перед образом что-то похожее на содрогание ужаса мгновенно отразилось на помертвелом лице.* Тургенев. Отцы и дети.
**Кади́льный**, -ая, -ое. *Кадильный дым.*
**КА́ДКА**, -и, *ж.* Бочка с прямыми боками и одним днищем. *Засолить рыбу в кадке.* □ *Студено. Обледенела кадка с водой, обледенел деревянный ковш.* А. Н. Толстой. Петр I.
**Ка́дочный**, -ая, -ое.
**КАДР**, -а, *м.* [Франц. cadre — рамка от лат. quartum — четырехугольник]. Отдельный снимок на кино- или фотопленке, а также отдельная сцена или эпизод из кинофильма. *Удачный кадр. Кадр из кинофильма «У озера».* □ *Богданов перематывал и склеивал кадры фильма «Чапаев».* Рудный. Гангуты. ◇ *За кадром* — за пределами непосредственно изображаемого в фильме.
**Ка́дровый**, -ая, -ое.
**КАДРИ́ЛЬ**, -и, *ж.* [Франц. quadrille]. Танец из шести фигур, исполняемый четным количеством пар, а также музыка к этому танцу. — *Mesdates, как же быть?,.. ведь нас останется только семь; будет недоставать кавалера или дамы для кадрили.* Чернышевский. Что делать?
**Кадри́льный**, -ая, -ое.
**КА́ДРЫ**, -ов, *мн.* [Франц. cadres (*мн.*)]. **1.** Постоянный состав войсковых частей, не увольняемый при демобилизации в мирное время. *Я подал.. рапорт о зачислении меня в кадры Военно-воздушных сил.* Бобров. Чкалов. **2.** Основной состав работников какого-л. предприятия, учреждения или общественной организации. *Заводские, цеховые кадры. Партийные, руководящие кадры. Текучесть кадров.*
С и н. (ко 2 знач.): штат, персона́л.
**Ка́дровый**, -ая, -ое. *Кадровый состав войск. Кадровый рабочий.*
**КАЗА́К**, -а́ *и* -а, казаки́, -о́в *и* каза́ки, -ов, *м.* [Тюрк.]. **1.** В русском государстве 15—17 вв.: вольный человек из бежавших на окраины государства (Дон, Яик, Запорожье) крепостных крестьян, холопов и городской бедноты. *Донские, запорожские казаки.* □ *Есть разница между появлением казаков на Яике и поселением их на сей реке. В русских летописях упоминается о казаках не прежде как в 16 столетии.* Пушкин. История Пугачева. **2.** Крестьянин, потомок этих поселенцев (на Дону, на Кубани и в некоторых других местностях), а также солдат особых (обычно кавалерийских) войсковых частей, комплектовавшихся из лиц этого сословия. *Казаки днем собирались в проулках и куренях, спорили, толковали о колхозах, высказывали предположения.* Шолохов. Поднятая целина. ◇ **Вольный казак** (*разг.*) — о свободном, ни от кого не зависящем человеке.
**Каза́чий**, -ья, -ье *и* **каза́цкий**, -ая, -ое. *Казачье войско. Казачья станица. Казацкая сабля, удаль.*
**КАЗАКИ́Н**, -а, *м.* [Франц. casaquin; восх. к перс. kazagand]. Верхняя мужская и женская одежда у украинцев и русских в 19 — начале 20 в. (короткий кафтан, сшитый в талию со сборками сзади и на крючках). *[Хохол] казался туго зашитым в серый казакин, застегнутый на крючки до подбородка.* М. Горький. Мои университеты.
**КАЗА́РМА**, -ы, *ж.* [Восх. к итал. caserma]. **1.** Особое здание для размещения личного состава воинской части. *На другом конце двора едва обрисовывается ряд слабо освещенных окон: это казармы пятнадцатой и шестнадцатой рот.* Куприн. Ночная смена. **2.** В дореволюционной России: общежитие для рабочих. *Если войти в пролом бетонной стены, отделяющей заводскую территорию от городского предместья.., во второй казарме — квартира Глеба.* Ф. Гладков. Цемент.
**Каза́рменный**, -ая, -ое. ◇ **Казарменное положение, казарменный режим** — в военное время: положение (режим), при котором обязательно безотлучное пребывание в воинской части, на заводе, в учреждении. *Казалось, весь город перешел на казарменное положение. Спали у себя на заводах, не раздеваясь, по два, по три часа в сутки.* Симонов. Москва.
**КАЗАЧО́К**[1], -чка́, *м.* В старинном дворянском быту: мальчик-слуга. *Через несколько минут явился казачок и доложил: — Учитель вошел-с.* Герцен. Кто виноват?
**КАЗАЧО́К**[2], -чка́, *м.* Народный танец с ускоряющимся темпом (первонач. у казаков), а также музыка к этому танцу. *Украинский казачок. Танцевать казачок.*
**КАЗЕМА́Т**, -а, *м.* [Франц. casemate]. **1.** В дореволюционной России: одиночная камера в крепости или тюрьме для содержания заключенных. *Казематы Петропавловской крепости.* □ *Шлиссельбург! Русская Бастилия с ее страшными, окруженными тайной, застенками!.. Ни одно слово о жутких казематах не могло просочиться на волю. И сложилась поговорка: «Туда входят, оттуда выносят».* Коптелов. Большой зачин. **2.** *Спец.* Помещение в оборонительных сооружениях (крепостях, фортах) для защиты от бомб и снарядов, хранения боеприпасов и т. п. *Огромные казематы форта оказались очень вместительными.* Сергеев-Ценский. Севастопольская страда.
**Каземат́ный**, -ая, -ое.
**КАЗЁННОКО́ШТНЫЙ**, -ая, -ое. *Устар.* Содержащийся и обучаемый на средства казны, государства. *Казеннокоштный студент.* □ *Мы простились с казеннокоштными* (*в знач. сущ.*), *которых от нас отделяли карантинными мерами, и разбрелись небольшими кучками по домам.* Герцен. Былое и думы.
А н т.: своеко́штный (*устар.*).
**КАЗЁННЫЙ**, -ая, -ое. [См. *казна*]. **1.** *Устар.* Относящийся к государственной казне; государ-

ственный. *Казенные земли, заводы. Учиться на казенный счет.* ☐ *Я им объяснил, что я офицер, еду в действующий отряд по казенной надобности.* Лермонтов. Герой нашего времени. **2.** *перен.* Формальный, бюрократический. *Казенное отношение к делу.* ☐ *— Чувырину — поздравительную телеграмму. Харченко — тоже. А Куколеву прямо что-нибудь человеческое, понимаешь, не казенное, а что-нибудь ласковое.* Федеев. Молодая гвардия. ◊ **Казенная палата** — в царской России: губернское учреждение, ведавшее денежными оборотами и расходованием казенных средств. *[Барон:] Служил в казенной палате.., растратил казенные деньги, — надели на меня арестантский халат.* М. Горький. На дне. **Казенные крестьяне** — в России 18—19 вв.: крепостные крестьяне, принадлежавшие казне, государству; государственные крестьяне. *Сравнил я крестьян казенных с крестьянами помещичьими. Те и другие живут в деревнях; но одни платят известное, а другие должны быть готовы платить то, что господин хочет.* Радищев. Путешествие из Петербурга в Москву. **Казенный язык** (или **слог, стиль** и т. п.) — стандартный, шаблонный. *[Степанов писал] несколько казенным, но лаконичным стилем.* А. Рыбаков. Водители.

**КАЗИНО́**, *нескл., ср.* [Восх. к итал. casino]. Игорный дом, а также увеселительное заведение с рестораном за городом и на курортах. *Я увидел его в казино, за игорным столом, на обычном месте.* Куприн. Кислород.

**КАЗНА́**, -ы́, *ж.* [Тюрк.]. *Устар.* **1.** Государственное имущество, денежные, земельные и иные средства государства. *Дома.. поступили в казну и обращены были на разные богоугодные заведения.* Гоголь. Мертвые души. **2.** Государство как владелец этих средств. *— Больницы не я строю, а казна.* Ф. Гладков. Вольница. **3.** Имущество, деньги. *Истощить казну.* ☐ *У столяра одна избенка, Казны — ни гроша.* И. Никитин. Кулак.

**КАЗНАЧЕ́Й**, -я, *м.* [Тюрк.]. **1.** Кассир, хранитель денег какого-л. учреждения, организации. **2.** Управляющий казначейством.

**Казначе́йский**, -ая, -ое.

**КАЗНАЧЕ́ЙСТВО**, -а, *ср.* [См. *казначей*]. В дореволюционной России: финансовый орган, ведавший сбором государственных доходов, хранением и выдачей государственных средств. *Подати вносятся [крестьянами] в государственное казначейство.* Чернышевский. Устройство быта помещичьих крестьян.

**КА́ЗОВЫЙ**, -ая, -ое. *Устар.* Предназначенный для показа. *Казовый товар.* ◊ **Казовый конец** (*устар.*) — лучшая часть, выигрышная сторона чего-л. *Николай в два слова купил за шесть тысяч семнадцать жеребцов на подбор (как он говорил) для казового конца своего ремонта.* Л. Толстой. Война и мир.

**КАЗУ́ИСТИКА**, -и, *ж.* [См. *казус*]. **1.** В средневековой юриспруденции и богословии: подведение отдельных, частных случаев (казусов) под какое-л. общее юридическое положение. *Тонкости казуистики.* **2.** *перен.* Неодобр. Ловкость, изворотливость в спорах, в защите чего-л. сомнительного или ложного; крючкотворство. *Пропадай жизнь! Только бы эти возлюбленные существа наши были счастливы. Мало того, свою собственную казуистику выдумаем,.. убедим себя, что так надо.. для доброй цели.* Достоевский. Преступление и наказание.

**Казуисти́ческий**, -ая, -ое. *Казуистическое рассуждение.* **Казуи́ст**, -а, *м.* (ко 2 знач.).

**КА́ЗУС**, -а, *м.* [Лат. casus]. Случай, происшествие (обычно непонятное, запутанное). *Со мной произошел казус: пропали документы.*

С и н.: *событие, факт, дело, явление, эпизод, история* (*разг.*).

**Ка́зусный**, -ая, -ое.

**КАЙМА́**, -ы́, *каймы́, каём, ж.* [Тюрк.]. Полоса по краю чего-л. *Скатерть с широкой каймой.* ☐ *Отсюда, издали, окруженная зеленою трав, пахота лежала, как огромное.. полотнище черного бархата. Только на.. [северном скате] тянулась неровная, рыжая с бурыми подпалинами кайма.* Шолохов. Поднятая целина.

С и н.: *бордюр, каёмка, окаймление, окаёмка* (*разг.*).

**Каёмка**, -и, *ж.* (*уменьш.*).

**КАКОФО́НИЯ**, -и, *ж.* [Греч. kakophōnia от kakos — плохой, дурной и phōnē — звук]. *Книжн.* Режущее слух сочетание звуков, неблагозвучие. *По данному знаку все разом испустили самый пронзительный крик, который, сливаясь в общем хоре, представлял какую-то дикую какофонию.* Фет. Ранние годы моей жизни.

С и н.: *неблагозвучность, дисгармония* (*книжн.*), *диссонанс* (*спец.*).

**Какофони́ческий**, -ая, -ое.

**КАЛАМБУ́Р**, -а, *м.* [Франц. calembour]. Игра слов, основанная на их звуковом сходстве и смысловом различии (используется в комедийных текстах, дружеских шаржах, пародиях, эпиграммах). *Мне объявили, что я должен прожить тут еще три дня, ибо «оказия» из Екатеринограда еще не пришла.. Что за оказия!.. но дурной каламбур не утешение для русского человека.* Лермонтов. Герой нашего времени.

**Каламбу́рный**, -ая, -ое.

**КАЛЕЙДОСКО́П**, -а, *м.* [От греч. kalos — красивый, eidos — вид и skopein — смотреть]. **1.** Оптический прибор, в котором можно наблюдать быстро сменяющиеся разнообразные цветные узоры (распространен как детская игрушка). *Смотреть в калейдоскоп.* **2.** *перен.*, обычно *чего. Книжн.* Беспрестанная смена чего-л. (явлений, предметов, лиц и т. п.). *Калейдоскоп впечатлений, событий.* ☐ *Мысли о случившемся.. смешивались с воспоминаниями детства. Это был калейдоскоп лет и лиц.* Эренбург. Буря.

**Калейдоскопи́ческий**, -ая, -ое.

**КАЛИ́КА**, -и, *м.* [Тюрк.]. ◊ **Калика перехожий** (*устар. и нар.-поэт.*) — паломник, странник. *И вот в 1600—1601 гг... стал по Киеву бродить молодой монах.. Это был перехожий калика, странник: много шаталось таких повсюду.* Костомаров. Смутное время.

**КАЛИ́Ф** см. *халиф*.

**КАЛЛИГРА́ФИЯ**, -и, *ж.* [Греч. kalligraphia от kallos — красота и graphein — писать]. Искусство писать четким, ровным и красивым почерком. Учиться каллиграфии.

**Каллиграфи́ческий**, -ая, -ое. *Каллиграфический почерк.*

**КАЛЬКУЛЯ́ТОР**, -а, м. [Лат. calculator — счетчик]. Прибор для автоматических вычислений. *Электронный калькулятор. Карманный калькулятор.*

**Калькуля́торный**, -ая, -ое.

**КАМАРИ́ЛЬЯ**, -и, ж. [Исп. camarilla от camara — палата, двор монарха]. *Книжн.* Придворная клика, стремящаяся повлиять на государственные дела в интересах личной выгоды. *Пред самой смертью Фердинанда готовы были вспыхнуть беспорядки по интригам камарильи, желавшей доставить престол графу Трани.* Добролюбов. Непостижимая странность.

**КАМА́РИНСКАЯ**, -ой, ж. и **КАМА́РИНСКИЙ**, -ого, м. Название русской народной плясовой песни, а также пляски под эту песню. *Сплясать камаринскую (камаринского).* □ *Между прочим, помню, как однажды он вызвался спеть «Камаринского», известную плясовую русскую песню.* Телешов. Записки писателя.

**КА́МБУЗ**, -а, м. [Голл. kombuis]. *Спец.* Кухня на судне. *В камбузе кок начал готовиться подать начальству пробу командного обеда.* Новиков-Прибой. Цусима.

**Ка́мбузный**, -ая, -ое.

**КАМЕЛЁК**, -лька́, м. Небольшой камин или очаг для обогревания. *Сидеть у камелька.*

**КА́МЕНКА**, -и, ж. Печь из камня, без трубы (в черной бане, овине или черной избе), а также верхняя часть печи в бане, сложенная из камней, на которую льют воду для получения пара. *В маленькой рубленой избушке топилась каменка, густой дым полз из распахнутых дверей.* Тендряков. Онега.

**КАМЕНОЛО́МНЯ**, -и, ж. Место, где производится добыча и обработка камня. *Справа, за гранью горы, — .. трубы, а высоко, во впадинах, — каменоломни.* Ф. Гладков. Цемент.

**КАМЕРГЕ́Р**, -а, м. [Нем. Kammerherr]. В царской России и некоторых монархических государствах: старшее придворное звание, а также лицо, носившее это звание (к парадному мундиру камергера полагался золотой ключ). *Покойник был почтенный камергер, С ключом, и сыну ключ умел доставить.* Грибоедов. Горе от ума.

**Камерге́рский**, -ая, -ое.

**КАМЕРДИ́НЕР**, -а, м. [Нем. Kammerdiener]. В буржуазно-дворянском быту: комнатный слуга при господине. *Покуда ключница рассказывала, комнатный холоп, который.. стал называться теперь камердинером, снял с Гаврилы пышный кафтан, камзол.. [и] начал стаскивать ботфорты.* А. Н. Толстой. Петр I.

**Камерди́нерский**, -ая, -ое.

**КАМЕРИ́СТКА**, -и, ж. [Франц. cameriste]. В буржуазно-дворянском быту: комнатная служанка при госпоже. *— Я подвергаюсь оскорблениям.. А вы тем временем развлекаетесь в объятиях пани Собещанской.. Этой маленькой шляхтянки, которую я постеснялась бы взять к себе в камеристки.* А. Н. Толстой. Петр I.

Син.: прислу́жница (устар.), де́вушка (устар.).

**КА́МЕРНЫЙ**, -ая, -ое. [Восх. к лат. camera — комната]. **1.** Для небольшого числа музыкальных инструментов или голосов; не симфонический, не хоровой. *Камерный оркестр.* □ *Камерная музыка, то есть музыка для одного или нескольких исполнителей.. [в прошлом веке] исполнялась чаще в домашней, чем в концертной обстановке.* Кабалевский. Про трех китов и многое другое. **2.** Предназначенный для небольшого круга слушателей, зрителей. *Камерное искусство.*

**Ка́мерность**, -и, ж. (ко 2 знач.).

**КАМЕРТО́Н**, -а, м. [Нем. Kammerton]. Металлический прибор, издающий при ударе звук определенной высоты, которым пользуются как основным тоном для настройки инструментов и в хоровом пении. *[Я] придумал симфонию.. Я введу в нее аккорды сотни колоколов, настроенных по различным камертонам.* В. Одоевский. Русские ночи.

**Камерто́нный**, -ая, -ое.

**КА́МЕР-Ю́НКЕР**, -а, м. [Нем. Kammerjunker]. В царской России и некоторых монархических государствах: младшее придворное звание. *Король Карл приложил два пальца к губам, свистнул.. в палатку вошли камер-юнкер барон Беркенгельм.. и вестовой-телохранитель.* А. Н. Толстой. Петр I.

**Ка́мер-ю́нкерский**, -ая, -ое.

**КАМЗО́Л**, -а, м. [Франц. camisole]. Старинная короткая мужская одежда, обычно без рукавов, впоследствии замененная жилетом. *Камзол из бархата.* □ *Камзол его был расстегнут и была видна чистая новая рубашка.* Л. Толстой. Война и мир.

**Камзо́льный**, -ая, -ое.

**КАМИ́Н**, -а, м. [Восх. к греч. kaminos — очаг]. Комнатная печь с широкой открытой топкой и прямым дымоходом (камины использовались и в декоративных целях и являлись важной частью интерьера дворцов, загородных поместий). *Мраморный камин.* □ *В огромном камине пылали дрова. Тонкие, одинаковые по размеру поленья возвышались горкой на широком медном листе перед камином.* Чаковский. Блокада. ◇ **Электрический камин** — переносный электрический прибор для обогрева помещения.

**Ками́нный**, -ая, -ое. *Каминная решетка.*

**КАМКА́**, -и́, ж. [Тюрк.] Старинная шелковая цветная ткань с узорами.

**КАМПА́НИЯ**, -и, ж. [Франц. campagne — равнина; военный поход]. **1.** Совокупность военных операций на одном определенном театре военных действий в определенный период времени. *Русско-японская кампания.* □ *После кампании 1812 г. Негров был произведен в полковники.* Герцен. Кто виноват? **2.** Мероприятия для осуществления какой-л. важной общественно-политической или хозяйственной задачи. *Избирательная кампания. Уборочная кампания. Провести отчетно-выборную кампанию.*

☐ *Было решено.. развернуть усиленную агитационную кампанию за прекращение злостного убоя [скота].* Шолохов. Поднятая целина.

**КАМУФЛЯ́Ж**, -а, м. [Франц. camouflage]. **1.** *Спец.* Маскировка предметов путем окраски полосами, пятнами, искажающими их очертания. *Дом теперь стоял.. размалеванный черными и красными разводами камуфляжа.* Катаев. За власть Советов. **2.** *перен.* Маскировка своих действий, намерений, истинного лица с помощью всяческих ухищрений. *Гасилов давно привык рядиться в чужие одежды. Клетчатая ковбойка, сапоги с будничными головками, простенькие часы на руке — камуфляж под рабочего.. Камуфляж и еще раз камуфляж!* Липатов. И это все о нем.

**КАМЧАДА́ЛЫ**, -ов, мн. (ед. **камчада́л**, -а, м.). Название смешанного по происхождению коренного населения Камчатки, говорящего по-русски.
**Камчада́лка**, -и, ж. **Камчада́льский**, -ая, -ое. *Камчадальские обычаи.*

**КАМЧА́ТЫЙ**, -ая, -ое и **КАМЧА́ТНЫЙ**, -ая, -ое. Узорчатый, как камка (о льняной ткани). *Камчатная скатерть.*

**КАНВА́**, -ы́, ж. [Франц. canevas]. **1.** Редкая сетчатая (обычно накрахмаленная) ткань, служащая основой для вышивания крестом. *Вышивка крестом по канве.* ☐ *Марья Кириловна.. [вышивала] на пяльцах.. Под ее иглой канва повторяла безошибочно узоры подлинника.* Пушкин. Дубровский. **2.** *перен.* Основа чего-л. *Канва событий.* ☐ *Жалобы на Крутогорск составляют вечную канву для разговоров.* Салтыков-Щедрин. Губернские очерки. ◇ **Хронологическая канва** — расположенный во временной последовательности перечень фактов, событий, характеризующих какой-л. исторический период, чью-л. жизнь, деятельность и т. п.

**КАНДЕЛЯ́БР**, -а, м. [Восх. к лат. candelabrum]. Большой подсвечник с разветвлениями для нескольких свечей или электрических ламп в виде свечей. *Бронзовый канделябр.* ☐ *Как ярко освещен зал, чем же? — нигде не видно ни канделябров, ни люстр.* Чернышевский. Что делать?

**КАНДИДА́Т**, -а, м. [Восх. к лат. candidatus — букв. одетый в белое (в Древнем Риме соискатель государственной должности надевал белую тогу)]. **1.** Лицо, которое предполагают избрать, назначить или принять куда-л. *Кандидат в народные депутаты. Кандидат на должность директора завода.* ☐ *— Экая беспорядочная голова, — заметил Крупов.. — Ну, нечего сказать, славный кандидат в заседатели или в уездные судьи.* Герцен. Кто виноват? **2.** (каких-л. наук). Младшая ученая степень, присуждаемая на основании защиты диссертации, а также лицо, имеющее эту степень. *Кандидат медицинских наук. Кандидат педагогических наук.* **3.** В дореволюционной России: младшая ученая степень, присваиваемая после окончания высшего учебного заведения с отличием. *В 1835 году Николай Петрович вышел из университета кандидатом.* Тургенев. Отцы и дети.
**Кандида́тский**, -ая, -ое. *Кандидатский стаж, экзамен. Кандидатская диссертация.* ◇ **Кандидатский минимум** — экзамены, которые сдают аспиранты и соискатели ученой степени кандидата наук для получения права на защиту кандидатской диссертации.

**КАНИТЕ́ЛЬ**, -и, ж. [От франц. cannetille]. **1.** Тонкая металлическая (обычно золотая или серебряная) нить, употребляемая для вышивания, а также тонкая металлическая нить, употребляемая как елочное украшение. *Тянуть канитель* (изготовлять ее). ☐ *Нитка с остатком шелковых волокон была из той золотой канители, которою вплетают в восточные халаты и тюбетейки.* Лидин. Великий или Тихий. **2.** *перен. Разг.* Нудное, затяжное, с проволочками дело. *Разводить канитель.* ☐ *— До каких же пор, черт возьми, будет продолжаться эта канитель?* Ф. Гладков. Цемент.
С и н. (ко 2 знач.): **волы́нка** (*прост.*), **моро́ка** (*прост.*).
**Каните́льный**, -ая, -ое.

**КАННИБА́Л**, -а, м. [Франц. cannibale]. **1.** Людоед. **2.** *перен.* Крайне жестокий человек. *Жоре Арутюнянцу было совершенно ясно, как он будет жить при немцах. — Каннибалы! Разве наш народ может с ними примириться, да? Наш народ.. безусловно возьмется за оружие.* Фадеев. Молодая гвардия.
С и н. (к 1 знач.): **антропофа́г** (*книжн.*).
**Канниба́льский**, -ая, -ое.

**КАНО́Н**, -а, м. [Греч. kanōn — прямая палка, линейка; правило]. **1.** *Книжн.* Основное правило, положение какого-л. направления, учения и т. п.; то, что является традиционной, обязательной нормой. *Эстетические каноны классицизма.* ☐ *Война заставила врачей пересмотреть старые каноны в области хирургии.* Кованов. Признание. **2.** *Спец.* Церковное песнопение в честь святого или праздника. *Пасхальный канон. Поминальный канон.*
С и н. (к 1 знач.): **но́рма**.
**Канони́ческий**, -ая, -ое (к 1 знач.). *Текст закона должен быть написан коротко и ясно; закон приказывает или запрещает, но не рассуждает. Но вслед за этой канонической частью каждой отдельной статьи должен следовать комментарий.* Писарев. Реалисты.

**КАНОНА́ДА**, -ы, ж. [Франц. canonnade от canon — пушка]. Частая и сильная стрельба из многих артиллерийских орудий. *Рев русских пушек сотрясал дома на площади, заброшенной обгорелыми балками, битой черепицей. Был седьмой день канонады.* А. Н. Толстой. Петр I.
**Кано́надный**, -ая, -ое.

**КАНОНЕ́РКА**, -и, ж. Канонерская лодка.

**КАНОНЕ́РСКИЙ**, -ая, -ое. [Восх. к франц. cannonière]. ◇ **Канонерская лодка** — небольшое военное судно с орудиями средних калибров, предназначенное для военных действий вблизи берегов. *После полудня появилась там еле заметная точка. Она медленно росла.. — Мабуть то канонерская лодка? — высказал предположение электрик Проценко. — Сказал! А дым-то где? Дыма не видать. Нет, милый,* не *канонерка. Теплоход идет.* Крымов. Танкер «Дербент».

**КАНОНИЗИ́РОВАТЬ**, -рую, -руешь и **КАНОНИЗОВА́ТЬ**, -зу́ю, -зу́ешь; канонизи́рующий и канонизу́ющий, канонизи́ровавший и канонизова́вший; канонизи́рованный; -ан, -а, -о и канонизо́ванный; -ан, -а, -о; канонизи́руя и канонизу́я, канонизи́ровав и канонизова́в; *сов. и несов.* [См. *канон*]. **1.** *что. Книжн.* Признать (признавать) незыблемо авторитетным, установить (устанавливать) в качестве образца. *Канонизировать ту или иную, но единственную форму — это значит тянуть литературу на путь окостенения.* Паустовский. Большие надежды. **2.** *кого.* Причислить (причислять) к лику святых, признать (признавать) церковно узаконенным.

**Канониза́ция**, -и, *ж.*

**КАНОНИ́Р**, -а, *м.* [Восх. к франц. canonnier]. В царской армии: рядовой артиллерии, пушкарь. *Их пушку разорвало с первого выстрела и убило канонира.* Пушкин. История Пугачева.

**Канони́рский**, -ая, -ое.

**КАНТ**, -а, *м.* [Нем. Kante; восх. к лат. canthus — обод]. **1.** Вшитый цветной шнурок или узкая полоска ткани, обычно другого цвета, по краю или шву одежды (обычно форменной). *Михаил Аверьяныч надел военный сюртук без погонов и панталоны с красными кантами.* Чехов. Палата № 6. **2.** Полоска, которой оклеен по краям в виде рамки рисунок, таблица и т. п.

**Ка́нтик**, -а, *м.* (*уменьш.*). *Фуражка с малиновыми кантиками.*

**КАНТА́ТА**, -ы, *ж.* [Итал. cantata от лат. cantare — петь]. **1.** Крупное музыкальное произведение для пения, хорового и сольного, с инструментальным сопровождением, обычно отличающееся торжественностью. *Кантата Прокофьева «Александр Невский».* □ *«Ура!» — опять закричали голоса трехсот гостей, и вместо музыки послышались певчие, певшие кантату сочинения Павла Ивановича Кутузова.* Л. Толстой. Война и мир. **2.** В русской поэзии 18 — начала 19 в.: стихотворение, написанное на определенный торжественный случай. *Также маракую я и стишки.. Я сочиняю также кантаты на особливо торжественные факты.* Леонов. Записки некоторых эпизодов.

**Канта́тный**, -ая, -ое.

**КАНТОНИ́СТ**, -а, *м.* [Нем. Kantonist или франц. cantoniste (от canton — округ)]. В России первой половины 19 в.: солдатский сын, приписывавшийся со дня рождения к военному ведомству и подготовлявшийся к солдатской службе в особой низшей военной школе. *Чимша-Гималайский был из кантонистов, но, выслужив офицерский чин, оставил нам потомственное дворянство и именьишко.* Чехов. Крыжовник.

**КАНУ́Н**, -а, *м.,* *чего.* [См. *канон*]. **1.** День перед праздником. *Канун Нового года.* □ *Шестого ноября, в канун праздника, корабль сойдет на воду.* Кочетов. Журбины. **2.** Время, предшествующее какому-л. событию, обычно значительному. *Канун революции.* □ *В канун окончания школы, в преддверии разлуки, я снимался у него [фотографа] с Ниной Варакиной.* Нагибин. Чистые пруды.

С и н. (*ко 2 знач.*): предде́рие (*книжн.*).

**КАНЦЕЛЯ́РИЯ**, -и, *ж.* [Восх. к лат. cancellarius — письмоводитель]. **1.** В дореволюционной России: наименование некоторых государственных учреждений. *Собственная его императорского величества канцелярия.* □ *К утру канцелярия начала наполняться; явился писарь.. Вслед за ним пришел другой.* Герцен. Былое и думы. **2.** Отдел учреждения, ведающий деловой перепиской, оформлением документов, а также помещение этого отдела. *Работать в канцелярии.*
◇ **Тайная канцелярия** — орган политического сыска в Петербурге (1718—1726) по делу царевича Алексея Петровича и близких к нему лиц — противников реформ Петра I. — *Теряя эдак же один из тайной канцелярии в прорубь его и спустили.* А. Н. Толстой. Петр I. **Небесная канцелярия** (*разг. шутл.*) — о силах, якобы управляющих погодой.

**Канцеля́рский**, -ая, -ое. *Канцелярский писарь. Канцелярские служащие.* ◇ **Канцелярский почерк** — четкий, отработанный, однообразно красивый почерк. **Канцелярский слог** (или **язык, стиль** и т. п.) — невыразительный, бесцветный, изобилующий принятыми в деловых бумагах словами и оборотами.

**КА́НЦЛЕР**, -а, *м.* [Нем. Kanzler от лат. cancellarius — письмоводитель]. **1.** Высший гражданский чин в царской России. *Кроме того, без должности при государе находились: Аракчеев — бывший военный министр, граф Бенигсен — по чину старший из генералов, ... граф Румянцев — канцлер.* Л. Толстой. Война и мир. **2.** Премьер-министр в некоторых странах. *Переговоры с канцлером Германии.*

**Ка́нцлерский**, -ая, -ое.

**КАНЬО́Н**, -а, *м.* [Исп. сañon]. Глубокая узкая речная долина с очень крутыми или отвесными склонами. *Каньон реки Колорадо в США.* □ *Выскочив из самого узкого места ущелья,.. речка побежала теперь по глубокому дну каньона.* Шагинян. Гидроцентраль.

**Каньо́нный**, -ая, -ое.

**КАПЕ́ЛЛА** [пэ́], -ы, *ж.* [Ср.-лат. capella — часовня]. Артистический коллектив певцов и музыкантов, хор (первонач. католическая часовня или помещение в храме, замке, где размещался хор). *Государственная академическая капелла.* □ *Я был назначен капельмейстером придворной Певческой капеллы.* М. Глинка. Записки.

**КАПЕЛЬДИ́НЕР**, -а, *м.* [Нем. Kapelldiener]. Театральный служитель, проверяющий входные билеты, указывающий зрителям места и следящий за порядком в зале. *Капельдинер учтиво и поспешно проскользнул перед дамами и отворил дверь ложи.* Л. Толстой. Война и мир.

**Капельди́нерский**, -ая, -ое.

**КАПЕЛЬМЕ́ЙСТЕР**, -а, *м.* [Нем. Kapellmeister]. Дирижер военного духового оркестра (первонач. вообще дирижер оркестра или капеллы). *В это время зазвучали последние аккорды увертюры и застучала палочка капельмейстера.* Л. Толстой. Война и мир.

**Капельме́йстерский**, -ая, -ое.

**КАПИТА́Л**, -а, *м.* [Франц., англ. capital от лат. capitalis—главный]. **1.** Стоимость, являющаяся средством получения прибавочной стоимости путем применения наемного труда. *Промышленный, финансовый капитал. Страны капитала (капиталистические).* **2.** обычно *мн. Разг.* Значительная сумма денег. *Иметь капиталы.* □ *Хозяйка была очень довольна им, и в четырнадцать лет управления он скопил тысяч до десяти капиталу.* Чернышевский. Что делать? **3.** *перен.*, обычно *какой.* То, что представляет собой большую ценность, богатство, важное достояние. *«Герой нашего времени» принадлежит к тем явлениям истинного искусства, которые обращаются в прочный литературный капитал.* Белинский. Герой нашего времени. Сочинение М. Лермонтова. ◊ **Мертвый капитал** — 1) капитал, не приносящий дохода; 2) (*перен.*) о знаниях, дарованиях и т. п., не находящих себе применения.

С и н. (ко 2 знач.): де́ньги, фина́нсы (*разг.*), деньжа́та (*прост.*), моне́та (*прост.*).

**КАПИТАЛИ́ЗМ**, -а, *м.* [См. *капитал*]. Сменившая феодализм общественно-экономическая формация, основанная на частной собственности на средства производства и применении наемного труда для извлечения прибыли. *Эта старая патриархальная Россия после 1861 года стала быстро разрушаться под влиянием мирового капитализма.* Ленин, т. 20, с. 39.

**Капиталисти́ческий**, -ая, -ое. *Капиталистический строй. Капиталистическая экономика. Капиталистическое общество.* **Капитали́ст**, -а, *м.*

**КАПИТУЛЯ́ЦИЯ**, -и, *ж.* [Восх. к ср.-лат. capitulatio — решение по международному праву (от capitullum — глава, статья закона)]. **1.** Прекращение военных действий и сдача победителю на условиях, им предъявленных. *Здесь [в Карлсхорсте].. недавно произошло событие, которого мучительно ждали миллионы людей на земле,— была подписана капитуляция «третьего райха». В Карлсхорсте Воронов.. присутствовал на церемонии капитуляции.* Чаковский. Победа. **2.** Отказ от продолжения борьбы, от принципиальной защиты своих взглядов. *Капитуляция перед трудностями.*

**КА́ПИЩЕ**, -а, *ср.* **1.** Языческий храм дохристианского времени. *[Борис Петрович] на острове Капри лазил на страшные скалы, глядел капища поганых римских богов и прилежно осматривал католические монастыри.* А. Н. Толстой. Петр I. **2.** *перен.*, обычно *чего.* Место служения чему-л., а также средоточие чего-л. тягостного. *Из капища наук Являлся он в наш сельский круг.* Пушкин. Евгений Онегин.

**КА́ПОР**, -а, *м.* [Голл. kареr — шапка]. Детский или женский головной убор, завязывающийся под подбородком. *Екатерина Дмитриевна развязывала лиловые ленты мехового капора.* А. Н. Толстой. Хождение по мукам.

**Ка́порный**, -ая, -ое.

**КАПО́Т**[1], -а, *м.* [Франц. capot]. *Спец.* Откидная покрышка у различных механизмов, предохраняющая их от пыли и порчи. *Впереди.. тускло вырисовывалась высоким своим кузовом грузовая машина с поднятым капотом, под которым желто горела лампочка. Свет ее почти заслоняли несколько склонившихся над мотором озабоченных лиц.* Бондарев. Горячий снег.

**Капо́тный**, -ая, -ое.

**КАПО́Т**[2], -а, *м.* [Франц. capote]. *Устар.* Женская домашняя одежда свободного покроя, вид халата. *Она была недурна, одета к лицу. На ней хорошо сидел матерчатый шелковый капот бледного цвета.* Гоголь. Мертвые души.

**КАПРА́Л**, -а, *м.* [Франц. caporal]. В русской армии 17 — начала 18 в. и некоторых иностранных армиях: воинское звание младшего командного состава, а также лицо, носившее это звание. *Комендант подозвал капрала и велел ему взять лист из рук убитого казака.* Пушкин. Капитанская дочка.

**Капра́льский**, -ая, -ое. *Капральский мундир.*

**КАПТЕНА́РМУС**, -а и (*разг.*) **КАПТЁР**, -а, *м.* [От франц. capitain d'armes]. В армии: должностное лицо, ведающее хранением и выдачей продовольствия, обмундирования и оружия (в царской армии с 1716 г. до 1917 г., в советской армии с 1918 г. до 1959 г.). *В одной роте обед был готов, и солдаты с жадными лицами.. ждали пробы, которую в деревянной чашке подносил каптенармус офицеру.* Л. Толстой. Война и мир.

**КА́РА**, -ы, *ж. Высок.* Наказание, возмездие.— *Вы должны назвать его [убийцу],— продолжал я.— Он понесет тяжелую кару... Закон дорого взыщет за его зверство!* Чехов. Драма на охоте.

С и н.: распла́та.

**КАРАБИ́Н**, -а, *м.* [Франц. carabine]. Винтовка с укороченным стволом. *[Лятьевский] взял карабин на руку, сдвинул предохранитель и пошел.. в гору крадущейся, звериной походкой.* Шолохов. Поднятая целина.

**Караби́нный**, -ая, -ое.

**КАРАВА́Й**, -я, *м.* Большой круглый хлеб. *Испечь каравай.* □ *[Хозяйка] вынесла крынку молока, каравай хлеба и вареную курицу.* Вс. Иванов. Пархоменко.

С и н.: коври́га.

**КАРАВА́Н**, -а, *м.* [Восх. к перс. kārvān]. **1.** Группа, вереница вьючных животных, перевозящих грузы, людей в пустынях, степях. *Караван верблюдов.* □ *Вот к пальмам подходит, шумя, караван: В тени их веселый раскинулся стан.* Лермонтов. Три пальмы. **2.** Группа транспортных судов, следующих друг за другом, а также несколько буксируемых несамоходных судов. *Караван барж.* □ *Наш караван с военными грузами шел по Северному морскому пути.* Каверин. Два капитана. **3.** *перен.* О веренице однородных движущихся предметов, живых существ. *[Дети] пошли по заснеженной степи гуськом, одиноким затерянным в глуши караваном.* Закруткин. Матерь человеческая.

**Карава́нный**, -ая, -ое (к 1 знач.). *Караванный путь.*

**КАРАВА́Н-САРА́Й**, -я, *м.* [От *караван* (см.) и перс. sarāi — дворец]. В Азии и Закавказье: постоялый двор, место стоянки караванов с помещениями для людей и грузов. *Мне указали караван-сарай; я вошел в большую саклю, похожую на хлев.* Пушкин. Путешествие в Арзрум.

**КАРАКУ́ЛЬ**, -я, *м.* [По названию местности в Узбекистане]. Ценный мех с короткой вьющейся шерстью, выделываемый из шкурок ягнят каракульских овец, а также одежда из этого меха. *Черный, серый каракуль.* □ *Приезжий был невысок ростом и неказист с виду.. Неожиданным контрастом в его убогом убранстве выглядела щегольская, отличного серебристого каракуля кубанка.* Шолохов. Поднятая целина.

**Кара́кулевый**, -ая, -ое. *Каракулевая шапка, шуба.*

**КАРА́ТЕЛЬ**, -я, *м.* **1.** *Устар.* Тот, кто карает, наказывает. — *Мы родим, пошлем, придет когда-нибудь человек, борец, каратель, мститель!* Маяковский. Владимир Ильич Ленин. **2.** Участник карательного отряда, экспедиции. *Немецкие каратели бросили в колодец застреленных на хуторской улице собак, кошек, кур.* Закруткин. Матерь человеческая.

**Кара́тельный**, -ая, -ое. ◊ **Карательный отряд, карательная экспедиция** — военно-полицейский отряд (экспедиция) для расправы с кем-л. — *Она не раз предупреждала партизан Осторечья о карательных экспедициях.* Проскурин. Горькие травы.

**КАРАТЭ́**, *нескл., ср.* [Яп.]. Вид спортивной борьбы, использующей эффективные приемы японской системы самозащиты без оружия и основанной на ударах руками и ногами по наиболее уязвимым местам тела соперника. *Приемы каратэ.*

**Каратэ́ист**, -а и **каратист**, -а, *м.*

**КА́РБАС**, -а и **КАРБА́С**, -а, *м.* [Фин. karvas]. На Севере: большая лодка для рыбного промысла, перевозки грузов. — *В Повенец пошлете мастеров, — лодочников добрых. Мне нужны карбасы.., судов пятьсот.* А. Н. Толстой. Петр I.

**КАРБОНА́РИЙ**, -я, **КАРБОНА́РИ**, *нескл.* (*устар.*) и **КАРБОНА́Р**, -а (*устар.*), *м.* [Итал. carbonaro]. Член тайного общества в Италии в начале 19 в., боровшегося против чужеземного гнета, за независимость и национальное возрождение страны. *Заговор карбонариев.* □ [*Фамусов:*] *Ах! боже мой! он карбонари!.. Опасный человек!* Грибоедов. Горе от ума. *И мог он с ними в самом деле Вести путный разговор.. О карбонарах, о Парни, Об генерале Жомини.* Пушкин. Евгений Онегин.

**КАРДИНА́Л**, -а, *м.* [Лат. cardinalis — букв. главный]. Высший (после римского папы) духовный сан у католиков, а также лицо, имеющее этот сан. [*Другие*] *глядели на молебствие с любопытством.. Даже угрюмый Веллингтон не отводил глаз от красного одеяния кардинала и епископских мантий.* Л. Никулин. России верные сыны.

**Кардина́льский**, -ая, -ое. *Кардинальский сан. Кардинальская мантия.*

**КАРДИНА́ЛЬНЫЙ**, -ая, -ое. [См. *кардинал*]. *Книжн.* Главный, самый существенный. *Разоружение — кардинальная проблема международных отношений.* □ [*Деятель:*] *Мы хотели бы говорить по кардинальным вопросам революции.* [*Ленин:*] *Кардинальные вопросы революции решаются вооруженными массами.* Погодин. Человек с ружьем.

С и н.: важне́йший, основно́й, веду́щий, центра́льный, генера́льный, магистра́льный, узлово́й, стержнево́й.

**Кардина́льно**, *нареч.* **Кардина́льность**, -и, *ж.*

**КАРДИОЛО́ГИЯ**, -и, *ж.* [От греч. kardia — сердце и logos — учение]. Раздел медицины, изучающий болезни сердца.

**Кардиологи́ческий**, -ая, -ое. *Кардиологический центр.* **Кардио́лог**, -а, *м.*

**КАРЕ́** [рэ], *нескл., ср.* [Франц. carré — букв. квадрат]. Существовавшее до конца 19 в. боевое построение пехоты в виде четырехугольника для отражения атаки со всех сторон. *Поспешно строя свои полки в каре, он командовал им: — Огонь!* Сергеев-Ценский. Севастопольская страда.

**КАРЕ́ТА**, -ы, *ж.* [Восх. к итал. caretta]. Закрытый со всех сторон четырехколесный конный экипаж на рессорах. *Лошади неслись быстро по кочкам проселочной дороги, и карета почти не качалась на своих английских рессорах.* Пушкин. Дубровский.

**Каре́тный**, -ая, -ое.

**КАРИАТИ́ДЫ**, -и́д, *мн.* (*ед.* **кариати́да**, -ы, *ж.*). [Греч. karyatides — букв. карийские девы, жрицы храма Артемиды в Карии (Лаконии)]. *Спец.* Колонны в виде женских фигур, поддерживающие выступающие части здания. *Дом с кариатидами.* □ *Мрамор, бронза, лепные украшения дворцов.., музы-кариатиды, поддерживающие мощные порталы,* — *все было слишком нарядно.* Л. Никулин. России верные сыны.

**КА́РИЙ**, -яя, -ее. [Тюрк.]. Темно-коричневый (о цвете глаз и о масти лошадей).

**КАРИКАТУ́РА**, -ы, *ж.* [Итал. caricatura]. **1.** Рисунок, изображающий кого-, что-л. в намеренно искаженном, подчеркнуто смешном виде, а также сатирическое или юмористическое изображение явлений действительности средствами других видов искусств. *Теперь, заране торжествуя, Он стал чертить в душе своей Карикатуры всех гостей.* Пушкин. Евгений Онегин. **2.** *перен.* Смешное, убогое подобие кого-, чего-л. *Но наше северное лето, Карикатура южных зим, Мелькнет и нет.* Пушкин. Евгений Онегин.

**Карикату́рный**, -ая, -ое (к 1 знач.). *Карикатурный стиль.* **Карикатури́ст**, -а, *м.* (к 1 знач.).

**КАРКА́С**, -а, *м.* [Франц. carcasse]. Остов какого-л. сооружения, изделия, здания, сделанный из железобетона, металла, дерева или другого материала. *Каркас абажура. Каркас самолета.* □ *Стальной каркас высотного дома, похожий на огромную этажерку, был виден издали.* С. Антонов. Первая должность.

С и н.: скеле́т.

**Карка́сный**, -ая, -ое.

**КАРМАНЬО́ЛА**, -ы, *ж.* [Франц. carmagnole]. Французская революционная народная песня-пляска, насыщенная злободневным политическим содержанием (впервые прозвучала в Париже вскоре после взятия дворца Тюильри 10 августа 1792 г.].

**Карми́н**, -а, м. [Франц. carmin]. Ярко-красная краска.

**Карми́нный**, -ая, -ое и **карми́новый**, -ая, -ое. *Карминный цвет. Карминовая губная помада.*

**КАРНАВА́Л**, -а, м. [Восх. к итал. carnevale]. Народное празднество с шествиями, маскарадом (возникло в Италии в 13 в. как весенний праздник под открытым небом с танцами, маскарадными шествиями). *Новогодний карнавал. Карнавал на льду.*

**Карнава́льный**, -ая, -ое. *Карнавальное шествие. Карнавальные костюмы.*

**КАРНИ́З**, -а, м. [Нем. Karnis; восх. к греч. korōnis — букв. завитушка (в конце книги), завершение]. **1.** Выступ в верхней части здания, над окном, дверью. *Трактир был что-то вроде русской избы.. Резные узорочные карнизы из свежего дерева вокруг окон и под крышей резко и живо пестрили темные его стены.* Гоголь. Мертвые души. **2.** Поперечина над окном или дверью, на которую вешают шторы, портьеры.

**Карни́зный**, -ая, -ое.

**КАРТЕ́ЛЬ** [тэ], -я, м. [Франц. cartel]. **1.** Устар. Письменный вызов на дуэль. *То был приятный, благородный, Короткий вызов иль картель: Учтиво, с ясностью холодной Звал друга Ленский на дуэль.* Пушкин. Евгений Онегин. **2.** Одна из форм капиталистических монополий — объединение предприятий, сохраняющих коммерческую и производственную самостоятельность, организованное в целях регулирования производства, обеспечения господства на рынке и т. п.

**Карте́льный**, -ая, -ое.

**КАРТЕ́ЧЬ**, -и, ж. [Нем. Kartätsche]. **1.** Артиллерийский снаряд, начиненный круглыми пулями для массового поражения противника на близком расстоянии. *Шведы не успели пройти и двух десятков шагов, как пушки снова рявкнули по ним.. Ему даже показалось, что шведы заколебались под градом картечи.* А. Н. Толстой. Петр I. **2.** Крупная дробь для охотничьего ружья. *Я зарядил ружье картечью и внимательно осмотрел местность.* А. Яковлев. Волки.

**Карте́чный**, -ая, -ое.

**КАРТОТЕ́КА**, -и, ж. [От греч. khartēs — лист, бумага и thēkē — вместилище]. Систематизированное собрание карточек с какими-л. сведениями справочного или учетного характера, а также (собир.) узкие и длинные ящики для таких карточек. *Библиотечная картотека. Картотека пациентов поликлиники. Составить картотеку по какой-л. проблеме.*

**Картоте́чный**, -ая, -ое. *Картотечный ящик.*

**КАРТУ́З**, -а́, м. [Голл. kardoes]. **1.** Мужской головной убор с козырьком. *На нем были сапоги и черный картуз мастерового.* Коптелов. Большой зачин. **2.** Устар. Бумажный мешок для различных сыпучих веществ. *[Табак] был в разных видах: в картузах и в табашнице.* Гоголь. Мертвые души. **3.** Устар. Мешок из быстро сгорающей ткани для боевого заряда. *[Солдаты] броси-*лись подносить снаряды и новые, еще не виданные на батарее, картузы с бездымным порохом.* Степанов. Порт-Артур.

**Карту́зный**, -ая, -ое.

**КА́РЦЕР**, -а, м. [Восх. к лат. carcer]. Помещение для временного одиночного заключения лиц, провинившихся в чем-л. (напр., в тюрьмах, в учебных заведениях до революции). *Ранним мартовским утром, когда Леонида Петровича еще продолжали держать в холодном карцере, из Таганки отправляли в Бутырскую пересыльную тюрьму очередную партию осужденных.* Коптелов. Большой зачин.

**Ка́рцерный**, -ая, -ое.

**КАРЬЕ́Р**[1], -а, м. [Восх. к итал. carriera]. Самый быстрый бег лошади, ускоренный галоп. *Ростов, вдавливая шпоры Грачику и перегоняя других, выпустил его во весь карьер.* Л. Толстой. Война и мир. ◊ **С места в карьер** (разг.) — тотчас, сразу же, без приготовлений. *— Что, обижаться пришел? — с места в карьер спросил Малинин, показав Синцову, чтобы он сел.* Симонов. Живые и мертвые.

**Карье́рный**, -ая, -ое.

**КАРЬЕ́Р**[2], -а, м. [Франц. carrière]. Место открытой разработки неглубоко залегающих полезных ископаемых (угля, песка, глины и т. п.). *Известковый, песчаный карьер.* □ *Пылили карьеры, в которых брали песок и строительный материал.* А. Кожевников. Живая вода.

**Карье́рный**, -ая, -ое.

**КАРЬЕ́РА**, -ы, ж. [Франц. carrière — первонач. бег, скачка]. **1.** Устар. Род занятий, профессия. *Он еще не решил, какую карьеру избрать — политическую, военную или журналистскую.* Чаковский. Победа. **2.** Путь к успехам, видному положению в обществе, на служебном поприще, а также самое достижение такого положения. *Быстро сделать карьеру. Блестящая карьера.* □ *Женитьба на ней.. двинула бы вперед вашу карьеру: она, будучи введена в большой свет, при ваших денежных средствах, при своей красоте, уме и силе характера, заняла бы в нем блестящее место; выгоды от этого для всякого мужа понятны.* Чернышевский. Что делать?

**Син.** (к 1 знач.): специа́льность.

**Карье́рный**, -ая, -ое.

**КАРЬЕРИ́ЗМ**, -а, м. [См. карьера]. Неодобр. Погоня за карьерой (во 2 знач.), личным успехом, стремление продвинуться по службе, не считаясь с интересами дела. *Служебный карьеризм, стремление выслужиться и деловое верхоглядство были ему всегда до крайности неприятны.* А. Ф. Кони. Воспоминания.

**Карьери́стский**, -ая, -ое. **Карьери́ст**, -а, м.

**КАСКА́Д**, -а, м. [Франц. cascade]. **1.** Естественный или искусственный водопад, низвергающийся уступами. *Каскад Петродворца.* □ *[Катерина] может быть уподоблена большой, многоводной реке:.. ровное дно, хорошее — она течет спокойно, камни большие встретились — она через них перескакивает, обрыв — льется каскадом.. Так и в том характере, который воспроизведен нам Островским.* Добролюбов. Луч света в темном царстве. **2.** перен., чего. Стремительный, неудержимый поток, обилие чего-л. *Каскад звуков, слов. Каскад ударов.* ☐ *Взмывший каскад ракет снова проявил это ждущее от Бессонова облегчения лицо Деева.* Бондарев. Горячий снег.

**Каска́дный**, -ая, -ое (к 1 знач.).

**КАСКАДЁР**, -а, м. [Франц. cascadeur]. **1.** Исполнитель циркового номера, имеющего обычно характер пантомимической сценки и основанного на комических акробатических падениях — каскадах. **2.** Дублер киноактера при съемке сложных, опасных трюков. *Опытный каскадер.*

**Каскадёрский**, -ая, -ое.

**КАССА́ЦИЯ**, -и, ж. [Восх. к лат. cassatio — отмена, уничтожение]. *Спец.* Способ обжалования и пересмотра высшим судом не вступивших в законную силу судебных решений и приговоров. *Подать на кассацию.* ☐ *Большею частью [суд] постановлял такие решения, которые приводили за собой сначала апелляцию, потом кассацию, потом новое решение.* Салтыков-Щедрин. Недоконченные беседы.

**Кассацио́нный**, -ая, -ое. *Кассационное решение. Кассационный суд.*

**КА́СТА**, -ы, ж. [Восх. к порт. casta — род, поколение от лат. castus — чистый]. **1.** В Индии и некоторых других странах Востока: замкнутая общественная группа, связанная происхождением, единством наследственной профессии и правовым положением своих членов. *Каста жрецов. Каста браминов.* **2.** *перен.* Замкнутая общественная (сословная или профессиональная) группировка, оберегающая свою обособленность и связанные с ней привилегии. *Каста аристократов. Офицерская каста.* ☐ *С каким наслажденьем жандармской кастой я был бы исхлестан и распят за то, что в руках у меня молоткастый, серпастый советский паспорт.* Маяковский. Стихи о советском паспорте.

**Ка́стовый**, -ая, -ое. *Кастовая система. Кастовые предрассудки.*

**КАСТАНЬЕ́ТЫ**, -ет, мн. (ед. **кастанье́та**, -ы, ж.). [Исп. castañetas от castaña — каштан]. Ударный музыкальный инструмент в виде деревянных пластинок, надеваемых на пальцы рук для ритмического прищелкивания (распространен преимущ. в Испании, Южной Италии, странах Латинской Америки). *Стук, дробь кастаньет.* ☐ — *Вот теперь готов я не только читать на эстраде, но — если у угодно — нарядиться испанкой и танцевать с кастаньетами!* Федин. Первые радости.

**Кастанье́тный**, -ая, -ое.

**КАСТЕЛЯ́НША**, -и, ж. [Восх. к итал. castellano — смотритель замка]. Заведующая бельем (в гостинице, больнице, общежитии и т. п.). — *Платье его прикажи высушить и вычистить, а белье.. спроси у кастелянши.* Тургенев. Степной король Лир.

**КАСТРА́Т**, -а, м. [Восх. к ср.-лат. castratus]. Тот, кому сделали операцию удаления половых желез, произвели кастрацию.

С и н.: скопе́ц.

**КАТАКЛИ́ЗМ**, -а, м. [Восх. к греч. kataklysmos — наводнение, потоп]. *Книжн.* Внезапный перелом, разрушительный переворот (в природе, в обществе). *Европа приближается к страшному катаклизму. Средневековый мир рушится. Мир феодальный кончается.* Герцен. Русский народ и социализм.

С и н.: катастрофа.

**КАТАКО́МБЫ**, -о́мб, мн. (ед. **катако́мба**, -ы, ж.). [Восх. к лат. catacumba — подземная гробница]. Подземные галереи, обычно искусственного происхождения (первонач. в Древнем Риме в этих галереях христиане спасались от преследований и погребали умерших). *Керченские катакомбы.* ☐ *Когда-то.. одесские катакомбы были городскими каменоломнями.. Они и сейчас простираются запутанным лабиринтом под всем городом, имея несколько выходов за его чертой.* Катаев. Белеет парус одинокий.

**КАТАЛО́Г**, -а, м. [Греч. katalogos — список]. Составленный в определенном порядке список, перечень каких-л. однородных предметов (книг, журналов, картин и т. п.). *Алфавитный каталог. Каталог журнальных статей. Проверить название книги по каталогу.* ☐ *Чтобы не проводить времени в праздности, он составлял подробный каталог своим книгам.* Чехов. Палата № 6.

**Катало́жный**, -ая, -ое. *Каталожная карточка.*

**КАТАМАРА́Н**, -а, м. [Тамильск.]. Судно, имеющее два корпуса, соединенных друг с другом общей палубой.

**Катамара́нный**, -ая, -ое.

**КАТАПУ́ЛЬТА**, -ы, ж. [Лат. catapulta]. **1.** В древности: приспособление для метания стрел, камней, бочек с горючим и т. п., применявшееся при осаде крепостей. *Греки и римляне бросали каменные ядра из особых машин — катапульт — при осаде городов.* Обручев. В дебрях Центральной Азии. **2.** *Спец.* Автоматическое спасательное или учебное устройство для выбрасывания из летательного аппарата летчиков и космонавтов. *[Он] вскочил, точно выброшенный из кресла невидимой катапультой.* Чаковский. Блокада.

**Катапу́льтный**, -ая, -ое.

**КАТАСТРО́ФА**, -ы, ж. [Восх. к греч. katastrophē — переворот, разрушение]. **1.** Внезапное бедствие, событие с трагическими последствиями. *Железнодорожная катастрофа. Жертвы автомобильной катастрофы. Погибнуть в результате катастрофы.* **2.** Потрясение, влекущее за собой резкий перелом в личной или общественной жизни. *Социальная катастрофа.* ☐ *В одно ничтожное мгновение он мог зачеркнуть всю свою работу по созданию колхоза.. Вот это была бы уже по-настоящему страшная катастрофа в его [Давыдова] жизни!* Шолохов. Поднятая целина.

С и н. (к 1 знач.): круше́ние. С и н. (ко 2 знач.): катакли́зм (книжн.).

**Катастрофи́ческий**, -ая, -ое и **катастрофи́чный**, -ая, -ое, -чен, -чна, -о. **Катастрофи́чески** и **катастрофи́чно**, *нареч.* **Катастрофи́чность**, -и, ж.

**КАТАФА́ЛК**, -а, м. [Восх. к итал. catafalco]. **1.** Погребальная колесница, автобус в похоронной процессии. *Все с обнаженными головами встречали и провожали этот катафалк молча, с печальными и строгими лицами.* Ф. Гладков. Цемент. **2.** Высокая подставка для гроба. *После нее Германн решился подойти ко гробу.. [Он] взошел на ступени катафалка и наклонился.* Пушкин. Пиковая дама.

**КАТЕГОРИ́ЧЕСКИЙ**, -ая, -ое и **КАТЕГОРИ́ЧНЫЙ**, -ая, -ое; -чен, -чна, -о. [Восх. к греч. kategorikos — обвинительный]. **1.** Решительный, не допускающий возражений. *Категорическое требование. Категоричный тон.* ☐ *В весьма категорической форме ему предложили прекратить междоусобную возню [в обкоме] и обратить самое серьезное внимание на предложение Борисовой.* Проскурин. Горькие травы. **2.** Не допускающий иного понимания, иных толкований, безусловный. — *В своих письмах я прошу у вас только категорического прямого ответа — да или нет.* Чехов. Несчастье.
С и н. (к 1 знач.): безапелляцио́нный.

**Категори́чески** и **категори́чно**, *нареч. Категорически выступить против чего-л. Категорично заявить о чем-л.* **Категори́чность**, -и, *ж.*

**КАТЕГО́РИЯ**, -и, *ж.* [Восх. к греч. katēgoria]. **1.** В философии: понятие, отражающее наиболее общие свойства и связи явлений объективного мира. *Категории времени и пространства. Категории качества и количества. Философские категории.* ☐ *Материя есть философская категория для обозначения объективной реальности, которая дана человеку в ощущениях его, которая копируется, фотографируется, отображается нашими ощущениями, существуя независимо от них.* Ленин, т. 18, с. 131. **2.** В научной терминологии: родовое понятие, обозначающее разряд предметов или наиболее общий их признак. *Всё, что теперь думал, чувствовал и делал Кузнецов,.. — всё изменилось, перевернулось за день, все замерялось уже иными категориями, чем сутки назад.* Бондарев. Горячий снег. **3.** Разряд, группа однородных предметов, лиц, явлений. *Лушка вовсе не принадлежала к той категории людей, которые легко отступают от намеченных планов.* Шолохов. Поднятая целина.
С и н. (к 3 знач.): класс, род, тип, сорт (*разг.*).

**Категориа́льный**, -ая, -ое (*к 1 знач.*). *Категориальные понятия.*

**КАТЕХИ́ЗИС** [не *тэ*], -а, *м.* [Греч. katēchēsis — поучение, наставление]. Краткое изложение христианского вероучения в форме вопросов и ответов. — *Что ж с тобой делал поп? — спросил грозно отец. — Мы, папашенька, учили российскую грамматику до деепричастия и катехизис до таинств.* Герцен. Кто виноват?

**КАТОЛИЦИ́ЗМ**, -а, *м.* и **КАТОЛИ́ЧЕСТВО**, -а, *ср.* [Восх. к греч. katholikos — *букв.* всеобщий]. Одно из основных, наряду с православием и протестантизмом, направлений в христианской религии с церковной организацией, возглавляемой римским папой. *Точно ли так велика пропасть, отделяющая ее [Коробочку] от сестры ее,.. зевающей за недочитанной книгой в ожидании остроумно-светского визита, где ей предстанет [высказать мысль].. о том, какой политический переворот готовится во Франции, какое направление принял модный католицизм.* Гоголь. Мертвые души. *Цель всех этих слов и хлопот состояла преимущественно в том, чтобы, обратив ее в католичество, взять с нее денег в пользу иезуитских учреждений.* Л. Толстой. Война и мир.

**Католи́ческий**, -ая, -ое. *Католическая церковь. Католический священник, монах.* **Като́лик**, -а, *м.*

**КА́ТОРГА**, -и, *ж.* [Ср.-греч. katergon — галера]. **1.** В эксплуататорских государствах: тяжелые принудительные работы для заключенных в тюрьмах или других местах с особо суровым режимом, а также самые места их работ. *Сослать на каторгу. Отбывать каторгу. Жизнь декабристов на каторге в Нерчинске.* ☐ *[Отец Запорожца] поднял вооруженных вилами мужиков против графа Браницкого. Был приговорен к каторге и ссылке в Сибирь.* Коптелов. Большой зачин. **2.** Старинное гребное судно, род галеры (в гребцы на эти суда назначались осужденные). *Петр, Лефорт, Алексашка и князь-папа.. курили трубки на высокой корме каторги. Казалось, — когда поглядывали на многоверстный караван судов, поблескивающих ударами весел, — что продолжается все та же веселая военная потеха.* А. Н. Толстой. Петр I.

**Ка́торжный**, -ая, -ое. *Каторжные работы.* **Каторжа́нин**, -а и **ка́торжник**, -а, *м. Дорога каторжан. Кандалы каторжников.*

**КАУ́РЫЙ**, -ая, -ое. [Тюрк.]. Светло-каштановый, рыжеватый (о масти лошади). *Этот чубарый конь.. показывал только для вида, будто бы везет, тогда как коренной гнедой и пристяжной каурой масти.. трудились от всего сердца.* Гоголь. Мертвые души.

**КАФЕ́ДРА**, -ы, *ж.* [Греч. kathedra — сидение]. **1.** Возвышение для оратора, лектора. *Подняться на кафедру. Говорить с кафедры.* ☐ *Я взошел на кафедру.. Я никогда прежде не говорил публично, аудитория была полна студентами.* Герцен. Былое и думы. **2.** Основное объединение преподавателей в высших учебных заведениях по одной или нескольким родственным дисциплинам. *Работать на кафедре русского языка. Заведовать кафедрой химии. Заседание кафедры.* ☐ *Незадолго до нашего ареста он поехал в Харьков, где ему была обещана кафедра в университете.* Герцен. Былое и думы.

**Кафедра́льный**, -ая, -ое (*ко 2 знач.*).

**КАФЕТЕ́РИЙ** [*тэ*], -я, *м.* [Исп. cafeteria]. Род кафе, обычно с самообслуживанием.

**КАФЕШАНТА́Н**, -а, *м.* [От франц. café — кафе и chantant — поющий]. В некоторых странах: кафе с эстрадой для выступлений, обычно фривольного характера. — *Я тоже, вероятно, имею вид возвращающегося откуда-нибудь из кафешантана, но ведь имевшего дорогой историю.* Достоевский. Преступление и наказание.

**Кафешанта́нный**, -ая, -ое.

**КАФТА́Н**, -а, *м.* [Тюрк.]. Старинная мужская долгополая верхняя одежда. *Алешка, держа вожжи, шел сбоку саней, где сидели трое холо-*

пов в.. толсто стеганных, несгибающихся войлочных кафтанах с высокими воротниками. А. Н. Толстой. Петр I. ◊ **Тришкин кафтан** — о том, в чём исправление одного ведет к порче другого (по названию басни И. Крылова «Тришкин кафтан»).

**Кафта́нный**, -ая, -ое.

**КА́ЧЕСТВО**, -а, *ср.* **1.** Наличие существенных признаков, отличающих один предмет, лицо или явление от другого. *Количество и качество. Переход к новому качеству.* **2.** То или иное свойство, черта, достоинство, степень ценности кого-, чего-л. *Качество товара, изделия. Ткань хорошего качества. Бороться за качество выпускаемой продукции. Воспитание моральных качеств. Положительные, отрицательные качества. Обладать хорошими деловыми качествами.* □ *Герцог Орлеанский, соединяя многие блестящие качества с пороками всякого рода, к несчастью, не имел и тени лицемерия.* Пушкин. Арап Петра Великого. ◊ **В качестве** *кого, чего* — как кто-, что-л. *Работать на заводе в качестве инженера.*

**Ка́чественный**, -ая, -ое. *Качественные различия между предметами. Выпуск качественной продукции.*

**КАШЕМИ́Р**, -а, *м.* [Франц. cachemire (по названию области в Индии)]. Тонкая шерстяная или полушерстяная ткань. *Платье из кашемира. Темно-синий кашемир.*

**Кашеми́ровый**, -ая, -ое. *Кашемировый платок.*

**КАШНЕ́** [нэ], *нескл., ср.* [Франц. cache-nez от cacher — прятать и nez — нос]. Шарф, надеваемый на шею под пальто или костюм. *Светло-голубое кашне. Повязать на шею шёлковое кашне.*

**КАШПО́**, *нескл., ср.* [Франц. cach-pot от cacher — прятать и pot — горшок]. Декоративная ваза (чаще керамическая), в которую ставится цветочный горшок.

**КАШТА́Н**, -а, *м.* [Польск. kasztan; восх. к греч. kastanon]. Дерево, дающее плоды в виде крупных орехов коричневого цвета, а также сам плод этого дерева. *Каштаны в цвету. Жареные каштаны.* □ *В центре города от раскаленных [асфальтов].. несло сухим зноем, каштаны в парках стояли с обвисшими мягкими листьями.* Проскурин. Горькие травы. ◊ **Таскать каштаны из огня** — делать какое-л. трудное дело, результатами которого будет пользоваться другой. *Народ, голодный и голоштанный, к Советам пойдет или будет буржую таскать, как встарь, из огня каштаны?* Маяковский. Владимир Ильич Ленин.

**Кашта́новый**, -ая, -ое. *Каштановое дерево. Каштановая аллея. Каштановые волосы* (цвета каштана, коричневые).

**КАЮ́Р**, -а, *м.* [Нанайск.]. Погонщик запряженных в нарты собак или оленей. *— Пусть главный каюр отделит мне связку в три нарты. Я тоже хочу управлять оленями.* Коптяева. Иван Иванович.

**КАЮ́ТА**, -ы, *ж.* [Голл. kajuit или нем. Kajüte]. Небольшая отдельная комната на судне для экипажа или пассажиров. *Ехать в каюте первого класса.* □ *Опустели палубы пароходов — люди спустились в каюты.* Фурманов. Красный десант.

**КАЮ́Т-КОМПА́НИЯ**, -и, *ж.* [От *каюта* (см.) и *компания* (см.)]. Общее помещение для командного состава судна, служащее столовой, местом отдыха и т. п. *За ужином в кают-компании кто-то произнес слово «эвакуация», и все заговорили разом.* Крымов. Танкер «Дербент».

**КВА́ЗИ..** [От лат. quasi — якобы, как будто]. *Книжн.* Первая составная часть сложных слов, обозначающая мнимый, ненастоящий, напр.: *квазинау́чный, квазиобъекти́вный, квазиреволюционе́р, квазиспециали́ст.*

**КВА́КЕР**, -а, *м.* [Англ. quaker]. Член одной из христианских протестантских сект, распространенной в Англии и США, отвергающей церковные обряды. *Я в 1838 году написал в социально-религиозном духе исторические сцены.. В одних я представлял борьбу древнего мира с христианством.. В других — борьбу официальной церкви с квакерами.* Герцен. Былое и думы.

**Ква́керский**, -ая, -ое.

**КВАЛИФИКА́ЦИЯ**, -и, *ж.* [От лат. qualis — какой и facere — делать]. **1.** Уровень, степень подготовленности человека к какому-л. виду труда. *Специалист высшей квалификации. Курсы повышения квалификации.* □ *— Умный мужик, дьявол, начитанный. А как он знает хозяйство и землю! Вот это квалификация!* Шолохов. Поднятая целина. **2.** Специальность, профессия. *Квалификация токаря. Получить квалификацию врача.* □ *— Это нефтефлот, ведь оттуда бегут даже матросы! Они скрывают квалификацию.. Ты, верно, не знал этого.* Крымов. Танкер «Дербент».

**Квалификацио́нный**, -ая, -ое (*к 1 знач.*). *Квалификационная комиссия.*

**КВАЛИФИЦИ́РОВАННЫЙ**, -ая, -ое; -ан, -анна, -о. [См. *квалификация*]. **1.** Имеющий высокую квалификацию, опытный. *Квалифицированные специалисты. Подготовка квалифицированных кадров.* □ *Назначим тебя заведующей [фермой], поедешь на курсы, поучишься, как надо научно заведовать, и будешь квалифицированной женщиной.* Шолохов. Поднятая целина. **2.** Требующий специальных знаний, специальной подготовки. *Квалифицированный труд.* ◊ **Квалифицированное большинство** — при голосовании: официально установленный перевес голосов (в 2/3, 3/4 и т. п.), при наличии которого государственный орган принимает решение по важным вопросам.

С и н. (*к 1 знач.*): уме́лый, иску́сный.

А н т.: неквалифици́рованный.

**Квалифици́рованно**, *нареч.* (*к 1 знач.*). **Квалифици́рованность**, -и, *ж.* (*к 1 знач.*).

**КВА́РТА**, -ы, *ж.* [Восх. к лат. quarta — четверть]. Мера жидких и сыпучих тел в некоторых странах (обычно немного больше литра). *Кварта пива.* □ *Налил [Петр] вином бокал, без малого — с кварту [и сказал:] — Отказываться по русскому обычаю от царской чаши нельзя, пить всем.* А. Н. Толстой. Петр I.

**КВАРТА́Л** [не *кварта́л*], -а, *м.* [Восх. к лат. quartus — четвертый]. **1.** Четвертая часть отчетного года. *Выполнить план второго квартала. Итоги* *первого квартала.* **2.** Часть города, ограниченная четырьмя пересекающимися улицами. *Озеленение квартала.* ▫ *Дмитрий хорошо знал заречную часть города.. До войны здесь стояли многоэтажные здания, сейчас — наспех сколоченные рабочие бараки, общежития, квартал.. домиков личного владения.* Проскурин. Горькие травы. **3.** *Устар. разг.* Отделение городской полиции в России до 1862 г. *В квартале прописан он отставным коллежским секретарем.* И. Гончаров. Обрыв.

**Квартáльный**, -ая, -ое. *Квартальный отчет. Квартальный участок (города).* ◊ **Квартальный надзиратель** — в дореволюционной России: полицейский, под надзором которого находился квартал. *Никто, кажется,.. не ходил по улицам; правда, прошел квартальный надзиратель, завернувшись в шинель с меховым воротником..; сидельцы сняли почтительно шляпы, но квартальному* (в знач. сущ.) *было не до них.* Герцен. Кто виноват?

**КВАРТÉТ**, -а, м. [Итал. quartetto; восх. к лат. quartus — четвертый]. Музыкальное произведение для четырех инструментов или для четырех голосов, а также ансамбль из четырех исполнителей (певцов или музыкантов). *Вокальный, струнный квартет. Квартет гитаристов.* ▫ *Несколько любителей музыки разыгрывали новый квартет Бетховена, только что вышедший из печати.* В. Одоевский. Русские ночи.

**Квартéтный**, -ая, -ое. *Квартетное исполнение.*

**КВАРТИРМÉЙСТЕР**, -а и (*устар.*) **КВАРТИРМИ́СТР**, -а, м. [Нем. Quartiermeister]. Военнослужащий, ведающий снабжением войск и размещением их по квартирам в населенных пунктах. *[Растаковский:] Суп Иванович и секунд-майор Гвоздев.. были посланы за фуражом. К ним был прикомандирован я и еще квартирмистр.. Трепакин.* Гоголь. Ревизор (сцены, не вошедшие в окончательную редакцию). *Павел Васильевич, полковой квартирмейстер, жил в комнатах, выходящих окнами на улицу.* Фет. Ранние годы моей жизни.

**Квартирмéйстерский**, -ая, -ое.

**КВАРТИРЬÉР**, -а, м. [Нем. Quartierherr]. Военнослужащий, направляемый вперед с целью подыскания квартир для постоя в населенных пунктах, выбора биваков (при передвижении войск). *[Денисов] послал вперед в Шамшево бывшего при его партии мужика Тихона Щербатого захватить, ежели можно, хоть одного из бывших там французских передовых квартирьеров.* Л. Толстой. Война и мир.

**Квартирьéрский**, -ая, -ое.

**КВАШНЯ́**, -и, ж. Деревянная или глиняная посудина для заквашивания теста, а также (*разг.*) забродившее тесто, опара. *Запах.. квашни на кухне, железа и сосновой стружки [был] в комнате Тараса.* Горбатов. Непокоренные. *С вечера она замесила тесто в квашне, а квашня была большая: это липовая кадушка, сделанная из цельного толстого комля.* Ф. Гладков. Повесть о детстве.

**КВИНТÉТ**, -а, м. [Итал. quintetto; восх. к лат. quintus — пятый]. Музыкальное произведение для пяти инструментов или пяти голосов, а также ансамбль из пяти исполнителей (певцов или музыкантов). *Вокальный квинтет. Квинтет Шумана. Играть квинтет. Квинтет виолончелистов.*

**КВИНТЭССÉНЦИЯ**, -и, ж. [От лат. quinta essentia — пятая сущность]. *Книжн.* Основа, самая сущность чего-л. (в античной и средневековой философии: эфир, пятая стихия, основной элемент небесных тел наряду с водой, землей, огнем и воздухом). *Подхалюзин не представляет собой изверга, не есть квинтэссенция всех мерзостей.* Добролюбов. Темное царство.

С и н.: суть, существо, содержание, эссенция (*устар.*).

**КВÓРУМ**, -а, м. [Лат. quorum (praesentia sufficit) — коих (присутствие достаточно)]. *Офиц.* Число членов собрания, заседания, необходимое для принятия правомочных решений. *Иметь кворум для открытия собрания. Необходимость кворума для голосования. Отсутствие кворума.*

**КВÓТА**, -ы, ж. [Восх. к лат. quot — сколько]. *Спец.* Доля, норма чего-л. допускаемого (в системе налогов, производства, сбыта и т.п.). *Импортная квота.*

**Квóтный**, -ая, -ое.

**КЕЛÉЙНЫЙ**, -ая, -ое. **1.** *Прил.* к келья. *Келейные окна.* **2.** *перен.* Совершаемый, происходящий скрыто, в узком кругу. *Келейное обсуждение.* ▫ *Келейные совещания с дельными лицами едва ли ему были желательны.* Ключевский. Курс русской истории.

**Келéйно**, *нареч.* (ко 2 знач.). *И Собакевич, и Манилов, оба продавцы, с которыми дело было улажено келейно, теперь стояли вместе лицом друг к другу.* Гоголь. Мертвые души. **Келéйность**, -и, ж. (ко 2 знач.). *Келейность переговоров.*

**КÉЛЬНЕР**, -а, м. [Нем. Kellner]. В некоторых странах: слуга в ресторане, гостинице. *Кельнер принес счет; приятели расплатились.* Тургенев. Дым.

**Кéльнерша**, -и, ж. (*разг.*). **Кéльнерский**, -ая, -ое.

**КÉЛЬТЫ**, -ов, мн. (ед. кельт, -а, м.). Группа племен, населявших многие районы Западной Европы в I тысячелетии до н. э.

**Кéльтский**, -ая, -ое. *Кельтские племена. Кельтский эпос.*

**КÉЛЬЯ**, -и, ж. [Восх. к лат. cella — комнатка]. **1.** Отдельная комната, жилище монаха или монахини в монастыре. *Монашеская келья.* ▫ *[Павел велел] старика сослать на пожизненное заточение в Спасо-Евфимьевский монастырь;.. Старик сидел в своей келье, одетый весь в белом.* Герцен. Былое и думы. **2.** *перен. Трад.-поэт.* Небольшая комната одинокого человека. *Весной, при кликах лебединых,.. Являться Муза стала мне. Моя студенческая келья Вдруг озарилась.* Пушкин. Евгений Онегин.

**КÉМПИНГ**, -а, м. [Англ. camping]. Специально оборудованный лагерь для автотуристов. *Строительство туристических комплексов и кемпингов.*

**КЕРÁМИКА**, -и, ж. [Восх. к греч. keramike —

гончарное искусство от keramos — глина]. **1.** Общее название изделий из обожжённой глины *(собир.)*, а также масса, из которой изготовляются такие изделия. *Художественные изделия из керамики. Античная керамика. Оформление станций метрополитена керамикой.* **2.** Гончарное искусство. *Заниматься керамикой.*

**Керами́ческий**, -ая, -ое. *Керамический завод. Керамическая плитка, посуда. Керамические покрытия.*

**КЕ́САРЬ**, -я, м. [Греч. Kaisar от лат. Caesar — Цезарь (римское имя; титул римских императоров)]. *Устар.* Владыка, монарх. *Льву, Кесарю лесов, бог сына даровал.* И. Крылов. Воспитание льва. ◇ **Кесарю — кесарево!** *(книжн.)* — пусть тот, кому принадлежит право властвовать, пользуется им.

**КЕТМЕ́НЬ**, -я́, м. [Тюрк.]. Орудие типа мотыги, употребляемое в Средней Азии для рыхления, окучивания посевов, а также для рытья и очистки арыков и каналов.

**КИБЕРНЕ́ТИКА** [нэ́], -и, ж. [Восх. к греч. kybernētikē — искусство управления]. Наука об общих закономерностях процессов управления и передачи информации в машинах, живых организмах и обществе. — *Ты.. читал Винера? Это поразительно. Правда, он несколько преувеличивает значение кибернетики, но это поразительно.* Гранин. Иду на грозу.

**Кибернети́ческий**, -ая, -ое. **Киберне́тик**, -а, м.

**КИБИ́ТКА**, -и, ж. [Тюрк.] **1.** В старину: крытая дорожная повозка. — *Эй, кто там? велите-ка для молодого барина кибитку закладывать.* Салтыков-Щедрин. Господа Головлевы. **2.** Переносное жилище у кочевых народов. *На днях посетил я калмыцкую кибитку.. Все семейство собиралось завтракать. Котел варился посредине, и дым выходил в отверстие, сделанное вверху кибитки.* Пушкин. Путешествие в Арзрум.

**Киби́точный**, -ая, -ое.

**КИ́ВЕР**, -а, кивера́, -о́в, м. [Польск. kiwior]. Военный головной убор без полей с высокой тульей цилиндрической или конусообразной формы (в европейских армиях 18—19 вв.). *Справа и слева столба стояли фронты французских войск в синих мундирах с красными эполетами, в штиблетах и киверах.* Л. Толстой. Война и мир.

**Ки́верный**, -ая, -ое.

**КИЗЯ́К**, -а́, м. [Тюрк.]. Высушенный в форме кирпичей навоз с примесью соломы, употребляемый как топливо в степных и южных районах. *Вдыхая горьковатый дымок кизяка, напоминавший запах свежего хлеба, Кузнецов спустился в балку.* Бондарев. Горячий снег.

**КИЙ**, -я́ и -я, кий, -ёв, м. [Польск. kij]. Длинная прямая палка, сужающаяся к концу, для игры на бильярде. *Она глядит: забытый в зале Кий на бильярде отдыхал.* Пушкин. Евгений Онегин.

**КИЛЬ**, -я, м. [Голл. kiel]. Продольный брус, проходящий по всей длине судна в середине его днища. *Шипуче вкололся киль яхты в податливый берег острова.* Федин. Первые радости.

**Килево́й**, -а́я, -о́е.

**КИЛЬВА́ТЕР** [тэ], -а, м. [Голл. kielwater]. *Спец.* След, который остается на воде от идущего судна по линии киля. ◇ **В кильватер** (или **в кильватере**) (идти, следовать и т.п.) — друг за другом тем же курсом, по одной линии (о судах). *Легкий ветер наполнял паруса, двухмачтовая шнява «Катерина» скользила.. послушно и податливо. В кильватере за ней плыла бригантина «Ульрика»,.. поставил все паруса фрегат «Вахтмейстер».* А. Н. Толстой. Петр I.

**Кильва́терный**, -ая, -ое. ◇ **Кильватерная колонна** — ряд судов, идущих друг за другом в кильватере.

**КИНЕМАТО́ГРАФ**, -а, м. [См. *кинематография*]. **1.** То же, что кинематография. **2.** *Устар.* Кинотеатр. *Пойти в кинематограф.*

**КИНЕМАТОГРА́ФИЯ**, -и, ж. [От греч. kinēma, kinematos — движение и graphein — писать]. **1.** Искусство съемки и воспроизведения на экране движущихся изображений, создающих впечатление живой действительности. *Достижения советской кинематографии. Мастера кинематографии.* □ *Громадное значение в творческом подъеме нашей кинематографии сыграл «Чапаев», созданный братьями Васильевыми и Б. А. Бабочкиным.* Черкасов. Записки советского актера. **2.** Отрасль культуры и народного хозяйства, осуществляющая производство кинофильмов и демонстрацию их зрителю. *Предприятия кинематографии.*

С и н. (к *1 знач.*): кинемато́граф, киноиску́сство, кино́.

**Кинематографи́ческий**, -ая, -ое. **Кинематографи́ст**, -а, м.

**КИНО́..** Первая составная часть сложных слов, обозначающая кино, кинематографический, напр.: *кинока́мера*, *кинозри́тель*, *кинока́дры*, *кинолéнта*, *кинокомéдия*, *киноактёр*, *кинорежиссёр*, *киносценáрий*, *кинохрóника*.

**КИНОВА́РЬ** [не *кинова́рь*], -и, ж. [Греч. kinnabari). Минерал красного цвета (сернистая ртуть), а также красная краска, получаемая из сернистой ртути. *[Лошади] круто свернули и стали у кабака, у старой длинной избы с вывеской, выведенной киноварью.. над дверью: «Къoбакъ».* А. Н. Толстой. Петр I.

**Кинова́рный**, -ая, -ое.

**КИО́Т**, -а, м. [Греч. kibōtos — ящик]. Створчатая рама или шкафчик со стеклянной дверцей для икон. *В киоте стояло уже немного образов,.. а остальные, бабушкины, были вынуты и увезены Иудушкой.* Салтыков-Щедрин. Господа Головлевы.

С и н.: божни́ца.

**Кио́тный**, -ая, -ое.

**КИ́ПЕНЬ**, -и, ж. Белая пена на поверхности жидкости (при кипении или бурном волнении). *Видно было, как белел возле моря кипень редкостного по силе прибоя.* Сергеев-Ценский. Синопский бой.

**Ки́пенный**, -ая, -ое (белый, как кипень, очень белый). *Зубы у нее белые-пребелые, прямо кипенные.* Шолохов. Слово о Родине.

**КИРАСИ́Р**, -а, кираси́ры, -и́р (при обозначении рода войск) и -ов (при обозначении отдельных лиц), м. [Восх. к франц. cuirassier]. В старой русской и некоторых западноевропейских армиях: военнослужащий частей тяжелой кавалерии, носивший металлические латы (кирасу). *Семь кирасиров.* ☐ *Отсвечивающие панцирями эскадроны его кирасир начали сдерживать коней.. и остановились в нерешимости.* А. Н. Толстой. Петр I.

**Кира́сирский**, -ая, -ое.

**КИ́РЗА**, -ы и **КИРЗА́**, -ы́, ж. [Англ. kersey]. Заменитель кожи — плотная многослойная ткань, пропитанная для предохранения от влаги особым составом.

**Ки́рзовый**, -ая, -ое и **кирзо́вый**, -ая, -ое. *На скрещеньях боевых дорог Спали мы, не скатывая скаток, Не снимая кирзовых сапог.* В. Боков. Шла война...

**КИРИ́ЛЛИЦА**, -ы, ж. [По имени славянского просветителя 9 в. Кирилла, составившего славянскую азбуку]. Одна из двух азбук старославянского языка, легшая в основу русского и некоторых других славянских алфавитов.

**Кирилли́ческий**, -ая, -ое.

**КИ́РКА**, -и и **КИ́РХА**, -и, ж. [Нем. Kirche]. Лютеранская церковь. *Вспомнил [Петр] — летом в раскрытые окна доносилось дребезжание колокола на немецкой кирке.* А. Н. Толстой. Петр I. *Несколько шиферных крыш виднелось в глубине острова. Над ними подымался узкий треугольник кирхи с черным прямым крестом.* Катаев. Флаг.

**КИРКА́**, -и́, ки́рки и кирки́, ки́рок, ж. [Турецк. kürәk — лопата]. Ручной инструмент для горных и земляных работ — насаженный на рукоятку металлический удлиненный брусок, заостренный с одного или с обоих концов. *[Рабочие] долбили ломами и кирками мерзлую, твердую, как скала, землю.* Ажаев. Далеко от Москвы.

**КИ́РХА** см. ки́рка.

**КИСЕ́Т**, -а, м. [Тюрк.]. Мешочек для табака, затягивающийся шнурком. *Он достал из кармана защитных.. [штанов] малиновый шелковый потертый кисет, развернул его, и я успел прочитать вышитую на уголке надпись: «Дорогому бойцу от ученицы 6-го класса Лебедянской средней школы».* Шолохов. Судьба человека.

**Кисе́тный**, -ая, -ое.

**КИСЕЯ́**, -и́, ж. [Тюрк.]. Прозрачная тонкая хлопчатобумажная ткань.

С и н.: газ, ды́мка (*устар.*).

**Кисе́йный**, -ая, -ое. *Кисейный шарф. Кисейные занавески.* ☐ *Небольшая, низенькая комнатка.. была очень чиста и уютна.. В одном углу возвышалась кроватка под кисейным пологом.* Тургенев. Отцы и дети. ◇ **Кисейная барышня** (*разг.*) — жеманная девушка с мещанским кругозором, не приспособленная к жизни.

**КИСТЕ́НЬ**, -я́, м. [Тюрк.]. Старинное оружие в виде короткой палки с подвешенным на коротком ремне или цепи металлическим шаром или гирей и петлей для надевания на руку. — *Вдруг с пустыря налетают верховые и.. начинают нас бить обухами, чеканами, кистенями. Злее всех бил один.. в боярской шапке.* А. Н. Толстой. Петр I.

**КИФА́РА**, -ы, ж. [Греч. kithara]. Струнный щипковый музыкальный инструмент древних греков, родственный лире.

**КИ́ЧКА**, -и, ж. Старинный русский головной убор замужней женщины (обычно праздничный). *В деревне их народ одевался особенно щеголевато: кички у женщин были все в золоте.* Гоголь. Мертвые души.

**КИЧЛИ́ВЫЙ**, -ая, -ое; -и́в, -а, -о. Высокомерный и заносчивый. — *Он кичлив, надмен, до нетерпимости упорен в своих мнениях.* Тихонов. Шесть колонн.

С и н.: надме́нный, го́рдый, напы́щенный, наду́тый, спеси́вый, чва́нный (*разг.*), чванли́вый (*разг.*).

**Кичли́во**, нареч. *Кичливо похваляться перед кем-л.* **Кичли́вость**, -и, ж. *Кичливость нрава.*

**КИШЛА́К**, -а́, м. [Тюрк.]. Селение в Узбекистане и Таджикистане. *Жить в кишлаке. Школьники из кишлака.*

**Кишла́чный**, -ая, -ое. *Кишлачная школа.*

**КЛАВЕСИ́Н**, -а, м. [Франц. clavesin]. Старинный клавишно-струнный музыкальный инструмент, предшественник фортепьяно.

**Клавеси́нный**, -ая, -ое.

**КЛАВИАТУ́РА**, -ы, ж. [Восх. к ср.-лат. clavis — ключ]. Совокупность клавишей в музыкальных клавишных инструментах, а также в механизмах с клавишами, расположенными в определенном порядке. *Клавиатура фортепьяно, орга́на, аккордеона. Освоить клавиатуру счетной машины. Клавиатура пишущей машинки.*

**Клавиату́рный**, -ая, -ое. *[Моцарт], кроме клавиатурных инструментов, хорошо играл на скрипке и с детского возраста.* А. Серов. Моцарт.

**КЛАВИКО́РДЫ**, -ов, мн. [От ср.-лат. clavis — ключ, клавиш и греч. chordē — струна]. Старинный клавишно-струнный ударный музыкальный инструмент, в начале 19 в. вытесненный фортепьяно. *Это был не бал..; но все знали, что Катерина Петровна будет играть на клавикордах вальсы и экосезы и что будут танцевать, и все, рассчитывая на это, съехались по-бальному.* Л. Толстой. Война и мир.

**КЛА́ВИШ**, -а, м. и **КЛА́ВИША**, -и, ж. [Восх. к ср.-лат. clavis — ключ, клавиш]. Пластинка, удар по которой приводит в движение рычаги механизма (рояля, пишущей машинки и пр.). *Тронуть клавиши рояля. Пробежать пальцами по клавишам аккордеона. Нажать клавишу приемника.* ☐ *[Она] открыла ноты, несильно ударила по клавишам левой рукой. Сочно и густо запели струны.* М. Горький. Мать. *Быстро стучали клавиши передатчика, вскоре полезла телеграфная лента приема.* Березко. Мирный город.

**Кла́вишный**, -ая, -ое. *Клавишные инструменты. Клавишный механизм.*

**КЛА́ДЕЗЬ**, -я, м. **1.** *Трад.-поэт.* Колодец. *Уж пальма истлела, а кладезь холодный Иссяк и засохнул в пустыне безводной.* Пушкин. Подражания Корану. **2.** *перен. Высок.* Источник, сокровищница чего-л. *Современность всегда была душою литературы, ее сущностью, неисчерпаемым кладезем ее богатств.* Соболев. Литература и наша современность. ◇ **Кладезь премудрости** — о ком-л. обладающем большими знаниями, мудростью или о чем-л. содержащем обширные и ценные сведения.

**КЛАРНЕ́Т**, -а, м. [Франц. clarinette]. Музыкальный духовой деревянный инструмент в виде трубки с клапанами и небольшим расширением на конце. *Играть на кларнете.* ▫ *В зале разливались песенники, звенели кларнет, скрипка и гремел турецкий барабан.* Достоевский. Преступление и наказание.

**Кларне́тный**, -ая, -ое.

**КЛАСС**¹, -а, м. [Восх. к лат. classis — разряд, группа]. В марксистской концепции: большая общественная группа людей с определенным положением в исторически сложившейся системе общественного производства, с определенной, обычно законодательно закрепленной, ролью в общественной организации труда, объединенная одинаковым отношением к средствам производства, по распределению общественного богатства и общностью интересов. *Рабочий класс. Класс рабов. Класс рабовладельцев.*

**Кла́ссовый**, -ая, -ое. *Классовое общество. Классовые противоречия.*

**КЛАСС**², -а, м. [См. класс¹]. **1.** Группа учеников одного и того же года обучения или (напр., в некоторых специальных учебных заведениях) специализирующаяся по одному и тому же предмету. *Ученики пятого класса. Закончить десятый класс. Класс живописи. Класс скрипки.* **2.** Комната для занятий в школе. *Светлый, просторный класс. Заниматься в классе.* **3.** Разряд, подразделение. *Классы морских судов.* ▫ *Если Брем успеет описать все классы животного царства так, как он теперь описывает млекопитающих, то его книга останется на вечные времена.* Писарев. Реалисты. **4.** Степень, уровень чего-л., в зависимости от которых определяется место предмета в ряду себе подобных, а также степень подготовленности, квалификации кого-л. *Каюта второго класса. Шофер первого класса. Пилотаж высшего класса. Игра высокого класса. Показать класс в работе.* **5.** В дореволюционной России: одно из четырнадцати подразделений в табели о рангах, соответствующее определенному чину. *Чиновник шестого класса.* ▫ *Что такое станционный смотритель? Сущий мученик четырнадцатого класса.* Пушкин. Станционный смотритель.

С и н. (к 3 знач.): катего́рия, гру́ппа, тип, род, сорт *(разг.).*

**Кла́ссный**, -ая, -ое (к 1, 2 и 4 знач.). *Классный руководитель. Классная комната. Классный специалист.*

**КЛА́ССИК**, -а, м. [Восх. к лат. classicus — образцовый]. **1.** Выдающийся, общепризнанный деятель науки, искусства, литературы, являющийся образцом в данной области. *Классики марксизма-ленинизма. Русские литературные классики. Наследие классиков. Учиться у классиков.* **2.** *Устар.* Сторонник строгих правил в чем-л. *В дуэлях классик и педант, Любил методу он из чувства, И человека растянуть Он позволял — не как-нибудь, Но в строгих правилах искусства, По всем преданьям старины.* Пушкин. Евгений Онегин. **3.** Специалист по классической филологии (по древнегреческому и латинскому языкам и литературе), а также человек, закончивший классическую гимназию. *За самоваром сидел мальчик-подросток.. — Классик! Изнывает над греками и латынью!* Боборыкин. На ущербе.

**Класси́ческий**, -ая, -ое. *Русская классическая литература. Традиции классического реализма. Классическая живопись. Классические языки.* ◊ **Классическая гимназия** — в дореволюционной России: среднее учебное заведение, в котором было обязательным изучение древнегреческого и латинского языков и античной литературы. **Классическое образование** — образование, основанное на изучении древнегреческого и латинского языков и античной литературы.

**КЛА́ССИКА**, -и, ж., собир. [См. классик]. Образцовые, выдающиеся, общепризнанные произведения литературы и искусства, созданные классиками. *Читать классику. Русская оперная классика.* ▫ *По его [Горького] мысли.. выпущены тематические серии мировой и русской классики.* Соболев. Литература и наша современность.

**КЛАССИФИКА́ЦИЯ**, -и, ж. [От лат. classis — разряд и facere — делать]. Распределение каких-л. предметов, явлений, понятий по классам, разделам на основе их общих признаков. *Классификация животных и растений.* ▫ *Психиатрия с ее теперешней классификацией болезней, методами распознавания и лечения — это в сравнении с тем, что было, целый Эльбрус.* Чехов. Палата № 6.

С и н.: систематиза́ция, система́тика.

**Классификацио́нный**, -ая, -ое. *Классификационная схема. Классификационные признаки.*

**КЛАССИЦИ́ЗМ**, -а, м. [См. классик]. Направление в литературе и искусстве 17 — начала 19 в., основанное на подражании античным образцам как наиболее совершенным. *Правила классицизма. Наследие классицизма.* ▫ *Я классицизму отдал честь: Хоть поздно, а вступленье есть.* Пушкин. Евгений Онегин.

**Классици́ст**, -а, м.

**КЛЕЙМО́**, -а́, клейма, клейм, ср. **1.** Печать, знак на изделии, товаре, указывающие сорт изделия, название предприятия, где производится товар, а также выжженный на коже животного знак. *Вдруг нам бросилось в глаза, на куске холста, русское клеймо: «Фабрика А. Перлова».* И. Гончаров. Фрегат «Паллада». *Лектор, товарищ Реутов, всегда приезжал в Сосновку на сером мерине с клеймом на боку, состоящим из букв «о» и «п», что означало марку общества по распространению политических и научных знаний.* Липатов. И это все о нем. **2.** В некоторых эксплуататорских государствах: знак, обычно в форме букв, выжигавшийся на теле осужденного как дополнительная мера наказания (в России отменена в 1863 г.). *[Губернатор:] Там [в Сибири] люди редки без клейма, И те душой черствы.* Н. Некрасов. Русские женщины. **3.** *перен. Книжн.* Знак, свидетельство, отпечаток чего-л. (чаще о чем-л. позорящем, унижающем). *Смыть позорное клеймо.*

*Клеймо на чьем-л. имени.* ☐ *[Ефимов] очень изменился, пожелтел, отек в лице; видно было, что беспутная жизнь положила на него свое клеймо неизгладимым образом.* Достоевский. Неточка Незванова.

С и н. (к 1 знач.): тавро́, ме́та.

**КЛЕРК**, -а, м. [Франц. clerc; восх. к греч. klericos — духовное лицо]. В некоторых странах Западной Европы и Америки: конторский служащий, писец (первонач. духовное лицо в средневековой Франции и Англии). *[Бьюмонт] с отцом жил в Нью-Йорке и служил клерком в одной купеческой конторе.* Чернышевский. Что делать?

**КЛЕТЬ**, -и, кле́ти, -е́й, ж. **1.** *Обл.* Кладовая (при избе или в отдельной постройке). *На дворе, под навесом, [находилась клеть].. В этой клети сохранялись обыкновенно до первого снегу полушубки и вообще вся зимняя одежда.* Григорович. Рыбаки. **2.** Устройство для подъема и спуска в шахту. *Раздался резкий звон сигнала, и, подпрыгнув немного вверх, клеть стремительно понеслась в темноту ствола.* Солоухин. Зяблики.

С и н. (к 1 знач.): чула́н, кладо́вка (*разг.*).

**КЛИЕ́НТ**, -а, м. [Лат. cliens, clientis]. **1.** Лицо, дело которого ведет адвокат. **2.** Тот, кого обслуживают: посетитель, покупатель, заказчик. *Постоянные клиенты парикмахерской.* ☐ *Словом, номер [гостиницы] был как номер. Как раз по командировочным возможностям клиента.* Чаковский. Победа.

**Клие́нтка**, -и, ж.

**КЛИК**, -а, м. **1.** *Высок.* Возглас, крик, зов. *Победный клик.* ☐ *Промчался клик: война! война! И пробудились племена.* Лермонтов. Измаил-Бей. **2.** Крик некоторых диких птиц. *Клики журавлей.* ☐ *В те дни, в таинственных долинах, Весной, при кликах лебединых,.. Являться муза стала мне.* Пушкин. Евгений Онегин.

**КЛИ́КА**, -и, ж. [Франц. clique]. *Презр.* Группа, сообщество людей, стремящихся к достижению низменных, корыстных целей. *Фашистская клика. Придворная клика. Клика финансовых дельцов.* ☐ *Охотнорядцы — самая наглая, вызывающая клика черносотенцев, неизменно поставлявшая кадры при избиении студенчества.* Серафимович. Десять лет назад.

**КЛИ́НИКА**, -и, ж. [Восх. к греч. klinikē — врачевание от klinē — постель]. Лечебное учреждение, в котором одновременно с лечением больных проводится студенческая практика и научные исследования. *Глазная клиника. Клиника нервных болезней.* ☐ *— Значит, все вздор и суета, и разницы между лучшею венскою клиникой и моей больницей, в сущности, нет никакой.* Чехов. Палата № 6.

**Клини́ческий**, -ая, -ое. *Клинические исследования.* ◊ **Клиническая смерть** — короткий период после прекращения дыхания и сердечной деятельности, во время которого еще сохраняется жизнедеятельность тканей.

**КЛИНО́К**, -нка́, м. [Голл. kling]. Режущая часть холодного оружия. *Сабельный клинок. Клинок шашки.* ☐ *Отделкой золотой блистает мой кинжал, Клинок надёжный, без порока.* Лермонтов. Поэт.

**Клинко́вый**, -ая, -ое.

**КЛИ́РОС**, -а, м. [Греч. kleros — жребий, удел]. Возвышение в христианской церкви, на котором находятся певчие во время богослужения. *На обоих клиросах тихо пели мальчики: «Христос воскресе из мертвых».* М. Горький. Мать.

**Кли́росный**, -ая, -ое.

**КЛИЧ**, -а, м. *Высок.* Громкий зов, призыв к чему-л. *Победный клич.* ☐ *«К оружию!» — вот клич, который раздался по городам и селам Украины.* Вс. Иванов. Пархоменко. ◊ **Кли́кнуть клич** — обратиться с призывом (к народу, обществу).

**КЛОА́КА**, -и, ж. [Лат. cloaca]. **1.** Подземный канал для стока нечистот; помойная яма. *Всякому, вероятно, случалось, проходя мимо клоаки, не только зажимать нос, но и стараться не дышать.* Салтыков-Щедрин. Господа Головлевы. **2.** *перен. Книжн. презр.* Что-л. крайне отвратительное (грязное место, морально низкая среда и т. п.). *Весь этот вечер до десяти часов он провел по разным трактирам и клоакам, переходя из одного в другой.. Свидригайлов поил и Катю, и шарманщика, и песенников, и лакеев.* Достоевский. Преступление и наказание.

**КЛОБУ́К**, -а́, м. [Тюрк.]. Головной убор православных монахов в виде высокой цилиндрической шапки с покрывалом. *Монашеский клобук.* ☐ *Преосвященный Парфений принял меня в саду. Он сидел под большой тенистой липой, сняв клобук и распустив свои седые волосы.* Герцен. Былое и думы.

**КЛОУНА́ДА**, -ы, ж. [От англ. clown — клоун]. Цирковой жанр — шуточные или сатирические сценки, разыгрываемые клоунами.

**Клоуна́дный**, -ая, -ое.

**КЛЮЧ**[1], -а́, м. **1.** Металлический стержень, которым закрывают и открывают замок, а также приспособление для укрепления или отвинчивания чего-л., для приведения в действие механизмов различного рода. *Ключ от квартиры. Гаечный ключ. Ключ к детской игрушке. Завести часы ключом.* **2.** *перен., к чему.* Средство для разгадки чего-л., для овладения чем-л. *Узнать ключ к шифру.* ☐ *Этот человек знал простой смысл всех мудрых слов, у него были ключи ко всем тайнам.* М. Горький. В людях. **3.** В музыке: знак в начале нотной строки, определяющий значение нот. *Скрипичный, басовый ключ.*

**КЛЮЧ**[2], -а́, м. Бьющий из земли источник. *По камням прыгали, шумели Ключи студеною волной.* Лермонтов. Демон. ◊ **Бить** (или **кипе́ть**) **ключо́м** — 1) бурлить, клокотать, волноваться (о жидкости); 2) (*перен.*) бурно, активно проявляться. *Жизнь бьет ключом.*

С и н.: родни́к.

**Ключево́й**, -а́я, -о́е. *Ключевая вода.*

**КЛЮ́ЧНИК**, -а, м. В старину: слуга (обычно в помещичьем доме), в ведении которого находились продовольственные запасы и ключи от мест их хранения. *Обязанность ключника нес он с любовью. Весною по целым дням быва-*

ло возится в прохладном амбаре. Эртель. Записки степняка.

**Клю́чница**, -ы, ж.

**КНИ́КСЕН** [сэ], -а, м. [От нем. knicksen — приседать]. Почтительный поклон с приседанием перед старшим как знак приветствия, благодарности со стороны женщины (принятый в буржуазно-дворянской среде). *При каждой встрече они [девочки] делали книксен, придерживая кисейные юбочки.* Паустовский. Далекие годы.

С и н.: реверанс, приседа́ние (устар.).

**КНЯЗЬ**, -я, князья, -зей, м. **1.** Предводитель войска и правитель области в феодальной Руси. *Киевские князья.* ▢ *С дружиной своей, в цареградской броне, Князь по полю едет на верном коне.* Пушкин. Песнь о вещем Олеге. **2.** Наследственный титул потомков таких лиц или лиц, получивших его в награду по указу царя. *В 30-ти верстах от него находилось богатое поместие князя Верейского.* Пушкин. Дубровский. ◇ **Великий князь** — 1) старший из удельных князей в Древней Руси; 2) титул сына, брата или внука русских царей, а также лицо, носившее этот титул.

**Княги́ня**, -и (жена князя) и **княжна́**, -ы́ (незамужняя дочь князя), ж. **Кня́жеский**, -ая, -ое и (устар.) **кня́жий**, -ья, -ье. *Княжеская дружина. Княжеский титул. Княжий двор.*

**КОАЛИ́ЦИЯ**, -и, ж. [Ср.-лат. coalitio]. Книжн. Объединение, соглашение, союз (государств, партий и т. п.) для достижения общих целей. *Антигитлеровская коалиция СССР, Великобритании и США.* ▢ *— Другой союзник сей коалиции — датский король Христиан.. Датский флот нам будет обороною с моря.* А. Н. Толстой. Петр I.

С и н.: блок, ассоциа́ция, федера́ция, о́бщество, алья́нс (книжн.).

**Коалицио́нный**, -ая, -ое.

**КОБЗА́**, -ы́ и **КО́БЗА**, -ы, ж. [Тюрк.]. Старинный украинский щипковый музыкальный инструмент. *Звуки кобзы.* ▢ *Струны кобзы согласно запели странную мелодию, потом все звуки слились в одну низкую, тоскливую ноту.* М. Горький. На Чангуле.

**КОБЗА́РЬ**, -я́, м. Украинский народный певец, сопровождающий свое пение игрой на кобзе. *Песня кобзаря.*

**КО́БЫЗ**, -а и **КО́БЫЗ**, -а, м. [Тюрк.]. Казахский струнный смычковый музыкальный инструмент.

**КОВА́РНЫЙ**, -ая, -ое; -рен, -рна, -о. Отличающийся злонамеренностью, прикрытой показной доброжелательностью; хитрый, вероломный. *Коварный враг. Коварные замыслы.* ▢ *[Софья (вся в слезах):] Не продолжайте, я виню себя кругом. Но кто бы думать мог, чтоб был он так коварен!* Грибоедов. Горе от ума.

С и н.: преда́тельский.

**Кова́рно**, нареч. **Кова́рность**, -и, ж.

**КОВА́ТЬ**, кую́, куёшь; кую́щий, кова́вший; ко́ванный; -ан, -а, -о; куя́; несов. **1.** *что.* Ударами молота или нажимами пресса обрабатывать раскаленный металл, придавая ему нужную форму. *[Старик:] Примись за промысел лю-* бой: *Железо куй — иль песни пой.* Пушкин. Цыганы. **2.** *кого, что.* Устар. Надевать на кого-л. кандалы, цепи и т. п., скрепляя их ковкой; заковывать. *Меня.. сажают в острог, одевают в арестантский халат, а ноги куют в железные цепи.* Скиталец. Сквозь строй. **3.** *кого.* Набивать подковы. *[В кузнице] с утра до вечера горел огонь,.. ковали лошадей, стучали молотками.* М. Горький. Трое. **4.** перен., *что.* Высок. Упорным трудом, напряженными усилиями создавать что-л., добиваться чего-л. *Ковать победу.* ▢ *— Идя от победы к победе.., сбросили в море врага.. Пришло время самим ковать свою судьбу.* Фадеев. Последний из удэге.

**Ко́вка**, -и, ж. (к 1 и 3 знач.).

**КОВБО́Й**, -я, м. [Англ. cowboy]. Конный пастух, пасущий стада в степях западных штатов США.

**Ковбо́йский**, -ая, -ое. *Ковбойская шляпа.*

**КОВБО́ЙКА**, -и, ж. Клетчатая мужская рубашка особого покроя с отложным воротником. *— Глаза, руки, брови, все тело его выражало удивление, даже видневшая клетчатая ковбойка удивленно уставилась беленькими пуговичками.* Гранин. Иду на грозу.

**КОВЧЕ́Г**, -а, м. **1.** По библейскому преданию: судно, на котором Ной с семьей и животными спасся во время всемирного потопа. *Жадно глядел я на библейскую гору, видел ковчег, причаливавший к ее вершине с надеждой обновления и жизни.* Пушкин. Путешествие в Арзрум. **2.** В православной церкви: ларец для хранения предметов, признаваемых священными; дарохранительница.

**КОГО́РТА**, -ы, ж. [Восх. к лат. cohors, cohortis]. **1.** Отряд войска в Древнем Риме, составляющий десятую часть легиона. **2.** перен., чего или какая. Высок. Сплоченная общими высокими идеями, целями группа людей. *Когорта революционеров. Когорта борцов за свободу.*

С и н. (ко 2 знач.): отря́д, фала́нга (книжн.), плея́да (высок.), созве́здие (высок.).

**КОД**, -а, м. [Франц. code]. Система условных знаков или сигналов для сообщений по телеграфу, радио, для секретной переписки (в вычислительной технике: система символов, используемых для ввода и обработки программы в электронно-вычислительной машине). *Телеграфный код.* ▢ *[В радиограмме] сообщалось по коду, что эсминец «Мощный» сорван с якорей льдом.* Соболев. Топовый узел.

С и н.: шифр.

**Ко́довый**, -ая, -ое. *Затем в штаб 6-й полевой армии последовал приказ об операции под кодовым названием «Зимняя гроза».* Бондарев. Горячий снег.

**КО́ДЕКС** [дэ], -а, м. [Восх. к лат. codex — книга]. **1.** Свод законов, относящихся к какой-л. области человеческой жизни и деятельности. *Кодекс законов о труде. Гражданский кодекс. Уголовный кодекс.* **2.** перен., чего или какой. Книжн. Совокупность правил поведения, норм, убеждений. *Чехов был.. тонким знатоком нравственного кодекса, самым неустанным его исполнителем.* Залыгин. Литературные заботы.

**КОДИ́РОВАТЬ**, -рую, -руешь; коди́рующий, коди́ровавший; коди́руемый, коди́рованный; -ан, -а, -о; коди́руя, *сов. и несов., что.* [См. *код*]. Зашифровать (зашифровывать) при помощи кода, преобразовать (преобразовывать) в код какую-л. информацию для передачи, хранения и т. п. *Кодировать секретное сообщение.* ▢ *Все приказания передавались.. по заранее кодированной карте.* Симонов. Второй вариант.
**Коди́рование**, -я, *ср.* и **коди́ровка**, -и, *ж.*

**КОЖУ́Х** [не *ко́жух*], -а́, *м.* Тулуп из овчины. *С седой бородой.., в подпоясанном низко кожухе, с высокой ореховой палкой ходил он по селу.* А. Н. Толстой. Хождение по мукам.

**КО́ЗЛЫ**, ко́зел, *мн.* **1.** Сиденье для кучера в передке повозки, экипажа. *[Викентьев] перелез из коляски на козлы и, отняв у кучера вожжи, погнал, что есть мочи, лошадей.* И. Гончаров. Обрыв. **2.** Подставка в виде бруса на ножках, сбитых крестовиной. *Пилить дрова на козлах.* ▢ *Посредине столовой стояли деревянные козлы, и два мужика, стоя на них, белили стены.* Гоголь. Мертвые души. ◇ **В ко́злы** (поста́вить), **в ко́злах** (стоя́ть) — о ружьях, стоящих крест-накрест, штыками вверх. *Проехав еще дальше, Кутузов увидел пехотные полки, ружья в козлах, солдат за кашей.., в подштанниках. Позвали офицера. Офицер доложил, что никакого приказания о выступлении не было.* Л. Толстой. Война и мир.
С и н. (к 1 знач.): облучо́к.

**КОКА́РДА**, -ы, *ж.* [Франц. cocarde]. Металлический значок установленного образца на форменной фуражке. *Евгений Степанович пробирается.. к сходням, где конвоиры скрестили штыки. Однако конвой его пропускает — у него фуражка с капитанской кокардой.* Крымов. Танкер «Дербент».

**КОКЕ́ТСТВО**, -а, *ср.* [От франц. coquette — кокетка]. Поведение, поступки, вызванные желанием понравиться, обратить на себя внимание. *Между тем он успел заметить ножку, с намерением выставленную и обутую со всевозможным кокетством.* Пушкин. Барышня-крестьянка.

**КОКО́ШНИК**, -а, *м.* Старинный русский женский головной убор с высоким расшитым полукруглым щитком. *Очнулась я, молодчики, В богатой, светлой горнице,.. Против меня — кормилица, Нарядная, в кокошнике, С ребеночком сидит.* Н. Некрасов. Кому на Руси жить хорошо.

**КОКТЕ́ЙЛЬ** [тэ], -я, *м.* [Англ. cocktail]. **1.** Напиток, приготовленный из смеси разных спиртных напитков (коньяка, рома, вин) с добавлением сахара, пряностей, пищевого льда. *Они смастерили отличный коктейль, пили через соломинку.* Гранин. Иду на грозу. **2.** Безалкогольный напиток, представляющий собой различные смеси фруктовых соков, молока или сливок с добавлением мороженого, ягод и т. п. *Молочный коктейль.*

**КОЛЕНКО́Р**, -а, *м.* [Франц. calencar от перс. kalamkar]. Хлопчатобумажная, сильно проклеенная ткань одноцветной окраски (употр. преимущ. для книжных переплетов и подкладки для одежды). *На подкладку выбрали коленкору, но такого добротного и плотного, который, по словам Петровича, был еще лучше шелку и даже на вид казистей и глянцевитей.* Гоголь. Шинель. *Ей [Насте] дали переплетенную в коленкор толстую тетрадь с описанием технологии всех операций и велели изучить.* Прилежаева. Пушкинский вальс. ◇ **Друго́й** (или **ино́й, не тот**) **коленкор** (*разг.*) — иное дело, иной разговор.
**Коленко́ровый**, -ая, -ое.

**КОЛЕНОПРЕКЛОНЁННЫЙ**, -ая, -ое. *Устар. высок.* Стоящий на коленях. *Картина.. изображала коленопреклоненного монаха.* Чехов. Перекати-поле.

**КО́ЛЕР**, -а, колера́, -о́в и ко́леры, -ов, *м.* [Восх. к лат. color]. *Спец.* Цвет, окраска (оттенок, густота, красочный состав). *Облака стояли словно застывшие,.. незаметно было ни малейшей перемены ни в колере, ни в очертаниях их.* Салтыков-Щедрин. Господа Головлевы.
С и н.: кра́ска, тон.
**Ко́лерный**, -ая, -ое.

**КОЛЕСНИ́ЦА**, -ы, *ж.* В старину: богато украшенный колесный экипаж, обычно для торжественных выездов (первонач. двухколесная повозка у древних греков и римлян, употреблявшаяся при боевых действиях, для спортивных состязаний). *Боевая колесница.* ▢ *Все бегут за колесницей, За Дадоном и царицей.* Пушкин. Сказка о золотом петушке.
**Колесни́чный**, -ая, -ое.

**КОЛЕЯ́**, -и́, *ж.* **1.** Канавка, углубление от колес, полозьев на дороге. *В колеях пустынной хуторской дороги блестела талая вода.* Закруткин. Матерь человеческая. **2.** Железнодорожный путь, образуемый двумя параллельно лежащими рельсами. *Колеи железных дорог уходили на юг и на запад. Ни одного состава не было на этих путях.* Саянов. Небо и земля. **3.** *перен.* Привычное, естественное течение жизни, обычный ход дел. *Войти в колею. Выбиться из колеи.* ▢ *[Павел Петрович] вернулся в Россию, попытался зажить старою жизнью, но уже не мог попасть в прежнюю колею.* Тургенев. Отцы и дети.
С и н. (к 3 знач.): стезя́ (*высок.*).

**КОЛЛЕ́ГА**, -и, *м.* и *ж.* [Лат. collega]. Товарищ по работе, по совместной учебе (в высшей школе), по профессии. *Коллеги по институту.* ▢ *— А я к вам по делу, коллега. Пришел приглашать вас: не хотите ли со мной на консилиум, а?* Чехов. Палата № 6.

**КОЛЛЕ́ГИЯ**, -и, *ж.* [Лат. collegium]. **1.** Группа лиц, образующих руководящий, совещательный или распорядительный орган. *Коллегия министерства просвещения. Судейская коллегия. Редакционная коллегия.* **2.** Объединение лиц одной профессии. *Коллегия адвокатов.* **3.** Название высших правительственных учреждений в России в 18 в. (учреждено Петром I и упразднено в начале 19 в. в связи с введением министерств). *Военная коллегия.* ▢ *Ибрагим видал Петра в Сенате,.. разбирающего важные запросы законодательства, в адмиралтейской коллегии, утверждающего морское величие России.* Пушкин. Арап Петра Великого. **4.** *Устар.* В Западной

Европе и в дореволюционной России: название некоторых закрытых средних и высших учебных заведений. *[Городничий:] Они люди, конечно, ученые и воспитывались в разных коллегиях.* Гоголь. Ревизор.

**Коллегиа́льный**, -ая, -ое; -лен, -льна, -о (*к 1 знач.*) и **коллежский**, -ая, -ое (*к 3 знач.*). *Коллегиальное руководство.* **Коллегиа́льно**, *нареч.* (не единолично). *Решить вопрос коллегиально.* **Коллегиа́льность**, -и, *ж. Принцип коллегиальности.*

**КОЛЛЕ́ДЖ**, -а и **КО́ЛЛЕДЖ**, -а, *м.* [Англ. college]. В Великобритании, США и некоторых других странах: высшее или среднее учебное заведение. — *Между прочим, я тоже недолго учился в колледже. А потом бросил. Увлекся.. фотографией.* Чаковский. Победа.

**КОЛЛЕ́Ж**, -а, *м.* [Франц. collège]. Во Франции и некоторых других странах: среднее учебное заведение.

**КОЛЛЕ́ЖСКИЙ**, -ая, -ое. 1. *Прил.* к коллегия (*в 3 знач.*). 2. Составная часть названий некоторых гражданских чинов в дореволюционной России. *Коллежский регистратор.* □ *Когда коллежский секретарь Иванов уверяет коллежского советника Ивана Ивановича, что предан ему душою и телом, Иван Иванович знает по себе, что преданности.. нельзя ждать ни от кого.* Чернышевский. Что делать?

**КОЛЛЕКТИ́В**, -а, *м.* [Восх. к лат. collectivus — собирательный, сборный]. Группа лиц, объединенных общественно значимыми целями, интересами, общей деятельностью. *Школьный коллектив. Выполнение плана коллективом завода.*

**Коллекти́вный**, -ая, -ое. *Коллективный труд.* **Коллекти́вно**, *нареч.* **Коллекти́вность**, -и, *ж.*

**КОЛЛЕКТИВИЗА́ЦИЯ**, -и, *ж.* [См. *коллектив*]. Объединение мелких единоличных крестьянских хозяйств в крупные коллективные социалистические хозяйства. — *Завхоз твой до коллективизации без пяти минут кулак был, стало быть, знающий хозяин, как же он мог посоветовать тебе такую чепуху?* Шолохов. Поднятая целина.

**КОЛЛЕКТИВИ́ЗМ**, -а, *м.* [См. *коллектив*]. Общность, коллективное начало как принцип общественной жизни и деятельности людей. *Воспитание молодежи в духе коллективизма.* □ *Уже там [в детском саду], в совместных играх, в ребячьих хороводах и за общим столом в ее душу были брошены первые зерна коллективизма.* Б. Полевой. Золото.

Ант.: индивидуали́зм.

**Коллективи́стский**, -ая, -ое. **Коллективи́ст**, -а, *м.*

**КОЛЛЕ́КЦИЯ**, -и, *ж.* [Восх. к лат. collectio]. Систематизированное собрание однородных предметов, представляющих исторический, научный, художественный и т. п. интерес. *Коллекция картин. Собирать коллекцию почтовых марок.* □ *Петя бережно нес.. свои драгоценности:.. коллекции бабочек, жуков, ракушек и крабов.* Катаев. Белеет парус одинокий.

**Коллекцио́нный**, -ая, -ое.

**КОЛЛИ́ЗИЯ**, -и, *ж.* [Лат. collisio］ *Книжн.* Столкновение противоположных взглядов, стремлений, интересов, а также изображение таких столкновений в художественном произведении. *Исторические, психологические коллизии.* □ *Драматические коллизии и катастрофы в пьесах Островского все происходят вследствие столкновения двух партий — старших и младших, богатых и бедных, своевольных и безответных.* Добролюбов. Темное царство.

С и н.: конфли́кт.

**Коллизио́нный**, -ая, -ое.

**КОЛЛО́КВИУМ** [ло и лё], -а, *м.* [Восх. к лат. colloquium]. Беседа преподавателя со студентами с целью выяснения и повышения их знаний, а также научное собрание с обсуждением докладов на определенную тему. *Коллоквиум по физике.* □ *Уже близилась зимняя сессия и предшествующие ей различные «малые» испытания: коллоквиумы, семинары, контрольные работы.* Трифонов. Студенты.

**КОЛО́ДКА**, -и, *ж.* 1. Кусок дерева, вырезанный в форме ступни человеческой ноги, используемый при шитье и чистке обуви. *Санька вытащил пару сапожных колодок, молоток и шило.* Мусатов. Стожары. 2. Планка для ношения на груди орденов, медалей или орденских ленточек. *[У офицера] на груди красовалась колодка с многочисленными орденскими ленточками.* Казакевич. Весна на Одере. 3. обычно *мн.* Тяжелые деревянные оковы, надевавшиеся в старину на ноги, руки и шею арестанта для предупреждения побега (в начале 19 в. были заменены кандалами). *Башкирец с трудом шагнул через порог (он был в колодке) и.. остановился у дверей.* Пушкин. Капитанская дочка.

**Коло́дочный**, -ая, -ое (*к 1 и 3 знач.*).

**КОЛО́ДНИК**, -а, *м. Устар.* Арестант, узник, закованный в колодки (позднее в кандалы). *Приближаясь к Оренбургу, увидели мы толпу колодников с обритыми головами, с лицами, обезображенными щипцами палача.* Пушкин. Капитанская дочка.

**Коло́дница**, -ы, *ж.*

**КОЛОНИАЛИ́ЗМ**, -а, *м.* [См. *колония*]. Политическое, экономическое и духовное порабощение стран, менее развитых в социально-экономическом отношении, господствующими классами эксплуататорских государств. *Крушение колониализма.*

**Колониали́стский**, -ая, -ое.

**КОЛО́НИЯ**, -и, *ж.* [Восх. к лат. colonia — поселение]. 1. Страна или территория, находящаяся под властью иностранного государства (метрополии), лишенная политической и экономической самостоятельности. *Британские колонии. Борьба колоний за свое освобождение.* □ *Для них [фашистов] Россия — колония, страна сырья,.. питомник рабов, которые должны работать на немцев.* Эренбург. В суровый час. 2. Поселение выходцев, переселенцев из другой страны, области. *Мы ездили в немецкую колонию и там обедали.* Пушкин. Путешествие в Арзрум. 3. Лица, поселенные для совместной жизни с той или иной целью (трудовой, исправительной, лечебной и т. п.). *Колония глухоне-*

мых. *Исправительно-трудовые колонии.* ☐ *Он был сиротой и до пятнадцати лет бродяжил с беспризорными. Потом — трудовая колония, детдом.* Добровольский. Трое в серых шинелях.

**Колониа́льный**, -ая, -ое (к 1 знач.). *Колониальные страны.* ◊ **Колониальные товары** (устар.) — товары, первонач. ввозившиеся из колоний (напр., чай, кофе, рис, пряности). **Колони́ст**, -а, м. (ко 2 и 3 знач.).

**КОЛО́ННА**, -ы, ж. [Франц. colonne] **1.** Сооружение в виде высокого столба, служащее опорой в здании или воздвигаемое в качестве монумента. *Зал с колоннами. Александровская колонна у Зимнего дворца в Санкт-Петербурге.* ☐ *Видна была беседка с.. деревянными голубыми колоннами и надписью: «Храм уединенного размышления».* Гоголь. Мертвые души. **2.** Группа людей или предметов, движущихся или расположенных вытянутой линией. *Колонны демонстрантов. Автобусная колонна.* ☐ *Громадные колонны цифр испещряют бумагу.* Салтыков-Щедрин. Господа Головлевы. ◊ **Пятая колонна** — об организованном предательстве внутри страны.

**Коло́нный**, -ая, -ое (к 1 знач.). *Колонный зал.*

**КОЛОННА́ДА**, -ы, ж. [Франц. colonnade]. Ряд колонн, составляющих архитектурное целое, обычно имеющих общее перекрытие. *[Райский] прошел сумрачную залу с колоннадой, гостиные с статуями.* И. Гончаров. Обрыв.

**Колонна́дный**, -ая, -ое.

**КОЛОРИ́Т**, -а, м. [Итал. colorito; восх. к лат. color — цвет]. **1.** Сочетание, соотношение красок, цветов, создающее определенное единство картины, цветной гравюры и т.п. *Яркий колорит картины.* ☐ *[Экскурсанты] слушали его рассказы об утерянных секретах старых мастеров [кисти] и об их непревзойденных достижениях в колорите и композиции.* Казакевич. Весна на Одере. **2.** *перен., чего или какой.* Совокупность особенностей, своеобразие чего-л. *Колорит эпохи. Общий колорит местности.* ☐ *[Смерть мужа Арины Петровны] наложила какой-то безнадежный колорит на весь головлевский обиход. Как будто и старый головлевский дом и все живущие в нем — все разом собралось умереть.* Салтыков-Щедрин. Господа Головлевы.

**Колори́тный**, -ая, -ое. *Колоритные особенности картины. Колоритный пейзаж. Колоритная личность* (своеобразная).

**КОЛО́СС**, -а, м. [Восх. к греч. kolossos]. *Книжн.* **1.** Статуя, колонна громадных размеров. *[Мы] долго стояли перед колоссами, поддерживающими на плечах высокий подъезд Эрмитажа.* Каверин. Два капитана. **2.** *перен., обычно чего.* Человек, выдающийся в какой-л. области науки, искусства и т.п., а также что-л. выдающееся по своей значительности. *Колосс мысли.* ☐ — *Россия, видите, это совсем особая страна — это колосс.* Куприн. Штабс-капитан Рыбников. ◊ **Колосс на глиняных ногах** (книжн.) — о чем-л. внешне величественном, но по существу слабом, непрочном.

С и н. (ко 2 знач.): гига́нт, тита́н (высок.), исполи́н (высок.).

**Колосса́льный**, -ая, -ое (ко 2 знач.). *Колоссальное сооружение. Колоссальный успех.* **Колосса́льно**, *нареч.* (ко 2 знач.). **Колосса́льность**, -и, ж. (ко 2 знач.).

**КОЛЧА́Н**, -а, м. [Тат. kolčan]. Сумка, футляр (из кожи, дерева, позднее — металла) для стрел. *[В войске находились] и башкирцы, которых легко можно было распознать по их рысьим шапкам и по колчанам.* Пушкин. Капитанская дочка.

**Колча́нный**, -ая, -ое.

**КОЛЫБЕ́ЛЬ**, -и, ж. **1.** Качающаяся кроватка для ребенка. *Спи, младенец мой прекрасный, Баюшки-баю. Тихо смотрит месяц ясный В колыбель твою.* Лермонтов. Казачья колыбельная песня. **2.** *перен., чего. Высок.* Место возникновения, зарождения чего-л. *Родина наша — колыбель героев, огненный горн, где плавятся простые души, становясь крепкими, как алмаз и сталь.* А. Н. Толстой. Н. Тихонов. ◊ **С колыбели; от колыбели** — с самого раннего детства. — *Я повторяю: не хлебом единым жив человек! Воспитывать в нем прекрасное нужно с колыбели, ежедневно, ежеминутно.* Проскурин. Горькие травы.

С и н. (к 1 знач.): лю́лька (устар. и обл.), зы́бка (обл.). С и н. (ко 2 знач.): ро́дина.

**Колыбе́льный**, -ая, -ое (к 1 знач.). *Колыбельная песня. Спеть маленькому сыну колыбельную* (в знач. сущ.).

**КОЛЬЕ́**, *нескл., ср.* [Франц. collier; восх. к лат. collum — шея]. Ожерелье из драгоценных камней, жемчуга (или их заменителей, имитаций). *[Муся] надела на.. шею сверкающее колье из бриллиантовых звезд разной величины, скрепленных между собой в цепочку.* Б. Полевой. Золото.

**КОЛЬТ**, -а, м. [По имени американского оружейника С. Кольта]. Револьвер, пистолет или пулемет особой системы. *[Бакланов] стремительно выхватил кольт и выстрелил.* Фадеев. Разгром.

**КОЛЬЧУ́ГА**, -и, ж. Старинный воинский доспех в виде рубашки из металлических колец. *Кованая железная кольчуга.* ☐ *Копье стальное взял он в руки, Кольчугу он надел на грудь.* Пушкин. Руслан и Людмила.

**КОЛЯДА́**, -ы́, ж. Старинный рождественский и новогодний обряд, преимущ. на Украине, сопровождавшийся обходом соседей с обрядовой песней, а также сама такая песня.

**Коля́дный**, -ая, -ое.

**КОМАНДО́Р**, -а, м. [Франц. commandeur]. **1.** Одно из высших званий в средневековых духовно-рыцарских орденах, а также лицо, имевшее это звание. *[Дон Гуан:] Так здесь похоронили командора?* Пушкин. Каменный гость. **2.** Руководитель, распорядитель спортивного соревнования. *Командор лыжного, велосипедного пробега.* **3.** В некоторых странах: начальник отряда судов, не имеющий адмиральского чина. *Царь назначил его командором — флагманом эскадры.* А. Н. Толстой. Петр I.

**Командо́рский**, -ая, -ое.

**КОМБИНА́Т**, -а, м. [Восх. к лат. combinare — соединять]. **1.** Объединение нескольких предприятий, в котором продукция одного предприятия служит сырьем или полуфабрикатом для другого, а также объединение мелких производств местной промышленности или предприятий бытового обслуживания. *Целлюлозно-бумажный комбинат. Магнитогорский металлургический комбинат. Молочный комбинат. Комбинат бытового обслуживания* (ателье, мастерские, бани, прачечные, парикмахерские). **2.** Объединение учебных заведений (разных ступеней) при каком-л. предприятии. *Учебно-производственный комбинат.*

**КОМЕ́ДИЯ**, -и, ж. [Греч. kōmōdia]. **1.** Драматическое произведение с веселым, смешным сюжетом, а также представление его на сцене. *Комедия в четырех действиях. Смотреть в театре комедию.* □ *Комедия «Горе от ума» держится каким-то особняком в литературе и отличается.. более крепкой живучестью от других произведений слова.* И. Гончаров. Мильон терзаний. **2.** *перен.* Притворство, лицемерие в каких-л. действиях. *Разыгрывать комедию.* □ *—Эти мелкие жулики превращают свой суд в пошлейшую комедию. Вы понимаете — приговор составлен в Петербурге, раньше суда.* М. Горький. Мать. **3.** Смешное происшествие. *Не урок, а сплошная комедия.*

**Коме́дийный**, -ая, -ое (к 1 знач.) и **коми́ческий**, -ая, -ое (к 1 знач.). *Комедийный сюжет, жанр. Комическая роль. Комедийная ситуация.*

**КОМЕНДА́НТ**, -а, м. [Восх. к лат. commendans, commendantis — отдающий приказ]. **1.** Начальник войск крепости или укрепленного района. *В богоспасаемой крепости не было ни смотров, ни учений, ни караулов. Комендант по собственной охоте учил иногда своих солдат.* Пушкин. Капитанская дочка. **2.** Военный начальник, ведающий надзором за правильным несением гарнизонной и караульной службы, за дисциплиной военнослужащих в общественных местах, за сохранением порядка в гарнизоне. *Комендант города. Комендант гарнизона.* **3.** Управляющий домом, принадлежащим какому-л. учреждению. *Комендант общежития.* □ *Комендант цеха,.. ярый поборник чистоты и порядка, переключил свою бригаду на отгрузку.* В. Попов. Сталь и шлак.

**Комендантский**, -ая, -ое. ◇ **Комендантский час** — запрещение без особого разрешения появляться на улице населенного пункта в определенное время (при чрезвычайном положении).

**КОМЕ́ТА**, -ы, ж. [Восх. к греч. komētēs (astēr) — букв. хвостатая звезда]. **1.** Небесное тело, имеющее вид туманного светящегося пятна и световой полосы в форме хвоста. *Почти посредине неба.., окруженная, обсыпанная со всех сторон звездами,.. белым светом и длинным, поднятым кверху хвостом, стояла огромная яркая комета 1812 года.* Л. Толстой. Война и мир. **2.** Речное быстроходное пассажирское судно на подводных крыльях.

**Коме́тный**, -ая, -ое.

**КО́МИКС**, -а, м. [От англ. comics (мн.) — смешные]. Графически-повествовательный жанр — серия рисунков с сопровождающим текстом, образующая связное повествование, обычно приключенческого содержания.

**КОМИЛЬФО́**, неизм. прил. Устар. [Франц. comme il faut — как подобает, как следует]. Соответствующий правилам светского приличия. *— Только, пожалуйста, купите себе другую шляпу.. Тут надо быть комильфо.* Чехов. Ариадна.

**КОМИССА́Р**, -а, м. [Восх. к ср.-лат. commissarius — уполномоченный]. **1.** В европейских странах и в России в 18—19 вв.: чиновник, выполняющий полицейские функции. *— Ныне ты велел платить всем подушно, все души переписал,— около каждой души комиссар крутится, земский целовальник, плати.* А. Н. Толстой. Петр I. **2.** То же, что военный комиссар. *Комиссар непрерывно внушает красноармейцам, за что они бьются.* Серафимович. Политком. ◇ **Военный комиссар** — 1) политический руководитель в воинской части (в период 1918—1942 гг., с перерывами), отвечающий наравне с командиром за боеспособность и политическое состояние ее; 2) лицо, возглавляющее военный комиссариат и ведающее учетом военнообязанных, призывом в армию и т. п. **Народный комиссар** — член правительства СССР, возглавлявший то или иное ведомство до образования министерств. *Совет Народных Комиссаров СССР.*

**Комисса́рский**, -ая, -ое.

**КОМИССИОНЕ́Р**, -а, м. [Франц. commissionaire]. Посредник в торговых сделках, лицо, исполняющее торговые поручения за определенное вознаграждение. *Брат Николай через комиссионера.. купил сто двадцать десятин с барским домом, с людской, с парком.* Чехов. Крыжовник.

**Комиссионе́рский**, -ая, -ое. *Комиссионерская торговая фирма.*

**КОМИ́ССИЯ**, -и, ж. [Восх. к лат. commissio — поручение]. **1.** Группа лиц или орган из группы лиц со специальными полномочиями при каком-л. учреждении, а также учреждение специального назначения. *Избирательная комиссия. Ревизионная комиссия. Государственная бюджетная комиссия. Врачебная комиссия. Приемная комиссия на вступительных экзаменах в вузе.* □ *В Яицком городке учреждена была следственная комиссия.* Пушкин. История Пугачева. **2.** *Устар.* Поручение, обычно связанное с куплей и продажей, даваемое кому-л. кем-л. *Пьер, самый.. забывчивый человек, теперь, по списку, составленному женой, купил все, не забыв ни комиссий матери и брата, ни подарков.* Л. Толстой. Война и мир. **3.** Вид услуги (посредничество), оказываемой специальными магазинами частным лицам в продаже принадлежащих им вещей. *Сдать вещи на комиссию.* □ *Вещи запрудили маленький магазин. Старчаков объявил, что прием вещей на комиссию прекращен.* Горбатов. Непокоренные. **4.** *перен. Устар.* Трудное, хлопотливое дело. *[Фамусов:] Что за комиссия, создатель, Быть взрослой дочери отцом!* Грибоедов. Горе от ума.

**Комиссио́нный**, -ая, -ое (ко 2 и 3 знач.). *Комиссионные операции. Комиссионный магазин.*

**КОМИТЕ́Т**, -а, м. [Франц. comité; восх. к лат. committere — поручать]. Коллегиальный выборный орган, руководящий какой-л. работой. *Постоянные комитеты при Верховном Совете России. Комитет конституционного надзора. Профсоюзный комитет.*

**Коми́тетский**, -ая, -ое.

**КОММЕНТА́РИЙ**, -я, м. [Лат. commentarium]. **1.** Толкование, разъяснение какого-л. текста (путем примечаний, сообщения сведений об исторической эпохе, лицах и т. п.). *Авторский комментарий к поэме.* □ *Теперь уже и Шекспир требует комментариев, как поэт чуждой нам эпохи и чуждых нам нравов,— тем более Гомер, отделенный от нас тремя тысячами лет.* Белинский. Сочинения Александра Пушкина. **2.** обычно *мн.* Рассуждения, пояснительные и критические замечания по поводу какого-л. события. *Комментарий международной жизни. Спортивный комментарий.* □ *— Вы получили мое письмо, но, думаю, нужны комментарии.. Видите ли, Александр Матвеевич, у меня нет оснований считать смерть моего ученика и друга случайной.* Липатов. И это все о нем. ◊ **Комментарии излишни** — все понятно без объяснений.

С и н. (к 1 знач.): поясне́ния.

**КОММЕНТИ́РОВАТЬ**, -рую, -руешь; комменти́рующий, комменти́ровавший; комменти́руемый, комменти́рованный; -ан, -а, -о; комменти́руя; *сов. и несов., что.* [Лат. commentare]. Дать (давать) комментарий. *Комментировать научный текст. Комментировать спортивные соревнования.*

**Коммента́тор**, -а, м. (тот, кто комментирует что-л.). *Международный, спортивный комментатор.*

**КОММЕРСА́НТ**, -а, м. [Франц. commerçant]. Тот, кто занимается частной торговлей, коммерцией, преимущ. в крупных размерах.— *Мой тятенька.. большой руки коммерсант.. Пять раз банкротился, а все капиталец нам.* Златовратский. Устои.

С и н.: купе́ц, торго́вец, негоциа́нт (*устар.*).

**Коммерса́нтка**, -и, ж. **Коммерса́нтский**, -ая, -ое.

**КОММЕ́РЦИЯ**, -и, ж. [Лат. commercium]. Торговля, торговые операции. *Заниматься коммерцией.* □ *Он ждал покупателей. Покупателей не было. Коммерция не произрастала на скудной почве голодного города.* Горбатов. Непокоренные.

**Комме́рческий**, -ая, -ое. *Коммерческое предприятие. Заключать коммерческие сделки. Коммерческая реклама.* ◊ **Коммерческое училище** — в дореволюционной России: среднее учебное заведение со специальным торговым уклоном.

**КОММУ́НА**, -ы, ж. [Франц. commune — община]. Коллектив лиц, объединившихся для совместной жизни на началах общности имущества и труда. *Студенческая, трудовая коммуна. Жить коммуной.* ◊ **Парижская коммуна** — революционное правительство восставших трудящихся масс в Париже в 1871 г. **Сельскохозяйственная коммуна** — одна из форм сельскохозяйственной производственной коопера-

ции, существовавшая в первые годы советской власти.

**КОММУНА́ЛЬНЫЙ**, -ая, -ое. [Франц. communal; восх. к лат. communis — общий]. Относящийся к городскому хозяйству, обслуживающему городское население водой, электроэнергией, газом и т. п. *Плата за коммунальные услуги* (канализацию, водопровод, газ). *Коммунальные удобства.* ◊ **Коммунальная квартира** — квартира, в которой живут несколько семей.

**КОММУНИ́ЗМ**, -а, м. [Восх. к лат. communis — общий]. **1.** В марксистской концепции: общественно-экономическая формация, приходящая на смену капитализму и основанная на общественной собственности на средства производства. **2.** В марксистской концепции: вторая, высшая фаза коммунистической формации в отличие от первой ее фазы — социализма; бесклассовое общество, принцип которого: «От каждого по способностям, каждому по потребностям». **3.** Марксистско-ленинская теория о построении коммунистического общества. ◊ **Первобытный коммунизм** — общественный доклассовый строй первобытной родовой общины. **Военный коммунизм** — название экономической политики советской власти в период иностранной интервенции и гражданской войны (1918—1920 гг.), выражавшейся в централизации промышленного производства и распределения.

**Коммунисти́ческий**, -ая, -ое. *Коммунистическое общество.* **Коммуни́ст**, -а, м.

**КОММУНИКА́БЕЛЬНЫЙ**, -ая, -ое; -лен, -льна, -о. [Франц. communicable; восх. к лат. communicare — общаться]. Общительный, такой, с которым легко общаться.

С и н.: конта́ктный (*разг.*).

А н т.: некоммуника́бельный.

**Коммуника́бельность**, -и, ж.

**КОММУНИКА́ЦИЯ**, -и, ж. [Восх. к лат. communicatio — сообщение, передача]. **1.** *Спец.* Путь сообщения, связь одного места с другим, а также линия связи. *Воздушные коммуникации. Развитие транспортных коммуникаций. Коммуникации подземного хозяйства. Водопроводные, тепловые, осветительные коммуникации.* □ *В этом случае немецкие корабли и подводные лодки не только стали бы хозяевами Балтики, но и обеспечили бы надежные морские коммуникации со своими войсками на всем северо-западном стратегическом направлении.* Чаковский. Блокада. **2.** *Книжн.* Общение, передача информации от человека к человеку в процессе деятельности, а также сигнальные способы связи у животных. *Речь — средство коммуникации.*

**Коммуникацио́нный**, -ая, -ое (к 1 знач.) и **коммуникати́вный**, -ая, -ое (ко 2 знач.). *Построить коммуникационные сооружения. Коммуникативная функция языка.*

**КОММУТА́ТОР**, -а, м. [Нем. Kommutator от лат. commutare — менять]. Прибор для переключения электрического тока, а также телефонное устройство для ручного соединения двух или нескольких абонентов между собой. *Вспыхнул глазок коммутатора. Генерал взял трубку.—*

*Я занят.. Минут через десять.* Гранин. Иду на грозу.

**Коммута́торный,** -ая, -ое.

**КОММЮНИКЕ́,** *нескл., ср.* [Франц. communiqué]. *Офиц.* Официальное правительственное сообщение, преимущ. по вопросам международного значения. *Коммюнике о переговорах. Напечатать коммюнике в газетах. Текст коммюнике.*

**КОМО́Д,** -а, *м.* [Франц. commode — первонач. удобный]. Невысокий шкаф с выдвижными ящиками для белья и различных мелких принадлежностей туалета. *В комнате.. было царственно пусто: стояла одна не очень широкая деревянная кровать, комод из красного дерева.., фикус в большой кадке.* Липатов. И это все о нем.

**Комо́дный,** -ая, -ое.

**КОМПА́КТНЫЙ,** -ая, -ое; -тен, -тна, -о. [Восх. к лат. compactus — сжатый, плотный]. **1.** Плотно расположенный, уплотнённый, занимающий немного места. *Девушка.. положила поверх ценностей две компактных, но очень тяжелых коробки.* Б. Полевой. Золото. **2.** *перен.* Краткий, сжатый. *Компактное изложение.*

**Компа́ктно,** *нареч. Компактно уложить вещи в чемодан.* **Компа́ктность,** -и, *ж.*

**КОМПА́НИЯ,** -и, *ж.* [Франц. compagnie]. **1.** Группа лиц, проводящих вместе время или чем-л. объединенных. *А тут так получилось, что мы целой институтской компанией после кино поехали в парк вечером.* Чаковский. Блокада. **2.** Торговое, промышленное, транспортное и т. п. объединение предпринимателей. *Нефтяная компания. Банкротство угольной компании.* ◊ *Золотопромышленная компания «Генерал Мансветов и К°» имела громадную силу и совершенно исключительные полномочия.* Мамин-Сибиряк. Золото.

С и н. (к 1 знач.): о́бщество, бра́тия (*разг.*), кома́нда (*разг.*).

**КОМПАНЬО́Н,** -а, *м.* [Франц. compagnon]. **1.** Тот, кто составляет компанию кому-л., вместе с кем-л. участвует в чем-л. — *Вот нам и еще один компаньон для пикника.* Куприн. Поединок. **2.** Член торговой или промышленной компании. *[Он] в этом же возрасте открыл вместе со своим бывшим компаньоном Эдди Джекобсоном галантерейный магазин в Канзас-Сити. Через два года они обанкротились.* Чаковский. Победа. **3.** *Устар.* Человек, живущий в богатом доме для развлечения хозяев или выполнения поручений.

**Компаньо́нка,** -и, *ж.* (к 1 и 3 знач.). *У княгини жила постоянная «компаньонка». Эту почетную должность занимала здоровая, краснощекая вдова.* Герцен. Былое и думы.

**КОМПЕНСА́ЦИЯ,** -и, *ж.* [Восх. к лат. compensatio]. Возмещение, вознаграждение за что-л. *Денежная компенсация за неиспользованный отпуск. Компенсация за понесенные убытки от пожара, наводнения. Выплатить компенсацию.*

**Компенсацио́нный,** -ая, -ое.

**КОМПЕТЕ́НТНЫЙ** [не *тэ*], -ая, -ое; -тен, -тна, -о. [Восх. к лат. competens, competentis — соответствующий, способный]. **1.** Обладающий основательными знаниями в какой-л. области. — *Я считаю себя выше вас и компетентнее во всех отношениях. Не вам учить меня.* Чехов. Палата № 6. **2.** *Спец.* Обладающий определенными полномочиями, правами. *Компетентные органы.* ◊ *Компетентные товарищи считают, что нет никаких оснований для удовлетворения просьбы Осорецкого обкома, и панических настроений создавать не следует.* Проскурин. Горькие травы.

С и н. (к 1 знач.): зна́ющий, све́дущий, осведомлённый, гра́мотный. С и н. (ко 2 знач.): полномо́чный.

**Компете́нтно,** *нареч.* (к 1 знач.). *Компетентно судить о чем-л.* **Компете́нтность,** -и, *ж.*

**КО́МПЛЕКС,** -а, *м.* [Восх. к лат. complexus — связь, сочетание]. Совокупность чего-л. (явлений, предметов, действий и т. п.), образующих одно целое. *Архитектурный комплекс. Выпуск автоматизированных комплексов для предприятий-автоматов пищевой промышленности. Комплекс гимнастических упражнений.* ◊ *Петр Иванович принес в колонию целый комплекс счастливых особенностей. У него было как раз то, что нам нужно: молодость, прекрасная ухватка, чертовская выносливость, серьезная бодрость.* Макаренко. Педагогическая поэма. ◊ **Комплекс неполноценности** — болезненное осознание своих недостатков. **С комплексом** *кто* (*разг.*). — болезненно недоволен чем-л. в себе самом.

**Ко́мплексный,** -ая, -ое. *Комплексная механизация производственных процессов.* **Ко́мплексно,** *нареч.* **Ко́мплексность,** -и, *ж.*

**КОМПЛЕ́КТ,** -а, *м.* [Восх. к лат. complectus — полный]. **1.** Полный набор каких-л. предметов, в совокупности составляющих целое. *Комплект белья, инструментов, учебников.* ◊ *[Экипажи] залили бензин и масло [в танки], заложили полный комплект снарядов и пулеметных лент.* Первенцев. Честь смолоду. **2.** Предельное число лиц, требующихся по положению или по штату. *Полный комплект воспитывающихся [в театральном училище] был тогда 120 человек обоего пола.* Каратыгин. Записки.

**Компле́ктный,** -ая, -ое.

**КОМПЛЕ́КЦИЯ,** -и, *ж.* [Восх. к лат. complexio — соединение]. *Книжн.* Телосложение. *Я присел к больному и, слушая пульс, всматривался в его фигуру. То был еще очень молодой человек,.. худой и слабой комплекции.* Златовратский. Барская дочь.

С и н.: сложе́ние, фигу́ра, конститу́ция (*спец.*).

**КОМПЛИМЕ́НТ,** -а, *м.* [Франц. compliment]. Лестные слова в адрес кого-л. — *Скажу вам без комплиментов: дружба, которую я замечаю между вами и моим сыном, меня искренне радует.* Тургенев. Отцы и дети.

**Комплимента́рный,** -ая, -ое (*книжн.*).

**КОМПОЗИ́ТОР,** -а, *м.* [Восх. к лат. compositor — составитель]. Лицо, создающее музыкальные произведения. *Великий русский композитор П. И. Чайковский. Опера известного композитора.*

**Композиторский**, -ая, -ое. *Композиторский талант.*

**КОМПОЗИ́ЦИЯ**, -и, ж. [Восх. к лат. compositio — составление]. **1.** Строение произведения, расположение и соотношение его частей. *Композиция поэмы Гоголя «Мертвые души». Композиция картины, сонаты, статьи.* **2.** Произведение (музыки, живописи и т. п.), имеющее определенное построение. *Старик [учитель музыки].. снова сыграл свою чудную композицию.* Тургенев. Дворянское гнездо. **3.** Теория составления музыкальных произведений. *Класс композиции. Заниматься композицией.*

С и н. (*к 1 знач.*): структу́ра, построе́ние, архитекто́ника (*спец.*).

**Композицио́нный**, -ая, -ое. *Композиционные особенности романа.*

**КОМПОНЕ́НТ**, -а, м. [Восх. к лат. componens, componentis — составляющий]. *Книжн.* Составная часть чего-л. *Компонент химического соединения. Взаимосвязь всех компонентов произведения. Извлечение полезных компонентов из сырья.*

С и н.: элеме́нт, ингредие́нт (*книжн. и спец.*).

**КОМПОНОВА́ТЬ**, -ну́ю, -ну́ешь; компону́ющий, компонова́вший; компону́емый, компоно́ванный; -ан, -а, -о; компону́я; *несов., что.* [Лат. componere]. *Книжн.* Составлять из отдельных компонентов, частей целое. *Компоновать очередной номер журнала.* □ *Теперь он [художник] пишет и пишет; летом сидит с утра до вечера на поле или в лесу за этюдами, зимой без устали компонует закаты, восходы, полдни, начала и концы дождя, зимы, весны.* Гаршин. Художники.

**Компоно́вка**, -и, ж.

**КОМПРОМЕТИ́РОВАТЬ**, -рую, -руешь; компромети́рующий, компромети́ровавший; компромети́руемый; компромети́руя; *несов., кого, что.* [Франц. compromettre]. Вредить репутации, доброму имени кого-л., выставлять в неблаговидном свете. — *Я честный человек, Катерина Васильевна; смею вас уверить, что я никогда не захотел бы компрометировать вас.* Чернышевский. Что делать?

С и н.: позо́рить, поро́чить, шельмова́ть, черни́ть, пятна́ть, па́чкать, бессла́вить (*книжн.*), бесче́стить (*книжн.*), мара́ть (*разг.*), срами́ть (*разг.*).

**Компромета́ция**, -и, ж. и **компромети́рование**, -я, ср.

**КОМПРОМИ́СС**, -а, м. [Лат. compromissum]. Соглашение на основе взаимных уступок. *Просто [Васнецов].. не признавал никаких компромиссов, когда речь шла об отношении к делу. И любое противоречие, возникающее между интересами дела и поведением человека, решал в пользу первого.* Чаковский. Блокада.

**Компроми́ссный**, -ая, -ое. *Компромиссное решение.*

**КОМПЬЮ́ТЕР** [тэ], -а, м. [Англ. computer]. Одно из названий электронной вычислительной машины. *Работать с компьютером. Данные компьютера.*

**Компью́терный**, -ая, -ое. *Компьютерная техника. Обеспечить компьютерную грамотность учащихся.*

**КОМФО́РТ**, -а, м. [Англ. comfort]. Благоустроенность и уют жилищ, общественных учреждений, средств сообщения (автомобилей, самолетов и т. п.). *Я полагаю, что.. вы себя избаловали, потому, что вы очень любите комфорт, удобства, а ко всему остальному очень равнодушны.* Тургенев. Отцы и дети.

**Комфо́ртный**, -ая, -ое и **комфорта́бельный**, -ая, -ое; -лен, -льна, -о. *Комфортные условия. Комфортабельная гостиница.* **Комфо́ртно** и **комфорта́бельно**, *нареч.* **Комфо́ртность** и **комфорта́бельность**, -и, ж. *Комфортабельность обстановки.*

**КОНВЕ́НЦИЯ**, -и, ж. [Восх. к лат. conventio]. *Спец.* Договор между государствами по какому-л. специальному вопросу. *Заключить конвенцию. Железнодорожная конвенция. Подписать международную конвенцию о запрещении и уничтожении бактериологического оружия. Международная конвенция по охране авторских прав.*

С и н.: соглаше́ние, контра́кт (*книжн.*), пакт (*офиц.*), усло́вие (*устар.*), тракта́т (*устар.*).

**Конвенцио́нный**, -ая, -ое.

**КОНВО́Й**, -я, м. [Голл. konvooi]. Вооруженный отряд, сопровождающий кого-, что-л. для охраны или предупреждения побега. *Преступник был уже связан и отведен под конвоем.* Лермонтов. Герой нашего времени.

**Конво́йный**, -ая, -ое. *Конвойное судно.*

**КОНВУ́ЛЬСИЯ**, -и, ж. [Лат. convulsio]. Судорога. *Забиться в конвульсиях.* □ *Раскольников вскочил с дивана.. и сел опять, не говоря ни слова. Мелкие конвульсии вдруг прошли по всему его лицу.* Достоевский. Преступление и наказание.

С и н.: ко́рчи (*разг.*).

**Конвульси́вный**, -ая, -ое. *Конвульсивные движения.*

**КОНГЛОМЕРА́Т**, -а, м. [От лат. conglomeratus — собранный]. *Книжн.* Механическое соединение чего-л. разнородного. *Конгломерат мнений.*

**КОНГРЕ́СС**, -а, м. [Восх. к лат. congressus]. **1.** Съезд, собрание, преимущ. по вопросам международного значения. *Делегаты конгресса. Всемирный конгресс сторонников мира. Участие в работе международного конгресса. Конгресс врачей.* **2.** Название законодательного органа (парламента) в США и в большинстве стран Латинской Америки. *Решение конгресса.* □ *Внешней политикой он не интересовался и в международных вопросах чаще всего плыл по течению, присоединяясь к большинству в конгрессе.* Чаковский. Победа.

**КОНГРЕССМЕ́Н**, -а, м. [Англ. congressman]. Член конгресса в США и некоторых других странах.

**КОНДИ́ЦИЯ**, -и, ж. [Лат. conditio]. **1.** *Спец.* Норма, стандарт, качество, которым должно соответствовать что-л. (товар, материал и т. п.). *Он отказался принять большую партию угля, совершенно не соответствовавшего кондициям.* Короленко. История моего современника. **2.** *Устар.* Условие договора, соглашения, найма. *Продать что-л. на выгодных кондициях.* □ *— Вот-с я и прошу его, не может ли он мне указать хорошего учителя в отъезд-де,.. кондиции, мол, та-*

кие и такие, и вот, мол, требуют то и то. Герцен. Кто виноват? ◇ **До кондиции** (довести, дойти и т.п.) — до того, что требуется, что надлежит.

**Кондицио́нный**, -ая, -ое.

**КОНДО́ВЫЙ**, -ая, -ое. **1.** *Спец.* С плотной, прочной древесиной и с малым количеством сучков (о хвойных деревьях). *Кондовый лес.* ☐ *Народ в этом краю был суровый.. Жили в кондовых огромных избах, где под одной кровлей был и скотный двор, и рига.* А. Н. Толстой. Петр I. **2.** *Устар.* Старинный, исконный. *Старинного-то, кондового купечества немного осталось.* Мамин-Сибиряк. Хлеб.

С и н. (ко 2 знач.): коренно́й.

**КОНДУИ́Т**, -а, *м.* [Франц. conduit — поведение]. В дореволюционной России: журнал для записи проступков учащихся (в гимназиях, духовных учебных заведениях, кадетских корпусах). *Он не говорил им, что завел.. особую книгу с надписью «кондуит», в которую не ленился по вечерам заносить свои заметки об их поведении.* Сергеев-Ценский. Пушки выдвигают.

**Конду́итный**, -ая, -ое.

**КО́НКА**, -и, *ж.* Городская железная дорога с конной тягой, существовавшая до появления трамвая; вагон такой дороги. — *Ведь недавно мы с тобой на конке ездили. А теперь уже привыкли к трамваю. И не замечаем, что в пять раз быстрее.* Федин. Первые радости.

**КОНКРЕ́ТНЫЙ**, -ая, -ое; -тен, -тна, -о. [Восх. к лат. concretus — густой, уплотненный]. Реально существующий, вполне точный и вещественно определенный, в отличие от абстрактного, отвлеченного. *Конкретные дела. Конкретное задание.* ☐ *Абстрактной истины нет, истина всегда конкретна.* Ленин, т. 12, с. 304.

**Конкре́тно**, *нареч.* *Говорить конкретно.* **Конкре́тность**, -и, *ж.* *Конкретность задач.*

**КОНКУРЕ́НЦИЯ**, -и, *ж.* [Восх. к лат. concurrere — сбегаться, сталкиваться]. Борьба за достижение наивысших выгод, преимуществ, а также вообще соперничество на каком-л. поприще. *Торговая конкуренция. Разорение мелких фирм в результате конкуренции с крупными хозяйствами.* ☐ — *У меня одна невеста — кухарка Агафья. Но тут серьезная конкуренция: за ней ухаживает Гаврюшка.* Мамин-Сибиряк. Человек с прошлым. ◇ **Вне конкуренции** (*перен.*) (*разг.*) — выше всякого сравнения.

**Конкуре́нтный**, -ая, -ое. *Конкурентная борьба капиталистов.* **Конкуре́нт**, -а, *м.*

**КО́НКУРС**, -а, *м.* [Восх. к лат. concursus]. Соревнование, дающее возможность выявить наиболее достойных из числа его участников. *Конкурс на лучший проект. Конкурс музыкантов-исполнителей. Участвовать в конкурсе.* ☐ — *Сергей Ильич, подавайте заявление на конкурс.. Подавайте заявление на должность начальника лаборатории.* Гранин. Иду на грозу. ◇ **Вне конкурса** — то же, что вне конкуренции. **Пройти по конкурсу** — быть зачисленным, принятым куда-л.

С и н.: состяза́ние.

**Ко́нкурсный**, -ая, -ое. *Конкурсная выставка картин. Конкурсное сочинение.*

**КОНСЕ́НСУС** [сэ], -а, *м.* [Лат. consensus]. *Спец.* Общее согласие по спорным вопросам, к которому приходят участники переговоров, члены парламента и т. п. *Поиски консенсуса. Прийти к консенсусу.*

**КОНСЕРВАТИ́ВНЫЙ**, -ая, -ое; -вен, -вна, -о. [Восх. к лат. conservativus — охранительный]. **1.** Враждебный прогрессу, отстаивающий старое, отжившее. *Консервативные взгляды. Консервативные силы.* ☐ *Потребовалась долгая и мучительная борьба со старыми взглядами, консервативными традициями в науке.* Соколов-Микитов. В каменной степи. **2.** *полн. ф.* О лечении: осуществляемый без хирургического вмешательства.

С и н. (к 1 знач.): ко́сный, рути́нный.

**Консервати́вно**, *нареч.* *Консервативно настроенный человек.* **Консервати́вность**, -и, *ж.*

**КОНСЕРВА́ТОР**, -а, *м.* [Восх. к лат. conservator — охранитель]. **1.** Человек консервативных убеждений. — *Ты консерватор, Александр. Ты повторяешь то, что говорят у нас самые отсталые люди сцены, рутинёры. Как ты можешь отрицать, что артист должен изучать подлинную жизнь? Это — мракобесие!* Федин. Первые радости. **2.** Член консервативной, правой политической партии. *Английские консерваторы. Победа консерваторов на выборах в английский парламент.*

С и н. (к 1 знач.): рутинёр и рутини́ст (*устар.*).

**КОНСЕРВАТО́РИЯ**, -и, *ж.* [Итал. conservatorio]. Высшее музыкальное учебное заведение. *Сестра Лена, студентка Московской консерватории по классу скрипки, писала о своих успехах.* Казакевич. Звезда.

**Консервато́рский**, -ая, -ое.

**КОНСИ́ЛИУМ**, -а, *м.* [Лат. consilium]. Совещание врачей для определения тяжелого заболевания и изыскания способов его лечения. *Созвать консилиум.* ☐ *Срочно созванный консилиум заседал недолго. — Надежд мало. Положение больного почти безнадежное. Смерть может наступить каждую секунду.* В. Титов. Всем смертям назло.

**КОНСОЛИДА́ЦИЯ**, -и, *ж.* [Восх. к лат. consolidare — укреплять]. *Книжн.* Укрепление, сплочение чего-л. *Консолидация миролюбивых сил.*

**Консолидацио́нный**, -ая, -ое.

**КОНСПЕ́КТ**, -а, *м.* [Восх. к лат. conspectus — обзор]. Краткое письменное изложение или краткая запись содержания чего-л. *Конспект книги, лекции, доклада.*

**Конспе́ктный**, -ая, -ое и **конспекти́вный**, -ая, -ое.

**КОНСПИРА́ЦИЯ**, -и, *ж.* [Восх. к лат. conspiratio — заговор, тайное соглашение]. Методы, применяемые нелегальной организацией для сохранения в тайне ее деятельности и ее членов; строгое соблюдение, сохранение тайны. — *Так почему же.. вы сразу не сказали мне, кто вы такие?.. — Условия конспирации, дорогой Разметнов!.. а рисковать операцией, имеющей для нас весьма важное значение, мы не имеем права.* Шолохов. Поднятая целина.

**Конспирати́вный**, -ая, -ое. *Конспиративная квартира.* **Конспирати́вно**, *нареч. Вести работу конспиративно.* **Конспирати́вность**, -и, *ж.* **Конспира́тор**, -а, *м.*

**КОНСТАТИ́РОВАТЬ**, -рую, -руешь; константи́рующий, константи́ровавший; константи́руемый, константи́рованный; -ан, -а, -о; константи́руя, константи́ровав; *сов. и несов., что.* (Восх. к лат. constātāre — быть известным, не подлежать сомнению). *Книжн.* Установить (устанавливать), отметить (отмечать) наличие чего-л. *Константировать прогресс в какой-л. области. Константировать изменение в состоянии больного.*

**Константа́ция**, -и, *ж.* и **константи́рование**, -я, *ср. Константация (константирование) факта.*

**КОНСТИТУ́ЦИЯ**, -и, *ж.* [Восх. к лат. constitutio — устройство, установление]. **1.** Основной закон государства, определяющий его общественное и государственное устройство, избирательную систему, принципы организации и деятельности государственных органов, основные права и обязанности граждан. *Принятие конституции. Внесение поправок в конституцию.* □ *Готовилась [в Петербурге в 1809 году].. государственная конституция, долженствовавшая изменить существующий судебный, административный и финансовый порядок управления России от государственного совета до волостного правления.* Л. Толстой. Война и мир. **2.** *Спец.* Строение организма, телосложение. *Конституция животного. Человек крепкой конституции.*

С и н. (ко 2 знач.): сложе́ние, фигу́ра, компле́кция (*книжн.*).

**Конституцио́нный**, -ая, -ое (к 1 знач.). *Конституционная форма правления. Конституционные права граждан.* ◇ **Конституционная мона́рхия** — государственный строй, при котором власть монарха ограничена конституцией.

**КОНСТРУКТИВИ́ЗМ**, -а, *м.* [См. *конструкция*]. Направление в искусстве 20 в., стремящееся к сближению с практикой индустриального быта, к экономичности форм, к обнажению их технической основы. *Конструктивизм в архитектуре.*

**Конструктиви́стский**, -ая, -ое. **Конструктиви́ст**, -а, *м.*

**КОНСТРУКТИ́ВНЫЙ**, -ая, -ое; -вен, -вна, -о. [См. *конструкция*]. **1.** *полн. ф.* Относящийся к конструкции. *Конструктивные особенности сооружения.* □ *Единственно, что несколько омрачало жизнь на самолете, был конструктивный его недостаток. Три летчика летели отделенные друг от друга стенами своих кабин.* Раскова. Записки штурмана. **2.** Такой, который можно положить в основу чего-л. *Конструктивный разговор по ключевым проблемам. Высказать конструктивное предложение.*

С и н. (ко 2 знач.): де́льный.

**Конструкти́вно**, *нареч. (ко 2 знач.).* **Конструкти́вность**, -и, *ж. (ко 2 знач.). Конструктивность решений.*

**КОНСТРУ́КЦИЯ**, -и, *ж.* [Восх. к лат. constructio]. Строение, устройство, взаимное расположение частей какого-л. сооружения, механизма, а также само это сооружение, механизм. *Конструкция моста. Самолет новой конструкции. Железобетонная конструкция.* □ *Пароход был колесный, старой конструкции, пыхтел, громыхал, скрипел, видимо, доживая свой век.* Салтыков-Щедрин. Современная идиллия.

С и н.: приспособле́ние, устано́вка.

**Конструкцио́нный**, -ая, -ое.

**КО́НСУЛ**, -а, *м.* [Лат. consul]. Должностное лицо, представляющее и защищающее правовые и экономические интересы своего государства и его граждан в каком-л. пункте другого государства (первонач. высшее правительственное лицо в Древнем Риме). *Европейское общество [Сингапура] состоит из консулов всех почти наций.* И. Гончаров. Фрегат Паллада.

**Ко́нсульский**, -ая, -ое. *Консульские полномочия.*

**КОНСУЛЬТА́ЦИЯ**, -и, *ж.* [Восх. к лат. consultatio]. **1.** Совещание специалистов по какому-л. вопросу. *Разные консультации и опыты скоро доказали, что возбудить слух [сыну] было невозможно.* Герцен. Былое и думы. **2.** Совет, помощь, даваемые специалистом по какому-л. вопросу. *Получить консультацию от врача. Обратиться за консультацией к специалисту. Консультация перед экзаменом.* □ *В начале марта он зашел к профессору за очередной консультацией.* Добровольский. Трое в серых шинелях. **3.** Учреждение, оказывающее помощь посредством советов специалистов (врачей, адвокатов и т. п.) по каким-л. вопросам. *Юридическая консультация. Детская консультация. Женская консультация.*

**Консультацио́нный**, -ая, -ое. *Консультационный пункт.* **Консульта́нт**, -а, *м. (ко 2 знач.)* (тот, кто дает консультацию).

**КОНТА́КТ**, -а, *м.* [Восх. к лат. contactus]. **1.** *Спец.* Соприкосновение двух электрических проводов, а также место такого соприкосновения. *Контакт электропроводников. Зачистка контактов.* □ *Из-под контакта ключа [передатчика] сверкнули голубые искры.* Крымов. Танкер "Дербент". **2.** *перен.* Связь, непосредственное общение с кем-л., а также взаимное понимание, согласованность в деловых и иных отношениях. *Деловые, научные контакты. Установить личные контакты.* □ *Я слышал, у тебя с Деревянко полный контакт? — спросил Борис.* Добровольский. Трое в серых шинелях.

**КОНТЕ́КСТ** [не тэ́], -а, *м.* [Восх. к лат. contextus — сплетение, соединение]. *Книжн.* Законченный в смысловом отношении отрывок письменной речи (текста), в пределах которого можно уяснить значение входящего в него слова или фразы. *Выяснить из контекста значение какого-л. слова.*

**Конте́кстный**, -ая, -ое, **конте́кстовый**, -ая, -ое и **контекстуа́льный**, -ая, -ое.

**КОНТИНГЕ́НТ**, -а, *м.* [Восх. к лат. contingens, contingentis — соприкасающийся, смежный]. *Книжн.* Совокупность людей, составляющих однородную в каком-л. отношении группу, категорию.

8 Заказ 660

*Контингент учащихся. Контингент слушателей музыкального лектория.*

Син.: состав.

**КОНТИНЕ́НТ**, -а, м. [Лат. continens, continentis]. Одна из основных крупных частей суши, окруженная океаном. *Африканский континент.*

Син.: материк.

**Континента́льный**, -ая, -ое. ◊ **Континента́льный климат** — климат областей суши, удаленных от моря, для которого характерны сухость, жаркое лето и холодная зима.

**КОНТР...** [От лат. contra — против]. Первая составная часть сложных слов, обозначающая противодействие, противопоставление, противоположность тому, что выражено во второй части, напр.: *контрата́ка, контрманёвр* (встречный ответный маневр), *контрразве́дка* (организация для противодействия разведке противника, для борьбы со шпионажем, диверсиями), *контруда́р* (ответный удар войск).

**КОНТРАБА́НДА**, -ы, ж. [Итал. contrabando от contra — против и bando — правительственный указ]. Тайный провоз или перенос через государственную границу запрещенных или обложенных пошлиной товаров, ценностей, а также товар, ценности, провозимые или проносимые таким образом. *Заниматься контрабандой.* □ *Работники таможни проверяли чемоданы пассажиров — не везут ли те в глубь страны контрабанду.* В. Беляев. Старая крепость.

**Контраба́ндный**, -ая, -ое. *Контрабандный товар.*

**КОНТРАБА́С**, -а, м. [Итал. contrabasso]. Самый низкий по звучанию и самый большой по размерам струнный смычковый музыкальный инструмент. *Скрипка взвизгивала, у правого уха хрипел контрабас.* Чехов. Скрипка Ротшильда.

**Контраба́сный**, -ая, -ое и **контраба́совый**, -ая, -ое. *Контрабаси́ст*, -а, м.

**КОНТР-АДМИРА́Л**, -а, м. [Франц. contre-amiral]. Первое адмиральское звание во флоте, равное званию генерал-майора в сухопутных войсках, а также лицо, носящее это звание.

**Контр-адмира́льский**, -ая, -ое.

**КОНТРА́КТ**, -а, м. [Восх. к лат. contractus — сделка]. *Книжн.* Договор, соглашение со взаимными обязательствами заключивших его сторон. *Контракт о взаимных поставках. Расторгнуть контракт.* □ *По контракту обязан он был учить меня по-французски, по-немецки и всем наукам.* Пушкин. Капитанская дочка.

Син.: тракта́т (устар.), усло́вие (устар.).

**КОНТРА́ЛЬТО**, нескл., ср. [Итал. contralto]. Низкий женский голос. *Кто-то играл на скрипке.. девушка пела мягким контральто, слышался смех.* М. Горький. Старуха Изергиль.

**КОНТРА́СТ**, -а, м. [Франц. contraste]. Резко выраженная противоположность. *Социальные контрасты. Цветовой контраст.* □ *Совершенно неожиданным контрастом в его [Нестеренко] убогом убранстве выглядела щегольская, отличного серебристого каракуля кубанка.* Шолохов. Поднятая целина.

Син.: поля́рность (книжн.).

**Контра́стный**, -ая, -ое. *Контрастные явления.* **Контра́стно**, нареч. **Контра́стность**, -и, ж.

**КОНТРИБУ́ЦИЯ**, -и, ж. [Восх. к лат. contributio]. *Спец.* Денежная сумма, взимаемая с побежденного государства в пользу государства-победителя. *Военная контрибуция. Переговоры о мире без аннексий и контрибуций. Обложить контрибуцией побежденную страну.*

**КОНТРРЕВОЛЮ́ЦИЯ**, -и, ж. [Франц. contre-révolution от contre — против и révolution — революция]. Борьба свергнутых или свергаемых социальной революцией классов за удержание своего господства, а также против победившей революции за восстановление дореволюционных порядков. *Борьба с контрреволюцией. Подавить контрреволюцию.*

**Контрреволюцио́нный**, -ая, -ое. *Контрреволюционный мятеж. Контрреволюционное правительство.* **Контрреволюционе́р**, -а, м.

**КОНТУ́ЗИЯ**, -и, ж. [Лат. contusio — ушиб]. Общее повреждение организма при ушибе, сотрясении без повреждения наружных покровов тела, преимущ. при действии ударной воздушной волны. *Его легкое заикание — следствие контузии сорок первого года.* Казакевич. Весна на Одере.

**КОНТУ́Р**, -а, м. [Франц. contour]. Внешнее очертание предмета. *Контур здания.* □ *И пошел [Кузнецов] по невидимой дороге, плохо различая в темноте контуры машин,.. орудий, фигуры ездовых возле лошадей.* Бондарев. Горячий снег.

Син.: силуэ́т, а́брис (книжн.), о́черк (устар.).

**Ко́нтурный**, -ая, -ое. *Контурный рисунок.*

**КОНФЕДЕРА́ЦИЯ**, -и, ж. [Лат. confoederatio]. *Книжн.* Объединение, союз каких-л. общественных организаций или государств, сохраняющих независимое существование, объединяющихся с целью координации своей деятельности.

**Конфедерати́вный**, -ая, -ое.

**КОНФЕРАНСЬЕ́**, нескл., м. [Франц. conférencier — докладчик]. Артист, объявляющий номера программы на эстрадном представлении, концерте и занимающий публику между исполняемыми номерами. *Конферансье объявил новый номер: — «Лихорадушку» исполнит на скрипке товарищ Денисов.* Игишев. Шахтеры.

**КОНФЕРЕ́НЦИЯ**, -и, ж. [Восх. к ср.-лат. conferentia от лат. conferre — собирать в одно место]. Собрание, совещание представителей каких-л. государств, партийных, общественных, научных и т. п. организаций для обсуждения и решения каких-л. вопросов. *Партийная конференция. Всемирная конференция по разоружению. Открыть читательскую конференцию.*

**КОНФЕ́ТТИ**, нескл., ср. [Итал. confetti]. Разноцветные бумажные кружочки, которыми осыпают друг друга на балах и маскарадах. *Снова заиграл оркестр. Засновали по залу пары, с хор хлынул дождь конфетти.* Б. Полевой. Елка.

**КОНФИГУРА́ЦИЯ**, -и, ж. [Лат. configuratio]. *Спец.* Очертание, форма чего-л.; взаимное расположение предметов или их частей. *Конфигурация морского берега.* □ *Первый косяк самолетов стал заметно менять конфигурацию, растя-*

гиваться, стал перестраиваться в круг. Бондарев. Горячий снег.

**КОНФИДЕНЦИА́ЛЬНЫЙ**, -ая, -ое; -лен, -льна, -о. [Восх. к лат. confidentia — доверие]. *Книжн.* Доверительный, не подлежащий огласке, секретный. *Конфиденциальное сообщение.* □ *Разговор [Базарова с Одинцовой].. становится конфиденциальным и почти нежным.* Писарев. Реалисты.

**Конфиденциа́льно**, *нареч.* **Конфиденциа́льность**, -и, *ж.*

**КОНФИСКА́ЦИЯ**, -и, *ж.* [Восх. к лат. confiscatio — отобрание имущества в казну]. Принудительное и безвозмездное изъятие денег, имущества и т. п. в собственность государства. *Конфискация помещичьих земель. Конфискация нелегальной литературы.* □ — *Верно ли, что все, забиравшие хлеб, будут арестованы с конфискацией имущества и сосланы?* — *Нет, это не верно, граждане! Большевики не мстят, а беспощадно карают только врага.* Шолохов. Поднятая целина.

**КОНФЛИ́КТ**, -а, *м.* [Восх. к лат. conflictus]. Столкновение противоположных взглядов, интересов; серьезное разногласие, острый спор. *Международный конфликт. Семейный конфликт. Избежать нежелательного конфликта. Основной конфликт драмы.* □ — *Конфликт с мастером Гасиловым так серьезен и глубок,* — *произнес Женька,* — *что мы чувствуем такую же ответственность, какую, наверное, чувствовали все комсомольские поколения в трудные минуты жизни.* Липатов. И это все о нем.

С и н.: коллизия (*книжн.*).

**Конфли́ктный**, -ая, -ое. *Конфликтная ситуация.*

**КОНФОРМИ́ЗМ**, -а, *м.* [Восх. к позднелат. conformis — подобный, сходный]. *Книжн.* Отсутствие собственной позиции, приспособленчество.

**Конформи́стский**, -ая, -ое. *Конформистская позиция.* **Конформи́ст**, -а, *м.*

**КОНФРОНТА́ЦИЯ**, -и, *ж.* [Франц. confrontation]. *Книжн.* Противоборство, противостояние (социальных систем, чьих-л. интересов, убеждений); столкновение. *Военная конфронтация. Конфронтация идейно-политических взглядов.*

**Конфронтацио́нный**, -ая, -ое.

**КОНЦЕНТРАЦИО́ННЫЙ**, -ая, -ое. [От лат. concentratio — скопление, сосредоточение]. ◇ **Концентрационный лагерь** — в фашистской Германии и в оккупированных ею странах, а также в некоторых странах с реакционными режимами: место массового заключения и физического уничтожения политических противников, военнопленных, в годы фашистской оккупации также мирных жителей. *Концентрационный лагерь в Бухенвальде.* □ *Телегин пытался бежать из концентрационного лагеря, но был пойман и переведен в крепость, в одиночное заключение.* А. Н. Толстой. Хождение по мукам.

**КОНЦЕНТРИ́РОВАТЬ**, -рую, -руешь; концентри́рующий, концентри́ровавший, концентри́руемый, концентри́рованный; -ан, -а, -о; концентри́руя; *несов.* [Франц. concentrer]. **1.** *кого, что.* Собирать, сосредоточивать, накапливать в каком-л. месте. *Концентрировать капитал.* □ *Штаб сводной группы продолжал концентрировать партизанские силы в северо-восточных степях Ставрополья.* И. Егоров. Третий эшелон. **2.** *перен., что на чем.* Направлять, устремлять (мысли, внимание и т. п.) на что-л. одно. *Беридзе обладал способностью концентрировать внимание на одном, самом важном вопросе.* Ажаев. Далеко от Москвы.

С и н. (к 1 знач.): ска́пливать. С и н. (ко 2 знач.): обраща́ть, сосредото́чивать, фикси́ровать.

**Концентри́роваться**, -руется; *возвр.* **Концентра́ция**, -и, *ж.* и **концентри́рование**, -я, *ср. Концентрация войск. Концентрирование мыслей на чем-л.*

**КОНЦЕ́ПЦИЯ**, -и, *ж.* [Восх. к лат. conceptio — соединение, система]. *Книжн.* Система связанных между собой и вытекающих один из другого взглядов на что-л.; основная мысль. *Концепция ученого. Концепция романа.* □ *Он сделал анализ двух противостоящих инженерных концепций, и Алексей почувствовал гордость за начальника строительства, глубоко разбирающегося в специальных вопросах.* Ажаев. Далеко от Москвы.

**Концептуа́льный**, -ая, -ое.

**КОНЦЕ́РН**, -а, *м.* [Англ. concern]. Монополистическое объединение капиталистических предприятий под общим финансовым руководством.

**КОНЦЕ́РТ**, -а, *м.* [Восх. к итал. concerto]. **1.** Публичное исполнение музыкальных и других произведений. *Эстрадный, симфонический концерт. Концерт известной певицы.* □ *[Тузенбах:] Меня все просят устроить концерт в пользу погорельцев.* Чехов. Три сестры. **2.** Музыкальное произведение для одного инструмента в сопровождении оркестра. *Концерт для скрипки с оркестром. Фортепьянный концерт.*

**Конце́ртный**, -ая, -ое. *Концертная программа. Концертный зал.*

**КОНЦЕРТМЕ́ЙСТЕР**, -а, *м.* [Нем. Konzertmeister]. **1.** Руководитель группы исполнителей в оркестре (первый скрипач, первый альтист и т. п.). **2.** Пианист-аккомпаниатор, разучивающий партии с певцами. *В чем же.. заключались обязанности концертмейстера или иначе* — *репетитора?.. играть на репетициях и спевках.* Похитонов. Из прошлого русской оперы.

**Концертме́йстерский**, -ая, -ое.

**КОНЦЕ́ССИЯ**, -и, *ж.* [Восх. к лат. concessio — разрешение, уступка]. Договор государства с частным предпринимателем о передаче в эксплуатацию на определенный срок природных богатств, предприятий и других хозяйственных объектов, принадлежащих государству, а также само предприятие, работающее по такому договору. *Международные концессии.* □ — *Вы торгуете лесом, сэр?* — *Да, я торгую лесом.. Мы приобрели под Архангельском значительную лесную концессию.* А. Н. Толстой. Петр I.

**Концессио́нный**, -ая, -ое. *Концессионное предприятие.* **Концессионе́р**, -а, *м.* (владелец концессии).

**КОНЦЛА́ГЕРЬ**, -я, концлагеря́, -е́й, м. То же, что концентрационный лагерь.

**Концла́герный**, -ая, -ое.

**КОНЪЮНКТУ́РА**, -ы, ж. [Восх. к лат. conjungere — соединять, сочетать]. *Книжн.* Создавшееся положение, обстановка в какой-л. области общественной жизни. *Политическая конъюнктура.* □ *Ваш проект о немедленном пуске завода — нелеп: вы не учитываете хозяйственной конъюнктуры.* Ф. Гладков. Цемент.

Син.: ситуа́ция.

**Конъюнкту́рный**, -ая, -ое.

**КОНЪЮНКТУ́РЩИК**, -а, м. [См. *конъюнктура*]. *Разг. пренебр.* Беспринципный человек, ловко меняющий свое поведение в зависимости от обстановки, от той или иной конъюнктуры. — *Ты небось сейчас презираешь меня. Конъюнктурщик?.. если бы у меня в отделе был такой порядок, чтобы выгодно было быть хорошим, я был бы самым принципиальным, распрекрасным. Но поскольку обстоятельства иные, приходится быть прохвостом.* Гранин. Иду на грозу.

Син.: приспособле́нец.

**Конъюнкту́рщица**, -ы, ж.

**КООПЕРАТИ́В**, -а, м. [См. *кооперация*]. **1.** Организация, основанная на принципе объединения средств ее членов; кооперация. *Сельскохозяйственный кооператив. Жилищно-строительный кооператив.* □ *Неладное чувствовалось в том, что выехавший в Спасское председатель кооператива вторую неделю не возвращался домой.* Фадеев. Разгром. **2.** *Разг.* Магазин потребительской кооперации. *Купить в кооперативе.*

**Кооперати́вный**, -ая, -ое. *Кооперативная собственность. Кооперативная торговля.*

**КООПЕРА́ЦИЯ**, -и, ж. [Восх. к лат. cooperatio — сотрудничество]. **1.** Особая форма организации труда, при которой большое число людей совместно участвует в одном и том же или в различных, но связанных между собой процессах труда. *Концентрация производства неразрывно связана с широкой кооперацией рабочих в хозяйстве. Мы видели пример крупной экономии, которая для уборки своего хлеба пускает в дело сотни жатвенных машин одновременно.* Ленин, т. 3, с. 226. **2.** Коллективное производственное, торговое и т. п. объединение, создаваемое на средства его членов. *Вступить в члены промысловой кооперации.* **3.** *Разг.* Кооперативный магазин; кооператив. *Теперь и в Туруханске — Совет. Он.. закрыл все крупные кулацкие лавки и открыл свою лавку — кооперацию.* А. Кожевников. Брат океана.

**Коопера́тивный**, -ая, -ое.

**КООРДИНА́ТЫ**, -на́т, мн. (*ед.* координа́та, -ы, ж.). [От лат. co — совместно и ordinatus — упорядоченный]. **1.** *Спец.* Величины, определяющие положение точки на плоскости или в пространстве. *Географические, астрономические координаты.* □ — *Квадрат расположения аэродрома определить не могу. Даю координаты по компасу.* В. Кожевников. Март-апрель. **2.** *Разг.* Сведения о местопребывании кого-л. — *Ты вот что.. пиши свои координаты..— Адрес, имя, отчество, год рождения.* Трифонов. Конец сезона.

**Координа́тный**, -ая, -ое.

**КООРДИНА́ЦИЯ**, -и, ж. [От лат. co — совместно и ordinatio — упорядочение]. *Книжн.* Взаимосвязь, согласование, приведение в соответствие чего-л. *Строгая координация работы предприятий. Координация движений.* □ — *Попросил бы вас.. [поехать] в район сосредоточения и.. пока оставаться там для более успешной координации действий.* Бондарев. Горячий снег.

**Координацио́нный**, -ая, -ое.

**КОПЁР**, копра́, м. **1.** Сооружение над шахтой для установки подъемника. *Шахтные копры.* □ *Перед ним лежала земля, как и он — тяжело раненная. Над шахтами горько склонялись разрушенные копры.* Горбатов. Непокоренные. **2.** Устройство для забивания свай в твердый грунт или на большую глубину, обычно подвижное.

**КО́ПИ**, -ей, мн. *Устар.* Сооружение для подземной разработки полезных ископаемых; рудник. *Угольные, соляные копи.* □ *В горах разбросаны шурфы и штольни, а то и просто ямы бывших копей.* Портной, Орлов. Страна солнечного камня.

**КОРА́ЛЛ**, -а, м. [Греч. korallion]. **1.** Морское животное, род полипов, живущее неподвижными колониями на скалах (некоторые из них образуют коралловые рифы и острова). **2.** Ярко-красный, розовый или белый камень, являющийся известковым отложением этих животных и используемый для изготовления украшений. *Бусы, серьги из коралла.* □ *К ногам красавицы надменной Принес я меч окровавленный, Кораллы, злато и жемчуг.* Пушкин. Руслан и Людмила.

**Кора́лловый**, -ая, -ое. *Коралловые острова. Коралловое украшение.*

**КОРА́Н**, -а, м. (с прописной буквы). [Восх. к араб. Kur'ān — чтение]. Священная книга мусульман, содержащая изложение догм и положений мусульманской религии, мусульманских мифов и норм права. *[Татарин:] Магомет дал Коран, сказал: «Вот — закон! Делай, как написано тут!»* М. Горький. На дне.

**КОРВЕ́Т**, -а, м. [Франц. corvette; восх. к лат. corbita — грузовое судно]. **1.** Старинное трехмачтовое военное судно. *Я — отставной лейтенант нашего флота; мне грезилось море, наша эскадра и корвет, на котором я совершил кругосветное плавание.* Чехов. Рассказ неизвестного человека. **2.** Сторожевой корабль в британском и американском флотах (в период второй мировой войны 1939—1945 гг.).

**Корве́тный**, -ая, -ое.

**КОРДЕБАЛЕ́Т** [дэ], -а, м. [Франц. corps de ballet]. Артисты балета, исполняющие массовые и групповые танцы (в отличие от солистов балета). *Все бинокли приходят в движенья — Появляется кордебалет.* Н. Некрасов. Балет.

**Кордебале́тный**, -ая, -ое. *Кордебалетная труппа.*

**КОРДЕГА́РДИЯ** [дэ], -и, ж. [Франц. corps de garde]. *Устар.* Помещение для военного караула. *Види-*

тся же она [Соня] с ним по праздникам у острожных ворот или в кордегардии, куда его [Раскольникова] вызывают к ней на несколько минут. Достоевский. Преступление и наказание.

**КОРДО́Н**, -а, м. [Франц. cordon]. **1.** Небольшой пограничный пост. *Таможенный кордон.* ☐ *Нас остановил кордон национальной гвардии. Сначала пошарили в карманах, спросили, куда мы идем, и пропустили.* Герцен. Былое и думы. **2.** Местопребывание какой-л. охраны. *Отсюда, от кордона, по ущельям и склонам поднимался в верховья заповедный горный лес. На кордоне всего три семьи.* Айтматов. Белый пароход. **3.** *Разг.* Граница, рубеж. — *На границе глаз нужен.. На моем участке четыре села пополам разрезаны.. Как цепь ни расставляй, а на каждой свадьбе или празднике из-за кордона вся родня присутствует.* Н. Островский. Как закалялась сталь.

**Кордо́нный**, -ая, -ое. *Кордонная служба.*

**КОРЕННИ́К**, -а́, м. Лошадь, запрягаемая в корень, то есть в оглобли (при наличии пристяжных); средняя лошадь в тройке. *Спиридон с кучерским шиком подал экипаж. Настоявшийся коренник встряхивал дугой.* Мамин-Сибиряк. В дороге.

**КОРЕННО́Й**, -а́я, -о́е. **1.** Исконный, основной и постоянный (о жителях определенной местности, представителях определенной среды). *Коренное население области. Коренные сибиряки.* ☐ *Макар твердо помнил, что он коренной чалганский крестьянин. Он здесь родился, здесь жил, здесь же предполагал умереть.* Короленко. Сон Макара. **2.** Затрагивающий самые основы, корни чего-л.; глубокий, существенный. *Коренные преобразования. Коренные интересы трудящихся.* ◇ **Коренны́м о́бразом** — совсем, совершенно, полностью. *[Мать] коренным образом изменила жизнь; переехала из большой квартиры, распустила прислугу..* Щепкина-Куперник. Театр в моей жизни. **Коренна́я ло́шадь** — то же, что коренник.

С и н. (к 1 знач.): **кондо́вый** (устар.). С и н. (ко 2 знач.): **по́лный, радика́льный, основно́й.**

**КОРИФЕ́Й**, -я, м. [Восх. к греч. koryphaios — вождь, предводитель]. **1.** Руководитель хора в древнегреческой трагедии. **2.** *Высок.* Выдающийся деятель на каком-л. поприще. *Корифей русской науки.* — *Раз в неделю, вечером, в небольшой.. гостиной Майковых можно было всегда встретить тогдашних корифеев литературы.* Григорович. Литературные воспоминания.

**КО́РМЧИЙ**, -его, м. **1.** *Устар.* Рулевой, управляющий движением судна. — *Весла скорее берите, нужно лодку спасать!* — *стоя на корме «Росомахи», командовал наш кормчий Олег.* Соколов-Микитов. Осень в Чуне. **2.** *перен. Высок.* Руководитель, вдохновитель кого-, чего-л.

С и н. (к 1 знач.): **ко́рмщик** (устар.).

**КОРНЕ́Т**¹, -а, м. [Франц. cornette]. В дореволюционной русской армии: первый офицерский чин в кавалерии, равный подпоручику в пехоте, а также лицо, имеющее этот чин. *Аннушка в одну прекрасную ночь бежала из Головлева с корнетом Улановым и повенчалась с ним.* Салтыков-Щедрин. Господа Головлевы.

**Корне́тский**, -ая, -ое.

**КОРНЕ́Т**², -а, м. [Итал. cornetta; восх. к лат. cornu — рог]. Медный духовой музыкальный инструмент в виде рожка. *Играть на корнете. Звуки корнета.*

**КОРОБЕ́ЙНИК**, -а, м. В старину: мелкий торговец мануфактурой, галантереей, книгами вразнос. *На спине он нес легкую коробушку.. Коробейнику было лет под тридцать.* Златовратский. Бабье царство.

С и н.: **офе́ня.**

**КОРО́ЛЬ**, -я́, м. **1.** Титул монарха в некоторых государствах, а также лицо, имеющее этот титул. *Французский король. Король Швеции.* **2.** *перен.*, чего или какой. Монополист в какой-л. отрасли промышленности или торговли. *Автомобильный король. Угольные короли. Короли рынка.*

**Короле́ва**, -ы, ж. (к 1 знач.). *Английская королева.* **Короле́вский**, -ая, -ое (к 1 знач.). *Королевская власть, династия. Королевский двор.*

**КОРОНА́ЦИЯ**, -и, ж. [Лат. coronatio]. Торжественная церемония возложения короны на монарха, вступающего на престол. *Потом вдруг, как будто вспомнив о своем королевском достоинстве, Мюрат.. стал в ту же позу, в которой он стоял на коронации.* Л. Толстой. Война и мир.

С и н.: **коронова́ние, венча́ние.**

**КОРО́ННЫЙ**, -ая, -ое. [От лат. corona — корона]. **1.** *Устар.* В монархических государствах: правительственный. *Коронное войско.* **2.** Такой, какой лучше всего удается кому-л. (обычно исполнителю). *Коронная роль.* ☐ *[Двенадцатую рапсодию Листа] он и на конкурсе играл. И вообще это его коронный номер. С двенадцати лет.* А. Калинин. Гремите, колокола!

**КОРПОРА́ЦИЯ**, -и, ж. [Восх. к ср.-лат. corporatio — объединение]. **1.** Группа лиц, объединяемая общностью профессиональных или сословных интересов и носящая обособленный, замкнутый характер. *Корпорация ученых.* ☐ *[В царской России] нет даже и полицейского порядка, а есть только огромные корпорации разных служебных воров и грабителей.* Белинский. Письмо к Гоголю. **2.** Одна из форм монополистического объединения. *Главный бухгалтер крупной корпорации не только имеет право, но и прямо обязан следить за ее доходами и расходами.* Чаковский. Победа.

**Корпорати́вный**, -ая, -ое (к 1 знач.). *Корпоративные интересы.* **Корпорати́вность**, -и, ж.

**КО́РПУС**, -а, корпуса́, -о́в и ко́рпусы, -ов, м. [Восх. к лат. corpus — тело]. **1.** (мн. ко́рпусы). Туловище человека или животного. **2.** (мн. корпуса́). Основа, остов или оболочка чего-л. (механизма, прибора, аппарата и т. п.). *Корпус скрипки. Корпус судна. Корпус часов.* ☐ *Дроздовский ударил длинной очередью по засверкавшему над головами вытянутому металлическому корпусу первого истребителя.* Бондарев. Горячий снег. **3.** (мн. корпуса́). Крупное войсковое соединение, состоящее из нескольких дивизий или бригад. *Танковый, стрелковый корпус. Командир корпуса.* ☐ *Всех полков было в одном кира-*

сирском корпусе восемь. Фет. Ранние годы моей жизни. **4.** (*мн.* корпуса́). В дореволюционной России: военное закрытое среднее учебное заведение. *Кадетский корпус. Морской корпус. Пажеский корпус.* ☐ — *Ах, нет, маменька,.. я как сейчас помню, как он [Павел] из корпуса вышел: стройный такой, широкоплечий, кровь с молоком.* Салтыков-Щедрин. Господа Головлевы. **5.** (*мн.* ко́рпусы). Совокупность лиц одной специальности, какого-л. одного официального или служебного положения. *Дипломатический корпус. Консульский корпус.* ☐ *Обнимая Половцева, Никольский сказал: — Мужество и еще раз мужество! Вот чего не хватает офицерскому корпусу доброй старой императорской армии! Засиделись вы.* Шолохов. Поднятая целина. **6.** (*мн.* корпуса́). Отдельное здание в ряду нескольких или обособленная часть здания. *Заводские корпуса.*

С и н. (к 1 знач.): торс, стан.

**КОРРЕКТИ́В**, -а, *м.* [Франц. correctif; восх. к лат. correctus — исправленный]. *Книжн.* Поправка, частное исправление. *Внести коррективы в маршрут экскурсии. Дополнительные коррективы в рукописи.*

**КОРРЕКТИ́РОВАТЬ**, -рую, -руешь; корректи́рующий, корректи́ровавший; корректи́руемый, корректи́рованный; -ан, -а, -о; корректи́руя; *несов., что.* [См. *корректный*]. **1.** Вносить поправки, исправления или изменения (коррективы) во что-л. *Я предложил ему съездить в Главное артиллерийское управление посмотреть.. аппарат, корректирующий стрельбу по аэропланам.* М. Горький. В. И. Ленин. **2.** Исправлять ошибки в оттиске типографского набора. *Я видел, как делали газеты на фронте, как набирали под обстрелом и корректировали полосу.* Эренбург. Сила слова.

С и н. (ко 2 знач.): пра́вить.

**Корректиро́вка**, -и, *ж.* (к 1 знач.) и **корректи́рование**, -я, *ср.*

**КОРРЕ́КТНЫЙ**, -ая, -ое; -тен, -тна, -о. [Восх. к лат. correctus — исправленный]. **1.** Тактичный, вежливый, учтивый. *Корректное обращение с кем-л. Корректный поступок.* ☐ *Всегда корректный, безупречно одетый, вежливый, он был далек от мочаловских или горевских падений и взлетов.* Щепкина-Куперник. Театр в моей жизни. **2.** *Книжн.* Правильный, точный. *Корректный перевод английского текста.* ☐ *— Пусть местами его выводы не вполне корректны, но тем более он имеет право удостовериться.* Гранин. Иду на грозу.

С и н. (к 1 знач.): обходи́тельный, предупреди́тельный, любе́зный, гала́нтный, воспи́танный.

А н т.: некорре́ктный.

**Корре́ктно**, *нареч.* **Корре́ктность**, -и, *ж.*

**КОРРЕ́КТОР**, -а, корректора́, -о́в и корре́кторы, -ов, *м.* [Восх. к лат. corrector — исправитель]. Работник типографии или издательства, занимающийся исправлением ошибок в оттиске типографского набора. *В комнате,.. заваленной влажными полосками газетных гранок, стоял корректор — кудрявый блондин.* Федин. Первые радости.

**Корре́кторский**, -ая, -ое.

**КОРРЕСПОНДЕ́НТ**, -а, *м.* [Франц. correspondant]. **1.** Тот, кто находится в переписке с кем-л. *Ответить своему корреспонденту.* **2.** Сотрудник газеты или журнала, радио и других органов информации, посылающий сообщения с мест. *Рабочий корреспондент (рабкор). Сельский корреспондент (селькор). Военный корреспондент (военкор). Юный корреспондент (юнкор). Собственный корреспондент (собкор). Специа́льный корреспондент (спецкор).* ☐ *— Товарищ Андронова,.. выйдите в коридор для беседы с корреспондентом газеты, который интересуется стилем ученичества на часовом производстве.* Прилежаева. Пушкинский вальс.

**Корреспонде́нтка**, -и, *ж.* (*разг.*). **Корреспонде́нтский**, -ая, -ое.

**КОРРЕСПОНДЕ́НЦИЯ**, -и, *ж.* [Восх. к ср.-лат. correspondere — отвечать, переписываться]. **1.** Почтовая переписка, а также (*собир.*) письма, почтово-телеграфные отправления. *Доставка корреспонденции.* ☐ *Значительную часть сумки соррентинского почтальона занимает корреспонденция Горького.* Леонов. О Горьком. **2.** Сообщение с мест, статья, присланные в газету или журнал корреспондентом (во 2 знач.). *Корреспонденция для газеты «Известия». Публикация корреспонденций с фронта.* ☐ *— Надо заняться делом, — сказал себе Воронов. Одну корреспонденцию он уже передал в Москву. Теперь надо было подумать о второй.* Чаковский. Победа.

**КОРРИ́ДА**, -ы, *ж.* [Исп. corrida (de toros)]. В Испании и некоторых странах Латинской Америки: массовое зрелище — бой тореадора с быком.

**КОРРУ́ПЦИЯ**, -и, *ж.* [Восх. к лат. corruptio]. *Книжн.* Подкуп взятками, продажность должностных лиц и общественных деятелей. *Пройдет двадцать лет, и вокруг братьев.. разразится один из громких скандалов.. [Том] сядет в тюрьму по обвинению в коррупции, взяточничестве и связях с преступным миром.* Чаковский. Победа.

**КОРСА́Р**, -а, *м.* [Итал. corsaro]. *Устар.* В старину: морской разбойник; пират. *Вон — высоко на корме.. стоит коренастый, коричневый, суровый человек.. Это капитан, дравшийся с корсарами и пиратами всех морей.* А. Н. Толстой. Петр I.

С и н.: флибустье́р.

**Корса́рский**, -ая, -ое. *Корсарское судно.*

**КОРСЕ́Т**, -а, *м.* [Франц. corset]. **1.** Особый пояс, стягивающий нижнюю часть грудной клетки, талию и живот для придания стройности фигуре. *Марья Степановна затянула ее перед смотринами, и без того худенькую, корсетом и придала ей вид осы.* Герцен. Кто виноват? **2.** Приспособление (из гипса, кожи, пластмассы, ткани и т. п.), применяемое с лечебной целью для создания неподвижности позвоночника при его заболеваниях и повреждениях. *Гипсовый корсет.* ☐ *Уверяли еще, что он носит корсет, потому что лишился где-то ребра, неловко выскочив из окошка.* Достоевский. Дядюшкин сон.

**Корсе́тный**, -ая, -ое. *Корсетная мастерская.*

**КОРТ**, -а, *м.* [Англ. court]. Площадка для игры в теннис.

**Ко́ртовый**, -ая, -ое.

**КОРТЕ́Ж** [тэ], -а, м. [Франц. cortège]. *Книжн.* Торжественное шествие, процессия. *Свадебный, траурный кортеж. Кортеж мотоциклистов.* □ *Сыновья, в паре, шли сзади его.. За ними безмолвной гурьбой следовал кортеж дворовых.* Салтыков-Щедрин. Господа Головлевы.

**Корте́жный**, -ая, -ое.

**КО́РТИК**, -а, м. Холодное колющее офицерское оружие с коротким граненым клинком и небольшой рукояткой. *Чичагов в флотском вицмундире, с кортиком, держа фуражку под мышкой, подал Кутузову строевой рапорт и ключи от города.* Л. Толстой. Война и мир.

**КОРЧА́ГА**, -и, ж. Большой, обычно глиняный сосуд для разных хозяйственных надобностей. *— А бидонов ни одного нет, и молоко по старинке сливают в корчаги. Что это за дело?* Шолохов. Поднятая целина.

**Корча́жка**, -и, ж. (*уменьш.*). **Корча́жный**, -ая, -ое.

**КОРЧЕВА́ТЬ**, -чу́ю, -чу́ешь; корчу́ющий; корчева́вший; корчу́емый; корчёванный; -ан, -а, -о; корчу́я; *несов., что.* Выкапывать, удалять из земли вместе с корнями (пни, деревья). *Корчевать пни.* □ *Избу поставил.. в деревне, а целину для пашни разодрал здесь [в тайге]. Особенно много ему корчевать и не пришлось, полян.., удобных для работы, тут было достаточно.* Распутин. Живи и помни.

**Корчёвка**, -и, ж. и **корчева́ние**, -я, ср.

**КОРЧМА́**, -ы́, корчмы́, -чём, ж. В дореволюционной России: постоялый двор, трактир (гл. образом на Украине, в Белоруссии и Польше). *Походом.. мы остановились на часовой привал в деревне около корчмы, чтобы дать людям по чарке водки.* Фет. Ранние годы моей жизни.

**КОРЫ́СТЬ**, -и, ж. Выгода, материальная польза. *Не для житейского волненья, Не для корысти, не для битв, Мы рождены для вдохновенья, Для звуков сладких и молитв.* Пушкин. Поэт и толпа.

**Коры́стный**, -ая, -ое; -тен, -тна, -о. *Корыстный человек. Корыстные цели, интересы.* **Коры́стность**, -и, ж.

**КОСМЕ́ТИКА**, -и, ж. [Восх. к греч. kosmētike (technē)—искусство украшать]. **1.** Уход за лицом и телом с гигиенической целью или для придания свежести и красоты. *Секреты косметики. Лечебная косметика.* □ *Ей далеко за тридцать, но усилия современной косметики и виртуозы-парикмахеры делают ее гораздо моложе.* Первенцев. Младший партнер. **2.** *собир.* Средства для придания свежести и красоты лицу и телу. *Княжна с маменькой изволила ездить по лавкам. И заехали к Теодору.. насчет шиньона.. или какой-нибудь косметики.* Боборыкин. Бич мужей.

**Космети́ческий**, -ая, -ое. *Косметические средства. Косметический кабинет.*

**КОСМОДРО́М**, -а, м. [От космос (см.) и греч. dromos—место для бега; бег]. Комплекс сооружений и технических средств, предназначенных для сборки, подготовки и запуска космических летательных аппаратов. *Космодром в Байконуре.*

**Космодро́мный**, -ая, -ое.

**КОСМОНА́ВТИКА**, -и, ж. [От космос (см.) и греч. nautikē (technē)—мореплавание]. Теория и практика полетов в космос. *День космонавтики.*

С и н.: астрона́втика, звездопла́вание.

**Космона́вт**, -а, м.

**КОСМОПОЛИ́Т**, -а, м. [Восх. к греч. kosmopolitēs— гражданин мира]. Последователь космополитизма—идеологии, проповедующей отказ от национальных традиций и культуры, патриотизма, отрицающей государственный и национальный суверенитет и выдвигающей идеи единого государства, мирового гражданства.

**Космополи́тка**, -и, ж. **Космополити́ческий**, -ая, -ое.

**КО́СМОС**, -а, м. [Греч. kosmos]. Мир, вселенная. *Освоение космоса. Полеты в космос. Выйти в открытый космос. Загадки космоса.* □ *Стоим и смотрим, как мигают звезды. Поднимаются откуда-то заглушенные мысли о бесконечности, о космосе, о каких-то мирах, существующих и погибших.* В. Некрасов. В окопах Сталинграда.

С и н.: мирозда́ние (*книжн.*), макроко́см (*спец.*) и макрокосмос (*спец.*).

**Косми́ческий**, -ая, -ое. *Космическое пространство. Космический корабль.*

**КО́СНЫЙ**, -ая, -ое; ко́сен, ко́сна, -о. Тяготеющий к чему-л. старому, привычному, невосприимчивый к новому, прогрессивному; отсталый. *Косный человек.* □ *Тут главное.. в полной отрешенности от косных бытовых предрассудков, диких обычаев, религии.* Катаев. Почти дневник.

С и н.: рути́нный, консервати́вный.

**Ко́сность**, -и, ж. *Борьба с мещанской косностью.*

**КОСОВИ́ЦА**, -ы, ж. Кошение травы, хлебов, а также время, когда косят хлеба, травы. *Прошла неделя, вторая,.. начиналась косовица яровых, и не было дня без дождя.* Проскурин. Горькие травы.

С и н.: сеноко́с, поко́с, косьба́.

**КОСОВОРО́ТКА**, -и, ж. Мужская верхняя рубашка со стоячим воротом, застегивающимся сбоку. *Женщина в красной повязке,.. в мужской косоворотке стояла.. и смотрела на него с изумлением.* Ф. Гладков. Цемент.

**КОСТЁЛ**, -а, м. [Польск. kościoł]. Польский католический храм. *Похоронный обряд совершался в маленьком костеле.* Мамин-Сибиряк. Кисейная барышня.

**Костёльный**, -ая, -ое.

**КОСТЯ́К**, -а́, м. **1.** Остов человека или позвоночного животного, состоящий из костей. **2.** *перен., чего или какой.* Основа, опора чего-л. *Коммунисты, комсомольцы, да и весь рабочий костяк отряда продолжал сражаться на укреплениях в горящем лесу.* Б. Полевой. Золото.

С и н. (к 1 знач.): скеле́т. С и н. (к 2 знач.): ядро́.

**КОТИЛЬО́Н** [льё], -а, м. [Франц. cotillon]. Старинный танец—кадриль, фигуры которой перемежаются вальсом, полькой и др. танцами (исполняется обычно как заключительный танец бала), а также музыка к этому танцу. *Один* *из веселых котильонов, перед ужином, князь Андрей опять танцевал с Наташей.* Л. Толстой. Война и мир.

**КОТТЕ́ДЖ** [тэ́], -а, *м.* [Англ. cottage]. Небольшой жилой дом в пригороде для одной семьи (обычно двухэтажный). *[Макаров] вышел на улицу, вдоль которой тянулись коттеджи инженерно-технического поселка.* В. Попов. Сталь и шлак.

**КОЧЕ́ВНИКИ**, -ов, *мн.* (*ед.* **кочевник**, -а, *м.*). Народ, племя, ведущие кочевой образ жизни.

**КОШ**, -а, *м.* [Тюрк.] **1.** Войлочное летнее жилище кочевников. *Кош — круглая киргизская палатка из войлока.* Мамин-Сибиряк. Баймаган. **2.** Место пребывания запорожских казаков, Запорожская Сечь, а также временный военный казацкий лагерь, обоз, казацкий табор на Украине в 16—18 вв.

**Кошево́й**, -а́я, -о́е (*ко 2 знач.*). ◇ **Кошевой атаман** — начальник коша у запорожских казаков.

**КОША́РА**, -ы, *ж.* Овчарня, помещение для содержания овец. *Еще дальше чернели плохо различимые строения, похожие на кошары — степные загоны для овец.* Первенцев. Огненная земля.

**КОШМА́**, -ы́, ко́шмы, кошм и ко́шем, *ж.* Вид войлока, изготовляемого из овечьей или верблюжьей шерсти, а также большой кусок такого войлока. *Спать на кошме.* □ *На широких лавках.. постланы были кошмы, подушки, медвежьи шубы.* А. Н. Толстой. Петр I.

**КОШТ**, -а, *м.* [Польск. koszt]. Устар. Расходы на содержание кого-, чего-л. *[Матвей] написал прошение царю с просьбой определить на казенный счет в какое-нибудь училище.. Прошение осталось без последствий: на казенный кошт было немало претендентов.* Г. Марков. Строговы.

**КОЩУ́НСТВО**, -а, *ср.* Оскорбительное отношение к тому, что глубоко чтится, что свято и дорого кому-л. (первонач. оскорбление религиозной святыни). *Женьке на секунду показалось, что он совершает кощунство, ведет себя как самый последний негодяй, когда с угрожающе поднятыми кулаками врывается в жизнь счастливого [человека].* Липатов. И это все о нем.

С и н.: святота́тство (*книжн.*).

**Кощу́нственный**, -ая, -ое; -ен и -енен, -енна, -о. **Кощу́нственно**, *нареч.* **Кощу́нственность**, -и, *ж.*

**КРАЕУГО́ЛЬНЫЙ**, -ая, -ое. ◇ **Краеугольный вопрос** (*книжн.*) — основной, важнейший вопрос. **Краеугольный камень** *чего* (*книжн.*) — основа, важнейшая часть чего-л. (первонач. угловой камень в основании постройки).

**КРАЙ**, -я, края́, -ёв, *м.* **1.** Страна, местность. *Улететь в теплые края.* □ *Обезображенный войною, Цветущий край осиротел.* Пушкин. Бахчисарайский фонтан. **2.** Крупная административно-территориальная единица, обычно имеющая в своем составе автономную область. *Хабаровский край.* ◇ **Передний край** — 1) первая линия расположения огневых позиций пехоты в районе боевых действий; 2) участок какой-л. трудной и важной в данное время деятельности.

С и н. (*к 1 знач.*): земля́ (*высок.*), сторона́ (*разг.*).

**Краево́й**, -а́я, -о́е (*ко 2 знач.*). *Краевая администрация.*

**КРАМО́ЛА**, -ы, *ж.* **1.** Устар. Мятеж, государственный заговор. *[Петр I] вырос среди тревог, смут и крамол;.. он видел умерщвление своих дядей, трепетал за жизнь матери.* Добролюбов. Первые годы царствования Петра Великого. **2.** *перен.* О чем-л. выражающем недовольство, протест. *Ведь стоило Борисовой нахмуриться,.. как у него из головы вытряхивалась крамола вся, без остатка, он мучительно и осторожно начинал нащупывать причину ее недовольства.* Проскурин. Горькие травы.

С и н. (*к 1 знач.*): сму́та (*устар.*).

**Крамо́льный**, -ая, -ое. *Шпики донесли министру внутренних дел Дурново, что в воскресные школы проникают учителя из революционной среды и читают.. лекции на крамольные темы.* Коптелов. Большой зачин.

**КРАСНОБА́ЙСТВО**, -а, *ср.* Пустое красноречие, склонность к многословию. □ *[Васса:] А ему социализм, как Прохору бог: по привычке молится, а душой — не верит. Ты краснобайству его не верь.* М. Горький. Васса Железнова.

С и н.: фразёрство.

**КРАСНОРЕЧИ́ВЫЙ**, -ая, -ое; -и́в, -а, -о. **1.** Обладающий красноречием. *Красноречивый собеседник.* □ *[Дона Анна:] О, Дон Гуан красноречив — я знаю, Слыхала я; он хитрый искуситель.* Пушкин. Каменный гость. **2.** *перен.* Выразительный, ярко свидетельствующий о чем-л. *Красноречивый жест.*

С и н. (*к 1 знач.*): речи́стый (*устар. и прост.*). С и н. (*ко 2 знач.*): я́ркий, кра́сочный, живопи́сный, колори́тный, экспресси́вный (*книжн.*).

**Красноречи́во**, *нареч.* *Разве нужны были слова, когда так красноречиво блестели эти глаза.* Мамин-Сибиряк. Падающие звезды. **Красноречи́вость**, -и, *ж.*

**КРАСНОРЕ́ЧИЕ**, -я, *ср.* **1.** Умение говорить красиво, убедительно; ораторский талант. *Обладать красноречием.* □ *Марфа пустила в ход все свое красноречие, уговаривая упрямого охотника на поездку.* Коптяева. Иван Иванович. **2.** Устар. Ораторское искусство. *Античное красноречие.*

С и н. (*к 1 знач.*): красноречи́вость, виті́йство (*устар.*), речи́стость (*устар. и прост.*).

**КРА́СНЫЙ**, -ая, -ое; кра́сен, красна́, -о. **1.** Имеющий окраску одного из основных цветов спектра, идущего перед оранжевым; цвета крови. *Красный мак. Красное знамя.* **2.** *полн. ф.* Относящийся к революционной деятельности, связанный с советским строем, с Красной Армией. *Красный командир.* □ *Незадолго перед этим белые были выбиты из Красноводска красными частями.* Паустовский. Кара-Бугаз. **3.** *Нар.-поэт.* Обозначающий что-л. яркое, светлое; красивый, прекрасный. *Красное солнышко.* □ *Толпа без красных девушек, что рожь без васильков.* Н. Некрасов. Кому на Руси жить хорошо. **4.** *полн. ф.* Устар. Парадный, почетный. *Красное крыль-*

цо. ◊ **Красный угол** — в крестьянской избе: передний, противоположный печному угол, в котором ставился стол и вешались иконы. — *Милости просим, милости просим!* — *радушно приглашает отец гостей за стол и отводит дяде Роде самое почетное место* — *в красном углу, под образами.* В. Смирнов. Открытие мира. **Красная книга** — международный реестр, в который заносятся данные о подлежащих охране редких видах животных и растений. **Красное дерево** — древесина некоторых деревьев, преимущ. тропических, употребляемая для ценных столярных изделий. **Красной нитью (или линией) проходить** — отчетливо подчеркиваться, выделяться (о какой-л. идее). **Красный товар** (*устар.*) — ткани, мануфактура. **Красный ряд** (*устар.*) — торговый ряд, в котором продавались ткани, мануфактура. **Красное словцо** (*разг.*) — остроумное, меткое выражение. **Красного петуха пустить** (*разг.*) — устроить пожар, поджечь.

С и н. (к 1 знач.): а́лый, пунцо́вый, крова́вый, кумачо́вый, карми́нный *и* карми́новый, кинова́рный, руби́новый, грана́товый, пу́рпурный, пурпу́ровый *и* пурпуро́вый, багро́вый *и* багря́ный (*книжн.*), рдя́ный (*книжн.*), червлёный (*устар.*), черво́нный (*устар. и высок.*).

А н т. (ко 2 знач.): бе́лый.

**КРАХ**, -а, *м.* [Нем. Krach]. **1.** Разорение, банкротство. *Биржевой крах.* □ *На именинах все гости говорили только о крахе банка.* Чехов. Беда. **2.** *перен.* Полная неудача, провал. *Потерпеть крах.*

С и н. (ко 2 знач.): банкро́тство, круше́ние, фиа́ско (*книжн.*).

**КРЕДИ́Т**, -а, *м.* [Восх. к лат. creditum]. **1.** Предоставление в долг на определенный срок денег и товаров. *Продажа товаров в кредит.* **2.** Денежная сумма, выделяемая на определенные цели. *Долгосрочный, краткосрочный кредит. Кредиты на здравоохранение.* □ — *По моему мнению,.. [надо] повседневно вести среди колхозников разъяснительную работу.., какие льготы дает государство колхозникам.. Очень многие колхозники до сих пор не знают, какие отпущены колхозам кредиты.* Шолохов. Поднятая целина. **3.** *перен. Книжн.* Доверие, авторитет. *Политический кредит.* □ *Кредит Темы в глазах Иоськи подорван. Он молчит, и Тема чувствует, что Иоська ему не верит.* Гарин-Михайловский. Детство Темы.

**Креди́тный**, -ая, -ое. (к 1 и 2 знач.). *Кредитные операции.* ◊ **Кредитный билет** — бумажный денежный знак.

**КРЕДИТО́Р**, -а, *м.* [Лат. creditor]. Лицо или учреждение, давшее товары или деньги в кредит. *Уплатить кредиторам часть долгов.*

С и н.: заимода́вец (*устар.*).

**КРЕ́ДО**, *нескл., ср.* [Лат. credo — верю, верую]. *Книжн.* Убеждения, взгляды, основы мировоззрения (первонач. символ веры в католической церкви). *Политическое, научное, жизненное кредо.*

С и н.: мировоззре́ние, идеоло́гия, воззре́ния (*книжн.*).

**КРЕ́ЙСЕР**, -а, крейсера́, -о́в, *м.* [Голл. kruiser]. Быстроходный военный корабль с мощным артиллерийским и ракетным вооружением, появившийся в 60-х гг. 19 в. *Ракетный крейсер.* □ *Плывут крейсера, снаряды соря. И миноносцы с минами носятся.* Маяковский. Хорошо!

**Кре́йсерский**, -ая, -ое.

**КРЕМАТО́РИЙ**, -я, *м.* [См. *кремация*]. Здание для кремации. *Четвертый его побег [из концлагеря], видимо, станет последним.. После всего, что случилось.. умирать рядом с ней было все же легче, чем в ненасытной печи крематория.* В. Быков. Альпийская баллада.

**КРЕМА́ЦИЯ**, -и, *ж.* [Восх. к лат. crematio — сжигание]. Сжигание тела умершего в особой печи. *Энгельс завещал, чтобы тело его предали кремации, а урну с прахом опустили в море возле городка Истборн. Друзья выполнили волю покойного.* Коптелов. Большой зачин.

**КРЕМЛЬ**, -я́, *м.* Центральная часть древнерусских городов, обнесенная крепостными стенами с башнями; комплекс оборонительных, дворцовых и церковных сооружений. *Древний кремль.* □ *Напрасно ждал Наполеон, Последним счастьем упоенный, Москвы коленопреклоненной С ключами старого Кремля.* Пушкин. Евгений Онегин.

**Кремлёвский**, -ая, -ое.

**КРЕПОСТНО́Й**, -а́я, -о́е. **1.** Относящийся к общественному строю, при котором помещик имел право на личность, имущество и принудительный труд принадлежащих ему крестьян. *Крепостные крестьяне. Крепостная зависимость. Крепостная актриса.* **2.** *в знач. сущ.* **крепостно́й**, -о́го, *м.* Крепостной крестьянин. *Владеть крепостными.* ◊ **Крепостное право** — господствующее в феодальном обществе право помещика распоряжаться личностью, трудом и имуществом принадлежащих ему крестьян. *Основной признак крепостного права тот, что крестьянство.. считалось прикрепленным к земле,* — *отсюда произошло и самое понятие* — *крепостное право.* Ленин, т. 39, с. 75—76.

**Крепостна́я**, -о́й, *ж.* (ко 2 знач.).
**КРЕ́ПОСТЬ**[1], -и, кре́пости, -е́й, *ж.* Укрепленное место с долговременными оборонительными сооружениями. *Старинная крепость. Развалины средневековой крепости.* □ *На другой день в сумерки Пугачев явился перед крепостью.* Пушкин. История Пугачева.

С и н.: тверды́ня (*высок.*), форте́ция (*устар.*).

**Крепостно́й**, -а́я, -о́е. *Крепостная стена.*

**КРЕ́ПОСТЬ**[2], -и, кре́пости, -е́й, *ж.* В дореволюционной России: документ о купле и продаже недвижимого имущества. — *Я принимаю на себя все повинности; я совершу даже крепость на свои деньги.* Гоголь. Мертвые души.

**КРЕСТИ́ТЬ**, крещу́, кре́стишь; крестя́щий; крести́вший; крещённый; -щён, -щена́, -о́; крестя́, крести́в; *сов. и несов., кого.* **1.** *сов. и несов.* Совершать обряд крещения над кем-л. *Еще через пять дней крестили молодого князя Николая Андреича.. гусиным перышком священник мазал сморщенные красные ладонки и ступеньки мальчика.* Л. Толстой. Война и мир. **2.** *сов., перен. Книжн.*

Подвергать первым тяжелым испытаниям. [*Андрей Шубников*] *крещен в одном бою под Орлом, ранен, лежал в госпитале*. Грибачев. Солнце всходит за Доном. **3.** *несов*. Участвовать в качестве крестного отца или матери в обряде крещения кого-л. *Как Таня выросла! Давно ль Я, кажется, тебя крестила?* Пушкин. Евгений Онегин. **4.** *несов*. Движением руки делать знак креста (символ христианской веры) над кем-, чем-л.

**Крести́ться**, крещу́сь, кре́стишься; *возвр*. (*к 1, 2 и 4 знач*.). **Креще́ние**, -я, *ср*.

**КРЕ́СТНИК**, -а, *м*. Крестный сын. *Заботиться о крестнике*.

**Кре́стница**, -ы, *ж*. (крестная дочь).

**КРЕ́СТНЫЙ**, -ая, -ое. У верующих: участвовавший в обряде крещения кого-л. в роли так называемого духовного отца или матери (*крестный отец, крестная мать*), а также окрещенной при участии таких лиц (*крестный сын, крестная дочь*). *Дуня.. вздумала, может быть, прокатиться до следующей станции, где жила ее крестная мать*. Пушкин. Станционный смотритель.

**КРЕТИ́Н**, -а, *м*. [Франц. crétin]. **1.** Человек, страдающий заболеванием, характеризующимся задержкой физического и психического развития вследствие ненормального развития щитовидной железы. **2.** *перен*. *Разг. бран*. Дурак, тупица.— *У вас астма, вам нужно лечиться,.. [но] они тут пропадут без вас, только кретины считают, что администратор.. распределяет пропуска*. Гранин. Иду на грозу.

С и н. (*ко 2 знач*.): глупе́ц, болва́н (*разг*.), идио́т (*разг*.), о́лух (*разг*.), ду́рень (*прост*.), дурале́й (*прост*.), дурачи́на (*прост*.), балда́ (*прост*.), остоло́п (*прост*.).

**Крети́нка**, -и, *ж*.

**КРЕЩЕ́НИЕ**, -я, *ср*. **1.** Христианский обряд принятия кого-л. в число верующих, приобщения к церкви, совершаемый обычно над новорожденными. *Принять крещение*. **2.** *перен., какое. Высок*. Первое испытание в чем-л., на каком-л. поприще. *Боевое крещение*. □ *Так летом 1896 года в Казани.. произошло мое крещение в роли Чацкого, которую я затем играл на сцене Александринского театра свыше двадцати пяти лет*. Юрьев. Записки. **3.** Церковный праздник крещения Христа. *В самый день крещения.., в который бывает церковный ход на воду.., [Дмитриев] лежал еще в постели*. М. Дмитриев. Мелочи из запаса моей памяти.

**Креще́нский**, -ая, -ое (*к 3 знач*.). ◊ **Крещенские морозы (холода)** — сильные морозы во второй половине января, совпадающие обычно с церковным праздником крещения. *Зима на 45-й, последний военный год, в этих краях простояла сиротской, но крещенские морозы свое взяли, отстучали, как им полагается, за сорок*. Распутин. Живи и помни.

**КРИ́ЗИС**, -а, *м*. [Восх. к греч. krisis — решение, исход]. **1.** Резкий, крутой перелом в чем-л., тяжелое переходное состояние. *Творческий кризис*. □ *Жестокий жар его [Базарова] мучил. К утру ему полегчало. Он.. выпил глотка два чаю. Василий Иванович оживился немного.— Слава богу! — твердил он.— Наступил кризис*. Тургенев. Отцы и дети. **2.** В капиталистическом обществе: периодическое относительное перепроизводство товаров, не находящих сбыта вследствие ограниченности платежеспособного спроса. *Экономический кризис*. □ *Товары растут, меж нищими высясь. Директор.. лысый черт, пощелкал счетами, буркнул: «кризис!» и вывесил слово «расчет»*. Маяковский. Владимир Ильич Ленин. **3.** Острый недостаток, нехватка чего-л. *Продовольственный кризис*. □ *Ждали — вот-вот войдет Лухова для доклада о борьбе с разрухой и топливным кризисом*. Ф. Гладков. Цемент. ◊ **Политический кризис** — политическая обстановка в стране, характеризующаяся резким недовольством населения политикой правительства.

**Кри́зисный**, -ая, -ое. *Кризисное положение*.

**КРИМИНА́Л**, -а, *м*. [Восх. к лат. criminalis — преступный]. То, в чем есть признаки преступления, уголовное дело, а также что-л. предосудительное или выходящее за пределы общепринятых норм поведения.— *Когда утром помещик узнал, что у него такой криминал случился [утащили двадцать кулей ржи], то сейчас бух губернатору телеграмму*. Чехов. Жена.

**Кримина́льный**, -ая, -ое (*книжн*.). *Криминальный факт*.

**КРИНОЛИ́Н**, -а, *м*. [Франц. crinoline]. Широкая юбка колоколом на тонких стальных обручах или китовом усе (бывшая в моде до середины 19 в.). *На ней было широкое шелковое платье и кринолин, как тогда носили*. Мамин-Сибиряк. Между нами.

**Кринoли́нный**, -ая, -ое и **кринoли́новый**, -ая, -ое.

**КРИСТА́ЛЛ**, -а, *м*. [Греч. krystallos — букв. лед]. **1.** Твердое тело, имеющее естественную форму многогранника. *Кристаллы льда, соли, алмаза*. **2.** *Устар*. То же, что хрусталь. *Обед роскошный перед ней: Прибор из яркого кристалла*. Пушкин. Руслан и Людмила.

**Кристалли́ческий**, -ая, -ое (*к 1 знач*.).

**КРИСТА́ЛЬНЫЙ**, -ая, -ое; -лен, -льна, -о. [См. *кристалл*]. **1.** Светлый, прозрачный, такой, как кристалл. *Ручей кристальный там, журча по камням, лился*. Измайлов. Попугай. **2.** Совершенно безупречный, чистый в нравственном отношении. *Кристальная честность. Кристальная душа*. *Я его знаю с детства: кристальной чистоты человек*. В. Попов. Сталь и шлак.

С и н. (*к 1 знач*.): чи́стый, незамутнённый, хруста́льный. С и н. (*ко 2 знач*.): идеа́льный, безукори́зненный.

**Криста́льно**, *нареч*. **Криста́льность**, -и, *ж*.

**КРИТЕ́РИЙ** [тэ́], -я, *м*. [Восх. к греч. kritērion — средство для решения]. *Книжн*. Признак, на основании которого производится оценка, определение или классификация чего-л. *Найти верный критерий*. □ *Конечно, критерий отношения человека к труду не может быть единственным для создания современного положительного образа. Но, думается, это основное*. Соболев. Литература и наша современность.

С и н.: мери́ло (*книжн*.).

**КРИ́ТИКА**, -и, ж. [Восх. к греч. kritikē (technē) — искусство разбирать, судить]. **1.** Обсуждение, разбор чего-л. с целью оценить достоинства, обнаружить и выправить недостатки, а также (*разг.*) отрицательное суждение о чем-л. *Объективная критика. Подвергнуть что-л. принципиальной критике. Высказать критику в чей-л. адрес.* **2.** Особый литературный жанр, посвященный разбору художественной литературы и других произведений искусства. *Театральная критика. Литературно-художественная критика.* □ *Во всякой книге предисловие.. или служит объяснением цели сочинения, или оправданием и ответом на критику.* Белинский. Сочинения Александра Пушкина. ◊ **Не выдерживает (никакой) критики; ниже всякой критики** — о чем-л. не отвечающем самым снисходительным требованиям.

**Крити́ческий**, -ая, -ое. *Критические замечания. Критический отдел журнала. Критическая статья.* **Крити́чески**, *нареч.* **Кри́тик**, -а, м. (ко 2 знач.).

**КРО́ВЛЯ**, -и, ж. **1.** Крыша, а также настил крыши. *Шиферная, черепичная кровля.* □ — *Скажи-ка мне, красавица, — спросил я, — что ты делала сегодня на кровле? — А смотрела, откуда ветер дует.* Лермонтов. Герой нашего времени. **2.** *перен.* Дом, жилище, приют. *В глуши что делать в эту пору?.. Сиди под кровлею пустынной... Сердись, иль пей, и вечер длинный Кой-как пройдет.* Пушкин. Евгений Онегин. ◊ **Под одной кровлей** с кем — в одном доме с кем-л. *[Пьер] велел укладываться, чтоб ехать в Петербург. Он не мог оставаться с ней под одной кровлей.* Л. Толстой. Война и мир. **Жить под** чьей **кровлей** — жить в чьем-л. доме.

С и н. (ко 2 знач.): кров (*высок.*).

**Кро́вельный**, -ая, -ое. *Кровельное железо.*

**КРО́ВНЫЙ**, -ая, -ое. **1.** Происходящий от одних предков, родной по крови. *[Настасья Ивановна:] Погубил ни за что дочку, кровную, единственную.* Л. Толстой. Живой труп. **2.** Основанный на происхождении от одних родственников; родственный. *Кровное родство.* □ *Мы не можем признать святости кровных отношений в таком семействе, как у Большова.* Добролюбов. Темное царство. **3.** *перен.* Прочный, неразрывный благодаря общим интересам, духовной близости. *Кровная связь.* □ *Поднимем же песню за доблесть и славу, За кровное братство бойцов.* Сурков. Застольная песня. **4.** *перен.* Близко касающийся, глубоко затрагивающий кого-л. *Кровные интересы.* □ *[Для него все] было свое, кровное: и хлебозаготовки в Сибири, и урожай хлопка в Узбекистане, и казнь коммунистов в Испании.* Горбатов. Донбасс. **5.** *Разг.* Добытый, нажитый тяжелым трудом. *Кровное добро.* □ *Я не видел этого мальчика с отъезда его в университет, куда он поехал на кровные деньги, добытые кровным трудом на уроках у купцов, плативших не больше трех рублей в месяц.* Г. Успенский. Разоренье. **6.** Породистый, чистокровный (о животных). *Через два дня ей привели кровную английскую кобылу.* Куприн. Молох. ◊ **Кровный враг** — злейший, непримиримый враг. **Кровная вражда** — злейшая, непримиримая вражда. **Кровная месть** — пережиток родового строя: месть убийством за убийство родственника. **Кровная обида** — глубокое, тяжкое оскорбление.

С и н. (к 1 знач.): родимый (*нар.-поэт.*). С и н. (к 6 знач.): чистопородный.

**Кро́вно**, *нареч.* (к 1, 2, 3 и 4 знач.). Быть кровно связанными между собой. Кровно заинтересовать кого-л. **Кро́вность**, -и, ж. (к 4 знач.).

**КРОКЕ́Т**, -а, м. [Франц. croquet]. Игра, при которой шар ударами деревянного молотка проводится через проволочные воротца.

**Кроке́тный**, -ая, -ое. *Крокетный шар.*

**КРОЛЬ**, -я, м. [Англ. crawl]. Самый быстрый способ спортивного плавания, при котором руки поочередно выбрасываются над водой.

**КРОМЕ́ШНЫЙ**, -ая, -ое. ◊ **Кроме́шный ад, кромешная мука** (*разг.*) — о чем-л., что мучительно трудно переносить. *Нет ни охоты, ни силы терпеть Невыносимую муку кромешную! Жадно желаю скорей умереть.* Н. Некрасов. Друзьям. **Кромешная тьма** (или **ночь**)**, кромешный мрак** — полная, непроглядная, беспросветная тьма. *За воротами тьма кромешная, на линии ни одного огонька.* Чехов. Моя жизнь.

**КРО́НА**[1], -ы, ж. [Нем. Krone]. Разветвленная часть дерева с его листвой.

С и н.: куща (*устар.*).

**КРО́НА**[2], -ы, ж. [См. крона[1]]. Денежная единица Чехо-Словакии, Дании, Норвегии, Швеции и некоторых других стран, а также монета соответствующего достоинства. *Шведские кроны.*

**КРОПИ́ТЬ**, -плю́, -пи́шь; кропя́щий, кропи́вший; кроплёный; -лён, -лена́, -о́; кропя́; *несов.* **1.** *кого, что.* Слегка обрызгивать. *[Патриарх:] Напрасно я ходил на поклоненье В обители к великим чудотворцам; Напрасно я из кладезей святых Кропил водой целебной темны очи — Не посылал господь мне исцеленья.* Пушкин. Борис Годунов. **2.** Падать мелкими каплями (о дожде). *Новопашин улыбнулся. В лицо ему кропил теплый мелкий дождь.* Мальцев. От всего сердца.

С и н. (к 1 знач.): брызгать, сбрызгивать, спрыскивать, вспрыскивать, опрыскивать, окроплять, прыскать (*разг.*). С и н. (ко 2 знач.): накрапывать.

**КРОСС**, -а, м. [От англ. to cross — пересекать]. Спортивный бег, ходьба на лыжах, езда на лошади (велосипеде, мотоцикле, автомобиле) с препятствиями по пересеченной местности. *Лыжный кросс. Соревнования по мотоциклетному кроссу. Тренировки перед кроссом.*

**КРО́ТКИЙ**, -ая, -ое; кро́ток, кротка́, кро́тко. Покорный, смирный, уступчивый. *Когда Митя подрос, его отдали в гимназию; он учился хорошо; вечно застенчивый, кроткий и тихий.* Герцен. Кто виноват?

С и н.: незло́бивый и незлоби́вый.

**Кро́тко**, *нареч.* **Кро́тость**, -и, ж.

**КРУГОЗО́Р**, -а, м. **1.** Пространство, которое можно окинуть взглядом. *Чем ближе к осени, тем призрачней становится голубизна кругозора.* Саянов. Небо и земля. **2.** *перен.*, обычно *какой.* Объем познаний, интересов, представлений кого-л. *Политический кругозор.* □ *Кругозор его тесен и резко ограничен специальностью; вне своей специальности он наивен, как ребенок.* Чехов. Скучная история.

С и н. (к 1 знач.): горизо́нт, окоём (устар.).
С и н. (ко 2 знач.): горизо́нт.

**КРУЙЗ**, -а, м. [Англ. cruise]. Путешествие по воде. *Волжский круйз. Круйз по Средиземному морю.*

**Круи́зный**, -ая, -ое.

**КРУЧИ́НА**, -ы, ж. *Нар.-поэт.* Грусть, печаль, тоска. *И сердце позабыло муку. Вновь ожил он; и вдруг опять На вспыхнувшем лице кручина.* Пушкин. Руслан и Людмила.

С и н.: го́ресть, скорбь, сокруше́ние (устар.).

**Кручи́нушка**, -и, ж. (ласк.). **Кручи́нный**, -ая, -ое.

**КРУШЕ́НИЕ**, -я, ср. **1.** Несчастный случай (с поездом, судном), катастрофа в пути. *— А отчего, по-твоему, происходят крушения поездов? Отвинти две-три гайки, вот тебе и крушение!* Чехов. Злоумышленник. **2.** *перен.*, обычно *чего* Прекращение существования или полная утрата чего-л.; крах. *Крушение надежд.* □ *Взволнованный внезапным крушением всех своих ближайших планов.., я провалялся в своей постели почти до рассвета.* Н. Морозов. Повести моей жизни.

С и н. (ко 2 знач.): банкро́тство, прова́л, фиа́ско (книжн.).

**КРЫЛА́ТКА**, -и, ж. Широкое мужское пальто в виде накидки, плаща с пелериной, которое носили в 19—начале 20 в. *Учитель был в своей парадной крылатке с рукавами, в которой он, в особенности сзади, очень походил на ветряную мельницу.* Чехов. Тайный советник.

**КРЯЖ**, -а, кряжи́, -ей и -а́, кряжи́, -ей, м. **1.** Цепь невысоких гор. *Карпатские кряжи.* *Лесистый кряж.* **2.** Короткий обрубок толстого бревна, близкий к корню. *Торжествующими криками лесорубы проводили в город первую машину, нагруженную толстыми кряжами.* Караваева. Родной дом.

С и н. (к 1 знач.): гряда́, хребе́т.

**КСЕНДЗ**, ксендза́, м. [Польск. ksiądz]. Польский католический священник.

**КСЕРОКО́ПИЯ**, -и, ж. [От ксерокс (см.) и лат. copia— обилие, множество]. Копия, снимок, полученные на ксерокопе. *Ксерокопия документа.*

**КСЕ́РОКС**, -а, м. [По названию английской фирмы Rank-Xerox, выпускающей фотокопировальные аппараты]. Аппарат для снятия фотокопий.

**Ксе́роксный**, -ая, -ое.

**КСИЛОФО́Н**, -а, м. [От греч. xylon—срубленное дерево и phōnē—звук]. Музыкальный ударный инструмент в виде ряда деревянных пластинок, по которым ударяют деревянными молоточками. *[Прохоров] стоял на яркой деревенской улице, с коромыслом шла навстречу мать, поплавки.. стукотали весело, как деревянный ксилофон.* Липатов. И это все о нем.

**Ксилофо́нный**, -ая, -ое.

**КУБА́НКА**, -и, ж. [От названия реки Кубань на Северном Кавказе]. Невысокая меховая барашковая шапка с плоским кожаным или матерчатым верхом. *И совершенно неожиданным контрастом в его убогом убранстве выглядела щегольская, отличного серебристого каракуля кубанка, мрачно надвинутая на самые брови.* Шолохов. Поднятая целина.

**КУ́БОВЫЙ**, -ая, -ое. Синий густого, яркого оттенка. *В прозрачном кубовом небе махали крыльями косяки птиц.* А. Н. Толстой. Хождение по мукам.

**КУ́БОК**, ку́бка, м. **1.** Старинный сосуд для вина. *Серебряный кубок.* □ *[Сквозь] стекла дубового шкапа с трудом можно было различать.. исполинские кубки богемского стекла с вензелями.* Григорович. Переселенцы. **2.** Сосуд, ваза (обычно из ценного материала), вручаемые как приз победителям в спортивных соревнованиях. *Розыгрыш кубка мира по футболу.*

С и н. (к 1 знач.): бока́л, ча́ша, ча́рка, фиа́л (трад.-поэт.), ча́ра (устар.).

**Ку́бковый**, -ая, -ое (ко 2 знач.). *Кубковый матч.*

**КУ́БРИК**, -а, м. [Голл. koebrug]. Общее жилое помещение на судах для команды. *Первый кубрик, в котором жили мотористы, оставил приятное впечатление. Койки вдоль бортов были аккуратно заправлены.* Чернышев. На морском охотнике.

**КУДЕ́ЛЬ**, -и, ж. Волокно льна, пеньки, обработанное для приготовления пряжи. *Пучки кудели.* □ *Левой рукой Олеся быстро сучила белую, мягкую, как шелк, кудель.* Куприн. Олеся.

**Куде́льный**, -ая, -ое.

**КУДЕ́СНИК**, -а, м. **1.** Волшебник, колдун, волхв. *— Скажи мне, кудесник, любимец богов, Что сбудется в жизни со мною?* Пушкин. Песнь о вещем Олеге. **2.** *перен. Высок.* То же, что **чароде́й** (во 2 знач.).

С и н. (к 1 знач.): маг, чарови́к (устар.), веду́н (устар.), чудоде́й (устар.), чароде́й (устар. и книжн.).
С и н. (ко 2 знач.): волше́бник, чуде́сник, чудотво́рец, чудоде́й (устар.).

**КУЗЕ́Н** [зэ́], -а, м. [Франц. cousin]. Двоюродный брат (слово употр. преимущ. в буржуазно-дворянском быту). *[Забелин:] А почему вы, милейший мой кузен, сию минуту хотели удрать из моего дома?* Погодин. Кремлевские куранты.

**Кузи́на**, -ы, ж. (двоюродная сестра). *Но в старину княжна Алина, Её московская кузина, Твердила часто ей о них.* Пушкин. Евгений Онегин.

**КУ́ЗНИЦА**, -ы, ж. **1.** Мастерская или цех для обработки металла ковкой вручную. *Закопченные двери кузниц были распахнуты настежь; слышны были перестуки молотков, шипенье мехов, грузные удары больших молотов.* Фадеев. Последний из удэге. **2.** *перен., чего. Высок.* Место, где создается, формируется, подготавливается что-л. ценное, важное. *Университет—кузница кадров.*

**КУЛИ́СА**, -ы, ж. [Франц. coulisse]. **1.** обычно *мн. Спец.* Плоские части декорации, располагаемые по бокам сцены. *Находиться у кулисы в ожидании своего выхода.* □ *Из-за кулис бесшумно выпорхнули черти в красных балахонах.* Бунин. Зодиакальный свет. **2.** *мн., перен. Устар.* Театральная актерская среда. *Непостоянный обожатель Очаровательных актрис, Почетный гражданин кулис, Онегин полетел к театру.* Пушкин. Евгений Онегин. ◇ **За кулисами** обычно *чего* (*перен.*) — втайне, негласно, вне официальной обстановки. *Запись, ограничивавшая власть Михаила, была плодом негласной придворной сделки, состоявшейся за кулисами избирательного земского собора.* Плеханов. История русской общественной мысли.

**Кули́сный**, -ая, -ое.

**КУЛО́Н**, -а, *м.* [Франц. coulant]. Женское украшение в виде одного или нескольких драгоценных камней на цепочке, надеваемое на шею. *Старинный бриллиантовый кулон. Кулон из сапфира.*

**КУЛУА́РЫ**, -ов, *мн.* [Франц. couloirs — коридор]. **1.** Боковые залы, коридоры (преимущ. в парламенте, театре), служащие для отдыха, а также для неофициальных встреч, обмена мнениями. *У нее в зале много знакомых, и в перерывах скучать некогда. Юлию Сергеевну тянет в кулуары.. именно здесь прежде всего начинают замечаться любые, даже самые незначительные, перемены.* Проскурин. Горькие травы. **2.** *перен. Книжн.* О неофициальных разговорах в осведомленных политических, общественных и т. п. кругах.

**Кулуа́рный**, -ая, -ое. *Кулуарные слухи.*

**КУЛЬ**, -я́, кули́, -е́й, *м.* **1.** Большой рогожный мешок, употреблявшийся ранее для упаковки и перевозки грузов. *Берег был забит грузами в ящиках, мешках, рогожных кулях.* А. Рыбаков. Водители. **2.** Старая торговая мера сыпучих тел (около 9 пудов). *Куль овса, картофеля.* □ *Куль муки продавался (и то самым тайным образом) за двадцать пять рублей.* Пушкин. История Пугачева.

**КУЛЬМИНА́ЦИЯ**, -и, *ж.* [Восх. к лат. culmen, culminis — вершина]. **1.** *Спец.* Прохождение светила через небесный меридиан. **2.** *перен. Книжн.* Точка, момент наивысшего напряжения, подъема, развития чего-л. *Кульминация драмы, романа.* □ *Все более страшная нависала опасность над Москвой. Это была кульминация успехов деникинских «вооруженных сил Юга России» и.. высшая точка напряжения в борьбе Советов с контрреволюцией на фронтах гражданской войны.* Федин. Необыкновенное лето.

С и н. (ко 2 знач.): верши́на, верх, апоге́й (*книжн.*), зени́т (*высок.*), вене́ц (*высок.*).

**Кульминацио́нный**, -ая, -ое. *Кульминационный момент.*

**КУЛЬТ**, -а, *м.* [Лат. cultus — почитание]. **1.** Религиозное служение божеству и связанные с этим обряды. *Культ Аполлона в Древней Греции. Христианский культ.* **2.** обычно *кого, чего. Книжн.* Поклонение кому-, чему-л., почитание кого-, чего-л. *Культ разума, красоты. Культ личности.* □ *Чистота на корабле и безукоризненность его внешнего вида возводились в культ.* А. Крылов. Мои воспоминания.

**Ку́льтовый**, -ая, -ое (к *1 знач.*).

**КУЛЬТИВИ́РОВАТЬ**, -рую, -руешь; культи-ви́рующий, культиви́ровавший; культиви́руемый, культиви́рованный; -ан, -а, -о; культиви́руя; *несов., что.* [Франц. cultiver]. **1.** Разводить, выращивать (растения). *Культивировать цитрусовые. Культивировать ценное лекарственное растение женьшень.* **2.** *перен.* Насаждать, вводить в употребление. *Культивировать художественный вкус.* □ *Ни его специально культивируемый в утилитарных целях цинизм, ни профессиональная проницательность.. пока не могли обнаружить противоречий в облике и поведении мастера Гасилова.* Липатов. И это все о нем.

**Культива́ция**, -и, *ж.* и **культиви́рование**, -я, *ср.*

**КУЛЬТУ́РА**, -ы, *ж.* [Восх. к лат. cultura — возделывание; воспитание; почитание]. **1.** Совокупность материальных и духовных ценностей, созданных человеческим обществом и характеризующих определенный уровень развития общества. *История мировой культуры. Материальная, духовная культура. Древняя, средневековая культура. Восточная, западная культура. Приобщиться к культуре.* **2.** *ед.* Образованность, просвещенность, воспитанность, а также совокупность условий жизни, соответствующих потребностям просвещенного человека. *Человек высокой культуры. Культура быта, производства. Борьба за высокую культуру обслуживания.* **3.** *Спец.* Разведение, выращивание какого-л. растения или животного, а также сами разводимые, культивируемые растения и животные. *Культура чая. Посевы ценных культур. Культура бактерий.* □ *[Гречиха] у нас самая привередливая культура. Эта культура ни холода, ни тепла не переносит.* С. Антонов. Утром.

С и н. (к *1 знач.*): цивилиза́ция.

**Культу́рный**, -ая, -ое. *Бережное отношение к культурному наследию прошлого. Культурные запросы человека. Культурные связи между странами. Культурное обслуживание. Культурные растения.* **Культу́рно**, *нареч.* (ко *2 знач.*).

**КУЛЬТУРИ́ЗМ**, -а, *м.* [Франц. culturisme]. Система физических упражнений (преимущ. силовых), имеющих целью развитие мускулатуры человеческого тела, осанки. *Заниматься культуризмом.*

**Культури́ст**, -а, *м.*

**КУМ**, -а, кумовья́, -ёв, *м.* Русское название крестного отца по отношению к родителям крестника и к крестной матери. *Прибытие кума и кумы, поездка в церковь, обряд крещения,.. — все это заметно развлекло старика.* Григорович. Кошка и мышка. ◇ **Кум королю** — о том, кто ни от кого не зависит, совершенно свободен.

**Кумане́к**, -нька́, *м.* (*ласк.*). **Кума́**, -ы́, *ж.* (русское название крестной матери по отношению к родителям крестника и к крестному отцу).

**КУМА́Ч**, -а́, *м.* [Тюрк.]. Хлопчатобумажная ткань ярко-красного цвета. — *Ситцы есть у нас богатые, Есть миткаль, кумач и плис.* Н. Некрасов. Коробейники.

**Кумачо́вый**, -ая, -ое и **кума́чный**, -ая, -ое. *Кумачная рубаха. Кумачовое знамя.*

**КУМИ́Р**, -а, *м.* **1.** Статуя, изваяние языческого божества. **2.** *перен.* Предмет восхищения, преклонения. *Щедрый на помощь солдатам и малоимущим офицерам, Кирилл Разумовский был кумиром всей гвардии.* Шишков. Емельян Пугачев. ◊ **Создать** (или **сотворить** и т. п.) **себе кумир** — признать кого-, что-л. единственно достойным поклонения. *Из бритья бороды он создает себе кумир и будет носиться с этим кумиром до изнеможения.* Салтыков-Щедрин. Господа ташкентцы. **Не сотвори себе кумира** (*высок.*) — не создавай себе культ (*во 2 знач.*), будь свободен.

С и н. (к *1 знач.*): и́дол, истука́н, болва́н (*устар.*).

С и н. (ко *2 знач.*): люби́мец, божество́, божо́к, и́дол (*устар.*).

**КУМЫ́С**, -а, *м.* [Тюрк.]. Питательный напиток из перебродившего кобыльего (реже верблюжьего) молока. — *А наступит весна, ожеребятся кобылы, начнет башкир кумыс пить.., кобылье молоко квашеное так называется.* Салтыков-Щедрин. Пошехонская старина.

**КУНА́К**, -а́, *м.* [Тюрк.]. У кавказских горцев: друг, приятель; тот, кто связан с кем-л. обязательством взаимной защиты, гостеприимства. — *Тебе я буду сын и друг.., Твоим сынам кунак надежный, А ей — приверженный супруг.* Пушкин. Тазит.

**Куна́цкий**, -ая, -ое.

**КУНСТКА́МЕРА**, -ы, *ж.* [Нем. Kunstkamer]. В старину: музей, собрание редкостей, диковинных предметов. *Посетить кунсткамеру.* □ — *Таких кочнов не видали на огороде.. Немцы приходили удивляться: такой кочан или такую репу можно было послать в Гамбург, в кунсткамеру.* А. Н. Толстой. Петр I.

**КУПЕ́Ц**, купца́, *м.* **1.** В старину: лицо, владевшее торговым предприятием, занимавшееся частной торговлей. *Купец первой гильдии.* □ *Купцы по торговым дням приходили сюда.. испивать свою известную пару чаю.* Гоголь. Мертвые души. **2.** *Устар.* Покупатель. — *А бричка дешева-с! купите!* — *Нет, я на бричку не купец.* И. Никитин. Кулак.

С и н. (к *1 знач.*): торго́вец, коммерса́нт, негоциа́нт (*устар.*).

**Купчи́ха**, -и, *ж.* (к *1 знач.*). **Купе́ческий**, -ая -ое (к *1 знач.*). **Купеческое сословие.**

**КУПИДО́Н**, -а, *м.* [Франц. Cupidon от лат. Cupido]. **1.** В античной мифологии: бог любви, изображаемый в виде мальчика с луком и стрелами (иные названия — Эрот, Эрос, Амур); позднее в поэзии — символ любви. *В новом мире.. богов не было; но несмотря на то, нельзя было написать никакого стихотворения, где бы не стреляли из лука амуры и купидоны.* Белинский. Сочинения Александра Пушкина. **2.** *перен. Устар.* О красивом мальчике, юноше. *[Арбенин:] Лишь объясните мне, какою властью Вот этот купидон — вас вдруг околдовал?* Лермонтов. Маскарад.

С и н. (ко *2 знач.*): краса́вец, раскраса́вец, краса́вчик (*разг.*), херуви́м (*устар. разг.*).

**КУ́ПОЛ**, -а, купола́, -о́в, *м.* [Восх. к лат. cupula — бочонок]. **1.** Крыша, наружный свод строения в виде полушария. *Купол цирка.* □ *Среди кладбища каменная церковь, с зеленым куполом,* в которую он раза два в год ходил с отцом и матерью к обедне. Достоевский. Преступление и наказание. *С Каменного моста открывались золоченые купола соборов Кремля.* Гранин. Иду на грозу. **2.** *перен.* Поверхность чего-л., предмет, имеющий форму такого свода. *Купол неба.* □ *[Самолеты] развернулись.., и вдруг все увидели, как от самолетов стали отделяться темные точки. Один за другим вспыхивали купола парашютов.* Закруткин. Матерь человеческая.

С и н. (к *1 знач.*): глава́, ма́ковка (*разг.*).

**Ку́польный**, -ая, -ое.

**КУПО́Н**, -а, *м.* [Франц. coupon]. **1.** Отрезной талон у ценных бумаг (облигаций или акций), который предъявляется для получения процентов с них. *Он вытянул из кармана сверток займовых купонов и объявил, что платит за всех.* Федин. Первые радости. **2.** Отрез ткани на платье, блузку и т. п., обычно со специальной отделкой (каймой, особым расположением рисунка). *Шелковый купон на платье.* ◊ **Стричь купоны** — жить на ренту, на проценты с ценных бумаг.

**Купо́нный**, -ая, -ое.

**КУ́ПЧИЙ**, -ая, -ее. ◊ **Купчая крепость** — в дореволюционной России: нотариальный договор купли и продажи недвижимого имущества. *Совершив купчую крепость и приняв землю на владение.., воротился он в Симбирскую губернию.* С. Аксаков. Семейная хроника.

**КУПЮ́РА**[1], -ы, *ж.* [Франц. coupure]. *Книжн.* Сокращение, пропуск в тексте литературного или музыкального произведения. *Анна Павловна достала письмо Эллис и прочла его с некоторыми купюрами.* Мамин-Сибиряк. Субъект.

**Купю́рный**, -ая, -ое.

**КУПЮ́РА**[2], -ы, *ж.* [См. *купюра*[1]]. *Спец.* Ценная бумага (денежный знак, облигация) определенной стоимости. *Пятирублевая купюра. Крупные, мелкие купюры.*

**КУРА́НТЫ**, -ов, *мн.* [От франц. courant — бегущий]. Название башенных или больших комнатных часов с музыкальным механизмом, а также музыкальный механизм в таких часах. *Куранты на Спасской башне Московского Кремля.* □ *На главной башне, над воротами, играли куранты на колоколах.* А. Н. Толстой. Петр I.

**КУРГА́Н**, -а, *м.* Высокая насыпь над древней могилой; холм, пригорок. *Сбочь дороги — могильный курган. На слизанной ветрами вершине его скорбно шуршат голые ветви.* Шолохов. Поднятая целина.

**Курга́нный**, -ая, -ое.

**КУРГУ́ЗЫЙ**, -ая, -ое; -у́з, -а, -о. *Разг.* **1.** С коротким или с обрубленным хвостом. *Кургузый пес.* **2.** Слишком короткий, тесный (об одежде). *Невольно.. от стыда и неловкости за себя я еще глубже запахивался в свой кургузый пиджачок.* Распутин. Уроки французского.

С и н.: ку́цый (*разг.*).

**КУРЕ́НЬ**, -я́, *м.* [Тюрк.]. **1.** На Дону и Кубани: жилище, дом. *В темноте они отвязали лошадей, рысью выехали со двора. Из куреня доносился гул взволнованных голосов, но.. ни один из казаков не попытался их задержать.* Шолохов.

Поднятая целина. **2.** Отдельная часть запорожского казачьего войска, а также военный стан такой части (с 1600 г. до середины 18 в.). *Запорожцы.. расположились так же, как и на Сечи, куренями, курили свои люльки, менялись добытым оружием.* Гоголь. Тарас Бульба.

**Куренно́й**, -а́я, -о́е (ко 2 знач.). *Куренной атаман.*

**КУРИ́РОВАТЬ**, -рую, -руешь; кури́рующий, кури́ровавший; кури́руемый, кури́рованный; -ан, -а, -о; кури́руя; несов., кого, что. [Восх. к лат. curāre — заботиться]. *Книжн.* Осуществлять наблюдение, руководство, помощь. *Курировать студенческую группу.*

**Кура́тор**, -а, м. (тот, кто курирует).

**КУРНО́Й**, -а́я, -о́е. В старину: отапливаемый печью, не имеющей трубы. *Курная баня.* □ *В курной избе топилась печь, дым стоял такой, что человека было видно лишь по пояс.* А. Н. Толстой. Петр I.

**КУРО́РТ**, -а, м. [Нем. Kurort от Kur — лечение и Ort — место]. Местность с целебными природными свойствами, приспособленная для лечебных целей и отдыха. *Грязевые курорты. Курорты Прибайкалья. Отдыхать на курорте.*

**Куро́ртный**, -ая, -ое. *Курортный сезон.*

**КУРС**[1], -а, м. [Восх. к лат. cursus — бег]. **1.** Направление движения, путь (корабля, самолета и т. п.). *Взять курс на Москву.* **2.** *перен., на что или какой.* Основное направление, главная установка (в политике). *Внешнеполитический курс государства. Курс на разоружение.* **3.** Цена, по которой продаются ценные бумаги. *Курс акций повышается. Валютный курс.* ◊ **Быть в курсе** чего — быть осведомленным в чем-л. **Держать в курсе** — сообщать кому-л. о ходе какого-л. дела, о последних фактах, достижениях в какой-л. области. **Ввести в курс** чего — познакомить кого-л. с ходом какого-л. дела. *В село я приехал только этой ночью и, разумеется, еще не вошел в курс местных событий.* Привалов. Решение собрания.

С и н. (ко 2 знач.): **напра́вленность.**

**Курсово́й**, -а́я, -о́е (к 1 и 3 знач.).

**КУРС**[2], -а, м. [См. курс[1]]. **1.** Весь объем чего-л. (обучения, лечебных процедур и т. п.). *Принять полный курс лечения.* □ *Кончился наконец и курс [университета]; раздали на акте юношам подорожные в жизнь.* Герцен. Кто виноват? **2.** Год, ступень обучения в высшем и среднем специальном учебном заведении, а также студенты этой ступени обучения. *Студенты выпускного курса. Окончить первый курс техникума. Лекция для всего курса.* **3.** Систематическое изложение какой-л. научной дисциплины в учебном заведении, а также учебник, представляющий собой такое изложение. *Прочесть курс лекций по русской литературе.* □ *Прослушанный им курс естественных и медицинских наук развил его природный ум.* Писарев. Базаров. **4.** мн. Учебное заведение, дающее подготовку по какой-л. специальности. *Вечерние подготовительные курсы университета. Поступить на курсы кройки и шитья. Учиться на

курсах механизаторов. Курсы повышения квалификации.*

**Курсово́й**, -а́я, -о́е (ко 2 знач.). *Курсовая работа.*

**КУРСА́НТ**, -а, м. **1.** Учащийся курсов. **2.** Воспитанник военного училища. *Мы заканчивали военно-пехотное училище, нам, курсантам, присваивали командирское звание.* Первенцев. Честь смолоду.

**Курса́нтка**, -и, ж. (к 1 знач.). **Курса́нтский**, -ая, -ое (ко 2 знач.).

**КУРСИ́В**, -а, м. [Восх. к ср.-лат. cursivus — беглый]. Наклонный типографский шрифт, напоминающий рукописный. *Цензура сделала разные урезывания.. Несколько выражений я вспомнил (они напечатаны курсивом).* Герцен. Кто виноват?

**Курси́вный**, -ая, -ое.

**КУРСИ́СТКА**, -и, ж. В дореволюционной России: слушательница высших женских курсов. *[Владимир Ильич] едко высмеял погромные строки министра, которому хотелось, чтобы преподавателями воскресных школ были не бывшие курсистки, «лица вредного направления», а «бывшие унтеры».* Коптелов. Большой зачин.

**КУ́РТАГ**, -а, м. [Нем. Kurtag]. *Устар.* Прием, приемный день в царском дворце. *[Фамусов:] На куртаге ему случилось обступиться; Упал, да так, что чуть затылка не пришиб.* Грибоедов. Горе от ума.

**КУРТИЗА́НКА**, -и, ж. [Франц. courtisane]. *Устар.* Женщина легкого поведения, вращающаяся в высшем обществе.

С и н.: **кокотка, лоре́тка** (устар.).

**КУРТИ́НА**, -ы, ж. [Франц. courtine]. *Устар.* Цветочная грядка, клумба, а также участок, засаженный одной породой деревьев. *Леонида Гавриловна стояла у окна и смотрела в сад, на деревья, на куртины с цветами.* Мамин-Сибиряк. Не то. *В липовском саду была целая куртина китайских яблонь.* А. Крылов. Мои воспоминания.

**КУ́РЫ.** [От франц. faire la cour — ухаживать]. ◊ **Строить куры** кому (устар. шутл.) — ухаживать за кем-л., заигрывать с кем-л. *И девицы, и вдовы, молодые и старые, строили ему куры, но он не захотел жениться во второй раз.* Чернышевский. Что делать.

**КУРЬЁЗ**, -а, м. [От франц. curieux — любопытный, забавный]. Странный, несуразный или смешной случай. *Еще недавно газеты сообщали в отделе курьезов остроумный ответ Пастера на вызов задорного Кассаньяка.* Короленко. Русская история. ◊ **Для** (*или* **ради**) **курьезу** (**курьеза**) — для забавы, для смеха. — *Баба с ребенком просит милостыню, любопытно, что она считает меня счастливее себя. А что, вот бы и подать для курьезу. Ба, пятак уцелел в кармане, откуда?* Достоевский. Преступление и наказание.

**Курьёзный**, -ая, -ое; -зен, -зна, -о. *Курьезный случай.* **Курьёзно**, *нареч.* **Курьёзность**, -и, ж. *Курьезность происшествия.*

**КУРЬЕ́Р**, -а, м. [Франц. courrier]. Служащий в учреждении, разносящий деловые бумаги, а также лицо, посылаемое с каким-л. спешным поручением. *Курьер, подскакавший к зам-*

ку *на потной тройке, впереди государя, прокричал: «Едет!»*. Л. Толстой. Война и мир. *У дверей кабинета предисполкома на стуле сидел бородатый курьер в гимнастерке*. Ф. Гладков. Цемент.
◊ **Дипломатический курьер** — служащий ведомства иностранных дел, перевозящий дипломатическую почту.

С и н.: рассы́льный, посы́льный, на́рочный, гоне́ц, посла́нец.

**Курье́рский**, -ая, -ое. ◊ **Курьерский поезд** — пассажирский поезд дальнего следования, идущий с большой скоростью при минимальном количестве остановок и времени стоянок. **Курьерская тройка; курьерские лошади** (устар.) — тройка или лошади, предназначенные для курьеров, следовавших без задержки на промежуточных станциях.

**КУСТА́РНЫЙ**, -ая, -ое; -рен, -рна, -о. **1.** Производимый или относящийся к производству домашним, ручным, не фабричным способом. *Кустарные изделия.* □ *Небольшая часть населения занимается кустарным промыслом, делает сани,.. тележные колеса.* Г. Успенский. Невидимка. **2.** *перен.* Несовершенный, примитивный. *Кустарный способ работы.* □ *Но привели их.. на ремонтный заводик. Это был маленький, почти кустарный заводишко.. из его единственной трубы поднимался бледно-желтый дымок.* Горбатов. Непокоренные.

**Куста́рно**, *нареч.* **Куста́рность**, -и, *ж*.

**КУХМИСТЕРСКАЯ**, -ой, *ж.* [От нем. Küchenmeister — повар]. *Устар.* Небольшой ресторан, столовая. *[Черезовы] обедали в определенный час, в кухмистерской.* Салтыков-Щедрин. Мелочи жизни.

**КУ́ЦЫЙ**, -ая, -ое; куц, -а, -е. *Разг.* **1.** С коротким, обрубленным хвостом. *Вытряхнули мешок, и оттуда выпрыгнул.. кот. Все ахнули: он был куцый.* Серафимович. Морской кот. **2.** *перен.* Недостаточной длины, размера, роста. *[Половцев] курил почти напролет, лежа на куцей лежанке, упирая босые жилистые ноги в горячий камень.* Шолохов. Поднятая целина. **3.** *перен.* Ограниченный, неполноценный. *Куцая идея.* □ *— Разве тебе нужна была война и ты хотел воевать?.. тебя взяли, записали в мясорубку [войны], и на этом кончилась твоя куцая жизнь, которую ты так и не узнал.* Закруткин. Матерь человеческая.

С и н. (к 1 и 2 знач.): кургу́зый (разг.).

**КУША́К**, -а́, *м.* [Тюрк.]. Пояс, обычно из широкого куска ткани или связанный из шнура. *Ямщик сидит на облучке В тулупе, в красном кушаке.* Пушкин. Евгений Онегин.

**КУ́ЩА**, -и, ку́щи, -ей *и* кущ, *ж.* **1.** *Трад.-поэт.* Шатер, хижина, жилище. *И все мне дико, мрачно стало: Родная куща, тень дубров, Веселы игры пастушов — Ничто тоски не утешало.* Пушкин. Руслан и Людмила. **2.** *Устар.* Листва, крона дерева. *Невдалеке на пригорке из-за липовых кущ поднимались гребнистые кровли Преображенского дворца.* А. Н. Толстой. Петр I.

**КЮВЕ́Т**, -а, *м.* [Франц. cuvette]. *Спец.* Канава для стока воды, идущая вдоль дороги.

**Кюве́тный**, -ая, -ое.

**КЮРЕ́** [рэ], *нескл., м.* [Франц. curé]. Во Франции и некоторых других странах: католический священник.

# Л

**ЛАБА́З**, -а, *м. Устар.* **1.** Навес, сарай для хранения чего-л. *Лабаз для земледельческих орудий.* □ *В его рабочую комнату никто не входил: кому нужен технорук, когда завод могильно пуст и цемент в сырых лабазах давно превратился в чугунно-твердые болванки?* Ф. Гладков. Цемент. **2.** Помещение для продажи или хранения зерна, муки и различных товаров. *[Раскольников] обратился к молодому парню в красной рубахе, зевавшему у входа в мучной лабаз.* Достоевский. Преступление и наказание.

**Лаба́зный**, -ая, -ое. *Лабазная торговля.* **Лаба́зник**, -а, *м.* (ко 2 знач.).

**ЛАБИРИ́НТ**, -а, *м.* [Греч. labyrinthos]. **1.** В древности (в Греции, Египте): здание с множеством помещений и запутанных ходов. **2.** *чего.* Сложное, запутанное расположение помещений, переходов, дорог и т. п., откуда трудно выбраться. *Лабиринт звериных нор.* □ *[Дмитрий] помнил только, что.. в каменных, деревянных лабиринтах большого города задыхался человек.* Проскурин. Горькие травы. **3.** *перен., чего.* Запутанные положения, отношения, из которых трудно найти выход. *Лабиринт противоречий.*

**ЛАБОРАТО́РИЯ**, -и, *ж.* [Ср.-лат. laboratorium от лат. laborare — работать]. **1.** Учреждение или его отдел, ведущие экспериментальную научно-исследовательскую работу, а также помещение, оборудованное для проведения научных, технических и других опытов. *Химическая лаборатория. Лаборатория поликлиники.* □ *По вечерам они оставались в лаборатории, и Тулин придумывал самые фантастические условия разряда.* Гранин. Иду на грозу. **2.** *перен., кого или какая.* Внутренняя сторона творческой деятельности кого-л. *Лаборатория художника.* □ *Работа с.. [записной] книжкой интересна еще в каком отношении.. Это совершенно интимная лаборатория, в которой ваше воображение имеет полный простор.* Макаренко. Беседа с начинающими писателями.

**Лаборато́рный**, -ая, -ое (к 1 знач.). *Лабораторное исследование. Лабораторные анализы.* **Лабора́нт**, -а, *м.* (к 1 знач.).

**ЛА́ВА**[1], -ы, *ж.* [Итал. lava]. **1.** Расплавленная минеральная масса, выбрасываемая вулканом на земную поверхность при извержении. *Потоки лавы.* **2.** *перен., кого, чего или какая.* Неудержимо движущаяся масса (людей, животных и т. п.). *Видно было, как стремительно лилась по улице темная, грохочущая, многоголовая лава людей и лошадей.* Фадеев. Разгром.

С и н. (ко 2 знач.): лави́на.

**ЛА́ВА**[2], -ы, *ж.* [Восх. к польск. lawa — ряд, шеренга]. Боевой порядок при атаке у казаков в конном рассыпном строю для охвата противника с флангов и тыла, а также отряд, построенный для таких действий. *Проехав ущелие, вдруг* увидели мы.. до 200 казаков, выстроенных в лаву. Пушкин. Путешествие в Арзрум.

**ЛАВИ́НА**, -ы, *ж.* [Нем. Lawine; восх. к позднелат. labina — оползень]. **1.** Масса снега, падающая с гор с огромной разрушительной силой; снежный обвал. **2.** *перен.*, *кого*, *чего* *или* *какая*. Неудержимо движущаяся масса (людей, животных и т. п.). *Вскоре отряд поскакал за ними. Мечик, увлеченный общим потоком, мчался в центре этой лавины*. Фадеев. Разгром.

С и н. (ко 2 знач.): ла́ва.

**Лави́нный**, -ая, -ое.

**ЛАВИ́РОВАТЬ**, -рую, -руешь; лави́рующий, лави́ровавший; лави́руя; *несов.* [Нем. lavieren от франц. louvoyer]. **1.** О парусном судне: идти против ветра по ломаной линии. **2.** *перен.* Двигаться зигзагами, обходя препятствия. *Лавируя между машинами, они выбрались из тупика. Со всех сторон их по-прежнему окружали развалины*. Чаковский. Победа. **3.** *перен.* Ловко приспособляясь к обстоятельствам, уклоняясь от чего-л., искусно выходить из затруднительного положения.— *Ваша любовница,*— *в прежнем разговоре Анна Петровна лавировала, теперь уже нечего было лавировать..,*— *существо низкого происхождения, низкого воспитания*. Чернышевский. Что делать?

**Лави́рование**, -я, *ср.*

**ЛАВР**, -а, *м.* [Лат. laurus]. **1.** Южное вечнозеленое дерево или кустарник, душистые листья которого употребляются как приправа к пище. *[Лаура:] Как небо тихо; Недвижим теплый воздух*— *ночь лимоном И лавром пахнет*. Пушкин. Каменный гость. **2.** обычно *мн.* *Высок.* Венок из листьев этого дерева или ветвь его как символ победы, награды. *Увенчать лаврами победителя.* □ *И прежний сняв венок* — *они венец терновый, Увитый лаврами, надели на него*. Лермонтов. Смерть поэта. ◇ **Пожинать лавры** — пользоваться плодами успехов. **Почивать на лаврах** — успокоиться на достигнутом. *Чьи-л.* **лавры не дают спать** — о зависти к чьему-л. успеху.

**Ла́вровый**, -ая, -ое (к *1 знач.*) и **лавро́вый**, -ая, -ое. *Ла́вровое масло. Лавро́вый лист.* ◇ **Лавро́вый венок** — венок из листьев лавра как символ победы, триумфа (у древних греков и римлян таким венком награждали победителей в различных состязаниях).

**ЛА́ВРА**, -ы, *ж.* [Греч. laura]. Название крупных и важных по своему положению православных мужских монастырей. *Киево-Печерская лавра. Александро-Невская лавра.* □ *Обезглавленные тела Искры и Кочубея были отданы родственникам и похоронены в Киевской лавре*. Пушкин. Полтава (примечание).

**ЛА́ГЕРЬ**, -я, ла́гери, -ей и лагеря́, -ей, *м.* [Нем. Lager]. **1.** (*мн.* лагеря́). Временная стоянка войск вне населенных пунктов, обычно под открытым небом, в палатках. *Расположиться лагерем.* **2.** (*мн.* лагеря́). Название некоторых учреждений, предназначенных для содержания большого количества людей. *Спортивный лагерь. Отправить сына в пионерский лагерь. Провести отпуск в туристском лагере.* **3.** (*мн.*

ла́гери и лагеря́). Место, где содержатся военнопленные, заключенные. *Исправительно-трудовой лагерь.* □ *Восемь с половиной месяцев мы пробыли в плену и, наконец, дождались того счастливого дня, когда оставили.. лагери*. Новиков-Прибой. Цусима. **4.** (*мн.* ла́гери), *перен.* Общественно-политическая группировка; течение, направление. *Лагерь сторонников мира. Лагерь радикалов, консерваторов.* ◇ **Действовать на два лагеря** — быть двуличным, двурушником.

С и н. (к *1 знач.*): бива́к и бивуа́к. С и н. (к 4 знач.): стан (*высок.*).

**Ла́герный**, -ая, -ое (к *1, 2 и 3 знач.*). *Лагерная служба. Лагерные палатки. Лагерный режим.*

**ЛАГУ́НА**, -ы, *ж.* [Итал. laguna от лат. lacuna — углубление]. **1.** Мелководный залив или озеро, отделенные от моря песчаной косой. *По широкой лагуне, отделяющей Венецию от узкой полосы наносного морского песку,.. скользила острогрудая гондола*. Тургенев. Накануне. **2.** Внутренний водоем коралловых островов. *Лагуна имеет глубину не более 30, редко 50 метров. В ней, особенно поближе к берегам.., находится немало кустистых и ветвистых кораллов*. Н. Тарасов. Море живет.

**Лагу́нный**, -ая, -ое.

**ЛАД**, -а, лады́, -ов, *м.* **1.** Согласие, мир, дружба. *[Чацкий:] Послушайте, ужли слова мои все колки? И клонятся к чьему-нибудь вреду? Но если так: ум с сердцем не в ладу*. Грибоедов. Горе от ума. **2.** Способ, образец, манера. *Переделать все на свой лад.* □ *Дом был обширный, но построенный на старинный лад*. Салтыков-Щедрин. Пошехонская старина. **3.** *Спец.* Строй музыкального произведения, сочетание звуков и созвучий. **4.** обычно *мн.* *Спец.* Поперечное деление на грифе струнных инструментов, а также клавиши гармоники, баяна, духовых инструментов. *Тронуть лады баяна.* □ *Он лады проверит нежно, Щель певучую продует,*— *Громким голосом береза Под дыханьем запоет*. Багрицкий. Птицелов.

С и н. (ко *2 знач.*): мане́р (*прост.*).

**ЛА́ДА**, -ы, *м.* и *ж.* *Нар.-поэт.* Милый (милая), возлюбленный (возлюбленная), супруг (супруга). *[Гусляры:] Плачут жены на стенах и башнях высоких: Лад своих милых не видеть нам боле*. А. Островский. Снегурочка.

С и н.: избра́нник (избра́нница) (*высок.*), друг (подру́га) (*разг.*), симпа́тия (*разг.*), любе́зный (любе́зная) (*устар.*), па́ссия (*устар.*), зазно́ба (*устар. и обл.*).

**Ла́душка**, -и, *м. и ж.* (*ласк.*).

**ЛА́ДАН**, -а, *м.* [Греч. ladanon]. Ароматическая смола, употребляемая для курений при религиозных обрядах. *В Успенском соборе в огнях множества свечей слабый телом патриарх Адриан, окутанный дымами ладана, плакал, воздев ладони*. А. Н. Толстой. Петр I. ◇ **Дышать на ладан** (*устар. и разг.*) — находиться при смерти. *Старые-то дрязги оставить надо.. Человек на ладан уж дышит*. Салтыков-Щедрин. Господа Головлевы. **Как черт от ладана** (б е ж а т ь и т.п.) (*разг.*) — всячески избегать кого-, чего-л.— *Ни один.. из взрослых парней не идет в кузню.. всяк* *от кузнечного дыму лытает, как черт от ладана.* Шолохов. Поднятая целина.

**ЛА́ДАНКА**, -и, *ж.* Мешочек с ладаном, с талисманом или записочкой (содержащей заговор, молитву), который носят на груди суеверные люди. *Капитан.. носил на груди ладанку с какой-то косточкой.* Куприн. Бред.

**ЛАДЬЯ́**[1], -и́, ладьи́, ладе́й, *ж. Трад.-поэт.* Судно, большая гребная и парусная лодка. *На берег радостный выносит Мою ладью девятый вал.* Пушкин. Евгений Онегин.

С и н.: чёлн *(трад.-поэт.).*

**Ладе́йный**, -ая, -ое.

**ЛАДЬЯ́**[2], -и́, ладьи́, ладе́й, *ж.* Название шахматной фигуры, имеющей форму башни. *Они над шахматной доской, На стол облокотясь, порой Сидят, задумавшись глубоко, И Ленский пешкою ладью Берет в рассеянье свою.* Пушкин. Евгений Онегин.

С и н.: тура́ *(разг.).*

**Ладе́йный**, -ая, -ое.

**ЛАЗАРЕ́Т**, -а, *м.* [Франц. lazaret]. Небольшое лечебное учреждение при войсковой части. *Дивизионный, партизанский лазарет.* □ *На германской войне я четыре раза был ранен, два раза контужен и раз отравлен газами,.. в тридцати лазаретах, в госпиталях и больницах валялся.* Шолохов. Поднятая целина.

С и н.: го́спиталь.

**Лазаре́тный**, -ая, -ое.

**ЛА́ЗЕР** [зэ], -а, *м.* [Англ. laser]. **1.** *Спец.* Прибор для получения концентрированных световых лучей. **2.** Пучок света, луч, получаемый при помощи такого прибора. *Применение лазера в хирургии.*

**Ла́зерный**, -ая, -ое. *Лазерное излучение. Применение лазерных установок в металлургии и геологии. Лазерная физика.*

**ЛАЗО́РЕВЫЙ**, -ая, -ое; -ев, -а, -о *(нар.-поэт.)* и **ЛАЗУ́РЕВЫЙ**, -ая, -ое *(трад.-поэт.).* [См. лазурь]. Светло-синий; небесно-голубой. *Лазоревый цветок.* □ *Не шумит оно [море], не хлещет, Лишь едва, едва трепещет, И в лазоревой дали Показались корабли.* Пушкин. Сказка о царе Салтане. *Молниеносный ураган Сверкнул в лазуревой пучине.* Полежаев. Акташ-Аух.

С и н.: голубо́й, лазу́рный, бирюзо́вый, небе́сный.

**ЛАЗУРИ́Т**, -а, *м.* [См. лазурь]. Минерал темно-синего цвета, идущий на разного рода поделки. *Месторождения лазурита. Кулон из лазурита.*

**ЛАЗУ́РЬ**, -и, *ж.* [Восх. к араб. lāzavard]. **1.** *Устар. и высок.* Светло-синий цвет, синева. *Лазурь неба.* □ *Прозрачные облака своими переливами слегка оттеняют по горизонту яркую лазурь.* Чернышевский. Что делать? **2.** Краска светло-синего цвета.

**Лазу́рный**, -ая, -ое.

**ЛАЗУ́ТЧИК**, -а, *м. Устар.* Тайный агент, проникающий в расположение противника во время военных действий, а также лицо, занимающееся тайным наблюдением за кем-л. *Из Москвы посланы лазутчики в Нарву и Ревель,*

*будто бы для закупки товаров, им приказано снять планы с этих крепостей.* А. Н. Толстой. Петр I.

С и н.: разве́дчик, шпио́н.

**Лазу́тчица**, -ы, *ж.*

**ЛА́ЙКА**, -и, *ж.* Сорт мягкой кожи (выделывается в основном из шкур овец и коз и обладает большой тягучестью и мягкостью). *Куртка из лайки.*

**Ла́йковый**, -ая, -ое. *Лайковые перчатки.*

**ЛА́ЙНЕР**, -а, *м.* [Англ. liner от line — линия]. **1.** Крупное быстроходное морское пассажирское или товарное судно, совершающее рейсы на определенной линии. *Комфортабельный океанский лайнер.* □ *С пересадками мы ехали семь суток,.. т. е. дольше, чем лайнеры последнего времени пересекали Атлантический океан.* А. Крылов. Мои воспоминания. **2.** Большой скоростной пассажирский самолет. *Воздушный лайнер. Сверхзвуковой пассажирский лайнер.*

**ЛАКЕ́Й**, -я, *м.* [Восх. к франц. laquais]. **1.** В помещичьем и буржуазном быту: слуга (в господском доме, а также в ресторане, гостинице и т. п.). *Военный лакей, чистя сапог на колодке, объявил, что барин почивают и что прежде одиннадцати часов не принимает никого.* Пушкин. Станционный смотритель. **2.** *перен. Презр.* О раболепствующем, выслуживающемся человеке.

С и н. (ко 2 знач.): прислу́жник, холу́й, холо́п, раб, прихво́стень, низкопокло́нник *(устар.).*

**Лаке́йский**, -ая, -ое. *Лакейская служба. Лакейская душа.*

**ЛА́КМУС**, -а, *м.* [Голл. lakmoes или нем. Lackmus]. Красящее вещество, добываемое из морских лишайников, меняющее цвет пропитанной им бумаги под действием кислот на красный, под действием щелочей — на синий.

**Ла́кмусовый**, -ая, -ое. ◊ **Лакмусовая бумага (бумажка)** — 1) фильтровальная бумага, пропитанная настоем лакмуса, употребляемая как реактив на щелочи и кислоты; 2) *перен.* средство безошибочной проверки кого-, чего-л.

**ЛАКОНИ́ЗМ**, -а, *м.* [Греч. lakōnismos]. Краткость и четкость в выражении мысли (по преданию, спартанцы, жители Лаконии, славились краткостью и четкостью речи). *Лаконизм выражений. Лаконизм рассказов Чехова.*

С и н.: сжа́тость, ску́пость, немногосло́вие, лакони́чность, лапида́рность *(книжн.).*

А н т.: многосло́вие.

**Лакони́ческий**, -ая, -ое и **лакони́чный**, -ая, -ое; -чен, -чна, -о. *Лаконический ответ. Лаконический стиль.* **Лакони́чески** и **лакони́чно**, *нареч.* **Лакони́чность**, -и, *ж.*

**ЛАКУ́НА**, -ы, *ж.* [Лат. lacuna — углубление]. *Книжн.* Пробел, пропуск, недостающее место в тексте.

**ЛАЛ**, -а, *м.* [Восх. к перс. lal]. Старинное название драгоценного красного камня шпинели. *Атаман снял с пальца золотой перстень с ярко-красным лалом, подал парню.* Чапыгин. Разин Степан.

**Ла́ловый**, -ая, -ое.

**ЛА́МА**[1], -ы, ла́мы, лам, *ж.* [Исп. llama]. Южноафриканское вьючное животное сем. верблюдов с ценной шерстью. *Воротник из ламы.*

**ЛА́МА²**, -ы, *м.* [Тибет. blama]. Буддийский монах в Тибете и Монголии.

**ЛАМПА́ДА**, -ы, *ж.* [Греч. lampas, lampados]. **1.** Небольшой сосуд с фитилём, наполняемый деревянным маслом и зажигаемый перед иконами. *[Костылев:] Я на тебя полтинку накину,— маслица в лампаду куплю.. и будет перед святой иконой жертва моя гореть.* М. Горький. На дне. **2.** *Трад.-поэт.* Светильник, лампа. *Татьяна взором умиленным Вокруг себя на все глядит, И все ей кажется бесценным..: И стол с померкшею лампадой, И груда книг.* Пушкин. Евгений Онегин.

**Лампа́дка**, -и, *ж.* (к 1 знач.) (*уменьш.*). **Лампа́дный**, -ая, -ое. *Лампадное масло.*

**ЛАМПА́СЫ**, -ов, *мн.* (*ед.* **лампа́с**, -а, *м.*). [Франц. lampas]. Цветная полоса (или две полосы с кантом в промежутке), нашитая на форменные брюки вдоль наружного бокового шва. *Генеральские лампасы. А сбоку.. тяжело шёл рослый бритый человек.. в длинном сером пальто на красной подкладке и с жёлтыми лампасами на широких штанах.* М. Горький. Мать.

**Лампа́сный**, -ая, -ое.

**ЛАНДКА́РТА**, -ы, *ж.* [Нем. Landkarte]. *Устар.* Географическая карта. *По стенам [кабинета] висели турецкие ружья.., две ландкарты, какие-то анатомические рисунки.* Тургенев. Отцы и дети.

**ЛАНДО́**, *нескл., ср.* [Франц. landau]. **1.** Четырёхместная карета с откидывающимся верхом (от названия города в Баварии, где впервые начали изготовлять такие экипажи). **2.** Кузов легкового автомобиля с верхом, откидывающимся над пассажирскими сиденьями. *[Дымов охране:] — Проводите этих господ до их ландо.* Погодин. Человек с ружьем.

**ЛАНДСКНЕ́ХТ**, -а, *м.* [Нем. Landsknecht]. Наёмный солдат в Западной Европе в 15—17 вв.

**ЛАНДША́ФТ**, -а, *м.* [Нем. Landschaft]. **1.** Часть земной поверхности, для которой характерно определённое сочетание рельефа, климата, почв, растительного и животного мира. *Горный, пустынный ландшафт. Природные ландшафты Северного Кавказа.* □ *Берег залива произвёл на Полякова унылое впечатление; он называет его типичным характерным образчиком ландшафта полярных стран. Растительность скудная, корявая.* Чехов. Остров Сахалин. **2.** Общий вид местности. *Зелёный остров был излюблен всеми.. Природа покровительствовала равно всем,.. вознаграждая ландшафтом, купаньем, привольным отдыхом на горячем пляже.* Федин. Первые радости. **3.** *Устар.* Рисунок, картина, изображающие природу. *Писать ландшафты.*

С и н. (ко 2 и 3 знач.): пейза́ж.

**Ландша́фтный**, -ая, -ое. *Ландшафтная живопись.*

**ЛАНИ́ТЫ**, -и́т, *мн.* (*ед.* **лани́та**, -ы, *ж.*). *Трад.-поэт.* Щёки. *Ждала Татьяна с нетерпеньем, Чтоб трепет сердца в ней затих, Чтобы прошло ланит пыланье.* Пушкин. Евгений Онегин.

**Лани́тный**, -ая, -ое.

**ЛАНЦЕ́Т**, -а, *м.* [Франц. lancette]. Старинный хирургический инструмент в виде небольшого обоюдоострого ножа (в современной медицине заменён скальпелем). *Ланцет не должен гнуться — иначе надобно будет жалеть о пациенте, которому не будет легче от нашего сожаления.* Чернышевский. Что делать?

**Ланце́тный**, -ая, -ое.

**ЛАНЬ**, -и, *ж.* Парнокопытное млекопитающее рода оленей, отличающееся стройностью тела и быстротой бега. *В одну телегу впрячь неможно Коня и трепетную лань.* Пушкин. Полтава.

**ЛАПИДА́РНЫЙ**, -ая, -ое; -рен, -рна, -о. [Лат. lapidarius — вырезанный на камне]. *Книжн.* Краткий, отчётливый и ясный (эти качества были присущи надписям на древнеримских каменных памятниках). *Лапидарный язык, слог.*

С и н.: лакони́ческий и лакони́чный, сжа́тый, скупо́й, немногосло́вный.

**Лапида́рно**, *нареч.* **Лапида́рность**, -и, *ж.* *Лапидарность изречения.*

**ЛАРЕ́Ц**, ларца́, *м.* Искусно сделанный, украшенный ящичек для хранения драгоценностей, каких-л. мелких предметов. *Ларец из слоновой кости.*

С и н.: шкату́лка.

**Ла́рчик**, -а, *м.* (*уменьш.*). ◇ **А ларчик просто открывался** — о чем-л., что представлялось трудно разрешимым, а на деле оказалось простым (выражение из басни И. Крылова «Ларчик»). **Ларцо́вый**, -ая, -ое.

**ЛАРЬ**, -я́, *м.* **1.** Большой деревянный ящик для хранения чего-л. *Ларь с мукой.* □ *В передней.. старик Михайло спал на ларе.* Л. Толстой. Война и мир. **2.** *Устар.* Ларёк, торговая палатка (первонач. лёгкий сруб в виде стола для торговли на рынках). *Торговать с ларя.*

**ЛАССО́**, *нескл., ср.* [Франц. lasso от исп. lazo — петля]. Аркан со скользящей петлёй для ловли животных. *Один из мексиканцев бросил лассо и моментально, скрутив лошади ноги, повалил её на спину.* Рылов. Воспоминания.

**ЛА́СТЫ**, ласт и -ов, *мн.* (*ед.* **ласт**, -а, *м.*). **1.** Укороченная конечность водных животных, птиц (тюленей, моржей, пингвинов и др.), пальцы которой соединены кожной перепонкой. *Конечности [моржа] почти совсем скрыты в туше, и наружу выходят только ласты с голыми подошвами, причём пальцы имеют недоразвитые когти.* Арсеньев. Тихоокеанский морж. **2.** Приспособление для плавания в виде широких лап с перепонками, надеваемое на ноги. *Резиновые ласты. Плавать в воде с ластами.*

**ЛАТИ́НИЦА**, -ы, *ж.* Латинский алфавит. *Писать латиницей.*

**ЛАТИ́НСКИЙ**, -ая, -ое. **1.** Относящийся к Древнему Риму, к римлянам. *Латинский язык. Латинская литература.* **2.** *Устар.* Католический. *Латинская церковь.* □ *[Пушкин:] Да слышно, он умён, приветлив, ловок.. Московских беглецов Обворожил. Латинские попы С ним заодно.* Пушкин. Борис Годунов.

**ЛАТИФУ́НДИЯ**, -и, *ж.* [Лат. latifundium от latus — обширный и fundus — поместье]. *Книжн.* Крупное частное земельное владение (первонач. крупное поместье в Древнем Риме).

**ЛАТУ́НЬ**, -и, *ж.* Сплав меди с цинком, иногда с примесью других металлов (свинца, железа, олова и др.). *Листовая латунь. Поднос из латуни.*

**Лату́нный**, -ая, -ое.

**ЛА́ТЫ**, лат, *мн.* Металлические или кожаные с металлическими пластинками доспехи, применявшиеся в древние века для защиты воина от ударов холодного оружия, а в средние века и от огнестрельного оружия. *В лёгких золочёных латах, в итальянском шлеме с красными перьями.. ездил [Голицын] по полкам.* А. Н. Толстой. Петр I.

**Ла́тный**, -ая, -ое.

**ЛАТЫ́НЬ**, -и, *ж.* Латинский язык. ◇ **Вульга́рная латы́нь** — разговорный латинский язык, в отличие от литературного, классического.

**ЛАУРЕА́Т**, -а, *м.* [Лат. laureatus — увенчанный лаврами]. Лицо, удостоенное особой премии за выдающиеся заслуги в области науки, искусства, народного хозяйства (у древних римлян — человек, награжденный почетным лавровым венком). *Лауреат Государственной премии. Получить звание лауреата на международном конкурсе пианистов. Лауреат Нобелевской премии.*

**Лауреа́тский**, -ая, -ое. *Лауреатский значок.*

**ЛАФЕ́Т**, -а, *м.* [Нем. Lafette]. Станок, на котором закрепляется ствол артиллерийского орудия. *Прилёг вздремнуть я у лафета, И слышно было до рассвета, Как ликовал француз.* Лермонтов. Бородино.

**Лафе́тный**, -ая, -ое.

**ЛА́ЦКАН**, -а, *м.* [Нем. Lätzchen]. Отворот на грудной части верхней застегивающейся одежды. *Женька бросился к Заварзину, схватив его обеими руками за лацканы кожаной куртки, так приблизил к себе его лицо, что их лбы соприкоснулись.* Липатов. И это все о нем.

**ЛАЧУ́ГА**, -и, *ж.* [Тюрк. (тат.) alačuk — палатка, шалаш]. Небольшое убогое жилище. *С обеих сторон глядели слепые лачуги, с крохотными.. окнами.* Гоголь. Мертвые души.

С и н.: хи́жина, хиба́ра (*разг.*).

**Лачу́жка**, -и, *ж.* (*уменьш.*). **Лачу́жный**, -ая, -ое.

**ЛЕБЁДКА**[1], -и, *ж.* **1.** *Разг.* Самка лебедя. **2.** (*обычно в обращении*). *Нар.-поэт.* Ласковое название молодой женщины, девушки. — *А ты слушай, лебедка, да не сбивай.* Лажечников. Ледяной дом.

**Лебёдушка**, -и, *ж.* (*ласк.*).

**ЛЕБЁДКА**[2], -и, *ж.* Машина для подъема и перемещения грузов. *Перестали работать турбины,.. остановились лебедки, поднимавшие снаряды.* Новиков-Прибой. Цусима.

**Лебёдочный**, -ая, -ое.

**ЛЕБЕЗИ́ТЬ**, -ежу́, -ези́шь; лебезя́щий, лебези́вший; лебезя́; *несов. Разг.* Заискивать, угодничать перед кем-л. *[Купцы] в глаза лебезят, а за глаза потешаются: — Чудит Геннадька на старости лет.* Коптелов. Большой зачин.

С и н.: подхали́мничать (*разг.*) и подхали́мствовать (*разг.*), юли́ть (*разг.*).

**ЛЕВ**[1], льва́, *м.* **1.** Крупное хищное животное сем. кошачьих, с короткой желтоватой шерстью и пышной гривой у самцов. **2.** *перен. Устар.* О человеке, пользующемся особым успехом в светском обществе, законодателе мод и правил светского поведения. *Тут были.. светские молодые львы с превосходнейшими проборами на затылках, с прекрасными висячими бакенбардами, одетые в настоящие лондонские костюмы.* Тургенев. Дым.

**Льви́ный**, -ая, -ое (*к 1 знач.*). *Львиная охота. Львиная шкура.*

**ЛЕВ**[2], ле́ва, *м.* Денежная единица Болгарии.

**ЛЕВА́ДА**, -ы, *ж.* [Новогреч. livadi]. **1.** На Украине и юге России: береговые леса, заливаемые в половодье. *Над хутором бесновался влажный ветер. Шумовито гудели над речкой в левадах тополя и вербы.* Шолохов. Поднятая целина. **2.** *Обл.* Участок земли близ дома, селения с сенокосным лугом, огородом, лесными или садовыми деревьями. *Уже по первому снегу ночью [Аржанов] откопал свое имущество, принес в хутор и схоронил ружье в чужой леваде, в старой дуплястой вербе.* Шолохов. Поднятая целина.

**Лева́дный**, -ая, -ое.

**ЛЕВИАФА́Н**, -а, *м.* [Восх. к др.-евр. līwjāthān]. *Книжн.* Нечто огромное и чудовищное (по библейскому преданию: огромное морское чудовище, дракон, напоминающий гигантского крокодила.)

**ЛЕ́ВЫЙ**, -ая, -ое. **1.** Расположенный в той стороне тела, где находится сердце, а также вообще расположенный с этой стороны. *Левая рука. Левая сторона дороги.* □ *И Ленский, жмуря левый глаз, Стал также целить.* Пушкин. Евгений Онегин. **2.** Политически радикальный или более радикальный, чем другие (от традиционного размещения членов радикальных и революционных партий в левой стороне парламентского зала). *Вся беда была в том, что он умер.. чужой и для правого и для левого лагеря. Левые* (*в знач. сущ.*) *считали его ренегатом, а для правых он все же был «нигилист шестидесятых годов», автор антидворянских рассказов.* К. Чуковский. Жизнь и творчество Николая Успенского. **3.** Мнимо радикальный, прикрывающий революционной фразой оппортунистическую, соглашательскую сущность. *Левый уклон.* **4.** *Прост.* Побочный и незаконный (о работе, заработке и т. п.). *Левый рейс шофера. Левый заработок.*

С и н. (*к 3 знач.*): лева́цкий.

А н т. (*к 1 и 2 знач.*): пра́вый.

**ЛЕГАЛИЗИ́РОВАТЬ**, -рую, -руешь и **ЛЕГАЛИЗОВА́ТЬ**, -зу́ю, -зу́ешь; легализи́рующий и легализу́ющий, легализи́ровавший и легализова́вший; легализи́руемый и легализу́емый, легализи́рованный; -ан, -а, -о и легализо́ванный; -ан, -а, -о; легализи́руя и легализу́я, легализи́ровав и легализова́в; *сов. и несов.*, *кого, что.* [См. *легальный*]. *Книжн.* Перевести (переводить) на легальное, законно положенное положение. *Все они.. находились на нелегальном положении, то есть не зарегистрировали своих па-*

спортов в полиции и жили без прописки у знакомых..— Надо их в срочном порядке легализовать,— сказал Черноиваненко. Катаев. За власть Советов.

С и н.: узако́нить.

**Легализа́ция,** -и, *ж. Легализация рабочих союзов.*

**ЛЕГА́ЛЬНЫЙ,** -ая, -ое; -лен, -льна, -о. [Восх. к лат. legalis]. Признанный, разрешаемый законом. *Легальная форма борьбы. Легальная партия.* ▫ *Легальная русская пресса, переполненная статьями, письмами и заметками по поводу юбилея 80-летия Толстого, всего меньше интересуется анализом его произведений с точки зрения характера русской революции и движущих сил ее.* Ленин, т. 17, с. 206.

А н т.: нелега́льный, подпо́льный.

**Лега́льно,** *нареч. Выступить легально.* **Лега́льность,** -и, *ж. Легальность положения.*

**ЛЕГА́Т,** -а, *м.* [Восх. к лат. legatus]. **1.** В Древнем Риме: назначавшийся сенатом посол или уполномоченный в провинции. **2.** Дипломатический представитель папы римского. *Стефан, по внушению папского легата, решился воевать с турками.* Пушкин. Песни западных славян.

**ЛЕГЕ́НДА,** -ы, *ж.* [Восх. к лат. legenda — *букв.* то, что должно быть прочитано]. **1.** Поэтическое или историческое предание о каком-л. событии, лице. *Исторические легенды.* ▫ *Море тихо вторило началу одной из древних легенд, которые, может быть, создались на его берегах.* М. Горький. Старуха Изергиль. **2.** *перен.* Что-л. невероятное, выдумка, вымысел.— *Нет, сударь, Голован не легенда, а правда, память его будь с похвалою.* Лесков. Несмертельный Голован. **3.** *Спец.* Вымышленные сведения о разведчике, предопределяющие его поведение, поступки. *Придумать легенду кому-л. перед отправкой в тыл врага.*

С и н. (к 1 знач.): сказа́ние, миф. С и н. (ко 2 знач.): миф.

**Легенда́рный,** -ая, -ое; -рен, -рна, -о (*к 1 и 2 знач.*). *Легендарный подвиг. Легендарная храбрость.*

**ЛЕГИО́Н,** -а, *м.* [Лат. legio, legionis]. **1.** Крупная войсковая единица в Древнем Риме. **2.** Название особых воинских частей в некоторых странах. *Полковник Толстой, начальник казанского конного легиона, выступил против Пугачева.* Пушкин. История Пугачева. **3.** *перен., кого, чего. Высок.* Огромное количество, множество кого-, чего-л. *[Лужин] был один из того бесчисленного и разноличного легиона пошляков,.. которые мигом пристают непременно к самой модной ходячей идее, чтобы тотчас же опошлить ее.* Достоевский. Преступление и наказание. ◇ **Почетный легион** — особый корпус в войсках Наполеона, состоявший из отборных воинов. **Орден почетного легиона** — французский орден за военные и гражданские заслуги, учрежденный Наполеоном I.

С и н. (к 3 знач.): а́рмия, рать, полк (*разг.*).

**Легионе́р,** -а, *м.* (*к 1 и 2 знач.*).

**ЛЕГКОМЫ́СЛЕННЫЙ,** -ая, -ое; -ен, -енна, -о. Поступающий, действующий без достаточного размышления, а также необдуманный (о поступке, словах и т. п.). *Лиза призналась, что поступок ее казался ей легкомысленным.* Пушкин. Барышня-крестьянка.

С и н.: несерьёзный, ве́треный, пусто́й, неоснова́тельный (*разг.*), шалопу́тный (*прост.*).

А н т.: серьёзный.

**Легкомы́сленно,** *нареч.* **Легкомы́сленность,** -и, *ж.* и **легкомы́слие,** -я, *ср.*

**ЛЕ́ДИ,** *нескл., ж.* [Англ. lady]. **1.** Жена лорда. *Зато его [лорда] супруга, благородная леди,.. говорила за четверых.* Лермонтов. Княгиня Лиговская. **2.** Название женщины в буржуазно-аристократических кругах Англии.

**ЛЕ́ЖБИЩЕ,** -а, *ср. Спец.* Место на суше, где залегают стадами морские животные. *Лежбище моржей, нерп.* ▫ *Люди должны отыскать на плавучем льду лежбище тюленей и указать по радио ледоколу путь следования к нему.* Водопьянов. Путь летчика.

**ЛЕЗГИ́НКА,** -и, *ж.* Лезгинский быстрый народный танец, а также музыка к нему.

**ЛЕЗГИ́НЫ,** -и́н, *мн.* (*ед.* **лезги́н,** -а, *м.*). Народ, составляющий часть населения Дагестана и Азербайджана.

**Лезги́нка,** -и, *ж.* **Лезги́нский,** -ая, -ое. *Лезгинские пляски.*

**ЛЕЙ** *см.* лея.

**ЛЕЙБ-...** [От нем. Leib — *букв.* тело]. Первая составная часть сложных слов, обозначающая: состоящий при монархе, придворный, *напр.: лейб-ме́дик, лейб-гва́рдия, лейб-гуса́р.*

**ЛЕЙБОРИ́СТ,** -а, *м.* [Англ. labourist]. Член рабочей партии (в Великобритании, Австралии, Новой Зеландии и некоторых других странах), проводящей реформистскую политику.— *Лейбористы утверждают,— сказал он..,— что я буду иметь большинство в тридцать два голоса. Этого мало. Если преимущество [на выборах] будет столь незначительно, мне придется подать в отставку.* Чаковский. Победа.

**Лейбори́стский,** -ая, -ое. *Лейбористское правительство. Лейбористская партия.*

**ЛЕЙТМОТИ́В,** -а, *м.* [Нем. Leitmotiv — *букв.* ведущий мотив]. **1.** Основной мотив, неоднократно повторяющийся в музыкальном произведении. *Потрясенный, он стоял, отдавшись неслыханной мелодии.. Какой простой и чарующий лейтмотив!* Ф. Гладков. Энергия. **2.** *перен.* Основная мысль, неоднократно повторяемая и подчеркиваемая. *Лейтмотив романа.*

**Лейтмоти́вный,** -ая, -ое.

**ЛЕКА́ЛО,** -а, *ср.* **1.** Фигурная линейка для вычерчивания кривых линий. *На бумаге разложены были чертежные принадлежности: готовальня, циркуль,.. лекала.* Ф. Гладков. Энергия. **2.** Шаблон, модель, применяемые для изготовления каких-л. изделий сложной формы. *С этих чертежей потом делались лекала, по которым изготовлялись отдельные детали корабля.* Раковский. Адмирал Ушаков.

**ЛЕ́КСИКА,** -и, *ж.* [От греч. lexikos — словарный, словесный]. Словарный состав языка, а также совокупность слов, употребляющихся в какой-л. сфере деятельности или в произведении какого-л. писателя. *Разговорная, профессиональная лексика. Лексика М. Горького.*

С и н.: слова́рь.

**Лекси́ческий**, -ая, -ое. *Лексическое богатство русского языка.*

**ЛЕКСИКОГРА́ФИЯ**, -и, *ж.* [От греч. lexikos — словарный, словесный и graphein — писать]. Теория и практика составления словарей. *Традиции русской лексикографии.*

**Лексикографи́ческий**, -ая, -ое. **Лексико́граф**, -а, *м.*

**ЛЕКСИКО́Н**, -а, *м.* [Греч. lexikon]. **1.** *Устар.* Словарь. — *Ступай за ним! — вскрикнул поручик своему кучеру, прибавив слова два, до того всем известные, что их в лексиконе не помещают.* Герцен. Кто виноват? **2.** *Книжн.* Запас слов и выражений. — *Господин Половцев, можно подумать, что.. в вашем и без того убогом лексиконе осталось всего только одно слово «тюрьма».* Шолохов. Поднятая целина.

**ЛЕКТО́РИЙ**, -я, *м.* [Лат. lectorium]. Организация, занимающаяся устройством публичных лекций, а также помещение для чтения публичных лекций. *Работа заводского лектория.*

**ЛЕ́КЦИЯ**, -и, *ж.* [Лат. lectio — чтение]. **1.** Устное изложение учебного предмета преподавателем в высшем учебном заведении, а также запись этого изложения. *Читать, слушать лекции. Тетрадь с лекциями по современному русскому языку.* **2.** Публичное чтение на какую-л. тему; отпечатанный курс публичных чтений. *Прочитать в музее публичную лекцию. Цикл лекций по русской литературе.*

**Лекцио́нный**, -ая, -ое. *Лекционный курс предмета.* **Ле́ктор**, -а, *м.* (тот, кто читает лекцию).

**ЛЕЛЕ́ЯТЬ**, -ею, -еешь; леле́ющий, леле́явший; леле́емый, леле́янный; -ян, -а, -о; леле́я; *несов., кого, что.* **1.** Нежить, заботливо ухаживать за кем-, чем-л. — *Уж я ли не любил моей Дуни, я ль не лелеял моего дитяти..?* Пушкин. Станционный смотритель. **2.** *перен.* Услаждать, тешить что-л. (слух, душу и т. п.). *Я б желал навеки так заснуть... Чтоб всю ночь, весь день мой слух лелея, Про любовь мне сладкий голос пел.* Лермонтов. Выхожу один я на дорогу... **3.** *перен.* Любовно вынашивать (мысль, мечту), горячо желать исполнения чего-л. *Живя у Лукерьи, он лелеял новую цель: добраться, во что бы то ни стало добраться до семьи.* Горбатов. Непокоренные.

С и н. (к 1 знач.): хо́лить, голу́бить (нар.-поэт.), поко́ить (устар.). С и н. (ко 2 знач.): весели́ть, ра́довать, ласка́ть, не́жить, те́шить, услажда́ть (устар.).

**ЛЕ́МЕХ**, -а, лемеха́-о́в и **ЛЕМЕ́Х**, -а́, лемехи́, -о́в, *м.* Часть плуга, подрезающая пласт земли снизу. *Давыдов.. пошел за плугом, глядя, как.. лезет из-под лемеха по глянцевитому отвалу черный сальный пласт земли, валится, поворачиваясь набок.* Шолохов. Поднятая целина.

**Леме́шный**, -ая, -ое.

**ЛЕМУ́РЫ**, -ов, *мн.* (*ед.* лему́р, -а, *м.*). [Лат. lemures]. **1.** В древнеримской мифологии: души умерших, не находящие себе покоя. **2.** Животные, занимающие промежуточное положение между обезьянами и низшими млекопитающими.

**ЛЕ́ПЕТ**, -а, *м.* **1.** Неправильная, несвязная, неясная речь (о ребенке), а также вообще невразумительная, неубедительная речь. *Наполнял комнату детский лепет.* Серафимович. Он пришел. **2.** *перен., чего.* Легкий шум, неясные звуки чего-л. *Лепет ручейка.* ☐ *Зелень нивы, рощи лепет.. Теплый дождь, сверканье вод,— Вас назвавши, что прибавить? Чем иным тебя прославить, Жизнь души, весны приход?* Жуковский. Приход весны. ◇ **Детский** (или **младенческий**) **лепет** — о чем-л. наивном, беспомощном, незрелом по мысли. [Забелин:] *Я понимаю. Мои слова [о социализме] для вас — детский лепет.* Погодин. Кремлевские куранты.

**ЛЕ́ПТА**, -ы, *ж.* [Греч. lepton]. **1.** Мелкая монета в Греции. **2.** *Высок.* Посильное пожертвование, подаяние, взнос. — *Ну, вот лепта на построение вашего храма,— сказал, наконец, Цветухин, кладя на край корыта полтинник.* Федин. Первые радости. **3.** *перен. Высок.* Посильное участие в чем-л. *Внести свою лепту в общее дело.*

С и н. (ко 2 и 3 знач.): вклад.

**ЛЕСНИ́ЧЕСТВО**, -а, *ср.* Участок леса как хозяйственная единица, а также учреждение, ведающее этим участком. *Работать в лесничестве.* ☐ *Лесничество стояло на большой поляне на берегу реки.* Паустовский. Повесть о лесах.

**ЛЕ́СТНЫЙ**, -ая, -ое; -тен, -тна, -о. **1.** Дающий удовлетворение самолюбию, тщеславию. *Лестное предложение.* ☐ *Быть может (лестная надежда!) Укажет будущий невежда На мой прославленный портрет И молвит: то-то был поэт!* Пушкин. Евгений Онегин. **2.** Содержащий похвалу, одобрение. *Лестный отзыв о ком-л.* ☐ [Стародум:] *Доброе мнение обо мне начальников и войска было лестною наградою службы моей.* Фонвизин. Недоросль.

**Ле́стно**, *нареч.* **Ле́стность**, -и, *ж.*

**ЛЕСТЬ**, -и, *ж.* Лицемерное, угодливое восхваление. *Уж сколько раз твердили миру, Что лесть гнусна, вредна; но только все не впрок.* И. Крылов. Ворона и лисица.

**ЛЕТАРГИ́Я**, -и, *ж.* [Греч. lēthargia от lēthē — забвение и argia — бездействие]. Болезненное состояние, похожее на сон, характеризующееся неподвижностью, отсутствием реакции на внешние раздражения, в тяжелых случаях с почти неощутимым дыханием и пульсом; мнимая смерть. *Впасть в летаргию.* ☐ *Он сделал шаг вперед к молодой женщине, которая сидела по-прежнему неподвижно, едва дыша, будто в летаргии.* Чернышевский. Что делать?

**Летарги́ческий**, -ая, -ое. *Летаргическое состояние.* ◇ **Летаргический сон** — то же, что летаргия. *Павлу Владимировичу почудилось, что он заживо уложен в гроб, что он лежит словно скованный, в летаргическом сне, не может ни одним членом пошевельнуть.* Салтыков-Щедрин. Господа Головлевы.

**ЛЕ́ТОПИСЬ**, -и, *ж.* **1.** В Древней Руси: запись исторических событий, происходивших в стране, городе, местности по годам. *Древнерусские летописи.* ☐ *В числе татарских тем-*

ников,.. перерезанных в Твери вместе с их войском, по словам летописей, будто бы за намерение обратить народ в магометанство,.. находился Рахмет. Чернышевский. Что делать? **2.** *перен., чего или какая. Высок.* Регулярная запись каких-л. событий; история чего-л. *Летопись гражданской войны. Семейная летопись.* ◊ **Живая летопись** — о том, кто хорошо помнит все современные ему события.

С и н. (ко 2 знач.): хро́ника.

**Лето́писный**, -ая, -ое (к 1 знач.). *Летописное повествование.* **Лето́писец**, -сца, *м.* (к 1 знач.).

**ЛЕ́Я**, -и, *ж.* и **ЛЕЙ**, -я, *м.* Денежная единица Румынии.

**ЛИБЕРА́Л**, -а, *м.* [Восх. к лат. liberalis — относящийся к свободе]. **1.** Сторонник либерализма (*в 1 знач.*); член либеральной партии. *Борьба революционеров с либералами.* **2.** *Устар.* Свободомыслящий человек, вольнодумец. *Своим отпущением крестьян на волю [князь Андрей] сделал уже себе репутацию либерала.* Л. Толстой. Война и мир. **3.** Тот, кто излишне снисходителен к отрицательным явлениям общественной жизни, занимается вредным попустительством. — *Посмотрим, — говорит, — господа либералы, кто кого одолеет! Докажу я вам, что может сделать истинная твердость души!* Салтыков-Щедрин. Дикий помещик.

**Либера́льный**, -ая, -ое; -лен, -льна, -о. *Либеральная буржуазия. Либеральный образ мыслей.* **Либера́льно**, *нареч.* *Либерально.* (*ко 2 и 3 знач.*). *Либерально мыслить.* **Либера́льность**, -и, *ж.* (*ко 2 и 3 знач.*).

**ЛИБЕРАЛИ́ЗМ**, -а, *м.* [См. *либерал*]. **1.** Идеологическое и общественно-политическое течение, отстаивающее свободу предпринимательства, буржуазно-парламентский строй, права и свободы личности, получившее наибольшее развитие в капиталистических странах в 19 в. *Но главный.. довод его был приблизительно таков: для толстой книги — не время, толстой книгой питается интеллигенция, а она, как видите, отступает от социализма к либерализму.. Нам нужна газета, брошюра.* М. Горький. В. И. Ленин. **2.** *Устар.* Свободомыслие, вольнодумство. *Адвокат Наландт известен был в городе своим либерализмом, его «свободомыслие» доходило до того, что он брал порою на себя защиту на суде политических заключенных.* Бахметьев. У порога. **3.** Излишняя снисходительность, вредное попустительство. *Либерализм по отношению к лентяям.*

**Либерали́стский**, -ая, -ое.

**ЛИБРЕ́ТТО**, *нескл., ср.* [Итал. libretto — букв. книжечка]. **1.** Словесный текст большого музыкально-вокального произведения (оперы, оперетты, оратории). **2.** Краткое изложение содержания оперы, балета и т. п. в театральной программе или отдельной книжечке.

**ЛИВР**, -а, *м.* [Франц. livre]. **1.** Серебряная французская монета, замененная позднее франком. **2.** Старинная французская мера веса, равная приблизительно 0,5 кг.

**ЛИВРЕ́Я**, -и, *ж.* [Франц. livrée]. **1.** *Устар.* Богато расшитое золотом и серебром форменное платье придворного. — *Коптил я небо божие,* — *Носил ливрею царскую, Сорил казну народную И думал век так жить.* Н. Некрасов. Кому на Руси жить хорошо. **2.** Форменная, обычно расшитая галунами одежда для швейцаров, лакеев, кучеров. *Два холопа в ливреях, давно спавшие у порога на кошме, [при появлении Ивана Артемича] вскакивали, раздевали его, — низенького и тучного.* А. Н. Толстой. Петр I.

**Ливре́йный**, -ая, -ое. *Ливрейный лакей.*

**ЛИ́ГА**, -и, *ж.* [Франц. ligue; восх. к лат. ligare — связывать]. **1.** *Книжн.* Общественно-политическое объединение, союз (отдельных лиц, организаций, государств). **2.** В спорте: группа команд, примерно равных по мастерству и соревнующихся друг с другом. *Высшая, средняя лига.* ◊ **Лига наций** — международное объединение государств в период между первой и второй мировыми войнами.

**ЛИ́ДЕР**, -а, *м.* [Англ. leader]. **1.** Глава, руководитель политической партии, общественной организации и т. п. *Политические лидеры.* □ *Я видел перед собою всех лидеров партии, старых революционеров: Плеханова, Аксельрода, Дейча.* М. Горький. В. И. Ленин. **2.** Лицо, идущее первым в каком-л. состязании. *Лидер шахматного турнира. Лидеры музыкального конкурса.*

**Ли́дерский**, -ая, -ое (*разг.*).

**ЛИДИ́РОВАТЬ**, -рую, -руешь; лиди́рующий, лиди́ровавший; лиди́руя; *несов.* [См. *лидер*]. Быть лидером (*во 2 знач.*). *Лидировать в соревнованиях по спортивной гимнастике.*

**Лиди́рование**, -я, *ср.*

**ЛИК**[1], -а, *м.* **1.** *Трад.-поэт.* Лицо. *Из шатра, Толпой любимцев окруженный, Выходит Петр. Его глаза Сияют. Лик его ужасен. Движенья быстры. Он прекрасен.* Пушкин. Полтава. **2.** Изображение лица на иконе. *В углу над лавками поблескивал закопченный и древний лик иконы.* Бондарев. Горячий снег. **3.** *перен. Книжн.* Внешние очертания, видимая поверхность чего-л. *Лик солнца, луны.*

С и н. (к 1 знач.): физионо́мия (*разг.*), ли́чность (*прост.*).

**ЛИК**[2], -а, *м. Устар.* Собрание, сонм (святых, ангелов, духов и т. п.). *Причислить к лику святых.* □ [*Патриарх:*] *Но кто же ты?* — *спросил я детский голос. «Царевич я Димитрий. Царь небесный Принял меня в лик ангелов своих, И я теперь великий чудотворец!».* Пушкин. Борис Годунов.

**ЛИКБЕ́З**, -а, *м.* **1.** Сокращение: ликвидация безграмотности — обучение грамоте взрослых и подростков (в послереволюционные годы). *Домашние хозяйки и домработницы учились в ликбезе. Они водили пальцами по букварям.* А. Рыбаков. Кортик. **2.** *перен.* Сообщение начальных сведений о чем-л. *Политический ликбез.*

**ЛИКВИДА́ЦИЯ**, -и, *ж.* [Восх. к лат. liquidatio]. **1.** Прекращение деятельности чего-л. (предприятия, учреждения и т. п.). *Ликвидация архива.* **2.** Уничтожение, прекращение существования кого-, чего-л. *Ликвидация неграмотности. Ликвидация оружия массового уничтожения.*

□ *После появления в районе газет со статьёй Сталина райком прислал гремяченской ячейке обширную директиву, невнятно и невразумительно толковавшую о ликвидации последствий перегибов.* Шолохов. Поднятая целина.

**Ликвидацио́нный**, -ая, -ое. *Ликвидационная комиссия.*

**ЛИКОВА́ТЬ**, лику́ю, лику́ешь; лику́ющий, ликова́вший; лику́я; *несов.* Восторженно радоваться, торжествовать. *«Довольно ликовать в наивном увлеченье, — Шепнула муза мне... Пора идти вперед: Народ освобожден, но счастлив ли народ?»* Н. Некрасов. Элегия.

**Ликова́ние**, -я, *ср.*

**ЛИЛЕ́ЙНЫЙ**, -ая, -ое. *Трад.-поэт.* Белизной, нежностью напоминающий лилию. *Но кто с тобою, Грузинка, равен красотою? Вокруг лилейного чела Ты косу дважды обвила.* Пушкин. Бахчисарайский фонтан.

С и н.: бе́лый, белосне́жный, моло́чный, ки́пенный (*устар. и прост.*).

**Лиле́йность**, -и, *ж.*

**ЛИЛИПУ́Т**, -а, *м.* [По названию крошечных жителей фантастической страны Лилипутии в романе Дж. Свифта «Путешествие Гулливера»]. **1.** Человек ненормально маленького роста. **2.** *перен.* О чем-л. маленьком по размеру. *Книжка-лилипут.*

С и н.: ка́рлик.

А н т.: гига́нт.

**Лилипу́тка**, -и, *ж.* (к 1 знач.). **Лилипу́тский**, -ая, -ое.

**ЛИЛО́ВЫЙ**, -ая, -ое; -о́в, -а, -о. [Франц. lilas от араб. lîlâk — сирень]. Светло-фиолетовый, цвета сирени или фиалки. *Они медленно шли к пахоте, и так же медленно, прячась за огромную лиловую тучу, вставало за их спиной солнце.* Шолохов. Поднятая целина.

**Лило́вость**, -и, *ж.*

**ЛИМА́Н**, -а, *м.* [Восх. к греч. limēn]. Затопленное водами моря расширенное устье реки, превратившееся в залив, иногда от моря широкой косой (обычно богатое целебными грязями). *Где-то недалеко,.. наверное, был пруд или степной лиман. От него потянуло запахом ила, камыша.* Шолохов. Поднятая целина.

**Лима́нный**, -ая, -ое.

**ЛИМИ́Т**, -а, *м.* [От лат. limes, limitis — граница, предел]. Предельная норма, предельное количество, свыше которого не разрешено пользоваться чем-л., расходовать что-л. *Лимит кредита. Выдержать, превысить лимит.*

**Лими́тный**, -ая, -ое. *Лимитные нормы.*

**ЛИМИТИ́РОВАТЬ**, -рую, -руешь; лимити́рующий, лимити́ровавший; лимити́руемый, лимити́рованный; -ан, -а, -о; лимити́руя, лимити́ровав; *сов. и несов., что.* [См. *лимит*]. *Книжн.* Установить (устанавливать) лимит; ограничить (ограничивать). *Лимитировать финансовые расходы. Лимитировать расход электроэнергии.*

**Лимити́рование**, -я, *ср. Лимитирование импорта.*

**ЛИМУЗИ́Н**, -а, *м.* [Франц. limousine]. Закрытый, с внутренней перегородкой кузов легкового автомобиля, а также сам автомобиль с таким кузовом. *Подкатил огромный черный лимузин с голубыми стеклами.* Чаковский. Победа.

**Лимузи́нный**, -ая, -ое.

**ЛИ́МФА**, -ы, *ж.* [Лат. lympha — чистая вода, влага]. Бесцветная жидкость, заполняющая межтканевые пространства и омывающая все ткани и клетки в теле человека и позвоночных животных.

**Лимфати́ческий**, -ая, -ое. *Лимфатические узлы.*

**ЛИНГВИ́СТИКА**, -и, *ж.* [От лат. lingua — язык]. Наука о языке.

С и н.: языкозна́ние, языкове́дение.

**Лингвисти́ческий**, -ая, -ое. *Лингвистические исследования.* **Лингви́ст**, -а, *м.*

**ЛИ́НИЯ**, -и, *ж.* **1.** Узкая полоса, черта на какой-л. поверхности или в пространстве. **2.** Черта (существующая или воображаемая), определяющая направление, предел, уровень чего-л. *Линия полета снаряда. Линия горизонта.* **3.** *Устар.* Граница, рубеж какого-л. государства, а также ряд укреплений на этой границе. *Генерал-поручик Декалонг.. [получил] донесение, что Пугачев идет вверх по линии от одной крепости на другую, как в начале своего грозного появления.* Пушкин. История Пугачева. **4.** Длинный ряд или цепь чего-л. *В последний раз предстала его глазам развернутая в одну линию кирсановская усадьба.* Тургенев. Отцы и дети. **5.** Путь сообщения. *Железнодорожная, трамвайная, воздушная линия.* **6.** Система устройств связи. *Линия электропередач.* □ *Быков долго не мог дозвониться, а потом телефонистка сказала, что линия повреждена.* Саянов. Небо и земля. **7.** Последовательный ряд лиц, соединенных кровными связями от предков к потомкам. *Родство по отцовской линии.* **8.** *перен.* Образ мыслей, действий. *Линия поведения.* □ *[Бадьина] нельзя было понять, какую линию ведет он в этом вопросе: на стороне ли он Глеба или на стороне Шрамма.* Ф. Гладков. Цемент. **9.** *перен.* Область деятельности. *Работать по профсоюзной линии.* **10.** *Прост.* Жизненный путь; судьба. *[Бабушка] сделала из наблюдений и опыта мудрый вывод, что всякому дается известная линия в жизни, по которой можно и должно достигать известного значения, выгод.* И. Гончаров. Обрыв. **11.** Старая русская мера длины, равная 1/10 дюйма.

С и н. (к 10 знач.): у́часть, до́ля, звезда́, судьби́на (*трад.-поэт.*), плани́да (*прост.*), жре́бий (*устар.*), часть (*устар.*), плане́та (*устар.*), уде́л (*устар. и книжн.*).

**Лине́йный**, -ая, -ое (к 1, 2, 4, 5 и 11 знач.).

**ЛИНКО́Р**, -а, *м.* Сокращение: линейный корабль (в первой половине 20 в.: корабль, составляющий основу боевых соединений флота и предназначавшийся для крупных боевых операций).

**ЛИНО́ЛЕУМ**, -а, *м.* [От лат. linum — полотно и oleum — масло]. Материал для покрытия полов, изготовляемый из полимерных материалов на упрочняющей основе (первонач. изготовлялся на тканевой основе из растительных масел, пробковой муки и т. п.). *За дверями средних* размеров комната с линолеумом на полу. Серафимович. Маленький парикмахер.

**Линолеумный**, -ая, -ое и **линолеумовый**, -ая, -ое.

**ЛИНЧЕВА́ТЬ**, -чу́ю, -чу́ешь; линчу́ющий, линчева́вший; линчу́емый, линчёванный; -ан, -а, -о; линчу́я, линчева́в; *сов. и несов., кого*. [По имени жившего в 18 в. американского полковника-расиста Ч. Линча]. Подвергнуть (подвергать) так называемому суду Линча, представляющему собой жестокую расправу, самосуд.

**Линчева́ние**, -я, *ср*.

**ЛИ́РА**[1], -ы, *ж*. [Греч. lyra]. **1.** Древнегреческий струнный щипковый музыкальный инструмент. *У древних стихи не читались, а говорились речитативом с аккомпаньеманом музыкального инструмента — лиры.* Белинский. Сочинения Александра Пушкина. **2.** Старинный струнный смычковый музыкальный инструмент украинских и белорусских певцов. *На груди [у лирника] висела лира. Она напоминала скрипку, но к ней были приделаны рукоятка и деревянный стержень с колесиком.* Паустовский. Далекие годы. **3.** *перен. Трад.-поэт.* Символ поэтического творчества, вдохновения. *И долго буду тем любезен я народу, Что чувства добрые я лирой пробуждал.* Пушкин. Я памятник себе воздвиг нерукотворный...

**Ли́рный**, -ая, -ое. **Ли́рник**, -а, *м*. (бродячий певец, играющий на лире) (ко 2 знач.).

**ЛИ́РА**[2], -ы, *ж*. [Итал. lira]. Денежная единица Италии и Турции.

**ЛИРИ́ЗМ**, -а, *м*. [См. *лирика*]. **1.** Эмоциональная окрашенность, поэтическая взволнованность, задушевность (в произведениях искусства). *Лиризм музыки Чайковского. Глубокий лиризм рассказов Чехова.* □ *Лиризм все-таки остается общим элементом поэзии, потому что он есть общий элемент человеческого духа.* Белинский. Герой нашего времени. Сочинение М. Лермонтова. **2.** Чувствительность в настроении. *Впасть в лиризм.*

**Лири́чный**, -ая, -ое. *Лиричный тон.* **Лири́чность**, -и, *ж*.

**ЛИ́РИКА**, -и, *ж*. [Восх. к греч. lyrikē]. **1.** Один из трех (наряду с эпосом и драмой) основных родов литературы, представляющий собой произведения, которые выражают чувства и переживания поэта. *Русская лирика 19 века. Любовная лирика. Темы лирики Маяковского.* **2.** *перен.* Чувствительность, эмоциональность настроения в ущерб рассудочному началу. *Впасть в лирику.*

**Лири́ческий**, -ая, -ое. *Лирическое стихотворение. Лирическое настроение.* ◊ **Лирическое отступление** — 1) проникнутая лиризмом часть художественного произведения, прерывающая последовательное развитие сюжета, в которой речь ведется от лица автора; 2) (*перен.*) (*шутл.*) уклонение от темы речи для выражения каких-л. чувств. **Ли́рик**, -а, *м*.

**ЛИСТО́ВКА**, -и, *ж*. Печатный или рукописный листок агитационно-политического или информационного характера. *Выпустить агитационную листовку. Распространить листовки.* □ *Она аккуратно носила на фабрику листовки.. Несколько раз ее обыскивали.* М. Горький. Мать.

С и н.: прокламация.

**ЛИТА́ВРЫ**, -а́вр, *мн*. (*ед*. **лита́вра**, -ы, *ж*.). [От греч. (po)ly — много и taurea — барабаны]. Ударный музыкальный инструмент, состоящий из двух полушарий, обтянутых кожей. *Она любила конный строй, И бранный звон литавр, и клики Пред бунчуком и булавой Малороссийского владыки.* Пушкин. Полтава.

**ЛИ́ТЕР**, -а, *м*. [См. *литера*]. *Спец*. Документ на право бесплатного и льготного проезда по железной дороге и некоторым другим путям сообщения (название связано с обозначением таких документов условной буквой — литерой). *Воинский литер.* □ *Правом выдавать литеры.. пользовался в городе один Печерица.* В. Беляев. Старая крепость.

**Ли́терный**, -ая, -ое. *Литерный билет.*

**ЛИ́ТЕРА**, -ы, *ж*. [Лат. littera]. **1.** *Устар*. Буква. *Насилу догадались, Что надпись переправлена: Затерты две-три литеры, Из слова благородного Такая вышла дрянь.* Н. Некрасов. Кому на Руси жить хорошо. **2.** *Спец*. Металлический (реже деревянный или пластмассовый) брусочек с обратным выпуклым изображением буквы или иного знака, употребляющийся в типографском наборе. *Он берет из ячейки свинцовую литеру, проводит ею по пальцу и, показывая всем черный след краски, говорит: — Свежая. Недавно работали.* Федин. Первые радости.

**Ли́терный**, -ая, -ое.

**ЛИТЕРА́ТОР**, -а, *м*. [Восх. к лат. litterator]. Тот, кто профессионально занимается литературным трудом; писатель. *Прославленный литератор.* □ *Звание литератора всегда казалось для меня самым завидным.* Пушкин. История села Горюхина.

**Литера́торский**, -ая, -ое.

**ЛИТЕРАТУ́РА**, -ы, *ж*. [Восх. к лат. litteratura]. **1.** Совокупность письменных и печатных произведений того или иного народа, эпохи или всего человечества. *Литература Древней Руси. Научная, художественная, публицистическая литература.* **2.** *ед*. Искусство в словесной форме; совокупность художественных словесных произведений (поэзия, проза, драма). *Русская классическая литература. Жанры литературы.* □ *Образы романтической литературы необычайно выпуклы, ярки, красочны,.. вызывают более сильные эмоции, чем реалистические образы.* Воровский. М. Горький. **3.** *ед*. Совокупность произведений по определенному предмету, вопросу. *Политическая литература.* □ *Ты бы вот лучше подчитала педагогическую литературу — да придумала, как увлечь ребят самодеятельной работой.* Ф. Гладков. Мать.

**ЛИТЕРАТУ́РНЫЙ**, -ая, -ое; -рен, -рна, -о. [См. *литература*]. **1.** *полн. ф*. Относящийся к художественной литературе, связанный с ее изучением. *Литературное произведение. Литературное наследие. Литературный герой.* **2.** *полн. ф*. Относящийся к литераторам; писательский. *Литературный труд, заработок.* □ *Но творческие мои попытки так привязали меня к литературным занятиям, что уже не мог я рас-*

**ЛИТ** 250 **ЛИЦ**

статься с тетрадью и чернильницей. Пушкин. История села Горюхина. **3.** Соответствующий нормам литературного языка. *Литературное произношение.* ◻ *Я стараюсь, чтобы речь моя была литературна.* Чехов. Скучная история. ◇ **Литературный язык** — обработанная форма общенародного языка, обладающая определенными нормами в грамматике, лексике, произношении и т. п.

**Литерату́рно**, *нареч.* (к 3 знач.). **Литерату́рность**, -и, *ж.* (к 3 знач.).

**ЛИ́ТИЯ**, -и́, *ж.* [Греч. litē — букв. молитва]. Христианский обряд отпевания умершего, а также краткая церковная служба. — *Я, знаете, устал: похоронная служба, со святыми упокой, потом лития, закуска, — наконец-то в кабинете один остался, закурил сигару, задумался.* Достоевский. Преступление и наказание.

**ЛИТОГРА́ФИЯ**, -и, *ж.* [От греч. lithos — камень и graphein — писать]. Старейший способ печати (печатание с плоской поверхности камня, на которой сделан рисунок), а также полученный таким способом оттиск. *Художественная литография.* ◻ *Стены [кабинета] пестрели наклеенными на них картинками из «Нивы» и дешевыми литографиями, изображавшими то крещение Руси в Киеве, то осаду Севастополя.* Шолохов. Поднятая целина.

**Литографи́ческий**, -ая, -ое.

**ЛИТУРГИ́Я**, -и, *ж.* [Греч. leithurgia]. Главное христианское церковное богослужение; обедня. *Когда Володя застрелился, он [Иудушка] отслужил по нем панихиду, записал в календаре день его смерти и обещал.. каждогодно 23 ноября служить панихиду «и с литургиею».* Салтыков-Щедрин. Господа Головлевы.

**Литурги́ческий**, -ая, -ое.

**ЛИХОДЕ́Й**, -я, *м. Устар. и нар.-поэт.* Злодей. *Глаза матросов впились в Козырева с такой ненавистью, как будто он стал лиходеем для команды.* Новиков-Прибой. Цусима.

С и н.: престу́пник, злоумы́шленник (*устар.*).

**Лиходе́йка**, -и, *ж.* **Лиходе́йский**, -ая, -ое.

**ЛИХОИ́МЕЦ**, -мца, *м. Устар.* Взяточник, а также ростовщик (тот, кто берет большие поборы или проценты). *Всех лихоимцев, подлецов Мечтал он быть грозой, И за права сирот и вдов Клялся́ стоять горой.* Плещеев. Мой знакомый.

**ЛИХО́Й**[1], -а́я, -о́е; лих, лиха́, ли́хо. *Устар. и нар.-поэт.* **1.** Могущий принести зло, несчастье. *Открыли зачем-то остроги, Злодеев пустили лихих. Теперь на большой дороге Покою не знай от них.* Есенин. Анна Снегина. **2.** Полный тягот, бед; тяжелый, трудный. *Лихая судьба.* ◻ *Но я родился невпопад — Лихое было время! Забыло солнышко светить, Погас и месяц ясный, И трудно было отличить От ночи день ненастный.* Н. Некрасов. Горе старого Наума.

С и н.: злой.

**Ли́хо**, *нареч.* — *Только очень мне лихо пришлось, когда про похоронную узнала. Так все и покачнулось кругом.* Мусатов. Стожары.

**ЛИХО́Й**[2], -а́я, -о́е; лих, лиха́, ли́хо. **1.** Молодецкий, удалой. *Лихая выправка солдата.* ◻ —

*Да, были люди в наше время, Могучее, лихое племя: Богатыри — не вы.* Лермонтов. Бородино. **2.** Быстрый, стремительный. *Лихая езда, атака. Лихой конь.*

С и н. (к *1 знач.*): уда́лый (*разг.*), разуда́лый (*разг.*), бедо́вый (*разг.*), у́харский (*разг.*), залихва́тский (*разг.*).

**Ли́хо**, *нареч.* *Лихо плясать.* **Ли́хость**, -и, *ж.*

**ЛИХОЛЕ́ТЬЕ**, -я, *ср. Устар. и высок.* Пора войн, потрясений, бедствий. *Нет завода.. Одна вера осталась. Моими руками строилось, моими рушилось, моими и возродится. Фашисты, как болезнь, как лихолетье,.. исчезнут. Это временное.* Горбатов. Непокоренные.

**ЛИХОРА́ДКА**, -и, *ж.* **1.** Болезненное состояние, сопровождающееся жаром и ознобом. *Здешние лихорадки похожи на крымские и молдавские и лечатся одинаково.* Пушкин. Путешествие в Арзрум. **2.** *перен.* Возбужденное, тревожное состояние, суетливо-беспокойная деятельность. *Лихорадка перед боем. Биржевая лихорадка.* ◻ *[На Базарова] нашла лихорадка работы.* Тургенев. Отцы и дети.

С и н. (к *1 знач.*): лихома́нка (*прост.*), трясу́чка (*прост.*). С и н. (ко *2 знач.*): ажиота́ж, горя́чка (*разг.*).

**Лихора́дочный**, -ая, -ое; -чен, -чна, -о. *Лихорадочное состояние. Лихорадочный озноб. Лихорадочная деятельность.* **Лихора́дочно**, *нареч.* **Лихора́дочность**, -и, *ж.*

**ЛИЦЕДЕ́Й**, -я, *м. Устар.* **1.** Актер. *Они выходили [из театра] последними.. из какой-то занавешенной лазейки, откуда являлись на помост лицедеи.* Федин. Первые радости. **2.** *перен. Книжн.* Притворщик. *И все дела твои, и добрые и злые, — Все было ложь в тебе, все призраки пустые: Ты был не царь, а лицедей.* Тютчев. Не богу ты служил и не России...

С и н. (к *1 знач.*): арти́ст. С и н. (ко *2 знач.*): комедиа́нт.

**Лицеде́йка**, -и, *ж.* **Лицеде́йский**, -ая, -ое.

**ЛИЦЕЗРЕ́ТЬ**, -зрю́, -зри́шь; лицезря́щий, лицезре́вший; лицезри́мый; лицезря́; *несов., кого. Устар. и ирон.* Созерцать, видеть кого-л. в непосредственной близости. — *Лицезреть всех вас больше я не хочу, не желаю.* Леонов. Вор.

С и н.: зреть (*устар.*).

**Лицезре́ние**, -я, *ср.*

**ЛИЦЕ́Й**, -я, *м.* [Греч. lykeion — школа в Афинах, получившая название от соседнего храма Аполлона Ликийского]. **1.** В дореволюционной России: мужское привилегированное учебное заведение. *Чем чаще празднует лицей Свою святую годовщину, тем робче старый круг друзей В семью стесняется едину.* Пушкин. Чем чаще празднует лицей... **2.** Среднее учебное заведение во Франции и некоторых других странах.

**Лице́йский**, -ая, -ое. *Лицейский период творчества Пушкина.* **Лицеи́ст**, -а, *м.*

**ЛИЦЕМЕ́Р**, -а, *м.* Тот, кому свойственно лицемерие.

С и н.: ханжа́, фарисе́й, тартю́ф (*книжн.*), ипокри́т (*устар.*).

**Лицеме́рный**, -ая, -ое. *Лицемерная улыбка.* **Лицеме́рно**, *нареч.* **Лицеме́рность**, -и, *ж.*

**ЛИЦЕМЕ́РИЕ**, -я, *ср.* Несоответствие слов,

поступков человека истинным чувствам, убеждениям, намерениям; притворство. *Лицемерие было до такой степени потребностью его натуры, что он [Иудушка] никак не мог прервать раз начатую комедию. С последними словами он действительно встал на колени и с четверть часа воздевал руки и шептал.* Салтыков-Щедрин. Господа Головлевы.

С и н.: ха́нжество, фарисе́йство, двули́чие, двоеду́шие, криводу́шие (*устар.*).

**ЛИЦЕ́НЗИЯ**, -и, *ж.* [Воск. к лат. licentia — право, разрешение]. *Спец.* **1.** Разрешение, выдаваемое государственными органами на право ввоза или вывоза товаров. *Бедье позвонил министру иностранных дел: — Вы собирались дать лицензию на десять самолетов в Аргентину?* Эренбург. Девятый вал. **2.** Разрешение на право льготного или бесплатного пользования чем-л. *Лицензия на отстрел волков.* **3.** Разрешение на право использования изобретений, на право производства какой-л. продукции. *Одно из его изобретений было им патентовано, и лицензия на пользование им предоставлена заводу Леснера.* А. Крылов. Мои воспоминания.

**Лицензио́нный**, -ая, -ое.

**ЛИЦЕПРИЯ́ТНЫЙ**, -ая, -ое; -тен, -тна, -о. *Устар.* Пристрастный, предпочитающий одно лицо другому из-за родственных отношений, личных связей и т. п. *— [Закон] не может быть ни строгим, ни лицеприятным, а только справедливым.* Мамин-Сибиряк. Суд идет.

С и н.: предвзя́тый, необъекти́вный, предубеждённый, субъекти́вный.

А н т.: беспристра́стный, нелицеприя́тный (*устар.*).

**Лицеприя́тно**, *нареч.* **Лицеприя́тие**, -я, *ср.* и **лицеприя́тность**, -и, *ж.*

**ЛИЦО́**, -а́, ли́ца, лиц, *ср.* **1.** Передняя часть головы человека. *Красивое, знакомое лицо.* **2.** *перен.* Индивидуальный облик, отличительные черты кого-, чего-л. *Сохранить свое лицо в искусстве. Не иметь своего лица.* **3.** Человек, личность. *Историческое лицо. Действующее лицо в пьесе.* □ *Иван Ильич попал в список лиц, подозреваемых в сочувствии рабочим.* А. Н. Толстой. Хождение по мукам. ◊ **Показать товар лицом** — представить с лучшей стороны что-л. **Лицом в грязь не ударить** — показать себя с лучшей стороны. **(Не) к лицу** *кому* — 1) (не) идет кому-л.; 2) (*перен.*) (не) соответствует положению кого-л. **Невзирая на лица** — не обращая внимания на чье-л. положение, звание. *Критиковать невзирая на лица.*

С и н. (к 1 знач.): физионо́мия (*разг.*), ли́чность (*прост.*), лик (*трад.-поэт.*). С и н. (к 2 знач.): физионо́мия (*разг.*). С и н. (к 3 знач.): осо́ба, персо́на (*книжн.*), субъе́кт (*разг.*), фигу́ра (*разг.*).

**Лично́й**, -а́я, -о́е (*к 1 знач.*) и **лицево́й**, -а́я, -о́е (*к 1 знач.*). *Лицевые мускулы. Личное мыло.*

**ЛИ́ЧНОСТЬ**, -и, *ж.* **1.** Совокупность свойств, присущих данному человеку, составляющих его индивидуальность. *Становление и развитие личности.* □ *Заметим одно: личность поэта, так полно и ярко отразившаяся в этой поэме, везде является.. прекрасною.., но в то же время по преимуществу артистической.* Белинский. Сочинения Александра Пушкина. **2.** Отдельный человек в обществе; индивидуум. *Роль личности в истории. Свобода личности. Установление личности кого-н.* □ *Тут дело идет не о моей или Вашей личности,.. тут дело идет об истине, о русском обществе, о России.* Белинский. Письмо к Гоголю. **3.** *Прост.* Тот же, что л и ц о (*в 1 знач.*). *— Ты, паренек, не из третьей роты? Личность твоя мне, будто, знакомая.* Шолохов. Они сражались за Родину. ◊ **Перейти на личности** — сделать обидные замечания по чьему-л. адресу.

С и н. (ко 2 знач.): лицо́, осо́ба, персо́на (*книжн.*), субъе́кт (*разг.*), фигу́ра (*разг.*). С и н. (к 3 знач.): лик (*высок.*), физионо́мия (*разг.*).

**Ли́чностный**, -ая, -ое (*к 1 знач.*) (*книжн.*) и **ли́чный**, -ая, -ое (*ко 2 знач.*). *Личностные качества. Личные права граждан.* ◊ **Личный состав** (*офиц.*) — состав лиц какого-л. учреждения, предприятия, воинской части и т. п.

**ЛИШЕ́НЕЦ**, -нца, *м.* В СССР до принятия Конституции 1936 г.: человек, лишенный избирательных и других гражданских прав в связи с принадлежностью к эксплуататорскому классу. *[Сафонов:] Явишься к немецкому коменданту... скажешь, что ты есть бывший кулак, лишенец репрессированный, в общем, найдешь, что сказать. Понятно?* Симонов. Русские люди.

**ЛОБЗА́ТЬ**, -а́ю, -а́ешь; лобза́ющий, лобза́вший; лобза́емый; лобза́я; *несов., кого, что.* Трад.-поэт. Целовать. *В крови горит огонь желанья, Душа тобой уязвлена, Лобзай меня: твои лобзанья Мне слаще мирра и вина.* Пушкин. В крови горит огонь желанья.

С и н.: лобыза́ть (*устар.*).

**Лобза́ние**, -я, *ср.*

**ЛОБОВО́Й**, -а́я, -о́е. **1.** Направленный в упор, в лоб, непосредственно в сторону противника. *Лобовая атака. Лобовой удар.* **2.** Находящийся в передней части чего-л. *Лобовое стекло автомобиля.* □ *Его [Григория] участок был лобовым, на него с юга обрушивались.. красные части.* Шолохов. Тихий Дон.

С и н. (к 1 знач.): фронта́льный.

**ЛОВЕЛА́С**, -а, *м.* *Книжн.* [По имени героя романа английского писателя С. Ричардсона «Кларисса Гарлоу»]. Любитель ухаживать за женщинами, соблазнитель женщин. *К женщинам адмирал чувствовал слабость и, несмотря на свой преклонный возраст, был порядочным-таки ловеласом.* Станюкович. Грозный адмирал.

С и н.: донжуа́н, волоки́та (*разг.*), ба́бник (*прост.*), ухажёр (*прост.*), женолю́б (*устар.*), селадо́н (*устар.*).

**ЛО́ВЧИЙ**, -ая, -ее. **1.** Приученный к ловле птиц, зверей, а также предназначенный для этой цели. *Ловчие собаки. Ловчие птицы (соколы, кречеты, орлы). Ловчие ямы.* **2.** *в знач. сущ.* **ло́вчий**, -его, *м.* В старину: тот, кто ведал псовой охотой, рыбной ловлей. *Крупные помещики и капиталисты.. имели прославленные стаи гончих и борзых, искусных ловчих, доезжачих,* *егерей, объездчиков, сторожей.* Ларский. Рассказы старого егеря.

**ЛОГ**, -а, лога́, -о́в, *м.* Широкий и длинный овраг с отлогими склонами. *Дед Силантий, резавший лозняк далеко за селом, в глубоком логу,.. выкарабкался наверх.. и присел отдохнуть.* Проскурин. Горькие травы.

С и н.: ложбина, лощина, балка.

**ЛО́ГИКА**, -и, *ж.* [Восх. к греч. logikē]. **1.** Наука о законах и формах мышления. *Формальная логика. Диалектическая логика. Изучение логики.* **2.** Ход рассуждений, умозаключений. *Четкая логика рассуждения.* □ *[У Катерины] все делается по влечению натуры, без отчетливого сознания, а у людей развитых теоретически и сильных умом — главную роль играет логика и анализ.* Добролюбов. Луч света в темном царстве. **3.** *чего или какая.* Внутренняя закономерность. *Логика событий.* □ *— Послушать вас, так мы находимся вне человечества, вне его законов. Помилуйте — логика истории требует..— Да на что нам эта логика?* Тургенев. Отцы и дети. ◊ **Же́нская ло́гика** (*шутл.*) — о суждениях, лишенных строгой последовательности, логичности, основанных на чувствах, а не на доводах рассудка.

**Логи́ческий**, -ая, -ое *и* **логи́чный**, -ая, -ое; -чен, -чна, -о (*ко 2 и 3 знач.*). *Логические категории. Логическая ошибка. Логическая связь событий. Логичные доводы.* **Логи́чески** (*ко 2 и 3 знач.*) *и* **логи́чно** (*ко 2 знач.*), *нареч. Логически доказать что-л. Логично рассуждать.* **Логи́чность**, -и, *ж.* (*ко 2 знач.*). **Ло́гик**, -а, *м.* (*к 1 и 2 знач.*).

**ЛО́ГОВИЩЕ**, -а *и* **ЛО́ГОВО**, -а, *ср.* **1.** Углубление в земле, которое служит жилищем зверю. *В верстах четырех от ее [волчихи] логовища.. стояло зимовье.* Чехов. Белолобый. **2.** *перен. Разг. пренебр. и шутл.* Жилище человека (чаще неудобное, неприглядное). *И оттого, что она с увлечением хлопотала в его комнате (прибрала постель, стол,.. быстро подмела пол), он сразу почувствовал, что логово его стало живым и уютным.* Ф. Гладков. Энергия.

С и н. (*ко 2 знач.*): дом, жильё (*разг.*), берло́га (*разг.*), оби́тель (*трад.-поэт.*), обита́лище (*устар.*).

**ЛОГОПЕ́ДИЯ**, -и, *ж.* [От греч. logos — слово и paideia — обучение]. Отрасль педагогической науки, изучающая недостатки речи и произношения (заикание, картавость и т. п.) и способы их лечения, исправления.

**Логопеди́ческий**, -ая, -ое. **Логопе́д**, -а, *м.*

**ЛО́ДЖИЯ**, -и, *ж.* [Итал. loggia]. Открытая ниша в стене здания, используемая как балкон.

**ЛО́ЖА**[1], -и, *ж.* [Франц. loge]. **1.** Место у стены в зрительном зале, отделенное для нескольких лиц, а также место в зале заседаний, на стадионе, отделенное для представителей прессы, гостей и т. п. *Театральная ложа. Ложа прессы.* □ *Когда она [Верочка] явилась в ложе 2-го яруса, на нее было наведено очень много биноклей.* Чернышевский. Что делать? **2.** Отделение масонской организации, а также место ее собраний. *На другой день после приема в ложу Пьер сидел дома, читая книгу.* Л. Толстой. Война и мир.

**ЛО́ЖА**[2] *см.* ложе[2].

**ЛОЖБИ́НА**, -ы, *ж.* Неглубокий овраг с пологими склонами. *В ложбине, поросшей густым орешником, невдалеке от озера, Травкин сделал привал.* Казакевич. Звезда.

С и н.: лощи́на, лог, ба́лка.

**Ложби́нка**, -и, *ж.* (*уменьш.*). **Ложби́нный**, -ая, -ое.

**ЛО́ЖЕ**[1], -а, *ср.* **1.** *Трад.-поэт.* Специально устроенное для лежания место (кровать, диван, постель и т. п.). *Он по гарему в тьме ночной Неслышными шагами бродит;.. К послушным крадется дверям, От ложа к ложу переходит.* Пушкин. Бахчисарайский фонтан. **2.** Углубление в почве, по которому течет водный поток. *Ложе ручья.* □ *Дорога пошла вдоль самой реки по каменистому ложу.* Фадеев. Последний из удэге.

С и н. (*к 1 знач.*): одр (*устар.*). С и н. (*ко 2 знач.*): ру́сло.

**ЛО́ЖЕ**[2], -а, *ср. и* **ЛО́ЖА**[2], -ы, *ж.* Удлиненная часть ружья или автомата, в которую вкладывается и к которой прикреплен ствол. *На сундуке лежали: ручной пулемет.., карабин с темной ложей.* Шолохов. Тихий Дон.

**ЛО́ЖНЫЙ**, -ая, -ое; ло́жен, ло́жна, -о. **1.** Содержащий ложь, обман. *Ложные донесения. Ложные показания (на суде).* **2.** Мнимый, намеренно выдаваемый за истинное. *Ложная атака.* □ *Для танковой бригады нужно было соорудить переправу: одну — настоящую,.. другую — ложную, чтобы отвлечь внимание противника от первой переправы.* В. Кожевников. Мост. **3.** Вызванный ошибочными представлениями о нравственности, предрассудками. *Ложная скромность.* □ *Не засмеяться ль им, пока Не обагрилась их рука, Не разойтиться ль полюбовно?.. Но дико светская вражда Боится ложного стыда.* Пушкин. Евгений Онегин. **4.** Неискренний, притворный. *Я занялся рассмотрением картинок, украшавших его смиренную обитель. Они изображали историю блудного сына.. [На одной из картинок] он сидит за столом, окруженный ложными друзьями и бесстыдными женщинами.* Пушкин. Станционный смотритель. ◊ **Ло́жное положе́ние** — неловкое двусмысленное положение. **Ло́жный шаг** — неправильный, опрометчивый поступок, необдуманное действие. **В ло́жном све́те** (ви́деть, представля́ть и т. п.) — не так, как есть на самом деле; неправильно, искаженно.

А н т. (*ко 2 знач.*): по́длинный.

**Ло́жно**, *нареч. Ложно представить факты.* **Ло́жность**, -и, *ж. Ложность слухов.*

**ЛОЗА́**, -ы́, ло́зы, лоз, *ж.* **1.** *Спец.* Название различных видов ив. *Речка от лозы, обильно растущей на ее берегах, получила название Лозовой.* Короленко. Без языка. **2.** Тонкий, длинный и гибкий стебель. *Виноградная лоза.* □ *[Мария] стала убирать в погребе: вынесла наверх.. разную ненужную ветошь, сплетенную из вербовой лозы полусгнившую корзину.* Закруткин. Матерь человеческая. **3.** *перен.* Тонкий гибкий прут как орудие наказания; символ наказания, гнета. *Бить лозой.* □ *Здесь барство дикое, без чувства, без закона, Присвоило себе насильствен-*

ной лозой И труд, и собственность, и время земледельца. Пушкин. Деревня.

С и н. (к 3 знач.): ро́зга.

**ЛО́ЗУНГ**, -а, м. [Нем. Losung]. **1.** Призыв, выражающий в краткой форме руководящую идею, задачу или политическое требование. *Провозгласить лозунг.* □ — *Наши лозунги просты — долой частную собственность, все средства производства — народу, вся власть — народу, труд — обязателен для всех.* М. Горький. Мать. **2.** Плакат с таким призывом. *Колонна демонстрантов с лозунгами.* **3.** *Устар.* Условное секретное слово, употреблявшееся при сторожевом охранении войск (использовалось до 20 в.). *[Ростов] открыл глаза. — Где я? Да, я в цепи; лозунг и пароль — дышло, Ольмюц.* Л. Толстой. Война и мир.

**Ло́зунговый**, -ая, -ое.

**ЛОКАЛИЗА́ЦИЯ**, -и, ж. [См. *локальный*]. *Книжн.* Ограничение какого-л. явления, каких-л. действий (пожара, эпидемии, военных операций и т. п.) определенным местом, районом. *Нечего было и думать спасти горевшие строения, и все усилия пожарных были устремлены на локализацию пожара.* Зарин. Дочь пожарного.

**ЛОКА́ЛЬНЫЙ**, -ая, -ое; -лен, -льна, -о. [Восх. к лат. localis — *местный*]. *Книжн.* Свойственный только определенному месту, не выходящий за определенные пределы; местный. *Локальные войны.*

**Лока́льность**, -и, ж.

**ЛОКА́ТОР**, -а, м. [От лат. locare — *размещать*]. Устройство для определения местонахождения различных объектов. *Бомбардировщик идет до населенного пункта Б с курсом девяносто восемь градусов, его полет засекли локаторы.* Семенихин. Испытание.

**Лока́торный**, -ая, -ое. *Локаторные установки.*

**ЛОКОМОТИ́В**, -а, м. [Франц. locomotive от лат. locus — *место* и moveri — *двигаться*]. Машина (паровоз, тепловоз, электровоз и т. п.), движущаяся по рельсам и предназначенная для тяги прицепленных к ней вагонов. *Шел длинный товарный поезд, который тащили два локомотива.* Чехов. Убийство.

**Локомоти́вный**, -ая, -ое. *Локомотивное депо.*

**ЛОМБА́РД**, -а, м. [По названию провинции Ломбардии в Италии, где с 13 в. банки стали основывать ломбарды]. Учреждение для выдачи ссуд под залог имущества. *Все бриллианты ее матери, еще не заложенные в ломбарде, сияли на ее пальцах, шее и ушах.* Пушкин. Барышня-крестьянка.

**Ломба́рдный**, -ая, -ое.

**ЛОМОВО́Й**, -а́я, -о́е. Предназначенный для перевозки тяжестей, грузов. *Ломовые сани.* □ *Он всегда любил смотреть на этих огромных ломовых коней, долгогривых, с толстыми ногами, идущих спокойно.. и везущих за собою какую-нибудь целую гору, нисколько не надсаживаясь, как будто им с возами даже легче, чем без возов.* Достоевский. Преступление и наказание. ◊ **Ломовой извозчик** — кучер наемного экипажа, а также сам экипаж (с кучером), предназначенный для перевозки тяжестей. **Ломовая лошадь**, **ломовой конь** *(перен.)* — о безответном человеке, на которого взваливают всю тяжелую, невыигрышную работу.

**ЛО́НО**, -а, ср. **1.** *Устар. и высок.* Грудь (как символ женственности, материнства, а также чрево, чресла). *Его соблазнили Далилы прекрасной Коварные ласки, сверканье очей, И пышное лоно.* Языков. Сампсон. **2.** *перен. Устар. и высок.* То, что является прибежищем, приютом для кого-, чего-л. *Наконец он отыскал глазами поставленный близ дороги межевой столб и очутился на головлевской земле, на той постылой земле, которая родила его.. [и теперь] вновь принимает его в свое лоно.* Салтыков-Щедрин. Господа Головлевы. **3.** *перен. Трад.-поэт.* Недра или поверхность (воды, земли). *Безмолвное море, лазурное море, Открой мне глубокую тайну твою: Что движет твое необъятное лоно? Чем дышит твоя напряженная грудь?* Жуковский. Море. ◊ **На лоне природы** — на открытом воздухе, среди природы. *Блестящий юноша, он [Онегин] был увлечен светом, [но скоро].. оставил его, как это делают слишком немногие. В душе его тлелась искра надежды — воскреснуть и освежиться в тиши уединения, на лоне природы.* Белинский. Сочинения Александра Пушкина.

**ЛОПАРИ́**, -е́й, мн. (ед. **лопа́рь**, -я́, м.). Прежнее название народности саами.

**ЛОРД**, -а, м. [Англ. lord]. **1.** В Англии: высший дворянский наследственный титул, а также лицо, носящее этот титул. *И все ей кажется бесценным.. И этот бледный полусвет, И лорда Байрона портрет.* Пушкин. Евгений Онегин. **2.** В Англии: титул, связанный с некоторыми высшими должностями, а также лицо, носящее этот титул. *Лорд адмиралтейства* (морской министр). *Лорд казначейства* (министр финансов). *Лорд-канцлер* (председатель палаты лордов и высшее судебное должностное лицо). *Лорд-мэр* (городской голова в Лондоне и других крупных городах Англии).

**ЛОРНЕ́Т**, -а, м. и (*устар. разг.*) **ЛОРНЕ́ТКА**, -и, ж. [Франц. lorgnette]. Складные очки в оправе с ручкой, а также оптическое стекло в оправе (бывшие в ходу в дворянском кругу в 19 в.). *Онегин входит, Идет меж кресел по ногам, Двойной лорнет, скосясь, наводит На ложи незнакомых дам.* Пушкин. Евгений Онегин. *Шарлотта Ивановна в белом платье,.. с лорнеткой на поясе проходит через сцену.* Чехов. Вишневый сад.

**Лорне́тный**, -ая, -ое.

**ЛОСИ́НА**, -ы, ж. **1.** *ед.* Выделанная лосиная кожа. **2.** *мн.* Плотно облегающие штаны из лосиной кожи — часть военной формы некоторых полков (в старой русской и некоторых иностранных армиях). *[Наполеон] был.. в белых лосинах, обтягивающих жирные ляжки коротких ног, и в ботфортах.* Л. Толстой. Война и мир. **3.** *ед.* Лосиное мясо как пища.

**ЛОСК**, -а, м. **1.** Блеск гладкой (отполированной, лакированной и т. п.) поверхности. *Начистить туфли до лоска. Навести лоск на что-л.* **2.** *перен.* Безукоризненность внешнего вида, манер. *Столичный лоск.* □ *Петро подметил в манерах и жестах Григория тот особый лоск,* который он наблюдал только у лётчиков и моряков. Поповкин. Семья Рубанюк.

С и н. (*к 1 знач.*): гля́нец.

**ЛОТ**[1], -а, м. [Голл. lood или нем. Lot]. Прибор для измерения глубины моря с борта судна. *Ручной лот. Бросать лот.*

**ЛОТ**[2], -а, м. [См. *лот*[1]]. Русская мера веса, равная 12,8 г, применявшаяся до введения метрической системы. *Весом в один лот.*

**ЛОТЕРЕ́Я** [тэ], -и, ж. [Восх. к итал. lotteria — *букв.* жеребьевка]. Розыгрыш вещей и денежных сумм по билетам. *Денежно-вещевая лотерея.*

**Лотере́йный**, -ая, -ое. *Лотерейный билет.*

**ЛОТО́К**, лотка́, м. **1.** Открытый прилавок для торговли на улице, а также доска с бортом для ношения товаров при торговле вразнос. *Торговать с лотка.* ☐ *На базарной площади сбивались новые лотки и палатки.* Ф. Гладков. Цемент. **2.** *Спец.* Открытый желоб для стока, ссыпания чего-л. *Мельничный лоток.* ☐ *По железному лотку бежала прозрачная ключевая вода.* Соколов-Микитов. Полярная весна. **3.** Ковш, корыто, совок различного назначения. *У него* [*золотоискателя*] *в котомке.. [был] деревянный лоток для промывания песка.* Арсеньев. По Уссурийской тайге.

**Лото́чный**, -ая, -ое (*к 1 знач.*) и **лотко́вый**, -ая, -ое. **Лото́чник**, -а, *м.* (*к 1 знач.*).

**ЛО́ЦМАН**, -а, м. [Голл. loodsman]. Проводник судов в опасных и труднопроходимых районах и на подступах к портам. *Морской, речной лоцман. Портовый лоцман. Искусный лоцман.*

**Ло́цманский**, -ая, -ое.

**ЛОЩИ́НА**, -ы, ж. Овраг с пологими склонами. [*Я*] *обогнул бугор и очутился в неглубокой, кругом распаханной лощине.. Лощина эта имела вид почти правильного котла с пологими боками; на дне ее торчало.. несколько больших белых камней.* Тургенев. Бежин луг.

С и н.: ложби́на, лог, ба́лка.

**Лощи́нка**, -и, ж. (*уменьш.*). **Лощи́нный**, -ая, -ое.

**ЛОЯ́ЛЬНЫЙ**, -ая, -ое; -лен, -льна, -о. [Франц. loyal — верный]. **1.** Держащийся формально в пределах законности. *Лояльный человек, поступок.* **2.** Корректно, благожелательно относящийся к кому-, чему-л. *Бегут по Севастополю к дымящим пароходам.. кто со шкафом, кто с утюгом. Кадеты — на что уж люди лояльные — толкались локтями, крыли матюгом.* Маяковский. Хорошо!

А н т. (*к 1 знач.*): нелоя́льный.

**Лоя́льно**, *нареч. Поступать лояльно. Относиться к кому-л. лояльно.* **Лоя́льность**, -и, ж. *Соблюдать лояльность.*

**ЛУБО́К**, лубка́, м. **1.** Волокнистая внутренняя часть коры молодых лиственных деревьев (преимущ. липы), идущая на изготовление корзин, лаптей и т. п. **2.** В старину: липовая доска, на которой гравировалась картинка для печатания, а также сама эта картинка, простая и доходчивая по содержанию, обычно с поясняющей надписью. *Русский лубок* (*собир.*). ☐ [*Двери*] *лавочки увешаны связками произведений, отпечатанных лубками на больших листах.* Гоголь. Портрет. **3.** То же, что лубочная литература.

С и н. (*к 1 знач.*): лы́ко, луб.

**Лубко́вый**, -ая, -ое (*к 1 знач.*) и **лубо́чный**, -ая, -ое. *Лубковый короб. Лубочные товары. Лубочные картинки.* ◊ **Лубочная литература** — в дореволюционной России: дешевые массовые издания для народа, отличавшиеся примитивностью содержания.

**ЛУДИ́ТЬ**, лужу́, лу́дишь и луди́шь; лудя́щий, луди́вший; лудимый, лужённый; лужён, лужена́, -о́; лудя́; *несов., что.* Покрывать поверхность металлического изделия тонким слоем олова для предохранения от ржавчины, окисления. *Лудить медную посуду.* ☐ *А дети и рады, Как пилишь, как лудишь — им все покажи.* Н. Некрасов. Крестьянские дети.

**Луже́ние**, -я, *ср. Лужение котлов.* **Луди́льщик**, -а, *м.*

**ЛУИДО́Р**, -а, м. [Франц. louis d'or от Louis — Людовик (имя французского короля Людовика XIII) и d'or — из золота]. Старинная французская золотая монета.

**ЛУКА́**, -и́, лу́ки, лук, ж. **1.** Изгиб, кривизна чего-л. *Лука реки.* ☐ *По далекой луке насыпи, закругляясь, бежал пассажирский состав.* Малышкин. Люди из захолустья. **2.** Изгиб переднего и заднего края седла. [*Казак*], *вдев одну ногу в стремя, взялся за луку и напружился, чтоб разом вскочить в седло.* Серафимович. У обрыва.

С и н. (*к 1 знач.*): излу́чина, излу́ка.

**ЛУКА́ВИТЬ**, -влю, -вишь и (*устар.*) **ЛУКА́ВСТВОВАТЬ**, -ствую, -ствуешь; лука́вящий и лука́вствующий, лука́вивший и лука́вствовавший; лука́вя и лука́вствуя; *несов.* Хитрить, притворяться, имея какой-л. умысел. *Я отвечал Пугачеву: — Рассуди, могу ли я признать в тебе государя? Ты человек смышлёный: ты сам увидел бы, что я лукавствую.* Пушкин. Капитанская дочка. *А похоже по лисьему выражению лиц торгашей, по их сощуренным глазам, по хитрым улыбкам, что они лукавят.* Задорнов. Далекий край.

С и н.: юли́ть (*разг.*), финти́ть (*разг.*).

**ЛУКА́ВЫЙ**, -ая, -ое; -ав, -а, -о. **1.** Коварный и хитрый. *Лукавый человек. Лукавый поступок.* ☐ [*Царь:*] *А Шуйскому не до́лжно доверять: Уклончивый, но смелый и лукавый.* Пушкин. Борис Годунов. **2.** Исполненный веселого задора, игривости. *Лукавая улыбка, усмешка. Лукавый юмор, взгляд.* **3.** *в знач. сущ.* **лука́вый**, -ого, *м. Прост.* Бес, дьявол, сатана. *Лукавый попутал.* ◊ **От лукавого** (*книжн.*). — о ненужном мудрствовании, об излишнем усложнении чего-л.

С и н. (*к 1 знач.*): шельмова́тый, хи́тростный (*разг.*), плутова́тый (*прост.*). С и н. (*к 3 знач.*): чёрт, де́мон, нечи́стый (*устар. и прост.*).

**Лука́во**, *нареч.* (*к 1 и 2 знач.*). **Лука́вость**, -и, ж. (*к 1 знач.*).

**ЛУКОМО́РЬЕ**, -я, *ср.* Старинное народное название морского залива, бухты. *У лукоморья дуб зеленый; Златая цепь на дубе том.* Пушкин. Руслан и Людмила.

**ЛУКО́ШКО**, -а, *ср.* Ручная корзинка из лубка или прутьев. *Лукошко с грибами.* ☐ *В сие* время поднесли в лукошке Кирилу Петровичу новорожденных щенят. Пушкин. Дубровский.

**ЛУНА-ПАРК**, -а, м. [Нем. Luna-Park]. Общественный сад, парк с разного рода увеселениями и зрелищами.

**ЛУНАТИК**, -а, м. Тот, кто страдает заболеванием, выражающимся в хождении во время ночного сна с бессознательным совершением различных действий (название от ложных представлений о влиянии лунного света на человека). *Лунатик смело идет по карнизу, потому что спит.* Инбер. Место под солнцем.
С и н.: сомнамбула.
**Лунатический**, -ая, -ое.

**ЛУНОХОД**, -а, м. Автоматический самоходный аппарат, передвигающийся по поверхности Луны. *Бортовые системы лунохода.*
**Луноходный**, -ая, -ое.

**ЛУНЬ**, -я, м. Хищная птица сем. ястребиных, с серовато-белым оперением у взрослых самцов. *[В небе] молча кружились коршуны и белые луни.* М. Горький. Книга. ◇ **Седой как лунь** — совсем седой. *Дядя Ерошка был огромного роста казак, с седою как лунь широкою бородой.* Л. Толстой. Казаки.

**ЛУЧЕЗАРНЫЙ**, -ая, -ое; -рен, -рна, -о. Высок. **1.** Полный света, сияния, блеска. *Там, далеко, за морем, прорезав туман, Лучезарное солнце восходит.* Добролюбов. Поэту. **2.** перен. Полный радости, счастья. *Лучезарные мечты. Лучезарное будущее.* □ *Услаждали слух его звуки благодатные, Звуки лучезарные гимна благородного — Пел он воплощение счастия народного!* Н. Некрасов. Кому на Руси жить хорошо.
С и н. (к 1 знач.): **лучистый**, **светоносный** (высок.), **светозарный** (трад.-поэт.). С и н. (ко 2 знач.): **радостный**, **счастливый**, **светлый**, **ликующий**.
**Лучезарно**, нареч. **Лучезарность**, -и, ж.

**ЛУЧИНА**, -ы, ж. Тонкая щепка сухого полена, в старину обычно используемая для освещения крестьянской избы. *Нащипать лучин.* □ *Изба лесника состояла из одной комнаты, закоптелой, низкой и пустой.. Лучина горела на столе, печально вспыхивая и погасая.* Тургенев. Бирюк.
**Лучинка**, -и (уменьш.) и **лучинушка**, -и (ласк.), ж.
**Лучинный**, -ая, -ое.

**ЛУЧИСТЫЙ**, -ая, -ое; -ист, -а, -о. **1.** Светящийся лучами, испускающий лучи. *Лучистые звезды. Лучистый свет фонаря.* □ *[Солнце] день ото дня появлялось над горизонтом все более яркое, лучистое, жгучее.* Лаптев. Заря. **2.** перен. Исполненный внутреннего сияния (о глазах, улыбке и т. п.). *Лучистый взор.* **3.** Расходящийся лучами. *Маленькие лучистые морщинки уже давно появились около глаз.* Достоевский. Преступление и наказание.
С и н. (к 1 знач.): **лучезарный** (высок.), **светоносный** (высок.), **светозарный** (трад.-поэт.). С и н. (к 3 знач.): **лучевой**, **лучеобразный**.
**Лучисто**, нареч. (к 1 и 2 знач.). **Лучистость**, -и, ж. (к 1 и 2 знач.).

**ЛУЧНИК**, -а, м. **1.** Воин, вооруженный луком, а также лицо, изготовляющее луки. *Он хромал, и лучники промахнулись, рассчитывая на ровный шаг.* С. Бородин. Дмитрий Донской. **2.** Спортсмен, занимающийся стрельбой из лука. *Соревнование лучников.*
**Лучница**, -ы, ж. (ко 2 знач.).

**ЛЫКО**, -а, ср. Внутренняя часть коры молодых лиственных деревьев (липы, вяза и др.), идущая на изготовление корзин, лаптей, рогожи, а также кусок такой коры. *Драть лыко. Лапти из лыка.* □ *Принес — и ослабел и лег Под сводом шалаша на лыки, И умер бедный раб у ног Непобедимого владыки.* Пушкин. Анчар. ◇ **Не лыком шит** (прост.) — о человеке, не лишенном способностей, знаний, умения держать себя и т. п. **Ставить всякое лыко в строку** — ставить в вину всякую ошибку, даже незначительную.
С и н.: **луб**, **лубок**.
**Лыковый**, -ая, -ое.

**ЛЬГОТА**, -ы, ж. Полное или частичное освобождение от соблюдения установленных законом общих правил, каких-л. обязанностей, повинностей. *Льготы многодетным семьям.* □ *— По моему мнению, [надо вести].. разъяснительную работу.. о том, какие льготы дает государство колхозам.* Шолохов. Поднятая целина.
**Льготный**, -ая, -ое. *Льготная цена. Льготный билет. Льготные условия.*

**ЛЬЕ**, нескл., ср. [Франц. lieue]. Старинная французская мера длины, равная приблизительно 4,5 км.

**ЛЮБЕЗНЫЙ**, -ая, -ое; -зен, -зна, -о. **1.** Обходительный, предупредительный, учтивый. *Любезный прием, ответ.* □ *Денисов.. явился в гостиную.. таким любезным с дамами и кавалерами, каким Ростов никак не ожидал его видеть.* Л. Толстой. Война и мир. **2.** Устар. Милый, дорогой. *Да не робей за отчизну любезную... Вынес достаточно русский народ, Вынес и эту дорогу железную.* Н. Некрасов. Железная дорога. **3.** в знач. сущ. **любезный**, -ого, м. Устар. Возлюбленный. **4.** в знач. сущ. **любезный**, -ого, м. Разг. В обращении как выражение фамильярности или пренебрежения. *[Астров:] Вот что, притащи-ка мне, любезный, рюмку водки.* Чехов. Дядя Ваня. ◇ **Будь любезен; будьте любезны** — форма вежливой просьбы или приказания.
С и н. (к 1 знач.): **воспитанный**, **корректный**, **галантный**. С и н. (ко 2 знач.): **любимый**, **родной**, **бесценный** (книжн.), **родимый** (прост.). С и н. (к 3 знач.): **милый**, **избранник** (высок.), **друг** (разг.), **симпатия** (разг.), **лада** (нар.-поэт.).
**Любезно**, нареч. *Любезно улыбаться.* **Любезность**, -и, ж. (к 1 знач.) и **любезная**, -ой, ж. (к 3 знач.). *Оказать любезность.* □ *Я вообразил ее в руках у разбойников.. Я горько, горько заплакал и громко произнес имя моей любезной.* Пушкин. Капитанская дочка.

**ЛЮБОЗНАТЕЛЬНЫЙ**, -ая, -ое; -лен, -льна, -о. Стремящийся к приобретению новых и разнообразных знаний. *Любознательный подросток. Любознательный ум.*
С и н.: **пытливый**, **любопытный**.
**Любознательно**, нареч. **Любознательность**, -и, ж. *Детская любознательность. Развивать любознательность.*

**ЛЮБОПЫ́ТНЫЙ**, -ая, -ое; -тен, -тна, -о. **1.** Проявляющий интерес ко всяким, даже несущественным подробностям. *Толпа любопытных* (в знач. сущ.). **2.** Стремящийся увидеть, узнать что-л. новое. *Любопытный ребенок.* **3.** Интересный, достойный внимания. *Любопытная книга. Любопытный случай.* □ *Фигура [Павла Петровича] чрезвычайно любопытна и поучительна, как отживающая тень печоринского типа.* Писарев. Реалисты. С и н. (ко 2 знач.): любозна́тельный, пытли́вый. С и н. (к 3 знач.): занима́тельный, увлека́тельный, захва́тывающий, заня́тный (*разг.*).

**Любопы́тно**, *нареч.* **Любопы́тность**, -и, *ж.*

**ЛЮ́ДИ**[1], -е́й, *мн.* **1.** Мн. к человек. **2.** Лица, используемые в каком-л. деле; кадры.— *Нам нужны люди,— тихо сказала она.— Венцов уедет, и вы останетесь без главного инженера.* Чаковский. У нас уже утро. **3.** *Устар.* В буржуазно-дворянском быту: прислуга, работники. *[Прежде] люди Троекурова, известные разбойники, не осмеливались шалить в пределах его [Дубровского] владений.* Пушкин. Дубровский. ◇ **Пойти в люди** (*устар.*) — уйти из родного дома на заработки. **Выйти** (или **выбиться**) **в люди** (*устар.*) — достичь хорошего общественного положения.

С и н. (к 1 знач.): наро́д, пу́блика (*разг.*), люд (*устар. и разг.*).

**ЛЮ́ДИ**[2], *нескл., ср.* Устарелое название буквы «л».

**ЛЮДСКО́Й**, -а́я, -о́е. **1.** *Устар.* В буржуазно-дворянском быту: относящийся к прислуге, предназначенный для нее. *Людские избы. Людская кухня.* **2.** *в знач. сущ.* **людска́я**, -о́й, *ж.* Помещение для дворни, слуг в господском, помещичьем доме. *[Варя:] Твоя мать пришла из деревни, со вчерашнего дня сидит в людской, хочет повидаться.* Чехов. Вишневый сад.

**ЛЮК**, -а, *м.* [Голл. luik]. **1.** Закрывающееся крышкой отверстие для проникновения вниз, внутрь чего-л. *Люк на палубе корабля. Люк в полу сцены.* □ *Заметив в щели неплотно закрытого люка, что взошло солнце, она [Мария] осторожно поднялась, погасила светильник, открыла люк [погреба].* Закруткин. Матерь человеческая. **2.** Отверстие в борту судна, самолета, танка для дула орудия. *Только в башенном люке [танка] зачернело что-то, чуть заворошилось, заслоняя звезды.* Бондарев. Горячий снег.

**Лю́ковый**, -ая, -ое.

**ЛЮКС.** [От франц. luxe — роскошь]. **1.** -а, *м.* Обозначение лучших по оборудованию, уровню обслуживания магазинов, гостиниц, ателье, вагонов и т. п. *Жить, ехать в люксе.* **2.** *неизм. прил.* Лучший, высшего класса. *Ателье люкс.* □ *До войны это была каюта «люкс» пассажирского теплохода, отделанная полированным деревом, роскошно обставленная мягкой кожаной мебелью.* Лавренев. За тех, кто в море.

С и н. (ко 2 знач.): э́кстра.

**ЛЮ́ЛЬКА**[1], -и, *ж.* **1.** *Устар. и обл.* Детская колыбель. *На самой середине избы висела люлька.. Девочка.. начала правой рукой качать люльку, левой поправлять лучину.* Тургенев. Бирюк. **2.** Висячий помост с бортами для подъема на высоту рабочих, строительных материалов и т. п., а также для работы на высоте (маляров, строителей и т. п.). *Фасад [школы] отделывали к новому учебному году; около водосточных труб висели маленькие деревянные люльки на канатах.* В. Беляев. Старая крепость.

С и н. (к 1 знач.): зы́бка (*обл.*).

**ЛЮ́ЛЬКА**[2], -и, *ж.* На Украине: трубка для курения. *И пробились было уж казаки,.. как вдруг среди самого бегу остановился Тарас и вскрикнул: — Стой! выпала люлька с табаком; не хочу, чтобы и люлька досталась вражьим ляхам!* Гоголь. Тарас Бульба.

**ЛЮ́МПЕН-ПРОЛЕТАРИА́Т**, -а, *м.* [Нем. Lumpenproletariat от Lumpen — лохмотья и Proletariat — пролетарий]. Деклассированный слой людей в обществе (босяки, бродяги, нищие, уголовные элементы и т. п.).

**ЛЮТЕРА́НИН**, -а, *м.* Последователь лютеранства.

**Лютера́нка**, -и, *ж.*

**ЛЮТЕРА́НСТВО**, -а, *ср.* Одно из основных направлений протестантизма, возникшее в Германии в 16 в. на основе учения Мартина Лютера, которое было направлено против католичества и римского папы.

**Лютера́нский**, -ая, -ое. *Лютеранская церковь.*

**ЛЮ́ТНЯ**, -и, лю́тни, -ей и лю́тен, *ж.* [Восх. к итал. luito]. Старинный струнный щипковый музыкальный инструмент с овальным корпусом. *В ней [лодке] сидела молоденькая девушка.. [в руках] она держала лютню,.. девушка заиграла на струнах и запела.* А. Н. Толстой. Петр I.

**Лю́тневый**, -ая, -ое.

**ЛЮ́ТЫЙ**, -ая, -ое; лют, люта́, лю́то. **1.** Свирепый, кровожадный (о животных); жестокий, беспощадный (о человеке). *Лютый зверь. Лютый враг.* □ *[Бубнов:] Василиса? Н-да, она своего даром не отдаст.. баба — лютая.* М. Горький. На дне. **2.** Причиняющий невыносимые страдания, мучения. *Лютое горе. Лютые пытки.* □ *И казнили Степана Калашникова Смертью лютою, позорною.* Лермонтов. Песня про купца Калашникова. **3.** *перен.* Очень сильный по степени проявления. *Лютый мороз. Лютая ненависть. Лютая злоба.* **4.** *Прост.* Такой, который целиком отдается какому-л. делу, занятию. *Три его сына уже хозяйствовали. Старший — Яика — вышел в отца — коренастый, взор исподлобья, лютый до работы.* А. Н. Толстой. Петр I.

С и н. (к 3 знач.): жесто́кий, свире́пый (*разг.*), ужа́сный (*разг.*), чудо́вищный (*разг.*), жу́ткий (*разг.*).

**Лю́то**, *нареч.* **Лю́тость**, -и, *ж.*

**ЛЯ́ПСУС**, -а, *м.* [Лат. lapsus — падение, ошибка]. Грубая, часто нелепая ошибка, досадный промах.

С и н.: погре́шность.

**ЛЯХИ́**, -ов, *мн.* (*ед.* лях, -а, *м.*). Устарелое название поляков.

**Ля́шка**, -и, *ж.* **Ля́шский**, -ая, -ое.

# М

**МАВЗОЛЕ́Й**, -я, *м.* [Восх. к греч. Mausōleion — *первонач.* гробница Мавсола, царя Карии]. Большое надгробное архитектурное сооружение. *Мавзолей В. И. Ленина у Кремлевской стены.*

**МА́ВРЫ**, -ов, *мн.* (*ед.* **мавр**, -а, *м.*). [Восх. к греч. mauros — *темный*]. **1.** Древнее название коренного населения Мавретании (Северо-Западной Африки), а в средние века также название мусульманского населения Пиренейского полуострова. **2.** Коренное население Мавритании. ◇ **Мавр сделал свое дело, мавр может уйти** [из трагедии Шиллера «Заговор Фиеско в Генуе»] (*книжн.*) — о человеке, который был привлечен для выполнения какого-л. поручения и в услугах которого больше не нуждаются.

**Маврита́нка**, -и, *ж.* **Ма́врский**, -ая, -ое (*к 1 знач.*) (*устар.*) и **маврита́нский**, -ая, -ое.

**МАГ**, -а, *м.* [Греч. magos]. **1.** Жрец в странах Древнего Востока, совершавший религиозные обряды и занимавшийся предсказаниями. *Изучил царь учения магов халдейских.* Куприн. Суламифь. **2.** Тот, кто владеет тайнами магии (*в 1 знач.*). *Я Маг.. Мы заклинания с собой такие носим — Покойник оживет сейчас.* И. Крылов. Похороны. ◇ **Маг и волшебник** (*шутл.*) — о человеке, делающем все необыкновенно легко и ловко.

С и н. (ко 2 знач.): колду́н, волше́бник, куде́сник, волхв, чаровни́к (*устар.*), веду́н (*устар.*), чудоде́й (*устар.*), чароде́й (*устар.* и *книжн.*).

**МАГИ́СТР**, -а, *м.* [Лат. magister — *учитель*]. **1.** В некоторых зарубежных странах и в дореволюционной России: ученая степень, а также лицо, имеющее эту степень. *Магистр философии.* □ *Депп защищал по уголовному праву диссертацию на магистра.* Чернышевский. Дневник. **2.** В средние века: титул главы монашеского или рыцарского ордена, а также лицо, имевшее этот титул.

**Магисте́рский**, -ая, -ое (*к 1 знач.*) и **маги́стерский**, -ая, -ое (*ко 2 знач.*). *Магисте́рская диссертация. Маги́стерская мантия.*

**МАГИСТРА́ЛЬ**, -и, *ж.* [От лат. magistralis — *главный*]. **1.** Основная линия какого-л. пути сообщения, а также улица большого города с оживленным движением. *Воздушная, водная, железнодорожная магистраль. Байкало-Амурская магистраль. Городские магистрали.* **2.** Главная линия в системе какой-л. сети (электрической, канализационной и т. п.). *Телеграфная магистраль.* **3.** *перен.* Основное, главное направление в развитии чего-л., в каком-л. процессе. *Жизненная магистраль.*

**Магистра́льный**, -ая, -ое. *Магистральные автомобильные дороги. Строительство магистральных трубопроводов. Магистральная тема произведения.*

**МАГИСТРА́Т**, -а, *м.* [Лат. magistratus]. В некоторых странах: городское управление, а также здание, занимаемое им; муниципалитет. *Его мать овдовела и жила в большой крайности;.. надобно было пришискать какое-нибудь ремесло [сыну];.. и он стал наниматься писцом в магистрате.* Герцен. Былое и думы.

**МАГИСТРАТУ́РА**, -ы, *ж.* [См. *магистрат*]. В некоторых странах: название должности судей, а также судебного ведомства (в отличие от прокуратуры, адвокатуры).

**МА́ГИЯ**, -и, *ж.* [Восх. к греч. mageia]. **1.** В религиозно-мистических представлениях: совокупность приемов (действий и слов), обладающих чудодейственной силой. *[Он] под руководством отца тоже занимался магией.. Однажды он толок что-то в железной ступе, и из ступы с страшным треском вышел нечистый дух в виде синеватого пламени.* Чехов. Грешник из Толедо. **2.** *перен.* Необыкновенная сила воздействия на кого-л. *Все глядели ему в глаза, чтобы предупредить его желания..: в нем была какая-то магия.* Вигель. Записки.

С и н. (*к 1 знач.*): колдовство́, волшебство́, ворожба́, чароде́йство (*устар.*), волхвова́ние (*устар.*), ведовство́ (*устар.*), ча́ры (*устар.*), волшба́ (*устар.*).

**Маги́ческий**, -ая, -ое. *Магическое заклинание. Магическое действие слова.* ◇ **Маги́ческий круг** — обстоятельства жизни, которые трудно изменить; безвыходное положение. *Вот отчего не состарился до сих пор и едва ли состареется когда-нибудь грибоедовский Чацкий.. И литература не выбьется из магического круга, начертанного Грибоедовым.* И. Гончаров. Мильон терзаний.

**МАГНА́Т**, -а, *м.* [Восх. к ср.-лат. magnas, magnatis — *знатный человек*]. **1.** Представитель высших кругов землевладельческой аристократии в некоторых странах Европы. *После многих балов и праздников у польских магнатов.. одному из польских генерал-адъютантов государя пришла мысль дать обед и бал государю от лица его генерал-адъютантов.* Л. Толстой. Война и мир. **2.** *перен.*, обычно *какой*. Представитель крупного промышленного и финансового капитала. *Финансовый магнат. Нефтяной магнат.*

**МАГНЕТИ́ЗМ**, -а, *м.* [Восх. к греч. magnētis (lithos) — *магнитный камень*]. **1.** Совокупность явлений, связанных с действием свойств магнита. *Земной магнетизм.* **2.** *перен. Устар.* Приковывающая, покоряющая сила воздействия. *Был в нем некий магнетизм, который притягивал к нему сердца и симпатии людей труда.* М. Горький. В. И. Ленин. **3.** *Устар.* Гипнотическое внушение. *Не лежит у меня душа к этим господам, которые беседуют с духами и лечат баб магнетизмом.* Чехов. Ариадна.

С и н. (*ко 2 и 3 знач.*): гипно́з.

**Магнети́ческий**, -ая, -ое (*ко 2 и 3 знач.*).

**МАГОМЕТА́НСТВО**, -а, *ср.* Устарелое название мусульманства.

С и н.: исла́м, мусульма́нство.

**Магомета́нский**, -ая, -ое. *Магометанская вера.*

**МАДА́М**, *нескл., ж.* [Франц. madame]. **1.** Во Франции и некоторых других странах: обращение к замужней женщине; госпожа. **2.** В буржуазно-

-дворянском быту дореволюционной России: воспитательница-иностранка в богатой семье. *У дочери его была мадам англичанка.* Пушкин. Барышня-крестьянка.

С и н. (ко 2 знач.): гуверна́нтка, мадемуазе́ль.

**МАДЕМУАЗЕ́ЛЬ** [дмуазэ́], -и, ж. [Франц. mademoiselle]. **1.** Во Франции и некоторых других странах: обращение к незамужней женщине; барышня. — *Не знаете? — переспросил Лужин [Соню] и еще несколько секунд помолчал. — Подумайте, мадемуазель.* Достоевский. Преступление и наказание. **2.** То же, что м а д а м (во 2 знач.).

С и н. (ко 2 знач.): гуверна́нтка.

**МАДО́ННА**, -ы, ж. [Итал. madonna — букв. моя госпожа]. У католиков: богоматерь, а также ее скульптурное или живописное изображение. *В нише стояло изваяние мадонны с младенцем на руках.* Закруткин. Матерь человеческая.

**МАДРИГА́Л**, -а, м. [Франц. madrigal]. Небольшое стихотворение, обычно любовного содержания, посвященное даме и восхваляющее ее. *Некогда она кружилась в вихре аристократии,.. [и Кантемир] писал ей в альбом силлабическим размером мадригал.* Герцен. Кто виноват?

**МАЖО́Р**, -а, м. [Итал. maggiore от лат. major — больший]. **1.** *Спец.* Музыкальный лад, аккорд которого строится на большой терции (характеризуется бодрой, радостной звуковой окраской). *Соната до мажор.* **2.** *перен.* Бодрое, веселое настроение. *Быть в мажоре.*

А н т. (ко 2 знач.): мино́р.

**Мажо́рный**, -ая, -ое. *Мажорная гамма. Мажорное настроение.*

**МАЖОРДО́М**, -а, м. [Франц. majordome]. Старший слуга в богатом барском доме, ведающий столом и прислугой. *Мажордом (по-прежнему — дворецкий), старый богомольный слуга, обритый и наряженный,.. выкрикнул, что приехала боярыня Волкова.* А. Н. Толстой. Петр I.

С и н.: дворе́цкий.

**МА́ЗАНКА**, -и, ж. Изба из глины или сырцового кирпича, дерева, обмазанного глиной. *Украинская мазанка.* □ *Богатое собрание пистолетов было единственною роскошью бедной мазанки, где он жил.* Пушкин. Выстрел.

**МАЗУ́РКА**, -и, ж. [Польск. mazurek]. Польский национальный танец (в 19 в. стал бальным), а также музыка к этому танцу. *Павел Петрович встретил ее на одном бале, протанцевал с ней мазурку.. и влюбился в нее страстно.* Тургенев. Отцы и дети.

**МАЙДА́Н**, -а, м. [Тюрк.]. Базарная площадь, открытое место, где собирается народ (в южных областях России, на Украине). *Подьячий, дойдя до старого торгового майдана, не пошел дальше.* Чапыгин. Разин Степан.

**Майда́нный**, -ая, -ое.

**МА́ЙНА**, *частица.* [От итал. ammaina — убирай (паруса)]. Команда при погрузке, разгрузке, обозначающая: опускай! вниз!

А н т.: ви́ра.

**МАЙО́ЛИКА** [йё], -и, ж. [Итал. majolica]. Вид керамики, обожженная глина, покрытая непрозрачной глазурью и рисунком, а также изделия из такой глины. *Итальянская майолика.*

**МАЙОРА́Т** [йя], -а, м. [От лат. major — старший]. В буржуазно-дворянском обществе: феодальный порядок наследования, при котором земельное владение и другое недвижимое имущество переходит полностью к старшему из наследников, а также само владение, поместье, на которое распространяется такое право наследования. *Быть обладателем майората.*

**МАКЕДО́НЦЫ**, -ев, *мн.* (*ед.* **македо́нец**, -нца, м.). Нация, основное население Македонии, входящей в состав Югославии.

**Македо́нка**, -и, ж. **Македо́нский**, -ая, -ое. *Македонский язык.*

**МАКЕ́Т**, -а, м. [Франц. maquette]. Модель чего-л., обычно в уменьшенном виде, предварительный образец. *Макет здания.* □ *Лена показала Василию макет Первомайского колхоза, который сделали школьники из глины, стекла и цветной бумаги.* Николаева. Жатва.

**Маке́тный**, -ая, -ое.

**МАКИНТО́Ш**, -а, м. [По имени шотландского химика Ч. Макинтоша, открывшего способ изготовления непромокаемых тканей]. Пальто, плащ из непромокаемой ткани. *В то знойное сверкающее утро одет я был в плотный шерстяной костюм,.. а поверх сего имел на себе добротный макинтош на подкладке, не уместившийся в чемодане.* Леонов. О Горьком.

**МАКЛА́К**, -а́, м. *Устар.* Посредник при мелких торговых сделках, а также перекупщик, торговец подержанными вещами. *Решено было.. накинуть 10.000 и положить маклаку за продажу по пяти копеек с рубля.* Даль. Небывалое в былом.

**Макла́чка**, -и, ж. **Макла́ческий**, -ая, -ое.

**МА́КЛЕР**, -а, м. [Нем. Makler]. Посредник при заключении торговых и биржевых сделок; делец, оказывающий посреднические услуги за плату. *Биржевой маклер.* □ *В числе этих посредников-маклеров.. оказался Антон Стрелов;.. он устроил на первых порах несколько таких сделок, которыми обе стороны остались довольны.* Салтыков-Щедрин. Благонамеренные речи.

**Ма́клерский**, -ая, -ое.

**МАКРО...** [От греч. makros — большой]. Первая составная часть сложных слов, указывающая на отношение к большим размерам, величинам, а также связанная с изучением больших величин, напр.: *макрокли́мат, макроми́р* (мир очень больших величин), *макробио́тика* (наука о продлении жизни).

А н т.: микро...

**МАКРОКО́СМ**, -а *и* **МАКРОКО́СМОС**, -а, м. [От *макро...* (см.) и *космос* (см.)]. *Спец.* Вселенная, весь мир.

С и н.: ко́смос, мирозда́ние (книжн.).

А н т.: микроко́см (спец.) и микроко́смос (спец.).

**МАКСИМАЛИ́ЗМ**, -а, м. [См. *максимум*]. *Книжн.* Доведение каких-л. требований, запросов до крайности. *Максимализм чьих-л. взглядов.*

**Максимали́стский**, -ая, -ое. *Максималистские требования.* **Максимали́ст**, -а, м.

**МАКСИМА́ЛЬНЫЙ**, -ая, -ое; -лен, -льна, -о. [См. *максимум*]. Самый большой, наивысший в ряду других. *Максимальная скорость. Максимальный срок.* □ *12, 15, 18 рублей в месяц была обычная средняя плата. 25 — максимальная.* Серафимович. Под землей.

С и н.: наибо́льший, преде́льный.

А н т.: минима́льный.

**Максима́льно**, *нареч. Максимально использовать местное сырье.* **Максима́льность**, -и, *ж.*

**МА́КСИМУМ**, -а, *м.* [Лат. maximum]. **1.** Наибольшее, предельное количество чего-л., наибольшая величина. *Довести что-л. до максимума. Приложить максимум усилий.* **2.** *в знач. нареч.* Самое большее. *Стоит максимум 10 рублей.* **3.** *в знач. неизм. прил.* То же, что м а к с и м а л ь н ы й. *Программа-максимум.*

А н т.: ми́нимум.

**МАЛАХА́Й**, -я, *м.* [Восх. к монг. malagai — шапка]. **1.** Шапка на меху с широкими наушниками и плотно прилегающей задней частью. *Он перебирал поводья, нагнув дремотно голову, полузакрыв глаза, и.. с накинутым на рваный малахай капюшоном был похож на дремлющего ястреба.* Шолохов. Поднятая целина. **2.** Старинная верхняя крестьянская одежда в виде широкого кафтана без пояса.

**МАЛАХИ́Т**, -а, *м.* [Восх. к греч. malachites]. Минерал ярко-зеленого цвета, используемый для различных поделок. *Добыча малахита. Ваза из малахита.* □ *Море казалось зеленым, того бледного и блестящего зеленого цвета, который бывает у некоторых пород малахита.* Куприн. Сентиментальный роман.

**Малахи́товый**, -ая, -ое. *Малахитовая шкатулка.*

**МАЛИ́НОВЫЙ**, -ая, -ое. **1.** Относящийся к малине, сделанный из малины. *Малиновые кусты. Малиновое варенье.* **2.** Темно-красный с фиолетовым оттенком, цвета ягод малины.— *Кто там в малиновом берете С послом испанским говорит?* Пушкин. Евгений Онегин.

◊ **Малиновый звон** (*устар.*) — приятный, мягкий по тембру (звон колоколов, колокольчиков, бубенцов). *[Закатов:] Помните, господа, мое пророческое слово: через сорок дней мы с вами будем слушать малиновый звон московских колоколов.* Тренев. Любовь Яровая.

**МАЛОДУ́ШНЫЙ**, -ая, -ое; -шен, -шна, -о. Не отличающийся мужеством, стойкостью; слабовольный.

**Малоду́шно**, *нареч. Поступить малодушно.* **Малоду́шие**, -я, *ср.* *Будучи молод и вспыльчив, я негодовал на низость и малодушие смотрителя, когда.. [он] отдавал приготовленную мне тройку под коляску чиновного барина.* Пушкин. Станционный смотритель.

**МАЛОРО́ССЫ**, -ов, *мн.* (*ед.* **малоро́сс**, -а, *м.*) (*устар.*) и **МАЛОРУ́СЫ**, -ов, *мн.* (*ед.* **малору́с**, -а, *м.*) (*книжн.*). Украинцы.

**Малоро́сска**, -и *и* **малору́ска**, -и, *ж.* **Малоросси́йский**, -ая, -ое *и* **малору́сский**, -ая, -ое. *Малороссийские (малорусские) песни.*

**МАНДА́Т**, -а, *м.* [Восх. к лат. mandatum — поручение]. Документ, удостоверяющий те или иные полномочия предъявителя, право на что-л. *Мандат депутата Верховного Совета России. Мандат делегата съезда.* □ *[Кошкин Шванде:] Немедленно вернуть товарищу профессору книги и выдать мандат о неприкосновенности. Вы, профессор, нам необходимы по народному образованию.* Тренев. Любовь Яровая.

**Манда́тный**, -ая, -ое. *Мандатное удостоверение.* ◊ **Мандатная комиссия** — комиссия, создаваемая на съездах, конференциях, конгрессах для проверки полномочий делегатов.

**МАНДОЛИ́НА**, -ы, *ж.* [Итал. mandolino]. Струнный щипковый музыкальный инструмент с овальным корпусом и четырьмя парами струн. *Игра на мандолине.*

**Мандоли́нный**, -ая, -ое.

**МАНЕ́ВР**, -а *и* **МАНЁВР**, -а, *м.* [Франц. manoeuvre]. **1.** Передвижение и группировка войск или флота во время боевых операций с целью нанесения удара противнику.— *У вас все на языке атаковать, а не видите, что мы не умеем делать сложных маневров,— сказал он [Кутузов] Милорадовичу, просившемуся вперед.* Л. Толстой. Война и мир. **2.** *мн.* Тактические занятия (учения) войск или флота в обстановке, приближенной к боевой. *Морские маневры. Зимние маневры.* **3.** *перен. Разг.* Уловка, ловкий прием.— *Они не понимают того, что эта статья — гнусный обман, маневр!* Шолохов. Поднятая целина.

С и н. (к 3 знач.): ухищре́ние, хи́трость, трюк, изворо́т, хитросплете́ние (*книжн.*), увёртка (*разг.*).

**МАНЕ́Ж**, -а, *м.* [Франц. manège]. **1.** Площадка или специальное здание для тренировки лошадей, для обучения верховой езде. *Кавалеристы в манеже, под руководством инструктора, ..проходили полный курс езды, рубки.* Игнатьев. Пятьдесят лет в строю. **2.** Арена цирка. *Четыре маленьких медвежат выходили на манеж и поднимались по лестнице на сетку.* Эдер. Мои питомцы. **3.** Небольшая переносная загородка для начинающих ходить. *Детский манеж.*

**Мане́жный**, -ая, -ое (к 1 и 2 знач.).

**МАНЕКЕ́Н**, -а, *м.* [Восх. к голл. manneken — первонач. уменьш. от man — человек]. Фигура в виде человеческого туловища для примерки или показа одежды (в магазинах, ателье). *За зеркальным стеклом витрины [магазина] стояла девушка, держа рулон пестрого ситца. Казалось, что это манекен, но вдруг девушка наклонилась.., что-то сказала.* Гранин. Иду на грозу.

**Манеке́нный**, -ая, -ое.

**МАНЕКЕ́НЩИК**, -а, *м.* Тот, кто демонстрирует на себе одежду новых фасонов.

**Манеке́нщица**, -ы, *ж.*

**МАНЕ́РА**, -ы, *ж.* [Франц. manière]. **1.** Способ что-л. делать, та или иная особенность поведения, образ действия. *В манере обращения молодцов с покупателями проглядывала изысканная, хотя несколько оригинальная вежливость.* Наумов. Паутина. **2.** *мн.* Внешние формы поведения человека. *Учиться хорошим манерам. Изящество манер.* □ *Аркадий Павлыч считается одним из образованнейших дворян..; дамы от него без ума и в особенности хвалят его манеры.*

Тургенев. Бурмистр. **3.** *ед.* Совокупность приемов, особенностей творчества кого-л. *Манера исполнения роли. Индивидуальная творческая манера писателя.*

**МАНЕ́РНЫЙ**, -ая, -ое; -рен, -рна, -о. [См. *манера*]. Лишенный простоты и естественности; жеманный. *Манерная улыбка. Манерный стиль поведения.* □ — *Ах, как манерна!.. Я еще не видывала женщины, в которой бы было столько жеманства.* Гоголь. Мертвые души.

С и н.: неесте́ственный, ненатура́льный, иску́сственный, де́ланный, наи́гранный, театра́льный, драмати́ческий, аффекти́рованный (*книжн.*).

**МАНЖЕ́ТА**, -ы, *ж.* и **МАНЖЕ́Т**, -а, *м.* [Франц. manchette]. Пристегнутый или пришитый обшлаг рукава у рубашки, блузки, а также заглаженный отворот брюк. *Он зачем-то оторвал расстегнувшийся манжет рубашки и швырнул его в угол.* М. Горький. Дело Артамоновых.

**Манже́тный**, -ая, -ое.

**МАНИПУЛЯ́ЦИЯ**, -и, *ж.* [Франц. manipulation от лат. manipulus — горсть]. **1.** *Книжн.* Сложный прием, сложное действие над чем-л. при работе ручным способом, а также ряд действий, движений, совершаемых с определенной целью. *Ее [прядильщицы] пальцы, как у скрипача-виртуоза, делали удивительные манипуляции с ниткой и веретеном.* Рылов. Воспоминания. **2.** Показ фокусов, основанных на ловкости рук, на быстроте и точности движений кистей и пальцев. *Манипуляции фокусника.* **3.** *перен. Неодобр.* Проделка, махинация, подтасовка фактов для достижения неблаговидной цели.

**МАНИФЕ́СТ**, -а, *м.* [Восх. к лат. manifestare — делать явным, показывать]. **1.** *Устар.* Письменное обращение верховной власти к населению по поводу событий исключительной важности (издания какого-л. закона, вступления в войну, коронации и т. п.). *Манифест о созыве Государственной Думы. Манифест об освобождении крестьян.* **2.** Письменное обращение политической партии, общественной организации, имеющее программный характер, а также письменное изложение принципов творчества какой-л. литературной или художественной группы. *Манифест Коммунистической партии. Манифест футуристов. Стихотворение «Поэт и гражданин» Н. А. Некрасова — манифест гражданской поэзии.*

**МАНИФЕСТА́ЦИЯ**, -и, *ж.* [См. *манифест*]. Массовое уличное шествие для выражения солидарности или протеста. *Невский [проспект] видел грозные манифестации революционного народа и торжественные шествия победившей революции.* Тихонов. Чудо России.

**МАНИ́ШКА**, -и, *ж.* Нагрудник, преимущ. белый, пришитый или пристегнутый к мужской сорочке, а также такой нагрудник, надеваемый под женский жакет, платье с большим вырезом. *[Молодой человек был] во фраке с покушеньями на моду, из-под которого видна была манишка, застегнутая тульскою булавкою с бронзовым пистолетом.* Гоголь. Мертвые души. *Пассажирка была вся в черном.. Белосне-* *жный отложной воротничок манишки.. не закрывал красивой, словно выточенной из мрамора шеи.* Станюкович. Пассажирка.

**МА́НИЯ**, -и, *ж.* [Восх. к греч. mania — безумие, страсть]. **1.** Болезненное психическое состояние с сосредоточением сознания и чувств на какой-л. одной идее, с резкими переходами от возбуждения к подавленности. *Иван Дмитрич Громов.. страдает манией преследования.. Достаточно малейшего шороха..; чтобы он поднял голову и стал прислушиваться: не за ним ли это идут?* Чехов. Палата № 6. **2.** *перен.* Сильное пристрастие к чему-л. *Говорят, что старые девицы имеют манию женить.* Л. Толстой. Война и мир.

С и н. (ко 2 знач.): страсть, сла́бость (*разг.*).

**Маниака́льный**, -ая, -ое. *Маниакальное состояние. Маниакальная боязнь одиночества.*

**...МА́НИЯ**, -и, *ж.* [См. *мания*]. Вторая составная часть сложных слов, обозначающая л ю б о в ь, п р и с т р а с т и е, в л е ч е н и е к тому, что выражено в первой части слова, напр.: *англома́ния* (пристрастие ко всему английскому), *галлома́ния* (пристрастие ко всему французскому), *балетома́ния*.

**МАНКИ́РОВАТЬ**, -рую, -руешь; манки́рующий, манки́ровавший; манки́руя, манки́ровав; *сов. и несов., чем.* [Франц. manquer]. *Устар.* Небрежно, халатно отнестись (относиться) к чему-л., пренебречь (пренебрегать) чем-л. *Манкировать служебными обязанностями.*

С и н.: игнори́ровать.

**МА́ННА**, -ы, *ж.* [Восх. к арам. mannā]. ◊ **Манна небе́сная** — 1) по библейскому преданию: пища, падавшая с неба во время странствования евреев по пустыне и питавшая их; 2) (*перен.*) о чем-л. очень редком, представляющем большую ценность (обычно в сравнении). *Места здесь засушливые, дожди вроде манны небесной, и народ сыздавна привык, что вода.. везде, всегда в любом количестве хороша.* А. Кожевников. Живая вода. **Как манны небе́сной** (ждать, жаждать и т. п.) — очень сильно, с нетерпением. *Звание писаря мне уже опротивело, и я жаждал свободы, как манны небесной.* В. Никитин. Многострадальные. **Манной небесной пита́ться** (*книжн. ирон.*) — жить впроголодь. *Охотник Владимир, живя.. без гроша наличного, без постоянного занятия, питался только тем, что не манной небесной.* Тургенев. Льгов.

**МАНОВЕ́НИЕ**, -я, *ср. Устар.* Движение (руки, головы), выражающее приказание. *Одно мановение, один величественный взгляд — все пойдет, как по ниточке.* Тургенев. Рудин. ◊ **Словно (или будто, как, точно) по мановению волшебного жезла (или волшебной палочки)** — очень быстро, мгновенно, внезапно, а также с легкостью, без труда.

**МАНО́К**, манка́, *м.* Дудочка, свисток для приманивания зверей, птиц, а также ручная птица, подманивающая диких птиц своим криком. *В лес я приходил к рассвету, налаживал снасти, развешивал манки [в клетках].* М. Горький. Детство. *И вытаскивает Дидель Из котомки заповедной Три манка — и каждой птице Посвящает свой манок.* Багрицкий. Птицелов.

**МАНСА́РДА**, -ы, ж. [По имени французского архитектора 17 в. Ф. Мансара]. Жилое помещение на чердаке с наклонным потолком или наклонной стеной. *Одна часть стены и потолка была срезана накось, как обыкновенно в мансардах.. Свидригайлов поставил свечу, сел на кровать и задумался.* Достоевский. Преступление и наказание.

**Манса́рдный**, -ая, -ое *и* **манса́рдовый**, -ая, -ое.

**МА́НСИ**, *нескл. и* **МАНСИ́ЙЦЫ**, -ев, *мн. (ед.* **ма́нси**, *нескл., м. и ж. и* **манси́ец**, -и́йца, *м.).* Народ, составляющий коренное население Ханты-Мансийского автономного округа.

**Манси́йка**, -и, ж. **Манси́йский**, -ая, -ое.

**МАНТИ́ЛЬЯ**, -и, манти́льи, -лий, ж. [Исп. mantilla от лат. mantellum — покрывало, покров]. **1.** В Испании: женская кружевная накидка на голову и плечи. **2.** *Устар.* Короткая, не доходящая до колен накидка без рукавов; пелерина, обычно с удлиненными концами. — *Чего я хочу, — повторила Одинцова... тихонько натягивая концы мантильи на свои обнаженные руки.* Тургенев. Отцы и дети.

**МА́НТИЯ**, -и, ж. [Ср.-греч. mantion]. **1.** Широкая, длинная (до пят) одежда в виде плаща, надеваемая поверх другой одежды (как правило, парадное одеяние царей, высших служителей церкви, судей и т. п.). *Монашеская, царская мантия.* □ *У заиндевелого окна сидел патриарх Иоаким.. в черной мантии, сидел согбенно и неподвижно, как видение смерти.* А. Н. Толстой. Петр I. **2.** *Спец.* Внутренняя сфера Земли, представляющая собой оболочку, расположенную между земной корой и ядром Земли.

**МАНТО́**, *нескл., ср.* [Франц. manteau]. Широкое дамское пальто, обычно меховое. *Горничная приносит Аркадиной шляпу, манто, зонтик, перчатки.* Чехов. Чайка.

**МАНУСКРИ́ПТ**, -а, *м.* [Латг. manuscriptus]. *Книжн.* Рукопись, преимущ. древняя. *В одной из ` зал.. находилось собрание редчайших рукописей, манускриптов, писанных рукой искуснейших каллиграфов.* Л. Никулин. России верные сыны.

**МАНУФАКТУ́РА**, -ы, ж. [От лат. manus — рука и factura — изготовление]. **1.** Предшествующая крупной машинной индустрии форма капиталистического производства, основанная на разделении труда и ручной ремесленной технике. **2.** *Устар.* Фабрика, преимущ. текстильная. *В Москве работали пять суконных и полотняных мануфактур.* А. Н. Толстой. Петр I. **3.** *собир. Устар.* Ткани. *Торговля мануфактурой.*

С и н. (к 3 знач.): материа́л, мате́рия (*разг.*).

**Мануфакту́рный**, -ая, -ое. *Мануфактурное производство. Мануфактурные предприятия. Мануфактурный магазин.*

**МАНЬЧЖУ́РЫ**, -ов, *мн.* (*ед.* **маньчжу́р**, -а, *м.*). Народ, составляющий коренное население Северо-Восточного Китая (Южной Маньчжурии).

**Маньчжу́рка**, -и, ж. **Маньчжу́рский**, -ая, -ое.

**МАНЬЯ́К**, -а, *м.* [Франц. maniaque от греч. mania — безумие, страсть]. Психически больной человек, одержимый пристрастием, влечением к чему-л. (манией). — *Представь себе лицо маньяка, вообразившего, что он Наполеон. На больничном халате вырезанные из бумаги ордена.* Чаковский. У нас уже утро.

**Манья́чка**, -и, ж. (*разг.*). **Манья́ческий**, -ая, -ое (*разг.*).

**МАРА́ЗМ**, -а, *м.* [Восх. к греч. marasmos — истощение]. Состояние полного упадка психофизической деятельности вследствие старости или длительной хронической болезни. *Старческий маразм.* □ *Внутренняя опустошенность, одичание приводят Иудушку к преждевременной старости, маразму, разложению.* Гардин. Воспоминания.

**Маразмати́ческий**, -ая, -ое. **Маразма́тик**, -а, *м.*

**МАРАФО́НСКИЙ**, -ая, -ое. [От названия греческого селения Марафон, из которого прибежал в Афины воин с вестью о победе над персами в 5 в. до н. э.]. В спорте: связанный со сверхдальними дистанциями. *Марафонский бег, заплыв.*

**МА́РЕВО**, -а, *ср.* **1.** Мираж, призрачное видение. *Подумалось мне, что это не земля, а марево. Завлечет нас, все будет маячить вдали и манить.* Обручев. Земля Санникова. **2.** Теплые испарения от земли в жаркую погоду. *Над поляной поднималось волнистое марево, пахло разнотравьем, гудели в воздухе пчелы и осы,.. солнце на поляне как бы растворялось.* Липатов. И это все о нем.

С и н. (ко 2 знач.): ды́мка, мгла, тума́н, ку́рево, марь (*обл.*), мга (*обл.*), ма́ра (*обл.*).

**МАРЕ́НГО**, *неизм. прил.* [Итал. marengo]. Черный с серым отливом (о цвете). *Костюм маренго.*

**МА́РИ**, *нескл. и* **МАРИ́ЙЦЫ**, -ев, *мн. (ед.* **ма́ри**, *нескл., м. и ж. и* **мари́ец**, -и́йца, *м.).* Народ, составляющий коренное население Марийской республики.

**Мари́йка**, -и, ж. **Мари́йский**, -ая, -ое.

**МАРИНИ́СТ**, -а, *м.* [Восх. к лат. marinus — морской]. Художник, изображающий морские виды (марины).

**МАРИОНЕ́ТКА** [не нэ́], -и, ж. [Франц. marionnette]. **1.** Театральная кукла, приводимая в движение посредством нитей или металлического прута актером-кукловодом. *Я никогда не думал, что куклы могут играть большие спектакли. И как всякого, кто впервые видит марионеток, меня.. поразила самая возможность куклы имитировать человека.* С. Образцов. Актер с куклой. **2.** *перен.* Человек, государство и т. п., слепо действующие по воле других. *Быть марионеткой в чьих-л. руках.*

**Марионе́точный**, -ая, -ое. *Марионеточный театр. Марионеточное правительство.*

**МА́РКА**[1], -и, ж. [Нем. Marke]. **1.** Знак оплаты почтовых и некоторых других сборов. *Конверт с маркой. Страховая марка. Коллекционировать марки.* **2.** Фабричное клеймо, знак фирмы на товарах. *Заводская марка.* **3.** *перен. Разг.* Репутация, престиж. — *Начну, когда буду уверен, что первую плавку выпустим безупречно. Я не хочу портить.. ни марку цеха, ни.. свою марку.* В. Попов. Сталь и шлак. **4.** Сорт, вид изделия. *Машина новой марки.* □ *Бригадир уверенно и спокойно стал разъяснять, какая марка* цемента нужна для их бетона. Ф. Гладков. Энергия. ◇ **Держать марку** — соблюдать необходимые нормы поведения для поддержания репутации. **Под маркой** *чего* — под видом чего-л.

**Ма́рочный**, -ая, -ое (*к 1, 2 и 4 знач.*). ◇ **Марочные вина** — вина, характерные для определенного винодельческого района и отмеченные годом их изготовления.

**МА́РКА**[2], -и, *ж.* [Нем. Mark, фин. markka]. Денежная единица Германии и Финляндии.

**МАРКЁР**, -а, *м.* [Франц. marqueur]. *Устар.* Лицо, прислуживающее при игре на бильярде и ведущее счет очков во время игры. *Игра наша продолжалась.. Шары поминутно летали у меня через борт; я горячился, бранил маркера, который считал бог ведает как.* Пушкин. Капитанская дочка.

**Маркёрский**, -ая, -ое.

**МАРКИ́З**, -а, *м.* [Франц. marquis]. В некоторых странах Западной Европы: наследственный дворянский титул, средний между графом и герцогом, а также лицо, носящее этот титул. *Флигель-адъютант государя.. объявил ему, что государь поехал с генералом Бенигсеном и с маркизом Паулучи другой раз в нынешний день для объезда укреплений Дрисского лагеря.* Л. Толстой. Война и мир.

**Марки́за**, -ы, *ж.* (жена или дочь маркиза).

**МАРКИ́ЗА**[1] см. маркиз.

**МАРКИ́ЗА**[2], -ы, *ж.* [Франц. marquise]. Матерчатый навес над окном или балконом для защиты от солнца. *Жара палит.. Вы сидите под защитой маркизы на балконе.* И. Гончаров. Фрегат «Паллада».

**МАРКИТА́НТ**, -а, *м.* [Восх. к итал. merkatante — торговец]. В 18—19 вв.: торговец съестными припасами, напитками и предметами солдатского обихода при армии. *Грабежи продолжаются в городе,.. и нет ни одного купца, отправляющего торговлю законным образом. Только маркитанты позволяют себе продавать, да и то награбленные вещи.* Л. Толстой. Война и мир.

**Маркита́нтка**, -и, *ж.* **Маркита́нтский**, -ая, -ое.

**МАРКСИ́ЗМ**, -а, *м.* Философское и социально-политическое учение К. Маркса и Ф. Энгельса, в котором диалектика была соединена с материализмом, применен материалистический метод к познанию общественных явлений, подвергнуто критике капиталистическое общество и обоснована необходимость его преобразования в коммунистическое.

**Маркси́стский**, -ая, -ое. *Марксистская партия. Марксистская теория.* **Маркси́ст**, -а, *м.*

**МАРОДЁР**, -а, *м.* [Франц. maraudeur]. **1.** Тот, кто грабит убитых и раненых на поле сражения или в районе военных действий; морально разложившийся солдат, грабящий население во время войны. *Фашистские мародеры.* □ *Длинный мародер в капоте уже рвал с шеи армянки ожерелье, которое было на ней.* Л. Толстой. Война и мир. **2.** *Разг.* О торговце-спекулянте.

**Мародёрский**, -ая, -ое.

**МАРСЕЛЬЕ́ЗА**, -ы, *ж.* [Франц. marseillaise (от названия города Марсель)]. Французская революционная песня, написанная в 1792 г. во время Великой французской революции К. Ж. Руже де Лилем, ставшая впоследствии национальным гимном Франции. *Кто не слыхал марсельезы, петой тысячами голосов,.. тот вряд ли поймет потрясающее действие революционного псалма.* Герцен. Былое и думы.

**МАРСИА́НЕ**, -а́н, *мн.* (*ед.* **марсиа́нин**, -а, *м.*). В научно-фантастической литературе: название обитателей планеты Марс.

**Марсиа́нка**, -и, *ж.* **Марсиа́нский**, -ая, -ое.

**МАРШ**[1], -а, *м.* [Франц. marche]. **1.** Способ ритмической мерной ходьбы в строю. *Церемониальный марш.* □ *Конница двигалась, торжественный марш начался.* Федин. Необыкновенное лето. **2.** Передвижение войск в походных колоннах в соответствии с планом боевых действий. *Трехдневный марш. Находиться на марше.* □ *Они [солдаты] не знали и не могли знать о том,.. что многие из них совершают перед боями последний марш в своей жизни.* Бондарев. Горячий снег. **3.** Музыкальное произведение в четком ритме и в размеренном в соответствии с шагом такте, предназначенное для сопровождения массового шествия. *Походный, траурный марш. Марш для военного оркестра.*

**Ма́ршевый**, -ая, -ое.

**МАРШ**[2], *межд.* [См. *марш*[1]]. Команда, приказ двигаться, идти. *Ростов, выехав вперед, скомандовал: «Марш!», и, вытянувшись в четыре человека, гусары.. тронулись.* Л. Толстой. Война и мир.

**МАРШ**[3], -а, *м.* [См. *марш*[1]]. Часть лестницы между двумя площадками. *Лестничный марш. Спуститься на один марш.*

**Ма́ршевый**, -ая, -ое.

**МАРШРУ́Т**, -а, *м.* [Нем. Marschrute]. **1.** Путь следования, обычно заранее намеченный, с указанием пунктов остановок. *Маршрут самолета. Туристский маршрут.* □ *Оба ничего не знали о точном маршруте дивизии,.. только оба уже догадывались, что конечный пункт их движения не Сталинград.* Бондарев. Горячий снег. **2.** *Спец.* Товарный поезд, идущий без изменения состава и груза до места назначения. *Маршруты с танками, самолетами, орудиями и горючим вырывались вперед по зеленым улицам открытых семафоров.* Панова. Спутники.

**Маршру́тный**, -ая, -ое.

**МА́СКА**, -и, *ж.* [Франц. masque]. **1.** Специальная накладка, скрывающая лицо (иногда с изображением человеческого лица, звериной морды и т. п.), с вырезами для глаз, а также человек с такой накладкой. *Маска волка. Ряженые в масках.* □ *[Шприх:] Конечно, подшутили Вы не на шутку с ним: он шел и вас бранил. [Арбенин:] Кому? [Шприх:] Какой-то маске.* Лермонтов. Маскарад. **2.** *перен.*, *обыкновенно кого, чего.* Притворство, скрывающее истинную сущность кого-, чего-л. *[Он] думал, что имеет дело с кокетством, ловко скрытым под маской наивности и простодушия.* М. Горький. Варенька Олесова. **3.** Гипсовый слепок с лица умершего человека. *Посмертная маска А. С. Пушкина.* **4.** В косметике: слой наложенного на лицо крема, питательного состава. *Дрожжевая маска.* ◇ **Носить маску** — притворяться кем-л. или каким-л. *Носить маску равнодушия.* **Сорвать маску** *с кого* — разоблачить кого-л.

С и н. (к 1 и 2 знач.): **личи́на** (*устар. и книжн.*).

**МАСКАРА́Д**, -а и (*устар.*) **МАШКЕРА́Д**, -а, *м.* [Франц. mascarade]. **1.** Бал, вечер, участники которого являются в масках и особых костюмах. *Новогодний маскарад.* □ *Карл Двенадцатый — мал и глуп. Сие — король! Разряженный, как девка, — одно знает — пиры да по лесам за зайцами скакать! Из казны все деньги вытянул на машкерады.* А. Н. Толстой. Петр I. **2.** *перен.* О притворстве, обмане, внешнем виде, не соответствующем внутренней сущности. *Теперь они оба были тем, кем они были в действительности. И они с облегчением чувствовали, что маскарад кончился.* Катаев. За власть Советов.

**Маскара́дный**, -ая, -ое (*к 1 знач.*). *Маскарадные костюмы.*

**МАСКИРО́ВКА**, -и, *ж.* [См. *маска*]. **1.** Изменение облика при помощи маски или других средств. *Искусство маскировки.* **2.** *перен.* Поведение человека, скрывающего от окружающих свои действительные взгляды, поступки. *Маскировка своих намерений, взглядов.* **3.** Комплекс мероприятий, направленных на скрытие войск от наблюдения противника или введение его в заблуждение относительно своих намерений. *Маскировка военных объектов.* **4.** Приспособление, которым маскируют что-л. *Снять маскировку с окон.*

С и н. (ко 2 знач.): **прикры́тие**, **камуфля́ж**.

**Маскиро́вочный**, -ая, -ое (*к 3 знач.*). *Маскировочный халат.*

**МА́СЛЕНИЦА**, -ы, *ж.* Старинный славянский праздник проводов зимы, от которого сохранился обычай печь блины и устраивать различные увеселения. *Масленица праздновалась целую неделю, и за эти дни перед угрюмым голодным постом всем хотелось вдоволь повеселиться.* Ф. Гладков. Повесть о детстве.

С и н.: **ма́сленая** (*разг.*), **мясопу́ст** (*устар.*).

**Ма́сленичный**, -ая, -ое.

**МАСЛИ́НА**, -ы, *ж.* Вечнозеленое субтропическое дерево, а также плод его, употребляемый для получения масла и как приправа к кушанью. *Я прилегла в сухую тень маслины С корявой серебристою корой.* Бунин. Бог полдня. *Они пьют вермут, закусывая его маслинами.* Эренбург. Путевые очерки.

С и н.: **оли́ва** и **оли́вка**.

**Масли́новый**, -ое, **масли́нный**, -ая, -ое и **масли́чный**, -ая, -ое. *Маслиновые косточки. Маслинная роща. Масличная ветвь.* ◇ **Масличное дерево** — то же, что м а с л и н а.

**МАСО́Н**, -а, *м.* [Франц. maçon — букв. каменщик]. Последователь масонства.

С и н.: **франкмасо́н**, **фармазо́н** (*устар. прост.*).

**Масо́нский**, -ая, -ое. *Масонская ложа.*

**МАСО́НСТВО**, -а, *ср.* [См. *масон*]. Тайное религиозно-этическое движение, получившее распространение в 18 в. в некоторых странах Европы, в том числе и в России, ставившее своей задачей создание всемирной организации с утопической целью мирного объединения человечества в едином братском союзе. *[Пьер] твердо верил в возможность братства людей, соединенных с целью поддерживать друг друга на пути добродетели, и таким представлялось ему масонство.* Л. Толстой. Война и мир.

С и н.: **франкмасо́нство**, **фармазо́нство** (*устар. прост.*).

**МАССА́Ж**, -а, *м.* [Франц. massage]. Поглаживание, растирание, разминание тела с лечебной или гигиенической целью. *Массаж лица. Делать массаж. Лечение массажем.*

**Масса́жный**, -ая, -ое. *Массажная щетка.*

**МАССИ́В**, -а, *м.* [Франц. massif — букв. мощный, сплошной]. **1.** Горная возвышенность с плоской вершиной, однородная по геологическому строению. *Массив Тянь-Шаня.* **2.** обычно *какой.* Большое пространство, однородное по каким-л. признакам, образующее нечто целое. *Лесные, торфяные массивы.* □ *Давыдов.. объяснял, что он не может наделять землей там, кому где захотелось, так как не может дробить колхозный массив, резать его на клинья и нарушать проведенное осенью землеустройство.* Шолохов. Поднятая целина. ◇ **Жилой** (или **жилищный**) **массив** — несколько жилых кварталов, объединенных единым архитектурным замыслом.

**МАСТЕРОВО́Й**, -а́я, -о́е. *Устар.* **1.** Являющийся квалифицированным работником, занимающийся каким-л. ремеслом. *Вся эта местность была заселена сплошь мастеровым людом — сапожниками, скорняками, портными.* Телешов. Записки писателя. **2.** *в знач. сущ.* **мастерово́й**, -о́го, *м.* Фабрично-заводской рабочий, а также ремесленник. *Из цеха вдруг выбежал.. человек в немецкой спецовке, в котором Тарас по виду признал русского мастерового.* Горбатов. Непокоренные.

**МАСТИ́ТЫЙ**, -ая, -ое; -и́т, -а, -о. *Книжн.* Почтенный по возрасту, а также заслуживающий всеобщее уважение, признание своей долголетней плодотворной деятельностью. *Маститый ученый.* □ *[Патриарх государю:] В вечерний час ко мне пришел однажды Простой пастух, уже маститый старец, И чудную поведал он мне тайну.* Пушкин. Борис Годунов.

**Масти́тость**, -и, *ж.*

**МАСТЬ**, -и, ма́сти, -е́й, *ж.* **1.** Цвет шерсти животных (чаще лошадей). *В [пожарных] частях были подобраны особые масти лошадей: у одних — вороные, у других — серые, у третьих — «в яблоках», а то гнедые либо пегие.* Телешов. Записки писателя. **2.** Один из четырех разрядов, на которые делится колода карт по цвету и форме очков. *Трефовая, бубновая, пиковая, червонная масть.* ◇ **Всех** (или **любых, разных**) **мастей** (*разг.*) — различных видов, различных направлений, убеждений. *Политики всех мастей.*

**МАСШТА́Б**, -а, *м.* [Нем. Maßstab]. **1.** Отношение размеров на чертеже, плане, карте к действительным размерам на местности, предмете. *Масштаб 100 км в 1 см.* **2.** *перен.* Размах, охват, значение. *Всероссийский масштаб. Событие мирового масштаба.* □ *Намечалась крупная перестройка [сельского хозяйства] в масштабах области.* Проскурин. Горькие травы.

С и н. (ко 2 знач.): разме́р, объём, диапазо́н (*книжн.*).

**Масшта́бный**, -ая, -ое. *Масштабная линейка. Масштабное строительство.*

**МАТАДО́Р**, -а, *м.* [Исп. matador]. Главный боец в бое быков, наносящий шпагой смертельный удар быку.

С и н.: эспа́да.

**МАТЕРИА́Л** [рья́], -а, *м.* [Восх. к лат. materialis — вещественный]. **1.** То, из чего изготовляется, производится, строится что-л. *Перевязочный материал. Семенной материал.* □ *Мужики.. обязались доставить из города на своих лошадях весь строительный материал [для школы].* Чехов. Моя жизнь. **2.** обычно *мн., перен.* Данные, факты, сведения, которые служат основой для чего-л., доказательством чего-л. *Подготовить материалы для доклада. Материалы судебного дела.* □ *Революция давала литературной молодежи материал и опыт, которыми не располагал, пожалуй, ни один из ее предшественников.* Леонов. О Горьком. **3.** Ткань. *Пальто из дорогого материала. Шелковый материал.*

С и н. (к 3 знач.): мате́рия (*разг.*), мануфакту́ра (*устар.*).

**МАТЕРИАЛИ́ЗМ**, -а, *м.* [Франц. matérialisme]. Научное философское направление, утверждающее, что мир материален, существует объективно, вне и независимо от сознания, что материя первична, никем не сотворена, существует вечно, что сознание, мышление — свойство материи, что мир и его закономерности познаваемы. *Признавать необходимость природы и из нее выводить необходимость мышления есть материализм.* Ленин, т. 18, с. 172.

◊ **Диалектический материализм** — философия марксизма-ленинизма, базирующаяся на материалистическом понимании объективного мира и диалектическом методе его познания. **Исторический материализм** — социальная философия марксизма, направленная на анализ общественных закономерностей с позиций материализма.

А н т.: идеали́зм.

**Материалисти́ческий**, -ая, -ое. *Материалистическое мировоззрение.* **Материали́ст**, -а, *м.*

**МАТЕРИА́ЛЬНЫЙ**, -ая, -ое; -лен, -льна, -о. [См. *материал*]. **1.** Вещественный, физический, существующий независимо от человеческого сознания. *Материальный мир. Материальная вещь.* **2.** *полн. ф.* Имущественный, денежный. *Материальная заинтересованность. Моральные и материальные стимулы. Укрепление материальной базы школы.*

**Материа́льно**, *нареч.* (ко 2 знач.). *Материально обеспеченный человек.* **Материа́льность**, -и, *ж.* (к 1 знач.). *Материальность мира.*

**МАТЕ́РИЯ**, -и, *ж.* [Лат. materia]. **1.** *ед.* Объективная реальность, существующая вне и независимо от человеческого сознания. *Формы существования материи.* **2.** Вещество, из которого состоят физические тела природы. *Закон сохранения материи. Строение материи.* **3.** *Разг.* Ткань. *Хлопчатобумажная материя. Материя на платье.* **4.** *перен.*, обычно какая. *Устар. и ирон.* Предмет внимания, обсуждения. *Рассуждениями о высоких материях, философствованием, употреблением таких слов, как «социализм», «коллектив», «общество», Гасилов маскировал пустоту, цинизм, лицемерие.* Липатов. И это все о нем.

С и н. (к 3 знач.): материа́л, мануфакту́ра (*устар.*).

**МАТРИАРХА́Т**, -а, *м.* [От лат. mater — мать и греч. archē — власть]. Сменившийся патриархатом период первобытнообщинного родового строя, во время которого главная роль в хозяйстве и общественных отношениях принадлежала женщине.

**МАТРО́НА**, -ы, *ж.* [Лат. matrona]. **1.** В Древнем Риме: почтенная женщина, мать семейства. **2.** *перен. Разг. ирон.* О полной, солидной женщине.

**МАТЧ**, -а, *м.* [Англ. match]. Состязание в каком-л. виде спорта между двумя противниками или двумя командами. *Футбольный матч. Матч между командами США и Франции. Матч на первенство мира по шахматам.*

**Ма́тчевый**, -ая, -ое. *Матчевые встречи.*

**МА́УЗЕР**, -а, *м.* [По имени братьев Маузер — немецких инженеров оружейного завода]. Род автоматического пистолета. — *Вот тебе, к маузеру, двести бери, а это — сто патронов к винтовкам.* Маяковский. Хорошо!

**Ма́узерный**, -ая, -ое.

**МА́ФИЯ**, -и, *ж.* [Итал. maf(f)ia]. **1.** Тайная разветвленная террористическая организация уголовных преступников, возникшая в Сицилии в конце 18 в. **2.** Организованная преступность.

**Мафио́зный**, -ая, -ое.

**МАХРО́ВЫЙ**, -ая, -ое. **1.** С большим количеством лепестков (о цветке). *Махровый пион. Махровый мак.* **2.** *перен.* Проявляющий в самой высокой степени какое-л. отрицательное свойство, черту, особенность. *Лирик он хороший, но по убеждениям махровый крепостник!* Коптелов. Большой зачин. **3.** Образованный из нитяных петель, мохнатый (о тканях и изделиях из них). *Махровое полотенце. Махровый халат.*

С и н. (ко 2 знач.): отъя́вленный, чистопро́бный, матёрый, прожжённый (*разг.*), патенто́ванный (*разг.*).

**МА́ЧТА**, -ы, *ж.* [От голл. mast]. Высокий столб на судне для подъема парусов, флагов, наблюдения, сигнализации и т. п., а также сооружение в виде столба, применяемое в технике для различных целей. *Корабль с двумя мачтами. Телевизионная мачта. Мачты высоковольтных линий.* □ *Играют волны — ветер свищет, И мачта гнется и скрипит.* Лермонтов. Парус.

**Ма́чтовый**, -ая, -ое.

**МАШИНА́ЛЬНЫЙ**, -ая, -ое; -лен, -льна, -о. [Франц. machinal]. Совершаемый непроизвольно в силу сложившегося навыка вести себя определенным образом в данных условиях (о движениях, жестах). *Машинальным движением* *оправив френч, адъютант скрылся в кабинете.* Н. Никитин. Северная Аврора.

С и н.: механи́ческий *и* механи́чный, автомати́ческий *и* автомати́чный.

**Машина́льно**, *нареч. Машинально поправить прическу.* **Машина́льность**, -и, *ж.*

**МАШКЕРА́Д** *см.* маскарад.

**МАЭ́СТРО**, *нескл., м.* [Итал. maestro от лат. magister — учитель, мастер]. *Книжн.* Почетное звание крупных деятелей в различных видах искусства, а также выдающихся шахматистов. *Пушкин был прямым наследником поэтического богатства этих трех маэстро русской поэзии [Державина, Жуковского и Батюшкова].* Белинский. Сочинения Александра Пушкина.

**МАЯ́К**, -а́, *м.* **1.** Башня с сигнальными огнями на берегу моря, на острове для указания пути судам. *Свет маяка.* □ *Финский залив весь усеян мелями, но он превосходно обставлен маяками.* И. Гончаров. Фрегат «Паллада». **2.** *перен., чего или какой.* О том, кто (или что) является символом, знаком чего-л. *Для всех этот дом был маяком мысли, культуры, знания.* Л. Никулин. У Горького. *Яшка хлоп меня по плечу: — Салют маякам производства! Зайди в редакцию.* Коваленко. Откровения юного Слоева.

**МЕГА...** [От греч. megas — большой]. Первая составная часть сложных слов, обозначающая: 1) чрезвычайно большой, огромный, напр.: *мегали́т* (древнее сооружение из огромных камней: памятник, гробница и т. п.), *мега́полис* (гигантский город, образовавшийся в результате слияния многих населенных пунктов); 2) м и л л и о н, в миллион раз больше единицы, указанной во второй части слова, напр.: *мегава́тт, мегаво́льт.*

**МЕГАФО́Н**, -а, *м.* [От мега... (см.) и греч. phōnē — звук]. Рупор, приставляемый ко рту для усиления звучания голоса. *С противоположной стороны вернулся к крейсеру «Громкий». Командир крикнул ему в мегафон: — Идите во Владивосток.* Новиков-Прибой. Цусима.

**Мегафо́нный**, -ая, -ое.

**МЕДА́ЛЬ**, -и, *ж.* [Франц. médaille]. Знак в виде металлической пластинки с каким-л. рельефным изображением, выдаваемый в награду за что-л. или отлитый в память о каком-л. событии. *Медаль «За трудовую доблесть». Окончить школу с золотой медалью. Медаль в память 800-летия Москвы.* □ *И на груди его светились Медаль за город Будапешт.* Исаковский. Враги сожгли родную хату... ◇ **Оборотная** (*или* **другая**) **сторона медали** — о другой стороне чего-л. (обычно отрицательной).

**Меда́льный**, -ая, -ое.

**МЕДАЛЬО́Н** [льё], -а, *м.* [Франц. medaillon]. Носимое на шее ювелирное изделие в форме плоского овального или круглого футляра, в который вставляется какое-л. изображение (обычно портрет) или вкладывается что-л. *[Анна] открыла медальон, в котором был портрет Сережи.* Л. Толстой. Анна Каренина.

**МЕДИКАМЕ́НТЫ** [не *медика́менты*], -ов, *мн.* (*ед.* **медикаме́нт**, -а, *м.*). [Восх. к лат. medicamenta (*мн.*)]. Лечебные средства, лекарства.

**Медикаменто́зный**, -ая, -ое (*спец.*).

**МЕДРЕСЕ́** [рэ; сэ], *нескл., ср.* [Араб. madrasa]. Мусульманская средняя (реже высшая) духовная школа.

**МЕЖА́**, -и́, *ме́жи*, меж *и* межи́, -е́й, *ж.* Граница земельных владений, участков, а также нераспаханная узкая полоса между полями. *Я вышел на опушку кустов и побрел по полю межой.* Тургенев. Бежин луг.

С и н.: рубе́ж, межни́к (*обл.*).

**Межево́й**, -ая, -ое. *Межевые знаки.*

**МЕЖДОУСО́БИЕ**, -я, *ср. и* **МЕЖДОУСО́БИЦА**, -ы, *ж.* Несогласие, раздор между какими-л. общественными группами в государстве (преимущ. в феодальном). [*Грибоедов*] *полагал, что причиною кровопролития будет смерть шаха и междоусобица его семидесяти сыновей.* Пушкин. Путешествие в Арзрум. *Страшное междоусобье терзало всю Украину. Вожаки запорожских казаков перемётывались с одной стороны на другую, они предавали и родину и народ.* Злобин. Степан Разин.

С и н.: усо́бица (*устар.*).

**Междоусо́бный**, -ая, -ое. *Междоусобные войны.*

**МЕЗОНИ́Н**, -а, *м.* [Восх. к итал. mezzanino — полуэтаж]. Надстройка (часто с балконом) над средней частью жилого дома. — *Найми квартиру рядом, мы будем жить в большом доме близ источника, в мезонине.* Лермонтов. Герой нашего времени.

**Мезони́нный**, -ая, -ое.

**МЕЛАНХО́ЛИК**, -а, *м.* [См. *меланхолия*]. **1.** Один из типов темперамента человека, характеризующийся слабой возбудимостью, глубиной и длительностью эмоциональных переживаний, а также человек с таким темпераментом. *Дамы находили его [Павла Петровича] очаровательным меланхоликом.* Тургенев. Отцы и дети. **2.** Человек, страдающий меланхолией, склонный к грусти. — *Какая у тебя дурная квартира, Родя, точно гроб, — сказала вдруг Пульхерия Александровна.., — я уверена, что ты наполовину от квартиры стал такой меланхолик.* Достоевский. Преступление и наказание.

**Меланхо́личка**, -и, *ж.* (*разг.*). **Меланхоли́ческий**, -ая, -ое *и* **меланхоли́чный**, -ая, -ое; -чен, -чна, -о (*ко 2 знач.*). *Меланхолический характер. Меланхолическое настроение. Меланхоличный вид.* **Меланхоли́чно**, *нареч.* (*ко 2 знач.*). **Меланхоли́чность**, -и, *ж.* (*ко 2 знач.*).

**МЕЛАНХО́ЛИЯ**, -и, *ж.* [Греч. melancholia — букв. черная желчь]. Болезненно-угнетенное состояние, тоска, уныние. — *Пойдем, старик, к себе на дачу: наши друзья.. приехали сюда — побыть наедине. Им надоела наша меланхолия и всякий вздор.* Федин. Первые радости.

С и н.: уны́ние, хандра́, ипохо́ндрия, мерехлю́ндия (*разг.*), сплин (*устар.*), депре́ссия (*спец.*).

**МЕЛИОРА́ЦИЯ**, -и, *ж.* [Восх. к лат. melioratio — букв. улучшение]. Улучшение плодородия земель путем их осушения, орошения и т. п. *Комплексная мелиорация. Мелиорация засушливых земель.*

**Мелиорати́вный**, -ая, -ое *и* мелиорацио́нный,

-ая, -ое. *Мелиоративное строительство. Мелиорационные работы.* **Мелиора́тор**, -а, *м.*

**МЕЛОДЕКЛАМА́ЦИЯ**, -и, *ж.* [От греч. melos — песня и лат. declamatio — чтение (вслух)]. Чтение стихов или прозаического текста в сопровождении музыки. *Он очень усовершенствовал искусство мелодекламации и сделал своей специальностью в концертах чтение под музыку.* Щепкина-Куперник. Театр в моей жизни.

**МЕЛО́ДИЯ**, -и, *ж.* [Восх. к греч. melōdia]. **1.** Определенная последовательность звуков, образующая музыкальное единство. *Кто-то играл [на виолончели] с чувством.. «Ожидание» Шуберта, и медом разливалась по воздуху сладостная мелодия.* Тургенев. Отцы и дети. **2.** *перен.* Музыкальность, благозвучие. *Я имею в виду и.. внутреннюю мелодию чистой горьковской фразы, и романтическую взволнованность стиля, и еще многое другое, что, несомненно, обогатило наш литературный арсенал.* Леонов. О Горьком.

С и н. (к 1 знач.): моти́в, напе́в.

**Мелоди́ческий**, -ая, -ое и **мелоди́чный**, -ая, -ое; -чен, -чна, -о (ко 2 знач.). *Мелодическое звукосочетание. Мелодичный смех.* **Мелоди́чно** (ко 2 знач.), *нареч.* **Мелоди́чность**, -и, *ж.* (ко 2 знач.).

**МЕЛОДРА́МА**, -ы, *ж.* [От греч. melos — песня и drama — действие, сценическое представление]. **1.** Драматическое произведение, в котором преувеличенно трагическое сочетается с сентиментальным, чувствительным (первонач. драма с музыкой и пением). *Он был еще в том возрасте, когда человек тянется к театральным действиям, когда драмы и мелодрамы еще нравятся больше, чем трагедии.* Липатов. И это все о нем. **2.** *перен.* О чем-л. отличающемся преувеличенным, неестественным трагизмом. *— Так, по-вашему, вся наша история — глупая мелодрама? — Да, совершенно ненужная мелодрама с совершенно ненужным трагизмом. И в том, что вместо простых разговоров самого спокойного содержания вышла раздирательная мелодрама, виноват Дмитрий Сергеич.* Чернышевский. Что делать?

**Мелодрамати́ческий**, -ая, -ое и **мелодрамати́чный**, -ая, -ое; -чен, -чна, -о (ко 2 знач.). *Мелодраматический сюжет. Мелодраматичная сцена.* **Мелодрамати́чно**, *нареч.* (ко 2 знач.). **Мелодрамати́чность**, -и, *ж.* (ко 2 знач.). *Мелодраматичность ситуации.*

**МЕЛОМА́Н**, -а, *м.* [От греч. melos — песня и mania — страсть]. Страстный любитель музыки и пения. *— Но пока итальянской оперы для всего города нет, можно.. особенно усердным меломанам пробавляться кое-какими концертами.* Чернышевский. Что делать?

**МЕ́ЛЬНИЦА**, -ы, *ж.* **1.** Предприятие по размолу зерна, а также здание с приспособлениями, оборудованием для такого размола. *Водяная, ветряная мельница.* **2.** Машинка, приспособление для размалывания каких-л. зерен. *Кофейная мельница.* ◊ *Желуди сушили на печках, дробили в ступах, мололи потом на ручных мельницах, сделанных из жести.* Проскурин. Горькие травы. ◊ **Лить во́ду на ме́льницу** чью

высказывать доводы, положения и т. п., подкрепляющие чье-л. мнение, позицию. **Сража́ться** (*или* **воева́ть**) **с ветряными ме́льницами** [из романа М. Сервантеса «Дон-Кихот», герой которого сражался с ветряными мельницами, думая, что он борется с великанами] — бороться с воображаемыми врагами; бесцельно тратить силы.

**Ме́льничный**, -ая, -ое. *Мельничные жернова. Мельничная плотина.*

**МЕЛЬХИО́Р**, -а, *м.* [Франц. maillechort]. Серебристо-белый металл из сплава меди с никелем, а также изделия из этого металла. *Ложки из мельхиора.* □ *Новый дом Лизы принял ее двумя богатыми столами.. Здесь кучились серебро, мельхиор, бронза.* Федин. Первые радости.

**Мельхио́ровый**, -ая, -ое. *Мельхиоровый подстаканник.*

**МЕМБРА́НА**, -ы, *ж.* [Лат. membrana — кожица, перепонка]. Перепонка или тонкая пластинка из упругого материала, способная возбуждать звуковые колебания (используется в микрофонах, манометрах и т. п.). *Едва слышно просачивалось сквозь наушники слабое пение. Настолько слабое, что казалось — крошечное.. насекомое царапает лапками мембрану.* Крымов. Танкер «Дербент».

**Мембра́нный**, -ая, -ое.

**МЕМОРА́НДУМ**, -а, *м.* [Восх. к лат. memorandum — букв. то, что надо помнить]. *Офиц.* Дипломатический документ с изложением взглядов правительства на какой-л. вопрос. *Вручить меморандум.*

**МЕМОРИА́Л**, -а, *м.* [Восх. к лат. memorialis — памятный]. **1.** Архитектурное сооружение, воздвигнутое для увековечения памяти о ком-, чем-л. *В Австралии в каждом городе есть военные музеи и мемориалы. Красивые торжественные здания.. с памятниками, с именами погибших солдат.* Гранин. Прекрасная Ута. **2.** Спортивное соревнование в память выдающихся спортсменов. *Мемориал братьев Знаменских.*

**Мемориа́льный**, -ая, -ое (к 1 знач.). *Мемориальная доска. Мемориальное сооружение.* ◊ **Мемориа́льный анса́мбль** — архитектурно-художественный комплекс в честь павших героев, выдающихся общественных деятелей и событий. *Мемориальный ансамбль в Бухенвальде. Брестский мемориальный ансамбль.*

**МЕМУА́РЫ**, -ов, *мн.* [Франц. memoires — воспоминания]. Литературные воспоминания о каких-л. событиях, написанные современником и участником этих событий. *Перу Н. В. Давыдова принадлежат интересные мемуары «Из прошлого», где рассказывается о близком знакомстве его с Толстым, Жемчужниковым, Кони и другими выдающимися людьми.* Телешов. Записки писателя.

С и н: запи́ски.

**Мемуа́рный**, -ая, -ое. *Мемуарная литература.* **Мемуари́ст**, -а, *м. Очерк мемуариста.*

**МЕ́НЕДЖЕР** [нэ], -а, *м.* [Англ. manager — управляющий]. Специалист по вопросам организации управления (на производстве и в других областях). *Менеджер фирмы. Школа менеджеров.*

**МЕ́НТИК**, -а, *м.* [Венг. mente — накидка, плащ]. Короткая гусарская накидка с меховой опушкой, надеваемая поверх мундира. *Словом, немного прошло времени, как цуг вороных лошадей привез в четвероместной карете.. генерала Негрова, одетого в мундир с ментиком, и супругу его Глафиру Львовну Негрову.* Герцен. Кто виноват?

**МÉНТОР,** -а, м. [По имени Ментора — воспитателя сына Одиссея из одноименной поэмы Гомера]. *Устар. и ирон.* Наставник, воспитатель. *[Чацкий:] Наш ментор, помните колпак его, халат, Перст указательный, все признаки ученья, Как наши робкие тревожили умы, Как с ранних пор привыкли верить мы, Что нам без немцев нет спасенья!* Грибоедов. Горе от ума.

**Мéнторский,** -ая, -ое. *Менторский тон* (поучающий, назидательный).

**МЕНУЭ́Т,** -а, м. [Франц. menuet]. Старинный французский танец в умеренном темпе, а также музыка к этому танцу. *Ибрагим протанцевал с нею менуэт и отвел ее на прежнее место.* Пушкин. Арап Петра Великого.

**МЕНЬШЕВИ́ЗМ,** -а, м. Течение в русской социал-демократии, возникшее в противовес большевизму, разновидность реформизма. *Меньшевизм образовался на II съезде РСДРП (август 1903 г.) из меньшинства «искровцев» (отсюда и название меньшивизм) и из всех оппортунистических противников «Искры». «Меньшевики» повернули назад к «экономизму», конечно, в несколько обновленной форме.* Ленин, т. 25, с. 99.

**Меньшеви́стский,** -ая, -ое. *Меньшевистская партия.*

**МЕНЮ́,** *нескл.,* ср. [Франц. menu]. Подбор блюд для завтрака, обеда и т. п., а также листок с перечнем блюд (в ресторане, столовой и т. п.). *Воронов по привычке заглянул в меню и сразу почувствовал себя как дома. На выбор предлагались те же блюда, что в хорошем московском ресторане: щи, борщ, мясная и рыбная солянки, котлеты по-киевски.* Чаковский. Победа.

**МÉРА,** -ы, ж. **1.** Единица измерения. *Метрическая система мер. Меры длины, веса, объема.* **2.** *Устар.* Русская народная единица емкости для измерения сыпучих тел, а также сосуд такой емкости. *— Хлеба много намолотили? — перевел Григорий разговор. — Четыреста мер.* Шолохов. Тихий Дон. **3.** обычно *мн.* Действие или совокупность действий, средств для осуществления чего-л. *Строгие, решительные, крайние меры. Меры воздействия, поощрения, предосторожности.* □ *С того момента, как Валько понял, что Шульга арестован, он принял все меры, чтобы.. помочь Шульге.* Фадеев. Молодая гвардия. **4.** обычно *чего.* Величина, размер, степень чего-л. *Мера ответственности.* □ *[Десаль] советует ей самой написать.. к начальнику губернии в Смоленск с просьбой уведомить ее.. о мере опасности, которой подвергаются Лысые Горы.* Л. Толстой. Война и мир. **5.** Предел, граница чего-л. *[Чацкий:] Послушай, ври, да знай же меру; Есть от чего в отчаянье прийти.* Грибоедов. Горе от ума. ◊ **Чувство меры** — чувство, позволяющее человеку не переходить преде- лов нормы. **Знать меру; не знать меры** — соблюдать предел, до которого можно доходить в чем-л.; не соблюдать такого предела.

**МЕРИ́ЛО,** -а, *ср. Книжн.* Признак, на основе которого можно произвести измерение, оценку, сравнение чего-л. *Для него труд был мерилом людей и отношений с людьми.* Гроссман. За правое дело.

С и н.: критерий (*книжн.*).

**МЕРКАНТИЛИ́ЗМ,** -а, м. [Франц. mercantilisme; восх. к итал. mercante — торговец]. **1.** Экономическое учение и политика европейской торговой буржуазии 15—18 вв., основывающиеся на том, что благосостояние страны зависит не от развития производства, а от преобладания вывоза товаров над их ввозом и от накопления денежных капиталов (золота, серебра) в стране. **2.** *перен. Книжн.* Мелочная расчетливость, склонность все рассматривать с точки зрения материальной выгоды. *Более честные, более чуткие люди.. задыхались в этой атмосфере.. меркантилизма и морального оскудения.* М. Горький. П. Верлен и декаденты.

С и н. (ко 2 знач.): корыстолю́бие, своекоры́стие, торга́шество, мерканти́льность (*книжн.*).

**Меркантилисти́ческий,** -ая, -ое (к 1 знач.) *и* **меркантили́стский,** -ая, -ое (ко 2 знач.).

**МЕРКАНТИ́ЛЬНЫЙ,** -ая, -ое; -лен, -льна, -о. [Франц. mercantile]. *Книжн.* Излишне расчетливый. *Меркантильная позиция.*

С и н.: коры́стный, своекоры́стный, торга́шеский.

**Мерканти́льно,** *нареч.* **Мерканти́льность,** -и, ж.

**МÉРКНУТЬ,** -ну, -нешь; ме́ркнущий, ме́ркнувший *и* ме́ркший; *несов.* **1.** Переставать светить (об источниках света, огне, небесных светилах и т. п.), а также утрачивать яркость, блеск (о глазах, взоре, блестящих предметах и т. п.). *Был вечер. Небо меркло. Воды Струились тихо. Жук жужжал.* Пушкин. Евгений Онегин. *Душа в ней так и загоралась, глаза странно меркли, улыбка блуждала на губах.* Тургенев. Дворянское гнездо. **2.** *перен.* обычно *перед чем.* Утрачивать значение, силу. *Меркнет слава.* □ *После сорокаминутной болтанки, перед которой меркнет любая качка на море, мы вернулись назад.* Нагибин. Подсадная утка.

С и н. (к 1 знач.): га́снуть, ту́хнуть, угаса́ть, погаса́ть, потуха́ть, затуха́ть, тускне́ть, ту́скнуть (*разг.*).

**МÉРНЫЙ,** -ая, -ое; ме́рен, ме́рна, -о. **1.** Размеренно-неторопливый, совершающийся в определенном темпе. *Мерный шаг.* □ *Под ее мерную речь я незаметно засыпал и просыпался вместе с птицами.* М. Горький. Детство. **2.** *полн. ф. Устар.* Имеющий установленную меру, величину. *Мерная сажень.* □ *— [Обед] оказывается превосходный, только птичьего молока нет. Уха из мерных стерлядей.* Писемский. Фанфарон.

С и н. (к 1 знач.): равноме́рный, разме́ренный, ритми́ческий и ритми́чный.

**Мéрно,** *нареч.* (к 1 знач.). **Мéрность,** -и, ж. (к 1 знач.). *Мерность движений.*

**МЕРОПРИЯ́ТИЕ,** -я, *ср.* Организованное действие или совокупность действий, направ-

ленных на достижение определенной цели. *Культурно-массовое, спортивное мероприятие.*
**МЁРТВЫЙ,** -ая, -ое; мёртв, мертва́, мёртво и мертво́. **1.** Умерший, лишенный жизни. *Пускай они мертвы, но если Их подвиг в бой друзей зовет,— Они живут. Они воскресли. Они бессмертны, как народ.* Радкевич. В легенде за живой водой. **2.** Лишенный жизненных сил, энергии. *Мертвые глаза.* ◻ *Графиня сидела вся желтая, шевеля отвислыми губами... Вдруг это мертвое лицо изменилось неизъяснимо. Губы перестали шевелиться, глаза оживились.* Пушкин. Пиковая дама. **3.** Лишенный движения, оживления. *Мертвая пустыня.* ◻ *В предрассветных сумерках страшным казался мертвый завод, безмолвны были цехи, бездымны трубы.* В. Попов. Сталь и шлак. ◊ **Мертвая вода** — в сказках: вода, обладающая чудодейственной способностью сращивать разрезанное на куски тело, которое оживает потом от спрыскивания живой водой. **Мертвая петля** — 1) петля с затягивающимся узлом; 2) одна из фигур высшего пилотажа, полет по замкнутой кривой линии в вертикальной плоскости. **Мертвая природа** — неорганический мир (не животный и не растительный). **Лежать мертвым грузом** — быть неиспользованным.
С и н. (к *1 знач.*): неживо́й, безжи́зненный (*книжн.*), бездыха́нный (*высок.*). С и н. (ко *2 знач.*): безжи́зненный, мёртвенный (*книжн.*).
А н т.: живо́й.
**МЕРЦА́ТЬ,** -а́ет; мерца́ющий, мерца́вший; мерца́я; *несов.* Слабо светиться колеблющимся светом. *В грязном вагоне, где тускло мерцала свечка, было немного народу.* А. Н. Толстой. Хождение по мукам.

**Мерца́ние,** -я, *ср. Мерцание звезд.*
**МЕ́ССА,** -ы, *ж.* [Восх. к лат. missa]. **1.** Католическая обедня. *Отслужить утреннюю мессу.* ◻ *Заупокойную мессу совершал кардинал князь-архиепископ Пиффль.* Сергеев-Ценский. Пушки выдвигают. **2.** Музыкальное хоровое произведение на текст этого богослужения. *Месса Баха.*
**МЕССИ́Я,** -и, *м.* [Восх. к др.-евр. mašīah — помазанник]. **1.** В христианстве и иудаизме: ниспосланный свыше божественный спаситель человечества. *Христос — мессия.* **2.** *перен. Книжн.* О том, в ком видят спасителя, избавителя.

**Месси́анский,** -ая, -ое.
**МЕ́СТНИЧЕСТВО,** -а, *ср.* **1.** В русском государстве 15—17 вв.: порядок замещения высших должностей в зависимости от знатности рода и важности должностей, занимаемых предками. **2.** Соблюдение только своих узкоместных интересов в ущерб общественному, государственному. *Изжить местничество.*

**Ме́стнический,** -ая, -ое.
**МЕТАЛЛОФО́Н,** -а, *м.* [От греч. metallon — металл и phonē — звук]. Ударный музыкальный инструмент, источником звука которого служит его упругое металлическое тело.
**МЕТАЛЛУРГИ́Я,** -и, *ж.* [От греч. metallurgein — обрабатывать металлы]. **1.** Отрасль тяжелой промышленности, занимающаяся получением металлов из руд и первичной их обработкой. *Черная, цветная металлургия.* **2.** Наука, изучающая способы промышленного производства металлов и их первичной обработки. *Курс металлургии.*

**Металлурги́ческий,** -ая, -ое. *Металлургическая промышленность.* **Металлу́рг,** -а, *м.*
**МЕТАМОРФО́ЗА,** -ы, *ж.* [Греч. metamorphōsis]. *Книжн.* Коренное изменение кого-, чего-л.; превращение. *Непонятно такое наглое воцарение Фомы Фомича в чужом доме; непонятна эта метаморфоза из шута в великого человека.* Достоевский. Село Степанчиково и его обитатели.
С и н.: перерожде́ние, переворо́т, преображе́ние, трансформа́ция (*книжн.*).
**МЕТАФИ́ЗИКА,** -и, *ж.* [Восх. к греч. meta ta physika — после физики (название произведения Аристотеля)]. **1.** Метод познания, противоположный диалектике, рассматривающий явления вне их взаимной связи, противоречий и развития. **2.** Идеалистическое философское учение о выходящих за пределы опыта неизменных первоначалах мира, якобы лежащих в основе физических явлений. **3.** *Разг.* О чем-л. отвлеченном, малопонятном, туманном. — *Впрочем, клянусь тебе, что сужу об ней больше умственно, по одной метафизике; тут, брат, у нас такая эмблема завязалась, что твоя алгебра! Ничего не понимаю!* Достоевский. Преступление и наказание.
А н т. (к *1 знач.*): диале́ктика.
**Метафизи́ческий,** -ая, -ое (к *1 и 2 знач.*). *Метафизический материализм. Метафизический метод.* **Метафи́зик,** -а, *м.*
**МЕТА́ФОРА,** -ы, *ж.* [Греч. metaphora — перенесение]. Употребление слова или выражения в переносном значении, основанное на сходстве, сравнении, аналогии, а также само это слово или выражение (напр.: *бронза мускулов, говор волн*). *Поэтическая метафора.*

**Метафори́ческий,** -ая, -ое и **метафори́чный,** -ая, -ое; -чен, -чна, -о. *Метафорический образ. Метафоричный стиль.*
**МЕТЕО...** [От греч. meteōra — атмосферные явления]. Первая составная часть сложных слов, обозначающая метеорологический, напр.: *метеосво́дка, метеоста́нция, метеоусло́вия.*
**МЕТЕО́Р,** -а, *м.* [Восх. к греч. meteōra — атмосферные явления]. **1.** Явление короткой вспышки небольшого небесного тела, влетающего в земную атмосферу из межпланетного пространства. *Звездное небо все искрилось и сыпало падучими звездами.. Необыкновенно яркий метеор с огнистым хвостом.. остался в моей памяти.* Короленко. У казаков. **2.** *перен.* О ком-, чем-л. внезапно появляющемся, ярком, но быстро исчезающем, недолговечном. *Но увы! этой жизни суждено было проблеснуть блестящим метеором!.. и — исчезнуть во всей красе своей.* Белинский. Стихотворения М. Лермонтова. **3.** Быстроходное пассажирское судно на подводных крыльях. *На многих реках страны сейчас курсируют суда на подводных крыльях — «ракеты», «метеоры», «кометы».* Д. Покровский. Флотилия идет в столицу.

**Метео́рный,** -ая, -ое (к *1 знач.*).
**МЕТЕОРИ́Т,** -а, *м.* [См. *метеор*]. Физическое те-

ло, представляющее собой каменно-металлическую массу, падающую на Землю из межпланетного пространства.

**Метеори́тный**, -ая, -ое. *Метеоритные части-цы.* ◇ **Метеори́тный дождь** — группа метеоритов, одновременно выпадающих на Землю.

**МЕТЕОРОЛО́ГИЯ**, -и, *ж.* [От греч. meteora — атмосферные явления и logos — слово, учение]. Наука о физическом состоянии атмосферы и об атмосферных явлениях.

**Метеорологи́ческий**, -ая, -ое. *Метеорологические исследования. Трудные метеорологические (погодные) условия.* **Метеоро́лог**, -а, *м.*

**МЕТИ́С**, -а, *м.* [Франц. métis от позднелат. mexticius — смешанный]. **1.** Животное или растение, получившееся в результате метизации (скрещивания различных пород животных или сортов растений с целью улучшения породы, сорта). **2.** Потомок от брака между людьми различных рас.

**Мети́ска**, -и, *ж.*

**МЕ́ТОД**, -а, *м.* [Восх. к греч. methodos]. **1.** Способ познания, исследования явлений природы и общественной жизни. *Диалектический метод. Экспериментальный метод.* □ *Естественные науки важны и значительны не только по предмету своего изучения, но и по своему методу. Это — науки, основанные исключительно на наблюдении и опыте.* Писарев. Наша университетская наука. **2.** Прием, система приемов в какой-л. деятельности. *Методы обучения. Передовые методы производства. Романтический, реалистический метод в искусстве.*

**МЕТО́ДА**, -ы, *ж.* [См. *метод*]. *Устар.* То же, что **метод** *(во 2 знач.). Поля свои обрабатывал он по английской методе.* Пушкин. Барышня-крестьянка.

**МЕТО́ДИКА**, -и, *ж.* [См. *метод*]. **1.** Совокупность методов, приемов практического выполнения чего-л. *Методика научного исследования.* □ *Он сам удивился, как много сделано за эти полтора года: приборы готовы, методика [опытов] разработана, программа составлена, обоснована.* Гранин. Иду на грозу. **2.** Наука о методах преподавания той или иной дисциплины. *Методика преподавания русского языка в школе.*

**Методи́ческий**, -ая, -ое. *Методическое пособие для учителя.* **Методи́ст**, -а, *м.* (ко 2 знач.).

**МЕТОДОЛО́ГИЯ**, -и, *ж.* [От *метод* (см.) и греч. logos — учение]. **1.** Совокупность приемов исследования, применяемых в какой-л. науке. *Методология исторической науки.* **2.** Учение о методе научного познания и преобразования мира. *Материалистическая методология.*

**Методологи́ческий**, -ая, -ое.

**МЕТРДОТЕ́ЛЬ** [тэ], -я, *м.* [Франц. maître d'hôtel — хозяин гостиницы]. Главный официант, распорядитель в ресторане. *Как хороший метрдотель подает как нечто сверхъестественно прекрасное тот кусок говядины, который есть не хочется, если увидать его в грязной кухне, так.. Анна Павловна сервировала своим гостям сначала виконта, потом аббата, как что-то сверхъестественно утонченное.* Л. Толстой. Война и мир.

**МЕТРО́**, *нескл., ср.* и **МЕТРОПОЛИТЕ́Н** [тэ], -а, *м.* [Франц. metro и métropolitain]. Городская электрическая железная дорога, обычно подземная. *Московское метро. Ехать на метро. Линия метрополитена.*

С и н.: подзёмка (*разг.*).

**МЕТРОПО́ЛИЯ**, -и, *ж.* [Греч. mētropolis от mētēr — мать и polis — город]. Государство, владеющее захваченными им колониями (первонач. в Древней Греции: город-государство — полис — по отношению к созданным им поселениям — колониям).

**МЕХ**, -а, мехи́, -о́в, *м.* Мешок из шкуры животного для хранения и перевозки жидкостей.

С и н.: бурдю́к.

**МЕХА́** см. мехи.

**МЕХАНИЗА́ЦИЯ**, -и, *ж.* [См. *механизм*]. Оснащение производства машинами и механизмами; полная или частичная замена средств ручного труда машинами и механизмами. *Механизация промышленности и сельского хозяйства.* □ *В пойме Острицы можно создать крупные животноводческие хозяйства с высокой механизацией.* Проскурин. Горькие травы.

**МЕХАНИ́ЗМ**, -а, *м.* [Восх. к греч. mēchanē — машина, орудие]. **1.** Внутреннее устройство, которое приводит в действие машину, прибор, аппарат; приспособление для чего-л. *Сложный механизм. Часовой механизм. Механизм станка. Ремонт механизма замка.* **2.** *перен., чего или какой.* Система, устройство, определяющие порядок какого-л. вида деятельности. *Государственный механизм.* □ *Аресты, тюрьмы, ссылки в Сибирь сотен молодежи все более разжигали и обостряли ее борьбу против.. бездушного механизма власти.* М. Горький. Жизнь Клима Самгина. **3.** *чего.* Последовательность состояний, процессов, из которых складывается какое-л. явление. *Механизм мышления.*

С и н. (к 1 знач.): констру́кция.

**МЕХА́НИКА**, -и, *ж.* [Греч. mēchanikē (technē) — искусство построения машин]. **1.** Наука о перемещении тел в пространстве и происходящих при этом взаимодействиях между ними, а также отрасль техники, занимающаяся вопросами применения этой науки к решению практических задач. *Теоретическая механика.* **2.** *перен. Разг.* Скрытое, сложное устройство чего-л. *Не вдруг и не без труда досталось ему это завидное положение. Он.. произошел всю механику жизни и вышел с честью из всех потасовок, которыми судьбе угодно было награждать его.* Салтыков-Щедрин. Губернские очерки.

**Механи́ческий**, -ая, -ое (к 1 знач.). *Механический двигатель. Механический цех.*

**МЕХИ́**, -о́в и **МЕХА́**, -о́в, *мн.* Приспособление с растягивающимися складчатыми стенками для нагнетания воздуха (употр. в кузнечном, стекольном производстве, а также для приведения в действие некоторых музыкальных инструментов). *И этот голос наковальни, Да скрип мехов, да шум огня С далекой той поры начальной В ушах не молкнет у меня.* Твардовский. За далью — даль.

**МЕЦЕНА́Т**, -а, *м.* [По имени римского политического

деятеля и богача Мецената, оказывавшего покровительство и материальную поддержку кружку поэтов]. *Книжн.* Богатый покровитель наук и искусств. *Где те меценаты, те поощрители изящных искусств, которые открывали свои кошельки и летели навстречу к художнику с распростертыми объятьями?* Григорович. Проселочные дороги.

**Мецена́тка**, -и, *ж.* **Мецена́тский**, -ая, -ое.

**МЕ́ЦЦО-СОПРА́НО**, *нескл., ср.* [Итал. mezzosoprano]. Женский голос, по высоте средний между сопрано и контральто, а также певица с таким голосом. *Красивое меццо-сопрано. Репертуар для меццо-сопрано.*

**МЕЧ**, -а́, *м.* **1.** Старинное колющее и рубящее оружие в виде обоюдоострого длинного прямого клинка с рукояткой. *Ни острый меч в серебряных ножнах, Ни шлем стальной не блещут на стенах,— Они забыты в поле роковом.* Лермонтов. Литвинка. **2.** *перен., чего. Высок.* То, что разит, карает. *Меч правосудия.* ◇ **Поднять** (или **обнажить**) **меч** (*устар. и высок.*) — начать войну, распрю. **Вложить меч в ножны** (*высок.*) — кончить войну, распрю. **Скрестить мечи** (*книжн.*) — вступить в бой, в спор, в состязание. **Предать огню и мечу** — уничтожить с беспощадной жестокостью.

**МЕЧЕНО́СЕЦ**, -сца, *м.* **1.** Член немецкого духовно-рыцарского ордена, основанного в начале 13 в., отличительным знаком которого было изображение на белом плаще меча и креста. **2.** В средние века: воин, вооруженный мечом, а также слуга средневекового рыцаря, носивший за ним его меч.

**МЕЧЕ́ТЬ**, -и, *ж.* [Восх. к турецк.-араб. mäsdžid]. Молитвенный дом у мусульман. *В отношении религиозном, дело, так легко устроенное французами в Египте посредством посещения мечети, здесь [в России] не принесло никаких результатов.* Л. Толстой. Война и мир.

**МЕЩА́НСТВО**, -а, *ср.* **1.** В царской России: городское сословие, состоящее из мелких торговцев, ремесленников, низших служащих. *Герцен и его «Колокол» помогли пробуждению разночинцев, образованных представителей либеральной и демократической буржуазии, принадлежавших не к дворянству, а к чиновничеству, мещанству, купечеству, крестьянству.* Ленин, т. 25, с. 93—94. **2.** *перен.* Взгляды и поведение человека с мелкими интересами, ограниченным кругозором.— *Страшная сила мещанства заключалась, в частности, в гнусной тяге его к спокойствию, к бездействию.* Ажаев. Далеко от Москвы.

С и н. (ко 2 знач.): обыва́тельщина, фили́стерство (*книжн.*).

**Меща́нский**, -ая, -ое. *Мещанское сословие. Мещанские взгляды.*

**МЗДА**, мзды, *ж.* **1.** *Устар.* Плата, вознаграждение, воздаяние за что-л. *Землемеры, сделав свое дело, получили хорошую мзду и уехали.* Соколов. Искры. **2.** *Ирон.* Взятка. *Бывает, что судье мзда глаза дерет.* Мельников-Печерский. Поярков.

**МЗДОИ́МЕЦ**, -мца, *м. Книжн.* Взяточник, стяжатель.— *Ты знаешь, мздоимцем я не был.. Не из корысти я говорю.* Златовратский. Устои.

**МИА́ЗМЫ**, миа́зм *и* -ов, *мн.* [Восх. к греч. miasma — загрязнение]. *Книжн.* Ядовитые гнилостные испарения, газы, образующиеся от гниения чего-л. *Разве миазмы болота не заражают и небольшого клочка хорошей земли с хорошим воздухом?* Чернышевский. Что делать?

**МИГРА́ЦИЯ**, -и, *ж.* [Восх. к лат. migratio — переселение]. **1.** *Книжн.* Перемещение населения в пределах одной страны или из одной страны в другую. **2.** *Спец.* Передвижение животных, вызванное изменением условий питания или связанное с определенным циклом их развития. *Сезонная миграция рыб.*

**Миграцио́нный**, -ая, -ое. *Миграционные процессы.*

**МИГРЕ́НЬ**, -и, *ж.* [Франц. migraine; восх. к греч. hēmikrania — букв. полголовы (боль в половине головы)]. Заболевание, выражающееся в приступах сильной головной боли. *Пьер засиделся в этот вечер.. Княжна Марья, не предвидя этому конца, первая встала и, жалуясь на мигрень, стала прощаться.* Л. Толстой. Война и мир.

**МИЗАНСЦЕ́НА**, -ы, *ж.* [Франц. mise en scène — размещение на сцене]. Расположение актеров и сценической обстановки на сцене в определенный момент исполнения пьесы.

**МИЗАНТРО́П**, -а, *м.* [Восх. к греч. misanthrōpos от misein — ненавидеть и anthrōpos — человек]. *Книжн.* Тот, кто ненавидит людей, чуждается их; человеконенавистник. *Панкратов возненавидел людей, стал мизантропом и всю свою нежность отдал животным.* Короленко. В облачный день.

**Мизантро́пка**, -и, *ж.* **Мизантропи́ческий**, -ая, -ое. *Мизантропическое настроение.*

**МИЗЕ́РНЫЙ**, -ая, -ое; -рен, -рна, -о *и* **МИ́ЗЕРНЫЙ**, -ая, -ое; -рен, -рна, -о. [Восх. к лат. miser — бедный]. Ничтожно малый, незначительный. *Мизерная плата. Мизерные интересы.* □ *Задачи его [Подхалюзина] обыкновенно очень мизерны, вопросы — не глубоки, потому что круг зрения его очень ограничен.* Добролюбов. Темное царство.

С и н.: ничто́жный, жа́лкий, ни́щенский (*разг.*), пустяко́вый (*разг.*), пустя́чный (*разг.*).

**Мизе́рно** *и* **ми́зерно**, *нареч. Мизерно малая сумма.* **Мизе́рность**, -и *и* **ми́зерность**, -и, *ж.*

**МИКРО...** [От греч. mikros — малый]. Первая составная часть сложных слов, указывающая на отношение к очень малым величинам, размерам, а также связанная с изучением малых величин, напр.: *микрооргани́зм, микрорайо́н, микроско́п, микробиоло́гия* (наука, изучающая микроорганизмы), *микроана́лиз.*

А н т.: макро...

**МИКРО́Б**, -а, *м.* [От *микро...* (см.) и греч. bios — жизнь]. Микроскопический одноклеточный организм. *Болезнетворные микробы. Исследования микробов.*

С и н.: бакте́рия.

**МИКРОКЛИ́МАТ**, -а, *м.* [От *микро...* (см.) и греч. klima, klimatos — климат]. **1.** Особенности климата на небольшом участке земной поверхности. *Благоприятный микроклимат. Изучение микроклимата.* **2.** *перен.* Окружающая обстановка, условия. *Лысовы умели создать в своем хозяй-*

стве — *на заводе, на стройке, в колхозе* — *тот микроклимат, который сегодня становится климатом для всех.* А. Аграновский. Суть дела.

**МИКРОКО́СМ**, -а и **МИКРОКО́СМОС**, -а, *м.* [От *микро...* (см.) и *космос* (см.)]. *Спец.* Мир малых величин (атомов, электронов и т. п.).

А н т.: макроко́см (*спец.*) и макроко́смос (*спец.*).

**МИКРО́Н**, -а, микро́ны, -о́н и -ов, *м.* [Восх. к греч. mikron — *малое*]. Миллионная часть метра.

Микро́нный, -ая, -ое.

**МИКРОСКОПИ́ЧЕСКИЙ**, -ая, -ое. [От *микро...* (см.) и греч. skopein — *смотреть*]. **1.** Производимый с помощью микроскопа. *Микроскопическое исследование.* □ *Большую часть своего времени [Базаров] проводит за работою: собирает растения и насекомых, режет лягушек и занимается микроскопическими наблюдениями.* Писарев. Базаров. **2.** Очень малый, видимый только в микроскоп. *Появились какие-то новые трихины, существа микроскопические, вселявшиеся в тела людей.* Достоевский. Преступление и наказание. **3.** *перен. Разг.* Чрезвычайно маленький, ничтожный по размерам, величине. *Те микроскопические средства, которые Лугинин получал от родных, конечно, не могли удовлетворять.* Мамин-Сибиряк. Любовь.

С и н. (ко 2 и 3 знач.): малю́сенький (*разг.*), кро́шечный (*разг.*), кро́хотный (*разг.*), ма́хонький (*прост.*).

**МИКРОФИ́ЛЬМ**, -а, *м.* [От *микро...* (см.) и англ. film — *букв.* пленка]. Сильно уменьшенная репродукция рукописного, печатного или графического документа, сделанного на фото- или киноопленке.

**МИКРОФО́Н**, -а, *м.* [От *микро...* (см.) и греч. phōnē — *звук, голос*]. Прибор, преобразующий звуковые колебания в электрические (применяется при передаче звуков на большие расстояния или для их усиления). *Петь в микрофон.* □ *[Полковник] шагнул к рации и взял микрофон. — Роза! Роза! — закричал полковник. — Почему не отвечаете?* Чаковский. Это было в Ленинграде.

Микрофо́нный, -ая, -ое.

**МИ́КСЕР**, -а, *м.* [Англ. mixer]. Электрический прибор для быстрого смешивания холодных напитков, сбивания сливок, яиц и т. п., для приготовления муссов, кремов, коктейлей и т. п.

Ми́ксерный, -ая, -ое.

**МИЛЕ́ДИ**, *нескл., ж.* [Англ. milady]. В Англии: вежливо-почтительное обращение к замужней женщине из аристократических кругов.

**МИЛИТАРИ́ЗМ**, -а, *м.* [Восх. к лат. militaris — *военный*]. Реакционная политика наращивания вооружений и активизации военных приготовлений. *Воронов напомнил своим будущим читателям, что Потсдам некогда был центром прусского милитаризма.* Чаковский. Победа.

Милитаристи́ческий, -ая, -ое и **милитари́стский**, -ая, -ое. *Милитаристические организации. Милитаристская политика.* **Милитари́ст**, -а, *м.*

**МИЛЛИАРДЕ́Р** [дэ], -а, *м.* [Франц. milliardaire]. Обладатель богатства, оцениваемого в миллиард (миллиарды) каких-л. денежных единиц.

**МИЛЛИОНЕ́Р**, -а, *м.* [Франц. millionnaire]. **1.** Обладатель богатства, оцениваемого в миллион (миллионы) каких-л. денежных единиц. **2.** Тот, кто наездил, налетал миллион (миллионы) километров. *Летчик-миллионер.*

**МИЛОВИ́ДНЫЙ**, -ая, -ое; -ден, -дна, -о. Обладающий приятной, привлекательной внешностью, милый на вид. *Миловидная девушка.* □ *Но лучше всего в ней было выражение ее миловидного лица: доверчивое, добродушное и кроткое, оно и трогало и привлекало.* Тургенев. Рудин.

С и н.: хоро́шенький, интере́сный, ми́ленький (*разг.*), смазли́вый (*разг.*).

Милови́дность, -и, *ж.*

**МИЛО́РД**, -а, *м.* [Англ. milord]. В Англии: вежливо-почтительное обращение к мужчине из аристократических кругов. *[Фабрикант] проговорил: — Не правда ли, милорд, [приезжая] настоящая леди?* Станюкович. Дождался.

**МИЛОСЕ́РДИЕ**, -я, *ср.* Готовность оказать помощь, проявить снисхождение из сострадания, человеколюбия, а также сама помощь, снисхождение, вызванные такими чувствами. *Проявить милосердие.* □ *Кто им [матерям] воздаст за их.. любовь к людям и милосердие, за материнское терпение, за пролитые ими слезы, да все, что пережили они и совершили во имя жизни на любимой ими нелегкой земле?* Закруткин. Матерь человеческая. ◇ **Сестра милосердия** (*устар.*) — медицинская сестра. **Брат милосердия** (*устар.*) — мужчина, выполняющий те же обязанности, что сестра милосердия.

С и н.: сострада́тельность, сердобо́льность (*разг.*), жа́лостливость (*разг.*).

**МИ́ЛЯ**, -и, ми́ли, миль, *ж.* [Англ. mile]. Путевая мера длины, различная в разных государствах. *Русская миля* (7,468 км). *Морская миля* (1,852 км). *Проплыть несколько миль.*

**МИМ**, -а, *м.* [Восх. к греч. mimos — *подражание, подражатель*]. Актер, исполняющий что-л. с помощью мимики и пластики.

**МИ́МИК** см. мимист.

**МИ́МИКА**, -и, *ж.* [От греч. mimikos — *подражательный*]. Движения мышц лица, выражающие внутреннее душевное состояние, а также искусство выражать чувства и мысли посредством движений мышц лица и телодвижений. *Выразительная мимика.* □ *Без всякого грима, одною только мимикой он [актер] давал полный образ изображаемого человека.* Телешов. Записки писателя.

Мими́ческий, -ая, -ое. *Мимические движения. Мимическое искусство.*

**МИМИ́СТ**, -а и (*устар.*) **МИ́МИК**, -а, *м.* [См. *мимика*]. Актер, искусно владеющий мимикой. *Продолжая работать в том же театре в качестве мимиста, я сам попытался делать для себя грим.* Н. Черкасов. Записки советского актера.

**МИМО́ЗА**, -ы, *ж.* [Лат. mimosa]. **1.** Южное растение, отдельные виды которого отличаются тем, что свертывают листья при прикосновении к ним. **2.** *перен.* О болезненно обидчивом человеке, о недотроге. — *Ей-богу, до сегодня считал: мимоза ты, интеллигентик.. Даже*

*иногда краснеешь, похоже.* Бондарев. Горячий снег. **3.** Обиходное название южной акации с мелкими пушистыми желтыми цветками
**МИМОЛЁТНЫЙ**, -ая, -ое; -тен, -тна, -о. **1.** *Устар.* Пролетающий мимо, не задерживаясь (обычно о птицах). **2.** Быстро проходящий, быстро исчезающий. *Я помню чудное мгновенье: Передо мной явилась ты, Как мимолетное виденье, Как гений чистой красоты.* Пушкин. К ***.
С и н. (ко 2 знач.): бе́глый, мгнове́нный.
**Мимолётно**, *нареч.* (ко 2 знач.). *Мимолетно взглянуть.* **Мимолётность**, -и, *ж.* (ко 2 знач.). *Мимолетность встречи.*
**МИНАРЕ́Т**, -а, *м.* [Восх. к араб. manāra — букв. маяк]. Башня мечети, с которой призывают мусульман на молитву.
**Минаре́тный**, -ая, -ое.
**МИНДА́ЛЬ**, -я́, *м.* [Греч. amygdalos]. Южное дерево сем. розоцветных с розовыми цветами и плодами в виде орехов овальной формы, а также (*собир.*) плоды этого дерева. *Цветущий миндаль. Ветка миндаля. Миндаль в сахаре. Пирожное с миндалем.*
**Минда́льный**, -ая, -ое. *Миндальное дерево. Миндальная роща. Миндальное масло.*
**МИНЕРА́Л**, -а, *м.* [Ср.-лат. mineralis]. Естественное неорганическое химическое вещество, входящее в состав земной коры и обычно служащее предметом добычи как полезное ископаемое. *Из многочисленных минералов, выносимых подземными водами, весьма распространенной является обыкновенная поваренная соль.* Галактионов. Жизнь рек.
**Минера́льный**, -ая, -ое. *Минеральные богатства страны. Минеральный источник (содержащий минералы). Минеральная вода. Минеральное удобрение.*
**МИНИАТЮ́РА**, -ы, *ж.* [Итал. miniatura]. **1.** Небольшой рисунок в красках в старинной рукописи, книге. *Вся рукопись в миниатюрах; при каждой миниатюре объяснительный текст.* Буслаев. Мои воспоминания. **2.** Живописное произведение небольшого размера (рисунок, картина, портрет), изящное и тонкое по исполнению, часто прикладного характера. *Палехская миниатюра. Коллекция миниатюр 18 в.* **3.** Произведение искусства малой формы. *Миниатюры Шуберта. Лирические, музыкальные, театральные миниатюры. Театр миниатюр.* ☐ «*Чайка», «Дядя Ваня»,... «Вишневый сад» и даже инсценировки некоторых рассказов [Чехова], в виде миниатюр, ставились на сцене МХАТ.* Телешов. Записки писателя. ◊ **В миниатю́ре** — в уменьшенном размере, виде.
**МИНИАТЮ́РНЫЙ**, -ая, -ое; -рен, -рна, -о. [См. *миниатюра*]. **1.** *полн. ф.* Прил. к миниатюра (*в 1 и 2 знач.*). *Миниатюрная живопись.* ☐ *Раскрыв этот медальон, я увидел превосходно написанные миниатюрные портреты отца Ельцовой и его жены.* Тургенев. Фауст. **2.** *перен.* Маленький и изящный. *Миниатюрные руки. Миниатюрный столик.* ☐ *На одной стороне [карточки] — название отеля.., на другой — миниатюрная карта, на которой жирной точкой или крестом отмечено местоположение отеля и прочерчены основные прилегающие к нему улицы.* Чаковский. Победа.
**Миниатю́рность**, -и, *ж.* (ко 2 знач.).
**МИНИМА́ЛЬНЫЙ**, -ая, -ое; -лен, -льна, -о. [См. *минимум*]. Самый малый, наименьший в ряду других. *Минимальные затраты времени. Минимальный срок.* ☐ *— Сегодня.. я послал телеграмму в министерство с требованием, чтобы нам дали то минимальное, что необходимо для нормальной работы комбината.* Чаковский. У нас уже утро.
А н т.: максима́льный.
**Минима́льно**, *нареч.* **Минима́льность**, -и, *ж. Минимальность требований.*
**МИ́НИМУМ**, -а, *м.* [Лат. minimum]. **1.** Наименьшее количество чего-л., наименьшая величина. *Сократить затраты до минимума.* ☐ *Риск существует в любом строительном деле. Свести его до минимума — задача науки.* В. Кожевников. Великая сила. **2.** *в знач. нареч.* Самое меньшее. *Стоит минимум 10 рублей.* **3.** *в знач. неизм. прил.* То же, что м и н и м а л ь н ы й. *Программа-минимум.* **4.** *обычно какой.* Совокупность знаний предметов, необходимых специалисту в какой-л. области, а также экзамен по этому предмету. *Кандидатский минимум. Технический минимум.*
А н т.: ма́ксимум (к 1, 2 и 3 знач.).
**МИНОНО́СЕЦ**, -сца, *м.* Боевой надводный корабль с торпедным вооружением, существовавший во 2-й половине 19 — начале 20 в.
**МИНО́Р**, -а, *м.* [Итал. minore от лат. minor — меньший]. **1.** *Спец.* Музыкальный лад, аккорд которого строится на малой терции (характеризуется грустной, скорбной звуковой окраской). *Гамма ля минор.* **2.** *перен.* Грустное, печальное настроение. *Быть в миноре.*
А н т. (ко 2 знач.): мажо́р.
**Мино́рный**, -ая, -ое. *Минорная гамма. Минорное настроение.*
**МИР**[1], -а, миры́, -о́в, *м.* **1.** *ед.* Совокупность всех форм материи в земном и космическом пространстве; вселенная. *Происхождение мира. Окружающий нас мир. Познавать мир.* **2.** Отдельная часть вселенной, планета. *Звездные миры.* **3.** *ед.* Земной шар, Земля и все, что на ней находится. *Молодежь мира. Чемпион мира. Быть известным всему миру.* **4.** *ед., чего или какой.* Человеческое общество, объединенное определенным общественным строем, культурными и социально-историческими признаками. *Античный мир.* **5.** *ед., чего или какой.* Отдельная область жизни, явлений, предметов. *Мир животных, растений. Неорганический мир. Мир звуков. Духовный мир человека. Театральный мир.* **6.** *ед. Устар.* Сельская община, а также члены этой общины. *Всем миром.* ☐ *— Днем [староста] соберет сходку. Там миру все обскажете, мир сам решит, как наказать [его].* Г. Марков. Строговы. *На миру и смерть красна.* Пословица. **7.** *ед.* Светская жизнь в противоположность монастырской жизни. *Жить в миру. Удалиться от мира.* ◊ **Не**

от мира сего — о мечтателе, фантазёре, человеке, не приспособленном к жизни. По́ миру (пойти, ходить, пустить) — о нищенстве. В иной мир (уйти, переселиться) (устар.) — умереть. Сильные мира сего (устар. и ирон.) — люди, занимающие высокое общественное положение.

С и н. (к 1 знач.): ко́смос, мирозда́ние (книжн.), макроко́см (спец.) и макроко́смос (спец.). С и н. (к 3 знач.): свет, вселе́нная, плане́та, поднебе́сная (устар.), подлу́нная (устар.). С и н. (к 5 знач.): сфе́ра.

Мирово́й, -а́я, -о́е (к 1 и 3 знач.) и мирско́й, -а́я, -о́е (к 6 и 7 знач.). *Мировое пространство. Мировой рынок. Мировая война. Мирская сходка. Мирские радости.*

**МИР²**, -а, *м.* **1.** Согласие, отсутствие войны, разногласий, вражды или ссоры. *Долгожданный мир. Политика мира и дружбы. Жить в мире.* **2.** Соглашение между воюющими странами об окончании военных действий; мирный договор. *Переговоры о мире. Заключить мир.* ◇ **Мир** *кому, чему* (устар.) — приветствие входящего. **С миром отпустить** *кого* — отпустить без преследований.

**Ми́рный**, -ая, -ое. *Мирное время. Мирный договор. Мирные намерения.*

**МИРА́Ж**, -а́ и -а, *м.* [Франц. mirage]. **1.** Появление в атмосфере мнимых изображений отдалённых предметов (зданий, деревьев, айсбергов и т. п.) у горизонта — прямых или перевёрнутых, вытянутых или сплющенных и т. п. *Мираж в пустыне.* □ *Над линией горизонта отчётливо виднелся повисший в воздухе парус.. Видение висело в воздухе долго, но всё дальше уходил, незримо таял в знойной дымке волшебный зыблющийся мираж.* Соколов-Микитов. Мираж. **2.** *перен. Книжн.* Обманчивое видение, нечто кажущееся, созданное воображением. *Мираж счастья.* □ *Как медик, он [Базаров] видел, что люди заражённые всегда умирают,.. как медик и как человек, он не утешает себя миражами.* Писарев. Базаров.

С и н. (к 1 знач.): ма́рево. С и н. (ко 2 знач.): при́зрак.

**Мира́жный**, -ая, -ое.

**МИРИА́ДЫ**, -а́д, *мн., чего*. [Греч. myrias, myriados — десять тысяч]. *Книжн.* Бесчисленное множество. *Мириады звёзд.* □ *Белым факелом вспыхнула дуга короткого замыкания,.. нити, пронзившие стрелами тело,.. скручивают в спирали и ввинчиваются в руки, в голову, в ноги. Спиралей мириады.* В. Титов. Всем смертям назло.

**МИ́РО**, -а, *ср.* [Греч. myron]. Благовонное масло, употребляемое в некоторых христианских обрядах. ◇ **Одним миром мазаны** *кто* (шутл.) — о людях с одинаковыми недостатками.

**МИРОВОЗЗРЕ́НИЕ**, -я, *ср. Книжн.* Система взглядов, воззрений на природу и общество. *Материалистическое мировоззрение. Научное мировоззрение. Мировоззрение писателя.*

С и н.: идеоло́гия, убежде́ния, миропонима́ние (книжн.), миросозерца́ние (книжн.), кре́до (книжн.), воззре́ния (книжн.).

**Мировоззре́нческий**, -ая, -ое. *Мировоззренческие проблемы.*

**МИРОВО́Й**, -а́я, -о́е. **1.** В царской России: относящийся к разбору споров, тяжб, касающихся главным образом мелких уголовных и гражданских дел. *Мировой суд. Мировой судья. Пойти к мировому* (в знач. сущ.: к мировому судье). **2.** *в знач. сущ.* **мирова́я**, -о́й, *ж. Разг.* Мирное, полюбовное разрешение ссоры, тяжбы без суда. *Пойти на мировую. Подписать мировую.*

**МИРОЕ́Д**, -а, *м. Устар. и презр.* Тот, кто живёт чужим трудом; кулак. *Подрядился я в батраки к одному мироеду.. Дёготь гоним, уголь жжём.. Семеро нас у него, у мироеда.* М. Горький. Мать.

**МИРОЗДА́НИЕ**, -я, *ср. Книжн.* Вселенная. *Я не знаю, будет ли свиданье, Знаю только, что не кончен бой. Больше мы не встретимся с тобой. Оба мы — песчинки в мирозданье.* Антокольский. Сын.

С и н.: мир, ко́смос, макроко́см (спец.) и макроко́смос (спец.).

**МИРООЩУЩЕ́НИЕ**, -я, *ср. Книжн.* Восприятие человеком окружающего мира, выражающееся в настроениях, чувствах, действиях. *Лирическое, романтическое, реалистическое, трезвое мироощущение.*

**МИРОПОМА́ЗАНИЕ**, -я, *ср.* Церковный обряд, заключающийся в крестообразном помазании благовонным маслом (миро) младенцев после крещения, царей при коронации.

**МИРОСОЗЕРЦА́НИЕ**, -я, *ср. Книжн.* Совокупность взглядов, воззрений на мир; мировоззрение. *Материалистическое, идеалистическое миросозерцание. Художественное миросозерцание поэта.* □ *Герцен рвёт с анархистом Бакуниным. Правда, Герцен видит ещё в этом разрыве только разногласие в тактике, а не пропасть между миросозерцанием уверенного в победе своего класса пролетария и отчаявшегося в своём спасении мелкого буржуа.* Ленин, т. 21, с. 257.

С и н.: идеоло́гия, убежде́ния, миропонима́ние (книжн.), кре́до (книжн.), воззре́ния (книжн.).

**Миросозерца́тельный**, -ая, -ое.

**МИ́РРА**, -ы, *ж.* [Греч. myrrha]. Ароматическая смола, содержащаяся в коре некоторых тропических деревьев (используется в медицине и парфюмерии).

**Ми́рровый**, -ая, -ое. *Мирровая ветка. Мирровое масло.*

**МИРЯ́НИН**, -а, миря́не, -я́н, *м. Устар.* Человек, не имеющий духовного звания; тот, кто живёт земной жизнью. — *Я, сестрица, не монах, а мирянин.* Чехов. Убийство.

**Миря́нка**, -и, *ж.*

**МИСС**, *нескл., ж.* [Англ. miss]. **1.** В Англии и Америке: обращение к незамужней женщине (обычно перед именем, фамилией). *[К труппе] присоединилась, в качестве гастролёрши, мисс Мей — девица американского или английского происхождения.* Куприн. Локон. **2.** В буржуазно-дворянском быту дореволюционной России: англичанка-воспитательница в богатой семье. **3.** В сочетании с последующим существительным означает: лучшая (с точки зрения тех качеств, которые названы существительным).

*Мисс-очарование* (победительница на конкурсе красоты).

С и н. (*ко 2 знач.*): гуверна́нтка.

**МИССИОНЕ́Р**, -а, *м.* [Франц. missionaire]. Лицо, посылаемое религиозной организацией, церковью для пропаганды своей религии и обращения иноверных в свою веру. *По обязанности миссионера он [иеромонах] ездил раз или два в год к Ныйскому заливу и по Поронаю крестить, приобщать и венчать инородцев.* Чехов. Остров Сахалин.

**Миссионе́рка**, -и, *ж.* **Миссионе́рский**, -ая, -ое.

**МИ́ССИС**, *нескл., ж.* [Англ. missis (*искаж.* mistress — госпожа)]. В Англии и Америке: обращение к замужней женщине (обычно перед именем, фамилией).

**МИ́ССИЯ**, -и, *ж.* [Восх. к лат. missio — отправление, посылка]. **1.** *Книжн.* Ответственное задание, роль, поручение. *Возложить важную миссию на кого-л.* **2.** Постоянное дипломатическое представительство при какой-л. державе во главе с посланником и поверенным в делах. *Мой отец.. говорил, что.. надеется поместить меня со временем где-нибудь при миссии в теплом крае.* Герцен. Былое и думы. **3.** Представители одного государства, посылаемые в другое государство со специальной целью. *Торговая, военная миссия.*

**МИ́СТЕР** [тэ], -а, *м.* [Англ. mister от master — господин]. В Англии и Америке: обращение к мужчине (обычно перед именем, фамилией). — *Но я же вас слушаю, мистер… э-э… — умышленно замешкался Воронов, понуждая неизвестного назвать свою фамилию.* Чаковский. Победа.

**МИСТЕ́РИЯ**, -и, *ж.* [Восх. к греч. mistērion — таинство]. Средневековая драма на библейские сюжеты.

**МИ́СТИКА**, -и, *ж.* [Восх. к греч. mystikos — таинственный]. **1.** Враждебная науке вера в божественное, в таинственный, сверхъестественный мир. *Религиозная мистика.* **2.** *перен. Разг.* Нечто загадочное, непонятное, необъяснимое.— *Приборы показывают черт знает что.. мистика. Ничего, электроника — всегда мистика. Почему не работает, никто не знает.* Гранин. Иду на грозу.

**Мисти́ческий**, -ая, -ое. *Мистический страх. Мистические события.* **Ми́стик**, -а, *м.* (к 1 знач.).

**МИСТИФИКА́ЦИЯ**, -и, *ж.* [Франц. mistification от греч. mystikos — таинственный и лат. facere — делать]. *Книжн.* Намеренное введение кого-л. в заблуждение, в обман.— *Что за вздор?.. Не верю, чтобы он мог посоветовать подобное! Никак не верю! — Товарищ дивизионный комиссар, простите, пожалуйста, но мистификация не в моих правилах.* Бондарев. Горячий снег.

С и н.: обма́н, ро́зыгрыш (*разг.*), надува́тельство (*разг.*), очковтира́тельство (*разг.*).

**МИСТИЦИ́ЗМ**, -а, *м.* [Франц. misticisme от греч. mystikos — тайный]. Религиозно-идеалистическое воззрение, основанное на мистике. *Вы не заметили, что Россия видит свое спасение не в мистицизме,.. а в успехах цивилизации, просвещения, гуманности.* Белинский. Письмо к Гоголю.

**МИ́ТИНГ**, -а, *м.* [Англ. meeting]. Массовое собрание по поводу каких-л. злободневных, преимущ. политических вопросов. *Митинг протеста против гонки вооружений. Митинг солидарности с кем-л. Траурный митинг. Провести митинг. Выступить на митинге.* □ *Бывало, здесь, на площади, шумели горячие митинги.. Пархоменко уходил отсюда в бессмертие.* Горбатов. Непокоренные.

**Митинго́вый**, -ая, -ое.

**МИ́ТРА**, -ы, *ж.* [Греч. mitra — головная повязка]. Позолоченный и украшенный религиозными эмблемами головной убор высшего православного духовенства, надеваемый при полном облачении, преимущ. во время богослужения. *Вышли на встречу [казаков] все попы в светлых золотых ризах,.. и впереди сам архиерей с крестом в руке и в пастырской митре.* Гоголь. Тарас Бульба.

**МИТРОПОЛИ́Т**, -а, *м.* [Греч. mētropolitēs]. Высший титул православных епископов, а также лицо, имеющее этот титул. *Митрополит устроил общее молебствие. В один день и в одно время священники с хоругвями обходили свои приходы.* Герцен. Былое и думы.

**Митрополи́тский**, -ая, -ое *и* **митрополи́чий**, -ья, -ье.

**МИФ**, -а, *м.* [Греч. mythos]. **1.** Древнее народное сказание о легендарных героях, богах, о происхождении явлений природы и жизни на Земле. *Миф о Геракле. Древнегреческие мифы.* □ *Легенды заключают в себе зерна будущего.. Миф об Икаре — самый прекрасный из мифов. Икаром стал каждый летчик нашего времени.* Паустовский. Колхида. **2.** *перен.* Вымысел, нечто фантастическое, неправдоподобное, нереальное. *Миф о непобедимости гитлеровской армии.* □ *Но владетель [имения] Белого Поля был какой-то миф, сказочное, темное лицо, о котором повествовали иногда всякие несбыточности, так, как повествуют о далеких странах, о Камчатке, о Калифорнии,— вещи странные для нас, невероятные.* Герцен. Кто виноват?

С и н. (к 1 знач.): леге́нда, преда́ние. С и н. (*ко 2 знач.*): леге́нда.

**Мифи́ческий**, -ая, -ое. *Мифические образы.*

**МИФОЛО́ГИЯ**, -и, *ж.* [От *миф* (см.) и греч. logos — учение]. Совокупность мифов (в 1 знач.) какого-л. народа. *Античная, восточная мифология.* □ *Мифология была выражением жизни древних, и их боги были.. живыми понятиями в живых образах.* Белинский. Сочинения Александра Пушкина.

**Мифологи́ческий**, -ая, -ое. *Мифологический герой. Мифологические исследования.*

**МИ́ЧМАН**, -а, *ми́чманы*, -ов *и* (*разг.*) мичмана́, -о́в, *м.* [Англ. midshipman]. **1.** В дореволюционной России: первый офицерский чин в военно-морском флоте, а также лицо, имевшее этот чин. *К адмиральскому дому стали съезжаться и сходиться многочисленные гости. Первыми появились мичманы, лейтенанты и сухопутные офицеры.* Степанов. Порт-Артур. **2.** В Военно-Морском флоте СССР (1940 — 1971 гг.): высшее звание лиц старшинского состава, а также лицо, носившее это звание. **3.** В Военно-

-Морском флоте СССР: воинское звание лиц, добровольно проходящих службу сверх установленного срока (введено с января 1972 г.), а также лицо, носящее это звание.

**Ми́чманский**, -ая, -ое.

**МИШЕ́НЬ**, -и, *ж.* [Турецк. nišan — знак]. **1.** Предмет, служащий целью для учебной или тренировочной стрельбы, а также объект для стрельбы, попадания. *Стрельба по мишени.* ☐ *На броненосце «Ослябя» сосредоточили свой огонь шесть японских крейсеров, а «Суворов» стал главной мишенью их шести сильнейших броненосцев.* Новиков-Прибой. Цусима. **2.** *перен.* Тот, кто (или то, что) является предметом преследования, нападок, насмешек. *Это был знаменитый [крейсер].. — мишень для постоянных насмешек черноморских рыбаков и гордость каждого грека.* Паустовский. Черное море.

С и н. (*к 1 знач.*): цель.

**МИШУРА́**, -ы́, *ж.* **1.** Медные, позолоченные или посеребренные металлические нити, идущие на парчовые ткани, галуны и т. п., а также елочные украшения в виде гирлянд из таких нитей. *Увешанная мишурой елка.* ☐ *Титло поэта, звание литератора у нас давно уже затмило мишуру эполет и разноцветных мундиров.* Белинский. Письмо к Гоголю. **2.** *перен.* О показном блеске, лишенном внутреннего содержания. *Умение отличить золото от мишуры.* ☐ *«А мне, Онегин, пышность эта, Постылой жизни мишура, Мои успехи в вихре света, Мой модный дом и вечера, Что в них?»* Пушкин. Евгений Онегин.

**Мишу́рный**, -ая, -ое; -рен, -рна, -о. *Мишурные украшения. Мишурная роскошь.*

**МЛЕТЬ**, мле́ю, мле́ешь; мле́ющий; мле́вший; мле́я; *несов.* **1.** Переживать состояние томности, расслабленности, наслаждаясь покоем, отдыхом. *Мальчишка, млея у огня, тихонько засыпал.* Твардовский. Страна Муравия. **2.** обычно *от чего.* Замирать, цепенеть под действием сильного потрясения, глубокого переживания. *Млеть от страха.* ☐ *[Мечик] почувствовал, что никогда не убьет, не сможет убить себя.. И он., млея от одного ощущения ружейного масла,.. поспешно спрятал револьвер в карман.* Фадеев. Разгром.

С и н. (*ко 2 знач.*): деревене́ть, неме́ть, камене́ть, костене́ть.

**Мле́ние**, -я, *ср.*

**МНЕ́НИЕ**, -я, *ср.* Суждение, выражающее оценку кого-, чего-л., отношение к кому-, чему-л. *Общественное мнение. Мнение читателей о книге. Выразить мнение большинства. Быть хорошего мнения о ком-л.* ☐ *[Молчалин:] В мои лета не должно сметь Свое суждение иметь. [Чацкий:] Помилуйте, мы с вами не ребяты, Зачем же мнения чужие только святы?* Грибоедов. Горе от ума.

С и н.: соображе́ние, взгляд, воззре́ние (*книжн.*), пози́ция (*книжн.*).

**МНИ́МЫЙ**, -ая, -ое; мним, -а, -о. **1.** Не существующий в действительности; кажущийся, воображаемый. *Мнимая опасность.* **2.** Ненастоящий, притворный, ложный. *Мнимый ге-*роизм. *Мнимый друг.* ☐ *Мнимый граф был самозванец.* С. Аксаков. Семейная хроника.

С и н. (*к 1 знач.*): нереа́льный, фантасти́ческий, утопи́ческий, иллюзо́рный (*книжн.*), эфеме́рный (*книжн.*), ирреа́льный (*книжн.*), химери́ческий (*книжн.*).

А н т. (*к 1 знач.*): реа́льный, действи́тельный. А н т. (*ко 2 знач.*): по́длинный.

**МНИ́ТЕЛЬНЫЙ**, -ая, -ое; -лен, -льна, -о. Такой, который во всем видит для себя опасность, неприятность; недоверчивый, болезненно подозрительный. *Мнительный человек, характер.* ☐ *[Арина Власьевна] была мнительна, постоянно ждала какого-то большого несчастья.* Тургенев. Отцы и дети.

**Мни́тельно**, *нареч.* **Мни́тельность**, -и, *ж.*

**МНОГОГРА́ННЫЙ**, -ая, -ое; -а́нен, -а́нна, -о. **1.** *полн. ф.* Имеющий несколько граней. *Многогранный камень. Многогранная колонна.* **2.** *перен.* Охватывающий различные стороны чего-л.; разносторонний. *Многогранная личность. Многогранная деятельность кого-л.* ☐ *Садовский — многогранный и глубокий талант, — он не только актер, но и автор интересных бытовых рассказов.* Телешов. Записки писателя.

С и н. (*ко 2 знач.*): многосторо́нний.

**Многогра́нность**, -и, *ж. Многогранность кристалла. Многогранность характера.*

**МНОГОЗНАЧИ́ТЕЛЬНЫЙ**, -ая, -ое; -лен, -льна, -о. **1.** Имеющий большое значение, важные последствия. *Многозначительные события.* **2.** Намекающий на что-л. важное, значительное. *Многозначительный взгляд.* ☐ *Всезнающий, всюду поспевающий Данилевский ходил с многозначительным видом, как человек, прикосновенный к тайнам главной квартиры.* Л. Никулин. России верные сыны.

С и н. (*к 1 знач.*): многознамена́тельный (*устар.*). С и н. (*ко 2 знач.*): значи́тельный, вырази́тельный, красноречи́вый.

**Многозначи́тельно**, *нареч. (ко 2 знач.). Многозначительно улыбнуться.* **Многозначи́тельность**, -и, *ж. Многозначительность намека.*

**МНОГОСТОРО́ННИЙ**, -яя, -ее; -о́нен, -о́нна, -е. **1.** Обязательный для нескольких заинтересованных сторон, участников чего-л. *Многосторонний договор. Многостороннее соглашение.* **2.** *перен.* Отличающийся широтой, разнообразием. *Многосторонние интересы. Многосторонняя деятельность.* ☐ *Ноздрев во многих отношениях был многосторонний человек, то есть человек на все руки.* Гоголь. Мертвые души.

С и н. (*ко 2 знач.*): разносторо́нний, многогра́нный.

А н т. (*ко 2 знач.*): односторо́нний, однобо́кий.

**Многосторо́нне**, *нареч.* (*ко 2 знач.*). *Многосторонне образован.* **Многосторо́нность**, -и, *ж.*

**МНОГОСТРАДА́ЛЬНЫЙ**, -ая, -ое; -лен, -льна, -о. Испытавший много страданий, исполненный страданий. *[Таланов:] Горе-то какое ползет на нашу землю. Многострадальная русская баба плачет у лесного огнища.. и детишечки при ней, пропахшие дымом пожа-*

рищ, который никогда не выветрится из их душ. Леонов. Нашествие.

**Многострада́льность**, -и, ж.

**МНОГОТИРА́ЖКА**, -и, ж. Печатная газета предприятия, учреждения, издаваемая значительным тиражом. *Заводская, дивизионная многотиражка.*

**МОБИЛИЗА́ЦИЯ**, -и, ж. [Франц. mobilisation; восх. к лат. mobilis — подвижный]. **1.** Перевод вооруженных сил с мирного положения на военное, а также призыв военнообязанных запаса в армию во время войны. *Всеобщая мобилизация.* ☐ *В конце апреля по нашей губернии была объявлена мобилизация.. В деревнях людей брали прямо с поля, от сохи.* Вересаев. На японской войне. **2.** Приведение населения или определенных отраслей народного хозяйства в состояние, обеспечивающее успешное выполнение какой-л. важной задачи. *Мобилизация спасательных бригад при кораблекрушении. Мобилизация резервов экономики.*

А н т. (к 1 знач.): демобилиза́ция.

**Мобилизацио́нный**, -ая, -ое. *Мобилизационный период. Мобилизационный пункт.*

**МОБИ́ЛЬНЫЙ**, -ая, -ое; -лен, -льна, -о. [Восх. к лат. mobilis — подвижный]. Подвижный, способный к быстрому и скорому передвижению, действию. *Мобильные войсковые части. Мобильные строительные формирования.* ☐ *Харитонов был.. самый мобильный сотрудник института. Он мог в любое время суток собраться и тотчас выехать в любое место Советского Союза или куда угодно отправиться читать лекцию на любую тему.* Кочетов. Молодость с нами.

**Моби́льность**, -и, ж. *Мобильность войск.*

**МОВЕТО́Н** [вэ], -а, м. [Франц. mauvais ton от mauvais — плохой и ton — тон]. Устар. Дурной тон, невоспитанность, а также невоспитанный, дурного тона человек. *— Дорогой мой друг,.. ложитесь в больницу! Там и пища здоровая, и уход, и лечение. Евгений Федорыч хотя и моветон, между нами говоря, но сведущий, на него можно положиться.* Чехов. Палата № 6.

**МОГИКА́НЕ**, -а́н, мн. (ед. **могика́нин**, -а, м.). [Англ. mohican (по названию романа Ф. Купера о вымершем племени североамериканских индейцев)]. ◇ **Последний из могикан** — последний или старейший представитель чего-л. отмирающего, исчезающего. *— Вот это сейфище! — сказал Прохоров. — Король сейфов.. Нет, это исключительно выдающийся сейф, так сказать, последний из могикан... Вы читаете Купера?* Липатов. И это все о нем.

**МО́ДА**, -ы, ж. [Франц. mode от лат. modus — мера, способ, образ]. **1.** ед. Совокупность привычек и вкусов, господствующих в определенной общественной среде в определенное время. *Новая мода. Мода на длинные платья. Одеться по моде.* ☐ *Вот мой Онегин на свободе; Острижен по последней моде; Как dandy лондонский одет — И наконец увидел свет.* Пушкин. Евгений Онегин. **2.** мн. Образцы предметов одежды, отвечающие вкусам данного момента. *Моды сезона. Женские моды. Журнал мод.* ◇ **Последний крик моды** — о модной новинке. **Взять моду** (прост.) — усвоить привычку. **Быть в моде** — пользоваться особой популярностью, всеобщим признанием в какой-л. момент, в какое-л. время.

**Мо́дный**, -ая, -ое; мо́ден, модна́ и мо́дна, -о (к 1 знач.). *Модная прическа. Модная песня.*

**МОДЕ́ЛЬ** [дэ], -и, ж. [Франц. modèle; восх. к лат. modulus — мера, образец]. **1.** Образцовый экземпляр какого-л. изделия, а также образец для серийного производства. *Новая модель обуви. Модель для литья. Выставка моделей женского платья.* **2.** Воспроизведение или схема чего-л., обычно в уменьшенном виде. *У левой стены находился огромный бассейн, в котором плавали модели военных судов.* М. Горький. Мои интервью. **3.** Тип, марка конструкции. *Автомобиль новейшей модели.* **4.** То, что служит натурой для художественного воспроизведения. *Модель скульптуры.* ☐ *Лицо [старика].., сгорбленная сухая фигурка и серые слезливые глазки.. — все это могло бы служить художнику отличной моделью для колдуна или алхимика средних веков.* Григорович. Неудавшаяся жизнь.

С и н. (ко 2 знач.): маке́т.

**Моде́льный**, -ая -ое (к 1, 2 и 3 знач.). **Моде́льщик**, -а (к 1 и 2 знач.) и **модельер**, -а (к 1 знач.), м. Высококвалифицированный модельщик. *Модельер мужского костюма.*

**МОДЕ́РН** [дэ], -а, м. [От франц. moderne — современный]. Художественный стиль в искусстве конца 19 — начала 20 в., противопоставлявший себя искусству прошлого и стремившийся к чистоте линий, лаконизму и целостности форм. *Архитектура модерна.*

**МОДЕРНИЗА́ЦИЯ** [дэ], -и, ж. [Восх. к франц. moderne — современный]. Обновление, изменение чего-л. применительно к новым, современным требованиям и вкусам. *Модернизация техники.* ☐ *Были отпущены большие средства на модернизацию и расширение турбинного цеха и обслуживающих его цехов.* Кетлинская. Дни нашей жизни.

**МОДЕРНИ́ЗМ** [дэ], -а, м. [Франц. modernisme]. Общее название разных направлений в искусстве конца 19 — начала 20 в., провозгласивших разрыв с реализмом, отказ от старых форм и поиск новых эстетических принципов.

**Модерни́стский**, -ая, -ое. **Модерни́ст**, -а, м. *Художник-модернист.*

**МОДИФИКА́ЦИЯ**, -и, ж. [Восх. к лат. modificatio — изменение]. Книжн. **1.** Видоизменение предмета или явления, не затрагивающее его сущности. *Модификация станка. Модификация научной теории.* **2.** Предмет или явление, подвергшиеся такому изменению, являющиеся разновидностью чего-л.

С и н.: вариа́ция (книжн.).

**МОДУЛЯ́ЦИЯ**, -и, ж. [Восх. к лат. modulatio — размеренность, соразмерность]. Переход из одной тональности в другую (о музыкальных звуках), а также переливы, изменения высоты и окраски голоса, придающие выразительность речи. *Модуляция мелодии.* ☐ *Конечно, теперь, через много лет, я не могу с достоверностью восстановить всех движений Андрея Белого, не-*

*обычных модуляций его голоса.* В. Андреев. Возвращение в жизнь.

**МОЗА́ИКА**, -и, *ж.* [Восх. к итал. mosaico]. **1.** Рисунок или узор из скрепленных между собой цветных камешков, кусочков стекла, эмали и т. п., а также (*собир.*) камешки, кусочки стекла и т. п., используемые для такого рисунка, узора. *На бюро, выложенном перламутровою мозаикой, которая местами уже выпала и оставила после себя одни.. желобки, наполненные клеем, лежало множество всякой всячины.* Гоголь. Мертвые души. **2.** *ед., перен.* То, что представляет собой пеструю смесь разнородных элементов, частей. *Такими же выразителями духа своего времени были Чернышевский и Некрасов,.. Чехов со своей поразительной мозаикой русской жизни его времени.* Соболев. Литература и наша современность.

**Мозаи́чный**, -ая, -ое; -чен, -чна, -о. *Мозаичная плитка.*

**МОЗГ**, -а, *м.* **1.** Центральный отдел нервной системы человека и животных, состоящий из нервной ткани, заполняющей череп и канал позвоночника; орган мышления у человека. *Мозг человека, животного. Головной мозг. Спинной мозг. Работа мозга.* **2.** *перен., чего.* Основное ядро, руководящий и направляющий центр чего-л. *Здесь мозг корабля, здесь [на командирском мостике] сосредоточены все приборы управления, и здесь находятся все, кому вверен корабль.* Лавренев. Так держать!

**Мозгово́й**, -а́я, -о́е. *Мозговые извилины. Мозговой центр организации.*

**МОЛ**, -а, *м.* [Итал. molo от лат. moles — насыпь]. Сооружение в виде высокого длинного вала, примыкающего одним концом к берегу у входа в порт, для защиты судов от морских волн. *Серые массивы пристаней.. для причала океанских кораблей, с.. пустынными мысами и молами резали бухту на каменные кварталы.* Ф. Гладков. Цемент.

**МОЛЕ́БЕН**, -бна, *м.* и (*устар.*) **МОЛЕ́БСТВИЕ**, -я, *ср.* Краткое богослужение (о благополучии, о здравии и т. п.). *— Против всего нынче науки пошли.. Прежде бывало, попросту: придут да молебен отслужат — и даст бог. Вёдро нужно — вёдро господь пошлет; дождя нужно — и дождя у бога не занимать стать.* Салтыков-Щедрин. Господа Головлевы. *На другой день, во время молебствия во дворце по случаю дня рождения государя, князь Болконский был вызван из церкви и получил конверт от князя Кутузова.* Л. Толстой. Война и мир.

**МОЛНИЕНО́СНЫЙ**, -ая, -ое; -сен, -сна, -о. Происходящий, совершаемый чрезвычайно быстро, стремительно. *Не растерявшись, хлопцы обманули противника, пристроились в хвост нападающим, подошли к их колонне и молниеносным ударом захватили машины.* Вершигора. Люди с чистой совестью.

С и н.: мгнове́нный, момента́льный.

**Молниено́сно**, *нареч.* **Молниено́сность**, -и, *ж. Молниеносность нападения.*

**МОЛОДЕ́ЧЕСТВО**, -а, *ср.* Удаль, отвага, а также безрассудство, ухарство. *Под высокими стенами Азова стыдно было и вспоминать недавнее молодечество — взять крепость с налету.* А. Н. Толстой. Петр I.

С и н.: удальство́, ли́хость, брава́да (книжн.).

**МО́ЛОХ**, -а и **МОЛО́Х**, -а, *м.* [Греч. moloch от др.-евр. molek — языческое божество]. *Книжн.* Употр. как символ жестокой и ненасытной силы, требующей человеческих жертв. *Молох войны.* □ *— Вот он [завод], — Молох, требующий теплой человеческой крови! — кричал Бобров.* Куприн. Молох.

**МОЛЬБА́**, -ы́, *ж.* **1.** *Устар.* Молитва, моление. *— Дитя мое, господь с тобою! — И няня девушку с мольбой Крестила дряхлою рукой.* Пушкин. Евгений Онегин. **2.** *Высок.* Горячая, страстная просьба. *В этом взгляде выражались и мольба, и страх отказа, и стыд за то, что надо было просить.* Л. Толстой. Война и мир.

С и н. (ко 2 знач.): заклина́ние, моле́ние (книжн.).

**МОЛЬБЕ́РТ**, -а, *м.* [Нем. Malbrett]. Подставка, на которой помещается подрамник с холстом, картоном или доской для работы художника. *Владимир стал ходить всякую неделю в Эрмитаж и усердно сидеть за мольбертом.. Он начинал поговаривать об Италии и об исторической картине в современном и сильном вкусе.* Герцен. Кто виноват?

**МОНА́РХ**, -а, *м.* [Греч. monarchos от monos — один и archos — правитель]. Лицо, стоящее во главе монархии (царь, император, король, фараон, султан, шах и т. п.). *— Государь, не было столь удобного времени для вас утвердиться на Балтийском море,.. достигнуть всемирной славы,.. сделать то, чего ни один монарх Европы не в состоянии был сделать, — открыть через Московию торговый путь между Востоком и Западом.* А. Н. Толстой. Петр I.

С и н.: госуда́рь (устар.), самоде́ржец (устар. высок.), венцено́сец (устар. высок.), порфироно́сец (устар. высок.).

**Мона́рший**, -ая, -ее (устар. книжн.). *Монаршая милость.*

**МОНАРХИ́ЗМ**, -а, *м.* [См. монарх]. Политическое направление, признающее монархию единственной формой государственной власти. *Приверженец, противник монархизма.* □ *А вам, гражданин Кибирев, я скажу, что ваша программа — это смесь монархизма с эсеровщиной!* Седых. Даурия.

**Монархи́стский**, -ая, -ое. *Монархистские взгляды.* **Монархи́ст**, -а, *м. Заговор монархистов.*

**МОНА́РХИЯ**, -и, *ж.* [Восх. к греч. monarchia — единовластие]. Форма государственного правления, при которой верховная власть принадлежит одному правителю (монарху), а также государство с такой формой правления. *Конституционная (ограниченная) монархия. Абсолютная монархия.* □ *Мы в несколько дней разрушили одну из самых старых, мощных, варварских и зверских монархий.* Ленин, т. 36, с. 78.

**Монархи́ческий**, -ая, -ое. *Монархическое государство.*

**МОНАСТЫ́РЬ**, -я́, *м.* [Греч. monastērion от monazein — жить в уединении]. Религиозная община монахов или монахинь, а также церковь, жилые помещения и территория, принадлежащие такой общине. *Мужской, женский монастырь. Уйти в монастырь.* ☐ *Дуня обходила все монастыри и везде служила заздравные молебны о доброй барыне.* Герцен. Кто виноват?

С и н.: обитель (*устар.*).

**Монасты́рский**, -ая, -ое. *Монастырские земли.*

**МОНА́Х**, -а, *м.* [*Греч.* monachos — *букв.* уединенный, одинокий]. **1.** Член религиозной общины, живущий в монастыре, принявший пострижение и давший обет вести аскетический образ жизни в соответствии с требованиями монастырского устава. *Он удалился в одну уединенную обитель, где скоро постригся в монахи.* Гоголь. Портрет. **2.** *перен.* О мужчине, ведущем уединенный, аскетический образ жизни. — *Впрочем, вы монах: в карты не играете, женщин не любите.* Чехов. Палата № 6.

С и н. (к 1 знач.): чернец (*устар.*), чернори́зец (*устар.*), и́нок (*устар.*). С и н. (ко 2 знач.): отше́льник, затво́рник, пусты́нник (*устар.*), анахоре́т (*устар. книжн.*).

**Мона́хиня**, -и и (*разг.*) **мона́шка**, -и, *ж.* **Мона́шеский**, -ая, -ое. *Монашеская келья.*

**МОНГОЛО́ИДНЫЙ**, -ая, -ое. ◊ *Монголоидная раса* — одна из трех основных рас человечества, представители которой характеризуются желтоватой кожей, прямыми черными волосами, слабо выступающим носом и некоторыми другими признаками.

**МОНИ́СТО**, -а, *ср.* Ожерелье (из монет, бус, разноцветных камней и т. п.). *Белозубая, черноокая красавица Марина, ради праздника надевшая на себя все свои мониста, не утерпела, топнула каблуком.. и вихрем пошла вокруг Олега.* Фадеев. Молодая гвардия.

**МОНО...** [От греч. monos — один, единственный]. Первая составная часть сложных слов, обозначающая о д н о, е д и н о е, напр.: *монотеизм* (единобожие), *моноплан* (самолет, имеющий одну плоскость крыльев).

**МОНОГА́МИЯ**, -и, *ж.* [От *моно...* (см,) и греч. gamos — брак]. *Спец.* Форма брака, при которой каждый может одновременно состоять в браке только с одним лицом другого пола.

С и н.: единобра́чие.

А н т.: многобра́чие, полига́мия (*спец.*).

**Монога́мный**, -ая, -ое. *Моногамная семья.*

**МОНОГРА́ММА**, -ы, *ж.* [От *моно...* (см.) и греч. gramma — буква]. Сплетение, вязь из двух или нескольких букв в виде вензеля. *Кирилл преподнес ей записную книжку.. с золоченой монограммой на уголке — «Е» и «К», что значило: Елизавета и Кирилл.* Федин. Первые радости.

**Моногра́ммный**, -ая, -ое.

**МОНОГРА́ФИЯ**, -и, *ж.* [От *моно...* (см.) и греч. graphein — писать]. Научное исследование, посвященное одному вопросу, одной теме. *Монография о творчестве И. С. Тургенева.* ☐ *[Аникеев] принадлежал к редкому, счастливому типу ученых.. Ему предлагали писать учебники, монографии. Он отказывался. Вместо этого..* появлялись маленькие статьи, вернее заметки, на две-три странички.* Гранин. Иду на грозу.

**Монографи́ческий**, -ая, -ое. *Монографическое описание.*

**МОНО́КЛЬ**, -я, *м.* [Франц. monocle от *моно...* (см.) и лат. oculus — глаз]. Круглое оптическое стекло для одного глаза, вставляемое в глазную впадину (употреблялось вместо очков или пенсне). *Одно время он и сам пробовал носить монокль, но проклятое стекло оставляло болезненный след и поминутно выскальзывало из глазной впадины.* Чаковский. Блокада.

**МОНОЛИ́ТНЫЙ**, -ая, -ое; -тен, -тна, -о. [От *моно...* (см.) и греч. lithos — камень]. **1.** *полн. ф.* Представляющий собой цельную каменную глыбу (монолит). *Монолитный постамент для скульптурного памятника.* ☐ *Милорадович советовал Витбергу толстые колонны нижнего храма сделать монолитные из гранита.* Герцен. Былое и думы. **2.** *перен.* Цельный, крепко спаянный, сплоченный. *Монолитный коллектив.*

С и н. (ко 2 знач.): це́лостный (*книжн.*).

**Моноли́тность**, -и, *ж.* *Монолитность горной породы.*

**МОНОЛО́Г**, -а, *м.* [Греч. monologos от monos — один и logos — речь]. Речь действующего лица в драматическом, а также других литературных произведениях, обращенная к самому себе, к группе действующих лиц или к зрителю. *Монологи Чацкого.* ☐ *Окончание монолога [Катерины] выдает ее сердце: «Будь что будет, а я Бориса увижу» — заключает она.* Добролюбов. Луч света в темном царстве.

**Монологи́ческий**, -ая, -ое. *Монологическая речь.*

**МОНОПО́ЛИЯ**, -и, *ж.* [Греч. monopolia от monos — один и pōlein — продавать]. **1.** Исключительное право на производство или на продажу чего-л., а также исключительное пользование чем-л. *Монополия внешней торговли. Получить монополию на что-л.* ☐ *При Елизавете промысла подчинялись монополии графа Шувалова до 1768 г. В этот год все монополии уничтожились.* Максимов. Год на Севере. **2.** *перен. Разг.* Преимущественное право, особое положение кого-л. по отношению к другим. *[Треплев:] Я выпустил из вида, что писать пьесы и играть на сцене могут только немногие избранные. Я нарушил монополию!* Чехов. Чайка. **3.** Крупное хозяйственное объединение, возникшее на основе концентрации капитала с целью установления господства в какой-л. области хозяйства и получения максимальной прибыли. *Нефтяная монополия. Конкурентная борьба среди монополий.* **4.** *Устар. разг.* В дореволюционной России: государственная винная лавка, монопольно торговавшая водкой. *[Ярмола] проведет целый день около монополии в сомнительной надежде на чье-нибудь угощение.* Куприн. Олеся.

**Монопо́льный**, -ая, -ое (к 1 знач.) и **монополисти́ческий**, -ая, -ое (к 1 и 3 знач.). *Монопольное право. Монополистический капитал. Монополистические объединения.* **Монопо́льно**, *нареч.* (к 1 знач.) *Монопольно распоряжаться чем-л.* **Монопо́ль-**

**ность**, -и, *ж.* (*к 1 знач.*). *Монопольность производства.* **Монополи́ст**, -а, *м.* (*к 1 и 3 знач.*).

**МОНОТО́ННЫЙ**, -ая, -ое; -о́нен, -о́нна, -о. [От *моно...* (см.) и греч. tonos — напряжение голоса]. **1.** Однотонный, однозвучный. *Моното́нный го́лос.* □ *[Иудушка] неслышно подходил к двери, вслушивался в монотонное чтение псаломщика.* Салтыков-Щедрин. Господа Головлевы. **2.** Однообразный, скучный, лишенный перемен. — *Ну, вам после столичного шума будет очень скучно в монотонной жизни маленького провинциального городка.* Герцен. Кто виноват?

**Моното́нно**, *нареч.* **Моното́нность**, -и, *ж.* *Моно́тонность шу́ма.*

**МОНСТР**, -а, *м.* [Франц. monstre от лат. monstrum — чудовище]. *Книжн.* Чудовище, урод. *Ипполит смотрел то на него, то на тетю Лучицкую и думал о Вареньке: — Однако, среди каких монстров она живет!* М. Горький. Варенька Олесова.

С и н.: страши́лище.

**МОНТА́Ж**, -а́, *м.* [Франц. montage]. **1.** Сборка и установка машин, сооружений, конструкций и других устройств из готовых частей и элементов специалистами-монтажниками. *Монтаж новых машин. Монтаж электростанции.* □ — *Что за трудности монтажа? — говорил Дербачев. — Поточная линия в сборочном давно должна работать. Ведь отсюда срыв плана.* Проскурин. Горькие травы. **2.** Составление единого целого из отдельных частей или отдельных номеров, подбираемых по определенному плану или теме. *Литературный монтаж. Монтаж фильма. Музыкальный монтаж.*

**Монта́жный**, -ая, -ое. *Монтажные работы.* **Монта́жник**, -а, *м.* (*к 1 знач.*). *Работать монтажником.*

**МОНТИ́РОВАТЬ**¹, -рую, -руешь; монти́рующий, монти́ровавший; монти́руемый, монти́рованный; -ан, -а, -о; монти́руя; *несов., что.* [Нем. montieren, франц. monter — собирать]. Производить монтаж чего-л. *Монти́ровать станки.*

**МОНТИ́РОВАТЬ**², -рую, -руешь; монти́рующий, монти́ровавший; монти́руемый, монти́рованный; -ан, -а, -о; монти́руя; *несов., кого.* [Франц. monter — возбуждать]. *Устар.* Возбуждать, волновать. *Я был монтирован, дурачился, сыпал остротами.* Герцен. Былое и думы.

**МОНУМЕ́НТ**, -а, *м.* [Восх. к лат. monumentum] *Книжн.* Крупное архитектурное или скульптурное сооружение, крупный памятник в честь выдающегося события или лица. *Монумент покорителям космоса. Воздвигнуть монумент.*

**МОНУМЕНТАЛИ́СТ**, -а, *м.* [См. *монумент*]. Скульптор, создающий монументы.

**МОНУМЕНТА́ЛЬНЫЙ**, -ая, -ое; -лен, -льна, -о. [Лат. monumentalis]. **1.** *полн. ф.* В искусстве: отличающийся величественностью и выраженный в грандиозных обобщенных формах. *Монументальное искусство. Монументальная скульптура. Монументальная живопись.* **2.** Величественный, производящий впечатление величиной, мощностью. *Монументальное здание.* □ *[В доме] не меньше пяти комнат, веранда огромная, огородишко можно превратить*

*в полнометражный стадион; вот еще одно монументальное строение.* Липатов. И это все о нем. **3.** Основательный, глубокий по содержанию. *Монументальное исследование.*

**Монумента́льность**, -и, *ж.*

**МОР**, -а, *м. Устар.* Повальная смерть, эпидемия. — *Все беглецы согласно показывают, что в Оренбурге голод и мор.* Пушкин. Капитанская дочка.

**МОРА́ЛЬ**, -и, *ж.* [Восх. к лат. moralis — нравственный]. **1.** Совокупность принципов и норм поведения людей по отношению друг к другу и к обществу. □ — *Мы говорим: общество, которое рассматривает человека только как орудие своего обогащения, — противочеловечно, оно враждебно нам, мы не можем примириться с его моралью, двуличной и лживой.* М. Горький. Мать. **2.** Нравственный вывод, заключение, сделанное на основе чего-л. *Разумный человек, коль басн сию прочтет, То, верно, и мораль из оной извлечет.* К. Прутков. Чиновник и Курица. **3.** *Разг.* Внушение правил нравственности; нравоучение. *Француз убогий, Чтоб не измучилось дитя, Учил его всему шутя, Не докучал моралью строгой.* Пушкин. Евгений Онегин.

С и н. (*к 1 знач.*): нра́вственность, э́тика. С и н. (*ко 2 знач.*): нравоуче́ние. С и н. (*к 3 знач.*): нота́ция, наставле́ние, назида́ние (*книжн.*), про́поведь (*разг.*), раце́я (*устар.*).

**Мора́льный**, -ая, -ое; -лен, -льна, -о (*к 1 знач.*). *Моральные принципы. Моральный облик человека.* **Мора́льно**, *нареч.* (*к 1 знач.*). *Поступать морально.*

**МОРАТО́РИЙ**, -я, *м.* [От лат. moratorius — замедляющий]. *Спец.* Отсрочка исполнения обязательств, устанавливаемая правительством на определенный срок или на время действия каких-л. чрезвычайных обстоятельств (война, стихийное бедствие и т. п.). *Банковский мораторий. Объявить мораторий на ядерные взрывы.*

**МОРЗЯ́НКА**, -и, *ж. Разг.* Азбука Морзе, а также телеграф, работающий на такой азбуке. *Звуки морзянки.* □ *Радист перешел на прием,... вплелась в электрический треск быстрая румынская речь и пропала,.. ее заглушило атмосферными разрядами, смыло писком торопящейся морзянки.* Бондарев. Горячий снег.

**МОРТИ́РА**, -ы, *ж.* [Голл. mortier]. Короткоствольное артиллерийское орудие, предназначавшееся для разрушения особо прочных сооружений (применялась с 15 до середины 20 в.). *Бомбардиры откатили медную коротенькую мортиру, глядящую дулом в небо.. Мортира рыгнула пламенным облаком. Круглая бомба крутою дугой понеслась и упала близ крепостной стены.* А. Н. Толстой. Петр I.

**Морти́рный**, -ая, -ое. *Мортирная батарея.*

**МОРФЕ́Й**, -я, *м.* (с прописной буквы). [По имени Морфея — бога сновидений в древнегреческой мифологии]. *Трад.-поэт. и ирон.* Сон. *Легкий храп возвестил, что Павел Петрович отдался Морфею.* Григорович. Проселочные дороги.

**МО́РФИЙ**, -я, *м.* [См. *Морфей*]. Наркотическое болеутоляющее и снотворное вещество, добываемое из млечного сока мака (сверх определенной дозы действует как яд). — *Я страдаю ревматизмом... три ночи не спал, нарочно морфию принял, чтоб уснуть.* Чехов. Ну, публика!

**МОСЬЕ́** и **МСЬЕ́**, *нескл., м.* [Франц. monsieur]. **1.** Во Франции и некоторых других странах: обращение к мужчине; господин. *[Молчалин:] Я вашу партию составил: мосье Кок, Фома Фомич и я.* Грибоедов. Горе от ума. **2.** В буржуазно-дворянском быту дореволюционной России: воспитатель-иностранец (обычно француз) в богатой семье.

С и н. (ко 2 знач.): гуверне́р.

**МОТ**, -а́, *м.* Человек, неразумно тратящий деньги, имущество. — *Моту не помогут ваши три карты. Кто не умеет беречь отцовское наследство, тот все-таки умрет в нищете.. Я не мот; я знаю цену деньгам.* Пушкин. Пиковая дама.

С и н.: расточи́тель (*книжн.*), транжи́ра (*разг.*).

**Мото́вка**, -и, *ж.* (*разг.*). **Мотовско́й**, -а́я, -о́е. *Мотовской образ жизни.*

**МОТЕ́ЛЬ** [тэ], -я, *м.* [Англ. motel]. Гостиница для автотуристов. *Строительство мотелей. Остановиться в мотеле.*

**МОТИ́В**[1], -а, *м.* [Франц. motif; восх. к лат. motus — движение]. **1.** Побудительная причина, повод к какому-л. действию. *Ничего нет в жизни более важного и любопытного, чем мотивы человеческих действий.* М. Горький. Читатель. **2.** Аргумент в пользу чего-л. *[Сабуров] повторял все мотивы, по которым он решал отложить атаку до ночи.* Симонов. Дни и ночи.

С и н. (к 1 знач.): основа́ние, резо́н (*устар. и разг.*).
С и н. (ко 2 знач.): до́вод, резо́н (*устар. и разг.*).

**МОТИ́В**[2], -а, *м.* [См. *мотив*[1]]. **1.** Мелодия, напев. *[Музыканты] подхватывали все тот же мотив мазурки.* Л. Толстой. После бала. **2.** *Спец.* Простейшая составная часть сюжета, идея или тема в произведениях искусства. *Основные мотивы романа. Вышивки по народным мотивам.* □ *Прислушайтесь к его [Белинского] горячим импровизациям — и в них звучат те же мотивы, тот же тон, как у грибоедовского Чацкого.* И. Гончаров. Мильон терзаний.

**МОТИВИ́РОВАТЬ**, -рую, -руешь; мотиви́рующий, мотивирова́вший; мотиви́руемый; мотиви́рованный; -ан, -а, -о; мотиви́руя, мотиви́ровав; *сов. и несов., что.* [См. *мотив*[1]]. Привести (приводить) доводы, мотивы, обосновывающие, доказывающие необходимость какого-л. действия. *Мотивировать свое решение.* □ — *Неловко как-то.. Чем я могу мотивировать свой уход?* Чехов. Контрабас и флейта.

С и н.: обоснова́ть (обосно́вывать), аргументи́ровать.

**Мотиви́рование**, -я, *ср.* и **мотивиро́вка**, -и, *ж.* *Мотивирование поступка. Убедительная мотивировка.*

**МОТО́...** [От лат. motare — приводить в движение]. Первая составная часть сложных слов, обозначающая: 1) м о т о р н ы й, напр.: *мотовагон, мотопила́, мотобо́т* (небольшое моторное судно); 2) м о т о р и з о в а н н ы й, напр.: *мотоколо́нна, мотобрига́да, мотодиви́зия, мотопехо́та*; 3) м о т о ц и к л е т н ы й, напр.: *мото-

спо́рт, мотого́нки, мотобо́л* (спортивная командная игра — футбол на мотоциклах).

**МОТОВСТВО́**, -а́, *ср.* Неразумная, расточительная трата денег. — *Послушай, Корсаков,— сказал ему Петр,— штаны-то на тебе бархатные, каких я не ношу, а я тебя гораздо богаче. Это мотовство.* Пушкин. Арап Петра Великого.

С и н.: расточи́тельство, транжи́рство (*разг.*).

**МОТОРИЗОВА́ТЬ**, -зу́ю, -зу́ешь; моторизу́ющий, моторизова́вший; моторизу́емый, моторизо́ванный; -ан, -а, -о; моторизу́я, моторизова́в; *сов. и несов., что.* [См. *мото́...*]. Снабдить (снабжать) моторами, автотранспортом. *Моторизовать армию. Моторизованная пехота.*

**МОЦИО́Н**, -а, *м.* [Нем. Motion от лат. motio, motionis — движение]. *Книжн.* Ходьба, прогулка для укрепления здоровья или для отдыха. *Какой-то пожилой господин ходит проворно: очевидно, делает моцион для здоровья.* И. Гончаров. Обломов.

С и н.: гуля́нье, променад (*устар. разг.*) и променаж (*устар. разг.*).

**Моцио́нный**, -ая, -ое.

**МОШНА́**, -ы́, мошны́, мошо́н, *ж.* **1.** *Устар.* Мешок для денег; кошелек. *Рубль лишний, чей — бог ведает! — Остался у него. Весь день с мошной раскрытою Ходил Ермил, допытывал, Чей рубль? да не нашел.* Н. Некрасов. Кому на Руси жить хорошо. **2.** *перен. Прост.* Деньги, богатство. — *Бутылка шампанского будет?..— За это я ручаюсь.— Чем? — Собственною головою.— Лучше бы мошною, батюшка.* Тургенев. Отцы и дети. ◇ **Туга́я** (или **то́лстая**) **мошна́** (*прост.*) — о наличии у кого-л. больших денег. **Тряхну́ть мошно́й** (*прост.*) — не пожалеть денег на что-л.; раскошелиться.

**МО́ЩИ**, -е́й, *мн.* **1.** Останки людей, подвергшиеся естественной мумификации (высыханию без гниения) и объявляемые духовенством чудотворными и нетленными, святыми. **2.** *Разг.* Об очень худом, изможденном человеке. ◇ **Живы́е мо́щи** (*разг.*) — то же, что мощи (во 2 знач.). *Я узнал от него, что ее [высохшую от болезни] прозвали в деревне «Живые мощи».* Тургенев. Живые мощи.

С и н. (ко 2 знач.): скеле́т (*разг.*), коще́й (*разг.*).

**МО́ЩНОСТЬ**, -и, *ж.* **1.** Большая сила, крепость, могущество. *Мощность порыва ветра. Мощность голоса. Мощность государства.* **2.** Толщина пласта (минералов, воды, воздуха и т. п.). *Мощность угольного пласта.* □ *Местами лед достигал мощности десяти сантиметров.* Арсеньев. По Уссурийской тайге. **3.** *Спец.* Величина, показывающая количество энергии, развиваемой двигателем (машиной) в единицу времени. *Работать на полную мощность.* □ *Рев двадцати восьми моторов, общей мощностью более двадцати тысяч лошадиных сил, огласил окрестности.* Линьков. Война в тылу врага. **4.** *мн.* О производственных объектах (заводах, машинах, технических установках). *Ввести в действие новые энергетические мощности. Освоение новых мощностей.*

С и н. (к 1 знач.): мощь.

**МРАКОБЕ́СИЕ**, -я, *ср.* Враждебное отношение к прогрессу, просвещению, культуре

и науке; реакционность.— *По-вашему, надо меньше тратить денег на науку? Так можно договориться вообще до мракобесия!— воскликнул Ричард.* Гранин. Иду на грозу.
С и н.: реакцио́нность, ретрогра́дство, обскуранти́зм (книжн.).

**МСЬЁ** см. мосье.

**МУЖ**, -а, мужья́, -е́й и мужи́, -е́й, м. **1.** (мн. мужья́). Мужчина по отношению к женщине, состоящей с ним в браке. **2.** (мн. мужи́). *Устар. и высок.* Мужчина в зрелом возрасте, а также деятель на каком-л. поприще. *Государственный муж. Мужи науки.* □ *[Марина:] Наконец Я слышу речь не мальчика, но мужа.* Пушкин. Борис Годунов.
С и н. (к 1 знач.): благове́рный (разг.), супру́жник (прост.), хозя́ин (прост.), мужи́к (прост.), супру́г (устар. и офиц.).

**МУЖА́ТЬ**, -а́ю, -а́ешь; мужа́ющий, мужа́вший; мужа́я; *несов.* **1.** *Книжн.* Становиться взрослым, зрелым. *Фимка и Ванька вместе учились мастерству, вместе мужали, а затем и старились.* Кетлинская. Дни нашей жизни. **2.** *перен. Высок.* Накапливать силы, опыт; крепнуть, развиваться. *Была та смутная пора, Когда Россия молодая, В бореньях силы напрягая, Мужала с гением Петра.* Пушкин. Полтава.
С и н. (к 1 знач.): взросле́ть.

**Муж́ание**, -я, ср. *Мужание юноши. Мужание таланта.*

**МУ́ЗА**, -ы, ж. [Греч. musa]. **1.** В древнегреческой мифологии: каждая из девяти богинь — покровительниц наук и искусств. *Мельпомена — муза трагедии. Терпсихора — муза танцев.* **2.** *ед., перен. Книжн.* Творческое вдохновение, источник его, олицетворяемые обычно в образе женщины, богини. *Прошла любовь, явилась Муза,.. Свободен, вновь ищу союза Волшебных звуков, чувств и дум; Пишу, и сердце не тоскует.* Пушкин. Евгений Онегин.

**МУЗЕ́Й** [не зэ́], -я, м. [Восх. к греч. museion — храм муз]. Учреждение, собирающее, хранящее и выставляющее на обозрение произведения искусства, научные коллекции, предметы, представляющие исторический интерес и т. п. *Исторический, краеведческий музей. Музей А. С. Пушкина. Музей искусства народов Востока. Русский музей в Санкт-Петербурге.* □ *Здесь процветали и рушились могучие торговые государства, память о которых хранится теперь лишь в музеях.* Соколов-Микитов. Мираж.

**Музе́йный**, -ая, -ое. *Музейный экспонат. Музейные залы.* ◊ **Музе́йная ра́дость** — 1) редкая и очень ценная художественная вещь или историческая реликвия; 2) (ирон.) о чем-л. давно вышедшем из употребления и не имеющем практического значения.

**МУЗИЦИ́РОВАТЬ**, -рую, -руешь; музици́рующий, музици́ровавший; музици́руя; *несов.* [Нем. musizieren]. Заниматься музыкой, играть на музыкальных инструментах. *Из ярко освещенного окна опять вырвалась мелодия.— Конструктор наш все еще музицирует!— усмешливо подумал Пластунов.* Караваева. Огни.

**Музици́рование**, -я, ср.

**МУ́ЗЫКА**, -и, ж. [Восх. к греч. musikē — букв. искусство муз]. **1.** Искусство, отражающее действительность в звуковых художественных образах, а также произведения этого искусства. *Классическая, современная музыка. Музыка Чайковского. Слушать, сочинять музыку.* □ *Музыка была всегда любимое искусство образованных горюхинцев.* Пушкин. История села Горюхина. **2.** Исполнение таких произведений на инструментах. *Вдруг донеслись до меня звуки музыки: я прислушался.* Тургенев. Ася. **3.** *перен., обычно чего. Книжн.* Мелодическое, приятное для слуха звучание чего-л. *Музыка стиха.* □ *[Несчастливцев:] Ты молода, прекрасна, у тебя огонь в глазах, музыка в разговоре, красота в движениях.* А. Островский. Лес.

**Музыка́льный**, -ая, -ое; -лен, -льна, -о. *Музыкальное воспитание. Музыкальные инструменты. Музыкальная речь.* **Музыка́льно**, *нареч. Музыкально образованный человек.* **Музыка́льность**, -и, ж. (к 3 знач.). **Музыка́нт**, -а, м. (к 1 и 2 знач.).

**МУЛ**, -а, м. [Лат. mulus]. Домашнее животное, помесь осла с кобылой. *Лошади на этот раз были заменены мулами.. Они хорошо ходят в горах и невзыскательны на корм.* Арсеньев. Дерсу Узала.

**Мули́ца**, -ы, ж.

**МУЛА́Т**, -а, м. [Исп. mulato]. Потомок от смешанного брака представителя европеоидной расы и негра.

**Мула́тка**, -и, ж.

**МУЛЛА́**, -ы́, м. [Восх. к араб. maulā]. Служитель религиозного культа у мусульман.— *Сначала [на свадьбе] мулла прочитает им что-то из Корана; потом дарят молодых и всех их родственников.* Лермонтов. Герой нашего времени.

**МУЛЬТИПЛИКА́ЦИЯ**, -и, ж. [От лат. multiplicatio — умножение]. Киносъемка рисунков или кукол, изображающих последовательно расположенные моменты движения, а также фильм, сделанный посредством такой съемки. *В красном уголке.. [радист] рисовал что-то быстрыми размашистыми штрихами.. Как всегда, рисунок появился удивительно быстро, словно мультипликация на экране.* Крымов. Танкер «Дербент».

**Мультипликацио́нный**, -ая, -ое. *Мультипликационный фильм.*

**МУЛЯ́Ж**, -а́ и -а, м. [Фран. moulage от mouler — отливать в форму]. Слепок, модель предмета в натуральную величину (из гипса, воска, парафина). *Муляж яблока. Гипсовый муляж руки.* □ *Прежде здесь находился медицинский институт — еще висели на стенах муляжи с мертвыми.. лицами, наполовину содранными, чтобы показать, как расположены нервы.* Каверин. Два капитана.

**Муля́жный**, -ая, -ое. *Муляжная мастерская.*

**МУ́МИЯ**, -и, ж. [Восх. к араб. mūmijā]. **1.** Высохший труп человека или животного, предохраненный от разложения бальзамированием. *Египетские мумии.* **2.** О человеке, напоминающем чем-л. (худобой, неподвижностью, безжизненностью и т. п.) высохший труп.— *Всякий раз, когда я вхожу в залу княгини В. и вижу эти немые неподвижные мумии, напоминающие мне египетские кладбища, какой-то холод меня пронизывает.* Пушкин. Гости съезжались на дачу...

**МУНДИ́Р**, -а, м. [Восх. к лат. mundus — убор, наряд, туалет]. Военная или гражданская форменная одежда. *[Уханов] нестеснительно расстегнул шинель, достал из зазвеневшего орденами мундира портмоне.* Бондарев. Горячий снег. ◇ **Пачкать** (*или* **позорить** *и т. п.*) **мундир** (*или* **честь мундира**) — делать что-л. порочащее честь какой-л. организации, какого-л. лица. **Беречь честь мундира** (*ирон.*) — чрезмерно беспокоиться об официальном авторитете кого-, чего-л. **Картошка в мундире** — картофель, сваренный или испеченный в кожуре.

**МУНДШТУ́К** [ншт], -а́, м. [Нем. Mundstück от Mund — рот и Stück — кусок]. **1.** Часть курительной трубки или папиросы, которую берут в рот при курении, а также небольшая трубочка, в которую вставляют папиросу. *Мундштук трубки. Янтарный мундштук. Папироса с длинным мундштуком.* □ *[Капитан] вынул папиросу, помял пальцами табак, дунул в мундштук.* В. Кожевников. Поединок. **2.** Часть духового музыкального инструмента, которую при игре берут в рот или прикладывают к губам. *Мундштук флейты.* □ *Потрубив добрых пять минут, солдат отвинтил у своей трубы мундштук.* Куприн. На переломе. **3.** Железные удила с подъемной распоркой у нёба (у лошади). *Крупные зубы [лошади] грызли белое железо мундштука.* Катаев. Белеет парус одинокий.

**Мундшту́чный**, -ая, -ое.

**МУНИЦИПАЛИТЕ́Т**, -а, м. [Восх. к лат. municipium — город с правом самоуправления]. В некоторых странах: орган местного самоуправления, а та́кже здание, занимаемое им.— *Отеческая администрация, избранная из самих вас, составлять будет ваш муниципалитет или градское правление.* Л. Толстой. Война и мир.

С и н.: магистра́т.

**Муниципа́льный**, -ая, -ое. *Муниципальное правление. Муниципальная должность.*

**МУРАВА́**, -ы́, ж. Густо растущая сочная молодая трава. *Мурава, покрывавшая весь скат холма до главного пруда, придавала самой воде необыкновенно яркий, изумрудный цвет.* Тургенев. Накануне.

**Мура́вушка**, -и, ж. (уменьш.-ласк.).

**МУСКА́Т**, -а, м. [Франц. muscat]. **1.** Душистое семя плодов мускатника — вечнозеленого тропического дерева (используется в парфюмерии, медицине и кулинарии). **2.** Сорт винограда с ароматными ягодами, а также сорт десертного вина из этого винограда. *Сбор муската. Белый мускат.*

**Муска́тный**, -ая, -ое. *Мускатный орех. Мускатные сорта винограда.*

**МУ́СКУС**, -а, м. [Лат. muscus от перс. mušc]. Сильно пахнущее вещество, вырабатываемое железами некоторых животных, а также имеющееся в корнях или семенах некоторых растений (применяется в парфюмерии и в медицине).

*На брюхе.. у самцов [кабарги] находится особый железистый мешок, в котором накапливается мускус.* Арсеньев. Сквозь тайгу. **2.** *Устар.* Духи, в состав которых входит это вещество. *Гаврила надел шелковый белый кифтан,.. выпустил кружева из-за подбородка, надушил мускусом парик.* А. Н. Толстой. Петр I.

**Му́скусный**, -ая, -ое. *Мускусный запах.*

**МУСС**, -а, м. [Франц. mousse — букв. пена]. Сладкое кушанье из взбитой в пену фруктовой, ягодной и т. п. массы с добавлением желатина или манной крупы. *Яблочный, малиновый мусс. Взбивать мусс.*

**МУССИ́РОВАТЬ**, -рую, -руешь; мусси́рующий, мусси́ровавший; мусси́руемый, мусси́рованный; -ан, -а, -о; мусси́руя; *несов., что.* [Франц. mousser — букв. пениться]. *Книжн.* Распространять, преувеличивая значение чего-л. *Муссировать слухи. Муссировать опасения.*

С и н.: раздува́ть (*разг.*).

**Мусси́рование**, -я, ср.

**МУССО́Н**, -а, м. [Франц. mousson]. Ветер, дующий зимой с суши на море, а летом с моря на сушу. *Тропические муссоны.* □ *Дул муссон.. Он гнал тучи.. и прижимал их к стене Гурийских гор.* Паустовский. Колхида.

**Муссо́нный**, -ая, -ое. *Муссонный климат.*

**МУСУЛЬМА́НСТВО**, -а, ср. [Восх. к араб. muslim — верующий, верный]. Одна из наиболее распространенных (наряду с христианством и буддизмом) религий мира, основанная, по преданию, Магометом (Мухаммедом) в 7 в. *Исповедовать мусульманство.*

С и н.: исла́м, магомета́нство.

**Мусульма́нский**, -ая, -ое. *Мусульманская религия. Мусульманские обычаи.* **Мусульма́нин**, -а, м.

**МУТА́ЦИЯ**, -и, ж. [Восх. к лат. mutatio — изменение]. *Спец.* **1.** Всякое скачкообразное изменение чего-л. **2.** Перемена, перелом голоса у мальчиков-подростков с наступлением половой зрелости.

**Мутацио́нный**, -ая, -ое. *Мутационный период.*

**МУ́ФТА**, -ы, ж. [Голл. mouwtje или нем. Muffe]. Род открытого с двух сторон теплого, обычно мехового, мешочка для согревания рук. *Она сидела в шубке, держа обе руки в муфте.* Чехов. Моя жизнь.

**МУХО́РТЫЙ**, -ая, -ое. Гнедой с желтоватыми подпалинами (о масти лошади).

**МУШКЕ́Т**, -а, м. [Франц. mousquet]. Старинное фитильное ружье крупного калибра, стреляющее с особой подставки. *Было приказано — зарядить мушкеты, два патрона.. положить на пазуху, по две пули положить за щеку.* А. Н. Толстой. Петр I.

**Мушке́тный**, -ая, -ое. *Мушкетный ствол. Мушкетная стрельба.*

**МУШКЕТЁР**, -а, м. [Франц. mousquetaire]. В старину: солдат-пехотинец, вооруженный мушкетом (во Франции — солдат гвардейской кавалерии). *У чугунных пушек дремал в бараньем тулупе немец-мушкетер.* А. Н. Толстой. Петр I.

**Мушкетёрский**, -ая, -ое. Мушкетерский полк.

**МУШТРА́**, -ы́, ж. [Польск. musztra; восх. к ср.-лат. monstra — показ, смотр]. Суровая система воспитания, обучения (первонач. военного). *После первых дней отдыха для солдат настали прежние тяжелые дни. Опять началась шагистика, муштра.* Л. Никулин. России верные сыны.

**МШИ́СТЫЙ**, -ая, -ое; мшист, -а, -о. Обильно поросший мхом. *Мшистое болото.* ☐ *По мшистым, топким берегам Чернели избы здесь и там.* Пушкин. Медный всадник.

С и н.: обомшёлый, замшёлый.

**МЫ́ЗА**, -ы, ж. [Эст. mõiz]. Отдельно стоящая усадьба с хозяйственными постройками (преимущ. в Прибалтике). *[Отец] еще молодой убежал.. от пана Сапеги в Эстляндию и около Мариенбурга арендовал маленькую мызу. Там мы все родились, — четыре брата, две сестры и — я младшая.* А. Н. Толстой. Петр I.

**МЫСЛЕ́ТЕ**, *нескл., ср.* Устарелое название буквы «м».

**МЫСЛИ́ТЕЛЬ**, -я, м. Человек, наделенный способностью глубокого, философского мышления. *Древние мыслители.*

С и н.: фило́соф, мудре́ц (*устар.*).

**МЫСЛЬ**, -и, ж. 1. *ед.* Мыслительный процесс, мышление. *Человеческая мысль.* ☐ *Мысль! великое слово! Что же и составляет величие человека, как не мысль?* Пушкин. Путешествие из Москвы в Петербург. 2. Результат процесса мышления (в форме суждения или понятия). *Неожиданная мысль.* ☐ *— Я хотел сказать только, что все мысли, которые имеют огромные последствия, — всегда просты.* Л. Толстой. Война и мир. 3. То, что заполняет сознание; дума. *Погрузиться в свои мысли.* ☐ *Глаза его читали, Но мысли были далеко.* Пушкин. Евгений Онегин. ◇ **Задняя мысль** — скрытое намерение, тайный умысел. **Образ мыслей** — система взглядов, представлений, воззрений. **Собраться (собираться) с мыслями** — сосредоточиться (сосредоточиваться) на чем-л.

С и н. (к 3 знач.): размышле́ние, разду́мье, по́мысел (*книжн.*), помышле́ние (*устар.*).

**МЫШЛЕ́НИЕ**, -я и **МЫ́ШЛЕНИЕ**, -я, ср. Способность человека мыслить, рассуждать; особая, высшая ступень в процессе отражения сознанием объективной действительности. *Процессы мышления. Мозг — орган мышления. Логическое, образное мышление. Законы мышления.* ☐ *От живого созерцания к абстрактному мышлению и от него к практике — таков диалектический путь познания истины, познания объективной реальности.* Ленин, т. 29, с. 152—153.

**МЭР**, -а, м. [Франц. maire]. В некоторых странах: глава муниципалитета, городского правления. *Мэр города Филадельфии.*

**МЮ́ЗИКЛ**, -а, м. [Англ. musical или musical comedy — музыкальная комедия]. Представление, преимущ. комедийного характера, сочетающее в себе элементы эстрады, оперетты и балета, а также кинофильм такого рода. *Французы привезли фильмы разных жанров — комедии, драмы, изящный мюзикл «Девушки из Рошфора», приключенческие ленты.* В. Фролов. Шесть вечеров — шесть фильмов.

**МЮ́ЗИК-ХО́ЛЛ**, -а, м. [Англ. music-hall — концертный зал]. Вид эстрадного театра, в программе которого чередуются эстрадные, цирковые, балетные, музыкальные номера легкого жанра.

**МЯ́ГКИЙ**, -ая, -ое; мя́гок, мягка́, мя́гко. 1. Не жесткий, легко поддающийся давлению, сжатию и вызывающий приятное ощущение. *Мягкая постель. Мягкая обувь. Мягкий хлеб.* 2. Приятный для глаз и слуха; не раздражающий, не резкий. *Мягкий голос. Мягкий свет.* ☐ *Утренний ветерок веял мягкой прохладой.* И. Гончаров. Обрыв. 3. Не очень строгий, снисходительный. *Мягкое наказание. Мягкий приговор. Мягкое обращение.* 4. *перен.* Кроткий, уступчивый, поддающийся какому-л. воздействию, напору. *Мягкий характер.* ☐ *Отец [Анны Акимовны] был мягкая.. душа.* Чехов. Бабье царство. 5. Умеренно теплый, не суровый (о климате, погоде). *Мягкий климат. Мягкая зима.* ◇ **Мягкий вагон** — пассажирский вагон с мягкими спальными местами. **Мягкая вода** — вода, содержащая мало извести и легко растворяющая мыло. **Мягкая посадка** — плавная посадка (летательного аппарата).

С и н. (к 3 знач.): терпи́мый, либера́льный (*разг.*). С и н. (к 4 знач.): покла́дистый, пода́тливый, сгово́рчивый, усту́пчивый.

А н т. (к 1 и 4 знач.): жёсткий, твёрдый. А н т. (ко 2 знач.): ре́зкий. А н т. (к 3 и 5 знач.): суро́вый.

**Мя́гко**, *нареч.* (к 1, 2, 3 и 4 знач.). *Мягко взбитая перина. Мягко приземлиться. Мягко пожурить кого-л. Мягко возразить.* **Мя́гкость**, -и, ж. *Мягкость климата.*

**МЯГКОСЕРДЕ́ЧНЫЙ**, -ая, -ое; -чен, -чна, -о. Обладающий душевной мягкостью, добрый, отзывчивый. *Мягкосердечный человек.*

С и н.: добродушный, добросерде́чный.

**Мягкосерде́чность**, -и, ж.

**МЯКИ́НА**, -ы, ж. Отходы при обмолоте (остатки колосьев, стеблей, листьев). *Пшеничная, овсяная мякина.* ☐ *Начали веять: подбрасывали зерно деревянными лопатами почти к потолку. Ветер относил мякину и пустые колосья далеко в сторону, чистая рожь падала на ток.* Арамилев. В горах Урала. ◇ **На мякине не проведешь** *кого* — об опытном человеке, которого трудно обмануть.

**Мяки́нный**, -ая, -ое. *Мякинная пыль.*

**МЯТЕ́Ж**, -а́, м. Стихийное восстание, а также вооруженное выступление, возникшее в результате заговора против государственной власти. *Контрреволюционный мятеж. Подавить мятеж.* ☐ *Он какою угодно ценой рад был загладить участие свое в стрелецком мятеже.* А. Н. Толстой. Петр I.

С и н.: бунт, возмуще́ние (*устар.*).

**Мяте́жник**, -а, м.

**МЯТЕ́ЖНЫЙ**, -ая, -ое; -жен, -жна, -о. 1. *полн. ф.* Причастный к мятежу, поднимающий мятеж. *Мазепа, в думу погруженный, Взирал на битву, окруженный Толпой мятежных казаков.* Пушкин. Полтава. **2.** *Трад.-поэт.* Тревожный, неспокойный, бурный; мятущийся. *Мятежная душа. Мятежная жизнь.* ☐ *Я мечтаю только лишь о том, Чтоб скорее от тоски мятежной Воротиться в низенький наш дом.* Есенин. Письмо матери.

С и н. (*к 1 знач.*): воста́вший. С и н. (*ко 2 знач.*): беспоко́йный.

**Мяте́жно,** *нареч.* (*ко 2 знач.*). **Мяте́жность,** -и, *ж.* (*ко 2 знач.*).

**МЯТУ́ЩИЙСЯ,** -аяся, -ееся. Находящийся в смятении, тревоге, сильном волнении. *[Дальский] обладал выдающимся талантом и мятущейся душой.* Юрьев. Записки.

С и н.: беспоко́йный, трево́жный, мяте́жный (*трад.-поэт.*).

# Н

**НАБА́Б** см. **наоб**.

**НАБАЛДА́ШНИК,** -а, *м.* Утолщение или надставка на верхнем конце чего-л. (обычно трости, палки). *[На портрете] был представлен человек лет тридцати.. Рукой опирался он на трость с золотым набалдашником.* Тургенев. Три портрета. *Кумачовый платок упал с ее.. волос, пронзенных булавкой с крупным золотым набалдашником.* Штемлер. Универмаг.

**НАБА́Т,** -а, *м.* [Восх. к араб. naubât (*мн.*) — барабаны, в которые бьют перед домами знатных людей]. **1.** В старину: большой войсковой барабан. *[Царь:] Саженные набаты Везут за ним, стотысячное войско Кругом его.* А. Островский. Тушино. **2.** Сигнал тревоги, подаваемый ударами колокола (при пожаре, наводнении, нападении врагов или другом бедствии). *Мирная жизнь была нарушена тревогой, набатом, торопливо сзывавшим испуганное село к месту неожиданной беды.* Бунин. Худая трава. ◊ **Бить** (или **ударя́ть** и т. п.) **в набат; бить набат** — 1) звоном колокола оповещать о бедствии, сзывать на помощь. *Беда.. Матвеев да Нарышкины только-что царевича Ивана задушили.. Где-то ударил колокол.., и все сорок сороков московских забили набат.* А. Н. Толстой. Петр I; 2) (*перен.*) усиленно призывать обратить внимание на что-л., грозящее опасностью, неприятными последствиями. *Понимают, что губят тайгу, губят природу, но остановиться, оглянуться, ударить в набат — недосуг.* Анненков. Сначала будет очерк.

**Наба́тный,** -ая, -ое.

**НАБО́Б,** -а и (*устар.*) **НАБА́Б,** -а, *м.* [Восх. к араб. nawwâb (*мн.*) от nā'ib — наместник]. **1.** В 17 в.: титул правителей индийских провинций, отколовшихся от империи Великих Моголов, а также лицо, носящее этот титул. *Индийский набоб.* ☐ *Мне представилось, что я царь, шах,.. набоб.* Радищев. Путешествие из Петербурга в Москву. **2.** *перен.* О человеке, разбогатевшем в колониях, гл. образом в Индии, а также вообще о богаче, ведущем расточительный образ жизни. *Теперь дело за согласием Луши.. Конечно, это будет неравный брак, но разве мало таких.. устраивают русские набобы.* Мамин-Сибиряк. Горное гнездо.

**НА́БОЖНЫЙ,** -ая, -ое; -жен, -жна, -о. **1.** Религиозный, усердно соблюдающий религиозные обряды. *Набожный рыбак Федор из Олеиза задолго до белужьей ловли теплит в своем шалаше перед образом Николая Угодника.. лампадки.* Куприн. Листригоны. **2.** Свойственный такому человеку. *Набожное смирение.*

С и н.: благочести́вый, богомо́льный, богобоя́зненный.

**На́божно,** *нареч.* **На́божность,** -и, *ж.*

**НАБО́Р,** -а, *м.* **1.** Совокупность предметов, образующих нечто целое. *Набор маникюрных инструментов.* **2.** Совокупность типографских литер, воспроизводящих какой-л. текст. **3.** Украшение в виде металлических пластинок (на конской упряжи, ременном поясе и т. п.). *Серебряный набор.*

**Набо́рный,** -ая, -ое (*ко 2 и 3 знач.*).

**НАБО́РЩИК,** -а, *м.* Работник типографии, производящий набор текста. *— Я — наборщик, я умею складывать буквы в тугие строки, у меня в пальцах хорошая, благородная профессия.* Горбатов. Мое поколение.

**НАБРО́СОК,** -ска, *м.* **1.** Предварительно, бегло сделанный рисунок, чертеж и т. п., намечающий общие черты того, что должно быть изображено. *Карандашный набросок.* ☐ *Я вынул мой альбом, сделал несколько набросков хижин.* Миклухо-Маклай. Путешествия. **2.** Что-л. написанное предварительно, намеченное в общих чертах (о литературном произведении, докладе и т. п.). *Можно пока начертить лишь наброски к портрету этого человека [А. М. Горького], могуче вставшего на рубеже двух значительнейших наших эпох.* Леонов. О Горьком.

С и н. (*к 1 знач.*) эски́з.

**НАВАЖДЕ́НИЕ,** -я, *ср.* **1.** В суеверных представлениях: то, что внушено злыми силами с целью соблазна; мираж, призрак. *От страха перед лесными наваждениями Настя не понимала, что говорили ей.* М. Алексеев. Ивушка неплакучая. **2.** *перен.* О том, что воспринимается как поразительное, нереальное. *Шесть лет жизни с Виктором Семеновичем Лизе и теперь еще кажутся наваждением.* Федин. Необыкновенное лето. ◊ **Что за наваждение!** — о чем-л. непонятном, необъяснимом для кого-л.

**НАВЕСТИ́,** -еду́, -едёшь; наве́дший; наведённый; -дён, -дена́, -о́; наведя́; *сов.* **1.** *кого, что на что.* Ведя, указать путь, привести куда-л., к чему-л. *Навести на след.* ☐ *Пойдем-ка, я тебя на стадо наведу, где сбережем верней мы наши шкуры.* И. Крылов. Волк и Волчонок. **2.** *перен., кого на что.* Натолкнуть, направить (на мысль, догадку и т. п.). *Навести на подозрение.* ☐ *Выстрел навел охотников на размышления. Ночью в тайге могли стрелять только в случае крайней нужды.* Г. Марков. Строговы. **3.** *перен., что.* Внушить, вызвать (грусть, страх, тоску и т. п.). *За время боев в предгорьях они навели на фашистов такой страх, что те боялись даже упоминания о казаках.* Закруткин. Кавказские записки. **4.** *что.* Направить на кого-, что-л., в кого-, что-л. *Наве-*

сти бинокль, фонарь, орудие. **5.** *что.* Устроить, построить. *Навести мост.* ◇ **Навести критику** *на кого, что* — раскритиковать кого-, что-л. **Навести справку (справки)** — узнать, справиться о ком-, чем-л.

С и н. *(ко 2 и 3 знач.):* породи́ть, зароди́ть, зарони́ть, вы́звать, возбуди́ть, навея́ть *(книжн.),* разбуди́ть *(высок.),* всели́ть *(высок.),* посе́ять *(высок.).* С и н. *(к 4 знач.):* наце́лить, наста́вить, устреми́ть, обрати́ть, уста́вить *(разг.).*

**Наводи́ть**, -ожу́, -о́дишь; *несов.* **Наведе́ние**, -я, *ср. (ко 2, 3 и 5 знач.)* и **наво́дка**, -и, *ж. (к 4 знач.).*

**НАВЕ́Т**, -а, *м. Устар.* Ложное обвинение, наговор, клевета. *Злостные, клеветнические наветы.* □ *Все это было ложью, выдумкой, наветом.* Федин. Старик.

С и н.: инсинуа́ция *(книжн.),* поклёп *(разг.),* изве́т *(устар.),* огово́р *(устар. и прост.),* напра́слина *(устар. и прост.).*

**НАВЕ́ЯТЬ**, -е́ю, -е́ешь; наве́явший; наве́янный; -ян, -а, -о; наве́я; *сов.* **1.** *что или чего.* Вея, дуя, принести с собой. *Навеять прохлады. Навеять сугробы снега.* **2.** *перен., что.* Привести в какое-л. состояние, вызвать какое-л. настроение. *Все было холодно, черно, зловеще. Гавриле стало страшно! Этот страх был хуже страха, навеянного на него Челкашом; он.. сжал его в робкий комок и приковал к скамье лодки.* М. Горький. Челкаш.

С и н. *(ко 2 знач.):* внуши́ть, возбуди́ть, зароди́ть, зарони́ть, навести́, посели́ть *(книжн.),* разбуди́ть *(высок.),* всели́ть *(высок.),* посе́ять *(высок.).*

**Навева́ть**, -а́ю, -а́ешь; *несов.*

**НА́ВЗНИЧЬ**, *нареч.* На спину, лицом вверх. *Опрокинуться навзничь.* □ *Новый приступ хохота уложил Давыдова навзничь.* Шолохов. Поднятая целина.

**НАВИГА́ЦИЯ**, -и, *ж.* [Восх. к лат. navigatio]. **1.** Судоходство, мореплавание, а также период года, когда по климатическим условиям возможно судоходство. *Открыть навигацию.* □ *В горячке первых дней навигации буксиры, сминая серые ветки, шпарят прямо по тальникам.* Липатов. Глухая мята. **2.** Методы, средства, приемы вождения судов в море и управления летательными аппаратами над поверхностью земли или в космосе; наука о таких методах управления. *Воздушная, космическая, морская, речная навигация. Практическая навигация. Обучение навигации.*

С и н. *(ко 2 знач.):* кораблевожде́ние, судовожде́ние.

**Навигацио́нный**, -ая, -ое. *Навигационный период. Навигационные науки.*

**НАВЛЕ́ЧЬ**, -леку́, -лечёшь; навлёкший; навлечённый; -чён, -чена́, -о́; *сов., что обычно на кого, что.* Вызвать какие-л. последствия (обычно нежелательные). *Навлечь на себя подозрение.* □ *Твой недосказанный упрек Я разгадать вполне не смею. Твой гнев ужели я навлек?* Пушкин. Ответ А. И. Готовцевой.

**Навлека́ть**, -а́ю, -а́ешь; *несов.*

**НАВОДНИ́ТЬ**, -ню́, -ни́шь; наводни́вший; наводнённый; -нён, -нена́, -о́; наводни́в; *сов.* **1.** *что. Устар.* Залить водою, затопить. *Река наводнила низины.* **2.** *перен., что кем, чем.* Заполнить чрезвычайно большим количеством кого-, чего-л. *Более всего было австрийских шпионов, которыми австрийская тайная полиция наводнила город.* Л. Никулин. России верные сыны.

С и н. *(ко 2 знач.):* заполони́ть *(разг.),* запруди́ть *(разг.).*

**Наводня́ть**, -я́ю, -я́ешь; *несов.* *Наводнять рынок товарами.*

**НАВЯ́ЗЧИВЫЙ**, -ая, -ое; -ив, -а, -о. **1.** Надоедливо пристающий с чем-л. *[Окоемов:] Она женщина навязчивая; она меня преследует своей любовью.* А. Островский. Красавец-мужчина. **2.** *перен.* Крепко засевший в сознании, постоянно возникающий в памяти. *Навязчивый мотив.* □ *Захар настойчиво пытался вспомнить, где он его видел раньше,.. и вот теперь эта навязчивая мысль опять появилась.* Проскурин. Судьба.

С и н.: назо́йливый, неотвя́зный, доку́чливый и доку́чный, надое́дливый *(разг.)* и надое́дный *(разг.),* прили́пчивый *(разг.),* неотвя́зчивый *(разг.),* привя́зчивый *(разг.).*

**Навя́зчиво**, *нареч.* **Навя́зчивость**, -и, *ж.*

**НАГА́Н**, -а, *м.* [По имени бельгийского конструктора Л. Нагана]. Многозарядное ручное огнестрельное оружие с магазином в виде вращающегося барабана. *В комиссариате нам выдали наганы и сформировали часть особого назначения.* В. Кожевников. Александр Иванович.

**НАГА́Р**, -а, *м.* **1.** Обуглившийся при горении кончик фитиля, лучины и т. п. *Мусин-Пушкин снимал нагар со свечи черными от копоти щипцами.* Задорнов. Хэда. **2.** Окалина на металле, образующаяся при горении. *[Механик] снял крышку распределителя зажигания,.. осмотрел контакты, заросшие седым нагаром.* Г. Семенов. Сладок твой мед...

**НАГНЕТА́ТЬ**, -а́ю, -а́ешь; нагнета́ющий, нагнета́вший; нагнета́емый; нагнета́я; *несов., что.* **1.** Давлением перемещать и сосредоточивать в замкнутом пространстве (жидкость, газ, сыпучие тела). *Нагнетать газ в баллоны.* □ *Воздух, нагнетаемый четырьмя вертикальными двухсаженными поршнями в трубы, устремлялся по ним с ревом.* Куприн. Молох. **2.** *перен.* Создавать напряженную, гнетущую обстановку. *Нагнетать тоску, скуку.*

**Нагнести́**, -ету́, -етёшь; *сов.* (к 1 знач.). **Нагнета́ние**, -я, *ср. Нагнетание международной напряженности.*

**НАГОВО́Р**, -а, *м.* **1.** *Разг.* Лживые сведения, распространяемые, чтобы опорочить кого-л. *Наговоры Ксенофонтовны ни у кого не имели успеха, и даже ее наперсница Степанида цыкнула:* — *Перестань язык чесать.* Николаева. Жатва. **2.** В суеверных представлениях: заклинание, имеющее магическую силу. — *Агафья травами лечит и наговорами,* — *а толку никакого.* Бирюков. Чайка.

С и н. *(к 1 знач.):* клевета́, инсинуа́ция *(книжн.),* поклёп *(разг.),* наве́т *(устар.),* изве́т *(устар.),* огово́р *(устар. и прост.),* напра́слина *(устар. и прост.).* С и н. *(ко 2 знач.):* за́говор, закля́тие *(устар.).*

**НАГО́Й**, -а́я, -о́е; наг, нага́, на́го. **1.** Голый, без одежды. *Руки были нагие почти до локтей,* а выше шли складки белой кофточки. Сергеев-Ценский. Бабаев. **2.** Лишенный растительности или со скудной растительностью (о деревьях, местности и т. п.). *Сквозь вершины осин, берёз и лип нагих Сияет луч светил ночных.* Пушкин. Евгений Онегин. **3.** *перен.* Предстающий в своём истинном, настоящем, неприкрытом виде. *После чтения романа [«Мастер и Маргарита» М. Булгакова] глубже всего вторгается.. эта великолепная проза, нагая точность которой вдруг заставляет вспоминать о лермонтовской и пушкинской прозе.* Симонов. На разные темы.

С и н. (к 1 и 2 знач.): обнажённый, оголённый, голый.

**НАГО́ЛЬНЫЙ**, -ая, -ое. **1.** Сшитый из шкур кожей наружу и не покрытый тканью. *Нагольный тулуп.* □ *Около саней легонько бежал молодой мужик в новом полушубке и одеревеневших от снегу нагольных сапогах.* Бунин. Танька. **2.** *перен. Устар. разг.* Являющийся в истинном, неприкрытом, явном виде. *[Кулигин:] В мещанстве, сударь, вы ничего, кроме грубости да бедности нагольной, не увидите.* А. Островский. Гроза.

**НАДВО́РНЫЙ**, -ая, -ое. Находящийся на дворе, в усадьбе. *Дом этот был старый, мрачный, очень обширный, двухэтажный, с надворными строениями и с флигелем.* Достоевский. Братья Карамазовы. ◊ **Надворный советник** — в дореволюционной России: гражданский чин седьмого класса. **Надворный суд** — в России 18—19 вв.: судебный орган для дворян. *В совете излюбленных крестьян было решено: определить Стёпку-балбеса в надворный суд.* Салтыков-Щедрин. Господа Головлевы.

**НАДГРО́БИЕ**, -я, *ср.* **1.** Могильный памятник. *Горный простор окружает одинокую пустынную могилу. Сняв шляпу, долго стою над каменным надгробием.* Соколов-Микитов. В горах Тянь-Шаня. **2.** *Устар.* Надпись на могильном памятнике. *На гробницах, которыми усыпано всё пространство этого кладбища, вырезаны надгробия неподвижным мертвым для живых проходящих.* Жуковский. Самоотвержение власти.

С и н. (ко 2 знач.): эпита́фия.

**НАДЕ́ЖДА**, -ы, *ж.* Ожидание чего-л. желаемого, связанное с верой в его осуществление. *После девяти часов стал накрапывать дождь. И не было никакой надежды, что небо прояснится.* Чехов. Попрыгунья. ◊ **Льстить себя надеждой** (*книжн.*) — надеяться, утешать себя надеждой. *[Я] льщу себя надеждой, что господа помпадуры приобретут мою книгу.* Салтыков-Щедрин. Помпадуры и помпадурши. **Питать надежду (надежды)** — надеяться. *[Дон Гуан:] Я не питаю дерзостных надежд, Я ничего не требую.* Пушкин. Каменный гость. **Подавать надежды (надежду)** — проявлять способности в начале какой-л. деятельности, на каком-л. поприще. *Ваш сын надежду подаёт быть офицером, из ряду выходящим по своим занятиям, твёрдости и исполнительности.* Л. Толстой. Война и мир.

С и н.: упова́ние (*книжн.*), ча́яние (*высок.*).

**НАДЕ́Л**, -а, *м.* В дореволюционной России: участок земли, выделенный в пользование крестьянской семье. *Крестьянский надел. Получить надел.* □ *Четверо суток не возвращались пахари с поля. За это время «бригада» Пинчука вспахала и посеяла наделы двум семьям.* М. Алексеев. Солдаты.

**Наде́льный**, -ая, -ое.

**НАДЗВЁЗДНЫЙ**, -ая, -ое. *Трад.-поэт.* Не связанный с земным, находящийся за пределами реального, видимого мира. *[Демон:] Тебя я, вольный сын эфира, Возьму в надзвёздные края, И будешь ты царицей мира, Подруга первая моя.* Лермонтов. Демон.

**НАДЗИРА́ТЕЛЬ**, -я, *м.* **1.** В дореволюционной России: должностное лицо, которое занималось надзором, наблюдением за кем-, чем-л. *Полицейский надзиратель.* □ *Он.. сходит завтра к надзирателю, так надзиратель отыщет, кто взял шинель.* Гоголь. Шинель. **2.** Лицо, осуществляющее специальное наблюдение за осуждёнными. *Тюремный надзиратель.* □ *Однажды в день свиданий в камеру третьего этажа вошёл младший надзиратель.* Коптелов. Большой зачин.

**Надзира́тельница**, -ы, *ж.* (ко 2 знач.). **Надзира́тельский**, -ая, -ое.

**НАДЛЕЖА́ТЬ**, -жи́т; надлежа́щий, надлежа́вший; *несов., кому с неопр. Книжн.* Быть необходимым, подобать. *— Эх, Пётр Андреич! Надлежало бы мне посадить тебя под арест, да ты уж и без того наказан.* Пушкин. Капитанская дочка.

**НАДЛО́М**, -а, *м.* **1.** Получение трещины от сгибания, надавливания, а также сама трещина, образованная такими действиями. *Надлом стебля, сосны, балки.* **2.** *ед., перен.* Резкое ослабление душевных и физических сил в результате какого-л. переживания, потрясения. *С этой ночи в Ромашове произошёл глубокий душевный надлом.* Куприн. Поединок. **3.** *перен.* Чрезмерная, болезненная резкость в проявлении какого-л. чувства. *[Отец] смущённо улыбнулся и крикнул с надломом в голосе: — Ну, вы там... как-нибудь... приживётесь.* Ф. Гладков. Вольница.

С и н. (ко 2 и 3 знач.): надры́в.

**НАДМЕ́ННЫЙ**, -ая, -ое; -е́нен, -е́нна, -о. **1.** Высокомерно, пренебрежительно относящийся к окружающим. *Жестокая и отчасти надменная натура Негрова.. глубоко оскорбляла её.* Герцен. Кто виноват? **2.** Выражающий высокомерие, презрение. *Надменный вид.* □ *Её лицо не понравилось матери — оно казалось надменным.* М. Горький. Мать.

С и н.: го́рдый, высокоме́рный, кичли́вый, спеси́вый, наду́тый, напы́щенный, зано́счивый, чва́нный (*разг.*), чванли́вый (*разг.*).

**Надме́нно**, *нареч.* Держаться надменно. **Надме́нность**, -и, *ж.*

**НАДРУГА́ТЕЛЬСТВО**, -а, *ср. Книжн.* Грубое, оскорбительное издевательство над кем-, чем-л. *Золотухина сумела огородить себя от тех надругательств, которые так часто испытывает бедный люд в невежественном и грубом захолустном кругу.* Салтыков-Щедрин. Пошехонская старина.

Син.: оскорбле́ние, оскверне́ние (книжн.), поруга́ние (устар. и высок.).

**НАДРЫ́В**, -а, м. **1.** Неполный разрыв чего-л., а также само надорванное место. *Надрыв билета.* **2.** *перен.* Чрезмерное, мучительное усилие. *Кашлять с надрывом.* □ *Измокшие плотники работали с надрывом, с проклятиями.* Шишков. Угрюм-река. **3.** *перен.* Резкое ослабление душевных и физических сил в результате какого-л. переживания, потрясения.— *Будем жить, Николай Николаевич, без надрыва — просто и искренно.* Ф. Гладков. Энергия. **4.** *перен.* Чрезмерная, болезненная возбуждённость.— *Почему так мрачно настроены? — Нет, вы мне скажите! — с надрывом выкрикнул Сморчков.* Ажаев. Далеко от Москвы.

Син. (к 3 и 4 знач.): надло́м.

**Надры́вный**, -ая, -ое (к 4 знач.). *Надрывный плач.*

**НАДСМО́ТРЩИК**, -а, м. Должностное лицо, которое осуществляет контроль, надзор за кем-, чем-л. *Путевой надсмотрщик. Тюремный надсмотрщик.*

**Надсмо́трщица**, -ы, ж. *[Военнопленных] перегнали в другой лагерь, и там, в женском отделении лагеря, была надсмотрщица.* Фадеев. Молодая гвардия.

**НАДСТРО́ЙКА**, -и, ж. **1.** Надстроенная часть какого-л. сооружения. **2.** Совокупность общественных идей и взглядов (политических, правовых, нравственных, эстетических, религиозных, философских), соответствующих им учреждений и идеологических общественных отношений, определяемых экономическим базисом данного общества. *Взглянув на все общественные явления, на весь порядок вещей и всю идеологическую надстройку с точки зрения «мужика», Белинский пришел к последним своим, самым зрелым решениям и в области философии, и в области социологии, и в области эстетики.* Кирпотин. Салтыков-Щедрин.

**Надстро́ечный**, -ая, -ое.

**НАДУ́МАННЫЙ**, -ая, -ое; -ан, -анна, -о. Лишенный естественности, придуманный. *Надуманный сюжет.* □ *[Мне] казалось, что все люди живут фальшивой, надуманной жизнью.* М. Горький. В людях.

**Наду́манность**, -и, ж.

**НАЁМ**, на́йма, м. Прием на работу за плату, вознаграждение. *Наем рабочей силы. Работать по найму.*

**Наёмный**, -ая, -ое. *Наемный рабочий.*

**НАЁМНИК**, -а, м. **1.** *Устар.* Наемный работник, рабочий. **2.** Тот, кто состоит в наемном войске. *В их [неаполитанских солдат] армии находилось несколько тысяч немецких наемников.* Чернышевский. Общий очерк хода событий в южной и средней Италии. **3.** *кого, чего или какой. Презр.* О том, кто из низких, корыстных целей защищает чужие интересы. *Наемники гитлеровцев.*

Син. (к 1 и 3 знач.): найми́т.

**Наёмница**, -ы, ж. (к 1 знач.). **Наёмнический**, -ая, -ое (к 1 и 2 знач.).

**НАЗВА́НЫЙ**, -ая, -ое. *Устар.* Неродной, приемный (в сочетании со словами брат, сестра, сын, дочь и т. п.). *[Бобылиха:] Живи себе! Да помни и об нас, Родителях названых!* А. Островский. Снегурочка.

**НАЗИДА́НИЕ**, -я, *ср. Книжн.* Поучение, наставление. *Что мы хотим себе почерпнуть в повести? Неужели назидание? Неужели правильный взгляд на жизнь и природу?* Добролюбов. Две юношеские статьи.

Син.: нравоуче́ние, нота́ция.

**НАЗИДА́ТЕЛЬНЫЙ**, -ая, -ое; -лен, -льна, -о. *Книжн.* Поучительный. *Говорить назидательным тоном.* □ *Наталья должна была каждое утро читать исторические книги, путешествия и другие назидательные сочинения.* Тургенев. Рудин.

Син.: нравоучи́тельный, наставительный, дидакти́ческий (книжн.).

**Назида́тельно**, *нареч.* **Назида́тельность**, -и, ж.

**НАЗНАЧЕ́НИЕ**, -я, *ср.* **1.** Основная функция чего-л., предназначенность для чего-л. *Знать назначение инструментов. Использовать что-л. не по назначению.* **2.** *Книжн.* Цель, предназначение. *Историческое назначение.* □ *В Обломовке никто не задавал себе вопроса: зачем жизнь, что она такое, какой ее смысл и назначенье?* Добролюбов. Что такое обломовщина?

Син. (ко 2 знач.): предначерта́ние (высок.), предопределе́ние (устар.).

**НАЗО́ЙЛИВЫЙ**, -ая, -ое; -ив, -а, -о. **1.** Непрерывный и однообразный. *Назойливое жужжание. Назойливый дождь.* **2.** Надоедающий приставаниями, не оставляющий в покое. *Назойливые расспросы.* □ *Очевидно, рассерженная пианистка сама хотела сделать выговор приходящему не в урочный час назойливому посетителю.* Л. Толстой. Воскресение.

Син. (ко 2 знач.): навя́зчивый, неотвя́зный, доку́чливый и доку́чный, надое́дливый (разг.) и надое́дный (разг.), неотвя́зчивый (разг.), привя́зчивый (разг.).

**Назо́йливо**, *нареч.* *Назойливо упрашивать.* **Назо́йливость**, -и, ж.

**НАИ́ВНЫЙ**, -ая, -ое; -вен, -вна, -о. **1.** По-детски непосредственный, неискушенный, доверчивый. *Наивный ребенок. Быть слишком наивным.* □ *Была она когда-то институткой, тоненькой, наивной девочкой, верившей, что французские булки растут на деревьях.* Куприн. Путешественники. **2.** Выражающий простодушие, доверчивость, вызванный жизненной неискушенностью. *Наивный взгляд. С наивным видом.* □ *[Онегин] так холодно отвергал чистую, наивную любовь прекрасной девушки.* Белинский. Сочинения Александра Пушкина. **3.** Безыскусственно-простой, непосредственный, бесхитростный. *Наивная песенка. Наивные слова.*

Син. (ко 2 знач.): бесхи́тростный, неви́нный, простосерде́чный, простоду́шный. Син. (к 3 знач.): просто́й, нехи́трый.

**Наи́вно**, *нареч.* **Наи́вность**, -и, ж. ◊ **Свята́я наивность** (ирон.) — о том, кто отличается большой наивностью, детским простодушием.

**НАИ́ГРАННЫЙ**, -ая, -ое; -ан, -анна, -о. Напускной, притворный, неискренний. *Наигран-*

ная веселость. *Наигранное спокойствие.* □ *Подозрительна была быстрота, с которой она отказалась от наигранных жестов, театральных поз.* М. Горький. Жизнь Клима Самгина.

С и н.: де́ланный, жема́нный, иску́сственный, мане́рный, неесте́ственный, ненатура́льный, театра́льный, драмати́ческий, напряжённый, принуждённый, аффекти́рованный (книжн.).

**НА́ИГРЫШ**, -а, м. **1.** Народная инструментальная музыка, обычно плясовая. *Веселый наигрыш.* □ *Сумерки становятся густыми, и в них решительно врывается наигрыш гармоники.* Грибачев. Августовские звезды. **2.** Искусственная напряженность в актерской игре, а также неестественность, отсутствие непосредственности в чьем-л. поведении. *Петр встал.— Пойдем, Ивановна! Засиделись мы с тобой малость. Сказал — и самому противно стало от фальшивого наигрыша, от той неискренности, которой он ответил на участие и беспокойство сестры.* Абрамов. Дом.

**НАИПА́ЧЕ**, нареч. Устар. Тем более, в особенности. *Крепко жму руку и желаю всего вышеперечисленного, а наипаче всего здоровья.* Чехов. Письмо В. А. Тихонову, 5 января 1899 г.

**НАИ́ТИЕ**, -я, ср. Книжн. **1.** Вдохновение, как бы ниспосланное свыше. *Николай Александрович никогда не обдумывал заранее ни слов своих, ни поступков. Он намечал только их главное направление, предоставляя все остальное наитию, которое придет в нужную минуту.* А. Н. Толстой. Егор Абозов. **2.** чего. Влияние, воздействие. *Я засыпал иногда под наитием неясных дум и мечтаний.* Тургенев. Сон. ◇ **По наитию (свыше)** — по внезапной догадке, интуитивно. *Предотвратить его [смертный случай] смог бы разве какой-нибудь гениальный медик — по вдохновению, по наитию свыше.* Панова. Спутники. *Дюйшен учил нас так, как умел, как мог, как казалось ему нужным, что называется по наитию.* Айтматов. Первый учитель.

**НАЙМИ́Т**, -а, м. **1.** Устар. Тот, кто нанят для выполнения какой-л. работы, обязанностей; наемный работник.— *Был в том селе казак, по имени Опанас.. Служил Опанас за наймита у мельника.* Куприн. Лесная глушь. **2.** кого, чего или какой. Презр. Человек, защищающий чужие интересы из корыстных целей. *Фашистские наймиты.*

С и н.: наёмник.

**НАКАЛИ́ТЬ**, -лю́, -ли́шь; накали́вший; накалённый; -лён, -лена́, -о́; накали́в; сов. **1.** что. Нагреть до очень высокой температуры. *Пламя бурлило в раскрытой дверце печки; по ее накаленному железу пробегали вишневые искорки.* Бондарев. Горячий снег. **2.** перен., кого, что. Сделать крайне напряженным, неспокойным. *Накалить обстановку. Накаленные (в знач. прил.) отношения между кем-л.* ◇ *Короткая передышка понадобилась ему лишь для того, чтобы еще сильнее накалить трагическую ситуацию.* Арский. В стране мифов.

**Накали́ть**, -я́ю, -я́ешь; несов. **Нака́л**, -а, м. *Накал лампы. Накал страстей.*

**НАКИ́ДКА**, -и, ж. **1.** Верхняя одежда без рукавов, набрасываемая на плечи. **2.** Женский головной убор в виде покрывала, спускающегося на плечи и спину, а также покрывало, накидываемое на голову. *[Александра Гавриловна] разливает чай.. в кружевной головной накидке, придерживающей косу.* Салтыков-Щедрин. Пошехонская старина. **3.** Дневное покрывало для подушек на постели. *Вышитые накидки.*

**НАКЛА́ДКА**, -и, ж. **1.** Металлическая планка, петля с отверстиями, надеваемая на скобу для висячего замка. *Я сейчас в сарайчик,.. а ты снаружи накладку набрось и на палочку.* Ананьев. Межа. **2.** Устар. Изделие из чужих волос (парик, шиньон и т. п.). *Чепец прыгал у нее на голове вместе с накладкою.* Тургенев. Отцы и дети. **3.** Разг. Ошибка, промах, ведущий к неприятностям. *Проще всего было выполнить приказ о выходе из леса, но Алехин, уверенный, что получилась какая-то накладка, решил остаться.* Богомолов. В августе сорок четвертого.

**НАКЛАДНО́Й**, -а́я, -о́е. **1.** Наложенный, прикрепленный поверх чего-л. *Накладной карман.* □ *Вечером окна закрывались накладными ставнями.* А. Гончаров. Наш корреспондент. **2.** Искусственный, фальшивый. *Он носил парик, усы, бакенбарды..— все, до последнего волоска, накладное.* Достоевский. Дядюшкин сон.

С и н. (ко 2 знач.): подде́льный.

**НАКЛО́ННОСТЬ**, -и, ж. **1.** к чему. Склонность, расположенность. *Наклонность к полноте.* □ *Анна Сергеевна наследовала от отца частицу его склонности к роскоши.* Тургенев. Отцы и дети. **2.** обычно мн. Свойство характера, привычка к чему-л. *Он оговорил меня для моей же пользы, боясь, что дурные наклонности вновь пробудятся во мне.* Нагибин. Переулки моего детства.

С и н. (к 1 знач.): предрасположе́ние и предрасполо́женность.

**НАКОВА́ЛЬНЯ**, -и, ж. Специальное приспособление, опора из железа или стали, на которой производится ковка металлических изделий. *Я помню нашей наковальни В лесной тиши сиротский звон.* Твардовский. За далью — даль.

**НАКО́ЛКА**, -и, ж. Украшение из материи или кружев, которое накалывается на женскую прическу. *Из двери выплыла полная, пожилая женщина в трауре, с кружевной наколкой на голове, скрывавшей ее разъехавшуюся дорожку пробора.* Л. Толстой. Воскресение.

**НАЛЁТ**, -а, м. **1.** Стремительное приближение к кому-, чему-л., а также внезапное появление чего-л. *Деревья стояли печальные и при каждом налете ветра сыпали с себя брызги.* Чехов. Ненастье. **2.** Стремительное и внезапное нападение. *Бандитский налет.* **3.** Тонкий слой мельчайших частиц, осевших на какой-л. поверхности. *Трава, земля, крыши домов — все было покрыто тонким, белым налетом инея.* Куприн. Дознание. **4.** перен., чего. Слабое, незначительное проявление, признак чего-л. *Налет грусти.* □ *Какой-то налет, какой-то оттенок сказочности несут даже его [А. Платонова] военные рассказы.* Залыгин. Сказки реалиста и реализм сказочника. ◇ **С налёта, с налёту** — 1) не останавливая движения, на полном ходу. *Алексей с налета треснул одного по уху так, что тот покатился по земле.* Дубов. Горе одному; 2) (перен.) быстро, не задумываясь. *Брюханов почувствовал, что с налету в самой сути происходящего не разберешься.* Проскурин. Судьба.

С и н. (к 4 знач.): оттéнок, элемéнт (книжн.).

**НАЛИ́ЧЕСТВОВАТЬ**, -твую, -твуешь; налúчествующий, налúчествовавший; налúчествуя; несов. Книжн. Иметься в наличии, быть налицо. *Наличествовать все признаки заболевания.*

**НАЛИ́ЧИЕ**, -я, ср. Существование, присутствие (обычно в официальной речи). *Боевого оружия в наличии не имелось, кроме учебной винтовки.* Нагибин. В школу.

С и н.: налúчность (офиц.).

А н т.: отсýтствие.

**НАЛИ́ЧНИК**, -а, м. Накладная планка вокруг окна, двери (обычно фигурная или расписная). *Он подробно разглядел затененный тополями фасад, яркие голубые наличники, веселого петуха — флюгер.* Липатов. И это все о нем.

**НАЛО́Г**, -а, м. Установленный государством обязательный сбор с населения и предприятий. *Подоходный налог. Обложить налогом. Выплачивать налоги.*

**Нало́говый**, -ая, -ое. *Налоговый сбор.*

**НАЛО́ЖНИЦА**, -ы, ж. Устар. Рабыня, которая является любовницей феодала; вообще о любовнице, содержанке. *Семьсот жен было у царя [Соломона] и триста наложниц.* Куприн. Суламифь. *Никогда никто из девиц не слыхал от Васьки ни одного ласкового слова, хотя многие из них были его наложницами.* М. Горький. Васька Красный.

**НАЛО́Й**, -я, м. [От ср.-греч. analogion]. Устар. и прост. То же, что а н а л о й. *Мне венчаться тем венцом, Обручаться тем кольцом При святом налое.* Жуковский. Светлана.

**НАМА́З**, -а, м. [Восх. к перс. namāz]. Религиозный обряд у мусульман — чтение молитвы из стихов Корана, сопровождаемое установленными телодвижениями и ритуальными омовением. *И вижу я неподалеку У речки, следуя пророку, Мирной татарин свой намаз Творит, не подымая глаз.* Лермонтов. Валерик.

**НАМЕ́ДНИ**, нареч. Устар. и прост. На днях, недавно. *[Моцарт:] Намедни ночью Бессонница моя меня томила, И в голову пришли мне две, три мысли.* Пушкин. Моцарт и Сальери.

**НАМЁК**, -а, м. 1. Слово, выражение, содержащее скрытый смысл, который может быть понят только по догадке. *Тонкий, колкий, грубый намек.* □ *Сказка — ложь, да в ней намек, Добрым молодцам урок.* Пушкин. Сказка о золотом петушке. **2.** О действиях, наводящих на скрываемую мысль о чем-л. *И вот рубаху мужу Хозяйка привезла. Намек! — решил хозяин, Догадку затаил И в городе на платье Жене отрез купил.* Твардовский. Семейный спор. **3.** перен., на что. Слабое подобие, признак, след чего-л. *На [Обломове] был халат из персидской материи, настоящий восточный халат, без малейшего намека на Европу.* И. Гончаров. Обломов.

С и н. (к 1 знач.): экивóк (разг.).

**НАМЕ́РЕНИЕ**, -я, ср. Желание, предположение сделать, предпринять что-л.; замысел. — *Пусть он идет к начальнику штаба и подробно изложит ему свое положение, свои намерения и желания.* Л. Толстой. Хаджи-Мурат. ◊ **Без (всякого) намерения** — без какой-л. цели, помимо желания. *Жестокая и отчасти надменная натура Негрова часто вовсе без намерения глубоко оскорбляла ее.* Герцен. Кто виноват? **С намерением** — умышленно, нарочно. *Это был человек высокий, худой и как будто с намерением скрывавший свой взгляд под большими зелеными очками.* Достоевский. Неточка Незванова.

С и н.: план, проéкт.

**НАМЕ́СТНИК**, -а, м. **1.** В Древней Руси: управитель феодальной области, представлявший власть князя. *[Князь Олег] взял Смоленск и посадил в нем своего наместника.* Ключевский. Курс русской истории. **2.** В России в конце 18 — начале 20 в.: глава местного управления, а также правитель окраинных областей (Кавказа, Польши), обладавший правами верховной власти. *[Воронцов] владел большим богатством.. и огромным получаемым содержанием в качестве наместника.* Л. Толстой. Хаджи-Мурат. **3.** Лицо, временно облеченное политической властью. *Гитлеровские наместники.*

**Намéстница**, -ы, ж. (жена наместника) (ко 2 знач.). **Намéстнический**, -ая, -ое. *Наместническая власть. Наместническая канцелярия.*

**НАНА́ЙЦЫ**, -ев, мн. (ед. **нанáец**, -áйца, м.). Народ, населяющий берега нижнего течения Амура и берега правых притоков Уссури. *У проруби суетились нанайцы, то опуская в воду, то вытаскивая рыболовные снасти.* Ажаев. Далеко от Москвы.

**Нанáйка**, -и, ж. **Нанáйский**, -ая, -ое.

**НАНИЗА́ТЬ**, нанижý, нанúжешь; нанизáвший; нанúзанный; -ан, -а, -о; нанизáв, сов., что или чего. **1.** Надеть, насадить подряд (на нить, на спицу и т. п.), а также изготовить что-л. таким способом. *Нанизать связку баранок.* □ *Дверь была завешена длинными нитями разноцветного бисера, нанизанного так, что он образовал причудливый узор каких-то растений.* М. Горький. Фома Гордеев. **2.** перен. Легко и свободно подобрать, присоединить друг к другу (слова, фразы, мысли и т. п.). *Письмо читала Лукерья.. Рядом сидела старуха с улыбающимися глазами. Приятно ей было слушать музыку непонятных слов, нанизанных Серегой.* Неверов. Страшные вести.

**Нанúзывать**, -аю, -аешь; несов. *Нанизывать грибы на нитку.* **Нанúзывание**, -я, ср. *Нанизывание бус.*

**НА́НКА**, -и, ж. [От названия китайского города Нанкина]. Сорт грубой хлопчатобумажной ткани, обычно желтого цвета, ныне вышедшей из употребления. *Оставшись в заношенном крытом нанкой тулупчике.., проезжий сел на диване.* Л. Толстой. Война и мир.

**На́нковый**, -ая, -ое. *Нанковые шаровары.*

**НАНО́СНЫЙ**, -ая, -ое. **1.** Нанесенный течением воды, движением льда, ветра. *Наносный ил, песок. Наносная мель.* □ *Фарватер был за-*

пружен наносными деревьями. Чехов. Остров Сахалин. **2.** *перен. Разг.* Несвойственный кому-л., привнесённый со стороны. *Всё, о чем они [Обломовы] говорят и мечтают,— у них чужое, наносное.* Добролюбов. Что такое обломовщина?

**НАОТМАШЬ**, *нареч.* Со всего размаха, размахнувшись с силою. *Бить наотмашь.* □ *— Тьфу, прости господи!..— оборвал он с ненавистью, резко рванув рукой наотмашь, словно отрубая.* Фадеев. Разгром.

**НАПА́ДКИ**, -док, *мн.* Придирки, притеснение. *Маслова же особенно подвергалась.. нападкам.* Л. Толстой. Воскресение.

**НАПА́ЛМ**, -а, *м.* [Англ. napalm от na(phthenic acid) — нафтеновая кислота и palm(itic acid) — пальмитовая кислота]. Воспламеняющаяся смесь для зажигательных бомб и огнеметов, а также сама бомба, начиненная этой смесью. *Интервенты и их пособники без разбора разрушали и сжигали напалмом школы, больницы, жилые дома.* Киселев. Записки советского дипломата.

**Напа́лмовый**, -ая, -ое. *Напалмовая бомба.*

**НАПЕ́ВНЫЙ**, -ая, -ое; -вен, -вна, -о. Певучий, мелодичный.

**Напе́вно**, *нареч.* **Напе́вность**, -и, *ж. От стиха, кроме внешней правильности, мы требуем ещё напевности, мелодии.* Брюсов. Далекие и близкие.

**НАПЕРЕВЕ́С**, *нареч.* С наклоном вперед, острием, стволом вперед (о положении винтовки, пики и т. п.). *Держать оружие наперевес.* □ *Полетели весело казаки с своими дротиками наперевес через ручей к лагерю.* Л. Толстой. Война и мир.

**НАПЕ́РСНИК**, -а, *м.* **1.** *Устар.* Любимец, пользующийся особым доверием и благосклонностью кого-л. *Сей шкипер деду был доступен, И сходно купленный арап Возрос усерден, неподкупен, Царю наперсник, а не раб.* Пушкин. Моя родословная. **2.** Традиционное действующее лицо в классической трагедии 17—18 вв.— друг, доверенное лицо героя или героини (гувернер, секретарь и т. п.). *Набожно хранили они в трагедии правило триединства; допускали не в только царей и героев с их наперсниками.* Белинский. Сочинения Александра Пушкина.

**Напе́рсница**, -ы, *ж.*

**НАПЛЕ́ЧНИК**, -а, *м.* **1.** Наплечное украшение на старинной одежде. **2.** Часть старинных воинских доспехов, защищавших плечо. *И наплечники [у Андрия] в золоте, и нарукавники в золоте.* Гоголь. Тарас Бульба. **3.** *Устар.* Наплечный знак различия, который присваивался в царской России военным, а также служащим некоторых ведомств. *Жених с кокардой и серебряными наплечниками ему положительно нравился.* Сергеев-Ценский. Счастье. **4.** Часть спортивного снаряжения, предохраняющая от повреждений верхнюю часть туловища.

**НАПРАВЛЕ́НИЕ**, -я, *ср.* **1.** Движение, назначение, отправка куда-л. *Направление поезда на запасный путь. Направление специалистов в районы БАМа.* **2.** Линия движения, перемещения в какую-л. сторону. *Селифану было приказано держать направление к гостиному двору.* Гоголь. Мертвые души. **3.** *перен., чего или какое.* Путь развития, направленность какого-л. действия, явления. *Направление внешней политики.* □ *[Кольцов] принимался за чтение, которое.. становится у него разнообразнее и принимает несколько другое направление.* Добролюбов. А. В. Кольцов. **4.** Общественное, научное и т. п. течение, группировка. *Литературное направление. Реалистическое направление в искусстве.* □ *В этом огромном, беспокойном, блестящем и гордом мире князь Андрей видел.. резкие.. подразделения направлений и партий.* Л. Толстой. Война и мир. **5.** *какое.* Участок фронта, откуда развиваются действия в определенную сторону. *Перед маршем в дни весенние Три танкиста в тишине На Берлинском направлении Говорили о весне.* Жаров. Весна у танкистов. **6.** Документ о назначении куда-л. *Получить направление на работу.* □ *[Рагозина] у военного комиссара ожидало направление в штаб Северного отряда Волжской флотилии.* Федин. Необыкновенное лето.

Син. (к 3 знач.): курс. Син. (к 4 знач.): школа.

**НАПРА́СНЫЙ**, -ая, -ое; -сен, -сна, -о. **1.** Не приносящий желаемого результата. *Напрасные старания. Напрасная попытка.* □ *[Львов:] Но что сделать? Объясняться с Лебедевым — напрасный труд.* Чехов. Иванов. **2.** Не имеющий серьезных причин; неосновательный. *Несколько раз во время похода бывали фальшивые тревоги, и солдаты конвоя.. бранили друг друга за напрасный страх.* Л. Толстой. Война и мир. **3.** *Устар.* Несправедливый. *[Царь:] Подумай, князь, Я милость обещаю, Прошедшей лжи опалой напрасной Не накажу.* Пушкин. Борис Годунов.

Син. (к 1 знач.): безуспе́шный, безрезульта́тный, бесполе́зный, беспло́дный, тще́тный (книжн.), пусто́й (разг.), зря́шный (прост.). Син. (ко 2 знач.): беспричи́нный. Син. (к 3 знач.): незаслу́женный, непра́вый (устар. и высок.).

**Напра́сно**, *нареч.* **Напра́сность**, -и, *ж.*

**НАПРЯЖЕ́НИЕ**, -я, *ср.* **1.** Приложение физических усилий. *Напряжение мускулов.* □ *От напряженья костенея, Руслан за бороду злодея Упорной держится рукой.* Пушкин. Руслан и Людмила. **2.** Затрата умственных, душевных усилий, энергии при осуществлении чего-л. *Творческое напряжение. Напряжение всех внутренних сил.* □ *Я привожу этот случай для того, чтобы показать, в каком душевном напряжении приходилось работать в те дни Петру.* В. Карпов. Полководец. **3.** Затрудненное, стесненное положение, состояние. *Напряжение в чьих-л. отношениях.* □ *Веселый парень, не унывающий, Серега мог в трудную минуту снять напряжение немудреной шуткой, не обижался на критику.* Санин. Семьдесят два градуса ниже нуля.

Син. (к 1 знач.): уси́лие, нату́га (разг.), надса́да (прост.). Син. (к 3 знач.): напряжённость, острота́, нака́л.

**НАПУСКНО́Й**, -а́я, -о́е. Неискренний, притворный. *Напускная храбрость, суровость. Напускное веселье, равнодушие.* □ *[Самойленко] стыдился своей доброты и старался маскировать ее суровым взглядом и напускною грубостью.* Чехов. Дуэль.

С и н.: де́ланный, наи́гранный, иску́сственный, неесте́ственный, ненатура́льный, напряжённый, принуждённый, аффекти́рованный (книжн.).

**НАПУ́ТСТВИЕ**, -я (книжн.) и **НАПУ́ТСТВОВАНИЕ**, -я (устар.), ср. Наставление, пожелание уезжающему или приступающему к какой-л. деятельности. *Сказать слова напутствия.* ☐ *Окружившие нас седовцы читают написанное. Обнимают, жмут руки, желают успеха. В их пожеланиях слышится напутствие всей нашей страны.* Ушаков. По нехоженой земле. *В поэтическом и дружеском напутствовании вы указали мне, Владимир Григорьевич, обогнуть земной шар.* И. Гончаров. Фрегат «Паллада».

**Напу́тственный**, -ая, -ое. *Напутственный наказ. Напутственное слово.*

**НАПЫ́ЩЕННЫЙ**, -ая, -ое; -ен, -енна, -о. **1.** Преувеличенно важный, надменный, кичливый. *Напыщенный вид.* ☐ *Ехал на греческой колеснице приземистый, напыщенный.. боярин Шеин.* А. Н. Толстой. Петр I. **2.** Излишне торжественный, высокопарный (о речи, слоге, манере говорить и т. п.). *В некоторых стихах Ломоносова, несмотря на их декламаторский и напыщенный тон, промелькивает иногда поэтическое чувство.* Белинский. Н. А. Полевой.

С и н. (к 1 знач.): высокоме́рный, го́рдый, зано́счивый, наду́тый, чва́нный (разг.), чванли́вый (разг.). С и н. (ко 2 знач.): пы́шный, гро́мкий, треску́чий, ритори́чный (книжн.), велере́чивый (устар.), вы́спренний (устар. и книжн.).

**НАРЕКА́НИЕ**, -я, ср. Упрек, обвинение, порицание. *Несправедливое нарекание. Вызывать нарекания.* ☐ *Нарекания.. критики, которую встречали сочинения Пушкина при его жизни, чистый предрассудок.* Чернышевский. Сочинения Пушкина.

С и н.: уко́р, укори́зна, попрёк (разг.).

**НАРЕЧЁННЫЙ**, -ая, -ое и **НАРЕЧЕ́ННЫЙ**, -ая, -ое. Устар. **1.** Официально объявленный, названный. *Нареченный брат.* ☐ *[Савельич], насильственно разлученный со мною, утешался по крайней мере мыслью, что служит нареченной моей невесте.* Пушкин. Капитанская дочка. **2.** в знач. сущ. **наречённый**, -ого и **наречё́нный**, -ого, м. Жених.

**Наречённая**, -ой и **наречё́нная**, -ой, ж. (ко 2 знач.) (невеста). *Вдовый сельский регент.. задумал жениться. Нареченная его была сестра пономаря — старая девица.* Н. Успенский. Свадьба регента.

**НАРЕ́ЧИЕ**, -я, ср. **1.** Совокупность местных говоров или диалектов какого-л. языка, обладающих общими диалектными чертами. *Южновеликорусское, северновеликорусское наречие. Местные наречия.* **2.** Устар. То же, что я з ы к. *Русскому стыдно не знать по-болгарски. Русский должен знать все славянские наречия.* Тургенев. Накануне. **3.** Какая-л. разновидность речи, имеющая отличия от норм литературного языка. *Звонко болтая на своем особенном сибирском наречии, шагали они через порог калитки.* Л. Толстой. Воскресение.

С и н. (к 3 знач.): го́вор, диале́кт.

**НАРЕ́ЧЬ**, -еку́, -ечёшь; наре́кший; наречённый; -чён, -чена́, -о́; сов., кого, что кем чем или кому, чему что. Устар. Дать имя кому-л., назвать. *Младенца нарекли Иваном.* ☐ *— Что это, фамилия, что ли, его? — спросил генерал. — Нет! Это имя ему при крещении нарекли! — добавил Кряков.* И. Гончаров. Литературный вечер.

С и н.: наименова́ть (книжн.), окрести́ть (разг.), прозва́ть (устар. и прост.).

**Нарека́ть**, -а́ю, -а́ешь; несов.

**НАРЗА́Н**, -а, м. [По названию источника в г. Кисловодске]. Углекислая минеральная лечебная вода. *Выпивши положенное число стаканов нарзана, пройдясь раз десять по липовой аллее, я встретил мужа Веры.* Лермонтов. Герой нашего времени.

**Нарза́нный**, -ая, -ое. *Нарзанный источник.*

**НАРКОЛО́ГИЯ**, -и, ж. [От наркотик (см.) и греч. logos учение]. Раздел медицины, занимающийся изучением наркомании и алкоголизма и их лечением.

**Наркологи́ческий**, -ая, -ое. *Наркологический диспансер.* **Нарко́лог**, -а, м.

**НАРКОМА́НИЯ**, -и, ж. [От наркотик (см.) и греч. mania — страсть]. Заболевание, состоящее в болезненном влечении к наркотикам и приводящее к тяжелым нарушениям функций организма.

**Наркома́н**, -а, м.

**НАРКО́ТИКИ**, -ов, мн. (ед. **нарко́тик**, -а, м.). [Восх. к греч. narkōtikos — приводящий в оцепенение, оглушающий]. Вещества, вызывающие состояние одурманивания, опьянения и парализующие центральную нервную систему (применяются в медицине как болеутоляющие и снотворные средства). — *После перевязки старик успокоился. Я дал ему наркотик.* Н. Никитин. Северная Аврора.

**Наркоти́ческий**, -ая, -ое. *Наркотические средства.*

**НАРО́Д**, -а, м. **1.** ед. Население, жители той или иной страны, государства. *Русский народ.* ☐ *Всюду в них [городах и поселках страны] трудятся и обитают люди, разные, самобытные, со своими нравами, характерами, стремлениями. Вместе они составляют народ — могущественный, богатырский.* Кочетов. Журбины. **2.** Нация, национальность, народность. *Народы Азии и Африки.* ☐ *Теперь народы Севера сеют кормовые травы, сажают овощи.* Н. Михайлов. Над картой Родины. **3.** ед. Основная трудовая масса населения страны. *Трудовой народ.* ☐ *Вышли мы все из народа, Дети семьи трудовой. Братский союз и свобода — Вот наш девиз боевой.* Радин. Смело, товарищи, в ногу. **4.** ед. Люди. *— Что за народ? — крикнул он на людей, разрозненно и робко приблизившихся к дрожкам.* Л. Толстой. Война и мир. ◊ **Простой (или черный, подлый) народ** — в классовом, эксплуататорском обществе: люди, принадлежащие к неимущим слоям населения (крестьяне, рабочие, ремесленники и т. п.). **При (всем) народе** — на людях, открыто.

С и н. (к 4 знач.): пу́блика (разг.), люд (устар. и разг.).

**Наро́дец**, -дца, м. (уменьш.) (к 4 знач.). **Наро́д-**

ный, -ая, -ое (*к 1, 2 и 3 знач.*). *Народное хозяйство. Народное творчество. Народные массы.*
**НАРО́ДНИЧЕСТВО,** -а, *ср.* Общественно-политическое движение в России во второй половине 19 века, считавшее возможным переход России к социализму через крестьянскую общину, минуя капитализм. *Старое русское революционное народничество стояло на утопической, полуанархической точке зрения.* Ленин, т. 9, с. 179.

**Наро́днический,** -ая, -ое.
**НАРО́ДНОСТЬ,** -и, *ж.* **1.** Устойчивая общность людей, исторически сложившаяся в процессе разложения племенных отношений, основанная на общности языка, территории и развивающейся общности экономической жизни и культуры. *Обеспечить интересы трудящихся всех наций и народностей.* **2.** Народная, национальная самобытность. *Народность поэзии Пушкина.* □ *Народность, как знамя, как боевой крик, только тогда окружается ореолом, когда народ борется за независимость, когда свергает иноземное иго.* Герцен. Былое и думы.

**НАРОДОВЛА́СТИЕ,** -я, *ср. Высок.* Форма государственного правления, при которой власть принадлежит народу; демократия. *Принципы народовластия.*

**НАРОЧИ́ТЫЙ,** -ая, -ое; -и́т, -а, -о. **1.** Излишне подчеркнутый, показной. *Нарочитая холодность. Нарочитое безразличие.* □ *Он с нарочитой важностью провел пальцем по верхней губе.* Шолохов. Поднятая целина. **2.** *Устар.* Умышленный, преднамеренный. *Тетя Полли и Гильдегарда теперь.. пришли к нам с нарочитой целью — принести облегчение больным.* Лесков. Юдоль.

С и н. (ко 2 знач.): наме́ренный, созна́тельный, предумы́шленный (*устар.*).

**Нарочи́то,** *нареч. Смеяться нарочито громко.*
**Нарочи́тость,** -и, *ж.*
**НА́РОЧНЫЙ,** -ого, *м.* Тот, кого послали со спешным поручением. *На другой день он тотчас же отправил нарочного в Кизляр за разными покупками.* Лермонтов. Герой нашего времени.

С и н.: гоне́ц, курье́р, посла́нец, посы́льный.
**НА́РТЫ,** нарт, *мн.* и **НА́РТА,** -ы (в одном знач. с мн.), *ж.* Длинные и узкие сани, употребляемые на Севере для езды на собаках или оленях. *Я увидел нарту, лежавшую в снегу вверх полозьями.* Арсеньев. В горах Сихотэ-Алиня. *Олени с нартами проходят везде, перевозя продовольствие и патроны и доставляя в тыл раненых.* Симонов. Солдатский юбилей.

**НАРУ́ЖНЫЙ,** -ая, -ое. **1.** Находящийся снаружи, обращенный, выходящий наружу, происходящий снаружи. *Наружная поверхность. Наружная дверь.* □ *Хаджи-Мурат рассеянно слушал, поглядывая на дверь и прислушиваясь к наружным звукам.* Л. Толстой. Хаджи-Мурат. **2.** *перен.* Внешний, показной, не затрагивающий внутренней сущности чего-л. *Наружное сходство. Наружные изменения.* □ *Наружные сношения Обломова с Захаром были всегда как-то враждебны.* И. Гончаров. Обломов.

С и н.: вне́шний.
А н т.: вну́тренний.

**НАРЦИ́СС,** -а, *м.* [Восх. к греч. Narkissos]. **1.** Садовое луковичное растение сем. амариллисовых с белыми или желтыми пахучими цветками. **2.** О самовлюбленном человеке (по имени красавца Нарцисса в древнегреческой мифологии, который погиб, влюбившись в свое отражение в ручье, и после гибели был превращен в цветок нарцисс).

**НА́РЫ,** нар, *мн.* Настил из досок для спанья, размещенный на некотором расстоянии от пола. *Внутри казармы к стенам примыкают нары в два яруса. Верхние и нижние нары густо забиты постельками.* Ф. Гладков. Вольница.

**НАСАЖДЕ́НИЕ,** -я, *ср.* **1.** Посадка чего-л. (растений, деревьев и т. п.), а также сами посаженные деревья, растения. *Насаждение полезащитных лесных полос. Зеленые насаждения.* □ *Перед дворцом, среди скал, пестрели причудливые фигуры цветников и древесных насаждений.* А. Н. Толстой. Гиперболоид инженера Гарина. **2.** *перен. Книжн.* Внедрение, укоренение чего-л. *Насаждение новой техники. Насаждение грамотности.*

**НАСЕ́ЧКА,** -и, *ж.* **1.** Зарубка, нарезка на чем-л., а также метка, нанесенная на что-л. *С маленьким напильником, голубым от закалки, с мельчайшими насечками, я шел к сопернику моего кузнеца, чтобы поразить его чудом тончайшей работы.* Ф. Гладков. Вольница. **2.** Узор, вырезанный по металлу (или другому материалу) и проложенный другим материалом. *Ножны кинжала, пистолет Блестят насечкой небогатой.* Лермонтов. Измаил-бей.

**НАСИ́ЛИЕ,** -я, *ср.* **1.** Применение физической силы к кому-л. *Следы насилия на теле.* **2.** Принудительное воздействие на кого-л.; притеснение. *Насилие над личностью. Борьба против угнетения и насилия.* **3.** *перен.,* над чем. Применение приемов, ведущих к искажению, нарушению законов, традиций чего-л. *Насилие над логикой.* □ *[В переводе] точное копирование иноязычного синтаксиса обусловлено грубым насилием над синтаксическим строем своего языка.* К. Чуковский. Высокое искусство.

**НАСИ́ЛЬСТВЕННЫЙ,** -ая, -ое. **1.** Осуществляемый путем насилия, принуждения. *К набегу весь аул готов, И дикие питомцы брани Рекою хлынули с холмов И скачут по брегам Кубани Сбирать насильственные дани.* Пушкин. Кавказский пленник. **2.** Связанный с определенным усилием, неестественный. *Ленька прятал обиду за насильственной улыбкой.* Леонов. Вор.
◊ **Насильственная смерть** — смерть от насилия; убийство (противоп. естественная смерть).

С и н. (ко 2 знач.): вы́мученный (*разг.*).
**НАСЛЕ́ДИЕ,** -я, *ср.* **1.** *Устар.* Наследство. *Винтовка ему досталась в наследие от отца.* Арсеньев. По Уссурийской тайге. **2.** *Книжн.* Явления культуры, науки, быта и т. п., полученные от предыдущих эпох, от предшественников. *Культурное, научное наследие. Наследие прошлого.* □ *Драгоценное наследие мировой поэзии —*

сонеты Петрарки, обращенные к Лауре, бессмертны. Л.Никулин. Во Франции.

С и н. (ко 2 знач.): насле́дство.

**НАСЛЕ́ДНИК**, -а, м. **1.** Лицо, получившее наследство или имеющее право на получение его. *Прямой наследник.* ☐ *Про одно именье Наследников сердитый хор Заводит непристойный спор.* Пушкин. Евгений Онегин. **2.** *перен.* Продолжатель чьей-л. деятельности; преемник. *Его великое наследие, его творчество.. поставило Лермонтова в первый ряд русских писателей, сделало достойным и единственным наследником Пушкина.* Тихонов. Лермонтов.

**Насле́дница**, -ы, ж.

**НАСЛЕ́ДСТВЕННОСТЬ**, -и, ж. Способность живых существ передавать свои свойства потомству, а также совокупность природных свойств организма, полученных от предков. *[Дедушка и бабушка] оставили целое племя смуглых, черноволосых, но голубоглазых людей. Я одна нарушила наследственность, только цвет кожи сохранился.* Коптяева. Иван Иванович.

**НАСЛЕ́ДСТВО**, -а, *ср.* **1.** Имущество, остающееся после смерти владельца и переходящее в собственность к новому лицу. *Достаться в наследство. Получить что-л. по наследству.* ☐ *Наследство ему досталось огромное, вложенное в большое и сложное дело, требовавшее и ума.. и умелых рук.* Соколов-Микитов. На теплой земле. **2.** *Разг.* О том, что досталось от предшественника в работе, занятии, от прежнего владельца. *Адъютант нового полка получил в наследство карту местности с отметками на ней.* Сергеев-Ценский. Лютая зима. **3.** То же, что н а с л е д и е (во 2 знач.). *Культурное, научное наследство. Классическое наследство.* ☐ *Тысячи страниц, написанных рукой Чернышевского, остались нам в наследство.* Федин. Вечные спутники.

С и н. (к 1 знач.): насле́дие (устар.).

**НАСТ**, -а, м. Оледенелая корка на поверхности снега. *Днем таяло на солнце, а ночью доходило до семи градусов; наст был такой, что на возах ездили без дороги.* Л. Толстой. Анна Каренина.

**НАСТА́ВНИК**, -а, м. **1.** Учитель, воспитатель в дореволюционных учебных заведениях России. *Классный наставник.* ☐ *Наставникам, хранившим юность нашу, Всем честию, и мертвым и живым, К устам подъяв признательную чашу, Не помня зла, за благо воздадим.* Пушкин. 19 октября. **2.** Тот, кто передает свой опыт, знания. *Многим молодым писателям.. оказал он [А. Смердов] свою бескорыстную творческую помощь, оставаясь.. заботливым другом и чутким наставником.* Г. Марков. Землепроходец. **3.** Специалист высокой квалификации, занимающийся обучением и воспитанием молодежи. *Рабочий-наставник. Бригадир-наставник.*

С и н. (ко 2 знач.): учи́тель.

**Наста́вница**, -ы, ж. (к 1 и 2 знач.) **Наста́внический**, -ая, -ое. *Наставническая деятельность.*

**НАСТОЯ́ТЕЛЬ**, -я, м. **1.** Начальник мужского монастыря. *Старичка отправили тотчас же в монастырь,.. в Суздальский, где настоятелем и комендантом был отец Мисаил.* Л. Толстой. Фальшивый купон. **2.** Старший священник в православной церкви. — *Ничего с этим дураком не поделаешь!* — *говорит соборный настоятель, безнадежно помахивая рукой.* — *Не понимает!* Чехов. Из огня да в полымя.

**Настоя́тельница**, -ы, ж. (к 1 знач.) (начальница женского монастыря). **Настоя́тельский**, -ая, -ое.

**НАСТОЯ́ТЕЛЬНЫЙ**, -ая, -ое; -лен, -льна, -о. **1.** Очень настойчивый. *Настоятельная просьба. Настоятельное требование, желание.* **2.** Насущный, неотложный, очень нужный. *Настоятельная необходимость, потребность.*

**Настоя́тельно**, *нареч. Настоятельно рекомендовать.* **Настоя́тельность**, -и, ж.

**НАСТОЯ́ЩИЙ**, -ая, -ее. **1.** Относящийся к данному времени. *В настоящую минуту.* ☐ *Между прошлой и настоящей жизнью будто встала непроницаемая грозовая туча.* Паустовский. Повесть о лесах. **2.** Этот, данный. *Предлагаю отнестись к моей настоящей лекции с должною серьезностью.* Чехов. О вреде табака. **3.** Подлинный, истинный. *Скрыть свое настоящее имя. Сумка из настоящей кожи.* ☐ *Заревела на выгонах.. скотина,.. застучали по дворам топоры мужиков, налаживающих сохи и бороны. Пришла настоящая весна.* Л. Толстой. Анна Каренина. **4.** Представляющий собою лучший образец, идеал чего-л. *Настоящий герой, художник. Настоящая любовь, дружба.* ☐ — *А вот Лескова напрасно не читают, настоящий писатель.* М. Горький. Лев Толстой. **5.** Полностью подобный кому-, чему-л. *Я поднял глаза: на крыше хаты.. стояла девушка в полосатом платье, с распущенными косами, настоящая русалка.* Лермонтов. Герой нашего времени. **6.** *в знач. сущ.* **настоя́щее**, -его, *ср.* Данное время, а также события, происходящие в данное время. *Юноша бледный со взором горящим, Ныне даю я тебе три завета. Первый прими: не живи настоящим, Только грядущее — область поэта.* Брюсов. Юному поэту.

С и н. (к 1 знач.): да́нный, теку́щий, ны́нешний (*разг.*). С и н. (к 3 знач.): действи́тельный. С и н. (к 4 знач.): и́стинный, по́длинный. С и н. (к 5 знач.): и́стинный, су́щий, и́стый, фо́рменный (*разг.*), чи́стый (*разг.*).

А н т. (к 1 знач.): бу́дущий; про́шлый, проше́дший. А н т. (к 3 знач.): подде́льный, фальши́вый, фикти́вный (*книжн.*), ли́повый (*прост.*). А н т. (к 6 знач.): бу́дущее; про́шлое, проше́дшее.

**НАСТРО́Й**, -я, м. Душевное состояние, определенное состояние мыслей. *Юрий выбирал из массы впечатлений те, которые были наиболее созвучны его внутреннему настрою.* Обухова. Любимец века.

С и н.: настрое́ние.

**НАСУ́ЩНЫЙ**, -ая, -ое; -щен, -щна, -о. Имеющий важное жизненное значение, необходимый. *Насущный вопрос. Насущные задачи.* ☐ — *Разрешите мне предложить вам еще несколько тем, имеющих отношение к насущным потребностям нашей промышленности.* Добровольский. Трое в серых шинелях. ◇ **Насущный хлеб** — 1) пища, пропитание; 2) о самом важном, существенном для жизни, работы кого-, чего-л. — *А все, что они [новаторы] вносят в развитие нашей техники, — то хлеб насущный для производства.* Караваева. Родной дом.

**Насу́щно**, *нареч.* **Насу́щность**, -и, *ж.*
**НАСЫ́ЩЕННЫЙ**, -ая, -ое; -ен, -енна, -о. 1. *полн. ф.* Содержащий предельное количество какого-л. вещества. *Насыщенный раствор.* 2. *Книжн.* Очень содержательный, обильный, богатый чем-л. *Эта глава получается жидковата по части событий, и я ломаю голову над тем, как сделать ее насыщенной, полной.* Бек. Почтовая проза.

**НАТУ́РА**, -ы, *ж.* [Восх. к лат. natura]. 1. *Устар.* Природа. 2. То, что реально существует; действительность. *Завтра я уже буду в Медвежьегорске. Буду ходить по его просторным улицам и площадям, начну мысленно переносить свой проект на натуру.* Шуртаков. Возвратная любовь. 3. Характер, темперамент кого-л.; о человеке с таким характером. *Нежная, впечатлительная, сильная, слабая натура.* ☐ *Нехлюдову было ясно, что оба были богатые натуры и были только запущены и изуродованы.* Л. Толстой. Воскресение. 4. Природный образец, с которого рисуют, делают съемку и т. п. *Рисовать с натуры. Снимать на натуре.* 5. Товары, продукты и т. п. как платежное средство взамен денег. *Хотел того или не хотел Иван Чупров, но он входил в «базарный» пай.. Только с той разницей, что брал свою долю не деньгами, а натурой — водкой.* Тендряков. Падение Ивана Чупрова. ◊ **Вторая натура** — о чем-л., составляющем важную черту, качество, склонность человека. *Привычка — вторая натура.* Поговорка. **Широкая натура** — о человеке большого размаха, не мелочном. *[Купец Смельков] был тип могучего, нетронутого русского человека с.. широкой натурой.* Л. Толстой. Воскресение.
С и н. (к 1 знач.): естество́ (*устар.*). С и н. (к 3 знач.): душа́, нрав.

**Нату́рный**, -ая, -ое (ко 2 и 4 знач.).
**НАТУРАЛИ́ЗМ**, -а, *м.* [Франц. naturalisme; восх. к лат. natura — природа]. 1. Направление в литературе и искусстве последней трети 19 в., стремящееся к фотографическому копированию действительности без социально-политической, моральной и эстетической оценки изображаемого. *Натурализм Э. Золя.* 2. Первоначальное название реалистического направления в искусстве; ранний реализм, натуральная школа. *В баснях Крылова сатира делается вполне художественною; натурализм становится отличительною характеристическою чертою его поэзии.* Белинский. Взгляд на русскую литературу 1847 г. 3. Нарочитое подчеркивание внешних деталей, преувеличенно подробное воспроизведение теневых, мрачных сторон действительности, жестокости, насилия и т. п.

**Натуралисти́ческий**, -ая, -ое *и* **натуралисти́чный**, -ая, -ое; -чен, -чна, -о (к 3 знач.). **Натуралисти́чески** *и* **натуралисти́чно** (к 3 знач.), *нареч.* **Натуралисти́чность**, -и, *ж.* (к 3 знач.).
**НАТУРАЛИ́СТ**, -а, *м.* [См. *натура*]. Тот, кто занимается изучением природы; естествоиспытатель. *[Я] стал помогать натуралисту ловить насекомых.* И. Гончаров. Фрегат «Паллада».

**НАТУРА́ЛЬНЫЙ**, -ая, -ое; -лен, -льна, -о. [См. *натура*]. 1. *полн. ф. Устар.* Относящийся к природе, принадлежащий природе. 2. *полн. ф.* Соответствующий природе вещей; естественный. *На экране чрезвычайно четко показывается громадная, почти в натуральную величину, фигура слона.* Куприн. Дочь великого Барнума. 3. Естественного происхождения, настоящий. *Натуральный мех.* ☐ *Пол, двери, косяки, оконные рамы, столы, стулья, шкафы — все это сделано из натурального дерева.* И. Зыков. Три аксиомы. 4. Естественный, непритворный. *Все ей очень нравилось, но более всего ей нравился сам Вронский с этим натуральным наивным увлечением.* Л. Толстой. Анна Каренина. 5. *полн. ф.* Производимый, получаемый, оплачиваемый натурой (в 5 знач.). *Натуральный доход.* ◊ **Натуральное хозяйство** — хозяйство, производящее продукты только для удовлетворения потребностей своих членов, а не для обмена. **Натуральная школа** — первоначальное название реалистического направления в русской литературе 40-х гг. 19 в. *Направление, которое теперь владычествует в нашей литературе, получило, при своем появлении, название натуральной школы.* Чернышевский. Очерки гоголевского периода русской литературы.
С и н. (к 3 знач.): есте́ственный, приро́дный.
А н т. (ко 2 знач.): неесте́ственный. А н т. (к 3 знач.): иску́сственный.

**НАТУ́РЩИК**, -а, *м.* Тот, кто позирует художнику, скульптору. *Мы приглашаем на паях натурщика и рисуем два раза в неделю.* Каверин. Перед зеркалом.

**Нату́рщица**, -ы, *ж.*
**НАТЮРМО́РТ**, -а, *м.* [Франц. nature morte — букв. мертвая природа]. Жанр изобразительного искусства (гл. образом живописи), посвященный изображению предметов, цветов, фруктов и т. п., а также картина такого содержания. *Фламандский натюрморт.*

**Натюрмо́ртный**, -ая, -ое.
**НАУ́КА**, -и, *ж.* 1. Система знаний, вскрывающая закономерности в развитии природы и общества и способы воздействия на окружающий мир, а также отдельная отрасль таких знаний и деятельность в ней. *Заниматься наукой. Естественные, точные, гуманитарные науки.* ☐ *Для познания мира наука пользуется и телескопом, и микроскопом.* Грибачев. Земля, вода, солнце. 2. *Разг.* То, что поучает, дает жизненный опыт; урок. *— Это, щука, Тебе наука: Вперед умнее быть.* И. Крылов. Щука и Кот. 3. *Устар. и прост.* Обучение. *Гаврилычу было сказано: «Вот тебе барчонок в науку».* Помяловский. Вукол.

**НАУ́ЧНО-ИССЛЕ́ДОВАТЕЛЬСКИЙ**, -ая, -ое. Относящийся к научным исследованиям, занимающийся научными исследованиями. *Научно-исследовательский институт. Научно-исследовательская работа.*

**НАУ́ЧНО-ПОПУЛЯ́РНЫЙ**, -ая, -ое. Знакомящий в общедоступной форме с достижениями науки и техники. *Научно-популярная литература. Научно-популярные кинофильмы.*

**НАУ́ЧНО-ТЕХНИ́ЧЕСКИЙ**, -ая, -ое. Относящийся к области технических наук. *Научно-техническая литература. Научно-технический прогресс.* ◇ **Научно-техническая революция** — коренное, качественное преобразование производительных сил на основе превращения науки в ведущий фактор развития общественного производства, непосредственную производительную силу.

**НАУ́ЧНЫЙ**, -ая, -ое; -чен, -чна, -о. 1. *полн. ф.* Относящийся к науке, свойственный науке, связанный с ней. *Научный вопрос. Научное открытие. Научное учреждение.* 2. Построенный на принципах науки, отвечающий ее требованиям. *Научное предвидение. Данная теория научна.* □ *Среди теоретиков и мастеров перевода все настойчивее звучат голоса о необходимости построить переводческое искусство на строго научном фундаменте.* К. Чуковский. Высокое искусство.

А н т. (ко 2 знач.): нену́чный.

**Нау́чность**, -и, *ж. (ко 2 знач.)*. *Научность гипотезы.*

**НАХЛЕ́БНИК**, -а, *м.* 1. *Разг. неодобр.* Тот, кто живет на чужие средства, на чужих хлебах: *— Не смотри, что я слабый, нахлебником не буду. Найду новую работу.* Федин. Первые радости. 2. *Устар.* Тот, кто получает за плату питание и жилье в чужой семье. *[У Зегржта] комнаты пустовали, нахлебники ругались из-за плохого стола.* Куприн. Поединок.

С и н. (к 1 знач.): *иждиве́нец, прижива́льщик* (*разг.*) и *прижива́л* (*разг.*), *прихлеба́тель* (*устар.*).

**НАЦИОНА́Л...** Первая составная часть названий буржуазных партий и партийных группировок, обозначающая националистический, напр.: *национа́л-либера́лы, национа́л-демокра́ты.*

**НАЦИОНАЛИЗА́ЦИЯ**, -и, *ж.* [Франц., англ. nationalisation]. 1. Переход из частной собственности в собственность государства предприятий и целых отраслей народного хозяйства, земель, банков, жилых и общественных зданий. *Национализация земли. Национализация промышленности.* 2. Организация чего-л. на национальной основе, при участии национальных кадров. *Национализация системы образования.*

**НАЦИОНАЛИ́ЗМ**, -а, *м.* [Франц. nationalisme]. Реакционная идеология и политика, основывающаяся на идеях исключительности какой-л. нации и оправдывающая господство одних наций над другими.

**Националисти́ческий**, -ая, -ое и **националисти́чный**, -ая, -ое; -чен, -чна, -о. *Националистическая политика.* **Национали́ст**, -а, *м.*

**НАЦИОНА́ЛЬНО-ОСВОБОДИ́ТЕЛЬНЫЙ**, -ая, -ое. Относящийся к национальной борьбе за освобождение страны от иностранного гнета. *Национально-освободительная борьба. Национально-освободительное движение.*

**НАЦИОНА́ЛЬНОСТЬ**, -и, *ж.* [См. *нация*]. 1. Принадлежность к какой-л. нации, народности. *Люди разных национальностей. Русский по национальности.* 2. То же, что н а ц и я (в *1 знач.*), н а р о д н о с т ь (в *1 знач.*).

**НАЦИОНА́ЛЬНЫЙ**, -ая, -ое; -лен, -льна, -о. [См. *нация*]. 1. *полн. ф.* Относящийся к общественно-политической жизни наций, связанный с их интересами. *Национальный вопрос. Национальное равноправие.* 2. Свойственный данной нации, выражающий ее характер. *Национальные традиции. Русский национальный костюм.* 3. *полн. ф.* Относящийся к данной стране, государству; государственный. *Национальный флаг.* 4. *полн. ф.* Относящийся к отдельной, малочисленной национальности. *Национальный район.*

◇ **Национальное меньшинство** — национальность, представляющая по численности меньшинство в сравнении с основной массой населения страны.

**НА́ЦИЯ**, -и, *ж.* [Восх. к лат. natio]. 1. Исторически сложившаяся устойчивая общность людей, связанная с общностью языка, территории, экономической жизни и психического склада, проявляющегося в общности культуры и форм быта. 2. Государство, страна. *Организация Объединенных Наций.*

**НАЧА́ТКИ**, -ов, *мн.* Первые, начальные сведения, знания и т. п. *Смышленый, упорный во всех своих делах, мальчик быстро усвоил начатки несложных домашних ремесел.* Б. Полевой. Золото.

С и н.: *осно́вы, а́збука, элеме́нты* (*книжн.*), *азы́* (*разг.*).

**НАЧЕРТА́НИЕ**, -я, *ср.* Внешняя форма чего-л.; изображение, рисунок. *Начертание букв. В 1474 году Тосканелли составил свое знаменитое письмо с начертанием западного пути к Индии и Китаю.* С. Марков. Земной круг.

**НАЧЕРТА́ТЬ**, -а́ю, -а́ешь; начерта́вший; наче́ртанный; -ан, -а, -о; начерта́в; *сов., что.* 1. *Устар.* Написать, изобразить буквами. *Начертав эти слова, я понял, как трудно мне будет продолжать мой рассказ.* Тургенев. Фауст. 2. *перен. Высок.* Наметить, определить, указать. *Захар начертал себе однажды навсегда определенный круг деятельности.* И. Гончаров. Обломов.

**НАЧЁТЧИК**, -а, *м.* 1. *Устар.* Человек, много читавший, начитанный (преимущ. в богословских, церковных книгах). *Сын прасола был большой начетчик и любил поговорить о книгах.* Герцен. Былое и думы. 2. Человек, много читавший, но усвоивший прочитанное некритически, формально. *Как это всегда бывает с начетчиком, книга, вместо того чтобы помогать ему в познании жизни, вставала стеной между ним и жизнью.* Либединский. Комиссары.

С и н. (ко 2 знач.): *схола́ст, талмуди́ст* (*книжн.*), *доктрине́р* (*книжн.*).

**Начётчица**, -ы, *ж.*

**НАЧИНА́НИЕ**, -я, *ср. Книжн.* Начатое кем-л., по инициативе кого-л. дело, предприятие. *Литературное начинание.* □ *Одним из его [М. Горького] замечательных начинаний было книгоиздательство «Знание».* Телешов. Записки писателя.

С и н.: *почи́н.*

**НАЯ́ДА**, -ы, *ж.* [Восх. к греч. naias, naiados]. 1. В античной мифологии: нимфа рек и ручьев. *Но кто вдали, Нарушив тишину, Уснувшую волну Подъемлет и колеблет? Прелестная нагая Богиня синих вод — Наяда молодая.* А. Кольцов. Наяда.

**НЕБЛАГОВИ́ДНЫЙ**, -ая, -ое; -ден, -дна, -о. **1.** *Устар.* Некрасивый, непривлекательный, невзрачный. *Уже тогда появлялся в салоне Варвары Павловны некто m-r Jules, неблаговидной наружности господин.* Тургенев. Дворянское гнездо. **2.** Достойный порицания, предосудительный; непорядочный. *Неблаговидный поступок. Неблаговидное поведение.*

С и н. (к *1 знач.*): неви́дный, неказистый (*разг.*), непрезентабельный (*устар.*). С и н. (ко *2 знач.*): некрасивый.

**Неблагови́дно**, *нареч.* (ко *2 знач.*). **Неблагови́дность**, -и, *ж.*

**НЕБЛАГОНАДЁЖНЫЙ**, -ая, -ое; -жен, -жна, -о. *Устар.* **1.** Не подходящий по своим физическим свойствам, качествам; ненадежный.— *Наш битюг — тот вывезет, а здешние кони неблагонадежные.* Саянов. Небо и земля. **2.** В дореволюционной России: вызывающий у правительства подозрение в сочувствии революционным идеям, принадлежности к революционной организации. *Пресня была рабочей окраиной, и московская администрация считала ее неблагонадежным районом.* Вьюрков. Рассказы о старой Москве.

А н т.: благонадёжный (*устар.*).

**Неблагонадёжно**, *нареч.* **Неблагонадёжность**, -и, *ж.*

**НЕБОЖИ́ТЕЛЬ**, -я, *м. Книжн.* Обитатель неба (преимущ. о древних богах). *Напрасно я простую долю У небожителей просил.* Языков. Элегия.

**Небожи́тельница**, -ы, *ж.*

**НЕБРЕЖЕ́НИЕ**, -я, *ср. Устар.* **1.** Недобросовестное, нерадивое отношение к чему-л. *Они [актеры] не дают себе труда учить ролей!.. С которых же пор явилось это небрежение к искусству?* И. Гончаров. «Мильон терзаний». **2.** Невнимание, пренебрежение к кому-л. *Явно было, что старика огорчало небрежение Печорина, и тем более, что он мне недавно говорил о своей с ним дружбе.* Лермонтов. Герой нашего времени. **3.** Состояние заброшенности, запущенности. *Стол и кровать стояли на прежних местах; но на окнах уже не было цветов, и все кругом показывало ветхость и небрежение.* Пушкин. Станционный смотритель.

С и н. (к *1 знач.*): пренебреже́ние, игнори́рование, забве́ние, презре́ние.

**НЕБЫТИЕ́**, -я́, *ср. Книжн.* **1.** Отсутствие признаков жизни, бытия. *[Он] подумал, что это не покой и тишина, а глухая тоска небытия.* Чехов. Ионыч. **2.** Состояние полной неизвестности кого-, чего-л. для человечества. *Немало дворцов и городов древности, вернее, их руин, вернули из небытия археологи.* Варшавский. Города раскрывают тайны.

А н т. (к *1 знач.*): бытие́ (*книжн.*) и бытиё (*книжн.*).

**НЕВЕ́ДЕНИЕ**, -я, *ср. Книжн.* Незнание, неосведомленность. *[Степан Прокофьевич] не был скрытен и не держал Нину Григорьевну в неведении относительно своих дел.* А. Кожевников. Живая вода. ◊ **В блаженном неведении** (б ы т ь, п р е б ы в а т ь и т. п.) (*ирон.*) — не знать, не подозревать о существовании, наличии чего-л. (какого-л. несчастья, неприятности или того, о чем следует знать).

**НЕВЕ́ДОМЫЙ**, -ая, -ое; -ом, -а, -о. **1.** *Устар. и книжн.* Неизвестный. *Скоро и Арктика перестанет быть неведомой частью земного шара.* Ушаков. По нехоженой земле. **2.** *Книжн.* Таинственный, непонятный. *Неведомое чудо.* □ *[Германн] опять очутился перед домом графини. Неведомая сила, казалось, привлекла его к нему.* Пушкин. Пиковая дама.

С и н. (к *1 знач.*): незнакомый, незнаемый, безвестный (*книжн.*), неизведанный (*книжн.*).

**НЕВЕ́ЖДА**, -ы, *м. и ж.* Необразованный, малосведущий человек. *Невежда в живописи.* □ *Невежда он был круглый, ничего не читал.* Тургенев. Татьяна Борисовна и ее племянник.

С и н.: профа́н (*книжн.*), неу́ч (*разг.*).

**НЕВЕ́СТКА**, -и, *ж.* Замужняя женщина по отношению к родным ее мужа. *— Теперь одна. Сын женился — ушел к ней.. Тетя Мотя поджала губы, что позволяло догадываться, сколь беспредельно обожает она свою невестку.* Рекемчук. Скудный материал.

С и н.: сноха́.

**НЕВЗИРА́Я**, *предлог* (употр. в сочетании с предлогом «на»). Не обращая внимания, несмотря на. *Петухи, невзирая на дождь, кричали врастяжку и по очереди.* Шолохов. Поднятая целина.

**НЕВЗЫСКА́ТЕЛЬНЫЙ**, -ая, -ое; -лен, -льна, -о. Такой, который довольствуется немногим; нетребовательный. *Невзыскательный вкус.* □ *Зрители были невзыскательны, к промахам актеров снисходительны.* Еремин. Рябиновая гряда.

С и н. (к *1 знач.*): неприхотли́вый, непритяза́тельный.

А н т. (к *1 знач.*): взыска́тельный.

**Невзыска́тельно**, *нареч.* (к *1 знач.*). *Относиться к чему-л. невзыскательно.* **Невзыска́тельность**, -и, *ж.*

**НЕВИ́ННЫЙ**, -ая, -ое; -нен, -нна, -о. **1.** Не имеющий за собой вины, провинности; не сделавший ничего преступного. *[Царь:] Доволно: ты невинен, Ты царствовать теперь по праву станешь.* Пушкин. Борис Годунов. **2.** Нравственно чистый, наивный, простодушный. *[Меричу:] Могу ли я не любить тебя, такое прекрасное, невинное создание!* А. Островский. Бедная невеста. **3.** Девственный, целомудренный. *Невинной деве непонятен Язык мучительных страстей, Но голос их ей смутно внятен; Он странен, он ужасен ей.* Пушкин. Бахчисарайский фонтан. **4.** Не заслуживающий порицания, безвредный, безобидный. *Невинный разговор. Невинная шалость ребенка. Невинные слабости.* ◊ **С невинным видом** — выражая невинность.

С и н. (к *1 знач.*): невино́вный, пра́вый, безви́нный (*устар.*), неповинный (*устар. и разг.*). С и н. (к *3 знач.*): чи́стый, непоро́чный (*высок.*).

А н т. (к *1 знач.*): винова́тый, вино́вный.

**Неви́нно**, *нареч.* (к *1 и 2 знач.*). **Неви́нность**, -и, *ж.*

**НЕВМЕНЯ́ЕМЫЙ**, -ая, -ое; -ем, -а, -о. *Спец.* Находящийся в тяжелом психическом состоянии, не отдающий себе отчета в своих действиях. *Суд признал Фрола невменяемым, и он опять вернулся в общество.* Короленко. Государственные ямщики.

А н т.: вменя́емый (*спец.*).

**Невменя́емость**, -и, *ж.* *Невменяемость обвиняемого.*

**НЕВМЕША́ТЕЛЬСТВО**, -а, *ср.* **1.** Отказ от вмешательства во что-л. *И говорил он горячо.. о равнодушном или трусливом невмешательстве в жизнь.* Медынский. Марья. **2.** В международных отношениях: отказ от вмешательства в дела других государств. *Невмешательство во внутренние дела. Политика невмешательства.*

А н т.: вмеша́тельство.

**НЕВНЯ́ТНЫЙ**, -ая, -ое; -тен, -тна, -тно. **1.** Слабо различаемый на слух, неотчетливый. *Невнятный шепот.* □ *В бане слышались невнятные голоса, и Вадим.. начал прилежно вслушиваться.* Лермонтов. Вадим. **2.** Неясно, смутно сознаваемый, ощущаемый, выраженный. *Невнятная грусть.* □ *Сколько же времени он потерял напрасно, сколько написал ненужных писем и сколько получил невнятных ответов.* Нефедов. Начало. **3.** Непонятный, неясный. *Невнятное объяснение.* □ *На языке, тебе невнятном, Стихи прощальные пишу.* Пушкин. Иностранке. И. Гончаров. Обломов.

С и н. (*к 1 знач.*): нея́сный, неразбо́рчивый, членоразде́льный (*разг.*). С и н. (*ко 2 знач.*): тума́нный, сму́тный. С и н. (*к 3 знач.*): невразуми́тельный, недосту́пный.

А н т. (*к 1 и 3 знач.*): вня́тный.

**Невня́тно**, *нареч.* *Произнести невнятно. Выразиться невнятно.* **Невня́тность**, -и, *ж.* *Невнятность бормотания.*

**НЕВОЗМУТИ́МЫЙ**, -ая, -ое; -и́м, -а, -о. **1.** Спокойный, полный самообладания, выражающий самообладание. *Невозмутимый человек, характер. Невозмутимый тон.* □ *— Они работают у вас под носом!!! — возбужденно закричал Колыбанов; обычно невозмутимый, он задыхался от волнения.* Богомолов. В августе сорок четвертого... **2.** Ничем не нарушаемый (о тишине, покое и т. п.). *Над деревней и полем лежит невозмутимая тишина — все как будто вымерло.* И. Гончаров. Обломов.

С и н. (*к 1 знач.*): хладнокро́вный, вы́держанный, сде́ржанный, уравнове́шенный. С и н. (*ко 2 знач.*): глубо́кий, по́лный, неруши́мый, ненаруши́мый, мёртвый, гробово́й, моги́льный.

**Невозмути́мо**, *нареч.* (*к 1 знач.*). **Невозмути́мость**, -и, *ж.*

**НЕВО́ЛЬНИК**, -а, *м.* **1.** *Книжн.* Раб. *Лиза содрогалась, видя воочию то, о чем читала в «Хижине дяди Тома». Но кроме черных невольников, она увидела и белокожих. Это были рабы.* Серебрякова. Похищение огня. **2.** *Устар.* Тот, кто заключен под стражу; пленник, арестант. *Пугачев содержался в тюрьме не строже прочих невольников.* Пушкин. История Пугачева. **3.** *перен., чего. Книжн.* О человеке, который находится во власти че-

го-л. *Невольник чести.* □ *Отец и мать Грея были надменные невольники своего положения, богатства и законов того общества, по отношению к которому могли говорить «мы».* Грин. Алые паруса.

С и н. (*к 3 знач.*): раб, ило́т (*книжн.*).

**Нево́льница**, -ы, *ж.* **Нево́льнический**, -ая, -ое и **нево́льничий**, -ья, -ье (*к 1 знач.*). *Невольническое положение. Невольничий рынок.*

**НЕВООБРАЗИ́МЫЙ**, -ая, -ое; -и́м, -а, -о. **1.** Такой, который невозможно представить себе, вообразить. *В крестьянском сословии почти невообразим разряд людей.. недурно проживающих «нашаромыжку».* Добролюбов. Черты для характеристики русского простонародья. **2.** Исключительный по силе проявления, необыкновенный. *Невообразимый беспорядок. Невообразимая тоска.* □ *Я впервые услышал еще про одну ГЭС — в Корабликах, гидростанцию совершенно невообразимой могучести.* Сартаков. Горный ветер.

С и н. (*к 1 знач.*): невероя́тный, немы́слимый, неправдоподо́бный. С и н. (*ко 2 знач.*): невероя́тный, немы́слимый, неимове́рный, неопису́емый (*книжн.*), несве́тлый (*разг.*).

**Невообрази́мо**, *нареч.* (*ко 2 знач.*). *В комнате было невообразимо шумно.* **Невообрази́мость**, -и, *ж.*

**НЕ́ГА**, -и, *ж.* *Книжн.* **1.** Состояние полного довольства, удовлетворение желаний и прихотей. *Уж то-то так мы заживем: В ладу, в довольстве, в неге!* И. Крылов. Волк и Кукушка. **2.** Состояние внутреннего удовлетворения; наслаждение, блаженство. *Пленительная, сладостная нега. Нега вдохновения, счастья.* □ *[Казарин:] Вот было время... Утром отдых, нега, Воспоминания приятного ночлега.* Лермонтов. Маскарад. **3.** Нежность, ласковость, страстность. *Мария руку протянула И с негой томною шепнула: — Мазепа, ты?* Пушкин. Полтава.

**НЕГАСИ́МЫЙ**, -ая, -ое; -и́м, -а, -о. *Высок.* **1.** Постоянно горящий; неугасающий. *Негасимая лампада.* □ *На Площади Жертв Революции — Марсовом поле — В гранитном квадрате Огонь негасимый горит.* Дудин. Татарник. **2.** *перен.* Неослабевающий, не утрачивающий со временем своей силы, значения. *Мне в холодной землянке тепло От моей негасимой любви.* Сурков. В землянке.

С и н. (*к 1 знач.*): неме́ркнущий (*высок.*), неугаси́мый (*устар.*) и неугаса́емый (*устар.*). С и н. (*ко 2 знач.*): неугаси́мый (*высок.*) и неугаса́емый (*высок.*), неувяда́емый (*высок.*), неувяда́ющий (*высок.*), неме́ркнущий (*высок.*).

**Негаси́мо**, *нареч.*

**НЕГАТИ́ВНЫЙ**, -ая, -ое; -вен, -вна, -о. [Франц. négatif; восх. к лат. negativus]. *Книжн.* Отрицательный. *Негативный ответ. Негативный результат. Преодолеть негативные социальные явления.*

А н т.: положи́тельный, позити́вный (*книжн.*).

**НЕГЛА́СНЫЙ**, -ая, -ое; -сен, -сна, -о. *Книжн.* Такой, который ведется, осуществляется тайно, незаметно для посторонних. *Негласный надзор.* □ *— Мало ей самой было негласного* скандала — нет, захотела публичного. И. Гончаров. Обрыв.

С и н.: секре́тный, та́йный.
А н т.: гла́сный.

**Негла́сно**, *нареч.* **Негла́сность**, -и, *ж.*

**НЕГЛИЖЕ́**, *нескл.*, *ср.* [Франц. négligé — букв. небрежный]. **1.** *Устар.* Лёгкая, домашняя, преимущ. утренняя, одежда. *Она в неглиже, не затянута в латы негнущегося платья, без кружев, без браслет, даже не причесана.* И. Гончаров. Обрыв. **2.** *в знач. нареч.* В небрежном виде, легко, просто, по-домашнему одевшись. *Выждув я минут с десяток и совершенно неглиже, как будто у себя дома, выхожу из камеры.* Куприн. С улицы.

**НЕГОДОВА́НИЕ**, -я, *ср.* Чувство большого недовольства, возмущения. *Справедливое негодование.* □ *Она с самого начала вызывала у него чувство неприязни, даже больше — негодования.* В. Кожевников. Март — апрель.

**НЕГОЦИА́НТ**, -а, *м.* [Восх. к лат. negotians, negotiantis]. *Устар.* Купец, ведущий крупную оптовую торговлю (преимущ. за пределами своей страны). — *Если купец почетный, так уж он не купец: он некоторым образом есть уже негоциант.* Гоголь. Мертвые души.

С и н.: торго́вец, коммерса́нт.

**Негоциа́нтка**, -и, *ж.* **Негоциа́нтский**, -ая, -ое.

**НЕГО́ЦИЯ**, -и, *ж.* [Восх. к лат. negotium — занятие, дело]. *Устар.* Торговля, коммерческая сделка. — *Не будет ли эта негоция несоответствующею гражданским постановлениям и дальнейшим видам России?* Гоголь. Мертвые души.

**НЕГРО́ИДНЫЙ**, -ая, -ое. ◊ **Негроидная раса** — одна из трех основных рас человечества, представители которой характеризуются курчавыми волосами, темной кожей, широким носом и некоторыми другими признаками.

**НЕДВИ́ЖИМОСТЬ**, -и, *ж.* Недвижимое имущество. *Он видел объявления о продаже движимости и недвижимости.* Проскурин. Горькие травы.

**НЕДВИ́ЖИМЫЙ**, -ая, -ое; -им, -а, -о. *Книжн.* Неподвижный. *Лежит недвижим.* ◊ **Недвижимое имущество** — имущество, состоящее из земельного участка, какого-л. строения и т. п.

**НЕДВУСМЫ́СЛЕННЫЙ**, -ая, -ое; -ен, -енна, -о. Не допускающий двоякого истолкования, понимания, ясно выраженный. *Недвусмысленный ответ. Недвусмысленное заявление.*

**Недвусмы́сленно**, *нареч.* Говорить ясно и недвусмысленно. **Недвусмы́сленность**, -и, *ж.* *Недвусмысленность решения.*

**НЕДЕЕСПОСО́БНЫЙ**, -ая, -ое; -бен, -бна, -о. **1.** *Книжн.* Неспособный к действию, к деятельности. *Недееспособная организация.* **2.** *Спец.* Не располагающий правом совершать действия юридического характера и не несущий ответственности за свои поступки. *Недееспособный гражданин.*

А н т.: дееспосо́бный (*книжн. и спец.*).

**Недееспосо́бность**, -и, *ж.*

**НЕДОБРОХО́ТНЫЙ**, -ая, -ое; -тен, -тна, -о. *Устар.* Недоброжелательный. *[В словах тетушки] я почувствовал что-то чужое, недоброхотное.* С. Аксаков. Детские годы Багрова-внука.

С и н.: неприя́зненный, недружелю́бный.
А н т.: доброхо́тный (*устар.*).

**Недоброхо́тно**, *нареч.* **Недоброхо́тство**, -а, *ср.*

**НЕДОИ́МКА**, -и, *ж. Устар.* Часть налога, сбора и т. п., не внесенная в срок и числящаяся за плательщиком (обычно крестьянином). *Взыскать недоимки.* □ *Перед пасхой у Милова за недоимки корову свели со двора.* М. Горький. Лето.

**НЕДОЛГА́.** ◊ **(Вот) и вся недолга́** (*разг.*) — и все, и кончено, только и всего. — *Чего спрашиваешь? приходи, когда вздумается — и вся недолга!* Салтыков-Щедрин. Мелочи жизни.

**НЕДО́ЛЯ**, -и, *ж. Устар. и нар.-поэт.* Тяжелая, несчастливая доля, судьба. *Августа рассказывала мне свою жизнь.. Больше ей теперь некому рассказать о своей бабьей недоле.* Астафьев. Последний поклон.

**НЕДОМОГА́НИЕ**, -я, *ср.* Болезненное состояние, нездоровье. *Легкое недомогание. Хроническое недомогание. Чувствовать недомогание.* □ *К ней привязались разные недомогания, она старела, глаза потухли.* Панова. Володя.

С и н.: боле́знь, заболева́ние, не́мощь, неду́г (*книжн.*), не́мочь (*разг.*), хворь (*разг.*), хво́рость (*прост.*), хворо́ба (*прост.*).

**НЕДОРАЗУМЕ́НИЕ**, -я, *ср.* **1.** Ошибочное, неполное понимание. *[Старый дьячок] плохо слышал.., отчего не обходилось без маленьких недоразумений.* Чехов. Кошмар. **2.** Случайное стечение обстоятельств. — *Всю Украину, пол-Европы на машине изъездил. Военный шофер я по специальности, в председателях по недоразумению.* Тендряков. Среди лесов. **3.** Отсутствие взаимного понимания; ссора, спор. *Зина смотрела и думала: как же они жили все эту другую жизнь? Хорошо жили. Никогда никаких сцен, никаких недоразумений.* Баруздин. Мама.

**НЕ́ДОРОСЛЬ**, -я, *м.* **1.** В 18 в. в России: молодой дворянин, не достигший совершеннолетия и не поступивший еще на государственную службу. *Я жил недорослем, гоняя голубей и играя в чехарду с дворовыми мальчишками.* Пушкин. Капитанская дочка. **2.** *перен. Разг. ирон.* Малоразвитый, глуповатый, а также недоучившийся, неразвитый человек. — *Из школы вас выгнали за лень.. А из объединения вы сами ушли — вам, видите ли, не понравилось там. Кто же вы? Талант или недоросль, неуч?* Березко. Необыкновенные москвичи.

**НЕДОСЯГА́ЕМЫЙ**, -ая, -ое; -ем, -а, -о. **1.** Такой, которого нельзя достигнуть; недоступный, недостижимый. *[Ника] смотрела вдаль на снежные вершины гор. Чистые, величаво спокойные, они были недосягаемы.* Воронин. В метро. **2.** Совершенный, непревзойденный. *Жуковский еще на долгие годы останется недосягаемым образцом и учителем для всех поэтов, переводящих стихи.* К. Чуковский. Высокое искусство.

С и н. (к 1 знач.): непристу́пный.

**Недосяга́емость**, -и, *ж.*

**НЕДОУ́ЗДОК**, -дка, *м.* Конская уздечка без удил и с одним поводом. *[Василий] снял не-*

доуздок, и конь веселою рысцой побежал к сену. Короленко. Соколинец.

**НЕДОУМЕ́НИЕ**, -я, *ср.* Состояние сомнения, колебания, а также непонимания чего-л. *Вызвать недоумение. В полном недоумении.* □ *Он машинально вытащил револьвер и долго с недоумением и ужасом глядел на него.* Фадеев. Разгром. *[Куделин] отодвинул решетчатые воротца, сунулся туда, сюда и в недоумении замер: погреба на привычном месте не было.* Проскурин. Судьба.

С и н.: озада́ченность.

**НЕДОЧЁТ**, -а, *м.* **1.** Недостаток чего-л., обнаруженный при подсчете; недостача. *На другой же день пугнул он всех до одного, потребовал отчеты, увидел недочеты.* Гоголь. Мертвые души. **2.** обычно *мн.* Промах, погрешность, ошибка. *Недочеты в работе.* □ *Конечно, были в издании всякого рода промахи и недочеты.* Брюсов. За моим окном.

С и н. (ко 2 знач.): недоста́ток, поро́к, несоверше́нство, пробе́л, дефе́кт, изъя́н, ми́нус (*разг.*).

**НЕ́ДРА**, недр, *мн.* **1.** То, что находится в глубинах земли, под земной поверхностью. *Разведка недр.* □ *Глубоко В недра земли проникал с фонарем рудокоп, открывая Жилы металлов.* Жуковский. Неожиданное свидание. **2.** *перен.*, обычно *чего.* О глубинной, отдаленной или внутренней части чего-л. *Воспитанный в недрах провинции.., он до того был проникнут семейным началом, что и будущая служба представлялась ему в виде какого-то семейного занятия.* И. Гончаров. Обломов.

**НЕДРЕМА́ННЫЙ**, -ая, -ое. *Устар.* Недремлющий, всевидящий, бдительный. *Недреманный страж.* □ *Костры дразнят Кешкин недреманный взор манящими огнями.* Шишков. Тайга. ◊ **Недреманное око** — о бдительном, неусыпном надзоре, наблюдении.

С и н.: недре́млющий, неусы́пный (*книжн.*).

**НЕДРЕ́МЛЮЩИЙ**, -ая, -ее. Бдительный, наблюдательный, внимательный. *В ядре отряда — музыка и пляска, в головной походной заставе — недремлющая разведка.* Первенцев. Кочубей.

С и н.: неусы́пный (*книжн.*), недрема́нный (*устар.*).

**НЕДУ́Г**, -а, *м.* **1.** Сильное недомогание, болезнь. *Неизлечимый недуг. Страдать недугом.* □ *Крестьяне применяли его [деготь] в смеси с животными жирами как мазь от разных недугов.* Солоухин. Третья охота. **2.** О тяжелом, неблагополучном душевном состоянии. *На пороге юности нас поразил общий недуг — невыясненность наших устремлений.* Нагибин. Переулки моего детства.

С и н. (к 1 знач.): заболева́ние, не́мощь, не́мочь (*разг.*), хворь (*разг.*), хво́рость (*прост.*), хворо́ба (*прост.*).

**НЕДЮ́ЖИННЫЙ**, -ая, -ое. Выдающийся по своим качествам, исключительный. *Я подозревал у нее недюжинный ум, меня восхищала широта ее воззрений.* Чехов. Дом с мезонином.

С и н.: необыкнове́нный, ре́дкий, незауря́дный, неордина́рный (*книжн.*).

А н т.: дю́жинный.

**Недю́жинность**, -и, *ж. Недюжинность таланта.*

**НЕЕСТЕ́СТВЕННЫЙ**, -ая, -ое; -ен и -енен, -енна, -о. **1.** Не свойственный природе, принятому порядку; ненормальный. *Неестественная поза.* □ *Есть что-то неестественное, ненормальное в облике неработающего завода.* Казакевич. Дом на площади. *Над морем лежала неестественная тишина.* Паустовский. Дым отечества. **2.** Ненастоящий, фальшивый, неискренний. *Неестественная улыбка.* □ *Князь.. засмеялся своим неестественным смехом.* Л. Толстой. Война и мир. *И Сергея вдруг хлестнуло едкое чувство чего-то фальшивого, неестественного, исходящего от Уварова.* Бондарев. Тишина.

С и н. (к 1 знач.): противоесте́ственный. С и н. (ко 2 знач.): иску́сственный, де́ланный, ненатура́льный, напряжённый, принуждённый, найгранный, напускно́й, театра́льный, драмати́ческий, аффекти́рованный (*книжн.*).

А н т.: есте́ственный, натура́льный.

**Неесте́ственность**, -и, *ж.*

**НЕЗАБВЕ́ННЫЙ**, -ая, -ое; -енен, -енна, -о. *Высок.* Такой, которого не забыть. *Для берегов отчизны дальной Ты покидала край чужой; В час незабвенный, в час печальный Я долго плакал пред тобой.* Пушкин. Для берегов отчизны дальной...

С и н.: незабыва́емый, неизглади́мый (*книжн.*), приснопа́мятный (*устар.*).

**НЕЗАВИ́СИМЫЙ**, -ая, -ое; -им, -а, -о. **1.** Не находящийся в какой-л. зависимости, в подчинении у кого-, чего-л.; склонный к самостоятельности, выражающий ее. *Независимый человек. Независимый характер. Независимое государство. С независимым видом.* **2.** Не связанный с чем-л., обособленный от чего-л. *Человек не может быть независим от истории. Война была историей, а мы — действующими лицами ее.* Бондарев. Взгляд в биографию.

С и н. (к 1 знач.): самостоя́тельный, свобо́дный, во́льный. С и н. (ко 2 знач.): свобо́дный.

А н т. (к 1 знач.): зави́симый.

**Незави́симо**, *нареч.* (к 1 знач.). *Держаться независимо.* **Незави́симость**, -и, *ж.*

**НЕЗАМЫСЛОВА́ТЫЙ**, -ая, -ое; -ат, -а, -о. **1.** Несложный, простой. *Незамысловатый сюжет. Незамысловатая песенка.* □ *Он шепотом рассказывал мне незамысловатые истории, потрясшие его воображение.* Паустовский. Повесть о жизни. **2.** *Разг.* Не очень умный, простоватый (о человеке). *Ситников, молодой и незамысловатый генерал из северо-двинских пароходчиков, никак не мог отказать себе в удовольствии пообщаться с притягательным поручиком.* Леонов. Белая ночь.

С и н. (к 1 знач.): незате́йливый, бесхи́тростный, безыску́сный, непритяза́тельный, неприхотли́вый, нехи́трый (*разг.*), немудрёный (*разг.*).

А н т. (к 1 знач.): замыслова́тый.

**Незамыслова́то**, *нареч.* **Незамыслова́тость**, -и, *ж.*

**НЕЗАПЯ́ТНАННЫЙ**, -ая, -ое; -ан, -анна, -о.

Ничем не опороченный. *Незапятнанная честь, репутация. Незапятнанное имя.*
**Незапя́тнанность**, -и, ж.

**НЕЗАУРЯ́ДНЫЙ**, -ая, -ое; -ден, -дна, -о. Выделяющийся среди других; выдающийся. *Незаурядный талант.* М. Васильев. Материя. *Незаурядные способности. Незаурядная личность, красота. Незаурядное здоровье.*
С и н.: исключи́тельный, необыкнове́нный, ре́дкий, недю́жинный, неордина́рный (книжн.).
А н т.: зауря́дный.
**Незауря́дность**, -и, ж.

**НЕЗЕМНО́Й**, -а́я, -о́е. **1.** Находящийся, происходящий вне Земли. *До сих пор длится этот спор — и о множественности обитаемых миров, и о возможности связи с представителями неземного разума.* М. Васильев. Материя. **2.** *Трад.-поэт.* Потусторонний, сверхъестественный, небесный. *Косые лучи неземного кристального света упираются в серебристое, выстеленное облаками поле.* Каверин. Косой дождь. **3.** *перен.* Возвышенный, необыкновенный. *[Циммер] водил смычком, заставляя струны говорить волшебным, неземным голосом, и думал о счастье.* Грин. Алые паруса.
С и н. (ко 2 знач.): незде́шний (трад.-поэт.).
А н т. (к 1 знач.): земно́й.

**НЕЗЛО́БИВЫЙ**, -ая, -ое; -ив, -а, -о и **НЕЗЛОБИ́ВЫЙ**, -ая, -ое; -и́в, -а, -о. Не имеющий, не проявляющий злобы. *Учитель мягок, незлобив, наивен и доверчив, и все это с оттенком покорной, тихой печали.* Куприн. Мелюзга.
С и н.: кро́ткий.

**НЕЗЫ́БЛЕМЫЙ**, -ая, -ое; -ем, -а. *Книжн.* **1.** Такой, который невозможно поколебать, разрушить. *Вдали я видел сквозь туман, В снегах, горящих как алмаз, Седой, незыблемый Кавказ.* Лермонтов. Мцыри. **2.** Твердо установившийся, неизменный. *Незыблемые истины.* □ *[Анатолий Емельянович] ровно в десять часов утра по незыблемому распорядку начал врачебный обход.* Проскурин. Судьба.
С и н. (ко 2 знач.): неруши́мый, непрело́жный (высок.).

**НЕИЗБЫ́ВНЫЙ**, -ая, -ое; -вен, -вна, -о. *Книжн.* Такой, от которого трудно освободиться, избавиться. *Неизбывная тоска, страсть. Неизбывное горе.* □ *[Песня] рождалась из чего-то неведомого мне, из какой-то угрюмой давности,.. темной, неизбывной беды.* Нагибин. Переулки моего детства.
**Неизбы́вность**, -и, ж.

**НЕИЗВЕ́ДАННЫЙ**, -ая, -ое; -ан, -анна, -о. *Книжн.* Остающийся неизвестным, неизученным; не испытанный прежде. *Раннее детство... Не самая ли светлая пора?! Огромный неизведанный мир начинается прямо за порогом родного дома.* Шуртаков. Там, за небосклоном...
С и н.: неизве́стный, незнако́мый, незнае́мый, безве́стный (книжн.), неве́домый (устар. и книжн.).
**Неизве́данность**, -и, ж. *Неизведанность чувств, ощущений.*

**НЕИЗГЛАДИ́МЫЙ**, -ая, -ое; -и́м, -а, -о. *Книжн.* **1.** Такой, который не может сделаться незаметным, исчезнуть. *Около глаз собирались.. морщины, эти неизгладимые знаки времени и опыта.* И. Гончаров. Обрыв. **2.** Такой, который не может изгладиться из памяти; незабываемый. *Неизгладимое впечатление.* □ *Общение с Горьким, душевное и какое-то необычайно серьезное,.. оставило во мне след неизгладимый.* Бергольц. Попытка автобиографии.
С и н. (ко 2 знач.): незабве́нный (высок.), приснопа́мятный (устар.).

**НЕИЗМЕ́ННЫЙ**, -ая, -ое; -е́нен, -е́нна, -о. **1.** Такой, который не изменяется, остается одним и тем же. *Неизменное правило. Неизменные принципы.* **2.** Являющийся характерной особенностью кого-, чего-л.; обычный. — *Позвольте заметить вам,— сказал Чекалинский с неизменною своей улыбкой,— что игра ваша сильна.* Пушкин. Пиковая дама. **3.** *Книжн.* Неспособный к измене, преданный. *Ты был целителем моих душевных сил; О неизменный друг, тебе я посвятил И краткий век, уже испытанный судьбою, И чувства, может быть, спасенные тобою!* Пушкин. Чаадаеву.
С и н. (к 1 и 2 знач.): постоя́нный, ве́чный, всегда́шний (разг.). С и н. (к 3 знач.): ве́рный.
**Неизме́нно**, нареч. **Неизме́нность**, -и, ж.

**НЕИЗЪЯСНИ́МЫЙ**, -ая, -ое; -и́м, -а, -о. **1.** *Устар.* Такой, который не поддается объяснению. *Медики принуждены были признаться, что физическая причина смерти несчастного Б. была неизъяснима.* В. Одоевский. Русские ночи. **2.** *Книжн.* Такой, что трудно выразить, описать словами. *Неизъяснимый восторг. Неизъяснимая грусть, тоска.* □ *Горячие слезы неизъяснимого горя душили меня, застилали пеленой глаза.* Бондарев. Частица от идеальной женщины.
С и н. (к 1 знач.): непоня́тный, необъясни́мый, непостижи́мый, непости́жный (устар.). С и н. (ко 2 знач.): непередава́емый, невырази́мый (книжн.), неопису́емый (книжн.), несказа́нный (высок.), неизрече́нный (трад.-поэт.)
**Неизъясни́мо**, нареч. (ко 2 знач.). **Неизъясни́мость**, -и, ж.

**НЕИМОВЕ́РНЫЙ**, -ая, -ое; -рен, -рна, -о. Чрезвычайный по степени проявления. *Неимоверный шум. Неимоверная тяжесть, усталость. С неимоверной быстротой. С неимоверным трудом.* □ *Несмотря на неимоверную жару, Вырикова была в драповом коричневом пальто.* Фадеев. Молодая гвардия.
С и н.: невероя́тный, невообрази́мый, немы́слимый, неопису́емый (книжн.), несусве́тный (разг.).
**Неимове́рно**, нареч. **Неимове́рность**, -и, ж.

**НЕИМУ́ЩИЙ**, -ая, -ее. *Книжн.* **1.** Не имеющий достаточных средств к существованию. *Неимущие слои населения.* □ *Люди они были хоть и неимущие, но образованные, можно сказать, на редкость.* Тургенев. Уездный лекарь. **2.** *в знач. сущ.* **неиму́щие**, -их, *мн.* Те, кто принадлежит к наименее обеспеченным классам, слоям общества. *Год 1847-й был неурожайным в Европе.. Цены росли. Наживались купцы и капиталисты, погибали неимущие.* Серебрякова. Похищение огня.

С и н. (к 1 знач.): бе́дный, необеспе́ченный, нужда́ющийся, малоиму́щий (книжн.).

**НЕИСКУШЁННЫЙ**, -ая, -ое; -ён, -ённа, -о. Не имеющий каких-л. знаний, опыта, мало разбирающийся в чем-л. *Неискушенный читатель, зритель.* □ — *Вы и понять не можете всего того, что молодой, неискушенный, безобразно воспитанный мальчик может принять за любовь!* Тургенев. Дворянское гнездо.

С и н.: нео́пытный, незре́лый.

А н т.: искушённый.

**Неискушённость**, -и, *ж*.

**НЕИСПОВЕДИ́МЫЙ**, -ая, -ое; -и́м, -а, -о. *Устар. высок.* Не поддающийся уяснению, непостижимый, непонятный. *Его.. лицо на сей раз выражает два противоположных чувства: смирение неисповедимыми судьбами и тупое безграничное высокомерие.* Чехов. Панихида.

**Неисповеди́мость**, -и, *ж*.

**НЕИССЯКА́ЕМЫЙ**, -ая, -ое; -ем, -а, -о. Такой, который не кончается, не прекращается; чрезвычайно обильный. *Неиссякаемый родник. Неиссякаемая энергия. Неиссякаемое жизнелюбие. Неиссякаемые возможности.* □ *Воображение этого человека было неиссякаемо и могуче — он мог сочинять и говорить целый день и никогда не повторяться.* М. Горький. Бывшие люди.

С и н.: неистощи́мый, неисчерпа́емый.

**НЕИСТОВСТВО**, -а, *ср.* 1. *ед.* Необузданное проявление какого-л. чувства, крайне возбужденное душевное состояние. *Учитель застал кузнеца в неистовстве. Расшвыривая тряпье, хозяин метался по горнице.* Родичев. Яшка и его отец. 2. Поступок, совершенный в исступлении; жестокость. *Что же мешает им составить открытую оппозицию против неистовства Большова? То, что они материально зависят от него.* Добролюбов. Темное царство.

С и н. (к 1 знач.): я́рость, исступле́ние, бу́йство, сумасше́ствие, бе́шенство, беспа́мятство, умоисступле́ние (книжн.), остервене́ние (разг.), раж (разг.).

**НЕИСТОЩИ́МЫЙ**, -ая, -ое; -и́м, -а, -о. 1. Такой, который не может истощиться, исчерпаться. *Неистощимые богатства.* □ *Ее вера в удачу, в доброе и хорошее была неистощима.* В. Смирнов. Открытие мира. 2 Обладающий неиссякаемым, богатым запасом чего-л. *Неистощимый собеседник. Неистощим на выдумки.* □ *Морщинистый и жухлый, как старая перчатка, Наумов был неистощим на болтовню.* Авдеенко. Дикий хмель.

С и н. (к 1 знач.): неиссяка́емый, неисчерпа́емый.

**Неистощи́мость**, -и, *ж*.

**НЕИСТРЕБИ́МЫЙ**, -ая, -ое; -и́м, -а, -о. *Книжн.* Не поддающийся уничтожению, истреблению. *Неистребимая привычка.* □ *Только с одной Генкиной слабостью отец никак не мог справиться. Этой слабостью была его неистребимая страсть к кино.* Алексин. Неправда.

С и н.: неискорени́мый (книжн.).

**Неистреби́мость**, -и, *ж*.

**НЕИСЧЕРПА́ЕМЫЙ**, -ая, -ое; -ем, -а, -о. 1. Такой, который трудно или нельзя исчерпать. *В нескольких километрах от котлована возвышается гора Могутная.. Это неисчерпаемый источник строительного материала.* Катаев. Почти дневник. 2. *перен.* Неиссякаемый по своим возможностям, проявлениям; безграничный. *Неисчерпаемая фантазия. Неисчерпаемые творческие возможности.*

С и н.: неистощи́мый, неиссяка́емый.

**Неисчерпа́емость**, -и, *ж*.

**НЕЙРО...** [От греч. neuron — жила, нерв]. Первая составная часть сложных слов, указывающая на отношение к нервной системе, напр.: *нейробиоло́гия, нейрофизиоло́гия, нейротка́невый, нейрохирурги́я.*

**НЕЙТРАЛИЗОВА́ТЬ**, -зу́ю, -зу́ешь; нейтрализу́ющий, нейтрализова́вший; нейтрализу́емый, нейтрализо́ванный; -ан, -а, -о; нейтрализу́я, нейтрализова́в; *сов. и несов., кого, что.* [См. *нейтральный*]. 1. Вынуждать соблюдать нейтралитет. *Нейтрализовать государство. Нейтрализовать армию.* 2. Ослабить, прекратить, пресечь (чье-л. влияние, воздействие и т.п.). *Нейтрализовать вредное влияние.* □ *Виктор круто изменил свою политику внутри отдела. Прежде всего он постарался нейтрализовать Захарчука и его сторонников.* Гранин. Искатели.

**НЕЙТРАЛИТЕ́Т**, -а, *м.* [Нем. Neutralität]. 1. В международном праве: политика неучастия в войне, а в мирное время — отказ от участия в военных блоках. *Сохранять нейтралитет. Договор о нейтралитете.* 2. Невмешательство в чьи-л. дела, борьбу, ссору и т.п. *[Я] — человек мирный. Во время каких-нибудь скандалов и столкновений других люблю держать нейтралитет.* Новиков-Прибой. В бухте «Отрада».

**НЕЙТРА́ЛЬНЫЙ**, -ая, -ое; -лен, -льна, -о. [Восх. к лат. neutralis от neuter — ни тот, ни другой]. 1. Придерживающийся нейтралитета по отношению к воюющим государствам. *Нейтральные страны.* 2. Не могущий служить театром военных действий и местом расположения войск в силу международного соглашения. *Нейтральная территория, зона, полоса.* 3. Не примыкающий ни к одной из сторон (в борьбе, ссоре и т.п.), а также выражающий такое отношение. *Нейтральный наблюдатель. Нейтральное поведение.* 4. *полн. ф.* Не оказывающий ни вредного, ни полезного действия. *Нейтральные вещества.*

**Нейтра́льно**, *нареч.* **Нейтра́льность**, -и, *ж.*

**НЕКВАЛИФИЦИ́РОВАННЫЙ**, -ая, -ое; -ан, -анна, -о. 1. Не имеющий квалификации. *Неквалифицированный рабочий.* 2. Не требующий специальной квалификации, специальной подготовки. *Неквалифицированный труд.*

А н т.: квалифици́рованный.

**НЕКОММУНИКА́БЕЛЬНЫЙ**, -ая, -ое; -лен, -льна, -о. Мало общающийся с кем-л., а также трудно сходящийся с людьми. *— Я боялась тебя, Игорь! Ты был совершенно некоммуникабелен, иронически зол.* Липатов. Игорь Саввович.

С и н.: необщи́тельный, за́мкнутый, нелюди́мый.

А н т.: коммуника́бельный.

**Некоммуника́бельность**, -и, ж.

**НЕКОМПЕТЕ́НТНЫЙ**, -ая, -ое; -тен, -тна, -о. **1.** Не имеющий достаточных знаний, недостаточно осведомленный в чем-л. *Быть некомпетентным в данной области знания.* **2.** *Спец.* Не имеющий права по своим полномочиям и знаниям делать или решать что-л. *Некомпетентен принимать решения.*

С и н. (к 1 знач.): несве́дущий, малосве́дущий, малокомпете́нтный, неискушённый.

А н т.: компете́нтный.

**Некомпете́нтность**, -и, ж.

**НЕКОРОНО́ВАННЫЙ**, -ая, -ое. Не будучи признанным официальной властью, обладающий ею фактически. *Как-то само собой получилось, что во главе нового поселения, его некоронованным владыкой и ревностным хранителем обычаев стал старик Савкин.* М. Алексеев. Вишневый омут.

**НЕКОРРЕ́КТНЫЙ**, -ая, -ое; -тен, -тна, -о. **1.** Нетактичный в обращении с людьми, невежливый, а также выражающий такое отношение. *Некорректный человек. Некорректное поведение.* **2.** *Книжн.* Неправильный, неточный. *Некорректный вопрос.*

С и н. (к 1 знач.): невоспи́танный, нелюбе́зный, неучти́вый.

А н т. (к 1 знач.): корре́ктный.

**Некорре́ктность**, -и, ж.

**НЕКРОЛО́Г**, -а, м. [От греч. nekros — мертвый и logos — слово]. Официальное сообщение в газете, журнале о смерти кого-л. с описанием его жизни и деятельности. *Во вторник районная газета вышла с портретом Мишакова в траурной рамке, и под портретом был напечатан большой некролог.* Бакланов. Карпухин.

**НЕКРО́ПОЛЬ**, -я, м. [От греч. nekros — мертвый и polis — город]. **1.** В античном мире и в странах Древнего Востока: большое кладбище, могильник. *Некрополь в Афинах.* **2.** Кладбище, на котором похоронены знаменитые люди. *Некрополь Александро-Невской лавры в Санкт-Петербурге.*

**НЕКТА́Р**, -а, м. [Восх. к греч. nektar]. **1.** В античной мифологии: напиток богов, дававший им вечную юность и красоту. *Прекрасная радость живет у Зевса.. Нектара чашу Певцу, молодая Геба, подай!* Жуковский. Явление богов. **2.** *перен.* О превосходном напитке. *— Великолепное молоко! — воскликнул Платон Андреевич.. — Не молоко, а нектар.* Рекемчук. Скудный материк. **3.** Сладкий сок, выделяемый цветками медоносных растений.

**НЕЛЕГА́ЛЬНЫЙ**, -ая, -ое; -лен, -льна, -о. Не разрешенный законом. *Нелегальный кружок. Нелегальная газета, типография. Нелегальное положение.* □ *Года полтора назад Этьен получил нелегальным путем через курьера крупную сумму в валюте.* Воробьев. Земля, до востребования.

С и н.: подпо́льный, та́йный.

А н т.: лега́льный.

**Нелега́льно**, нареч. *Нелегально провезти что-л. через границу.* **Нелега́льность**, -и, ж.

**НЕЛИЦЕПРИЯ́ТНЫЙ**, -ая, -ое; -тен, -тна, -о. *Устар.* Беспристрастный, справедливый. *Нелицеприятный разговор. Нелицеприятная критика, оценка.* □ *Ему еще никогда не доводилось судить когда-то близкого ему человека таким нелицеприятным судом, и он был растерян.* Проскурин. Судьба.

С и н.: объекти́вный, непредубеждённый.

А н т.: лицеприя́тный (устар.).

**НЕЛОЯ́ЛЬНЫЙ**, -ая, -ое; -лен, -льна, -о. Нарушающий принятые положения, законы. *Нелояльный человек. Нелояльное поведение.*

А н т.: лоя́льный.

**Нелоя́льно**, нареч. **Нелоя́льность**, -и, ж.

**НЕМЕРКНУЩИЙ**, -ая, -ее. *Высок.* **1.** Постоянно светящийся, не потухающий. *Немеркнущий огонь, факел.* **2.** *перен.* Не утрачивающий своей силы, своего значения. *Мать была для Лены средоточием всех совершенств. Лена помнила и любила ее, уже не существующую, страстной, немеркнущей любовью.* Фадеев. Последний из удэге.

С и н. (к 1 знач.): негаси́мый (высок.), неугаси́мый (устар.) и неугаса́емый (устар.). С и н. (ко 2 знач.): неугаси́мый (высок.) и неугаса́емый (высок.), негаси́мый (высок.), неувяда́емый (высок.), неувяда́ющий (высок.).

**НЕМО́ЛЧНЫЙ**, -ая, -ое; -чен, -чна, -о. *Высок.* Звучащий непрерывно, неумолкаемый. *Фонтан любви, фонтан живой!.. Люблю немолчный говор твой и поэтические слезы.* Пушкин. Фонтан Бахчисарайского дворца.

С и н.: несмолка́емый, несмолка́ющий, безумо́лчный (книжн.), неумо́лчный (высок.).

**НЕ́МОЩНЫЙ**, -ая, -ое; -щен, -щна, -щно. Слабый, больной. *Сейчас перед ним сидел немощный старичок с серым, изможденным и потухшим лицом.* Панова. Спутники.

С и н.: слабоси́льный, малоси́льный.

**НЕМЫСЛИМЫЙ**, -ая, -ое; -им, -а, -о. **1.** Такой, который трудно себе представить. *Запах духов и политых дорожек был совершенно южный, немыслимый на севере.* Паустовский. Блистающие облака. **2.** Чрезвычайно большой, значительный. *Вместе с гармонической бурей оркестра, в немыслимом напряжении вы устремляетесь в прорыв, в будущее, к голубым городам высшего устроения.* А. Н. Толстой. На репетиции Седьмой симфонии Шостаковича.

С и н. (к 1 знач.): невероя́тный, невообрази́мый, неправдоподо́бный. С и н. (ко 2 знач.): невероя́тный, невообрази́мый, неимове́рный, исключи́тельный, неопису́емый (книжн.), несусве́тный (разг.).

**Немы́слимо**, нареч. (ко 2 знач.). **Немы́слимость**, -и, ж.

**НЕО...** [От греч. neos — новый]. Первая составная часть сложных слов, обозначающая **новый**, напр.: *неореали́зм, неонаци́зм.*

**НЕОБОРИ́МЫЙ**, -ая, -ое; -и́м, -а, -о. *Книжн.* Такой, который нельзя побороть, преодолеть; непреодолимый. *Необоримый страх, сон. Необоримая робость, страсть, сила.* □ *Эта любовь настолько чиста и поэтична в этом коротком покое, что вас охватывает необоримая тревога.* Бондарев. Взгляд в биографию.

С и н.: неудержи́мый и неуде́ржный, неукротимый (книжн.), неодолимый (высок.), непреборимый (высок.).

**Необоримость,** -и, ж.

**НЕОБРАТИ́МЫЙ,** -ая, -ое; -и́м, -а, -о. *Книжн.* Такой, который не может развиваться в обратном направлении, двигаться вспять. *И некоторым из тех, что сейчас числятся живыми, еще предстоит умереть в ближайшие дни от необратимых явлений, вызванных длительным голодом.* Симонов. Солдатами не рождаются.

Ант.: обратимый (книжн.).

**Необратимость,** -и, ж.

**НЕОБУ́ЗДАННЫЙ,** -ая, -ое; -ан, -анна, -о. **1.** Крайне несдержанный, не знающий границ в проявлении своих порывов, страстей. *Необузданный нрав.* □ *Страшна и необузданна была она в гневе.* Г. Марков. Строговы. **2.** Очень сильный по степени проявления (о чувствах, состоянии, свойствах и т. п.). *Необузданный гнев.* □ *Мужья легко верят необузданной фантазии своего ума.* Анчишкин. Арктический роман.

Син. (ко 2 знач.): неудержимый, бурный, буйный, неукротимый (книжн.), безудержный (книжн.), безумный (разг.), безудержный (устар.).

**Необузданность,** -и, ж.

**НЕОКОЛОНИАЛИ́ЗМ,** -а, м. [От нео... (см.) и колониализм (см.)]. Система неравноправных экономических и политических отношений, навязываемых развивающимся странам более развитыми странами в целях контроля над ними, сменившая систему колониализма.

**Неоколониали́стский,** -ая, -ое.

**НЕОЛОГИ́ЗМ,** -а, м. [От нео... (см.) и греч. logos — слово]. Новое слово или фразеологическое сочетание, появившееся в языке.

**НЕОПИСУ́ЕМЫЙ,** -ая, -ое; -ем, -а, -о. *Книжн.* **1.** Не поддающийся описанию словами. *Неописуемое выражение лица.* □ *Неописуемые виды! Все величавей, все плотней Ослепнувшие пирамиды Сугробов около плетней.* Недогонов. Флаг над сельсоветом. **2.** Очень большой по силе проявления. *В доме имелись таинственные подвалы с дровяными сараями. Прятаться в этих сараях.. было неописуемым блаженством.* Катаев. Белеет парус одинокий.

Син. (к 1 знач.): непередаваемый, невыразимый (книжн.), неизъяснимый (книжн.), несказанный (высок.), неизречённый (трад.-поэт.). Син. (ко 2 знач.): невероятный, невообразимый, неимоверный, исключительный, несусветный (разг.).

**НЕОПРОВЕРЖИ́МЫЙ,** -ая, -ое; -им, -а, -о. Такой, который не может быть опровергнут, вполне убедительный. *Неопровержимый факт. Неопровержимые доказательства.* □ *У меня ведь было свое «хочу», подкрепленное, с моей точки зрения, неопровержимыми логическими аргументами.* Серафимович. На реке.

Син.: бесспорный, неоспоримый (книжн.), непререкаемый (книжн.), непреложный (высок.).

**Неопровержи́мость,** -и, ж.

**НЕОРДИНА́РНЫЙ,** -ая, -ое; -рен, -рна, -о. *Книжн.* Необыкновенный, незаурядный. *Неординарный ум. Неординарное решение.*

Син.: редкий, исключительный, недюжинный.

Ант.: ординарный (книжн.).

**Неординарность,** -и, ж.

**НЕОСЛА́БНЫЙ,** -ая, -ое; -бен, -бна, -о. *Книжн.* Такой, который протекает или совершается не ослабевая, с одинаковой силой. *Под неослабным надзором. С неослабным вниманием.* □ *Ветер с неослабной силой клонил к земле деревья, гнул стрелы высоких фонарей, рвал проволоки.* А. Н. Толстой. Гиперболоид инженера Гарина.

**НЕОСО́ЗНАННЫЙ,** -ая, -ое; -ан, -анна, -о. Не контролируемый сознанием, бессознательный. *Неосознанный страх.* □ *Сердце щемило от какой-то бесконечной неосознанной боли.* В. Белов. Кануны.

Син.: подсознательный, инстинктивный, интуитивный, безотчётный (книжн.).

**Неосо́знанно,** *нареч.* **Неосо́знанность,** -и, ж.

**НЕОТВРАТИ́МЫЙ,** -ая, -ое; -и́м, -а, -о. *Высок.* Такой, который с неизбежностью появится, осуществится, который нельзя предотвратить. *Неотвратимая беда, угроза. Неотвратимое одиночество.* □ *Загрузка корабля закончена. Наступает неотвратимый час прощания.* Задорнов. Хэда.

Син.: неизбежный, неминуемый (книжн.), неминучий (нар.-поэт.).

**Неотврати́мо,** *нареч.* **Неотврати́мость,** -и, ж.

**НЕОТРАЗИ́МЫЙ,** -ая, -ое; -и́м, -а, -о. **1.** Такой, который нельзя отразить, отбить. *Неотразимый удар.* □ *Сыны Кавказа.. воспоминают прежних дней Неотразимые набеги.* Пушкин. Кавказский пленник. **2.** *перен.* Оказывающий сильное воздействие, влекущий к себе, покоряющий чем-л. *Неотразимая красота, привлекательность. Неотразимое впечатление.*

**Неотрази́мо,** *нареч.* **Неотрази́мость,** -и, ж.

**НЕОТЪЕ́МЛЕМЫЙ,** -ая, -ое; -ем, -а, -о. *Книжн.* Такой, который нельзя отнять у кого-, чего-л., отделить от кого-, чего-л. *Неотъемлемое право.* □ *Я привыкла к письмам Андрея.. Они стали неотъемлемой частью моей жизни.* Каверин. Открытая книга.

Син.: неотделимый, органический и органичный (книжн.).

**Неотъе́млемость,** -и, ж.

**НЕОФАШИ́ЗМ,** -а, м. [От нео... (см.) и фашизм (см.)]. Идеология и политика фашизма, проводимая его сторонниками в условиях, возникших после второй мировой войны.

**Неофаши́стский,** -ая, -ое.

**НЕОФИ́Т,** -а, м. [Восх. к греч. neophytos]. *Книжн.* Новый последователь какой-л. религии, новый сторонник какого-л. учения.

Син.: новообращённый, прозелит (книжн.).

**НЕПИ́САНЫЙ,** -ая, -ое; -ан, -а, -о. Не установленный, не принятый официально, но существующий по обычаю. *Подвода, на которой ехала Уля, по какому-то неписаному распорядку сразу стала как бы принадлежностью хозяйства роты автоматчиков.* Фадеев. Молодая гвардия.

**НЕПОГРЕШИ́МЫЙ,** -ая, -ое; -и́м, -а, -о. *Книжн.* **1.** Такой, который никогда не делает ошибок, безупречный в своем поведении. *[Каренин:] Неужели мы все так непогрешимы, что не можем расходиться в наших убеждениях?* Л. Толстой. Живой труп. **2.** Не вызывающий сомнений, без каких-л. недочетов, погрешностей. *Не хотим.. сказать, что мы считали наш способ понимания непогрешимым,— мы предлагаем его только как один из способов понимания.* И. Гончаров. «Мильон терзаний».

**Непогреши́мость**, -и, ж.

**НЕПОДДЕ́ЛЬНЫЙ**, -ая, -ое; -лен, -льна, -о. **1.** Не являющийся подделкой. *Неподдельный документ.* □ — *Хитрость была в том, что хотя вода-то и была неподдельная морская, но влита она была в бочонки на сухопутье.* Сергеев-Ценский. Севастопольская страда. **2.** Лишенный притворства, искренний. *В ее усталом взгляде, в небрежной прическе волос выказывалась неподдельная горесть.* Тургенев. Андрей Колосов.

С и н. *(к 1 знач.):* по́длинный, настоя́щий.
С и н. *(ко 2 знач.):* нелицеме́рный, непритво́рный.
А н т. *(к 1 знач.):* подде́льный, фальши́вый.

**Неподде́льность**, -и, ж.

**НЕПОКОЛЕБИ́МЫЙ**, -ая, -ое; -и́м, -а, -о. *Книжн.* Такой, что нельзя поколебать; непреклонный. *Непоколебимая уверенность, настойчивость.* □ *[Княжна Марья] была молчалива и непоколебима в своих решениях.* Л. Толстой. Война и мир.

С и н.: несгиба́емый, сто́йкий, неколеби́мый *(книжн.).*

**Непоколеби́мо**, нареч. **Непоколеби́мость**, -и, ж.

**НЕПОМЕ́РНЫЙ**, -ая, -ое; -рен, -рна, -рно. Превосходящий обычную меру, чрезмерный. *Непомерная жалость. Непомерный восторг.* □ *Видно, мать непомерным страданьем своим Откупила у смерти меня.* Сурков. Видно, выписал писарь...

С и н.: неуме́ренный, изли́шний, избы́точный, гипертрофи́рованный *(книжн.).*

**Непоме́рно**, нареч. **Непоме́рность**, -и, ж.

**НЕПОРО́ЧНЫЙ**, -ая, -ое; -чен, -чна, -о. *Высок.* Нравственно чистый, безупречный, а также девственный, невинный. *[Царь:] Друзья мои... при гробе вас молю Ему служить усердием и правдой! Он так еще и млад и непорочен.* Пушкин. Борис Годунов.

С и н.: чи́стый, целому́дренный.

**Непоро́чность**, -и, ж.

**НЕПОСРЕ́ДСТВЕННЫЙ**, -ая, -ое; -ен, -енна, -о. **1.** *полн. ф.* Без промежуточных, посредствующих звеньев связанный с кем-л. *Непосредственный начальник. Непосредственная угроза.* □ — *Все [имение] должно оставаться в вашем непосредственном владении и заведовании.* И. Гончаров. Обрыв. **2.** Следующий без размышления внутреннему побуждению, влечению. *Непосредственный ребенок. Непосредственная натура.*

С и н. *(к 1 знач.):* прямо́й.

**Непосре́дственно**, нареч. *(ко 2 знач.).* *Вести себя непосредственно.* **Непосре́дственность**, -и, ж. *(ко 2 знач.). Детская непосредственность.*

**НЕПОСТИЖИ́МЫЙ**, -ая, -ое; -и́м, -а, -о. Такой, который невозможно понять, постичь. *Замечательнейшим свойством Валетки было его непостижимое равнодушие ко всему на свете.* Тургенев. Ермолай и мельничиха. ◊ **Уму непостижи́мо** *(разг.)* — совершенно непонятно. *Уму непостижимо, по каким признакам майор определял промашки того или иного курсанта.* Крутилин. Апраксин бор.

С и н.: непоня́тный, необъясни́мый, непости́жный *(устар.),* неизъясни́мый *(устар.).*

**Непостижи́мость**, -и, ж.

**НЕПРА́ВЕДНЫЙ**, -ая, -ое; -ден, -дна, -о. *Устар.* **1.** Действующий не по справедливости, противоречащий справедливости. *Везде неправедная Власть В сгущенной мгле предрассуждений Воссела — Рабства грозный Гений И Славы роковая страсть.* Пушкин. Вольность. **2.** Противоречащий нравственности; грешный, греховный. *Неправедные доходы. Неправедная жизнь.*

С и н. *(к 1 знач.):* несправедли́вый, непра́вый *(устар. и высок.).*

**Непра́ведно**, нареч. **Непра́ведность**, -и, ж.

**НЕПРАВОМЕ́РНЫЙ**, -ая, -ое; -рен, -рна, -о. *Книжн.* **1.** Не имеющий законных оснований, совершаемый не по праву. *Неправомерные действия.* **2.** Необоснованный, внутренне не оправданный. *Неправомерная постановка вопроса. Сравнение неправомерно.*

С и н. *(к 1 знач.):* незако́нный, противозако́нный. С и н. *(ко 2 знач.):* неопра́вданный, неправомо́чный *(книжн.).*

А н т.: правоме́рный *(книжн.).*

**Неправоме́рность**, -и, ж. *Неправомерность обвинения. Неправомерность территориальных претензий.*

**НЕПРАВОМО́ЧНЫЙ**, -ая, -ое; -чен, -чна, -о. *Книжн.* **1.** Не имеющий права делать что-л., не облеченный полномочиями. — *[Я] отвечаю за свои действия перед «Союзом», а ваш суд считаю неправомочным.* Соколов. Искры. **2.** Неправильный, необоснованный. *Неправомочная постановка вопроса.*

С и н. *(ко 2 знач.):* неопра́вданный, неправоме́рный *(книжн.).*

А н т.: правомо́чный *(книжн.).*

**Неправомо́чность**, -и, ж.

**НЕПРЕЗЕНТА́БЕЛЬНЫЙ**, -ая, -ое; -лен, -льна, -о. *Устар.* Непредставительный, неприличный. *Вид его был столь непрезентабелен, а глаза так испуганно вытаращены, что Збандуто, вместо приветствия, напустился на него.* Поповкин. Семья Рубанюк.

С и н.: непривлека́тельный, невзра́чный, неказа́стый *(разг.),* неблагови́дный *(устар.).*

**Непрезента́бельность**, -и, ж.

**НЕПРЕКЛО́ННЫЙ**, -ая, -ое; -о́нен, -о́нна, -о. *Книжн.* Проявляющий стойкость, твердость, непоколебимость. — *Ты это говоришь, Павел? Ты, которого я считал всегда самым непреклонным противником подобных браков?* Тургенев. Отцы и дети.

С и н.: несгиба́емый, сто́йкий, непоколеби́мый *(книжн.)* и неколеби́мый *(книжн.).*

**Непрекло́нно**, *нареч.* **Непрекло́нность**, -и, *ж.*
**НЕПРЕЛО́ЖНЫЙ**, -ая, -ое; -жен, -жна, -о. *Высок.* **1.** Такой, который нельзя нарушить, изменить; обязательный.— *Но как бы то ни было, разве можно, разве позволительно — частный, так сказать, факт возводить в общий закон, в непреложное правило?* Тургенев. Дворянское гнездо. **2.** Не подлежащий сомнению, бесспорный. *Непреложные истины.*
С и н. (к 1 знач.): неруши́мый, незы́блемый (*книжн.*), непререка́емый (*книжн.*).
**Непрело́жность**, -и, *ж.*
**НЕПРЕМЕ́ННЫЙ**, -ая, -ое; -е́нен, -е́нна, -о. **1.** Совершенно обязательный. *Непременный участник. Непременное условие.* □ *На каждый час суток падает какое-нибудь определенное, непременное действие.* Солоухин. Мать-мачеха. **2.** Являющийся характерной приметой, принадлежностью кого-, чего-л. *Небоскребов, этой непременнейшей детали городского пейзажа, здесь нет.* Полторацкий. За океаном. **3.** *полн. ф. Устар.* В составе названий различных должностей: постоянный. *Особенно боятся его почтмейстеры, непременные заседатели и станционные смотрители.* Тургенев. Два помещика.
С и н. (к 1 знач.): необходи́мый.
**Непреме́нно**, *нареч.* (к 1 и 2 знач.).
**НЕПРЕОБОРИ́МЫЙ**, -ая, -ое; -и́м, -а, -о. *Высок.* Такой, который нельзя преодолеть, побороть. *Непреоборимая твердость. Непреоборимое желание.* □ *Струнников воспитывался в одном из высших учебных заведений, но отличался таким замечательным тупоумием и такою непреоборимою леностью, что начальство не раз порывалось возвратить его родителям.* Новиков-Прибой. Цусима.
С и н.: непреодоли́мый, неудержи́мый и неуде́ржный, неукроти́мый (*книжн.*), необори́мый (*книжн.*), неодоли́мый (*высок.*).
**НЕПРЕСТА́ННЫЙ**, -ая, -ое; -а́нен, -а́нна, -о. *Книжн.* Продолжающийся все время, непрекращающийся. *Непрестанным потоком шли к фронту танки, снаряды, боевое оружие.* Софронов. В сердце и в памяти.
С и н.: постоя́нный, непреры́вный, беспреры́вный, безостано́вочный, неутиха́ющий, несконча́емый, беспреста́нный (*книжн.*).
**Непреста́нно**, *нареч.* **Непреста́нность**, -и, *ж.*
**НЕПРИКА́ЯННЫЙ**, -ая, -ое; -ян, -янна, -о. *Разг.* **1.** Не находящий себе места (при беспокойстве, душевной тревоге и т. п.); не знающий, чем себя занять. *Не мог он с мужичками в смех, в разговор вступить, а уехать — тоже — куда теперь? Так и болтался неприкаянным средь обозов часа полтора.* Фурманов. Чапаев. **2.** Неустроенный, бесприютный. *Больно кольнуло ему в сердце зрелище этой одинокой, собачьей, неприкаянной старости.* Герман. Я отвечаю за все.
**Неприка́янно**, *нареч.* **Неприка́янность**, -и, *ж.*
**НЕПРИКОСНОВЕ́ННЫЙ**, -ая, -ое; -е́нен, -е́нна, -о. **1.** Не подлежащий расходованию. *[Флор Федулыч:] Капитал ваш останется неприкосновенным.* А. Островский. Последняя жертва. **2.** Такой, который бережно хранят. *Я знаю, мы скоро разлучимся опять и, может быть, навеки..; но воспоминание об ней останется неприкосновенным в душе моей.* Лермонтов. Герой нашего времени. **3.** Охраняемый законом от посягательств с чьей-л. стороны.— *Вы как полпред науки. Вы защищаете ее интересы.* — *Нет, полпред — лицо неприкосновенное.* Гранин. Искатели. ◊ **Неприкосновенный запас** — о том, что сохраняют нетронутым на всякий неблагоприятный случай. *Несколько сухарей из неприкосновенного запаса, выданного старшиной перед наступлением, давно съедены.* Тендряков. Свидание с Нефертити.
**Неприкоснове́нность**, -и, *ж. Дипломатическая неприкосновенность. Неприкосновенность личности.*
**НЕПРИНУЖДЁННЫЙ**, -ая, -ое; -ён, -ённа, -о. Такой, в котором нет напряжения, неловкости. *Непринужденный тон. Непринужденная поза, обстановка.* □ *Посмеиваясь, ребята облепляли стол, и начинался тот непринужденный разговор, когда дело перемежается шуткой.* Крутилин. Апраксин бор.
**Непринуждённо**, *нареч.* **Непринуждённость**, -и, *ж.*
**НЕПРИСТО́ЙНЫЙ**, -ая, -ое; -о́ен, -о́йна, -о. **1.** Крайне неприличный, бесстыдный, предосудительный. *Во время своих очередных вахт он рассказывал Држевецкому непристойные рассказы из своей прошлой жизни.* Куприн. Ученик. **2.** *Устар.* Недостойный кого-л., недопустимый. *Про одно именье Наследников сердитый хор Заводит непристойный спор.* Пушкин. Евгений Онегин.
С и н. (к 1 знач.): са́льный, скабрёзный, цини́чный, нецензу́рный, площадно́й, непеча́тный (*разг.*), поха́бный (*прост.*), непотре́бный (*прост.*), скоро́мный (*устар. разг.*). С и н. (ко 2 знач.): неприли́чный, неблагопристо́йный (*устар.*).
А н т. (к 1 знач.): присто́йный, прили́чный, благопристо́йный.
**Непристо́йно**, *нареч.* **Непристо́йность**, -и, *ж.*
**НЕПРИСТУ́ПНЫЙ**, -ая, -ое; -пен, -пна, -о. **1.** Такой, к которому нельзя или очень трудно подступить, приблизиться. *Это были люди окопов,.. они сами ходили в атаки,.. брали высотки, казавшиеся неприступными.* Бондарев. Взгляд в биографию. **2.** Такой, к которому нельзя подступиться; гордый, недоступный. *[Райскому] пока ничего не хотелось больше, как видеть ее, чаще говорить, пробуждать в ней жизнь, если можно — страсть. Но она была неприступна.* И. Гончаров. Обрыв.
С и н. (к 1 знач.): недосяга́емый.
**Непристу́пность**, -и, *ж.*
**НЕПРИТЯЗА́ТЕЛЬНЫЙ**, -ая, -ое; -лен, -льна, -о. **1.** Не предъявляющий больших требований к кому-, чему-л.; довольствующийся малым. *Непритязательный человек.* **2.** Простой, без претензий. *Усталые люди наслаждаются теплом, непритязательным уютом, тишиной — настроены спокойно.* Липатов. Глухая Мята.
С и н. (к 1 знач.): нетре́бовательный, невзыска́тельный, неприхотли́вый. С и н. (ко 2 знач.): не-

замыслова́тый, неприхотли́вый, безыску́сный, бесхи́тростный, незате́йливый, нехи́трый (*разг.*), немудрёный (*разг.*).

**Непритяза́тельность**, -и, ж.

**НЕПРИХОТЛИ́ВЫЙ**, -ая, -ое; -и́в, -а, -о. **1.** Довольствующийся самым необходимым; не требующий особо благоприятных условий. *Неприхотлив в еде, в одежде кто-л. Неприхотливое растение.* **2.** Простой, незатейливый. *Я невольно вспомнил котел, деревянные ложки и всю неприхотливую трапезу красногвардейцев на площади.* Авдеев. У нас во дворе.

Си́н. (к 1 знач.): нетре́бовательный, непритяза́тельный, невзыска́тельный. Си́н. (ко 2 знач.): незамыслова́тый, непритяза́тельный, безыску́сный, бесхи́тростный, нехи́трый (*разг.*), немудрёный (*разг.*).

**Неприхотли́вость**, -и, ж.

**НЕПРИЯ́ТИЕ**, -я, *ср. Книжн.* Нежелание принять, признать кого-, что-л. *В основе толстовских решений было полное неприятие того строя, который постепенно овладевал Россией.* Шкловский. Лев Толстой.

**НЕПРОНИЦА́ЕМЫЙ**, -ая, -ое; -ем, -а, -о. **1.** Не пропускающий через себя что-л. (воду, газы, звуки и т. п.). *Непроницаемая перегородка. Непроницаемый мрак.* □ *Тучи в этот день были еще гуще и непроницаемее.* И. Гончаров. Фрегат «Паллада». **2.** *перен.* Недоступный для других, скрытый для посторонних. *Непроницаемая тайна.* □ *Один только кабинет иногда может разоблачить домашние тайны; но кабинет так же непроницаем для посторонних посетителей, как сердце.* Лермонтов. Княгиня Лиговская. **3.** *перен.* Скрывающий от других свои намерения и чувства; скрытный. *Непроницаемое лицо.* □ *Нестеренко внимательно выслушал его, с непроницаемым видом кивал головой.* Шолохов. Поднятая целина.

**Непроница́емость**, -и, ж.

**НЕПРОТИВЛЕ́НИЕ**, -я, *ср.* ◇ **Непротивление злу (насилием)** — отказ от активной борьбы со злом, противопоставление ему покорности, смирения.

**НЕРЕНТА́БЕЛЬНЫЙ**, -ая, -ое; -лен, -льна, -о. Не оправдывающий расходов, затрат; убыточный. *Необходимость закрытия этих заводов Рамадье мотивировал тем, что они якобы нерентабельны.* Полторацкий. Париж танцует.

Си́н.: невы́годный, бездохо́дный.

А́нт.: рента́бельный.

**Нерента́бельность**, -и, ж.

**НЕРУКОТВО́РНЫЙ**, -ая, -ое; -рен, -рна, -о. *Высок.* Такой, который не может быть создан трудом человеческих рук. *На иных березах, обращенных к солнцу, появились сережки, золотые, чудесные, нерукотворные.* Пришвин. Моя страна.

**НЕСЕССЕ́Р** [нэсэсэ́р], -а, *м.* [Франц. nécessaire — букв. необходимый]. Коробка, футляр, чемоданчик с мелкими принадлежностями туалета, шитья и т. п. *Дорожный несессер.* □ *— Летим вместе.. — Но что для этого нужно? Недели две ожидания, рюкзак со сменой белья, желательно теплого, несессер с умывальными принадле-*

*жностями и доброе желание.* Б. Полевой. Самые памятные.

**НЕСКА́ЗАННЫЙ**, -ая, -ое; -а́н и -а́нен, -а́нна, -о. *Высок.* Очень сильный, чрезвычайный, такой, что трудно выразить словами. *Несказанным очарованием была полна степь, чуть зазеленевшая.* Шолохов. Тихий Дон.

Си́н.: непередава́емый, невырази́мый (*книжн.*), неизъясни́мый (*книжн.*), неопису́емый (*книжн.*), неизречённый (*трад.-поэт.*).

**Несказа́нно**, *нареч. Несказанно обрадоваться.*

**Несказа́нность**, -и, ж.

**НЕСМЕ́ТНЫЙ**, -ая, -ое; -тен, -тна, -о. Огромный по количеству, неисчислимый. *Несметные сокровища.* □ *К обширной площади бегут Несметные толпы: Чиновный люд, торговый люд, Разносчики, попы.* Н. Некрасов. Русские женщины.

Си́н.: бесчи́сленный, бессчётный, несчётный (*книжн.*).

**НЕСНО́СНЫЙ**, -ая, -ое; -сен, сна, -о. Такой, что трудно, невозможно вытерпеть, вынести; невыносимый. *Несносная тоска, скука. Несносный характер.* □ *Около получаса прошло в несносном для него ожидании.* Пушкин. Барышня-крестьянка.

Си́н.: неперноси́мый, нестерпи́мый, неперено́сный (*разг.*).

**Несно́сно**, *нареч.* **Несно́сность**, -и, ж.

**НЕСОВМЕСТИ́МЫЙ**, -ая, -ое; -и́м, -а, -о и (*устар.*) **НЕСОВМЕ́СТНЫЙ**, -ая, -ое; -тен, -тна, -о. Такой, что не может совмещаться, сочетаться, существовать одновременно с чем-л. другим. *Несовместимые характеры.* □ *[Моцарт:] Гений и злодейство Две вещи несовместные.* Пушкин. Моцарт и Сальери. *Шахматы и спорт казались мне почему-то несовместимыми.* Первенцев. Честь смолоду.

Си́н.: взаимоисключа́ющий.

**Несовмести́мость**, -и и **несовме́стность**, -и, ж.

**НЕСООБРА́ЗНЫЙ**, -ая, -ое; -зен, -зна, -о. Не соответствующий чему-л., а также несуразный, нелепый. *Беспрерывная изменчивость ее физиономии, по-видимому, несообразная с чертами несколько резкими, мешала ей нравиться всем.* Лермонтов. Княгиня Лиговская. *[Дьякон] на экзаменах предлагал вопросы довольно несообразные.* Тургенев. Новь.

**Несообра́зно**, *нареч.* **Несообра́зность**, -и, ж.

**НЕСОРАЗМЕ́РНЫЙ**, -ая, -ое; -рен, -рна, -о. **1.** *чему и с чем.* Несоответствующий чему-л. *Задача, несоразмерная чьим-л. способностям.* **2.** Лишенный соразмерности, пропорциональности. *— Руки только что намечены [на портрете], и неверно, плечи несоразмерны, а вы уж.. бежите показывать, хвастаться.* И. Гончаров. Обрыв.

Си́н.: непропорциона́льный, диспропорциона́льный.

А́нт.: пропорциона́льный, соразме́рный.

**Несоразме́рность**, -и, ж.

**НЕСОСТОЯ́ТЕЛЬНЫЙ**, -ая, -ое; -лен, -льна, -о. **1.** *полн. ф.* Материально не обеспеченный; не имеющий средств для оплаты своих долгов. *Несостоятельное хозяйство. Несостоятель-*

ный должник. **2.** *перен.* Не имеющий необходимых данных, возможностей и т. п. для того, чтобы сделать то, что надлежит. *В сущности они [Обломов, Онегин, Печорин] все равно несостоятельны пред силою враждебных обстоятельств.* Добролюбов. Что такое обломовщина? **3.** *перен.* Лишенный необходимого обоснования, доказательности, убедительности. *Несостоятельный довод. Несостоятельная теория.*

С и н. (к 3 знач.): бездока́зательный, безосно́вательный, беспо́чвенный, необосно́ванный, неоснова́тельный.

**Несостоя́тельность,** -и, *ж*.

**НЕСРАВНЕ́ННО,** *нареч. Книжн.* **1.** Очень, бесподобно. *Ты всегда хороша несравненно, Но когда я уныл и угрюм, Оживляется так вдохновенно Твой веселый, насмешливый ум.* Н. Некрасов. Ты всегда хороша несравненно... **2.** (употр. со сравн. ст.). Гораздо, значительно. *У трудно пишущих вырабатывается несравненно более повышенная требовательность к себе, чем у пишущих легко.* Федин. О мастерстве.

С и н. (к 1 знач.): изуми́тельно, исключи́тельно. С и н. (ко 2 знач.): заме́тно, ощути́мо, несоизмери́мо.

**НЕСРАВНЕ́ННЫЙ,** -ая, -ое; -енен, -енна, -о. *Книжн.* Выше всяких сравнений, превосходный. *Несравненный талант.* □ *Несравненного Виргилия я читал и перечитывал.* Пушкин. Бова.

С и н.: изуми́тельный, исключи́тельный, беспод́обный *(разг.)*.

**НЕСТРОЕВО́Й,** -а́я, -о́е. Относящийся к войсковым частям, не связанным непосредственно с ведением боевых действий. *Вскоре подошла и моя очередь покидать госпиталь. Меня признали годным к нестроевой службе.* Астафьев. Звездопад.

**НЕТЛЕ́ННЫЙ,** -ая, -ое; -е́нен, -е́нна, -о. **1.** Не подверженный тлению, разложению. *Багровый полированный гранит Наперекор безжалостному тленью Нетленный прах бессмертного хранит.* Сурков. Ленин. **2.** *перен. Высок.* Никогда не исчезающий; вечный. *Не верь тому, Что все на свете тленно. Нетленны наши добрые дела. Перед безлюдным холодом вселенной — Поток людского света и тепла!* Фирсов. Есть истина.

С и н. (ко 2 знач.): бессме́ртный, непреходя́щий *(книжн.)*.

**НЕУВЯДА́ЕМЫЙ,** -ая, -ое; -ем, -а, -о. **1.** *Устар.* Такой, который сохраняет свою свежесть, не увядает. *Блестит между минутных роз Неувядаемая роза.* Пушкин. Есть роза дивная... **2.** *перен. Высок.* Не утрачивающий со временем своего значения, силы и т. п. *Неувядаемая слава.* □ *Все услышано самим писателем. Это сообщает прозе Куприна неувядаемую свежесть и богатство.* Паустовский. Поток жизни.

С и н. (ко 2 знач.): неме́ркнущий *(высок.)*, неувяда́ющий *(высок.)*, неугаси́мый *(высок.)*, неугаса́емый *(высок.)*, негаси́мый *(высок.)*.

**Неувяда́емость,** -и, *ж*.

**НЕУГАСИ́МЫЙ,** -ая, -ое; -и́м, -а, -о и **НЕУГАСА́ЕМЫЙ,** -ая, -ое; -ем, -а, -о. **1.** *Устар.* Постоянно горящий, никогда не гаснущий. *Неугасаемый светильник. Неугасимая лампада.* **2.** *перен. Высок.* Не утрачивающий со временем своей силы, неослабевающий. *Он уже десятый год подряд служит по выборам сотским,... исполняет свои обязанности с неугасаемым «административным восторгом».* Куприн. Лесная глушь. *Она не знала отца, весьма смутно представляла себе его внешность, но жила неугасимой верой, что они обязательно найдут друг друга.* Жестев. Тархановы.

С и н. (к 1 знач.): негаси́мый *(высок.)*, неме́ркнущий *(высок.)*. С и н. (ко 2 знач.): неувяда́емый *(высок.)* и неувяда́ющий *(высок.)*, неме́ркнущий *(высок.)*, негаси́мый *(высок.)*.

**Неугаси́мость,** -и и **неугаса́емость,** -и, *ж*.

**НЕУКОСНИ́ТЕЛЬНЫЙ,** -ая, -ое; -лен, -льна, -о. *Книжн.* Не допускающий отступления от чего-л.; безусловный, обязательный. *Неукоснительное соблюдение дисциплины. Неукоснительное следование правилам.* □ *Вся жизнь Андрея Николаевича протекала в неукоснительном исполнении всех с давних времен установившихся обрядов.* Тургенев. Отчаянный.

С и н.: стро́гий.

**Неукосни́тельно,** *нареч.* **Неукосни́тельность,** -и, *ж*.

**НЕУСТО́ЙКА,** -и, *ж*. **1.** *Спец.* Установленное договором взыскание (штраф) при невыполнении одной из сторон какого-л. обязательства. *Уплатить неустойку.* □ *— Вы по контракту не имеете права отказываться.. Я возьму неустойку.* Куприн. Клоун. **2.** *Прост.* Неудача в каком-л. деле, промах. *— У немцев под Сталинградом неустойка вышла. Крепок орешек, не по зубам!* Горбатов. Непокоренные.

**НЕУТЕШИ́ТЕЛЬНЫЙ,** -ая, -ое; -лен, -льна, -о. Не приносящий утешения, успокоения. *Неутешительный разговор. Неутешительные дела.* □ *— Антон Пафнутьич похаживал по комнате, осматривая замки и окна и качая головою при сем неутешительном осмотре.* Пушкин. Дубровский.

**Неутеши́тельность,** -и, *ж*.

**НЕУТЕ́ШНЫЙ,** -ая, -ое; -шен, -шна, -о. **1.** Такой, которого возможно утешить. *Я просил у него прощения; но старик был неутешен.* Пушкин. Капитанская дочка. **2.** Недоступный утешению (о тяжелых чувствах, слезах и т. п.). *Неутешный плач. Неутешная печаль.* □ *На нем [лице отца] выражалась глубокая, неутешная скорбь.* С. Аксаков. Детские годы Багрова-внука.

С и н.: безуте́шный *(книжн.)*.

**Неуте́шно,** *нареч.* **Неуте́шность,** -и, *ж*.

**НЕУЯЗВИ́МЫЙ,** -ая, -ое; -и́м, -а, -о. **1.** Недоступный для поражения, нападения; недосягаемый. *Этот большой грузный человек с неторопливой походкой казался ему неуязвимым: если идти рядом с ним, то ничего не может случиться.* Симонов. Третий адъютант. **2.** Не имеющий слабых сторон; безупречный. *Неуязвимая позиция.* □ *[Белесова:] Вы хотите казаться неуязвимым, вы разыгрываете роль святого! Как это смешно.* А. Островский. Богатые невесты.

**Неуязви́мость,** -и, *ж*.

**НЕФРИ́Т**, -а, м. [От греч. nephros — почка]. Молочно-белый или (чаще) зеленоватый минерал, употребляемый для изготовления украшений, колонн и т. п.
  **Нефри́товый**, -ая, -ое.

**НЕЧЕСТИ́ВЫЙ**, -ая, -ое; -и́в, -а, -о. *Устар.* У верующих: оскорбляющий что-л. священное; грешный. *Ему казалось, слышал он Двух уст согласное лобзанье, Минутный крик и слабый стон. И нечестивое сомненье Проникло в сердце старика.* Лермонтов. Демон.
  С и н.: грехо́вный.
  **Нечести́вость**, -и, ж.

**НЕЧИСТОПЛО́ТНЫЙ**, -ая, -ое; -тен, -тна, -о. **1.** Такой, которому не свойственна чистоплотность, не поддерживающий чистоты тела, одежды и т. п. — *И простите меня, милая, вы нечистоплотны!.. Верхнее платье еще туда-сюда, но юбка, сорочка... милая, я краснею.* Чехов. Дуэль. **2.** *перен.* Неразборчивый в средствах для достижения какой-л. цели; нечестный. *Нечистоплотный поступок. Нечистоплотен в денежных делах кто-л.*
  С и н. (к 1 знач.): неря́шливый, неопря́тный.
  С и н. (ко 2 знач.): непоря́дочный.
  А н т. (к 1 знач.): чистопло́тный, опря́тный.
  **Нечистопло́тно**, *нареч*.. **Нечистопло́тность**, -и, ж.

**НЕЩА́ДНЫЙ**, -ая, -ое; -ден, -дна, -о. *Книжн.* **1.** Беспощадный, безжалостный. *Нещадная правда.* **2.** Очень сильный, чрезмерный по силе своего проявления. *Нещадная жара.* □ *Домой ждала тебя жена, Когда с нещадной силой Старинным голосом война По всей стране завыла.* Твардовский. Дом у дороги.
  С и н. (ко 2 знач.): стра́шный, чудо́вищный, ужа́сный.
  **Неща́дно**, *нареч*. **Неща́дность**, -и, ж.

**НИ́ВА**, -ы, ж. **1.** Засеянное поле; пашня. *Залитые солнцем, стлались за рекой гречаные и пшеничные нивы.* Фадеев. Разгром. **2.** *перен., чего или какая. Высок.* Область применения чьих-л. сил, способностей и т. п. *Трудиться на ниве просвещения.* □ *На том участке «литературной нивы».., который вы себе отмежевали и где были хозяином, вас никто не заменил.* Тургенев. Письмо Я. В. Григоровичу, 13 ноября 1882 г.
  С и н. (ко 2 знач.): уча́сток, фронт, аре́на (*книжн.*), по́прище (*высок.*).

**НИВЕЛИ́РОВАТЬ**, -рую, -руешь; нивели́рующий, нивели́ровавший; нивели́руемый, нивели́рованный; -ан, -а, -о; нивели́руя, *сов. и несов., что.* [Франц. niveler]. **1.** *Спец.* В геодезии: определить (определять) специальными приборами высоту точек земной поверхности относительно некоторой выбранной точки или над уровнем моря. **2.** *перен. Книжн.* Уничтожить (уничтожать), сгладить (сглаживать) различия между кем-, чем-л. *Он гневался, когда в секретариате редакции усердные правщики нивелировали стиль автора.* Кудреватых. Редактор.
  **Нивели́рование**, -я, *ср. и* **нивелиро́вка**, -и, ж.

**НИГИЛИ́ЗМ**, -а, м. [От лат. nihil — ничто]. **1.** Направление в среде русской разночинной интеллигенции 60-х гг. 19 в., отрицательно относившейся к устоям дворянского общества. **2.** *Книжн.* Полное отрицание установившихся общественных норм, принципов, ценностей. *Налет некоторого нигилизма явно чувствовался в его высказываниях, впрочем, это свойственно многим молодым людям.* В. Козлов. Ветер над домом твоим.
  **Нигилисти́ческий**, -ая, -ое. **Нигили́ст**, -а, м.

**НИЗВЕ́РГНУТЬ**, -ну, -нешь; низве́ргнувший и низве́ргший; низве́ргнутый; -ут, -а, -о *и* низве́рженный; -ен, -а, -о; низве́ргнув, *сов., кого, что. Книжн.* **1.** Сбросить сверху, свалить. [*Гаврило Олексич*] *по мосткам вскочил на корабль.. и был низвергнут с конем в воду.* А. Н. Толстой. Стыд хуже смерти. **2.** *перен.* Лишить высокого положения, могущества, власти; свергнуть. *Низвергнуть монархию.* □ *Одни* [*рабы*] *восстают, когда повелитель у власти, другие топчут его, когда он низвержен.* В. Попов. Обретешь в бою. **3.** *перен.* Лишить незаслуженного признания, уважения, показав отрицательные стороны кого-, чего-л.; развенчать. *Куплетом ранен он, низвержен в прах журналом, При свистах критики к собратьям он бежит.* Пушкин. К Жуковскому.
  С и н. (к 1 знач.): ниспрове́ргнуть (*высок.*), ски́нуть (*разг.*), низри́нуть (*устар.*). С и н. (ко 2 знач.): низложи́ть (*книжн.*), ниспрове́ргнуть (*высок.*), ски́нуть (*разг.*). С и н. (к 3 знач.): опроки́нуть, ниспрове́ргнуть (*высок.*).
  **Низверга́ть**, -а́ю, -а́ешь; *несов.* **Низверже́ние**, -я, *ср.*

**НИЗВЕСТИ́**, -еду́, -еде́шь; низве́дший; низведённый; -дён, -дена́, -о́; низведя́; *сов., кого, что.* **1.** *Устар.* Свести с высоты вниз. *И Егор Кириллович снизошел, вернее сказать — с дивана его низвели два гайдука огромного роста.* И. Новиков. Пушкин в изгнании. **2.** *перен. Книжн.* Свести на более низкую ступень (в оценке качества, состояния кого-, чего-л.). *Ведь один замысел врубелевского Демона низвел бывшие до него создания.. до степени бутафорской театральности.* Бурданов. М. А. Врубель.
  **Низводи́ть**, -ожу́, -о́дишь; *несов.*

**НИЗКОПОКЛО́ННИЧАТЬ**, -аю, -аешь; низкопокло́нничающий, низкопокло́нничавший; низкопокло́нничая *и* **НИЗКОПОКЛО́НСТВОВАТЬ**, -твую, -твуешь; низкопокло́нствующий, низкопокло́нствовавший; низкопокло́нствуя; *несов.* Рабски и льстиво преклоняться перед кем-, чем-л.; угождать, роняя свое достоинство. *Делая свои визиты, он не низкопоклонничал и не канючил.* Тургенев. Отчаянный. *Низкопоклонствовать, льстить и подличать перед начальством он был не в состоянии по свойству своего независимого характера.* Горин-Горяйнов. Актеры.
  С и н.: пресмыка́ться, раболе́пствовать, холо́пствовать, лаке́йствовать, холу́йствовать, подхали́мничать (*разг.*).

**НИЗКОПРО́БНЫЙ**, -ая, -ое; -бен, -бна, -о. **1.** Низкой пробы, с большой примесью меди или олова (о золоте, серебре). [*Менялы*] *могут подсунуть тебе низкопробное золото фальшивой чеканки.* Л. Соловьев. Повесть о Ходже Насреддине.

**2.** *перен.* Очень невысокого качества; плохой. *Низкопробный репертуар.* □ *На.. столе лежала дежурная пачка самого низкопробного «Спорта».* Шуртаков. Подгон.

**НИЗЛОЖИ́ТЬ**, -ожу́, -о́жишь; низложи́вший; низло́женный; -ен, -а, -о; низложи́в; *сов., кого, что.* **1.** *Устар.* Опрокинуть, повалить. *Сей низложенный кедр соперник был громам, Но он разбит, в пыли, добыча он червям.* Жуковский. К Человеку. **2.** *перен. Книжн.* Лишить высокого положения, власти. *Низложить монарха. Низложить царизм.*

С и н. (к 1 знач.): свали́ть (*разг.*). С и н. (ко 2 знач.): низве́ргнуть (*книжн.*), ниспрове́ргнуть (*высок.*), ски́нуть (*разг.*).

Низлага́ть, -а́ю, -а́ешь; *несов.* Низложе́ние, -я, *ср.*

**НИ́ЗМЕННЫЙ**, -ая, -ое; -ен, -енна, -о. **1.** Расположенный ниже окружающей местности. *Чибисы то кричали, виясь над низменными лугами, то молча перебегали по кочкам.* Тургенев. Отцы и дети. **2.** *Устар.* Невысокий. *Так рассуждал Бедняк с собой самим, В лачужке низменной, на голой лавке лежа.* И. Крылов. Бедный Богач. **3.** *перен.* Имеющий бесчестные, низкие помыслы, намерения; содержащий низкие мысли. *Как бы благородны ни были намерения, она всегда подозревала в них мелкие или низменные побуждения.* Чехов. Супруга.

С и н. (к 1 знач.): низи́нный. С и н. (ко 2 и 3 знач.): ни́зкий.

А н т. (к 1 и 3 знач.): возвы́шенный.

Ни́зменно, *нареч.* (к 3 знач.). Ни́зменность, -и, *ж.* (к 1 и 3 знач.).

**НИЗОВО́Й**, -а́я, -о́е. **1.** Находящийся, происходящий внизу, в нижней части чего-л. *Нельзя было разобрать, какой снег переносится с места на место: низовой, поднятый ветром, или тот, что падает сверху.* Солоухин. Капля росы. **2.** Расположенный в низком месте, в низовьях реки. *Низовые станицы.* □ *[Самозванец:] Ты кто? [Карела:] Казак. К тебе я с Дона послан От вольных войск, от храбрых атаманов, От казаков верховых и низовых.* Пушкин. Борис Годунов. **3.** Непосредственно связанный с широкими массами. *Низовая профсоюзная организация.* □ *Такие, как Петухов, рождены для низовой работы, их талант живет, пока они в людском водовороте.* Г. Марков. Грядущему веку.

**НИКЕЛИРОВА́ТЬ**, -ру́ю, -ру́ешь; никелиру́ющий; никелирова́вший; никелиру́емый; никелиро́ванный; -ан, -а, -о; никелиру́я, никелирова́в; *сов. и несов., что.* Покрыть (покрывать) поверхность металлических изделий тонким слоем никеля. *Никелировать посуду, самовар.*

Никелиро́вка, -и, *ж.*

**НИ́КНУТЬ**, -ну, -нешь; ни́кнущий, ни́кнувший; *несов.* **1.** Склоняться, опускаться, пригибаться. *В саду покорно никнут под водяной бегущей сетью мокрые деревья.* Бунин. Первая любовь. **2.** *перен.* Становиться слабее по силе, степени проявления. *Мне жаль, что тех рядов боярских Бледнеет блеск и никнет дух; Мне жаль, что нет князей Пожарских, Что о других пропал и слух.* Пушкин. Родословная моего героя.

С и н. (к 1 знач.): клони́ться, пригиба́ться, гну́ться.

**НИМБ**, -а, *м.* [От лат. nimbus — облако, туман]. **1.** Сияние в виде круга над головой или вокруг головы (святого, бога), изображаемое как символ святости, божественности на иконах или картинах религиозного содержания. **2.** Светящийся круг, образующийся вокруг сильно освещенных или быстро вращающихся предметов. *Пропеллер медленно, словно нехотя, качнулся, сделал несколько кругов, потом вдруг растворился в прозрачном радужном нимбе.* В. Кожевников. Дерево жизни. **3.** *перен., чего или какой. Высок.* Атмосфера славы, почета, успеха и т. п., окружающая кого-, что-л. *Я знаю, чем была Ты в нимбе старой славы, Качая величаво Свои колокола.* Мартынов. Я знаю, чем была...

С и н. (к 1 и 2 знач.): орео́л, вене́ц. С и н. (к 3 знач.): орео́л (*высок.*).

**НИ́МФА**, -ы, *ж.* [Греч. nymphē]. В античной мифологии: божество в виде женщины, олицетворяющее различные силы природы. *Морская, лесная нимфа.* □ *В роще шорох утихает, Все в прелестной тишине; Нимфа далее ступает, Робкой вверившись волне.* Пушкин. Леда.

**НИРВА́НА**, -ы, *ж.* [Санскр. nirvāṇa — угасание]. **1.** В буддизме: блаженное состояние покоя, достигаемое отрешением от всех житейских забот и стремлений. **2.** *перен. Книжн.* Состояние покоя, блаженства. *Погрузиться в нирвану.* □ *Степная нирвана, сладкое усыпление, во время которого снится только синее небо.* Короленко. Нирвана.

**НИСПРОВЕ́РГНУТЬ**, -ну, -нешь; ниспрове́ргнувший; ниспрове́ргнутый; -ут, -а, -о и ниспрове́рженный; -ен, -а, -о; ниспрове́ргнув; *сов.* **1.** *кого, что.* Сбросить вниз, опрокинуть. *Гомер говорит, что буйный Арей, ниспровергнутый камнем Паллады-Афины, покрыл своим телом семь десятин.* Короленко. Тени. **2.** *кого, что.* Лишить власти, могущества, свергнуть. *Едва я принял власть, на нас восстал Сидон. Сидон я ниспроверг и камни бросил в море.* Брюсов. Ассаргадон. **3.** *перен., что.* Показать несостоятельность принятого, ничтожность чего-л., пользующегося признанием. *На другой день после приезда кузина ниспровергла весь порядок моих занятий, кроме уроков.* Герцен. Былое и думы.

С и н. (к 1 знач.): низве́ргнуть (*книжн.*), свали́ть (*разг.*), ски́нуть (*разг.*), низри́нуть (*устар.*). С и н. (ко 2 знач.): низложи́ть (*книжн.*), низве́ргнуть (*книжн.*), ски́нуть (*разг.*). С и н. (к 3 знач.): развенча́ть, опроки́нуть, низве́ргнуть (*книжн.*).

Ниспроверга́ть, -а́ю, -а́ешь; *несов.* Ниспроверга́ть авторитеты. Ниспроверже́ние, -я, *ср.* Ниспровержение монархии.

**НИСХОДЯ́ЩИЙ**, -ая, -ее. ◊ **Нисходящая линия (родства)** — линия родства, ведущая к младшему поколению, от предков к потомкам.

А н т.: восходя́щий.

**НИТЬ**, -и, *ж.* **1.** То, что получается при прядении волокон льна, хлопка, шелка, и т. п. *Шерстяная, льняная, шелковая нить.* □ *[Люба]* скромно села за прялку. *Проворные пальцы ущипнули кудель. Побежала из-под пальцев ссученная нить.* Катаев. Я сын трудового народа. **2.** *перен., чего или какая.* То, что соединяет одно с другим, служит связью между кем-, чем-л. *Нити заговора. Нити руководства. Потерять логическую нить.* ☐ *Появление Капитана прервало нить Гаврилиных размышлений.* Тургенев. Муму.

**НИЦ,** *нареч. Устар.* Касаясь лицом, лбом земли. *Пасть ниц.* ☐ *И в час ночной, ужасный час, Когда гроза пугала вас, Когда, столпясь при алтаре, Вы ниц лежали на земле, Я убежал.* Лермонтов. Мцыри.

**НИЦШЕÁНСТВО,** -а, *ср.* Учение немецкого философа Ф. Ницше, проповедующее крайний индивидуализм, переоценку всех ценностей европейской морали и культуры, культ «сверхчеловека», послужившее одним из источников идеологии фашизма.

**НИЧКÓМ,** *нареч.* Лицом вниз. *Царь хватил его жезлом По лбу; тот упал ничком, Да и дух вон.* Пушкин. Сказка о золотом петушке.

**НИЧТÓЖНЫЙ,** -ая, -ое; -жен, -жна, -о. **1.** Очень малый, незначительный (по размеру, количеству и т. п.). *Ничтожный доход. Ничтожные потери.* ☐ *[Несчастливцев:] И от такой ничтожной суммы зависит счастие девушки.* А. Островский. Лес. **2.** Крайне незначительный, несущественный. *Ничтожный повод, результат.* ☐ *Место досталось ему ничтожное, жалованья тридцать или сорок рублей в год.* Гоголь. Мертвые души. **3.** Лишенный внутренней значительности, жалкий, пустой. *Зачем он руку дал клеветникам ничтожным? Зачем поверил он словам и ласкам ложным — Он, с юных лет постигнувший людей?* Лермонтов. Смерть поэта.
С и н. (к 1 знач.): мизéрный и мúзерный, жáлкий, нúщенский (*разг.*), пустячный (*разг.*). С и н. (ко 2 знач.): нестóящий, незначащий, мéлкий.
**Ничтóжность,** -и, *ж.*

**НИ́ША,** -и, *ж.* и (*устар.*) **НИШ,** -а, *м.* [Франц. niche]. **1.** Углубление в стене для помещения в нем чего-л. *Оконная ниша.* ☐ *На светлое окно Прозрачное спустилось полотно, И в темный ниш, где сумрак воцарился, Чуть крадется неверный свет дневной.* Пушкин. Сон. *На задней, глухой стене этого портика, или галереи, были вделаны шесть ниш для статуй.* Тургенев. Отцы и дети. **2.** Углубление, уступ в скате берега, горы, рва, траншеи и т. п. *Из левого ровика за нишей со снарядами высовывалась голова в косо держащейся на одном ухе засыпанной землей шапке.* Бондарев. Горячий снег.

**НИШКНИ́,** *межд. Устар.* и *обл.* Умолкни, замолчи. *Кое-кто из парней начал было артачиться...— Нишкни, ребята!— крикнул Епифан.* Г. Марков. Сибирь.

**НОВÁТОР,** -а, *м.* [Восх. к лат. novator]. Тот, кто вносит и осуществляет новые идеи, принципы, приемы в какой-л. области деятельности. ☐ *Главный инженер был из той породы новаторов, у которых открытия, изобретения.. рождаются в пору, когда они нужны позарез.* Ажаев. Далеко от Москвы.

**Новáторский,** -ая, -ое. *Новаторский подход к делу. Новаторские методы.*

**НОВÁЦИЯ,** -и, *ж.* [Восх. к лат. novatio]. *Книжн.* Что-л. новое, только что вошедшее в обиход; новшество. *Он не только задумал, но и осуществил в цирке такую новацию, которая привела его на страницы этой книги.* Благов. Чудеса на манеже.
С и н.: нововведéние.

**НОВÉЛЛА,** -ы, *ж.* [Итал. novella]. Рассказ или небольшая повесть. *Новеллы Мериме.* ☐ *Рассказы его можно было назвать новеллами,— они были кратки, забавны и легки.* Паустовский. Блистающие облака.

**НОВИ́К,** -á, *м.* **1.** Молодой дворянин в Русском государстве 16—17 вв., впервые записанный на военную службу. **2.** *Устар.* Новичок. *Принятие в артель новика, исключение артельщика из артели — решаются общим собранием артельщиков.* Лейкин. Биржевые артельщики.

**НОВИНÁ,** -ы́, *ж. Обл.* **1.** Не паханная еще земля, целина. *Манны ждать не будем с неба. Раскорчуем новины.* Яшин. Алена Фомина. **2.** Хлеб нового урожая. *[Мужик:] Хлеба много.. Не то что до новины, а и на два года хватит.* Л. Толстой. Первый винокур. **3.** Суровый небеленый холст. *Вынула она из сундука несколько новин полотна.* Салтыков-Щедрин. Пошехонская старина.
С и н. (к 1 и 2 знач.): новь.

**НОВОЯ́ВЛЕННЫЙ,** -ая, -ое. *Книжн.* и *ирон.* Недавно, только что явившийся, впервые проявивший себя. *[Бойцы] разбредались по селу,— кто к знакомцам, кто к новоявленной куме.* А. Н. Толстой. Хождение по мукам.

**НОВЬ,** -и, *ж.* **1.** Не паханная еще земля, целина. *Поднимать следует новь не поверхностно скользящей сохой, но глубоко забирающим плугом.* Тургенев. Новь. **2.** Хлеб нового урожая. *Прокормился мужик до нови, и осталось еще много хлеба.* Л. Толстой. Как чертенок краюшку выкупал.
С и н.: новинá (*обл.*).

**НОГÁЙЦЫ,** -ев, *мн.* (*ед.* ногáец, -áйца, *м.*). Народ, живущий на Северном Кавказе.
**Ногáйка,** -и, *ж.* **Ногáйский,** -ая, -ое. *Ногайский язык.*

**НОГОВИ́ЦЫ,** -и́ц, *мн.* (*ед.* ноговúца, -ы, *ж.*). Род чулок из толстой шерсти, фетра и т. п., носимых на Кавказе, Кубани. *Ступни ног были в зеленых чувяках, и икры обтянуты черными ноговицами, обшитыми простым шнурком.* Л. Толстой. Хаджи-Мурат.

**НÓЖНЫ,** нóжен, *мн.* Футляр для сабли, шпаги, кинжала и т. п. *Выхватить саблю из ножен.* ☐ *Другая [шашка] — офицерская,... в ножнах, выложенных серебром с чернью.* Шолохов. Поднятая целина. ◊ **Вложить меч в ножны** (*высок.*) — кончить воевать.

**НОЗДРЕВÁТЫЙ,** -ая, -ое; -áт, -а, -о. С небольшими частыми отверстиями; пористый. *Середину стола занимало круглое блюдо с высокой горкой румяных ноздреватых блинов.* Коптелов. Большой зачин.
С и н.: гýбчатый.
**Ноздревáтость,** -и, *ж.*

**НОКА́УТ**, -а, *м.* [Англ. knock out]. **1.** Положение в боксе, когда боксер сбит на пол, в течение десяти секунд не может встать для продолжения боя и считается побежденным. **2.** О сильном ударе, напоминающем удар в боксе.— *Что с ним?— спросил солдат, недоверчиво поглядев на Алексея.— Помер, что ли?— Да нет,.. обыкновенный нокаут.* Трифонов. Далеко в горах. **3.** *перен.* О неожиданной неприятности, сильном потрясении, ударе.— *Я узнал— от тебя ушла женщина? Жестокий нокаут?* Панова. Сентиментальный роман.

**НОКТЮ́РН**, -а, *м.* [Франц. nocturne — *букв.* ночной]. Небольшое лирическое музыкальное произведение. *Ноктюрны Шопена.* □ *Не сыграете ли вы что-нибудь на фортепьяно?.. Софья начала ноктюрн.* Тургенев. Яков Пасынков.

**Ноктю́рновый**, -ая, -ое.

**НОМЕНКЛАТУ́РА**, -ы, *ж.* [Лат. nomenclatura]. **1.** Совокупность, перечень терминов, названий и т. п., применяемых в какой-л. области науки, производства, искусства и т. п. *В волгоградских степях, которые по географической номенклатуре следует называть вовсе не степями, а полустепями, лес по своей воле расти не желает.* И. Зыков. Три аксиомы. **2.** Список должностей, кадры для которых утверждаются вышестоящими инстанциями; должность, входящая в такой список. *Родион Максимович незаметно для себя выпал из номенклатуры.* *Он лишился кабинета.* С. Шатров. Крупный выигрыш.

**Номенклату́рный**, -ая, -ое. *Номенклатурный работник.*

**НОМИНА́Л**, -а, *м.* [Восх. к лат. nominalis — именной]. Обозначенная цена (на товаре, денежном знаке). *Продажа по номиналу.* □ *Мало было счастливцев, сумевших достать билет по номиналу, хотя и кассовые цены были в два-три раза выше.* М. Жаров. Жизнь, театр, кино.

**НОМИНА́ЛЬНЫЙ**, -ая, -ое; -лен, -льна, -о. [См. *номинал*]. **1.** *полн. ф.* Выражаемый той или иной денежной стоимостью; обозначенный на чем-л. *Номинальная заработная плата. Номинальная цена.* **2.** Являющийся кем-л. только по названию; фиктивный. *Император в Японии был чисто номинальной фигурой и жил затворником.* В. Владимиров. Капитан «Дианы».

**Номина́льно**, *нареч.* (ко 2 знач.).

**НО́НСЕНС** [сэ], -а, *м.* [Англ. nonsens от лат. non — не и sensus — смысл]. *Книжн.* Бессмыслица, нелепость, несообразность.— *Россия никогда не покорялась врагу! И никогда не покорится.. Это был бы исторический нонсенс! Это невозможно!* Чаковский. Блокада.

С и н.: абракада́бра, за́умь, абсу́рд, бред (*разг.*), тараба́рщина (*разг.*), ахине́я (*разг.*), галима́тья (*разг.*), белиберда́ (*разг.*), вздор (*разг.*).

**НО́РМА**, -ы, *ж.* [Восх. к лат. norma]. **1.** Общепризнанное, узаконенное установление. *Правовые нормы. Нормы литературного языка.* **2.** Установленная мера, размер чего-л. *Нормы выработки. Нормы питания.* □ *Жили по карточкам с мизерными нормами.* Баруздин. Елизавета Павловна. **3.** Обычай, правило, обычное состояние для кого-л. *Моральные нормы.* □ *Она принадлежала к натурам, для которых максимум внимания к людям проявляется естественно, в любых обстоятельствах, это норма их жизни.* Гранин. Месяц вверх ногами. ◊ **В норме** — в обычном, нормальном состоянии. **Войти (входить), прийти (приходить) в норму** — прийти (приходить) в обычное, нормальное состояние. *Наивысшую боевую [тревогу] отменили, дивизион сдал дежурство.., и жизнь стала входить в норму.* Кузьмичев. Смена караулов.

С и н. (к 1 знач.): пра́вило, кано́н (*книжн.*).

**НОРМАЛИЗОВА́ТЬ**, -зу́ю, -зу́ешь; нормализу́ющий, нормализова́вший, нормализу́емый, нормализо́ванный; -ан, -а, -о; нормализу́я, нормализова́в; *сов. и несов., что.* [См. *норма*]. Приблизить (приближать) к норме, подчинить (подчинять) норме. *Нормализовать работу. Нормализовать отношения.*

**Нормализова́ться**, -зу́ется; *возвр.* **Нормализа́ция**, -и, *ж.*

**НОРМА́ННЫ**, -ов, *мн.* (*ед.* **норма́нн**, -а, *м.*). Общее название племен, населявших Скандинавию в средние века. *Выходцы из Скандинавии норманны (они же «варяги») были пиратами и купцами, но также, бесспорно, и отважными, лихими людьми.* Чивилихин. Шведские остановки.

**Норма́ннский**, -ая, -ое. *Норманнские племена.*

**НОРМАТИ́В**, -а, *м.* [Восх. к лат. normatio — упорядочение]. Показатель норм, в соответствии с которыми производится какая-л. работа, устанавливается что-л. *Плановые, технические, экономические нормативы. Соблюдать нормативы.* □ — *Личный состав натренирован неплохо, укладывается в нормативы, не стыдно будет сдавать такой корабль.* Панов. Колокола громкого боя.

**Норматив́ный**, -ая, -ое.

**НОРОВИ́ТЬ**, -влю́, -ви́шь; норовя́щий, норови́вший; норовя́; *несов.*, обычно *с неопр.* *Разг.* Настойчиво стремиться сделать что-л. — *За детьми доглядывай. Норовят на льдине покататься.* М. Алексеев. Вишневый омут.

С и н.: стара́ться, пыта́ться, си́литься, стреми́ться, тщи́ться (*книжн.*).

**НОСИ́ТЕЛЬ**, -я, *м.* **1.** *чего. Книжн.* Тот, кто наделен чем-л., может служить выразителем, представителем чего-л. *Носитель передовой идеи. Носитель языка.* □ *Он чувствует себя носителем какой-то большой и жуткой силы.* Бунин. Хороших кровей. **2.** *Спец.* Распространитель какой-л. инфекции. *Носитель гриппа.*

**Носи́тельница**, -ы, *ж.*

**НОСТАЛЬГИ́Я**, -и, *ж.* [От греч. nostos — возвращение домой и algos — боль, страдание]. *Книжн.* Тоска по родине. *Все товарищи, работающие за рубежом, болеют.. болезнью, она называется «ностальгией».* Воробьев. Земля, до востребования.

**Ностальги́ческий**, -ая, -ое.

**НО́ТА**, -ы, *ж.* [Восх. к лат. nota — знак, замечание]. Официальное дипломатическое письменное обращение правительства одного государства к другому. *Обмен нотами. Нота протеста.* □ *За обедом разговор зашел.. о русской, враждебной Наполеону, ноте, посланной ко всем европейским дворам.* Л. Толстой. Война и мир.

**НОТА́РИУС**, -а, м. [Лат. notarius — писец]. Должностное лицо, в обязанность которого входит оформление юридических документов, свидетельств. — *Ловко вы всех здесь обвели. Отдаю должное. А я-то документы приготовил, копии у нотариуса снял.* Гранин. Иду на грозу.

**Нотариа́льный**, -ая, -ое. *Нотариальная контора.*

**НРАВ**, -а, м. **1.** Совокупность душевных, психических свойств; характер. *Крутой, тихий нрав.* □ *Благодаря открытому нраву Готлиба Шульца вскоре они разговорились дружелюбно.* Пушкин. Гробовщик. *Пахомов был человеком веселого нрава.* Г. Марков. Грядущему веку. **2.** *обычно мн.* Обычай, уклад жизни. *Смеясь, он дерзко презирал Земли чужой язык и нравы.* Лермонтов. Смерть поэта. ◊ **По нраву** (быть, прийтись и т. п.) *кому (разг.)* — нравиться, соответствовать вкусу кого-л. *А осенью тайга — умытая, светлая, притихшая — мне особенно по нраву.* Чивилихин. Про Клаву Иванову.

С и н. (к 1 знач.): **нату́ра**, **душа́**.

**НРАВОУЧЕ́НИЕ**, -я, ср. **1.** Внушение нравственных правил; поучение. — *До чего мне надоело! — со злостью сказал Вадик. — Все лезут с нравоучениями, и ты тоже!* Л. Никулин. С новым счастьем. **2.** Часть литературного произведения, заключающая моральный вывод. *Нравоучение в басне.*

С и н. (к 1 знач.): **наставле́ние**, **нота́ция**, **назида́ние** *(книжн.)*, **мора́ль** *(разг.)*, **про́поведь** *(разг.)*, **раце́я** *(устар.)*. С и н. (ко 2 знач.): **мора́ль**.

**НРА́ВСТВЕННОСТЬ**, -и, ж. **1.** Совокупность норм поведения человека в каком-л. обществе. *Законы нравственности.* **2.** Духовные и душевные качества человека, а также проявление этих качеств, поведение. *Человек высокой нравственности.* □ *Барыня сожалела об испорченной нравственности Капитона, которого накануне только что отыскали где-то на улице.* Тургенев. Муму.

С и н. (к 1 знач.): **мора́ль**, **э́тика**.

**НРА́ВСТВЕННЫЙ**, -ая, -ое; -ен и -енен, -енна, -о. **1.** *полн. ф.* Относящийся к нормам поведения человека в обществе. *Нравственный идеал. Нравственные правила.* □ *Отсутствие ясного сознания нравственных начал выражается и в обращении, которое Брусков позволяет себе с Аграфеной Платоновной.* Добролюбов. Темное царство. **2.** Соблюдающий нормы общественного поведения, требования морали. *Берг был исправный, храбрый офицер, на отличном счету у начальства, и нравственный молодой человек с блестящей карьерой впереди.* Л. Толстой. Война и мир. **3.** *полн. ф.* Относящийся к внутренней, духовной жизни человека. *Нравственная красота. Нравственное богатство, воспитание.* □ *Признание даже другу требует нравственных усилий. Человек не может исповедоваться каждый день.* Гранин. Эта странная жизнь. **4.** *Устар.* Нравоучительный. *[Дефорж] делал нравственные замечания резвому своему воспитаннику.* Пушкин. Дубровский.

С и н. (к 1 знач.): **мора́льный**, **эти́ческий**. С и н. (ко 2 знач.): **доброде́тельный** *(книжн.)*. С и н. (к 3 знач.): **вну́тренний**, **духо́вный**, **душе́вный**. С и н. (к 4 знач.): **поучи́тельный**, **настави́тельный**, **назида́тельный** *(книжн.)*.

А н т. (ко 2 знач.): **безнра́вственный**.

**Нра́вственно**, *нареч.* (ко 2 и 3 знач.). *Сблизиться нравственно.*

**НУВОРИ́Ш**, -а, м. [Франц. nouveau riche — новый богач]. *Книжн.* Тот, кто разбогател на спекуляциях, на разорении других; богач-выскочка.

**НУ́КЕР**, -а, м. [Восх. к монг. nökür — товарищ]. **1.** Дружинник монгольской знати в 11—12 вв., с начала 13 в. — воин личной гвардии монгольских ханов. *Сухое старческое тело Предали нукеры земле.* М. Борисова. Легенда о могиле Батыя. **2.** У горских народов Кавказа в 19 в.: воин личной охраны военачальника; слуга. *Остался столб, к которому Хаджи-Мурат и его нукеры привязывали коней.* Тихонов. Пути-дороги.

**НУМИЗМА́ТИКА**, -и, ж. [Франц. numismatique; восх. к греч. nomisma, nomismatos — монета]. Вспомогательная историческая наука, изучающая историю монет и денежного обращения, а также коллекционирование монет и медалей. *Его поглощала нумизматика: он ходил по церкви и наменивал в свечных ящиках пятаков, алтынов, грошей и полушек.* Федин. Первые радости.

**НУ́НЦИЙ**, -я, м. [Лат. nuncius — вестник]. Постоянный дипломатический представитель папы римского в государствах, с которыми папа поддерживает официальные дипломатические отношения.

**НЭП**, -а, м. **1.** Сокращение: новая экономическая политика — политика, проводившаяся Советским государством с 1921 г. до второй половины 20-х гг. с целью восстановления и социалистической перестройки народного хозяйства и включавшая в себя временное допущение капиталистических элементов при сохранении командных высот в руках государства. *Как только повеяло нэпом, Кушаков ушел с работы и организовал частное предприятие.* Л. Никулин. Мертвая зыбь. **2.** *Разг.* Время, когда проводилась новая экономическая политика. *В первый раз он влюбился, когда был студентом. Было начало нэпа — голодно, холодно.* Панова. Спутники.

**НЭ́ПМАН**, -а, м. Частный предприниматель, торговец времен нэпа.

**Нэ́пманский**, -ая, -ое.

**НЮА́НС**, -а, м. [Франц. nuance]. *Книжн.* Небольшое различие в однородных свойствах чего-л., оттенок чего-л. *Нюанс цвета. Нюансы произношения.* □ — *По-моему, Бетховен у вас звучит слишком бурно. Тут, понимаете, нюансы нужны.* Добровольский. Трое в серых шинелях.

#

**ОА́ЗИС**, -а, м. [Восх. к греч. oasis]. **1.** Место в пустыне, где есть вода и растительность. *[Раскольникову] все грезилось,... что он где-то в Афри-*

ке, в Египте, в каком-то оазисе. *Караван отдыхает, смирно лежат верблюды; кругом пальмы растут целым кругом.* Достоевский. Преступление и наказание. **2.** *перен.*, обычно *чего* или *какой.* О чем-л. представляющем отрадное исключение на общем фоне. *В темной душе преступника.. всегда находился тот светлый уголок, оазис, благодаря которому самый последний человек оставался все же человеком.* Макаренко. Книга для родителей.

**Оа́зисный**, -ая, -ое (к 1 знач.).

**ОБАЯ́НИЕ**, -я, *ср.* **1.** Устар. Состояние человека, охваченного чем-л., находящегося под влиянием чего-л. *Добрый папаша! К чему в обаянии Умного Ваню держать? Вы мне позвольте при лунном сиянии Правду ему показать.* Н. Некрасов. Железная дорога. **2.** Притягательная, покоряющая сила, исходящая от кого-, чего-л. *Личное обаяние. Обаяние молодости. Находиться под обаянием чьей-л. красоты. Обаяние летней ночи.* □ *Обаяние прелестной, доброжелательной и образованной женщины могло удивительно скрасить его дорогу, привлечь к нему, создать ореол.. и вот все рушилось!* Достоевский. Преступление и наказание.

С и н. (ко 2 знач.): очарова́ние, пре́лесть, шарм, ча́ры *(книжн.)*, плени́тельность *(книжн.)*.

**ОБВЕТША́ЛЫЙ**, -ая, -ое. **1.** Пришедший в ветхость, в негодность от времени или частого употребления. *Обветшалая кровля.* □ *Сугробы снега занесли Пустынный холм и все кладбище, Там церковь новая вдали, Тут обветшалое жилище.* Рылеев. Меньшиков. **2.** *перен.* Устарелый, отсталый, не соответствующий духу времени. *Разрушились обветшалые понятия и идеи, а новое только появилось и в суровой борьбе завоевывало себе право на жизнь.* Вирта. Вечерний звон.

С и н. (к 1 знач.): ве́тхий. С и н. (ко 2 знач.): несовреме́нный, отжи́вший, старомо́дный, архаи́ческий *и* архаи́чный, ветхоза́ветный, старозаве́тный, допото́пный *(разг.)*, ископа́емый *(разг.)*.

**ОБВОРОЖИ́ТЕЛЬНЫЙ**, -ая, -ое; -лен, -льна, -о. Приводящий в восхищение, очаровательный. *Обворожительная улыбка.* □ *Аркадий Иванович, когда хотел, был человек с весьма обворожительными манерами.* Достоевский. Преступление и наказание.

С и н.: преле́стный, обая́тельный, чару́ющий, плени́тельный *(книжн.)*.

**Обворожи́тельно**, *нареч.* **Обворожи́тельность**, -и, *ж.*

**ОБЕ́ДНЯ**, -и, *ж.* Церковная служба у православных христиан, совершаемая утром или в первую половину дня. *Служить обедню.* □ *Подходя к церкви, увидел он, что народ уже расходился, но Дуни не было.. Бедный отец насилу решился спросить у дьячка, была ли она у обедни. Дьячок ответил, что не бывала.* Пушкин. Станционный смотритель.

С и н.: литурги́я.

**Обе́днишний**, -яя, -ее *(разг.)*.

**ОБЕЗЛИ́ЧИТЬ**, -чу, -чишь; обезли́чивший; обезли́ченный; -ен, -а, -о; обезли́чив; *сов., кого, что.* **1.** Лишить отличительных черт, индивидуальных особенностей, возможности проявления себя как личности. *Своей воли у нее не было — муж давно обезличил жену.* Станюкович. Грозный адмирал. **2.** Поставить в условия, при которых никто не несет личной ответственности за дело. *Обезличить руководство.*

**Обезли́читься**, -чусь, -чишься; *возвр. (к 1 знач.).* **Обезли́чивать**, -аю, -аешь; *несов.* **Обезли́чение**, -я *и* **обезли́чивание**, -я, *ср.*

**ОБЕЗОРУ́ЖИТЬ**, -жу, -жишь; обезору́живший; обезору́женный; -ен, -а, -о; обезору́жив; *сов., кого.* **1.** Отобрать у кого-л. оружие, сделать безоружным. *— Тут кто-то кричал, что нас обезоружить надо. Мы вам заранее говорим — не обезоружите.. Не вы нам оружие дали, не вы и возьмете его.* Седых. Даурия. **2.** *перен.* Лишить возможности возражать, противодействовать, сопротивляться чему-л. *Обезоружить кого-л. лаской.* □ *[Рубцов] стал дико ругаться, но Яков торжественым языком цитат из библии обезоружил его, заставил умолкнуть.* М. Горький. Мои университеты.

С и н.: разоружи́ть.

**Обезору́живать**, -аю, -аешь; *несов.* *Обезоруживать логичными доводами.*

**ОБЕЛИ́СК**, -а, *м.* [Восх. к греч. obeliskos]. Памятник, сооружение в виде суживающегося кверху граненого столба. *Воздвигнуть обелиск.* □ *[На площади] стоял обелиск из черного мрамора и красного гранита. На обелиске были.. [слова], посвященные памяти тех, кто отдал жизнь за революцию, за Советскую власть.* Кочетов. Молодость с нами.

**Обели́сковый**, -ая, -ое.

**ОБЕР-...** [Нем. ober — *старший*]. Первая составная часть сложных слов, обозначающая старшинство (в должности, чине), напр.: *обер-ма́стер, обер-полицме́йстер, обер-секрета́рь, обер-лейтена́нт.*

**ОБЕСКУРА́ЖИТЬ**, -жу, -жишь; обескура́живающий; обескура́женный; -ен, -а, -о; обескура́жив; *сов., кого. Разг.* Лишить уверенности в себе, привести в состояние растерянности. *Это новая неудача сильно меня обескуражила.* Короленко. Убивец.

**Обескура́живать**, -аю, -аешь; *несов.*

**ОБЕСПЕ́ЧЕНИЕ**, -я, *ср.* **1.** *чего* обычно *чем.* Создание условий, необходимых для чего-л., а также снабжение чем-л. *Обеспечение прочного мира. Обеспечение промышленности сырьем. Обеспечение школы учебниками.* **2.** Деньги, материальные ценности, дающие возможность жить, существовать. *Пенсионное обеспечение.*

**ОБЕСПЕ́ЧЕННОСТЬ**, -и, *ж.* **1.** Степень обеспечения, снабжения чем-л. *Обеспеченность школ наглядными пособиями. Обеспеченность предприятий топливом.* **2.** Материальное благосостояние, достаток. *Полная обеспеченность.* □ *Довольство, даже роскошь в настоящем, обеспеченность в будущем — все избавляло ее от мелких, горьких забот.* И. Гончаров. Обыкновенная история.

С и н. (ко 2 знач.): зажи́точность, безбе́дность.
А н т. (ко 2 знач.): бе́дность.

**ОБЕ́Т**, -а, *м.* **1.** Обещание, обязательство, принятое из религиозных побуждений. *Обет безбрачия. Монашеский обет.* ▫ *Голиков шел с бурлаками по обету.. Здесь из четырнадцати человек было девятеро таких же, пошедших по обету.* А. Н. Толстой. Петр I. **2.** *Высок.* Торжественное обещание, обязательство. *[Андрей Ефимыч] дал обет никогда не возвышать голоса и не употреблять повелительного наклонения.* Чехов. Палата № 6.

С и н. (ко 2 знач.): кля́тва, заро́к, сло́во, закля́тие (устар.).

**ОБЕТО́ВАННЫЙ**, -ая, -ое. ◊ **Обетова́нная земля** (или **страна**), **обетова́нный край** (высок.) — место, куда кто-л. страстно желает попасть, воплощение изобилия, довольства, счастья и т. п. (по библейскому сказанию — страна Палестина, в которую бог привел евреев из Египта, выполняя свое обещание). *Нужно представление об обетованной земле для того, чтоб иметь силы двигаться. Обетованная земля при наступлении французов была Москва, при отступлении была родина.* Л. Толстой. Война и мир.

**ОБЗО́Р**, -а, м. **1.** *ед.* Осмотр какого-л. пространства. *Истребитель, тратя на обзор как можно меньше времени, должен видеть все, чтобы в решающее мгновение сразу ринуться на врага.* Саянов. Небо и земля. **2.** Сжатое сообщение о фактах, явлениях и т. п., связанных каким-л. образом между собой. *Обзор художественной литературы за год. Обзор событий международной жизни. Сделать обзор центральных газет.*

С и н. (ко 2 знач.): обозре́ние.

**Обзо́рный**, -ая, -ое (ко 2 знач.). *Обзорная лекция по русской литературе 19 в. Обзорная статья.*

**ОБИНЯ́К**, -а́, м. *Устар.* Намек, недоговоренность, иносказание. *[Софья:] Услыша, что дядюшка мой делает меня наследницею, вдруг.. [Простакова] сделалась ласковою до самой низкости, и я по всем ее обинякам вижу, что прочит меня в невесты своему сыну.* Фонвизин. Недоросль. ◊ **Обиняко́м** (**обиняка́ми**) (г о в о р и т ь, с п р а ш и в а т ь и т. п.) — говорить с помощью намеков, недомолвок, иносказаний. *Наутро сваха к ним на двор Нежданная приходит.. «У вас товар, у нас купец; Собою парень молодец..» Она сидит за пирогом, Да речь ведет обиняком, А бедная невеста Себе не видит места.* Пушкин. Жених. **Без обиняко́в** (г о в о р и т ь, с п р а ш и в а т ь и т. п.) — говорить открыто, прямо. *Усадив сестру на стул, Сережа начал сразу, без обиняков: — Дело такое. Вступай в комсомол.* Н. Островский. Как закалялась сталь.

**ОБИТА́ТЬ**, -а́ю, -а́ешь; обита́ющий, обита́вший; обита́я; *несов. Книжн.* Жить, проживать где-л.; иметь пребывание где-л., в чем-л. *В русском сердце всегда обитает прекрасное чувство взять сторону угнетенного.* Гоголь. Шинель. *Изба в два этажа.. Сейчас здесь, в этой просторной бревенчатой хоромине, обитает.. одна старушка.* Тендряков. Онега.

С и н.: населя́ть, жи́тельствовать (устар.).

**Обита́ние**, -я, *ср. Среда обитания.* **Обита́тель**, -я, *м. Лесные обитатели.*

**ОБИ́ТЕЛЬ**, -и, *ж.* **1.** *Устар.* Монастырь. *Народам диво и краса: Воздвигнуты рукою дерзкой, Легко взносились в небеса Главы обители Печерской.* Рылеев. Наливайко. **2.** *чья* или *какая. Трад.-поэт.* Место пребывания, жилище кого-л. *Год промчался — вести нет; Он ко мне не пишет;.. Иль не вспомнишь обо мне? Где, в какой ты стороне? Где твоя обитель?* Жуковский. Светлана.

С и н. (ко 2 знач.): дом, жильё (разг.), берло́га (разг.), ло́говище (разг.) и ло́гово (разг.), обита́лище (устар.).

**ОБИХО́Д**, -а, *м.* Текущая жизнь в ее постоянных, привычных проявлениях, привычный уклад жизни. *Предметы домашнего обихода.* ▫ *[Порфирий Владимирович] держит Евпраксеюшку лишь потому, что, благодаря ей, домашний обиход идет не сбиваясь с однажды намеченной колеи.* Салтыков-Щедрин. Господа Головлевы.

**Обихо́дный**, -ая, -ое; -ден, -дна, -о. **Обихо́дность**, -и, *ж.*

**ОБЛАГОДЕ́ТЕЛЬСТВОВАТЬ**, -твую, -твуешь; облагоде́тельствовавший; облагоде́тельствованный, -ан, -а, -о; облагоде́тельствовав; *сов., кого.* Оказать благодеяние, покровительство, сделать добро кому-л. *Теперь жертва ее должна состоять в том, чтоб отказаться от того, что для нее составляло.. весь смысл жизни. И в первый раз в жизни она почувствовала горечь к тем людям, которые облагодетельствовали ее для того, чтобы больнее замучить.* Л. Толстой. Война и мир.

**ОБЛАГОРО́ДИТЬ**, -о́жу, -о́дишь; облагоро́дивший; облагоро́женный, -ен, -а, -о; облагоро́див; *сов., кого, что.* **1.** *Устар.* Возвести в одно из высших званий, сословий, считавшихся благородными в дореволюционной России. *Дурачество Ривароля состояло в том, что он.. провозгласил себя.. сиятельным графом, облагородил все свое семейство.* Батюшков. Анекдот о свадьбе Ривароля. **2.** Сделать благородным, более высоким в нравственном, духовном отношении. *Нужно ли говорить, какую пользу принесли концерты [русского музыкального] общества.., насколько они подняли уровень понимания, облагородили вкус публики.* Кюи. А. Г. Рубинштейн.

**Облагора́живать**, -аю, -аешь; *несов.*

**О́БЛАСТЬ**, -и, о́бласти, -е́й, *ж.* **1.** Часть какой-л. территории (страны, государства, материка и т. п.). *Южные области Европы. Черноземные области. Область Нечерноземья.* **2.** Крупная административно-территориальная единица. *Иркутская область. Население Новгородской области.* **3.** *чего* или *какая.* Район, пространство, в котором распространено какое-л. явление. *Область наводнения. Область распространения вечной мерзлоты.* **4.** *перен.,* обычно *чего* или *какая.* Сфера какой-л. деятельности, круг занятий, представлений. *Области культуры, науки, искусства. Наметился подъем во всех областях народного хозяйства. Исследования в технической области.* ◊ **Отойти в область предания** (или **воспоминаний** и т. п.) — перестать существовать, употребляться и т. п.; пройти, исчезнуть.

Син. (к 3 знач.): зо́на, полоса́, по́яс.

**Областно́й**, -а́я, -о́е (ко 2 знач.).

**ОБЛА́ТКА**, -и, ж. [Восх. в лат. oblata (hostia) — просфора, приношение]. **1.** *Устар.* Кружочек из бумаги с клеем для запечатывания писем. *Татьяна то вздохнет, то охнет; Письмо дрожит в ее руке; Облатка розовая сохнет На воспаленном языке.* Пушкин. Евгений Онегин. **2.** Оболочка из желатина или крахмального теста для порошковых лекарств; капсула. *Хинин в облатках.* □ *На столике.. рядом с банками, пузырьками, облатками лежали книги и рукопись.* Саянов. Небо и земля.

**Обла́точный**, -ая, -ое.

**ОБЛАЧЕ́НИЕ**, -я, *ср.* **1.** Одежда служителей культа во время богослужения, а также торжественная одежда царя, придворных и т. п. *Распахнулись церковные двери, и священники в торжественном облачении вышли, неся зажженные свечи, иконы.* Злобин. Степан Разин. **2.** *Разг. шутл.* Одежда вообще. *Грушницкий сверх солдатской шинели повесил шашку и пару пистолетов: он был довольно смешон в этом геройском облачении.* Лермонтов. Герой нашего времени.

Син. (ко 2 знач.): пла́тье, наря́д, костю́м, туале́т, одея́ние (устар.), убра́нство (устар.), убо́р (устар.).

**ОБЛЕ́ЧЬ**[1], облеку́, облечёшь; облёкший; облечённый; -чён, -чена́, -о́; облёкши; *сов. Книжн.* **1.** *кого, что во что.* Одеть во что-л. *Матвей уже держал.. приготовленную рубашку и с очевидным удовольствием облёк в нее холеное тело барина.* Л. Толстой. Анна Каренина. **2.** *что.* Покрыть, окутать, обволочь, распространяясь по всей поверхности чего-л. *Тяжелые неуклюжие облака пластами облекли небо.* Чехов. Талант. **3.** *перен., кого, что чем.* Наделить, снабдить кого-л. чем-л. (властью, правами, доверием и т. д.). *Облечь доверием. Облечь особыми полномочиями.* □ *Облеченный властью от самозванца, предводительствуя в крепости, где оставалась несчастная девушка.., он мог решиться на все.* Пушкин. Капитанская дочка. **4.** *перен., что обычно во что.* Выразить, воплотить в какой-л. форме. *Читателя волнует лишь то произведение, в котором богатое содержание облечено в соответствующую ему форму.* Исаковский. О поэтическом мастерстве.

Син. (к 1 знач.): облачи́ть (разг.), обряди́ть (прост.).

**Облека́ть**, -а́ю, -а́ешь; несов.

**ОБЛЕ́ЧЬ**[2], обля́жет; облёгший; облёгши; *сов., что.* **1.** Расположиться вокруг чего-л., обхватить собой что-л. *Тучи облегли небо. Коса облегла голову.* **2.** Прилегая, обхватить (об одежде). **3.** *Устар.* Окружить военными силами, подвергнуть осаде. *Войско, отступив, облегло весь город.* Гоголь. Тарас Бульба.

Син. (к 1 знач.): окружи́ть, опоя́сать, охвати́ть, обступи́ть, обложи́ть. Син. (ко 2 знач.): обтяну́ть, охвати́ть. Син. (к 3 знач.): осади́ть, оцепи́ть.

**Облега́ть**, -а́ет; *несов. Облегающее платье. Свитер облегает тело.*

**ОБЛИГА́ЦИЯ**, -и, ж. [Восх. к лат. obligatio — обязательство]. *Билет государственного займа.*

**Облигацио́нный**, -ая, -ое.

**О́БЛИК**, -а, м. **1.** Внешний вид, наружность кого-, чего-л. *Что-то неприятное и жалкое было во всем его облике. Глядя на него и морщась, как от сильной боли, Разметнов подумал: «Эк его выездила Лушка! Ну и проклятая же баба!»* Шолохов. Поднятая целина. **2.** *перен., обычно какой.* Совокупность качеств, характер кого-, чего-л. *Внутренний облик героя романа. Чистота морального облика.*

Син. (к 1 знач.): вне́шность, обли́чье. Син. (ко 2 знач.): лицо́, физионо́мия (разг.).

**ОБЛИЦО́ВКА**, -и, ж. Покрытие, отделка поверхностей зданий и сооружений плитами, слоем из камня, металла или другого материала. *Мраморная, керамическая облицовка. Начать облицовку здания.* □ *Вся облицовка кают была из красного дерева.* Раковский. Адмирал Ушаков.

**Облицо́вочный**, -ая, -ое. *Облицовочная плитка.*

**ОБЛИЧА́ТЬ**, -а́ю, -а́ешь; облича́ющий, облича́вший; облича́емый; облича́я; *несов. Книжн.* **1.** *кого, что.* Делать явной виновность, преступность кого-л. *[Марина:] Могу ль, скажи, предаться я тебе,.. Соединить судьбу мою с твоею, Когда ты сам с такою простотой, Так ветрено позор свой обличаешь?* Пушкин. Борис Годунов. **2.** *кого, что.* Сурово осуждая, разоблачать. *Обличать обманщика. Обличать взяточничество.* □ *— Очень ты замкнута, не доверяешь товарищам по коллективу! Почему?.. Он остановился, взгляды их встретились, и ему стало неловко убеждать и обличать.* Проскурин. Горькие травы. **3.** *что.* Обнаруживать, показывать что-л., служить свидетельством чего-л. *Все его движения обличали крайнюю робость.* Короленко. Ночью.

Син. (к 1 знач.): улича́ть, изоблича́ть (книжн.). Син. (к 3 знач.): изоблича́ть (книжн.), явля́ть (высок.), выка́зывать (разг.).

**Обличи́ть**, -чу́, -чи́шь; *сов.* (к 1 и 2 знач.). **Обличе́ние**, -я, *ср.* (к 1 и 2 знач.). *Обличение несправедливости. Боязнь обличения.* **Обличи́тель**, -я, *м.* (к 1 и 2 знач.).

**ОБЛУЧИ́ТЬ**, -чу́, -чи́шь; облучи́вший; облучённый; -чён, -чена́, -о́; облучи́в; *сов., кого, что.* Подвергнуть действию каких-л. лучей. *Облучить с лечебной целью.*

**Облуча́ть**, -а́ю, -а́ешь; *несов.* **Облуче́ние**, -я, *ср. Облучение кварцем. Радиоактивное облучение. Облучение ультрафиолетовыми лучами.*

**ОБЛУЧО́К**, -чка́, *м.* Передок повозки, на котором сидит ямщик. *Бразды пушистые взрывая, Летит кибитка удалая; Ямщик сидит на облучке В тулупе, в красном кушаке.* Пушкин. Евгений Онегин.

Син.: ко́злы.

**ОБМО́ЛВИТЬСЯ**, -влюсь, -вишься; обмо́лвившийся; обмо́лвившись; *сов. Разг.* **1.** Нечаянно, по ошибке употребить не то слово, которое нужно. *— Это, батюшка,.. реестр барскому добру, раскраденному злодеями.— Какими злодеями?— спросил грозно Пугачев.—*

*Виноват: обмолвился,—* отвечал Савельич. *Злодеи не злодеи, а твои ребята таки пошарили, да порастаскали.* Пушкин. Капитанская дочка. **2.** Вскользь, мельком, невзначай сказать, упомянуть о чем-л. *Утром, давая распоряжения по хозяйству, жена обмолвилась о предстоящей вечеринке у сына.* Леонов. Скутаревский. ◊ **Не обмолвиться (ни единым) словом (словечком)** — ничего не сказать, промолчать. *Яшка ни словом не обмолвился об Оксане.* Соколов. Искры.

С и н. (к 1 знач.): оговори́ться.

**ОБМОЛО́Т**, -а, м. Очистка, отделение зерна, семян от колосьев и соломы посредством молотьбы, а также полученное после молотьбы зерно. *Закончить обмолот. Большой обмолот.* □ *Мария складывала их [подсолнухи] на брезент и уносила в глубину поля, чтобы ничей чужой глаз не увидел гору срезанных, готовых к обмолоту шляпок.* Закруткин. Матерь человеческая.

С и н.: умоло́т.

**ОБМО́ТКИ**, -ток, мн. (ед. **обмо́тка**, -и, ж.). Длинные полосы плотной материи, которыми обматывают ноги от ботинка до колена. *Суконные обмотки.* □ *Рыженький худенький парнишка.. в ватной солдатской фуфайке сидел на лестнице и навертывал обмотки.* Горбатов. Мое поколение.

**Обмо́точный**, -ая, -ое.

**ОБМУНДИРОВА́НИЕ**, -я, ср. Снабжение комплектом форменной одежды, а также сам такой комплект. *Обмундирование армии. Солдатское обмундирование. Получить зимнее обмундирование.* □ *Матвею Строгову выдали надзирательское обмундирование: черную шинель, солдатские сапоги, форменную тужурку.* Г. Марков. Строговы.

С и н.: экипиро́вка (спец.).

**ОБНАДЁЖИТЬ**, -жу, -жишь; обнадёживший; обнадёженный; -ен, -а, -о; обнадёжив; сов., кого. Подать, вселить надежду, обещая что-л. или заверив в чем-л. *Уваров сказал ему, что [на работу].. он направлен только временно, для начала, и этим очень его обнадежил.* Н. Чуковский. Балтийское небо.

**Обнадёживать**, -аю, -аешь; несов.

**ОБНАЖИ́ТЬ**, -жу́, -жи́шь; обнажи́вший; обнажённый; -жён, -жена́, -о́; обнажи́в; сов. **1.** кого, что. Освободить от покровов, оголить. *Обнажить плечи. Обнажить корни деревьев. Обнажить шпагу* (вынуть из ножен). □ *[Комиссар] снял фуражку, обнажив выпуклый лоб и.. зачесанные кверху темные волосы.* А. Гончаров. Наш корреспондент. **2.** перен., что. Книжн. Разоблачить, раскрыть сущность, подлинное содержание чего-л.; выявить, обнаружить скрытое. *В сатире праведной порок изображу И нравы сих веков потомству обнажу.* Пушкин. Лицинию.

**Обнажа́ть**, -а́ю, -а́ешь; несов. **Обнаже́ние**, -я, ср.

**ОБНАРО́ДОВАТЬ**, -дую, -дуешь; обнаро́довавший; обнаро́дованный; -ан, -а, -о; обнаро́довав; сов., что. Опубликовать для всеобщего сведения. *Обнародовать указ.* □ *Аристотель сам при жизни не обнародовал своих сочинений.* Чернышевский. О поэзии.

**Обнаро́дование**, -я, ср.

**ОБОБЩЕ́НИЕ**, -я, ср. Общий вывод, общее положение, основанные на изучении отдельных фактов, явлений. *Широкие обобщения. Сделать обобщение. Обобщения по какой-л. теме.* □ *— Меня приятно поражает в вас склонность к обобщению.* Чехов. Палата № 6.

С и н.: резюме́ (книжн.).

**ОБОБЩЕСТВЛЕ́НИЕ**, -я, ср. **1.** Слияние раздробленного, единичного в одно целое. *Обобществление крестьянских хозяйств.* □ *Колхозное собрание охотно приняло решение насчет обобществления всего скота.* Шолохов. Поднятая целина. **2.** Установление общественной собственности на средства производства. *Обобществление предприятий. Обобществление земли.*

**О́БОД**, -а, обо́дья, -ев, м. **1.** Наружная часть колеса в виде круга, опирающегося на спицы и обтягиваемого сверху шиной. *Лопалась сбруя, ломались ободья и оси, и тогда красноармейцы на себе вытаскивали телеги из грязи.* Вс. Иванов. Пархоменко. **2.** Приспособление или часть какого-л. устройства в форме кольца, круга. *Обод теннисной ракетки.*

**ОБОЖЕСТВИ́ТЬ**, -влю́, -ви́шь; обожестви́вший; обожествлённый; -лён, -лена́, -о́; обожестви́в; сов., кого, что. Признать имеющим сверхъестественную, божественную силу. *Обожествленная преданьями народа, Цвела и нежилась могучая природа.* Апухтин. Греция.

**Обожествля́ть**, -я́ю, -я́ешь; несов. **Обожествле́ние**, -я, ср.

**ОБО́З**, -а, м. Несколько подвод, повозок с кладью, следующих друг за другом, а также вообще совокупность перевозочных средств специального назначения. *Пожарный, санитарный обоз.* □ *Обоз обычный — три кибитки Везут домашние пожитки.* Пушкин. Евгений Онегин. ◊ **Тяну́ться** (или **быть, плести́сь** и т. п.) **в обо́зе** — быть в хвосте, позади всех.

**Обо́зный**, -ая, -ое. *Обозные лошади.*

**ОБОЗРЕВА́ТЕЛЬ**, -я, м. Автор обзора (обозрения), выступающий в газете, журнале, а также по радио, телевидению. *Политический, спортивный обозреватель.* □ *Для обозревателя ежемесячного журнала «Внешняя политика».. [Воронова] места на теплоходе не оказалось.* Чаковский. Победа.

**Обозрева́тельница**, -ы, ж.

**ОБОЗРЕ́НИЕ**, -я, ср. **1.** ед. Осмотр чего-л. *Выставить картину для всеобщего обозрения.* □ *Самое большое впечатление произвело на него обозрение Пулковской обсерватории.* Короленко. История моего современника. **2.** Сжатое сообщение о фактах, событиях, явлениях и т. п., объединенных общей темой. *Международное, спортивное обозрение. Отдел научного обозрения в журнале.* □ *[Белинского] очень утомляли разборы глупейших книжонок, которыми он должен был заниматься для ежемесячного обозрения.* Панаева. Воспоминания.

С и н. (ко 2 знач.): обзо́р.

**ОБО́ЙМА**, -ы, ж. **1.** Рамка, коробка для патронов (у винтовки, пистолета). *Расстрелять* всю обойму. ☐ *После окончания училища патронов выдавалось только по две обоймы.* Бондарев. Горячий снег. **2.** *перен.,* обычно *чего.* Разг. Совокупность, набор чего-л., имеющегося в наличии, распоряжении. *Целая обойма аргументов. Фигурист имеет в обойме несколько неплохих прыжков.*

**ОБОЛЬСТИ́ТЕЛЬНЫЙ**, -ая, -ое; -лен, -льна, -о. Неотразимо привлекательный, способный обольстить (в 1 знач.). *Обольстительный голос. Обольстительная улыбка, внешность.* ☐ *Чем меньше женщину мы любим, Тем легче нравимся мы ей, И тем ее вернее губим Средь обольстительных сетей.* Пушкин. Евгений Онегин.

**Обольсти́тельно**, *нареч.* **Обольсти́тельность**, -и, *ж.*

**ОБОЛЬСТИ́ТЬ**, -льщу́, -льсти́шь; обольсти́вший; обольщённый; -щён, -щена́, -о́; обольсти́в; *сов., кого.* **1.** Увлечь, пленить чем-л. заманчивым (обещаниями, лестью и т. п.). *[Самозванец:] День целый ожидал Я тайного свидания с Мариной, Обдумывал все то, что ей скажу, Как обольщу ее надменный ум, Как назову московскою царицей.* Пушкин. Борис Годунов. **2.** Соблазнить (женщину, девушку), склонить к сожительству. *Я часто себя спрашиваю, зачем я так упорно добиваюсь любви молоденькой девочки, которую обольстить я не хочу и на которой никогда не женюсь?* Лермонтов. Герой нашего времени.

С и н. (к 1 знач.): привле́чь, прельсти́ть. С и н. (ко 2 знач.): соврати́ть (книжн.), обману́ть (разг.).

**Обольща́ть**, -а́ю, -а́ешь; *несов. Обольщать речами.* **Обольще́ние**, -я, *ср.* **Обольсти́тель**, -я, *м.*

**ОБОМШЕ́ЛЫЙ**, -ая, -ое. Покрывшийся, обросший мохом. *Обомшелые пни.* ☐ *Он отыскал обомшелый.. камень, отсчитал три сажени влево. Разгреб пласт хвои с перегноем и стал копать.* Шишков. Угрюм-река.

С и н.: замшелый, мшистый.

**ОБОРО́НА**, -ы, *ж.* **1.** Защита от нападения врага, а также вообще от кого-, чего-л. *Героическая оборона Севастополя. Перейти от обороны к нападению.* **2.** Совокупность средств, необходимых для отпора врагу. *Укреплять оборону страны. Противовоздушная оборона.* **3.** Система оборонительных сооружений. *Передний край обороны Ленинграда. Прорвать оборону противника.*

**Оборо́нный**, -ая, -ое. *Оборонная промышленность. Оборонная мощь страны.*

**ОБОРОНИ́ТЕЛЬНЫЙ**, -ая, -ое. Имеющий целью оборону, защиту. *Оборонительные бои. Оборонительный рубеж. Оборонительные работы на границе.* ☐ *[Звягинцев] сообщил о степени готовности оборонительных сооружений.* Чаковский. Блокада.

**ОБОРО́ТЕНЬ**, -тня, *м.* В суеверных представлениях: человек, способный обращаться с помощью колдовства в кого-, что-л. *В Обломовке верили всему: и оборотням, и мертвецам.* И. Гончаров. Обломов.

**ОБОРУ́ДОВАНИЕ**, -я, *ср.* **1.** Снабжение всем необходимым. *Заниматься оборудованием кружка.* **2.** Совокупность механизмов, приборов, машин, необходимых для чего-л. *Заводское оборудование. Оборудование для школьного кабинета химии.* ☐ *— К концу месяца лаборатория общей физики расширится вдвое. Со дня на день ждем оборудования — и тогда останется монтаж.* Добровольский. Трое в серых шинелях.

С и н.: оснаще́ние.

**ОБОСНОВА́ТЬ**, -ну́ю, -нуёшь и -ную, -нуешь; обоснова́вший; обосно́ванный; -ан, -а, -о; обоснова́в; *сов., что.* Привести в подтверждение чего-л. убедительные доказательства, факты, доводы. *Обосновать свою точку зрения. Обосновать сделанный вывод.* ☐ *Петр повторил свои доводы, стараясь обосновать их теоретически.* Л. Андреев. Молодежь.

С и н.: доказа́ть, аргументи́ровать, мотиви́ровать.

**Обосно́вывать**, -аю, -аешь; *несов.* **Обоснова́ние**, -я, *ср.*

**ОБОСТРИ́ТЬ**, -рю́, -ри́шь; обостри́вший; обострённый; -рён, -рена́, -о́; обостри́в; *сов., что.* **1.** Сделать более острым, резко выраженным. *Обострить зрение, слух. Жара обострила головную боль.* ☐ *Смерть дяди слишком обострила ощущение моего одиночества.* М. Горький. Рассказ о герое. **2.** Сделать более напряженным, грозящим столкновением, разрывом. *Обострить отношения между кем-л. Обострить международную обстановку.*

С и н. (к 1 знач.): усилить, углубить, усугубить (книжн.) и усугубить (книжн.).

А н т. (к 1 знач.): притупить, уменьшить.

**Обостря́ть**, -я́ю, -я́ешь; *несов.* **Обостре́ние**, -я, *ср. Обострение болезни. Обострение противоречий.*

**ОБО́ЧИНА**, -ы, *ж.* Боковая часть, край (дороги и т. п.). *Обочина железнодорожного полотна.* ☐ *Шли, вслушиваясь, время от времени хватали с обочин пригоршнями.. снег, ели его, карябая губы, глотали его, но снег не утолял жажды.* Бондарев. Горячий снег.

**ОБОЮ́ДНЫЙ**, -ая, -ое; -ден, -дна, -о. Взаимный, общий для обеих сторон. *По обоюдному согласию. Обоюдное желание. К обоюдному удовольствию.* ☐ *[Лупачев:] Вот и ваш брак. Я не знаю, может быть, и в самом деле он был следствием обоюдной горячей любви.* А. Островский. Красавец-мужчина.

**Обою́дно**, *нареч.* **Обою́дность**, -и, *ж. Обоюдность решения.*

**ОБОЮДО...** Первая составная часть сложных слов, обозначающая: с обеих сторон, для обеих сторон, напр.: *обоюдовыгодный, обоюдополезный, обоюдоострый* (о холодном оружии).

**О́БРАЗ**[1], -а, о́бразы, -ов, *м.* **1.** Внешний вид, облик кого-, чего-л., реальный или воображаемый. *Незабываемый образ матери.* ☐ *[Алексей] целый день думал.. [о новой] знакомке; ночью образ смуглой красавицы и во сне преследовал его воображение.* Пушкин. Барышня-крестьянка. **2.** В искусстве: обобщенное художественное отражение действительности, облеченное в форму конкретного индивидуального явления. *Женские образы в романах Тургенева. Сценический образ.* ☐ *Поэт мыслит образами; он не доказывает истину, а показывает ее.* Белинский. «Горе от ума». **3.** *ед., чего.* Характерные особенности, порядок, способ чего-л. *Образ жизни. Странный образ мыслей. Изменить образ действий.* ☐ *Император Александр объявил, что он предоставит самим французам выбрать образ правления.* Л. Толстой. Война и мир. ◊ **Поэтический образ** — художественная мысль, выраженная при помощи какого-л. поэтического средства (метафоры, метонимии и т. п.). **Утратить** (или **потерять**) **человеческий образ** — опуститься. **Главным образом** — преимущественно. **Равным образом** (*книжн.*) — одинаково. **Создать по своему образу и подобию** *кого, что* (*книжн.*) — сделать похожим на себя.

С и н. (ко 2 знач.): тип, харáктер.

**Образный**, -ая, -ое (*ко 2 знач.*). **Образно**, *нареч.* (*ко 2 знач.*). **Образность**, -и, *ж.* (*ко 2 знач.*). *Образность народной речи.*

**ÓБРАЗ²**, -а, образá, -óв, *м.* Икона. *Я вошел в хату.. На стене ни одного образа — дурной знак! В разбитое стекло врывался морской ветер.* Лермонтов. Герой нашего времени.

**Образóк**, -зкá, *м.* (*уменьш.*).

**ОБРАЗÉЦ**, -зцá, *м.* **1.** *обычно чего.* Показательный или пробный экземпляр какого-л. изделия, материала. *Образцы минералов. Образцы новых изделий. Образцы почв. Передать в серийное производство образец нового станка.* **2.** *обычно чего.* Пример, которому следует подражать. *Образец мужества. Служить образцом в классе.* ☐ *Пьер считал князя Андрея образцом всех совершенств.* Л. Толстой. Война и мир. **3.** *обычно какой.* Способ или характер устройства чего-л. *Винтовка новейшего образца.* ☐ *Дом, в котором жил Колосов, был выстроен на старинный образец.* Тургенев. Андрей Колосов.

С и н. (*к 1 знач.*): эталóн. С и н. (*ко 2 знач.*): эталóн, обрáзчик (*разг.*). С и н. (*к 3 знач.*): лад, манéр (*прост.*).

**Образцóвый**, -ая, -ое (*к 1 и 2 знач.*). *Образцовые типы машин. Образцовый порядок.* **Образцóво**, *нареч.* (*ко 2 знач.*). *Образцово выполнить общественное поручение.* **Образцóвость**, -и, *ж.* (*ко 2 знач.*).

**ОБРАЗОВÁНИЕ¹**, -я, *ср.* **1.** *ед.* Создание, возникновение чего-л. *Образование государства. Образование избирательных округов. История образования института.* **2.** *обычно какое.* То, что образовалось, создалось в результате какого-л. процесса. *Горные образования. Жировые образования.* ☐ *Часть болот представляет собой древние озера, заросшие водолюбивой растительностью и заполненные торфяными образованиями.* Советов. Реки и озера.

С и н. (*к 1 знач.*): основáние, организáция, формировáние, учреждéние, устрóйство.

**ОБРАЗОВÁНИЕ²**, -я, *ср.* **1.** Процесс усвоения знаний, приобретения умений и навыков, необходимых для подготовки человека к жизни и труду; обучение, просвещение. *Конституционное право на образование. Реформа школьного образования.* **2.** *обычно какое.* Совокупность знаний, полученных в результате обучения. *Начальное, среднее, высшее образование. Получить среднее специальное образование.* ☐ *Я родился от честных и благородных родителей в селе Горюхине.. и первоначальное образование получил от нашего дьячка.* Пушкин. История села Горюхина.

**Образовáтельный**, -ая, -ое. ◊ **Образовáтельный ценз** (*спец.*) — уровень образования, необходимый для получения каких-л. прав.

**ОБРАМЛÉНИЕ**, -я, *ср.* То, что окружает как рамка, кайма. *Красивое обрамление портрета. Веранда в обрамлении зелени и цветов.*

С и н.: опрáва.

**ОБРАТÍМЫЙ**, -ая, -ое; -ѝм, -а, -о. *Книжн.* Способный возвращаться к первоначальному, исходному состоянию. *Обратимые процессы.*

А н т.: необратѝмый (*книжн.*).

**Обратѝмость**, -и, *ж.* *Обратимость химических реакций.*

**ОБРАЩÉНИЕ**, -я, *ср.* **1.** Призыв, речь, обращенные к кому-л. *Обращение правительства к народу. Обращение сторонников мира. Текст обращения. Подпись под обращением.* **2.** *с кем, чем.* Поведение, поступки, действия по отношению к кому-л. *Ласковое обращение с детьми. Небрежное обращение с книгами.* ☐ *Сказывают, что он барин гордый и своенравный, жестокий в обращении со своими домашними.* Пушкин. Дубровский. **3.** Процесс обмена, оборота, участие в употреблении. *Товарное обращение. Обращение денег. Пустить в обращение новое слово. Изъять из обращения что-л.*

С и н. (*к 1 знач.*): воззвáние.

**ОБРÉЗ**, -а, *м.* **1.** Обрезанный край, кромка. *На бюро.. лежало множество всякой всячины:.. какая-то старинная книга в кожаном переплете с красным обрезом.* Гоголь. Мертвые души. **2.** Винтовка с отпиленным концом ствола. *По селам и хуторам заскрипело, залязгало, — это напильничками отпиливали обрезы.* А. Н. Толстой. Хождение по мукам. ◊ **В обрез** (*разг.*) — без всякого излишка, только в меру. *Времени до прихода поезда оставалось в обрез. Он наскоро умылся и, уложив в чемоданчик еду, побежал на вокзал.* Бирюков. Чайка.

**ОБРЕМЕНÍТЬ**, -ню́, -нѝшь; обременѝвший; обременённый; -нён, -ненá, -ó; обременѝв; *сов., кого чем.* Затруднить, доставить хлопоты, неудобства. *Обременить кого-л. поручением, просьбой.* ☐ *[Мать говорила], что боится обременить матушку и сестрицу присмотром за детьми.* С. Аксаков. Детские годы Багрова-внука.

С и н.: отяготѝть (*книжн.*).

**Обременя́ть**, -я́ю, -я́ешь; *несов.* **Обременéние**, -я, *ср.*

**ОБРЕСТÍ**, -ету́, -етёшь; обрéтший; обретённый; -тён, -тенá, -ó; обретя́; *сов., кого, что. Книжн.* Найти, отыскать, получить. *Обрести покой и счастье.* ☐ *Хоть он глядел нельзя прилежней, Но и следов Татьяны прежней Не мог Онегин обрести.* Пушкин. Евгений Онегин.

С и н.: изыскáть (*книжн.*), сыскáть (*прост.*).

**Обрета́ть**, -а́ю, -а́ешь; *несов.* **Обрете́ние**, -я, *ср. Обретение свободы.*

**ОБРЕ́ЧЬ**, -еку́, -ечёшь; обре́кший; обречённый; -чён, -чена́, -о́; обрёкши; *сов., кого, что на что.* Высок. Предназначить к какой-л. неизбежной участи (обычно тяжелой). *Обречь на страдания и гибель.* □ *Бабушка разжаловала ее из камер-фрейлин в дворовые девки, потом обрекла на черную работу, мыть посуду, белье, полы.* И. Гончаров. Обрыв.

С и н.: осуди́ть (высок.).

**Обрека́ть**, -а́ю, -а́ешь; *несов.* **Обрече́ние**, -я, *ср. Обречение на смерть.*

**ОБРУЧЕ́НИЕ**, -я, *ср.* Следующий после помолвки обряд, во время которого надевают кольца жениху и невесте. *Первым делом, после обручения и помолвки, были рекомендательные письма ко всем родным жениха и невесты.* С. Аксаков. Семейная хроника.

**ОБРЯ́Д**, -а, *м.* Совокупность установленных обычаем действий, в которых воплощаются какие-л. религиозные представления или бытовые традиции. *Свадебный обряд. Обряд посвящения в рабочие.* □ *Обряд творится погребальный. Звучит уныло песнь муллы. В арбу впряженные волы Стоят пред саклею печальной.* Пушкин. Тазит.

**Обря́довый**, -ая, -ое и **обря́дный**, -ая, -ое. *Обрядовая поэзия. Обрядные книги.*

**ОБСЕРВАТО́РИЯ**, -и, *ж.* [Восх. к лат. observare — наблюдать]. Здание, специально оборудованное для астрономических, географических, метеорологических и т.п. наблюдений, а также научное учреждение, ведущее эти наблюдения. *Пулковская обсерватория. Обсерватория на озере Байкал.*

**Обсервато́рский**, -ая, -ое.

**ОБСКУРА́НТ**, -а, *м.* [Восх. к лат. obscurare — затемнять]. *Книжн.* Человек, враждебно относящийся к просвещению, науке, культурному прогрессу. *— Вы шутите, но я серьезно боюсь, опасаюсь высказать вам мое мнение; — оно может казаться сходно с тем, что проповедуют обскуранты о бесполезности просвещения.* Чернышевский. Что делать?

С и н.: реакционе́р, мракобе́с, ретрогра́д, зубр.

**Обскура́нтка**, -и, *ж.* **Обскура́нтский**, -ая, -ое. **ОБСКУРАНТИ́ЗМ**, -а, *м.* [См. обскурант]. *Книжн.* Образ мыслей и действий обскуранта.

С и н.: мракобе́сие, реакцио́нность, ретрогра́дство.

**Обскуранти́стский**, -ая, -ое.

**ОБСТАНО́ВКА**, -и, *ж.* **1.** Мебель, другие предметы, находящиеся в комнате, в помещении. *Обстановка [кабинета] с претензией на изысканную роскошь: бархатная мебель, цветы, статуи, ковры, телефон.* Чехов. Юбилей. **2.** Совокупность условий, обстоятельств, при которых что-л. происходит. *Беседа прошла в дружеской обстановке. Обстановка взаимопонимания в классе. Напряженная обстановка на фронте. Накалять обстановку.* □ *В штаб бригады приехал Фрунзе, ознакомился быстро с обстановкой, расспросил об успешных последних боях Сизова.* Фурманов. Чапаев.

С и н. (к 1 знач.): убра́нство. С и н. (ко 2 знач.): атмосфе́ра.

**ОБСТОЯ́ТЕЛЬНЫЙ**, -ая, -ое; -лен, -льна, -о. **1.** Подробный, исчерпывающий, полный. *Обстоятельный отчет. Обстоятельная информация о чем-л.* **2.** *Разг.* Положительный, основательный, серьезный (о человеке, характере). *[Салай Салтаныч:] Его слову верить можно; купец обстоятельный: как сказал, так и будет.* А. Островский. Последняя жертва.

С и н. (к 1 знач.): развёрнутый, дета́льный, доскона́льный. С и н. (ко 2 знач.): степе́нный.

**Обстоя́тельно**, *нареч.* **Обстоя́тельность**, -и, *ж.*

**ОБСТОЯ́ТЕЛЬСТВО**, -а, *ср.* **1.** Событие, факт, сопутствующие чему-л., могущие влиять на что-л. *Смягчающее вину обстоятельство.* □ *Этой учебе у Горького.. способствовало еще и то немаловажное обстоятельство, что вряд ли во всей русской литературе существовал другой, подобный Горькому, наставник и верный друг молодых литераторов.* Леонов. О Горьком. **2.** *мн.* Обстановка, условия, определяющие положение, существование кого-, чего-л. *Взять отпуск по семейным обстоятельствам. Погибнуть при странных обстоятельствах. Стечение обстоятельств.* □ *— Господа, — сказал им Сильвио, — обстоятельства требуют немедленного моего отсутствия; еду сегодня в ночь.* Пушкин. Выстрел. ◇ **Смотря по обстоятельствам** — в зависимости от обстановки, от условий.

С и н. (ко 2 знач.): ситуа́ция, усло́вия.

**ОБСТРУ́КЦИЯ**, -и, *ж.* [Восх. к лат. obstructio — преграда]. *Книжн.* Вид протеста, заключающийся в намеренном срыве какого-л. мероприятия (заседания, собрания) посредством шума, выкриков и т.п. *Парламентская обструкция.* □ *— Корчагину не давали говорить дальше, стучали стульями, кричали. Члены ячейки, возмущенные хулиганством, требовали выслушать Корчагина, но, когда Павел заговорил, ему вновь устроили обструкцию.* Н. Островский. Как закалялась сталь.

**Обструкцио́нный**, -ая, -ое. *Обструкционные приемы в парламентской борьбе.*

**ОБТЕКА́ЕМЫЙ**, -ая, -ое; -ем, -а, -о. **1.** О форме чего-л.: такой, который встречает наименьшее сопротивление воздуха, воды и т. п. *Обтекаемое крыло самолета.* □ *[Кальмар] проносится в воде, подобно молнии, блеснув на мгновение гладкой поверхностью своего обтекаемого тела.* Акимушкин. Следы невиданных зверей. **2.** *перен. Разг.* Дающий возможность различного понимания, истолкования; уклончивый. *Обтекаемый ответ. Обтекаемая формулировка.*

С и н. (ко 2 знач.): неопределённый.

**Обтека́емо**, *нареч.* (ко 2 знач.). *Обтекаемо выразиться.* **Обтека́емость**, -и, *ж.*

**ОБУРЕВА́ТЬ**, -а́ет; обурева́ющий, обурева́вший; обурева́емый; обурева́я; *несов. Высок.* Охватывать с большой силой (о мыслях, чувствах и т.п.). *[Володю] обуревала жажда деятельности.* Березко. Мирный город.

С и н.: захва́тывать, наполня́ть, переполня́ть, одолева́ть, захлёстывать, забира́ть (*разг.*).

**ОБУСЛО́ВИТЬ**, -влю, -вишь; обусло́вивший; обусло́вленный; -ен, -а, -о; обусло́вив, *сов., что.* **1.** Ограничить каким-л. условием. *Обусловить своё участие в работе определённым сроком.* ☐ *Прогресс науки и технический прогресс тесно связаны и взаимно обусловлены.* Несменов. Наука на службе народу. **2.** Явиться причиной чего-л., вызвать что-л. *Планомерный труд обусловил успех дела.* ☐ *Разное разрешение вопросов, одинаково мучивших молодое поколение, обусловило распаденье на разные круги.* Герцен. Былое и думы.

С и н. (ко 2 знач.): определи́ть.

**Обусло́вливать**, -аю, -аешь и **обусла́вливать**, -аю, -аешь; *несов.*

**ОБУ́Х**, -а́ и **О́БУХ**, -а, *м.* Утолщённая тупая, противоположная лезвию, сторона острого орудия (обычно топора). *Тихон одинаково верно, со всего размаха, раскалывал топором бревна и, взяв топор за обух, выстрагивал им тонкие колышки и вырезывал ложки.* Л. Толстой. Война и мир. ◊ **Как** (или **точно, будто**) **обухом по голове** (*разг.*) — о поразившей неприятной неожиданности. **Под обух идти** (*устар.*) — идти на казнь.

**ОБУЯ́ТЬ**, -я́ет; обуя́вший; обуя́нный; -я́н, -а, -о; обуя́в; *сов., кого.* Высок. Охватить, овладеть с неудержимой силой (о чувстве, состоянии). *[Самозванец:] Виновен я: гордыней обуянный, Обманывал я бога и царей. Я миру лгал.* Пушкин. Борис Годунов. *Лень какая-то обуяла его, общая умственная и нравственная анемия.* Салтыков-Щедрин. Господа Головлёвы.

С и н.: завладе́ть, одоле́ть, захвати́ть, поглоти́ть, плени́ть (*устар.* и *высок.*), полони́ть (*устар.* и *нар.-поэт.*).

**ОБХОДИ́ТЕЛЬНЫЙ**, -ая, -ое; -лен, -льна, -о. Вежливый, приветливый в обхождении с людьми. *Тут же познакомился он с весьма обходительным и учтивым помещиком Маниловым.* Гоголь. Мёртвые души.

С и н.: учти́вый, корре́ктный, предупреди́тельный, любе́зный, гала́нтный.

**Обходи́тельно**, *нареч.* **Обходи́тельность**, -и, *ж.*

**ОБШЛА́Г**, -а́, *м.* [Голл. opslag]. Отворот на конце рукава, а также вообще нижняя пришивная часть рукава. *Долго стоял он неподвижно, наконец увидел за обшлагом своего рукава сверток бумаг; он вынул их и развернул несколько.. ассигнаций.* Пушкин. Станционный смотритель.

С и н.: манже́та и манже́т.

**О́БЩЕСТВО**, -а, *ср.* **1.** Совокупность людей, объединённых общими для них конкретно-историческими условиями материальной жизни. *Первобытное, рабовладельческое общество. Наука об обществе.* **2.** Круг людей, объединённых общностью чего-л. (положения, происхождения, интересов и т. п.). *Дворянское общество. Образованное общество. Женское общество.* ☐ «*Зачем у вас я на примете?.. Не потому ль, что мой позор Теперь бы всеми был замечен И мог бы в общество принесть Вам соблазнительную честь?*» Пушкин. Евгений Онегин. **3.** Объединение людей, ставящих себе какие-л. общие задачи; организация. *Физкультурно-спортивное общество «Динамо». Общество охотников и рыболовов. Общество «Знание». Общество охраны природы.* ☐ [*Репетилов:*] *У нас есть общество, и тайные собранья По четвергам. Секретнейший союз.* Грибоедов. Горе от ума. **4.** Группа людей, проводящая вместе время; компания. *Шумное общество.* ☐ — *Жизнь проходит тускло, без впечатлений, без мыслей.. Днем нажива, а вечером клуб, общество картёжников.* Чехов. Ионыч. **5.** *ед., кого или какое.* Совместное пребывание с кем-л. *Не любить чьего-л. общества. Провести время в обществе друзей.*

С и н. (к 3 знач.): объедине́ние, сою́з, ассоциа́ция, федера́ция, алья́нс (*книжн.*). С и н. (к 4 знач.): бра́тия (*разг.*), кома́нда (*разг.*).

**Обще́ственный**, -ая, -ое (к 1 и 2 знач.). *Общественный строй. Законы общественного развития. Общественное мнение. Общественные организации. Общественное поручение.* ◊ **Общественный обвинитель** — уполномоченный представитель организации трудящихся, поддерживающий обвинение в суде. **Общественное порицание** — 1) одна из мер уголовного наказания, заключающаяся в публичном выражении судом порицания виновному; 2) мера воздействия общественности (товарищеского суда, группы народного контроля и т. п.) по отношению к лицам, совершившим правонарушение или какой-л. проступок.

**ОБЩИ́НА**, -ы и **О́БЩИНА**, -ы, *ж.* **1.** Форма объединения людей, характеризующаяся общим владением средствами производства, полным или частичным самоуправлением. *Первобытная община. Земельная крестьянская община.* ☐ *Доктор принялся объяснять: тут, дескать, и земля принадлежит всей общине, попросту — селу,.. пода́ть, дескать, платят сообща, раскладывая по душам.* Коптелов. Большой зачин. **2.** Общество, организация. *Религиозная община.*

**Общи́нный**, -ая, -ое. *Общинное землевладение. Общинная собственность.*

**О́БЩНОСТЬ**, -и, *ж.* Единство, наличие неразрывных связей. *Общность взглядов, интересов. Общность цели.* ☐ *Софья говорила,.. внушая людям веру в свои силы, будя в них сознание общности со всеми, кто отдает свою жизнь бесплодному труду на глупые забавы пресыщенных.* М. Горький. Мать.

**ОБЪЕДИНЕ́НИЕ**, -я, *ср.* **1.** Образование целого из отдельных, самостоятельных частиц; соединение воедино. *Объединение имущества. Объединение предприятий. Объединение миролюбивых сил планеты.* **2.** Организация, союз. *Производственное объединение. Литературное объединение.*

С и н. (ко 2 знач.): блок, ассоциа́ция, федера́ция, о́бщество, алья́нс (*книжн.*).

**ОБЪЕ́КТ**, -а, *м.* [Восх. к лат. objectum]. **1.** В философии: явление внешнего мира, существующее независимо от нашего сознания. **2.** *Книжн.* Явление, предмет, лицо, на которые направлена чья-л. деятельность, чье-л. внимание и т. п. *Объект наблюдения. Объект научного исследования.* ☐ *Оттого, что журналистка молчала, неулыбающимся взглядом изучая ее, как, вероятно, корреспонденты изучают объекты для очерка, Настя стала несвязно оправдываться.* Прилежаева. Пушкинский вальс. **3.** Предприятие, стройка, учреждение, а также все то, что является местом какой-л. деятельности. *Только взрывы, взрывы — немцы уничтожали промышленные объекты на окраинах, до центра пока еще не дошла очередь.* Проскурин. Горькие травы.

**Объе́ктный**, -ая, -ое (к *1 знач.*) и **объе́ктовый**, -ая, -ое (к *3 знач.*).

**ОБЪЕКТИ́В**, -а, *м.* [См. *объективный*]. Переднее стекло (или несколько передних стекол) оптического прибора. *Объектив фотоаппарата, микроскопа.* ☐ *[Тулин] наклонился к объективу, повертел регулировочный винт.— Пластины-то выгоднее поставить круглые.* Гранин. Иду на грозу.

**ОБЪЕКТИ́ВНЫЙ**, -ая, -ое; -вен, -вна, -о. [Восх. к лат. objectivus — предметный]. **1.** Существующий вне человеческого сознания и независимо от него. *Объективный мир. Объективная реальность.* ☐ *— Я говорю об объективной обстановке, товарищ командующий,— ..объяснил подполковник.— Через некоторое время немцы могут перерезать связь. И тогда мы потеряем нити управления.* Бондарев. Горячий снег. **2.** Лишенный предвзятости; беспристрастный. *Объективное мнение. Объективная оценка работы.*

С и н. (ко *2 знач.*): непредубеждённый, нелицеприя́тный (*устар.*).

А н т. (ко *2 знач.*): субъекти́вный.

**Объекти́вно**, *нареч.* **Объекти́вность**, -и, *ж.*

**ОБЪЁМ**, -а, *м.* **1.** Величина чего-л. в длину, ширину и высоту, измеряемая в кубических единицах. *Объем куба. Измерение объема цилиндра.* **2.** *перен.*, *чего*. Вообще величина, размер, количество чего-л. *Объем работы. Объем информации. Увеличить объем капиталовложений на просвещение. Общий объем производства промышленной продукции.* ☐ *Кажется, он поминутно выясняет объем твоих знаний о мире.* Леонов. О Горьком.

С и н. (ко *2 знач.*): масшта́б, разме́р, диапазо́н (*книжн.*).

**Объёмный**, -ая, -ое (к *1 знач.*). *Объемные тела.* **Объёмность**, -и, *ж.* *Объемность изображения.*

**ОБЫВА́ТЕЛЬ**, -я, *м.* **1.** В царской России: постоянный житель какой-л. местности, относящийся к податным сословиям. *Городские обыватели.* ☐ *Однажды в трактире обсуждалось постановление городской думы, коим обыватели Въезжей улицы обязывались: рытвины и промоины в своей улице засыпать.* М. Горький. Бывшие люди. **2.** *перен.* Тот, кто лишен общественного кругозора, живет мелкими, личными интересами. *Обыватели своими разговорами, взглядами на жизнь и даже своим видом раздражали его.. [Они] не интересовались ничем, и никак нельзя было придумать, о чем говорить с ними.* Чехов. Ионыч.

С и н. (ко *2 знач.*): меща́нин, фили́стер (*книжн.*).

**Обыва́тельница**, -ы, *ж.* **Обыва́тельский**, -ая, -ое.

**ОБЯЗА́ТЕЛЬСТВО**, -а, *ср.* **1.** Обещание, подлежащее непременному выполнению. *Взять на себя обязательство.* ☐ *[Николай] принял наследство с обязательством уплаты долгов.* Л. Толстой. Война и мир. **2.** *Спец.* Денежный заемный документ. *В кармане у Стремова очутились четыре заемные обязательства, сроком на шесть месяцев, каждое в сумме пять тысяч рублей.* Салтыков-Щедрин. Благонамеренные речи.

**Обяза́тельственный**, -ая, -ое (ко *2 знач.*).

**ОВА́Л**, -а, *м.* [Восх. к лат. ovum — яйцо́]. Форма, напоминающая по своим очертаниям яйцо в продольном разрезе. *Бессонов, как сквозь синее стекло, видел сбоку длинный овал лица Веснина, его поблескивающие очки.* Бондарев. Горячий снег.

**Ова́льный**, -ая, -ое. *Клумба овальной формы. Овальное зеркало.*

**ОВА́ЦИЯ**, -и, *ж.* [Восх. к лат. ovatio — ликование]. Бурные аплодисменты, возгласы и другие знаки горячего приветствия и одобрения.— *Вы пришли к великому актеру в торжественную минуту, когда зритель устроил ему овацию.* Федин. Первые радости.

**ОВЕЩЕСТВИ́ТЬ**, -влю́, -ви́шь; овеществи́вший; овеществлённый; -лён, -лена́, -о́; овеществи́в; *сов., что. Книжн.* Выразить в чем-л. вещественном, материальном; придать чему-л. вещественную форму. *Труд, овеществленный в товаре.* ☐ *Пробитые в сугробах километры дорог, сотни кубометров вновь построенных жилых и бытовых помещений — во всем этом был уже как бы овеществлен энтузиазм строителей.* Ажаев. Далеко от Москвы.

**Овеществи́ться**, -и́тся; *возвр.* **Овеществля́ть**, -я́ю, -я́ешь; *несов.* **Овеществле́ние**, -я, *ср.*

**ОВЕ́ЯТЬ**, ове́ю, ове́ешь; ове́явший; ове́янный; -ян, -а, -о; ове́яв; *сов., кого, что чем.* **1.** Обдать, охватить своим дуновением (о струе воздуха, ветре и т. п.). *Овеять холодом.* ☐ *Челкаш чувствовал себя овеянным.. ласковой струей родного воздуха.* М. Горький. Челкаш. **2.** *перен. Высок.* Окружить, охватить веянием чего-л. *Стоит она, задумалась, Дыханьем чар овеяна, Запала в грудь любовь-тоска, Нейдет с души тяжелой вздох.* А. Кольцов. Пора любви.

С и н. (к *1 знач.*): обду́ть, опахну́ть (*разг.*).

**Овева́ть**, -а́ю, -а́ешь (к *1 знач.*) и **ове́ивать**, -аю, -аешь (к *1 знач.*).

**ОВИ́Н**, -а, *м.* Строение для сушки снопов перед молотьбой. *Страда не прекращалась.. Овины курились за полночь, стук цепов унылою дробью разносился по всей окрестности.* Салтыков-Щедрин. Господа Головлевы.

**Ови́нный**, -ая, -ое.

**ОГЛАСИ́ТЬ**, -ашу́, -аси́шь; огласи́вший; оглашённый; -шён, -шена́, -о́; огласи́в; *сов., что.* **1.** *Офиц.* Прочесть вслух для всеобщего сведения; провозгласить, возвестить. *Огласить приговор. Огласить по радио результаты выборов.* ☐ *А мне бы петь.. Как, огласив войне конец И долголетье миру, Явился беженец-*

-скворец На новую квартиру. Твардовский. Дом у дороги. **2.** *Устар.* Сделать всем известным; разгласить. *Огласить тайну.* ☐ *[Фамусов:] А вас, сударь, прошу я толком Туда не жаловать ни прямо, ни проселком;.. Я постараюсь, я, в набат я приударю, По городу всему наделаю хлопот, И оглашу во весь народ: В Сенат подам, министрам, государю.* Грибоедов. Горе от ума. **3.** Наполнить какими-л. громкими звуками (воздух, пространство). *Огласить лес криками.* ☐ *[Ольга Михайловна] упала в постель, и мелкие, истеричные рыдания.. огласили спальню.* Чехов. Именины.

С и н. *(к 1 знач.):* объяви́ть.

**Оглаша́ть**, -а́ю, -а́ешь; *несов.* **Оглаше́ние**, -я, *ср. (к 1 и 2 знач.).*

**ОГЛО́БЛЯ**, -и, огло́бли, -ей *и* -бе́ль, *ж.* Одна из двух жердей, укрепленных концами на передней оси экипажа и служащих для запряжки лошади. *Бредет в оглоблях серый конь Под расписной дугой.* Твардовский. Страна Муравия.

**Огло́бельный**, -ая, -ое.

**ОГНЕПОКЛО́ННИК**, -а, *м.* Последователь огнепоклонничества. *Храмы огнепоклонников.*

**Огнепокло́нница**, -ы, *ж.*

**ОГНЕПОКЛО́ННИЧЕСТВО**, -а *и* **ОГНЕПОКЛО́НСТВО**, -а, *ср.* Одна из первобытных религий: почитание огня, поклонение огню как божеству.

**Огнепокло́ннический**, -ая, -ое.

**ОГНИ́ВО** [не *о́гниво*], -а, *ср.* Кусок камня или металла для высекания огня из кремня. *Неприкосновенный запас спичек я хранил в своей сумке.. Кроме того, на всякий случай мы захватили с собой.. кремень, огниво, трут и жженую тряпку.* Арсеньев. Дерсу Узала.

С и н.: кресало *(устар.).*

**ОГРАНИ́ЧИТЬ**, -чу, -чишь; ограни́чивший; ограни́ченный; -ен, -а, -о; ограни́чив; *сов.* **1.** *кого, что.* Стеснить определенными условиями, поставить в какие-л. рамки, границы. *Ограничить себя в чем-л. Ограничить круг знакомых.* ☐ *«Когда бы жизнь домашним кругом Я ограничить захотел; Когда б мне быть отцом, супругом Приятный жребий повелел..,— То верно б кроме вас одной Невесты не искал иной».* Пушкин. Евгений Онегин. **2.** *что.* Отделить, отгородить от чего-л. *Перед нами раскинулось версты на три.. [поле], ограниченное гребнем леса.* М. Горький. Детство.

**Ограни́чивать**, -аю, -аешь: *несов.* **Ограниче́ние**, -я, *ср.*

**ОГУ́ЛЬНЫЙ**, -ая, -ое; -лен, -льна, -о. **1.** Касающийся всех, всего подряд, без разбора. *Последняя система будет более рациональна, нежели система огульного обучения всех и каждого одному и тому же, не считаясь с его склонностью.* А. Крылов. Значение математики для кораблестроителя. **2.** Недостаточно обоснованный, поверхностный. *Мне обидно, что обвинения огульны и строятся на таких давно избитых общих местах,.. как замечание, отсутствие идеалов.* Чехов. Скучная история.

С и н. *(ко 2 знач.):* необосно́ванный, неоснова́-

тельный, безоснова́тельный, беспо́чвенный, бездоказа́тельный, голосло́вный.

**Огу́льно**, *нареч.* **Огу́льность**, -и, *ж.*

**О́ДА**, -ы, *ж.* [Восх. к греч. ōdē—песня]. Торжественное стихотворение в честь какого-л. значительного события или лица. *Оды Ломоносова. «Ода революции» Маяковского.* ☐ *«Пишите оды, господа, Как их писали в мощны годы, Как было встарь заведено...» — Одни торжественные оды!* Пушкин. Евгений Онегин.

**Оди́ческий**, -ая, -ое. *Одический слог.*

**ОДАЛИ́СКА**, -и, *ж.* [Франц. odalisque; восх. к турецк. odalique — горничная]. *Книжн.* Прислужница в гареме, а также обитательница гарема, наложница. *После смерти отца Химик дал отпускную несчастным одалискам.* Герцен. Былое и думы.

**ОДАРЁННЫЙ**, -ая, -ое; -ён, -ённа, -о. Талантливый, даровитый. *Одаренный художник.* ☐ *Вячеслав говорил извиняющимся тоном, как бы оправдываясь, что он, одаренный и нестандартный, работает в какой-то ничтожной многотиражке.* Прилежаева. Пушкинский вальс.

А н т.: безда́рный.

**Одарённость**, -и, *ж. Музыкальная одаренность. Одаренность ребенка.*

**ОДЕРЖИ́МЫЙ**, -ая, -ое; -и́м, -а, -о. *Книжн.* **1.** Всецело охваченный чем-л., находящийся во власти чего-л. (чувства, страсти, настроения и т. п.). *Одержимый страстью к науке.* ☐ *Они ушли с большой дороги.. Петушков вел их. Одержимый лихорадкой мечты, сжигающей его яростным пламенем, он торопил их, злился, кричал: «В глушь! В глушь!»* Горбатов. Непокоренные. **2.** Способный страстно увлекаться какой-л. идеей, полностью отдаваться ей. *Нет, не походил на сумасшедшего этот человек с ясными глазами и высоким лбом! Он был одержимым!* Липатов. И это все о нем. ◇ **Одержимый бесом** *(устар.)* — по суеверным представлениям: такой, в которого вселился бес; бесноватый.

**Одержи́мость**, -и, *ж.*

**ОДЕСНУ́Ю**, *нареч. Устар.* По правую сторону.

А н т.: ошу́юю *(устар.).*

**ОДИО́ЗНЫЙ**, -ая, -ое; -зен, -зна, -о. [Восх. к лат. odiosus — ненавистный, противный]. *Книжн.* Вызывающий к себе отрицательное отношение; крайне неприятный. *Одиозная личность. Одиозный факт.* ☐ *— Казаки настроены против вас, ваше имя для них одиозно.* Шолохов. Тихий Дон.

**Одио́зность**, -и, *ж. Одиозность суждений.*

**ОДНОДВО́РЕЦ**, -рца, *м.* В дореволюционной России: владелец небольшого земельного участка, происходивший из низшего разряда служилых людей. *Приходившие с обозами.. мужики-хуторяне и омужичившиеся помещики-однодворцы рассказывали, что в степях войны с татарами ждут не дождутся.* А. Н. Толстой. Петр I.

**Однодво́рка**, -и, *ж.* **Однодво́рческий**, -ая, -ое.

**ОДНОКО́ЛКА**, -и, *ж.* Легкий двухколесный экипаж. *Въехали верховконные, богато одетые, с саблями наголо. За ними четвериком золоченая карета.. За каретой в одноколке — царь*

Петр и Лефорт, в треугольных шляпах. А. Н. Толстой. Петр I.

**ОДНОРО́ДНЫЙ**, -ая, -ое; -ден, -дна, -о. Относящийся к одному и тому же роду, разряду, а также одинаковый во всех своих частях. *Однородные явления. Однородное тело. Однородная среда.* □ — *Вот видите ли,— продолжала Анна Сергеевна,— мы с вами ошиблись.. Мы не нуждались друг в друге, вот главное; в нас слишком много было.. однородного.* Тургенев. Отцы и дети.

А н т.: разноро́дный.

**Однорóдность**, -и, ж. *Однородность мрамора.*

**ОДНОСТОРО́ННИЙ**, -яя, -ее; -о́нен, -о́ння, -е. **1.** *полн. ф.* Такой, у которого одна сторона лицевая, а другая—изнанка, в отличие от двустороннего (о ткани). *Односторонний драп.* **2.** *полн. ф.* Находящийся, происходящий только в одной стороне. *Одностороннее воспаление легких.* **3.** *полн. ф.* Идущий только в одном направлении, в одну сторону. *Одностороннее движение транспорта. Односторонняя связь.* **4.** *перен.* Направленный только в одну сторону в ущерб другой; ограниченный. *Одностороннее воспитание.* □ *Петр Михайлыч считал Власича хорошим, честным, но узким и односторонним человеком.* Чехов. Соседи.

С и н. (к 4 знач.): однобо́кий.

А н т. (к 4 знач.): разносторо́нний, многогра́нный, многосторо́нний.

**Односторо́нне**, *нареч.* (к 4 знач.). **Односторо́нность**, -и, ж. (к 4 знач.).

**ОДР**, -а́, м. *Устар.* Постель, ложе. *Толпа волнуется, валит Туда, где на одре высоком, На одеяле парчевом Княжна лежит во сне глубоком.* Пушкин. Руслан и Людмила. ◊ **На смертном одре** (*высок.*) — при смерти.

**ОДУХОТВОРЁННЫЙ**, -ая, -ое; -ён, -ённа, -о. *Книжн.* Проникнутый возвышенными чувствами, стремлениями. *Одухотворенная речь. Одухотворенное лицо. Одухотворенная красота.*

**Одухотворённость**, -и, ж. *Одухотворённость во взгляде.*

**ОЖИВЛЁННЫЙ**, -ая, -ое; -ён, -ённа, -о. **1.** Исполненный жизни, деятельности. *Оживленная улица. Оживленная торговля.* □ *Пакеты.. тут же распечатывались, новости сообщались, и канцелярия представляла картину самую оживленную.* Пушкин. Выстрел. **2.** Веселый, возбужденный. *Оживленный разговор.* □ *Наташа блестящими, оживленными глазами продолжала упорно и внимательно глядеть на Пьера.* Л. Толстой. Война и мир.

С и н. (к 1 знач.): живо́й. С и н. (ко 2 знач.): живо́й, бо́йкий.

**Оживлённо**, *нареч.* (ко 2 знач.). *Оживленно рассказывать что-л.* **Оживлённость**, -и, ж. *В комнатах царила оживленность.*

**ОЗАДА́ЧИТЬ**, -чу, -чишь; озада́чивший; озада́ченный; -ен, -а, -о; озада́чив; *сов., кого.* Привести в замешательство, недоумение. *Озадачить неожиданным вопросом.* □ *Вторичное посещение князя меня озадачило. Я этого не ожидал.* Тургенев. Дневник лишнего человека.

**Озада́чивать**, -аю, -аешь; *несов.*

**ОЗАРИ́ТЬ**, -рю́, -ри́шь; озари́вший; озарённый; -рён, -рена́, -о́; озари́в; *сов.* **1.** *кого, что.* Осветить. *Местность озарена молнией.* □ *С каждой минутой становилось все светлее, и вдруг яркие солнечные лучи снопом вырвались из-за гор и озарили весь лес.* Арсеньев. По Уссурийской тайге. **2.** *перен., что.* Осветить внутренним светом, пронизать каким-л. чувством, оживить. *Улыбка озарила лицо.* **3.** *перен., кого.* Неожиданно прийти на ум, прояснить чье-л. сознание. *Наконец вдохновение озарило меня, я начал и благополучно окончил надпись к портрету Рюрика.* Пушкин. История села Горюхина.

С и н. (к 3 знач.): осени́ть.

**Озаря́ть**, -я́ю, -я́ешь; *несов.* **Озаре́ние**, -я, *ср. Творческое озарение.*

**О́ЗЕМЬ**, *нареч. Устар.* Об землю. *[Солдат] упал с воза и ударился головою оземь.* Вересаев. На японской войне.

**О́ЗИМЬ**, -и, *ж.* и **О́ЗИМИ**, -ей (в одном знач.: с ед.), *мн.* Осенние посевы однолетних злаков, прорастающих осенью и зимующих под снегом, а также поле и всходы этих злаков. *Вершины и леса, в конце августа еще бывшие зелеными островами между черными полями озимей и жнивами, стали золотистыми и ярко-красными островами посреди ярко-зеленых озимей.* Л. Толстой. Война и мир. *Перед Улановым простиралось поле.. Вспаханное под озимь, оно было темным, почти черным.* Березко. Ночь полководца.

**Ози́мый**, -ая, -ое. *Озимые культуры.*

**ОЗНАМЕНОВА́ТЬ**, -ну́ю, -ну́ешь; ознамено́вавший; ознамено́ванный; -ан, -а, -о; ознаменова́в; *сов., что.* Отметить устройством чего-л., достижениями в чем-л.; сделать примечательным, памятным. *Ознаменовать праздник новыми трудовыми достижениями. Книга ознаменовала целую эпоху в литературе.* □ *Огромная форель, фаршированные цыплята, перепелки.—все это достойно ознаменовало.. праздник.* И. Гончаров. Обломов.

**Ознамено́вывать**, -аю, -аешь; *несов.* **Ознаменова́ние**, -я, *ср. Салют в ознаменование Дня Победы.*

**ОКА́ЗИЯ**, -и, *ж.* [Восх. к лат. ocasio—случай]. **1.** *Устар.* Удобный случай. *Против одного из диванов Фома Фомич поставил круглый столик, купленный им в старые годы по оказии.* Григорович. Лотерейный бал. **2.** Возможность попутно с кем-, чем-л. доставить что-л., доехать куда-л. *Отправить письмо с оказией.* □ *Так, при оказии попутной, Я даром дня не потерял, А завернул в дали иркутской В тот Александровский централ, Что в песнях каторги прославлен.* Твардовский. За далью — даль. **3.** *Устар. и разг.* О чем-л. необычном, из ряда вон выходящем, непредвиденном. — *Тьфу ты, пропасть!*— *пробормотал он.. — Какая оказия [лодка пошла ко дну]! А все ты, старый черт!.. Что это у тебя за лодка?* Тургенев. Льгов.

С и н. (к 3 знач.): пасса́ж (*устар.*).

**ОКА́ЛИНА**, -ы, *ж.* Продукт окисления на поверхности раскаленного металла, образующийся при его обработке. *Тянуло из настежь распахнутой двери горьким запахом горелого угля и чудесным, незабываемым душком неостывшей окалины.* Шолохов. Поднятая целина.

**ОКАНТОВА́ТЬ**, -ту́ю, -ту́ешь; окантова́вший; оканто́ванный; -ан, -а, -о; окантова́в; *сов., что.* Отделать, обшить кантом. *Окантовать ворот платья. Окантовать фотографию.*

**Оканто́вывать**, -аю, -аешь; *несов.* **Оканто́вка**, -и, *ж.*

**ОККУПА́ЦИЯ**, -и, *ж.* [Восх. к лат. occupatio]. Насильственное занятие вооруженными силами какого-л. государства чужой территории. *Тяжелые последствия гитлеровской оккупации. Зоны оккупации.* □ *Разрушенные оккупацией области несли двойную тяготу — нужно было восстанавливаться и кормить истощенное государство.* Проскурин. Горькие травы.

**Оккупацио́нный**, -ая, -ое. *Оккупационные войска.*

**ОКЛА́Д¹**, -а, *м.* **1.** Размер заработной платы. *Месячный оклад. Повысить оклад.* □ *Упомянутых стряпчих конюхов велено взять.. в потешные пушкари и учинить им оклады — денег по пяти рублев человеку.* А. Н. Толстой. Петр I. **2.** *Устар.* Денежное обложение, налог определенного размера. *Пред сим цена соли, установленная Пугачевым, была по 5 коп. за пуд; подушный оклад по 3 коп. с души.* Пушкин. История Пугачева.

**Окладно́й**, -а́я, -о́е *(ко 2 знач.).* *Окладные листы.*

**ОКЛА́Д²**, -а, *м.* *Устар.* Очертание, контур (лица, фигуры). *Всякий раз, как поглядишь на оклад и черты их лиц, скажешь, что японцы и китайцы близкая родня между собой.* И. Гончаров. Фрегат «Паллада». **2.** Металлическое покрытие, украшающее икону. *Он любил эту церковь и старинные в ней образа, большею частью без окладов.* Достоевский. Преступление и наказание.

С и н. *(ко 2 знач.):* ри́за.

**Окла́дный**, -ая, -ое *(ко 2 знач.).*

**ОКЛА́ДИСТЫЙ**, -ая, -ое; -ист, -а, -о. *Устар.* Полный, широкий, крепкого сложения. *[Староста Михеич] мужчина белый, окладистый, брюхо наел, в сапогах, в шляпах щеголяет.* Л. Толстой. Идиллия. ◇ **Окладистая борода** — широкая, начинающаяся от висков, густая борода. *[Купец] начал расчесывать густую окладистую бороду свою.* Герцен. Станция Едрово.

**ОКО́ВЫ**, око́в, *мн.* **1.** Кандалы. *[Пугачева] везли в зимней кибитке, на переменных обывательских лошадях.. Он был в оковах.* Пушкин. История Пугачева. **2.** *перен., чего или какие.* *Высок.* То, что сковывает, стесняет кого-, что-л., мешает кому-, чему-л. *Сбросить оковы рабства.* □ *Крупные льдины громоздились одна на другую.. Освобожденный от зимних оков поток мощно шумел.* Ажаев. Далеко от Москвы.

С и н. *(к 1 знач.):* це́пи, у́зы *(устар.).* С и н. *(ко 2 знач.):* це́пи, у́зы *(книжн.),* пу́ты *(высок.).*

**ОКОЁМ**, -а, *м.* *Устар.* Пространство, которое можно окинуть взглядом: *Когда развеялся дым, на равнине.. валялось до сотни трупов.*

*Татары, отбитые огнем, уходили за окоём.* А. Н. Толстой. Петр I.

С и н.: кругозо́р, горизо́нт.

**ОКО́ЛИЦА**, -ы, *ж.* **1.** Изгородь вокруг деревни при въезде в нее; граница селения. *Проводив его за околицу деревни, она оперлась на плетень.* М. Горький. Мальва. **2.** Окраина селения. *Бабка Ганя жила на околице, в маленькой избе.* Паустовский. Стекольный мастер.

**ОКО́ЛОТОК**, -тка, *м.* **1.** *Устар.* Окружающая местность, окрестность. *На другой день весть о пожаре разнеслась по всему околотку.* Пушкин. Дубровский. **2.** В дореволюционной России: подразделение полицейского городского участка, а также район города, подведомственный такому подразделению. *Он водил компанию с полицейскими.. С ними.. говорил о скандалах, каждую ночь случавшихся в околотке.* М. Горький. Васька Красный.

**Около́точный**, -ая, -ое *(ко 2 знач.).* ◇ **Околоточный надзиратель** — в дореволюционной России: полицейский чин, ведавший околотком *(во 2 знач.),* а также лицо, имевшее этот чин. *[Кокорышкин:] Он является сыном бедного околоточного надзирателя. Пятен в прошлом не имел. И даже наоборот, судился за растрату канцелярских средств.* Леонов. Нашествие.

**ОКО́ЛЫШ**, -а, *м.* Часть головного убора — ободок, облегающий голову, к которому прикрепляется тулья. *Околыши фуражки.*

**ОКО́ЛЬНИЧИЙ**, -его, *м.* В допетровской Руси: один из придворных чинов, а также лицо, имевшее этот чин. *Жалованы были награды — землицей и деньгами: боярам по триста рублей, окольничим по двести семьдесят, думным дворянам по двести пятьдесят.* А. Н. Толстой. Петр I.

**ОКО́ЛЬНЫЙ**, -ая, -ое. **1.** Расположенный в стороне от прямого, кратчайшего направления, делающий крюк. *Окольная дорога.* □ *Оставив деревню шумящей толпой, В лес темный вступают окольной тропой.* Рылеев. Иван Сусанин. **2.** *Устар.* Находящийся в окрестностях, в данной округе. *[Он] вышел в отставку, потом уехал в имение, доставшееся ему после разоренного отца, который.. прикупил две тысячи пятьсот душ окольных крестьян.* Герцен. Кто виноват? **3.** *перен.* Связанный с уловками, хитростями в достижении чего-л., не прямо ведущий к цели. *Марфа Лобова окольными путями прослышала, что мужиков будут на днях отправлять по этапу.* Проскурин. Горькие травы.

С и н. *(к 1 знач.):* обхо́дный и обходно́й, кру́жный и кружно́й, окру́жный.

**ОКРЕ́СТ**. *Устар.* **1.** *нареч.* Вокруг. *Куда ни взгляните вы окрест — лес, луга да степь.* Салтыков-Щедрин. Губернские очерки. **2.** *предлог.* Вокруг чего-л., по соседству с чем-л. *Унылый пленник с этих пор Один окрест аула бродит.* Пушкин. Кавказский пленник.

С и н.: круго́м, окру́г *(устар.),* вкруг *(устар.).*

**ОКРЕСТИ́ТЬ**, -ещу́, -ести́шь; крести́вший; окрещённый; -щён; -щена́, -о́; окрести́в; *сов.* **1.** *кого.* Произвести обряд крещения над кем-л.

— *[Бэла] начала печалиться о том, что она не христианка.. Мне пришло на мысль окрестить ее перед смертию.* Лермонтов. Герой нашего времени. **2.** *кого, что кем чем. Разг.* Дать кому-, чему-л. какое-л. наименование, прозвище. *Брат Степан окрестил гостя Ванькой-Каином, и кличка эта так всем по вкусу пришлась, что с той же минуты вошла в общий обиход.* Салтыков-Щедрин. Пошехонская старина.

С и н. (к 1 знач.): крести́ть. С и н. (ко 2 знач.): назва́ть, наименова́ть (*книжн.*), наре́чь (*устар.*), прозва́ть (*устар.* и *прост.*).

**ОКРОПИ́ТЬ**, -плю́, -пи́шь; окропи́вший; окроплённый; -лён, -лена́, -о́; окропи́в; *сов., кого, что.* Обрызгать, обдать каплями чего-л.— *Дитя мое, ты нездорова;.. Дай окроплю святой водою, Ты вся горишь...* Пушкин. Евгений Онегин.

С и н.: бры́знуть, сбры́знуть, спры́снуть, вспры́снуть, опры́скать, опры́снуть, пры́снуть (*разг.*).

Окропля́ть, -я́ю, -я́ешь; *несов.*

**О́КРУГ**, -а, округа́, -о́в, *м.* **1.** Административное, хозяйственное, военное и т. п. подразделение государственной территории. *Избирательный, военный округ.* **2.** *Устар.* То же, что о́круга.

С и н. (ко 2 знач.): окре́стность, окру́жность (*устар.*).

**Окружно́й**, -а́я, -о́е (к 1 знач.). *Окружная избирательная система. Окружная профсоюзная конференция.*

**ОКРУ́ГА**, -и, *ж. Разг.* Окружающая местность. *Славиться чем-л. на всю округу.* □ *Золотые были руки, Мастер честью дорожил. Сколько есть печей в округе — Это Ивушка сложил.* Твардовский. Ивушка.

С и н.: окре́стность, окру́жность (*устар.*), о́круг (*устар.*).

**Окру́жный**, -ая, -ое.

**ОКРЫЛИ́ТЬ**, -лю́, -ли́шь; окрыли́вший; окрылённый; -лён, -лена́, -о́; окрыли́в; *сов., кого.* Привести в состояние душевного подъёма; воодушевить. *Окрылённый успехом.* □ *Он стоял, опаленный боем, окрыленный победой, и глядел на этот пустырь.* Горбатов. Непокоренные.

С и н.: вдохнови́ть, одушеви́ть (*книжн.*).

Окрыля́ть, -я́ю, -я́ешь; *несов.* Окрыле́ние, -я, *ср.*

**ОКТА́ВА**, -ы, *ж.* [Восх. к лат. octava (vox) — восьмой (тон)]. **1.** В музыке: восьмая ступень гаммы, а также интервал между ближайшими одноимёнными звуками различной высоты. **2.** Очень низкая разновидность баса. *Скиталец на низких нотах, почти октавой, одновременно с запевалой.. призывал кого-то: — Грянем, грянем мы, ребята.* Телешов. Записки писателя.

**ОКТЕ́Т**, -а, *м.* [Восх. к лат. octo — восемь]. Музыкальное произведение для восьми инструментов или голосов, а также ансамбль из восьми исполнителей (певцов или музыкантов).

**ОКУЛИ́СТ**, -а, *м.* [От лат. oculus — глаз]. Врач, специалист по глазным болезням.

С и н.: офтальмо́лог, глазни́к (*разг.*).

**ОКУЛЯ́Р**, -а, *м.* [От лат. ocularis — глазной]. В оптическом приборе: линза или система линз, обращенная к глазу наблюдателя. *Окуляр микроскопа.* □ *Еще движение трубой, и Горн увидел, как [Марквáрта].. стащили с седла.. Слеза замутила глаз старику Горну, он сердито согнал ее и вжал медный окуляр в глазницу.* А. Н. Толстой. Петр I.

**ОЛИ́ВА**, -ы и **ОЛИ́ВКА**, -и, *ж.* [Восх. к лат. oliva от греч. elaia]. Вечнозеленое южное дерево, а также съедобный плод его. *На огромнейшем блюде покоился большой заливной осетр, пестревший.. оливками и морковкой.* Чехов. Клевета. *Крутой спуск к заливу был бархатный от густых зарослей олив и других субтропических деревьев.* Ф. Гладков. Повесть о детстве.

С и н.: масли́на.

**Оли́вковый**, -ая, -ое. *Оливковые рощи. Оливковое масло.* ◊ **Оливковая ветвь** — символ мира.

**ОЛИГА́РХИЯ**, -и, *ж.* [Греч. oligarchia от oligoi — немногие и arché — власть]. **1.** В древности и в средние века: государство, основанное на господстве аристократической верхушки. *В числе учеников и друзей Сократа мы находим.. Крития, главного предводителя олигархии, одного из 30-ти тиранов.* Писарев. Идеализм Платона. **2.** Политическое и экономическое господство небольшой группы представителей крупного монополистического капитала. *Финансовая олигархия.*

**Олигархи́ческий**, -ая, -ое.

**ОЛИ́МП**, -а, *м.* [Греч. Olympos]. **1.** (с прописной буквы). В древнегреческой мифологии: обиталище, а также собрание богов. *На великолепно расписанном плафоне изображен был Юпитер-громовержец и весь его Олимп.* Вигель. Записки. **2.** *перен. Шутл. и ирон.* Избранный круг, верхушка какого-л. общества. *Литературный олимп.*

**ОЛИМПИА́ДА**, -ы, *ж.* [Греч. Olimpias, Olympiados]. **1.** В Древней Греции: промежуток в 4 года между олимпийскими играми. **2.** Международные спортивные соревнования, устраиваемые раз в четыре года. *Олимпиада в Москве.* □ *Москва торжественно встречала победителей олимпиады.* Гранин. Иду на грозу. **3.** Соревнование какого-л. рода, имеющее целью выявить наиболее достойных из числа его участников. *Математическая олимпиада. Провести городскую олимпиаду школьников. Первый тур олимпиады.*

**Олимпи́йский**, -ая, -ое (к 1 и 2 знач.). *Олимпийский чемпион. Олимпийская сборная по футболу. Олимпийские награды. Олимпийский огонь.* ◊ **Олимпийские игры** — 1) всенародные празднества в Древней Греции, состоявшие главным образом в спортивных состязаниях, устраивавшиеся раз в 4 года близ Олимпии; 2) то же, что о л и м п и а д а (*во 2 знач.*). **Олимпийская деревня** — комплекс жилых зданий для участников игр. **Олимпийское спокойствие** — величавое, невозмутимое спокойствие.

**ОЛИЦЕТВОРЕ́НИЕ**, -я, *ср.*, обычно *чего.* **1.** Изображение какой-л. стихийной силы, явления природы в образе живого существа. *Бог Перун в славянской мифологии — олицетворение гро-*

ма и молнии. **2.** Воплощение идеи, понятия или каких-л. свойств, качеств в человеческой личности. *Плюшкин — олицетворение скупости.* ☐ *Совершенную противоположность.. [представлял] Павел Владимирыч. Это было полнейшее олицетворение человека, лишенного каких бы то ни было поступков.* Салтыков-Щедрин. Господа Головлевы.

**ОМЕ́ГА**, -и, *ж.* [Греч. ō mega — *букв.* большое «о»]. Название последней буквы греческого алфавита.

**ОМЕРЗЕ́НИЕ**, -я, *ср.* Крайнее отвращение. *С омерзением глядел я на дворянина, валяющегося в ногах беглого казака.* Пушкин. Капитанская дочка.

С и н.: гадливость.

**О́МНИБУС**, -а, *м.* [От лат. omnibus — всем, для всех]. *Устар.* Многоместный конный экипаж для перевозки пассажиров по определенному маршруту (первый вид общественного транспорта). *В неделю два раза ходят сюда из Капштата омнибусы.* И. Гончаров. Фрегат «Паллада».

**О́мнибусный**, -ая, -ое.

**ОМОВЕ́НИЕ**, -я, *ср.* **1.** Умывание, обмывание какой-л. части тела как символ очищения в религиозных обрядах. *Обряд омовения покойника.* ☐ *[Шамиль] совершил омовение и молитву.* Л. Толстой. Хаджи-Мурат. **2.** *Шутл.* и *ирон.* Умывание, мытье. *Омовение лица.*

**О́МУТ**, -а, о́муты, -ов, *м.* **1.** Глубокая яма на дне реки или озера. *Он знал все омуты, перекаты.. на десятках рек.* Паустовский. Золотая роза. **2.** *перен.,* обычно *чего или какой.* Обстановка, окружение, которые увлекают, затягивают человека и могут его погубить. *Не дай остыть душе поэта, Ожесточиться, очерстветь, И, наконец, окаменеть В мертвящем упоеньи света, В сем омуте, где с вами я Купаюсь, милые друзья!* Пушкин. Евгений Онегин.

**О́НИКС**, -а, *м.* [Восх. к греч. опух — ноготь; оникс]. Минерал, разновидность агата, состоящий из чередующихся слоев белой и черной окраски.

**ОНКОЛО́ГИЯ**, -и, *ж.* [От греч. onkos — ком, опухоль и logos — учение]. Наука, изучающая опухоли и методы их лечения.

**Онкологи́ческий**, -ая, -ое. *Онкологический институт. Онкологическое заболевание.* **Онко́лог**, -а, *м.*

**ОНУ́ЧА**, -и, *ж.* Кусок плотной материи, навертываемый на ногу при ношении лаптей или сапог. *Он с трудом поднял ногу.. и, наклонясь, стал быстро разматывать грязную онучу.* М. Горький. Мать.

С и н.: портя́нка.

**ОПА́Л**, -а, *м.* [Восх. к лат. opalus от др.-инд. úpalas — камень]. Прозрачный, стекловидный камень различной окраски, отдельные разновидности которого считаются драгоценными. *Перстень с опалом.* ☐ *Павел Петрович.. [подал племяннику] свою красивую руку с длинными розовыми ногтями, руку, казавшуюся еще красивей от снежной белизны рукавчика, застегнутого одиноким крупным опалом.* Тургенев. Отцы и дети.

**Опа́ловый**, -ая, -ое. *Опаловая брошь.*

**ОПА́ЛА**, -ы, *ж.* **1.** В царской России: гнев, немилость царя к провинившемуся боярину, вельможе, а также наказание, налагавшееся на такого боярина, вельможу. *Прапрадед нашего Рахметова был приятелем.. Шувалова, который и восстановил его из опалы, постигнувшей было его за дружбу с Минихом.* Чернышевский. Что делать? **2.** *перен.* Немилость, нерасположение. *Хотя мы знаем, что Евгений Издавна чтенье разлюбил, Однако ж несколько творений Он из опалы исключил.* Пушкин. Евгений Онегин.

**Опа́льный**, -ая, -ое.

**ОПАХА́ЛО**, -а, *ср.* Веер больших размеров. *Старинное опахало из перьев.* ☐ *[Чацкий:] Виски ей уксусом потри, Опрыскивай водой!— Смотри: Свободнее дыханье стало. Повеять чем? [Лиза:] Вот опахало.* Грибоедов. Горе от ума.

**ОПЕ́КА** [не пё], -и, *ж.* **1.** Наблюдение за недееспособными лицами (малолетними, душевнобольными и т. п.) и попечение о их личных и имущественных правах, возлагаемое на кого-л. государством, а также группа лиц или учреждение, на которые возложено такое попечение. *Дворянская опека.* ☐ *Порфирий Владимирыч представил отчет, по которому оказалось, что сиротского капитала.. без малого двадцать тысяч рублей в пятипроцентных бумагах. Затем просьба о снятии опеки вместе с бумагами, свидетельствовавшими о совершеннолетии сирот, была принята, и тут же последовало распоряжение.. о сдаче имения и капиталов владельцам.* Салтыков-Щедрин. Господа Головлевы. **2.** *ед.* Забота, попечение. *Родительская опека. Освободиться от мелочной опеки кого-л.* ☐ *В первой моей молодости,.. когда я вышел из опеки родных, я стал наслаждаться бешено всеми удовольствиями.* Лермонтов. Герой нашего времени. ◊ **Международная опека** — система управления некоторыми несамостоятельными территориями, осуществляемая по поручению и под наблюдением Организации Объединенных Наций.

**ОПЕКУ́Н**, -а́, *м.* Лицо, которому поручена опека над кем-л. *[Лангваген] был опекун небольшого имения Ольги.* И. Гончаров. Обломов.

**Опеку́нша**, -и, *ж.* **Опеку́нский**, -ая, -ое. *Опекунские права и обязанности.* ◊ **Опекунский совет** — учреждение в царской России, ведавшее делами опеки, воспитательными домами, некоторыми кредитными операциями, связанными с залогом имений и т. п.

**О́ПЕРА**, -ы, *ж.* [Итал. opera от лат. opera — работа, произведение]. **1.** Музыкально-драматическое произведение, предназначенное для исполнения в театре, а также театральное представление такого произведения. *Петь в опере. Оперы советских композиторов. Театр оперы и балета. Опера Чайковского «Евгений Онегин». Солист оперы.* **2.** Театр, в котором ставятся такие произведения. *На третью зиму было абонировано десять мест в боковых местах итальянской оперы.* Чернышевский. Что делать?

**О́перный**, -ая, -ое. *Оперный театр. Оперный певец.*

**ОПЕРАТИ́ВНЫЙ**, -ая, -ое; -вен, -вна, -о. [См. *операция*]. **1.** *Прил.* к *операция.* **2.** *полн. ф.* Непосредственно осуществляющий что-л. *Оперативный* *работник милиции.* **3.** Способный быстро и вовремя осуществить что-л. *Оперативный руководитель. Оперативные указания.*

**Операти́вно**, *нареч.* (ко 2 знач.). **Операти́вность**, -и, *ж.*

**ОПЕРА́ТОР**, -а, *м.* [Лат. operator — работник, производитель]. **1.** *Устар.* Врач, делающий операции. *На лице Анны Михайловны было гордое выражение оператора, окончившего трудную ампутацию.* Л. Толстой. Война и мир. **2.** Высококвалифицированный рабочий, управляющий работой сложного механизма. **3.** Один из создателей фильма, производящий съемку картины; кинооператор. *Так путь воде закрыл завал. И оператор с киновышки хватился поздно — Кадр пропал.* Твардовский. За далью — даль.

**Опера́торский**, -ая, -ое (ко 2 и 3 знач.). *Операторские работы. Операторское искусство.*

**ОПЕРА́ЦИЯ**, -и, *ж.* [Восх. к лат. operatio — действие]. **1.** Хирургическое вмешательство, предпринимаемое с лечебной целью при некоторых заболеваниях и ранениях. *Операция на сердце. Сделать операцию.* **2.** Совокупность боевых действий, объединенных одной целью, одним заданием. *Боевая операция. Успех военной операции.* ☐ *Затем в штаб 6-й полевой армии последовал приказ об операции под кодовым названием «Зимняя гроза».* Бондарев. Горячий снег. **3.** Отдельная стадия технологического процесса. *Производственная операция.* ☐ *Сборщица делает одну операцию. Одну и ту же сегодня, завтра, послезавтра.* Прилежаева. Пушкинский вальс.

**Операти́вный**, -ая, -ое (к 1 и 2 знач.) и **операцио́нный**, -ая, -ое (к 1 и 3 знач.). *Оперативное вмешательство. Оперативная сводка. Операционное отделение в больнице.*

**ОПЕРЕ́ТТА**, -ы и (устар.) **ОПЕРЕ́ТКА**, -и, *ж.* [Итал. operetta — маленькая опера]. Комическая опера, в которой пение чередуется с разговором и танцами. *Оперетта Штрауса «Летучая мышь».* ☐ *Должно быть, оба слышали его [мотив] где-нибудь в оперетке или с эстрады.* Куприн. Поединок. — *И пляшут и поют.. Как эта постановка-то называется? — Оперетта,— сказала Ольга, видевшая афишу.* Коптяева. Иван Иванович.

**Опере́точный**, -ая, -ое. *Опереточный артист. Опереточная труппа.*

**ОПИСА́ТЬ**, опишу́, опи́шешь; описа́вший; опи́санный; -ан, -а; описа́в; *сов.* **1.** *кого, что.* Рассказать о ком-, чем-л., изобразить кого-, что-л. в устной или письменной форме. *Описать путешествие. Описать внешность кого-л.* ☐ *А что ж Онегин? Кстати, братья! Терпенья вашего прошу: Его вседневные занятья Я вам подробно опишу.* Пушкин. Евгений Онегин. **2.** *что.* С научной целью письменно, в систематическом порядке изложить особенности, признаки, состав чего-л. *Описать сибирские говоры. Описать музейную коллекцию.* ☐ *В Уссурийском крае водится еще заяц беляк и черный заяц — вид, до сих пор еще не описанный.* Арсеньев. По Уссурийской тайге. **3.** *что.* Сделать письменный перечень чего-л. (с целью учета, по постановлению судебных органов с целью наложе-

ния ареста и т. п.). *Описать инвентарь. Описать книги в библиотеке.* ☐ *На Волге описали за долги мой театр и ко всем дверям приложили печати.* Куприн. На покое. **4.** *что.* Совершить движение по кривой, по кругу и т. п. *Описать дугу.*

С и н. (к 1 знач.): обрисова́ть, очерти́ть.

**Опи́сывать**, -аю, -аешь; *несов.* **Описа́ние**, -я, *ср.* (к 1 и 2 знач.) и **о́пись**, -и, *ж.* (к 3 знач.). *Описание события. Географическое описание. Опись имущества.*

**О́ПИУМ**, -а, *м.* [Восх. к греч. opion — маковый сок]. **1.** Высушенный млечный сок из незрелых головок мака, являющийся сильным наркотиком (используется для получения ряда лекарственных средств). *Стрешников думал попозже вечером завезти своих дам в ресторан..; он всыплет опиуму в чашку или рюмку Марье Алексеевне;.. он заведет Верочку в комнату, где ужин,— вот уже пари и выиграно.* Чернышевский. Что делать? **2.** *перен.* О чем-л. отупляющем, одурманивающем разум, сознание.

**О́пиумный**, -ая, -ое. *Опиумный мак.*

**ОПЛОДОТВОРИ́ТЬ**, -рю́, -ри́шь; оплодотвори́вший; оплодотворённый; -рён, -рена́, -о́; оплодотвори́в; *сов.* **1.** *кого, что.* Дать начало развитию организма путем слияния мужской и женской половых клеток. **2.** *перен., что. Книжн.* Послужить источником творческой силы, развития, совершенствования. — *Оплодотворите меня семенами разума и правды — я взращу вам их сторицею.* М. Горький. Мать.

**Оплодотворя́ть**, -я́ю, -я́ешь; *несов.* **Оплодотворе́ние**, -я, *ср.*

**ОПЛО́Т**, -а, *м.* **1.** *Устар.* Ограда, заграждение. *[Казачья слобода] обнесена была оплотом и рогатками. По углам были батареи.* Пушкин. История Пугачева. **2.** *обычно чего. Высок.* Надежная защита, твердыня, опора. *Оплот мира.* ☐ — *Самодержавная Россия — оплот всей европейской реакции. А невыносимый гнет приближает революционный взрыв.* Коптелов. Большой зачин.

С и н. (ко 2 знач.): цитаде́ль (высок.).

**О́ПОЛЗЕНЬ**, -зня, *м.* Отрыв поверхностных пластов земли и перемещение их вниз по склону под влиянием силы тяжести. *Ничто не изменилось за эти три года. Дымные горы в отеках, оползнях, каменоломнях и скалах — такие же, как были и в детстве.* Ф. Гладков. Цемент.

**О́ползневый**, -ая, -ое. *Оползневые процессы.*

**ОПОЛЧЕ́НИЕ**, -я, *ср.* Войско, создаваемое в условиях военного времени в помощь регулярной армии из гражданских лиц, преимущ. на добровольных началах. *За речкой уже стали занимать оборону части Красной Армии, до подхода резервов составленные из батальонов народного ополчения, отрядов милиции и вышедших из окружения бойцов.* Закруткин. Матерь человеческая.

**Ополче́нский**, -ая, -ое. **Ополче́нец** -нца, *м.*

**ОПО́РА**, -ы, *ж.* **1.** Место, на котором можно укрепить что-л., чтобы придать прочное, устойчивое положение, а также предмет, служащий для поддержки чего-л. *Опоры моста. Трость — опора при ходьбе.* □ *Правая нога, продавивши торф, лишилась опоры, и я почувствовал, что.. валюсь в глубокую речку.* Фет. Ранние годы моей жизни. **2.** *перен.* Сила, на которую можно опереться; поддержка, помощь в чем-л. *Вместе с этим.. человеком я потерял верную, дружескую опору и моральную поддержку.* Куприн. Жидкое солнце.

**Опо́рный**, -ая, -ое *(к 1 знач.).* *Опорные колонны.* ◊ **Опорный пункт** *(спец.)* — участок местности, подготовленный для круговой обороны. **Опорный прыжок** — в спорте: прыжок с опорой на руки.

**ОПО́РКИ**, -ов, *мн. (ед.* **опо́рок**, -рка, *м.).* Старые, изношенные сапоги со споротыми голенищами, а также вообще старая изношенная и рваная обувь. *Широкоплечий и высокий, он был одет в кафтан, сплошь покрытый заплатами.. и опорки, надетые на босую ногу.* М. Горький. Мать.

**ОПОСРЕ́ДСТВОВАННЫЙ**, -ая, -ое и **ОПОСРЕ́ДОВАННЫЙ**, -ая, -ое. *Книжн.* Данный не непосредственно, а через что-л. другое. *Знание, опосредствованное (опосредованное) опытом.*

**Опосре́дованно**, *нареч.*

**ОПОЧИВА́ЛЬНЯ**, -и, *род. мн.* опочива́лен, *ж.* Устар. Спальня во дворце, в боярских хоромах. *[Первый стольник:] Где государь? [Второй:] В своей опочивальне Он заперся с каким-то колдуном.* Пушкин. Борис Годунов.

**ОПОЧИ́ТЬ**, -и́ю, -и́ешь; опочи́вший; опочи́в; *сов.* **1.** *Устар. высок.* Уснуть. — *Дитя молодое, проехало столько пути, утомилось.. Ему бы теперь нужно опочить и поесть чего-нибудь, а он заставляет его биться.* Гоголь. Тарас Бульба. **2.** Умереть. — *Моя Валерия-то Ивановна не дождалась, опочила.* Федин. Необыкновенное лето.

С и н. (к 1 знач.): засну́ть, започива́ть (*устар.*), почи́ть (*устар.*). С и н. (ко 2 знач.): сконча́ться, уга́снуть (*высок.*), отойти́ (*высок.*), помере́ть (*разг.*), упоко́иться (*устар.*), преста́виться (*устар.*), почи́ть (*устар. высок.*), ко́нчиться (*устар. и прост.*).

**Опочива́ть**, -а́ю, -а́ешь; *несов.*

**ОППОЗИ́ЦИЯ**, -и, *ж.* [Восх. к лат. oppositio — противоположение]. **1.** *ед.* Книжн. Противодействие, сопротивление, противопоставление своих взглядов, своей политики другим взглядам, другой политике. *Рука Борисовой ясно чувствуется в ходе совещания.. Как она легко заявила о своей оппозиции. Со смешком. Момент выбран отменно.* Проскурин. Горькие травы. **2.** Партия или группа лиц внутри какого-л. государственного органа, партии и т. п., противопоставляющая свои взгляды, свою политику взглядам, политике большинства. *Парламентская оппозиция.* □ *Русский либерал ни в толстовского бога не верит, ни толстовской критике существующего строя не сочувствует. Он примазывается к популярному имени, чтобы приумножить свой политический капиталец, чтобы разыграть роль вождя общенациональной оппозиции.* Ленин, т. 17, с. 209. ◊ **Быть (**или **стоять, находиться** и т. п.**) в оппо**зиции к кому, чему — быть несогласным с чьими-л. действиями, взглядами, противодействовать им.

**Оппозицио́нный**, -ая, -ое. *Оппозиционные партии. Оппозиционные настроения.*

**ОППОНЕ́НТ**, -а, *м.* [Восх. к лат. opponens, opponentis — возражающий]. **1.** *Книжн.* Тот, кто возражает кому-л., противник в споре. *В конце концов, иметь такого оппонента, как Борисова, даже полезно, на ошибках учишься.* Проскурин. Горькие травы. **2.** Лицо, которому поручается оценка диссертации и выступление на ученом диспуте при ее защите на соискание ученой степени. *Диссертант закончил свой доклад. Слово получает первый оппонент — профессор Крупенский.* Каверин. Открытая книга.

**Оппоне́нтка**, -и, *ж. (разг.).* **Оппоне́нтский**, -ая, -ое.

**ОППОРТУНИ́ЗМ**, -а, *м.* [Восх. к лат. opportunus — удобный, выгодный]. Течение в рабочем движении, проповедующее соглашательство, отказ от революционных средств борьбы; приспособленчество, беспринципность. *Борьба с оппортунизмом. Оппортунизм в социал-демократии.* □ *Подавляющее большинство сознательных рабочих.. встало на сторону старой «Искры» против оппортунизма.* Ленин, т. 25, с. 98.

**Оппортунисти́ческий**, -ая, -ое. **Оппортуни́ст**, -а, *м. Правые и левые оппортунисты.*

**ОПРА́ВА**, -ы, *ж.* То, во что вставляется, вделывается что-л.; рамка. *Зеркало в бронзовой оправе.* □ — *Рад видеть вас, мистер Воронов, — сказал стоявший ближе других человек средних лет в очках с золотой оправой.* Чаковский. Победа.

С и н.: обрамле́ние.

**ОПРИ́ЧНИНА**, -ы, *ж.* **1.** Система чрезвычайных мер, осуществленная царем Иваном Грозным для разгрома боярско-княжеской оппозиции и укрепления самодержавия. **2.** Специальные войска Ивана Грозного, выслеживавшие и искоренявшие предполагаемую измену. **3.** Часть государственных территорий, находившаяся в непосредственном управлении царя и служившая ему опорой в насаждении этих мер.

**Опри́чный**, -ая, -ое. *Опричное войско. Опричные земли.* **Опри́чник**, -а, *м.*

**ОПРИ́ЧЬ**, *предлог. Устар.* Кроме. — *У кого есть она [совесть], тот страдай, коль сознает ошибку. Это и наказание ему, — опричь каторги.* Достоевский. Преступление и наказание.

**ОПРОВЕРЖЕ́НИЕ**, -я, *ср.* **1.** Доказательство ложности, неправильности чего-л. *Опровержение ложных слухов.* **2.** Выступление, статья и т. п., в которых что-л. опровергается. *Напечатать официальное опровержение. Дать опровержение в газете.*

**ОПРОМЕ́ТЧИВЫЙ**, -ая, -ое; -ив, -а, -о. Необдуманный, слишком поспешный. *Опрометчивые выводы.* □ — *Вся жизнь поломана.. Отчего?.. От опрометчивого брака.* Помяловский. Молотов.

**Опроме́тчиво**, *нареч.* Поступить опрометчиво. **Опроме́тчивость**, -и, *ж.*
**О́ПРОМЕТЬЮ**, *нареч.* Очень быстро, поспешно. *Началась гроза.. [Голубоватый свет] плясал над садом, над шалашом, в котором лежал покойник. И пастушонок опрометью бросился из сада к избе, бежал, боясь оглянуться.* Проскурин. Горькие травы.
С и н.: стреми́тельно, стремгла́в, ми́гом, ши́бко (*прост.*).
**О́ПТИКА**, -и, *ж.* [Греч. optikē]. **1.** Раздел физики, изучающий свойства света. **2.** *собир.* Приборы и инструменты, действие которых основано на законах отражения и преломления света.
**Опти́ческий**, -ая, -ое. *Оптический прибор.*
**ОПТИМА́ЛЬНЫЙ**, -ая, -ое; -лен, -льна, -о. [Восх. к лат. optimus — наилучший]. Наиболее благоприятный, наилучший. *Оптимальный вариант производственного плана. Оптимальные условия. Оптимальные сроки сева.*
С и н.: лу́чший, самолу́чший (*устар. прост.*).
**Оптима́льно**, *нареч.* **Оптима́льность**, -и, *ж.*
**ОПТИМИ́ЗМ**, -а, *м.* [Восх. к лат. optimus — наилучший]. Бодрое и жизнерадостное мироощущение, при котором человек во всем видит светлые стороны, верит в будущее, в успех. *Ленский фантазировал и предавался сладостному оптимизму, а Онегин произносил разные печальные истины и охладительные слова.* Писарев. Пушкин и Белинский.
С и н.: жизнера́достность.
А н т.: пессими́зм.
**Оптимисти́ческий**, -ая, -ое *и* **оптимисти́чный**, -ая, -ое; -чен, -чна, -о. **Оптимисти́чески** *и* **оптимисти́чно**, *нареч. Оптимистически смотреть в будущее. Оптимистично оценивать события.*
**Оптимисти́чность**, -и, *ж.* **Оптими́ст**, -а, *м.*
**ОПТО́ВЫЙ** [не *о́птовый*], -ая, -ое. Связанный с куплей и продажей оптом. *Оптовые закупки. Оптовые цены.* ▢ *Лаптевы в Москве вели оптовую торговлю галантерейным товаром.* Чехов. Три года.
**О́ПТОМ**, *нареч.* **1.** Крупными партиями, большим количеством (о купле или продаже товаров). *Но тут по хутору прокатился веселый слух, будто Макар Нагульнов для неизвестных целей скупает всюду петухов оптом и в розницу, причем платит за них бешеные деньги.* Шолохов. Поднятая целина. **2.** *перен. Разг.* Целиком, сразу. *Какая-то барыня переводила ему оптом все, что ни назначал он ей, за 600 асс. в год. Правда, ему много труда было выправлять эти переводы.* Белинский. Письмо В. П. Боткину, 4-8 ноября 1847 г.
С и н.: чо́хом (*прост.*), гурто́м (*устар.*).
А н т. (к *1 знач.*): в ро́зницу.
**ОПУБЛИКОВА́ТЬ**, -ку́ю, -ку́ешь; опубликова́вший; опублико́ванный; -ан, -а, -о; опубликова́в, *сов., что.* Напечатать для всеобщего сведения. *Опубликовать рассказ в журнале.* ▢ *Совсем недавно был опубликован приказ о введении в армии.. погонов.* Фадеев. Молодая гвардия.
С и н.: обнаро́довать.
**Опублико́вывать**, -аю, -аешь; *несов.* **Опублико́вание**, -я, *ср.*

**ОПУСТОШИ́ТЬ**, -шу́, -ши́шь; опустоши́вший; опустошённый; -шён, -шена́, -о́; опустоши́в; *сов.* **1.** *что.* Сделать пустым, пустынным, разорить. *Опустошив огнем войны Кавказу близкие страны И селы мирные России, В Тавриду возвратился хан.* Пушкин. Бахчисарайский фонтан. **2.** *перен., кого, что.* Лишить нравственных сил, сделать неспособным к творческой, активной жизни. *[Цыплунов:] Вы уничтожили мечту всей моей жизни, опустошили мою душу.* А. Островский. Богатая невеста.
**Опустоша́ть**, -а́ю, -а́ешь; *несов.* **Опустоше́ние**, -я, *ср. Опустошение посевов саранчой. Нравственное опустошение.*
**ОРА́КУЛ**, -а, *м.* [Лат. oraculum — изречение, пророчество]. **1.** В античном мире: жрец-прорицатель воли мифического божества, дававший в непререкаемой форме ответы на вопросы. *— Вчера стою у алтаря, И вдруг оракул мне вещает, Что, страстью пламенной горя, Тебя Анубис избирает.* Фет. Сабина. **2.** *Устар.* Гадательная книга. *— Роман, что ли так называется, али оракул, толкование снов? — А вот сейчас увидим, Марья Алексеевна, из самой книги.* Чернышевский. Что делать? **3.** *перен. Книжн.* О том, чьи суждения признаются непреложной истиной, откровением. *Но самолюбие его было.. даже польщено: он понял, что его действительно ждали, как оракула. Он просидел ровно десять минут и совершенно успел убедить и успокоить Пульхерию Александровну.* Достоевский. Преступление и наказание.
**ОРА́ЛО**, -а, *ср. Устар.* Орудие для пахоты.
◇ **Перековать мечи на орала** (*высок.*) — окончить войну, приступить к мирному труду.
**ОРАНЖЕРЕ́Я**, -и, *ж.* [Франц. orangerie]. Застекленное помещение для выращивания зимой теплолюбивых растений. *Перевести пальмы в оранжерею.* ▢ *Напротив этой церкви некогда красовались обширные господские хоромы, окруженные разными пристройками,.. цветочными оранжереями.* Тургенев. Малиновая вода.
С и н.: тепли́ца.
**Оранжере́йный**, -ая, -ое. *Оранжерейные растения.*
**ОРА́ТАЙ**, -я, *м. Устар. и нар.-поэт.* Пахарь. *Оратай, наклонясь на плуг, Влекомый медленно усталыми волами, Поет свой лес, свой мирный луг.* Жуковский. К поэзии.
С и н.: ра́тай (*устар. и нар.-поэт.*).
**ОРА́ТОР**, -а, *м.* [Восх. к лат. orator]. Тот, кто произносит речь, а также тот, кто обладает способностью произносить речи, красноречием. *Талантливый оратор.* ▢ *Выступали [в цехе] оратор за оратором, и гневные речи гремели над головой Бахирева.* Николаева. Битва в пути.
С и н.: трибу́н (*высок.*), вити́я (*трад.-поэт.*).
**Ора́торский**, -ая, -ое. *Ораторское искусство.*
**ОРАТО́РИЯ**, -и, *ж.* [Итал. oratorio]. Крупное музыкально-драматическое произведение для хора, певцов-солистов и оркестра. *В 1833 году [Огарев] начинал писать текст для Гебелевой оратории «Потерянный рай».* Герцен. Былое и думы.

**ОРА́ТЬ**¹, ору́, орёшь; ору́щий; ора́вший; *несов., что. Разг. неодобр.* Громко кричать.

**ОРА́ТЬ**², орю́, о́решь и ору́, орёшь; *несов., что. Устар.* Пахать. *Нужно пашню сегодня орать,— чаще всего отвечал Ярмола на мое приглашение [идти на охоту].* Куприн. Олеся.

**ОРБИ́ТА**, -ы, *ж.* [Восх. к лат. orbita — колея, дорога]. **1.** Путь движения небесного тела или летательного аппарата в космическом пространстве. *Орбита Земли. Вывести космический корабль на заданную орбиту. Орбита искусственного спутника.* **2.** *перен., чего или какая. Книжн.* Сфера действия, распространения чего-л. *Втянуть кого-л. в орбиту своего влияния.* ▭ *[Мятеж] угрожал Саратову.. потому, что северные уезды Саратовской губернии прямо входили в орбиту мятежа.* Федин. Необыкновенное лето. **3.** Глазница. *На костлявом, желтом лице.. блестели беспокойные глаза, глубоко ввалившиеся в орбиты.* М. Горький. Бывшие люди.

**Орбита́льный**, -ая, -ое (*к 1 знач.*) (*спец.*). *Орбитальная станция.*

**О́РГАН**, -а, *м.* [Восх. к греч. organon — орудие, инструмент]. **1.** Часть организма, выполняющая определенную функцию. *Органы пищеварения. Лечение дыхательных органов. Глаз — орган зрения.* ▭ *Он узнал эту жизнь крепко, всеми пятью органами чувств: на ощупь, на запах, на слух, на вкус, на глаз.* Горбатов. Мое поколение. **2.** *перен., чего.* Орудие, средство. *По Марксу, государство есть орган классового господства, орган угнетения одного класса другим, есть создание «порядка», который узаконяет и упрочивает это угнетение, умеряя столкновение классов.* Ленин, т. 33, с. 7. **3.** *чего или какой.* Учреждение, организация, выполняющие определенные задачи в той или иной области общественной жизни. *Органы здравоохранения. Органы законодательной власти. Судебные органы. Орган местного самоуправления.* **4.** Периодическое печатное издание, принадлежащее какой-л. партии, учреждению. *В городе начала выходить газета центрального бюро профессиональных союзов.. Другие газеты в городе травили ее как тайный орган большевиков.* Фадеев. Последний из удэге.

**ОРГА́Н**, -а, *м.* [См. *о́рган*]. Духовой клавишный музыкальный инструмент древнего происхождения, состоящий из набора труб, в которые мехами нагнетается воздух, и кафедры управления. *[Сальери:] Ребенком будучи, когда высоко Звучал орган в старинной церкви нашей, Я слушал и заслушивался — слезы Невольные и сладкие текли.* Пушкин. Моцарт и Сальери.

**Орга́нный**, -ая, -ое. *Органная музыка.* **Органи́ст**, -а, *м.*

**ОРГАНИЗА́ЦИЯ**, -и, *ж.* [Франц. organisation; восх. к греч. organon — орудие, устройство]. **1.** *ед.* Подготовка, основание чего-л., упорядочение чего-л. *Организация учебного процесса. Научная организация труда. Организация праздника.* **2.** Организованность, продуманное устройство, внутренняя дисциплина. *Сейчас для нас важны порядок, стальная организация в тылу.* Ажаев. Далеко от Москвы. **3.** *чего или какая.* Общественное объединение или государственное учреждение. *Организация Объединенных Наций. Профсоюзная организация. Молодежные, ветеранские организации. Строительные организации.* ▭ *Ведь мы имеем право принимать в комсомол: наша организация утверждена официально.* Фадеев. Молодая гвардия. **4.** *обычно какая. Устар.* То же, что о р г а н и з м (во 2 знач.). *Тонкая и богатая нервная организация мальчика брала свое и восприимчивостью к ощущениям осязания и слуха как бы стремилась восстановить до известной степени полноту своих восприятий.* Короленко. Слепой музыкант.

С и н. (*к 1 знач.*): создание, образование, формирование, учреждение, устройство. С и н. (*к 3 знач.*): союз, блок, ассоциация, федерация, общество, коалиция (*книжн.*), альянс (*книжн.*).

**Организацио́нный**, -ая, -ое (*к 1 знач.*). *Организационный период. Организационные вопросы. Организационный комитет.*

**ОРГАНИ́ЗМ**, -а, *м.* [Франц. organisme; восх. к греч. organon — орудие, устройство]. **1.** Живое целое (существо или растение) с его согласованно действующими органами. *Простейшие организмы. Животный организм. Развитие организмов.* **2.** Совокупность физических и душевных свойств человека. *Здоровый, крепкий организм.* ▭ *Благотворный сон подкрепил мой слабый организм.* С. Аксаков. Воспоминания. **3.** *перен.* То, что представляет собой сложное организованное единство. *Государственный организм.* ▭ *В сущности я совсем не представлял себе, как надо приступить к организации такого сложного организма, каким является театр.* Юрьев. Записки.

С и н. (*ко 2 знач.*): организация (*устар.*).

**ОРГАНИ́ЧЕСКИЙ**, -ая, -ое. [См. *организм*]. **1.** Принадлежащий к растительному или животному миру. *Органическая природа.* ▭ *Органическая ткань.. должна реагировать на всякое раздражение.* Чехов. Палата № 6. **2.** Касающийся самой сущности чего-л. *Органическое единство теории и практики.* **3.** Внутренне присущий кому-, чему-л., закономерно вытекающий из самой сути чего-л. *У него была органическая неприязнь к этим людям красивых слов.* М. Горький. Жизнь Клима Самгина.

С и н. (*к 3 знач.*): неотдели́мый, неотъе́млемый (*книжн.*), органи́чный (*книжн.*).

**Органи́чески**, *нареч.* (*ко 2 и 3 знач.*). *Явления органически связаны между собой. Органически не выносить лицемерия.*

**ОРГАНИ́ЧНЫЙ**, -ая, -ое; -чен, -чна, -о. [См. *организм*]. *Книжн.* То же, что о р г а н и ч е с к и й (в 3 знач.). *Органичная потребность в чем-л. Органичное сочетание красок в картине.*

С и н.: неотдели́мый, неотъе́млемый (*книжн.*).

**Органи́чно**, *нареч.* **Органи́чность**, -и, *ж.*

**О́РГИЯ**, -и, *ж.* [Восх. к греч. orgia (*мн.*) — таинства, священнодействия; праздник]. **1.** В Древней Греции: празднество и обряды в честь бога вина и виноделия Диониса. **2.** Разгульное пиршество. *Оргия, коей я был невольным свидетелем, продолжалась до глубокой ночи.* Пушкин. Капитанская дочка.

Син. (ко 2 знач.): вакханáлия (книжн.).

**ОРДА́**, -ы́, о́рды, орд, *ж.* [Тюрк.]. **1.** Название крупных тюркских и монгольских феодальных государств в эпоху средневековья, а также ставка, местопребывание их правителей. *Золотая Орда.* ▢ *Едва.. [поднялось солнце], русские увидели татар.. Василий Васильевич, стоя на возу, разглядывал в подзорную трубу.. скуластые зло-весёлые лица, конские хвосты на копьях, важных мулл в зелёных чалмах. Это была передовая часть орды.* А. Н. Толстой. Пётр I. **2.** *перен.,* обычно какая. *Пренебр.* Вражеское войско, полчище. *Фашистские орды.* ▢ *В годину испытаний, В боях с ордой громил Спасла ты, заслонила От гибели весь мир.* Исаковский. Слово о России. **3.** *перен. Разг.* Беспорядочная, неорганизованная толпа, скопище людей. *Пароход шлёпал против течения трое суток, ехали шумно, ордой, вовсю отдавшись горькому веселью, хорошо понимая, что это последние свободные и безопасные дни.* Распутин. Живи и помни.

**Орды́нский**, -ая, -ое (к 1 знач.).

**О́РДЕН¹**, -а, ордена́, -о́в, *м.* [Восх. к лат. ordo, ordinis — ряд, порядок]. Знак отличия, которым награждают за выдающиеся заслуги. *Орден Трудового Красного Знамени.* ▢ *Своими сынами зовет их страна, Знакомы народу их лица. И носят они на груди ордена За подвиг в бою у границы.* Твардовский. Семья кузнеца.

**О́рденский**, -ая, -ое. *Орденская лента.*

**О́РДЕН²**, -а, о́рдены, -ов, *м.* [Нем. Orden — первонач. сословие от лат. ordo, ordinis — ряд, порядок]. **1.** Монашеская или рыцарско-монашеская община католической церкви с определённым уставом. *Рыцарский орден меченосцев. Ордена иезуитов.* **2.** Название некоторых тайных объединений, обществ. *Масонский орден.* ▢ *— Теперь я должен открыть вам главную цель нашего ордена, — сказал он, — и ежели цель эта совпадает с вашею, то вы с пользою вступите в наше братство.* Л. Толстой. Война и мир.

**О́рденский**, -ая, -ое. *Орденский устав.*

**О́РДЕР**, -а, ордера́, -о́в, *м.* [Франц. ordre от лат. ordo, ordinis — порядок]. Официальный документ, содержащий приказ, предписание на выдачу, получение чего-л. *Кассовый ордер.* ▢ *— Мне уже комнату выделили, на днях получаю ордер.* Авдеев. Хорошая знакомая.

**ОРДИНА́РЕЦ**, -рца, *м.* [От нем. Ordonnarz; восх. к лат. ordinare — расставлять, управлять]. Военнослужащий, состоящий при командире и выполняющий главным образом обязанности посыльного. *Ординарец Морозки.. сушил на брезенте овес..* *— Свезёшь в отряд Шалдыбы, — сказал Левинсон, протягивая пакет.* Фадеев. Разгром.

**Ордина́рческий**, -ая, -ое.

**ОРДИНА́РНЫЙ**, -ая, -ое; -рен, -рна, -о. [Восх. к лат. ordinarius]. **1.** *Книжн.* Ничем не выдающийся, обыкновенный. *Ординарные способности. Ординарная наружность. Ординарный случай.* ▢ *Я увидел небольшого человека.. с ординарным.. лицом. Ничего исключительного, а тем более героического при всём желании нельзя было отыскать в его фигуре.* Катаев. Катакомбы. **2.** *Устар.* В составе названий учёных должностей: штатный, полагающийся по штату. *Ординарный профессор.*

Син. (к 1 знач.): обы́чный, рядово́й, заурядный, просто́й, дю́жинный.

Ант. (к 1 знач.): неордина́рный (книжн.). Ант. (ко 2 знач.): экстраордина́рный (устар.).

**Ордина́рность**, -и, *ж.*

**ОРДИНА́ТОР**, -а, *м.* [Восх. к лат. ordinator — распорядитель, устроитель]. Лечащий врач больницы, клиники и т. п., работающий под руководством заведующего отделением. *Профессор сам не поехал, а вместо себя послал своего ординатора Королева.* Чехов. Случай из практики.

**Ордина́торский**, -ая, -ое.

**ОРЕО́Л**, -а, *м.* [Восх. к лат. aureolus — золотой]. **1.** Световая кайма, похожая на сияние, вокруг ярко освещённого предмета или светящейся точки. *И, как бабочек крылья, красивы Ореолы вокруг фонарей!* Н. Некрасов. Кому холодно, кому жарко! **2.** На иконах, картинах религиозного содержания: светлый ободок над головой как символ святости. *Золотой ореол над головой Христа.* **3.** *перен.,* чего или какой. *Высок.* Атмосфера славы, почёта и т. п., окружающие кого-л. *Находиться в ореоле славы. Таинственный ореол.* ▢ *Ореол светскости не мог не возвысить ее [Татьяну] в глазах Онегина.* Белинский. Сочинения Александра Пушкина.

Син. (к 1 и 2 знач.): нимб, сия́ние, вене́ц. Син. (к 3 знач.): нимб (высок.).

**ОРИГИНА́Л**, -а, *м.* [См. *оригинальный*]. **1.** Подлинное произведение (в отличие от копии). *Оригиналы древних памятников письменности.* **2.** Текст, послуживший предметом перевода на другой язык. *Читать Гёте в оригинале.* **3.** *Разг.* Чудаковатый человек. *Большой оригинал.*

Син. (к 1 и 2 знач.): по́длинник. Син. (к 3 знач.): чуда́к, сумасбро́д, чуди́ла (прост.).

**Оригина́лка**, -и, *ж.* (к 3 знач.).

**ОРИГИНА́ЛЬНЫЙ**, -ая, -ое; -лен, -льна, -о. [Восх. к лат. originalis — первоначальный]. **1.** Подлинный, не заимствованный, не переводной. *Оригинальное сочинение.* ▢ *[Граф] славился своею опытностью отличать в монетах оригинальные экземпляры от поддельных.* Буслаев. Мои воспоминания. **2.** Вполне самостоятельный, чуждый подражательности. *Оригинальные идеи.* ▢ *Полякову очень хотелось нащупать своё, оригинальное решение [конструкции комбайна], чтобы было целесообразно, просто и эффективно.* Проскурин. Горькие травы. **3.** *перен.* Своеобразный, странный, необычный. *Оригинальная манера поведения.* ▢ *Оригинальная мысль приучать к гласности в стране молчания и немоты пришла в голову министру иностранных дел Блудову.* Герцен. Былое и думы.

Син. (к 3 знач.): самобы́тный, своеобы́чный, индивидуа́льный, специфи́ческий и специфи́чный, характе́рный, субъекти́вный.

**Оригина́льно**, *нареч.* (ко 2 и 3 знач.). *Оригинально мыслящий человек. Оригинально одеваться.*

**Оригина́льность**, -и, *ж.* *Оригинальность текста. Оригинальность формы стихотворения. Отличаться оригинальностью.*

**ОРИЕНТА́ЦИЯ**, -и, *ж.* [Франц. orientation — букв. направление на восток]. **1.** *ед.* Определение своего местоположения на местности, а также способность определить свое местонахождение. *Ориентация по компасу. Потерять ориентацию.* **2.** *перен. Книжн.* Умение разобраться в окружающей обстановке, осведомленность в чем-л. *Хорошая ориентация в вопросах экономики.* **3.** *перен., на что или какая. Книжн.* Направленность деятельности, определяемая интересами кого-, чего-л. *Ориентация журнала на массового читателя. Профессиональная ориентация молодежи.*

**ОРИЕНТИ́Р**, -а, *м.* [От нем. orientieren — ориентировать; восх. к лат. oriens, orientis — восток]. Хорошо заметный на местности предмет (дерево, дом и т. п.), помогающий определять направление при движении, находить цель. *Выбрать правильный ориентир.* □ *Когда началась война, офицер из военкомата приказал колхозникам снести вышку, объясняя им, что вышка эта может служить противнику ориентиром для артиллерийской стрельбы.* Закруткин. Матерь человеческая.

**ОРИЕНТИ́РОВАНИЕ**, -я, *ср.* Вид спорта: передвижение по незнакомой местности с помощью карты и компаса. *Соревнования по ориентированию.*

**ОРИЕНТИ́РОВОЧНЫЙ**, -ая, -ое; -чен, -чна, -о. Предварительный, приблизительный. *Ориентировочный результат.*

С и н.: приме́рный, приближённый.

**Ориенти́ровочно**, *нареч.* *Встретимся ориентировочно в 3 часа.* **Ориенти́ровочность**, -и, *ж.*

**ОРНА́МЕНТ**, -а, *м.* [Восх. к лат. ornamentum]. Графическое, живописное или скульптурное украшение в виде узора, представляющее собой сочетание чередующихся элементов (геометрических, растительных или животных). *Старинный русский орнамент. Абстрактный орнамент.* □ *— Очень получается рельефно, если гладко беленный потолок отделяется от обоев.. пейзажным плафоном. Или, еще лучше.. Петя, достань растительный орнамент всех номеров!* Федин. Первые радости.

**Орнамента́льный**, -ая, -ое. *Орнаментальные мотивы в искусстве.*

**ОРОШЕ́НИЕ**, -я, *ср.* Создание благоприятных по влажности условий на каком-л. участке почвы, в каком-л. районе; насыщение почвы влагой. *Строительство каналов для орошения засушливых земель.*

С и н.: иррига́ция.

**ОРТОДОКСА́ЛЬНЫЙ**, -ая, -ое; -лен, -льна, -о. [Восх. к греч. orthodoxos — имеющий правильное мнение]. *Книжн.* Неуклонно и строго придерживающийся принципов какого-л. учения, мировоззрения. *Ортодоксальный социал-демократ. Ортодоксальные взгляды.*

С и н.: вы́держанный, после́довательный, правове́рный.

**Ортодокса́льно**, *нареч.* **Ортодокса́льность**, -и, *ж.*

**ОРТОПЕ́ДИЯ**, -и и **ОРТОПЕДИ́Я**, -и, *ж.* [От греч. orthos — прямой, правильный и paideia — воспитание]. Раздел медицины, включающий изучение, лечение и профилактику деформаций позвоночника, конечностей. *Институт травматологии и ортопедии.*

**Ортопеди́ческий**, -ая, -ое. *Ортопедическая обувь. Ортопедическая гимнастика.*

**ОРУ́ДИЕ**, -я, *ср.* **1.** Приспособление, инструмент, которым пользуются при какой-л. работе, каком-л. занятии. *Орудия труда. Сельскохозяйственные орудия.* **2.** *перен.* Средство, способ для достижения какой-л. цели. *Язык — орудие общения.* □ *Наука — могучее орудие для раскрытия новых производительных сил природы.* С. Вавилов. Тридцать лет советской науки. **3.** Общее название артиллерийского оружия (пушка, гаубица, миномет, мортира и т. п.). *Противотанковое, зенитное орудие.* □ *На платформах стояли орудия. Чехлы на них были сдернуты, и орудийные жерла смотрели в небо.* Чаковский. Это было в Ленинграде.

**Оруди́йный**, -ая, -ое (к 3 знач.). *Орудийный завод. Орудийный залп.*

**ОРФОЭ́ПИЯ**, -и, *ж.* [От греч. orthos — правильный и epos — речь]. Система правил, определяющих правильное литературное произношение. *— Как же вы можете учить детей русскому языку, если вы не знаете нашей орфоэпии? Откуда вы откопали это «по́няла», «переда́ла»?* Ф. Гладков. Березовая роща.

**Орфоэпи́ческий**, -ая, -ое. *Орфоэпические нормы. Орфоэпический словарь.*

**ОСА́НИСТЫЙ**, -ая, -ое; -ист, -а, -о. Отличающийся величавой, важной осанкой. *Это был человек лет пятидесяти, росту повыше среднего, дородный.. Был он щегольски и комфортно одет и смотрел осанистым барином.* Достоевский. Преступление и наказание.

**Оса́нисто**, *нареч.* **Оса́нистость**, -и, *ж.*

**ОСА́НКА**, -и, *ж.* Манера держаться, положение корпуса, свойственное кому-л. *Неправильная осанка.* □ *Аркадий оглянулся и увидел женщину высокого роста, в черном платье, остановившуюся в дверях залы. Она поразила его достоинством своей осанки. Обнаженные ее руки красиво лежали вдоль стройного стана.. Какою-то ласковой и мягкой силой веяло от ее лица.* Тургенев. Отцы и дети.

**ОСВЕДОМЛЁННЫЙ**, -ая, -ое. Обладающий обширными сведениями в какой-л. области. *Осведомленный специалист.* □ *В обществе считался он очень осведомленным в разных вопросах и остроумным собеседником.* Сергеев-Ценский. Севастопольская страда.

С и н.: зна́ющий, све́дущий, компете́нтный, гра́мотный.

**Осведомлённость**, -и, *ж.*

**ОСВЯТИ́ТЬ**, -ящу́, -яти́шь; освяти́вший; освящённый; -щён, -щена́, -о́; освяти́в; *сов., что.* **1.** Совершать над чем-л. церковный обряд придания святости. *Через неделю приехал отец Иоанн, отслужил молебен, освятил лодку, освятил воду в бассейне.* А. Крылов. Мои воспоминания. **2.** *перен., чем. Высок.* Сделать почитаемым, священным. *Обычай, освященный столетиями.* □ *Ее сестра звалась Татьяна... Впервые* именем таким Страницы нежные романа Мы своевольно освятим. Пушкин. Евгений Онегин.

**Освяща́ть**, -а́ю, -а́ешь; *несов.* **Освяще́ние**, -я, *ср.* (к 1 знач.).

**ОСЕ́ДЛЫЙ** [не сё], -ая, -ое. Живущий постоянно на одном месте. *Оседлое население. Оседлый образ жизни.* □ *Якуты все оседлые и христиане.* И. Гончаров. Фрегат «Паллада».

А н т.: кочево́й.

**Осе́дло**, *нареч.* Жить оседло. **Осе́длость**, -и, *ж.*

**ОСЕЛО́К**, -лка́, *м.* **1.** Точильный камень в виде бруска. **2.** *Спец.* Камень для испытания драгоценных металлов. **3.** *перен.* Средство проверки кого-, чего-л., выявления каких-л. свойств, качеств и т. п. *Деньги и богатство — страшный оселок для людей: кто на нем попробовал себя и выдержал испытание, тот смело может сказать, что он человек.* Герцен. Капризы и раздумье.

**ОСЕНИ́ТЬ**, -ню́, -ни́шь; осени́вший; осенённый; -нён, -нена́, -о́; осеня́; *сов.* **1.** *кого, что. Устар.* Покрыть собой, своей тенью; затенить. *Широкая дорога, осененная деревьями, извивается около горы.* Пушкин. Путешествие в Арзрум. *[Митюха], осенив глаза ладонью, посмотрел на тот берег, потом молча соскочил [с воза].* Наумов. У перевоза. **2.** *кого.* Внезапно появиться, возникнуть (о мысли, догадке); прийти на ум кому-л. — *Только видишь.. мысль одна пришла, так и осенила меня: из чего мы с тобой хлопочем? Ведь если б тебе опасность была.. А ведь тебе что!* Достоевский. Преступление и наказание. ◇ **Осени́ть крестом** (или **крестным знамением**) (*устар. высок.*) — перекрестить.

С и н. (ко 2 знач.): озари́ть.

**Осеня́ть**, -я́ю, -я́ешь; *несов.*

**ОСКВЕРНИ́ТЬ**, -ню́, -ни́шь; оскверни́вший; осквернённый; -нён, -нена́, -о́; осверни́в; *сов., кого, что.* **1.** По религиозным представлениям: нарушить чистоту чего-л., лишить святости. *Осквернить храм.* **2.** *перен. Книжн.* Оскорбить, унизить, запятнать чем-л. *[Арбенин:] Я молчалив, суров, угрюм; Боюся осквернить тебя прикосновеньем.* Лермонтов. Маскарад.

С и н.: поруга́ть (*устар. и высок.*).

**ОСКОРО́МИТЬСЯ**, -млюсь, -мишься; оскоро́мившийся; оскоро́мившись; *сов.* Съесть во время поста скоромную пищу (мясную, молочную), вопреки религиозным предписаниям. — *Сынок, выпей, — и подал Петру чашу. — Пей, все равно пропали мы с тобой. Душу погубили, оскоромились. Пей до дна, твое царское величество.* А. Н. Толстой. Петр I.

**ОСКУДЕ́ТЬ**, -е́ю, -е́ешь; оскуде́вший; оскуде́в; *сов.* **1.** Обеднеть, прийти в упадок. *Касса бурсаков совсем оскудела. Весь семестр они пьянствовали и влезли в новые долги.* Боборыкин. В путь — дорогу! **2.** обычно *чем. Книжн.* Стать беднее в каком-л. отношении. *Страна не оскудела талантами.* Паустовский. Александр Блок.

С и н.: обедне́ть, обнища́ть.

**Оскудева́ть**, -а́ю, -а́ешь; *несов.* **Оскуде́ние**, -я, *ср. Духовное оскудение кого-, чего-л.*

**ОСМЫ́СЛЕННЫЙ**, -ая, -ое; -ен, -енна, -о. Разумный, сознательный. *Осмысленный взгляд ребенка.* □ *Как только жизнь наполнена осмысленным трудом, так задача может считаться решенною.* Писарев. Реалисты.

А н т.: бессмы́сленный.

**Осмы́сленно**, *нареч.* Действовать осмысленно. **Осмы́сленность**, -и, *ж.*

**ОСНАЩЕ́НИЕ**, -я, *ср.* **1.** *чего чем.* Снабжение необходимыми техническими средствами, приспособлениями. *Оснащение предприятий современной техникой. Оснащение первоклассным оборудованием.* **2.** *чего* или *какое.* Совокупность технических средств, которыми оснащено что-л. *Высокое техническое оснащение сельского хозяйства. Улучшить оснащение учебных и учебно-методических кабинетов училища.*

С и н.: обору́дование.

**ОСНО́ВА**, -ы, *ж.* **1.** Внутренняя опорная часть предмета, на которой укрепляются остальные его части. *Деревянная основа кресла. Холст — основа картины.* □ *А вместо домов остались только сложенные из дикого камня основы, обрушенные стены да черные печные трубы.* Закруткин. Матерь человеческая. **2.** обычно *чего.* Источник, главное, на чем строится что-л., что является сущностью чего-л. — *Доверенность есть основа взаимного счастья.* И. Гончаров. Обломов. **3.** *мн.*, обычно *чего.* Исходные, главные положения чего-л. *Основы нравственности.* □ *Не владея элементарными основами актерской техники, исполнителю.. трудно решать большие творческие задачи.* Топорков. О технике актера. ◇ **На осно́ве** *чего* — исходя из чего-л., опираясь на что-л. *Она в душе гордилась, что воспитала сына на основе взаимного уважения.* Федин. Первые радости. **Положи́ть** (**класть**) **в осно́ву** *что* — взять (брать) в качестве главного, основного. *В основу романа положены подлинные события.* **Лежа́ть** (или **быть**) **в осно́ве** *чего* — быть главным, основным в чем-л.

С и н. (ко 2 знач.): основа́ние, ба́за (*книжн.*) и ба́зис (*книжн.*), фунда́мент (*книжн.*), первооснова (*книжн.*). С и н. (к 3 знач.): нача́тки, а́збука, элеме́нты (*книжн.*), азы́ (*разг.*).

**Основно́й**, -а́я, -о́е (ко 2 знач.). *Основные обязанности кого-л.*

**ОСНОВА́НИЕ**, -я, *ср.* **1.** *ед.* Создание чего-л., а также возникновение, начало существования чего-л. *Основание музея.* □ *Граф со дня основания клуба был его членом и старшиною.* Л. Толстой. Война и мир. **2.** Нижняя опорная часть предмета, сооружения. *Прочное основание моста. Поставить памятник на мраморное основание. У основания горы.* □ *Бетонное основание шлюза, его днище, было готово.* Паустовский. Рождение моря. **3.** *ед.* То, что составляет ядро чего-л., является исходным материалом для образования, создания чего-л. — *Видел я гарем.. Вот вам основание для восточного романа.* Пушкин. Путешествие в Арзрум. *Его коллекция.. могла бы послужить основанием для превосходного музея.* Чехов. Остров Сахалин. **4.** Причина чего-л.; то, что объясняет, оправдывает что-л. *Веское основание. Сердиться без основания.*

Заявить о чем-л. с полным основанием. ◻ — *А вы не верите в бессмертие души? — вдруг спрашивает почтмейстер. — Нет,.. не верю и не имею основания верить*. Чехов. Палата № 6. ◇ **До основания** — совершенно, полностью. *Разрушить здание до основания*. **На основании** чего-л. — исходя из чего-л., опираясь на что-л. **На общих основаниях** — наравне со всеми.

С и н. (к 1 знач.): организа́ция, образова́ние, формирова́ние, учрежде́ние, устро́йство. С и н. (ко 2 знач.): подно́жие. С и н. (к 3 знач.): осно́ва (книжн.), ба́за (книжн.) и ба́зис (книжн.), фунда́мент (книжн.), первооснова́ (книжн.). С и н. (к 4 знач.): моти́в, резо́н (устар. и разг.).

**ОСНОВА́ТЬ**, осную́, оснуёшь; основа́вший; осно́ванный; -ан, -а, -о; основа́в; *сов., что*. **1.** Положить начало чему-л., создать. *Книги я брал в городской библиотеке, основанной Чеховым*. Паустовский. Рождение моря. **2.** *на чем*. Сделать, построить на основе чего-л. *Основать теорию на результатах экспериментов*. ◻ *Происшествие, описанное в сей повести, основано на истине*. Пушкин. Медный всадник (предисловие).

С и н. (к 1 знач.): организова́ть, образова́ть, сформирова́ть, учреди́ть.

**Осно́вывать**, -аю, -аешь; *несов*. **Основа́тель**, -я, *м*. (к 1 знач.). *Основатель музея*.

**ОСНОВОПОЛАГА́ЮЩИЙ**, -ая, -ее. *Книжн*. Главный, лежащий в основе, принимаемый за основу чего-л. *Основополагающие научные труды*.

**ОСНОВОПОЛО́ЖНИК**, -а, *м*. Создатель какого-л. учения, направления, школы и т. п. *Основоположники реализма в литературе*.

С и н.: родонача́льник, основа́тель, зачина́тель (высок.), патриа́рх (высок.).

**ОСО́БА**, -ы, *ж*. Человек, личность (о ком-л. важном, почтенном или иронически). *Почтенная особа*. *Особа женского пола*. ◻ *Князь Андрей навеки потерял себя в придворном мире, не попросив остаться при особе государя, а попросив позволения служить в армии*. Л. Толстой. Война и мир.

С и н.: лицо́, персо́на (книжн.), субъе́кт (книжн.), фигу́ра (разг.).

**ОСОБНЯ́К**, -а́, *м*. Благоустроенный дом городского типа для одной семьи или отдельного учреждения. *Старинный особняк*. *Особняк посольства*. ◻ *Он медленно шел мимо особняков, огороженных каменными заборами или узорными металлическими решетками*. Чаковский. Победа.

**Особнячо́к**, -чка́, *м*. (уменьш.).

**ОСОБНЯКО́М**, *нареч*. В стороне от других, отдельно. *Держаться особняком*. ◻ *Евгений Столетов на групповой школьной фотографии.. торчал особняком, как одинокое дерево в поле*. Липатов. И это все о нем.

С и н.: обосо́бленно, изоли́рованно, одино́ко, уединённо, особо.

**О́СОБЬ**, -и, *ж*. *Книжн*. Каждый отдельный, самостоятельно существующий организм. *Человеческая особь*. *Особи сибирской фауны*. ◻ *Каждый вид птиц и животных представлен [в Арктике] таким количеством особей, которое буквально поражает наблюдателя*. Ушаков. По нехоженой земле.

**ОСТА́НКИ**, -ов, *мн*. Тело умершего или то, что осталось от его тела. *Долго он стонал, Но все слабей и понемногу Затих и душу отдал богу;.. Его останки боевые Накрыли бережно плащом И понесли*. Лермонтов. Валерик.

С и н.: труп, прах (высок.).

**ОСТЗЕ́ЙСКИЙ**, -ая, -ое. *Устар*. Прибалтийский. *Павел Петрович пустился было [однажды] в состязание с нигилистом по поводу модного в то время вопроса о правах остзейских дворян*. Тургенев. Отцы и дети.

**О́СТОВ**, -а, *м*. **1.** Внутренняя опорная часть здания, сооружения, на которой укрепляются остальные его части. *Остов моста, корабля*. ◻ *Выползла к двум обгорелым бронетранспортерам гусеничная машина, остановилась.. И сразу же несколько фигур.. разошлись вокруг железных остовов танков на некоторое расстояние друг от друга*. Бондарев. Горячий снег. **2.** Скелет, костяк (человека, животного). *Травой оброс там шлем косматый, И старый череп тлеет в нем; Богатыря там остов целый С его поверженным конем Лежит недвижный*. Пушкин. Руслан и Людмила.

С и н. (к 1 знач.): карка́с, скеле́т.

**ОСТРАКИ́ЗМ**, -а, *м*. [Греч. ostrakismos от ostrakon — черепок]. **1.** В Древней Греции: изгнание опасных для государства граждан, решавшееся путем тайного голосования черепками, на которых писалось имя подлежащего изгнанию. **2.** *Книжн*. Изгнание, гонение. *Подвергнуть кого-л. остракизму*.

**ОСТРО́Г**, -а, *м*. **1.** В Древней Руси: ограда, крепостная стена из вкопанных вплотную и заостренных сверху столбов. **2.** Город, селение, обнесенные деревянной стеной, служившие укрепленными пунктами на рубежах Московского государства в 14—17 вв. *Льва Кирилловича управитель был в Москве и взял грамоту, чтоб искать в острогах нужных людей — брать на завод*. А. Н. Толстой. Петр I. **3.** *Устар*. Тюрьма. *«Не долго братья пировали; Поймали нас — и кузнецы Нас друг ко другу приковали, И стража отвела в острог»*. Пушкин. Братья разбойники.

С и н. (к 3 знач.): куту́зка (прост.), катала́жка (прост.), темни́ца (устар.), узи́лище (устар.).

**Остро́жный**, -ая, -ое (к 3 знач.). *Острожная больница*.

**ОСТРОУ́МИЕ**, -я, *ср*. **1.** Изобретательность в нахождении ярких или смешных выражений, определений. *Неистощимое остроумие*. ◻ *Вся книга [«Пестрые рассказы»].. сверкала юмором, весельем, часто неподдельным остроумием и необыкновенной сжатостью и силой изображения*. Короленко. А. П. Чехов. **2.** Изощренность мысли, тонкость, острота ума. *Проявить остроумие в решении задачи*. ◻ *Лирическим стихам С. Щипачева свойственно то, что.. Ломоносов называл остроумием, то есть остротой ума*. А. Н. Толстой. С. Щипачев.

**ОСЬМИ́ННИК**, -а, *м*. Старая русская мера земельной площади, равная четверти десятины.— *По сколько у вас на душу земли-то?— Три [десятины] с осьминником.* Эртель. Записки степняка.

**ОСЯЗА́ТЬ**, -а́ю, -а́ешь; осяза́ющий, осяза́вший; осяза́емый; осяза́я; *несов., кого, что.* **1.** Воспринимать на ощупь. *Осязать шероховатость чего-л.* **2.** *перен. Книжн.* Воспринимать, замечать, ощущать. — *Я чувствую, что очень больна, Даша, хотя хожу, ем, разговариваю — и вообще по внешности со мною ничего не произошло. Но я ничего не вижу, не осязаю. Днем я — затравленный зверь, а ночь — сплошные кошмары.* Ф. Гладков. Цемент.

**ОТА́ВА**, -ы, *ж.* Трава, выросшая в тот же год на месте скошенной. *Скошенный луг за рекой покрылся такой густой и сочной отавой, что.. неизменно хранил свой изумрудный блеск.* Мусатов. Стожары.

**Ота́вный**, -ая, -ое. *Отавное сено.*

**ОТА́РА**, -ы, *ж.* Большое стадо овец. *Каждое утро, выгоняя отару из загона, Танабай осматривал маток, ощупывал животы, вымя. Прикидывал, что если все обойдется благополучно, то свое обязательство по ягнятам выполнит.* Айтматов. Прощай, Гульсары!

**Ота́рный**, -ая, -ое.

**О́ТБЛЕСК**, -а, *м.* **1.** Отраженный свет, световое пятно на поверхности чего-л. *Отблески пламени. Отблеск заката.* □ *[Князь Андрей] смотрел на красный отблеск солнца по синеющему разливу.* Л. Толстой. Война и мир. **2.** *перен.*, *чего.* След, отражение, отпечаток чего-л. *Отблеск прежней славы.* □ *У него еще оставался маленький стыд, последний отблеск совести.* Мамин-Сибиряк. Любовь.

Син. (*к 1 знач.*): о́тсвет, блик.

**ОТВЕ́РЖЕННЫЙ**, -ая, -ое. *Книжн.* Изгнанный из общества, отвергнутый обществом, презираемый. *А этот юноша, который теперь получил имя Ларра, что значит: отверженный, выкинутый вон,.. громко смеялся вслед людям, которые бросили его, смеялся, оставаясь один.* М. Горький. Старуха Изергиль.

Син.: изго́й, отщепе́нец, па́рия (*книжн.*).

**Отве́рженность**, -и, *ж.*

**ОТВЕ́РЗТЬ** и **ОТВЕ́РСТЬ**, -е́рзу, -е́рзешь; отве́рзший; отве́рстый; -е́рст, -а, -о; *сов., что. Устар. книжн.* Открыть. *Молчит неверный часовой, Опущен молча мост подъемный, Врата отверсты в тьме ночной Рукой предательства наемной.* Пушкин. Вольность.

**Отверза́ть**, -а́ю, -а́ешь; *несов.*

**ОТВЕ́ТСТВЕННЫЙ**, -ая, -ое; -ен и -енен, -енна, -о. **1.** Облеченный правами и обязанностями в осуществлении какой-л. деятельности, в руководстве делами. *Ответственная должность. Ответственный за гражданскую оборону в городе.* □ *Тайну мы не раскрыли целиком даже командному составу, даже ответственным работникам.* Фурманов. Красный десант. **2.** Отличающийся высоко развитым чувством долга, добросовестно относящийся к своим обязанностям. *Ответственный человек. Ответственное отношение к работе, учебе.* **3.** Чрезвычайно важный, значительный. *Ответственное поручение. Ответственный заказ.* □ *В самый ответственный момент, когда начался бой, третий батальон.. остался без главных командиров.* Бубеннов. Белая береза.

**Отве́тственно**, *нареч.* (ко 2 знач.). *Ответственно относиться к делу.* **Отве́тственность**, -и, *ж.*

**ОТВЛЕЧЁННЫЙ**, -ая, -ое; -ён, -ённа, -о. **1.** Теоретический, представляемый в обобщении. *Отвлеченные понятия, идеи.* □ — *Родион Романович, уж извините меня, старика, человек еще молодой-с,.. а потому выше всего у человеческий цените.. Игривая острота ума и отвлеченные доводы рассудка вас соблазняют-с.* Достоевский. Преступление и наказание. **2.** Далекий от повседневной жизни, от реальной действительности. *Отвлеченные разговоры.* □ *Он [Островский] почувствовал, что не отвлеченные верования, а жизненные факты управляют человеком, что не образ мыслей, не принципы, а натура нужна для образования и проявления крепкого характера, и он умел создать такое лицо.* Добролюбов. Луч света в темном царстве.

Син. (*к 1 знач.*): абстра́ктный, умозри́тельный (*книжн.*), метафизи́ческий (*книжн.*).

**Отвлечённо**, *нареч.* **Отвлечённость**, -и, *ж.*

**ОТГОЛО́СОК**, -ска, *м.* **1.** Отражение звука, эхо. *Грянул выстрел, и.. понеслись по реке, по лесу, будя ночную тишь, рокочущие отголоски.* Серафимович. У обрыва. **2.** *перен.* Действие или душевное состояние как ответ, отклик на что-л., а также остаток, след существования чего-л. *Отголоски войны.* □ *Василий Михайлович ничего не сказал: он видел, теперь его слова ни в ком не нашли бы отголоска.* Вересаев. Товарищ.

Син.: э́хо, о́тзыв, о́тзвук, о́тклик.

**ОТЕ́ЛЬ** [тэ́], -я, *м.* [Франц. hôtel]. Гостиница (обычно о зарубежных гостиницах). *В Лионе.. я занял комнату в отеле «Терминюс».. Паспортов в то время не требовали, и я отметился в гостинице чужой фамилией.* Игнатьев. Пятьдесят лет в строю.

Син.: номера́ (*устар.*).

**Оте́льный**, -ая, -ое.

**ОТЕ́Ц**, отца́, *м.* **1.** Мужчина по отношению к своим детям. *Заботливый отец. Отец семейства.* **2.** *мн.* Предшествующее поколение, предки. *Богаты мы, едва из колыбели, Ошибками отцов и поздним их умом.* Лермонтов. Дума. **3.** *мн. Устар.* Наиболее почтенные и уважаемые лица, стоящие во главе чего-л. *Отцы города.* □ *[Чацкий:] Где, укажите нам, отечества отцы, Которых мы должны принять за образцы?* Грибоедов. Горе от ума. **4.** *перен., чего. Высок.* Родоначальник, основоположник чего-л. *Ломоносов — отец русской поэзии.* □ *[На фотографии] был снят во весь рост Николай Егорович Жуковский.. — отец русской авиации.* Бек. Талант. **5.** Название служителей культа, монахов, а также обращение к ним. *Отец Герасим, бледный и дрожащий, стоял у крыльца, с крестом в руках.* Пушкин. Капитанская дочка.

Син. (*к 1 знач.*): па́па, папа́ша (*прост.*), ба́тя (*прост.*), тя́тя (*прост.*), роди́тель (*устар. и прост.*), батю́шка (*устар. и нар.-поэт.*). Син. (*ко 2 знач.*): пра́отцы (устар. и высок.). С и н. (к 4 знач.): основа́тель, зачина́тель (высок.), патриа́рх (высок.).

**Отцо́вский**, -ая, -ое (к 1 знач.), **оте́ческий**, -ая, -ое (к 1 знач.), **о́тчий**, -ая, -ее (к 1 знач.) (устар. и высок.) и **отцо́в**, -а, -о (к 1 знач.) (устар.). *Отцовская ласка. Отеческая заботливость. Отчий дом. Отцовы вещи.*

**ОТЗЫ́В**, -а, м. **1.** Ответ на зов, обращение; отклик. *Долго и крепко стучал я в ворота, но не получал никакого отзыва.* Нарежный. Барсук. **2.** *перен.* Ответное чувство, душевное движение, вызванное чем-л. *Благо родины, ее величие, ее слава возбуждали в его сердце глубокие и сильные отзывы.* Тургенев. Воспоминания о Белинском. **3.** Мнение, содержащее оценку кого-, чего-л. *Опубликовать отзыв о вышедшей книге.* ◻ *Отрицательный отзыв о плохой пьесе вызывает очень острую реакцию.* Лавренев. Разговор о профессии. **4.** Условный секретный ответ на пароль, служащий средством для отличения своих от врагов.— *— Смотрите, отзыв «дышло»,— шепнул мне.. капитан,— а то в цепь не пропустят.* Л. Толстой. Встреча в отряде...

С и н. (к 1 и 2 знач.): э́хо, о́тзвук, отголо́сок, о́тклик. С и н. (к 3 знач.): реце́нзия.

**ОТКУ́П**, -а, откупа́, -о́в, м. Устар. Право взимания с населения каких-л. государственных налогов, предоставляемое частному лицу за денежное вознаграждение. *[Тарантьеву] улыбалась только одна последняя надежда: перейти служить по винным откупам.* И. Гончаров. Обломов.

**Откупно́й**, -а́я, -о́е.

**ОТЛАГА́ТЕЛЬСТВО**, -а, ср. Книжн. Перенесение на более поздний срок; отсрочка. *Минуя очередь, Глеб пробрался к секретарю.. — Доложите обо мне предисполкома. Дело экстренное — не терпит отлагательства.* Ф. Гладков. Цемент.

**ОТЛИ́ЧИЕ**, -я, ср. **1.** Признак, создающий разницу между кем-, чем-л. *Внешнее отличие. Существенные отличия.* ◻ *Главное отличие заключается в том, что одни [помещики].. слаще ели, буйнее пили..; другие.. ели с осторожностью, учитывали себя.* Салтыков-Щедрин. Пошехонская старина. **2.** Заслуга в какой-л. области. *[Котылев] за боевые отличия сделан подпрапорщиком из унтеров.* Сергеев-Ценский. Лютая зима. **3.** Какой-л. знак, звание, грамота и т.п., даваемые за заслуги. *Чуть не ежедневно в приказах по армиям появлялись длиннейшие списки лиц, награжденных боевыми отличиями.* Вересаев. На японской войне. ◊ **Диплом с отличием** — диплом окончившего вуз с отличными оценками. **В отличие** от кого, чего — в противоположность кому-, чему-л. *В отличие от крепкого деда отец выглядел хилым, болезненным.* Дегтярев. Моя жизнь.

С и н. разли́чие, ра́зница, ра́зность.

А н т. (к 1 знач.): схо́дство.

**ОТЛУЧИ́ТЬ**, -чу́, -чи́шь; отлучи́вший; отлучённый; -чён, -чена́, -о́; отлучи́в; сов., кого от чего. Книжн. Лишить общения, связи с кем-л., изгнать из какой-л. среды. *Известно, что французские актеры отлучены от церкви и что смертные останки их не могут быть отпеваемы в храме божием.* Вяземский. Тальма.

**Отлуча́ть**, -а́ю, -а́ешь; несов. **Отлуче́ние**, -я, ср.

**ОТМЕЖЕВА́ТЬСЯ**, -жу́юсь, -жу́ешься; отмежева́вшийся; отмежева́вшись; сов. **1.** Отделиться межой. **2.** перен., от кого, чего. Отделиться, занять обособленное от кого-, чего-л. положение. *Оно [народничество] никогда не могло, как общественное течение, отмежеваться от либерализма справа и от анархизма слева.* Ленин, т. 25, с. 94. **3.** перен., от кого, чего. Прекратить общение с кем-л., выразив свое несогласие с кем-, чем-л. *Отмежеваться от идейных противников.*

**Отмежёвываться**, -аюсь, -аешься; несов. **Отмежева́ние**, -я, ср.

**О́ТМЕЛЬ**, -и, ж. Прибрежная мель. *Песчаная отмель.* ◻ *Речка то суживается,.. то разливается во всю ширь, образует отмели, перекаты.* Арамилев. В лесах Урала.

**ОТНОСИ́ТЕЛЬНЫЙ**, -ая, -ое; -лен, -льна, -о. Устанавливаемый в сопоставлении с чем-л. другим, оцениваемый в зависимости от каких--л. условий. *[Лидия:] Значит, у вас теперь денег много? [Глумов:] «Много» — ведь это понятие относительное. Для Ротшильда было бы мало, а для меня довольно.* А. Островский. Бешеные деньги.

С и н.: сравни́тельный.

А н т.: абсолю́тный.

**Относи́тельно**, нареч. *Относительно удачная экскурсия.* **Относи́тельность**, -и, ж.

**ОТНЫ́НЕ**, нареч. Устар. и высок. С настоящего времени.— *Воспоминание о вас, ваш милый, несравненный образ отныне будет мучением и отрадою жизни моей.* Пушкин. Метель.

**ОТНЮ́ДЬ**, нареч. (употр. перед отрицанием). Совсем, вовсе. *Он.. спросил, намерен ли я служить.— Нет,— отвечаю,— отнюдь не намерен.* Лесков. Смех и горе.

С и н.: соверше́нно, абсолю́тно, ниско́лько, нима́ло, ничу́ть (разг.).

**ОТОЖДЕСТВИ́ТЬ**, -влю́, -ви́шь и **ОТОЖЕСТВИ́ТЬ**, -влю́, -ви́шь; отождестви́вший и отожестви́вший; отождествлённый; -лён, -лена́, -о́ и отожествлённый; -лён, -лена́, -о́; отождестви́в и отожестви́в; сов., кого, что. Признать тождественным. *Отождествить два понятия.*

С и н.: приравня́ть.

**Отождествля́ть**, -я́ю, -я́ешь и **отожествля́ть**, -я́ю, -я́ешь; несов. *Литературная часть партийного дела пролетариата не может быть шаблонно отождествляема с другими частями партийного дела пролетариата.* Ленин, т. 12, с. 101. **Отождествле́ние**, -я и **отожествле́ние**, -я, ср. *Ошибочное отождествление (отожествление) разнородных явлений.*

**О́ТОРОПЬ**, -и, ж. Разг. Крайняя растерянность, замешательство. *Оторопь от неожиданности, от страха.* ◻ *Мгновенная оторопь.. сменилась в нем предельной собранностью: впереди была смерть, если он допустит хоть малейшую ошибку.* Сергеев-Ценский. В снегах.

**Оторопе́лый**, -ая, -ое. *Он тотчас вскочил*

и выпучил на меня свои оторопелые глаза. Тургенев. Три встречи. **Оторопе́ло**, *нареч.* **Оторопе́лость**, -и, *ж.*

**ОТПАРИ́РОВАТЬ**, -рую, -руешь; отпари́ровавший; отпари́рованный; -ан, -а, -о; отпари́ровав; *сов., что и без доп. Книжн.* Отразить чьи-л. доводы, нападки и т. п. убедительным возражением. — *Послушай, Тойво,*— *сказал полковник,— а ты не преувеличиваешь все это? Ну, машины, количество офицеров? — А вам хочется, чтобы я преуменьшил? — неожиданно сердито, точно ударом хлыста, отпарировал Тойво.* Чаковский. Блокада.
С и н.: пари́ровать *(книжн.).*

**ОТПЕВА́НИЕ**, -я, *ср.* Церковный обряд, совершаемый над покойником. *Началось отпевание, и когда клир запел: «Со святыми упокой»,— вся толпа, словно послушное эхо, повторяла за клиром щемящий душу напев.* Салтыков-Щедрин. Пошехонская старина.

**ОТПЕЧА́ТОК**, -тка, *м.* **1.** Изображение, оставшееся на какой-л. поверхности от надавливания другого предмета. *На свежевыпавшем снегу был виден отчетливо каждый след. Тут были отпечатки ног лосей, кабарги, соболей.* Арсеньев. По Уссурийской тайге. **2.** *перен., чего или какой.* Какой-л. отличительный признак, особенность как результат воздействия, влияния чего-л. *Столичный отпечаток.* □ *Я замечал,.. что часто на лице человека, который должен умереть через несколько часов, есть какой-то странный отпечаток неизбежной судьбы.* Лермонтов. Герой нашего времени.
С и н. *(к 1 знач.):* след, о́ттиск. С и н. *(ко 2 знач.):* печа́ть.

**О́ТПОВЕДЬ**, -и, *ж. Книжн.* Ответ, содержащий резкий отпор чьему-л. суждению, замечанию. *Достойная отповедь клеветнику.* □ *— Я-то думаю, что это сто раз правда! — резко сказал он.— А вот почему ты в этом сомневаешься? Если воображаешь, что одни мы здесь такие.. — глупо думаешь. После этой отповеди они оба шагов сорок прошли молча.* Симонов. Живые и мертвые.

**ОТПРАВНО́Й**, -а́я, -о́е. **1.** Такой, откуда отправляются или отправляют что-л. *Отправной пункт трассы.* **2.** *Книжн.* Такой, из которого исходят; исходный. *Отправной момент рассуждения.* □ *Большинство юристов не сомневается, что отправною точкою исследования должно быть событие преступления.* А. Ф. Кони. За последние годы.

**ОТРА́ДА**, -ы, *ж.* Удовольствие, радость. *Как тень, она без цели бродит, То смотрит в опустелый сад.. Нигде, ни в чем ей нет отрад.* Пушкин. Евгений Онегин.
С и н.: уте́ха *(разг.),* усла́да *(устар. и трад.-поэт.).*
**Отра́дный**, -ая, -ое; -ден, -дна, -о. **Отра́дно**, *нареч.*

**ОТРАПОРТОВА́ТЬ**, -ту́ю, -ту́ешь; отрапортова́вший; отрапортова́в; *сов.* Отдать рапорт; доложить, рапортуя. *Отрапортовать о досрочном выполнении плана.* □ *Я вытянулся и отрапортовал:— Товарищ генерал-майор!*

*Батальон занимается укреплением оборонительного рубежа.* Бек. Волоколамское шоссе.

**О́ТРАСЛЬ**, -и, о́трасли, -ей и -е́й, *ж.* **1.** *Устар.* Молодой побег растения. **2.** *перен. Устар.* Потомок, потомство. *[Воротынский:] Не мало нас, наследников варяга, Да трудно нам тягаться с Годуновым: Народ отвык в нас видеть древню отрасль Воинственных властителей своих.* Пушкин. Борис Годунов. **3.** Отдельная самостоятельная часть какого-л. рода деятельности. *Развитие всех отраслей народного хозяйства. Различные отрасли науки.* □ *Ломоносов обнял все отрасли просвещения.. Историк, ритор, механик, химик, минералог, художник и стихотворец, он все испытал и все проник.* Пушкин. О предисловии г-на Лемонте к переводу басен И. А. Крылова.
С и н. *(к 1 знач.):* отро́сток. С и н. *(ко 2 знач.):* о́трыск *(устар.).*
**Отраслево́й**, -а́я, -о́е *(к 3 знач.).*

**ОТРЕ́БЬЕ**, -я, *ср., собир.* **1.** Не годные к употреблению остатки чего-л.; отбросы. **2.** *перен. Презр.* Морально разложившиеся, опустившиеся элементы общества. *Фашистское отребье.* □ *В число погромщиков, науськанных и нанятых полицией, в это отребье общества, состоявшее из пропойц, босяков, сутенеров и окраинных хулиганов, входили также и воры.* Куприн. Обида.

**ОТРЕ́ЧЬСЯ**, отреку́сь, отречёшься; отрёкшийся; отрёкшись; *сов.* **1.** *от чего. Устар.* Отказаться от права на что-л. *Отречься от престола.* □ *Правленье для него.. Несносным сделалось.. Отречься был готов от сана своего.* Пушкин. Анджело. **2.** *от кого, чего. Книжн.* Отказаться от кого-, чего-л.; изменить кому-, чему-л. *Отречься от друга. Отречься от своих слов.* □ *Чествует его вся либеральная Россия.. Поминает Герцена и правая печать, облыжно уверяя, что Герцен отрекся под конец жизни от революции.* Ленин, т. 21, с. 255.
С и н. *(ко 2 знач.):* отверну́ться, отступи́ться *(разг.),* отпере́ться *(разг.),* открести́ться *(разг.),* отшатну́ться *(разг.).*
**Отрека́ться**, -а́юсь, -а́ешься; *несов.* **Отрече́ние**, -я, *ср.*

**ОТРЕШЁННЫЙ**, -ая, -ое; -ён, -ённа, -о. *Книжн.* Поглощенный чем-л., погруженный в себя, безразличный ко всему окружающему. *Кое-где.. сидели студенты. Они зачарованно покачивались над конспектами. У них были отрешенные лица сомнамбул. Неужели и он когда-то всерьез переживал экзамены?* Гранин. Иду на грозу.
С и н.: отсу́тствующий.
**Отрешённо**, *нареч.* **Отрешённость**, -и, *ж.*

**ОТРО́Г**, -а, *м.* Ответвление основной горной цепи. *За рекой, подпирая небо, врастая отрогами в желтокудрые забоки, синели хребты, и через их острые гребни лилась в долину прозрачная пена бело-розовых облаков.* Фадеев. Разгром.
С и н.: ответвле́ние.

**О́ТРОК**, -а, *м.* **1.** *Устар.* Мальчик-подросток в возрасте между ребенком и юношей. *[Старик:] Поди, проходили в школе-то и про Минина Кузьму и про Сусанина Ивана? То бородачи* были, могучие дубы.. А ты еще отрок, а вровень с ними стоишь. И ты, и ты землю русскую оборонял. Леонов. Нашествие. **2.** В Древней Руси: член младшей княжеской дружины.— *Вы, отроки-други, возьмите коня.. В мой луг под уздцы отведите.* Пушкин. Песнь о вещем Олеге.

**Отрокови́ца**, -ы, *ж.* (к *1 знач.*). **О́троческий**, -ая, -ое. *Отроческие мечты.*

**О́ТРОЧЕСТВО**, -а, *ср.* Возраст между детством и юностью. *Он понял, что чувства эти.. [составляли], может быть, тайну ее, может быть, еще с самого отрочества.* Достоевский. Преступление и наказание.

**ОТСЕ́К**, -а, *м.* Изолированная или отделенная от других часть помещения специального назначения (на корабле, самолете и т. п.). *Григоренко сидел в отсеке борт-механика, когда снаряд зенитки разорвался внутри кабины самолета.* В. Кожевников. Приказ есть приказ.

**ОТСТА́ВКА**, -и, *ж.* Окончательный уход с военной службы, а также увольнение с поста гражданской государственной службы. *Подать в отставку.* □ *Ей было двенадцать лет, когда.. отец вышел в отставку, купил в сорока верстах от Казани маленькое именьице Кокушкино и приписался к дворянству.* Коптелов. Большой зачин. ◇ **Отставка правительства** (или **кабинета**) — уход от власти в связи с вотумом недоверия в парламенте или сменой главы государства.

**Отставно́й**, -а́я, -о́е. *Отставной капитан.*

**ОТСТУ́ПНИК**, -а, *м.* Устар. Человек, который отступил от прежних убеждений, идеалов. *Она рванулась к нему, подняла обе руки и.. кинула ему прямо в лицо: — Отступник!.. Ренегат!* Боборыкин. Поумнел.

С и н.: **ренега́т** (*книжн.*).

**Отсту́пница**, -ы, *ж.* **Отсту́пнический**, -ая, -ое.

**ОТСЫ́ЛКА**, -и, *ж.* Место в тексте, которое, само не давая объяснения, отсылает за справкой к другой части текста. *Система отсылок к словарю.*

**ОТТЕНИ́ТЬ**, -ню́, -ни́шь; оттени́вший; оттенённый; -нён, -нена́, -о́; оттени́в; *сов., что.* **1.** Выделить, наложив тень, сделав темнее по тону, а также подчеркнуть признак цвета, тона сопоставлением или контрастом с другим цветом. *Оттенить контуры рисунка.* □ *Их лица.. похорошели и побелели; молодые черные усы теперь как-то ярче оттеняли белизну их и здоровый, мощный цвет юности.* Гоголь. Тарас Бульба. **2.** *перен.* Выделить, подчеркнуть, сделать более заметным, обращающим на себя внимание. *Читал он недурно, с увлечением, подчеркивая то, что считал нужным оттенить.* Станюкович. Беспокойный адмирал.

**Оттеня́ть**, -я́ю, -я́ешь; *несов.*

**ОТТЕ́НОК**, -нка, *м.* **1.** Разновидность одного и того же цвета. *Красный цвет разных оттенков.* □ *Для нас с тобой красивый закат — это неуловимые оттенки, нюансы, гаммы, сочетания цветов.* Солоухин. Закаты. **2.** *перен.* Особенность, разновидность, тонкое различие в проявлении чего-л. *Другой поэт роскошным слогом Живописал нам первый снег И все от-*тенки зимних нег. Пушкин. Евгений Онегин. **3.** *перен., чего.* Легкий отпечаток чего-л., налет какого-л. настроения, чувства и т. п. *На этот раз в его голосе Воронову послышался оттенок не то тревоги, не то обиды.* Чаковский. Победа.

С и н. (к *1 и 2 знач.*): **нюа́нс** (*книжн.*). С и н. (к *3 знач.*): **налёт**, **элеме́нт** (*книжн.*).

**Отте́ночный**, -ая, -ое (к *1 знач.*).

**О́ТТИСК**, -а, *м.* **1.** обычно *чего.* Отпечаток, след чего-л., получаемый надавливанием. *Кругом лежал снег, чистый, нетронутый. Лишь кое-где виднелись оттиски вороньих лапок.* Короленко. С двух сторон. **2.** Отпечаток текста, рисунка и т. п., полученный типографским способом, а также отдельно сброшюрованная статья, опубликованная в журнале или сборнике.— *Оттиск [листовки] сделан с набора подпольной типографии Рагозина,— сказал он тихо.* Федин. Первые радости.

**ОТТОМА́НКА**, -и, *ж.* [Франц. ottomane из турецк.]. Широкий мягкий диван с подушками, заменяющими спинку, и валиками по бокам. *В кабинете был полусвет, и Настеньке показалось, что на широкой оттоманке лежит один плед.* Мамин-Сибиряк. Мать-мачеха.

**ОТТО́РГНУТЬ**, -ну, -нешь; отто́ргнувший и отто́ргший; отто́ргнутый; -ут, -а, -о и (*устар.*) отто́рженный; -ен, -а, -о; отто́ргнув; *сов., кого, что.* **1.** *Книжн.* Отделить, отнять насильственным путем. *Отторгнуть чужие земли.* □ *[Чацкий:] Или — вон тот еще, который для затей, На крепостной балет согнал на многих фурах От матерей, отцов отторженных детей.* Грибоедов. Горе от ума. **2.** *Высок.* Не принять, отвергнуть. *Отторгнуть предателя.*

**Оттерга́ть**, -а́ю, -а́ешь; *несов.* **Отторже́ние**, -я, *ср.*

**ОТТО́ЧЕННЫЙ**, -ая, -ое; -ен, -енна, -о. **1.** Острый. *Отточенный карандаш.* **2.** Доведенный до предельной выразительности, четкости, до высокой степени совершенства. *Отточенная речь. Отточенное остроумие.*

**Отто́ченность**, -и, *ж.* (ко *2 знач.*).

**ОТЧА́ЯНИЕ**, -я, *ср.* Состояние крайней безнадежности. *Прийти в отчаяние.* □ *[Маша:] Все равно.. я должна вам сказать, что у меня надежда сменяется отчаянием, я ждала вашей помощи, этой ночью не сомкнула глаз.* Погодин. Кремлевские куранты.

**ОТЧЕКА́НИТЬ**, -ню, -нишь; отчека́нивший; отчека́ненный; -ен, -а, -о; отчека́нив; *сов.* **1.** *что.* Изготовить какое-л. металлическое изделие, выбив на его поверхности рельефное изображение. *Отчеканить медаль.* **2.** *перен., что* или *без доп.* Произнести четко и раздельно. *— Здравия желаем, товарищ генерал! — в ответ отчеканили солдаты.* Казакевич. Весна на Одере.

**Отчека́нивать**, -аю, -аешь; *несов.*

**ОТЧЁТ**, -а, *м.* Сообщение, доклад о сделанной работе, о своих действиях. *Отчет депутата перед избирателями. Отчет о командировке.* □ *— После обеда я, душа моя, дам тебе самый подробный отчет, а теперь спать, спать, спать.* Чехов. Рассказ неизвестного человека. ◇ **Дать** (или **отдать**) **себе отчет** *в чем* — понять, осознать что-л., разобраться в чем-л. **Не отдавать себе отчёта** — не осознавать совершаемого. **Взять** (*или* **получить**) **под отчёт** — взять какую--л. сумму с обязательством представить отчёт об ее израсходовании.

**Отчётный**, -ая, -ое. *Отчётный доклад.* ◊ **Отчётный период** (*или* **год**) — о промежутке времени, за который представляется отчёт. **Отчётное собрание** — собрание, на котором делается отчёт.

**ОТЧУЖДЕНИЕ**, -я, *ср.* **1.** Прекращение близких отношений между кем-л., внутреннее отдаление. *Кроме общего чувства отчуждения от всех людей, Наташа в это время испытывала особенное чувство отчуждения от лиц своей семьи.* Л. Толстой. Война и мир. **2.** *Офиц.* Изымание на основании закона имущества у кого-л. в пользу государства или общественных организаций. *Отчуждение в пользу государства имущества осужденного.*

**ОТШЕЛЬНИК**, -а, *м.* **1.** Человек, из религиозных побуждений поселившийся вдали от людей, отказавшийся от общения с людьми. *[Царь:] В прежни годы, Когда бедой отечеству грозило, Отшельники на битву сами шли — Но не хотим тревожить ныне их; Пусть молятся за нас они.* Пушкин. Борис Годунов. **2.** *перен.* О человеке, живущем в уединении, избегающем общество людей. *[Чернышевский] живет отшельником, ни с кем не видится, и доступ к нему очень труден, почти невозможен.* Короленко. Воспоминания о Чернышевском.

С и н.: затворник, монах, пустынник (*устар.*), анахорет (*устар. книжн.*).

**Отшельница**, -ы, *ж.* **Отшельнический**, -ая, -ое.

**ОТЩЕПЕНЕЦ**, -нца, *м.* Человек, отколовшийся от своей общественной среды, отвергнутый обществом (первонач. человек, отступивший от прежних верований, убеждений; отступник). *Трус неизбежно становится отщепенцем, его клеймят, его ненавидят все честные люди.* Саянов. В боях за Ленинград.

С и н.: изгой, пария (*книжн.*), отверженный (*книжн.*).

**Отщепёнка**, -и, *ж.* **Отщепенческий**, -ая, -ое.

**ОТЪЕЗЖИЙ**, -ая, -ее. *Устар.* Отдаленный от усадьбы; такой, куда приходится ездить. *Отъезжие угодья.* ◊ **Отъезжее поле** (*устар.*) — дальнее поле, использовавшееся преимущ. для охоты. *— Бывало, нас по осени До полусотни съедется В отъезжие поля; У каждого помещика Сто гончих в напуску.* Н. Некрасов. Кому на Руси жить хорошо.

**ОФЕНЯ**, -и, *м.* В дореволюционной России: бродячий торговец, продававший галантерею, мануфактуру, книги и т.п. *Там.. не встретишь.. офеней, увешанных лубочными картинами, шелком-сырцом, с ящиками, набитыми гребешками, запонками, зеркальцами.* Григорович. Антон-Горемыка.

С и н.: коробейник.

**ОФИЦИАЛЬНЫЙ**, -ая, -ое; -лен, -льна, -о. [Восх. к лат. officialis — должностной]. **1.** *полн. ф.* Установленный правительством, администрацией, должностным лицом или полученный от них. *Официальное сообщение. Официальный документ. Официальные данные о населении.* □ *В Петербург приехал посланный от Кутузова с официальным известием об оставлении Москвы.* Л. Толстой. Война и мир. **2.** *полн. ф.* Являющийся представителем правительства, администрации и т. п. *Кто-то.. сказал ему, что в Белом доме собрались все официальные лица, которые должны присутствовать на церемонии принесения присяги новым президентом.* Чаковский. Победа. **3.** Производимый с соблюдением всех правил, формальностей. *Официальное приглашение.* □ *В Петербурге бывали у меня встречи.. [со Станиславским], но в официальной обстановке банкетов и ужинов.* Щепкина-Куперник. Театр в моей жизни. **4.** *перен.* Холодно-вежливый, сдержанный. *— Хороший у вас участок, Андрей Попов. — Так точно, товарищ Борисова. Она поморщилась от его официального тона.* Проскурин. Горькие травы.

С и н. (к 3 знач.): формальный.

**Официально**, *нареч.* (к 3 и 4 знач.). **Официальность**, -и, *ж.*

**ОФИЦИОЗНЫЙ**, -ая, -ое; -зен, -зна, -о. [Восх. к лат. officiosus — услужливый, ревностный; законный]. *Книжн.* Формально не связанный с правительством, но фактически проводящий его точку зрения. *Официозный журнал. Официозная пресса.*

**Официозность**, -и, *ж.*

**ОФОРТ**, -а, *м.* [Франц. eau-forte — букв. азотная кислота]. Вид гравюры на металле, в котором углубленные элементы изображения получаются путем травления металла кислотами, а также оттиск с такой гравюры. *Маковский в это время как раз увлекался офортом и с гравюрой был знаком.* И. Павлов. Моя жизнь и встречи.

**Офортный**, -ая, -ое.

**ОХРАНКА**, -и, *ж. Разг.* В дореволюционной России: охранное отделение; вообще тайная полиция.

**ОЦЕПЕНЕНИЕ**, -я, *ср.* **1.** Состояние неподвижности. *Над городом лежало оцепенение покоя, штиль на суше, какой бывает на море.* И. Гончаров. Обрыв. **2.** *перен.* Состояние застоя, остановки в развитии, а также бесчувственности, бездействия под влиянием каких-л. причин. *Все эти месяцы после возвращения из командировки он [Крылов] жил в оцепенении, поглощенный тупой, возрастающей тоской.. Главное же заключалось в тревожном предчувствии и ожидании — чего?* Гранин. Иду на грозу.

**ОЧАГ**, -а, *м.* [Тюрк.]. **1.** Устройство для разведения и поддержания огня. *В очаге ярко горел огонь, женщина варила утренний завтрак.* Арсеньев. В горах Сихотэ-Алиня. **2.** *перен.* Семья, родной дом. *Домашний, семейный очаг.* □ *С женатыми людьми [инженер] говорил о святости очага.* Куприн. Искушение. **3.** *перен., чего. Книжн.* Место возникновения, источник распространения чего-л.; центр, средоточие чего-л. *Очаг землетрясения, пожара, заболевания, войны.* □ *Где бы ни жил Горький, его дом.. был очагом* культуры, где собирались лучшие люди нашей страны. Л. Никулин. У Горького.

С и н. (к 3 знач.): фо́кус (книжн.).

**ОЧАРОВА́НИЕ**, -я, ср. **1.** *Устар.* Колдовство, волшебство.— *Долго б спать мне непрерывным сном.. Если б ты не разбудил меня. Сон мой был очарованием Злого, хитрого волшебника, Черномора ненавистника.* Карамзин. Илья Муромец. **2.** Притягательная, покоряющая сила, исходящая от кого-, чего-л. *Поддаться чьему-л. очарованию.* □ — *Что же было дальше?— спросила Зина, стараясь смахнуть, преодолеть очарование страдающих его глаз.* Бахметьев. Преступление Мартына.

С и н. (ко 2 знач.): обая́ние, пре́лесть, шарм, ча́ры (книжн.), плени́тельность (книжн.).

**ОЧЕВИ́ДНЫЙ**, -ая, -ое; -ден, -дна, -о. **1.** Такой, который легко обнаружить; нескрываемый. *Он встал с очевидным намерением пройтись по комнате.* Достоевский. Братья Карамазовы. **2.** Не требующий доказательств своей истинности; бесспорный. *Очевидный факт. Очевидная ложь.*

С и н. (к 1 знач.): откры́тый, открове́нный, я́вный, неприкры́тый. С и н. (ко 2 знач.): несомне́нный, самоочеви́дный, я́вный, безусло́вный, определённый, ви́димый, прямо́й, заве́домый, реши́тельный (разг.).

**Очеви́дно**, нареч. **Очеви́дность**, -и, ж.

**О́ЧЕРК**, -а, м. **1.** чего. *Устар.* Контур, очертание. *Красное солнце зашло вполовину И показался с другой стороны Очерк безжизненно-белой луны.* Н. Некрасов. Псовая охота. **2.** Небольшое литературное произведение, в основе которого лежит воспроизведение жизненных фактов. *Военные очерки Шолохова.* □ *Все его рассказы и очерки возвращались редакциями назад с однословными, обидными ответами: «Опубликовать не можем».* В. Титов. Всем смертям назло. **3.** Общее изложение какого-л. вопроса. *Очерк развития русской поэзии 19 в.*

С и н. (к 1 знач.): силуэ́т, а́брис (книжн.).

**Очерко́вый**, -ая, -ое (ко 2 знач.). *Очерковая литература.* **Очерки́ст**, -а, м. (к 2 знач.).

**ОЧЕРТА́НИЕ**, -я, ср. **1.** Линия, очерчивающая предмет и дающая общее представление о его форме. *Очертания берега.* □ *Сквозь мглу видно все, но трудно разобрать цвет и очертания предметов.* Чехов. Степь. **2.** обычно мн., перен. Общий облик чего-л. намеченного, задуманного, что должно осуществиться, воплотиться в виде чего-л. *Очертания будущего романа.* □ *А план-минимум постепенно приобретает реальные очертания.* Николаева. Битва в пути.

С и н. (к 1 знач.): ко́нтур, силуэ́т, а́брис (книжн.), о́черк (устар.).

**О́ЧНЫЙ**, -ая, -ое. Происходящий при личной встрече, при личном общении; связанный с личным присутствием. ◇ *Очное обучение* — обучение с постоянным посещением занятий, в отличие от заочного обучения. *Очная ставка* — одновременный перекрестный допрос лиц, привлекающихся по одному делу, для проверки показаний и устранения противоречий в них. *Устроить очную ставку.*

А н т.: зао́чный.

**ОШЕЛОМИ́ТЬ**, -млю́, -ми́шь; ошеломи́вший; ошеломлённый; -лён, -лена́, -о́; ошеломи́в; *сов., кого.* **1.** *Устар.* Сильным ударом лишить сознания. *[Жена] не издала ни звука, ошеломленная ударом, и только присела, и тотчас же у нее из носа пошла кровь.* Чехов. Мужики. **2.** Привести в состояние замешательства, растерянности. *Ошеломить кого-л. неожиданным вопросом.* □ *[Яков:] Это глупое покушение на жизнь Ивана и затем его отставка ошеломили тебя, ты растерялась — понятно!* М. Горький. Последние. **3.** Произвести сильное впечатление. *Ошеломить всех своей красотой. Ошеломившая всех весть.* □ *У меня по первому впечатлению буквально захватило дух, и я был ошеломлен великолепием красок и пышной декоративностью этих полотен.* Конашевич. О себе и своем деле.

С и н. (к 1 знач.): оглуши́ть. С и н. (ко 2 знач.): ошара́шить (разг.), огоро́шить (разг.). С и н. (к 3 знач.): потрясти́, порази́ть.

**Ошеломля́ть**, -я́ю, -я́ешь; *несов.* **Ошеломле́ние**, -я, ср.

**ОШУ́Ю́**, нареч. *Устар.* По левую сторону.

А н т.: одесну́ю (устар.).

**ОЩУТИ́ТЕЛЬНЫЙ**, -ая, -ое; -лен, -льна, -о и **ОЩУТИ́МЫЙ**, -ая, -ое; -и́м, -а, -о. **1.** Заметный для ощущения. *Ощутительный запах.* **2.** *перен.* Значительный, заметный, заставляющий считаться с собой. *Ощутительный недостаток. Ощутимые результаты.*

С и н. (ко 2 знач.): осяза́емый и осяза́тельный, приме́тный, зри́мый (книжн.).

**Ощути́тельность**, -и и **ощути́мость**, -и, ж.

**ОЩУЩЕ́НИЕ**, -я, ср. **1.** Результат воздействия явлений объективного мира на органы чувств человека. *Ощущение жары, холода. Ощущение боли. Зрительные ощущения.* **2.** Чувство, переживание, вызванное чем-л., испытываемое кем-л. *Ощущение страха.* □ *Она ушла. Стоит Евгений, Как будто громом поражен. В какую бурю ощущений Теперь он сердцем погружен!* Пушкин. Евгений Онегин.

С и н. (к 1 знач.): чу́вство. С и н. (ко 2 знач.): эмо́ция.

# П

**ПА**, нескл., ср. [Франц. pas — шаг]. Отдельное ритмическое движение в танце. *Па вальса.* □ *Зиночка тряхнула пламенем своих волос и.. показала ему первое па.* Б. Полевой. Повесть о настоящем человеке.

**ПАВИЛЬО́Н**, -а, м. [Франц. pavillon]. **1.** Небольшое, легкой конструкции строение в парке, саду; беседка. *В самой густой чаще зелени спрятался маленький павильон.* М. Горький. Несколько испорченных минут. **2.** Крытая легкая постройка для торговли или других целей. *Выставочный, торговый павильон. Павильон автобусной станции.* □ *Весь день хотелось пить, и Гуров часто заходил в павильон и предлагал Анне Сергеевне то воды с сиропом, то мороженого.*

Чехов. Дама с собачкой. **3.** Помещение, оборудованное для съемки фильмов. *В другом конце этого же павильона достраивалась декорация для следующего эпизода нашей картины.* Н. Черкасов. Из записок актера.

**Павильо́нный**, -ая, -ое.

**ПА́ВОДОК**, -дка, м. Кратковременное повышение уровня воды в реке, ручье и т. п. в результате таяния снега или сильных дождей. *В весенние паводки Ока выносит на пойму запасы плодородного ила.* Полторацкий. Дарю вам Мещеру.

С и н.: полово́дье, разли́в.

**Па́водковый**, -ая, -ое. *Паводковые воды.*

**ПА́ГОДА**, -ы, ж. [Порт. pagoda; восх. к санскр. bhagavat — божественный]. Буддийский храм. *Японская пагода.* □ *За магазинами, в глубине, виднелась семиэтажная, с причудливой крышей, круглая пагода, в верхнем этаже которой переливчато сверкали на зимнем солнце цветные стекла.* Седых. Даурия.

**ПА́ГУБА**, -ы, ж. *Устар.* Сильный вред, гибель, несчастье. *[Катерина (задумчиво смотрит на ключ):] Бросить его? Разумеется, надо бросить. И как это он ко мне в руки попал? На соблазн, на пагубу мою.* А. Островский. Гроза.

С и н.: погибель (*устар.*).

**ПАДЁЖ**, падежа́, м. Повальная гибель (скота). *В Желтухиной опять падеж, — говорила мельничиха, — у отца Ивана обе коровы свалились.* Тургенев. Ермолай и мельничиха.

**ПАДЕКА́ТР** [дэ], -а, м. [От франц. pas de quatre — букв. шаг на четыре (доли)]. Бальный танец четырехдольного размера, сочетающий короткий шаг с вальсовыми движениями, а также музыка к этому танцу. *Завалящая плясочка, им, конечно, вспомянутая, оказалась падекатром.* Федин. Первые радости.

**ПАДЕСПА́НЬ** [дэ], -я, м. и -и, ж. [Франц. pas d'Espagne — испанский шаг]. Бальный танец трехдольного размера, сочетающий балансирующие движения с вальсовыми, а также музыка к этому танцу.

**ПАДИША́Х**, -а, м. [Перс. pādišāh — защитник, властитель]. В некоторых странах Ближнего и Среднего Востока: титул монарха, а также лицо, носящее этот титул. *Не бывало такой жены и у турецкого падишаха.* Лермонтов. Герой нашего времени.

**ПА́ДЧЕРИЦА**, -ы, ж. Неродная дочь одного из супругов (приходящаяся родной другому). *Так страшно взглянула на свою падчерицу, что та вскрикнула, ее увидевши, и хоть бы слово во весь день сказала суровая мачеха.* Гоголь. Майская ночь или Утопленица.

**ПАДЬ**, -и, ж. Узкая глубокая долина, ущелье в горах Восточной Сибири и Дальнего Востока. *В ста саженях от шахты кончалась падь и начинались сопки.* Фадеев. Разгром.

**ПАЖ**, -а́, м. [Франц. page]. **1.** В средневековой Западной Европе: молодой дворянин, готовящийся к рыцарскому званию и состоящий при знатном феодале или монархе. **2.** *перен. Ирон. и шутл.* О мужчине, преданно ухаживающем за женщиной. *[Чацкий:] Муж-мальчик, муж-слуга, из жениных пажей — Высокий идеал московских всех мужей.* Грибоедов. Горе от ума. **3.** В дореволюционной России: младшая придворная должность. *У крыльца толпились кучера.., пажи, неуклюжие гайдуки, навьюченные шубами и муфтами своих господ.* Пушкин. Арап Петра Великого. **4.** Воспитанник пажеского корпуса. *Были тут и лицеисты, И пажи, и юнкера, И незрелые юристы.* Н. Некрасов. Современники.

**Па́жеский**, -ая, -ое. ◊ **Па́жеский ко́рпус** — в дореволюционной России: привилегированное дворянское среднее военно-учебное заведение. *Павел Петрович воспитывался сперва дома,.. потом в пажеском корпусе.* Тургенев. Отцы и дети.

**ПА́ЖИТЬ**, -и, ж. *Устар.* Луг, поле. *[Я] увидел за окном осеннюю северную Россию. Она.. золотилась до самого горизонта березовыми рощами, пажитями.* Паустовский. Повесть о жизни.

**ПАЙ**, -я, пай, -ёв, м. [Тюрк.]. Доля, вносимая в общее дело отдельным участником или приходящаяся на кого-л. *Я тоже хочу участвовать в этом деле.. Я вношу свой пай — триста рублей, и ни сантима больше!* Паустовский. Дым отечества. ◊ **На пая́х** — вместе с кем-л., в складчину. *Они держали на паях корову, сообща заготовляли сено, дрова.* Абрамов. Две зимы и три лета.

С и н.: часть.

**Паево́й**, -а́я, -о́е.

**ПАКГА́УЗ**, -а, м. [Нем. Packhaus]. Склад для хранения грузов (при железнодорожной станции, в порту и т. п.). *Возле пакгаузов, огороженных колючей проволокой, сновали люди.* Казакевич. Звезда.

**Пакга́узный**, -ая, -ое.

**ПАКЕ́Т**, -а, м. [Франц. paquet]. **1.** Бумажный мешок для упаковки чего-л. **2.** Конверт с письмом официально-делового содержания. *Адмирал отдал ему, для передачи полномочным, запечатанный пакет, заключавший важные бумаги.* И. Гончаров. Фрегат «Паллада». **3.** Группа взаимосвязанных документов. *Пакет законодательных актов. Представить на переговоры пакет предложений.*

**Паке́тный**, -ая, -ое.

**ПАКЕТБО́Т**, -а, м. [Голл. pakket-boot]. Морское торгово-пассажирское судно. *Скоро темным очертанием показалось сильно дымившее судно — двухтрубный пакетбот.* А. Н. Толстой. Гиперболоид инженера Гарина.

**ПА́КЛЯ**, -и, ж. Грубое волокно — отход обработки льна, конопли. *Заткнуть паклей щели дома.*

**ПАКТ**, -а, м. [Лат. pactum]. *Офиц.* Международный договор, соглашение. *Пакты о правах человека. Ратифицировать пакт.*

С и н.: тракта́т (*устар.*), усло́вие (*устар.*), конве́нция (*спец.*).

**ПАЛАДИ́Н**, -а, м. [Восх. к лат. palatinus — придворный]. Храбрый, отважный рыцарь, преданно служащий своему государю или даме. *Паладины В встречу трепетным врагам По равнинам Палестины Мчались, именуя дам.* Пушкин. Жил на свете рыцарь бедный...

**ПАЛАНКИ́Н**, -а, м. [Восх. к порт. palanquim]. На Востоке: носилки в виде кресла или ложа для переноски знатных, богатых лиц. *Другую барыню быстро пронесли мимо меня в паланкине.* И. Гончаров. Фрегат «Паллада».

**ПАЛАНТИ́Н**, -а, м. [Франц. palatine]. Женская наплечная накидка в виде широкой полосы меха, бархата и т. п. *Рядами висели [на вешалках] собольи, горностаевые, чернобурые палантины.* А. Н. Толстой. Хождение по мукам.

**ПАЛА́ТА**, -ы, ж. [Восх. к лат. palatium — дворец]. **1.** *мн. Устар.* Большое с богатым убранством здание со множеством комнат; дворец. *[Ибрагим] довел его [Петра] до великолепных палат князя Меншикова и возвратился домой.* Пушкин. Арап Петра Великого. **2.** *Устар.* Большая, роскошно отделанная комната. *У русского царя в чертогах есть палата.. Своею кистию свободной и широкой Ее разрисовал художник быстроокой.* Пушкин. Полководец. **3.** Отдельная комната в больнице. *Послеоперационная палата.* □ *В больнице он бывает два раза в неделю, обходит палаты и делает приемку больных.* Чехов. Палата № 6. **4.** Название представительных органов в ряде стран. *Палата общин и палата лордов в английском парламенте.* **5.** Название некоторых государственных учреждений. *Палата мер и весов. Торгово-промышленная палата.* ◇ **Ума палата** *у кого* — об очень умном человеке.

**Пала́тный**, -ая, -ое (к 3 знач.). *Палатная няня, сестра.*

**ПАЛА́ЦЦО**, нескл., ср. [Итал. palazzo]. Городской дворец-особняк в Италии. *Он допускал к себе [в студию] только или известных знатоков и ценителей искусства, или людей высокого положения.., которым он по преимуществу продавал свои картины для их музеев и палаццо.* Лесков. Чертовы куклы.

**ПАЛА́Ш**, -а́, м. [Венг. pallos]. Холодное оружие, напоминающее саблю, но с прямым и широким обоюдоострым к концу клинком. *Все начали снаряжаться: пробовали сабли и палаши, насыпали порох из мешков в пороховницы.* Гоголь. Тарас Бульба.

**Пала́шный**, -ая, -ое.

**ПА́ЛЕВЫЙ**, -ая, -ое. [От франц. paille — солома]. Бледно-желтый с розоватым оттенком. *Розовела вода, облака на небе были палевыми.* Н. Задорнов. Желтое, зеленое, голубое...

**ПАЛЕОГРА́ФИЯ**, -и, ж. [От греч. palaios — древний и graphein — писать]. Наука, изучающая историю письма, а также историю создания памятников древней письменности.

**Палеографи́ческий**, -ая, -ое.

**ПАЛЕСТИ́НЫ**, -и́н, *мн., какие.* [По названию страны Палестины]. *Устар.* Местность, край. — *Ты бы к нам наведался. Все-таки родные палестины.* Герман. Я отвечаю за все.

С и н.: **сторона** (разг.).

**ПАЛИСА́Д**, -а, м. [Франц. palissade]. **1.** То же, что п а л и с а́ д н и к (в 1 знач.). *Мы встречали клочки земли, старательно обнесенные высоким палисадом.* Короленко. Марусина заимка. **2.** То же, что п а л и с а́ д н и к (во 2 знач.). *Дом был, как все дома в деревне, в три окошечка, палисад перед окном.* Приставкин. Как построить лодку. **3.** Старинное оборонительное сооружение — частокол из толстых бревен, заостренных кверху. — *Огородились мы только телегами да рогатками, не прикажешь ли еще для бережения и рвы копать, ставить палисады?* А. Н. Толстой. Петр I.

**Палиса́дный**, -ая, -ое.

**ПАЛИСА́ДНИК**, -а, м. **1.** Легкий сквозной забор, изгородь. *Николай Андреевич нарочно ехал шагом, чтобы сын мог полюбоваться и этими добротными постройками.., и крашеными палисадниками.* Ильенков. Большая дорога. **2.** Небольшой огороженный садик перед домом. *В палисадниках уже робко белели начинающие цвести яблони.* Катаев. Хуторок в степи.

С и н.: **палиса́д**.

**Палиса́дниковый**, -ая, -ое.

**ПАЛИ́ТРА**, -ы, ж. [Франц. palette]. **1.** Дощечка, пластинка, на которой художник смешивает краски. *В углу кабинета стоял мольберт с начатым портретом Прибыльского. Рядом с ним на полу лежала палитра со свежими красками.* Паустовский. Дым отечества. **2.** *перен.* Совокупность красок, красочных сочетаний в отдельной картине, в творчестве художника. *В годы наивысшего творческого расцвета палитра Репина проясняется, освобождается от коричневых тонов.* Зотов, Сопоцинский. Русское искусство. **3.** *перен., обычно кого, чего.* Совокупность выразительных средств какого-л. вида искусства, жанра или выразительных средств, используемых писателем, музыкантом и т. п. *Богатство актерской палитры.* □ *Палитра молодых [писателей], как правило, вначале бывала бедна, им не хватало красок для полноголосого повествования о своей эпохе.* Леонов. О Горьком.

**ПА́ЛИЦА**, -ы, ж. Тяжелая дубинка с утолщенным концом, употреблявшаяся в старину как ударное или метательное оружие. *Богатырская палица.* □ *От гневу вспыхнув, тут Алкид Тяжелой палицей своей его разит.* И. Крылов. Алкид.

**ПАЛЛИАТИ́В**, -а, м. [Франц. palliatif от лат. palliare — прикрывать]. *Книжн.* **1.** Лекарство или какое-л. средство, которое приносит временное облегчене больному, но не излечивает болезнь. *[Доктор] велел мне курить траву.. Не знаю, вылечит ли это меня, но, как паллиатив, это хорошее средство.* Белинский. Письмо М. В. Белинской, 4—5 сентября 1846 г. **2.** *перен.* Средство, обеспечивающее лишь частичное решение поставленной задачи, временный выход из затруднительного положения; полумера. *Люди прибегали к паллиативам, не изучая коренных причин плохой работы цеха.* Курганов. Династия.

**Паллиати́вный**, -ая, -ое.

**ПАЛО́МНИК**, -а, м. **1.** Богомолец, странствующий по святым местам. *У баб За просфоры афонские, За «слезки богородицы» Паломник пряжу выманит, А после бабы сведают, Что дальше Троицы-Сергия Он сам-то не бывал.* Н. Некрасов. Кому на Руси жить хорошо. **2.** *перен.* О том, кто путешествует с целью отдать дань уважения кому-л. *И все же, кажется, впервые я еду в Михайловское. Паломников не-*

мало — это поэты Москвы, Ленинграда, многих других городов России. Долматовский. Паломничество в Михайловское.

С и н. (к 1 знач.): стра́нник (устар.), пилигри́м (устар. книжн.).

ПАЛО́МНИЦА, -ы, ж. Пало́мнический, -ая, -ое.

ПАЛО́МНИЧЕСТВО, -а, ср. Путешествие паломника. *Святилище, в котором покоится прах шерифа, служит местом ежегодного паломничества.* Нагибин. На земле Марокко.

ПА́ЛЬМА, -ы, ж. [Восх. к лат. palma]. Вечнозеленое южное дерево с высоким стройным стволом и кроной из крупных перистых или веерообразных листьев. *Банановые, кокосовые пальмы.* ◊ **Пальма первенства** (книжн.) — превосходство, преимущество в чем-л. (от обычая в Древней Греции награждать победителей в состязаниях пальмовой ветвью). *Пальма первенства принадлежит кому-л. Удерживать пальму первенства в каком-л. виде спорта.*

ПА́ЛЬМОВЫЙ, -ая, -ое. *Пальмовая ветвь (символ мира).*

ПАМФЛЕ́Т, -а, м. [Англ. pamphlet (по названию латинской комедии XII в. — Pamphilus)]. Остросатирическое, злободневное публицистическое произведение политического характера, направленное против кого-, чего-л. *Острый памфлет.*

ПАМФЛЕ́ТНЫЙ, -ая, -ое. ПАМФЛЕТИ́СТ, -а, м. *Талантливый памфлетист.*

ПА́МЯТНИК, -а, м. **1.** Архитектурное или скульптурное сооружение в память о каком-л. лице, событии. *Когда окончится война, люди поставят памятники таким героям, как Слава.* Закруткин. Матерь человеческая. **2.** Сооружение на могиле в честь умершего; надгробие. *Могильный памятник.* □ *— Нет, ребята, никаких памятников не ставьте, а положите мне на могилу плуг.* Абрамов. Трава-мурава. **3.** Сохранившийся предмет культуры далекого прошлого. *Памятники материальной культуры. Памятники древнерусского книжного искусства.* □ *[Олег Степанович] стал доказывать, что церковь стара, хороша и принадлежит к древним памятникам.* Рощин. Река. **4.** *перен.* То, что является ярким напоминанием о чем-л., служит свидетельством чего-л. *Песня — памятник своей эпохи.*

С и н. (к 1 знач.): монуме́нт (книжн.).

ПА́МЯТЬ, -и, ж. **1.** Способность сохранять и воспроизводить в сознании полученные прежде впечатления, сведения, а также сам запас полученных впечатлений. *Зрительная, слуховая память. Память на лица.* **2.** Воспоминание о ком-, чем-л. *Слава Кутузова неразрывно соединена со славою России, с памятью о величайшем событии новейшей истории.* Пушкин. Объяснение. **3.** Устройство вычислительной машины, записывающее, хранящее и воспроизводящее информацию. *Память ЭВМ.* ◊ **Блаженной (или незабвенной, печальной) памяти** кто (устар.) — об умершем. *В селе была церковь.. Жил тогда при ней иерей, блаженной памяти отец Афанасий.* Гоголь. Вечер накануне Ивана Купала. **Без памяти** — 1) без сознания. *Больной без памяти;* 2) от кого, чего. В восхищении,

в восторге. *Поговори с ним о его заслугах и знатности — и он будет от тебя без памяти.* Пушкин. Арап Петра Великого. **На памяти** чьей или кого — в период жизни кого-л. *А ведь еще на дедовой памяти версты за четыре стоял хутор.* Серафимович. Пески.

ПАН, -а, паны́, -о́в, м. [Польск. pan]. **1.** В старой Польше, Литве, а также в дореволюционное время на Украине и в Белоруссии: помещик, дворянин. *[Шуйский:] Я знаю только то, Что в Кракове явился самозванец И что король и паны за него.* Пушкин. Борис Годунов. **2.** В Польше, Чехо-Словакии: вежливое обращение к мужчине. *[Женщина] произносит с милым чешским акцентом по-русски: — Паны офицеры, пожалуйста, немножечко попить мою сливовичку.* Б. Полевой. Самые памятные. ◊ **Пан пропал** или **либо пан, либо пропал** — или все получить, или все потерять.

Па́ни, нескл., ж. Па́нский, -ая, -ое (к 1 знач.) *Панская земля.*

ПАН... [От греч. pan — всё]. Первая составная часть сложных слов, обозначающая охват чего-л. в целом, во всех проявлениях того, что обозначается второй частью, напр.: *панамериканизм, панславизм, пантеизм.*

ПАНАЦЕ́Я, -и, ж. [Лат. panacea от греч. Panakeia — всеисцеляющая (имя богини)]. *Книжн.* Средство, которое может помочь во всех случаях (первонач. изобретавшееся алхимиками универсальное лекарство от всех болезней). *Панацея от всех бед.* □ *— Просто умилительно, что ты так прекраснодушно веришь — новый сорт пшеницы станет панацеей всего человечества.* Тендряков. Кончина.

ПАНДА́Н, нескл., м. [Франц. pendent — пара, парный предмет]. *Устар.* Соответствие, дополнение. ◊ **В пандан** кому, чему — в пару, под стать. *Поведение [матросов] будет обусловлено моим присутствием,.. они будут действовать в пику или в пандан моей воле.* Конецкий. Путевые портреты с морским пейзажем.

ПА́НДУС, -а, м. [Франц. pente douce — пологий спуск]. Наклонная плоскость у входа в здание, на мост и т. п., заменяющая лестницу, а также служащая для въезда машин.

ПАНЕГИ́РИК, -а, м. [Восх. к греч. panēgyrikos (logos) — похвальная публичная речь]. **1.** Хвалебная речь как литературный жанр в античной поэзии. **2.** *перен. Книжн.* Восторженно-хвалебный отзыв о ком-, чем-л. *[Виктоша:] Сказать правду, я думала, что вы произнесете какой-нибудь панегирик в мою честь... Сорвалось!* Арбузов. Сказки старого Арбата.

Панегири́ческий, -ая, -ое. *Панегирическая литература.*

ПАНЕ́ЛЬ [нэ], -и, ж. [Нем. Paneel]. **1.** Дорожка для пешеходов по краям улицы, покрытая асфальтом, камнем. *Когда дверцы уже закрылись, мы увидели, что по панели к автобусу бежит Анатолий.* Дементьев. Замужество Татьяны Беловой. **2.** Деревянная обшивка, облицовка или окраска нижней части стен (внутри здания). *Стены были обтянуты не то дубовыми, не то лиственничными панелями.* Липатов. Игорь Саввович. **3.** Железобетонная или деревянная плита, применяемая в сборном строительстве. *В огромных, возведенных из бетонных панелей и блоков корпусах начали закрывать окна.* Баруздин. Два измерения.

С и н. (к 1 знач.): тротуа́р.

**Пане́ль**ный, -ая, -ое. *Панельный дом.*

**ПАНИБРА́ТСТВО**, -а, *ср.* [От польск. panie bracie — приятель]. Бесцеремонно-фамильярное обращение с кем-л. *Не только с младшими офицерами, но и с бойцами, сержантами он держался без панибратства.* Богомолов. В августе сорок четвертого...

С и н.: бесцеремо́нность, фамилья́рность, запанибра́тство (*разг.*), амикоше́нство (*разг.*).

**ПА́НИКА**, -и, *ж.* [Восх. к греч. panikon (по имени лесного бога Пана)]. Внезапное смятение, проявление неудержимого страха. *Не поддаваться панике. Впадать в панику. Сеять, нагонять панику.* □ *Как бы не испугались, в панику не ударились. Паника в трясине — смерть.* Б. Васильев. А зори здесь тихие...

**Пани́ческий**, -ая, -ое. **Паникёр**, -а, *м.*

**ПАНИКАДИ́ЛО**, -а, *ср.* [Греч. polykandēlon — многосвечный светильник]. Большая люстра со свечами или большой подсвечник в церкви. *Свадьбу играли.. Служба шла при всем свете — большое паникадило зажигали.* Можаев. Мужики и бабы.

**ПАНИХИ́ДА**, -ы, *ж.* [Греч. pannychis, pannychidos — всенощная]. Церковная служба по умершему. *Началась панихида, — свечи, стоны, ладан, слезы, всхлипывания.* Л. Толстой. Смерть Ивана Ильича.

◊ **Гражданская панихи́да** — траурный митинг, посвященный памяти умершего. *На гражданской панихиде по ее завещанию не говорили речей, а читали отрывки из ее книг.* Б. Полевой. Шахта «Мария».

**ПА́ННА**, -ы, *ж.* [Польск. panna]. Незамужняя дочь пана.

**Па́нночка**, -и, *ж.* (*уменьш.-ласк.*). — *У сотника была дочка, ясная панночка, белая, как снег.* Гоголь. Майская ночь или Утопленница.

**ПАННО́**, *нескл., ср.* [Франц. panneau]. 1. Часть потолка, свода или стены, выделенная из общей поверхности лентой орнамента или рамой и заполненная живописными или скульптурными изображениями, а также сами изображения. *Мозаичное панно.* □ *Каждая комната — в штофных обоях, с художественными панно, с картинами лучших мастеров.* Ф. Гладков. Цемент. 2. Картина на холсте, постоянно занимающая какой-л. участок стены. *Праздничное панно на здании гостиницы.*

**ПАНО́ПТИКУМ**, -а, *м.* [От *пан...* (см.) и греч. optikos — зрительный]. Музей, в котором выставлены для обозрения восковые фигуры знаменитых людей и разные редкие предметы.

**ПАНОРА́МА**, -ы, *ж.* [От *пан...* (см.) и греч. horama — зрелище]. 1. Широкий вид местности, открывающийся с высоты. *Такую панораму вряд ли где еще удастся мне видеть: под нами лежала Койшаурская Долина.* Лермонтов. Герой нашего времени. 2. Картина больших размеров с объемным передним планом, обычно помещаемая по стене круглого здания с верхним освещением. *Севастопольская панорама.* □ *Колька не без умысла рассказал за столом об одном мальчике из соседнего двора, который два раза ходил смотреть панораму Бородинского боя.* Березко. Необыкновенные москвичи. 3. *перен.* Широкий обзор каких-л. явлений, фактов и т. п. в прессе, в телевизионной передаче и т. п. *Панорама зарубежных событий. Литературная панорама.*

**Панора́мный**, -ая, -ое.

**ПАНСИО́Н**, -а, *м.* [Франц. pension от лат. pensio — уплата]. 1. В дореволюционной России и зарубежных странах: частное или государственное закрытое учебное заведение, в котором воспитанники учатся и живут. *Дворянский пансион.* □ *— А хорошее воспитание, как известно, получается в пансионах.* Гоголь. Мертвые души. 2. В дореволюционной России и зарубежных странах: небольшая гостиница, где сдаются комнаты, со столом и полным содержанием. 3. Содержание жильцов на полном довольствии. *Безлюдно на пляжах;.. и хозяйки становятся покладистей, пускают с полным пансионом.* Крутилин. Косой дождь.

**Пансио́нный**, -ая, -ое. **Пансионе́р**, -а, *м.* (к 1 знач.).

**ПАНСИОНА́Т**, -а, *м.* [Франц. pansionnat]. 1. В дореволюционном учебном заведении: место, где жили на полном содержании иногородние ученики, воспитанники, студенты. *Гимназия обслуживала всю губернию, и для иногородних при ней был пансионат, по теперешней терминологии интернат.* Медынский. Ступени жизни. 2. Гостиница для отдыхающих. *Курортный пансионат.* □ *Он приехал из Ленинграда на собственной «Волге» и остановился в пансионате.* С. Антонов. Разноцветные камешки.

**ПАНТЕО́Н** [тэ], -а, *м.* [Греч. Pantheion от *пан...* (см.) и theos — бог]. 1. Храм, посвященный всем богам у древних греков и римлян. 2. Место погребения выдающихся людей. *Мы осмотрели Пантеон. Это усыпальница великих людей Франции, построенная в виде большого храма. Внутренние стены Пантеона расписаны фресками.* А. Яковлев. Цель жизни. 3. *перен., чего. Книжн.* Совокупность, собрание достойных памяти произведений искусства, исторических имен, фактов и т. п. *В мировом пантеоне сокровищ одно из первых мест занимает фламандская живопись.* Шагинян. Зарубежные письма.

**ПАНТОМИ́МА**, -ы, *ж.* [Греч. pantomimos от *пан...* (см.) и mimos — мим]. Театральное или цирковое представление без слов, в котором чувства и мысли действующих лиц выражаются жестами, мимикой. *Балетная пантомима.* □ *Великий акробат, блестящий жонглер, удивительно владевший искусством пантомимы, Леонид Енгибаров все время искал новое.* Ю. Никулин. Наш второй дом.

**Пантоми́мный**, -ая, -ое и **пантомими́ческий**, -ая, -ое. *Пантомимные средства. Пантомимические движения.*

**ПА́НТЫ**, -ов, *мн.* [Ср.-в.-нем. panzier; восх. к лат. pantex — живот, брюхо]. Молодые, еще не окостеневшие рога пятнистых оленей, маралов и изюбров, употребляемые для изготовления лекарственных средств. *Мужики все уехали на Ману промышлять маралов — панты у них сейчас в ценной поре.* Астафьев. Последний поклон.

**ПА́НЦИРЬ**, -я, *м.* [Нем. Panzer; восх. к итал. pancia — живот]. **1.** Доспех в виде рубахи из входящих одно в другое мелких металлических колец, защищавший в старину бойца от поражения холодным оружием. *На нем Черкесский панцирь и шелом; И пятна крови омрачали Местами блеск военной стали.* Лермонтов. Измаил-бей. **2.** Твердый покров некоторых животных (черепах, крокодилов и т. п.). **3.** Металлическая обшивка у военных кораблей, поездов.

С и н. (к 1 и 3 знач.): броня́.

**Па́нцирный**, -ая, -ое. *Панцирные доспехи. Панцирные рыбы.*

**ПА́ПА**, -ы, *м.* [Лат. papa от греч. pappas — папа, отец]. Верховный глава римско-католической церкви. *Папа римский.* □ *Дворец папы на горе, но сейчас, в начале октября, дворец пустует, папа уехал в Ватикан.* Воробьев. Земля, до востребования.

**Па́пский**, -ая, -ое. *Папская резиденция.*

**ПА́ПЕРТЬ**, -и, *ж.* Крытая площадка перед входом в церковь. *[Николай Иванович] прошел тропинкой к храму. Две старушки сидели на паперти и не очень настойчиво просили копеечку, в церкви шла служба.* В. Белов. Целуются зори.

**Па́пертный**, -ая, -ое.

**ПАПИЛЬО́ТКА**, -и, *ж.* [Франц. papillote]. Бумажка, на которую накручивают при завивке волосы. *Дверь в спальню была неплотно притворена, Раиса Петровна накручивала перед зеркалом волосы на папильотки.* Нагибин. Далеко от войны.

**ПАПИ́РУС**, -а, *м.* [Восх. к греч. papyros]. **1.** Тропическое многолетнее тростниковое растение. *Около самой реки.. широкая заросль красивых папирусов, достигающих двух метров высоты.* Н. Вавилов. Пять континентов. **2.** Материал для письма у египтян и других древних народов, изготовлявшийся из этого растения, а также древняя рукопись на этом материале. *Маркс, тщательно знакомясь с драгоценностями библиотеки, узнал, что в особом тайнике хранится до двух тысяч папирусов, извлеченных во время раскопок.* Серебрякова. Похищение огня.

**Папи́русный**, -ая, -ое.

**ПАПУА́СЫ**, -ов, *мн.* (*ед.* **папуа́с**, -а, *м.*). Коренное население Новой Гвинеи и прилегающих островов.

**Папуа́ска**, -и, *ж.* **Папуа́сский**, -ая, -ое.

**ПАРАБЕ́ЛЛУМ**, -а, *м.* [От лат. para bellum — готовься к войне]. Род автоматического пистолета. *Парабеллум, прошедший со мной полвойны, сдал, когда демобилизовался. Но офицерский пистолетик.. привез с собой в Москву.* Бакланов. Бурки.

**ПАРАДИ́З**, -а, *м.* [Франц. paradis; восх. к греч. paradeisos — парк; рай]. **1.** *Устар. книжн.* Рай.— *Милая жизнь... Слышь, и собаки здесь лают без ярости... Парадиз.* А. Н. Толстой. Петр I. **2.** *Устар. разг.* Верхняя галерея в театре. *Балкон, галерку и, в особенности, тот ее сектор, который называется «парадиз» — по-русски «раек»,—* заполняло в подавляющем большинстве студенчество. Бруштейн. Страницы прошлого.

С и н. (ко 2 знач.): галёрка (*разг.*), раёк (*устар.*).

**ПАРАДО́КС**, -а, *м.* [Восх. к греч. paradoxos — необыкновенный, странный]. *Книжн.* **1.** Мнение, суждение, которое резко расходится с обычным, общепринятым, противоречащее здравому смыслу. *Говорить парадоксами.* **2.** Неожиданное явление, не соответствующее обычным представлениям.— *Это парадокс, это чудовищно, но это так.* Бондарев. Горячий снег.

**Парадокса́льный**, -ая, -ое; -лен, -льна, -о. *Парадоксальный случай.* **Парадокса́льность**, -и, *ж.* *Парадоксальность взглядов, высказываний.*

**ПАРАЛИЗОВА́ТЬ**, -зу́ю, -зу́ешь; парализу́ющий, парализова́вший; парализу́емый, парализо́ванный; -ан, -а, -о; парализу́я, парализова́в; *сов. и несов.*, *кого, что*. [См. *паралич*]. **1.** Привести (приводить) в состояние паралича. *Теперь он лежал возле пня, зная, что все кончено: тело ниже пояса было чужое, парализованное, он даже не мог ползти по земле.* Симонов. Живые и мертвые. **2.** *перен.* Привести (приводить) в состояние оцепенения, неподвижности, а также лишить (лишать) способности или возможности действовать. *Парализовать чью-л. волю.* □ *Для того, чтобы парализовать ту силу инерции, с которою двигалось назад войско Наполеона, надо было без сравнения бо́льшие войска, чем те, которые имели русские.* Л. Толстой. Война и мир.

С и н. (ко 2 знач.): скова́ть (ско́вывать).

**ПАРАЛИ́Ч**, -а́ и (*устар.*) **ПАРАЛИ́К**, -а, *м.* [Восх. к греч. paralysis — расслабление]. **1.** Болезнь, при которой какой-л. орган человека лишается способности нормально действовать. *Паралич разбил. Лежать в параличе.* □ *У нее паралич отнял обе ноги, и она полутрупом лежала четвертый год у печки, вязала чулки.* Герцен. Кто виноват? *Пришла, значит, воля, народу свет открылся, а Демина Семена паралик расшиб.* Короленко. В облачный день. **2.** *перен., чего.* Утрата каких-л. свойств, способностей. *Паралич воли.*

**Парали́чный**, -ая, -ое (*к 1 знач.*) и **паралити́ческий**, -ая, -ое (*к 1 знач.*).

**ПАРАНДЖА́**, -и́, *ж.* [Араб. farānga]. В Средней Азии: старинная верхняя одежда — длинный широкий женский халат с волосяной сеткой, закрывающий по мусульманскому обычаю лицо от посторонних.

**ПАРАПЕ́Т**, -а, *м.* [Итал. parapetto]. Невысокая стенка, перила, ограждающие что-л. (набережную, мост, кровлю здания и т. п.). *Они стояли у парапета палубы.* Федин. Первые радости.

**ПАРАПСИХОЛО́ГИЯ**, -и, *ж.* [От греч. para — возле и *психология* (см.)]. Область исследований о сверхчувственном познании, о телепатических свойствах человека.

**Парапсихологи́ческий**, -ая, -ое.

**ПАРИ́**, *нескл., ср.* [Франц. pari]. Спор с условием выполнить какое-л. обязательство при проигрыше. *Заключить, выиграть пари.* □ — *Держу пятьдесят рублей против пяти, что пистолет не заряжен!.. Составились новые пари.* Лермонтов. Герой нашего времени. ◇ **Держу пари** — ручаюсь, совершенно уверен. *Рудин отбил у вас ваш предмет, и вы до сих пор ему простить не можете.. Держу пари, что не ошиблась!* Тургенев. Рудин.

С и н.: закла́д *(устар.)*.

**ПАРИ́РОВАТЬ**, -рую, -руешь; пари́рующий, пари́ровавший, пари́руемый, пари́рованный; -ан, -а, -о; пари́руя, пари́ровав; *сов. и несов., что.* [Нем. parieren; восх. к лат. parare — готовить]. **1.** Отразить (отражать) шпагой или саблей удар противника (в фехтовании), а также удары противника в бою. *Солдаты и офицеры сражались трое суток, парируя вражеские удары со всех сторон.* Б. Полевой. Побратимы. **2.** *перен. Книжн.* Отразить (отражать) доводы, нападки противника в споре. *Мне всегда вспоминается спокойное достоинство, с которым Баллод парировал мои возражения.* Короленко. История моего современника.

С и н. *(к 1 знач.)*: отби́ть (отбива́ть).

**Пари́рование**, -я, *ср.*

**ПАРИТЕ́Т**, -а, *м.* [Восх. к лат. paritas, paritatis — равенство]. **1.** *Книжн.* Принцип равенства и равноправия сторон в чем-л. *Военно-стратегический паритет двух стран.* **2.** *Спец.* Соотношение валют разных стран в золоте.

С и н. *(к 1 знач.)*: равнопра́вие, ра́венство.

**Парите́тный**, -ая, -ое *(к 1 знач.)*. *На паритетных началах.*

**ПАРИ́ТЬ**, -рю́, -ри́шь; паря́щий, пари́вший; паря́; *несов.* **1.** Держаться в воздухе на распростертых крыльях (о птицах), лететь высоко (о самолете). *Орел, с отдаленной поднявшись вершины, Парит неподвижно со мной наравне.* Пушкин. Кавказ. **2.** *перен. Высок.* Устремляться к возвышенным мыслям, чувствам.— *Вот где парит ваш дух!* Достоевский. Преступление и наказание.

С и н. *(к 1 знач.)*: ре́ять *(высок.)*.

**Паре́ние**, -я, *ср.*

**ПА́РИЯ**, -и, *м. и ж.* [Тамильск. paraiyan]. **1.** У индийцев: лицо из низшей касты, лишенное всяких прав. **2.** *перен. Книжн.* Отверженный, бесправный, униженный человек. *И с детских лет играл [Степан] в доме роль не то парии, не то шута.* Салтыков-Щедрин. Господа Головлевы.

С и н. *(ко 2 знач.)*: изго́й, отщепе́нец, отве́рженный *(книжн.)*.

**ПАРЛА́МЕНТ**, -а, *м.* [Франц. parlement, англ. parliament]. Высшее государственное законодательное представительное собрание в некоторых странах. *Британский парламент. Депутаты парламента.*

**Парла́ментский**, -ая, -ое.

**ПАРЛАМЕНТАРИ́ЗМ**, -а, *м.* [См. *парламент*]. Система государственного управления во главе с парламентом.

**Парламента́рный**, -ая, -ое.

**ПАРЛАМЕНТА́РИЙ**, -я, *м.* [Нем. Parlamentarier]. *Книжн.* **1.** Член парламента. **2.** То же, что п а р л а м е н т е р. *Встреча парламентариев. Переговоры парламентариев.*

**ПАРЛАМЕНТЁР**, -а, *м.* [Франц. parlementaire]. Лицо, посланное одной из воюющих сторон для переговоров с неприятелем.— *Надо выслать к ним [немцам] парламентеров с белыми флагами и предложить сдаваться.* Казакевич. Весна на Одере.

С и н.: парламента́рий *(книжн.)*.

**Парламентёрский**, -ая, -ое. *Парламентерский флаг.*

**ПАРНА́С**, -а, *м.* (с прописной буквы). [Греч. Parnassos]. **1.** Гора в Греции, на которой, по поверьям древних греков, жили музы. **2.** *Трад.-поэт.* Употр. как символическое обозначение мира поэтов и поэзии. *Арист, и ты в толпе служителей Парнаса!* Пушкин. К другу стихотворцу. ◇ **Взойти** (или **взобраться, попасть** и т. п.) **на Парнас** — стать поэтом. *Талантливых мальчиков много у нас. Иные победно взошли на Парнас.* Щипачев. Талантливых мальчиков много у нас...

**Парна́сский**, -ая, -ое.

**ПАРО́ДИЯ**, -и, *ж.* [Греч. parōdia]. **1.** Сатирическое или комическое подражание какому-л. произведению (литературному, музыкальному и т. п.) с целью осмеяния его слабых сторон. *Литературный процесс невозможно себе представить без пародий, эпиграмм, памфлетов и просто остроумных словечек.* Осетров. Поэзия вчера, сегодня, завтра. **2.** *перен.*, обычно *на кого, что.* Неудачное подражание, карикатурное подобие кого-, чего-л. *[Актер] — в красном цилиндре, полуголый, с какими-то цветными пряжками на бедрах.. Одним словом, плохая пародия на дикаря.* Н. Островский. Как закалялась сталь.

**Пароди́йный**, -ая, -ое *(к 1 знач.)* и **пароди́ческий**, -ая, -ое *(к 1 знач.)*. *Пародийная литература. Пародический прием.*

**ПАРОКСИ́ЗМ**, -а, *м.* [Восх. к греч. paroxysmos — раздражение]. **1.** *Спец.* Приступ, внезапное обострение болезни. *Лихорадочный пароксизм. Пароксизм кашля.* **2.** *перен. Книжн.* Приступ сильного душевного возбуждения, какого-л. чувства и т. п. *Эти пароксизмы гордости и тщеславия посещают иногда самых бедных и забитых людей.* Достоевский. Преступление и наказание.

С и н.: припа́док.

**Пароксизма́льный**, -ая, -ое.

**ПАРО́ЛЬ**, -я, *м.* [Франц. parole — речь, слово]. Секретно условленное слово, фраза и т. п. для опознания своих на военной службе, а также в конспиративных организациях. *Это был передовой караул пугачевского пристанища. Нас окликнули. Не зная пароля, я хотел молча проехать мимо их; но они меня тотчас окружили.* Пушкин. Капитанская дочка.

**Паро́льный**, -ая, -ое.

**ПАРО́М**, -а, *м.* Плоскодонное судно, плот для переправы людей, транспорта, грузов через реку, озеро или пролив. *Речной паром. Самоходный паром.* □ *Это было ранним летом. Паромом перебравшись через Волгу, попал я в Волжский — город молодой.* Луконин. Поэма встреч.

**Паро́мный**, -ая, -ое. *Паромная переправа.*

**ПАРТЕ́Р** [тэ], -а, *м.* [Франц. parterre]. Нижний этаж зрительного зала с местами для публики. *Место в партере.* □ *Счастлив поэт, когда партер и ярусы в* ... *превращаются* вдруг от аплодисментов яростных, от тысяч неистовых рук. Щипачев. Счастлив поэт...

**Парте́рный,** -ая, -ое.

**ПАРТИКУЛЯ́РНЫЙ,** -ая, -ое. [Восх. к лат. particularis — частичный, частный]. *Устар.* **1.** Частный, неофициальный. *Как можно печатать партикулярные письма? Мало ли что приходит на ум в дружеской переписке.* Пушкин. Письмо Л. С. Пушкину, 1 апреля 1824 г. **2.** Штатский, гражданский (об одежде). *Я сошел с корабля, будучи под вымышленным именем и в платье партикулярном.* А. Н. Толстой. Петр I.

С и н. (ко 2 знач.): **цивильный** (устар.), **статский** (устар.).

**ПАРТИТУ́РА,** -ы, *ж.* [Итал. partitura]. *Спец.* Нотная запись многоголосного музыкального произведения во всей совокупности партий инструментов и голосов. *Партитура оперы.*

**ПА́РТИЯ,** -и, *ж.* [Франц. parti]. **1.** Политическая организация, объединяющая наиболее активных представителей класса или какой-л. социальной группы, выражающая их интересы и руководящая ими при достижении определенных целей. *Демократическая, либеральная, коммунистическая партия. Социал-демократическая партия. Партия кадетов. Член партии. Вступить в партию.* **2.** Группа лиц, объединенных общностью взглядов, интересов, мнений. *В начальствовании армией были две резкие, определенные партии: партия Кутузова и партия Бенигсена, начальника штаба.* Л. Толстой. Война и мир. **3.** Группа лиц, объединенных какой-л. работой, следующих куда-л.; отряд. *Исследовательская, разведывательная партия.* □ *Случалось, подрабатывал, провожая какую-нибудь поисковую партию.* Шукшин. Охота жить. **4.** Одна игра (в шахматы, карты и т. п.) от начала до конца. *Партия [в шахматы] между тем приближалась к концу. Партия выходила неблестящая. Но партнеры были друг другом чрезвычайно довольны и невольно улыбались.* Вампилов. Эндшпиль. **5.** Определенное количество чего-л. (обычно о товаре). *Партию экскаваторов отправляли в Астрахань водой.* Кукушкин. Хозяин. **6.** Отдельная часть в многоголосном музыкальном произведении, исполняемая одним инструментом, одним певцом. *Фортепианная, басовая партия.* □ *Паншин громко и решительно взял первые аккорды партии (он играл вторую руку), но Лиза не начинала своей партии.* Тургенев. Дворянское гнездо. **7.** *Устар.* О браке. *Князь Р. был влюблен страстно и безумно; такая же пламенная любовь была ему ответом. Но родственникам показалась партия неровною.* Гоголь. Портрет. ◇ **Сделать** (или **составить**) (**выгодную, хорошую** и т. п.) **партию** (*устар.*) — выгодно жениться или выйти замуж.

**Парти́йный,** -ая, -ое (к 1 знач.). *Партийный билет. Партийное собрание.*

**ПАРТНЁР,** -а, *м.* [Франц. partenaire]. **1.** Тот, кто вместе с кем-л. принимает участие в чем-л. *Партнер в танце, в фигурном катании.* □ *Дома дедушка играет исключительно в дураки.. Постоянным партнером ему служит лакей Пахом.* Салтыков-Щедрин. Пошехонская старина. **2.** Государство — участник каких-л. переговоров, сотрудничества, союза и т. п. *Партнер по переговорам. Торговые партнеры.*

**Партнёрша,** -и, *ж.* (*разг.*) (к 1 знач.). **Партнёрский,** -ая, -ое.

**ПА́РУБОК,** -бка, *м.* На Украине: юноша, парень. *Нагрянут в хату парубки с скрипачом — подымется крик.* Гоголь. Вечера на хуторе близ Диканьки (предисловие к первой части).

**ПАРУСИ́НА,** -ы, *ж.* Грубая плотная льняная или полульняная ткань (первонач. шедшая на паруса). *Подкручены к реям паруса из суровой парусины.* А. Н. Толстой. Петр I.

**Паруси́нный,** -ая, -ое и **паруси́новый,** -ая, -ое.

**ПАРЧА́,** -и́, *ж.* [Восх. к перс. pārča — клочок, обрезок]. Шелковая ткань, затканная золотыми или серебряными нитями. *Длинные, широкие платья шились для дворцового бала из затканной золотом парчи и тафты.* Серебрякова. Похищение огня.

**Парчо́вый,** -ая, -ое. *Парчовый кафтан.*

**ПА́СКВИЛЬ,** -я и (*устар.*) **ПА́ШКВИЛЬ,** -я, *м.* [Итал. pasquillo]. Произведение, письмо и т. п., содержащие клевету, оскорбление в адрес кого-л. *Когда Чехов написал «Попрыгунью», Левитан посчитал, что это пасквиль на его знакомую даму.* Катаев. Мысли о творчестве.

**Па́сквильный,** -ая, -ое и **па́шквильный,** -ая, -ое.

**ПАСОВА́ТЬ,** пасу́ю, пасу́ешь; прич. пасова́вший; пасу́я; *несов.* [От франц. passer — пропускать]. **1.** Отказываться в карточной игре от участия в розыгрыше или оставлять игру (до следующего розыгрыша). **2.** *перен.*, обычно *перед кем, чем.* Признавать себя бессильным справиться с кем-, чем-л.; отступать. *Пасовать перед трудностями.* □ *Перед Марьею Алексевною, Жюли, Верочкою Михаил Иваныч пасовал, но ведь они были женщины с умом и характером.* Чернышевский. Что делать?

**ПАСПАРТУ́,** *нескл., ср.* [Франц. passe-partout — *букв.* проходит повсюду]. Картонная рамка или подклейка под портрет, фотографию, книжную иллюстрацию и т. п.

**ПА́ССЫ,** -ов, *мн.* (*ед.* **пасс,** -а, *м.*). [Франц. passe]. Движения рук гипнотизера над головой человека, подвергающегося гипнозу. *Делать пассы.*

**ПАССА́Ж,** -а, *м.* [Франц. passage]. **1.** *Устар.* Коридор, проход. — *А вот здесь, в маленьком пассаже, который ведет из будущего вашего кабинета в спальню, я устрою боскет.* И. Гончаров. Обыкновенная история. **2.** Крытая галерея с рядом магазинов по обеим сторонам, выходящая на две параллельные улицы. *Стеклянный трехэтажный пассаж Сен-Гюбера вмещал несколько кофеен и множество лавок.* Серебрякова. Похищение огня. **3.** Часть музыкального произведения, музыкальная фраза, заключающаяся в быстром последовательном чередовании звуков от высоких к низким и наоборот, а также трудное в техническом отношении место в музыкальном произведении, в арии и т. п. *Екатерина Ивановна играла трудный пассаж.* Чехов. Ионыч. **4.** *Устар.* Отдельное место в каком-л. тексте. *Я выберу из сочинений Щедрина не-*

*сколько смехотворных пассажей.* Писарев. Цветы невинного юмора. **5.** *перен. Устар.* Неожиданное происшествие, неожиданная, странная выходка. *[Анна Андреевна (увидев Хлестакова на коленях):] Ах, какой пассаж!* Гоголь. Ревизор.
  С и н. (*к 5 знач.*): ока́зия (*устар. и разг.*).
  **Пасса́жный**, -ая, -ое (*к 1 и 2 знач.*).

**ПАССА́Т**, -а, *м.* [Итал. passata]. Сухой тропический ветер, постоянно дующий от субтропических широт к экватору. *С другими постоянными ветрами — пассатами — европейцы познакомились в эпоху великих географических открытий.* Мезенцев. Энциклопедия чудес.
  **Пасса́тный**, -ая, -ое.

**ПАССИ́ВНЫЙ**, -ая, -ое; -вен, -вна, -о. [Восх. к лат. passivus — претерпевающий, страдательный]. Лишенный активного, деятельного начала, не проявляющий живого интереса, участия к кому-, чему-л. *Только тот заслуживает полного презрения, кто совсем не обнаруживает никакой деятельности, оставаясь во всю свою жизнь существом совершенно пассивным.* Добролюбов. Стихотворения А. Полежаева.
  С и н.: ине́ртный, безде́ятельный, безынициати́вный.
  А н т.: акти́вный, де́ятельный, энерги́чный, инициати́вный.
  **Пасси́вно**, *нареч. Пассивно относиться к происходящему.* **Пасси́вность**, -и, *ж.*

**ПА́ССИЯ**, -и, *ж.* [Восх. к лат. passio — страдание, страсть]. *Устар.* О возлюбленной, избраннице кого-л. *— Послушайте, но она премиленькая! — ...— Это что — Владимира пассия? Мила.* Герман. Я отвечаю за все.
  С и н.: люби́мая, ми́лая, симпа́тия (*разг.*), подру́га (*разг.*), ла́да (*нар.-поэт.*), любе́зная (*устар.*), зазно́ба (*устар. и обл.*).

**ПА́СТВА**, -ы, *ж., собир. Устар.* Верующие, прихожане одной церкви. *Старец поклонился пастве и отошел.* А. Н. Толстой. Петр I. *Он окрестил их, но оказался неискусным в наставлении своей паствы, и она вскоре вновь обратилась в язычество.* С. Марков. Земной круг.

**ПАСТЕ́ЛЬ** [тэ́], -и, *ж.* [Восх. к итал. pastello]. **1.** Мягкие цветные карандаши для живописи, изготовляемые из спрессованных, стертых в порошок красок, а также живопись этими карандашами. *Над диваном рисунок пастелью: старая женщина с энергичным лицом.* Б. Полевой. Встреча с легендой. **2.** Картина или рисунок, выполненные такими карандашами. *В столовой висели две вещи — пастель самого Серова «Вид из окна в Домотканове» и акварель Бенуа «Финляндия».* Смирнова-Ракитина. Валентин Серов.
  **Пасте́льный**, -ая, -ое. *Пастельные краски, тона.*

**ПА́СТОР**, -а, *м.* [Нем. Pastor от лат. pastor — пастух]. Протестантский священник. *Я выучился до артистической степени передразнивать немецких пасторов, их декламацию и пустословие — талант, который я сохранил до совершеннолетия.* Герцен. Былое и думы.
  **Па́сторский**, -ая, -ое.

**ПАСТОРА́ЛЬ**, -и, *ж.* [Франц. pastorale от лат. pastoralis — пастушеский]. Жанр в европейском искусстве 14—18 вв., характеризующийся идиллическим изображением жизни пастухов и пастушек на лоне природы, а также произведение этого жанра. *В «Ниттети» пастораль первого действия: царский сын, переодетый в простую одежду, все дни проводит в прибрежных зарослях.* Шагинян. Воскрешение из мертвых.
  **Пастора́льный**, -ая, -ое. *Пасторальный стиль. Пасторальный роман.*

**ПА́СТЫРЬ**, -я, *м. Устар.* **1.** Пастух. *Стада царя Адмета Два пастыря пасли; Вставали прежде света И в поле вместе шли.* А. Одоевский. Два пастыря. **2.** Священник как руководитель прихожан. *Всегда и всем, не делая никаких исключений, он говорил «ты»: ведь были же пастыри, говорившие так вельможам и князьям, даже царю самому.* Бунин. Чаша жизни.
  **Па́стырский**, -ая, -ое.

**ПА́СХА**, -и, *ж.* [Греч. pascha от др.-евр. pēsah]. **1.** Весенний религиозный праздник у евреев, а также христианский весенний праздник воскресения Христа. *К пасхе он выпросил у тетеньки несколько крашеных яиц, вырезал по скорлупе перочинным ножом «Христос Воскресе» и роздал домочадцам.* Салтыков-Щедрин. Пошехонская старина. **2.** Сладкое кушанье из творога в форме четырехгранной пирамиды, изготовляющееся ко дню этого праздника. *Бывало, накрывается В гостиной стол огромнейший, На нем и яйца красные, И пасха, и кулич!* Н. Некрасов. Кому на Руси жить хорошо.
  **Пасха́льный**, -ая, -ое (*к 1 знач.*) и **па́сочный**, -ая, -ое (*ко 2 знач.*).

**ПА́СЫНОК**, -нка, *м.* Неродной сын одного из супругов (приходящийся родным другому). *Ко дню свадьбы отца первенцу было годков шесть, младшему — четыре. Никакой особой любви к пасынкам Мавра не испытывала.* Федин. Костер.

**ПАСЬЯ́НС**, -а, *м.* [От франц. patience — букв. терпение]. Раскладывание игральных карт по определенным правилам для получения нужной фигуры, комбинации карт. *[Арина Петровна] пробует разогнать сон пасьянсом, но едва принимается за карты, как дремота начинает одолевать ее.* Салтыков-Щедрин. Господа Головлевы.
  **Пасья́нсный**, -ая, -ое. *Пасьянсные карты.*

**ПАТЕ́НТ**, -а, *м.* [Восх. к лат. patens, patentis — открытый, явный]. **1.** Документ, удостоверяющий официальное признание чего-л. изобретением и право изобретателя на него. *Ученые регистрируют свои идеи и берут патенты на свои открытия.* Конецкий. За доброй надеждой. **2.** Документ на право занятия торговлей, промыслом и т. п. *Патент на продажу лекарства.* □ *— Без патента торговать тут бы никто не осмелился.* Вс. Иванов. Бронепоезд 14-69.

**Пате́нтный**, -ая, -ое.

**ПАТЕНТО́ВАННЫЙ**, -ая, -ое. [См. *патент*]. **1.** Такой, на который имеется патент (*в 1 знач.*). *Женщины чистят патентованной мазью дверные ручки и петли, дощечки с именами жильцов на воротах.* Федин. Города и годы. **2.** *перен. Разг. неодобр.* Всеми признанный как кто-, что-л. *В двенадцать дня из библиотеки уходят лишь па-*

тентованные бездельники. Куваев. Чудаки живут на востоке.

Син. (ко 2 знач.): отъя́вленный, махро́вый, матёрый, чистопро́бный, прожжённый (разг.).

**ПА́ТЕР** [тэ], -а, м. [Лат. pater — букв. отец]. Католический священник. Шли хозяйки с сумками, шел старенький патер. Гранин. Месяц вверх ногами.

**ПАТЕ́ТИКА** [тэ́], -и, ж. [Восх. к греч. pathētikos]. Книжн. Патетический тон в чем-л., приподнятость. — Так уж давай так с тобой условимся и напоследок: если мне восклицать, то я на это не способен нисколько.. Если.. без воплей и патетики дело делать, то на это я, кажется, способен. Герман. Я отвечаю за все.

Син.: па́фос (книжн.).

**ПАТЕТИ́ЧЕСКИЙ** [тэ], -ая, -ое и **ПАТЕТИ́ЧНЫЙ** [тэ], -ая, -ое; -чен, -чна, -о. [См. патетика]. Исполненный пафоса, страстно-взволнованный. Патетический тон. □ В патетические моменты он вскидывал голову так, что пряди из густой шапки волос падали на его лоб. Пермитин. Жизнь Алексея Рокотова.

Патети́чески и патети́чно, нареч. Патети́чность, -и, ж.

**ПАТЕФО́Н**, -а, м. [От названия французской фирмы Пате и греч. phōnē — звук]. Устройство с ручным заводом для проигрывания пластинок. На комоде патефон и стопка пластинок. Семин. Была война.

Патефо́нный, -ая, -ое. Патефонная игла.

**ПА́ТОКА**, -и, ж. Тягучее вязкое сладкое вещество — продукт неполного осахаривания крахмала. Напоследок Степанида подала самовар и в честь гостей — бруснику в меду, земляничное варенье на сахаре и смородинное на патоке. Николаева. Жатва.

Па́точный, -ая, -ое.

**ПАТОЛО́ГИЯ**, -и, ж. [От греч. pathos — болезнь и logos — учение]. 1. Наука, изучающая возникновение различных отклонений в организме человека или животного, растения, а также сами болезненные процессы, отклонения от нормы в организме. Патология в развитии организма. Патология органов брюшной полости. 2. перен. Книжн. Отклонение от нормы, ненормальность в развитии чего-л. Новый, еще не оконченный роман графа Л. Толстого [«Война и мир»] можно назвать образцовым произведением по части патологии русского общества. Писарев. Старое барство.

Патологи́ческий, -ая, -ое.

**ПАТРИА́РХ**, -а, м. [Греч. patriarchēs — родоначальник]. 1. Глава рода при первобытнообщинном строе. Патриарх племени. 2. обычно кого, чего. Высок. Старейший, наиболее почитаемый человек в каком-л. коллективе. — Что ж, за нового начальника, — предложил Катрич, уважительно взглянув на патриарха сталеваров. В. Попов. Обретешь в бою. 3. чего. Высок. Наиболее выдающийся человек в какой-л. области деятельности, а также основоположник, зачинатель чего-л. Патриархи литературы. Федор Волков — патриарх русского театра. 4. Высшее духовное лицо, верховный глава православной церкви. Патриарх всея Руси. □ Вонзая в дубовый пол острие посоха, вошел патриарх Иоаким. А. Н. Толстой. Петр I.

Син. (к 3 знач.): основа́тель, родонача́льник, оте́ц (высок.).

Патриа́рший, -ая, -ее (к 4 знач.). Патриарший престол.

**ПАТРИАРХА́ЛЬНЫЙ**, -ая, -ое; -лен, -льна, -о. [См. патриархат]. 1. Относящийся к патриархату. Патриархальный род. 2. перен. Такой, как в старину, верный старым традициям. Патриархальное воспитание. Патриархальные взгляды.

Син. (ко 2 знач.): архаи́чный и архаи́ческий, несовреме́нный, отжи́вший, старомо́дный, ветхозаве́тный, старозаве́тный, устаре́вший и устаре́лый, допото́пный (разг.), ископа́емый (разг.).

Патриарха́льность, -и, ж.

**ПАТРИАРХА́Т**, -а, м. [От греч. patēr — отец и archē — власть]. Последний период первобытнообщинного родового строя, последовавший за матриархатом, с патриархом (в 1 знач.) во главе общины, во время которого главная роль в хозяйстве и общественных отношениях принадлежала мужчине.

**ПАТРИА́РХИЯ**, -и и **ПАТРИАРХИ́Я**, -и, ж. [См. патриарх]. Церковная область, подчиненная патриарху (в 4 знач.).

**ПАТРИ́ЦИЙ**, -я, м. [Лат. patricius]. Представитель привилегированного сословия в Древнем Риме.

Патрициа́нка, -и, ж. Патрициа́нский, -ая, -ое.

**ПАТРО́Н**[1], -а, м. [Нем. Patrone]. 1. В огнестрельном оружии: пуля или снаряд с капсюлем, заключенные в гильзе. 2. В разных устройствах: полая трубка, приспособление для вставки какой-л. детали. Патрон лампы.

Патро́нный, -ая, -ое.

**ПАТРО́Н**[2], -а, м. [Лат. patronus — покровитель]. 1. В Древнем Риме: лицо, под покровительством которого были малоимущие или неполноправные граждане, находившиеся в зависимом положении. 2. Хозяин частного предприятия, глава какого-л. дела. Душа моя! — отвечал Соломин, — мы [на фабрике] школу завели и больницу маленькую — да и то патрон упирался как медведь! Тургенев. Новь. 3. Разг. Непосредственный начальник, руководитель кого-, чего-л. Ольга — образцовый секретарь, — привыкла понимать своего патрона с полуслова. Крон. Бессонница.

Син. (ко 2 знач.): босс. Син. (к 3 знач.): шеф (разг.).

**ПАТРОНА́Ж**, -а, м. [Франц. patronage]. 1. Устар. книжн. Покровительство со стороны кого-л. Боясь сначала смиренной роли наших соотечественников и патронажа великих людей, я не старался сближаться даже с самим Прудоном. Герцен. Былое и думы. 2. Осуществляемое медицинским учреждением обслуживание больных и детей раннего возраста на дому.

Син. (к 1 знач.): проте́кция.

Патрона́жный, -ая, -ое (ко 2 знач.). Патронажная сестра.

**ПАТРОНТА́Ш**, -а, м. [Нем. Patronentasche]. Сумка для ружейных и пистолетных патронов. Он затянул ремни на сапогах, надел пояс с револьвером и патронташем, взял ружье и ушел. Задорнов. Золотая лихорадка.

**ПАТРУ́ЛЬ**, -я́, м. [Франц. patrouille]. Отряд воинского подразделения, милиции или общественной охраны для наблюдения за порядком, за безопасностью в каком-л. районе. *Милицейский патруль.* □ *Октябрьский дождь стучит в квадрат оконный, глухие залпы слышатся вдали. На улицах, сырых и очень темных, одни сторожевые патрули.* Берггольц. Отрывок.

**Патру́льный**, -ая, -ое. *Патрульная служба.*

**ПА́УЗА**, -ы, ж. [Восх. к греч. pausis — прекращение]. 1. Временная остановка, перерыв в чем-л. *Паузы между выстрелами были тягостнее самих выстрелов.* М. Горький. Жизнь Клима Самгина. 2. Ритмически упорядоченный перерыв в звучании музыкального произведения. *Никакая ошибка ученика не была ему более неприятна, чем недодержанная пауза.* Н. Морошкина. Из воспоминаний ученицы.

С и н. (*к 1 знач.*): интерва́л.

**ПАУПЕРИ́ЗМ**, -а, м. [От лат. pauper — бедный]. *Книжн.* Нищета трудящихся масс в условиях классового общества, основанного на эксплуатации.

**ПА́ФОС**, -а, м. [Греч. pathos — чувство, страсть]. *Книжн.* 1. Воодушевление, подъем. *[Подполковник] говорил громко и с пафосом, словно выступал на трибуне.* Богомолов. В августе сорок четвертого... 2. *чего или какой.* Воодушевление, энтузиазм, вызванные какой-л. высокой идеей. *Революционный пафос. Пафос созидания.* □ *Мы полны были пафоса освободительного, потому что над Сибирью и русским Дальним Востоком утвердилась к тому времени власть адмирала.* Фадеев. Бессмертие.

С и н. (*к 1 знач.*): пате́тика (*книжн.*).

**Па́фосный**, -ая, -ое.

**ПАЦИЕ́НТ**, -а, м. [Восх. к лат. patiens, patientis — страдающий]. Больной, лечащийся у врача.— *Валентина Лаврентьевна, напишите рецепты.. Колоть пациента не будем.* Липатов. Игорь Саввович.

**Пацие́нтка**, -и, ж.

**ПАЦИФИ́ЗМ**, -а, м. [От лат. pacificus — умиротворяющий]. Политическое течение и мировоззрение, осуждающее любые войны, в том числе справедливые, освободительные.

**Пацифи́стский**, -ая, -ое. *Пацифистские взгляды.* **Пацифи́ст**, -а, м.

**ПАША́**, -и́, м. [Турецк. раša от перс. pādišah]. Почетный титул высших военных и гражданских сановников, существовавший в султанской Турции, в Египте и других мусульманских странах, а также лицо, носящее этот титул.

**ПА́ШКВИЛЬ** см. пасквиль.

**ПАЯ́Ц**, -а, м. [Восх. к итал. pagliaccio — букв. мешок соломы (от костюма шута в неаполитанской народной комедии)]. 1. *Устар.* Клоун в цирке, в балагане, а также кукла, изображающая такого клоуна. *«Шкелет» то приседает на корточки, то всем своим телом вытягивается вверх, что делает его похожим на игрушечного паяца, которого тянут* за ниточку. Катаев. Хуторок в степи. 2. *перен. Неодобр.* О человеке, который кривляется, паясничает, ведет себя, как шут. *Сам виноват — всю жизнь хохмил и скоморошничал, приучал людей к тому, что Тошка — паяц, теперь попробуй переубеди.* Санин. Семьдесят два градуса ниже нуля.

С и н. (ко 2 знач.): га́ер, фигля́р, кло́ун (*разг.*), скоморо́х (*разг.*).

**ПЕ́ВЧИЙ**, -ая, -ее. 1. Поющий, мелодично свистящий (о птицах). *[Старик] стал глядеть на просторную клетку с целой стаей чижей, снегирей, щеглят и других певчих птиц.* Бианки. Мурзук. 2. *в знач. сущ.* **пе́вчий**, -его, м. Певец хора, обычно церковного.— *До войны певчим был, так?..— В козловском соборе пел на клиросе, это верно.* Федин. Костер.

**ПЕГА́С**, -а, м. (обычно с прописной буквы). [Греч. Pēgasos]. В древнегреческой мифологии: крылатый конь; теперь употр. как символ поэтического творчества, вдохновения. *Ах, в годы юности моей Печальной, бескорыстной, трудной.. Куда ретив был мой Пегас! Не розы — я вплетал крапиву В его размашистую гриву И гордо покидал Парнас.* Н. Некрасов. Поэт и гражданин.

**ПЕ́ГИЙ**, -ая, -ое; пег, -а, -о. С большими пятнами, крапинами (о масти животных). *За стариком, клацая когтями по полу, вошел пегий пойнтер.* Паустовский. Повесть о жизни.

**ПЕДА́НТ**, -а, м. [Восх. к итал. pedante — первонач. учитель]. 1. *Устар.* Придирчивый учитель, наставник, требующий выполнения всех формальных требований. *Вдруг педанта глас ужасный Нам послышался вдали.* Пушкин. Воспоминание. 2. Тот, кто отличается преувеличенной аккуратностью, соблюдает порядок до мелочей, проявляет излишнюю требовательность, пунктуальность. *Педант! Утром в будни и праздники встает в одно и то же время, минута в минуту; газета должна ждать его аккуратно сложенной.* Чаковский. Блокада.

**Педа́нтский**, -ая, -ое.

**ПЕДАНТИ́ЗМ**, -а, м. [См. *педант*]. Излишний формализм, чрезмерная строгость в соблюдении чего-л. *Он вырос в доме, где опрятность и чистота доходили до педантизма.* Софронов. Путешествие в чужую жизнь.

**Педанти́ческий**, -ая, -ое *и* **педанти́чный**, -ая, -ое; -чен, -чна, -о. **Педанти́чно**, *нареч.* **Педанти́чность**, -и, ж.

**ПЕ́ДЕЛЬ** [дэ], -я, пе́дели, -ей и (*устар.*) педеля́, -е́й, м. [Нем. Pedell]. В дореволюционной России: тот, кто следит за поведением студентов в высших учебных заведениях. *Были приставлены к молодежи своего рода «надсмотрщики» — педеля.* Шагинян. Семья Ульяновых.

**ПЕДИА́ТР**, -а, м. [От греч. pais, paidos — дитя и iatros — врач]. Детский врач.

**Педиатри́ческий**, -ая, -ое.

**ПЕЙЗА́Ж**, -а, м. [Франц. paysage]. 1. Общий вид какой-л. местности. *Горный, лесной, морской пейзаж. Деревенский, городской, индустриальный пейзаж. Северный, южный пейзаж.* □ *Это было удивительно похоже на Мурманск, на тот унылый и свирепый пейзаж Кольского по-*

тентованные бездельники. Куваев. Чудаки живут на востоке.

С и н. (ко 2 знач.): отъя́вленный, махро́вый, матёрый, чистопро́бный, прожжённый (разг.).

**ПА́ТЕР** [тэ], -а, м. [Лат. pater — букв. отец]. Католический священник. Шли хозяйки с сумками, шел старенький патер. Гранин. Месяц вверх ногами.

**ПАТЕ́ТИКА** [тэ], -и, ж. [Восх. к греч. pathētikos]. Книжн. Патетический тон в чем-л., приподнятость. — Так уж давай так с тобой условимся и напоследок: если мне восклицать, то я на это не способен нисколько.. Если.. без воплей и патетики дело делать, то на это я, кажется, способен. Герман. Я отвечаю за все.

С и н.: па́фос (книжн.).

**ПАТЕТИ́ЧЕСКИЙ** [тэ], -ая, -ое и **ПАТЕТИ́ЧНЫЙ** [тэ], -ая, -ое; -чен, -чна, -о. [См. патетика]. Исполненный пафоса, страстно-взволнованный. Патетичный тон. □ В патетические моменты он вскидывал голову так, что пряди из густой шапки волос падали на его лоб. Пермитин. Жизнь Алексея Рокотова.

**Патети́чески** и **патети́чно**, нареч. **Патети́чность**, -и, ж.

**ПАТЕФО́Н**, -а, м. [От названия французской фирмы Пате и греч. phōnē — звук]. Устройство с ручным заводом для проигрывания пластинок. На комоде патефон и стопка пластинок. Семин. Была война.

**Патефо́нный**, -ая, -ое. Патефонная игла.

**ПА́ТОКА**, -и, ж. Тягучее вязкое сладкое вещество — продукт неполного осахаривания крахмала. Напоследок Степанида подала самовар и в честь гостей — бруснику в меду, земляничное варенье на сахаре и смородинное на патоке. Николаева. Жатва.

**Па́точный**, -ая, -ое.

**ПАТОЛО́ГИЯ**, -и, ж. [От греч. pathos — болезнь и logos — учение]. 1. Наука, изучающая возникновение различных отклонений в организме человека или животного, растения, а также сами болезненные процессы, отклонения от нормы в организме. Патология в развитии организма. Патология органов брюшной полости. 2. перен. Книжн. Отклонение от нормы, ненормальность в развитии чего-л. Новый, еще не оконченный роман графа Л. Толстого [«Война и мир»] можно назвать образцовым произведением по части патологии русского общества. Писарев. Старое барство.

**Патологи́ческий**, -ая, -ое.

**ПАТРИА́РХ**, -а, м. [Греч. patriarchēs — родоначальник]. 1. Глава рода при первобытнообщинном строе. Патриарх племени. 2. обычно кого, чего. Высок. Старейший, наиболее почитаемый человек в каком-л. коллективе. — Что ж, за нового начальника, — предложил Катрич, уважительно взглянув на патриарха сталеваров. В. Попов. Обретешь в бою. 3. чего. Высок. Наиболее выдающийся человек в какой-л. области деятельности, а также основоположник, зачинатель чего-л. Патриархи литературы. Федор Волков — патриарх русского театра. 4. Высшее духовное лицо, верховный глава православной церкви. Патриарх всея Руси. □ Вонзая в дубовый пол острие посоха, вошел патриарх Иоаким. А. Н. Толстой. Петр I.

С и н. (к 3 знач.): основа́тель, родонача́льник, оте́ц (высок.).

**Патриа́рший**, -ая, -ее (к 4 знач.). Патриарший престол.

**ПАТРИАРХА́ЛЬНЫЙ**, -ая, -ое; -лен, -льна, -о. [См. патриархат]. 1. Относящийся к патриархату. Патриархальный род. 2. перен. Такой, как в старину, верный старым традициям. Патриархальное воспитание. Патриархальные взгляды.

С и н. (ко 2 знач.): архаи́чный и архаи́ческий, несовреме́нный, отжи́вший, старомо́дный, ветхозаве́тный, старозаве́тный, устаре́вший и устаре́лый, допото́пный (разг.), ископа́емый (разг.).

**Патриарха́льность**, -и, ж.

**ПАТРИАРХА́Т**, -а, м. [От греч. patēr — отец и archē — власть]. Последний период первобытнообщинного родового строя, последовавший за матриархатом, с патриархом (в 1 знач.) во главе общины, во время которого главная роль в хозяйстве и общественных отношениях принадлежала мужчине.

**ПАТРИАРХИ́Я**, -и и **ПАТРИА́РХИЯ**, -и, ж. [См. патриарх]. Церковная область, подчиненная патриарху (в 4 знач.).

**ПАТРИ́ЦИЙ**, -я, м. [Лат. patricius]. Представитель привилегированного сословия в Древнем Риме.

**Патрициа́нка**, -и, ж. **Патрициа́нский**, -ая, -ое.

**ПАТРО́Н**¹, -а, м. [Нем. Patrone]. 1. В огнестрельном оружии: пуля или снаряд с капсюлом, заключенные в гильзе. 2. В разных устройствах: полая трубка, приспособление для вставки какой-л. детали. Патрон лампы.

**Патро́нный**, -ая, -ое.

**ПАТРО́Н**², -а, м. [Лат. patronus — покровитель]. 1. В Древнем Риме: лицо, под покровительством которого были малоимущие или неполноправные граждане, находившиеся в зависимом положении. 2. Хозяин частного предприятия, главы какого-л. дела. Душа моя! — отвечал Соломин, — мы [на фабрике] школу завели и больницу маленькую — да и то патрон упирался как медведь! Тургенев. Новь. 3. Разг. Непосредственный начальник, руководитель кого-, чего-л. Ольга — образцовый секретарь, — привыкла понимать своего патрона с полуслова. Крон. Бессонница.

С и н. (ко 2 знач.): босс. С и н. (к 3 знач.): шеф (разг.).

**ПАТРОНА́Ж**, -а, м. [Франц. patronage]. 1. Устар. книжн. Покровительство со стороны кого-л. Боясь сначала смиренной роли наших соотечественников и патронажа великих людей, я не старался сближаться даже с самим Прудоном. Герцен. Былое и думы. 2. Осуществляемое медицинским учреждением обслуживание больных и детей раннего возраста на дому.

С и н. (к 1 знач.): проте́кция.

**Патрона́жный**, -ая, -ое (ко 2 знач.). Патронажная сестра.

**ПАТРОНТА́Ш**, -а, м. [Нем. Patronentasche]. Сумка для ружейных и пистолетных патронов. Он затянул ремни на сапогах, надел пояс с револьвером и патронташем, взял ружье и ушел. Задорнов. Золотая лихорадка.

**ПАТРУ́ЛЬ**, -я́, м. [Франц. patrouille]. Отряд воинского подразделения, милиции или общественной охраны для наблюдения за порядком, за безопасностью в каком-л. районе. *Милицейский патруль.* ▢ *Октябрьский дождь стучит в квадрат оконный, глухие залпы слышатся вдали. На улицах, сырых и очень темных, одни сторожевые патрули.* Берггольц. Отрывок.

**Патру́льный**, -ая, -ое. *Патрульная служба.*

**ПА́УЗА**, -ы, ж. [Восх. к греч. pausis — прекращение]. **1.** Временная остановка, перерыв в чем-л. *Паузы между выстрелами были тягостнее самих выстрелов.* М. Горький. Жизнь Клима Самгина. **2.** Ритмически упорядоченный перерыв в звучании музыкального произведения. *Никакая ошибка ученика не была ему более неприятна, чем недодержанная пауза.* Н. Морошкина. Из воспоминаний ученицы.

С и н. (к 1 знач.): интерва́л.

**ПАУПЕРИ́ЗМ**, -а, м. [От лат. pauper — бедный]. *Книжн.* Нищета трудящихся масс в условиях классового общества, основанного на эксплуатации.

**ПА́ФОС**, -а, м. [Греч. pathos — чувство, страсть]. *Книжн.* **1.** Воодушевление, подъем. *[Подполковник] говорил громко и с пафосом, словно выступал на трибуне.* Богомолов. В августе сорок четвертого... **2.** *чего или какой.* Воодушевление, энтузиазм, вызванные какой-л. высокой идеей. *Революционный пафос. Пафос созидания.* ▢ *Мы полны были пафоса освободительного, потому что над Сибирью и русским Дальним Востоком утвердилась к тому времени власть адмирала.* Фадеев. Бессмертие.

С и н. (к 1 знач.): пате́тика (*книжн.*).

**Па́фосный**, -ая, -ое.

**ПАЦИЕ́НТ**, -а, м. [Восх. к лат. patiens, patientis — страдающий]. Больной, лечащийся у врача. — *Валентина Лаврентьевна, напишите рецепты.. Колоть пациента не будем.* Липатов. Игорь Саввович.

**Пацие́нтка**, -и, ж.

**ПАЦИФИ́ЗМ**, -а, м. [От лат. pacificus — умиротворяющий]. Политическое течение и мировоззрение, осуждающее любые войны, в том числе справедливые, освободительные.

**Пацифи́стский**, -ая, -ое. *Пацифистские взгляды.* **Пацифи́ст**, -а, м.

**ПАША́**, -и́, ж. [Турецк. paša от перс. pādišah]. Почетный титул высших военных и гражданских сановников, существовавших в султанской Турции, в Египте и других мусульманских странах, а также лицо, носящее этот титул.

**ПА́ШКВИЛЬ** см. пасквиль.

**ПАЯ́Ц**, -а, м. [Восх. к итал. pagliaccio — букв. мешок соломы (от костюма шута в неаполитанской народной комедии)]. **1.** *Устар.* Клоун в цирке, в балагане, а также кукла, изображающая такого клоуна. *«Шкелет» то приседает на корточки, то всем своим телом вытягивается вверх, что делает его похожим на игрушечного паяца, которого тянут за ниточку.* Катаев. Хуторок в степи. **2.** *перен. Неодобр.* О человеке, который кривляется, паясничает, ведет себя, как шут. *Сам виноват — всю жизнь хохмил и скоморошничал, приучал людей к тому, что Тошка — паяц, теперь попробуй переубеди.* Санин. Семьсемь два градуса ниже нуля.

С и н. (ко 2 знач.): га́ер, фигля́р, кло́ун (*разг.*), скоморо́х (*разг.*).

**ПЕ́ВЧИЙ**, -ая, -ее. **1.** Поющий, мелодично свистящий (о птицах). *[Старик] стал глядеть на просторную клетку с целой стаей чижей, снегирей, щеглят и других певчих птиц.* Бианки. Мурзук. **2.** *в знач. сущ.* **пе́вчий**, -его, м. Певец хора, обычно церковного. — *До войны певчим был, так?.. — В козловском соборе пел на клиросе, это верно.* Федин. Костер.

**ПЕГА́С**, -а, м. (обычно с прописной буквы). [Греч. Pēgasos]. В древнегреческой мифологии: крылатый конь; теперь употр. как символ поэтического творчества, вдохновения. *Ах, в годы юности моей Печальной, бескорыстной, трудной.. Куда ретив был мой Пегас! Не розы — их вплетал в крапиву В его размашистую гриву И гордо покидал Парнас.* Н. Некрасов. Поэт и гражданин.

**ПЕ́ГИЙ**, -ая, -ое; пег, -а, -о. С большими пятнами, крапинами (о масти животных). *За стариком, клацая когтями по полу, вошел пегий пойнтер.* Паустовский. Повесть о жизни.

**ПЕДА́НТ**, -а, м. [Восх. к итал. pedante — первонач. учитель]. **1.** *Устар.* Придирчивый учитель, наставник, требующий выполнения всех формальных требований. *Вдруг педанта глас ужасный Нам послышался вдали.* Пушкин. Воспоминание. **2.** Тот, кто отличается преувеличенной аккуратностью, соблюдает порядок до мелочей, проявляет излишнюю требовательность, пунктуальность. *Педант! Утром в будни и праздники встает в одно и то же время, минута в минуту; газета должна ждать его аккуратно сложенной.* Чаковский. Блокада.

**Педа́нтский**, -ая, -ое.

**ПЕДАНТИ́ЗМ**, -а, м. [См. *педант*]. Излишний формализм, чрезмерная строгость в соблюдении чего-л. *Он вырос в доме, где опрятность и чистота доходили до педантизма.* Софронов. Путешествие в чужую жизнь.

**Педанти́ческий**, -ая, -ое и **педанти́чный**, -ая, -ое; -чен, -чна, -о. **Педанти́чно**, *нареч.* **Педанти́чность**, -и, ж.

**ПЕ́ДЕЛЬ** [дэ], -я, м. пе́дели, -ей и (*устар.*) педеля́, -е́й, м. [Нем. Pedell]. В дореволюционной России: тот, кто следит за поведением студентов в высших учебных заведениях. *Были приставлены к молодежи своего рода «надсмотрщики» — педеля.* Шагинян. Семья Ульяновых.

**ПЕДИА́ТР**, -а, м. [От греч. pais, paidos — дитя и iatros — врач]. Детский врач.

**Педиатри́ческий**, -ая, -ое.

**ПЕЙЗА́Ж**, -а, м. [Франц. paysage]. **1.** Общий вид какой-л. местности. *Горный, лесной, морской пейзаж. Деревенский, городской, индустриальный пейзаж. Северный, южный пейзаж.* ▢ *Это было удивительно похоже на Мурманск, на тот унылый и свирепый пейзаж Кольского по-*

луострова, который я люблю труднообъяснимой, но сильной любовью. Симонов. Страницы дневника. **2.** Рисунок, картина с изображением природы, а также описание природы в литературном произведении. *Пейзажи Ф. Васильева, Куинджи, Левитана. Пейзаж в «Записках охотника» Тургенева.* □ *Из горьковских вещей в доме сохранились две: картина, пейзаж весны.* Б. Полевой. История одной дружбы.

С и н.: ландша́фт.

**Пейза́жный**, -ая, -ое. *Пейзажная живопись.*
**Пейзажи́ст**, -а, м.
**ПЕЛЕНА́**, -ы́, пелены́, -лён, ж. **1.** *Устар.* Ткань, которой покрыто, завешено что-л.; покрывало. *Задернут пеленою книжный шкапчик: великий пост — не до книг, не до забав.* А. Н. Толстой. Петр I. **2.** обычно *чего. Книжн.* Сплошной покров, образуемый чем-л., покрывающий собою что-л. *Пелена тумана.* □ *Дым, выталкиваемый обратно ветром из отверстия в крыше, расстилался вокруг такой густой пеленою, что я долго не мог осмотреться.* Лермонтов. Герой нашего времени. **3.** *мн. Устар.* Пеленки. *Ты детскую качая колыбель, Мой юный слух напевами пленила И меж пелен оставила свирель, Которую сама заворожила.* Пушкин. Наперсница волшебной старины... ◊ **От пелен или с пелен** (*устар.*) — с раннего детства. [*Чацкий:*] *Не тот ли, вы к кому меня еще с пелен, Для замыслов каких-то непонятных, Детей возили на поклон?* Грибоедов. Горе от ума.

С и н. (ко 2 знач.): заве́са, по́лог, флёр (*устар. книжн.*).

**ПЕЛЕНГОВА́ТЬ**, -гу́ю, -гу́ешь; пеленгу́ющий, пеленгова́вший; пеленгу́емый, пеленго́ванный; -ан, -а, -о; пеленгу́я; *несов., что.* [От голл. peiling — пеленг]. *Спец.* Устанавливать местонахождение чего-л. путем определения угловых координат. *Пеленговать радиосигналы.* □ *С других миноносцев штурмана и артиллеристы пеленговали вспышки в лесу, наносили места батарей на карте.* Соболев. Третье поколение.

**Пеленга́ция**, -и, ж. *Произвести пеленгацию.*
**ПЕЛЕРИ́НА**, -ы и (*разг.*) **ПЕЛЕРИ́НКА**, -и, ж. [Франц. pèlerine]. Короткая, обычно не доходящая до пояса накидка на плечи, иногда с капюшоном, а также воротник, напоминающий такую накидку. *На сестру надевали богатый куний салоп с большой собольей пелериной, спускавшейся на плечи.* Салтыков-Щедрин. Пошехонская старина. *Старушонка была в черной кружевной пелеринке.* Гранин. Тринадцать ступенек.

**ПЕНА́ТЫ**, -ов, *мн.* [Лат. Penates — боги домашнего очага]. *Устар. и шутл.* Родной дом, домашний очаг. *Своим пенатам возвращенный, Владимир Ленский посетил Соседа памятник смиренный, И вздох он пеплу посвятил.* Пушкин. Евгений Онегин.

С и н.: пепели́ще (*устар. и высок.*).

**ПЕ́НИ**, -ей, *мн.* (*ед.* **пе́ня**, -и, ж.). *Устар.* Сетования, жалобы, упреки. *К чему рыданья, жалобы и пени? Смири себя и думай о другом.* Сурков. Подруге воина.

**ПЕ́ННИ**, *нескл., ср.* [Англ. penny, финск. penni]. Мелкая английская и финская монета.

**ПЕНС**, -а, м. [Англ. pence]. Мелкая английская монета, равная 1/12 шиллинга.
**ПЕНСИО́Н**, -а, м. [Восх. к лат. pensio — уплата]. *Устар.* Пенсия. *Сюда переезжают отставные чиновники, которых пенсион не превышает пятисот рублей в год.* Гоголь. Портрет.
**ПЕНСНЕ́** [нэ], *нескл., ср.* [Франц. pince-nez от pincer — щипать и nez — нос]. Очки без заушных дужек, которые держатся при помощи пружинки, зажимающей переносицу. *Преподаватель черчения одобрительно мотал головой и сбрасывал со своего мясистого носа пенсне.* Федин. Первые радости.

**ПЕНЬКА́**, -и́, ж. Волокно для прядения из стеблей конопли. *В последнее время бабы нашли выгодным красть у самих себя и сбывать таким образом пеньку.* Тургенев. Хорь и Калиныч.

**Пенько́вый**, -ая, -ое. *Пеньковая веревка.*
**ПЕНЬЮА́Р**, [ню], -а, м. [Франц. peignoir]. **1.** Утренний капот из легкой ткани. *Марина сняла с плечиков розовый пеньюар.* Крутилин. Пустотел. **2.** Накидка, которой накрывают плечи клиента во время стрижки, причесывания и т. п. в парикмахерской.

**Пеньюа́рный**, -ая, -ое.
**ПЕ́НЯ**, -и, ж. [Восх. к лат. poena — наказание]. Штраф за невыполнение и просрочку принятых по договору или установленным законом обязательств. *Начислить пени.* □ *Члены канцелярии осуждены уплатить войску, сверх удержанных денег, значительную пеню.* Пушкин. История Пугачева.

**ПЕПЕЛИ́ЩЕ**, -а, ср. **1.** *Высок.* Место пожара, пожарище. *Вся эта благодать сгорела дотла.. Усадьба запустела. Обширное пепелище превратилось в огород.* Тургенев. Малиновая вода. **2.** *Устар. и высок.* Родной дом, очаг. *Что ж, не тоскуй и не жалей, дружище, Что отчий край лежит не на пути, Что на свое родное пепелище Тебе другой дорогою идти.* Твардовский. Земляку.

С и н. (ко 2 знач.): пена́ты (*устар.*).
**ПЕРВИ́ЧНЫЙ**, -ая, -ое; -чен, -чна, -о. **1.** *полн. ф.* Представляющий собой первую ступень в развитии чего-л.; исходный, первоначальный. *Первичная обработка металла.* **2.** *полн. ф.* Являющийся первым, начальным звеном какой-л. организации, низовой. *Первичная профсоюзная организация.* **3.** Основной, главный.

А н т. (к 1 и 3 знач.): втори́чный.

**Перви́чность**, -и, ж. (к 1 и 3 знач.).
**ПЕРВОБЫ́ТНЫЙ**, -ая, -ое; -тен, -тна, -о. **1.** *полн. ф.* Относящийся к древнейшим эпохам истории человечества. *Первобытная культура. Первобытное общество. Первобытный коммунизм.* **2.** *перен.* Находящийся на низком уровне развития; примитивный, простейший. *Первобытная техника. Первобытные нравы.* **3.** Сохранившийся в естественном, первоначальном виде. *Первобытная природа.*

С и н. (к 3 знач.): нетро́нутый, де́вственный, первозда́нный (*книжн.*).

**Первобы́тность**, -и, ж. *Здешние места привлекали своей первобытностью. Их оставалось* все меньше, нетронутых, затерянных уголков. Гранин. Кто-то должен.

**ПЕРВОЗДА́ННЫЙ**, -ая, -ое. *Книжн.* **1.** Созданный, существовавший ранее всего остального. **2.** Такой, каким был в самом начале; девственный, нетронутый. — *Один воздух чего стоит и вся эта первозданная глушь! Тишина! Простор!* Воронин. Старая фотография. ◇ **Первозданный хаос** (*ирон.*) — о полном беспорядке, хаосе где-л. (первонач. по библейскому сказанию — всеобщий хаос, существовавший до сотворения мира).

С и н. (ко 2 знач.): первобы́тный.

**Первозда́нность**, -и, ж.

**ПЕРВОИСТО́ЧНИК**, -а, м. **1.** То, что дает начало чему-л., является основой чего-л. — *Вы хотели встретиться с заводской молодежью?.. Они вам больше расскажут, чем я.. Из первоисточника.* Софронов. В сердце и в памяти. **2.** Оригинальный основополагающий труд в какой-л. области; первый источник каких-л. сведений. *Максим Грек.. изучал научные первоисточники своего времени.* С. Марков. Земной круг.

**ПЕРВОО́БРАЗ**, -а, м. *Книжн.* Первоначальный, исходный образец. *Мы ездим в изящных каретах, первообраз которых однако же представляет собою... телега!* Салтыков-Щедрин. Письма к тетеньке.

С и н.: проо́браз (*книжн.*).

**ПЕРВООСНО́ВА**, -ы, ж. *Книжн.* Первоначальная основа, сущность чего-л. *Писатель нашел точные, индивидуальные характеристики героев, что и является первоосновой создания художественного образа.* Софронов. В сердце и в памяти.

С и н.: основа́ние, фунда́мент (*книжн.*), ба́за (*книжн.*), ба́зис (*книжн.*).

**ПЕРВОПРЕСТО́ЛЬНЫЙ**, -ая, -ое. *Устар.* Являющийся старейшей столицей. — *И в течение всего времени не только что ничего не предпринято для действия противу неприятеля и освобождения первопрестольной столицы, но даже... вы еще отступили назад.* Л. Толстой. Война и мир.

**ПЕРГА́МЕНТ**, -а, м. [От названия древнего города Пергама в Малой Азии]. **1.** Обработанная особым образом кожа животного, служившая до изобретения бумаги материалом для письма, а также древняя рукопись, написанная на этом материале. **2.** Плотная, прочная, не пропускающая влаги и жиров бумага.

**Перга́ментный**, -ая, -ое. *Пергаментный свиток. Пергаментная бумага.*

**ПЕРЕВА́Л**, -а, м. **1.** Наиболее удобное для перехода место в горном хребте, массиве. *Утром перед нами снова встал все тот же вопрос: где искать перевал? Горы по-прежнему кажутся недоступными.* Федосеев. Тропою испытаний. **2.** *Разг.* Поворот в развитии, ходе, течении чего-л. *Было то время года, перевал лета, когда урожай нынешнего года уже определился.* Л. Толстой. Анна Каренина.

**Перева́льный**, -ая, -ое (*к 1 знач.*).

**ПЕРЕВОПЛОЩЕ́НИЕ**, -я, *ср.* Воплощение в иной форме, превращение во что-л. иное. *Сценическое перевоплощение. Дар перевоплощения.* ▫ *Эта способность.. перевоплощения была у Лушки не изученной в совершенстве школой кокетства.* Шолохов. Поднятая целина.

**ПЕРЕВЯ́СЛО**, -а, мн. перевя́сла, -сел, *ср.* Жгут из скрученной соломы для перевязки снопов. *Пять девушек, ловко сворачивая соломенные, смешанные с травой перевясла, довязывали снопы.* Закруткин. За высоким плетнем.

**ПЕРЕГИ́Б**, -а, м. **1.** Линия, по которой что-л. перегнуто. *Перегиб моста.* ▫ *[Фрак] был сшит еще лучше штанов: ни морщинки, все бока обтянул, выгнулся на перехвате, показавши весь его перегиб.* Гоголь. Мертвые души. **2.** *перен.* Нарушения правильного развития чего-л.; крайность, неумеренность в каком-л. деле, работе. *Не допускать перегибов в руководстве.* ▫ *Мне, например, известны школы,.. где нет ни одного мужчины-учителя.. Это ведет к всевозможным перекосам и перегибам, придает одностороннее направление всему школьному воспитанию.* Абрамов. О первом учителе.

**ПЕРЕГОВО́РЫ**, -ов, *мн.* **1.** Обсуждение с целью заключения соглашения между кем-л. по какому-л. вопросу. *Дипломатические переговоры. Переговоры между торговыми партнерами.* **2.** *Спец.* Обмен сведениями, мнениями; разговор, беседа. *Переговоры по телефону.*

**Перегово́рный**, -ая, -ое (*ко 2 знач.*). *Переговорный пункт.*

**ПЕРЕГО́Н**, -а, м. Участок пути между двумя станциями. *Железнодорожный перегон.* ▫ *На последний стокилометровый перегон ушло около трех часов.* Слепухин. Южный крест.

**Перего́нный**, -ая, -ое.

**ПЕРЕДВИ́ЖНИК**, -а, м. Демократически настроенный художник-реалист второй половины 19 в. в России, входивший в Товарищество передвижных художественных выставок.

**ПЕРЕЖИ́ТОК**, -тка, м. То, что сохраняется от прошлого и не соответствует современной жизни, современным нормам. *Пережитки прошлого в сознании людей.*

С и н.: рудиме́нт (*книжн.*), отры́жка (*разг.*).

**Пережи́точный**, -ая, -ое. *Пережиточные явления.*

**ПЕРЕЙМЧИВЫЙ**, -ая, -ое; -ив, -а, -о. *Разг.* Способный быстро перенимать, усваивать что-л. *Сметливая, переимчивая, она уже многому научилась от Анны Михеевны, и старуха признала ее своей первой помощницей.* Б. Полевой. Золото.

**Перейимчивость**, -и, ж.

**ПЕРЕКА́Т**, -а, м. **1.** обычно *мн.* Продолжительный, прерывистый гул, то усиливающийся, то затихающий. *Перекаты грома.* ▫ *И в это время снова, как отзвуки дальнего грома, послышались перекаты орудийных выстрелов.* Фадеев. Молодая гвардия. **2.** Мелководный участок реки с пологим скатом, обращенным против течения, и крутым — по течению. *Достигнув переката, рыба преодолела и его. Она почти посуху перебралась через камень.* Чаковский. У нас уже утро.

С и н. (*к 1 знач.*): гро́хот, раска́т, ро́кот, громыха́нье (*разг.*). С и н. (*ко 2 знач.*): мель.

**Перека́тный**, -ая, -ое.

**ПЕРЕКЛАДНО́Й**, -а́я, -о́е. **1.** Сменяемый на почтовых станциях, существовавших до проведения железных дорог (о лошадях, экипажах и т. п.). *Перекладная тройка, звеня колокольчиками и гремя колесами по замерзшей грязи, как по мостовой, подъехала к крыльцу.* Л. Толстой. Воскресение. **2.** *в знач. сущ.* **перекладны́е**, -ы́х, *мн.* Экипаж с лошадьми, сменяемый на почтовых станциях. *Торопясь, бросили своих лошадей,— ехали теперь на перекладных.* А. Н. Толстой. Петр I.

**ПЕРЕЛЕ́СОК**, -ска, *м.* Небольшой лес, отделенный полянами от других лесных участков, а также редкий или молодой лес, соединяющий лесные массивы. *Где день, где ночь — скитаюсь я одна По выжженным лесам и перелескам.* Исаковский. Наказ сыну.

**ПЕРЕЛИ́ВЧАТЫЙ**, -ая, -ое; -ат, -а, -о и **ПЕРЕЛИ́ВИСТЫЙ**, -ая, -ое; -ист, -а, -о. Переходящий из одного тона в другой, с переливами оттенков (о цвете, красках, звуках и т. п.). *Сильный переливчатый голос, то кокетливо отставая, то нагоняя мотив, раздавался по улице.* С. Антонов. Поддубенские частушки.

**Перели́вчато** и **перели́висто**, *нареч.* **Перели́вчатость**, -и и **перели́вистость**, -и, *ж.*

**ПЕРЕЛОЖЕ́НИЕ**, -я, *ср.* Изложение музыкального или литературного произведения в иной форме. *Переложение фортепианной пьесы для двух роялей. Переложение для сцены романа Л. Толстого.*

**ПЕРЕЛО́М**, -а, *м.* **1.** Разделение надвое ломкой. *Перелом пополам.* **2.** Резкое изменение, крутой поворот в развитии чего-л. *Нравственный перелом.* □ *В один из тех дней, что стоят на переломе осени на зиму, Родневу позвонил в райком Трубецкой.* Тендряков. Среди лесов.

С и н. (*ко 2 знач.*): кри́зис.

**Перело́мный**, -ая, -ое (*ко 2 знач.*). *Переломный период. Переломный возраст.*

**ПЕРЕМЕ́ННЫЙ**, -ая, -ое. **1.** Не все время одинаковый, меняющийся. *Переменный ветер. Игра идет с переменным успехом.* **2.** *Устар.* Сменяемый на почтовых станциях; перекладной. *Он уступил даже свою коляску и заготовил на всех станциях переменных лошадей.* Гоголь. Мертвые души.

С и н. (*к 1 знач.*): непостоя́нный, изме́нчивый, неусто́йчивый, переме́нчивый (*разг.*).

**ПЕРЕПРОИЗВО́ДСТВО**, -а, *ср.* Производство, превышающее возможность сбыта. *Перепроизводство товаров. Кризис перепроизводства.*

**ПЕРЕРОДИ́ТЬСЯ**, -ожу́сь, -оди́шься; переродившийся; переродившись; *сов.* **1.** Стать совсем иным, измениться; преобразиться.— *Когда меня сюда отправляли,— чуть слышно сказала Инга,— мне клялись, что здесь так чудесно, такой климат, что я перерожусь.* Федин. Санаторий Арктур. **2.** *в кого, что.* Превратиться в кого-, что-л. *Тягостное чувство разочарования и обиды хлынуло в сердце и быстро переродилось в угнетающее душу презрение к судьям и суду.* М. Горький. Мать. **3.** Утратить свои прежние качества, выродиться. *Сорт пшеницы переродился.*

С и н. (*ко 2 знач.*): трансформи́роваться (*книжн.*).

**Перерожда́ться**, -а́юсь, -а́ешься; *несов.* **Перерожде́ние**, -я, *ср.*

**ПЕРЕСТРО́ЙКА**, -и, *ж.* Коренное преобразование общества, осуществлявшееся в СССР в 1985—1991 гг.

**Перестро́ечный**, -ая, -ое. *Перестроечные процессы в обществе.*

**ПЕРЕФРАЗИ́РОВАТЬ**, -рую, -руешь; перефрази́ровавший; перефрази́рованный; -ан, -а, -о; перефрази́руя; *сов. и несов., что.* Передать (передавать) что-л., изменяя форму изложения. *Перефразировать строку стихотворения.*

**ПЕ́РИ** [пэ], *нескл., ж.* [Перс. pеrī — крылатый]. **1.** В древних верованиях иранских народов: существо в образе прекрасной крылатой женщины. *Однажды пери молодая У врат потерянного рая Стояла в грустной тишине;.. И быстрые потоки слез Бежали по ланитам пери.* Жуковский. Пери и Ангел. **2.** *перен. Трад.-поэт.* Об очаровательной, обворожительной женщине. *Можно краше быть Мери, Краше Мери моей. Этой маленькой пери; Но нельзя быть милей.* Пушкин. Пью за здравие Мери...

**ПЕРИГЕ́Й**, -я, *м.* [Восх. к греч. perigeion от perí — вокруг и gē — земля]. *Спец.* Ближайшая к Земле точка орбиты Луны. *Прохождение Луны через перигей.*

А н т.: апоге́й (*спец.*).

**ПЕРИ́ОД**, -а, *м.* [Восх. к греч. periodos — обход, круговращение]. Промежуток времени в развитии чего-л., характеризующийся теми или иными признаками, особенностями. *Зимний период. Период заболевания. Период уборки урожая.* □ *Я здесь двадцать лет не был.— Период довольно значительный,— согласился шофер.* Паустовский. Клад.

С и н.: вре́мя, пора́.

**Периоди́ческий**, -ая, -ое (наступающий в определенные периоды, повторяющийся время от времени). *Периодические изменения в чем-л.* ◇ **Периоди́ческая печать** — газеты, журналы. **Периоди́чески**, *нареч.* Повторяться периодически.

**ПЕРИОДИЗА́ЦИЯ**, -и, *ж.* Деление на периоды в развитии чего-л., характеризующиеся теми или иными признаками, особенностями. *Периодизация всемирной истории. Периодизация русской литературы.*

**ПЕРИО́ДИКА**, -и, *ж., собир.* То же, что периодическая печать.

**ПЕРИПЕТИ́И**, -и́й, *мн.* (*ед.* **перипети́я**, -и, *ж.*). [Греч. peripeteia]. *Книжн.* Внезапные резкие изменения, осложняющие события, поворот в ходе чего-л. (первонач. в сюжете литературного произведения). *Евпраксеюшка старалась не проронить слова, как будто бы перед ней проходили воочию перипетии какой-то.. сказки.* Салтыков-Щедрин. Господа Головлевы.

**ПЕРИСКО́П**, -а, *м.* [От греч. perí — вокруг и skopeín — смотреть]. Оптический прибор с системой зеркал для наблюдения из укрытия, танка, подводной лодки и т. п. *Прильнув к окуляру окопного перископа, Звягинцев понял, что первое замешательство у противника прошло.* Чаковский. Блокада.

**Периско́пный**, -ая, -ое. *Подводная лодка всплыла на перископную глубину.*

**ПЕРИФЕРИ́Я**, -и, ж. [Восх. к греч. periphereia — окружность]. **1.** *Спец.* Удаленная от центра часть чего-л. *Периферия глаза.* **2.** Отдаленная от столицы местность. *Игорь Викторович — москвич. Он окончил торговый техникум.. и решил уехать на периферию.* Крутилин. За косогором.

С и н. (ко 2 знач.): прови́нция, трущо́ба, глушь, захолу́стье, глухома́нь, дыра́ (*разг.*), глуби́нка (*разг.*).

**Перифери́ческий**, -ая, -ое (*к 1 знач.*) и **перифери́йный**, -ая, -ое (*ко 2 знач.*). *Периферическая нервная система. Периферийные организации.*

**ПЕРЛ**, -а, м. [Франц. perle]. **1.** *Устар.* Жемчужина, жемчуг. *Ни сарафан, ни перлов ряд, Ни песни лести и веселья Ее души не веселят.* Пушкин. Руслан и Людмила. **2.** *перен. Устар. и ирон.* О том, кто выделяется своими исключительными качествами. *[Лиза:] Ты ее, пожалуйста, не обижай, Антошенька, она у нас в своем роде перл.* Арбузов. Потерянный сын. **3.** *перен., чего. Устар. высок.* Лучший образец, яркое проявление чего-л. *Сцена с вестником — один из перлов шекспировского искусства.* Коонен. Страницы жизни. **4.** *перен. Разг. ирон.* О ком-, чем-л. редком, выдающемся по своим отрицательным качествам. *Сами в грамоте не сильны. Возьмите приказы Стесселя — у него безграмотность возведена в стиль. Что ни приказ — то литературный перл.* Степанов. Порт-Артур. ◊ **Возвести в перл создания** (*книжн.*) — признать самым прекрасным, образцом чего-л.

С и н. (к 3 знач.): драгоце́нность, сокро́вище, жемчу́жина (*высок.*).

**ПЕРЛАМУ́ТР**, -а, м. [Нем. Perlmutter от Perle — жемчужина и Mutter — мать]. Вещество с переливчатой, радужной окраской, составляющее твердый внутренний слой некоторых раковин (употр. для мелких поделок, украшений). *Дорогая была шкатулка, из грушевого дерева.. Инкрустировалась она перламутром, металлом, бисером.* Холопов. Иванов день.

**Перламу́тровый**, -ая, -ое. *Перламутровые пуговицы.*

**ПЕРЛЮСТРИ́РОВАТЬ**, -рую, -руешь; перлюстри́рующий, перлюстри́ровавший; перлюстри́руемый, перлюстри́рованный; -ан, -а, -о; перлюстри́руя; *сов. и несов., что.* [Лат. perlustrare — просматривать]. *Спец.* Произвести (производить) тайное вскрытие государственными органами пересылаемой по почте корреспонденции. *Перлюстрировать письма.*

**Перлюстра́ция**, -и, ж.

**ПЕРМАНЕ́НТНЫЙ**, -ая, -ое; -тен, -тна, -о. [Восх. к лат. permanens, permanentis — длящийся]. *Книжн.* Непрерывно продолжающийся, постоянный. *Перманентное развитие.*

С и н.: непреры́вный.

**Перманентно**, *нареч.* **Перманентность**, -и, ж.

**ПЕРНА́Ч**, -а́, м. Старинное русское оружие или знак власти: короткое древко с металлическим наконечником в виде щитков (перьев). *[Краснов] не принял атаманского пернача из рук войскового есаула.* Шолохов. Тихий Дон.

**ПЕРПЕ́ТУУМ-МО́БИЛЕ**, *нескл., м. и ср.* [Лат. perpetuum mobile — непрерывно движущееся]. *Книжн.* Вечный двигатель, вечное движение (первонач. воображаемая машина, которая, будучи пущена в ход, совершала бы работу, не заимствуя энергию извне). *Похаживал, ни на кого не глядя, иностранец с добрым голодным лицом, в очках — математик, химик, славный изобретатель перпетуум-мобиле — вечного водяного колеса.* А. Н. Толстой. Петр I.

**ПЕРРО́Н**, -а, м. [Франц. perron]. Площадка у железнодорожных путей для посадки и высадки пассажиров. *Вокзальный перрон.* □ *Вздернув бритый подбородок, важно шагает по длинному перрону начальник станции.* Коптелов. Большой зачин.

С и н.: платфо́рма.

**Перро́нный**, -ая, -ое.

**ПЕ́РСИ**, -ей, *мн. Трад.-поэт.* Грудь (обычно женская). *Вот глядит: к ней в уголок Белоснежный голубок С светлыми глазами, Тихо вея, прилетел, К ней на перси тихо сел, Обнял их крылами.* Жуковский. Светлана.

С и н.: бюст.

**ПЕРСО́НА**, -ы, ж. [Лат. persona]. **1.** *какая. Книжн.* Человек, особа, личность. *Знатная персона.* □ *Я не последняя персона в городе.* Герцен. Кто виноват? **2.** *Книжн. и ирон.* Важное, значительное лицо. *[Гаврила Бровкин], хотя был молод, но — персона, у царя на виду.* А. Н. Толстой. Петр I. **3.** Человек, лицо при расчетах обслуживания. *У папеньки.. стол накрывался иной раз на сорок персон.* Достоевский. Преступление и наказание. ◊ **Собственной персоной** — сам, лично. *Тимофеич собственною персоной скакал на утренней заре за какою-то особенною черкесскою говядиной.* Тургенев. Отцы и дети. **Персона грата** (*офиц.*) — лицо, кандидатура которого на пост дипломата в каком-л. государстве одобрена этим государством. **Персона нон грата** (*офиц.*) — лицо, кандидатура которого на пост дипломата в каком-л. государстве отклонена этим государством, пребывание которого в этом государстве объявлено нежелательным.

С и н. (к 1 знач.): лицо́, фигу́ра (*разг.*), субъе́кт (*разг.*). С и н. (ко 2 знач.): осо́ба, фигу́ра (*разг.*), пти́ца (*разг.*).

**ПЕРСОНА́Ж**, -а, м. [Франц. personnage]. Действующее лицо в произведении искусства. *Персонажи романа, оперы. Театральные персонажи актера. Комический, трагический персонаж. Персонажи М. Горького. Персонажи русских народных сказок.*

С и н.: геро́й.

**ПЕРСОНА́Л**, -а, м. [См. *персональный*]. Работники какого-л. предприятия, учреждения, составляющие группу по профессиональным или иным признакам. *Медицинский, педагогический, технический, научный персонал. Женский персонал гостиницы.* □ *У нас нет ни повара, ни* хлебопека, ни прачки и вообще никакого обслуживающего персонала. Ушаков. По нехоженой земле.

С и н.: ка́дры, штат.

**ПЕРСОНА́ЛЬНЫЙ**, -ая, -ое. [Восх. к лат. personalis]. **1.** Относящийся только к данному человеку; личный. *Персональное дело. Персональная пенсия. Персональная выставка художника.* **2.** Относящийся к персоналу. *Персональный состав.*

С и н. (к 1 знач.): индивидуа́льный.

**ПЕРСПЕКТИ́ВА**, -ы, ж. [Франц. perspective]. **1.** Видимое глазом пространства. *Все изменилось..: бухта стала теперь серая, строгая между серых, строгих берегов, и в глубине перспективы медленно двигался.. пароходик.* Каверин. Два капитана. **2.** Способ изображения объемных предметов на плоскости в соответствии с кажущимся изменением их величины, очертаний, четкости, зависящим от отдаленности от точки наблюдения. *Законы перспективы. Отсутствие перспективы в картине.* **3.** *обычно мн., перен.* Виды, планы на будущее. *И прежде случалось ему думать о будущем и рисовать себе всякого рода перспективы, но это были всегда перспективы дарового довольства и никогда — перспективы труда.* Салтыков-Щедрин. Господа Головлевы. *[Давыдову] вовсе не улыбалась перспектива обходить пахоту.* Шолохов. Поднятая целина. ◊ **В перспективе** — в будущем, впереди.

**ПЕРСПЕКТИ́ВНЫЙ**, -ая, -ое; -вен, -вна, -о. [См. *перспектива*]. **1.** *полн. ф.* Отражающий перспективу (в 1 и 2 знач.). *Перспективное изображение.* **2.** *полн. ф.* Предусматривающий будущее развитие. *Перспективное планирование.* **3.** Такой, который может успешно развиваться в будущем; многообещающий. *Перспективные результаты опыта. Перспективные формы сотрудничества. Перспективный работник.*

А н т. (к 3 знач.): бесперспекти́вный.

**Перспекти́вность**, -и, ж. (к 3 знач.).

**ПЕРСТ**, -а́, м. *Трад.-поэт.* Палец руки. *Мне мил и виноград на лозах, В кистях созревший под горой,.. Продолговатый и прозрачный, Как персты девы молодой.* Пушкин. Виноград. ◊ **Один как перст** — о том, кто одинок, не имеет семьи, близких. — *Скучно ему стало с нами. Один, как перст, теперь один!* Тургенев. Отцы и дети. **Перст судьбы** (или **провидения, рока**) (*устар. книжн.*) — о каком-л. событии, стечении обстоятельств, которые являются переломным, роковым моментом в чьей-л. жизни.

**ПЕРТУРБА́ЦИЯ**, -и, ж. [Восх. к лат. perturbatio — расстройство, смятение]. Внезапное резкое изменение в ходе чего-л., вносящее осложнение, затруднение во что-л. *Пертурбации в учреждении.*

**ПЕРФОКА́РТА**, -ы, ж. *Спец.* Сокращение: перфорационная карта — карточка, на которую информация для вычислительной машины наносится пробивкой отверстий.

**ПЕРФОРА́ЦИЯ**, -и, ж. [Восх. к лат. perforatio]. *Спец.* Пробивание отверстий на бумаге, киноленте и т. п., а также сами эти отверстия.

**Перфорацио́нный**, -ая, -ое. *Перфорационная лента.*

**ПЕСЕ́ТА** [сэ́], -ы, ж. [Исп. peseta]. Денежная единица Испании.

**ПЕСНОПЕ́НИЕ**, -я, ср. **1.** Религиозная песня. *Торжественно и скорбно гремел орган: стройные песнопения летели ввысь под своды собора.* Л. Никулин. России верные сыны. **2.** *Трад.-поэт.* Стихотворное произведение. *Обязан истинный поэт Для вдохновенных песнопений Избрать возвышенный предмет.* Пушкин. Египетские ночи. **3.** *Трад.-поэт.* Поэтическое творчество, поэзия. *Волшебной силой песнопенья В туманной памяти моей Так оживляются виденья То светлых, то печальных дней.* Пушкин. Цыганы.

**ПЕ́СО**, *нескл., ср.* [Исп. peso]. Денежная единица ряда государств Латинской Америки.

**ПЕССИМИ́ЗМ**, -а, м. [От лат. pessimus — наихудший]. Мироощущение, исполненное уныния, безнадежности, неверия в лучшее будущее, склонность во всем видеть неприятное.

А н т.: оптими́зм.

**Пессимисти́ческий**, -ая, -ое и **пессимисти́чный**, -ая, -ое; -чен, -чна, -о. *Пессимистическое настроение. Пессимистичный взгляд на жизнь.* **Пессимисти́чески** и **пессимисти́чно**, *нареч.* **Пессимисти́чность**, -и, ж. **Пессими́ст**, -а, м.

**ПЕСТ**, -а́, м. Стержень с утолщением на конце для толчения, дробления чего-л. (обычно в ступе). *Мы, как молотобойцы, поочередно ударяли тяжелыми пестами, но я успевала украдкой глянуть, далеко ли учитель.* Айтматов. Первый учитель.

**ПЕ́СТОВАТЬ**, -тую, -туешь; пе́стующий, пе́стовавший; пе́стуемый, пе́стованный; -ан, -а, -о; пе́стуя; *несов.* **1.** *кого. Устар.* Заботливо, с любовью растить (маленьких детей); нянчить. *[Афанасий Васильевич] летом присматривал за садом, а зимой пестовал внучат.* Рыленков. *Мне четырнадцать лет.* **2.** *перен., кого. Высок.* Воспитывать, выращивать. *Пестовать своих учеников.* **3.** *перен., что. Высок.* Создавать, вынашивать. *Довольно долго пестовал я свой замысел, а потом отказался от него.* Ваншенкин. Госпожа Достоверность.

С и н. (к 1 знач.): вска́рмливать (*устар. и высок.*). С и н. (ко 2 знач.): взра́щивать (*высок.*).

**ПЕ́СТРЯДЬ**, -и и **ПЕСТРЯДИ́НА**, -ы, ж. *Устар.* Льняная или хлопчатобумажная ткань грубой выделки, обычно двухцветная. *Через минуту в столовую вошел белокурый малый,.. в штанах из полосатой пестряди, засунутых в сапоги.* Салтыков-Щедрин. Пошехонская старина.

**Пестрядёвый**, -ая, -ое и **пестряди́нный**, -ая, -ое. *[Коробочка] — одна из тех матушек, которые набирают понемногу деньжонок в пестрядевые мешочки.* Гоголь. Мертвые души. *Одергивая пестрядинную рубаху, он прошел в комнату, окинул ее внимательным взглядом.* М. Горький. Мать.

**ПЕТИ́ЦИЯ**, -и, ж. [Восх. к лат. petitio — требование]. Коллективная просьба в письменной форме, обращенная к правительству. *Два года длится жаркая междоусобица. Ведутся длительные дискуссии, пишутся всевозможные петиции.* В. Попов. Обретешь в бою.

**Петицио́нный**, -ая, -ое. *Петиционное заявление.*

**ПЕТЛИ́ЦА**, -ы, *ж*. 1. Отделочная петля на мужской верхней одежде (обычно на борту фрака, мундира и т. п.). *В петлице у него блестел какой-то ученый значок.* Чехов. Дама с собачкой. 2. Цветная нашивка на воротнике форменной одежде, служащая знаком различия. *На полушубке не было петлиц и генеральских знаков различия.* Бондарев. Горячий снег.

**Петли́чка**, -и, *ж*. (*уменьш.*). **Петли́чный**, -ая, -ое.

**ПЕТРУ́ШКА**, -и, *м. и ж*. 1. *м*. Кукла, главное комическое действующее лицо в народном русском кукольном театре, а также сам этот театр. *Про балаган прослышавши, Пошли и наши странники Послушать, поглазеть. Комедию с Петрушкою, С козою с барабанщицей.. Смотрели тут они.* Н. Некрасов. Кому на Руси жить хорошо. *Большим успехом пользовался тогда «петрушка» — кукольный театр за ситцевой ширмой, где длинноносый «Петр Иваныч» гнусавым голосом привлекал общее внимание.* Телешов. Записки писателя. 2. *ж., перен. Прост. шутл.* О чем-л. нелепом, странном, смешном. *[Орлов] нам смущенно и говорит: «Вот какая петрушка — назначили меня к вам директором. Приметe?»* Почивалин. Роман по заказу.

**ПЕЧА́ТКА**, -и, *ж*. Предмет (обычно кольцо или брелок) с вырезанными на нем знаками, оттиск которого используется для указания на личность кого-л. *Запечатав оба письма тульской печаткой, на которой изображены были два пылающие сердца с приличною надписью, она бросилась на постель перед самым рассветом и задремала.* Пушкин. Метель.

**ПЕЧЕНЕ́ГИ**, -ов, *мн*. (*ед*. **печене́г**, -а, *м*.). Древняя народность тюркского происхождения, кочевавшая в 9—11 вв. на юго-востоке Европы.

**Печене́жский**, -ая, -ое. *Печенежские степи.*

**ПИАЛА́**, -ы́ и **ПИА́ЛА**, -ы, *ж*. [Перс. peyale]. Неглубокая, расширяющаяся кверху чашка без ручки, употребляемая преимущ. в Средней Азии. *Джигит привел [нас] на квартиру богатого узбека.. Живо согрели самовар, и хозяин собственноручно наливал и разносил нам пиалы.* Фурманов. Мятеж.

**ПИА́СТР**, -а, *м*. [Итал. piastra]. Денежная единица Турции, Египта и некоторых других стран, а также итальянское название старинной испанской монеты песо.

**ПИГМЕ́Й**, -я, *м*. [Восх. к греч. pygmaios — букв. величиной с кулак]. 1. Человек, принадлежащий к одному из низкорослых племен, входящих в экваториальную расу. 2. О ком-, чем-л. маленького роста, размера. *Республика Коста-Рика, пигмей по размеру, превосходит по богатству видов растений США с Аляской и Канаду, вместе взятые.* Н. Вавилов. Пять континентов. 3. *перен. Книжн.* О ничтожном человеке, ничтожестве. *Письмо Фрейлиграта, после многих размолвок последних лет, не удивило Маркса. Каким пигмеем казался поэт по сравнению с другими соратниками.* Серебрякова. Похищение огня.

**ПИГМЕ́НТ**, -а, *м*. [Восх. к лат. pigmentum — краска, мазь]. Красящее вещество в животном и растительном организме, придающее окраску тканям этого организма. *Кожный пигмент.*

**Пигме́нтный**, -ая, -ое. *Пигментная окраска.*

**ПИЕТЕ́Т**, -а, *м*. [Восх. к лат. pietas, pietatis — благочестие]. *Книжн*. Глубокое уважение, почтительное отношение к кому-, чему-л. *Относиться к учителю с пиететом.*

С и н.: почте́ние, почита́ние.

**ПИЖО́Н**, -а, *м*. [Франц. pigeon — голубь]. *Разг. неодобр*. Молодой человек, придающий излишнее значение своей внешности и одетый по самой последней моде. *И вот один пижон с галстучком бабочкой надумал анекдоты рассказывать.* В. Титов. Всем смертям назло.

С и н.: франт, щёголь, мо́дник (*разг.*), де́нди (*устар.*).

**Пижо́нка**, -и, *ж*. **Пижо́нский**, -ая, -ое.

**ПИЙТ**, -а, *м*. [Греч. poiētēs]. *Устар. и ирон*. Поэт. *Какой-нибудь пиит армейский Тут подмахнул стишок злодейский.* Пушкин. Евгений Онегин.

**ПИК**, -а, *м*. [Франц. pic]. 1. Остроконечная горная вершина. *Пик Победы на Памире.* 2. обычно *ед., перен*. Кратковременный наивысший подъем чего-л. *Он увидел, что за ночь вода не прибыла ни на сантиметр, значит был пик.* Залыгин. Южноамериканский вариант. ◇ **Час пик** — время наивысшего напряжения в работе транспорта, электростанции и т. п.

**Пи́ковый**, -ая, -ое. *Пиковая нагрузка.*

**ПИ́КА**, -и, *ж*. [Франц. pique]. Колющее оружие в виде острого наконечника, надетого на длинное древко. *— Век сабель, пик, бердышей и прочих железок давно уже миновал.* Шолохов. Поднятая целина. ◇ **В пику** (сделать) *что кому* — сделать что-л. с целью досадить, назло.

**ПИКАДО́Р**, -а, *м*. [Исп. picador]. Участник боя быков — всадник, приводящий быка в ярость уколами пики. *На сцену появляются пикадоры на лошадях с завязанными глазами, держась опасливо около забора.* Н. Вавилов. Пять континентов.

**ПИКА́НТНЫЙ**, -ая, -ое; -тен, -тна, -о. [Франц. piquant]. 1. Острый на вкус, пряный. *Пикантное блюдо. Пикантный соус.* 2. *перен*. Возбуждающий острый интерес, привлекающий своей необычностью, занимательностью. *Пикантная новость. Пикантные слухи.* □ *— Зачиталась до ночи, пикантная книжица.* Кукушкин. Хозяин. 3. *перен*. Не вполне пристойный, фривольный. *Пикантные подробности. Пикантный анекдот.*

С и н. (к 3 знач.): нескро́мный, риско́ванный, сме́лый.

**Пика́нтность**, -и, *ж*.

**ПИКА́П**, -а, *м*. [От англ. pick up — поднимать]. Небольшой грузовой автомобиль, обычно с открытым кузовом. *Синцову повезло. На мосту ему удалось остановить пикап. С шофером в кабине сидел лейтенант-связист.* Симонов. Живые и мертвые.

**ПИКЕ́**[1], *нескл., ср*. [Франц. piqué — стеганый, букв. исколотый]. Хлопчатобумажная или шелковая ткань с рельефным узором в виде узких рубчиков. *Воротник из пике.*

**Пике́йный**, -ая, -ое. *Виктор Семенович надел костюм цвета кофе со сливками и пикейный высоко застегнутый жилет.* Федин. Первые радости.

**ПИКÉ²**, *нескл., ср.* [См. *пикировать*]. *Спец.* Снижение самолета на большой скорости почти вертикально. *[Ерошин] ясно увидел выходящий из пике ослепительный хвост самолета.* Бондарев. Батальоны просят огня.
С и н.: пики́рование.

**ПИКÉТ**, -а, *м.* [Франц. piquet]. **1.** Небольшой сторожевой отряд, а также место, где расположен такой отряд. *Казаки на окрестных пикетах протяжно перекликались.* Лермонтов. Герой нашего времени. **2.** Группа бастующих или демонстрантов, охраняющая район забастовки или демонстрации. *Вооруженные пикеты восставших задерживали и опрашивали прохожих.* Серебрякова. Похищение огня.
**Пикéтный**, -ая, -ое.

**ПИКИ́РОВАТЬ**, -рую, -руешь; пики́рующий, пики́ровавший; пики́руя, пики́ровав; *сов. и несов.* [Франц. piquer]. Снизиться (снижаться) с большой скоростью (о самолете). *Пики́рующий бомбардировщик.* □ *Над перелеском, возле станции, неторопливо кружат черные немецкие самолеты.. Пики́руют и обстреливают поезда.* Торопыгин. Первая половина.
**Пики́рование**, -я, *ср.*

**ПИКИ́РОВАТЬСЯ**, -руюсь, -руешься; пики́рующийся, пики́ровавшийся; пики́руясь; *несов.* [См. *пикировать*]. Обмениваться едкими, колкими фразами, замечаниями. *Все во всем пикировались и были в несогласии, каждый ликовал над поражением своего противника.* Шагинян. Семья Ульяновых.
**Пикирóвка**, -и, *ж.*

**ПИКНИ́К**, -á, *м.* [Англ. picnic]. Загородная увеселительная прогулка компанией с закуской на воздухе. *Серж и Жюли были на каком-то далеком и большом пикнике.* Чернышевский. Что делать?
**Пикничóк**, -чкá, *м.* (*уменьш.*).

**ПИКТОГРÁММА**, -ы, *ж.* [От лат. pictus — нарисованный и греч. gramma — запись]. Условный рисунок с изображением каких-л. действий, событий, предметов и т. п. как древнейшая форма письменности. *Мы сравнивали письмена острова Пасхи.. с примитивными пиктограммами Соломоновых островов.* Рохтанов. Потомки Маклая.

**ПИЛИГРИ́М**, -а, *м.* [Др.-в.-нем. piligrīm; восх. к лат. peregrinus — чужестранец]. *Устар. книжн.* **1.** Странствующий богомолец, паломник. *Сидящий под пальмой пилигрим в такой час, наверно, погружался в какую-то нирвану.* Тихонов. Серый Хануман. **2.** *перен.* Странник, путешественник. *Завтра утром самолеты и поезда развезут московских пилигримов по городам и весям.* Евгеньев. Открытие.
С и н. (*к 1 знач.*): стрáнник (*устар.*).
**Пилигри́мка**, -и, *ж.*

**ПИОНÉР**, -а, *м.* [Восх. к франц. pionnier]. **1.** Человек, впервые проникший в неисследованную страну, область и поселившийся в ней (первонач. переселенец в Северную Америку). **2.** *перен. Книжн.* Тот, кто первым проложил путь в какой-л. новой области деятельности; зачинатель. *Пионеры космоса. М. Горький — пионер новых жанров в литературе. Быть пионером*

в какой-л. области науки. **3.** В СССР до 1992 г.: член всесоюзной детской организации.
С и н. (*к 1 знач.*): первопрохóдец. С и н. (*ко 2 знач.*): инициáтор, застрéльщик, начинáтель (*высок.*).
**Пионéрский**, -ая, -ое (*к 3 знач.*).

**ПИРАМИ́ДА**, -ы, *ж.* [Греч. pyramis, pyramidos]. **1.** Многогранник с четырехугольным основанием и сходящимися к вершине боковыми гранями. **2.** Монументальное каменное сооружение такой формы, служившее гробницей фараона в Древнем Египте. *Глядя на простые, лаконичные формы гигантских храмов и пирамид древнего Египта,.. мы невольно проникаемся заложенной в них титанической мыслью о вечности.* Ильин. Василий Иванович Баженов. **3.** Группа составленных вместе предметов, имеющая широкое основание и суживающаяся кверху. *Высились все те же пирамиды тщательно упакованных книг.* Герасимова. Меня нельзя бросить. **4.** Гимнастическая или акробатическая фигура из людей, становящихся друг на друга в несколько рядов. *На одном спортивном вечере старшеклассники делали пирамиду.* Алексин. Я ничего не сказал. **5.** *Спец.* Станок для хранения винтовок. *Сотников бросился к пирамиде, но там не оказалось ни одного незанятого места, во всех гнездах стояли винтовки.* В. Быков. Сотников.
**Пирами́дный**, -ая, -ое.

**ПИРО...** [От греч. pur — огонь]. Первая составная часть сложных слов, обозначающих термические процессы и вещества, получаемые при высоких температурах, напр.: *пирометаллурги́я, пиротéхника*.

**ПИРÓГА**, -и, *ж.* [Восх. к исп. piragua (из карибск.)]. Узкая длинная лодка, выдолбленная из ствола дерева у индейцев, народов Океании. *Наутро бросили якорь. Корабли сразу же окружили пироги.* Н. Чуковский. Водители фрегатов.

**ПИ́РРОВ**, -а, -о. ◇ **Пиррова победа** [по имени эпирского царя Пирра, одержавшего над римлянами победу, доставшуюся ему ценою больших потерь] — победа, стоившая огромных жертв, а потому равносильная поражению.

**ПИРС**, -а, *м.* [Англ. piers (*мн.*)]. Портовое сооружение, дамба, расположенная перпендикулярно или под углом к берегу, для причала судов с двух сторон.

**ПИРУЭ́Т**, -а, *м.* [Франц. pirouette]. Полный поворот всем телом на носке ноги (в танце), а также полный оборот тела в воздухе (в гимнастике, акробатике). *Пируэт в воздухе. Сальто с двойным пируэтом.* □ *Он научился виртуозно вырезать из бумаги замысловатые узоры и маленьких танцовщиц, делающих пируэты.* Паустовский. Сказочник.
**Пируэ́тный**, -ая, -ое.

**ПИ́САРЬ**, -я, пи́сари, -ей и (*устар.*) писаря́, -éй, *м.* Канцелярский служащий, занимающийся составлением, перепиской и ведением бумаг (теперь — только в армии). *Равны мне писари, уланы, Равны законы, кивера; Не рвусь я грудью в капитаны И не ползу в ассесора.* Пушкин. Товарищам.

С и н.: писе́ц (устар.), письмоводи́тель (устар.).

**Писарско́й**, -а́я, -о́е и **пи́сарский**, -ая, -ое.

**ПИСЕ́Ц**, писца́, м. 1. Лицо, занимавшееся перепиской или составлением рукописей и рукописных книг в Древней Руси. 2. *Устар.* Чиновник низшего класса, занимающийся составлением, перепиской и ведением бумаг. *За длинными столами писцы, свернув головы, свесив волосы на глаза, скрипят перьями.* А. Н. Толстой. Петр I.

С и н. (ко 2 знач.): пи́сарь, письмоводи́тель (устар.).

**ПИСТО́ЛЬ**, -я, м. [Франц. pistole]. Старинная испанская золотая монета, а также французская, итальянская и некоторые другие, равные ей по весу.

**ПИСЬМЕНА́**, -мён, мн. Письменные знаки, буквы, преимущ. древние. *Стершиеся славянские письмена повествуют о былом мужестве наших дедов и прадедов.* А. Калинин. Две тетради.

**ПИ́СЬМЕННОСТЬ**, -и, ж. 1. Система графических знаков, употребляемая для письма в каком-л. языке. *Рисуночная, буквенная, иероглифическая письменность.* 2. Совокупность письменных памятников какой-л. эпохи, какого-л. народа. *Древнерусская письменность.*

С и н. (к 1 знач.): письмо́.

**ПИСЬМО́ВНИК**, -а, м. 1. В старину: сборник образцов для написания писем разнообразного содержания. 2. Старинная книга для самообразования по языку и литературе. *Первые в моей жизни книги я увидел у Петьки. Это были.. «Юрий Милославский» и «Письмовник», на обложке которого был изображен усатый молодец с пером.* Каверин. Два капитана.

**ПИСЬМОВОДИ́ТЕЛЬ**, -я, м. *Устар.* Служащий канцелярии, писец. — *Ступайте туда, к письмоводителю,— сказал писец и ткнул вперед пальцем.* Достоевский. Преступление и наказание.

С и н.: пи́сарь.

**ПИТЕКА́НТРОП**, -а, м. [От греч. pithēkos — обезьяна и anthrōpos — человек]. *Спец.* Древнейший ископаемый вид человека, сохранивший много черт обезьяны.

**ПИТО́МЕЦ**, -мца, м. 1. *Устар.* Лицо по отношению к тому, кто доставляет ему средства к существованию. *У него была бездна.. разных его питомцев и им облагодетельствованных питомиц, которые все ожидали частички в его завещании.* Достоевский. Подросток. 2. *Книжн.* Воспитанник кого-, чего-л. *Питомцы университета.* □ *В двенадцать часов на Невский проспект делают набеги гувернеры всех наций со своими питомцами в батистовых воротничках.* Гоголь. Невский проспект.

**Пито́мица**, -ы, ж.

**ПИТО́МНИК**, -а, м. Место для разведения животных и растений. *Юные лесники решили сами выращивать саженцы: обработали участок земли под лесную школу-питомник и засеяли ее семенами сосны, дуба, клена.* Мусатов. Дубовые листья.

**ПИЩА́ЛЬ**, -и, ж. Старинная пушка или тяжелое ружье, заряжаемые со ствола. *Черкес оружием обвешен; Он им гордится, им утешен; На нем броня, пищаль, колчан.* Пушкин. Кавказский пленник. *Стали подходить обозы с огневыми припасами. На быках.. подвезли две знаменитых,— весом по триста двадцать пудов,— пищали.* А. Н. Толстой. Петр I.

**Пища́льный**, -ая, -ое.

**ПЛАГИА́Т**, -а, м. [Восх. к лат. plagiatus — похищенный]. Выдача чужого произведения за свое или использование в своих трудах чужого произведения без ссылки на автора. *Я не отвечаю за двустишие. Ни за грамматику, ни за рифму. Шедевр принадлежит стихоплету дореволюционных времен. — Плагиат!— чуть не взвизгнул Ергаков.* Федин. Костер.

**Плагиа́тор**, -а, м.

**ПЛАМЕНЕ́ТЬ**, -е́ю, -е́ешь; пламене́ющий, пламене́вший; пламене́я; *несов. Высок.* 1. Ярко гореть, пылать. *Присев на табуреты возле печки, где пламенел уголь, они смотрели друг на друга.* Ажаев. Далеко от Москвы. 2. Выделяться ярко-красным цветом или цветом, напоминающим пламя. *Широко и величаво пламенеет вечерняя заря.* Чехов. Черный монах. 3. *перен.*, чем или без доп. Быть охваченным каким-л. сильным чувством, какой-л. страстью. *Я слушаю тебя и сердцем молодею, Мне сладок жар твоих речей, Печальный снова пламенею Воспоминаньем прежних дней.* Пушкин. Денису Давыдову.

С и н. (к 1 и 2 знач.): полыха́ть. С и н. (к 3 знач.): горе́ть, пыла́ть.

**ПЛАН**, -а, м. [Восх. к лат. planum — плоскость]. 1. Чертеж, изображающий в масштабе местность, предмет, сооружение, передающий их подлинные пропорции. *План города, здания. Показать что-л. на плане.* 2. Заранее продуманная система мероприятий, предусматривающая объем, сроки и порядок выполнения каких-л. работ, объединенных общей целью. *Пятилетний, годовой, квартальный план. Народнохозяйственный план. План сева. Работать по плану. Выполнить план на 100%.* 3. Замысел, предположение, предусматривающее ход, развитие чего-л. *Планы на вечер.* □ *Я путешествовал без всякой цели, без плана; останавливался везде, где мне нравилось.* Тургенев. Ася. 4. Определенный порядок, последовательность изложения чего-л.; композиция. *План лекции, сочинения, урока.* 5. *какой.* Место, расположение какого-л. предмета в перспективе с точки зрения удаленности его от зрителя. *Передний, задний план.* 6. *перен., какой.* Место, положение кого-, чего-л. с точки зрения его важности, значительности. *Говорили по преимуществу о Сталинграде, все остальное отступало на второй план.* Панова. Спутники. 7. *какой.* Масштаб изображения кого, чего-л. *Снять эпизод кинофильма крупным планом.* 8. *перен. Книжн.* Та или иная область, сфера проявления чего-л.; способ рассмотрения чего-л. *Актер комедийного плана. Обсуждение вопроса в теоретическом плане.* □ *[Анатолий Иванович] надеялся, что разговор останется в плане чисто дружеских уговоров.* Нагибин. Подсадная утка.

С и н. (к 3 знач.): прое́кт, наме́рение.

**Пла́новый**, -ая, -ое (ко 2 знач.). *Плановое задание.*

**ПЛАНЁР**, -а, м. [Франц. planeur]. Двигательный аппарат тяжелее воздуха, не снабженный мотором, для парящего полета.

**Плане́рный**, -ая, -ое. *Планерный спорт.*

**ПЛАНЕ́ТА**, -ы, ж. [Восх. к греч. planētēs (astēr) — букв. блуждающая звезда]. **1.** Большое небесное тело, вращающееся вокруг Солнца и светящееся отраженным солнечным светом. *Малые, большие планеты.* **2.** Земля с населяющими ее людьми. *На всей планете, товарищи люди, объявите: войны не будет!* Маяковский. Долой! **3.** *перен. Устар.* Судьба, участь. — *Славная была женщина.. Кабы не моя планета — не ушел бы я от нее.* М. Горький. Коновалов.

С и н. (ко 2 знач.): вселе́нная, мир, свет, подлу́нная (*устар.*), поднебе́сная (*устар.*). С и н. (к 3 знач.): до́ля, звезда́, судьби́на (*трад.-поэт.*), плани́да (*прост.*), ли́ния (*прост.*), жре́бий (*устар.*), часть (*устар.*), уде́л (*устар. и книжн.*).

**Плане́тный**, -ая, -ое (к 1 знач.) и **планета́рный**, -ая, -ое (к 1 знач.).

**ПЛАНИ́ДА**, -ы, ж. *Прост.* Судьба, а также счастье, удача. — *Вот Быкову везет — ничего не скажешь.. А не верю я в его планиду.* Саянов. Небо и земля.

С и н.: до́ля, у́часть, звезда́, судьби́на (*трад.-поэт.*), ли́ния (*прост.*), жре́бий (*устар.*), часть (*устар. и книжн.*), уде́л (*устар. и книжн.*).

**ПЛАНТА́ЦИЯ**, -и, ж. [Восх. к лат. plantatio — посадка (растений)]. **1.** Крупное капиталистическое земледельческое хозяйство, возделывающее определенные сельскохозяйственные культуры (первонач. в Америке и колониальных странах — с применением труда рабов). **2.** Большой участок земли, занятый специальной сельскохозяйственной культурой. *Свекловичные, табачные плантации.*

**Планта́тор**, -а и (*устар.*) **Планта́тор**, -а, м. (к 1 знач.).

**ПЛАНШЕ́Т**, -а, м. и (*разг.*) **ПЛАНШЕ́ТКА**, -и, ж. [Франц. planchette — дощечка]. Плоская сумка с прозрачной верхней стороной для ношения карт. *Почему-то тот полковник носился по двору с планшетом в руках.* В. Быков. Альпийская баллада. *Когда подошел Кузнецов, он [Дроздовский] светил карманным фонариком на карту под целлулоидом планшетки.* Бондарев. Горячий снег.

**ПЛА́СТИКА**, -и, ж. [Греч. plastikē (technē) — ваяние]. **1.** Искусство создания объемных изображений с помощью лепки, резьбы и т. п. *Изучать античную пластику.* **2.** Гармоничность, выразительность движений человеческого тела. *Пластика движений в танце.*

**Пласти́ческий**, -ая, -ое и **пласти́чный**, -ая, -ое; -чен, -чна, -о (ко 2 знач.). *Пластическое изображение чего-л. Пластические движения. Пластичный жест.* **Пласти́чность**, -и, ж. (ко 2 знач.).

**ПЛАТОНИ́ЧЕСКИЙ**, -ая, -ое. [По имени древнегреческого философа-идеалиста Платона, считавшего первоосновой бытия мир «идей»]. **1.** Основанный на духовном влечении, лишенный чувственности. *Русские барыни большею частью питаются только платоническою любовью.* Лермонтов. Герой нашего времени. **2.** Не преследующий практических целей, отвлеченный. *Платонический интерес. Платонические мечтания.*

**Платони́чески**, *нареч.*

**ПЛАТФО́РМА**, -ы, ж. [Франц. plate-forme — букв. плоская форма]. **1.** Возвышенная площадка вдоль железнодорожного полотна на станции; перрон. *Вокзальная платформа.* **2.** Товарный вагон с невысокими бортами. *Грузить что-л. на платформы.* □ *Там, в середине эшелона, в леденцовой розовости утра дымили на платформе кухни.* Бондарев. Горячий снег. **3.** *Книжн.* Программа действий, система убеждений, политических требований какой-нибудь партии, общественной организации, политического деятеля. *Политическая платформа партии. Платформа депутата.* □ *[Богданов] пускал в ход все, что было можно: клевету, ложь, заверения, посулы, расписывал свою платформу и обещал победу в самое ближайшее время.* Вирта. Закономерность.

**ПЛАФО́Н**, -а, м. [Франц. plafond]. **1.** Потолок, украшенный живописью, мозаикой или лепкой, а также само живописное, мозаичное или лепное изображение на потолке. *Петя увидел на потолке несколько мозаичных плафонов.* Катаев. За власть Советов. **2.** Абажур, обычно в виде полупрозрачного полушария для электрических ламп, помещенных на потолке или стене.

**Плафо́нный**, -ая, -ое. *Плафонная живопись.*

**ПЛА́ХА**, -и, ж. **1.** Кусок бревна, расколотого пополам. **2.** В старину: деревянная колода, на которой отсекали голову приговоренного к смертной казни, а также помост, на котором совершалась эта казнь. *Лечь на плаху.* □ *И казнили Степана Калашникова.. И головушка бесталанная Во крови на плаху покатилася.* Лермонтов. Песня про купца Калашникова.

С и н. (ко 2 знач.): эшафо́т.

**ПЛАЦ**, -а и (*устар.*) -у, м. **ПЛАЦ-ПАРА́Д**, -а, м. [Нем. Platz]. Площадь для парадов и строевых занятий. *Вдруг все кареты замирали торжественнее артиллерии на плац-параде.* Федин. Первые радости.

**ПЛАЦДА́РМ**, -а, м. [Франц. place d'armes]. **1.** Пространство, на котором подготавливается и развертывается военная операция. *Неподалеку от деревни Свинюхи командованием был избран плацдарм, удобный для развертывания наступления.* Шолохов. Тихий Дон. **2.** Пространство, используемое для подготовки вторжения на территорию другого государства в качестве базы для размещения вооруженных сил. **3.** *Книжн.* О том, что является исходной позицией чего-л. *Использовать идею как плацдарм для дальнейших рассуждений.*

**ПЛАЦ-ПАРА́Д** см. **плац**.

**ПЛАЩ-ПАЛА́ТКА**, -и, ж. Полотнище из непромокаемой ткани, могущее служить и плащом, и палаткой. *Шел мокрый снежок.. Развевающиеся плащ-палатки на солдатах трещали, как паруса.* Шолохов-Синявский. Волгины.

**ПЛЕБЕ́Й**, -я, м. [Лат. plebeius]. **1.** В Древнем Риме: представитель низшего сословия, лично свободный, но юридически неполноправный

человек. **2.** В буржуазно-дворянской среде: обозначение человека недворянского происхождения, выходца из низших сословий. *Павел Петрович всеми силами души своей возненавидел Базарова: он считал его гордецом, нахалом, циником, плебеем.* Тургенев. Отцы и дети.
С и н. (ко 2 знач.): *простолюди́н* (*устар.*), *смерд* (*устар.*).

**Плебе́йский**, -ая, -ое. *Плебейское восстание. Плебейское происхождение.*

**ПЛЕБИСЦИ́Т**, -а, м. [Лат. plebiscitum — решение народа]. **1.** Постановление, принимаемое на собраниях плебеев в Древнем Риме. **2.** Всенародное голосование, устраиваемое для решения особо важных вопросов; референдум. *Провести плебисцит.*

**ПЛЕ́ВЕЛ**, -а, пле́велы, -ов *и* -ел, м. **1.** (*мн.* пле́велы, -ов). Травянистое растение сем. злаков, засоряющее посевы хлеба и льна. *Посеял плевелы — не жди хлеба.* Пословица. **2.** (*мн.* пле́велы, -ел), *перен. Книжн.* Что-л. вредное, ненужное, губительное. *Есть сотни тысяч тружеников, и есть хануги. И давайте отделим плевелы от зерен.* Лиходеев. Еще раз о частной собственности.

**ПЛЕД**, -а, м. [Англ. plaid]. Большой платок, покрывало из плотной клетчатой шерстяной ткани. *Шотландский плед.* ◇ *Марианна села и запахнулась большим пледом, который она накинула себе на плечи.* Тургенев. Новь.

**ПЛЕ́МЯ**, -мени, племена́, -мён, *ср.* **1.** В первобытном обществе: объединение людей, связанных родовыми отношениями, единым языком и территорией. *Кочевые, оседлые племена.* **2.** *перен. Устар.* Народ, национальность. *Уже давно между собою Враждуют эти племена; Не раз клонилась под грозою То их, то наша сторона. Кто устоит в неравном споре: Кичливый лях иль верный росс?* Пушкин. Клеветникам России. **3.** *ед. Устар.* Род, семья. *[Лаврецкий] происходил от старинного дворянского племени.* Тургенев. Дворянское гнездо. **4.** *ед., перен. Высок.* Поколение людей. *Да, были люди в наше время, Не то, что нынешнее племя: Богатыри — не вы!* Лермонтов. Бородино. **5.** *ед., перен. Высок.* Группа, категория людей, объединенных каким-л. общим признаком. *Солдатское племя.* ◇ *На Руси есть большое племя этих энтузиастов, собирателей всего ценного, оставшегося от многовековой культуры нашего народа.* Ганичев. Искатели живой воды.

**Племенно́й**, -а́я, -о́е (к 1 знач.). *Племенные обычаи.*

**ПЛЕНА́РНЫЙ**, -ая, -ое. [Лат. plenarius — полный]. Происходящий при участии всех членов данной организации, выборного органа и т. п. *Пленарное заседание.*

**ПЛЕНИ́ТЕЛЬНЫЙ**, -ая, -ое; -лен, -льна, -о. *Книжн.* Покоряющий своей прелестью, очарованием. *Пленительный голос.* ◇ *Весна с каждым часом наступала, пленительная и всегда удивительно новая, словно первая на новорожденной земле.* Пермитин. Первая любовь.
С и н.: *упои́тельный, восхити́тельный, изуми́тельный, волше́бный, обворожи́тельный, ди́вный* (*разг.*).

**Плени́тельно**, *нареч.* **Плени́тельность**, -и, *ж.*

**ПЛЕ́НУМ**, -а, м. [Лат. plenum — полное]. Пленарное заседание. *Пленум Верховного суда. Пленум ЦК КПСС.*

**ПЛЕНЭ́Р**, -а, м. [Франц. plein air — открытый воздух]. *Спец.* Передача воздушной среды и естественного освещения в живописи. *Сочетание ярких красок — оранжевая, зеленая и белая — на фоне крымских гор в пленэре, смуглое от загара лицо женщины создавали своеобразную экзотику.* Рылов. Воспоминания. ◇ **На пленэре** — на открытом воздухе. *[В жаркие летние дни] чуть ли не за каждой сосной в парке маячили загорелые плечи работавших на пленэре студентов «худграфа».* Рыленков. На озере Сапшо.

**Пленэ́рный**, -ая, -ое. *Пленэрная живопись.*

**ПЛЕРЕ́ЗЫ** [рэ́], -е́з, *мн.* [Франц. pleureuses]. *Устар.* Траурные нашивки на одежде. *Носить платье с плерезами.*

**ПЛЁС**, -а, м. Участок равнинной реки между ее изгибами, островами или перекатами, отличающийся спокойным течением и большой глубиной и шириной. *[Капитан] оглядывает плес: левый берег залит водой, правый — горбатится холмиком, разрезанным посередине — там, шумя, струится Вятская протока.* Липатов. Капитан «Смелого».

**ПЛЕЯ́ДА**, -ы, *ж.* [От греч. Pleias, Pleiados — название группы из семи древнегреческих поэтов-трагиков III в. до н. э.; по имени семи дочерей мифического титана Атланта, превращенных после их смерти в звезды]. *Высок.* Группа выдающихся деятелей одной эпохи на каком-л. поприще. *В кровопролитных боях Великой Отечественной войны выдвинулась новая плеяда блестящих советских полководцев.* Чаковский. Блокада.
С и н.: *отря́д, фала́нга* (*книжн.*), *когорта* (*высок.*), *созве́здие* (*высок.*).

**ПЛИ**, *межд.* Команда стрелять. — *Пли!...* — *скомандовал Игнат Васильевич. Ударил оглушительный залп.* Фадеев. Последний из удэге.

**ПЛИС**, -а, м. [Швед. plys *или* голл. pluis; восх. к лат. pilus — волос]. Хлопчатобумажная ворсистая ткань, похожая с лицевой стороны на бархат.

**Пли́совый**, -ая, -ое. *В будни ходил он в плисовой куртке, по праздникам надевал сюртук из сукна домашней работы.* Пушкин. Барышня-крестьянка.

**ПЛОДОТВО́РНЫЙ**, -ая, -ое; -рен, -рна, -о. **1.** Благоприятно влияющий на жизнь растений, ускоряющий их рост. *Плодотворная влажность почвы.* **2.** Благоприятный, полезный для развития чего-л. *Плодотворное влияние.* ◇ *Предание об Атлантиде — одна из плодотворнейших идей, которая не раз вдохновляла писателей и поэтов.* М. Васильев. Материя. **3.** Продуктивный, производительный. *Плодотворная деятельность.* ◇ *Чем больше знает человек, тем большую ценность он представляет для общества, тем плодотворнее и интереснее его собственная жизнь.* Паустовский. Черноморское солнце.
С и н. (к 3 знач.): *эффекти́вный.*

**Плодотво́рно**, *нареч.* (ко 2 знач.). *Плодотворно развиваться.* **Плодотво́рность**, -и, *ж.*

**ПЛО́СКИЙ**, -ая, -ое; пло́сок, плоска́ и пло́ска, -о. **1.** Не имеющий углублений и возвышений; с ровной поверхностью. *Богучарово лежало в некрасивой, плоской местности, покрытой полями.* Л. Толстой. Война и мир. **2.** Имеющий небольшую толщину или вышину при прямой и ровной поверхности. *Плоский ящик. Плоский матрас.* **3.** *перен.* Лишенный оригинальности, остроты, своеобразия; пошлый. *Я сказал ему на ухо какую-то плоскую грубость.* Пушкин. Выстрел.

С и н. (к 1 знач.): гла́дкий, ро́вный. С и н. (к 3 знач.): бана́льный, зата́сканный, изби́тый, тривиа́льный (*книжн.*), зае́зженный (*разг.*), истёртый (*разг.*), затрёпанный (*разг.*).

**Пло́ско**, *нареч.* (к 3 знач.). *Плоско острить.*

**ПЛО́СКОСТЬ**, -и, плоскости -ей, *ж.* **1.** Ровная, плоская поверхность чего-л. *Байдарская долина — возвышенная плоскость, приятная, похожая на Куткашинскую.* Грибоедов. Путевые записки. **2.** *перен.* Область, сфера рассмотрения чего-л., точка зрения. *Поставить вопрос в другой плоскости.* □ *Студент умиротворял споры Ляхова и Мити тем, что переводил их из житейской плоскости в научную.* Трифонов. Доктор, студент и Митя. **3.** Крыло самолета. *С короткими интервалами одна за другой машины отделялись от бетонированной дорожки и взлетали, слегка покачивая плоскостями, в небо.* Березко. Сильнее атома. ◊ **Катиться по наклонной плоскости** — быстро опускаться морально, нравственно.

**ПЛОТОЯ́ДНЫЙ**, -ая, -ое; -ден, -дна, -о. **1.** О животных: питающийся мясом других животных; хищный. *[Орлы] хищны, плотоядны, но имеют в свое оправдание, что сама природа устроила их исключительно антивегетарианцами.* Салтыков-Щедрин. Орел-меценат. **2.** *перен.* Обладающий низменно-чувственными, животными инстинктами, а также выражающий грубую чувственность. *Плотоядная натура, улыбка. Плотоядный взгляд.*

С и н. (ко 2 знач.): сладостра́стный, похотли́вый, любостра́стный (*устар.*).

**ПЛО́ТСКИЙ**, -ая, -ое. Телесный, чувственный; земной. *Плотская любовь. Плотские инстинкты.* □ *В Юле много было плотской, чувственной жизни.* Конецкий. Еще о войне.

**ПЛОТЬ**, -и, *ж. Устар.* Тело человека как противоположное духовному началу в человеке, его психике, а также тело как источник возможных различных ощущений, чувств. *А я землю прощаю, сын ей духом и плотью.* Евтушенко. *Я — землянин Гагарин.* **2.** *перен. Книжн.* Материальное воплощение, проявление в вещественных образах, формах. *Вот и для вас, и для всех ребят история нашего города стала плотью обрастать.* Ганичев. Начало. ◊ **Плоть и кровь** *чья*; **плоть от плоти (кость от кости** или **кровь от крови)** *чьей (высок.)* — 1) родной ребенок кого-л. *Чувствовала, что рядом сидит сын, ее плоть и кровь, даже хорошо, что вот так сразу приехал за ней.* Нефедов. Сны снятся долго; 2) о том, кто тесно, неразрывно связан с кем-, чем-л. *Она плоть от плоти, кровь от крови рабочих своей высокоиндустриальной страны.* Б. Полевой. Шахта «Мария». **Войти в плоть и кровь** — оказаться прочно усвоенным кем-, чем-л. *В плоть и кровь вошла привычка не возвращаться с пустыми руками: коль нет цветов, можно наломать березовых или дубовых веников.* О. Волков. Лоскутки рая. **Облечь в плоть и кровь** (или **плотью и кровью**) *(высок.)* — придать ту или иную материальную форму. **Во плоти́** — воплощенный в телесном, реальном образе. *Она ангел во плоти.*

**ПЛОЩАДНО́Й**, -а́я, -о́е. **1.** *Устар.* Совершаемый, расположенный, происходящий на площади. *Площадная ярмарка.* **2.** Грубый, непристойный, пошлый. *Площадная брань.*

С и н. (ко 2 знач.): неприли́чный, нецензу́рный, бессты́дный, цини́чный, непеча́тный (*разг.*), поха́бный (*прост.*), непотре́бный (*устар.*).

**ПЛУГА́РЬ**, -я́, *м.* Тот, кто работает на вспашке полей плугом. *— Вы, плугари!.. полно вам за плугом ходить. Пора доставать казацкой славы!* Гоголь. Тарас Бульба.

С и н.: па́харь.

**ПЛУТОКРА́ТИЯ**, -и, *ж.* [Греч. plutokratia от plutos — богатство и kratos — власть]. *Книжн.* Политическое господство богачей в эксплуататорском обществе. *Римская плутократия.*

**Плутократи́ческий**, -ая, -ое.

**ПЛЮМА́Ж**, -а, *м.* [Франц. plumage — оперение]. Украшение из птичьих перьев на головных уборах и конской сбруе. *По шляпе с плюмажем можно было заключить, что он считался в ранге статского советника.* Гоголь. Нос.

**ПЛЮРАЛИ́ЗМ**, -а, *м. Спец.* [От лат. pluralis — множественный]. **1.** В философии: позиция, которая предполагает существование нескольких независимых начал бытия. **2.** Принцип устройства правового общества, утверждающий необходимость и правомерность существования и конкуренции множества социальных групп, партий, организаций. **3.** Многообразие точек зрения, взглядов. *Плюрализм мнений.*

**Плюралисти́ческий**, -ая, -ое.

**ПНЕВМАТИ́ЧЕСКИЙ**, -ая, -ое. [Восх. к греч. pneumatikos — воздушный]. Действующий с помощью сжатого воздуха. *Пневматические двери в автобусе. Пневматическое оружие. Пневматический насос.*

**ПОБО́РНИК**, -а, *м., чего. Высок.* Защитник, сторонник кого-, чего-л., борец за что-л. *Страстный поборник справедливости, мира, свободы.* □ *Проповедник кнута, апостол невежества, поборник обскурантизма и мракобесия.. — что Вы делаете?* Белинский. Письмо к Гоголю.

С и н.: приве́рженец, аде́пт (*книжн.*), ревни́тель (*книжн.*), ра́тник (*трад.-поэт.*).

**Побо́рница**, -ы, *ж.*

**ПОБО́ЧНЫЙ**, -ая, -ое. **1.** Второстепенный, не основной, не главный. *Побочные соображения. Побочные доходы.* **2.** *Устар.* Рожденный вне брака. *Воспитывался Ефим.. в семье вдовца,.. был побочным сыном.* Рыленков. Сказка моего детства.

С и н. (ко 2 знач.): внебра́чный, незаконноро́ждённый (*устар.*), незако́нный (*устар. разг.*).

**ПОБРАТИ́М**, -а, *м.* **1.** Тот, кто соединен с кем-

-л. побратимством; названый брат. *Звали их в полку побратимами, отдавая этим долг великой, всепобеждающей и необоримой солдатской дружбе.* Б. Полевой. Побратимы. **2.** О ком-, чем-л. находящемся в отношениях сотрудничества и дружбы. *Города-побратимы.*

**ПОБРАТИ́МСТВО,** -а, *ср.* Старинный славянский обычай закрепления дружбы приравниванием ее к братским отношениям, сопровождающийся определенным обрядом.

**ПОБУДИ́ТЬ,** -ужу́, -уди́шь; побуди́вший; побуждённый; -дён, -дена́, -о́; побуди́в; *сов., кого к чему или с неопр. Книжн.* Вызвать у кого-л. желание сделать что-л., склонить к чему-л. *Побудить действовать.* ☐ *Чувствуя, что они уступят силе ее желания, стремясь скорее побудить их к этому, она говорила все более настойчиво.* М. Горький. Мать.

С и н.: заста́вить, подви́гнуть (*устар. и высок.*).

**Побужда́ть,** -а́ю, -а́ешь; *несов. Побуждать к активным действиям.*

**ПОВА́ЛЬНЫЙ,** -ая, -ое. Охватывающий всех или многих. *В двадцатые годы, в период повального среди архитекторов увлечения идеями конструктивизма, Валицкий.. выступил с резкой критикой зарубежного новатора.* Чаковский. Блокада.

С и н.: о́бщий, всео́бщий, всеобъе́млющий, поголо́вный, сплошно́й, тота́льный (*книжн.*).

**ПОВЕЛЕВА́ТЬ,** -а́ю, -а́ешь; повелева́ющий, повелева́вший; повелева́; *несов.* **1.** обычно *кем, чем. Устар.* Править, управлять, подчинять своей воле. *Повелевать страной, народом.* ☐ *[Рыжий] был здоровенный солдат, и потому повелевал теми, которые были слабее его.* Л. Толстой. Война и мир. **2.** обычно *с неопр. Высок.* Требовать, приказывать. *— Честь моя повелевает мне теперь восстановить добродетель! Вы слышали: Я ищу руки этой девицы.* Достоевский. Село Степанчиково и его обитатели.

С и н. (к 1 знач.): распоряжа́ться, кома́ндовать (*разг.*). С и н. (ко 2 знач.): веле́ть.

**Повеле́ть,** -лю́, -ли́шь; *сов.* (ко 2 знач.).

**ПОВЕ́РГНУТЬ,** -ну, -нешь; пове́ргнувший и пове́ргший; пове́ргнутый; -ут, -а, -о *и* (*устар.*) пове́рженный; -ен, -а, -о; пове́ргнув; *сов.* **1.** *кого, что. Устар. и высок.* Заставить упасть; опрокинуть, повалить. *Петр оглядел все его [лося] огромное, поверженное на землю тело.* Николаева. Жатва. **2.** *кого, что. Высок.* Победить. *Враг повержен.* **3.** *кого во что. Высок.* Привести в какое-л. состояние. *Повергнуть в ужас, в отчаяние.* ☐ *На этот раз Устименко сдался.. Такое словосочетание, как "судьба человека", хоть кого повергнет в смятение.* Герман. Я отвечаю за все.

С и н. (к 1 знач.): свали́ть (*разг.*), низложи́ть (*устар.*). С и н. (к 3 знач.): вве́ргнуть (*высок.*), вогна́ть (*разг.*).

**Поверга́ть,** -а́ю, -а́ешь; *несов.*

**ПОВЕ́РЕННЫЙ,** -ого, *м. Книжн.* **1.** Тот, кто официально уполномочен действовать от имени кого-л. *Продать имение целиком — не находилось покупателей;.. поверенный наш тоже требовал деньги на поездки в имение, бумаги, судебные расходы.* Достоевская. Воспоминания. **2.** Тот, кому поверяют какие-л. секреты, тайны. *Пьер был один из тех людей, которые.. не ищут поверенного для своего горя.* Л. Толстой. Война и мир. ◊ **Поверенный в делах** — дипломатический представитель рангом ниже посла или посланника. **Временный поверенный в делах** — лицо, исполняющее обязанности главы дипломатического представительства.

**ПОВЕ́РХНОСТНЫЙ,** -ая, -ое; -тен, -тна, -о. **1.** *полн. ф.* Находящийся на поверхности чего-л. *Поверхностный слой почвы.* **2.** *перен.* Ограничивающийся самым общим, несущественным, не вникающий в суть чего-л. *Поверхностный взгляд на что-н. Поверхностный анализ книги. Поверхностный человек.*

С и н. (ко 2 знач.): неглубо́кий, неоснова́тельный.

А н т. (ко 2 знач.): глубо́кий.

**Пове́рхностно,** *нареч.* (ко 2 знач.). **Пове́рхностность,** -и, *ж.*

**ПОВЕ́РЬЕ,** -я, пове́рья, -ий, *ср.* Предание, основанное на суеверных представлениях. *Древнее, народное поверье.* ☐ *[Ильюша] лучше других знал все сельские поверья.* Тургенев. Бежин луг.

**ПОВЕ́СА,** -ы, *м. Разг.* Молодой человек, принадлежащий к высшим кругам общества, проводящий время в легкомысленных занятиях. *А ты, повеса из повес, На шалости рожденный, Удалый хват, головорез, Приятель задушевный!* Пушкин. Евгений Онегин.

С и н.: гуля́ка (*разг.*).

**ПО́ВЕСТЬ,** -и, по́вести, -е́й, *ж.* **1.** Литературное произведение с менее сложным, чем в романе, сюжетом и обычно меньшее по объему. *Покойник отец твой два раза отсылал в журналы — сначала стихи, а потом уже и целую повесть.* Достоевский. Преступление и наказание. **2.** *Устар.* Повествование, рассказ. *Послушай: расскажу тебе Я повесть о самом себе.* Пушкин. Цыганы. *чего.* Совокупность фактов и событий, связанных с кем-, чем-л.; история. *Ей вспомнилась теперь повесть их короткой любви — от первой встречи до того дня, когда она увидела, как падал с высоты самолет.* Саянов. Небо и земля.

**ПОВЕ́ТРИЕ,** -я, *ср.* **1.** *Устар.* Быстро распространяющаяся эпидемия. **2.** *перен. Неодобр.* Увлечение чем-л., получившее широкое распространение. *Модное поветрие.* ☐ *В десятом классе Саша Борзов оставался, пожалуй, единственным, кто не переболел поветрием юношеской любви.* Почивалин. Летят наши годы.

**ПОВИВА́ЛЬНЫЙ,** -ая, -ое. ◊ **Повивальная бабка** (*устар.*) — женщина, оказывающая помощь при родах.

**ПОВИ́ННОСТЬ,** -и, *ж.* **1.** Обязанность, возлагаемая на население государством или обществом. *Воинская, трудовая повинность.* ☐ *Пугачев объявил народу вольность,.. отпущение повинностей и безденежную раздачу соли.* Пушкин. История Пугачева. **2.** *перен. Разг.* Обязанность, то, что необходимо исполнить. *Скучная повинность.* ☐ *Пишу без увлечения, будто отбываю повинность.* Бек. Почтовая проза.

**ПОВИ́ННЫЙ,** -ая, -ое; -и́нен, -и́нна, -о. **1.** Виноватый в чем-л. *Ни в чем не повинен.* ☐ *В за-*

хвате кедровника было повинно все село. *Если уж судить — надо судить всех.* Г. Марков. Строговы. **2.** обычно *кр. ф. Устар.* Обязанный, должный. *— Открывать глаза обществу на наши общественные нужды и недуги — цель, конечно, почтенная,.. и искусство повинно принести свою лепту, и давно уже принесло ее.* И. Гончаров. Литературный вечер. ◇ **Принести повинную, прийти (или явиться) с повинной** — признаться в своей вине; явиться, чтобы сознаться в своей вине. **Повинную голову меч не сечет** (*посл.*) — повинившегося нужно прощать.

С и н. (к 1 знач.): вино́вный, гре́шный (*разг.*).

А н т. (к 1 знач.): неви́нный, невино́вный, повинный, невинова́тый.

**ПОВИТУ́ХА**, -и, *ж. Устар.* Женщина, принимающая роды; повивальная бабка. *Роды были трудные. Но Плорчук.. не вскрикнула, не пожаловалась повитухе.* Канторович. Детство Нивха Ковгэна.

**ПОВОДЫ́РЬ**, -я́, *м.* **1.** *Устар.* Провожатый для указания пути; проводник. *— Дам я тебе харчей и в поводыри внучонка, чтобы он дорогу указывал.* Шолохов. Тихий Дон. **2.** Тот, кто водит кого-л. (обычно слепого). *[Слепцы-лирники] шли, держась за плечо босоногого маленького поводыря в посконной рубахе.* Паустовский. Повесть о жизни. *Особенно трудно приходилось поводырям из взвода Дубова,— они вели по три лошади.* Фадеев. Разгром. **3.** *перен.* Тот, кто направляет кого-л. *Эта женщина, поводырь городских пролетарок, сама утверждала свое место среди мужчин.* Ф. Гладков. Цемент.

С и н. (к 1 знач.): вожа́тый (*устар.*).

**ПОВО́ЙНИК**, -а, *м.* Старинный головной убор русских замужних крестьянок в виде повязки, надеваемой под платок. *На крыльце стоит бабушка. Она в грубой клетчатой поневе; на голове линялый, бесцветный повойник.* Крутилин. Липяги.

**ПОВОЛО́КА**, -и, *ж.* Тонкая застилающая пелена. *Всю весну небо не затуманивалось ни тучкой, ни облачком, даже поволокой.* А. Кожевников. Живая вода. ◇ **Глаза с поволокой** — о глазах как бы затуманенных, с томным выражением. *Поразительны, истинно поразительны были ее глаза, исчерна-серые, с зеленоватыми отливами, с поволокой.* Тургенев. Дым.

**ПОВОРО́ТНЫЙ**, -ая, -ое. **1.** Такой, который образует поворот, изменение в движении чего-л. *Справа, за поворотным мысом, все еще доносился стукоток катера, с которым поехала Майка.* Распутин. Прощание с Матерой. **2.** *перен.* Резко изменяющий что-л., создающий перелом в чем-л. *Поворотный момент.* □ *Хотелось бы рассказать про один эпизод. Он.. стал поворотным пунктом в развитии целой ветви физики: речь идет об управляемых термоядерных реакциях.* Ливанова. Физики о физиках.

С и н. (ко 2 знач.): перело́мный, перехо́дный.

**ПОВСТА́НЕЦ**, -нца, *м.* Участник восстания, мятежа. *Войска повстанцев заняли все важнейшие пункты города.* А.Н. Толстой. Аэлита.

**ПОВЫ́ТЧИК**, -а, *м.* Должностное лицо, ведавшее делопроизводством в суде русского государства 16—17 вв. *Синеватые архивные бумаги, исписанные гусиными перьями, и донесенья повытчиков, управляющих вотчинами купцов Строгановых, говорили о залежах меди.* Г. Марков. Соль земли.

**ПОГА́НЫЙ**, -ая, -ое. **1.** Не употребляемый в пищу, несъедобный. *Поганый гриб.* **2.** Запретный, нечистый с религиозной точки зрения. *Мужики не ели [налимов], так как рыбу без костей, как лягушек, считали поганой.* Вс. Иванов. Старик. **3.** *Разг.* Предназначенный для отбросов и нечистот. *Поганое ведро.* **4.** *Разг.* Дрянной, мерзкий, отвратительный. *Поганое настроение.* □ *— Какая такая крепость? Городишко поганый. Почему не продвигается?* Казакевич. Весна на Одере. **5.** *Устар.* Нехристианский. *Дед равнодушно говорил..: — Турки — тоже поганые: они Мухамеду поклоняются.* Ф. Гладков. Повесть о детстве.

С и н. (к 3 знач.): помо́йный, гря́зный. С и н. (к 4 знач.): плохо́й, нехоро́ший, дурно́й, скве́рный, худо́й (*разг.*), парши́вый (*прост.*), а́ховый (*прост.*), никуды́шный (*прост.*), плёвый (*прост.*).

**Пога́но**, *нареч.* (к 4 знач.).

**ПОГАСИ́ТЬ**, -ашу́, -а́сишь; погаси́вший; пога́шенный; -ен, -а, -о; погаси́в; *сов., что.* **1.** Прекратить горение, свечение чего-л. горящего, дающего свет; потушить. *Погасив свечу, он накрылся ситцевым одеялом.* Гоголь. Мертвые души. **2.** *перен.* Не дать проявиться, развиться (о чувствах, переживаниях). *Прохоров в который уже раз погасил гнев, распирающий грудь и мешающий дышать.* Липатов. И это все о нем. **3.** Прекратить действие чего-л., сделать недействительным; выплатить. *Погасить займы.* □ *Марки погашены штемпелем Москвы.* Бек. Почтовая проза.

С и н. (к 1 знач.): загаси́ть, затуши́ть. С и н. (ко 2 знач.): заглуши́ть, затуши́ть, загаси́ть, подави́ть, смири́ть (*книжн.*).

А н т. (к 1 знач.): заже́чь.

**Погаша́ть**, -а́ю, -а́ешь; *несов.* (к 3 знач.). *Погашать облигации.* **Погаше́ние**, -я, *ср.* (к 3 знач.). *Погашение государственных займов.*

**ПОГЛОТИ́ТЬ**, -ощу́, -о́тишь; поглоти́вший; поглощённый; -щён, -щена́, -о́; поглоти́в; *сов.* **1.** *кого, что.* Вобрать, принять в себя. *Земля поглотила влагу. Море поглотило лодку.* □ *[За двором] открывалось одно пустое поле да поглощенные ночным мраком луга.* Гоголь. Вий. **2.** *перен., кого.* Всецело захватить, увлечь чем-л. *Докапываясь до сути явления, парень ощутил в себе страсть исследователя, и она целиком поглотила его.* Колесников. Право выбора. **3.** *что.* Потребовать больших затрат, усилий и т. п. *Денег в приказе Большого дворца кот наплакал: все поглотила крымская война.* А.Н. Толстой. Петр I.

С и н. (к 1 знач.): впита́ть, вобра́ть. С и н. (ко 2 знач.): завладе́ть, овладе́ть, одоле́ть, охвати́ть, обуя́ть (*высок.*), плени́ть (*устар. и высок.*), полони́ть (*устар. и нар.-поэт.*).

**Поглоща́ть**, -а́ю, -а́ешь; *несов.*

**ПОГО́СТ**, -а, *м.* **1.** Сельское кладбище. *Из деревни, ближайшей к погосту, на котором была схоронена Арина Петровна, прискакал верхо-*

вой с известием. Салтыков-Щедрин. Господа Головлевы. **2.** *Устар.* Церковь с прилегающим земельным участком и с кладбищем, расположенная в стороне от села. *[Художники] вышли из дому еще в темноте, чтобы дойти до погоста пораньше и успеть засветло сделать наброски фресок.* Паустовский. Дым отечества.

ПОГРО́М, -а, м. **1.** Разорение, опустошение. *Куда ни обернутся [мужики] — кругом, везде погром. Загородки поломаны, двор раскрыт.* Салтыков-Щедрин. Медведь на воеводстве. **2.** Реакционно-шовинистическое выступление против какой-л. национальной или иной группы населения, сопровождающееся разграблением имущества и убийствами. *Гриша во время какого-то погрома спас семью хозяина, один разогнал целую толпу пьяных громил.* Рыленков. Сказка моего детства.

Погро́мный, -ая, -ое.

ПОГУ́ДКА, -и, ж. *Нар.-поэт.* **1.** Напев, мелодия. *Как одну я песню, Песню молодую Пою, запеваю Старою погудкой.* Кольцов. Размышление поселянина. **2.** Прибаутка, присказка. *Старая погудка на новый лад.* Поговорка.

ПОД, -а, м. Нижняя поверхность в печи, на которую кладут дрова, ставят горшки и т. п. *Лопата пекаря зло и быстро шаркала о под печи, сбрасывая скользкие вареные куски теста на горячий кирпич.* М. Горький. Двадцать шесть и одна.

Подо́вый, -ая, -ое. *Подовое отверстие. Подовые пироги.*

ПОДА́ВЛЕННЫЙ, -ая, -ое. **1.** Приглушенный, едва слышный. *Подавленный стон.* □ *Шурочка фыркнула подавленным смехом и выскочила вон.* Тургенев. Дворянское гнездо. **2.** Угнетенный, мрачный. *Подавленное настроение.*
С и н. (ко 2 знач.): удручённый, убитый, пришибленный (*разг.*).

Пода́вленно, *нареч.* Пода́вленность, -и, ж.

ПО́ДАТЬ, -и, по́дати, -ей и -ей, ж. В дореволюционной России: налог, взимавшийся с крестьян и мещан. *Платить подати.* □ *[Приходил] к нему мужик и, почесавши рукою затылок, говорил: «Барин, позволь отлучиться на работу, подать заработать».* Гоголь. Мертвые души.

Податно́й, -а́я, -о́е.

ПОДБЛЮ́ДНЫЙ, -ая, -ое. ◊ Подблюдная песня — название обрядовой песни, сопровождающей святочное гадание. *Расстилали белый плат И над чашей пели в лад Песенки подблюдны.* Жуковский. Светлана.

ПОДВЕ́ДОМСТВЕННЫЙ, -ая, -ое; -ен, -енна, -о. Находящийся в ведении, в управлении кого-, чего-л., подчиненный кому-, чему-л. *Подведомственное учреждение.*

ПОДВЕ́СКА, -и, ж. **1.** Устройство, приспособление для подвешивания чего-л. *Фонари на временной воздушной подвеске раскачивались под ветром.* Лидин. Свежий ветер. **2.** Подвешенное украшение. *Люстра с подвесками.*

ПОДВИ́ЖНИК, -а, м. **1.** Тот, кто из религиозных побуждений подвергает себя лишениям. *Христианские подвижники.* **2.** *Высок.* Тот, кто самоотверженно борется за достижение высоких целей на каком-л. трудном поприще. *Подвижники науки.* □ *[Бурденко] движим желанием найти в каждом.. студенте-медике то, что впоследствии сделает его настоящим врачом, подвижником и энтузиастом.* Кованов. Призвание.

Подви́жница, -ы, ж. Подви́жнический, -ая, -ое. *Подвижнический труд.*

ПОДВИЗА́ТЬСЯ, -а́юсь, -а́ешься; подвиза́ющийся, подвиза́вшийся; подвиза́ясь; *несов. Высок. и ирон.* Работать на каком-л. поприще, в какой-л. области. *В прозе усердно начали подвизаться литераторы.* Белинский. Русская литература в 1844 г. *Подвизаясь в одном глубинном леспромхозе, Юрий Андреевич списал однажды по акту живую четырехлетнюю лошадь.* А. Васильев. Понедельник — день тяжелый.

С и н.: де́йствовать.

ПОДВО́ДА, -ы, ж. Грузовая конная повозка. *Разгружать подводу.*

Подво́дный, -ая, -ое.

ПОДВО́РЬЕ, -я, подво́рья, -ий, ср. **1.** *Устар.* Постоялый двор. *Еле добрались до подворья-то.. Стоит постоялый двор у трех дорог, калачами с вином хозяин торгует.* В. Белов. Привычное дело. **2.** *Устар.* Городская церковь с общежитием для монахов, принадлежавшая монастырю, находившемуся в другой местности. **3.** *Устар.* Дом с пристройками, предназначавшийся для временных остановок, хранения товаров и т. п., принадлежавший не живущему постоянно в нем лицу. *Обоз остановился недалеко от пристани в большом торговом подворье.* Чехов. Степь. **4.** Дом со всеми относящимися к нему пристройками и двором; усадьба. *Хуторское подворье.* □ *И приведись на горький путь Сменить свое подворье — Самой детей одеть, обуть — Еще, поверь — полгоря.* Твардовский. Дом у дороги.

ПОДГОЛО́СОК, -ска, м. **1.** Голос, вторящий основному в пении, а также лицо, которое вторит основному голосу в пении. *Лукашка подтягивал резким подголоском.* Л. Толстой. Казаки. **2.** *перен. Презр.* О том, кто с угодливостью повторяет чьи-л. мнения. *Мне удалось оспорить некоторые частные замечания Вдовина,.. но даже эта робкая попытка соблюсти достоинство вызвала раздраженный визг, у Вдовина оказались подголоски из числа бывших молчальников.* Крон. Бессонница.

ПО́ДДАННЫЙ, -ого, м. **1.** Тот, кто принадлежит к гражданам какого-л. государства. *«Под сим камнем погребено тело французского подданного, графа Бланжия».* Тургенев. Льгов. **2.** *Устар.* Тот, кто подчиняется власти хозяина, господина в его владениях. *Помещик вышел из кареты; подданные повалились в ноги, старик.. поднес хлеб и соль.* Герцен. Долг прежде всего.

ПОДДЁВКА, -и, ж. В старину: верхняя мужская одежда — пальто в талию с мелкими сборками. *[Матвей Никитич] расстегнул полы суконной поддевки, вытащил из глубокого, потайного кармана туго набитый кошелек.* П. Федоров. Синий Шихан.

ПОДЁННЫЙ, -ая, -ое. *Устар.* **1.** Ведущийся

изо дня в день, а также оплачиваемый по количеству проработанных дней. *Поденная оплата.* □ *Женевьева была отныне освобождена от тяжелой поденной работы.* Серебрякова. Похищение огня. **2.** *в знач. сущ.* **подённый,** -ого, *м.* Временный рабочий, получающий плату за труд по количеству проработанных дней. *Я как-то осенью свезла в Овсянниково посадочный материал: березки и елки — и просила Марью Александровну нанять поденных и.. посадить деревья.* Сухотина-Толстая. Друзья и гости Ясной Поляны.

С и н. (ко 2 знач.): подёнщик (*устар.*).

**Подённая,** -ой, *ж.* (ко 2 знач.).

**ПОДЖА́РЫЙ,** -ая, -ое; -а́р, -а, -о. *Разг.* **1.** Втянутый (о животе, боках). *В подпруге лошадь была необыкновенно широка, что особенно поражало теперь, при ее выдержке и поджаром животе.* Л. Толстой. Анна Каренина. **2.** О животном с такими боками, а также худощавом человеке. *Старуха Дарья, высокая и поджарая, на голову выше сидящей рядом Симы.* Распутин. Прощание с Матерой.

С и н. (ко 2 знач.): сухоща́вый, сухопа́рый (*разг.*), сухо́й (*разг.*).

**ПО́ДИУМ,** -а *и* **ПО́ДИЙ,** -я, *м.* [Лат. podium]. *Спец.* **1.** Высокая платформа, на которой возводились античные храмы. **2.** Возвышение в древнеримском цирке с креслами для императора, сенаторов и других высокопоставленных лиц. **3.** Возвышение на эстраде, стадионе, в студии и т.п. *Когда я вышел, я похолодел. Посмотрел — нет рояля.. Куда идти?.. И.. споткнулся о подиум.* Рихтер. О Прокофьеве.

**ПОДКЛЕ́ТЬ,** -и, *ж.* Нижний нежилой этаж старинного русского дома, избы, служащий для хранения чего-л., а также нижний ярус в церкви. *Избы в этих болотистых местах ставят высоко. Холодное помещение под избой зовется подклетью.* Крутилин. Апраксин бор.

**ПОДЛЕ́СОК,** -ска, *м.* Мелкие деревья, кустарник, не достигающие высоты основного лесного массива. *Ванюшка пошел в подлесок, принес охапку сучьев, свалил их у костра.* Котенев. Последний перевал.

**ПО́ДЛИННИК,** -а, *м.* **1.** Подлинная вещь, не копия. *Там, в музее Белинского, висит подлинник купчей на крестьянина, запроданного одним помещиком другому.* А. Калинин. Две тетради. **2.** Оригинальный текст, не перевод. *Изучать произведения Гомера в подлиннике.*

С и н.: оригина́л.

**ПО́ДЛИННЫЙ,** -ая, -ое; -инен, -инна, -о. **1.** Являющийся оригиналом, не скопированный. *Подлинная картина, рукопись.* **2.** Настоящий, неподдельный. *[Дмитрий Шуйский:] Клянись перед иконой, Что в Угличе ты хоронил другого; Что Дмитрий жив, что подлинный царевич, Царя Ивана сын, на трон вступает!* А. Островский. Дмитрий Самозванец и Василий Шуйский. **3.** *полн. ф.* Истинный, не показной. *Подлинный герой, друг. Подлинная культура.*

С и н. (к 1 знач.): оригина́льный, неподде́льный. С и н. (ко 2 знач.): и́стинный, действи́тельный, реа́льный. С и н. (к 3 знач.): настоя́щий.

А н т. (ко 2 знач.): фикти́вный (*книжн.*). А н т. (к 3 знач.): мни́мый, ло́жный.

**По́длинность,** -и, *ж.* *Доказать подлинность письма писателя.*

**ПОДЛУ́ННЫЙ,** -ая, -ое. *Трад.-поэт.* Находящийся на земле, земной. *И славен буду я, доколь в подлунном мире Жив будет хоть один пиит.* Пушкин. Памятник.

С и н.: до́льний (*трад.-поэт.*).

**ПОДМАСТЕ́РЬЕ,** -я, подмасте́рья, -ев, *ср.* Подручный мастера-ремесленника, выполняющий несложную работу.— *Деньжата у меня иногда водились, поскольку работал подмастерьем у медника.* Зубавин. Очевидец.

**ПОДМЁТНЫЙ,** -ая, -ое. *Устар.* Подброшенный тайно. *Руки [Якова] нервно комкали очередное подметное письмо с угрозами: «Убьем, если не одумаешься...»* Пермитин. Первая любовь.

**ПОДМО́СТКИ,** -ов, *мн.* **1.** Настил из досок на высоких опорах или на возвышении, служащий для проведения строительных или отделочных работ, а также для других надобностей. *[Он] красил купол и главы церкви без подмостков, только при помощи лестниц и веревки.* Чехов. Моя жизнь. **2.** Сцена, эстрада. *Только в театре, на подмостках, в разноцветных огнях, она могла сделаться одной из этих полных силы и изящества, любящих и страдающих женщин.* Паустовский. Дым отечества.

С и н. (к 1 знач.): помо́ст.

**ПОДНОГО́ТНАЯ,** -ой, *ж.* **1.** Скрываемые обстоятельства, подробности жизни, существования кого-, чего-л. (от старинной пытки — запускания под ногти игл или гвоздей, чтобы заставить допрашиваемого рассказать правду). *[Даша], наблюдательная, как все женщины, знала к концу дня приблизительно всю подноготную про всех едущих на пароходе.* А. Н. Толстой. Хождение по мукам. **2.** Истинная сущность чего-л. *Тут он увидел истинную подноготную фашизма.* В. Быков. Альпийская баллада.

**ПОДОБОСТРА́СТНЫЙ,** -ая, -ое; -тен, -тна, -о. Льстивый, угодливый. *Есть у него что-то подобострастное в манерах.* Тургенев. Ермолай и мельничиха.

С и н.: раболе́пный, лаке́йский, холо́пский, холу́йский, низкопокло́нный (*устар.*).

**Подобра́стно,** *нареч.* **Подобостра́стие,** -я, *ср.* и **подобостра́стность,** -и, *ж.* *Отвечать с подобострастием. Подобострастность улыбки.*

**ПОДОПЕ́ЧНЫЙ,** -ая, -ое. **1.** Находящийся под опекой. *Подопечное лицо. Подопечные территории.* **2.** *в знач. сущ.* **подопе́чный,** -ого, *м.* О том, кому оказывают помощь, о ком заботятся.— *Воспитание детей было сосредоточено в руках надзирателей, классных дам, наставников, и каждый из них старался сам воздействовать на своих подопечных.* Матвеев. Семнадцатилетние.

**Подопе́чная,** -ой, *ж.* (ко 2 знач.).

**ПОДОПЛЁКА,** -и, *ж.* **1.** *Устар.* Подкладка у мужской крестьянской рубахи от плеч до половины груди и спины. *Два старика кряжистые смеются.. Ах, кряжи! Бумажки сторублевые Домой под подоплекою Нетронуты не-*

сут. Н. Некрасов. Кому на Руси жить хорошо. **2.** Действительная, но скрытая основа, сущность чего-л. *Андрей чувствовал какую-то тайную подоплёку происходящего, но не мог уловить, в чем дело.* Николаева. Жатва.

**ПОДОРО́ЖНАЯ**, -ой, *ж*. В старину: документ о праве пользования почтовыми лошадьми, проездное свидетельство. *Гаврила Бровкин без отдыха скакал в Москву,— с царской подорожной, на перекладной тройке.. Он вез государеву почту.* А. Н. Толстой. Петр I.

**ПОДПА́СОК**, -ска, *м*. Подросток, помогающий пастуху пасти стадо. *Как восемь лет исполнилось Сыночку моему, В подпаски свекор сдал его.* Н. Некрасов. Кому на Руси жить хорошо.

**ПОДПО́ЛЬЕ**, -я, подпо́лья, -ев и -лий, *ср*. **1.** Помещение под полом; подвал. *Подполье занято картофелем.* ☐ *[Ярыка] подскочил к подполью, дернул крышку за колечко и исчез под полом.* В. Белов. Весна. **2.** Организованная деятельность против властей, протекающая в условиях строгой тайны, а также жизнь в условиях конспирации во время такой деятельности. *Революционное подполье. Работать в подполье. Уйти в подполье.*

**Подпо́льный**, -ая, -ое (ко 2 знач.). *[Быков] распространял нелегальные листовки, участвовал несколько раз в собраниях подпольной организации.* Саянов. Небо и земля. **Подпо́льщик**, -а, *м*. (ко 2 знач.) (тот, кто работает в подполье).

**ПОДПОРУ́ЧИК**, -а, *м*. В дореволюционной армии: офицерский чин рангом ниже поручика и выше прапорщика, а также лицо, имеющее этот чин. *Спустя одиннадцать лет после получения прапорщичьего чина, произведен он был в подпоручики.* Гоголь. Иван Федорович Шпонька и его тетушка.

**ПОДПРУ́ГА**, -и, *ж*. Ремень у седла, затягиваемый под брюхом лошади. *Чуть кони двигались. Подпруги, Подковы, узды, чепраки, Все было пеною покрыто.* Пушкин. Полтава.

**ПОДРА́НОК**, -нка, *м*. В речи охотников: раненый зверь или птица. *Кирилл видел, что подранок может уйти, и готов был ко второму выстрелу.* Федин. Необыкновенное лето.

**ПОДРЯ́Д**, -а, *м*. Договор, по которому одна сторона обязуется по заказу другой стороны выполнить определенную работу, а также работа, производимая по такому договору. *Бригадный, семейный подряд.*

**ПОДРЯ́ДЧИК**, -а, *м*. Организация (или, прежде, отдельное лицо), занимающаяся работами по договору (подряду). *В синем кафтане — почтенный лабазник, Толстый, присадистый, красный, как медь, Едет подрядчик по линии в праздник, Едет работы свои посмотреть.* Н. Некрасов. Железная дорога.

С и н.: ря́дчик (устар.).

**Подря́дчица**, -ы, *ж*.

**ПОДРЯ́СНИК**, -а, *м*. Длинная одежда священнослужителей с узкими рукавами, поверх которой надевается ряса.

**ПОДСОЗНА́НИЕ**, -я, *ср*. Совокупность психических процессов и состояний, не поддающихся контролю сознания и не доступный личному опыту; неясные, не вполне осознанные чувства, представления. *Не хотелось ни двигаться, ни думать. Где-то в подсознании всплыл образ Вари Белой, и он не мог понять, бред это или действительность.* Степанов. Порт-Артур.

**ПОДСПУ́ДНЫЙ**, -ая, -ое. Таящийся под спудом, не проявляющийся открыто. *Что-то подспудное в нем жило иной логикой.* В. Быков. Альпийская баллада.

С и н.: скры́тый, та́йный, затаённый, сокрове́нный (книжн.), сокры́тый (устар.), потаённый (устар.)

**Подспу́дно**, *нареч*. *Все дальше и дальше отходило от них все то личное, даже самое важное и дорогое, что подспудно так трогало и волновало их до самой последней минуты.* Фадеев. Молодая гвардия.

**ПОДТЕ́КСТ**, -а, *м*. *Книжн*. Внутренний, скрытый смысл какого-л. текста, высказывания. *Говорить с подтекстом.* ☐ *С Чеховым в литературе и на театре народилось понятие подтекста, как новая, спрятанная координата, как орудие дополнительного углубления и самого емкого измерения героя.* Леонов. Речь о Чехове.

**ПОДХОРУ́НЖИЙ**, -его, *м*. В дореволюционной России: офицерский чин в казачьих войсках (соответствующий чину прапорщика в регулярной армии), а также лицо, имеющее этот чин. *Видели его.. с долевой белой полоской подхорунжего на погоне.* Шолохов. Поднятая целина.

**ПОДЪЁМ**, -а, *м*. **1.** Перемещение вверх, на более высокий уровень. *Подъем флага, штанги. Подъем на лифте. Подъем уровня воды в реках. Подъем культурного уровня учащихся.* **2.** Воодушевление, возбуждение. *Духовный, творческий подъем.* ☐ *Я сам переживаю трудовой подъем. С утра и до вечера сижу, не разгибаясь.* В. Горбунов. Верхом на белом коне. ◇ **Лёгок (лёгкий) на подъем** (*разг.*) — о том, кто без труда в любой момент может пойти или поехать куда-л. *Легкий на подъем, Валентин Александрович все же иногда тяготился разъездами.* Смирнова-Ракитина. Валентин Серов. **Тяжел (тяжелый) на подъем** (*разг.*) — о том, кто с трудом трогается с места или принимается за дело. *Человек он был чрезвычайно тяжелый на подъем и так привык к своему району,... что и думать о переводе в Москву перестал.* Орлов. Происшествие в Никольском.

С и н. (ко 2 знач.): вдохнове́ние, одушевле́ние, увлече́ние, энтузиа́зм.

**ПОДЬЯ́ЧИЙ**, -его, *м*. **1.** В Русском государстве 16 — начала 18 в.: помощник дьяка, канцелярист. **2.** *Устар*. Мелкий чиновник. *Он не походил ни на дворового, ни на мещанина, ни на обедневшего подьячего в отставке.* Тургенев. Певцы.

**ПОЕДИ́НОК**, -нка, *м*. **1.** Бой один на один между двумя противниками; единоборство. *— Я с ним дрался,— отвечал Сильвио,— и вот памятник нашего поединка.* Пушкин. Повести Белкина. **2.** *перен*. Об ожесточенном споре, полемике. *Словесный поединок.* ☐ *Между ею [Софьей] и Чацким завязался горячий поединок, самое* *живое действие комедии в тесном смысле.* И. Гончаров. Мильон терзаний.

С и н.: дуэ́ль.

**ПОЖА́РИЩЕ**, -а, *ср.* Место, где был пожар. *Пушкари побрели опять обратно на пожарище и увидели кучи пепла и обуглившиеся бревна.* Салтыков-Щедрин. История одного города.

С и н.: пепели́ще.

**ПО́ЖНЯ**, -и, по́жни, -ей и по́жен, *ж.* Поле, на котором сжат хлеб, а также луг, покос. *Кроме маленькой и то наполовину затянутой ивняком пожни, на которой они сейчас стояли, вокруг не было никаких покосов.* Абрамов. Безотцовщина.

С и н.: жнивьё, стерня́, жни́ва (*обл.*) и жни́во (*обл.*).

**ПО́ЗА**, -ы, *ж.* [Франц. pose]. **1.** Положение тела. *Принять удобную позу. Поза боксера.* □ *Старик сидел в своей привычной позе, с поджатыми под себя ногами, низко опустив голову.* Федосеев. Тропою испытаний. **2.** *перен.* Неискреннее поведение, притворство, рисовка. *Обаяние этого человека шло от его простоты, лишенной какой-л. позы.* Н. Островский. Рожденные бурей. ◇ **Стать в по́зу** — принять нарочито эффектное положение. *Пава стал в позу, поднял вверх руку и проговорил трагическим голосом: — Умри, несчастная!* Чехов. Ионыч.

С и н. (к *1 знач.*): пози́ция.

**ПОЗЁМКА**, -и, *ж.* Низовой ветер зимой, а также снег, переносимый этим ветром. *Метет поземка.* □ *В сумерках началась поземка. Чуть прибелило снегом дорожки.* Атаров. А я люблю лошадь.

**ПОЗИ́РОВАТЬ**, -рую, -руешь; пози́рующий, пози́ровавший; пози́руя; *несов.* [Восх. к франц. poser]. **1.** Принимать какую-л. позу, служить натурой художнику или фотографу. *Известный скульптор просил Антона позировать ему статуи.* Кассиль. Вратарь республики. **2.** *перен. Книжн. неодобр.* Стараться произвести впечатление своим поведением, манерой держаться, говорить. *Откинувшись на стуле, он слегка позировал перед учительницей и говорил с апломбом.. Разговор шел о книгах.* Николаева. Жатва.

С и н. (ко *2 знач.*): рисова́ться, красова́ться.

**Позёр**, -а, *м.* (ко *2 знач.*).

**ПОЗИТИ́ВНЫЙ**, -ая, -ое; -вен, -вна, -о. [Франц. positif от лат. positivus — условный, установленный]. *Книжн.* **1.** Основанный на опыте, на фактах. *Позитивная наука, программа.* **2.** Положительный. *Позитивное суждение.*

А н т. (ко *2 знач.*): отрица́тельный, негати́вный.

**Позити́вность**, -и, *ж.*

**ПОЗИ́ЦИЯ**, -и, *ж.* [Лат. positio]. **1.** *Книжн.* Положение, расположение кого-, чего-л. *Анюта сняла шубу.., вздохнула и бесшумно направилась к своей постоянной позиции — к табурету у окна.* Чехов. Анюта. **2.** Место расположения войск для ведения боевых действий. *Григорий Мелехов, прекрасно учитывая стратегическую выгодность позиции под Каргинской, решил ни в коем случае ее не сдавать.* Шолохов. Тихий Дон. **3.** *перен. Книжн.* Точка зрения. *Изложить свою позицию.* □ *Позиция автора, его взгляды и отношение к действительности — все это проявляется в первую очередь в отборе и сопоставлении материала.* С. Антонов. Идея и автор. **4.** Положение тела. *Балетные позиции.*

С и н. (к *3 знач.*): мне́ние, соображе́ние, взгляд, сужде́ние (*книжн.*), воззре́ние (*книжн.*). С и н. (к *4 знач.*): по́за.

**Позицио́нный**, -ая, -ое (к *1 и 2 знач.*).

**ПОЗУМЕ́НТ**, -а, *м.* [Н.-в.-нем. Posament от франц. passement]. Шитая золотом или серебром тесьма, предназначенная для украшения одежды, мебели; галун. *Николай узнал его по черной барашковой шапке с позументом на сукне.* Березко. Ночь полководца.

**Позуме́нтный**, -ая, -ое.

**ПО́ЙМА**, -ы, *ж.* Место, затопляемое водой во время разлива. *Внизу за суходолом виднелась пойма реки, вся в зарослях бледно-розовой таволги.* Паустовский. Ильинский омут.

**По́йменный**, -ая, -ое. *Пойменные луга.*

**ПОКАЗА́ТЕЛЬНЫЙ**, -ая, -ое; -лен, -льна, -о. **1.** Дающий возможность составить представление о чем-л. *Показательный пример.* □ *Новое течение в литературе нашей весьма показательно.* М. Горький. Жизнь Клима Самгина. **2.** *полн. ф.* Организованный для всеобщего сведения, ознакомления. *Показательные выступления гимнастов.* □ *Нужно разрушить всеобщее убеждение в ненаказуемости виновных. Необходимо провести показательный процесс над браконьерами.* Пермитин. Жизнь Алексея Рокотова. **3.** Образцовый, служащий примером для других. *Однажды в областной газете мне попалась статья, в которой рассказывалось о колхозном садоводе и пчеловоде, вырастившем хороший сад и устроившем показательный пчельник.* Рыленков. Волшебная книга.

С и н. (к *1 знач.*): симптомати́чный и симптомати́ческий.

**Показа́тельность**, -и, *ж.*

**ПОКОЛЕ́НИЕ**, -я, *ср.* **1.** Все родственники одной ступени родства, имеющие общего предка. *Старая мебель окружала меня — тяжелая, крепкая, изготовленная со щедрой прочностью на жизнь нескольких поколений.* Гранин. Эта странная жизнь. **2.** Совокупность людей близкого возраста, живущих в одно время. *Старое, молодое поколение.* □ *Печально я гляжу на наше поколенье! Его грядущее — иль пусто, иль темно.* Лермонтов. Дума. **3.** Серия (приборов, механизмов) в ее отношении к предшествующим или последующим сериям. *Компьютеры нового поколения.* ◇ **Из поколе́ния в поколе́ние** — 1) по наследству, от отца к детям; 2) по традиции, от старших к младшим.

**ПОКРОВИ́ТЕЛЬСТВО**, -а, *ср.* **1.** Защита кого-л., заступничество за кого-л. *Взять под свое покровительство.* □ *Алиса смотрела на нас всех спокойными, умудренными и как будто немного смеющимися глазами. Может быть.. выражающими некоторое покровительство.* Солоухин. Варшавские этюды. **2.** *Устар.* Поощрение развития, процветания чего-л. *Покровительство искусству, науке.*

**ПОЛАГА́ТЬ**, -а́ю, -а́ешь; полага́ющий, полага́вший; полага́я; *несов.* **1.** *что. Устар.* Помещать что-л. куда-л.; вкладывать, класть. *Всю силу, богом данную, В работу полагаю я.* Н. Некрасов. Кому на Руси жить хорошо. **2.** *Книжн.* Думать, считать. *Полагаю, что вы правы. Полагаю целесообразным сделать что-л.* □ *У омута нет дна. Так полагали все.. Случалось, что находился человек, который.. делал попытку измерить его.* Алексеев. Вишневый омут. **3.** *с неопр. Книжн.* Иметь намерение, желание сделать что-л. *Председатель спросил прокурора, каким наказаниям он полагает подвергнуть подсудимых.* Л. Толстой. Воскресение. ◇ **Надо полагать** — вероятно, по-видимому.

С и н. (ко 2 знач.): ча́ять (устар.), мнить (устар.), мы́слить (устар.). С и н. (к 3 знач.): намерева́ться, собира́ться, предполага́ть, рассчи́тывать, ду́мать.

**ПОЛА́ТИ**, -ей, *мн.* Настил из досок в избе под потолком между печью и стеной, на котором спят и хранят что-л. *Спать на полатях.* □ *Старый полушубок свисает с полатей.* Б. Полевой. Соловей волжской деревеньки.

**ПОЛЕМИЗИ́РОВАТЬ**, -рую, -руешь; полемизи́рующий, полемизи́ровавший; полемизи́руя; *несов.* [Вос. к греч. polemizein — воевать]. Вести полемику с кем-л., спорить. *[А. А. Фадеев] умел спорить и полемизировать,.. нападать на то, что было противно его натуре.* Михалков. Моя профессия.

С и н.: диспути́ровать (книжн.).

**ПОЛЕ́МИКА**, -и, *ж.* [Восх. к греч. polemikos — враждебный]. Спор при обсуждении научных, художественных, политических и т. п. вопросов. *Острая полемика. Разгорелась полемика.* □ *Профессор вел жаркую полемику против материалистов, а Сергей Кознышев с интересом следил за этою полемикой.* Л. Толстой. Анна Каренина.

С и н.: диску́ссия, ди́спут, пре́ния, деба́ты (книжн.).

**Полеми́ческий**, -ая, -ое и **полеми́чный**, -ая, -ое; -чен, -чна, -о. *Полемическое выступление. Полемичный тон.* **Полеми́чность**, -и, *ж.* **Полеми́ст**, -а, *м.* Искусный полемист.

**ПОЛЕ́СЬЕ**, -я, *ср.* Низкая, болотистая местность, поросшая мелким лесом. *Густое чахлое полесье Стоит среди болот, А там — угрюмо в поднебесье Уходит сумрак вод.* Бунин. Там небо низко и уныло...

**ПОЛИ́...** [От греч. poly — много, многое]. Первая составная часть сложных слов, обозначающая **много**, напр.: *поливитами́ны, поликристалли́ческий, полифони́я* (многоголосие).

**ПОЛИГА́МИЯ**, -и, *ж.* [От *поли...* (см.) и греч. gamos — брак]. *Спец.* Форма брака, при которой каждый может состоять в браке с несколькими супругами; многобрачие.

А н т.: единобра́чие, монога́мия (спец.).

**Полига́мный**, -ая, -ое.

**ПОЛИГЛО́Т**, -а, *м.* [От *поли...* (см.) и греч. graphein — писать]. Тот, кто знает много языков.

**ПОЛИГО́Н**, -а, *м.* [От греч. polygōnos — многоугольный]. Участок местности для испытания различных видов оружия, для боевых учений. *Артиллерийский полигон.*

**Полиго́нный**, -ая, -ое.

**ПОЛИГРА́ФИЯ**, -и, *ж.* [От *поли...* (см.) и греч. graphein — писать]. Отрасль промышленности, занятая изготовлением всевозможных видов печатной продукции. *Художественная полиграфия.*

**Полиграфи́ческий**, -ая, -ое. *Полиграфическая машина.* **Полиграфи́ст**, -а, *м.* Специальность полиграфиста.

**ПОЛИСМЕ́Н**, -а, *м.* [Англ. policeman]. Полицейский в Англии, США и некоторых других странах. *Сторож оказался полисменом. Когда-то в течение многих лет этот рослый шотландец украшал своей величественной фигурой перекресток Сити.* Серебрякова. Похищение огня.

**ПОЛИ́ТИКА**, -и, *ж.* [Греч. politikē]. **1.** Деятельность органов государственной власти, партии, общественной группы в области внутригосударственного управления и международных отношений. *Мирная, агрессивная политика государства. Внутренняя, внешняя политика. Национальная, социальная политика. Политика в области экономики и культуры. Политика с позиции силы.* **2.** События и вопросы внутренней и международной общественной жизни. *Текущая политика. Разбираться в политике.* □ *По вечерам гости приходят.. За столом сидят, чай пьют, о политике рассуждают.* Тендряков. Не ко двору. **3.** *Разг.* Общий характер поведения, образ действия кого-л. — *Ты меня обманываешь, Боренька.. Я ведь чувствую твою великодушную политику.* Чехов. Отец.

**Поли́тик**, -а, *м.* (к 1 знач.) (тот, кто занимается политикой).

**ПОЛИТИ́ЧЕСКИЙ**, -ая, -ое. [См. *политика*]. **1.** Относящийся к политике (в 1 и 2 знач.). *Политическая партия. Политическая борьба. Политический деятель. Политический кругозор. Политический обозреватель газеты.* **2.** Государственно-правовой. *Политический строй, режим. Политическая система общества.* ◇ **Политическая экономия** — наука, изучающая общественные отношения, складывающиеся в процессе производства и распределения материальных благ, а также экономические законы, управляющие этими отношениями на различных ступенях развития человеческого общества.

**ПОЛИТИ́ЧНЫЙ**, -ая, -ое; -чен, -чна, -о. *Разг.* **1.** Тонко рассчитанный, дипломатичный. *Политичное обращение.* **2.** Тактичный и ловкий, умелый в обращении с другими. *Сам он и его жена-старушка степенны, рассудительны и в разговоре политичны.* Чехов. Остров Сахалин.

С и н. (ко 2 знач.): делика́тный.

**ПОЛИЦМЕ́ЙСТЕР**, -а и **ПОЛИЦЕЙМЕ́ЙСТЕР**, -а, *м.* [Нем. Polizeimeister]. В дореволюционной России и некоторых других странах: начальник полиции в крупных городах. *Вместе с городовыми пятился и толстый полицмей-*

стер. *Он держал руку под козырек и снисходительно улыбался.* Паустовский. Повесть о жизни.

**Полицмейстерский**, -ая, -ое *и* **полицеймейстерский**, -ая, -ое.

**ПОЛИШИНЕ́ЛЬ**, -я, *м.* [Франц. polichinelle от итал. Pulcinella — имя одного из персонажей комедии масок]. Комический персонаж французского народного театра — веселый горбун, задира и насмешник. ◊ **Секрет полишинеля** (*шутл.*) — секрет, который всем известен; мнимая тайна.

**ПОЛК**, -а́, *м.* **1.** Воинская часть, обычно входящая в состав бригады или дивизии. *У Хохлова двадцать одна машина — отдельный танковый полк.* Бондарев. Горячий снег. **2.** *перен. Разг.* О большом количестве, множестве кого-л. *Отец его тогда скончался. Перед Онегиным собрался Заимодавцев жадный полк.* Пушкин. Евгений Онегин.

С и н. (ко 2 знач.): а́рмия, легио́н (высок.).

**Полково́й**, -а́я, -о́е (к 1 знач.). *Полковое знамя.*

**ПОЛНОМО́ЧИЕ**, -я, *ср.* Право, предоставленное кому-л. на совершение чего-л. *Полномочия народного депутата. Превысить свои полномочия.*

**ПОЛНОМО́ЧНЫЙ**, -ая, -ое; -чен, -чна, -о. Наделенный, обладающий какими-л. полномочиями. *Полномочный посол. Полномочный представитель.*

С и н.: компете́нтный (*спец.*).

**Полномо́чность**, -и, *ж.*

**ПОЛНОЦЕ́ННЫЙ**, -ая, -ое; -е́нен, -е́нна, -о. **1.** Имеющий полную, установленную ценность. *Полноценная валюта.* **2.** Имеющий необходимые, сполна представленные признаки, свойства. *Полноценный продукт. Полноценный здоровый ребенок.* □ *Он имел все основания считать себя полноценным партизанским бойцом.* В. Быков. Сотников.

**Полноце́нность**, -и, *ж.*

**ПОЛОВО́Й¹**, -а́я, -о́е. Относящийся к полу (мужскому или женскому). *Половые признаки.*

**ПОЛОВО́Й²**, -о́го, *м. Устар.* Слуга в трактире, в небольшой гостинице. *Подозвав полового, вся компания долго о чем-то с ним разговаривала,.. и, наконец, заказала очень скромный ужин.* П. Федоров. Синий Шихан.

**ПО́ЛОВЦЫ**, -ев, *мн.* (*ед.* **по́ловец**, -вца, *м.*). Древний тюркский кочевой народ, занимавший в 11—13 вв. причерноморские степи. *В древности в этих местах проходила сторожевая линия Русского государства. Леса вставали на пути половцев, нагайских и крымских татар.* В. Песков. Путешествие с молодым месяцем.

**Половча́нка**, -и, *ж.* **Полове́цкий**, -ая, -ое. *Половецкие набеги. Половецкие пляски.*

**ПО́ЛОГ**, -а, *м.* **1.** Занавеска, закрывающая кровать, а также вообще занавеска. *Кисейный, ситцевый полог.* □ *Он.. отбросил брезентовый полог, вошел в запах сырой глины и опять же еды.* Бондарев. Горячий снег. **2.** *перен.* Обычно чего. То, что покрывает, окутывает, обволакивает что-л. *Полог ночи.* □ *Я пламенел, визжал, как он [барс]; Как будто сам я был рожден В семействе барсов и волков Под свежим пологом лесов.* Лермонтов. Мцыри.

С и н. (ко 2 знач.): заве́са, покро́в, пелена́ (*книжн.*), флёр (*устар. книжн.*).

**ПОЛО́К**, полка́, *м.* В русской бане: возвышение, деревянный настил, на котором парятся. *Аким взял свой веник, поднялся на полки. Уши, щеки, шею прижигало.* Г. Марков. Сибирь.

**ПОЛОНЕ́З** [нэ], -а, *м.* [Франц. polonaise — польский]. Торжественный бальный танец трехдольного размера, а также музыка к этому танцу. *То был один из шопеновских полонезов, удивительный, единственный в своем роде танец скорби, танец-жалоба.* Березко. Дом учителя.

**ПОЛОНИ́ТЬ**, -ню́, -ни́шь; полони́вший; полонённый; -нён, -нена́, -о́; полони́в; *сов. Устар. и нар.-поэт.* **1.** *кого, что.* Взять в плен. *Враги налетели — людей полонили, И руки и ноги скрутили, Озера и реки они помутили.* Исаковский. Примите меня, вековые дубравы... **2.** *перен., кого.* Полностью захватить, увлечь. *[Мысли] так полонили его, что он не слышал, как открылась дверь и Ольга вышла из дома.* Дангулов. Кузнецкий мост.

С и н. (к 1 знач.): плени́ть (*устар. и высок.*). С и н. (ко 2 знач.): завладе́ть, поглоти́ть, овладе́ть, одоле́ть, охвати́ть, обуя́ть (*высок.*), плени́ть (*устар. и высок.*).

**ПОЛПРЕ́Д**, -а, *м.* **1.** Сокращение: полномочный представитель — дипломатический представитель СССР при иностранном правительстве (до 1941 года). *— Мне поручено передать вам приглашение советского полпреда товарища Красина — он хочет с вами встретиться и сделать вам хорошее предложение.* Ардаматский. Возмездие. **2.** *перен.*, обычно *кого, чего.* Тот, кто является представителем кого-л., чего-л. *Полпред города.* □ *Особый есть у нас народ, И я — его полпред: Девчонки из полков и рот.* Друнина. Особый есть у нас народ...

**ПОЛТИ́ННИК**, -а, *м. и* (*устар.*) **ПОЛТИ́НА**, -ы, *ж.* Монета в пятьдесят копеек или вообще пятьдесят копеек денег. *Трофим, проходя перед Настей, отдал ей маленькие пестрые лапти и получил от нее полтину в награждение.* Пушкин. Барышня-крестьянка. *Петя готовил его [Гаврика] к экзаменам за шесть классов, уже не отказываясь получать по полтиннику за урок.* Катаев. Хуторок в степи.

**ПОЛУТО́Н**, -а, полуто́ны, -ов *и* полутона́, -о́в, *м.* **1.** (полуто́ны, -ов). В музыке: интервал между двумя ближайшими по высоте звуками. **2.** (полутона́, -о́в). Цвет, краска, образующие переход от светлого тона к темному. *Кроме луны, другого света в летнюю кухню не проникало, и потому все таилось в полутонах, несколько загадочно и необычно.* Первенцев. Черная буря. **3.** *обычно мн. перен.* Отсутствие контрастов, плавность в переходе от чего-л. к чему-л. *После мрачной зимы, изнуряющей туманами и дождями, в марте в Лондоне наступила весна, хрупкая, окрашенная в нежные полутона.* Серебрякова. Похищение огня.

**ПОЛУ́ШКА**, -и, *ж.* Старинная медная монета достоинством в четверть копейки. ◊ **Ни полушки** (*устар.*) — о полном отсутствии денег. *— Старуха велела соли купить, да денег ни полушки.* А. Н. Толстой. Петр I.

**ПО́ЛЫМЯ**, род. п. по́лымя, твор. п. по́лымем, ср. Нар.-поэт. Пламя. — Забыл, как я тебя из полымя вытащил? Фадеев. Разгром. А ночи занавес опущен, воспоминанья встали в ряд, сидят два друга, Пушкин, Пущин, и свечи полымем горят. Корнилов. В селе Михайловском. ◊ **Из огня да в полымя** — из плохого положения в еще худшее.

С и н.: ого́нь, огнь (трад.-поэт.), пла́мень (устар.).

**ПОМА́ЗАНИЕ**, -я, ср. Христианский обряд — крестообразное мазание миром для передачи благодати при крещении, перед смертью, при коронации и т. п. После помазания больному стало вдруг гораздо лучше. Л. Толстой. Анна Каренина.

**ПОМА́ЗАННИК**, -а, м. Устар. Тот, кто помазан на царство. Английский народ сам сокрушил несправедливые порядки,.. коснулся главы помазанника. А. Н. Толстой. Петр I.

**ПОМЕ́СТЬЕ**, -я, поме́стья, -ий, ср. 1. Земельное владение помещика, обычно с усадьбой. Жил в своем поместье Ненарадове добрый Гаврила Гаврилович Р**. Пушкин. Метель. 2. Личное (в отличие от вотчины) земельное владение в феодальной России до 18 в., жалуемое государем за службу.

С и н. (к 1 знач.): име́ние.

**Поме́стный**, -ая, -ое. Поместное русское дворянство.

**ПОМО́ЛВИТЬ**, -влю, -вишь; помо́лвленный; -ен, -а, -о; помо́лвив; сов., кого с кем или кого за кого. Устар. Объявить женихом и невестой.

**Помо́лвка**, -и, ж.

**ПОМО́РЫ**, -ов, мн. (ед. помо́р, -а, м.). Коренное русское население побережья Белого и Баренцева морей. У поморов на десять лет вперед все ворванье сало откупили. А. Н. Толстой. Петр I.

**Помо́рка**, -и, ж. **Помо́рский**, -ая, -ое.

**ПОМО́СТ**, -а, м. 1. Возвышение, площадка, сколоченные из досок, а также настил из досок. — Хоть присядь. — Кучер сел на край помоста веранды. Чернышевский. Отблески сияния. Катер «Лесоруб» притащил баржу с трактором.. Я помог срубить помост, чтобы спустить машину на берег. Чивилихин. Над уровнем моря. 2. Такое возвышение, площадка как место казни. Гудели барабаны. Посреди — помост с плахой. А. Н. Толстой. Петр I.

С и н. (к 1 знач.): подмо́стки.

**ПО́МПА**, -ы, ж. [Восх. к греч. pompē — торжественное шествие]. Книжн. Внешняя, показная пышность, торжественность. [Они] не могли себе представить, что он [В. И. Ленин] явится без шума, помпы, охраны. М. Горький. В. И. Ленин.

С и н.: пара́дность, помпе́зность (книжн.).

**Помпе́зный**, -ая, -ое. Помпе́зно, нареч. **Помпе́зность**, -и, ж.

**ПО́МЫСЕЛ**, -сла, м. Книжн. Мысль, намерение, замысел. [Елена] всеми помыслами своими, всем существом ушла в будущее. Тургенев. Накануне.

С и н.: размышле́ние, разду́мье, помышле́ние (устар.).

**ПОНЁВА**, -ы, ж. Домотканая шерстяная юбка у южновеликорусских крестьянок.

**ПО́НИ**, нескл., м. [Англ. pony]. Лошадь низкорослой породы. Кататься на пони.

**ПОНОМА́РЬ**, -я́, м. [От греч. paramonarios — прислужник]. Низший церковный служитель в православной церкви. Читать как пономарь (невнятно, монотонно). □ — Вот у меня дяденька пономарем у Успенья в Песочном был. Салтыков-Щедрин. Господа Головлевы.

С и н.: псало́мщик, причётник.

**ПОНТО́Н**, -а, м. [Франц. ponton от лат. ponto, pontonis — лодка, мост на лодках]. Плоскодонное судно, служащее опорой временного моста, какого-л. сооружения на воде, а также плавучий мост. Навести понтоны.

**Понто́нный**, -ая, -ое. Уже был связан мост понтонный На быстрине — звено в звено, — Откуда груз тысячетонный В свой час низринется на дно. Твардовский. За далью — даль.

**ПОНЫ́НЕ**, нареч. Книжн. До сих пор, до настоящего времени. Поныне возле кельи той Насквозь прожженный виден камень Слезою жаркою, как пламень. Лермонтов. Демон.

С и н.: доны́не (высок.), досе́ле (устар.) и досе́ль (устар.), доднёсь (устар.).

**ПОНЯ́ТИЕ**, -я, ср. 1. Логически оформленная общая мысль о предмете; идея чего-л. Понятия науки. Математические, экономические, исторические, лингвистические понятия. Понятие предложения. Понятие квадрата. □ Все явления природы одеты работой нашего разума в слова, оформлены в понятия. М. Горький. О литературной технике. 2. Представление о чем-л. Я не в состоянии дать Вам ни малейшего понятия о том негодовании, которое возбудила Ваша книга во всех благородных сердцах. Белинский. Письмо к Гоголю. 3. обычно мн. Уровень понимания чего-л. Детские понятия у кого-л. ◊ **Понятия не имею** (разг.) — не имею представления о ком-, чем-л.

**Поняти́йный**, -ая, -ое (к 1 знач.) (спец.).

**ПОНЯТО́Й**, -о́го, м. Лицо, которое как свидетель привлекается органами власти во время обыска, описи имущества и т. п. Пригласить понятых.

**ПОП-А́РТ**, -а, м. [Англ. pop-art]. Направление в авангардистском изобразительном искусстве 20 в., претендующее на общедоступность и демократизм, представители которого используют реальные предметы, вырванные из их естественного бытования, для создания произвольных комбинаций.

**ПОПЕЧИ́ТЕЛЬ**, -я, м. В дореволюционной России: должностное лицо, руководившее сетью учреждений какого-л. ведомства (преимущ. ведомства просвещения), а также лицо, назначавшееся почетным руководителем какого-л. учреждения. Был я и секретарем в комитете, и мировым посредником,.. и попечителем разных благотворительных учреждений. Г. Успенский. Овца без стада.

**Попечи́тельница**, -ы, ж.

**ПОПИРА́ТЬ**, -а́ю, -а́ешь; попира́ющий, попира́вший; попира́емый; попира́я; несов. Устар. и вы-

*сок.* 1. *кого, что.* Топтать, наступать. *[Черкес] ногою гордой попирает Убитого...* Лермонтов. Кавказский пленник. 2. *перен., что.* Пренебрегая, грубо нарушать. *Попирать закон, чьи-л. права.*

**Попра́ть**; *сов.* **Попра́ние**, -я, *ср. Бояре отводили душу витиеватыми речами,.. плакали о попрании святынь.* А. Н. Толстой. Петр I.

**ПОПО́НА**, -ы, *ж.* Покрывало для лошади или других домашних животных. *Вот стоит возле дома Гульсары в траурной попоне.* Айтматов. Прощай, Гульсары!

**ПО́ПРИЩЕ**, -а, *ср.* 1. *Устар.* Место для бега, борьбы или других состязаний, а также место, где что-л. происходит, совершается. *С высокого балкона он глядел На поприще, сраженья ожидая.* Жуковский. Перчатка. 2. *Высок.* Сфера деятельности, род занятий человека. *Литературное поприще.* □ *— Та-ак... Значит, хотим попробовать свои силы на поприще журналистики? — обратился к нему Игонин бодро и чуть покровительственно.* Фесенко. Когда, если не теперь. 3. *Высок.* Период человеческой деятельности, жизни. *К добру и злу постыдно равнодушны, В начале поприща мы вянем без борьбы.* Лермонтов. Дума.

С и н. (ко 2 знач.): о́бласть, сце́на, по́ле, уча́сток, фронт, аре́на (*книжн.*), ни́ва (*высок.*).

**ПОПУЛЯРИЗИ́РОВАТЬ**, -рую, -руешь; популяризи́рующий, популяризи́ровавший; популяризи́руемый, популяризи́рованный; -ан, -а, -о; популяризи́руя, популяризи́ровав; *сов.* и *несов., что.* [См. *популярный*]. *Книжн.* 1. Изложить (излагать) в доступной форме, сделать (делать) популярным (*в 1 знач.*). *Популяризировать достижения науки.* 2. Пропагандируя, сделать (делать) широко известным, распространенным, популярным (*во 2 знач.*). *Популяризировать новую книгу, телепередачу. Популяризировать народное песенное творчество.*

**Популяриза́ция**, -и, *ж.*

**ПОПУЛЯ́РНЫЙ**, -ая, -ое; -рен, -рна, -о. [Восх. к лат. popularis — народный]. 1. Понятный, доступный, несложный по содержанию или изложению. *Популярное изложение.* □ *Им крайне необходима популярная политическая и экономическая литература.* Шолохов. Поднятая целина. 2. Пользующийся широкой известностью, общественными симпатиями. *Популярный артист, спортсмен, писатель.* □ *Воробьева встретили рукоплесканиями... Он стал одним из популярных на заводе людей.* Кетлинская. Дни нашей жизни.

С и н. (к 1 знач.): дохо́дчивый, досту́пный. С и н. (ко 2 знач.): знамени́тый, изве́стный, при́знанный, зна́тный, имени́тый, просла́вленный (*высок.*).

**Популя́рно**, *нареч.* **Популя́рность**, -и, *ж.*

**ПОПУРРИ́**, *нескл., ср.* [Франц. pot-pourri — первонач. рагу из разных сортов мяса]. Музыкальное произведение, составленное из популярных песенных, джазовых и т. п. мелодий или музыки одного композитора. *Получается беспорядочное, нескладное попурри из старых, но еще недопетых песен.* Чехов. Палата № 6.

**ПОПУСТИ́ТЕЛЬСТВО**, -а, *ср.* Слишком снисходительное отношение к чему-л. недопустимому, противозаконному. *Только при преступном попустительстве критики плохая книга выдерживает многочисленные издания.* Шолохов. За честную работу писателя и критика.

С и н.: потво́рство, потака́ние (*разг.*), пота́чка (*разг.*), побла́жка (*разг.*), попуще́ние (*устар. книжн.*).

**ПОРИЦА́ТЬ**, -а́ю, -а́ешь; порица́ющий, порица́вший; порица́емый; порица́л; *несов., кого, что.* *Книжн.* Относиться с неодобрением к кому-, чему-л. *Григорий Савельевич слушал все также внимательно, и было непонятно, порицает или одобряет он Ершова.* С. Антонов. Новый сотрудник.

С и н.: осужда́ть, суди́ть, бичева́ть (*книжн.*), клейми́ть (*высок.*).

**Порица́ние**, -я, *ср.*

**ПОРНОГРА́ФИЯ**, -и, *ж.* [От греч. pornos — развратник и graphein — писать]. Непристойность, натурализм, циничность в изображении половых отношений; произведения, содержащие такое изображение.

**Порнографи́ческий**, -ая, -ое. *Порнографические открытки.*

**ПОРО́К**, -а, *м.* 1. Предосудительный недостаток, позорящее свойство кого-, чего-л. *Для достижения сей цели должно доставать добродетели перевес над пороком, должно стараться, чтобы честный человек обретал еще в сем мире вечную награду за свои добродетели.* Л. Толстой. Война и мир. 2. Физический недостаток, уродство, а также неисправность, изъян в чем-л. *Отделкой золотой блистает мой кинжал; Клинок надежный, без порока.* Лермонтов. Поэт.

С и н. (к 1 знач.): несоверше́нство, недочёт, изъя́н, дефе́кт. С и н. (ко 2 знач.): дефе́кт.

А н т. (к 1 знач.): досто́инство, доброде́тель (*книжн.*).

**ПО́РОСЛЬ**, -и, *ж.* 1. Молодые побеги растений от ствола, пня, корней. *[Садовник] срезал лишнюю поросль со стволов акации.* В. Беляев. Старая крепость. 2. Совокупность молодых деревьев, молодой лес. *И только что нырнули они в молодую поросль дубков, — догнала их Поля Мехова.* Ф. Гладков. Цемент. 3. *перен. Высок.* Потомство, молодое поколение. *Именно Горький сыграл неизмеримую роль в оформлении нашей молодой литературной поросли.* Леонов. О Горьком.

**ПОРО́ЧНЫЙ**, -ая, -ое; -чен, -чна, -о. 1. Подверженный пороку, безнравственный; свидетельствующий о склонности к пороку. *Порочный человек, поступок. Порочное поведение. Порочная улыбка.* 2. Неправильный, заслуживающий осуждения. *Порочный метод исследования.* ◊ **Порочный круг** — 1) логическая ошибка, состоящая в том, что какое-л. положение доказывается при помощи другого, которое само должно быть доказано посредством первого; 2) *перен.* безвыходное положение.

С и н. (к 1 знач.): испо́рченный, растле́нный, амора́льный (*книжн.*). С и н. (ко 2 знач.): неве́рный, оши́бочный.

**Поро́чность**, -и, *ж.*

**ПОРО́ША**, -и, *ж.* Только что выпавший снег. *— Барин, не прикажешь ли воротиться?..*

*Ветер слегка подымается; — вишь, как он сметает порошу.* Пушкин. Капитанская дочка.

**ПОРТА́Л**, -а, *м.* [Франц. portail]. Архитектурно оформленный проем, обычно являющийся главным входом в здание. *У Дворца труда перед порталом.. был когда-то цветник.* Ф. Гладков. Цемент.

**Порта́льный**, -ая, -ое. *Портальные колонны. Портальная лестница.*

**ПОРТАТИ́ВНЫЙ**, -ая, -ое; -вен, -вна, -о. [Франц. portatif]. Удобный для ношения при себе, для переноски (обычно о чем-л. небольших размеров, складывающемся и т. п.). *Портативный магнитофон. Портативная пишущая машинка.*

С и н.: переносно́й.

**ПО́РТИК**, -а, *м.* [Лат. porticus]. Крытая галерея с колоннадой или арками, прилегающая к зданию. *На задней, глухой стене этого портика, или галереи, были вделаны шесть ниш для статуй.* Тургенев. Отцы и дети.

**ПОРТМОНЕ́** [нэ], *нескл., ср.* [Франц. porte-monnaie]. *Устар.* Небольшой кошелек для денег. *Наконец вынула [Анниька] из портмоне три желтеньких бумажки, раздала старым слугам и стала собираться.* Салтыков-Щедрин. Господа Головлевы.

**ПОРТСИГА́Р**, -а, *м.* [Франц. porte-cigares]. Карманная плоская коробочка для ношения при себе папирос или сигар. *Серебряный портсигар.*

**ПОРТУПЕ́Я**, -и, *ж.* [Франц. porte-épée]. Плечевой или поясной ремень для ношения оружия. *Сияя малиновыми кубиками, щегольски скрипя новым командирским ремнем, портупеей,.. новоиспеченный лейтенант сидел на соседней койке.* Бондарев. Горячий снег.

**ПОРТЬЕ́**, *нескл., м.* [Франц. portier]. *Устар.* Служащий гостиницы, который следит за порядком в вестибюле, ведает почтой и ключами от номеров. *В вестибюле никого не было, если не считать дремлющего за конторкой портье.* Нагибин. Вечер в Хельсинки.

**ПОРТЬЕ́РА**, -ы, *ж.* [Франц. portière]. Занавес из тяжелой материи на двери или окне. *Задернуть портьеру.* □ *[Господин] поправил манжеты и, кашлянув, откинул тяжелые плюшевые портьеры.* Коптелов. Большой зачин.

С и н.: драпиро́вка, драпри́.

**Портье́рный**, -ая, -ое. *Портьерная ткань.*

**ПОРУ́ЧИК**, -а, *м.* В дореволюционной армии: офицерский чин рангом выше подпоручика и ниже штабс-капитана, а также лицо, имеющее этот чин. *На другой день в манеже мы спрашивали уже, жив ли еще бедный поручик.* Пушкин. Выстрел.

**ПОРФИ́РА**, -ы, *ж.* [Греч. porphyra]. Длинная пурпурная мантия, надеваемая монархами в торжественных случаях.

**ПОРФИРОНО́СНЫЙ**, -ая, -ое. *Трад.-поэт.* Облеченный в порфиру, царственный. *И перед младшею столицей Померкла старая Москва, Как перед новою царицей Порфироносная вдова.* Пушкин. Медный всадник.

**ПОСА́Д**, -а, *м.* **1.** В Древней Руси: торгово--ремесленная часть города, находящаяся вне городской стены. *Приев и выпив кремлевские запасы, стрельцы разошлись по слободам, посадские — по посадам.* А.Н. Толстой. Петр I. **2.** В дореволюционной России: пригород, предместье, поселок городского типа. *И вот из ближнего посада.. Приехал ротный командир.* Пушкин. Евгений Онегин.

**Поса́дский**, -ая, -ое. *Посадские люди.*

**ПОСА́ДНИК**, -а, *м.* В Древней Руси: наместник князя для управления городом или выбранный вечем правитель города. *Новгородский посадник.*

**Поса́дница**, -ы, *ж.* **Поса́дничий**, -ья, -ье.

**ПОСАЖЁНЫЙ**, -ая, -ое. Исполняющий роль родителя жениха или невесты при свадебном обряде. *Посаженая мать.* □ *Наталья Кирилловна позвала его в посаженые отцы.* А.Н. Толстой. Петр I.

**ПОСЕЛЕ́НИЕ**, -я, *ср.* **1.** Населенный пункт, селение. *Древние славянские поселения.* □ *Но скоро не узнаешь и этих мест.. На этих берегах будут новые поселения и города, заводы и фабрики.* Ф. Гладков. Энергия. **2.** Принудительное водворение на жительство в отдаленных местах в наказание за что-л. *Через несколько лет каторжная работа заменилась поселением.* Герцен. Былое и думы. ◊ **Военные поселения** — введенная при Александре I организация войск, при которой военная служба совмещалась с занятием сельским хозяйством.

**ПО́СКОНЬ**, -и, *ж.* **1.** Мужская особь конопли с тонким стеблем, из которого вырабатывается волокно. **2.** *Устар.* Домотканый холст из волокна этой конопли. *Лапти его гулко хлопали по подсохшей земле, синяя посконь штанов трепыхалась флагами.* Федин. Первые радости.

**Поско́нный**, -ая, -ое. *Посконная рубаха.*

**ПОСЛА́ННИК**, -а, *м.* **1.** Дипломатический представитель одного государства в другом, рангом ниже посла. **2.** *Устар.* Тот, кого послали с каким-л. поручением, заданием. *Здесь одарит своим теплом столица Посланников миролюбивых стран.* Луконин. Столица.

С и н. (ко 2 знач.): посла́нец.

**Посла́нница**, -ы, *ж.* (ко 2 знач.).

**ПОСЛЕ́ДОВАТЕЛЬНЫЙ**, -ая, -ое; -лен, -льна, -о. **1.** *полн. ф.* Непрерывно следующий один за другим. *Последовательные этапы работ.* **2.** Закономерно вытекающий из чего-л., логически обоснованный. *Последовательный ход мыслей.* **3.** Неуклонно, без отступлений следующий чему-л. *Последовательный материалист.*

С и н. (к 3 знач.): вы́держанный, правове́рный, ортодокса́льный (книжн.).

**После́довательно**, нареч. **После́довательность**, -и, *ж. Последовательность событий. Последовательность выводов. Последовательность чьих-л. взглядов.*

**ПОСЛУЖНО́Й**, -а́я, -о́е. ◊ **Послужной список** (*устар.*) — документ, содержащий сведения о прохождении службы.

**ПО́СЛУШНИК**, -а, *м.* Прислужник в монастыре, готовящийся стать монахом.

**По́слушница**, -ы, *ж.* **По́слушнический**, -ая, -ое.

**ПОСО́ЛЬСТВО**, -а, *ср.* **1.** Дипломатическое представительство одного государства в другом, возглавляемое послом, а также здание, где помещается такое представительство. *Секретарь посольства.* □ *Оказавшись в Риме, Соболев вышел на площадку возле аэровокзала, кишевшую автомобилями, сел в такси и помчался в посольство.* Г. Марков. Грядущему веку. **2.** *Разг.* Депутация, группа лиц, присланных кем-л. с какой-л. целью. *Перед отправлением великого посольства Петр составил записку в 12-ти пунктах.* Добролюбов. Первые годы царствования Петра Великого.

**Посо́льский**, -ая, -ое.

**ПОСТ**[1], -а́, *м.* [Др.-в.-нем. fasto]. По церковным правилам: воздержание от скоромной пищи, а также период такого воздержания. *Время проходило, напоминая себя иногда большими праздниками, постами.* Герцен. Кто виноват? ◇ **Великий пост** — пост перед праздником пасхи, продолжающийся семь недель. *На второй неделе великого поста пришла ему очередь говеть вместе со своей казармой.* Достоевский. Преступление и наказание.

**По́стный**, -ая, -ое. *Постная пища.*

**ПОСТ**[2], -а́, *м.* [Франц. poste]. **1.** Место, пункт наблюдения или охраны. *Стоять на посту.* **2.** Лицо или группа лиц, поставленные для наблюдения, охраны чего-л. *Сторожевой пост. Проверка постов.* **3.** Ответственная должность. *Пост министра.* **4.** Место, в котором сосредоточено управление чем-л. *Станционный железнодорожный пост.*

**Постово́й**, -а́я, -о́е (к 1, 2 и 4 знач.). *Постовая охрана.*

**ПОСТАВЕ́Ц**, -вца́, *м.* В старину: невысокий шкаф для посуды. *Вот и сейчас — слыхать отсюда — Он отмыкает поставец. И тихо тренькает посуда, Как еле слышный бубенец.* Симонов. Суворов.

**ПОСТАМЕ́НТ**, -а, *м.* [Ср.-лат. postamentum]. Возвышение, служащее основанием памятника, колонны, статуи, а также подставка, на которой устанавливается что-л. *С высокого постамента-колонны рвется в сторону моря, навстречу подплывающим кораблям бронзовая женщина, прижимая к груди ребенка.* Чивилихин. Шведские остановки.

С и н.: пьедеста́л.

**ПОСТЕ́ЛЬНИЧИЙ**, -его, *м.* В Русском государстве 15—17 вв.: придворный чин, лицо, ведавшее спальней царя, его личной казной, мастерской, в которой шили платье и белье, а также хранившее печать царя. *За дверью похрапывал князев постельничий.* А. Н. Толстой. Петр I.

**ПОСТИ́ЧЬ** и **ПОСТИ́ГНУТЬ**, -и́гну, -и́гнешь; пости́гший и пости́гнувший; пости́гнутый; -у т, -а, -о; пости́гнув; *сов., кого, что.* **1.** Понять, уяснить смысл, значение чего-л. *Постичь азы науки. Постигнуть тайны природы.* □ *Чичиков вдруг постигнул дух начальника и в чем должно состоять поведение.* Гоголь. Мертвые души. **2.** Случиться с кем-л., выпасть на долю кого--л. — *Меня постигло несчастье,— сказал он..— Скончалась моя матушка.* Панова. Спутники.

С и н. (к 1 знач.): уразуме́ть, осмы́слить, осозна́ть, овладе́ть, усво́ить. С и н. (ко 2 знач.): стрясти́сь (*разг.*).

**Постига́ть**, -а́ю, -а́ешь; *несов.* **Постиже́ние**, -я, *ср.* (к 1 знач.).

**ПОСТРИЖЕ́НИЕ**, -я, *ср.* Христианский обряд принятия монашества (сопровождающийся подрезыванием волос). *Принять пострижение.*

С и н.: по́стриг.

**ПОСТРО́МКИ**, -мок, *мн.* (*ед.* **постро́мка**, -и, *ж.*). Ремни, веревки в упряжи лошади, соединяющие валек с хомутом. *Уля попыталась поймать вожжи...: кони, едва не налетев грудью на бричку впереди, взмыли на дыбы и рванули в сторону, чуть не оборвав постромки.* Фадеев. Молодая гвардия.

**ПОСТСКРИ́ПТУМ**, -а, *м.* [Лат. post scriptum — после написанного]. *Книжн.* Приписка в конце письма после подписи, обозначаемая латинскими буквами P. S.

**ПОСТУПА́ТЕЛЬНЫЙ**, -ая, -ое; -лен, -льна, -о. Направленный вперед, в будущее. *Поступательное развитие общества.*

**Поступа́тельно**, *нареч.* **Поступа́тельность**, -и, *ж.*

**ПО́СТУПЬ**, -и, *ж.* **1.** Манера ступать, походка. *Тяжелая поступь.* □ *Легка и стремительна была его юношеская поступь.* Шолохов. Поднятая целина. **2.** *перен. Высок.* Движение вперед, развитие. *Поступь истории.*

**ПОСТФА́КТУМ**, *нареч.* [Лат. post factum — после сделанного]. *Книжн.* После того, как что-л. сделано, произошло. *Постфактум объявить о женитьбе.*

**ПОСЯГА́ТЕЛЬСТВО**, -а, *ср.*, обычно *на кого, что.* Попытка завладеть кем-, чем-л., лишить кого-л. чего-л. *Посягательство на чью-л. собственность, жизнь, свободу.*

С и н.: покуше́ние.

**ПОТАЁННЫЙ**, -ая, -ое. *Устар.* **1.** Потайной. *Новорожденного положили в крытую корзину и вынесли из дому по потаенной лестнице.* Пушкин. Арап Петра Великого. **2.** Скрытый, тайный, секретный. *Потаенная печаль.*

С и н. (ко 2 знач.): затаённый, подспу́дный, сокрове́нный (*книжн.*), сокры́тый (*устар.*).

**ПОТВО́РСТВОВАТЬ**, -твую, -твуешь; потво́рствующий, потво́рствовавший; потво́рствуя; *несов., чему.* Проявлять снисходительное отношение (обычно к чему-л. нежелательному, предосудительному). *Потворствовать капризам ребенка.*

С и н.: попусти́тельствовать, потака́ть (*разг.*).

**ПОТЕНЦИА́Л** [тэ], -а, *м.* [См. *потенциа́льный*]. *Книжн.* Совокупность всех средств, запасов, источников, которые могут быть использованы в нужных целях. *Экономический потенциал страны. Научно-технический, энергетический, производственный потенциалы. Военный потенциал.*

**ПОТЕНЦИА́ЛЬНЫЙ** [тэ], -ая, -ое; -лен, -льна, -о. [Восх. к лат. potentia — сила, возможность]. *Книжн.* Существующий в скрытом виде и могущий проявиться при известных условиях. *Потенциальные возможности науки. Потенциальный противник.*

С и н.: возмо́жный, вероя́тный, мы́слимый, допусти́мый, эвентуа́льный (книжн.).

**Потенциа́льно**, *нареч.* **Потенциа́льность**, -и, *ж.*

**ПОТЕ́ШНЫЙ**, -ая, -ое; -шен, -шна, -о. 1. *полн. ф. Устар.* Связанный с военными играми. *Потешная крепость.* □ *Люблю воинственную живость Потешных Марсовых полей, Пехотных ратей и коней Однообразную красивость.* Пушкин. Медный всадник. 2. *полн. ф. Устар.* Предназначенный для увеселения, потехи, развлечения. *Потешные огни (фейерверк).* 3. *Разг.* Смешной, забавный. *Старика отца люблю. Он у меня потешный, выдумщик страшный.* Саянов. Небо и земля.

С и н. (к 3 знач.): коми́чный и коми́ческий, смехотво́рный, курьёзный, умори́тельный (разг.).

**Поте́шно**, *нареч.* (к 3 знач.). **Поте́шность**, -и, *ж.* (к 3 знач.).

**ПОТОГО́ННЫЙ**, -ая, -ое. 1. Вызывающий усиленное выделение пота. *Потогонное средство.* 2. *перен.* Отнимающий все силы, эксплуататорский. *Потогонная система труда.* □ *В снегах России, в бреду Патагонии расставило время станки потогонные.* Маяковский. Владимир Ильич Ленин.

**ПОТО́МСТВЕННЫЙ**, -ая, -ое. 1. *Устар.* Наследственный, родовой. *Потомственные владения.* 2. Принадлежащий по рождению к какому-л. сословию. *Потомственный дворянин. Потомственный рабочий.* 3. Принадлежащий к семье, занимающейся из поколения в поколение каким-л. делом. *Потомственный сталевар, врач, учитель.*

**ПОТРА́ФИТЬ**, -флю, -фишь; потра́фивший; потра́фив; *сов.* [Польск. potrafić — попасть]. 1. *Устар.* Сделать что-л. так, как требуется, удачно, ловко. *Кучер, услышав, что нужно пропустить два поворота и поворотить на третий, сказал: «Потрафим, ваше благородие!».* Гоголь. Мертвые души. 2. обычно *кому, чему. Прост.* Сделать по вкусу кого-л., угодить.— *Не могу на нее потрафить.* Чернышевский. Что делать?

С и н. (ко 2 знач.): ублажи́ть (разг.).

**ПОТРЕБИ́ТЕЛЬСКИЙ**, -ая, -ое. 1. Служащий для удовлетворения нужд потребления. *Потребительская кооперация. Потребительские товары.* 2. *перен. Неодобр.* Свойственный тому, кто стремится только к удовлетворению своих потребностей. *Потребительский образ жизни.*

**Потреби́тельски**, *нареч.* (ко 2 знач.). *Потребительски относиться к природе.*

**ПОТУСТОРО́ННИЙ**, -яя, -ее. По религиозно-мистическим представлениям: существующий за пределами земной жизни; необъяснимый, сверхъестественный. *Потусторонний мир. Потусторонние силы.*

С и н.: загро́бный, неземно́й (трад.-поэт.), нездѐшний (трад.-поэт.).

**ПОЧЕ́СТЬ**, почту́, почтёшь; *сов., кем, чем, каким* или *за кого, что. Устар. книжн.* Признать, счесть. *Почесть что-л. за счастье.* □ *Ночуя в одной комнате с человеком, коего мог он почесть личным своим врагом и одним из главных виновников его бедствия, Дубровский не мог удержаться от искушения.* Пушкин. Дубровский.

**ПОЧИ́ТЬ**, -и́ю, -и́ешь; почи́вший; почи́в; *сов. Устар. высок.* 1. Уснуть.— *Спит?* — *Так точно, изволили нечаянно почить.* Шишков. Емельян Пугачев. 2. *перен.* Умереть. ◊ **Почить на лаврах** — удовлетворившись достигнутым, успокоиться, прекратить дальнейшую деятельность.

**ПОЧТЕ́НИЕ**, -я, *ср.* Глубокое уважение. *Я волком бы выгрыз бюрократизм, к мандатам почтения нету.* Маяковский. Стихи о советском паспорте. ◊ **Мое почтение; почтение** *кому* (устар.) — приветствие при встрече или при расставании. **С совершенным** (или **глубоким, нижа́йшим** и т. п.) **почтением** (устар.) — вежливое заключение письма. **Быть** (или **явиться** и т. п.) **с почтением** (устар.) — явиться с визитом к кому-л., выражая глубокое уважение, почтение. *Приезжий отправился делать визиты всем городским сановникам. Был с почтением у губернатора.* Гоголь. Мертвые души.

С и н.: почита́ние, пиете́т (книжн.).

**ПОЧТЁННЫЙ**, -ая, -ое; -ёнен, -ённа, -о. 1. Внушающий почтение, уважение, достойный их. *Почтенная внешность. Почтенный старик.* □ *Открывать глаза обществу на наши общественные нужды и недуги — цель, конечно, почтенная.* И. Гончаров. Литературный вечер. 2. *перен. Разг.* Большой, значительный (о размере, расстоянии и т. п.). *Почтенный возраст. На почтенном расстоянии.*

С и н. (к 1 знач.): респекта́бельный (книжн.). С и н. (ко 2 знач.): почти́тельный (разг.), поря́дочный (разг.), соли́дный (разг.), изря́дный (разг.), внуши́тельный (разг.).

**Почтённо**, *нареч.* **Почтённость**, -и, *ж.*

**ПОЧТИ́ТЕЛЬНЫЙ**, -ая, -ое; -лен, -льна, -о. 1. Относящийся к кому-л. с почтением, а также выражающий почтение. *Почтительная дочь.* □ *Соня тотчас же поспешила передать ей извинение Петра Петровича, употребляя самые отборно почтительные выражения.* Достоевский. Преступление и наказание. 2. *перен. Разг.* Значительный, большой (о размере, величине и т. п.). *Почтительная высота.* ◊ **Держать на почтительном расстоянии** *кого* — избегать, не допускать с кем-л. близости, близких отношений.

С и н. (к 1 знач.): уважи́тельный, благогове́йный (высок.). С и н. (ко 2 знач.): почтённый (разг.), поря́дочный (разг.), соли́дный (разг.), изря́дный (разг.), внуши́тельный (разг.).

**Почти́тельно**, *нареч.* (к 1 знач.). **Почти́тельность**, -и, *ж.*

**ПОЧТМЕ́ЙСТЕР**, -а, *м.* [Нем. Postmeister]. В дореволюционной России: управляющий почтовой конторой. *Смотритель выпросил у С\*\*\* почтмейстера отпуск на два месяца.* Пушкин. Станционный смотритель.

**Почтме́йстерский**, -ая, -ое.

**ПО́ШЛИНА**, -ы, *ж.* Государственный денежный сбор, вид налога. *Таможенная пошлина.*

*Пошлина за прописку, за расторжение брака.* □ *Шведы обложили высокими пошлинами все, что привозят и увозят из рижского порта.* А. Н. Толстой. Петр I.

**По́шлинный,** -ая, -ое.

**ПО́ШЛЫЙ,** -ая, -ое; пошл, пошла́, по́шло. **1.** Ничтожный, мелкий в духовном, нравственном отношении. *Пошлое общество. Пошлые вкусы, интересы, идеалы.* **2.** Неприличный, непристойный, вульгарный. *Пошлые рисунки, слова. Пошлая усмешка.* **3.** Неоригинальный, избитый. *Пошлые остроты.* □ *Онегин с Ольгою пошел; Ведет ее, скользя небрежно, И, наклонясь, ей шепчет нежно Какой-то пошлый мадригал.* Пушкин. Евгений Онегин.

С и н. (к 1 знач.): ни́зкий. С и н. (ко 2 знач.): са́льный, цини́чный. С и н. (к 3 знач.): бана́льный, пло́ский, ната́сканный, зае́зженный (*разг.*), истёртый (*разг.*), затрёпанный (*разг.*).

**По́шло,** *нареч.* **По́шлость,** -и, *ж.*

**ПОЭ́ЗИЯ,** -и, *ж.* [Греч. poiēsis]. **1.** Словесное художественное творчество, преимущ. стихотворное. *Мечты поэзии, создания искусства Восторгом сладостным наш ум не шевелят.* Лермонтов. Дума. **2.** Стихи; произведения, написанные стихами. *Русская и советская поэзия. Поэзия и проза. Античная поэзия.* **3.** *перен.* Изящество и красота чего-л., глубоко воздействующие на чувства и воображение. *Эпоха, полная поэзии и упоенья, прошла.* Герцен. Кто виноват? *Но с детства завладела мной поэзия труда.* Луконин. В Баку.

С и н. (к 1 знач.): стихосложе́ние, стихотво́рчество (*устар.*), стихотво́рство (*устар.*).

**ПОЭ́МА,** -ы, *ж.* [Восх. к греч. poiēma]. **1.** Большое лиро-эпическое произведение, обычно стихотворное. *Поэмы М. Ю. Лермонтова. Поэма Гоголя «Мертвые души».* **2.** *перен.* Что-л. прекрасное или необыкновенное, сильно воздействующее на чувства и воображение.

**ПОЭТИЗИ́РОВАТЬ,** -рую, -руешь; поэтизи́рующий, поэтизи́ровавший; поэтизи́руемый, поэтизи́рованный; -ан, -а, -о; поэтизи́руя; *сов. и несов., кого, что.* [См. поэзия]. *Книжн.* Представить (представлять) в поэтическом, приукрашенном виде.— *Когда мы молоды, то поэтизируем и боготворим тех, в кого влюбляемся.* Чехов. Ариадна.

С и н.: идеализи́ровать, романтизи́ровать (*книжн.*).

**Поэтиза́ция,** -и, *ж.* и **поэтизи́рование,** -я, *ср. Поэтизация (поэтизирование) народного характера.*

**ПОЭТИ́ЧЕСКИЙ,** -ая, -ое. [См. поэзия]. **1.** Связанный с поэзией (*в 1 и 2 знач.*). *Поэтический талант. Поэтические произведения, образы.* **2.** Проникнутый поэзией (*в 3 знач.*), возвышенный, полный очарования. *[Тишина] наполняет меня особым поэтическим благочестием.* Герцен. Кто виноват? **3.** Обладающий повышенной эмоциональностью; восторженный. *Поэтическая натура.* □ *Его возлюбленная была совсем не идеальное и поэтическое создание.* Белинский. Сочинения Александра Пушкина.

С и н. (к 3 знач.): поэти́чный, лири́чный.

**ПРА...,** *приставка.* Употр. при образовании прилагательных и существительных и обозначает: 1) первоначальность, наибольшую древность, напр.: *прародина, праязык, праславянский;* 2) восходящую или нисходящую линию по прямым степеням родства, начиная с деда, бабки или внука, внучки, напр.: *прадед, прапрадед, правнук.*

**ПРА́ВЕДНИК,** -а, *м.* **1.** Тот, кто живет, придерживаясь заповедей какой-л. религии. **2.** *перен. Ирон.* Тот, кто в своих действиях руководствуется принципами честности, справедливости, следует правилам нравственности.

◇ **Спать сном праведника** (*шутл.*) — спать спокойно, безмятежно.

А н т. (к 1 знач.): гре́шник.

**Пра́ведница,** -ы, *ж.*

**ПРА́ВО,** -а, права́, прав, *ср.* **1.** *ед.* Совокупность устанавливаемых и охраняемых государством норм и правил поведения, регулирующих отношения людей в обществе, а также наука, изучающая эти нормы. *Изучать право. Избирательное право. Международное право. Уголовное право.* **2.** Предоставленная кому-, чему-л. свобода, возможность действовать или пользоваться чем-л., гарантированная государственными или какими-л. другими законами, постановлениями и т. п. *Право на труд и на отдых. Права и обязанности граждан. Охрана прав человека.* **3.** Основание, причина для чего-л. *Вы не имеете права так говорить.* □ *У меня мелькнула мысль, что я имею полное моральное право поздравить Лелю с днем Восьмого марта.* Шефнер. Сестра печали. ◇ **На правах** *кого, чего* — в качестве кого-, чего-л. *На правах хозяина.* **По праву** — с полным основанием. *Гордиться чем-л. по праву.* **На птичьих правах** (*шутл.*) — не имея прочного положения. *Жить в доме на птичьих правах.*

**Правово́й,** -а́я, -о́е (*к 1 и 2 знач.*). *Правовое образование. Правовые нормы.*

**ПРАВОВЕ́РНЫЙ,** -ая, -ое; -рен, -рна, -о. **1.** Строго придерживающийся какой-л. веры, религии. *Правоверный католик.* **2.** *перен.* Строго придерживающийся какого-л. учения, системы взглядов.— *А вы, Самгин, не очень правоверный марксист.* М. Горький. Жизнь Клима Самгина. **3.** По отношению к народам, исповедующим ислам: мусульманский.

С и н. (ко 2 знач.): после́довательный, вы́держанный, ортодокса́льный (*книжн.*).

**Правове́рность,** -и, *ж.*

**ПРАВОМЕ́РНЫЙ,** -ая, -ое; -рен, -рна, -о. *Книжн.* **1.** Находящийся в соответствии с правом, действующими законами; законный. *Правомерные действия.* **2.** Внутренне оправданный, имеющий основания. *Правомерное заключение.* □ *В ночь перед боем всякие думы правомерны. Тут и думы о смерти могут заглянуть в сердце.* Левченко. Наступление продолжается.

С и н. (ко 2 знач.): обосно́ванный, опра́вданный, аргументи́рованный, зако́нный, резо́нный, правомо́чный (*книжн.*).

А н т.: неправоме́рный (*книжн.*).

**Правоме́рно**, *нареч.* **Правоме́рность**, -и, *ж.*
**ПРАВОМО́ЧНЫЙ**, -ая, -ое; -чен, -чна, -о. *Книжн.* 1. Обладающий законным правом, полномочием. *Правомочное собрание. Правомочное лицо.* □ — *Дайте доверенность дочери. Ей двадцать три года. Она юридически правомочна.* Андроников. Личная собственность. 2. Правильный, обоснованный. *Термины «военный роман», «военная повесть» кажутся мне не очень правомочными. Не обедняем ли мы тем самым нашу литературу, не сужаем ли ее значение?* Михалков. Мы числимся в полку.

С и н. (ко 2 знач.): опра́вданный, аргументи́рованный, зако́нный, резо́нный, правоме́рный (*книжн.*).

А н т.: неправомо́чный (*книжн.*).

**Правомо́чно**, *нареч.* **Правомо́чность**, -и, *ж.*
**ПРАВОСЛА́ВИЕ**, -я, *ср.* Одно из главных и старейших направлений в христианстве, являвшееся официальной религией в дореволюционной России (сложилось в Византии и противостояло католицизму Запада).

**Правосла́вный**, -ая, -ое. *Православная церковь.*
**ПРАВОСУ́ДИЕ**, -я, *ср.* 1. Судебная деятельность государства; суд. *Российское правосудие.* 2. Решение, основанное на законах и справедливости. *Требовать правосудия.*
**ПРА́ВЫЙ**[1], -ая, -ое. 1. Расположенный в стороне, которая противоположна левой. *Правый глаз. Правая сторона улицы.* 2. Враждебный передовым течениям в политической и общественной жизни (от традиционного размещения членов реакционных партий в правой стороне парламентского зала). *Правая партия. Человек правых взглядов.*

С и н. (ко 2 знач.): реакцио́нный.

А н т.: ле́вый.

**ПРА́ВЫЙ**[2], -ая, -ое. 1. Справедливый. *Наше дело правое.* 2. Невиновный. *Разобраться, кто прав, кто виноват.* 3. *кр. ф.* Не совершающий ошибки, правильно думающий. *Вы не правы.*

С и н. (ко 2 знач.): неви́нный, безви́нный (*устар.*), непови́нный (*устар. и разг.*).

А н т. (ко 2 знач.): вино́вный, винова́тый.

**ПРАГМАТИ́ЗМ**, -а, *м.* [Восх. к греч. pragma, pragmatos — действие]. 1. Субъективно-идеалистическое течение в современной философии, признающее истиной не то, что соответствует объективной действительности, а то, что дает практически полезные результаты. 2. Поведение, деятельность, вытекающие не из принципиальных соображений, а из корыстных побуждений.

**Прагмати́ческий**, -ая, -ое *и* **прагмати́чный**, -ая, -ое; -чен, -чна, -о (*ко 2 знач.*). **Прагмати́чность**, -и, *ж.*
**ПРА́КТИКА**, -и, *ж.* [Восх. к греч. praktikos — деятельный]. 1. Вся совокупность деятельности людей, направленная на создание необходимых условий существования и развития общества. *Теория и практика. Человеческая практика.* 2. Жизнь, действительность как область применения и проверки каких-л. выводов, положений. *Наука и практика. Проверить на практике.* 3. Применение каких-л. знаний, навыков на деле, систематическое упражнение в чем-л. *Производственная, педагогическая практика.* □ — *Школьники идут на заводы и фабрики, там проходят практику.* Дягилев. Вечное дерево. 4. *Устар.* Деятельность врача, юриста и т. п. (обычно *частная*). — *А вы были в Москве, доктор? — Да, я имел там некоторую практику.* Лермонтов. Герой нашего времени.

**Практи́ческий**, -ая, -ое (*к 1, 2 и 3 знач.*). *Практические проблемы. Практические выводы. Практические занятия.*
**ПРАКТИЦИ́ЗМ**, -а, *м.* [См. *практика*]. 1. Деловой подход к чему-л., трезвость в поступках и взглядах. *Инженерный практицизм и знание экономики шинного производства свойственны далеко не всем научным работникам.* В. Попов. Разорванный круг. 2. Чрезмерное увлечение практической деятельностью при недооценке значения теории. *Самые, казалось бы, несоединимые черты — мечтательность и действенность, полет фантазии и практицизм,.. — эти, казалось бы, несоединимые черты вместе создали неповторимый облик этого поколения.* Фадеев. Молодая гвардия.
**ПРАМА́ТЕРЬ**, -и, *ж. Высок.* 1. Родоначальница, от которой ведет свое начало род (первонач., по христианским воззрениям, Ева — родоначальница рода человеческого). [*Граф:*] *Есть старинное преданье, Что идет из уст в уста: Рода нашего Праматерь За былые злодеянья Здесь блуждать обречена.* Блок. Праматерь. 2. *перен.*, обычно *чего*. То, что является основой, источником чего-л. *Киев недаром слывет праматерью городов русских, украинских и белорусских.* Фадеев. Литература и жизнь.

С и н. (к 1 знач.): прароди́тельница (*устар. высок.*).
**ПРА́ОТЕЦ**, -тца, *м. Устар. и высок.* Родоначальник, от которого ведет свое начало род, а также (*мн.*) предки (первонач., по христианским воззрениям, Адам — родоначальник рода человеческого). *Наши праотцы, основатели российских деревень и сел, заботились не только об удобствах, но также — о красоте.* Солоухин. Черные доски. ◇ **Отправиться к праотцам** (*разг. шутл.*) — умереть.

С и н.: пра́щур (*книжн.*), прароди́тель (*устар. высок.*).
**ПРАРОДИ́ТЕЛЬ**, -я, *м. Устар. высок.* Родоначальник, от которого ведет начало какой-л. род, а также (*мн.*) предки.

С и н.: пра́щур (*книжн.*), пра́отец (*устар. и высок.*).

**Прароди́тельница**, -ы, *ж.*
**ПРАХ**, -а, *м.* 1. *Устар.* Мельчайшие частицы чего-л., пыль (в 19 в. — также пепел). *Они схватились на конях; Взрывая к небу черный прах, Под ними борзы кони бьются.* Пушкин. Руслан и Людмила. *На зимовку прилетел самолет.., подымая за собой снежный прах.* Горбатов. Дружба. 2. *перен. Устар.* О том, что недолговечно, ничтожно, малоценно. — *Да что деньги? — прах! Золото — прах!* Тургенев. Петр Петрович Каратаев. 3. *Высок.* Останки человека, труп. *И где мне смерть пошлет судьбина?.. Или соседняя долина Мой примет охладелый прах?* Пушкин. Брожу ли я вдоль

улиц шумных... ◇ **В пух и прах** — совершенно, окончательно. *В споре разбить кого-л. в пух и прах.* **Пойти (или рассыпаться) прахом** (*разг.*) — погибнуть, уничтожиться. *Все старания пошли прахом.* **Мир праху** *чьему* — пусть мирно покоится (пожелание умершему). **Отрясти (или отряхнуть) прах от своих ног** (*высок.*) — окончательно порвать с кем-, чем-л., отречься от кого-, чего-л. **Повергнуть в прах** (*высок.*) — уничтожить совершенно, до основания. *Ему казалось, что он рыцарь, выбитый из седла жизнью и поверженный в прах.* Короленко. Слепой музыкант.

С и н. (ко 2 знач.): суета́ (*устар. и книжн.*), тлен (*устар. и высок.*). С и н. (к 3 знач.): те́ло.

**ПРАЩА́**, -и́, *ж.* и **ПРАЩ**, -а́, *м.* Древнее боевое ручное оружие для метания камней. *И пращ, и стрела, и лукавый кинжал Щадят победителя годы.* Пушкин. Песнь о вещем Олеге.

**ПРА́ЩУР**, -а, *м. Книжн.* Далекий предок, родоначальник рода. *Пращур мой умер на лобном месте, отстаивая то, что почитал святынею своей совести.* Пушкин. Капитанская дочка.

С и н.: пра́отец (*устар. и высок.*), прароди́тель (*устар. и высок.*).

**ПРЕА́МБУЛА**, -ы, *ж.* [Франц. préambule от лат. praeambulus — идущий впереди]. **1.** *Спец.* Вводная часть какого-л. законодательного акта, международного договора и т. п. *Преамбула договора, резолюции.* **2.** *Книжн.* О вводной части статьи, речи и т. п. *Преамбула доклада.* □ *Он-то знал, что за преамбулой обязательно последует деловая часть, в которой не всегда и не все приятно.* В. Карпов. Взять живым!

С и н. (ко 2 знач.): введе́ние, вступле́ние.

**ПРЕБЫ́ТЬ**, -бу́ду, -бу́дешь; пребы́вший; пребы́в; *сов. Книжн.* Быть, остаться. *За достойные дела людям ставят памятники.. Слава Шипки пребудет в веках.* Шуртаков. Вершина Столетова.

**Пребыва́ть**, -а́ю, -а́ешь; *несов.* *Мама заведовала детским садом и постоянно пребывала в каких-то странных хлопотах.* Б. Васильев. В списках не значился.

**ПРЕВАЛИ́РОВАТЬ**, -рую, -руешь; превали́рующий, превали́ровавший; превали́руя; *несов.*, обычно *над кем, чем.* [Восх. к лат. praevalere]. Иметь преимущество, перевес. *Среди врачей бытует мнение: никогда не следует лечить или оперировать своих близких.. Дело, конечно, не в фатальности, а скорее всего в том, что, когда чувство превалирует над разумом, оно в какой-то момент может подвести.* Кованов. Призвание.

С и н.: преоблада́ть, госпо́дствовать, домини́ровать (*книжн.*).

**ПРЕВОЗМО́ЧЬ**, -могу́, -мо́жешь; превозмо́гший; превозмо́гши; *сов., что. Книжн.* **1.** Справиться с чем-л., преодолеть. *Я все превозмогу, я сам работы посторонней достану.* Достоевский. Бедные люди. **2.** Пересилить какое-л. чувство, состояние, ощущение. *Превозмочь боль, страх, усталость.* □ *Я цель одну, Прийти в родимую страну, Имел в душе, — и превозмог Страданье голода, как мог.* Лермонтов. Мцыри.

С и н.: оси́лить, переломи́ть, преодоле́ть,

пересилить, победи́ть, побороть, перебороть, совлада́ть (*разг.*).

**Превозмога́ть**, -а́ю, -а́ешь; *несов.*

**ПРЕВОСХОДИ́ТЕЛЬСТВО**, -а, *ср.* (употр. с мест. «ва́ше», «его́», «ее́», «их»). **1.** В дореволюционной России: титул лиц, имевших чин генерал-майора, генерал-лейтенанта, а также соответствующие им гражданские чины и их жен. **2.** В дипломатическом языке: обращение к руководителям и членам правительств иностранных государств.

**ПРЕВРА́ТНЫЙ**, -ая, -ое; -тен, -тна, -о. **1.** *Устар.* Изменчивый, непостоянный (обычно о судьбе, счастье и т. п.). *Зовет он любимого сына, Опору в превратной судьбе.* Лермонтов. Воздушный корабль. **2.** Извращающий истину, ложный, искаженный. *Превратное понятие о долге. Превратные представления.* □ *— Ну кто же в этом сомневается? — проборматал Валицкий, обеспокоенный мыслью, что Васнецов неправильно понял его и может составить о нем совершенно превратное впечатление.* Чаковский. Блокада.

С и н. (ко 2 знач.): непра́вильный, неве́рный, нето́чный, оши́бочный.

**Превра́тно**, *нареч.* (ко 2 знач.). *Превратно истолковать что-л.* **Превра́тность**, -и, *ж. Превратность судьбы.*

**ПРЕГРЕШЕ́НИЕ**, -я, *ср. Устар.* Проступок, грех. *Я стал читать про себя молитву, принося богу искреннее раскаяние во всех моих прегрешениях.* Пушкин. Капитанская дочка.

**ПРЕДА́НИЕ**, -я, *ср.* Устный рассказ, история, передающиеся из поколения в поколение. *Семейное предание.* □ *Дела давно минувших дней, Преданья старины глубокой.* Пушкин. Руслан и Людмила. ◇ **Отойти в область предания** — перестать существовать, употребляться; исчезнуть.

С и н.: леге́нда, сказа́ние, миф.

**ПРЕДВЕ́СТНИК**, -а, *м.*, *чего. Книжн.* **1.** Тот, кто предвещает, заранее возвещает что-л. *Опережая свое время, Чехов был предвестником новой, светлой жизни, которую угадывает в будущем.* Катаев. Чехов. **2.** То, что является признаком, предвещающим наступление чего-л. *[Раскольников] не понимал, что это предчувствие могло быть предвестником будущего перелома в жизни его.* Достоевский. Преступление и наказание.

С и н.: предте́ча (*устар. и высок.*).

**Предве́стница**, -ы, *ж.*

**ПРЕДВЗЯ́ТЫЙ**, -ая, -ое; -ят, -а, -о. Сложившийся, принятый заранее, до ознакомления с кем-, чем-л. *Предвзятое мнение.* □ *Я считаю нелишним прибавить, что все сказанное выше написано мною вполне искренне, без всякой предвзятой мысли.* Салтыков-Щедрин. Пошехонская старина.

С и н.: пристра́стный, необъекти́вный, тенденцио́зный, предубежде́нный, субъекти́вный, лицеприя́тный (*устар.*).

**Предвзя́то**, *нареч.* **Предвзя́тость**, -и, *ж.*

**ПРЕДВОДИ́ТЕЛЬ**, -я, *м.* **1.** Тот, кто руководит кем-, чем-л. *Предводитель племени, отря-*

да. □ *Гарнизон стал просить за своего доброго коменданта; но яицкие казаки, предводители мятежа, были неумолимы.* Пушкин. История Пугачева. **2.** То же, что предводитель дворянства. *Женщина эта была жена предводителя того уезда, на выборы которого ездил Нехлюдов.* Л. Толстой. Воскресение. ◊ **Предводитель дворянства** — в дореволюционной России: дворянин, избиравшийся губернским или уездным дворянским собранием и ведавший сословными делами дворянства.

**Предводи́тельница**, -ы, *ж.* (к 1 знач.).
**ПРЕДВОСХИ́ТИТЬ**, -и́щу, -и́тишь; предвосхи́тивший; предвосхи́щенный; -ен, -а, -о; предвосхи́тив; *сов., кого, что. Книжн.* Сделать, применить что-л. раньше других, опередить в чем-л.; предугадать. *Предвосхитить научное открытие.* □ *Может быть, какой-нибудь этнограф скоро запишет новую песню о волшебном синем столбе. Я хочу предвосхитить незадачливого этнографа.* С. Марков. Синий столб.

С и н.: предвари́ть (*книжн.*).

**Предвосхища́ть**, -а́ю, -а́ешь; *несов.* **Предвосхище́ние**, -я, *ср.*

**ПРЕДДВЕ́РИЕ**, -я, *ср.* **1.** *Устар.* Место перед дверью, перед входом куда-л. *Преддверие храма.* **2.** *перен., чего. Книжн.* Время, которое предшествует какому-л. событию. *И всем нам было хорошо в преддверии праздника, и работа спорилась как никогда.* Воронин. Таежная развязка.

С и н. (ко 2 знач.): кану́н.

**ПРЕДЕ́Л**, -а, *м.* **1.** Край, конечная часть чего-л. *Казалось, что нет и не будет предела этим лесам.* В. Белов. Кануны. **2.** *обычно мн., чего или какие.* Граница, рубеж, а также территория, заключенная в каких-л. границах. *Родные пределы.* □ *Люди Троекурова.. не осмеливались шалить в пределах его [Дубровского] владений, зная приятельскую связь с их господином.* Пушкин. Дубровский. **3.** *обычно мн., перен., обычно чего.* Мера, граница чего-л. *В пределах приличия. Всему есть предел.* □ *[Алексей] ушел в свою комнату и стал размышлять о пределах власти родительской.* Пушкин. Барышня-крестьянка. **4.** *обычно чего.* Высшая степень чего-л. *Предел совершенства. Предел желаний. Дойти до предела.* ◊ **На пределе** — в крайней степени напряжения. *Нервы на пределе.*

С и н. (к 1 знач.): коне́ц. С и н. (к 3 знач.): ра́мки.

**Преде́льный**, -ая, -ое; -лен, -льна, -о (к 1 и 4 знач.). *Предельный срок. С предельной быстротой.*
**ПРЕДЕРЖА́ЩИЙ**, -ая, -ее. *Устар.* ◊ **Власть (и.и рука) предержащая** — высшая правительственная власть. — *Народ требует руки предержащей. Деревню приструнить легче, чем город,* — *заметила Дарья.* Федин. Первые радости. **Власти предержащие** — лица, облеченные властью.

**ПРЕДЗНАМЕНОВА́НИЕ**, -я, *ср. Книжн.* Примета, признак, предвещающие что-л. *Катя провела Аркадия в сад. Встреча с нею показалась ему особенно счастливым предзнаменованием.* Тургенев. Отцы и дети.

С и н.: предве́стие (*книжн.*), зна́мение (*устар.*).

**ПРЕДМЕ́СТЬЕ**, -я, предме́стья, -ий, *ср.* Местность, поселок, находящийся за пределами города, но тесно примыкающий к нему. *Мы жили не в Лондоне, мы жили в предместье. Нагибин. Я изучаю языки.*

С и н.: при́город.
**ПРЕДНАМЕ́РЕННЫЙ**, -ая, -ое; -ен, -енна, -о. Заранее обдуманный, умышленный. *Преднамеренный шаг. Преднамеренное искажение фактов.*

С и н.: наме́ренный, созна́тельный, преду́мышленный (*устар.*), наро́читый (*устар.*).

**Преднаме́ренно**, *нареч. Совершить проступок преднамеренно.* **Преднаме́ренность**, -и, *ж.*
**ПРЕДНАЧЕРТА́НИЕ**, -я, *ср. Высок.* То, что заранее намечено, определено, а также предназначено (судьбою).

С и н.: назначе́ние (*книжн.*), предназначе́ние (*высок.*), предопределе́ние (*устар.*).
**ПРЕДОПРЕДЕЛЕ́НИЕ**, -я, *ср. Устар.* То, что предопределено, предназначено кому-л.; судьба, рок. *И если точно есть предопределение, то зачем же нам дана воля, рассудок?* Лермонтов. Герой нашего времени.

С и н.: назначе́ние (*книжн.*), предназначе́ние (*высок.*), предначерта́ние (*высок.*).
**ПРЕДПОСЫ́ЛКА**, -и, *ж.* **1.** Предварительное условие чего-л. *Предпосылки успеха.* □ *Есть города, которые живут неизвестно чем.. Для промышленного производства там нет никаких предпосылок.* Рекемчук. Скудный материк. **2.** Исходный пункт каких-л. рассуждений. *Теоретические предпосылки.* □ *Правильная предпосылка всегда приводит к удивительно правильным дальнейшим рассуждениям и выводам.* Бек. Жизнь Бережкова.

**ПРЕДПРИНИМА́ТЕЛЬ**, -я, *м.* **1.** Владелец частного предприятия. *Крупный предприниматель.* **2.** Предприимчивый и практичный человек, ловкий организатор. *В Москве, да очевидно, и в других городах ловкими предпринимателями были открыты десятки кинотеатров.* Гардин. Воспоминания.

С и н. (ко 2 знач.): деле́ц.

**Предпринима́тельский**, -ая, -ое. *Предпринимательская деятельность.*
**ПРЕДПРИЯ́ТИЕ**, -я, *ср.* **1.** *Книжн.* Задуманное, предпринятое кем-л. дело. *Мигель взялся добыть снаряды* — *это оказалось очень хлопотливым предприятием.* М. Кольцов. Испанский дневник. **2.** Производственное учреждение (завод, фабрика и т.п.). *Государственное, частное, кооперативное предприятие. Крупное, мелкое предприятие. Промышленное, сельскохозяйственное предприятие.*

**ПРЕДРАССУ́ДОК**, -дка, *м.* Ставший привычным ложный взгляд на что-л. *Мещанские, суеверные предрассудки.* □ *Существует распространеннейший предрассудок, что правильные идеи не нуждаются в доказательствах.* Крон. Дом и корабль.

**ПРЕДРЕ́ЧЬ**, -реку́, -речёшь; предре́кший; предречённый; -чён, -чена́, -о́; предре́кши; *сов., что. Устар.* Предсказать. *И в этот грозный предреченный час, У этих сел, фольварков* *и предместий О мести не расспрашивайте нас.* Твардовский. Возмездие.

**Предрека́ть**, -а́ю, -а́ешь; *несов. Степан Трофимович предрекал, что Липутины везде уживутся.* С. Антонов. От первого лица.

**ПРЕДРЕШИ́ТЬ**, -шу́, -ши́шь; предреши́вший; предрешённый; -шён, -шена́, -о; предреши́в; *сов., что. Книжн.* **1.** Заранее решить что-л. *[Екатерина II] предрешила созвать в Москве Большую комиссию из представителей сословий для выработки Нового Уложения.* Шишков. Емельян Пугачев. **2.** Явиться причиной чего-л.; предопределить. *Предрешить исход борьбы.*

**Предреша́ть**, -а́ю, -а́ешь; *несов.* Предрешать судьбу книги.

**ПРЕДСТАВИ́ТЕЛЬНЫЙ**, -ая, -ое; -лен, -льна, -о. **1.** *полн. ф.* Состоящий из чьих-л. представителей, выборный. *Представительные органы.* **2.** *Разг.* Производящий выгодное впечатление своим внешним видом. *Он имел представительную внешность: коренастый, широкоплечий, с раскидистой седой бородой.* Новиков-Прибой. Цусима.

С и н. (ко 2 знач.): соли́дный, ви́дный, внуши́тельный, импоза́нтный (*книжн.*), презента́бельный (*устар.*), аванта́жный (*устар. разг.*).

**Представи́тельность**, -и, ж.

**ПРЕДТЕ́ЧА**, -и, предте́чи, -ей и -е́ч, *м. и ж.*, обычно *чего. Устар. и высок.* **1.** Тот, кто своей деятельностью подготовил условия для деятельности других. *Мы видели, что эти поэты, оказавшие такие великие услуги рождающейся русской поэзии, только способствовали ее рождению, но не родили ее, более были предтечами поэта, чем поэтами.* Белинский. Сочинения Александра Пушкина. **2.** О том, кто или что предшествует чему-л., служит предвестием чего-л. *И ранний звон колоколов, Предтеча утренних трудов, Ее с постели поднимает.* Пушкин. Евгений Онегин.

С и н.: предве́стник (*книжн.*).

**ПРЕДУБЕЖДЕ́НИЕ**, -я, *ср.* Заранее сложившееся, предвзятое отрицательное мнение о ком-, чем-л. *Так и прошла жизнь — без карт. И осталось — с юности — презрительное к ним предубеждение, как к занятию мещанскому, буржуазному.* Трифонов. Старик.

**ПРЕДУПРЕДИ́ТЕЛЬНЫЙ**, -ая, -ое; -лен, -льна, -о. **1.** *полн. ф.* Служащий для предупреждения, предохранения от чего-л. *Предупредительные меры.* ☐ *— Здорово.. Предупредительные огни, значит свои самолет не налетел.* Дроздов. Горячая верста. **2.** Услужливый, любезный, предупреждающий желание, намерение кого-л. *Алле все больше и больше нравился Гребенщиков. Всегда корректный, всегда предупредительный и заботливый.* В. Попов. Обретешь в бою.

С и н. (ко 2 знач.): учти́вый, корре́ктный, обходи́тельный, гала́нтный.

**Предупреди́тельно**, *нареч.* (ко 2 знач.). **Предупреди́тельность**, -и, ж. (ко 2 знач.).

**ПРЕЕ́МНИК**, -а, *м. Книжн.* **1.** Продолжатель чьей-л. деятельности, каких-л. традиций. *Пушкину и до сих пор нет еще вполне достойного преемника и продолжателя.* Платонов. Пушкин и Горький. **2.** Тот, кто занял должность, место своего предшественника. *В ожидании гостей Державин сидел со своим преемником Жилиным, давал ему последние советы и поручения.* Котенев. Грозовой август.

С и н. (к 1 знач.): насле́дник.

**Прее́мница**, -ы, ж.

**ПРЕЕ́МСТВЕННОСТЬ**, -и, ж. *Книжн.* Непосредственная связь с прошлым, продолжение традиции, основанной на непосредственном переходе от одного к другому. *Историческая преемственность.* ☐ *Культура и народный быт также обладают глубокой преемственностью.* В. Белов. Лад.

**ПРЕЗЕНТА́БЕЛЬНЫЙ**, -ая, -ое; -лен, -льна, -о. [Франц. présentable]. *Устар.* Видный, представительный. *— Так. Отличненько. Отдохнули. Но вид у вас не самый презентабельный.* Мирнев. Дом на Северной.

С и н.: внуши́тельный, соли́дный, импоза́нтный (*книжн.*), аванта́жный (*устар. разг.*).

**ПРЕЗЕНТОВА́ТЬ**, -ту́ю, -ту́ешь; презенту́ющий, презентова́вший; презенту́емый, презенто́ванный; -ан, -а, -о; презенту́я, презентова́в; *сов. и несов., что кому.* [Франц. présenter] — представлять, подавать]. *Устар. и разг. шутл.* Подарить (дарить). *Валентин Яковлевич презентовал Надежде Львовне корзиночку из ивовых прутьев собственного художественного плетения.* Залыгин. Наши лошади.

С и н.: поднести́ (подноси́ть), преподнести́ (преподноси́ть), дарова́ть (*устар. и высок.*), пожа́ловать (жа́ловать) (*устар.*).

**ПРЕЗИДЕ́НТ**, -а, *м.* [Восх. к лат. praesidens, praesidentis — председательствующий]. Руководитель, глава республиканского государства, а также некоторых крупных научных учреждений. *Президент страны. Президент академии наук.*

**Президе́нтский**, -ая, -ое. *Президентский пост.*

**ПРЕЗИ́ДИУМ**, -а, *м.* [Восх. к лат. praesidium — защита, крепость]. **1.** Выборный руководящий орган некоторых организаций и научных учреждений. *Президиум Верховного Совета России. Президиум академии наук.* **2.** *собир.* Выборные представители собрания. *В освещенном жаркими юпитерами президиуме можно было увидеть многих именитых людей.* Крон. Бессонница.

**ПРЕЗРЕ́ТЬ**, -рю́, -ри́шь; презре́вший; пре́зренный; -ен, -а, -о; презре́в; *сов.*, обычно *кого, что. Высок.* Пренебречь чем-л., посчитать незначительным, ничтожным. *Презреть опасность.* ☐ *Позже Калита, презрев слово, которое он давал новгородцам, пытался взять на щит всю Двинскую землю.* С. Марков. Земной круг.

**Презира́ть**, -а́ю, -а́ешь; *несов.*

**ПРЕЗУ́МПЦИЯ**, -и, ж. [Лат. praesumptio]. *Спец.* Предположение, признаваемое истинным, пока не будет доказано обратное. *Презумпция невиновности.*

**ПРЕИСПО́ДНЯЯ**, -ей, ж. *Устар.* **1.** Ад, подземное царство. **2.** *перен. Разг.* О том, что находится внизу, в глубине чего-л. или является жарким, опасным местом. *[Волна] бросала ее [лодку] вниз, в преисподнюю, так, что трещало днище и скрипели борта.* Воронин. Раскопельские камни.

С и н. (к 1 знач.): геенна (книжн.), тартар (книжн.), пекло (разг.).

А н т. (к 1 знач.): рай.

**ПРЕИСПО́ЛНИТЬ**, -ню, -нишь; преиспо́лнивший; преиспо́лненный; -ен, -а, -о; преиспо́лнив; *сов., кого, что чем или чего.* **1.** *Устар.* Наполнить, заполнить до предела. *[Комната] была преисполнена роскоши, в какой никогда не жила Долли.* Л. Толстой. Анна Каренина. **2.** *Высок.* Возбудить какое-л. сильное чувство. *Митя преисполнен важности оттого, что дядю знают все охотники, знают — это лодочный сторож.* С. Никитин. Падучая звезда.

С и н. (ко 2 знач.): напо́лнить, испо́лнить (книжн. устар.).

**Преисполня́ть**, -я́ю, -я́ешь; *несов.*

**ПРЕЙСКУРА́НТ**, -а, *м.* [Нем. Preiskurant]. Справочник цен по видам и сортам товаров или по видам услуг.— *Я заплачу по прейскуранту, все честь по чести. Это не возбраняется.* Шукшин. Позови меня в даль светлую...

**ПРЕКРАСНОДУ́ШНЫЙ**, -ая, -ое; -шен, -шна, -о. *Устар. и ирон.* Склонный приукрашивать, идеализировать, видеть во всем только приятное; сентиментальный. *Полярники так любят собак, которых можно ласкать, не опасаясь, что тебя сочтут прекраснодушным и мягкотелым хлюпиком.* Санин. Семьдесят два градуса ниже нуля.

**Прекрасноду́шие**, -я, *ср.*

**ПРЕЛА́Т**, -а, *м.* [Лат. praelatus — предпочтенный, поставленный над кем-л.]. Высшее духовное лицо в католической и англиканской церкви. *Прелат одного монастыря, услышав о приближении [запорожцев], прислал от себя двух монахов.* Гоголь. Тарас Бульба.

**ПРЕЛЬСТИ́ТЬСЯ**, -льщу́сь, -льсти́шься; прельсти́вшийся; прельсти́вшись; *сов.* **1.** *кем или* (*устар.*) *на кого.* Плениться, увлечься кем-л.— *Неужели ж Аглая прельстилась на такого уродика!* Достоевский. Идиот. **2.** *чем или на что.* Соблазниться чем-л. *Прельститься обещаниями.* □ *Ничем его англичане не могли сбить, чтобы он на их жизнь прельстился.* Лесков. Левша.

С и н.: польсти́ться.

**Прельща́ться**, -а́юсь, -а́ешься; *несов.*

**ПРЕЛЮ́ДИЯ**, -и, *ж.* [От лат. praeludere — играть предварительно]. **1.** Вступление к музыкальному произведению, а также самостоятельная музыкальная пьеса для фортепиано, не имеющая установленной формы. *Оркестровая прелюдия. Прелюдии Шопена.* **2.** *перен.*, обычно *чего или к чему.* Вступление, начало чего-л. *Это все прелюдии. Сейчас я перейду к основному рассказу, и вы убедитесь, что самое главное не то, как меня встречали, а как провожали.* Семенихин. Космонавты живут на земле.

**ПРЕМИ́НУТЬ**, -ну, -нешь; премину́вший; премину́в; *сов., с неопр.* (употр. с отрицанием). *Устар.* Упустить случай, возможность сделать что-л. *Узнав о том, что неподалеку от Умнака лежит большой остров Уналашка (Аналяска), Глотов не преминул отправиться туда.* С. Марков. Земной круг.

**ПРЕМЬЕ́РА**, -ы, *ж.* [От франц. premier — первый]. Первое исполнение для публики спектакля, балета, демонстрация кинофильма и т. п.

**Премье́рный**, -ая, -ое. *Премьерный показ фильма.*

**ПРЕМЬЕ́Р-МИНИ́СТР**, -а, *м.* [Франц. premier-ministre]. В некоторых государствах: глава правительства.

**ПРЕНЕБРЕЖЕ́НИЕ**, -я, *ср.* **1.** Высокомерное, неуважительное отношение к кому-, чему-л. *Его не любят на хуторе, он знает об этом и всячески показывает свое пренебрежение к землякам.* Афонин. Пойма. **2.** Отсутствие должного внимания к чему-л., безразличие. *Смешными становятся наши два-три общепринятых маршрута,... и полное пренебрежение ко многим остальным, в самом деле прекрасным.* Н. Рерих. Зажигайте сердца.

С и н. (к 1 знач.): презре́ние. С и н. (ко 2 знач.): игнори́рование, презре́ние, забве́ние, небреже́ние (*устар.*).

**ПРЕ́НИЕ**, -я, *ср.* **1.** *Устар.* Пререкание, спор. *Прение между г-ми секундантами несколько раз становилось бурным.* Тургенев. Вешние воды. **2.** *мн.* Обсуждение какого-л. вопроса, спор при публичном обсуждении каких-л. вопросов. *Выступить в прениях.* □ *Молодой парень в синих бриджах позвонил в колокольчик и предложил прений не открывать.* В. Беляев. Старая крепость.

С и н. (ко 2 знач.): диску́ссия, ди́спут, поле́мика, деба́ты (книжн.).

**ПРЕОБЛАДА́ТЬ**, -а́ю, -а́ешь; преоблада́ющий, преоблада́вший; преоблада́я; *несов., над кем, чем или без доп.* Иметь перевес, занимать господствующее положение. *Терентий Бочкин очень любил писать письма, и почти всегда в этих письмах преобладали у него сведения хозяйственного порядка.* Фурманов. Чапаев.

С и н.: госпо́дствовать, превали́ровать (книжн.), домини́ровать (книжн.).

**ПРЕОБРАЗИ́ТЬ**, -ажу́, -ази́шь; преобрази́вший; преображённый; -жён, -жена́, -о́; преобрази́в; *сов., кого, что.* **1.** Изменить вид, облик кого-, чего-л., придать иной образ кому-, чему-л. *Преобразить город.* *Преобразить свою внешность.* **2.** *в кого, что.* Превратить в кого-, что-л. *Вот бегает дворовый мальчик, В салазки Жучку посадив, Себя в коня преобразив.* Пушкин. Евгений Онегин.

С и н. (к 1 знач.): видоизмени́ть.

**Преобража́ть**, -а́ю, -а́ешь; *несов.* **Преобрази́ться**, -ажу́сь, -ази́шься; *возвр.* **Преображе́ние**, -я, *ср.*

**ПРЕОБРАЗОВА́ТЬ**, -зу́ю, -зу́ешь; преобразова́вший; преобразо́ванный; -ан, -а, -о; преобразова́в; *сов.* **1.** *кого, что.* Коренным образом изменить, переделать что-л. *Преобразовать общество. Преобразовать природу.* **2.** *что.* Превратить из одного вида, качества в другой вид, иное качество. *Преобразовать уравнение.*

С и н. (к 1 знач.): реорганизова́ть, перестро́ить, переустро́ить.

**ПРЕОСВЯЩЕ́НСТВО**, -а, *ср.* (употр. с мест. «ваше», «его», «ее», «их»). Титулование епископа.— *У*

*архиерея был конюхом, да поругался с его преосвященством.* А. Н. Толстой. Хождение по мукам.
**ПРЕПАРА́Т**, -а, м. [Восх. к лат. praeparatus — приготовленный]. *Спец.* **1.** Обработанные части животного или растительного организма, предназначенные для исследования, наблюдения, учебных целей. *Анатомический препарат.* **2.** Химический или фармацевтический продукт. *Лекарственные препараты.*
**ПРЕПОДО́БИЕ**, -я, *ср.* (употр. с мест. «ваше», «его», «ее», «их»). Титулование священника.— *Веди своих учеников встречать его преподобие, батюшку.* Ф. Гладков. Лихая година.
**ПРЕПО́НА**, -ы, *ж.* **1.** *Устар.* То, что преграждает путь. *Идут. Их силе нет препоны, Все рушат, все свергают в прах.* Пушкин. Воспоминания в Царском Селе. **2.** *Книжн.* Помеха, затруднение. *Ломать препоны.* □ *Уважение народа и слава — тем, кто умеет идти вперед, преодолевая все препоны.* Кетлинская. Дни нашей жизни.
С и н.: прегра́да, препя́тствие, барье́р, рога́тки (*разг.*).
**ПРЕРОГАТИ́ВА**, -ы, *ж.* [Лат. praerogativa]. *Книжн.* Исключительное право, принадлежащее кому-л. государственному органу или должностному лицу. *Прерогативы власти.*
**ПРЕСЛОВУ́ТЫЙ**, -ая, -ое. **1.** *Устар.* Известный, знаменитый. *Там, где горы, убегая, В светлой тянутся дали — Пресловутого Дуная Льются вечные струи.* Тютчев. Там, где горы, убегая... **2.** *Неодобр.* Вызвавший много толков, разговоров, нашумевший. *Пресловутая рукопись его оказалась не более, как переводом с французского.* Достоевский. Подросток.
С и н. (*к 1 знач.*): просла́вленный, сла́вный, достосла́вный (*устар.*). С и н. (*ко 2 знач.*): хвалёный.
**ПРЕ́ССА**, -ы, *ж.* [Франц. presse]. Периодическая печать (газеты, журналы). *Научная пресса. Сообщение в прессе.*
С и н.: печа́ть, журнали́стика.
**ПРЕ́ССИНГ**, -а, *м.* [Англ. pressing]. *Спец.* **1.** В некоторых спортивных играх: одна из наиболее активных форм защиты, состоящая в ограничении действий противника. *Надо сказать, что к тому времени прессинг по всему полю стал достоянием большинства команд.* М. Александров. Призвание — тренер. **2.** Настойчивое стремление оказать воздействие на кого-л. — *Итак, вы решили ночью бабахнуть, и таким образом разрешить все претензии? — выяснял Лосев.— Вот именно. Поскольку положение критическое. Применить, так сказать, прессинг.* Гранин. Картина.
С и н. (*ко 2 знач.*): давле́ние.
**ПРЕСС-КОНФЕРЕ́НЦИЯ**, -и, *ж.* [Англ. press-conference]. Встреча общественных, политических, научных деятелей с представителями печати, радио, телевидения для ответов на вопросы, представляющие большой общественный интерес.
**ПРЕСТИ́Ж**, -а, *м.* [Франц. prestige]. *Книжн.* Авторитет, влияние, которым пользуется кто-, что-л. *Уронить, поднять, поддержать престиж. Заботиться о своем престиже.*

**Прести́жный**, -ая, -ое. *Престижная профессия. Престижные соображения.*
**ПРЕСТО́Л**, -а, *м.* **1.** Трон как символ власти монарха. *Взойти на престол. Свергнуть с престола.* □ *— Ежели еще год Бонапарте останется на престоле Франции,.. то дела пойдут слишком далеко.* Л. Толстой. Война и мир. **2.** В христианской церкви: стоящий в алтаре высокий стол, являющийся символом божественной власти. **3.** *Устар. разг.* Престольный праздник. *Здесь бухали колокола На двадцать деревень, Престол и ярмарка была В зеленый Духов день.* Твардовский. Страна Муравия.
**Престо́льный**, -ая, -ое (*к 1 и 2 знач.*). ◊ **Престо́льный го́род** (*устар.*) — столица. **Престо́льный пра́здник** — праздник в честь того церковного события или святого, которому посвящена церковь.
**ПРЕТВОРИ́ТЬ**, -рю́, -ри́шь; претвори́вший; претворённый; -рён, -рена́, -о́; претвори́в; *сов., что во что. Высок.* Осуществить что-л. на деле, в действительности. *Претворить в жизнь планы строительства. Претворить проект в дело.*
**Претворя́ть**, -я́ю, -я́ешь; *несов.* **Претворе́ние**, -я, *ср.*
**ПРЕТЕНДЕ́НТ**, -а, *м.* [Восх. к франц. prétendant]. Тот, кто предъявляет требования, имеет права на получение чего-л. *Претендент на престол. Претендент на звание чемпиона мира.*
**Претенде́нтка**, -и, *ж.*
**ПРЕТЕ́НЗИЯ**, -и, *ж.* [Позднелат. praetensio]. **1.** Предъявление прав на получение чего-л. *Претензия на наследство.* **2.** Выражение неудовольствия кем-, чем-л., жалоба на кого-, что-л. *Претензии к продавцу.* **3.** обычно *мн.* Стремление приписать себе несвойственные особенности, качества. *Вся манера его держать себя была совершенно без претензий.* Чернышевский. Пролог.
С и н. (*к 1 и 3 знач.*): притяза́ние.
**ПРЕТЕНЦИО́ЗНЫЙ**, -ая, -ое; -зен, -зна, -о. [Франц. prétentieux]. *Книжн.* Лишенный простоты, претендующий на оригинальность, подчеркнуто необычный. *Претенциозная архитектура. Претенциозное поведение.*
**Претенцио́зно**, *нареч.* **Претенцио́зность**, -и, *ж.*
**ПРЕТИ́ТЬ**, -и́т; претя́щий; преті́вший; *несов.*, обычно *кому.* **1.** *Устар.* Запрещать, препятствовать чему-л. *Она нашла героя в нем, — И вся семья, и все родные Претят, мешают ей во всем.* Блок. Возмездие. **2.** Вызывать отвращение. *[Треплев:] Ты хочешь, чтобы я тоже считал его гением, но, прости, я лгать не умею, от его произведений мне претит.* Чехов. Чайка.
**ПРЕФЕ́КТ**, -а, *м.* [Лат. praefectus]. Название различных административных, военных и полицейских должностей в Древнем Риме, во Франции и некоторых других странах.
**ПРЕХОДЯ́ЩИЙ**, -ая, -ее; -я́щ, -а, -е. *Книжн.* Такой, который скоро проходит; недолговечный. *Весь ум, вся душевная энергия ушли на удовлетворение временных, преходящих нужд.* Чехов. Дом с мезонином.
С и н.: мимолётный, скоропреходя́щий (*книжн.*), эфеме́рный (*книжн.*).

**ПРЕЦЕДЕ́НТ** [не *прецеде́нт*], -а, *м.* [Восх. к лат. praecedens, praecedentis — предшествующий]. *Книжн.* Случай, служащий примером, оправданием для последующих случаев подобного рода. *Этот случай не имеет прецедентов. Установить прецедент.*

**ПРИВА́ТНЫЙ**, -ая, -ое. [Восх. к лат. privatus]. *Устар.* Неофициальный, частный. *Приватная беседа.* ◻ *Теперь же обращусь к вам, милостивый государь мой, сам от себя с вопросом приватным: много ли может, по-вашему, бедная, но честная девица честным трудом заработать?* Достоевский. Преступление и наказание.

**Прива́тно**, *нареч.* **Прива́тность**, -и, *ж.*

**ПРИВЕ́РЖЕНЕЦ**, -нца, *м.* Сторонник, последователь кого-, чего-л. *Ученики его и приверженцы получали назначения на кафедры, в НИИ, в ученые советы.* Гранин. Иду на грозу.

С и н.: **адéпт** (*книжн.*), **побóрник** (*высок.*).

**ПРИВИЛЕГИРО́ВАННЫЙ**, -ая, -ое. [См. *привилегия*]. **1.** Пользующийся привилегиями. *Привилегированное сословие.* **2.** Дающий какие-л. привилегии. *Привилегированное положение.*

**Привилегиро́ванность**, -и, *ж.*

**ПРИВИЛЕ́ГИЯ**, -и, *ж.* [Лат. privilegium от privus — отдельный, особый и lex — закон]. Исключительное право, предоставляемое кому-л. в отличие от других. *Из всех обитателей палаты № 6 только ему одному позволяется выходить из флигеля.. Такой привилегией он пользуется издавна.* Чехов. Палата № 6.

С и н.: **преиму́щество**.

**ПРИВНЕСТИ́**, -су́, -сёшь; привнёсший; привнесённый; -сён, -сена́, -о́; привнеся́; *сов., что во что.* Внести что-л. дополнительное, постороннее. *[Толя Попов] привнес во все, что ни делала молодежь «Первомайки», дух ответственной дисциплины и решительной смелости.* Фадеев. Молодая гвардия.

**Привноси́ть**, -ошу́, -о́сишь; *несов.*

**ПРИВРА́ТНИК**, -а, *м.* Сторож у ворот, у входа куда-л. *Колокол смолк, когда привратник впустил в монастырские стены воинов.* С. Бородин. Дмитрий Донской.

**Привра́тница**, -ы, *ж.*

**ПРИЕ́МЛЕМЫЙ**, -ая, -ое; -ем, -а, -о. Такой, с которым можно согласиться. *Приемлемое предложение.* ◻ *[Давыдов] предпочел решение выехать из хутора, как наиболее приемлемое для себя.* Шолохов. Поднятая целина.

С и н.: **терпи́мый**, **подходя́щий**, **сно́сный** (*разг.*).

**Прие́млемость**, -и, *ж.*

**ПРИЗНА́ТЕЛЬНЫЙ**, -ая, -ое; -лен, -льна, -о. Испытывающий чувство благодарности за оказанную услугу, выражающий это чувство. — *Буду вам крайне признательна. Серьги мне нужны для свадебного подарка дочери Белого,* — *пояснила генеральша.* Степанов. Порт-Артур.

С и н.: **благода́рный**.

**Призна́тельность**, -и, *ж.* *Слова признательности.*

**ПРИ́ЗРАК**, -а, *м.* **1.** Привидение. *Так и кажется, что тени Мертвых колокол зовет..*

*На церковные ступени Призрак сядет и вздохнет.* Полонский. На кладбище. **2.** *перен.* Нечто вымышленное, плод воображения. *Призраки прошлого.* ◻ *Это отвратительное, к сожалению, не приснилось, оно не было призраком.* В. Быков. Альпийская баллада.

С и н. (к *1 знач.*): **виде́ние**, **тень** (*книжн.*), **фанто́м** (*книжн.*). С и н. (ко *2 знач.*): **мира́ж**.

**При́зрачный**, -ая, -ое; -чен, -чна, -о (ко *2 знач.*). *Призрачное видение.* **При́зрачность**, -и, *ж.* (ко *2 знач.*). *Призрачность надежд.*

**ПРИЗРЕ́ТЬ**, призрю́, призри́шь и призри́шь; призре́вший; при́зренный; -ен, -а, -о; призре́в; *сов., кого. Устар.* Дать приют и пропитание. — *Дядя мой, господин Сипягин, брат моей матери, призрел меня — я у него на хлебах — он мой благодетель.* Тургенев. Новь.

**ПРИКА́З**, -а, *м.* **1.** Распоряжение начальника, обязательное для исполнения. *Приказ директора. Приказ по дивизии. Отдать, получить, выполнить приказ. Приказ об увольнении.* **2.** В Русском государстве 16—17 вв.: учреждение, ведавшее какой-л. отраслью управления или территорией. *Монастырский приказ. Конюшенный приказ. Посольский приказ. Сибирский приказ.*

**Приказно́й**, -а́я, -о́е (к *1 знач.*) и **прика́зный**, -ая, -ое (ко *2 знач.*). *Приказной тон. Приказный подьячий.*

**ПРИКА́ЗЧИК**, -а, *м. Устар.* **1.** Наемный служащий в частном торговом заведении. — *Я наверно узнала, что купеческие приказчики и некоторые канцеляристы хотели нанести нам низкое оскорбление.* Достоевский. Преступление и наказание. **2.** Управляющий помещичьим хозяйством. — *Вот папа твой и надеялся.. денежек получить, ан приказчик пришел: трепенковские крестьяне оброка не платят.* Салтыков-Щедрин. Господа Головлевы.

**Прика́зчица**, -ы, *ж.*

**ПРИКЛАДНО́Й**, -а́я, -о́е. Имеющий чисто практическое значение, применяющийся в практике. *Прикладные науки. Прикладная математика.* ◊ **Прикладное искусство** — область искусства, произведения которого представляют собою художественно выполненные изделия бытового назначения.

**ПРИ́МА**, -ы, *ж.* [От лат. prima — первая]. Ведущая партия, исполняемая на одном из группы инструментов в инструментальном ансамбле, а также инструмент или лицо, ведущие первую партию. — *Ты с басом, Мишенька, садись против альта, Я, прима, сяду против вторы.* И. Крылов. Квартет.

**ПРИМАДО́ННА**, -ы, *ж.* [Итал. prima donna — букв. первая дама]. Певица, исполняющая первые роли в опере, оперетте. *Он много раз был до безумия влюблен.. в какую-нибудь примадонну.* Герцен. Кто виноват?

**ПРИМА́Т**, -а, *м., чего.* [Лат. primatus]. *Книжн.* Преобладание, главное значение. — *Не брезгует наживать деньги и говорит о примате духа.* М. Горький. Жизнь Клима Самгина.

**ПРИМИТИ́В**, -а, *м.* [Восх. к лат. primitivus — первоначальный, первобытный]. *Книжн.* Нечто простое, не развившееся (по сравнению с позднейшим, более совершенным). *Любопытно, что эти примитивы из дерева и до сих пор живут в крестьянском быту.* Н. Соболев. Русская народная резьба по дереву.

**ПРИМИТИВИ́ЗМ**, -а, *м.* [См. *примитив*]. **1.** Направление в изобразительном искусстве конца 19—20 вв., представители которого намеренно упрощают изобразительные средства и прибегают к приемам первобытного искусства. **2.** *Книжн.* Упрощенный подход к сложным проблемам. *Умственный примитивизм гоголевской Коробочки.*

**Примитиви́стский**, -ая, -ое. **Примитиви́ст**, -а, *м.* (*к 1 знач.*).

**ПРИМИТИ́ВНЫЙ**, -ая, -ое; -вен, -вна, -о. [См. *примитив*]. **1.** Простейший, несложный по устройству. *Примитивная техника.* **2.** Упрощенный, недостаточно глубокий. *Примитивный подход.* **3.** Неразвитый, малообразованный. *Чапаев выделялся. У него уже было нечто от культуры, он не выглядел столь примитивным, не держался так, как все.* Фурманов. Чапаев.

С и н. (*к 1 знач.*): первобы́тный. С и н. (*ко 2 знач.*): упрощённый, схемати́ческий и схемати́чный, элемента́рный. С и н. (*к 3 знач.*): неве́жественный, тёмный.

**Примити́вно**, *нареч.* **Примити́вность**, -и, *ж.*

**ПРИНЦ**, -а, *м.* [Нем. Prinz; восх. к лат. princeps — глава, предводитель]. Титул нецарствующего члена королевского дома в Западной Европе, а также лицо, носящее этот титул.

**Принце́сса**, -ы, *ж.*

**ПРИ́НЦИП**, -а, *м.* [Восх. к лат. principium — начало]. **1.** *чего или какой.* Основное, исходное положение какой-л. теории, учения и т. п. *Принципы воспитания. Основной принцип реализма.* **2.** Убежденность в чем-л., точка зрения на что-л., норма или правило поведения. *Моральные принципы.* □ *— У меня всегда были особенные принципы.* Тургенев. Отцы и дети. ◊ **В принципе** — в основном. *В принципе я согласен.*

**ПРИНЦИПИА́ЛЬНЫЙ**, -ая, -ое; -лен, -льна, -о. [См. *принцип*]. **1.** Связанный с принципами, вытекающий из принципов. *Принципиальный вопрос. Принципиальные соображения.* **2.** Строго придерживающийся принципов, руководствующийся ими. *Принципиальный человек. Принципиальная критика.* **3.** Касающийся чего-л. в основном, без подробностей. *Дать принципиальное согласие.*

А н т. (*ко 2 знач.*): беспринци́пный.

**Принципиа́льно**, *нареч.* **Принципиа́льность**, -и, *ж.*

**ПРИОБЩИ́ТЬ**, -щу́, -щи́шь; приобщи́вший; приобщённый; -щён, -щена́, -о́; приобщи́в; *сов., кого к чему.* **1.** Познакомить с чем-л., посвятить во что-л. *Приобщить к литературе, к музыке.* **2.** *что. Офиц.* Присоединить. *Приобщить документ к делу.*

**Приобща́ть**, -а́ю, -а́ешь; *несов. Приобщать ребенка к труду.*

**ПРИОРИТЕ́Т**, -а, *м.* [Нем. Priorität; восх. к лат. prior — первый]. Первенство в каком-л. открытии, изобретении и т. п., а также первенствующее положение чего-л. *Приоритет ученого в научном открытии. Уступить кому-л. приоритет в чем-л.*

**Приорите́тный**, -ая, -ое.

**ПРИРО́ДА**, -ы, *ж.* **1.** Окружающий нас материальный мир, все существующее, не созданное деятельностью человека. *Законы природы. Беречь природу. Северная природа.* **2.** Совокупность естественных потребностей, склонностей человека. — *Природа требует своего. Я не ошибусь, если скажу, что всем нам хочется есть.* В. Беляев. Старая крепость. **3.** Сущность, основное качество кого-, чего-л. *Природа человека. Природа атома.* ◊ **От природы** — от рождения, по прирожденному свойству. *Умен от природы.* **По природе** — по характеру, по натуре. *По природе он добрый.* **В природе вещей** (*книжн.*) — о чем-л. бывающем обычно. *Резкая перемена погоды здесь в природе вещей.* **Игра природы** — исключительное явление, отклонение от нормы. **Дитя природы** — о человеке, не тронутом городской культурой.

С и н. (*к 1 и 2 знач.*): нату́ра (*устар.*), естество́ (*устар.*).

**Приро́дный**, -ая, -ое. *Природные явления. Природные ресурсы. Природные потребности. Природный ум.*

**ПРИ́СНЫЕ**, -ых, *мн. Устар. и разг. неодобр.* Единомышленники. *Ясно, что приезжая принадлежала к числу лиц, которые в качестве «присных» не дают повода сомневаться относительно своих прав на гостеприимство.* Салтыков-Щедрин. Господа Головлевы.

**ПРИ́СТАВ**, -а, при́ставы, -ов и (*устар.*) пристава́, -о́в, *м.* **1.** В Московской Руси: должностное лицо, занимающееся наблюдением, надзором. — *Ты, князь боярин, пиши проходную на Дон и пристава нам прислать, кто бы в Царицыне принял от нас струги.* Злобин. Степан Разин. **2.** В дореволюционной России: начальник местной полиции. *Со двора явился пристав и сказал: «Ничего нет, все осмотрели!»* М. Горький. Мать. ◊ **Судебный** (или **следственный**) **пристав** — чиновник судебного ведомства, приводивший в исполнение решения суда. **Становой пристав** — начальник полицейского участка в каком-л. уезде. **Частный пристав** — начальник полицейского участка в городе.

**ПРИСТРА́СТНЫЙ**, -ая, -ое; -тен, -тна, -о. **1.** Испытывающий склонность к чему-л. *Пристрастен к острой пище.* **2.** Несправедливый, необъективный. *Пристрастная оценка чего-л. Пристрастный судья.*

С и н. (*к 1 знач.*): располо́женный, скло́нный. С и н. (*ко 2 знач.*): предвзя́тый, субъекти́вный, тенденцио́зный, предубеждённый, лицеприя́тный (*устар.*).

А н т. (*ко 2 знач.*): беспристра́стный.

**Пристра́стно**, *нареч.* (*ко 2 знач.*). *Отнестись пристрастно к чему-л.* **Пристра́стность**, -и, *ж.* и **пристра́стие**, -я, *ср.*

**ПРИСТЯЖНО́Й**, -а́я, -о́е. Запрягаемый сбоку, для помощи кореннику (о лошади). *[Кучер] делал весьма дельные замечания чубарому при-*

*стяжному коню, запряженному с правой стороны.* Гоголь. Мертвые души.

**ПРИСЯ́ГА**, -и, ж. Официальное торжественное обещание соблюдать верность, какие-л. обязательства. *Военная присяга. Принять присягу.*

**ПРИСЯ́ЖНЫЙ**, -ого, м. То же, что присяжный заседатель. *Уже поздно ночью присяжные вынесли Кукишеву обвинительный приговор.* Салтыков-Щедрин. Господа Головлевы. ◊ **Присяжный заседатель** — выборное лицо, привлекаемое на определенное время для участия в разбирательстве судебных дел. **Присяжный поверенный** — адвокат в дореволюционной России.

**ПРИТВО́Р**, -а, м. Пристройка с западной (иногда с северной или южной) стороны храма. *[Свет] освещал только иконостас и слегка середину церкви; отдаленные углы притвора были закутаны мраком.* Гоголь. Вий.

**ПРИ́ТЧА**, -и, при́тчи, притч, ж. 1. Иносказательный рассказ с нравоучительным выводом. *Отец Геннадий начал издалека. Сначала он рассказал нам притчу о блудном сыне.* Гайдар. Школа. 2. *перен. Разг.* О непонятном, непредвиденном обстоятельстве. *О телефоне уже забыли, он бездействовал несколько дней и вот — такая притча.* Бубеннов. Белая береза. ◊ **Притча во язы́цех** (*шутл.*) — предмет всеобщих разговоров, пересудов.

**ПРИТЯЗА́НИЕ**, -я, ср. Книжн. 1. Предъявление своих прав на что-л. *Притязание на наследство.* 2. Стремление добиться признания чего-л. без достаточных на то оснований. *Ее разговор был остер без притязания на остроту, жив и свободен.* Лермонтов. Герой нашего времени.

С и н.: прете́нзия.

**ПРИХО́Д**, -а, м. Устар. Община верующих, принадлежащих к одной церкви, а также сама церковь. *В один из небольших церковных праздников отправился я к обедне, в тот самый приход, к которому принадлежали и Пустотеловы.* Салтыков-Щедрин. Пошехонская старина.

**Прихо́дский**, -ая, -ое. *Приходская школа.*

**ПРИХОЖА́НИН**, -а, прихожа́не, -а́н, м. Член религиозной общины при христианской церкви (приходе). *По площади проходили целые вереницы разряженных прихожан по направлению к церкви.* Салтыков-Щедрин. Пошехонская старина.

**Прихожа́нка**, -и, ж.

**ПРИХОТЛИ́ВЫЙ**, -ая, -ое; -и́в, -а, -о. 1. Имеющий много прихотей, излишне требовательный. *Красавица была немножко прихотлива.* И. Крылов. Разборчивая невеста. 2. Причудливый, затейливый. *И прихотливая мечта В грядущем что-то мне сулила.* Плещеев. Случайно мы...

С и н. (к 1 знач.): разбо́рчивый, капри́зный, приве́редливый, взыска́тельный. С и н. (ко 2 знач.): вы́чурный, замыслова́тый, изы́сканный.

**ПРИЧАСТИ́ТЬСЯ**, -ащу́сь, -асти́шься; причасти́вшийся; причасти́вшись; *сов.* 1. У верующих: совершить обряд причащения (принятия частицы просвиры и вина), являющийся знаком отпущения грехов. *Причастившись и особоровавшись, он тихо умер.* Л. Толстой. Война и мир. 2. *к чему или чему. Устар. и высок.* Сделаться участником чего-л., приобщиться к чему-л. *Я жадно искал причаститься той красоте жизни, которой так соблазнительно дышат книги.* М. Горький. Сторож.

**Причаща́ться**, -а́юсь, -а́ешься; *несов.* **Причаще́ние**, -я, *ср.*

**ПРИЧА́СТНЫЙ**, -ая, -ое; -тен, -тна, -о; *к чему или (устар.) чему. Книжн.* Имеющий непосредственное отношение к кому-, чему-л. *Он с болезненной тоской ожидал конца того дела, которому он считал себя причастным.* Л. Толстой. Война и мир.

**Прича́стность**, -и, ж. *Чувство причастности к чему-л.*

**ПРИЧТ**, -а, *м., собир.* Церковнослужители и певчие одного прихода, одной церкви.

**ПРИЧУ́ДЛИВЫЙ**, -ая, -ое; -ив, -а, -о. 1. Замысловатый, затейливый. *Причудливый узор. Причудливые очертания гор.* 2. *Устар.* Капризный, с причудами. *Рафальский, командир четвертого батальона, был старый причудливый холостяк.* Куприн. Поединок.

С и н. (к 1 знач.): прихотли́вый, вы́чурный, изы́сканный.

**Причу́дливо**, *нареч.* **Причу́дливость**, -и, *ж.*

**ПРОБЛЕ́МА**, -ы, ж. [Восх. к греч. problēma]. 1. Сложный теоретический или практический вопрос, требующий исследования. *Проблема происхождения Земли. Сформулировать научную проблему.* 2. *перен.* О том, что трудно осуществить. *Бытовые проблемы. Это не проблема!*

С и н. (ко 2 знач.): затрудне́ние, осложне́ние.

**Пробле́мный**, -ая, -ое (к 1 знач.). *Проблемная статья.*

**ПРОВИА́НТ**, -а, м. [Нем. Proviant]. *Устар.* Продовольствие, предназначенное для армии, похода и т. п. *Нужно было.. не допустить войска до грабежа,.. и правильно собрать находившийся в Москве более чем на полгода (по показанию французских историков) провиант всему войску.* Л. Толстой. Война и мир.

С и н.: прови́зия.

**ПРОВИ́ДЕНИЕ**, -я, *ср. Устар. и высок.* Способность предвидеть. *Дар провидения.*

С и н.: предви́дение, яснови́дение, прозре́ние (*книжн.*), прозорли́вость (*книжн.*).

**ПРОВИДЕ́НИЕ**, -я, *ср.* По религиозным представлениям: высшая божественная сила. *Сознание вмешательства провидения в ее личные дела радовало Соню.* Л. Толстой. Война и мир.

С и н.: не́бо (*устар.*).

**ПРОВИ́ЗОР**, -а, м. [Восх. к лат. provisor — заранее заботящийся]. Аптечный работник (фармацевт) высшей квалификации. *Он.. женился на немке, дочери какого-то провизора.* Герцен. Кто виноват?

**Прови́зорский**, -ая, -ое.

**ПРОВИ́НЦИЯ**, -и, ж. [Лат. provincia]. 1. Завоеванная древними римлянами территория, управлявшаяся римским наместником. 2. Административно-территориальная единица в некоторых странах. 3. Местность, удаленная от столицы; периферия.— *Конечно, после Москвы здесь провинция.* Гранин. Иду на грозу.

С и н. (к 3 знач.): трущо́ба, глушь, захолу́стье, глухома́нь, дыра́ (*разг.*), глуби́нка (*разг.*).

**Провинциа́льный**, -ая, -ое; -лен, -льна, -о (к 3 знач.). *Провинциальная жизнь. Провинциальные нравы.* **Провинциа́л**, -а, м.

**ПРОВОЗВЕ́СТНИК**, -а, м., *чего*. Высок. **1.** Тот, кто возвещает, предсказывает будущее. *Пророки событий, Пролагатели новых путей, Провозвестники важных открытий — Побиваются грудой камней.* Н. Некрасов. Современники. **2.** Тот, кто объявляет, провозглашает что-л. *В первых своих лирических произведениях Пушкин явился провозвестником человечности, пророком высоких идей общественных.* Белинский. Стихотворения М. Лермонтова.

С и н. (к 1 знач.): предска́затель, проро́к, прорица́тель (*книжн.*). С и н. (ко 2 знач.): глаша́тай (*высок.*).

**Провозве́стница**, -ы, ж.

**ПРОВОКА́ЦИЯ**, -и, ж. [Восх. к лат. provocatio]. Подстрекательство, побуждение (лиц, групп, организаций и т. д.) к таким действиям, которые повлекут за собой тяжелые, гибельные для них последствия. *Военная провокация. Не поддаваться на провокации.*

**Провокацио́нный**, -ая, -ое.

**ПРОВОЦИ́РОВАТЬ**, -рую, -руешь; провоци́рующий, провоци́ровавший; провоци́руемый, провоци́рованный; -ан, -а, -о; провоци́руя, провоци́ровав; *сов. и несов.* [Восх. к лат. provocare]. **1.** *кого на что.* Умышленно вызвать (вызывать), подстрекнуть (подстрекать) кого-л. на какие-л. действия. *Провоцировать на преступление.* **2.** *что.* Умышленно вызвать (вызывать) какое-л. событие, происшествие. *Провоцировать вооруженный конфликт. Провоцировать болезнь.*

С и н.: породи́ть (порожда́ть), созда́ть (создава́ть), инспири́ровать (*книжн.*).

**ПРОГА́ЛИНА**, -ы, ж. Разг. **1.** Свободное от деревьев место в лесу. *Лежа на тихой таежной прогалине, Мечик все пережил вновь.* Фадеев. Разгром. **2.** Очистившееся от чего-л. или не заполненное тем, что вокруг, место. *На небе синели глубокие, как полыньи, прогалины.* Шолохов-Синявский. Волгины.

**ПРОГНО́З**, -а, м. [Восх. к греч. prognōsis]. Предсказание, суждение о дальнейшем течении, развитии чего-л. на основании имеющихся данных. *Прогноз погоды. Научный прогноз.*

**ПРОГО́НЫ**, -ов, мн. (ед. прого́н, -а, м.). В дореволюционной России: плата за проезд на почтовых лошадях или оплата проезда по железной дороге офицеров и чиновников. *К несчастью, Ларина тащилась, Боясь прогонов дорогих, Не на почтовых, на своих.* Пушкин. Евгений Онегин.

**Прого́нный**, -ая, -ое. *Прогонные деньги.*

**ПРОГРА́ММА**, -ы, ж. [Восх. к греч. programma]. **1.** Содержание и план предстоящей деятельности, работ. *Программа развития промышленности.* **2.** Изложение основных задач и цели деятельности политической партии, общественной организации, отдельного деятеля и т. п. *Программа нового правительства. Программа народного депутата. Выступить со своей программой.* ☐ *Андрей, агитатор, приехавший из Петербурга, объяснял программу большевикам.* Вс. Иванов. Пархоменко. **3.** Краткое изложение содержания учебного предмета. *Программа по математике. Программа для поступающих в вузы.* **4.** Содержание театральных, концертных, цирковых представлений, радио- и телепередач, а также листок с перечнем исполняемых номеров, выступлений, передач и т. п. *Программа концерта. Изменение программы радиопередач. Театральные программы.* **5.** Спец. Задание для автоматического выполнения станком, машиной и т. п. *Программа для электронно-вычислительной машины.*

С и н. (ко 2 знач.): платфо́рма.

**Програ́ммный**, -ая, -ое (ко 2, 3 и 5 знач.). *Обсудить программные вопросы. Выучить программный материал. Станки с программным управлением.*

**ПРОГРАММИ́РОВАНИЕ**, -я, ср. [См. *программа*]. Раздел прикладной математики и вычислительной техники, разрабатывающий методы составления программ для электронно-вычислительных машин.

**ПРОГРЕ́СС**, -а, м. [Восх. к лат. progressus]. **1.** Направление развития от низшего к высшему, движение вперед, совершенствование. *По пути прогресса. Научно-технический прогресс.* **2.** Развитие чего-л. в благоприятную сторону; улучшение. *Прогресс в занятиях математикой.*

А н т.: регре́сс (*книжн.*).

**Прогресси́вный**, -ая, -ое; -вен, -вна, -о. *Прогрессивные методы производства. Прогрессивные взгляды.*

**ПРОГРЕССИ́СТ**, -а, м. [См. *прогресс*]. Устар. Сторонник прогресса, прогрессивный человек. *Слышал он, что существуют.. какие-то прогрессисты, нигилисты.* Достоевский. Преступление и наказание.

**Прогресси́стка**, -и, ж.

**ПРОДУКТИ́ВНЫЙ**, -ая, -ое; -вен, -вна, -о. [Лат. productivus]. **1.** Приносящий результаты, создающий ценности; производительный. *Продуктивный труд. Продуктивное земледелие.* ☐ *Очень продуктивны были репетиции «Горькой судьбины».* Синельников. Записки. **2.** Приносящий продукт, продукты (сельского хозяйства). *Продуктивная посевная площадь. Продуктивный скот.*

С и н. (к 1 знач.): плодотво́рный, эффекти́вный.

**Продукти́вно**, *нареч. Продуктивно использовать время.* **Продукти́вность**, -и, ж. *Продуктивность сельского хозяйства.*

**ПРОДЮ́СЕР**, -а, м. [Англ. producer от лат. producere — производить]. В некоторых странах: глава или доверенное лицо кинокомпании, организующее постановку кинофильма или спектакля.

**ПРОЕ́КТ**, -а, м. [Лат. projectus — брошенный вперед]. **1.** Разработанный план сооружения чего-л. *Проект здания.* **2.** Предварительный текст какого-л. документа. *Проект договора.* **3.** План чьих-

-л. действий. *У Марьи Алексеевны было в мыслях несколько проектов о том, как поступить с Лопуховым.* Чернышевский. Что делать?

С и н. (к 3 знач.): наме́рение.

Прое́ктный, -ая, -ое (к 1 знач.), *Проектное бюро.*

ПРОЖЕ́КТ, -а, м. [Франц. projet]. **1.** *Устар.* Проект. *Иезуиты клялись... лишь бы все великие государи согласились на их прожект.* А. Н. Толстой. Петр I. **2.** *Ирон.* Неосуществимый, несерьезный план. *Все эти прожекты так и окончились только одними словами.* Гоголь. Мертвые души.

Прожектёр, -а, м. (ко 2 знач.). *Любимов был человек положительный и знающий, не пустозвон, не прожектёр.* Кетлинская. Дни нашей жизни.

ПРОЖЕ́КТОР, -а, прожекторы, -ов и прожектора́, -о́в, м. [Англ. projector]. Мощный осветительный прибор, дающий пучок параллельных лучей в нужном направлении. *Прожекторы освещали темное, совсем черное небо.* Закруткин. Матерь человеческая.

ПРО́ЗА, -ы, ж. [Восх. к лат. prosa]. **1.** Нестихотворная литература (в отличие от поэзии). *Лета к суровой прозе клонят, Лета шалунью рифму гонят.* Пушкин. Евгений Онегин. **2.** *перен.* То, что является слишком обыденным, будничным, повседневным. *Житейская проза.* ☐ *Жизнь — проза и расчет.* Чернышевский. Что делать?

Проза́ический, -ая, -ое и проза́йчный, -ая, -ое; -чен, -чна, -о (ко 2 знач.). *Прозаическое произведение. Прозаичные вкусы.*

ПРОЗОРЛИ́ВЫЙ, -ая, -ое; -и́в, -а, -о. *Книжн.* Способный предугадать, предвидеть ход каких-л. событий. *Прозорливый ум.*

С и н.: проница́тельный, зо́ркий.

Прозорли́вость, -и, ж.

ПРОЗРЕ́ТЬ, -рю́, -ри́шь и -ре́ю, -ре́ешь; прозре́вший; прозре́в; *сов. Книжн.* **1.** Стать зрячим. *Слепой прозрел.* **2.** *перен.* Понять, осознать что-л. *Да, верь: любви и примиренья Пора желанная придет. И мир, прозрев, твое ученье Тогда великим назовет.* Плещеев. Поэту.

Прозрева́ть, -а́ю, -а́ешь; *несов.* Прозре́ние, -я, *ср.*

ПРОЗЯБА́ТЬ, -а́ю, -а́ешь; прозяба́ющий, прозяба́вший; прозяба́я; *несов.* **1.** *Устар. книжн.* Расти, прорастать. **2.** Вести жалкую, бессодержательную, бесцельную жизнь. *Есть два рода людей: одни прозябают, другие живут.* Белинский. Мочалов в роли Гамлета.

Прозяба́ние, -я, *ср.*

ПРОКЛАМА́ЦИЯ, -и, ж. [Восх. к лат. proclamatio — воззвание]. **1.** *Устар.* Официальное публичное заявление. *[Смит] издал прокламацию, объявляя, что все пространство земли от реки Кейскаммы до реки Кей он.. присоединил к английским владениям.* И. Гончаров. Фрегат «Паллада». **2.** Агитационный листок политического содержания. *За то, что он в типографии печатал прокламации, грозят ему нынче тюрьмой.* Саянов. Лена.

С и н. (ко 2 знач.): листо́вка.

Прокламацио́нный, -ая, -ое.

ПРОКРУ́СТОВ, -а, -о. ◇ *Прокрустово ложе* [по имени мифического греческого разбойника, укладывавшего жертвы на свое ложе и вытягивавшего ноги тем, кому оно было велико, или отрубавшего ноги тем, кому оно было мало] — мерка, под которую насильственно подгоняется что-л.

ПРОКУРО́Р, -а, м. [Восх. к лат. procurare — заботиться]. **1.** Лицо, осуществляющее государственный надзор за точным исполнением законов. *Генеральный прокурор республики. Прокурор района.* **2.** Государственный обвинитель в судебном процессе. *Она слышала слова прокурора, понимала, что он обвиняет всех, никого не выделяя.* М. Горький. Мать.

ПРОЛЕТАРИА́Т, -а, м. [См. *пролетарий*]. Один из основных классов капиталистического общества — класс наемных рабочих, лишенных средств производства.

Пролета́рский, -ая, -ое.

ПРОЛЕТА́РИЙ, -я, м. [Восх. к лат. proletarius]. **1.** В Древнем Риме: гражданин, принадлежащий к сословию неимущих. *Римский пролетарий жил на счет общества.* Ленин. т. 30, с. 165. **2.** В капиталистическом обществе: наемный рабочий, лишенный средств производства и живущий продажей своей рабочей силы.

С и н. (ко 2 знач.): рабо́чий, рабо́тник (устар.).

Пролета́рка, -и, ж. (ко 2 знач.) (разг.). Пролета́рский, -ая, -ое (ко 2 знач.).

ПРОЛЁТКА, -и, ж. Легкий открытый двухместный экипаж. *Извозчичья пролетка.* ☐ *И с пролетки не спеша сошли двое седоков.* Федин. Первые радости.

ПРОЛО́Г, -а, м. [Восх. к греч. prologos]. **1.** Вступительная, вводная часть к литературному, музыкальному произведению или спектаклю. *О прологе к «Руслану и Людмиле» действительно можно сказать: «Тут русский дух, Тут Русью пахнет».* Белинский. Сочинения Александра Пушкина. **2.** *перен.* Вступление к чему-л., начало чего-л. *Пролог космической эры.*

ПРОНЗИ́ТЬ, -нжу́, -нзи́шь; пронзи́вший; пронзённый; -зён, -зена́, -о́; пронзи́в; *сов., кого, что. Книжн.* **1.** Нанести сквозную рану чем-л. колющим. *«Паду ли я, стрелой пронзенный, Иль мимо пролетит она, Все благо».* Пушкин. Евгений Онегин. **2.** *перен.* Внезапно и остро возникнуть в ком-л. *Боль пронзила тело.* ☐ *И мысль о пожаре молнией пронзила Тихона Ильича. — Беда!* Бунин. Деревня. ◇ *Пронзить взглядом* кого — испытующе посмотреть на кого-л.

С и н. (к 1 знач.): проткну́ть, проколо́ть. С и н. (ко 2 знач.): пронза́ть, проже́чь.

Пронза́ть, -а́ю, -а́ешь; *несов.*

ПРОНИЗА́ТЬ, -ижу́, -и́жешь; пронизавший; прони́занный; -ан, -а, -о; прониза́в; *сов., кого, что.* Проникнуть внутрь кого-, чего-л., сквозь кого-, что-л. *Холодом пронизало все тело. Луч прожектора пронизал темноту.*

С и н.: проже́чь, пронзи́ть (*книжн.*).

Прони́зывать, -аю, -аешь; *несов.*

ПРОНИКНОВЕ́ННЫЙ, -ая, -ое; -енен, -енна, -о. *Книжн.* **1.** Способный глубоко проникать, вникать в сущность явлений. *Проникновенный ум.* **2.** Волнующе искренний, задушевный. *Проникновенный взгляд, голос. Проникновенное слово.*

**Проникнове́нно**, *нареч.* **Проникнове́нность**, -и, *ж.*

**ПРОНИЦА́ТЕЛЬНЫЙ**, -ая, -ое; -лен, -льна, -о. Быстро и верно разгадывающий сущность кого-, чего-л.— *Вы, князь, так проницательны и так понимаете сразу характер людей.* Л. Толстой. Война и мир.

С и н.: зо́ркий, прозорли́вый (*книжн.*).

**Проница́тельно**, *нареч.* **Проница́тельность**, -и, *ж.*

**ПРОО́БРАЗ**, -а, *м. Книжн.* 1. То, что служит образцом для чего-л. 2. Лицо, послужившее основой для создания литературного персонажа.

С и н. (*к 1 знач.*): первоо́браз (*книжн.*). С и н. (*ко 2 знач.*): прототи́п.

**ПРОПАГА́НДА**, -ы, *ж.* [Лат. propaganda — то, что следует распространить]. 1. Распространение и разъяснение каких-л. идей, учения, знаний. *Политическая пропаганда.* 2. *чего.* Ознакомление широких масс с чем-л. с целью распространения. *Пропаганда физкультуры.*

**Пропаганди́стский**, -ая, -ое.

**ПРО́ПОВЕДЬ**, -и, *ж.* 1. Речь религиозно-поучительного характера, произносимая священником в церкви. *Мешков любил припоминать мудреные слова проповедей.* Федин. Первые радости. 2. *перен. Разг.* Наставление, нравоучение.— *И нынче — боже! — стынет кровь, Как только вспомню взгляд холодный И эту проповедь...* Пушкин. Евгений Онегин. 3. *перен., чего. Книжн.* Распространение каких-л. идей. *Проповедь новых взглядов.*

С и н. (*ко 2 знач.*): поуче́ние, нота́ция, назида́ние (*книжн.*), мора́ль (*разг.*), раце́я (*устар.*).

**Пропове́дник**, -а, *м.* (*к 1 знач.*).

**ПРОРИЦА́ТЕЛЬ**, -я, *м. Книжн.* Тот, кто прорицает, предсказывает будущее. *Что же твой, Светлана, сон, Прорицатель муки? Друг с тобой; все тот же он В опыте разлуки; Та ж любовь в его очах.* Жуковский. Светлана.

С и н.: предсказа́тель, проро́к, провозве́стник (*высок.*).

**Прорица́тельница**, -ы, *ж.*

**ПРОРО́К**, -а, *м.* 1. В религиозно-мистических представлениях: провозвестник и истолкователь воли бога. *Восстань, пророк, и виждь, и внемли, Исполнись волею моей.* Пушкин. Пророк. 2. Предсказатель будущего. *То кричит пророк победы: — Пусть сильнее грянет буря!* М. Горький. Песня о Буревестнике.

С и н. (*ко 2 знач.*): прорица́тель (*книжн.*), провозве́стник (*высок.*).

**Проро́чица**, -ы, *ж.* (*устар.*). **Проро́ческий**, -ая, -ое. *Пророческие слова.*

**ПРОСВЕЩЕ́НИЕ**, -я, *ср.* 1. Распространение знаний, образования, культуры. *Народное просвещение. Министр просвещения.* □ *[Рудин] перешел к общим рассуждениям о значении просвещения и науки, об университетах.* Тургенев. Рудин. 2. (с прописной буквы). Прогрессивное идейное течение эпохи перехода от феодализма к капитализму, связанное с борьбой нарождавшейся буржуазии и народных масс против феодализма. *Эпоха Просвещения.*

**ПРОСВИРА́**, -ы́, *про́свиры, просви́р и* **ПРОСФОРА́**, -ы́, *про́сфоры, просфо́р, ж.* [Греч. prosphora — букв. приношение]. Белый хлебец особой формы, употребляемый в обрядах православного богослужения. *Иногда служить не на чем: ни просфор, ни красного вина.* Салтыков-Щедрин. Господа Головлевы.

**ПРОСТРА́ЦИЯ**, -и, *ж.* [Восх. к лат. prostratio]. *Книжн.* Угнетенное, подавленное состояние, сопровождающееся полным упадком сил и безразличным отношением к окружающему. *Впасть в прострацию.*

**ПРОСФОРА́** см. просвира.

**ПРОТЕЖЕ́** [тэ], *нескл., м. и ж.* [Франц. protégé]. *Книжн.* Тот, кто пользуется чьей-л. протекцией, покровительством.— *Я знаю, конечно, он ваш протеже и я пострадаю на этом.* Гранин. Иду на грозу.

**ПРОТЕКТОРА́Т**, -а, *м.* [От лат. protector — покровитель, защитник]. 1. Одна из форм колониальной зависимости, при которой государство сохраняет лишь некоторую самостоятельность во внутренних делах, а его внешние сношения, оборону и т. п. осуществляет другое государство. 2. Государство, находящееся в такой зависимости.

**ПРОТЕ́КЦИЯ** [тэ], -и, *ж.* [Восх. к лат. protectio — покровительство, защита]. Поддержка влиятельного лица, содействующая устройству чьих-л. дел; покровительство. *Оказать кому-л. протекцию.* □ *Здесь, в городе, он по протекции получил место учителя в уездном училище.* Чехов. Палата № 6.

С и н.: патрона́ж (*устар. книжн.*).

**ПРОТЕСТАНТИ́ЗМ**, -а, *м.* и **ПРОТЕСТА́НТСТВО**, -а, *ср.* [Восх. к лат. protestans — торжественно заявляющий]. Одно из основных (наряду с православием и католицизмом) направлений в христианстве, состоящее из различных вероучений, возникших в связи с Реформацией 16 в. как протест против католицизма.

**Протеста́нтский**, -ая, -ое. **Протеста́нт**, -а, *м.*

**ПРО́ТО...** [От греч. prōtos — первый]. Первая составная часть сложных слов, обозначающая: 1) первоначальный, первичный, напр.: *прототи́п, протозвезда́, протопла́зма;* 2) старший, главный, напр.: *протодья́кон, протоиере́й, протопо́п.*

**ПРОТОТИ́П**, -а, *м.* [От прото... (см.) и греч. typos — образец, тип]. Реальное лицо как основа для создания художественного образа. *Прототип литературного героя.*

С и н.: проо́браз (*книжн.*).

**ПРОФАНА́ЦИЯ**, -и, *ж.* [Восх. к лат. profanatio — осквернение святыни]. *Книжн.* Искажение чего-л. невежественным, оскорбительным отношением. *Профанация идеи, науки.*

С и н.: оскорбле́ние, надруга́тельство (*книжн.*), оскверне́ние (*книжн.*), поруга́ние (*устар. и высок.*).

**ПРОФИЛА́КТИКА**, -и, *ж.* [Восх. к греч. prophylaktikos — предохранительный]. Совокупность мероприятий, предупреждающих что-л. *Профилактика гриппа. Профилактика правонарушений.*

**Профилакти́ческий**, -ая, -ое. *Профилактиче-*

ский осмотр больных. *Профилактический ремонт. Профилактические меры.*

**ПРО́ФИЛЬ,** -я, м. [Восх. к итал. profilo]. **1.** Очертание предмета или лица сбоку. **2.** Совокупность основных типичных черт, характеризующих хозяйство, профессию и т. п. *Профиль вуза. Специалист широкого профиля.*

**Про́фильный,** -ая, -ое.

**ПРОФО́РМА,** -ы, ж. [Восх. к лат. pro forma — ради формы]. *Разг.* Внешняя формальность, видимость. *Сделать что-л. для проформы.* □ *Если ты сам этого желаешь,.. я готов исполнить эту пустую проформу.* Писемский. Тысяча душ.

С и н.: фо́рма.

**ПРОЦЕДУ́РА,** -ы, ж. [Восх. к лат. procedere — продвигаться]. **1.** *Книжн.* Установленная, принятая последовательность действий для осуществления или оформления какого-л. дела. *Процедура голосования. Процедура подписания договора.* **2.** Лечебное мероприятие. *Водные процедуры.*

**Процеду́рный,** -ая, -ое. *Процедурные вопросы. Процедурный кабинет.*

**ПРОЦЕ́СС,** -а, м. [Восх. к лат. processus — продвижение]. **1.** Ход развития какого-л. явления, последовательная смена состояний в развитии чего-л. *Производственный, учебный процесс. Процессы перестройки.* □ *И такая-то книга могла быть результатом трудного внутреннего процесса.* Белинский. Письмо к Гоголю. **2.** Порядок разбирательства судебных дел, судопроизводство. *Гражданский, уголовный процесс.*

**Процессуа́льный,** -ая, -ое *(ко 2 знач.) (спец.).*

**ПРОЦЕ́ССИЯ,** -и, ж. [Восх. к лат. processio — движение вперед]. Торжественное, обычно многолюдное шествие. *Свадебная, похоронная процессия.* □ *По аллеям шествовали процессии детских колясок.* Гранин. Иду на грозу.

С и н.: корте́ж *(книжн.).*

**ПРЯ́СЛО,** -а, пря́сла, -сел, *ср. Обл.* **1.** Часть изгороди от столба до столба, а также вообще изгородь. *Щукарь махнул через прясло.* Шолохов. Поднятая целина. **2.** Приспособление из продольных жердей на столбах для сушки сена.

**ПРЯ́ХА,** -и, ж. Женщина, которая занимается ручным прядением.

**ПСАЛО́М,** -лма́, м. [Греч. psalmos]. Религиозная песнь, входящая в состав псалтыри. *Хвалебный псалом. Покаянный псалом. Петь, читать псалом.*

**ПСАЛО́МЩИК,** -а, м. Низший церковный служитель в русской православной церкви; дьячок, причетник. *[Он] вслушивался в монотонное чтение псаломщика.* Салтыков-Щедрин. Господа Головлевы.

С и н.: понома́рь.

**ПСАЛТЫ́РЬ,** -и, ж. и -я, м. [Греч. psaltērion]. Одна из книг Библии — книга псалмов. *[Она] сидела вся бледная и холодная над псалтырем.* Тургенев. Отцы и дети.

**Псалты́рный,** -ая, -ое.

**ПСЕ́ВДО...** [От греч. pseudos — ложный, вымышленный]. Первая составная часть сложных слов, обозначающая ложный, мнимый, напр.: *псевдоискусство, псевдонау́чный, псевдонаро́дный, псевдонова́торский, псевдореволюцио́нный.*

**ПСЕВДОНИ́М,** -а, м. [От *псевдо...* (см.) и греч. onyma — имя]. Вымышленное имя, под которым иногда выступают писатели, художники и т. п. *Его статьи, подписанные псевдонимом полковника Донского, помогли многим молодым командирам разобраться в наступлении.* Эренбург. Сила слова.

**ПСИХИАТРИ́Я,** -и, ж. [От греч. psychē — душа и iatreia — лечение]. Раздел медицины, изучающий психические заболевания и методы их лечения.

**Психиатри́ческий,** -ая, -ое. **Психиа́тр,** -а, м.

**ПСИ́ХИКА,** -и, ж. [Восх. к греч. psychē — душа]. Совокупность ощущений, чувств, представлений как отражение в сознании человека объективной действительности. *Здоровая, больная психика. Тонкая психика.*

С и н.: созна́ние, дух.

**Психи́ческий,** -ая, -ое.

**ПСИХОЛО́ГИЯ,** -и, ж. [От греч. psychē — душа и logos — учение]. **1.** Наука о закономерностях, развитии и формах психической деятельности. *Факультет психологии.* **2.** Душевный склад, психика. *Детская психология.* **3.** Совокупность психических процессов, обусловливающих какой-л. вид деятельности. *Психология творчества. Психология труда.*

**Психологи́ческий,** -ая, -ое.

**ПУА́НТЫ,** -ов, *мн. (ед.* пуа́нт, -а, м.). [Франц. pointe — кончик, острие]. Твердые носки балетных туфель. *Стоять на пуантах.*

**ПУ́БЛИКА,** -и, ж., собир. [Восх. к лат. publicum — общество, народ]. **1.** Лица, находящиеся где-л. как зрители, слушатели, посетители. *На некотором расстоянии дальше, в глубь залы [суда], начинались места для публики.* Достоевский. Братья Карамазовы. **2.** *Разг.* Люди, объединенные каким-л. общим признаком. *В вагоне [конки] публика показалась Климкову более спокойной, чем на улице.* М. Горький. Жизнь ненужного человека.

С и н. *(ко 2 знач.):* лю́ди, наро́д, люд *(устар. и разг.).*

**ПУБЛИКА́ЦИЯ,** -и, ж. [Лат. publicatio]. Предание чего-л. гласности в печатном органе, а также само напечатанное произведение. *Публикация статьи в журнале. Интересная публикация.*

**ПУБЛИЦИ́СТИКА,** -и, ж. [Восх. к лат. publicus — общественный]. Литературный жанр — общественно-политическая литература на современные актуальные темы, а также *(собир.)* произведения этого жанра.

**Публицисти́ческий,** -ая, -ое и **публицисти́чный,** -ая, -ое; -чен, -чна, -о. **Публици́ст,** -а, м.

**ПУБЛИ́ЧНЫЙ,** -ая, -ое; -чен, -чна, -о. [Лат. publicus — общественный]. **1.** Совершающийся в присутствии публики. *Публичное выступление.* □ *Осенью Никита готовился к публичному концерту. Он должен был выступать в мендельсоновском квартете.* Федин. Братья. **2.** *полн. ф.* Открытый для широкого посещения, обозрения. *Публичная библиотека. Публичная выставка.*

**Син.** (к 1 знач.): гла́сный, откры́тый.

**Публи́чно,** *нареч.* (к 1 знач.). **Публи́чность,** -и, *ж.* (к 1 знач.).

**ПУД,** -а, пуды́, -о́в, *м.* Старая русская мера веса, равная 40 фунтам, по метрической системе — 16,38 кг. *Пуд зерна.* □ *Пеньку они продают приезжим торгашам, которые, за неимением безмена, считают пуд в сорок горстей.* Тургенев. Хорь и Калиныч.

**Пудо́вый,** -ая, -ое.

**ПУЛЬВЕРИЗА́ТОР,** -а, *м.* [Восх. к лат. pulvis — пыль]. Прибор для разбрызгивания жидкости мелкими частицами.

**ПУЛЬТ,** -а, *м.* [Нем. Pult от лат. pulpitum — подмостки, кафедра]. **1.** Подставка для нот в виде наклонной рамы на высокой ножке. *Дирижер, подойдя к пульту, долго и терпеливо ждал тишины.* Федин. Братья. **2.** Установка из системы приборов, позволяющая управлять на расстоянии работой чего-л. *Пульт управления.*

**Пу́льтовый,** -ая, -ое (ко 2 знач.).

**ПУНКТИ́Р,** -а, *м.* [Восх. к лат. punctum — точка]. **1.** Прерывистая линия, образуемая короткими черточками или точками. *Подчеркнуть слово пунктиром.* **2.** *перен.* О том, что дает представление о чем-л. лишь в общих чертах. *Это была история удивительной жизни, рассказываемая без подробностей, пунктиром.* Герман. Я отвечаю за все.

**Пункти́рный,** -ая, -ое.

**ПУНКТУА́ЛЬНЫЙ,** -ая, -ое; -лен, -льна, -о. [Восх. к лат. punctum — точка]. Крайне точный, аккуратный в исполнении чего-л. *Начальник связи у нас человек пунктуальный.* Бондарев. Горячий снег.

**Пунктуа́льно,** *нареч.* **Пунктуа́льность,** -и, *ж.*

**ПУНЦО́ВЫЙ,** -ая, -ое; -о́в, -а, -о. [Восх. к франц. ponceau]. Ярко-красный, напоминающий по цвету мак. *У дверей с недвижностью примерной, В чалме пунцовой, щегольски одет, Стоял арап, его служитель верный.* Лермонтов. Сашка.

**Син.:** крова́вый, кумачо́вый, карми́нный и карми́новый, кинова́рный, руби́новый, грана́товый, багро́вый, пу́рпурный, пурпу́рный и пурпу́ровый, рдя́ный (*книжн.*), багря́ный (*книжн.*), червлёный (*устар.*), черво́нный (*устар. и высок.*).

**ПУНШ,** -а, *м.* [Нем. Punsch]. Спиртной напиток, приготовляемый из рома с сахаром, лимонным соком или с другими приправами из фруктов. *И блеск, и шум, и говор балов, А в час пирушки холостой Шипенье пенистых бокалов И пунша пламень голубой.* Пушкин. Медный всадник.

**Пу́ншевый,** -ая, -ое.

**ПУРИ́ЗМ,** -а, *м.* [Восх. к лат. purus — чистый]. *Книжн.* **1.** Чрезмерное, часто показное, стремление к чистоте и строгости нравов. *— Мы, — говорит [Негодящев], — люди.. с гонором, взятки не возьмем, подлости не сделаем, но не воспользоваться рекомендацией это нелепость, это приторный, смешной пуризм.* Помяловский. Молотов. **2.** Стремление к очищению языка от иноязычных слов.

**Пуристи́ческий,** -ая, -ое. **Пури́ст,** -а, *м.*

**ПУРИТА́НЕ,** -а́н, *мн.* (*ед.* пурита́нин, -а, *м.*). [Восх. к лат. puritas — чистота]. **1.** Участники религиозно-политического движения английской буржуазии в 16—17 вв., направленного против феодализма и ставившего цель очищения англиканской церкви от остатков католицизма. **2.** *перен.* О людях строгого образа жизни, нетерпимых к отступлениям от требований принятой морали.

**Пурита́нка,** -и, *ж.* **Пурита́нский,** -ая, -ое. *Пуританская строгость.*

**ПУ́РПУР,** -а, *м.* [Восх. к лат. purpura от греч. porphyra]. **1.** Темно-красный или ярко-красный цвет с фиолетовым оттенком (от ценной краски темно-багрового цвета, употреблявшейся в древности для окрашивания тканей). *Вдруг густой пурпур смешался с синей темнотой;.. в Италии сумерки начинаются быстро.* Герцен. Былое и думы. **2.** Дорогая одежда или ткань темно-красного цвета. *Генерал был в атласном стеганом халате великолепного пурпура.* Гоголь. Мертвые души.

**Син.** (к 1 знач.): багря́нец (*книжн.*), багре́ц (*устар.*).

**Пурпу́ровый,** -ая, -ое, **пу́рпурный,** -ая, -ое и **пурпу́рный,** -ая, -ое.

**ПУСТЫ́ННИК,** -а, *м. Устар.* Человек, из религиозных соображений отказавшийся от общения с людьми, с миром. *Русский аскет, спасавшийся в дремучем бору, так и звался пустынником, то есть жителем места, где нет ничего.* Леонов. Русский лес.

**Син.:** затво́рник, отше́льник, мона́х, анахоре́т (*устар. книжн.*).

**Пусты́нница,** -ы, *ж.*

**ПУТИ́НА,** -ы, *ж.* **1.** Время, сезон, в течение которого производится усиленный лов рыбы. **2.** *Устар.* Путь, дорога. *Когда, проехав дубовый куст, служивший приметой, пришлось свернуть на проселок, дело стало еще неладнее; узкая путина по временам совсем пропадала.* Тургенев. Новь.

**ПУТЧ,** -а, *м.* [Нем. Putsch]. *Книжн.* Авантюристическая попытка группы заговорщиков произвести государственный переворот, а также сам такой переворот.

**ПУЧИ́НА,** -ы, *ж.* **1.** *Книжн.* Водная глубина, морская бездна. *Море ловит стрелы молний и в своей пучине гасит.* М. Горький. Песня о Буревестнике. **2.** *перен., чего. Высок.* Средоточие, скопление (обычно чего-л. неприятного). *Ввергнуть в пучину отчаяния.*

**Син.** (к 1 знач.): хлябь (*устар.*) и хля́би (*устар.*).

**ПУ́ЩА,** -и, *пу́щи, пущ, ж.* Обширный, густой, труднопроходимый лес. *Беловежская пуща.*

**ПФЕ́ННИГ,** -а, *м.* [Нем. Pfennig]. В Германии: мелкая монета, одна сотая часть марки.

**ПШЮТ,** -а, *м. Устар. разг.* Хлыщ, фат. *Ни Мейснер, ни Оскар Гинденбург не обратили на этого пшюта ни малейшего внимания.* Чаковский. Блокада.

**Син.:** ферт (*прост.*), хлыст (*прост.*).

**ПЫЖ,** -а́, *м.* Пучок пеньки, ткани и т. п. для забивки заряда в оружие, заряжающееся с дула. *Раздался ружейный выстрел; дымящийся пыж* *упал почти к моим ногам.* Лермонтов. Герой нашего времени.

**ПЬЕДЕСТА́Л**, -а, м. [Восх. к итал. piedestallo от piede — нога и stallo — опора]. **1.** Подножие, основание памятника, статуи, колонны. **2.** *перен.* То, что возвышает кого-, что-л. над окружающим, придает кому-л. особую значительность. *Эта же масса ставит казненных на пьедестал и им поклоняется.* Достоевский. Преступление и наказание.

С и н. (к 1 знач.): постаме́нт.

**ПЭР**, -а, м. [Франц. pair, англ. peer]. Титул высшего дворянства в Англии и (до революции 1848 г.) во Франции, а также лицо, носящее этот титул. *Ее очарованию поддались несколько пэров Англии.* А. Н. Толстой. Петр I.

**Пэ́рский**, -ая, -ое.

**ПЮПИ́ТР**, -а, м. [Франц. pupitre от лат. pulpitum — подмостки, кафедра]. Наклонный столик или подставка для поддержания в наклонном положении бумаги, книг, нот. *[Она] развернула на пюпитре второй лист из «Аскольдовой могилы», играя, лишь изредка бросала взгляд на ноты.* Коптелов. Большой зачин.

**ПЯДЬ**, -и, пя́ди, -е́й и -ей, ж. **1.** Старая русская мера длины, равная расстоянию между концами растянутых большого и указательного пальцев. **2.** *чего.* Небольшая часть пространства. *Пядь земли.* ◇ **Семи пядей во лбу** (*разг.*) — об очень умном, мудром человеке. **Ни пяди** (н е о т д а т ь, н е у с т у п и т ь) — нисколько, даже самой небольшой части.

**ПЯТА́**, -ы́, ж. Устар. Пятка, а также ступня. *Арсений голову склонил.. Но вдруг затрясся, отскочил И вскрикнул, будто на змею Поставил он пяту свою.* Лермонтов. Боярин Орша. ◇ **Под пятой** (б ы т ь, н а х о д и т ь с я и т.п.) (*высок.*) — под властью, под гнетом. **До пят** — очень длинный.

**ПЯТИАЛТЫ́ННЫЙ**, -ого, м. Устар. Монета в пятнадцать копеек. *[Кондуктор трамвая] потребовал от него.. пятиалтынный.* Н. Чуковский. Балтийское небо.

# Р

**РАБ**, -а́, м. **1.** В рабовладельческом обществе: человек, лишенный всех прав и средств производства и являющийся полной собственностью своего господина — рабовладельца. *Труд рабов. Торговля рабами. Восстание рабов.* **2.** При крепостном праве: тот, кто является частной собственностью другого, имеющего право на его личность, труд и имущество; крепостной. *[Лопахин:] Я купил имение, где дед и отец были рабами, где их не пускали даже в кухню.* Чехов. Вишневый сад. **3.** *перен.* Человек, слепо и подобострастно подчиняющийся другому лицу, властям и т. п. *К добру и злу постыдно равнодушны, В начале поприща мы вянем без борьбы; Перед опасностью позорно малодушны И перед властью — презренные рабы.* Лермонтов. Дума. **4.** *перен.*, обычно *чего. Книжн.* О том, кто целиком попал под влияние, воздействие чего-л., целиком подчинил чему-л. свою волю, свои поступки. *Раб привычки, страстей. Раб денег, вещей.* □ *Как с вашим сердцем и умом Быть чувства мелкого рабом?* Пушкин. Евгений Онегин.

С и н. (к 1 знач.): нево́льник (*книжн.*). С и н. (ко 2 знач.): холо́п. С и н. (к 3 знач.): прислу́жник, прихво́стень, холо́п, холу́й, низкопокло́нник (*устар.*). С и н. (к 4 знач.): нево́льник (*книжн.*), ило́т (*книжн.*).

**Раба́**, -ы́ и **рабы́ня**, -и (к 1 знач.), ж. **Ра́бский**, -ая, -ое и (*устар.*) **ра́бий**, -ья, -ье. *Рабский труд. Рабья покорность.*

**РАБОЛЕ́ПНЫЙ**, -ая, -ое; -пен, -пна, -о. Рабски угодливый. *Раболепное повиновение.*

С и н.: подобостра́стный, холо́пский, холу́йский, лаке́йский, низкопокло́нный (*устар.*).

**Раболе́пно**, *нареч.* **Раболе́пие**, -я, *ср.* *Одно из свойств мещанской души — раболепие, рабье преклонение перед авторитетами.* М. Горький. Заметки о мещанстве.

**РАВВИ́Н**, -а, м. [Др.-евр. rabbi — мой учитель]. Служитель культа в еврейской религиозной общине. *Обряд [свадьбы] совершался на площади перед синагогой. Молодые стояли под балдахином, и, когда раввин подносил им вино, — все головы тянулись, чтобы увидеть, как молодой растопчет рюмку.* Короленков. Братья Мендель.

**РАВЕЛИ́Н**, -а, м. Вспомогательное крепостное сооружение в форме треугольника с обращенной к противнику вершиной. *Алексеевский равелин Петропавловской крепости.*

**РАВНОДЕ́НСТВИЕ**, -я, ср. Время в году, когда продолжительность дня и ночи одинакова. *Весеннее, осеннее равноденствие.*

**РАГУ́**, *нескл.*, *ср.* [Франц. ragoût]. Кушанье из мелко нарезанного мяса, рыбы или овощей. *Рагу из баранины.*

**РА́ДА**, -ы, ж. [Польск. rada от ср.-в.-нем. rât]. Народное собрание, а также совет представителей на Украине, в Польше, Белоруссии, Литве в разные исторические периоды. *[Казаки] повалили прямо на площадь, где стояли привязанные к столбу литавры, в которые обыкновенно били сбор на раду.* Гоголь. Тарас Бульба.

**РАДА́Р**, -а, м. [Англ. radar]. *Спец.* Установка, позволяющая определять местонахождение объектов с помощью радиоволн.

С и н.: радиолока́тор.

**Рада́рный**, -ая, -ое.

**РАДЕ́ТЬ**, -е́ю, -е́ешь; раде́ющий, раде́вший; радея́; *несов.* Устар. **1.** *кому, чему или о чем.* Заботиться о ком-, чем-л., проявлять усердие, старание по отношению к чему-л. *[Фамусов:] Уж об твоем ли не радели Об воспитаньи! с колыбели!* Грибоедов. Горе от ума. **2.** У некоторых сектантов: совершать обряд с песнопением, кружением, самоистязанием.

С и н. (к 1 знач.): беспоко́иться, пе́чься.

**Раде́ние**, -я, *ср.*

**РА́ДЖА**, -и, м. [Восх. к санскр. rājan — царь]. Княжеский титул в Индии, а также лицо, носящее этот титул.

**РАДИА́ЛЬНЫЙ**, -ая, -ое. [От *радиус* (восх. к лат. radius — *букв.* луч)]. Направленный, расположенный по радиусу. *Радиальная планировка города.*

**РАДИА́ЦИЯ**, -и, *ж.* [Восх. к лат. radiatio — лучеиспускание]. Излучение элементарных частиц, идущее от какого-л. тела. *Солнечная радиация.*

**Радиацио́нный**, -ая, -ое. *Радиационная защита.*

**РАДИКА́Л**, -а, *м.* [См. *радикальный*]. **1.** *Устар.* Сторонник крайних, решительных взглядов, мер. *Радикал в науке.* **2.** Сторонник радикализма (*во 2 знач.*). *Партия радикалов.*

**РАДИКАЛИ́ЗМ**, -а, *м.* [См. *радикальный*]. **1.** *Книжн.* Решительный образ действий. **2.** Буржуазное политическое направление, возникшее в 19 в., сторонники которого требуют проведения частичных демократических реформ.

**РАДИКА́ЛЬНЫЙ**, -ая, -ое; -лен, -льна, -о. [Восх. к лат. radicalis — коренной]. **1.** Решительный, коренной; затрагивающий самые основы чего-л. *Радикальные меры. Радикальное обновление чего-л.* □ *Насчет способа лечения должно сказать, что Иван Алексеич избирал средства преимущественно радикальные.* Г. Успенский. Нравы Растеряевой улицы. **2.** Придерживающийся крайних взглядов, являющийся радикалом, а также свойственный радикалу. *Секретарь был либерального, даже радикального образа мыслей.* Л. Толстой. Воскресение.

С и н. (*к 1 знач.*): по́лный.

**Радика́льно**, *нареч.* *Мыслить радикально.* **Радика́льность**, -и, *ж.* *Радикальность взглядов.*

**РА́ДИО...**[1] [Сокращение: *радиотелеграф;* восх. к лат. radius — луч]. Первая составная часть сложных слов, обозначающая: относящийся к ра́дио, передаваемый по радио, напр.: *радиоте́хника, радиовеща́ние, радиоконце́рт.*

**РА́ДИО...**[2] [От новолат. Radium — радий (от лат. radius — луч)]. Первая составная часть сложных слов, указывающая на отношение их к ра́дию, к радиоактивности, напр.: *радиоизото́пы, радиоэлеме́нт.*

**РАДИОАКТИ́ВНОСТЬ**, -и, *ж.* [От *радио...*[2] (см.) и лат. activus — деятельный]. Самопроизвольный распад атомных ядер некоторых химических элементов, сопровождающийся радиацией.

**РАДИО́ЛА**, -ы, *ж.* [См. *радио...*[1]]. Аппарат, соединяющий в себе радиоприемник и проигрыватель. *Завели радиолу, пригласили баяниста.., молодежь стала танцевать вальсы, фокстроты.* Авдеев. Гурты па дорогах.

**РАДИОЛЮБИ́ТЕЛЬ**, -я, *м.* Тот, кто как любитель занимается конструированием и сборкой радиоприемников, телевизоров, ведет опыты по радиосвязи.

**Радиолюби́тельский**, -ая, -ое.

**РАДИ́РОВАТЬ**, -рую, -руешь; ради́рующий, ради́ровавший; ради́руемый, ради́рованный; -ан, -а, -о; ради́руя; *сов. и несов.* [См. *радио...*[1]]. Послать (посылать) сообщения по радио. *Радировать приказ на корабль. Радировать о спасении потерпевших аварию.*

**РА́ДУЖНЫЙ**, -ая, -ое. **1.** Многоцветный, имеющий цвета радуги. *Хозяйка стирала на улице. Не прерывая работы, она закивала им пепельной головой, потом махнула голой рукой*

*в радужных мыльных пузырях.* Нагибин. На кордоне. **2.** *перен.* Радостный, приятный, сулящий счастье. *Я рисовал себе картины нашей будущей жизни, одну радужнее другой.* Куприн. Святая любовь. ◊ **Видеть, представлять** *что* **в радужном свете** — представлять что-л. приятным, счастливым.

С и н. (*к 1 знач.*): разноцве́тный, многокра́сочный, пёстрый. С и н. (*ко 2 знач.*): ро́зовый (*разг.*).

**Ра́дужно**, *нареч.* **Ра́дужность**, -и, *ж.* *Радужность надежд.*

**РАЁК**, райка́, *м.* **1.** В старину: ящик с передвижными картинками, которые зритель рассматривал через увеличительные стекла, вделанные в стенки ящика. *Райком кормился дедушка, Москву да Кремль показывал.* Н. Некрасов. Кому на Руси жить хорошо. **2.** *Устар.* Верхний ярус театрального зала; галерка. *В райке нетерпеливо плещут, И, взвившись, занавес шумит.* Пушкин. Евгений Онегин.

С и н. (*ко 2 знач.*): галере́я (*устар.*), паради́з (*устар. разг.*).

**Раёшный**, -ая, -ое (*к 1 знач.*). *Раешный театр. Раешный юмор.*

**РАЖ**, -а, *м.* [Франц. rage от лат. rabies]. *Разг.* Сильное возбуждение, неистовство, исступление. *Войти в раж.* — *В Париже спать?..* — *воскликнула Мерова, припоминая, как она, бывши там с Янсутским, бегала по красивым парижским улицам в каком-то раже, почти в сумасшествии.* Писемский. Мещане.

С и н.: я́рость, бу́йство, сумасше́ствие, бе́шенство, беспа́мятство, умоисступле́ние (*книжн.*), остервене́ние (*разг.*).

**РАЗБИТНО́Й**, -а́я, -о́е. *Разг.* Бойкий, ловкий, развязный. *Он познакомился с помещиком Ноздревым, человеком лет тридцати, разбитным малым, который ему после трех-четырех слов начал говорить «ты».* Гоголь. Мертвые души.

**РАЗБО́РЧИВЫЙ**, -ая, -ое; -ив, -а, -о. **1.** Легко разбираемый, четкий. *Почерк разборчивый, аккуратный, буква к букве, сразу видно, что пишет учитель.* Барто. Найти человека. **2.** Взыскательный, строгий при выборе кого-, чего-л. *Разборчивая невеста.* □ — *Вы одарены очень разборчивым вкусом, несравненно более разборчивым, чем у большинства.* Чернышевский. Отблески сияния.

С и н. (*ко 2 знач.*): тре́бовательный, прихотли́вый, привере́дливый, капри́зный.

**Разбо́рчиво**, *нареч.* *Писать разборчиво.* **Разбо́рчивость**, -и, *ж.*

**РАЗВА́ЛИНА**, -ы, *ж.* **1.** *мн.* Остатки разрушенного или разрушившегося строения, поселения. *После боя от города остались одни развалины.* **2.** *обычно мн., перен., чего.* То, что осталось, уцелело от чего-л. исчезнувшего, ушедшего. *На развалинах старого феодализма утвердилась новая плутократия.* Писарев. Генрих Гейне. **3.** *Разг.* Об одряхлевшем или разбитом болезнью человеке. *Ухоженные состоятельные женщины превращаются в развалин и старух моментально — от толчка или удара судьбы.* Конецкий. Морские сны.

С и н. (*к 1 и 3 знач.*): руи́на.

**РАЗВЕ́ДКА**, -и, ж. 1. Обследование, осмотр чего-л. со специальной целью. *Разведка дна моря. Разведка полезных ископаемых.* 2. Действия, осуществляемые войсковыми группами, дозорами и т. п. для получения сведений о противнике, его вооружении и т. п., а также войсковая группа, подразделение, занятые сбором таких сведений. *Послать бойца в разведку (на разведку). Произвести разведку боем. Полковая разведка.* ☐ *Отправляя Метелицу в разведку, Левинсон наказал ему во что бы то ни стало вернуться этой же ночью.* Фадеев. Разгром. 3. Организация, ведающая специальным изучением экономической и политической жизни других стран, их военного потенциала. *Агент иностранной разведки.*

С и н. (к 1 и 2 знач.): рекогносциро́вка (спец.).

**Разве́дочный**, -ая, -ое.

**РАЗВЕНЧА́ТЬ**, -а́ю, -а́ешь; развенча́вший; разве́нчанный; -ан, -а, -о; сов. 1. *кого, что.* Лишить прежней славы, прежнего всеобщего признания, показав отрицательные черты кого-, чего-л. *Развенчать чей-л. идеал.* ☐ *Тип человека, для которого слово заменяет дело и который, живя одним воображением, прозябает в действительной жизни, совершенно развенчан Тургеневым.* Писарев. Писемский, Тургенев и Гончаров. 2. обычно *кого.* Устар. разг. Расторгнуть церковный брак.— *Жениться не следовало — это так; но если уж грех попутал, так ничего не поделаешь; не пойдешь к попу: развенчайте, мол, батюшка.* Салтыков-Щедрин. Портной Гришка.

С и н. (к 1 знач.): опроки́нуть, низве́ргнуть (книжн.), ниспрове́ргнуть (высок.).

**Разве́нчивать**, -аю, -аешь; несов. **Развенча́ние**, -я и **разве́нчивание**, -я, ср.

**РАЗВЕ́РЗНУТЬ**, -ну, -нешь; разве́рзнувший и разве́рзший; разве́рзнутый; -ут, -а, -о и разве́рстый; -ерст, -а, -о; сов., что. Устар. Широко раскрыть, раздвинуть, образуя отверстие, провал. *Стекла окон как драгоценные камни горят,— кажется, что земля разверзла недра и с гордой щедростью показывает солнцу сокровища свои.* М. Горький. Исповедь.

**Разве́рзнуться**, -нется; возвр. **Разверза́ть**, -а́ю, -а́ешь; несов.

**РАЗВЁРНУТЫЙ**, -ая, -ое. 1. Полный, подробный. *Развернутые тезисы доклада. Развернутая характеристика.* ☐ *Нужно максимально мобилизовать все средства воздействия на читателя — от развернутого очерка до фотографии.* М. Горький. «Наши достижения» на пороге второй пятилетки. 2. Осуществляемый в широких масштабах. *Развернутое наступление на пустыню.*

С и н. (к 1 знач.): обстоя́тельный, дета́льный, доскона́льный.

**Развёрнуто**, нареч. **Развёрнутость**, -и, ж.

**РАЗВЕ́ЯТЬ**, -е́ю, -е́ешь; разве́явший; разве́янный; -ян, -а, -о; разве́яв, сов., что. 1. Разбросать, унести в разные стороны. *Не для того же пахал он и сеял, Чтобы нас ветер осенний развеял.* Н. Некрасов. Несжатая полоса. 2. перен. Рассеять, уничтожить. *Развеять тоску, скуку.* ☐ *Светлое утро немного развеяло мои ночные тревоги, но все же, подходя к биваку, я вспомнил все свои страхи и опасения.* Солоухин. Прекрасная Адыгене.

С и н. (к 1 знач.): рассе́ять, разогна́ть, размета́ть, разду́ть (разг.). С и н. (ко 2 знач.): разогна́ть.

**Разве́яться**, -еется; возвр. **Разве́ивать**, -аю, -аешь; несов.

**РАЗВИТО́Й**, -а́я, -о́е; ра́звит, развита́, ра́звито. 1. Достигший высокой степени развития. *В армию его призвали в январе. Сразу после Нового года. Он был худющий, вертлявый, но физически развит достаточно.* Добровольский. Память. 2. Хорошо образованный, обладающий широким кругозором, культурой. *Развитой юноша.* ☐ *Зато он развитой, все говорят. Он знает наизусть целую кучу книжек.* Панова. Сережа.

С и н. (ко 2 знач.): культу́рный.

**Ра́звитость**, -и, ж. *Развитость ребенка.*

**РАЗВИ́ТЬ**, разовью́, разовьёшь; разви́вший; ра́звитый; ра́звит, развита́, ра́звито и разви́тый; -и́т, -ита́, -и́то; разви́в; сов. 1. *что.* Постепенно тренируя, сделать более крепким, сильным, совершенным. *Развить мускулатуру. Развить память.* ☐ *Отец его употреблял всевозможные средства, чтобы развить умственные способности сына.* Герцен. Доктор Крупов. 2. *что.* Способствовать возникновению и укреплению каких-л. свойств, качеств. *Развить любовь к чтению. Развить скрытность характера.* ☐ *Принятые в детстве побои, а затем голод и дальнейшие преследования судьбы развили в Беркутове угрюмость.* Салтыков-Щедрин. Пошехонская старина. 3. *кого.* Сделать более образованным, культурным, с более широким кругозором. *Мужей он поучал добру, Развить старался жен.* Плещеев. Мой знакомый. 4. *что.* Довести до высокого уровня, сделать более мощным. *Развить энергетику, машиностроение.* ☐ *Папе рисовались самые блестящие перспективы: имение — два шага от станции, можно развить молочное хозяйство, широко заложить огороды.* Вересаев. В юные годы. 5. *что.* Постепенно усиливая, довести до значительной степени. *По выходе в море крейсер развил двенадцатиузловую скорость.* Степанов. Порт-Артур. 6. *что.* Расширить или углубить содержание, применение чего-л. *[Первый гость:] Как роль свою ты верно поняла! [Второй:] Как развила ее, с какою силой!* Пушкин. Каменный гость. 7. *что.* Последовательно, подробно изложить что-л. *Развить мысль.* ☐ *— Я сейчас заведую кафедрой и одновременно веду отдел в журнале «Машиностроение». Вот для журнала я и прошу тебя развить свои соображения.* Николаева. Битва в пути.

С и н. (к 1 знач.): натренирова́ть, изощри́ть. С и н. (ко 2 знач.): вы́работать.

**Разви́ться**, -зовью́сь, -зовьёшься; возвр. **Развива́ть**, -а́ю, -а́ешь; несов. **Разви́тие**, -я, ср.

**РАЗГОВЕ́ТЬСЯ**, -е́юсь, -е́ешься; разгове́вшийся; разгове́вшись; сов. 1. По окончании поста поесть скоромной пищи (о людях, соблюдающих пост). *В этот раз разговелись дома, и поели — и с собой взяли.* Жилин. Настежь дверь. 2. *Разг.* Разрешить себе что-л. после длительного перерыва. *Затем пришла очередь и для клубни-*

ки; тетенька разделила набранное на две части: мне и Сашеньке, а себе взяла только одну ягодку.— Разговеюсь и будет с меня. Салтыков-Щедрин. Пошехонская старина.

**Разговля́ться**, -я́юсь, -я́ешься; *несов.* **Разгове́нье**, -я *и* ро́згове́нье, -я, *ср.*

**РАЗГОВО́РНИК**, -а, *м.* Пособие по иностранному языку, содержащее необходимые для туриста бытовые фразы, вопросы и ответы. *Русско-французский разговорник.*

**РАЗГОВО́РНЫЙ**, -ая, -ое. **1.** Употребляемый в разговоре, в устной обиходной речи. *Большинство моих вещей построено на разговорной интонации.* Маяковский. Как делать стихи. **2.** Имеющий характер диалога. *Артист разговорного жанра.*

**РАЗГРАНИ́ЧИТЬ**, -чу, -чишь; разграни́чивший; разграни́ченный; -ен, -а, -о; разграни́чив, *сов., что.* **1.** Разделить, обозначив границы чего-л. *Разграничить земли двух районов.* **2.** *перен.* Обособить, отделить одно от другого. *Разграничить чьи-л. обязанности. Разграничить понятия.*

С и н.: размежева́ть.

**Разграни́чивать**, -аю, -аешь; *несов.* **Разграниче́ние**, -я, *ср.*

**РАЗГУ́Л**, -а, *м.* **1.** Буйное, безудержно веселое препровождение времени. *После смерти матери он пустился в разгул: пикники, женщины, водка.* Жилин. Настежь дверь. **2.** *чего.* Сильное, безудержное проявление чего-л. отрицательного. *Разгул реакции. Разгул национализма.*

С и н. (к 1 знач.): гульба́ (прост.), гу́льбище (прост.).

**Разгу́льный**, -ая, -ое.

**РАЗДВО́ЕННОСТЬ**, -и, *ж.* Книжн. Состояние душевного разлада, колебание между двумя чувствами, желаниями и т.п. *Странное чувство раздвоенности испытывал он в этот момент: с одной стороны, он негодовал на Варю за самовольство, а с другой — его мужскому самолюбию льстила догадка, что из-за него девушка на какое-то время оставила работу.* Шолохов. Поднятая целина.

**РАЗДИРА́ЮЩИЙ**, -ая, -ее. Выражающий и причиняющий нравственные страдания; мучительный, тяжелый. *Раздирающий душу рассказ.* □ *Вместо слов, назначенных в роли, у нее вырвался неопределенный крик, крик слабого беззащитного существа.. Теперь, через двадцать лет, я слышу этот раздирающий крик.* Герцен. Сорока-воровка.

С и н.: душераздира́ющий.

**Раздира́юще**, *нареч. Раздирающе рыдать.*

**РАЗЖА́ЛОВАТЬ**, -лую, -луешь; разжа́ловавший; разжа́лованный; -ан, -а, -о; разжа́ловав; *сов., кого.* Устар. В наказание понизить в звании, чине. *Разжаловать офицера в солдаты.* □ *[Жуков] продолжал: — Еще раз с паническим сообщением ворветесь — разжалую.* Чаковский. Блокада.

**Разжа́лование**, -я, *ср.*

**РАЗЗУДЕ́ТЬСЯ**, -ди́тся; раззуде́вшийся; раззуде́вшись *и* раззудя́сь; *сов.* Прост. **1.** Начать сильно болеть, ныть, зудеть. *Раззуделась старая рана.* **2.** *перен.* Прийти в состояние, при котором возникает сильное желание действовать. *Раззудись плечо! Размахнись рука! Ты пахни в лицо, Ветер с полудня.* А. Кольцов. Косарь.

**РАЗИ́ТЕЛЬНЫЙ**, -ая, -ое; -лен, -льна, -о. Ошеломляющий, поражающий воображение. *Разительное сходство. Разительная красота. Разительные перемены.* □ *Кроме того, она отметила в нем разительное и полное отсутствие интереса ко всем благам жизни, которые сама она ценила так высоко.* Казакевич. Дом на площади.

С и н.: порази́тельный, потряса́ющий, ошеломи́тельный *и* ошеломля́ющий, сногсшиба́тельный (разг.).

**Рази́тельно**, *нареч.* **Рази́тельность**, -и, *ж.*

**РАЗИ́ТЬ**, ражу́, рази́шь; разя́щий; рази́вший; разя́; *несов., кого, что.* Книжн. **1.** Наносить удары, поражать оружием. *Уже Руслан готов разить, Уже взмахнул мечом широким.* Пушкин. Руслан и Людмила. **2.** *перен.* Наносить поражение кому-л.; побеждать. *[Время] все разит и сокрушает, И ему препятствий нет.* Полежаев. На смерть Темиры. **3.** *перен.* Подвергать беспощадной критике. *Художественные произведения [Н. В. Гоголя] так беспощадно разили пороки современной ему николаевской России.* Катаев. Слово о Гоголе.

С и н. (ко 2 знач.): одолева́ть. С и н. (к 3 знач.): клейми́ть (высок.).

**РАЗМЕЖЕВА́ТЬ**, -жу́ю, -жу́ешь; размежева́вший; размежёванный; -ан, -а, -о; размежева́в, *сов., что.* **1.** Разделить, установив межи, границы. *Размежевать поле.* **2.** *перен.* Книжн. Определить пределы, границы чьей-л. деятельности. *Все писавшие о фресках Дмитриевского собора.. признают, что в их исполнении наряду с византийскими мастерами участвовали и русские. Но, кроме И. Э. Грабаря и А. И. Анисимова, никто не пытался тщательно размежевать их работу.* Лазарев. Средневековая русская живопись.

С и н.: разграни́чить.

**Размежева́ться**, -жу́юсь, -жу́ешься; *возвр.* **Размежёвывать**, -аю, -аешь; *несов.* **Размежева́ние**, -я, *ср.*

**РАЗМЕ́РЕННЫЙ**, -ая, -ое; -ен, -енна, -о. **1.** Плавный, ритмичный, неторопливый. *Размеренная речь. Размеренный шаг.* □ *Он услышал вдруг размеренный.. голос дежурной, беседующей с поседевшей уборщицей.* Лидин. Майский дождь. **2.** Упорядоченный, подчиненный определенным правилам. *Размеренная жизнь.* □ *А подготовка к полету продолжалась. Напряженная, деловая, строго размеренная.* Г. Титов. 700 000 километров в космосе.

С и н. (к 1 знач.): ме́рный, равноме́рный, ритми́ческий.

**Разме́ренно**, *нареч.* **Разме́ренность**, -и, *ж.*

**РАЗМЫ́КАТЬ**, -аю, -аешь; размы́кавший; размы́канный; -ан, -а, -о; размы́кав, *сов., что.* Нар.-поэт. Рассеять, понемногу забыть. *Размыкать горе, печаль.*

**Размы́кивать**, -аю, -аешь; *несов.*

**РА́ЗНИТЬСЯ**, -нюсь, -нишься; ра́знящийся,

ра́знившийся; ра́знясь; *несов. Книжн.* Отличаться от кого-, чего-л., иметь различия с кем-, чем-л. *Читатель, в мире так устроено издавна: Мы разнимся в судьбе, Во вкусах и подавно.* К. Прутков. Разница вкусов.

С и н.: различа́ться.

**РАЗНОВИ́ДНОСТЬ**, -и, *ж.* Предмет, явление, организм и т. п., представляющие собой видоизменение основного вида, категории. *Новая разновидность интеллигенции неспособна относиться по-барски к людям физического труда.* Плеханов. Н. И. Наумов.

**РАЗНОГЛА́СИЕ**, -я, *ср.* **1.** *Устар.* Нестройные, разнообразные звуки, голоса. *Мужчины толпились около икры и водки, с шумным разногласием разговаривая между собой.* Пушкин. Дубровский. **2.** Отсутствие согласия, единства во взглядах, мнениях. *Общую формулу,— что человеку естественно стремиться к лучшему,— все принимают; но разногласия возникают из-за того, что же должно считать благом для человечества.* Добролюбов. Луч света в темном царстве. **3.** Отсутствие согласованности, противоречие в чем-л. *Разногласия в показаниях свидетелей.*

С и н. (к 1 знач.): разноголо́сица (*разг.*). С и н. (ко 2 и 3 знач.): расхожде́ние, несогла́сие.

**РАЗНОЛИ́КИЙ**, -ая, -ое; -и́к, -а, -о. Различающийся по внешнему виду. *Поезд встречала пестрая, разноликая толпа горожан.* Г. Марков. Сибирь.

С и н.: разноро́дный, неодноро́дный, разнохара́ктерный, пёстрый, разношёрстный (*разг.*).

Разноли́кость, -и, *ж.*

**РАЗНОРЕЧИ́ВЫЙ**, -ая, -ое; -и́в, -а, -о. Отличающийся разнообразием, противоречивостью. *Разноречивые слухи.* □ *Замечен он. Об нем толкует Разноречивая молва, Им занимается Москва, Его шпионом именует, Слагает в честь его стихи.* Пушкин. Евгений Онегин.

С и н.: дво́йственный, противоречи́вый.

Разноречи́во, *нареч.* Разноречи́вость, -и, *ж.* *Разноречивость свидетельских показаний.*

**РАЗНОСО́ЛЫ**, -ов, *мн.* (*ед.* разносо́л, -а, *м.*). **1.** *Устар.* Различными способами заготовленные впрок соленья, маринады и т. п. **2.** *Разг.* Вкусная, разнообразная, изысканная еда, угощение. *В деревне что за разносол: Поставили пустых мне чашку щей на стол.* И. Крылов. Три мужика. *Городских разносолов у нас, крестьян, не полагается, питаемся дарами земли.* Кузьмин. Круг царя Соломона.

**РАЗНОСТОРО́ННИЙ**, -яя, -ее; -о́нен, -о́ння, -е. **1.** Охватывающий разные стороны чего-л.; многобразный. *Много времени у Арагона отнимает разносторонняя общественно-политическая, организаторская и издательская деятельность.* Ю. Жуков. Из боя в бой. **2.** Имеющий разнообразные интересы, способности, знания. *Разносторонняя личность.* □ *Владимир Александрович удивительно разносторонний специалист: он и синоптик-прогнозист, и метеоролог, и художник-фотограф.* Шулейкин. Дни прожитые.

С и н.: многосторо́нний, многогра́нный.

А н т.: односторо́нний, однобо́кий.

**Разносторо́нне**, *нареч. Разносторонне образованный человек.* **Разносторо́нность**, -и, *ж.*

**РАЗНОХАРА́КТЕРНЫЙ**, -ая, -ое; -рен, -рна, -о. **1.** Различающийся по характеру. *Предоставляю читателю самому соединить воедино сотни индивидуумов, хотя и разнохарактерных, но несомненно зараженных одинаковым недугом неискренности.* Г. Успенский. Новые времена. **2.** В театральном искусстве: воплощающий различные характеры; хорошо играющий различные по характеру роли. *Приятнейший человек, сьер Дю Круази, первоклассный и разнохарактерный актер.* Булгаков. Жизнь господина де Мольера. **3.** Различающийся по характерным признакам, по своему виду, составу и т. п. *[Райский] смотрел на эту кучу разнохарактерных домов, домиков, лачужек.* И. Гончаров. Обрыв.

С и н. (к 3 знач.): разноро́дный, неодноро́дный, пёстрый, разноли́кий, разношёрстный (*разг.*).

Разнохара́ктерность, -и, *ж.*

**РАЗНОЧИ́НЕЦ**, -нца, *м.* В 19 в. в России: интеллигент, происходящий из недворянских классов. *Господствующим направлением, соответствующим точке зрения разночинца, стало народничество.* Ленин, т. 25, с. 94.

Разночи́нный, -ая, -ое. *Разночинная интеллигенция.*

**РАЗНОЯЗЫ́КИЙ**, -ая, -ое; -ы́к, -а, -о и **РАЗНОЯЗЫ́ЧНЫЙ**, -ая, -ое; -чен, -чна, -о. **1.** Состоящий из людей, говорящих на разных языках. *Внизу передо мною пестреет чистенький, новенький городок, шумят целебные ключи, шумит разноязычная толпа.* Лермонтов. Герой нашего времени. *Ранее Курчатовский тосковал только по шумному Петербургу, да еще по Женеве с ее разноязыким эмигрантским обществом.* Коптелов. Возгорится пламя. **2.** Звучащий на разных языках. *Неузнанный, Бауман добрался до австрийской границы. Вот уже и Австрия позади. Лазурь женевских небес.. Пестро, людно. Разноязыкая речь.* Прилежаева. Три недели покоя. *Всемирные выставки напоминают большие ярмарки: толчея, краски, музыка, разноязычная речь.* В. Песков. Я помню...

Разноязы́чие, -я, *ср.*, разноязы́кость, -и, *ж.* и разноязы́чность, -и, *ж.*

**РАЗНУ́ЗДАННЫЙ**, -ая, -ое; -ан, -анна, -о. *Разг.* Дошедший до крайней степени распущенности, ничем не сдерживаемый. *Разнузданная травля кого-л. Разнузданное поведение.*

С и н.: распоя́савшийся (*разг.*), оголте́лый (*разг.*).

Разну́зданно, *нареч.* Разну́зданность, -и, *ж.*

**РАЗНУЗДА́ТЬ**, -а́ю, -а́ешь; разнузда́вший; разну́зданный; -ан, -а, -о; разнузда́в; *сов.* **1.** *кого.* Вынуть изо рта лошади удила, отстегнув их от уздечки. *Рыцарь, кивнув головою, Спрыгнул с коня, его разнуздал и по свежему лугу Бегать пустил.* Жуковский. Ундина. **2.** *перен., кого, что. Разг.* Дать полную свободу кому-, чему-л., освободив от нравственных сдерживающих преград. *Погромы и грабежи разнуздали мамонтовцев настолько, что казаки перестали внимать при-*

казам Мамонтова уже в Козлове. Федин. Необыкновенное лето.

**Разнузда́ться**, -а́юсь, -а́ешься; *возвр.* **Разну́здывать**, -аю, -аешь; *несов.*

**РАЗОБЛАЧИ́ТЬ**, -чу́, -чи́шь; разоблачи́вший; разоблачённый; -чён, -чена́, -о́; разоблачи́в; *сов.* 1. *кого. Устар. и разг. шутл.* Снять с кого-л. одежду; раздеть. *Разоблаченный из мантии, он был неправдоподобен. Светло-бронзовый фрак с обгрызанными фалдочками, шалевый жилет.. выдавали путешественника-иностранца.* Тынянов. Смерть Вазир-Мухтара. 2. *что.* Сделать известным что-л. неизвестное или скрываемое. *Пора нам перестать негодовать на Надеждина и за то, что он разоблачил бедность нашей тогдашней литературы.* Чернышевский. Очерки гоголевского периода русской литературы. 3. *кого, что.* Раскрыть, обнаружить чьи-л. преступные действия, намерения; изобличить. *И если писатели предыдущего «потерянного поколения» разоблачали, бичевали общество, жертвами которого стали несчастные, бездомные люди, то Кердуак едва-едва протестует.* Ю. Жуков. Из боя в бой.

С и н.' (ко 2 знач.): вскрыть, раскры́ть, вы́явить.
С и н. (к 3 знач.): обличи́ть.

**Разоблачи́ться**, -чу́сь, -чи́шься; *возвр.* **Разоблача́ть**, -а́ю, -а́ешь; *несов.* **Разоблаче́ние**, -я, *ср.*

**РАЗОРУЖЕ́НИЕ**, -я, *ср.* Система мероприятий, направленных к сокращению средств ведения войны или полной их ликвидации, создающих предпосылки для устранения угрозы возникновения войны. *Политика разоружения.*

**Разоруже́нческий**, -ая, -ое.

**РАЗОРУЖИ́ТЬ**, -жу́, -жи́шь; разоружи́вший; разоружённый; -жён, -жена́, -о́; разоружи́в; *сов., кого, что.* 1. Лишить оружия, средств вооружения. *Разоружить бандита. Разоружить крейсер.* □ *На другой день с линейного корабля дано было радио: разоружить весь командный состав. Несколько офицеров застрелилось, другие отдали оружие.* А. Н. Толстой. Хождение по мукам. 2. *перен.* Лишить кого-л. возможности бороться за что-л., подорвав волю к борьбе, веру в правоту своего дела. *Идейно разоружить оппонента.*

С и н.: обезору́жить.

**Разоружи́ться**, -жу́сь, -жи́шься; *возвр.* **Разоружа́ть**, -а́ю, -а́ешь; *несов.*

**РАЗРЕЖЁННЫЙ**, -ая, -ое; -ён, -ённа, -о и **РАЗРЕ́ЖЕННЫЙ**, -ая, -ое; -ен, -а, -о. 1. Не густой, не частый. *Быстро поднимаемся мы на пригорок и переходим в разреженную лесную сечу. Сосны растут тут разрозненно.* Огнев. Жизнь леса. 2. Менее насыщенный, менее плотный. *После теплой столовой мороз показался ошеломляющим; в ушах звенело от разреженного воздуха, дышать было нечем.* Липатов. И это все о нем.

**Разрежённость**, -и и **разре́женность**, -и, *ж.*

**РАЗРУ́ХА**, -и, *ж.* 1. *Устар.* Раздор, несогласие. *[Курюков:] А в те поры и меж бояр разрухи Великие чинились.. Тягались до зареза Князья Овчины с Шуйскими князьями.* А. К. Толстой. Царь Федор Иоаннович. 2. Полное расстройство, развал в хозяйстве, экономике. *Это год послевоенной разрухи: нет чая, нет сахара.. Вместо чаю заваривают подсушенную на сковороде морковь.* Кузьмин. Круг царя Соломона.

**РАЗРЯ́Д**, -а, *м.* 1. Группа, категория каких-л. предметов, лиц, явлений, сходных между собой по тем или иным признакам. *Он, конечно, не входит в разряд скучных...— Но в разряд несчастных,— сказал я смеясь.* Лермонтов. Герой нашего времени. 2. Степень квалификации в какой-л. профессии, спорте и т. п. *Токарь седьмого разряда. Получить первый разряд по шахматам.* □ *Я работал сначала учеником слесаря, а потом получил разряд.* Барузди́н. Пожарная дружина.

С и н. (к 1 знач.): класс, тип, род, сорт (*разг.*).

**Разря́дный**, -ая, -ое. ◊ **Разря́дный прика́з** — в Русском государстве 16—17 вв.: государственное учреждение, ведавшее военным управлением, служилыми людьми, а также управлением южных городов и уездов. **Разря́дные кни́ги** — книги Разрядного приказа, в которые записывались распоряжения о ежегодных назначениях на военную, гражданскую и придворную службу.

**РАЗРЯ́ДКА**, -и, *ж.* 1. Успокоение, ослабление напряжения. *Иногда для снятия излишнего напряжения, для эмоциональной разрядки устраивались дни отдыха. Один из таких дней мы провели на рыбалке.* А. Николаев. Космодорога без конца. 2. В отношениях между странами с различными социальными системами: отказ от политики недоверия, соперничества и напряженности, от использования силы и угрозы силой, от накопления вооружений, укрепление взаимопонимания и сотрудничества. *Политика разрядки.*

**РАЗУВЕ́РИТЬСЯ**, -рюсь, -ришься; разуве́рившийся; разуве́рившись; *сов., в ком, чем или без доп.* Утратить веру в кого-, во что-л., уверенность в чем-л. *[Овцин] вдруг разуверился в своих способностях, обмяк, приуныл.* Б. Полевой. Горячий цех.

С и н.: разочарова́ться.

**Разуверя́ться**, -я́юсь, -я́ешься; *несов.*

**РАЗУМЕ́ТЬ**, -е́ю, -е́ешь; разуме́ющий, разуме́вший; разуме́я, *несов.* 1. *что или без доп. Устар.* Понимать, постигать смысл чего-л. *Не разумел он ничего И слаб и робок был как дети.* Пушкин. Цыганы. 2. *что. Устар.* Иметь познания в какой-л. области, уметь что-л. *Павел хоть и знал гражданскую печать, но писать по-гражданински не разумел.* Салтыков-Щедрин. Пошехонская старина. 3. *кого, что под кем, чем.* Подразумевать, иметь в виду. *Иногда, перечисляя мифологических героев, Державин под ними разумел русских вельмож, которых не мог называть открыто.* Западов. Державин. 4. *кого, что или о ком, чем. Устар.* Иметь то или иное мнение о ком-, чем-л., считать кого-, что-л. каким-л. *[Анна Ефремовна:] Мы всегда ее разумели за женщину честную.* Писемский. Раздел.

С и н. (к 1 знач.): сообража́ть, смы́слить (*разг.*).

**Разуме́ние**, -я, *ср.* (к 1 и 4 знач.).

**РАЗУМЕ́ТЬСЯ**, -е́ется; разуме́ющийся, разуме́вшийся; *несов.* **1.** Подразумеваться, иметься в виду. *Под грибами в семье Навашиных разумелись только белые.* В. Орлов. Происшествие в Никольском. **2.** *в знач. вводн. сл.* **разуме́ется.** Конечно, понятно. *Каждое сравнение, разумеется, хромает, так или иначе, написать роман — это все равно что построить город.* Бондарев. Человек несет в себе мир. **3.** *в знач. частицы* **разуме́ется.** *Разг.* Да, безусловно. *— Ты с нею танцуешь мазурку? — спросил он торжественным голосом. — Она мне призналась. — Ну, так что ж? а разве это секрет? — Разумеется.* Лермонтов. Герой нашего времени.

С и н. (*ко 2 знач.*): безусло́вно, бесспо́рно, несомне́нно, есте́ственно, изве́стно (*разг.*), натура́льно (*устар.*)

**РАЗЪЕ́ЗД**, -а, *м.* **1.** *мн.* Поездки, путешествия. *Я потратил целый день на разъезды и осмотр каменных громад, сооруженных лучшими архитекторами Европы.* М. Кольцов. Орлы и люди. **2.** Раздвоение одноколейного железнодорожного пути; остановочный пункт в таком месте. *Поезд долго стоял на разъезде около глинобитного дома.* Паустовский. Дым отечества. **3.** Небольшой конный отряд, высылаемый для разведки, наблюдения, связи и т. п. в условиях военных действий. *Для наблюдения за неприятелем достаточно было казачьего разъезда.* Л. Толстой. Война и мир.

**Разъе́здный**, -ая, -ое (*ко 2 знач.*) и **разъездно́й**, -а́я, -о́е (*ко 2 и 3 знач.*). *Разъездные пути.*

**РАЙ**, -я, *м.* **1.** В религиозных представлениях: место вечного блаженства для душ умерших праведников. *Только покойница в белом была: Спит — молодая, спокойная, Знает, что будет в раю.* Н. Некрасов. Мороз, Красный нос. **2.** Сад, где, по библейскому сказанию, жили Адам и Ева до грехопадения. **3.** *перен.* Красивое место, доставляющее удовольствие, наслаждение, а также очень хорошие условия жизни. *Здесь прямо рай. Земной рай.* ▫ *Мне показалось, что за этим глухим забором, за рядом высоких тополей я покинул что-то вроде маленького рая, где в идиллической обстановке милые люди живут легкой, светлой жизнью, без невзгод и огорчений.* Конашевич. О себе и своем деле.

С и н. (*к 1 знач.*): паради́з (*устар., книжн.*). С и н. (*ко 2 и 3 знач.*): эде́м.

А н т.: ад.

**Ра́йский**, -ая, -ое. *Райское место. Райская жизнь.*

**РАЙО́Н**, -а, *м.* [Франц. rayon — луч, радиус, район]. **1.** Территория, составляющая единое целое в каком-л. отношении (экономическом, географическом и т. п.). *Черноземные районы страны.* ▫ *Чекисты работали всю ночь, выполняя наказ правительства: очистить от бандитских шаек пограничные районы страны.* В. Беляев. Старая крепость. **2.** *чего или какой.* Пространство, в пределах которого расположено что-л. или совершается какое-л. действие. *Район боевых действий. Рабочий район города.* ▫ *Теперь постарайтесь почаще бывать на вокзале или в районе его, — сказала Никаноровна. — Смотрите за приходящими эшелонами.* Баруздин. Елизавета Павловна. **3.** Административно-территориальная единица в составе области, края или крупного города. *Звенигородский район Московской области. Городские районы.* **4.** *Разг.* Город или село — административный районный центр внутри области, края. *— Где пальто покупала? В Пензе или в районе? — Видно, что в Пензе. У нас регланом не шьют.* Почивалин. Обыкновенное чудо.

С и н. (*к 1 и 2 знач.*): зо́на, полоса́, по́яс.

**Райо́нный**, -ая, -ое (*к 3 и 4 знач.*).

**РАКЕ́ТА**, -ы, *ж.* [Нем. Rakete от итал. rocchetta — *букв.* веретено]. **1.** Применяемый для световых сигналов и фейерверков снаряд, начиненный пороховым составом. *Сигнальная ракета.* ▫ *Красная ракета круто взвилась и затем, как бы нехотя умирая, рассыпалась, лопнула светящимися искрами в темном небе.* В. Кожевников. В полдень на солнечной стороне. **2.** Летательный аппарат с реактивным двигателем. *Многоступенчатая ракета. Космическая ракета многоразового использования.* **3.** Боевой снаряд, который приводится в движение силой реакции выбрасываемой струи газа. *Гитлеровцы форсировали разработку качественно нового вида оружия — ракеты А-4, известной впоследствии под названием ФАУ-2.* Комаров. Барьер против ФАУ. **4.** Небольшое пассажирское быстроходное судно на подводных крыльях. *[Инна:] В субботу я свободна — не прогуляться ли нам на «ракете»? И ребят возьмем.* Арбузов. Вечерний свет.

**Раке́тный**, -ая, -ое (*к 1, 2 и 3 знач.*). *Ракетная техника.*

**РАКЕ́ТА-НОСИ́ТЕЛЬ**, раке́ты-носи́теля, *ж.* Многоступенчатая ракета для выведения в космос полезных грузов (искусственных спутников Земли, космических кораблей, межпланетных станций и т. п.).

**РАКЕ́ТНИЦА**, -ы, *ж.* Специальное приспособление — род пистолета для пуска осветительных, сигнальных ракет. *Он держал у себя на коленях жестяной ящик с ракетами, а за поясом у него висела ракетница.* В. Кожевников. Неспокойный человек.

**РА́КУРС**, -а и (*устар.*) **РАКУ́РС**, -а, *м.* [Франц. raccourci — *букв.* укороченный]. **1.** *Спец.* Перспективное сокращение удаленных от зрителя частей изображенного на плоскости предмета. **2.** В фотографии и кино: необычная перспектива, возникающая вследствие неодинакового удаления частей снимаемого предмета от объектива при его направленности на предмет под углом. *Доморощенный фотограф был настолько немудрящ, что не стал выбирать лучший ракурс, а снял десятиклассников как бог велел.* Липатов. И это все о нем. **3.** *перен. Книжн.* Точка зрения, взгляд на какой-л. предмет, явление; позиция, с которой что-л. рассматривается. *— Любое явление может быть подвергнуто рассмотрению в различных ракурсах.* Крон. Дом и корабль.

С и н. (*к 3 знач.*): аспе́кт (*книжн.*).

**Ра́курсный**, -ая, -ое (*к 1 и 2 знач.*) и **раку́рсный**, -ая, -ое (*к 1 и 2 знач.*).

**РА́ЛЛИ**, *нескл., ср.* [Англ. rally]. Спортивное соревнование на автомашинах или мотоциклах одного типа в один или несколько этапов. *Автомобильное ралли. Участники ралли.*

**РА́МКА**, -и, *ж.* [От нем. Rahmen — рама]. **1.** Небольшое овальное, четырехугольное или иной формы скрепление из планок, брусьев для вставки, обрамления чего-л. *Вставить фотографию в рамку.* □ *На стене висел диплом офицерского звания за стеклом и в рамке.* Пушкин. Капитанская дочка. **2.** *перен.*, *чего или какая*. То, что обрамляет, оттеняет кого-, что-л. *По спиральной лесенке поднимается на дубовую кафедру бесконечно знакомый, в рамке седых кудрей вокруг бронзового лица.. настоятель собора.* Шагинян. Английские письма. **3.** *мн., перен., чего*. Пределы, границы чего-л. *В рамках приличия.* □ *— На моторе ходил когда? — Ходил! — Егор очень обрадовался вопросу, потому что это выходило за рамки его плотницких навыков.* Б. Васильев. Не стреляйте в белых лебедей. **4.** *мн., перен.* Нормы поведения, установленные законами, обычаями и т. п.; пределы дозволенного. *[Марков:] Надеюсь, вы будете держать себя в рамках, не затеете драку, скандал?* Лаврентьев. Последняя легенда.

С и н. (ко 2 знач.): обрамле́ние, опра́ва.

**Ра́мочный**, -ая, -ое (к *1 знач.*).

**РА́МПА**, -ы, *ж.* [Франц. rampe]. *Спец.* Длинный низкий барьер вдоль авансцены, скрывающий от зрителей осветительные приборы, направленные на сцену. *Он поставил табурет и влез через рампу на сцену.* Вс. Иванов. Голубые пески.

**Ра́мповый**, -ая, -ое.

**РАНГ**, -а, *м.* [Нем. Rang или франц. rang]. **1.** Степень отличия, специальное звание, разряд. *Дипломатические ранги. Капитан второго ранга.* □ *По шляпе с плюмажем можно было заключить, что он считался в ранге статского советника.* Гоголь. Нос. **2.** Категория, разряд каких-л. предметов, явлений или лиц. *Все же у меня были дети мастеровых более высокого ранга — железнодорожников.* Макаренко. Выбор профессии.

С и н. (к *1 знач.*): чин.

**Ра́нговый**, -ая, -ое.

**РАНДЕВУ́**, *нескл., ср.* [Франц. rendez-vous]. *Устар. разг.* Заранее условленное свидание (обычно влюбленных). *У меня в жизни ни разу романа не было. Во всю жизнь ни одной романической истории, так что с рандеву, с аллеями вздохов и поцелуями я знаком только понаслышке.* Чехов. Верочка.

**РАНЖИ́Р**, -а, *м.* [Восх. к франц. ranger — располагать]. **1.** *Спец.* Построение людей по росту (обычно в военном строю). *Охладить тот пыл, с которым Лохвицкий и Нечволодов наслаждались маршировкой в сомкнутом строе, убивая драгоценное время на ранжир и безукоризненную внешнюю выправку, было, конечно, очень трудно.* Игнатьев. Пятьдесят лет в строю. **2.** *перен.* Тот или иной распорядок жизни, та или иная система правил поведения, установленная где-л. *— Теперь снова все устанавливается по будничному ранжиру.. Жизнь приходит в стройный* порядок: *пропойца пьет, поп молится,.. жена дипломата чистит ногти.* Леонов. Вор. ◇ **По ранжиру** — 1) по росту, по величине. *При первом построении солдаты стояли строго по ранжиру.* В. Карпов. Вечный бой; 2) *перен.* В порядке значимости, важности. *За столами людей разместили по ранжиру — старшие к старшим, младшие к младшим.* Ляшко. Сладкая каторга.

**РАНИ́МЫЙ**, -ая, -ое; -и́м, -а, -о. Такой, которому легко причинить душевную боль, страдание; тяжело воспринимающий обиду. *Ранимая психика.* □ *[Демидов:] Но какая чуткая и ранима Его молодая душа!* Безыменский. Выстрел.

С и н. (ко 2 знач.): уязви́мый, чувстви́тельный.

**Рани́мость**, -и, *ж. Детская ранимость.*

**РАНТ**, -а, *м.* [Нем. Rand]. Узкая полоска кожи, соединяющая снаружи верх обуви с подошвой. *Вошел посетитель: модные куцые брючки, ботинки с длинными носами, рант прошит золотистым шелком.* Панова. Времена года.

**Рантово́й**, -а́я, -о́е.

**РАНТЬЕ́**, *нескл., м.* [Франц. rentier]. В капиталистическом обществе: человек, живущий на нетрудовые доходы, получаемые в виде процентов с отдаваемого в ссуду капитала или с ценных бумаг.

**РА́НЧО**, *нескл., ср.* [Исп. rancho]. **1.** Усадьба в странах Латинской Америки. **2.** Ферма, обычно скотоводческая, в США. *Через четыре года ему пришлось уехать на скотоводческое ранчо в Техас, где молодой худосочный аптекарь попал в новый для него круг удалых пастухов — ковбоев.* Владимиров. Гарун-аль-Рашид под подземкой.

**РАПИ́РА**, -ы, *ж.* [Франц. rapière]. Колющее холодное оружие с длинным и гибким четырехгранным клинком, употребляемое в фехтовании, а в старину — на дуэлях. *Секунданты взяли на всякий случай рапиры с отточенными концами, хотя и знали, что противники будут стреляться.* Герцен. Былое и думы.

**Рапири́ст**, -а, *м.*

**РА́ПОРТ**, -а, *м.* [Восх. к франц. rapport]. **1.** Устный или письменный официальный доклад по предусмотренной уставом форме при обращении военнослужащих к начальству. *Я подал командиру полка рапорт, чтобы вас из моей роты убрали.* Куприн. Поход. **2.** Доклад, сообщение о выполнении задания, плана или взятых на себя обязательств. *От имени коллектива двух участков — материкового и островного — Беридзе послал в управление телеграмму — рапорт, в котором сообщал о выполнении задания.* Ажаев. Далеко от Москвы.

**РАПСО́Д**, -а, *м.* [Греч. rapsōdos]. Древнегреческий странствующий певец.

**РАПСО́ДИЯ**, -и, *ж.* [Греч. rapsōdia]. **1.** У древних греков: отрывок из эпического произведения, исполняемый рапсодом. **2.** Инструментальное или вокально-инструментальное произведение на темы народных песен, танцев. *Венгерские рапсодии Ф. Листа.*

**РАРИТЕ́Т**, -а, *м.* [Нем. Rarität от лат. raritas, raritatis — редкость]. *Книжн.* Ценная редкая вещь. *Музейные раритеты.* □ *Рисунков букинисты обычно не имели. Исключением был А. И. Миронов, кото-*

рый доставал для покойного Н. П. Смирнова-Сокольского самые чудесные раритеты. Сидоров. Записки собирателя.

С и н.: ре́дкость, у́никум (книжн.) и у́ник (устар.).

**Рарите́тный**, -ая, -ое. *Раритетный экспонат.*
**РА́СА**, -ы, *ж.* [Франц. race]. Исторически сложившаяся группа людей, объединенных общностью происхождения и некоторых наследственных физических особенностей: строения тела, формы волос, цвета кожи и т. п. *Негроидная, европеоидная, монголоидная раса.*
**Ра́совый**, -ая, -ое. *Расовые признаки.*
**РАСИ́ЗМ**, -а, *м.* [См. *раса*]. Совокупность антинаучных концепций, основу которых составляют положения о физической и психической неравноценности человеческих рас и о решающем влиянии расовых различий на историю и культуру общества.— *Не мне вам объяснять, что такое евгеника, что такое расизм и по какому принципу Гитлер отбирал тех, кого убивать, и тех, кому повелевать миром.* Успенская. Наше лето.

**Раси́стский**, -ая, -ое. *Расистские взгляды.*
**Раси́ст**, -а, *м.*
**РАСКИ́ДИСТЫЙ**, -ая, -ое; -ист, -а, -о. Широко разросшийся (о ветвях); с широко разросшимися ветвями (о дереве). *В середине городка— площадь с огромным раскидистым дубом, которому, уверяют, чуть ли не триста лет.* Баруздин. Само собой.

С и н.: разве́систый, разла́пистый (*разг.*).

**Раски́дисто**, *нареч.* **Раски́дистость**, -и, *ж.*
**РАСКО́Л**, -а, *м.* 1. Религиозно-общественное движение в России, возникшее в середине 17 в., направленное против официальной церкви и закончившееся образованием ряда сект. 2. *Устар.* Старообрядчество. *Кроме икон, в комнате было много книг по расколу и выцветшие кипы старообрядческих журналов.* Холопов. Никита Свернигора. 3. *перен.* Нарушение единства в чем-л., внесение разногласий в среду кого-, чего-л. *Партийный раскол.*
**РАСКО́ЛЬНИК**, -а, *м.* 1. Участник, сторонник раскола (*в 1 знач.*). 2. Член одной из сект, принадлежащих к старообрядчеству. *Пугачев, будучи раскольником, в церковь никогда не ходил.* Пушкин. История Пугачева. 3. *перен.* Тот, кто вносит разлад в какую-л. организацию, способствует ее расколу (*в 3 знач.*).

С и н. (*ко 2 знач.*): старообря́дец, старове́р, кержа́к (*обл.*).

**Раско́льница**, -ы, *ж.* **Раско́льнический**, -ая, -ое и **раско́льничий**, -ья, -ье. *Раскольническая деятельность. Раскольничий скит.*
**РАСКО́ПКИ**, -ок, *мн.* Работы по вскрытию пластов земли с целью извлечения предметов древности, а также место, где ведутся такие работы. *Земля — великолепное хранилище прошлого. Археологические раскопки часто позволяют нам яснее видеть и понять то, что не удается прочесть в книге или рукописи.* Гейченко. Там, где жил «Арап Петра Великого».

**Раско́почный**, -ая, -ое.
**РАСКО́СЫЙ**, -ая, -ое; -ос, -а, -о. О глазах: имеющий косой разрез. *[Китайчонок] радостно бросился к ней, обнял ее и, лукаво щуря свои черные раскосые глазенки, полез в карман к девушке.* Степанов. Порт-Артур.

С и н.: косогла́зый (*прост.*).

**Раско́сость**, -и, *ж.*
**РАСКРЕПОСТИ́ТЬ**, -ощу́, -ости́шь; раскрепости́вший; раскрепощённый; -щён, -щена́, -о́; раскрепости́в; *сов.* 1. *кого.* Освободить от крепостной зависимости. *[Помещик Толмачев] раскрепостил своих рабов за тринадцать лет до законной воли и за это был весьма горько обижен царем.* М. Горький. Нилушка. 2. *перен., кого, что.* Освободить от какого-л. гнета, притеснений, зависимости. *Он раскрепостил наконец себя, перестал думать о впечатлении, которое должен произвести.* Рощин. Бунин в Ялте.

**Раскрепости́ться**, -ощу́сь, -ости́шься; *возвр.*
**Раскрепоща́ть**, -а́ю, -а́ешь; *несов.* **Раскрепоще́ние**, -я, *ср.*
**РАСПА́ДОК**, -дка, *м. Обл.* Узкая долина в горах. *За скалами, между холмов, заросших елями и березняком, открылся распадок.* Задорнов. Первое открытие.
**РАСПИСНО́Й**, -а́я, -о́е. Разрисованный красками, украшенный каким-л. узором. *Расписной потолок. Расписная конская упряжь.* □ *К завтраку были ленивые вареники, целая гора дымилась на расписном глиняном блюде.* Гранин. Кто-то должен.
**РАСПЛЫ́ВЧАТЫЙ**, -ая, -ое; -ат, -а, -о. 1. Не имеющий четких очертаний, контуров. *Расплывчатые буквы.* □ *Мы стояли в полумраке под облезлой от сырости аркой. Я хотел рассмотреть его лицо, но оно было расплывчатым и темным, как лик древней иконы.* В. Карпов. Не родись счастливым. 2. *перен.* Недостаточно четко выраженный; неопределенный. *Он все чаще думал о ней, и мысли у него были расплывчатые, тревожные и еще не совсем понятные ему самому.* Николаева. Жатва.

С и н. (к 1 знач.): нея́сный, неотчётливый, нечёткий, слепо́й. С и н. (ко 2 знач.): сму́тный, нея́сный, неотчётливый, тума́нный, тёмный.

А н т.: отчётливый, чёткий.

**Расплы́вчато**, *нареч.* **Расплы́вчатость**, -и, *ж. Расплывчатость подписи. Расплывчатость воспоминаний.*
**РАСПОЛАГА́ЮЩИЙ**, -ая, -ее. Внушающий симпатию, приятный. *Он — высокий блондин в очках, с прищуренными, близорукими, улыбающимися глазами и открытым, располагающим лицом.* Павленко. Американские впечатления.
**РАСПОЛОЖЕ́НИЕ**, -я, *ср.* 1. Порядок размещения чего-л. *Расположение комнат в квартире.* □ *[Павка] завалил кирпичами вход в старую печь, заметил расположение кирпичей и, выйдя на дорогу, медленно пошел назад.* Н. Островский. Как закалялась сталь. 2. Район размещения войск. *Обойдя расположение отряда, проверив дозоры и отправив к шоссе разведку, Серпилин в ожидании ее возвращения решил отдохнуть.* Симонов. Живые и мертвые. 3. Хорошее, благоприятное отношение к кому-л. *[Никитину] сразу понравилось ее дружелюбие, располо-*

жение к людям. Лидин. Розовая галька. **4.** обычно к чему. Склонность, влечение к чему-л. *Я люблю сомневаться во всем: это расположение ума не мешает решительности характера — напротив.* Лермонтов. Герой нашего времени. *Павел не чувствовал никакого расположения к медицине.* Тургенев. Накануне. **5.** *какое.* Внутреннее психическое состояние, настроение. — *Бонжур!— пропел Ипполит Матвеевич самому себе.. «Бонжур» указывало на то, что Ипполит Матвеевич проснулся в добром расположении.* Ильф и Петров. Двенадцать стульев.

С и н. (*к 3 знач.*): симпатия, благосклонность (*книжн.*), приязнь (*устар.*), благоволение (*устар.*), благорасположение (*устар.*). С и н. (*к 4 знач.*): тяга, тяготение, пристрастие.

А н т. (*к 3 знач.*): неприязнь, нерасположение.

**РАСПРАВА**, -ы, *ж.* **1.** *Устар.* Суд и приведение в исполнение судебного приговора. *[Пугачев] суд и расправу давал, сидя в креслах перед своею избою.* Пушкин. История Пугачева. **2.** В России в 18 — первой половине 19 в.: название судебных органов для казенных крестьян, а также помещение для таких органов. *Изредка попадается по дороге починок из двух-трех дворов, или же одиноко стоящая сельская расправа.* Салтыков-Щедрин. Губернские очерки. **3.** Жестокое применение силы (преимущ. физической) с целью наказания или принуждения к чему-л. *Расправа оккупантов над мирными жителями.* ◻ *Люди разбегались к бортам, к будке и, бледные, оторопевшие, растерянно смотрели на расправу с рабочими.* Ф. Гладков. Вольница. ◇ **Расправа короткая** — о быстрых, без особого разбирательства, крутых мерах наказания.

**РАСПРОСТЁРТЫЙ**, -ая, -ое. Лежащий плашмя, с раскинутыми руками. *— Отец, оставь нас. Анна Сергеевна, вы позволяете? Кажется теперь... — Он указал головою на свое распростертое бессильное тело.* Тургенев. Отцы и дети. ◇ **С распростертыми объятиями принять** (или **встретить**) *кого* — принять радушно, приветливо.

**РАСПРЯ**, -и, *ж. Устар.* Ссора, раздор. *Фелич — непременный участник всех распрей между военными. Сперва он ссорит их, потом выступает в роли примирителя.* Голубов. Багратион.

С и н.: вражда, рознь, свара (*прост.*), контры (*прост.*).

**РАСПУТИЦА**, -ы, *ж.* Время, когда дороги становятся малопроезжими от дождей, таяния снега, а также состояние дорог в это время. *Осенняя распутица.* ◻ *Но распутица его [Пугачева] спасала. Дороги были непроходимы, люди вязли в бездонной грязи.* Пушкин. История Пугачева.

С и н.: бездорожье, распутье (*разг.*), беспутица (*прост.*).

**РАСПУТЬЕ**, -я, распутья, -ий, *ср.* **1.** Пересечение двух или нескольких дорог. *Когда русский богатырь остановился на распутье трех дорог, он увидел три столба и на столбах надписи.* Серафимович. Записки обо всем. **2.** *Разг.* То же, что р а с п у т и ц а. *— Сейчас не поднажмем, а дальше еще труднее будет. А там, глядишь, распутье, а там, глядишь, посевная. Сейчас надо возить [бревна].* Николаева. Жатва. ◇ **На распутье** (с т о я т ь, н а х о д и т ь с я и т. п.) — о состоянии нерешительности, колебания, когда человек раздумывает, что делать, как поступить. *[Лариса:] Меня манит скромная семейная жизнь, она мне кажется каким-то раем. Вы видите, я стою на распутье; поддержите меня, мне нужно ободрение, сочувствие.* А. Островский. Бесприданница.

С и н. (*к 1 знач.*): перепутье. С и н. (*ко 2 знач.*): бездорожье, беспутица (*прост.*).

**РАСПУЩЕННЫЙ**, -ая, -ое; -ен, -енна, -о. **1.** Своевольный, необузданный, недисциплинированный. *В этой встрече Анатоля с графом Ксаверием мне хотелось представить нашу русскую натуру, широкую, но распущенную.* Герцен. Долг прежде всего. **2.** Безнравственный, развратный. *Он был женат, но вел очень распущенную жизнь, так же, как и его жена.* Л. Толстой. Воскресение.

С и н. (*к 1 знач.*): разболтанный (*разг.*), развинченный (*разг.*), расхлябанный (*разг.*). С и н. (*ко 2 знач.*): распутный, блудливый (*прост.*).

**Распущенно**, *нареч.* *Вести себя распущенно.* **Распущенность**, -и, *ж.*

**РАСПЯТИЕ**, -я, распятия, -ий, *ср.* Крест с фигурой распятого на нем Христа. *Целовать распятие.* ◻ *На перекрестке дорог.. находилось деревянное распятие с маленькой фигуркой Христа.* Катаев. Кладбище в Скулянах.

**РАССЕЛИНА**, -ы, *ж.* Глубокая трещина, узкое ущелье в горной породе. *Гаврюшка спрыгнул в расселину между горой и старой насыпью песка и скрылся за отвесным выступом песчаника.* Ф. Гладков. Вольница.

С и н.: расщелина.

**РАССЕЯННЫЙ**, -ая, -ое; -ян, -янна, -о. **1.** *полн. ф.* Ослабленный вследствие распространения в разных направлениях на большом пространстве (о свете, излучении). *Рассеянные лучи.* ◻ *Луч маяка пронесся над головой бегущей девочки, рассеянный свет упал на ее волосы.* Паустовский. Уснувший мальчик. **2.** Расположенный на большом пространстве; редкий. *Это был единственный железный крест среди небрежно рассеянных деревянных, и склепик его когда-то из пруткового железа Илья Антоныч.* Федин. Костер. **3.** Невнимательный, не умеющий сосредоточиться на чем-л., а также выражающий такую невнимательность. *Маркелов бросил на него рассеянный взгляд, но едва ли узнал его, ибо снова погрузился в думу.* Тургенев. Новь. *Отец приходил изредка, но был молчалив, рассеян, ко всем делам безучастен.* Кузьмин. Круг царя Соломона. **4.** *Устар.* Наполненный развлечениями; праздный. *[Чарский] вел жизнь самую рассеянную, торчал на всех балах, объедался на всех обедах.* Пушкин. Египетские ночи.

С и н. (*ко 2 знач.*): рассредоточенный.

**Рассеянно**, *нареч.* (*ко 2 и 3 знач.*). **Рассеянность**, -и, *ж.*

**РАССЛОЕНИЕ**, -я, *ср.* Разделение общества на отдельные группы, слои, прослойки. *Со-*

циальное, имущественное расслоение. *Расслоение среди крестьянства.*

**РАССРЕДОТО́ЧИТЬ**, -чу, -чишь; рассредото́чивший; рассредото́ченный, -ен, -а, -о; рассредото́чив; *сов., кого, что.* Разместить небольшими частями на большом пространстве. *Рассредоточить бойцов. Рассредоточить артиллерийские орудия.*

А н т.: сосредото́чить.

**Рассредото́читься**, -ится; *возвр.* **Рассредото́чивать**, -аю, -аешь; *несов.* **Рассредото́чение**, -я, *ср.*

**РАССТЕГА́Й**, -я, *м.* 1. Пирожок с отверстием наверху, в которое видна начинка. *Муж любил русскую кухню и нарочно заказывал для меня, петербургской жительницы, местные блюда, вроде московской селянки, расстегаев.* Достоевская. Воспоминания. 2. Старинный праздничный распашной сарафан.

**РАССТРИ́ГА**, -и, *м. Устар.* Бывший служитель религиозного культа, лишенный в наказание сана или добровольно отказавшийся от него. *Родная деревня.. имела до революции только двух грамотеев — бывшего волостного писаря.. и спившегося дьячка-расстригу.* Тендряков. Ночь после выпуска.

**РАССУДИ́ТЕЛЬНЫЙ**, -ая, -ое; -лен, -льна, -о. Руководствующийся в своих действиях требованиями рассудка, а также обдуманный, обоснованный. *Рассудительное решение, поведение.* □ *Впрочем, парень, по всему видно, рассудительный, спокойный, у такого хватит ума поступить разумно.* Проскурин. Судьба.

С и н.: благоразу́мный, разу́мный, тре́звый, здра́вый, реалисти́ческий, здравомы́слящий (*книжн.*).

**Рассуди́тельно**, *нареч.* **Рассуди́тельность**, -и, *ж.*

**РАССУ́ДОК**, -дка, *м.* 1. Способность логически мыслить, рассуждать; нормальное состояние человеческого сознания. *Деятельность рассудка.* □ *Под конец жизни Орлов лишился рассудка, жил под опекой брата сначала за границей, потом, перед самой смертью, в Москве.* Алянский. Судьба библиотеки Ломоносова. 2. Здравый смысл. *Что страсти? — ведь рано иль поздно их сладкий недуг Исчезнет при слове рассудка.* Лермонтов. И скучно и грустно...

С и н. (к 1 знач.): ум, ра́зум, интелле́кт, смысл (*устар.*).

**РАССУ́ДОЧНЫЙ**, -ая, -ое; -чен, -чна, -о. Отличающийся преобладанием рассудка над чувством. *[Лубенцов] сам себе казался человеком рассудочным, трезвым, вполне прозаическим.* Казакевич. Дом на площади.

С и н.: головно́й (*устар.*).

**Рассу́дочно**, *нареч. Поступить рассудочно.* **Рассу́дочность**, -и, *ж.*

**РАСТЛЕ́ННЫЙ**, -ая, -ое; -ен, -е́нна, -о. Морально разложившийся, лишенный нравственных принципов. *Растленный человек.* □ *В самых растленных обществах имеется своего рода стыдливость; и самый несомненный подлец никогда еще не доходил до такого цинизма, чтоб всенародно признать себя за подлеца.* Салтыков-Щедрин. Сатиры в прозе.

С и н.: безнра́вственный, поро́чный, испо́рченный, амора́льный (*книжн.*).

**Растле́нность**, -и, *ж.*

**РАСТО́РГНУТЬ**, -ну, -нешь; расто́ргнувший; расто́ргнутый; -ут, -а, -о; расто́ргнув; *сов., что.* 1. Намеренно прервать, прекратить действие какого-л. официального соглашения, договора и т. п. *Расторгнуть договор. Расторгнуть брак.* 2. Разорвать, прекратить какие-л. отношения. *Она знала, что любит,.. привязалась крепко, на всю жизнь — и не боялась угроз: она чувствовала, что насильно не расторгнуть этой связи.* Тургенев. Дворянское гнездо.

**Расторга́ть**, -а́ю, -а́ешь; *несов.* **Расторже́ние**, -я, *ср.*

**РАСТОЧА́ТЬ**, -а́ю, -а́ешь; расточа́ющий, расточа́вший; расточа́емый; расточа́я; *несов., что.* 1. *Устар.* Безрассудно тратить, расходовать. *Расточать наследство.* 2. *Устар.* Употреблять, обычно бессмысленно, бесцельно. *Расточать время, здоровье, силы.* 3. *Книжн.* Неумеренно, преувеличенно выражать чувства, мысли, высказывать что-л. *Расточать похвалы, улыбки, комплименты.*

С и н. (к 1 знач.): мота́ть (*разг.*), сори́ть (*разг.*), транжи́рить (*разг.*), разба́заривать, проса́живать (*прост.*), просви́стывать (*прост.*). С и н. (ко 2 знач.): разба́заривать (*разг.*), убива́ть (*разг.*).

**Расточи́ть**, -чу́, -чи́шь; *сов.* **Расточе́ние**, -я, *ср.*

**РАСТРУ́Б**, -а, *м.* 1. Воронкообразное расширение на конце трубы; предмет такой формы. *[Дуняша] отвернула краны — из никелированного раструба хлынула ржавая струя.* Слепухин. Южный крест. 2. О расширяющейся части чего-л. *Она бросила папироску в пепельницу, откинула широкие раструбы шелковых рукавов.* Задорнов. Капитан Невельской. *Ты бежала, бежала проворно По заросшей березой горе. И раструб пионерского горна Ликовал на веселой заре.* Дудин. Начиналась юность с примерки...

**РАСТЯЖИ́МЫЙ**, -ая, -ое; -и́м, -а, -о. Допускающий различное понимание или истолкование. *Понятия о том, что прилично и что неприлично, очень изменчивы и растяжимы.* Писарев. Реалисты.

**Растяжи́мость**, -и, *ж.*

**РАСХО́ЖИЙ**, -ая, -ее. 1. *Прост.* Предназначенный для обычного, повседневного употребления, будничный. *Расхожее платье.* 2. *Прост.* Быстро распродающийся, ходкий. *Расхожий товар.* 3. *Разг.* Предназначенный для расходования. *Расхожие деньги.* 4. *Неодобр.* Широко известный, распространенный. *Расхожие сведения. Расхожее мнение.*

**РАСЧЁТ**, -а, *м.* 1. Математические вычисления. *Ошибка в расчетах.* □ *На его большом столе лежали.. чертежи и расчеты, и он вспомнил, что хотел проверить один свой расчет, и достал справочник.* Лидин. Электрическая ночь. 2. Уплата денег за работу, выплата (получение) денег по счетам, чекам и т. п. *Расчет с покупателем.* □ *Пошли мы после работы зарплату получать. До этого нам выдавали аванс. Теперь — расчет за месяц.* Сартаков. Не отдавай королеву. 3. Увольнение с выплатой заработан-

ных денег. [Сева:] *Он берет расчет. И не скрывает, что берет расчет потому, что его обидели.* Погодин. Цветы живые. **4.** Предположение, основанное на учете каких-л. обстоятельств, данных. *По моим расчетам, Леля должна была явиться в госпиталь через день.* Шефнер. Сестра печали. **5.** Соображение, направленное на получение какой-л. выгоды, пользы. *Жениться по расчету.* ☐ *Он решил: надо писать пьесу. Расчет его был прост и прямолинеен. Кто зарабатывает большие деньги? Драматурги!* Ленч. Необыкновенное приключение. **6.** Бережливость в расходовании средств.— *Расчет, умеренность и трудолюбие: вот мои три верные карты!* Пушкин. Пиковая дама. **7.** Воинское подразделение, обслуживающее орудие, миномет и т. п. — *Не повезло нашему расчету!.. Рядом с огневой позицией разорвался снаряд.* Холопов. Долгий путь возвращения. ◊ **Принять (взять) в расчет** *кого, что* — учесть, принять во внимание.
С и н. (к 6 знач.): эконо́мия.

**Расчётный**, -ая, -ое (к 1, 2 и 3 знач.).

**РАСШИФРОВА́ТЬ**, -ру́ю, -ру́ешь; расшифрова́вший; расшифро́ванный; -ан, -а, -о; расшифрова́в; *сов., что.* **1.** Разобрать, прочитать что-л., написанное, переданное шифром или особыми знаками. *Зоя Робертовна прямо на машине расшифровала стенографическую запись.* Кукушкин. Хозяин. **2.** *перен.* Понять, разгадать смысл чего-л. загадочного, неясного. *Нужно было любить и понимать Пушкина, как любил и понимал его Тынянов, чтобы расшифровать эти загадки, эти начатые и брошенные фразы, эти фамилии, которые можно прочесть так или иначе.* Каверин. Тынянов — писатель и ученый.
С и н.: дешифрова́ть.

**Расшифро́вывать**, -аю, -аешь; *несов.* **Расшифро́вка**, -и, *ж. Расшифровка военного донесения. Расшифровка старинной рукописи.*

**РАСЩЕ́ЛИНА**, -ы, *ж.* **1.** Узкое ущелье в горах. *Тропинка поднималась все выше, речка спряталась на дно глубокой расщелины и, невидимая, глухо ворчала оттуда.* Л. Соловьев. Повесть о Ходже Насреддине. **2.** Большая щель, трещина в чем-л. *Мы стоим у старой крепостной стены, из расщелины которой растет бузина.* Ямпольский. Карусель.
С и н. (к 1 знач.): рассе́лина.

**РА́ТАЙ**, -я, *м. Нар.-поэт.* Пахарь. *[Там], где окрик ратая бодрил коня, ныне лишь кроты рыли поле.* С. Бородин. Дмитрий Донской.

**РАТИФИКА́ЦИЯ**, -и, *ж.* [Франц. ratification от лат. ratus — решенный, узаконенный и facere — делать]. Утверждение верховным органом государственной власти страны международного договора, заключенного его уполномоченным. *Ждали ратификации договора. Перемирия заключено не было. На передовых позициях все продолжались стычки.* Вересаев. На японской войне.

**Ратификацио́нный**, -ая, -ое.

**РАТИФИЦИ́РОВАТЬ**, -рую, -руешь; ратифици́рующий, ратифици́ровавший; ратифици́руемый, ратифици́рованный; -ан, -а, -о; ратифици́руя, ратифици́ровав; *сов. и несов., что.* [См. *ра-*

*тификация*]. Подвергнуть (подвергать) ратификации.

**РА́ТНИК**, -а, *м.* **1.** *Устар.* Воин. *Венецияне с гордостью рассказывали, что убитые их ратники почти все были ранены в грудь.* Грановский. Рыцарь Баярд. **2.** В дореволюционной России: рядовой государственного ополчения. *Надо было по верстке быть на государевой службе на коне добром.. и вести с собой ратников, троих мужиков на конях же.* А. Н. Толстой. Петр I. **3.** *перен.,* обычно *чего. Трад.-поэт.* Борец за что-л. *Мы — ратники мира, и время за нас.* Садофьев. Мы — ратники мира.
С и н. (к 1 знач.): бое́ц, ратобо́рец (*трад.-поэт.*), во́йтель (*устар.*), воя́ка (*устар. и разг.*). С и н. (к 3 знач.): ревни́тель (*книжн.*), побо́рник (*высок.*).

**РАТОБО́РЕЦ**, -рца, *м. Трад.-поэт.* Воин. *[Ярополк] считался первым ратоборцем против половцев.* И. Беляев. Рассказы из русской истории.
С и н.: бое́ц, во́йтель (*устар.*), ра́тник (*устар.*), воя́ка (*устар. и разг.*).

**РА́ТОВАТЬ**, ра́тую, ра́туешь; ра́тующий, ра́товавший; ра́туя; *несов.* [Польск. ratować — спасать от ср.-в.-нем. retten]. *Устар.* **1.** Сражаться, воевать. *Вот еще тебе копье меткое, С коим часто я в поле ратовал.* Дельвиг. Русская песня. **2.** *за кого, что* или *против кого, чего.* Действовать и говорить в защиту или против кого-, чего-л. *Вадим Михайлович ратует за обновление, за реформы. Он весь в движении, весь устремлен вперед.* Дроздев. Горячая верста.
С и н.: боро́ться, би́ться, дра́ться.

**РА́ТУША**, -и, *ж.* [Польск. ratusz]. **1.** В средневековой Западной Европе и в России 18 — начала 19 в.: орган городского самоуправления. **2.** В некоторых европейских государствах и в Прибалтике: название здания городского самоуправления. *У дежурного Фесюк спросил, как ему добраться до ратуши, потому что не знал нынешних названий улиц и площадей.* Холопов. Долгий путь возвращения.

**Ра́тушный**, -ая, -ое.

**РАТЬ**, -и, *ж. Трад.-поэт.* **1.** Битва, война. — *Не хвались, сынок, на рать идучи,—* язвительно вставила мать, но ее снова огорчил отец: — *А ты не кричи караул раньше времени.* Пермитин. Первая любовь. **2.** Войско. *Вы помните: текла за ратью рать, Со старшими мы братьями прощались И в сень наук с досадой возвращались, Завидуя тому, кто умирать Шел мимо нас.* Пушкин. Была пора: наш праздник молодой... **3.** *перен., кого, чего* или *какая.* Большая толпа, множество кого-л. *Черная рать голых цыганят и полуголых цыганок ринулась на колонну.* Алексеев. Солдаты.
С и н. (к 1 знач.): бой, сраже́ние, брань (*трад.-поэт.*), де́ло (*устар.*), бата́лия (*устар.*), се́ча (*устар.*). С и н. (ко 2 знач.): а́рмия, си́ла. С и н. (к 3 знач.): ку́ча, а́рмия, легио́н (*высок.*), полк (*разг.*).

**Ра́тный**, -ая, -ое (к 1 знач.). *Ратный подвиг.*

**РА́УНД**, -а, *м.* [Англ. round]. Короткий промежуток времени, в течение которого происходит схватка в боксе, а также сама схватка. *Едва только рефери воскликнул: «Бокс!», Мишкин бросился в яростную атаку. Он явно решил до-*

стичь победы в первом же раунде. Семенихин. Взлет против ветра.

**РА́УТ**, -а, м. [Англ. rout — букв. толпа]. Устар. Торжественный званый вечер, прием. *В одиннадцать часов вечера — гости уже разошлись — Карамзины едут на раут к австрийскому посланнику Фикельмону.* Андроников. Тагильская находка.

**РАФИНИ́РОВАННЫЙ**, -ая, -ое; -ан, -анна, -о. [От франц. raffiner — рафинировать, очищать; совершенствовать]. **1.** полн. ф. Спец. Очищенный от примесей. *Рафинированное масло. Рафинированный сахар.* **2.** перен. Книжн. Утонченный, изысканный. *Рафинированный вкус.* □ *[В театре] я увидел рафинированную публику, главным образом молодых интеллигентов.* Ю. Жуков. Из бой в бой. *перен. Книжн.* Обладающий самыми характерными признаками какого-л. явления. *Сергей Павлович жаждал охоты в рафинированном виде, чтобы дико было не только под водой, но и над водой.* Шашурин. Чудеса бывают.

С и н. (ко 2 знач.): изощрённый, то́нкий.

**Рафини́рованность**, -и, ж.

**РАЦЕ́Я**, -и, ж. [Восх. к лат. oratio — речь]. Устар. **1.** Длинное назидательное, обычно скучное высказывание. *Ты прочел мне длинную рацею насчет «протекции». А по-моему, это очень хорошее, довольно выразительное слово.* Чехов. Письмо Ал. П. Чехову, 19 января 1895 г. **2.** перен. О длинном, витиевато написанном сочинении. — *К тому же [Видоплясов] пишет стихи. Маменьке к именинам такую рацею соорудил, что мы только рты разинули.* Достоевский. Село Степанчиково и его обитатели.

С и н. (к 1 знач.): наставле́ние, нравоуче́ние, поуче́ние, нота́ция, назида́ние (книжн.), про́поведь (разг.), мора́ль (разг.).

**РАЦИО́Н**, -а, м. [Восх. к лат. ratio, rationis — расчет]. Порция и состав пищи, выдаваемой на определенный срок. *Суточный, месячный рацион. Добавить в рацион молоко.* □ *Пехота, одна-одинешенька, все-таки продолжала двигаться вперед, урезав рацион [питания] и дрожа над каждым патроном.* Казакевич. Звезда.

**Рацио́нный**, -ая, -ое.

**РАЦИОНАЛИЗА́ТОР**, -а, м. [См. рациональный]. Передовой работник, занимающийся рационализацией производственных процессов.

**Рационализа́торский**, -ая, -ое. *Рационализаторские предложения.*

**РАЦИОНАЛИЗА́ЦИЯ**, -и, ж. [См. рациональный]. Организация какой-л. деятельности наиболее целесообразным способом. *Рационализация производства.* □ *В особенности туго пришлось в главке мне. Все новые работы, все предложения по рационализации и изобретениям свалились на мою голову.* Емельянов. На пороге войны.

**РАЦИОНАЛИ́ЗМ**, -а, м. [См. рациональный]. **1.** Направление в философии, признающее разум единственной основой научного познания и недооценивающее значение опыта. *Французский рационализм 17 века.* **2.** Книжн. Рассудочное отношение к жизни, проявляющееся в поступках. *Разумеется, не все шестидесятники были таковы — многие поражали, напротив, своей трезвостью, рационализмом, но очень ча-*

*сто среди них встречались «чудаки».* Милашевский. Вчера, позавчера.

**Рационалисти́ческий**, -ая, -ое. **Рационали́ст**, -а, м.

**РАЦИОНА́ЛЬНЫЙ**, -ая, -ое; -лен, -льна, -о. [Восх. к лат. rationalis]. **1.** Основанный на разуме, логике. *Они в постоянной войне со всем окружающим, и потому не требуйте и не ждите от них рациональных соображений, доступных человеку в спокойном и мирном состоянии.* Добролюбов. Темное царство. **2.** Организованный наиболее разумным образом; наиболее целесообразный для данных условий. *Рациональная организация обучения. Рациональное использование ресурсов.* □ *Как раз сегодня вечером Борис постриг Германа под «бокс». В наших условиях эта прическа самая рациональная, так как длинные волосы требуют для мытья больше воды.* Божко, Городинская. Год в «Звездолете». **3.** Разг. Склонный действовать, относиться ко всему рассудочно, а не под влиянием чувств. *Дольше всех не расстаются с надеждой найти дочь или сына, конечно, матери. Отцы, может быть, как люди более рациональные, раньше смиряются с утратой.* Барто. Найти человека.

С и н. (к 1 и 2 знач.): разу́мный.
А н т. (к 1 знач.): иррациона́льный (книжн.).

**Рациона́льно**, нареч. *Рационально питаться.*
**Рациона́льность**, -и, ж.

**РА́ЦИЯ**, -и, ж. Сокращение: радиостанция — передвижная или переносная приемно-передающая радиостанция. *Передать радиограмму по рации.* □ *Позднышев сидел за рацией и морщился. Радиосвязь нарушилась.* Гранин. Иду на грозу.

**РАЧИ́ТЕЛЬНЫЙ**, -ая, -ое; -лен, -льна, -о. Старательный, заботливый, разумно бережливый. *Рачительный хозяин.*

С и н.: попечи́тельный (устар. книжн.).

**Рачи́тельно**, нареч. *Рачительно относиться к природным богатствам.* **Рачи́тельность**, -и, ж.

**РВЕ́НИЕ**, -я, ср. Большое старание, усердие в чем-л. *На другой день с большим рвением взялись за работу. Хотелось показать, что не зря получили звание пилотов.* Водопьянов. Небо начинается с земли.

С и н.: стара́тельность, прилежа́ние, ре́вностность (книжн.), рети́вость (разг.), рья́ность (разг.), раде́ние (устар.), ре́вность (устар.).

**РДЕТЬ**, рдеет; рде́ющий, рде́вший; рдея; несов. Выделяться своим рдяным цветом; краснеть. *Но наутро под моим окном роза рдела на высоком стебле!* Шестинский. Письма к женщине.

**РДЯ́НЫЙ**, -ая, -ое; рдян, -а, -о. Книжн. Красный, алый. *Андрей первый увидел меж густыми кронами старых деревьев рдяный круг солнца.* Закруткин. Сотворение мира.

С и н.: пунцо́вый, кумачо́вый и кума́чный, карми́нный и карми́новый, кинова́рный, руби́новый, грана́товый, крова́вый, пу́рпурный, пурпу́рный и пурпу́ровый, червлённый (устар.), червлё́нный (устар. и высок.).

**РЕ...**, приставка. [Восх. к лат. re...]. Употребляется при образовании существительных и глаголов и обозначает: 1) возобновление или повторение действия, напр.: *ретрансля́ция, ремилитариза́ция;* 2) противоположное действие, напр.: *реэвакуа́ция.*

**РЕАБИЛИТА́ЦИЯ,** -и, *ж.* [Ср.-лат. rehabilitatio от *ре...* (см.) и лат. habilis — способный]. **1.** Восстановление чести, репутации, возвращение прежних прав лицу, неправильно обвиненному в чем-л. *Реабилитация жертв репрессий.* ▫ *Тридцать первого декабря Генеральный прокурор подписал постановление о Вашей полной моральной реабилитации.* С. С. Смирнов. Брестская крепость. **2.** Восстановление здоровья и трудоспособности после какого-л. заболевания, травмы. *Реабилитация после ранения.*

**РЕАГИ́РОВАТЬ,** -рую, -руешь; реаги́рующий, реаги́ровавший; реаги́руя; *несов.,* обычно *на что.* [Нем. reagieren от *ре...* (см.) и лат. agere — действовать]. **1.** Отвечать на какое-л. физическое раздражение (об организме и его частях). *Реагировать на холод.* ▫ *[В Северном Ледовитом океане] трудно вести прямые наблюдения за чистотой морских вод, регистрировать загрязнение моря, особенно нефтью. Между тем белый медведь чутко реагирует на эти явления и сразу же уходит из зоны загрязнения.* Л. Успенский. Как их сохранить? **2.** Отзываться каким-л. образом на воспринимаемые впечатления, события. *Реагировать на критику.* ▫ *Как будет вести себя отец, Анатолий представить себе не мог. Разумеется, старик не снизойдет до слез — сентиментальность была ему чужда. И все же интересно, как будет реагировать отец, подумал Анатолий.* Чаковский. Блокада.

**Реаги́рование,** -я, *ср.*

**РЕАКЦИОНЕ́Р,** -а, *м.* [Франц. réactionnaire от *ре...* (см.) и лат. actio — действие]. Сторонник политической реакции, враг прогресса. *Бальзак ни в какой мере не был социалистом, правда, не был реакционером.* Луначарский. История западноевропейской литературы.

С и н.: ретрогра́д, мракобе́с, зубр, обскура́нт *(книжн.).*

**Реакционе́рка,** -и, *ж. (разг.).*

**РЕА́КЦИЯ¹,** -и, *ж.* [От *ре...* (см.) и лат. actio — действие]. **1.** Действие или состояние, возникающее в ответ на то или иное воздействие. *Реакция глаза на свет. Реакция зрителей.* ▫ *Спасло десантников мужество Крылова и то, что называется быстротой реакции: поймав за лямки падающего товарища, он изловчился в последнюю минуту раскрыть свой запасной парашют.* Березко. Сильнее атома. **2.** Резкая перемена в самочувствии, упадок, слабость после подъема, напряжения. *Сейчас люди все терпят, ждут, а потом у некоторых может наступить реакция — усталость, болезни.* Вишневский. Дневники военных лет. **3.** Физико-химическое взаимодействие между двумя или несколькими веществами. ◇ **Цепна́я реа́кция** — 1) *спец.* Саморазвивающийся процесс преобразования атомов (в химической реакции) или атомных ядер (в ядерной реакции); 2) *перен. Книжн.* О ряде действий, событий, вызываемых одно другим.

**РЕА́КЦИЯ²,** -и, *ж.* [Франц. réactio; см. *реакция*¹]. Политика жестокого подавления революционного движения, сопротивления общественному прогрессу, а также силы, осуществляющие эту политику. *Неудачная попытка переворота послужила еще одним сигналом к свирепому террору реакции. Опьяненные вином и бесконтрольностью, национальные гвардейцы громили под видом обысков квартиры демократов.* Серебрякова. Похищение огня.

**Реакцио́нный,** -ая, -ое; -о́нен, -о́нна, -о. *Реакцио́нная пресса.*

**РЕА́Л,** -а, *м.* [Исп. real]. Старинная испанская серебряная монета.

**РЕАЛИ́ЗМ,** -а, *м.* [См. *реальный*]. **1.** Ясное понимание и умение учитывать подлинные условия действительности, подлинное соотношение сил. *Присутствующие горячо аплодировали словам президента, которым нельзя было отказать в определенном политическом реализме.* Киселев. Записки советского дипломата. **2.** Правдивое, объективное отражение действительности в изобразительном искусстве, в театре и т. п., а также направление в литературе и искусстве, основанное на правдивом воспроизведении действительности в ее типических чертах. *Реализм в живописи передвижников.* ▫ *Салтыков-Щедрин вел ожесточенную борьбу со всеми направлениями и течениями в искусстве, враждебными реализму.* Кирпотин. Салтыков-Щедрин.

**Реалисти́ческий,** -ая, -ое и **реалисти́чный,** -ая, -ое; -чен, -чна, -о. **Реалисти́чески** и **реалисти́чно,** *нареч.* **Реалисти́чность,** -и, *ж.* **Реали́ст,** -а, *м.*

**РЕАЛИЗОВА́ТЬ,** -зу́ю, -зу́ешь; реализу́ющий, реализова́вший; реализу́емый, реализо́ванный; реализу́я, реализова́в; *сов. и несов.,* что. [См. *реальный*]. **1.** *Книжн.* Провести (проводить) в жизнь, осуществить (осуществлять). *Реализовать свои замыслы.* ▫ *Удалось реализовать мечту о превращении старого заводика в первоклассное предприятие.* В. Попов. Обретешь в бою. **2.** Обратить (обращать) в деньги, продать. *Реализовать произведенные товары.*

С и н. (к *1 знач.*): испо́лнить (исполня́ть).

**Реализова́ться,** -зу́ется, *возвр.* **Реализа́ция,** -и, *ж.*

**РЕА́ЛИЯ,** -и, *ж.* [См. *реальный*]. Всякая вещь, всякое явление материального мира. *Очень важно для меня точное, доскональное воспроизведение примет эпохи. Я уже говорил, что очень ценю в литературе реалии быта — как и чем жили люди, сколько зарабатывали, как одевались.* Абрамов. Кое-что о писательском труде.

**РЕА́ЛЬНОСТЬ,** -и, *ж.* [См. *реальный*]. То, что существует на самом деле. *Объективная реальность.* ▫ *Даже в сказках надо исходить из реальности, из подлинных и интересных жизненных случаев и явлений.* Паустовский. Секвойя.

С и н.: действи́тельность, явь, суще́ственность *(устар.).*

**РЕА́ЛЬНЫЙ,** -ая, -ое; -лен, -льна, -о. [Восх. к ср.-лат. realis — вещественный, действительный]. **1.** Существующий на самом деле, действительный, не воображаемый. *Жизнь будила и отрывала его от творческих снов и звала от художествен-*

ных наслаждений и мук к живым наслаждениям и реальным горестям. И. Гончаров. Обрыв. **2.** Основанный на понимании и учете подлинных условий действительности. *Сивриев, бывший партизан, израненный на войне с немцами, человек реальных представлений, был непоколебим в своем бескорыстном восхищении подлинной литературой.* Паустовский. Амфора. **3.** Осуществимый, отвечающий действительности. *Реальный план. Реальные возможности.* **4.** *Устар.* Правдиво изображающий действительность, реалистический. *Самое реальное творчество может быть прекрасно по колориту, может иметь внушительную форму и не убоится увлекательного содержания.* Н. Рерих. Зажигайте сердца. ◇ **Реальное училище** — в дореволюционной России: среднее учебное заведение, в котором особое внимание уделялось точным и естественным наукам.

С и н. (к *1 знач.*): насто́ящий, и́стинный, по́длинный.

А н т. (к *1 знач.*): мни́мый, неpeáльный, ирpeáльный (*книжн.*).

**Реа́льно**, *нареч.* (к *1, 2 и 3 знач.*). *Реально существующая опасность. Реально оценивать ситуацию. Добиться успеха в этом деле вполне реально.*

**РЕАНИМА́ЦИЯ**, -и, *ж.* [От *ре-* (см.) и лат. animalio — оживление, одушевление]. **1.** Совокупность медицинских мероприятий, направленных на оживление человека, находящегося в состоянии клинической смерти. *Остановилось сердце.. Юрий начал проводить реанимацию — безрезультатно.* Углов. Человек среди людей. **2.** Специальное помещение, где происходит такое оживление. *Положить больного в реанимацию.*

**Реанимацио́нный**, -ая, -ое. *Реанимационная палата.*

**РЕ́БУС**, -а, *м.* [Лат. rebus]. **1.** Загадка, в которой разгадываемые слова или части слов даны в виде рисунков или каких-л. знаков. *Разгадать ребус.* **2.** *перен.* Вопрос, задача, требующие разрешения; то, что непонятно, загадочно. *В моей голове рождались мысли о том, что мир сложен, не все в нем так просто, как это кажется, человеческие отношения — ребус, который не всегда удается разгадать.* Додолев. На Шаболовке, в ту осень...

**Ре́бусный**, -ая, -ое.

**РЕВА́НШ**, -а, *м.* [Франц. revanche]. Отплата за поражение, проигрыш. *Взять реванш. Матч-реванш* (у шахматистов). □ *— Вы давеча.. чувствовали себя униженным и оскорбленным и остались, чтобы для реваншу выставить ум.* Достоевский. Братья Карамазовы.

**РЕВАНШИ́ЗМ**, -а, *м.* [См. *реванш*]. Стремление взять реванш после военного поражения; политика, направленная на подготовку новой войны с целью реванша. *Политика реваншизма.*

**Реванши́стский**, -ая, -ое. *Реваншистские замыслы.* **Реванши́ст**, -а, *м.*

**РЕВЕРА́НС**, -а, *м.* [Франц. rév*é*rence — *букв.* почтение]. **1.** Почтительный поклон с приседанием. *Бабушка Надежда Николаевна меня обшивает, она же учит, как делать реверанс, как держать при ходьбе руки.* Панова. Мне четыре года. **2.** *перен.*, *обычно мн. Ирон.* Преувеличенное выражение почтительности. *Делать реверансы перед начальником.*

С и н. (к *1 знач.*): кни́ксен, приседа́ние (*устар.*).

**РЕВИЗИОНИ́ЗМ**, -а, *м.* [См. *ревизия*]. Стремление к пересмотру, ревизии какого-л. учения, взглядов и т. п. *В германской партии с легкой руки Бернштейна появилась тенденция к открытому практическому соглашательству, оппортунизму, ревизионизму, то есть пересмотру теории Маркса.* Коллонтай. Из моей жизни и работы.

**Ревизиони́стский**, -ая, -ое. **Ревизиони́ст**, -а, *м.*

**РЕВИ́ЗИЯ**, -и, *ж.* [Восх. к лат. revisio — пересмотр]. **1.** Проверка финансовой или административной деятельности какого-л. лица или учреждения с целью установления правильности и законности действий. *— Было время, когда без меня не обходилась ни одна крупная ревизия, я выезжал с правительственными комиссиями в Барнаул, Тбилиси, Алма-Ату.* Крон. Бессонница. **2.** *Разг.* Осмотр, обследование. *Нюра долго примеривала платья перед зеркалом, словно полную ревизию производила своему гардеробу.* Б. Бедный. Преступление Нюры Уваровой. **3.** *Книжн.* Пересмотр положений какого-л. учения, теории с целью внесения коренных изменений. *Необходимо было объяснить читающей публике причины вырождения художественного метода Писемского, предупредив литературу об опасности, таящейся в натуралистической ревизии реализма.* Кирпотин. Салтыков-Щедрин. **4.** В России в 18 в. и в первой половине 19 в.: перепись податного населения. *Маленькое именьице Ивана Федоровича, состоявшее из осьмнадцати душ по последней ревизии, процветало в полном смысле сего слова.* Гоголь. Иван Федорович Шпонька и его тетушка.

**Ревизио́нный**, -ая, -ое (к *1 знач.*) и **реви́зский**, -ая, -ое (к *4 знач.*). *Ревизионная комиссия.* ◇ **Реви́зская ска́зка** — список лиц, подлежавших обложению податью, составлявшийся при переписи. *— Как давно вы изволили подавать ревизскую сказку? — Да уж давно.* Гоголь. Мертвые души.

**РЕВИЗО́Р**, -а, *м.* [См. *ревизия*]. Должностное лицо, производящее ревизию (в *1 знач.*). *[Городничий:] Я пригласил вас, господа, с тем, чтобы сообщить вам пренеприятное известие: к нам едет ревизор.. Ревизор из Петербурга, инкогнито.* Гоголь. Ревизор.

**Ревизо́рский**, -ая, -ое.

**РЕВОЛЮ́ЦИЯ**, -и, *ж.* [Восх. к лат. revolutio — переворот]. **1.** Коренной переворот во всей социально-экономической структуре общества, приводящий к переходу от исторически отжившего общественного строя к более прогрессивному. *Социальные революции. Буржуазная, социалистическая революция. Великая французская революция.* **2.** Коренное изменение, резкий переход от одного качественного состояния к другому. *Революция в генетике. Научно-техническая революция.*

**Революцио́нный**, -ая, -ое. *Революционная ситуация. Революционное научное открытие.*

**РЕВЮ́**, *нескл., ср.* [Франц. revue — просмотр, обзор]. Вид эстрадного или театрального представления, состоящего из отдельных номеров, объединенных общей темой.

**РЕГА́ЛИЯ**, -и, *ж.* [Восх. к лат. regalis — царский]. **1.** *Устар.* Предмет (корона, скипетр и т. п.), являющийся знаком монархической власти. *Царские регалии.* **2.** обычно *мн. Устар.* и *шутл.* Ордена, медали, знаки отличия. *У парня отец — инвалид. Нет регалий на скромном его пиджаке, Лишь чернеет перчатка на левой руке.* Друнина. Разговор с сыном фронтовика.

**РЕГА́ТА**, -ы, *ж.* [Восх. к итал. regata]. Спортивные состязания на гребных, парусных или моторных судах. *Весенняя парусная регата.*

**РЕ́ГБИ**, *нескл., ср.* [Англ. rugby]. Спортивная командная игра с овальным мячом, который игроки стараются забросить в ворота противника.

**Регби́ст**, -а, *м.*

**РЕ́ГЕНТ**, -а, *м.* [Восх. к лат. regens, regentis — правящий]. **1.** Временный правитель государства, осуществляющий верховную власть вместо монарха. *Регент при принце.* **2.** Дирижер хора, обычно церковного. *Пронесся тонкий, жужжащий звук камертона. Регент.. задал тон.* Куприн. Мирное житие.

**Ре́гентский**, -ая, -ое.

**РЕГИО́Н**, -а, *м.* [Восх. к лат. regio, regionis — область]. Обширный район, объединенный экономическими, географическими и другими особенностями. *Регион Черноземья. Регион Западной Сибири. Азиатско-тихоокеанский регион.*

**Региона́льный**, -ая, -ое.

**РЕГИ́СТР**, -а, *м.* [Ср.-лат. registrum]. **1.** *Спец.* Участок звукового диапазона музыкального инструмента и человеческого голоса. *Высокий, низкий регистр. Величайшее наслаждение доставляет мне ваша фисгармония.. Случается, что я засяду и до того увлекусь красотой некоторых регистров и разными их комбинациями, что не имею силы оторваться.* Чайковский. Письмо Н. Ф. Мекк, 1—3 октября 1884 г. **2.** Государственное учреждение, осуществляющее надзор за безопасностью судоходства. — *Ну, палуба газит немного. Эка невидаль. У них [танкера «Узбекистан»] есть разрешение регистра продолжать эксплуатацию.* Крымов. Танкер «Дербент». **3.** Ряд клавиш в пишущей машинке, в счетной и иных машинах. *Верхний, нижний регистр.*

**Реги́стровый**, -ая, -ое.

**РЕГИСТРИ́РОВАТЬ**, -рую, -руешь; регистри́рующий, регистри́ровавший; регистри́руемый; регистри́руя; *несов., кого, что.* [Восх. к лат. registrum — список, перечень]. Записывать, отмечать с целью учета, придания законной силы. *Регистрировать участников собрания. Регистрировать брак. Регистрировать землетрясения.*

С и н.: фикси́ровать (*книжн.*).

**Регистри́роваться**, -руюсь, -руешься; *возвр.*

**Регистра́ция**, -и, *ж.* и **регистри́рование**, -я, *ср.* **Регистра́тор**, -а, *м.*

**РЕГЛА́МЕНТ**, -а, *м.* [Восх. к франц. règlement]. **1.** *Устар.* Устав, свод правил, устанавливающий порядок работы. *Петр Алексеевич молча посверкивал зрачками, покуда они [матросы] в порядке, по регламенту, не свернули паруса и не убрали все снасти.* А. Н. Толстой. Петр I. **2.** Порядок проведения собрания, заседания. *Установить регламент. Строго соблюдать регламент.*

**Регла́ментный**, -ая, -ое.

**РЕГЛАМЕНТИ́РОВАТЬ**, -рую, -руешь; регламенти́рующий, регламенти́ровавший; регламенти́руемый; регламенти́рованный; -ан, -а, -о; регламенти́руя, регламенти́ровав; *сов.* и *несов., что.* [Франц. réglementer]. *Книжн.* Подчинить (подчинять) системе точно установленных правил, отношений. *Регламентировать процесс производства. Регламентировать повседневную жизнь.*

**Регламента́ция**, -и, *ж.*

**РЕГЛА́Н**. [Англ. raglan]. **1.** *неизм. прил.* Скроенный так, что рукав составляет с плечом одно целое. *Рукав реглан.* **2.** *в знач. сущ.* **регла́н**, -а, *м.* Пальто, платье, куртка и т. п. такого фасона. *Штурман стоял.. в своем меховом реглане и собачьих унтах.* Б. Полевой. Золото.

**РЕГРЕ́СС**, -а, *м.* [Восх. к лат. regressus — обратное движение]. *Книжн.* Направление развития от высшего к низшему; движение назад, упадок. *Регресс в экономике.*

А н т.: прогре́сс.

**Регресси́вный**, -ая, -ое.

**РЕГУЛИ́РОВАТЬ**, -рую, -руешь; регули́рующий, регули́ровавший; регули́руемый; регули́руя; *несов., что.* [Восх. к лат. regulare — направлять, упорядочивать]. **1.** Подчинять определенному порядку; упорядочивать. *Регулировать движение автотранспорта. Регулировать ценообразование.* **2.** Воздействовать на работу какого-л. механизма, добиваясь четкости, ритмичности или определенной скорости, мощности и т. п. *Регулировать механизм часов. Регулировать освещение. Регулировать мотор.*

**Регули́роваться**, -руется; *возвр.* **Регули́рование**, -я, *ср.* и **регулиро́вка**, -и, *ж.*

**РЕГУЛЯ́РНЫЙ**, -ая, -ое; -рен, -рна, -о. [Восх. к лат. regularis]. **1.** Равномерно и правильно происходящий, а также повторяющийся через определенные промежутки времени. *Регулярные заседания.* □ *В школе начались регулярные занятия в две смены, согласно расписанию, вывешенному в раздевалке.* Каверин. Открытая книга. **2.** *полн. ф.* Имеющий твердо установленную военную организацию и получающий планомерную военную подготовку. *Регулярные войска.* □ *У красных почти не было регулярной артиллерии.* Катаев. Записки о гражданской войне.

С и н. (к 1 знач.): системати́ческий.

**Регуля́рно**, *нареч.* (к 1 знач.). *Регулярно делать зарядку.* **Регуля́рность**, -и *ж.* (к 1 знач.).

**РЕДАКТИ́РОВАТЬ**, -рую, -руешь; редакти́рующий, редакти́ровавший; редакти́руемый; редакти́руя; *несов., что.* [См. *редакция*]. **1.** Проверять и исправлять какой-л. текст, подвергать его окончательной обработке. *Редактировать ру-*

копись. **2.** Руководить изданием чего-л. *Багрицкий редактировал поэтический отдел в журнале «Новый мир».* Антокольский. Путь поэта.

**Редакти́рование,** -я, *ср.*

**РЕДА́КЦИЯ,** -и, *ж.* [Франц. rédaction; восх. к лат. redigere — *букв.* отгонять, отводить]. **1.** Руководство изданием чего-л. *Учебник под редакцией известного ученого.* **2.** Вариант какого-л. литературного, музыкального и т. п. произведения. *Печатание новой редакции романа [«Анна Каренина»] началось в первых четырех книжках «Русского вестника» за 1875 год.* Шкловский. Лев Толстой. **3.** Учреждение, ведающее публикацией каких-л. печатных изданий, выпуском радио- и телепередач, а также группа работников этого учреждения. *Редакция помещалась на углу тихой Дворянской улицы и пустынного переулка.* М. Горький. Жизнь Клима Самгина. *Редакция журнала.. широко, из номера в номер, печатала наши стихотворения, очерки и рассказы.* Смеляков. Автобиография.

**Редакцио́нный,** -ая, -ое. *Редакционный совет.*

**РЕДИНГО́Т,** *м.* [Франц. redingote от англ. riding coat]. *Устар.* Верхняя одежда наподобие длинного сюртука (первонач. употреблявшаяся для верховой езды). *Князь Ипполит торопливо надел свой редингот.* Л. Толстой. Война и мир.

**РЕ́ДКОСТНЫЙ,** -ая, -ое; -тен, -тна, -о. Редко встречающийся, необыкновенный, исключительный. *Коллекция редкостных камней. Редкостный' урожай.* □ *Бунин только теперь обретает у нас того большого читателя, которого достоин его поистине редкостный дар.* Твардовский. О Бунине.

С и н.: ре́дкий, уника́льный.

**Ре́дкостно,** *нареч.* **Ре́дкостность,** -и, *ж.*

**РЕДУ́Т,** -а, *м.* [Франц. redoute]. Полевое укрепление в виде многоугольника с наружным валом и рвом, применявшееся до начала 20 в. *Ну ж был денек! Сквозь дым летучий Французы двинулись, как тучи, И все на наш редут.* Лермонтов. Бородино.

**Реду́тный,** -ая, -ое.

**РЕЕ́СТР,** -а, *м.* [Польск. rejestr от лат. regestum — *букв.* внесенное, записанное]. Список, перечень кого-, чего-л., а также книга для записи дел и документов. — *Это, батюшка, изволишь видеть, реестр барскому добру, раскраденному злодеями.* Пушкин. Капитанская дочка.

С и н.: та́бель, о́пись, ро́спись.

**Рее́стровый,** -ая, -ое.

**РЕЖИ́М,** -а, *м.* [Франц. régime от лат. regimen — управление]. **1.** Государственный строй, образ правления. *Фашистский режим. Конституционный режим.* **2.** Точно установленный распорядок жизни и деятельности. *Режим питания. Больному прописан постельный режим. Режим безопасности на производстве.* □ *К строгому режиму дня, при котором по часам встают, по часам завтракают и обедают, Павел уже привык.* Яшин. Сирота. **3.** Определенные условия функционирования, действия чего-л. *Режим работы двигателя.*

С и н. (к *1 знач.*): систе́ма, поря́док.

**Режи́мный,** -ая, -ое (ко *2 и 3 знач.*).

**РЕЖИССЁР,** -а, *м.* [Франц. régisseur]. Художественный руководитель спектакля, кинофильма, телепередачи и т. п.; постановщик.

**Режиссёрский,** -ая, -ое. *Режиссерские указания. Режиссерская работа.*

**РЕЗЕ́РВ,** -а, *м.* [Франц. réserve; восх. к лат. reservare — сохранять]. **1.** Запас чего-л., специально сохраняемый для использования при необходимости. *Продовольственные резервы.* □ — *С кормами вошел в норму Николай Иванович? — Есть и резерв.. Мне нельзя без запаса.* Первенцев. Черная буря. **2.** Источник, откуда черпаются новые силы в помощь кому-, чему-л. *Эти [начинающие] поэты — наш поэтический резерв, он обновит союз после войны.* Н. Тихонов. Ленинградские писатели. **3.** Часть войск, до какого-л. решающего момента боя находящаяся в запасе. *Ежели неприятель поведет атаку на правом фланге, — говорил он [князь Андрей] сам себе, — Киевский гренадерский и Подольский егерский должны будут удерживать свою позицию до тех пор, пока резервы центра не подойдут к ним.* Л. Толстой. Война и мир.

С и н. (к *1 знач.*): ресу́рс.

**Резе́рвный,** -ая, -ое. *Резервный полк.*

**РЕЗЕРВА́ЦИЯ,** -и, *ж.* [Восх. к лат. reservare — сохранять]. В некоторых странах: место, где насильственно поселяются племена коренного населения страны. *Резервация индейцев.*

**РЕЗЕРВУА́Р,** -а, *м.* [Франц. réservoir]. **1.** Вместилище, сосуд для хранения запасов жидкостей и газов. *Металлический резервуар. Резервуар для питьевой воды.* □ *Нефть из огромных резервуаров устремилась в трубопровод.* Ажаев. Далеко от Москвы. **2.** *перен.* Источник чего-л. *Леса служат и прекрасным местом отдыха для горожан и резервуаром чистого воздуха для вентиляции города.* Зыков. Три аксиомы.

**Резервуа́рный,** -ая, -ое.

**РЕЗИДЕ́НТ,** -а, *м.* [Восх. к лат. residens, residentis — сидящий, пребывающий]. *Спец.* **1.** Иностранец, постоянно проживающий в каком-л. государстве. *На берегу океана есть ресторан, где туристы и резиденты отдыхают от городской духоты, пьют чай.* Бунин. Соотечественник. **2.** Тайный уполномоченный разведки одной страны в другом государстве, направляющий работу агентурной сети в пределах этого государства. *Через пограничную полосу крался.. [человек] с адресами явок и инструкциями для резидентов.* Кочетов. Молодость с нами. **3.** Представитель колониальной державы в протекторате, являющийся фактическим правителем его.

С и н. (ко *2 знач.*): разве́дчик, аге́нт, шпио́н, лазу́тчик *(устар.)*.

**Резиде́нтский,** -ая, -ое.

**РЕЗИДЕ́НЦИЯ,** -и, *ж.* [См. *резидент*]. *Офиц.* Место постоянного пребывания высокопоставленного лица, правительства или главы государства. *Резиденция короля.*

**РЕЗОЛЮ́ЦИЯ,** -и, *ж.* [Восх. к лат. resolutio — *букв.* развязывание]. **1.** Решение, принятое собранием, съездом и т. п. по какому-л. вопросу. *Принять резолюцию.* □ *Собрание длилось долго, резолюцию, как никогда ранее, обсуждали придирчиво,* вносили конкретные пункты решений, уточняли даты проверки. Лезгинцев. Рудознатцы. 2. Письменное заключение, распоряжение должностного лица на деловой бумаге. *Наложить резолюцию.* ☐ *Он ничего и никого не боялся, и после того, как отказался дежурить по бригаде, ответил на письменную просьбу Захарова широкой, размашистой, косой резолюцией: «Отказать».* Макаренко. Флаги на башнях.

РЕЗО́Н, -а, м. [Франц. raison]. *Устар. и разг.* 1. Достаточное основание, смысл чего-л. *Выжигать ближние леса, сводить их на древесный уголь в нынешнее время нет резона.* Е. Воробьев. Охота к перемене мест. 2. *обычно мн.* Доводы, аргументы.— *Как кончился срок паспорту, стал он меня в деревню назад отсылать.— «Куда ж я,— говорю,— поеду? При чем там буду?»... Никаких резонов не принимает.* Вересаев. За права.

С и н.: моти́в.

Резо́нный, -ая, -ое. *Резонная постановка вопроса.* Резо́нно, *нареч.* Резо́нность, -и, ж.

РЕЗОНА́НС, -а, м. [Восх. к лат. resonans — дающий отзвук]. 1. *Спец.* Возбуждение колебаний одного тела колебаниями другого той же частоты. *[Судно], видимо, попадает в резонанс с волной, и вертикальные колебания превышают десять метров.* Шулейкин. Дни прожитые. 2. Способность некоторых предметов и помещений увеличивать силу и длительность звука вследствие отражения звуковых волн, а также само отраженное звучание. *Рассохшийся дом запоет от первых же звуков рояля. На любую клавишу отзовутся тончайшим резонансом сухие стропила, двери и старушка люстра.* Паустовский. Повесть о лесах. 3. *перен. Книжн.* Отзвук, отголосок. *Письмо Евгении Алексеевны в газете имело большой резонанс, ее личность вдруг стала в центре общественного внимания.* Макаренко. Книга для родителей.

Резона́нсный, -ая, -ое (*к 1 и 2 знач.*). *Резонансные колебания.*

РЕЗОНЁР, -а, м. [Франц. raisonneur]. 1. *Спец.* В литературе классицизма: персонаж, произносящий речи, в которых содержится точка зрения автора по поводу изображаемых событий. *Он был известен во многих труппах как хороший актер на амплуа резонеров.* Куприн. На покое. 2. *Книжн.* Тот, кто любит произносить пространные напыщенные, нравоучительные речи. *Говорит [Осип] сурьезно; смотрит несколько вниз, резонер и любит самому себе читать нравоучения для своего барина.* Гоголь. Ревизор.

Резонёрский, -ая, -ое (*ко 2 знач.*).

РЕЗУЛЬТАТИ́ВНЫЙ, -ая, -ое; -вен, -вна, -о. [От *результат* (лат. resultatus — отраженный)]. Приносящий положительный результат. *Результативный игрок.* ☐ *— По крайней мере, хорошо подготовленное дело всегда результативно. Это даже не требует доказательств.* Проскурин. Исход.

С и н.: де́йственный, эффекти́вный.

Результати́вно, *нареч.* Результати́вность, -и, ж.

РЕЗЮМЕ́, *нескл., ср.* [Франц. résumé]. *Книжн.* Краткое заключительное изложение сути сказанного, написанного или прочитанного. *Надеждин обещал читателям «Молвы» завершить дискуссию о Каратыгине собственным резюме. Но слова не сдержал: на страницах газеты никакого резюме не появилось.* Алянский. Таинственный господин.

С и н.: обобще́ние.

РЕЙД¹, -а, м. [Голл. reide]. Водное пространство вблизи берега, предназначенное для якорных стоянок судов. *Стоим на якоре в гавани порта Ла-Лус.. Гавань и рейд битком набиты,— сейчас сюда заходит ежедневно до шестидесяти судов.* Конецкий. Среди мифов и рифов.

Ре́йдовый, -ая, -ое.

РЕЙД², -а, м. [Англ. raid]. 1. Внезапный налет, набег какого-л. вооруженного отряда в тыл противника. *Бронепоезду присваивается романтическое наименование «Грозный». Вскоре он прославился на все Забайкалье смелыми рейдами в тыл врага, внезапными ночными налетами на придорожные вражеские гарнизоны.* Б. Полевой. Маршал-солдат. 2. *перен.* Внезапная проверка, обследование чего-л., производимые группой представителей общественных организаций. *На другой день комсомольский рейд начался. Несколько десятков молодых рыбаков сновали по судоремонтной и тарной мастерским, по пошивочному цеху, заглядывали в каждый уголок на территории комбината.* Чаковский. У нас же утро.

Ре́йдовый, -ая, -ое.

РЕ́ЙТАР, -а, м. [Восх. к нем. Reiter — всадник]. В Западной Европе в 16—17 вв. и в России в 17 в.: солдат тяжелой кавалерии, преимущ. наемный. *На тяжелых рыжих лошадях вылетало полсотни рейтар, в железных кирасах, низко надвинутых касках. Подняв шпаги они скакали, растянувшись по вересковому полю.* А. Н. Толстой. Петр I.

Ре́йтарский, -ая, -ое.

РЕЙХСТА́Г, -а, м. [Нем. Reichstag]. Германский парламент, просуществовавший до 1945 г., а также здание, в котором заседал этот парламент. *Исторический момент водружения советского знамени на куполе рейхстага снимало несколько человек.* Б. Полевой. В конце концов.

РЕ́КВИЕМ [рэ], -а, м. [По первому слову латинского песнопения: requiem aeternam...— вечный покой...]. 1. Заупокойное католическое богослужение. 2. Музыкальное оркестрово-хоровое произведение траурного характера, а также любое художественное произведение, посвященное памяти кого-л. *Мне кажется, что если Вы задумали спектакль [«Русские люди»] как реквием тем, кто отдал свои жизни за Родину, то финал пьесы ничуть не противоречит такому замыслу.* Симонов. О собственной работе.

РЕКВИЗИ́РОВАТЬ, -рую, -руешь; реквизи́рующий, реквизи́ровавший, реквизи́руемый, реквизи́рованный; -ан, -а, -о; реквизи́руя, реквизи́ровав; *сов. и несов., кого, что.* [Восх. к лат. requirere — разыскивать, требовать]. Произвести (производить) принудительное изъятие органами государственной власти или военными властями какого-л. имущества. *К сожалению, весь худо-*

жественный архив театра Зимина был оставлен бывшему хозяину, никто у него не реквизировал ни единой картины. М. Жаров. Жизнь, театр, кино.

**Реквизи́ция**, -и, *ж*. **Реквизицио́нный**, -ая, -ое.
**РЕКВИЗИ́Т**, -а, *м*. [Восх. к лат. requisitum — требуемое]. *Спец*. Совокупность вещей (подлинных или бутафорских), необходимых актерам по ходу спектакля. *В бутафорской.. повсюду в беспорядке разбросаны предметы театрального реквизита — рапиры, шпаги, цветы, устаревшие телефоны, гитары и панцири*. Угрюмов. Кресло № 16.

**Реквизи́тный**, -ая, -ое.
**РЕКЛА́МА**, -ы, *ж*. [Франц. réclame]. **1.** Широкое оповещение населения о свойствах нового товара, о различных видах услуг с целью создания спроса на них, а также плакат, радио- и телепередача и т. п., содержащие такое оповещение. *Реклама духов. Реклама нового фильма. Красочная реклама. Световая реклама*. **2.** Распространение сведений о ком-, чем-л. с целью создания известности, популярности. *Благодаря своей удивительной скромности и боязни всякой рекламы А. П. Чехов как бы умышленно стушевывался и старался уменьшить свою роль*. Боровский. А. И. Куприн.

**Рекла́мный**, -ая, -ое. *Рекламный фильм*.
**РЕКОГНОСЦИРО́ВКА**, -и, *ж*. [Восх. к лат. recognoscere — опознавать, обследовать]. *Спец*. **1.** Изучение боевой обстановки на местности перед боевыми действиями, обычно производимое командующим. *Один раз часть Нежинского полка ходила на рекогносцировку*. Гаршин. Аяслaрское дело. **2.** Предварительное обследование местности для геодезических работ.

С и н.: разве́дка.

**РЕКОМЕНДА́ЦИЯ**, -и, *ж*. [Восх. к ср.-лат. recommendatio]. **1.** Благоприятный письменный или устный отзыв о ком-л., обычно с ручательством за него. *Дать рекомендацию кому-л. для поступления на работу*. **2.** *Книжн*. Совет, пожелание. *Рекомендации врача*.

**РЕКОНСТРУ́КЦИЯ**, -и, *ж*. [Восх. к лат. reconstructio]. **1.** Коренное переустройство, переоборудование чего-л. с целью усовершенствования. *Реконструкция завода*. □ *Письмо я закончила сообщением, что на руднике, в родном поселке молодоженов, происходит много перемен в связи с реконструкцией*. Каратаева. Вечнозеленые листья. **2.** Восстановление чего-л. по сохранившимся остаткам, описаниям. *Реконструкция архитектурного памятника*.

**Реконструкцио́нный**, -ая, -ое и **реконструкти́вный**, -ая, -ое (*устар. и спец*.).
**РЕКО́РД**, -а, *м*. [Англ. record — букв. запись; восх. к лат. recordari — вспоминать, принимать во внимание]. **1.** Высший показатель, достигнутый в спортивном состязании. *Рекорд в прыжках в длину. Мировой, союзный рекорд. Установить, побить рекорд*. **2.** Высший показатель в какой-л. области труда, хозяйства. *Рекорд добычи нефти*. □ *Инсценировки романов Достоевского побили рекорд и частотой своей и успехом на протяжении целого века*. Антокольский. Путевой журнал писателя.

**Реко́рдный**, -ая, -ое.
**РЕКРЕА́ЦИЯ**, -и, *ж*. [Восх. к лат. recreatio — восстановление сил]. *Устар*. **1.** Перерыв между уроками в школе, перемена. *Как только звонок возвещал рекреацию, оба спешили в зал*. Салтыков-Щедрин. Господа ташкентцы. **2.** Время, свободное от занятий. *Учитель объявил, что по случаю именин сегодня рекреация, учиться не будут*. Г. Успенский. Учителя.

**Рекреацио́нный**, -ая, -ое. *Рекреационные часы*.
**РЕ́КРУТ**, -а, *м*. [Нем. Recrut от франц. recrue]. В русской и иностранной армиях в 18 и 19 вв.: лицо, принятое на военную службу по найму или по воинской повинности. *Сдать крепостного в рекруты*. □ *Видно было, каких усилий стоило рекрутам правильно делать по команде поворот*. Фет. Ранние годы моей жизни.

**Рекру́тский**, -ая, -ое. *Рекрутский набор*.
**РЕ́КТОР**, -а, *м*. [Восх. к лат. rector — правитель]. Руководитель университета или другого высшего учебного заведения. *В 1947 году Александр Николаевич, который уже руководил Институтом органической химии Академии наук СССР, стал ректором МГУ*. Дорофеева, Дорофеев. Время, ученые, свершения.

**Ре́кторский**, -ая, -ое.
**РЕЛЕ́** [рэ], *нескл., ср*. [Франц. relais]. *Спец*. Автоматический прибор для замыкания или размыкания электрической цепи.

**Реле́йный**, -ая, -ое.
**РЕЛИ́ГИЯ**, -и, *ж*. [Восх. к лат. religio]. **1.** Мировоззрение, основанное на вере в существование бога или каких-л. сверхъестественных сил, управляющих миром, а также та или иная вера. *Христианская, мусульманская, буддийская религия*. **2.** *перен*. То, чему поклоняются, во что слепо верят. *Малышев был более чем влюблен в математику — это была его религия*. Ковалевский. Тетради из полевой сумки.

С и н. (к 1 знач.): вероиспове́дание (*книжн*.), ве́рование (*книжн*.), испове́дание (*книжн*.).

**Религио́зный**, -ая, -ое; -зен, -зна, -о (*к 1 знач*.).
**РЕЛИ́КВИЯ**, -и, *ж*. [Лат. reliquiae (*мн*.) — остатки, останки]. Вещь, бережно хранимая как память о каком-л. человеке, о прошлом. *Книжка Некрасова, которую поэт подарил дедушке,.. была семейной реликвией и тетя Маня читала нам из нее*. Агапов. Взбирается разум.

**РЕЛИ́КТ**, -а, *м*. [Восх. к лат. relictum — оставленный]. *Спец*. Организм или вещь, явление, сохранившееся как пережиток с древнейших времен. *Редкие остатки нетронутых ледником растительных реликтов уцелели в самом туманном месте земного шара на Курилах и Сахалине*. Зуев. Дары русского леса.

**Рели́ктовый**, -ая, -ое. *Реликтовые животные*.
**РЕЛЬЕ́Ф**, -а, *м*. [Франц. relief]. **1.** Выпуклое изображение на плоскости. *Фасад украшен рельефами, выполненными В. И. Демут-Малиновским и С. С. Пименовым*. В. Рождественский. Зодчие города на Неве. **2.** обычно *ед*. Совокуп-

ность различных неровностей земной поверхности, определяющая характер данной местности. *Горный, низменный рельеф.* □ *К счастью, у противника не оказалось здесь поблизости минометной батареи или он не учел рельефа местности.* Е. Воробьев. Незабудка.

**Рельéфный**, -ая, -ое. *Рельефный узор. Рельефные особенности побережья.*

**РЕЛЯТИВИЗМ**, -а, *м.* [От лат. relativus — относительный]. Философское учение, состоящее в отрицании возможности познания объективной истины на основании относительности всех наших знаний.

**Релятивистский**, -ая, -ое.

**РЕЛЯЦИЯ**, -и, *ж.* [Восх. к лат. relatio — сообщение]. **1.** *Устар.* Письменное донесение о ходе военных действий. *Так и видишь плутоватую ухмылку полкового писаря и надутую физиономию штабиста, диктующего липовую победную реляцию.* С. Антонов. От первого лица. **2.** *перен. Ирон.* Громкое, широко возвещающее сообщение об успехах. *В дни экзаменов она сидела в саду и ждала реляций о Ленькиных успехах.* Кузьмин. Круг царя Соломона.

**РЕМÉСЛЕННИК**, -а, *м.* **1.** Тот, кто занимается каким-л. ремеслом. *Охотники захолустного Усть-Каменогорска были ремесленники: кузнецы, слесари, кожевники, шубники.* Пермитин. Пролетные птицы. **2.** *перен. Пренебр.* Тот, кто выполняет свои обязанности шаблонно, без творческой инициативы. *Я понял, что хороший переводчик заслуживает почета в нашей литературной среде, потому что он не ремесленник, не копиист, но художник.* К. Чуковский. Высокое искусство.

**Ремéсленница**, -ы, *ж.* **Ремéсленнический**, -ая, -ое.

**РЕМЕСЛÓ**, -á, *ремёсла, -сел, ср.* **1.** Требующая специальных навыков работа по изготовлению каких-л. изделий ручным, кустарным способом. *Кузнечное ремесло Крямчук ставил выше всех других ремесел.* Рыленков. Сказки моего детства. **2.** *Разг.* Профессия, занятие. *Энциклопедически образованный, до тонкости знающий газетное ремесло, Петр Васильевич Перовский с головой уходит в работу.* Кудреватых. Мои современники.

С и н. (к 1 знач.): мастерство́, рукомесло́ (прост.).

**Ремéсленный**, -ая -ое (к 1 знач.) ◊ **Ремесленное училище** — в 1940—1959 гг.: специальное училище, готовящее квалифицированных рабочих.

**РЕНЕГÁТ**, -а, *м.* [Ср.-лат. renegatus — отрекшийся]. *Книжн.* Тот, кто изменил своим убеждениям и перешел на сторону своих противников; отступник. *Всем известна непримиримость и даже беспощадность Белинского к любым принципиальным противникам прогрессивных идей, ретроградам и особенно политическим ренегатам.* Юдин. Размышления хирурга.

**Ренегáтка**, -и, *ж.* **Ренегáтский**, -ая, -ое.

**РЕНЕССÁНС**, -а, *м.* [Франц. Renaissanse — Возрождение]. **1.** (с прописной буквы). Период в культурном и идейном развитии стран Западной и Центральной Европы (14—16 вв.), являющийся переходным от средневековой культуры к культуре нового времени. **2.** Архитектурный стиль того времени, сменивший готический и воспринявший элементы греко-римской архитектуры.

С и н. (к 1 знач.): Возрождéние.

**РЕНОМÉ** [рэ; мэ], *нескл., ср.* [Франц. renommée]. *Устар. и книжн.* Установившееся мнение о ком-, чем-л.; репутация. *Реноме цирка от такого характера представлений нисколько не пострадало.* Юрьев. Записки.

**РÉНТА**, -ы, *ж.* [Нем. Rente; восх. к лат. reddere — отдавать назад, возвращать]. Регулярно получаемый доход с капитала, имущества или земли, не требующий от своих получателей предпринимательской деятельности. *В том же благонамеренном отеле, где она поселилась, снимали комнаты обеспеченные рентами старые холостяки и вдовы.* Серебрякова. Похищение огня.

**Рéнтный**, -ая, -ое. *Рентный доход.*

**РЕНТÁБЕЛЬНЫЙ**, -ая, -ое; -лен, -льна, -о. [Нем. rentabel]. Оправдывающий расходы, целесообразный с хозяйственной точки зрения. *Закрыть, — значит изменить его [завода] профиль, перевести на выпуск иной, рентабельной продукции.* Лезгинцев. Рудознатцы.

С и н.: вы́годный, при́быльный, дохо́дный.

А н т.: убы́точный, нерентáбельный.

**Рентáбельность**, -и, *ж. Рентабельность хозяйства.*

**РЕОРГАНИЗÁЦИЯ**, -и, *ж.* [Франц. réorganisation]. Преобразование, перестройка, изменение структуры чего-л. *[До войны] была лишь маленькая захудаленькая лаборатория, вместе с которой Гордейчиков и претерпел все на свете реорганизации: слияния, разделения, передачи и даже одну или две ликвидации.* Залыгин. Южноамериканский вариант.

С и н.: переустрóйство.

**Реорганизациóнный**, -ая, -ое.

**РЕПЕРТУÁР**, -а, *м.* [Франц. répertoire]. **1.** Совокупность произведений (драматических, музыкальных и т. п.), исполняемых в театре, на эстраде и т. п. *Я прочел пьесу «Страх» и нахожу, что ее надо включать в репертуар МХТ.* Станиславский. Письмо М. С. Гейтцу, 3 января 1931 г. **2.** Круг ролей, номеров, исполняемых кем-л. *[Спутник] даже что-то напевал из репертуара Вертинского.* Б. Полевой. Самые памятные. ◊ **В своем репертуаре** *кто* — как свойственно кому-л. (поступать, что-л. делать). *— Ты недоволен моим выступлением? — Ты был в своем репертуаре. Главное — поставить вопрос.* Лезгинцев. Рудознатцы.

**Репертуáрный**, -ая, -ое. *Репертуарная афиша.*

**РЕПЕТИ́ТОР**, -а, *м.* [Восх. к лат. repetitor — тот, кто повторяет, наверстывает]. Тот, кто помогает усвоить ученику какой-л. предмет, дает частные уроки. *Тут он заметил, что я пишу с грамматическими ошибками.. и что мне следовало бы нанять себе репетитора.* Конецкий. Начало конца комедии.

**Репети́торский**, -ая, -ое.

**РЕПЕТИ́ЦИЯ**, -и, ж. [Восх. к лат. repetitio — повторение]. **1.** Предварительное исполнение какого-л. драматического, музыкального произведения при подготовке к выступлению. *Начать репетицию первого действия пьесы.* □ *Случалось детям видеть и репетиции целых сцен из опер.* Е. Карпов. Вера Федоровна Комиссаржевская. **2.** Пробное исполнение, подготовка чего-л. *Ляпидевский разметил на льду площадку, оградил ее флажками и стал отрабатывать взлеты и посадки. После таких «репетиций» уверенность в успехе полета окрепла.* Водопьянов. Небо начинается с земли. **3.** *Устар.* Механизм в старинных карманных часах, отбивающий время при нажатии кнопки. *Он выбрал.. часы с репетицией для отца.* Л. Никулин. России верные сыны.

**Репетицио́нный**, -ая, -ое (к 1 знач.).

**РЕ́ПЛИКА**, -и, ж. [Франц. réplique]. Замечание, ответ, возражение одного собеседника на слова другого. *Реплика с места.* □ *[Капитан] говорит что-то один, лишь изредка старший лоцман подает короткие реплики.* Короленко. Художник Альмов.

**РЕПОРТА́Ж**, -а, м. [Франц. reportage]. Сведения, сообщения в периодической печати, по радио и телевидению о каких-л. событиях, очевидцем которых является автор. *Спортивный репортаж. Вести репортаж с места событий.* □ *Во время войны среди нас, военных корреспондентов, ходила его [К. Федина] книга «Свидание с Ленинградом», представляющая образец насыщенного боевого репортажа.* Б. Полевой. Дальнобойность.

**Репорта́жный**, -ая, -ое.

**РЕПОРТЁР**, -а м. [Англ. reporter]. Сотрудник газеты, журнала или радио, телевидения, делающий репортажи. *У меня, репортера тверских газет, никогда всерьез и не задумывавшегося о писательстве, неожиданно родилась повесть.* Б. Полевой. Хороший мужик Антей.

**Репортёрский**, -ая, -ое.

**РЕПРЕ́ССИЯ**, -и, ж. [Восх. к лат. repressio — подавление]. Карательная мера, наказание кого-л., применяемое государственными органами. *Подвергнуться репрессиям. Сталинские репрессии.* □ *В Петербурге, Москве и других крупных центрах России власти прибегли к жестоким полицейским репрессиям. Шли массовые аресты, полиция охотилась за Лениным.* Московцева, Полонский. Сдаваться не намерены!

**Репресси́вный**, -ая, -ое. *Репрессивные меры.*

**РЕПРИ́ЗА**, -ы, ж. [Франц. reprise]. **1.** *Спец.* Повторение какой-л. части музыкального произведения. **2.** Короткий шуточный номер, исполняемый клоунами или другими артистами разговорного или пантомимного жанра в цирке или на эстраде. *[Отец] давно уже ушел из редакции, потому что стал за это время писателем — писал для цирка репризы.* Войнович. Два товарища.

**РЕПРОДУ́КТОР**, -а, м. [Франц. reproducteur от *ре-* (см.) и лат. producere — производить]. Устройство для воспроизведения радиопередач; громкоговоритель. *Рядом с гитарой висел репродуктор.*

*Радио провел бабушке Боря Утков, чтобы она не скучала и была в курсе всех дел.* Дудин. Где наша не пропадала.

**Репроду́кторный**, -ая, -ое.

**РЕПРОДУ́КЦИЯ**, -и, ж. [От *ре...* (см.) и лат. productio — производство]. **1.** Воспроизведение и размножение картин, рисунков и т. п. полиграфическим или фотографическим способом. **2.** Картина, рисунок и т. п., воспроизведенные посредством печати. *По бревенчатым стенам были развешаны репродукции с картин.* Офин. Граждане пассажиры.

**РЕПС**, -а, м. [Франц. и англ. reps]. Плотная ткань в мелкий рубчик. *[Комната] была похожа на тысячу таких же комнат; с диваном, обитым голубым репсом.* Каверин. Два капитана.

**Ре́псовый**, -ая, -ое. *Репсовое платье.*

**РЕПУТА́ЦИЯ**, -и, ж. [Франц. réputation от лат. reputatio — исчисление, оценка]. Сложившееся общее мнение о достоинствах и недостатках кого-, чего-л. *Хорошая, дурная репутация. Порочить чью-л. репутацию.* □ *За Петуховым в части установилась прочная репутация устойчивого в бою и вдумчивого к подчиненным офицера.* В. Кожевников. В полдень на солнечной стороне.

С и н.: **реноме́** (устар. и книжн.).

**РЕСКРИ́ПТ**, -а, м. [Лат. rescriptum]. **1.** В Древнем Риме: имевший силу закона письменный ответ императора на представленный ему для разрешения вопрос. **2.** *Устар.* Обычно публикуемое для всеобщего сведения письмо монарха к подданному с выражением благодарности, с сообщением о награде и т. п. *Конец 1837 года. Весело ожидали придворные и весь сановный Петербург рождественских праздников! Как всегда, ждали рескриптов, орденов, повышений по службе.* Гейченко. «Отмщенья, государь, отмщенья!»

**РЕСПЕКТА́БЕЛЬНЫЙ**, -ая, -ое; -лен, -льна, -о. [Франц. и англ. respectable, нем. respektabel]. *Книжн.* **1.** Отвечающий всем правилам приличия; внушающий уважение. *Вид у Алексея Потапыча самый что ни на есть респектабельный. Он всегда хорошо одет: модно и по сезону.* А. Васильев. Понедельник — день тяжелый. **2.** Имеющий положительную репутацию, отвечающий высоким требованиям. *Они поднялись на второй этаж — в отдел готового платья — не очень большого, но, как показалось Катерине, весьма респектабельного магазина.* Евгеньев. В Лондоне.

С и н. (к 1 знач.): **почте́нный**.

**Респекта́бельно**, *нареч.* (к 1 знач.). *Выглядеть респектабельно.* **Респекта́бельность**, -и, ж. *Респектабельность публики.*

**РЕСПУ́БЛИКА**, -и, ж. [Лат. res publica — *букв.* (обще)народное дело]. **1.** Форма государственного правления, при которой верховная власть принадлежит выборным представительным органам, а также страна с такой формой правления. *Буржуазная республика. Новгородская феодальная республика.* **2.** Советское социалистическое государство, входившее в состав Советского Союза. *Союзная, автономная республика.*

**Республика́нский**, -ая, -ое. *Республиканская форма правления.*

**РЕСПУБЛИКА́НЕЦ**, -нца, м. [См. *республика*]. 1. Сторонник республиканского строя. *Шла война в Испании. Иван твердо решил поехать туда, чтобы сражаться в рядах республиканцев.* Полторацкий. За Дунаем цветут фиалки. 2. Член республиканской партии. *Прокурор, буржуазный республиканец Сенар, вызвал войска и приказал избивать безоружных рабочих.* Серебрякова. Похищение огня.

**Республика́нка**, -и, ж.

**РЕССО́РА**, -ы, ж. [Франц. ressort]. Упругая часть у автомобиля, экипажа, вагона и т. п., находящаяся между осью и кузовом и смягчающая толчки при езде. «*Вил..., скрипя изношенными рессорами, подпры... по кочкам.* Семенихин. Пани Ирена.

**Ресcо́рный**, -ая, -ое. *Рессорная карета.*

**РЕСТАВРА́ЦИЯ**, -и, ж. [Восх. к лат. restauratio]. 1. Восстановление в первоначальном виде обветшалого или разрушенного памятника старины, картины и т. п. *Реставрация старинной крепости.* □ *Все новые и новые полотна стекались в Пильниц. Наконец было собрано почти все. И в то же время стало абсолютно ясно, что картины нуждаются в срочной реставрации и, главное, в музейном хранении.* Долгополов. Рафаэль. 2. Восстановление прежнего, ранее свергнутого политического строя. *Реставрация монархии. Реставрация империи.*

**Реставрацио́нный**, -ая, -ое (к 1 знач.) и **реставра́торский**, -ая, -ое (ко 2 знач.). **Реставра́тор**, -а, м. (к 1 знач.).

**РЕСУ́РС**, -а, м. [Франц. ressource]. 1. *Книжн.* Средство, к которому можно обратиться в затруднительных обстоятельствах; выход.— *Если вы не дадите мне тысячу франков взаймы, то я должен буду погибнуть. Эти ваши деньги для меня единственный ресурс.* Чехов. Ариадна. 2. обычно *мн.* Имеющиеся в наличии запасы, средства, которые могут быть использованы при необходимости. *Энергетические ресурсы.* □ *Громадность природных ресурсов нашей страны сама по себе настойчиво требует широкой постановки научно-исследовательской работы.* Кржижановский. Текущие проблемы планирования.

С и н. (ко 2 знач.): резе́рв.

**Ресу́рсный**, -ая, -ое (ко 2 знач.) (*спец.*).

**РЕТИ́ВЫЙ**, -ая, -ое; -и́в, -а, -о (*разг.*) и **РЕТИВО́Й**, -а́я, -о́е; -и́в, -а, -о (*устар.* и *нар.-поэт.*). 1. Усердный, старательный. *Ретивым хозяином оказался Мишка. Несмотря на болезнь, он работал не покладая рук.* Шолохов. Тихий Дон. 2. Быстрый, резвый, горячий. *В тарантас впряглась ретивая тройка, ямщик весело прикрикнул, и Иван Васильевич поскакал с такой неимоверной быстротой, как ему никогда еще не случалось.* В. Соллогуб. Тарантас. 3. *Устар.* Пылкий, горячий. *[Бастрюков:] Душа горит, на части сердце рвется Ретивое. Куда ты подевалась, Моя удача?* А. Островский. Воевода. *Не шуми ты, не шуми, Буйный ветер, под окном; Не буди ты, не буди Грусти в сердце ретивом.* Полежаев. Песня. 4. *в знач. сущ.* **ретиво́е**, -о́го и **рети́вое**, -ого, *ср.* *Сердце. Царь глядит и узнает... В нем взыграло ре-* тивое!— Что я вижу? что такое? Как!— И дух в нем занялся. Пушкин. Сказка о царе Салтане.

С и н. (к 1 знач.): приле́жный, ре́вностный (*книжн.*), рья́ный (*разг.*), и́стовый (*устар.*).

**Рети́во**, *нареч.* **Рети́вость**, -и, ж.

**РЕТИРОВА́ТЬСЯ**, -ру́юсь, -ру́ешься; retiру́ющийся, ретирова́вшийся; ретиру́ясь, ретирова́вшись; *сов. и несов.* [Франц. se retirer]. 1. *Устар.* Отступить (отступать) во время боев. *Рославлев, который ехал в голове ретирующейся колонны, не спускал глаз с эскадрона Зарецкого.* Загоскин. Рославлев. 2. *Разг. шутл.* Уйти (уходить), удалиться (удаляться). *Откуда ни возьмись бросаются на нас из темноты два-три пса, и мы вынуждены как можно быстрее ретироваться.* Солоухин. Камча.

**РЕ́ТРО**. [Восх. к лат. retro — обратно, назад]. 1. *нескл., ср.* Все старинное, а также воспроизводящее старину. *Я совершенно не понимаю людей, очарованных техническим и бытовым ретро.* В. Дементьев. Янтарный путь. 2. *неизм. прил.* Старинный, а также воспроизводящий старину. *Одежда в стиле ретро.*

**РЕТРОГРА́Д**, -а, м. [Восх. к лат. retrogradus — идущий назад]. Противник прогресса, всего передового; реакционер.— *А вы уж думали, я такой изверг, ретроград, крепостник?* Достоевский. Преступление и наказание.

С и н.: мракобе́с, зубр, обскура́нт (*книжн.*).

**Ретрогра́дка**, -и, ж. **Ретрогра́дный**, -ая, -ое; -ден, -дна, -о.

**РЕТРОСПЕКТИ́ВА**, -ы, ж. [См. *ретроспективный*]. *Книжн.* Обращение к прошлому, обзор прошедших событий.— *Рассматривать фашистскую опасность,— говорили мои собеседники,— можно лишь в плане исторической ретроспективы.* Ю. Семенов. На «козле» за волком.

**РЕТРОСПЕКТИ́ВНЫЙ**, -ая, -ое; -вен, -вна, -о. [От лат. retro — назад и spectare — смотреть]. *Книжн.* Обращенный назад, к прошлому, посвященный рассмотрению прошлого. *Ретроспективный показ кинофильмов.* □ *Для византийской живописи этого периода характерно обращение к ретроспективным темам.* Лихачев. Искусство Византии 4—15 вв.

**Ретроспекти́вность**, -и, ж.

**РЕТУШИ́РОВАТЬ**, -рую, -руешь; ретуши́рующий, ретуши́ровавший; ретуши́руемый; ретуши́рованный; -ан, -а, -о; ретуши́руя, ретуши́ровав, *сов. и несов.,* что. [Франц. retoucher — снова касаться, подрисовывать]. Обработать (обрабатывать), подправить (подправлять) изображение на фотографии при печатании. *[Крамской] ретушировал большой величины фотографические портреты.* Репин. Далекое близкое.

**Ретуши́рование**, -я, *ср.* **Ретушёр**, -а, м.

**РЕФЕРА́Т**, -а, м. [Восх. к лат. referre — сообщать]. Краткое (устное или письменное) изложение содержания научной работы, книги и т. п., а также доклад, основанный на обзоре литературных и других источников. *Выступить с рефератом.*

**Рефера́тный**, -ая, -ое и **реферати́вный**, -ая, -ое.

**РЕФЕРЕ́НДУМ**, -а, м. [Лат. referendum — то, что должно быть сообщено]. Всенародный опрос, голосование для решения какого-л. особо важного вопроса. *Провести референдум. Опубликовать результаты референдума. Референдум по вопросу о государственной независимости. Принять участие в референдуме.*

**РЕФЕРЕ́НТ**, -а, м. [Восх. к лат. referens, referentis — сообщающий]. Должностное лицо, являющееся консультантом по определенным вопросам. *Мне припоминается рассказ писателя Олега Писаржевского, работавшего в годы войны референтом у Капицы.* Кедров. Повесть о Френкеле.

**Рефере́нтский**, -ая, -ое.

**РЕ́ФЕРИ** и **РЕФЕРИ́**, нескл., м. [Англ. referee]. Судья в спортивных состязаниях. *[Зрители] контролировали действия рефери — судьи на ринге.* Свиридов. Рядовой Коржавин.

**РЕФЛЕ́КС**, -а, м. [Восх. к лат. reflexus — обратное движение]. **1.** Непроизвольная реакция организма, наступающая в ответ на внешнее раздражение и происходящая при участии центральной нервной системы. *Дрессировка животного связана с выработкой у него необходимого рефлекса.* Медведев. Ленинградский цирк. **2.** Бессознательное, машинальное движение, вызванное какой-л. внешней причиной. *Затрещал пулемет, в зале по привычке хватаются за оружие — до того у всех обострен рефлекс на выстрелы.* М. Кольцов. Испанский дневник.

**Рефлекто́рный**, -ая, -ое и **рефлекти́вный**, -ая, -ое.

**РЕФЛЕ́КСИЯ**, -и, ж. [Восх. к лат. reflexio — поворачивание]. *Книжн.* Размышление, полное сомнений и колебаний, склонность анализировать свои переживания. *Цельная натура, он не ведал ни сомнений, ни рефлексий, а потому верил, как в «Отче наш»: род людской расколот пополам на паразитов и тружеников, иных на земле нет.* Тендряков. Шестьдесят свечей.

**Рефлекси́вный**, -ая, -ое.

**РЕФО́РМА**, -ы, ж. [Франц. réforme]. **1.** Преобразование, изменение чего-л. *Реформа школьного образования. Реформа орфографии.* **2.** Преобразование в какой-л. области политической жизни, не затрагивающее основ существующего государственного строя. *Экономические, политические, социальные реформы. Реформа права.*

**РЕФОРМА́ЦИЯ**, -и, ж. [Восх. к лат. reformatio — преобразование]. В Западной Европе в 16 в.: социально-политическое движение против феодализма, принявшее форму религиозной борьбы против католической церкви и папской власти. *Реформация нанесла Риму страшный удар — финансовый, политический, религиозный, нравственный.* Герцен. Письма из Франции и Италии.

**РЕФОРМИ́ЗМ**, -а, м. [См. *реформа*]. Враждебное марксизму течение в рабочем движении, ставящее своей целью проведение социальных реформ на основе сохранения капитализма. *В Европе реформизм означает на деле отказ от марксизма и подмену его буржуазной «социальной политикой».* Ленин, т. 24, с. 4.

**Реформи́стский**, -ая, -ое. **Реформи́ст**, -а, м.

**РЕФРЕ́Н**, -а, м. [Франц. refrain]. *Спец.* **1.** Строка или несколько строк, повторяющиеся в стихотворении. **2.** Часть вокального произведения куплетной формы, повторяющаяся в неизменном виде; припев. *Особую выразительность придает куплету рефрен.* Фролов. Разговорные жанры.

**Рефре́нный**, -ая, -ое.

**РЕФРИЖЕРА́ТОР**, -а, м. [Франц. réfrigérateur]. Судно, вагон, автомобиль и т. п., оборудованные холодильной установкой для перевозки скоропортящихся продуктов. *[Валерий] еще сказал, что с удовольствием бы поездил шофером на рефрижераторах «Совтрансагентство», ну, которые туши и фрукты возят.. Эти холодильники на колесах совершают тысячекилометровые маршруты из конца в конец страны.* В. Козлов. Ветер над домом твоим.

**Рефрижера́торный**, -ая, -ое.

**РЕЦЕ́НЗИЯ**, -и, ж. [Восх. к лат. recensio — проверка, осмотр]. Письменный разбор, содержащий критическую оценку научного, художественного и т. п. произведения, спектакля, кинофильма; отзыв. *На вторую книжку не появилось ни одной рецензии. Ее обошли молчанием.* Колесников. Рудник Солнечный.

**Рецензе́нт**, -а, м. *Рецензенты словаря.*

**РЕЦИДИ́В**, -а, м. [Лат. recidivus — возобновляющийся]. *Книжн.* **1.** Возврат болезни после ее кажущегося излечения. **2.** Возобновление, повторение чего-л. (обычно нежелательного). *А если взять вопрос по существу, разве бывало в истории, чтобы новый способ производства привился сразу, без долгого ряда неудач, ошибок, рецидивов?* Ленин, т. 39, с. 19. **3.** Повторное совершение преступления лицом, ранее отбывшим наказание за такое же или за какое-л. иное преступление.

**Рециди́вный**, -ая, -ое.

**РЕЦИДИВИ́СТ**, -а, м. [См. *рецидив*]. Человек, вновь совершивший преступление после отбытия наказания за предыдущее преступление. *Прокурор волнуется. Ему не безразлично, кто сидит на скамье подсудимых: рецидивист или случайно споткнувшийся, взрослый или несовершеннолетний.* Петухов. Сто плюс одна версия.

**Рецидиви́стка**, -и, ж. **Рецидиви́стский**, -ая, -ое.

**РЕЧИТАТИ́В**, -а, м. [Итал. recitativo]. Напевная речь в вокально-музыкальном произведении. *Своенравный, неуемный, вспыхивающий нервный тон речей Наташи звучит с первых тактов ее речитатива.* Асафьев. Русская опера.

**Речитати́вный**, -ая, -ое.

**РЕША́ЮЩИЙ**, -ая, -ее. Главный, важнейший. *Решающий момент. Сыграть в каком-л. деле решающую роль.* ◊ **Решающий голос** — на съезде, конференции и т. п.: право голосовать. *Делегаты с решающим голосом.*

Син.: реши́тельный.

**РЕШИ́ТЕЛЬНЫЙ**, -ая, -ое; -лен, -льна, -о. **1.** Быстро и смело принимающий решения. *[Генерал] был человек блестящий, неглубокий, но энергичный, деятельный, решительный, готовый на всякий риск.* Короленко. Третий элемент. **2.**

Выражающий решимость. *Решительный тон.* □ *Все затихло, и из кабинета зазвучали другие, твердые, решительные шаги: это был Наполеон.* Л. Толстой. Война и мир. **3.** Крайний, наиболее сильный, энергичный. *Для пресечения беспорядков командование требовало в Ртанском округе принятия решительных мер. Новому коменданту были даны чрезвычайные полномочия.* Проскурин. Исход. **4.** Окончательный, определенный, представляющий собой решение. *[Мастеровой] дает самый решительный зарок не пить, подкрепляя это самою искреннею и самой страшною клятвою.* Г. Успенский. Нравы Растеряевой улицы. **5.** Наиболее важный, определяющий дальнейший ход, развитие чего-л. *Отважно и стойко сражается солдат на «пятачках», в боях местного значения. Знает, уверен: сегодня — местного значения, а завтра — плацдарм для большого наступления, решительного удара.* Левченко. Счастливая. **6.** *Разг.* Несомненный, явный. *Просто бери кисть да рисуй: Прометей, решительный Прометей.* Гоголь. Мертвые души. *Которому из двух вычислительных устройств — арифмометру или счетам — отдать решительное предпочтение, он и сам не знал.* Сартаков. Козья морда.
С и н. *(ко 2 знач.):* категори́чный и категори́ческий, безапелляцио́нный. С и н. *(к 4 знач.):* беспово́ротный. С и н. *(к 5 знач.):* реша́ющий. С и н. *(к 6 знач.):* безусло́вный, определённый, очеви́дный, ви́димый, прямо́й, самоочеви́дный.

**Реши́тельно**, *нареч.* (к 1, 2, 3 и 4 знач.). **Реши́тельность**, -и, *ж.* (к 1, 2, 3 и 4 знач.).

**РЕ́ЯТЬ**, ре́ю, ре́ешь; ре́ющий, ре́явший; *несов.* **1.** *Высок.* Плавно, почти незаметно летать, парить. *Я вышел на балкон. В ясном голубом небе реяли самолеты, они были далеко.* Ауэрбах. Пятнадцать лет спустя. *В неподвижном голубом воздухе реяла паутина.* Федосеев. Последний костер. **2.** *Устар.* Стремительно нестись, передвигаться в воздухе, по воде, по земле. *Кругом свистят и реют пули.* Лермонтов. Измаил-бей.

**РИ́ГА**, -и, *ж.* Постройка, сарай, служащий для сушки снопов и обмолота. *Зимой я срубил ему маленькую ригу, чтобы не занимать больше сушкой снопов баню.* Э. Грин. Другой путь.

**РИГОРИ́ЗМ**, -а, *м.* [От лат. rigor — строгость, жестокость]. *Книжн.* Суровое, непреклонное, мелочное соблюдение каких-л. правил, принципов, обычно в вопросах нравственности. *Не следует увлекаться педантическим ригоризмом.* Писарев. Цветы невинного юмора.

**Ригористи́ческий**, -ая, -ое и **ригористи́чный**, -ая, -ое; -чен, -чна, -о. **Ригори́ст**, -а, *м.*

**РИДИКЮ́ЛЬ**, -я, *м.* [Франц. réticule от лат. reticulum — сеточка]. *Устар.* Женская ручная сумка. *Я достал из ее сумочки, какие в те времена назывались ридикюлями, черновик.* Б. Полевой. Самые памятные.

**РИ́ЗА**, -ы, *ж.* **1.** Верхнее облачение священнике при богослужении. *Мы с бабушкой каждое воскресенье в церковь ходили.. Батюшка в серебряной ризе махал кадилом, а потом давал мне просвирку.* В. Козлов. Ветер над домом твоим. **2.** Металлическая накладка на иконах, оставляющая открытыми только изображение лица и рук. *Кабинет.. был похож больше на моленную. В углу в три ряда стояли иконы в богатых ризах.* Кузьмин. Круг царя Соломона.
С и н. *(ко 2 знач.):* окла́д.

**РИ́ЗНИЦА**, -ы, *ж.* Помещение при церкви для хранения риз и церковной утвари. *[Мы] ушли.. в ризницу, всю заставленную шкафами с церковной утварью.* И. Гончаров. Фрегат «Паллада».

**РИКОШЕ́Т**, -а, *м.* [Франц. ricochet]. **1.** Отраженный полет какого-л. твердого тела после удара его под острым углом о какую-л. поверхность. *Шальная трассирующая пуля, летевшая по направлению в НП, вдруг вспыхнула зеленым огнем и под углом полетела в сторону — рикошет от удара об ветку.* Емельянова. Взятие Познани. **2.** *в знач. нареч.* **рикоше́том.** Откосив после удара о какую-л. поверхность. *[Мяч], ударившись о столб, отлетел рикошетом и покатился к ногам Аларика.* Гайдар. Военная тайна.

**Рикоше́тный**, -ая, -ое. *Рикошетный удар.*

**РИ́КША**, -и, ри́кши, рикш, *м.* [Сокращение от яп. jin-riki-sha — повозка, ведомая людьми]. В странах Южной и Восточной Азии: человек, который, впрягшись в двуколку, перевозит седоков и грузы. *Рикша встал перед коляской, еще раз взглянул на нее, нагнулся, подхватил длинные узкие оглобли.. и сразу взял с места.* Н. Тихонов. Длинный день.

**РИСК**, -а, *м.* [Франц. risque от итал. risco]. **1.** Возможная опасность для жизни, здоровья кого-л. *[Делегаты] осторожно, с риском для жизни, перебирались через взбушевавшиеся речки.* Г. Марков. Строговы. **2.** Действие наудачу, требующее смелости, бесстрашия, в надежде на счастливый исход. *Любое творчество предполагает поиск, риск. Идти непроторенными путями куда труднее, чем повторять пройденное.* Товстоногов. Размышление о классике. ◊ **На свой страх и риск** (действовать) — принимая на себя ответственность за могущие произойти неприятности.

**РИСТА́ЛИЩЕ**, -а, *ср. Устар.* Площадка для конных, гимнастических и других состязаний, игр и т. п., а также само состязание. *Никогда гарденинские лошади не появлялись на ристалищах.* Эртель. Гарденины.

**РИТМ**, -а, *м.* [Восх. к греч. rhythmos]. **1.** Равномерное чередование каких-л. элементов (звуковых, двигательных и т. п.), происходящее с определенной последовательностью. *Ритм сердца, дыхания. Ритм танца.* □ *Один австралийский поэт прочел свой перевод Пушкина, и я по ритму узнал «Чудное мгновенье», такой это был отличный перевод.* Гранин. Месяц вверх ногами. **2.** *перен.* Размеренность, налаженность в протекании чего-л. *Ритм работы.* □ *В первый месяц [после рождения ребенка], конечно, ей было ни до чего, ни до кого. А потом все образовалось. Она вошла в ритм. У нее выкраивалось время для разговоров с людьми.* Дягилев. Весенний снег.

**Ритми́ческий**, -ая, -ое и **ритми́чный**, -ая, -ое; -чен, -чна, -о. *Ритмический танец. Ритмичный стук колес.*

**РИ́ТМИКА**, -и, ж. [См. *ритм*]. **1.** Система и характер ритма. *Ритмика стиха. Ритмика движений в танце.* **2.** Учение о ритме (в стихах, музыке, танце и т. п.). *В своих заметках я не могу даже коснуться работ Тынянова по ритмике и строфике.* Шкловский. Ю. Тынянов — писатель и ученый. **3.** Система физических упражнений, имеющая целью воспитание чувства ритма. *Занятия ритмикой в музыкальной школе.*

**РИ́ТОР**, -а, м. [Греч. rhētōr]. **1.** В Древней Греции и Древнем Риме: оратор, а также учитель ораторского искусства. **2.** *Устар.* Оратор, говорящий многословно и напыщенно. *Тут ритор мой, дав волю слов теченью, Не находил конца нравоученью.* И. Крылов. Кот и Повар. **3.** В старину: ученик или учитель духовной семинарии по классу риторики. *Грамматики, риторы, философы и богословы с тетрадями под мышкой брели в класс.* Гоголь. Вий.

**Ри́торский**, -ая, -ое.

**РИТО́РИКА**, -и, ж. [Греч. rhētorikē]. **1.** Теория ораторского искусства. *Он воспитывал свой стиль сначала в семинарии, потом в Казанском университете, на хриях, периодах,.. свидетельствах от противного, подобиях и прочих тонкостях риторики.* И. Гончаров. Воспоминания. **2.** Излишняя приподнятость изложения, напыщенность. *В его стихах тех лет много риторики, поверхностности, бодрячества и мало яшинской глубины, яшинского беспокойства, столь характерных для его поздних стихов.* Абрамов. Александр Яшин — поэт и прозаик.

**Ритори́ческий**, -ая, -ое. *Риторические приемы. Риторический пафос.*

**РИТУА́Л**, -а, м. [Восх. к лат. ritualis — обрядовый]. *Книжн.* **1.** Совокупность обрядовых действий, сопровождающих какой-л. религиозный акт. *Каждый был сам по себе, и не было никакого ритуала, ни березок, какие завивают на Троицу, ни кутьи, ни цветов еще в городе не было.* Гранин. Прекрасная Ута. **2.** Выработанный обычаем или установленный порядок совершения чего-л.; церемониал. *Необходимо, чтобы знамя было обставлено специальным ритуалом почета.* Макаренко. Методика организации воспитательного процесса.

С и н. (ко 2 знач.): церемо́ния.

**Ритуа́льный**, -ая, -ое. *Ритуальное шествие.*

**РИФ**, -а, м. [Нем. Riff]. Надводная или подводная скала, опасная для судоходства. *Коралловые рифы.* □ *На пути могут встретиться подводные рифы. Их придется обойти.* Новиков-Прибой. Капитан 1-го ранга.

**Ри́фовый**, -ая, -ое.

**РО́БА**, -ы, ж. [Франц. robe]. **1.** *Устар.* Одежда, платье. *[Екатерине] принесли приказ: быть сегодня на парадном обеде в богатой робе.* Шишков. Емельян Пугачев. **2.** Грубая рабочая одежда. *Прошла мимо компания грузчиков.. Все одеты в робы из мешковины.* Воробьев. Земля, до востребования.

**РО́БОТ**, -а, м. [Чешск. robot]. Автомат, своими действиями производящий впечатление человеческой работы, заменяющий человека в производстве. *У роботов есть и другая благородная задача — освободить людей от монотонной, изнуряющей работы на конвейерах массовых производств.* Чачко. Искусственный разум.

**РОБРО́Н**, -а, м. [Франц. robe ronde]. Старинное женское платье с кринолином. — *Как же вам ехать [к императрице] в дорожном платье? Не послать ли к повивальной бабушке за ее желтым роброном?* Пушкин. Капитанская дочка.

**РОГА́ТИНА**, -ы, ж. **1.** Старинное холодное оружие в виде копья, насаженного на древко. *Беглый стрелец.. отчаянно отшвырнул рогатину, с которой стоял в карауле, и, подскочив к атаману, подставил шею. — Руби!* Злобин. Степан Разин. **2.** Охотничье оружие в виде большого обоюдоострого ножа на длинном древке. *Ходить с рогатиной на медведя.*

**РОГО́ЖА**, -и, ж. Грубый плетеный из мочала материал, употребляемый преимущ. для упаковки.

**Рого́жка**, -и, ж. **Рого́жный**, -ая, -ое.

**РОД**, -а, ро́ды, -ов, роды́, -о́в и рода́, -о́в, м. **1.** (*мн.* ро́ды). В первобытном обществе: основная общественная организация, объединяющая кровным родством. **2.** (*мн.* ро́ды). Ряд поколений, происходящих от одного предка. *Старинный дворянский род.* **3.** (*мн.* ро́ды). В классификациях: группа, объединяющая близкие виды. *Роды животных и растений. Роды литературы (эпос, лирика, драма).* **4.** (*мн.* рода́). Разновидность, тип чего-л. *Рода войск.*

С и н. (ко 2 знач.): пле́мя (*устар.*). С и н. (к 4 знач.): разря́д, катего́рия, класс, сорт (*разг.*).

**Родово́й**, -а́я, -о́е (к 1, 2 и 3 знач.). *Родовая община. Родовые традиции. Родовые признаки.*

**РОДОВИ́ТЫЙ**, -ая, -ое; -и́т, -а, -о. Принадлежащий к знатному старинному роду (*во 2 знач.*). *Родовитый боярин.*

С и н.: зна́тный, сано́вный, вельмо́жный (*устар.*), санови́тый (*устар.*), имени́тый (*устар.*).

**Родови́тость**, -и, ж. *Родовитость происхождения.*

**РОДОНАЧА́ЛЬНИК**, -а, м. **1.** Предок, от которого ведет начало чей-л. род. *[Он] поступил в качестве домашнего учителя в семью одного из родоначальников династии банкиров Ротшильдов в Лондоне.* Серебрякова. Похищение огня. **2.** *перен.*, обычно *чего.* Тот, кто является основоположником, основателем чего-л. *Родоначальник нового направления в живописи.*

С и н. (к 1 знач.): пра́щур (*книжн.*), пра́отец (*устар. и высок.*), прароди́тель (*устар. высок.*). С и н. (ко 2 знач.): зачина́тель (*высок.*), оте́ц (*высок.*), патриа́рх (*высок.*).

**Родонача́льница**, -ы, ж.

**РОДОСЛО́ВНАЯ**, -ой, ж. Систематический перечень поколений одного рода, устанавливающий происхождение и степень родства. *Родословная князей Орловых.*

С и н.: генеало́гия (*книжн.*).

**РОЖДЕСТВО́**, -а́, ср. Христианский праздник, посвященный рождению Христа. *В церковь [она] ходила только по большим праздникам — на рождество и пасху.* Б. Бедный. Сын.

**Рожде́ственский**, -ая, -ое. *Рождественские праздники.*

Выражающий решимость. *Решительный тон.* ☐ *Все затихло, и из кабинета зазвучали другие, твердые, решительные шаги: это был Наполеон.* Л. Толстой. Война и мир. **3.** Крайний, наиболее сильный, энергичный. *Для пресечения беспорядков командование требовало в Ртанском округе принятия решительных мер. Новому коменданту были даны чрезвычайные полномочия.* Проскурин. Исход. **4.** Окончательный, определенный, представляющий собой решение. *[Мастеровой] дает самый решительный зарок не пить, подкрепляя это самою искренней и самой страшною клятвою.* Г. Успенский. Нравы Растеряевой улицы. **5.** Наиболее важный, определяющий дальнейший ход, развитие чего-л. *Отважно и стойко сражается солдат на «пятачках», в боях местного значения. Знает, уверен: сегодня — местного значения, а завтра — плацдарм для большого наступления, решительного удара.* Левченко. Счастливая. **6.** *Разг.* Несомненный, явный. *Просто бери кисть да рисуй: Прометей, решительный Прометей.* Гоголь. Мертвые души. *Которому из двух вычислительных устройств — арифмометру или счетам — отдать решительное предпочтение, он и сам не знал.* Сартаков. Козья морда.

С и н. *(ко 2 знач.)*: категори́чный и категори́ческий, безапелляцио́нный. С и н. *(к 4 знач.)*: бесповоро́тный. С и н. *(к 5 знач.)*: реша́ющий. С и н. *(к 6 знач.)*: безусло́вный, определённый, очеви́дный, ви́димый, прямо́й, самоочеви́дный.

**Реши́тельно**, *нареч.* (к 1, 2, 3 и 4 знач.). **Реши́тельность**, -и, *ж.* (к 1, 2, 3 и 4 знач.).
**РЕ́ЯТЬ**, ре́ю, ре́ешь; ре́ющий; ре́явший; *несов.* **1.** *Высок.* Плавно, почти незаметно летать, парить. *Я вышел на балкон. В ясном голубом небе реяли самолеты, они были далеко.* Ауэрбах. Пятнадцать лет спустя. *В неподвижном голубом воздухе реяла паутина.* Федосеев. Последний костер. **2.** *Устар.* Стремительно нестись, передвигаться в воздухе, по воде, по земле. *Кругом свистят и реют пули.* Лермонтов. Измаил-бей.
**РИ́ГА**, -и, *ж.* Постройка, сарай, служащий для сушки снопов и обмолота. *Зимой я срубил ему маленькую ригу, чтобы не занимать больше сушкой снопов баню.* Э. Грин. Другой путь.
**РИГОРИ́ЗМ**, -а, *м.* [От лат. rigor — строгость, жестокость]. *Книжн.* Суровое, непреклонное, мелочное соблюдение каких-л. правил, принципов, обычно в вопросах нравственности. *Не следует увлекаться педантическим ригоризмом.* Писарев. Цветы невинного юмора.

**Ригористи́ческий**, -ая, -ое и **ригористи́чный**, -ая, -ое; -чен, -чна, -о. **Ригори́ст**, -а, *м.*
**РИДИКЮ́ЛЬ**, -я, *м.* [Франц. réticule от лат. reticulum — сеточка]. *Устар.* Женская ручная сумка. *Я достал из ее сумочки, какие в те времена назывались ридикюлями, черновик.* Б. Полевой. Самые памятные.
**РИ́ЗА**, -ы, *ж.* **1.** Верхнее облачение священника при богослужении. *Мы с бабушкой каждое воскресенье в церковь ходили.. Батюшка в серебряной ризе махал кадилом, а потом давал мне просвирку.* В. Козлов. Ветер над домом твоим. **2.** Металлическая накладка на иконах, оставляющая открытыми только изображение лица и рук. *Кабинет.. был похож больше на моленную. В углу в три ряда стояли иконы в богатых ризах.* Кузьмин. Круг царя Соломона.

С и н. *(ко 2 знач.)*: окла́д.
**РИ́ЗНИЦА**, -ы, *ж.* Помещение при церкви для хранения риз и церковной утвари. *[Мы] ушли.. в ризницу, всю заставленную шкафами с церковной утварью.* И. Гончаров. Фрегат «Паллада».
**РИКОШЕ́Т**, -а, *м.* [Франц. ricochet]. **1.** Отраженный полет какого-л. твердого тела после удара его под острым углом о какую-л. поверхность. *Шальная трассирующая пуля, летевшая по направлению в НП, вдруг вспыхнула зеленым огнем и под углом полетела в сторону — рикошет от удара об ветку.* Емельянова. Взятие Познани. **2.** *в знач. нареч.* **рикоше́том**. Отскочив после удара о какую-л. поверхность. *[Мяч], ударившись о столб, отлетел рикошетом и покатился к ногам Аларика.* Гайдар. Военная тайна.

**Рикоше́тный**, -ая, -ое. *Рикошетный удар.*
**РИ́КША**, -и, ри́кши, рикш, *м.* [Сокращение от яп. jin-riki-sha — повозка, ведомая людьми]. В странах Южной и Восточной Азии: человек, который, впрягшись в двуколку, перевозит седоков и грузы. *Рикша встал перед коляской, еще раз взглянул на нее, нагнулся, подхватил длинные узкие оглобли.. и сразу взял с места.* Н. Тихонов. Длинный день.
**РИСК**, -а, *м.* [Франц. risque от итал. risco]. **1.** Возможная опасность для жизни, здоровья кого-л. *[Делегаты] осторожно, с риском для жизни, перебирались через взбушевавшиеся речки.* Г. Марков. Строговы. **2.** Действие наудачу, требующее смелости, бесстрашия, в надежде на счастливый исход. *Любое творчество предполагает поиск, риск. Идти непроторенными путями куда труднее, чем повторять пройденное.* Товстоногов. Размышление о классике. ◇ **На свой страх и риск** (д е й с т в о в а т ь) — принимая на себя ответственность за могущие произойти неприятности.
**РИСТА́ЛИЩЕ**, -а, *ср.* *Устар.* Площадка для конных, гимнастических и других состязаний, игр и т. п., а также само состязание. *Никогда гарденинские лошади не появлялись на ристалищах.* Эртель. Гарденины.
**РИТМ**, -а, *м.* [Восх. к греч. rhythmos] **1.** Равномерное чередование каких-л. элементов (звуковых, двигательных и т. п.), происходящее с определенной последовательностью. *Ритм сердца, дыхания. Ритм танца.* ☐ *Один австралийский поэт прочел свой перевод Пушкина, и я по ритму узнал «Чудное мгновенье», такой это был отличный перевод.* Гранин. Месяц вверх ногами. **2.** *перен.* Размеренность, налаженность в протекании чего-л. *Ритм работы.* ☐ *В первый месяц [после рождения ребенка], конечно, ей было ни до чего, ни до кого. А потом все образовалось. Она вошла в ритм. У нее выкраивалось время для разговоров с людьми.* Дягилев. Весенний снег.

**Ритми́ческий**, -ая, -ое и **ритми́чный**, -ая, -ое; -чен, -чна, -о. *Ритмический танец. Ритмичный стук колес.*

**РИ́ТМИКА**, -и, ж. [См. *ритм*]. **1.** Система и характер ритма. *Ритмика стиха. Ритмика движений в танце.* **2.** Учение о ритме (в стихах, музыке, танце и т. п.). *В своих заметках я не могу даже коснуться работ Тынянова по ритмике и строфике.* Шкловский. Ю. Тынянов — писатель и ученый. **3.** Система физических упражнений, имеющая целью воспитание чувства ритма. *Занятия ритмикой в музыкальной школе.*

**РИ́ТОР**, -а, м. [Греч. rhētōr]. **1.** В Древней Греции и Древнем Риме: оратор, а также учитель ораторского искусства. **2.** *Устар.* Оратор, говорящий многословно и напыщенно. *Тут ритор мой, дав волю слов теченью, Не находил конца нравоученью.* И. Крылов. Кот и Повар. **3.** В старину: ученик или учитель духовной семинарии по классу риторики. *Грамматики, риторы, философы и богословы с тетрадями под мышкой брели в класс.* Гоголь. Вий.

**Ри́торский**, -ая, -ое.

**РИТО́РИКА**, -и, ж. [Греч. rhētorikē]. **1.** Теория ораторского искусства. *Он воспитывал свой стиль сначала в семинарии, потом в Казанском университете, на хриях, периодах,.. свидетельствах от противного, подобиях и прочих тонкостях риторики.* И. Гончаров. Воспоминания. **2.** Излишняя приподнятость изложения, напыщенность. *В его стихах тех лет много риторики, поверхностности, бодрячества и мало яшинской глубины, яшинского беспокойства, столь характерных для его поздних стихов.* Абрамов. Александр Яшин — поэт и прозаик.

**Ритори́ческий**, -ая, -ое. *Риторические приемы. Риторический пафос.*

**РИТУА́Л**, -а, м. [Восх. к лат. ritualis — обрядовый]. *Книжн.* **1.** Совокупность обрядовых действий, сопровождающих какой-л. религиозный акт. *Каждый был сам по себе, и не было никакого ритуала, ни березок, какие завивают на Троицу, ни кутьи, и цветов еще в городе не было.* Гранин. Прекрасная Ута. **2.** Выработанный обычаем или установленный порядок совершения чего-л.; церемониал. *Необходимо, чтобы знамя было обставлено специальным ритуалом почета.* Макаренко. Методика организации воспитательного процесса.

С и н. (ко 2 знач.): церемо́ния.

**Ритуа́льный**, -ая, -ое. *Ритуальное шествие.*

**РИФ**, -а, м. [Нем. Riff]. Надводная или подводная скала, опасная для судоходства. *Коралловые рифы.* □ *На пути могут встретиться подводные рифы. Их придется обойти.* Новиков-Прибой. Капитан 1-го ранга.

**Ри́фовый**, -ая, -ое.

**РО́БА**, -ы, ж. [Франц. robe]. **1.** *Устар.* Одежда, платье. *[Екатерине] принесли приказ: быть сегодня на парадном обеде в богатой робе.* Шишков. Емельян Пугачев. **2.** Грубая рабочая одежда. *Прошла мимо компания грузчиков.. Все одеты в робы из мешковины.* Воробьев. Земля, до востребования.

**РО́БОТ**, -а, м. [Чешск. robot]. Автомат, своими действиями производящий впечатление человеческой работы, заменяющий человека в производстве. *У роботов есть и другая благородная задача — освободить людей от монотонной, изнуряющей работы на конвейерах массовых производств.* Чачко. Искусственный разум.

**РОБРО́Н**, -а, м. [Франц. robe ronde]. Старинное женское платье с кринолином. — *Как же вам ехать [к императрице] в дорожном платье? Не послать ли к повивальной бабушке за ее желтым роброном?* Пушкин. Капитанская дочка.

**РОГА́ТИНА**, -ы, ж. **1.** Старинное холодное оружие в виде копья, насаженного на древко. *Беглый стрелец.. отчаянно отшвырнул рогатину, с которой стоял в карауле, и, подскочив к атаману, подставил шею. — Руби!* Злобин. Степан Разин. **2.** Охотничье оружие в виде большого обоюдоострого ножа на длинном древке. *Ходить с рогатиной на медведя.*

**РОГО́ЖА**, -и, ж. Грубый плетеный из мочала материал, употребляемый преимущ. для упаковки.

**Рого́жка**, -и, ж. **Рого́жный**, -ая, -ое.

**РОД**, -а, ро́ды, -ов, роды́, -о́в и рода́, -о́в, м. **1.** (*мн.* роды́). В первобытном обществе: основная общественная организация, объединенная кровным родством. **2.** (*мн.* роды́). Ряд поколений, происходящих от одного предка. *Старинный дворянский род.* **3.** (*мн.* ро́ды). В классификациях: группа, объединяющая близкие виды. *Роды животных и растений. Роды литературы (эпос, лирика, драма).* **4.** (*мн.* рода́). Разновидность, тип чего-л. *Рода войск.*

С и н. (ко 2 знач.): пле́мя (устар.). С и н. (к 4 знач.): разря́д, катего́рия, класс, сорт (разг.).

**Родово́й**, -а́я, -о́е (к 1, 2 и 3 знач.). *Родовая община. Родовые традиции. Родовые признаки.*

**РОДОВИ́ТЫЙ**, -ая, -ое; -и́т, -а, -о. Принадлежащий к знатному старинному роду (*во 2 знач.*). *Родовитый боярин.*

С и н.: зна́тный, сано́вный, вельмо́жный (устар.), санови́тый (устар.), имени́тый (устар.).

**Родови́тость**, -и, ж. *Родовитость происхождения.*

**РОДОНАЧА́ЛЬНИК**, -а, м. **1.** Предок, от которого ведет начало чей-л. род. *[Он] поступил в качестве домашнего банкира в семью одного из родоначальников династии банкиров Ротшильдов в Лондоне.* Серебрякова. Похищение огня. **2.** *перен.*, обычно *чего.* Тот, кто является основоположником, основателем чего-л. *Родоначальник нового направления в живописи.*

С и н. (к *1* знач.): пра́щур (книжн.), пра́отец (устар. и высок.), прароди́тель (устар. высок.). С и н. (ко 2 знач.): зачина́тель (высок.), оте́ц (высок.), патриа́рх (высок.).

**Родонача́льница**, -ы, ж.

**РОДОСЛО́ВНАЯ**, -ой, ж. Систематический перечень поколений одного рода, устанавливающий происхождение и степень родства. *Родословная князей Орловых.*

С и н.: генеало́гия (книжн.).

**РОЖДЕСТВО́**, -а́, ср. Христианский праздник, посвященный рождению Христа. *В церковь [она] ходила только по большим праздникам — на рождество и пасху.* Б. Бедный. Сын.

**Рожде́ственский**, -ая, -ое. *Рождественские праздники.*

**РОЖО́Н**, рожна́, м. *Устар.* Заостренный шест, кол.— *Лука, никого не пускай,— слышишь ты?— А ну — ломиться будут?— А ты что,— не мужик?— Ладно, я их рожном.* А. Н. Толстой. Петр I. ◊ **Лезть** (или **переть** и т. п.) **на рожон; против рожна переть** (*разг.*) — предпринимать что-л. заведомо рискованное, очень трудно осуществимое.— *Ты вот что — не лезь на рожон. Если в ошибках признаешься, покаешься, не выкажешь гордыню — все сойдет.* Тендряков. Тугой узел. **Какого рожна?** (*прост.*) — почему? — *Где же неприятель? Какого же рожна он не идет?* Шишков. Емельян Пугачев.

**РО́ЗВАЛЬНИ**, -ей, *мн.* Широкие, низкие сани без сиденья, с боками, расходящимися врозь от передка. *Возле крыльца лошадь, впряженная в широкие розвальни, щедро набитые сеном.* Тендряков. Три мешка сорной пшеницы.

**РО́ЗГА**, -и, ро́зги, ро́зог, *ж.* 1. Прут, тонкая ветка как орудие наказания. *Пришли казаки с розгами. Явились понятые.* Задорнов. Капитан Невельской. 2. обычно мн. *Устар.* Удары таким прутом в наказание за что-л. *[Мишка] работал на казенной фабрике.. и за какую-то провинность должен был получить пятьдесят розог.* Мамин-Сибиряк. Верный раб.
С и н. (*к 1 знач.*): лоза́.

**РОЗЕ́ТКА**, -и, *ж.* [Франц. rosette — розочка]. 1. Лента, тесьма, собранные в пышный кружок и служащие для украшения чего-л. *В артистическую вбежал распорядитель с розеткой в петлице.* Вересаев. На эстраде. 2. *Устар.* Орденский бант, носимый в петлице. *Василий Алексеевич был трезв, в петлице серого костюма краснела розетка Легиона.* А. Н. Толстой. Эмигранты. 3. Маленькое блюдечко для варенья, меда и т. п. *[Варвара Федоровна] резала хлеб, подкладывала варенье в розетки.* Овечкин. Районные будни. 4. Устройство для присоединения осветительных, нагревательных и других электроприборов к электрической сети. 5. *Спец.* У некоторых растений — пучок листьев, лучеобразно расходящихся во все стороны. *Розетка подорожника.* 6. *Спец.* Архитектурное или ювелирное украшение в виде расходящихся из центра листьев, цветочных лепестков и т. п.

**Розе́точный**, -ая, -ое (*к 3, 4 и 6 знач.*).

**РО́ЗНИЦА**, -ы, *ж. Спец.* Товар, продаваемый и покупаемый поштучно или в небольших количествах. ◊ **В розницу** (продавать, покупать и т. п.) — поштучно или в небольших количествах. *На базаре, где Иван Кириллыч завел лавку для продажи яблок в розницу, всегда были покупатели.* Вирта. Вечерний звон.

**Ро́зничный**, -ая, -ое. *Розничный товар. Розничная торговля.*

**РОЗНЬ**, -и, *ж.* 1. Вражда, распря. *Концессионеры.. сеют рознь между испанскими и английскими рабочими в Испании.* Л. Никулин. Письма об Испании. 2. *в знач. сказ.* кто, что кому, чему. *Разг.* Не одно и то же, различны. *Ученик ученику рознь.*
С и н. (*к 1 знач.*): раздо́р, ссо́ра, сва́ра (*прост.*), ко́нтры (*прост.*).

**РО́ЗЫСК**, -а, *м.* 1. Поиск. *Отправиться на розыски чего-л.* 2. Система мероприятий, проводимая органами милиции по обнаружению преступника. *Объявить всесоюзный розыск.* 3. В старину: допрос с применением пыток.— *Иван Игнатьич, приведи-ка башкирца, да прикажи Юлаю принести сюда плетей.— Постой, Иван Кузмич.. Дай уведу Машу куда-нибудь из дому, а то услышит крик, перепугается. Да и я.. не охотница до розыска.* Пушкин. Капитанская дочка.

**Розыскно́й**, -а́я, -о́е (*ко 2 знач.*). *Розыскная собака.*

**РОК**[1], -а, *м. Высок.* Судьба (обычно несчастливая). *По воле рока. Злой рок.* □ — *За гордость рок меня так люто наказал.* И. Крылов. Орел и Крот.
С и н.: фа́тум (*книжн.*), судьби́на (*трад.-поэт.*), форту́на (*устар.*).

**РОК**[2], -а, *м.* [См. *рок-н-ролл*]. 1. То же, что **рок-н-ролл**. *У входа в Олимпийскую деревню в баре.. танцевали рок.* Ю. Власов. Дед. 2. То же, что **рок-музыка**. *Играть рок.*

**РОК-МУ́ЗЫКА**, -и, *ж.* Один из наиболее популярных видов современной эстрадной музыки, исполняемой на электронных инструментах с участием голоса, характеризующийся доминирующей ролью ритма. *Фестиваль рок-музыки.*

**РОК-Н-РО́ЛЛ**, -а, *м.* [Англ. rock-and-roll]. Импровизационный парный танец американского происхождения, характеризующийся быстрым темпом и крайней экспрессивностью, а также музыка к этому танцу.

**РОКОВО́Й**, -а́я, -о́е. 1. *Устар.* Предопределенный судьбой, роком; неотвратимый, неизбежный. *Татьяна, милая Татьяна!.. Тебя преследуют мечты:.. Везде, везде перед тобой Твой искуситель роковой.* Пушкин. Евгений Онегин. 2. *Устар.* Определяющий дальнейшую судьбу. *Роковая встреча.* □ *[Самозванцу:] Так вымолви ж мне роковое слово; В твоих руках теперь моя судьба, Реши: я жду.* Пушкин. Борис Годунов. 3. Являющийся причиной несчастий или гибели. *Роковая ошибка.* □ — *Так почему же, несмотря на все принятые меры, немецкий удар все же застал нас врасплох?.. Допустили мы какой-то роковой просчет?* Чаковский. Блокада.
С и н.: фата́льный (*книжн.*).

**РОКОКО́**, *нескл., ср.* [Франц. rococo]. 1. Архитектурный и декоративный стиль, возникший в первой половине 18 в. во Франции и отличающийся изысканной сложностью форм и орнаментов. 2. *неизм. прил.* Характеризующийся такими признаками. *Дворец в стиле рококо.*

**РО́ЛИК**, -а, *м.* 1. Небольшое металлическое или пластмассовое колесико у ножек стола, кресла, кровати и т. п. для удобства передвижения. *Журнальный столик на роликах.* 2. *мн.* Коньки на колесиках. *Толпа собралась перед лавкой — женщины с кошелками, трое мальчишек на роликах, велосипедист.* Федин. Похищение Европы. 3. Катушка с кинолентой, а также кинолента, помещенная на такой катушке. *Киномеханик вставил в киноаппарат новый ролик. Рекламный ролик.*

**Ро́ликовый**, -ая, -ое.

**РОЛЬ,** -и, ро́ли, -е́й, *ж.* [Франц. rôle от лат. rotulus — свиток (для актеров)]. **1.** Художественный образ, воплощаемый актерами на сцене, в кинофильме и т. п. *Главная роль.* ☐ *Исполняя роль Ивана Грозного в первой серии одноименного фильма, я десять или двенадцать раз.. переживал тяжелую болезнь и смерть своей верной подруги, царицы Анастасии.* Н. Черкасов. Записки советского актера. **2.** Полный текст, принадлежащий одному действующему лицу в пьесе. *Молодой актер знал свою роль назубок.* ☐ *[Аркадина:] Хорошо с вами, друзья, приятно вас слушать, но.. сидеть у себя в номере и учить роль — куда лучше!* Чехов. Чайка. **3.** *кого.* Род деятельности, проявление себя в качестве кого-л. *Взять на себя роль командира.* ☐ *Пришлось замотать руку тряпкой. Дыбок впервые выступал в роли санитара.* Леонов. Взятие Великошумска. **4.** *кого или чья.* Мера влияния, значения кого-, чего-л.; степень участия в каком-л. деле. *Роль личности в истории.* ☐ *Его роль в формировании зарождающейся советской литературы двадцатых годов огромна.* Федин. Горький среди нас. ◊ **Играть роль** *кого, чего или какую* — 1) оказывать какое-л. воздействие, влиять каким-л. образом. *По данным Чека, он играл немалую роль в белом заговоре.* Н. Островский. Как закалялась сталь; 2) быть кем-, чем-л. *В этой истории я играл роль всего лишь свидетеля;* 3) изображать кого-л., притворяться кем-л. *Играть роль оскорбленного. Играть роль влюбленного.* **Войти в роль** — освоиться со своими обязанностями, со своим положением. *Как играла Татьяна! Как твердо в роль свою вошла! Как утеснительного сана Приемы скоро приняла.* Пушкин. Евгений Онегин.

**Ролево́й,** -а́я, -о́е (к 1, 2 и 3 знач.).
**РОМ,** -а, *м.* [Англ. rum]. Крепкий алкогольный напиток, получаемый при производстве тростникового сахара. *Рюмка рома. Добавить рома в чай.*

**Ро́мовый,** -ая, -ое. *Ромовая карамель.*
**РОМА́Н,** -а, *м.* [Франц. roman]. **1.** Большое по объему повествовательное художественное произведение со сложным сюжетом и с большим числом действующих лиц. *Исторический, фантастический, философский роман.* ☐ *Ей рано нравились романы; Они ей заменяли все; Она влюблялася в обманы И Ричардсона и Руссо.* Пушкин. Евгений Онегин. **2.** *Разг.* Любовные отношения между мужчиной и женщиной. *Завести роман.* ☐ *— Между нами не было романа. Всего десять-пятнадцать встреч.* Куприн. Поединок.

Син. (ко 2 знач.): любо́вь, связь, ша́шни (*прост.*), интри́га (*устар.*), аму́ры (*устар. прост.*).
**Романи́ческий,** -ая, -ое и **рома́нный,** -ая, -ое (к 1 знач.). *Романическая история. Романические отношения. Романный сюжет.*
**РОМА́НС,** -а, *м.* [Франц. romance]. Вокальное лирическое произведение, имеющее более сложную форму, чем песни, и исполняемое в сопровождении фортепиано или под гитару. *Цыганские романсы. Романсы Глинки.*

**Рома́нсный,** -ая, -ое. *Романсная форма.*
**РОМАНТИ́ЗМ,** -а, *м.* [Франц. romantisme]. **1.** Направление в литературе и искусстве первой четверти 19 в., выступавшее против канонов классицизма и характеризовавшееся вниманием к человеческой индивидуальности, стремлением к национальному своеобразию, к изображению идеальных героев и чувств. *Романтизм Байрона. Романтизм поэм Лермонтова.* **2.** Художественный метод в литературе и искусстве, проникнутый оптимизмом, верой в будущее, стремящийся показать в ярких, приподнятых образах высокое назначение человека. *Романтизм ранних произведений М. Горького.* **3.** *Книжн.* Умонастроение, проникнутое идеализацией действительности, мечтательной созерцательностью. *Ни лета́, ни опытность, ни долгая замужняя жизнь не в силах были излечить ее от склонности к романтизму и поэтическим грезам.* Григорович. Проселочные дороги.

Син. (к 3 знач.): рома́нтика.
**Романти́ческий,** -ая, -ое. *Романтическая поэзия.* ☐ *[Грушницкий] из тех людей, которые на все случаи жизни имеют готовые пышные фразы.. Производить эффект — их наслаждение: они нравятся романтическим провинциалкам до безумия.* Лермонтов. Герой нашего времени.
**Рома́нтик,** -а, *м.*
**РОМА́НТИКА,** -и, *ж.* [См. *романтизм*]. **1.** То же, что романтизм (в 3 знач.). **2.** То, что создает эмоциональное, возвышенное отношение к чему-л. *Романтика подвига. Романтика борьбы за свободу.*
**РОМАНТИ́ЧНЫЙ,** -ая, -ое; -чен, -чна, -о. [См. *романтизм*]. Мечтательно настроенный, склонный к романтизму (в 3 знач.). *Конечно, я был бы удовлетворен, если бы герои этой книги удались мне такие, как я хотел, — то есть были бы и мужественными, и нежными, и чуть-чуть романтичными.* Бондарев. Моим читателям.

**Романти́чно,** *нареч.* **Романти́чность,** -и, *ж.*
**РО́ПОТ,** -а, *м.* **1.** Приглушенный, невнятный, однообразный шум. *Ропот моря, листвы.* **2.** Недовольство, протест, выражаемые негромко, не вполне открыто. *Ропот недовольных.* ☐ *Мнение мое было принято чиновниками с явной неблагосклонностью. Поднялся ропот, и я услышал явственно слово: молокосос, произнесенное кем-то вполголоса.* Пушкин. Капитанская дочка.

Син. (ко 2 знач.): волне́ние, броже́ние.
**РО́СПИСЬ,** -и, *ж.* **1.** Декоративная живопись на стенах, потолках зданий, а также на предметах быта. *Покрыть росписью ларец.* ☐ *Роспись стен, как видно, после чего реставрированных, блестела и отсвечивала лаком.* Федин. Шаг за шагом. **2.** *Разг.* Подпись. *Все и всем было возвращено и на соответствующих местах [обходного] листа заверено росписями и печатями.* Гранин. После свадьбы. **3.** Перечень, список кого-л. *— Галларт дал мне роспись.. Будь у нас все, что сказано в росписи, Нарву мы возьмем. Нужно шестьдесят ломовых орудий.* А. Н. Толстой. Петр I.

Син. (к 3 знач.): рее́стр, о́пись, та́бель.
**РО́СПУСКИ,** -ов, *мн.* Длинная телега или сани

без кузова, приспособленная для перевозки бревен, досок и т. п. *После обеда на длинных крестьянских роспусках отправились мы с отцом в поле.* С. Аксаков. Детские годы Багрова-внука.

**Ро́ссы,** -ов, *мн. Трад.-поэт.* Русские. *Дмитриев, Державин, Ломоносов, Певцы бессмертные, и честь и слава россов, Питают здравый ум.* Пушкин. К другу стихотворцу.

Син.: великору́сы (*книжн.*), великоро́ссы (*устар.*), россия́не (*устар. и высок.*).

**РОСТОВЩИ́К,** -а́, *м.* Тот, кто дает деньги в рост, в долг под большие проценты (часто беря в залог дорогие вещи). *Просто под проценты я денег не дам и не желаю быть ростовщиком. Другое дело, если вы мне выделите известный пай в предприятии.* Мамин-Сибиряк. Хлеб.

**Ростовщи́ца,** -ы, *ж.* **Ростовщи́ческий,** -ая, -ое.

**РО́СТРА,** -ы, *ж.* [Лат. rostrum — клюв; нос корабля]. *Спец.* Украшение в виде носовой части древнего судна. *Колонна украшена рострами.*

**Ростра́льный,** -ая, -ое. *Ростральные колонны.*

**РО́СЧЕРК,** -а, *м.* Быстрое движение пером, карандашом при письме, а также след от такого движения. *«Подателю сего, князю́.. Нехлю́дову, разрешаю свидание в тюремной конторе с содержащейся в замке мещанкой Масловой»..— дописал он и сделал размашистый росчерк.* Л. Толстой. Воскресение. ◊ **(Одним) росчерком пера** (сделать *что*) — быстро, не вникая в суть дела, простой подписью под каким-л. приказом, распоряжением.

**РО́ТА,** -ы, *ж.* [Ср.-в.-нем. rotte — толпа, рота от ст.-франц. rote]. Войсковое подразделение, входящее обычно в состав батальона. *Саперная, караульная рота.* □ *Рота капитана занимала опушку леса и лежа отстреливалась от неприятеля.* Л. Толстой. Набег. ◊ **Арестантские роты** — в дореволюционной России: один из видов тюремного наказания, соединенный с принудительными работами.

**Ро́тный,** -ая, -ое. *Ротный командир. Приказ ротного* (*в знач. сущ.*).

**РОТАПРИ́НТ,** -а, *м.* [От лат. rotare — вращать и англ. print — печатать]. *Спец.* Небольшая машина для печатания малотиражных изданий при помощи фотомеханического или электрографического копирования текста, а также способ такого печатания. *Брошюра напечатана на ротапринте.*

**Ротапри́нтный,** -ая, -ое.

**РОТА́ТОР,** -а, *м.* [От лат. rotare — вращать]. *Спец.* Аппарат для размножения рукописей, чертежей, рисунков посредством трафаретной печати. *Отпечатать бланки на ротаторе.*

**Рота́торный,** -ая, -ое.

**РО́ТМИСТР,** -а, *м.* [Восх. к нем. Rottmeister]. В дореволюционной России: офицерский чин в кавалерии и в жандармерии, соответствовавший званию капитана, а также лицо, имеющее этот чин. *Я узнал, что его зовут Зуриным, что он ротмистр гусарского полка и находился в Симбирске при приеме рекрут.* Пушкин. Капитанская дочка.

**Ро́тмистрский,** -ая, -ое.

**РОТО́НДА,** -ы, *ж.* [Восх. к лат. rotundus — круглый]. **1.** *Спец.* Круглая или полукруглая постройка (здание, павильон, зал) с куполом и обычно окруженная колоннами. *Этот угол был центром фасада дома и представлял открытую полукруглую ротонду с четырьмя колоннами.* Остроумова-Лебедева. Автобиографические записки. **2.** Верхняя теплая женская одежда в виде длинной накидки без рукавов, распространенная в 19 — начале 20 в. *Она была одета в бархатную ротонду с воротником черного меха.* М. Горький. В людях.

**РУБЕ́Ж,** -а́, *м.* **1.** Условная линия, черта, разделяющая смежные участки, области. *На рубеже между барским картофельным полем и костюринскими полосами стоял дуб, разбитый молнией.* Вольнов. На рубеже. **2.** *перен.* О каком-л. отрезке времени, который отделяет один период от другого. *Событие произошло на рубеже 19—20 веков. На рубеже двух эпох.* **3.** Государственная граница. *Близость границы волновала всех: думали о скором освобождении родной земли, о возможном даже переходе государственных рубежей.* Алексеев. Солдаты. **4.** Линия обороны, укреплений во время военных действий. *Немцы с ходу прорвали несколько оборонительных поясов, но на одном из последних рубежей их задержали.* Б. Полевой. Повесть о настоящем человеке. ◊ **За рубежом** — в иностранном государстве. *Книга вышла за рубежом.* **Выйти на новые рубежи** — приступить к решению новых больших задач.

Син. (к 1 знач.): грани́ца, межа́.

**РУБИКО́Н,** -а, *м.* (с прописной буквы). О границе, пределе чего-л. *Постановка «Пиковой дамы» со всей справедливостью оставляет далеко за собой Рубикон, отделяющий халтуру от искусства.* Гардин. Воспоминания. ◊ **Перейти Рубикон** [по названию реки, которую, вопреки запрещению сената, перешел Юлий Цезарь, начав тем самым гражданскую войну] (*книжн.*) — сделать решительный шаг, принять бесповоротное решение, определяющее дальнейшие события.

**РУБИ́Н,** -а, *м.* [Восх. к ср.-лат. rubinus — букв. красный]. Драгоценный камень красного цвета. *Кольцо с рубином.* □ *[Царь] возложил на свою голову венец из кроваво-красных рубинов.* Куприн. Суламифь.

**Руби́новый,** -ая, -ое. *Рубиновые серьги.*

**РУ́БИЩЕ,** -а, *ср.* Ветхая, изорванная одежда. *Старик был одет в рубище, шел босой, как бы не чувствуя ледяного дыхания снежных вершин.* Л. Никулин. Четырнадцать месяцев в Афганистане.

Син.: лохмо́тья, отре́пье (*разг.*) и отре́пья (*разг.*), рвань (*разг.*), рванье́ (*разг.*).

**РУ́БЛЕНЫЙ,** -ая, -ое. **1.** Нанесенный рубящим оружием. *Раны бывают сквозные, колотые и рубленые.* Куприн. Гамбринус. **2.** Прерывистый, резкий; отрывистый. *[Булыгин] с видимым усилием, слово за словом произносит рубленые фразы приказа.* С. Антонов. Серебряная свадьба. **3.** Бревенчатый. *Им удалось снять три маленькие чистые, светлые комнаты в небольшом рубленом доме.* Степанов. Семья Звонаревых.

**РУ́БРИКА,** -и, *ж.* [Восх. к лат. rubrica — заглавие зако-

**РУД**     **РУП**

на, книги (написанное красной краской) от ruber — красный]. **1.** Название раздела в газете, журнале и т. п. *Сам Косин признал, что, сдав полосу, он сознательно поставил рубрику «На красноармейском митинге».* А. Гончаров. Наш корреспондент. **2.** Раздел, подразделение чего-л., графа. *Никаких случайных, разрозненных мнений его ум вообще не выносил, он всегда стремился к классификации фактов, к распределению их по разделам и рубрикам.* К. Чуковский. Воспоминания.

**РУДИМЕ́НТ,** -а, м. [Восх. к лат. rudimentum — зачаток]. **1.** Недоразвитый, остаточный орган, бывший полноценным на предшествующих стадиях развития организма. **2.** *перен. Книжн.* Пережиток какого-л. явления, существовавшего в прошлом.

    С и н. (ко 2 знач.): отры́жка *(разг.).*

**Рудимента́рный,** -ая, -ое.

**РУИ́НА,** -ы, ж. [Восх. к лат. ruina]. **1.** *мн. Книжн.* Развалины, остатки какого-л. строения (обычно древнего). *Направо громоздились руины каменных домов — груды кирпича и обвалившихся стен.* Ф. Гладков. Мать. **2.** *перен. Разг.* Престарелый, немощный человек. *Третий почтарь, на станции Акер-Тюбэ, опять-таки глубокий старик.. Теперь он представляет собою дряхлую, жалкую руину.* Фурманов. Мятеж.

    С и н.: развалина.

**РУКОВО́ДСТВОВАТЬСЯ,** -твуюсь, -твуешься; руководствующийся, руководствовавшийся; руководствуясь; *несов., чем.* Действовать сообразно с чем-л., в зависимости от чего-л. *Руководствоваться инстинктом. Руководствоваться учебным пособием.* ☐ *Видно, что повар руководствовался более каким-то вдохновением и клал первое, что попадалось под руку: стоял ли возле него перец — он сыпал перец, капуста ли попалась — совал капусту.* Гоголь. Мертвые души.

    С и н.: сле́довать, руководи́ться *(книжн.)*.

**РУ́КОПИСЬ,** -и, ж. **1.** Текст какого-л. произведения, написанный от руки или отпечатанный на пишущей машинке. *Хорошо известно, что никто не перечитал столько писательских рукописей, сколько прочел их Горький.* Федин. Горький среди нас. **2.** Рукописный памятник древней письменности. *Изучение древних рукописей.*

    С и н. (ко 2 знач.): манускри́пт *(книжн.).*

**Рукопи́сный,** -ая, -ое. *Рукописный текст.*

**РУКОПЛЕСКА́ТЬ,** -ещу́, -е́щешь; рукоплещущий, рукоплеска́вший; рукоплеща́; *несов.* Хлопать в ладоши, выражая одобрение, приветствие (в театре, на собрании и т. п.). *Рукоплескать актерам.* ☐ *Володя читал громко, с выражением свои стихи, девушки громко одобряли их, рукоплескали и говорили, что давно не слышали ничего подобного.* Н. Тихонов. Кавалькада.

    С и н.: аплоди́ровать.

**Рукоплеска́ние,** -я, *ср.*

**РУКОПРИКЛА́ДСТВО,** -а, *ср.* **1.** *Устар.* Собственноручная подпись лица под каким-л. документом. — *«Я писать, говорить, не умею, не то что под чужие руки, да и своей собствен-*

*ной».* К показаниям даже рукоприкладства не делает. Писемский. Тысяча душ. **2.** *Разг.* Нанесение ударов, побоев (руками); избиение кого-л. *Загоняли студентов в соседний манеж не только грозными криками, но и рукоприкладством.* Телешов. Записки писателя.

**РУКОТВО́РНЫЙ,** -ая, -ое; -рен, -рна, -о. *Устар. и высок.* Созданный, сделанный руками человека, человеческим трудом. *Речь шла о гигантском водохранилище, которое было создано выше гребня плотины Красноярской ГЭС. Оно поистине огромно, это рукотворное море.* Б. Полевой. Десятое море инженера Бочкина.

**Рукотво́рность,** -и, *ж.*

**РУЛЕ́ТКА,** -и, ж. [Франц. roulette]. **1.** Свертываемая в круг лента с делениями для измерения чего-л. *Пока агент и интенданты обмеривали рулеткой трюмы и записывали в акт количество кубометров, Цимбал успел сбегать к своим ребятам.* Катаев. За власть Советов. **2.** Устройство для азартной игры в виде вращающегося круга с нумерованными лунками, по которому катится шарик, а также сама эта игра. *Огромный зал казино был полон. Одни играли в карты, другие в рулетку. Звенели серебряные доллары, шуршали банкноты.* Полторацкий. За океаном.

**Руле́точный,** -ая, -ое.

**РУ́МБА,** -ы, *ж.* [Исп. rumba]. Современный танец быстрого темпа четырехдольного размера, а также музыка к этому танцу. *Ударили гитары, и я увидел особенный танец, похожий на те, которые танцуют сейчас здесь в Париже, вроде румбы.* Коровин. Испания.

**РУНДУ́К,** -а́, *м.* [Тюрк.]. *Устар.* Большой сундук, ларь с поднимающейся крышкой. *[Шкипер] достал из рундука бутылку вина.* Раковский. Адмирал Ушаков.

**Рунду́чный,** -ая, -ое.

**РУНО́,** -а́, *ср. Спец.* Шерсть овцы. *В избе едко и кисло пахло овчиной. На столе волнами вздымалось лохматое, обильное руно.* Ф. Гладков. Повесть о детстве. ◊ *Золотое руно* — в древнегреческой мифологии: золото, покрывающее шкуры баранов в Колхиде.

**Ру́нный,** -ая, -ое.

**РУ́ПИЯ,** -и, ж. [Восх. к санскр. rūpya — чеканное серебро]. Денежная единица Индии, Пакистана, Индонезии и некоторых других стран, а также серебряная монета такого достоинства. *Ровно в полдень англичанин дал ему рупию, чтобы он купил себе поесть.* Бунин. Братья.

**РУ́ПОР,** -а, *м.* [Голл. roeper]. **1.** Труба с расширяющимся концом, служащая для усиления звука. *[Катер] выходит на середину. — Прощайте! — доносится из рупора.* С. Воронин. Две жизни. **2.** *перен., кого, чего или какой. Книжн.* Выразитель, распространитель чьих-л. идей, взглядов. *То, что должен сказать автор, никому из героев поручать нельзя. В таком случае герои перестают жить и обращаются в авторский рупор.* Макаренко. Беседа с начинающими писателями.

**Ру́порный,** -ая, -ое. *Рупорный громкоговоритель.*

**РУ́СЛО**, -а, ру́сла, ру́сел и русл, *ср*. **1.** Углубление в почве, по которому течет водный поток (река, ручей). *Почва стала каменистой и дорога вышла на старое русло реки.* Шкловский. Марко Поло. **2.** *перен.*, *чего или какое.* Направление, путь развития чего-л. *Основа его [Зощенко] таланта влекла его в русло сатирической литературы.* Федин. Горький среди нас.

С и н. (к 1 знач.): ло́же.

**РУТИ́НА**, -ы, *ж.* [Франц. routine]. Рабское следование заведенному шаблону, боязнь нового; консерватизм. *[С. Маковский] первый сформулировал обязанность художественного критика как борьбу на два фронта: против рутины и пошлости старого и против шарлатанства, надувательства, продиктованного честолюбием некоторых из новаторов.* Милашевский. Вчера, позавчера.

С и н.: ко́сность.

**Рути́нный**, -ая, -ое.

**РУТИНЁР**, -а *и (устар.)* **РУТИНИ́СТ**, -а, *м.* [См. *рутина*]. Человек, боящийся всего нового, склонный к рутине. *[Матвей Ильич] старался внушить всем и каждому, что он не принадлежит к числу рутинеров и отсталых бюрократов, что он не оставляет без внимания ни одного важного проявления общественной жизни.* Тургенев. Отцы и дети. *Мнение, утверждающее, что рутинисты суть самые лучшие практики и дельцы, может пользоваться кредитом только в таких странах, в которых нет истинно развитых людей.* Салтыков-Щедрин. Признаки времени.

С и н.: консерва́тор.

**РЫДВА́Н**, -а, *м.* [Восх. к нем. Reitwagen — повозка]. Старинная большая карета, служившая для дальних поездок, в которую впрягалось несколько лошадей. *Четвероместный ямской рыдван, запряженный двумя мохнатыми клячами, подполз к крыльцу.* Тургенев. Дым.

**РЫ́НДА**[1], -ы, *ж.* [От англ. to ring the bell — звонить в колокол]. Колокольный звон, производимый на парусных судах в полдень. *Бить рынду.* □ *Пробило восемь склянок, и прозвонили рынду. На всех военных судах взвились флаги, обозначающие полдень.* Станюкович. Пропавший матрос.

**РЫ́НДА**[2], -ы, *м.* В старину на Руси: оруженосец и телохранитель царя.

**РЫ́НОК**, ры́нка, *м.* **1.** Место розничной торговли различными продуктами питания под открытым небом или в торговых рядах. *Мимо прошла, должно быть с рынка, соседка. В авоське у нее картошка была перемешана с яблоками, а поверх лежали пышные румяные булки.* Шуртаков. Где ночует солнышко. **2.** Сфера товарного обмена; предложение и спрос на товары. *Внутренний, внешний рынок. Мировой рынок. Борьба за рынки сбыта.*

С и н. (к 1 знач.): база́р, торг *(устар.)*, то́ржище *(устар.)*.

**Ры́ночный**, -ая, -ое. *Рыночные огурцы. Рыночные отношения.*

**РЫСА́К**, -а́, *м.* Породистая рысистая лошадь. *По гладко укатанным мостовым неслись блестевшие лаком и стеклом кареты, летели, закидывая прохожих снегом, окутанные паром рысаки.* Глинка. Старосельская повесть.

**РЫСЬ**, -и, *ж.* **1.** Бег, при котором лошадь ставит на землю одновременно одну переднюю и одну заднюю ногу. *Лошадь перешла на рысь. Пустить коня рысью.* □ *Я торопливо оделся, на ходу сполоснул водою лицо и через полчаса уже ехал крупной рысью по направлению Бисова Кута.* Куприн. Олеся. **2.** *перен. Разг. шутл.* Живость, прыть. *Но Собакевич вошел, как говорится, в самую силу речи, откуда взялась рысь и дар слова.* Гоголь. Мертвые души.

**РЫ́ЦАРЬ**, -я, *м.* [Восх. к ср.-в.-нем. ritter — всадник]. **1.** В феодальной Западной Европе: лицо, принадлежащее к военно-землевладельческому сословию. *Рыцарь был прежде всего воин, победитель: подозрение в трусости и неумении владеть мечом было высшим оскорблением.* Герцен. Несколько замечаний об историческом развитии чести. **2.** *перен. Высок.* Самоотверженный, благородный человек, защитник кого-, чего-л. *Рыцари свободы. С нею он вел себя как рыцарь.* ◊ **Рыцарь печа́льного о́браза** — 1) Дон-Кихот, герой одноименного романа Сервантеса; 2) *перен.* Наивный, бесплодный мечтатель. **Рыцарь без страха и упре́ка** (*высок.*) — о человеке большого мужества и высоких нравственных достоинств. **Рыцарь на час** — о том, чьей самоотверженности, благородства хватает ненадолго. **Рыцарь плаща и кинжа́ла** (*книжн.*) — тайный грабитель, убийца.

**Ры́царский**, -ая, -ое *и* **ры́царственный**, -ая, -ое (ко 2 знач.). ◊ **Ры́царский рома́н** — произведение западноевропейской средневековой литературы о любви и необычайных приключениях рыцаря, отражающее мораль, взгляды рыцарства.

**РЫЧА́Г**, -а́, *м.* **1.** Стержень, который может вращаться вокруг точки опоры и служить для уравновешивания большой силы при помощи меньшей. *Поднять машину рычагом.* **2.** Стержень с рукояткой, служащий для управления чем-л., для регулирования чего-л. *Рычаг управления.* □ *Ваня Шишкин дал газ, передвинул рычаги скорости и машина тронулась.* Медынский. Марья. **3.** *перен.* О том, что возбуждает деятельность кого-, чего-л., приводит в движение что-л. *Самолюбие — великий рычаг в душе человека; оно родит чудеса!* Белинский. Герой нашего времени. Сочинение М. Лермонтова.

**Рычажо́к**, -жка́, *м. (уменьш.)* (ко 2 знач.). **Рыча́жный**, -ая, -ое (к 1 знач.).

**РЬЯ́НЫЙ**, -ая, -ое; рьян, -а, -о. *Разг.* **1.** Энергично и с увлечением занимающийся чем-л.; усердный. *Необычное бодрствование, красота ночи и страсть рьяных рыболовов взволновали и опьянили нас.* Куприн. На реке. **2.** Резвый, горячий. *Рьяные кони мчались, взрывая снежный прах копытами.* Достоевский. Дядюшкин сон.

С и н. (к 1 знач.): стара́тельный, приле́жный, ре́вностный (*книжн.*), и́стовый (*устар.*). С и н. (ко 2 знач.): бы́стрый, быстроно́гий, легконо́гий, ходки́й (*прост.*), бо́рзый (*устар. и нар.-поэт.*).

**Рья́но**, *нареч.* **Рья́ность**, -и, *ж.*

**РЭ́КЕТ**, -а, *м.* [Англ. racket]. *Спец.* Преступное вымогательство чужих доходов путем угроз, насилия. *Заниматься рэкетом.*

**Рэкети́р**, -а, м.

**РЮШ**, -а, м. и **РЮ́ШКА**, -и, ж. [Франц. ruche]. Собранная в сборку узкая полоска легкой ткани, пришитая к чему-л. в виде отделки, украшения. *На ней было легкое бареженовое платье, очень простенькое и очень миленькое: обшитые рюшами рукава доходили только до локтей.* Тургенев. Новь.

**РЯДНО́**, -а́, ря́дна, ря́ден, ср. и **РЯДНИ́НА**, -ы, ж. Толстый холст из пеньковой или грубой льняной пряжи, а также изделие из такого холста. *На дворе лежало на земле множество рядел с пшеницею, просом и ячменем, сушившихся на солнце.* Гоголь. Иван Федорович Шпонька и его тетушка. *У крыльца лежал завернутый в ряднину большой сверток зеленых веток.* Ляшко. Никола из Лебедины.

**РЯ́ДЧИК**, -а, м. Устар. Наниматель рабочих, подрядчик. — *А Семен-рядчик на другой день вашего отъезда пришел. Надо будет порядиться с ним, Константин Дмитрич,* — *сказал приказчик.* Л. Толстой. Анна Каренина.

**РЯ́ЖЕНЫЙ**, -ая, -ое. Переодетый в кого-л. ради шутки или чтобы участвовать в карнавале, в святочном обряде. *Вечером елку посещали ряженые парни, молодые бабы, девушки — все, нарядившись как могли, являлись попеть орехов, поплясать и попеть.* Гарин-Михайловский. Несколько лет в деревне. *Вдруг среди ряженых* (в знач. сущ.), *среди оперных горожанок и горожан возникла странная фигура в коротком испанском плаще.* Л. Никулин. Федор Шаляпин.

**РЯ́СА**, -ы, ж. [Ср.-греч. rhason — монашеское облачение]. Верхнее длинное одеяние в талию и с широкими рукавами у православного духовенства. *Высокий поп в коричневой рясе.. крестил толпу двуперстием.* Ф. Гладков. Лихая година.

# С

**СААДА́К**, -а, **САГАЙДА́К**, -а и **САЙДА́К**, -а, м. [Тюрк.]. **1.** Лук в чехле и колчан со стрелами — набор вооружения конного воина. *Вскоре степь усеялась множеством людей, вооруженных копьями и сайдаками.* Пушкин. Капитанская дочка. *С гиком проскакал боярский сын.., и за ним подпрыгивали на клячах его люди.. с татарскими луками и саадаками за спиной.* А. Н. Толстой. Петр I. **2.** Чехол на лук. *Кожаный саадак.*

**СА́АМИ**, нескл. и **СА́АМЫ**, -ов, мн. (ед. саа́ми, нескл., м. и ж. и саа́м, -а, м., саа́мка, -и, ж.). Народ, живущий на Кольском полуострове, а также в северных районах Норвегии, Финляндии и Швеции.

Син.: лопари́, лапла́ндцы.

**Саа́мский**, -ая, -ое. *Саамский язык.*

**САБАНТУ́Й**, -я, м. [От тюрк. (тат.) saban — плуг и tuj — праздник]. **1.** Народный праздник у татар и башкир, посвященный окончанию весенних полевых работ. *Шумный сабантуй.* **2.** Разг. шутл. Веселая пирушка. *Устроить сабантуй.*

**САБОТА́Ж**, -а, м. [Франц. sabotage]. Злостное, преднамеренное расстройство или срыв работы при соблюдении видимости выполнения ее, а также скрытое противодействие осуществлению чего-л. *Медлительность работ оставалась прежней. Была ли она сознательным саботажем, была ли она случайностью — кто знает!* Фурманов. Чапаев.

**Сабота́жный**, -ая, -ое. **Сабота́жник**, -а, м. (разг.).

**СА́ВАН**, -а, м. [Греч. sabanon]. **1.** Погребальное одеяние из белой ткани для покойников. *Похороны совершались на третий день. Тело бедного старика лежало на столе, покрытое саваном и окруженное свечами.* Пушкин. Дубровский. **2.** перен., какой. Белый покров (снега, льда, тумана и т. п.). *[За окном] тихо и плавно в безветрии падал на землю крупными хлопьями снег, убирая все безжизненным белым саваном.* Ананьев. Годы без войны.

**САВРА́СЫЙ**, -ая, -ое. Светло-рыжий с черным хвостом и гривой (о масти лошади). ◇ **На саврасой не объедешь** (прост.) — не обманешь, не перехитришь.

**СА́ГА**, -и, ж. [Нем. Sage]. Древнескандинавское или древнеирландское народное героическое сказание о богах и героях. *Исландские саги. Рыцарские саги.*

**САГАЙДА́К** см. саадак.

**САДИ́ЗМ**, -а, м. [По имени французского писателя 18 в. маркиза де Сад]. **1.** Половое извращение, заключающееся в желании причинять физическую боль лицу другого пола. **2.** Страсть к жестокости, изощренному мучительству, наслаждение чужими страданиями.

**Сади́стский**, -ая, -ое. *Садистские наклонности.*

**СА́ЖЕНЬ**, -и, са́жени, са́жен и -ей и **САЖЕ́НЬ**, -и, саже́ни, -ей, ж. Русская мера длины, равная 2,134 м, применявшаяся до введения метрической системы мер. *Буйные сани берут вправо, — .. проносятся мимо в пяти саженях.* Чернышевский. Что делать? ◇ **Косая сажень в плечах; в косую сажень ростом** — о широкоплечем, рослом человеке (от старой меры длины — от носка правой ноги до конца среднего пальца поднятой вверх левой руки). *При самом въезде в околицу встретил нас староста, дюжий мужик в косую сажень ростом.* Тургенев. Бурмистр.

**Саже́нный**, -ая, -ое и **сажённый**, -ая, -ое. Человек саженного роста.

**САЙДА́К** см. саадак.

**САК**, -а, м. [Франц. sac — первонач. мешок]. Устар. Широкое женское полупальто. *Каракулевый сак.*

**САКВОЯ́Ж**, -а, м. [От франц. sac — мешок и voyage — путешествие]. Дорожная сумка с запором. *Докторский саквояж.* □ *Крутовский, повернувшись к своим вещам, открыл кожаный саквояж, достал свертки с продуктами и начал накрывать столик на двоих.* Коптелов. Большой зачин.

**Саквоя́жный**, -ая, -ое.

**СА́КЛЯ**, -и, ж. [Груз.]. Русское название жилища кавказских горцев. *Каменная, глинобитная сакля.* □ *Сакля была прилеплена одним боком* к скале; три скользкие, мокрые ступени вели к ее двери. Лермонтов. Герой нашего времени.

**САКРАМЕНТА́ЛЬНЫЙ**, -ая, -ое; -лен, -льна, -о. [Лат. sacramentalis]. *Книжн.* **1.** Относящийся к религиозному культу; обрядовый. *Сакраментальный характер танца дикарей.* **2.** *перен.* Ставший обычаем, традиционный, а также имеющий как бы магический смысл. *Сакраментальная фраза.* □ *Это свелось бы к простому перечислению имен и названий с неизбежной в таких случаях сакраментальной концовкой «и многие другие».* Соболев, Литература и наша современность.

С и н. (к 1 знач.): ритуа́льный.

**Сакраме́нтальность**, -и, *ж.*

**САКСОФО́Н**, -а, *м.* [От имени бельгийского изобретателя А. Сакса и греч. phōnē—звук]. Медный духовой музыкальный инструмент, используемый в духовом и джазовом оркестрах. *Второй штурман Алявдин заводит в каюте патефон. Квакают саксофоны, поют скрипки, звенят цимбалы.* Крымов. Танкер «Дербент».

**Саксофо́нный**, -ая, -ое.

**САЛО́Н**, -а, *м.* [Франц. salon]. **1.** *Устар.* Комната для приема гостей в богатом доме. *Модный салон. Хозяйка салона.* □ *[Васильков:] Мне нужно такую жену, чтоб можно было завести салон, в котором даже и министра принять не стыдно.* А. Островский. Бешеные деньги. **2.** *Устар.* Круг избранных лиц, собиравшихся в частном доме и объединенных общими интересами. *Литературный, политический салон.* **3.** Зал, помещение для демонстрации и продажи художественных изделий, произведений искусства и т. п., а также некоторых промышленных товаров. *Салон модной обуви. Салон новобрачных.* □ *[Светлана] знала все комиссионные мғазины в городе и художественные салоны и знала, когда и что можно было (по сезону) найти в них.* Ананьев. Годы без войны. **4.** Помещение для пассажиров в автобусе, троллейбусе, самолете и т. п. *Расположиться в салоне теплохода.* □ *Кстати, в новых «Жигулях» салон просторней.* Нагибин. Берендеев лес.

**Сало́нный**, -ая, -ое. *Салонная мебель. Салонная музыка. Салонный разговор.*

**САЛО́П**, -а, *м.* [Франц. salope]. *Устар.* Верхняя женская одежда в виде широкой длинной накидки с пелериной и прорезями для рук или небольшими рукавами. *На сестру надевали богатый куний салоп с большой собольей пелериной, спускавшейся на плечи.* Салтыков-Щедрин. Пошехонская старина.

**СА́ЛЬТО** и **СА́ЛЬТО-МОРТА́ЛЕ**, *нескл., ср.* [Итал. salto—прыжок, salto mortale—букв. смертельный прыжок]. Прыжок с перевертыванием тела в воздухе. *Двойное сальто. Сальто назад. Крутить сальто.* □ *[Два клоуна] выбежали с арены в коридор. Их груди после утомительных сальто-мортале дышали глубоко и быстро.* Куприн. В цирке.

**СА́МБО**, *нескл., ср.* Сокращение: самозащита без оружия—спортивная борьба, в которой употребляются специальные болевые приемы, а также средства самообороны при встрече с более сильным или вооруженным противником. *Первенство мира по самбо.* □ *[Дядя Леша] знает приемы самбо и гимнастику йогов.* Нагибин. Чужая.

**Самби́ст**, -а, *м.*

**САМО...** Первая составная часть сложных слов, обозначающая: 1) направленность действия, называемого во второй части слова, на самого себя, напр.: *самоана́лиз, самовнуше́ние, самовоспита́ние, самоконтро́ль, самоограниче́ние, самопозна́ние, самосовершенствова́ние, самоутвержде́ние;* 2) совершение действия без посторонней помощи, непроизвольно, а также автоматически, механически, напр.: *самовозгора́ние, самовоспламене́ние, самооборо́на, самозаря́дный, самодви́жущийся.*

**САМОБИЧЕВА́НИЕ**, -я, *ср.* **1.** Нанесение себе ударов бичом из религиозного изуверства. **2.** *перен. Книжн.* Суровое обличение своих проступков, слабостей, ошибок вследствие раскаяния, сознания своей вины. *[Нежданов] был недоволен собою, своей деятельностью, то есть своим бездействием; речи его почти постоянно отзывались желчью и едкостью самобичевания.* Тургенев. Новь.

**САМОБЫ́ТНЫЙ**, -ая, -ое; -тен, -тна, -о. Самостоятельный в своем развитии, идущий своими путями, а также своеобразный, не похожий на других. *Самобытная культура. Самобытный талант. Самобытная народная речь.* □ *Лесков—самобытнейший писатель русский, чуждый всяких влияний со стороны.* М. Горький. Н. С. Лесков.

С и н.: неповтори́мый, оригина́льный, своеобы́чный, характе́рный.

**Самобы́тно**, *нареч. Писать самобытно.* **Самобы́тность**, -и, *ж. Самобытность чьего-л. творчества.*

**САМОВЛА́СТИЕ**, -я, *ср. Устар.* **1.** Единоличная неограниченная власть правителя, а также система государственного управления, основанная на такой власти. *Товарищ, верь: взойдет она, Звезда пленительного счастья, Россия вспрянет ото сна, И на обломках самовластья Напишут наши имена!* Пушкин. К Чаадаеву. **2.** Неограниченная власть, произвол. *Помещичье самовластие.* □ *—Довольно вы меня под вашим самовластьем тиранили!* Достоевский. Идиот.

С и н. (к 1 знач.): самодержа́вие, абсолюти́зм, автокра́тия (*книжн.*). С и н. (ко 2 знач.): деспоти́зм, тирани́я (*книжн.*) и тира́нство (*разг.*).

**САМОДЕРЖА́ВИЕ**, -я, *ср.* В дореволюционной России: неограниченная власть царя, а также система государственного управления, основанная на такой власти. *Свергнуть самодержавие.* □ *Вот могучий Иоанн III, первый царь русский, замысливший идею единовластия и самодержавия.* Белинский. Басурман. Соч. И. И. Лажечникова.

С и н.: абсолюти́зм, автокра́тия (*книжн.*), самовла́стие (*устар.*).

**САМОДОВЛЕ́ЮЩИЙ**, -ая, -ее. *Книжн.* Имеющий ценность сам по себе, обладающий независимым, самостоятельным значением. *Поэтический талант не есть нечто самодов-*

леющее, независимое от личности поэта. Он органически, неразрывно связан со всем внутренним обликом поэта. Исаковский. О поэтическом мастерстве.

**САМОДУ́Р**, -а, *м.* Тот, кто действует по личному произволу, по своей прихоти, не считаясь с другими людьми. *Самодур все силится доказать, что ему никто не указ, и что он — что захочет, то и сделает.* Добролюбов. Темное царство.

С и н.: де́спот, тира́н.

**Самоду́рка**, -и, *ж.* **Самоду́рский**, -ая, -ое. *Самодурские замашки.*

**САМОЕ́ДЫ**, -ов, *мн.* (*ед.* **самое́д**, -а, *м.*). Устарелое название ряда родственных северных народностей (ненцев, селькупов и др.).

**Самое́дка**, -и, *ж.* **Самое́дский**, -ая, -ое.

**САМОЗАБВЕ́НИЕ**, -я, *ср.* **1.** Забвение себя, своих мыслей и переживаний; отрешенность.— *Тишина.. наполняет меня особым поэтическим благочестием, кротким самозабвением.* Герцен. Кто виноват? **2.** Крайняя степень воодушевления, увлечения, возбуждения, доходящая до забвения себя и всего окружающего. *Работать с самозабвением. Любить до самозабвения.* □ *Тихон, бросаясь на труп жены, вытащенный из воды, кричит в самозабвении: «Хорошо тебе, Катя! А я-то зачем остался жить на свете да мучиться!»* Добролюбов. Луч света в темном царстве.

**САМОЗВА́НЕЦ**, -нца, *м.* Тот, кто выдает себя за другого человека, незаконно присвоив чужое имя, звание.— *Зачем вы шли на меня, на вашего государя?— спросил победитель [Пугачев].— Ты нам не государь,— отвечали пленники:— у нас в России государыня императрица Екатерина Алексеевна и государь цесаревич Павел Петрович, а ты вор и самозванец.* Пушкин. История Пугачева.

**Самозва́нка**, -и, *ж.*

**САМОКРИ́ТИКА**, -и, *ж.* Критика недостатков собственной работы, вскрытие своих ошибок.

**Самокрити́ческий**, -ая, -ое и **самокрити́чный**, -ая, -ое; -чен, -чна, -о. *Самокритическое выступление. Быть самокритичным.*

**САМОЛЮ́БИЕ**, -я, *ср.* Чувство собственного достоинства, стремление к самоутверждению, сочетающееся с ревнивым отношением к мнению о себе окружающих. *Болезненное самолюбие. Задеть чье-л. самолюбие. Щадить детское самолюбие.* □ *Смелость.. Мамочкина была зачастую позерством, нуждалась в беспрестанном подстегивании самолюбия, и он понимал это.* Казакевич. Звезда.

**САМОМНЕ́НИЕ**, -я, *ср.* Слишком высокое мнение о себе, своих достоинствах, заслугах и т. п. *[Войницкий:] Значит, двадцать пять лет переливает из пустого в порожнее. И в то же время какое самомнение! Какие претензии!* Чехов. Дядя Ваня.

С и н.: самодово́льство.

**САМОНАДЕ́ЯННЫЙ**, -ая, -ое; -ян, -янна, -о. Чрезмерно уверенный в себе, в своих силах и достоинствах; выражающий такую уверенность. *Самонадеянный ответ.* □ *Есть люди настолько самонадеянные, что спроси этакого павлина — играет ли он на рояле, он, не моргнув глазом, ответит: не знаю, мол, не пробовал, но думаю, что играю.* Федин. Необыкновенное лето.

С и н.: самоуве́ренный.

**Самонаде́янно**, *нареч.* **Самонаде́янность**, -и, *ж.*

**САМООБЛАДА́НИЕ**, -я, *ср.* Способность владеть собой; выдержка, хладнокровие. *Сохранить самообладание в минуту опасности.* □ *На секунду Иван теряет самообладание от страха: что он натворил!* В. Быков. Альпийская баллада.

С и н.: вы́держанность.

**САМООБРАЗОВА́НИЕ**, -я, *ср.* Приобретение знаний путем самостоятельных занятий, без помощи преподавателя. *Политическое самообразование.* □ *[Мы знаем], как крепко занимался он самообразованием, так что помимо учебного курса очень вскоре сдал на инженера.* Залыгин. После бури.

**САМООКУПА́ЕМОСТЬ**, -и, *ж.* *Спец.* Способ ведения производства, хозяйства, при котором расходы покрываются доходами самого предприятия. *Самоокупаемость промышленного предприятия. Перейти на самоокупаемость.*

**САМООПРЕДЕЛЕ́НИЕ**, -я, *ср.* Определение, выявление народом своей воли в отношении своего национального и государственного устройства. *Право наций на самоопределение.*

**САМООТВЕ́РЖЕННЫЙ**, -ая, -ое; -ен, -енна, -о. Готовый пожертвовать собой, своими интересами ради других, для общего блага. *Самоотверженный труд. Самоотверженная любовь.* □ — *Нет, я.. не одну красивую внешность полюбила в нем; я угадала его благородную, твердую, самоотверженную душу,—* говорила она себе. Л. Толстой. Война и мир.

С и н.: беззаве́тный (*высок.*), же́ртвенный (*высок.*).

**Самоотве́рженно**, *нареч.* **Самоотве́рженность**, -и, *ж.*

**САМООТРЕШЕ́НИЕ**, -я, *ср.* *Книжн.* Забвение самого себя, пренебрежение собственными интересами, потребностями. *Избрав старца, вы от своей воли отрешаетесь и отдаете ее ему в полное послушание, с полным самоотрешением.* Достоевский. Братья Карамазовы.

**САМОПОЖЕ́РТВОВАНИЕ**, -я, *ср.* Жертвование собой, своими личными интересами для блага других.— *Когда бедняжка-отец заболел, то Дымов по целым дням и ночам дежурил около его постели. Столько самопожертвования!* Чехов. Попрыгунья.

С и н.: самоотрече́ние (*книжн.*), же́ртва (*высок.*).

**САМОРО́ДОК**, -дка, *м.* **1.** Крупное зерно и кусок металла, встречающиеся в природе в химически чистом виде. *Золотой самородок.* **2.** *перен.* Человек с большими природными дарованиями, но не получивший систематического образования. *Писатель-самородок.* □ — *Я, товарищ матрос, вас уважаю, как народного* самородка и освободителя родины от царского гнета. Лавренев. Ветер.

**САМОСОЗНА́НИЕ**, -я, *ср.* Полное понимание самого себя, своего значения, своей роли в обществе. *Классовое, национальное самосознание.* □ *В ней [поэме] Пушкин является не просто поэтом только, но и представителем впервые пробудившегося общественного самосознания: заслуга безмерная!* Белинский. Сочинения Александра Пушкина.

**САМОСТИ́ЙНЫЙ**, -ая, -ое. *Книжн.* Независимый, самостоятельный. *Самостийное движение.* □ *На местах советские органы оставались без руководства. Дальше оставлять их беспомощными, самостийными было нельзя.* Фурманов. Мятеж.

**Самости́йность**, -и, *ж.*

**САМОСТРЕ́Л**[1], -а, *м.* Старинное оружие — лук с прикладом для метания стрел и камней. *Отыскал [князь Чурил] в колчане стрелу поострее, вложил в самострел и, упершись в стремена, натянул тетиву.* А. Н. Толстой. Синица.

**Самостре́льный**, -ая, -ое.

**САМОСТРЕ́Л**[2], -а, *м.* 1. Ранение, умышленно нанесенное самому себе (с целью уклонения от военной службы). *Под вечер всех троих привели обратно — у всех самострелы в левую ладонь.* Симонов. Солдатами не рождаются. 2. *Разг.* Солдат, умышленно нанесший себе ранение.

**САМОТЁК**, -а, *м.* 1. Движение жидкости или сыпучего вещества, совершающееся силой собственной тяжести, по уклону. 2. *перен.* Ход какой-л. работы без плана, без руководства; стихийное осуществление чего-л. *Пустить дело на самотек.* □ *В конце концов прояснился и наметился некий общий план, начинали изживаться случайности, упразднялась система самотека.* Фурманов. Мятеж.

**САМОУПРАВЛЕ́НИЕ**, -я, *ср.* 1. Право на внутреннее управление своими, местными силами. *Школьное, студенческое самоуправление. Самоуправление городов.* 2. Право решать дела внутреннего управления по собственным законам в пределах административно-территориальной единицы; автономия.

**САМОУПРА́ВСТВО**, -а, *ср.* Нарушение законного порядка при решении каких-л. дел; произвол. *Наказать за самоуправство.* □ *До нынешнего дня не умолкла молва об его самоуправстве, о бешеном его нраве, безумной щедрости и алчности неутомимой.* Тургенев. Дворянское гнездо.

**САМОЦВЕ́Т**, -а, *м.* Драгоценный или поделочный камень с красивой окраской и ярким блеском. *Уральские самоцветы. Украшения из самоцветов.*

**САМОЦЕ́ЛЬ**, -и, *ж.* То, что является само по себе целью, а не средством для достижения чего-л., другого. *Превратить что-л. в самоцель.*

**САМОЧИ́ННЫЙ**, -ая, -ое; -нен, -нна, -о. *Книжн.* Совершаемый самовольно, незаконно. — *Кто же это нам разрешит производить самочинные обыски и будоражить весь хутор?* Шолохов. Поднятая целина.

С и н.: самово́льный, самоупра́вный.

**Самочи́нно**, *нареч. Самочинно распоряжаться.* **Самочи́нность**, -и, *ж.*

**САМУРА́Й**, -я, *м.* [Яп. samurai]. 1. Представитель привилегированного военного сословия в феодальной Японии. 2. *Разг.* О представителе агрессивной японской военщины. *Бои с самураями на Халхин-Голе.*

**Самура́йский**, -ая, -ое.

**САН**, -а, *м.* 1. *Книжн.* Звание, связанное с высоким общественным положением. *Царский сан. Сан посла.* □ *Я ль буду в роковое время Позорить Гражданина сан И подражать тебе, изнеженное племя Переродившихся славян?* Рылеев. Гражданин. 2. Звание духовного лица, служителя культа. *Духовный, монашеский сан. Принять сан священника.* □ *Императрица, убедясь в его невинности, вознаградила его саном митрополитским.* Пушкин. История Пугачева.

С и н. (к 1 знач.): ти́тул.

**САН...** Первая составная часть сложных слов, обозначающая санитарный, напр.: *санвра́ч, санобрабо́тка, санба́т* (санитарный батальон).

**САНГВИ́НИК**, -а, *м.* [От лат. sanguis, sanguinis — кровь, жизненная сила]. Подвижный, живой человек, отличающийся быстрой возбудимостью и легкой сменой переживаний. *Это был первый пациент во всем доме. Небольшого роста, сангвиник, вспыльчивый и сердитый, он, как нарочно, был создан для того, чтоб дразнить моего отца и вызывать его поучения.* Герцен. Былое и думы.

**Сангвини́ческий**, -ая, -ое. *Сангвинический темперамент.*

**САНДА́Л**, -а, *м.* [Греч. santalon]. 1. Вечнозеленое тропическое дерево с ароматической, богатой эфирными маслами древесиной. 2. Краситель, получаемый из древесины этого и некоторых других деревьев. *Работники приходили в кухню из мастерской, усталые, с руками, окрашенными сандалом, обожженными купоросом.* М. Горький. Детство.

**Санда́ловый**, -ая, -ое.

**САНДА́ЛИИ**, -ий, *мн.* (*ед.* **санда́лия**, -и, *ж.*). [Греч. sandalion]. 1. У древних греков и римлян: обувь, состоящая из деревянной, пробковой или кожаной подошвы без каблука, прикрепляющейся к ноге ремешками. 2. Легкие летние туфли без каблука, застегиваемые ремешком.

**СА́НДВИЧ**, -а, *м.* [Англ. sandwich]. Бутерброд из двух сложенных вместе ломтиков хлеба с маслом или какой-л. закуской между ними. *Сандвич с ветчиной, рыбой. Сандвич на завтрак.*

**СА́НКЦИЯ**, -и, *ж.* [Восх. к лат. sanctio — освящение, нерушимый закон]. 1. *Книжн.* Утверждение высшей инстанцией какого-л. акта, придающее ему юридическую силу. *Санкция прокурора на арест.* □ — *После се-го-дня-шне-го допроса я решил не просить прокурорской санкции о взятии с вас подписки о невыезде.* Липатов. И то все о нем. 2. *Книжн.* Одобрение, разрешение. *Получить санкцию директора. Дать санкцию на пуск нового предприятия.* □ — *Вы должны ему* это великодушно позволить, если уж так необходима тут ваша санкция, — с ядом прибавила Катя. Достоевский. Братья Карамазовы. **3.** *Спец.* Мероприятие против стороны, нарушившей соглашение, договор. *Экономические, уголовно-правовые санкции. Санкции за нарушение сроков поставки товара.*

Син. (ко 2 знач.): позволение, дозволение (*устар. книжн.*).

**САНО́ВНИК**, -а, м. В дореволюционной России: крупный влиятельный чиновник. *Царский сановник.* ☐ *Когда-то Летучий был сановником, попечениям которого был вверен целый край.* Мамин-Сибиряк. Горное гнездо.

**Сано́вница**, -ы, ж. (жена сановника).

**САНСКРИ́Т**, -а, м. [От санскр. saṃskṛta — обработанный]. Литературный язык Древней Индии. *Изучение санскрита.*

**Санскри́тский**, -ая, -ое.

**САНТИ́М**, -а, м. [Франц. centime]. Мелкая монета, равная сотой доле франка, во Франции, Бельгии, Люксембурге, Швейцарии и некоторых других странах.

**САНТИМЕ́НТЫ**, -ов, мн. [От франц. sentiment — чувство]. *Разг. ирон.* Проявление излишней чувствительности (в словах, поступках). *Разводить сантименты.* ☐ — *А если больше не увидимся, в левом кармане комсомольский билет, и фотокарточка с надписью, и адреса. Мамы и её. Возьмёшь и напишешь. А как — сам знаешь. Только без сантиментов.* Бондарев. Горячий снег.

Син.: сентимента́льность.

**САПЁР**, -а, м. [Франц. sapeur от saper — вести подкоп]. Военнослужащий инженерных, военно-строительных частей, обеспечивающих сооружение полевых укреплений, наведение мостов, прокладку дорог, минирование и разминирование местности и т. п. *Траншеи, машинами выбранные, саперами Крым перекопан, — Врангель крупнокалиберными орудует с Перекопа.* Маяковский. Хорошо!

**Сапёрный**, -ая, -ое. *Саперный батальон. Саперная лопата.*

**САПФИ́Р**, -а, м. [Греч. sapphieros]. Драгоценный камень синего или голубого цвета.

**Сапфи́рный**, -ая, -ое и **сапфи́ровый**, -ая, -ое.

**САРАНЧА́**, -и́, ж. [Тюрк.] Насекомое, похожее на кузнечика, перелетающее огромными массами и уничтожающее посевы и растительность, — опасный вредитель сельского хозяйства. *Бороться с саранчой.* ☐ *И падшими вся степь покрылась, Как роем черной саранчи.* Пушкин. Полтава. ◊ **Наброситься, накинуться** на что **как (словно, будто) саранча** — с жадностью, опустошая все, большой массой наброситься на что-л. *Поспел горох! Накинулись, Как саранча на полосу.* Н. Некрасов. Кому на Руси жить хорошо.

**СА́РИ**, *нескл. ср.* [Хинди sāṛī]. Индийская женская одежда из длинного куска ткани, обернутого вокруг тела и переброшенного через плечо.

**САРКА́ЗМ**, -а, м. [Греч. sarkasmos]. *Книжн.* **1.** Язвительная насмешка, злая ирония. *Едкий сарказм. Ответить с сарказмом.* ☐ *С некоторыми критиками происходило перерождение..,*

когда в печати появлялось слабое произведение писателя-середняка, или малоизвестного писателя, или же молодого автора.. Тут и блеснуть можно вовсю и снисходительным остроумием и желчным сарказмом.* Шолохов. Речь на II Всесоюзном съезде советских писателей. **2.** обычно мн. Язвительное, едко-насмешливое замечание, выражение. *Поставленный довольно независимо в этой среде, он все-таки сломился; вся деятельность его обратилась на преследование чиновников сарказмами.* Герцен. Былое и думы.

**Саркасти́ческий**, -ая, -ое; -чен, -чна, -о (к 1 знач.) и **саркасти́чный**, -ая, -ое; -чен, -чна, -о (к 1 знач.). *Саркастическая улыбка.* **Саркасти́чески** (к 1 знач.) и **саркасти́чно** (к 1 знач.), *нареч.* **Саркасти́чность**, -и, ж. (к 1 знач.).

**САРКОФА́Г**, -а, м. [Греч. sarkophagos]. У народов древности: гроб, гробница; позднее — надгробие в форме каменного гроба, нередко украшенное росписью. *Царский саркофаг.* ☐ *Карл тихо спал на походной постели, положив на грудь скрещенные руки.. Он походил на каменное изваяние рыцаря на саркофаге.* А. Н. Толстой. Пётр I.

**САРМА́ТЫ**, -ат и -ов, мн. (*ед.* **сарма́т**, -а, м.). Общее название ираноязычных кочевых племен, населявших поволжско-приуральские степи в 6—4 вв. до н. э. *Это были земли, повитые легендами. Десятки народов — сарматы, скифы, половцы, хозары, гунны, татары, турки — прошли по ним.* Паустовский. Рождение моря.

**Сарма́тский**, -ая, -ое. *Сарматские племена.*

**САРПИ́НКА**, -и, ж. Тонкая хлопчатобумажная ткань в клетку или в полоску. *Магазин держал ткани богатые — сукна, бархат, шелка; лавка — ходовые ситцы, сарпинку, сатин.* Федин. Первые радости.

**Сарпи́нковый**, -ая, -ое.

**САТАНА́**, -ы́, м. [Восх. к др.-евр. sāṭān]. По религиозным представлениям: злой дух, злое начало, противостоящее богу; властелин ада. — *Чёрт! Он ко мне повадился. Два раза был, даже почти три. Он дразнил меня тем, будто я сержусь, что он просто черт, а не сатана с опаленными крыльями, в громе и блеске.* Достоевский. Братья Карамазовы.

Син.: дья́вол, чёрт, бес, де́мон, лука́вый (*устар. и прост.*), нечи́стый (*устар. и прост.*).

**Сатани́нский**, -ая, -ое (*книжн.*). *Сатанинская гордость.*

**САТЕЛЛИ́Т**, -а, м. [Восх. к лат. satelles, satellitis — спутник, сообщник]. **1.** В Древнем Риме: вооруженный наемник, сопровождавший своего хозяина. **2.** *перен. Книжн.* Зависимое, подчиненное лицо, исполнитель чужой воли. *Беллетрист резонировал бархатным баском; ему внимали его сателлиты и нашли, что все им сказанное на эту тему действительно очень умно и резонно.* Лесков. Загадочный человек. **3.** *Книжн.* Государство, формально независимое, но фактически подчиненное другому, более сильному государству. **4.** *Спец.* Спутник планеты. *Луна — сателлит Земли.*

**САТИ́Р**, -а, м. [Греч. satyros]. **1.** В греческой мифологии: лукавое существо с козлиными ногами, бородой и рогами, развратный спутник бога вина и веселья.

**САТИ́РА**, -ы, ж. [Восх. к лат. satura — первонач. блюдо с различными плодами, смесь]. **1.** Способ проявления комического в искусстве, состоящий в гневном осмеянии явлений, представляющихся автору порочными. *Сатира Салтыкова-Щедрина.* □ *Волшебный край! там в стары годы, Сатиры смелый властелин, Блистал Фонвизин, друг свободы.* Пушкин. Евгений Онегин. **2.** Литературное произведение, в котором резко осмеиваются, обличаются отрицательные явления действительности. *Сатиры Кантемира.* □ *[Гражданин:] Твои поэмы бестолковы, Твои элегии не новы, Сатиры чужды красоты, Неблагородны и обидны.* Н. Некрасов. Поэт и гражданин. **3.** Язвительная, злая насмешка, резкое обличение. *Сатира в чьих-л. словах. Сатира на общество.*

**Сатири́ческий**, -ая, -ое и **сатири́чный**, -ая, -ое; -чен, -чна, -о (к *1 и 3 знач.*). *Сатирическое произведение. Его речь была сатирична.* **Сати́рик**, -а, м.

**САТИСФА́КЦИЯ**, -и, ж. [Восх. к лат. satisfactio]. В феодально-дворянском обществе: удовлетворение за оскорбление чести в форме поединка, дуэли. *Потребовать сатисфакции.* □ — *Ты лжешь, мерзавец!* — *вскричал я в бешенстве,* — *ты лжешь самым бесстыдным образом.* — *Швабрин переменился в лице.* — *Это тебе так не пройдет,* — *сказал он, стиснув мне руку.* — *Вы мне дадите сатисфакцию.* Пушкин. Капитанская дочка.

**САТРА́П**, -а, м. [Греч. satrapēs]. **1.** В Древней Персии и в Индии: наместник правителя, обладавший неограниченной властью.— *Родился в Персии, а чином был сатрап; Но так как, живучи, я был здоровьем слаб, То сам я области не правил, А все дела секретарю оставил.* И. Крылов. Вельможа. **2.** *перен. Книжн.* Правитель, начальник, действующий деспотически, не считаясь с законами, самовластно. *Уже в четырнадцать лет.. Лазарев заразился идеей пролетарской революции, а уже в шестнадцать царские сатрапы арестовали его и присудили, несовершеннолетнего, к трем годам заключения.* Залыгин. После бури.

**СА́УНА**, -ы, ж. [Фин. sauna]. Финская баня с горячим сухим воздухом в парной и холодным бассейном.

**САФЬЯ́Н**, -а, м. [Восх. к перс.]. Тонкая, мягкая кожа, выделываемая из козьих или овечьих шкур, окрашенная в яркий цвет. □ *[Господин] взял с полочки книгу, переплетенную в сафьян, раскрыл ее и начал читать.* Герцен. Кто виноват?

**Сафья́новый**, -ая, -ое и **сафья́нный**, -ая, -ое. *Сафьяновое кресло. Сафьянные туфли.*

**СБИ́ТЕНЬ**, -тня, м. В старину: горячий напиток из меда с пряностями. *[Мальчики] побежали покупать пироги, пить горячий, на меду, сбитень.* А. Н. Толстой. Петр I.

**СБРУ́Я**, -и, ж. **1.** Принадлежности для запряжки или седлания лошади. *Богатая сбруя.* □ *[Танабай] стал торопливо выпрягать коня. Вывел его из оглобель, сдернул хомут через голову и кинул всю сбрую на телегу.* Айтматов. Прощай, Гульсары!* **2.** *Устар.* Воинское снаряжение, доспехи. *Верный Стецько уже стоял одетый во всей козацкой сбруе.* Гоголь. Страшная месть. **3.** *Прост.* Орудия, принадлежности для какого-л. промысла, дела. *Сапожная сбруя.* □ *Этот арсенал был красиво гарнирован различной охотничьей сбруей — ягдташами, патронницами, пороховницами, кожаными мешками с дробью, сумками и сумочками.* Мамин-Сибиряк. Горное гнездо.

С и н. (к *1 знач.*): у́пряжь и упря́жка, запря́жка.

**СВА́СТИКА**, -и, ж. [Санскр. svastika от svasti — удача, благополучие]. Знак в виде креста с загнутыми под прямым углом концами — эмблема фашизма, ставшая символом варварства и насилия (первонач. орнаментальный мотив, встречающийся в искусстве древних культур Азии и Европы). *Фашистский флаг со свастикой.*

**СВАТ**, -а, м. **1.** Тот, кто сватает невесту жениху. *Посылать сватов.* □ *Сват приехал, царь дал слово, А приданое готово: Семь торговых городов Да сто сорок теремов.* Пушкин. Сказка о мертвой царевне и о семи богатырях. **2.** Отец одного из супругов по отношению к родителям другого супруга. *Навестить свата.* ◇ **Ни сват ни брат; ни кум ни сват** — посторонний, чужой человек.

**Сва́ха**, -и (к *1 знач.*) и **сва́тья**, -и (ко *2 знач.*), ж.

**СВА́Я**, -и, ж. Бревно, брус, забитые в грунт для опоры какого-л. сооружения. *Сваи моста.* □ *[Мужик] бил с оттяжкой по торцу сваи.. Другие.. глядели, как свая с каждым ударом уходит в топкий берег.* А. Н. Толстой. Петр I.

**Сва́йный**, -ая, -ое. *Свайные опоры моста.*

**СВЕ́ДЕНИЕ**, -я, ср. **1.** обычно *мн.* Сообщение, известие, данные о чем-л. *Статистические сведения. Получить ценные сведения от разведчиков. Сведения об успеваемости учащихся.* **2.** *мн.* Знания в какой-л. области. *[Дедушка] научился читать, писать и приобрел элементарные сведения по арифметике, истории, географии.* Н. Морозов. Повести моей жизни. **3.** *ед.* Осведомленность в чем-л., ознакомление с чем-л. *Принять к сведению.* □ *Хотя говорил он вроде бы всем и для всех, но я-то чувствовал — до моего сведения доводятся соображения.* Астафьев. Царь-рыба. ◇ **К вашему сведению** — пусть вам будет известно.

С и н. (к *1 знач.*): информа́ция, материа́л. С и н. (ко *2 знач.*): позна́ния.

**СВЕ́ДУЩИЙ**, -ая, -ее; -ущ, -а, -е. Обладающий большими познаниями в чем-л., хорошо осведомленный в какой-л. области. *Он.. часто прерывал мою речь дополнительными вопросами и нравоучительными замечаниями, которые, если и не обличали в нем человека сведущего в военном искусстве, то по крайней мере обнаруживали сметливость и природный ум.* Пушкин. Капитанская дочка.

С и н.: зна́ющий, компете́нтный, гра́мотный.

**СВЕЖЕВА́ТЬ**, -жу́ю, -жу́ешь; свежу́ющий, свежева́вший; свежу́емый, свежёванный; -ан, -а, -о; свежу́я; *несов., кого, что.* Снимать шкуру с убитого животного и потрошить его. *Свежевать тушу медведя.*

**СВЁКОР**, -кра, м. Отец мужа. *В работу муж отправился.. Осталась я с золовками, Со свекром, со свекровушкой, Любить-голубить некому, А есть кому журить!* Н. Некрасов. Кому на Руси жить хорошо.

**Свекро́вь**, -и, ж. (мать мужа).

**СВЕРХ...** Первая составная часть сложных слов, обозначающая: 1) превышение какой-л. меры, предела, нормы, напр.: *сверхпла́новый, сверхсро́чный, сверхшта́тный;* 2) крайнюю степень чего-л., напр.: *сверхвысо́тный, сверхтвёрдый, сверхприбыль.*

**СВЕРХЗВУКОВО́Й**, -а́я, -о́е. Превышающий скорость распространения звука, а также движущийся со скоростью, превышающей скорость звука. *Сверхзвуковая скорость. Сверхзвуковой самолет.*

**СВЕРХЧЕЛОВЕ́К**, -а, сверхчелове́ки, -ов, м. В реакционной философии: сильная личность, чьи воля, желания и поступки не подчиняются никаким ограничениям.

**СВЕРХЪЕСТЕ́СТВЕННЫЙ**, -ая, -ое; -ен *и* -енен, -енна -о. 1. По мистическим представлениям: не объяснимый естественным образом, не подчиненный законам природы. *Неподвижный взгляд старика [на портрете] был нестерпим; глаза совершенно светились, вбирая в себя лунный свет, и живость их до такой степени была страшна, что Чертков невольно закрыл свои глаза рукою. Приписывая это сверхъестественное действие луне, чудесный свет которой имеет в себе тайное свойство придавать предметам часть звуков и красок другого мира, он приказал подать скорее свечу,.. но выражение портрета ничуть не уменьшилось.* Гоголь. Портрет. 2. *перен. Разг.* Превышающий обычную меру чего-л.; необычайный. *Сделать сверхъестественное усилие.*

С и н. (к 1 знач.): мисти́ческий, волше́бный, чуде́сный. С и н. (ко 2 знач.): невероя́тный, нелове́ческий.

**Сверхъесте́ственность**, -и, ж.

**СВЕРШИ́ТЬ**, -шу́, -ши́шь; соверши́вший; свершённый; -шён, -шена́, -о́; соверши́в; *сов., что. Высок.* Сделать, осуществить, произвести. *Свершить суд над кем-л.* □ *Об нем она во мраке ночи,.. Бывало девственно грустит, К луне подъемлет томны очи, Мечтая с ним когда-нибудь Свершить смиренный жизни путь.* Пушкин. Евгений Онегин.

С и н.: соверши́ть, проде́лать, соде́ять (устар. высок.).

**Сверша́ть**, -а́ю, -а́ешь; *несов.* **Свершение**, -я, ср. *Свершение надежд.*

**СВЕТ**[1], -а, м. 1. Лучистая энергия, воспринимаемая глазом и делающая видимым окружающий мир. *Солнечный свет. Электрический свет.* □ *Сквозь волнистые туманы Пробирается луна, На печальные поляны Льет печальный свет она.* Пушкин. Зимняя дорога. 2. Источник освещения. *Включить, зажечь, выключить, погасить свет.* 3. Освещенное место. *Стать против света. Не хранить лекарство на свету.* 4. *перен.* Сияние, блеск (глаз, улыбки и т. п.). *Ей вспомнился школьный концерт и ученица на сцене, с сумрачным светом в глазах.* Прилежаева. *Удивительный год.* 5. *перен., чего.* То, что делает что ясным, понятным или счастливым, радостным. *Свет правды.* □ *[Богомолов:] Когда человек чувствует, что его любят,— как расцветает его душа в свете любви! Влюбленные и любящие всегда талантливы.* М. Горький. Яков Богомолов. ◊ **В свете** *чего* — с точки зрения чего-л. **В свете** *каком* (видеть, представлять и т. п.) *что* — в каком-л. виде. *Видеть жизнь в мрачном свете.* **Пролить** (или **бросить**) **свет** *на что* — сделать понятным.

**Светово́й**, -а́я, -о́е (к 1 знач.).

**СВЕТ**[2], -а, м. 1. Земля со всем, что существует на ней. *География частей света. Увидеть весь свет. Путешествие вокруг света. Нет на свете чего-л. Бродить по свету.* 2. Окружающие люди, общество. *Об этом знает весь свет.* □ *Пока не требует поэта К священной жертве Аполлон, В заботах суетного света Он малодушно погружен.* Пушкин. Поэт. 3. *Устар.* В буржуазно-дворянском обществе: круг лиц, принадлежащих к привилегированным классам. *Высший свет. Бывать в свете.* □ *Не вынесла душа поэта Позора мелочных обид, Восстал он против мнений света Один как прежде... и убит!* Лермонтов. Смерть поэта. ◊ **Новый свет** — Америка. **Старый свет** — Европа, Азия, Африка в отличие от Нового света, Америки, открытой позже. **Белый** (или **божий**) **свет** — земной шар со всем существующим на нем. **Не ближний свет** (*разг.*) — далеко. **Выйти в свет; увидеть свет** — быть опубликованным. **Выпустить в свет** *что* — опубликовать. **Свет (не) клином сошелся** *на ком, чем* — о том, кто или что (не) является единственно желаемым, единственно возможным для кого-л.

С и н. (к 1 знач.): мир, плане́та, вселе́нная, подлу́нная (*устар.*), поднебе́сная (*устар.*).

**СВЕТЕ́Ц**, -тца́, м. В старину: осветительное устройство из подставки и укрепленной в ней лучины. *Падали со светца в воду, шипели угольки лучины.* А. Н. Толстой. Петр I.

**СВЕТИ́ЛО**, -а, ср. 1. Небесное тело, излучающее свет. *Дневное светило (Солнце). Ночное светило (Луна).* □ *Еще полночные светила В короне неба не горят.* Дудин. Еще полночные светила... 2. *перен., чего или какое. Высок.* Человек, прославившийся в какой-л. области деятельности; знаменитость. *Литературное светило. Светило науки.* □ *Когда меня показывали очередному профессору, мама обязательно шепотом предупреждала, что это «самое большое светило». На этот раз «самые большие светила» собрались все вместе.* Алексин. Раздел имущества.

С и н. (ко 2 знач.): звезда́.

**СВЕТЛЕ́ЙШИЙ**, -ая, -ее. Высший княжеский титул в царской России. *[Князь Андрей] сел на лавочке у ворот, ожидая светлейшего* (в знач. сущ.), *как все называли теперь Кутузова.* Л. Толстой. Война и мир.

**СВЕТЛИ́ЦА**, -ы, ж. *Устар.* Небольшая светлая комната в верхней части дома, а также светлая парадная комната в доме. *Вот в светлице* *стол накрыт Белой пеленою; И на том столе стоит Зеркало с свечою.* Жуковский. Светлана.

С и н.: поко́й (*устар.*), го́рница (*устар.*), светёлка (*устар.*).

**СВЕ́ТЛОСТЬ**, -и, *ж.* (употр. с мест. «ваша», «его», «ее», «их»). В царской России: титулование младших членов императорской фамилии и светлейших князей. *[Ермолов] выдвинулся вперед к Кутузову и почтительно доложил:— Время не упущено, ваша светлость, неприятель не ушел.* Л. Толстой. Война и мир.

**СВЕТОЗА́РНЫЙ**, -ая, -ое; -рен, -рна, -о. *Трад.-поэт.* Озаренный ярким светом или излучающий яркий свет. *Светозарное солнце, облако.* □ *Напрасно и день светозарный вставал Над этим печальным болотом.* Блок. Поэты.

С и н.: лучи́стый, лучеза́рный (*высок.*), светоно́сный (*высок.*).

**СВЕТОПРЕСТАВЛЕ́НИЕ**, -я, *ср.* 1. В христианском вероучении: конец света, гибель мира.— *Перед светопреставлением, Знать, война-то началась.* Н. Некрасов. Коробейники. 2. *перен. Разг. шутл.* Неразбериха, беспорядок. *Устроить светопреставление.* □ *Господи, что творится на белом свете! Давно ли я до смерти боялся, что Лидия Михайловна за игру на деньги потащит меня к директору, а теперь она просит, чтобы я не выдавал ее. Светопреставление — не иначе.* Распутин. Уроки французского.

**СВЕТОТЕ́НЬ**, -и, *ж.* Распределение светлых и теневых штрихов, пятен как средство передачи в живописи и графике объемности изображаемого. *Игра светотени.*

**СВЕ́ТОЧ**, -а, *м.* 1. *Устар.* Большая свеча, факел. *Угас, как светоч, дивный гений, Увял торжественный венок.* Лермонтов. Смерть поэта. 2. *перен., чего. Высок.* О том, кто (или что) является носителем передового и лучшего в какой-л. области. *Светоч мира и прогресса.* □ *Часто и сами [агитаторы] знали мало — неоткуда было узнать, часто и передать складно не умели, зато главное всегда доносили, были светочами, были рупорами, были учителями.* Фурманов. Чапаев.

С и н. (к *1 знач.*): свети́льник.

**СВЕ́ТСКИЙ**, -ая, -ое. 1. *Прил.* к свет (*в 3 знач.*). *Светское общество. Светские манеры.* 2. *Устар.* Не церковный, гражданский. *Светское образование.* □ *Плэзанс был всю жизнь учителем светской школы, светской, а не католической.* Шагинян. Четыре урока у Ленина.

С и н. (ко *2 знач.*): мирско́й (*устар.*).

А н т. (ко *2 знач.*): духо́вный.

**СВИДЕ́ТЕЛЬСТВО**, -а, *ср.* 1. Сообщение, показание лица, бывшего очевидцем чего-л. *Ложное свидетельство. Свидетельства современников поэта.* □ *— Кроме того, в оправдание Дуни, явились, наконец, и свидетельства слуг, которые видели и знали гораздо больше, чем предполагал сам г. Свидригайлов.* Достоевский. Преступление и наказание. 2. То, что служит подтверждением, удостоверением какого-л. факта, события. *Свидетельство таланта.* □ *Я.. опасливо глянул в зеркало. Ничего парень. Лицо, правда, осколком повредило, но это ничего, это* за свидетельство геройства сойдет. Астафьев. Звездопад. 3. Документ, удостоверяющий что-л. *Свидетельство о рождении. Брачное свидетельство.* □ *Сильвин вынул из кармана свидетельство, утверждающее его личность.* Прилежаева. Удивительный год.

**СВИНЦО́ВЫЙ**, -ая, -ое. 1. Состоящий из свинца (тяжелого мягкого металла синевато-серого цвета), относящийся к свинцу. *Свинцовая пуля. Свинцовый рудник.* 2. *перен.* Темно-серый, цвета свинца. *Свинцовые тучи, волны.* □ *Внизу, справа от кургана, на фоне свинцового неба, как стадо огненных зверей, промелькнули снаряды «катюш».* Симонов. Дни и ночи. 3. *перен.* Тяжелый, причиняющий физические страдания, а также мрачный, гнетущий (о взгляде, чувстве и т. п.). *Свинцовый кулак, удар. Свинцовая голова. Свинцовый взгляд.* □ *— Подъем! Кончай привал!— потянулось по колонне..— Ну вот опять,— подумал Кузнецов, все время подсознательно ожидавший эту команду, чувствуя до дрожи в ногах свинцовую усталость во всем теле.* Бондарев. Горячий снег.

**СВИРЕ́ЛЬ**, -и, *ж.* Русский народный музыкальный инструмент в виде дудки из дерева или тростника. *Когда поля в час утренний молчали, Свирели звук унылый и простой Слыхали ль вы?* Пушкин. Певец.

**Свире́льный**, -ая, -ое.

**СВИ́ТА**[1], -ы, *ж.* [Восх. к франц. suite]. Лица, сопровождающие какую-л. важную особу. *Королевская свита.* □ *У крыльца толпились кучера в ливрее и в усах, скороходы, блистающие мишурою, в перьях и с булавами, гусары, пажи..: свита необходимая, по понятиям бояр тогдашнего времени.* Пушкин. Арап Петра Великого.

**Сви́тский**, -ая, -ое. *Свитский офицер.*

**СВИ́ТА**[2], -ы и **СВИ́ТКА**, -и, *ж.* В старину: верхняя длинная распашная одежда у украинцев, русских и белорусов. *В противоположном углу.. сидел за столом какой-то мужчина в узкой изношенной свите, с огромной дырой на плече.* Тургенев. Певцы. *И одежда на нем была чужая — какая-то серая крестьянская свитка, таких и не носят теперь.* Горбатов. Непокоренные.

**Сви́тковый**, -ая, -ое.

**СВИ́ТОК**, -тка, *м.* Рукопись на полосе бумаги, пергамента или другого писчего материала, свернутая в трубку. *Древний пергаментный свиток.* □ *Посол, взяв у секретаря с бархатной подушки свиток — верительные грамоты,— коленопреклоненно поднес их Петру.* А. Н. Толстой. Петр I.

**СВОБОДОМЫ́СЛИЕ**, -я, *ср. Книжн.* 1. Независимый и свободный образ мыслей. *Свободомыслие ученого.* 2. В дореволюционной России: критическое или отрицательное отношение к господствующему строю, дворянско-буржуазным взглядам. *Преследовать за свободомыслие.* □ *Герцен первый снова разбудил наше уснувшее свободомыслие, дал первый толчок нашим потребностям народной свободы и нового гражданского устройства.* Огарев. Памяти Герцена.

Син.: вольномы́слие (устар.), вольноду́мство (устар.).

**СВОД**, -а, м. **1.** Сведенные в одно целое и расположенные в определенном порядке тексты, документы и т. п. *Свод законов. Международный свод морских сигналов.* □ *Так ты, Языков вдохновенный, В порывах сердца своего, Поешь, бог ведает, кого, И свод элегий драгоценный Представит некогда тебе Всю повесть о твоей судьбе.* Пушкин. Евгений Онегин. **2.** Дугообразное перекрытие, соединяющее стены, опоры какого-л. сооружения. *Своды дворца, вокзала, моста.* □ *Из-за горы И нынче видит пешеход Столбы обрушенных ворот, И башни, и церковный свод.* Лермонтов. Мцыри. **3.** перен. Навес, образованный переплетающимися ветвями деревьев. *Деревья образовали темный свод и чуть-чуть, без шума, качали ветвями.* И. Гончаров. Обыкновенная история. **4.** перен. Небесный купол, небо. *Было поздно. Все та же огромная луна висела уже не в темном, а в сумеречном небе, и свод небесный над далеким Исаакием казался безвоздушным.* Форш. Одеты камнем.

**Сво́дчатый**, -ая, -ое (ко 2 знач.). *Сводчатый потолок.*

**СВО́ДКА**, -и, ж. Документ, содержащий подборку каких-л. сведений, данных. *Метеорологическая сводка. Сводка о ходе уборки урожая.* □ *Немцы на Главной улице каждый день сводку вывешивают.. И вот — стала каждый день под немецкой сводкой появляться другая.. написано детским почерком.. Какой-то малыш каждый день.. опровергает Гитлера.* Горбатов. Непокоренные.

**СВО́ДНЫЙ**, -ая, -ое. **1.** Собранный из разных мест или составленный из различных частей, сведенных в одно целое. *Сводный отряд, хор. Сводная таблица.* **2.** Приходящийся кому-л. братом или сестрой по отчиму или мачехе. *Сводные дети.* □ *Лизавета была младшая, сводная (от разных матерей) сестра старухи.* Достоевский. Преступление и наказание.

**СВОЕКО́ШТНЫЙ**, -ая, -ое. Устар. Содержащийся и обучаемый на собственные средства. *[Николай I] ограничил прием студентов, увеличил плату своекоштных и дозволил избавлять от нее только бедных дворян.* Герцен. Былое и думы.

Ант.: казённоко́штный (устар.).

**СВОЕНРА́ВНЫЙ**, -ая, -ое; -вен, -вна, -о. **1.** Упрямый, капризный, поступающий по-своему, так, как вздумается. *Правду молвить, молодица Уж и впрямь была царица: Высока, стройна, бела, И умом и всем взяла; Но зато горда, ломлива, Своенравна и ревнива.* Пушкин. Сказка о мертвой царевне и о семи богатырях. **2.** Свойственный такому человеку, выражающий своеволие, упрямство. *Своенравный поступок.* □ *В ее характере появилась своенравная неуравновешенность.* Ф. Гладков. Энергия.

Син.: своево́льный, самово́льный, нра́вный (прост.).

**Своенра́вно**, нареч. **Своенра́вие**, -я, ср. и **своенра́вность**, -и, ж.

**СВОЕОБРА́ЗНЫЙ**, -ая, -ое; -зен, -зна, -о. **1.** Непохожий на других, имеющий характерные отличительные особенности. *Своеобразное исполнение песни.* □ *Своеобразный темперамент Говорова никогда не проявлялся в привычных для большинства людей формах. Единственное, что выдавало иногда волнение командующего, — это негромкое постукивание указательным пальцем по столу.* Чаковский. Блокада. **2.** полн. ф. Своими особенностями, качествами напоминающий что-л., похожий на что-л. *Комната, отведенная под чистку оружия, скоро стала своеобразным клубом.* Горбатов. Алексей Гайдаш.

Син. (к 1 знач.): оригина́льный, необы́чный, своеобы́чный, самобы́тный, индивидуа́льный, специфи́ческий и специфи́чный, характе́рный, субъекти́вный.

**Своеобра́зно**, нареч. (к 1 знач.). **Своеобра́зие**, -я, ср. (к 1 знач.) и **своеобра́зность**, -и, ж. (к 1 знач.). *Своеобразие писателя. Своеобразность характера.*

**СВОЯ́К**, -а́, м. **1.** Муж жениной сестры. **2.** Разг. Свой, близкий человек. *Свояк свояка видит издалека.* Пословица.

**Своя́ченица**, -ы, ж. (сестра жены).

**СВЯЗУ́ЮЩИЙ**, -ая, -ее. Книжн. Связывающий, соединяющий. *Связующая нить.* □ *[Сергей Иванович] ни с кем не соперничал и не высказывал те же взгляды на литературу и жизнь, что и все, и в то же время был как бы связующим звеном между прошлым и настоящим.* Ананьев. Годы без войны.

**СВЯЗЬ**, -и, ж. **1.** Отношение взаимной зависимости, обусловленности, общности между чем-л. *Связь человека с природой. Связь теории и практики. Причинные связи вещей.* □ *Травкин неожиданно понял, какая связь между забинтованной рукой этого немца и ночными воплями, испугавшими разведчиков.* Казакевич. Звезда. **2.** Близость с кем-л., внутреннее единство, а также общение (дружеское или деловое) между кем-, чем-л. *Родственные связи. Поддерживать связь с фронтовыми друзьями. Укреплять международные связи.* □ *Дубровский был отменно сердит, прежде сего никогда люди Троекурова, известные разбойники, не осмеливались шалить в пределах его владений, зная приятельскую связь его с их господином.* Пушкин. Дубровский. **3.** Любовные отношения между кем-л. *Состоять в связи с кем-л. Вступить в любовную связь.* **4.** мн. Близкое знакомство с влиятельными людьми, способное обеспечить поддержку, покровительство. *Добрый Б. решился пристроить отчима. Он уже тогда имел большие связи и немедленно стал просить и рекомендовать своего бедного товарища.* Достоевский. Неточка Незванова. **5.** ед. Сообщение с кем-, чем-л., а также средства, которые дают возможность сноситься, сообщаться. *Почтовая, телеграфная связь. Держать связь по телефону.* □ *— Из-за запрета пользоваться рациями связь с корпусами оставляет желать лучшего.* Бондарев. Горячий снег. **6.** ед. Совокупность учреждений, обслуживающих техническими средствами общение на расстоянии (почта, телеграф, телефон, радио). *Работники связи. Отделение связи.* ◊ **В связи** с чем — вследствие чего-л.; по поводу чего-л.

С и н. *(ко 2 знач.):* контáкт. С и н. *(к 3 знач.):* ромáн, шáшни *(прост.),* интрúга *(устар.),* амýры *(устар. прост.).*

**СВЯТИ́ЛИЩЕ**, -а, *ср.* **1.** *Устар.* Посвященное какому-л. божеству здание, помещение, предназначенное для совершения религиозных обрядов; храм. *Тускло блестели золотом стены святилища, скрывавшего изображения Изиды.* Куприн. Суламифь. **2.** *перен.,* обычно *чего. Высок.* Место, внушающее чувство глубокого почтения, благоговения. *Святилище науки.* ▫ *Наш университет в Москве был святилищем не для одних нас, учащихся, но и для их семейств и для всего общества.* И. Гончаров. Воспоминания.

С и н. *(ко 2 знач.):* храм *(высок.).*

**СВЯТИ́ТЕЛЬ**, -я, *м.* **1.** Торжественное название высших лиц в церковной иерархии. **2.** У православных: святой *(во 2 знач.). Стремительно Петр вскочил, размахивая руками, забегал от озаренных ликов святителей до двери вкривь и вкось по спальне.* А. Н. Толстой. Петр I.

**СВЯ́ТКИ**, -ток, *мн.* В дореволюционном быту: праздничное время от рождества до крещения (с 7 по 19 января). *Пришли святки, и, кроме парадной обедни, кроме торжественных и скучных поздравлений.., не было ничего особенного, ознаменовывающего святки.* Л. Толстой. Война и мир.

**Свя́точный**, -ая, -ое. *Святочные гадания.*

**СВЯТО́Й**, -а́я, -о́е; свят, свята́, свя́то. **1.** По религиозно-мистическим представлениям: обладающий божественной благодатью. *Святая вода. Святое писание.* ▫ *И в лампадке медной Теплится огонь, Освещая бледно Лик святых икон.* И. Никитин. Зимняя ночь в деревне. **2.** *в знач. сущ.* **святой**, -о́го, *м.* В христианской религии: человек, посвятивший свою жизнь церкви и религии, а после смерти признанный образцом христианской жизни и носителем чудодейственной силы. *Жития святых. Причислить к лику святых. Молиться святому.* **3.** *Высок.* Проникнутый высокими чувствами, благородный, возвышенный. *Святая любовь к Родине.* ▫ *Бой идет святой и правый, Смертный бой не ради славы, Ради жизни на земле.* Твардовский. Василий Теркин. **4.** *Высок.* Истинный, величественный, исключительный по важности. *Святая отчизна. Святой долг.* ▫ *Мы ждем с томленьем упованья Минуты вольности святой, Как ждет любовник молодой Минуты верного свиданья.* Пушкин. Чаадаеву. ◊ **Святая святых** *(высок.)* — о самом дорогом, заветном или недоступном для непосвященных. **Святая простота** — о бесхитростном, наивном человеке. **Святой отец** — почтительное обращение к священнику. **Святая неделя** — неделя праздника пасхи. **Хоть святых (вон) выноси** *(разг.)* — о невыносимом шуме, беспорядке и т. п.

С и н. *(к 1 знач.):* свящéнный. С и н. *(ко 2 знач.):* святúтель. С и н. *(к 3 и 4 знач.):* высóкий, свящéнный *(высок.).*

**Свя́то**, *нареч. (к 3 и 4 знач.). Свято чтить память о ком-л. Свято верить во что-л.* **Свя́тость**, -и, *ж. (к 1, 3 и 4 знач.)* и **свята́я**, -óй, *ж. (ко 2 знач.).*

**СВЯТОТА́ТСТВО**, -а, *ср. Книжн.* Поругание, оскорбление чего-л. дорогого, заветного, глубоко чтимого (первонач. оскорбление церковной святыни). *Меня угрызала совесть, я думал, что я сделал истинное святотатство.* Герцен. Былое и думы.

С и н.: кощýнство.

**Святота́тственный**, -ая, -ое.

**СВЯТО́ША**, -и, святóши, святóш, *м. и ж.* Притворно набожный, лицемерный человек.

С и н.: ханжá, фарисéй, тартю́ф *(книжн.),* ипокри́т *(устар.).*

**СВЯТЦЫ́**, -ев, *мн.* Церковная книга, содержащая перечень святых и праздников православной церкви, расположенных в календарном порядке.

**СВЯЩЕ́ННИК**, -а, *м.* Духовное звание в православной церкви, среднее между епископом и дьяконом. *Все окна были открыты; свечи горели; священники читали молитвы.* Пушкин. Гробовщик.

**Свяще́ннический**, -ая, -ое. *Священнический сан.*

**СВЯЩЕННОДЕ́ЙСТВИЕ**, -я, *ср.* **1.** Церковный обряд, богослужение. *Начать священнодействие.* **2.** *перен. Ирон.* Исполнение какого-л. дела с торжественностью и важностью, свойственной обряду. *[Уху] разливали по тарелкам и ели с тем священнодействием, с каким это делается только на пикниках.* Чехов. Дуэль.

**СГО́ВОР**, -а, *м.* **1.** *Устар.* Помолвка, соглашение между родителями жениха и невесты о браке. *Все знали смутно про сговор Наташи с князем Андреем.. и с любопытством смотрели на невесту одного из лучших женихов России.* Л. Толстой. Война и мир. **2.** *Неодобр.* Соглашение о чем-л., достигнутое в результате переговоров. *Преступный сговор.*

С и н. *(ко 2 знач.):* договорённость, уговóр *(разг.).*

**СДЕ́ЛКА**, -и, *ж.* Соглашение между договаривающимися сторонами о каких-л. взаимных обязательствах. *Торговая сделка. Заключить выгодную сделку.* ▫ *— Еще я попрошу вас,— сказал Чичиков:— пошлите за поверенным одной помещицы, с которой я тоже совершил сделку.* Гоголь. Мертвые души. ◊ **Сделка с совестью** — поступок против собственных убеждений.

**СЕА́НС**, -а, *м.* [Франц. séance]. Показ или исполнение чего-л. в определенный промежуток времени без перерыва. *Вечерний сеанс в кинотеатре. Сеанс одновременной игры в шахматы. Сеанс показа моделей одежды. Сеанс гипноза.* ▫ *Года два тому назад здесь проезжал англичанин-живописец..; он большие масляные портреты делал;.. я уговорил Любовь Александровну посидеть,— всего три сеанса.* Герцен. Кто виноват?

**СЕБЕСТО́ИМОСТЬ**, -и, *ж.* Издержки предприятия при производстве товара и его реализации. *Добиться снижения себестоимости продукции.*

**СЕДЁЛКА**, -и, ж. Часть конской упряжи — кожаная подушка, служащая опорой для чересседельника.

**Седёлочный**, -ая, -ое и **седёлковый**, -ая, -ое.

**СЕЗОН**, -а, м. [Франц. saison]. 1. Одно из четырех времен года. *Летний, весенний сезон. Одеться не по сезону.* 2. *чего или какой*. Часть года, время, характеризующееся какими-л. постоянными природными явлениями или используемое для какой-л. деятельности, отдыха и т. п. *Сезон дождей. Сезон грибов, ягод. Для купания сейчас не сезон. Театральный сезон.* ☐ *К тому времени большой сезон рыболовства на Аральском море был уже на исходе — разгар сезона от июля по ноябрь.* Айтматов. Буранный полустанок. ◇ **Бархатный сезон** — осенние месяцы (сентябрь, октябрь) на юге. **Мертвый сезон** — время застоя, затишья в деятельности кого-, чего-л.

**Сезо́нный**, -ая, -ое. *Сезонная распродажа. Сезонные работы.*

**СЕЙМ**, -а, м. [Польск. sejm]. 1. Название сословно-представительных учреждений в ряде стран в эпоху феодализма. *[Великий гетман Любомирский] считал себя первым претендентом на польский престол после низвержения Августа. Тогда — в прошлом году — уже две трети делегатов сейма, стуча саблями, прокричали: «Хотим Любомирского!».* А. Н. Толстой. Петр I. 2. Однопалатный высший орган государственной власти в Польше.

**СЕЙСМИ́ЧЕСКИЙ**, -ая, -ое. [От греч. seismos — землетрясение]. Относящийся к землетрясению, связанный с колебаниями земной коры при землетрясении. *Сейсмическая станция. Сейсмическая карта. Сейсмические области. Сейсмические колебания.*

**СЕЙСМО...** [См. *сейсмический*]. Первая составная часть сложных слов, обозначающая с е й с м и ч е с к и й, напр.: *сейсмоакти́вный, сейсмо́граф, сейсмоло́гия, сейсморазве́дка, сейсмосто́йкость.*

**СЕЙФ**, -а, м. [Англ. safe — *букв.* надежный]. Несгораемый шкаф или ящик для хранения ценностей и документов. *Секретный сейф.*

**Се́йфовый**, -ая, -ое.

**СЕКИ́РА**, -ы, ж. Старинное оружие в виде топора с длинной рукоятью. *Для битв он послан и расправы, С собой принес он два меча: Один — сражений меч кровавый, Другой — секира палача.* Тютчев. 1856.

**Секи́рный**, -ая, -ое.

**СЕКРЕТАРИА́Т**, -а, м. [Франц. secrétariat]. 1. Отдел учреждений, служащий для ведения текущей работы организационно-исполнительного характера, а также совокупность сотрудников такого отдела. *Секретариат издательства.* 2. Лица, избираемые на собраниях, съездах, конференциях для ведения протоколов. *Избрать секретариат съезда.*

**СЕКРЕТЕ́Р** [тэ], -а, м. [Франц. secrétaire]. Род письменного стола с ящиками и полками, а также шкаф с выдвижной или откидной доской для писания. *[Карл] побежал к секретеру, из потайного ящика вынул футляр, — в нем лежала алмазная диадема.* А. Н. Толстой. Петр I.

**СЕКС** [сэ], -а, м. [Восх. к лат. sexus — пол]. Все то, что относится к половой жизни.

С и н.: чу́вственность, физиоло́гия (*разг.*).

**Сексуа́льный**, -ая, -ое; -лен, -льна, -о. *Сексуальные отношения.* **Сексуа́льность**, -и, ж.

**СЕКСТЕ́Т**, -а, м. [Нем. Sextett от лат. sextus — шестой]. Музыкальный ансамбль из шести исполнителей, а также музыкальное произведение для этого ансамбля с самостоятельной партией для каждого инструмента или голоса. *Секстет бандуристов.*

**СЕ́КТА**, -ы, ж. [Лат. secta — путь, учение]. 1. Религиозная община, отколовшаяся от господствующей церкви. *Секта баптистов.* ☐ *Религиозность проявилась у нас только в раскольнических сектах, столь противуположных по духу своему массе народа и столь ничтожных перед нею числительно.* Белинский. Письмо к Гоголю. 2. *перен.* Обособленная группа лиц, замкнувшаяся в своих узких интересах. *Секты заговорщиков.*

**Секта́нт**, -а, м.

**СЕКТА́НТСТВО**, -а, ср. [См. *секта*]. 1. Общее название религиозных объединений (сект), отколовшихся от господствующей официальной церкви. *Борьба церкви с сектантством.* 2. *перен. Книжн. неодобр.* Узость и замкнутость взглядов у лиц, ограничивающихся мелкими групповыми интересами. *Сектантство в рабочем движении. Обвинить в сектантстве.*

**СЕ́КТОР**, -а, сектора́, -о́в и се́кторы, -ов, м. [Лат. sector — *букв.* режущий]. 1. Часть площади чего-л., участок, ограниченный радиальными линиями. *Южный сектор стадиона.* ☐ *Они ползли к воронке, а пулеметные очереди, снижаясь над степью, перемещались за ними в одном узком секторе между бронетранспортерами и воронкой.* Бондарев. Горячий снег. 2. Область государственной, хозяйственной деятельности, имеющая определенные экономические и социальные признаки. *Государственный, кооперативный сектор в промышленности. Частный сектор. Сектор обслуживания.* 3. Отдел учреждения, организации. *Сектор учета кадров.*

**Се́кторный**, -ая, -ое (*ко 2 знач.*) и **сектора́льный**, -ая, -ое (*ко 2 знач.*).

**СЕКУНДА́НТ**, -а, м. [Восх. к лат. secundans, secundantis — способствующий, помогающий]. 1. Свидетель-посредник, сопровождающий каждого из противников на дуэли. *Секунданты отмерили нам двенадцать шагов. Мне должно было стрелять первому.* Пушкин. Выстрел. 2. Посредник-помощник участника спортивного состязания (в боксе, шахматах, фехтовании и т. п.).

**Секунда́нтский**, -ая, -ое.

**СЕ́КЦИЯ**, -и, ж. [Восх. к лат. sectio — разрезание]. 1. Подразделение в составе какого-л. учреждения, организации, общества и т. п. *Спортивная секция. Секция женской обуви в универмаге. Секция игры на баяне. Заведующий секцией.* 2. Часть какого-л. сооружения, устройства, состоящая в свою очередь из ряда деталей, частей. *Секция трубопровода, отопительной батареи.* ☐ *[На берегу речки] были построены дачи — довольно длинные бараки, перегороженные на секции, каждая секция со своим порядковым номером и еще разгорожена на две подсекции дощатой стенкой. Залыгин. После бури.

С и н. (ко 2 знач.): блок.

**Секцио́нный**, -ая, -ое. *Секционные занятия. Секционный метод сборки домов.*

**СЕЛАДО́Н**, -а, *м.* [По имени влюбленного пастушка — героя романа «Астрея» французского писателя 17 в. О. д'Юрфе]. *Устар.* Любитель ухаживать за женщинами, волокита. *Я подвела его к моему зеркалу, показала ему его лицо и спросила его: — И вы думаете, что я пойду к этому смешному старику, к этому плешивому селадону?* Герцен. Сорока-воровка.

С и н.: **донжуа́н**, **ловела́с** (*книжн.*), **ухажёр** (*прост.*), **ба́бник** (*прост.*), **женолю́б** (*устар.*).

**СЕЛЕ́КТОР**, -а, *м.* [Восх. к лат. selector — сортировщик]. Электромагнитный аппарат, при помощи которого автоматически осуществляется в нужном направлении и с нужными пунктами телефонная связь, управление технологическими процессами и т. п. *Разговаривать по селектору с начальниками цехов. Провести совещание по селектору.*

**Селе́кторный**, -ая, -ое. *Селекторная связь.*

**СЕЛЕ́КЦИЯ**, -и, *ж.* [Восх. к лат. selectio — отбор]. Наука о методах создания новых и улучшения существующих сортов растений и пород животных, а также практическая деятельность в этих направлениях. *Селекция зерновых культур. Селекция крупного рогатого скота. Достижения отечественной селекции.*

**Селекцио́нный**, -ая, -ое. *Давыдов вернулся из поездки на селекционную станцию с двенадцатью пудами сортовой пшеницы.* Шолохов. Поднятая целина.

**СЕЛЬ**, -я, *м.* [Араб. sail — бурный поток]. Грязе-каменный поток, возникающий в горах вследствие сильных ливней или таяния снегов.

**Селево́й**, -а́я, -о́е и **се́левый**, -ая, -ое.

**СЕЛЯНИ́Н**, -а, селяне, -я́н, *м. Книжн.* Крестьянин, земледелец. *Заботы селянина.* □ *Беспечно селянин поля там засевает, Лишь по́том их своим, не кровью орошает.* Жуковский. Мир.

**Селя́нка**, -и, *ж.* **Селя́нский**, -ая, -ое.

**СЕМЕРИ́К**, -а́, *м.* Старая русская мера, содержащая в себе семь каких-л. единиц, а также предмет, состоящий из семи частей. *Семерик овса* (семь мер овса). *Два семерика хлеба* (14 пудов хлеба). *Веревка семерик* (сплетенная из семи прядей). *Семерик лошадей* (семь лошадей в одной упряжке).

**Семерико́вый**, -ая, -ое и **семери́чный**, -ая, -ое.

**СЕМЕ́СТР**, -а, *м.* [Восх. к лат. semestris — шестимесячный]. Учебное полугодие в высших и средних специальных учебных заведениях. *Осенний, весенний семестр. Сдавать зачеты в конце семестра.* □ *Университет объявляет во втором семестре дискуссию «Молодежь нашей нации».* Шагинян. Четыре урока у Ленина.

**Семестро́вый**, -ая, -ое. *Семестровый курс.*

**СЕМИНА́Р**, -а, *м.* [Восх. к лат. seminarium — рассадник, питомник, школа]. 1. Групповые практические занятия студентов в высшем учебном заведении.

*Семинар по современному русскому языку. Выступить с докладом на семинаре.* 2. Групповые занятия для повышения квалификации слушателей. *Семинар пропагандистов. Семинар животноводов.*

**Семина́рский**, -ая, -ое. *Семинарские занятия.*

**СЕМИНА́РИЯ**, -и, *ж.* [См. *семинар*]. Название некоторых специальных средних учебных заведений. *Духовная семинария* (для подготовки представителей духовенства). *Учительская семинария* (для подготовки учителей в дореволюционной России). □ *Из семинарии Иван Афанасьевич.. вынес то прочное образование, которое обыкновенно сопровождает семинаристов до последнего дня их жизни и кладет на них ту самобытную печать, по которой вы узнаете семинариста во всех нарядах.* Герцен. Кто виноват?

**Семина́рский**, -ая, -ое. *Семинарское образование.* **Семинари́ст**, -а, *м.*

**СЕМИ́ТЫ**, -ов, *мн.* (*ед.* **семи́т**, -а, *м.*). [От библейского имени Сима — одного из трех сыновей Ноя, являющихся родоначальниками племен на земле]. Группа близких по языковым признакам народов юго-западной Азии и северо-восточной Африки, к которым относятся древние вавилоняне, ассирийцы, финикийцы, иудеи и др., а также современные народы: арабы, евреи и др.

**Семи́тка**, -и, *ж.* **Семити́ческий**, -ая, -ое и **семи́тский**, -ая, -ое.

**СЕНА́Т**, -а, *м.* [Лат. senatus от senex — старый, старец]. 1. В Древнем Риме: государственный совет, высший орган управления. 2. В дореволюционной России: правительственный орган, осуществлявший функции высшего суда и надзор за деятельностью правительственного аппарата. *Губернатора велено было судить сенату.., оправдать его даже там нельзя было.* Герцен. Былое и думы. 3. Верхняя палата парламента в некоторых странах.

**Сена́тский**, -ая, -ое. **Сена́тор**, -а, *м.* (член сената).

**СЕ́НИ**, -ей, *мн.* Помещение между жилой частью дома и крыльцом в деревенских избах и в старинных городских домах. *[Раскольников] успел-таки быстро и ловко проскользнуть назад из сеней в квартиру и притворить за собой дверь.* Достоевский. Преступление и наказание.

**Сенно́й**, -а́я, -о́е. *Сенной чулан.* ◊ **Сенная девушка** — крепостная дворовая девушка, находившаяся в услужении у господ; крепостная горничная.

**СЕНСА́ЦИЯ**, -и, *ж.* [Франц. sensation от лат. sensus — чувство, ощущение]. 1. Необычайно сильное, ошеломляющее впечатление от какого-л. события. *Вызвать сенсацию.* □ *Вы знаете уже сильную и продолжительную сенсацию, которую произвел Бельтов на почтенных жителей NN; позвольте же сказать и о сенсации, которую произвел город на почтенного Бельтова.* Герцен. Кто виноват? 2. Событие, сообщение, производящие такое впечатление. *Спортивная, газетная, научная сенсация.* □ *— Надеюсь, все, что я сказал, умрет в этой машине. Не хотел бы, чтобы о событиях на Волховском шептались* *досужие ловцы сенсаций. Не ко времени.* Бондарев. Горячий снег.

**Сенсацио́нный**, -ая, -ое; -о́нен, -о́нна, -о. *Сенсационная новость.* **Сенсацио́нность**, -и, *ж. Сенсационность известия.*

**СЕНТЕ́НЦИЯ**, -и, *ж.* [Восх. к лат. sententia — мысль, суждение]. *Книжн.* Изречение нравоучительного характера. *[Ваше замечание] напомнило мне те блаженные времена, когда я приходил к вам.. надоедать моим идеализмом и выслушивать не без негодования ваши охлаждающие сентенции.* Герцен. Былое и думы.

**Сентенцио́зный**, -ая, -ое. *Сентенциозный тон.*

**СЕНТИМЕНТАЛИ́ЗМ**, -а, *м.* [Франц. sentimentalisme от sentiment — чувство]. **1.** Направление в литературе и искусстве второй половины 18 — начала 19 в., отмеченное повышенным интересом к душевному миру человека, к природе и вместе с тем излишней чувствительностью и идеализацией действительности. **2.** *Книжн.* Сентиментальное (*во 2 знач.*) отношение к чему-л.

С и н. (*ко 2 знач.*): сентимента́льность.

**СЕНТИМЕНТА́ЛЬНЫЙ**, -ая, -ое; -лен, -льна, -о. [Франц. sentimental]. **1.** Относящийся к сентиментализму (*в 1 знач.*), связанный с сентиментализмом. *Она сидит перед окном. Пред ней открыт четвертый том Сентиментального романа.* Пушкин. Граф Нулин. **2.** Легко приходящий в умиление, способный быстро растрогаться, расчувствоваться. *Мы теперь довольно знаем Лопухова, чтобы видеть, что он был человек не сентиментальный, но он был так тронут этими словами жены, что лицо его вспыхнуло.* Чернышевский. Что делать? **3.** Свойственный излишне чувствительному человеку, а также трогательный, заставляющий расчувствоваться. *Сентиментальное настроение. Сентиментальный романс.* □ *«Войдем в лодку»,— сказала моя спутница. Я колебался — я не охотник до сентиментальных прогулок по морю; но отступать было не время.* Лермонтов. Герой нашего времени.

С и н. (*ко 2 знач.*): чувстви́тельный. С и н. (*к 3 знач.*): чувстви́тельный, слезли́вый, душещипа́тельный (*разг.*).

**Сентимента́льно**, *нареч.* (*ко 2 и 3 знач.*). **Сентимента́льность**, -и, *ж.* (*ко 2 и 3 знач.*). *Впасть в сентиментальность.*

**СЕНЬ**, -и, *ж. Трад.-поэт.* **1.** Покров, полог, укрытие, образуемые кронами деревьев. *Приди ко мне, любезный друг, Под сень черемух и акаций.* Лермонтов. Пир. **2.** Навес, кров, а также приют, обитель. *Сень шатра. Сень древнего храма.*
◊ **Под сенью** *чего* — под покровительством, защитой чего-л. *Друзья мои, прекрасен наш союз! Он как душа неразделим и вечен — Неколебим, свободен и беспечен Срастался он под сенью дружных муз.* Пушкин. 19 октября.

**СЕНЬО́Р** [ньё]́, -а, *м.* [Исп. señor, франц. seigneur от лат. senior — старший]. **1.** В средние века в Западной Европе: землевладелец, обладавший всей полнотой власти на принадлежавшей ему территории. *Земли сеньора.* **2.** Наименование мужчины или форма вежливого обращения к нему в Испании.

**Сеньо́ра**, -ы, *ж.* (*ко 2 знач.*).

**СЕНЬОРИ́ТА** [ньё], -ы, *ж.* [Исп. señorita]. Наименование незамужней женщины или форма вежливого обращения к ней в Испании.

**СЕПАРА́ТНЫЙ**, -ая, -ое. [Восх. к лат. separatus — отделенный]. Отдельный, обособленный от других. *Сепаратные переговоры.* ◊ **Сепаратный мир** — мир, заключенный государством отдельно от своих союзников в войне.

**Сепара́тно**, *нареч.* **Сепара́тность**, -и, *ж.*

**СЕРА́ЛЬ**, -я, *м.* [Франц. sérail; восх. к перс. sarāi]. **1.** В странах Востока: дворец и его внутренние покои. *Остановились напротив султанского сераля, откуда со стены глядел на нас султан, над ним держали опахало и его омахивали.* А. Н. Толстой. Петр I. **2.** В странах Востока: женская половина во дворце; гарем.

**СЕРВИРОВА́ТЬ**, -ру́ю, -ру́ешь; сервиру́ющий, сервирова́вший; сервиру́емый, сервиро́ванный; -ан, -а, -о; сервиру́я, сервирова́в; *сов. и несов., что.* [Франц. servir]. Накрыть (накрывать) (стол) для еды, расставив в определенном порядке посуду. *Сервировать стол на десять персон. Сервировать завтрак.*

**Сервиро́вка**, -и, *ж. Сервировка стола для ужина.*

**СЕ́РВИС** [сэ], -а, *м.* [Англ. service]. Обслуживание населения.

**Се́рвисный**, -ая, -ое. *Сервисная служба.*

**СЕРДОЛИ́К**, -а, *м.* [Греч. sardonyx]. Полудрагоценный поделочный камень красного или оранжевого цвета. *Отделать шкатулку сердоликом.*

**Сердоли́ковый**, -ая, -ое. *Сердоликовые бусы.*

**СЕРДЮ́К**, -а́, *м.* [Турецк. sürtük — проводник, соглядатай]. В старину на Украине: казак наемных пехотных полков, находившихся в личном распоряжении гетмана. *Старый гетман сидел на вороном коне. Блестела в руке булава; вокруг сердюки; по сторонам шевелилось красное море запорожцев.* Гоголь. Страшная месть.

**СЕРЕБРО́**, -а́, *ср.* **1.** Благородный металл серовато-белого цвета. **2.** *собир.* Изделия из этого металла. *Блестели две горки, битком набитые серебром: грудами чайных и столовых ложек,.. десятками подстаканников, бокалов с чернью, золоченых рюмок.* М. Горький. Жизнь Матвея Кожемякина. **3.** *собир.* Мелкие разменные монеты из сплава, в который входит этот металл или никель. *[Я] был рад нечаянной находке, все же это были книги, и я щедро наградил усердие прачки полтиною серебром.* Пушкин. История села Горюхина. **4.** *перен.* Мелодичность, звонкость и чистота (о звуке). *Голос ее звучал серебром нетронутой юности.* Тургенев. Дворянское гнездо. **5.** *Разг.* О медали за второе место в спортивных соревнованиях, на конкурсе. *Выиграть серебро.*

**Сере́бряный**, -ая, -ое. *Серебряный слиток. Серебряная медаль. Серебряный звон.* ◊ **Серебряная свадьба** — день двадцатипятилетия супружеской жизни.

**СЕРЕДНЯ́К**, -а́, *м.* **1.** Крестьянин-единоличник, обрабатывавший землю своими силами, без наемного труда, и по имущественному положению стоявший между бедняком и зажиточным крестьянином. **2.** *перен. Разг.* Человек средних способностей, ничем особенно не выделяющийся.— *Павловых не так уж много, а нас, средних инженеров, тысячи. И если хочешь знать, технику двигают не избранники, а мы — середняки.* Галин. Встреча.

**Середня́чка**, -и, ж. (к 1 знач.). **Середня́цкий**, -ая, -ое (к 1 знач.).

**СЕРЕНА́ДА**, -ы, ж. [Восх. к итал. serenata] **1.**, В средние века в Италии и Испании: вечерняя приветственная песня в честь возлюбленной, исполнявшаяся под аккомпанемент лютни, мандолины или гитары. *[Дон Гуан:] Когда б я был безумец, я бы ночи Стал провождать у вашего балкона, Тревожа серенадами ваш сон.* Пушкин. Каменный гость. **2.** Род лирического музыкального произведения для инструментального ансамбля. *Струнная серенада Чайковского.*

**СЕРИА́Л**, -а, м. [См. *серия*]. На телевидении, в кино: многосерийный фильм с несколькими сюжетными линиями. *Популярный телевизионный сериал «Семнадцать мгновений весны».*

**СЕ́РИЯ**, -и, ж. [Восх. к лат. series — ряд]. **1.** Ряд предметов, явлений и т. п., имеющих общий, объединяющий их признак. *Серия рисунков. Серия гимнастических упражнений. Серия опытов.* ☐ *По его [Горького] мысли выпущены тематические серии мировой и русской классики.* Соболев. Литература и наша современность. **2.** Ряд изделий, изготовленных по одному стандарту. *Запустить в производство серию автомобилей. Первый комбайн серии сошел с конвейера.* **3.** Одна из относительно самостоятельных частей большого кинофильма. *Первая серия фильма. Рассказать содержание предыдущих серий.* **4.** Разряд ценных бумаг или документов, обозначаемый цифрами или буквами. *Серия лотерейного билета. Указать номер и серию паспорта.*

**Сери́йный**, -ая, -ое (к 1 и 2 знач.). *Серийный выпуск станков. Серийная деталь.* **Сери́йность**, -и, ж.

**СЕРМЯ́ГА**, -и, ж. *Устар.* Домотканое грубое некрашеное сукно, а также кафтан из него. *Потом проехала какая-то коляска..; гайдук-форейтор и седой сморщившийся кучер были одеты в сермягах.* Герцен. Кто виноват?

**СЕРМЯ́ЖНЫЙ**, -ая, -ое. **1.** Сделанный из сермяги. *Рукавицы торчали за пазухой сермяжного кафтана, подпоясанного низко лыком.* А. Н. Толстой. Петр I. **2.** *перен.* Относящийся к бедному крестьянскому быту дореволюционной России. *Война «до конца!», «до победы!» — И ту же сермяжную рать Прохвосты и дармоеды Сгоняли на фронт умирать.* Есенин. Анна Снегина. ◊ **Сермяжная правда** (*шутл.*) — глубокая и безыскусственная. *В этом есть своя сермяжная правда.*

**СЕРПАНТИ́Н**, -а, м. [Франц. serpentin от serpent — змея]. **1.** Длинная узкая лента из цветной бумаги, свернутая в клубок, который бросают в участников бала, маскарада, карнавала и т. п. *В тесноте, среди летящих лент серпантина.., покачивались в танце женщины.* А. Н. Толстой. Гиперболоид инженера Гарина. **2.** Извилистая горная дорога. *Высокогорный серпантин.*

**Серпанти́нный**, -ая, -ое и **серпанти́новый**, -ая, -ое (к 1 знач.)

**СЕРТИФИКА́Т**, -а, м. [Франц. certificat от лат. certum — верно и facere — делать]. *Спец.* **1.** Удостоверение, письменное свидетельство о чем-л. *Страховой сертификат.* **2.** Название облигаций специальных государственных займов.

**Сертифика́тный**, -ая, -ое.

**СЕ́ССИЯ**, -и, ж. [Восх. к лат. sessio — заседание]. **1.** Возобновляющиеся в определенное время заседания какого-л. учреждения. *Сессия Верховного Совета России. Юбилейная сессия академии наук. Сессия Генеральной Ассамблеи ООН.* **2.** Период экзаменов в высших и средних специальных учебных заведениях. *Зимняя экзаменационная сессия. Зачетная сессия.*

**Сессио́нный**, -ая, -ое. *Сессионный период.*

**СЕ́ТОВАТЬ**, се́тую, се́туешь; се́тующий, се́товавший; се́туя; *несов. Книжн.* Высказывать огорчение и сожаление по поводу чего-л.; жаловаться. *Сетовать на невзгоды, болезни.* ☐ *Мужики сетовали, что рано уехали с поля, и, в досаде на себя, ругали лошадей.* Фадеев. Разгром.

**Син.**: **роптать**, **пеня́ть** (*разг.*), **пла́каться** (*разг.*), **ныть** (*разг.*), **хны́кать** (*разг.*), **скули́ть** (*разг.*), **жа́лобиться** (*прост.*), **жа́литься** (*прост.*).

**Се́тование**, -я, *ср. Сетования на судьбу.*

**СЕ́ЧА**, -и, се́чи, сеч, ж. *Устар.* Бой, сражение. *Кровавая сеча.* ☐ *Твой конь не боится опасных трудов; Он, чуя господскую волю, То смирный стоит под стрелами врагов, То мчится по бранному полю. И холод и сеча ему ничего.* Пушкин. Песнь о вещем Олеге.

**Син.**: **би́тва**, **брань** (*трад.-поэт.*), **рать** (*трад.--поэт.*), **де́ло** (*устар.*), **бата́лия** (*устар.*), **побо́ище** (*устар.*)

**СЕ́ЯТЕЛЬ**, -я, м. *Высок.* **1.** *Устар.* Тот, кто сеет семена, засевает землю. *Родная земля! Назови мне такую обитель, Я такого угла не видал, Где бы сеятель твой и хранитель, Где бы русский мужик не стонал?* Н. Некрасов. Размышления у парадного подъезда. **2.** *перен., чего.* Тот кто распространяет что-л. (знания, идеи и т. п.) среди людей. *Свободы сеятель пустынный, Я вышел рано, до звезды.* Пушкин. Свободы сеятель пустынный...

**СИБАРИ́Т**, -а, м. [Греч. sibaritēs — житель древнегреческой колонии Сибарис.] *Книжн.* Праздный, изнеженный роскошью человек.— *Сигарку сигаркой,— подхватил Ситников, который успел развалиться в креслах и задрать ногу кверху,— а дайте-ка нам позавтракать,.. да велите нам воздвигнуть бутылочку шампанского.— Сибарит,— промолвила Евдоксия и засмеялась.* Тургенев. Отцы и дети.

**Сибари́тка**, -и, ж. **Сибари́тский**, -ая, -ое. *Сибаритский образ жизни.*

**СИ́ВЫЙ**, -ая, -ое; сив, си́ва, -о. **1.** Серовато--сизый (о масти лошади). *Шестерик застоявшихся сивых* (*в знач. сущ.*) *вышел крупной рысью* на бревенчатую мостовую. А. Н. Толстой. Петр I. **2.** *Разг.* Седой (о волосах). *Сивые усы.* ☐ *Иной раз глянет на те фотографии и сам не верит себе. Здорово изменился — сивый стал. Даже брови и те побелели.* Айтматов. Буранный полустанок.

**СИЗИ́ФОВ**, -а, -о. ◇ **Сизифов труд, сизифова работа** [по имени мифического древнегреческого царя Сизифа, провинившегося перед богами и осужденного ими вечно вкатывать на гору камень, который, достигнув вершины, скатывался обратно вниз] — о трудной, бесконечной и бесплодной работе. *Пылевидный песок проливался, как вода, в щели вагонеток. Выборка его щитами и подача на поверхность были почти сизифовой работой.* Паустовский. Рождение моря.

**СИ́ЛОС**, -а, *м.* [Исп. silos (*мн.*) — подземное помещение для хранения зерна]. Сочный корм для скота, получаемый в результате консервирования измельченных зеленых частей растений в специальных сооружениях (башнях, траншеях, ямах и т. п.) *Заготовка силоса. Скосить траву на силос.*

**Си́лосный**, -ая, -ое. *Силосная башня, яма.*

**СИЛУЭ́Т**, -а, *м.* [Франц. silhouette (по имени французского министра 18 в. Э. де Силуэта, на которого была нарисована карикатура в виде теневого профиля)]. **1.** Одноцветное контурное изображение кого-, чего-л., нарисованное на однотонном фоне или вырезанное. *Профильный силуэт.* ☐ *Есть у меня твой силуэт, Мне мил его печальный цвет; Висит он на груди моей И мрачен он, как сердце в ней.* Лермонтов. Силуэт. **2.** *перен.* Очертания кого-, чего-л., виднеющегося вдали, в темноте, в тумане. *Силуэт корабля на горизонте.* ☐ *Бессонов неясно различал среди этой снежной темноты.. длинные силуэты машин с зашторенными подфарниками.* Бондарев. Горячий снег.

С и н. (ко 2 знач.): ко́нтур, а́брис (*книжн.*), о́черк (*устар.*).

**Силуэ́тный**, -ая, -ое.

**СИ́МВОЛ**, -а, *м.* [Греч. symbolon — условный знак, примета]. **1.** Предмет, действие и т. п., условно выражающие какое-л. отвлеченное понятие, идею. *Голубь — символ мира.* ☐ *Соня молча вынула из ящика два креста,.. перекрестила его [Раскольникова] и надела ему на грудь кипарисный крестик. — Это, значит, символ того, что крест беру на себя.* Достоевский. Преступление и наказание. **2.** Художественный образ, условно воплощающий какую-л. мысль, переживание. *Романтические символы в поэзии. Образ бури — символ революции.* **3.** *Спец.* Условное обозначение какой-л. величины, принятое в той или иной науке. *Символы химических элементов. Математические символы.* ◇ **Символ веры** — краткое изложение основных положений христианской религии.

С и н. (к 1 знач.): эмбле́ма, знак. С и н. (к 3 знач.): знак.

**Символи́ческий**, -ая, -ое и **символи́чный**, -ая, -ое; -чен, -чна, -о. *Символическая картина. Символичное изображение.* **Символи́чески** и **символи́чно**, *нареч. Символично озаглавить книгу.* **Символи́чность**, -и, *ж. Символичность образа.*

**СИМВОЛИ́ЗМ**, -а, *м.* [Франц. symbolisme от греч. sym-bolon — условный знак, символ]. Направление в искусстве конца 19 — начала 20 в., выдвинувшее в качестве своего художественного приема символ как средство выражения непостижимой сущности предметов и явлений. *Поэзия русского символизма.*

**Символисти́ческий**, -ая, -ое и **символи́стский**, -ая, -ое. **Символи́ст**, -а, *м.*

**СИМВО́ЛИКА**, -и, *ж.* [См. *символ*]. **1.** *Книжн.* Выражение идей, понятий с помощью символов; символическое значение, приписываемое чему-л. *Символика чисел.* ☐ *Нет ни одного искусства, которое было бы роднее мистицизму, как зодчество; отвлеченное, геометрическое, немо-музыкальное, бесстрастное, оно живет символикой, образом, намеком.* Герцен. Былое и думы. **2.** *собир.* Совокупность каких-л. символов. *Пионерская символика. Символика пьесы.*

**СИММЕ́ТРИЯ**, -и и **СИММЕТРИ́Я**, -и, *ж.* [Восх. к греч. symmetria]. Соразмерность, пропорциональность в расположении частей чего-л. по обе стороны от середины, центра. *Симметрия геометрической фигуры. Центр симметрии.* ☐ *Было заметно, что при постройке его [дома] зодчий беспрестанно боролся со вкусом хозяина. Зодчий был педант и хотел симметрии, хозяин — удобства и, как видно, вследствие того заколотил на одной стороне все отвечающие окна и проверстал на место их одно маленькое.* Гоголь. Мертвые души.

**Симметри́ческий**, -ая, -ое и **симметри́чный**, -ая, -ое; -чен, -чна, -о. *Симметрический узор. Симметричная планировка дома.* **Симметри́чность**, -и, *ж.*

**СИМПА́ТИЯ**, -и, *ж.* [Восх. к греч. sympatheia — сочувствие, сострадание]. **1.** Влечение, благожелательное отношение к кому-, чему-л. *Глубокая симпатия. Почувствовать взаимную симпатию. Завоевать симпатии слушателей.* ☐ *[Забелин:] А вот дочь за большевиков готова в огонь и в воду. Все ее симпатии не на нашей стороне. Мы для нее контрреволюция, бурбоны.* Погодин. Кремлевские куранты. **2.** *перен. Разг.* О любимом человеке. *— А твоя симпатия, Василь, знает, что ты у нас в фабзавуче в футбольной команде играл? — спросил не без ехидства Петро.* В. Беляев. Старая крепость.

С и н. (к 1 знач.): расположе́ние, благоскло́нность (*книжн.*), прия́знь (*устар.*), благоволе́ние (*устар.*), благорасположе́ние (*устар.*). С и н. (ко 2 знач.): люби́мый и люби́мая, возлю́бленный и возлю́бленная, ми́лый и ми́лая, па́ссия (*устар.*), любе́зный (*устар.*) и любе́зная (*устар.*), зазно́ба (*устар. и обл.*).

А н т. (к 1 знач.): антипа́тия.

**Симпати́чный**, -ая, -ое; -чен, -чна, -о. *Симпатичная девушка.*

**СИМПО́ЗИУМ**, -а, *м.* [Лат. symposium от греч. sympo-sion — пиршество; у древних греков и римлян — пирушка, часто сопровождавшаяся музыкой, развлечениями, беседой]. *Книжн.* Совещание, конференция по какому-л. специальному научному вопросу. *Международный симпозиум врачей. Симпозиум по проблемам ядерной физики. Симпозиум по вопросам охраны окружающей среды.*

**СИМПТО́М**, -а, м. [Восх. к греч. symptōma — совпадение, признак]. Внешний признак какого-л. явления. *Симптомы болезни. Опасный симптом.* □ — *Я был ненавидим, ненавидим хорошенькой девушкой и на себе самом мог изучить симптомы первой ненависти.* Чехов. Зиночка.

Син.: знак, приме́та, показа́тель.

**Симптомати́ческий**, -ая, -ое и **симптомати́чный**, -ая, -ое; -чен, -чна, -о. *Симптоматическое лечение. Симптоматичная книга (являющаяся симптомом какого-л. общественного явления).*

**СИМУЛЯ́ЦИЯ**, -и, ж. [Лат. simulatio]. Притворство, ложное изображение чего-л. с целью ввести в заблуждение. *Симуляция болезни. Симуляция ограбления.* □ *Самый изумительный из его подвигов — гениальная симуляция, которая ввела в заблуждение премудрых берлинских психиатров.* М. Горький. Камо.

**СИМФО́НИЯ**, -и, ж. [Восх. к греч. symphōnía — созвучие]. **1.** Большое музыкальное произведение для оркестра, состоящее обычно из четырех разных по характеру частей. *Девятая симфония Бетховена.* **2.** перен., *чего или какая.* Книжн. Гармоническое соединение, сочетание чего-л. *Симфония цветов, красок.* □ *Роями бронзовых мух пели далекие пневматические сверла бурильщиков. Глухим барабаном рокотали компрессоры.. День гремит железной симфонией труда.* Ф. Гладков. Энергия.

**Симфони́ческий**, -ая, -ое (к 1 знач.). *Симфонический концерт. Симфоническая музыка.* ◇ **Симфонический оркестр** — музыкальный ансамбль, объединяющий три группы инструментов: смычковые, духовые (деревянные и медные) и ударные.

**СИНАГО́ГА**, -и, ж. [Восх. к греч. synagōgē — собрание]. Молитвенный дом и религиозная община иудеев. *Позднее, бывая в синагогах, я понял, что дед молился, как еврей.* М. Горький. Детство.

**СИНДИКА́Т**, -а, м. [Восх. к греч. syndikos — действующий сообща]. **1.** Крупное монополистическое объединение, в котором закупка сырья и сбыт продукции осуществляется через единую сбытовую контору. *Угольные, нефтяные синдикаты.* **2.** В СССР в период нэпа: объединение трестов для плановых закупок сырья и оптового сбыта продукции. *Всесоюзный текстильный синдикат.* **3.** Название профессиональных союзов в некоторых странах.

**Синдика́тский**, -ая, -ое (к 1 знач.) и **синдика́тский**, -ая, -ое.

**СИНДРО́М**, -а, м. [Восх. к греч. syndromē — стечение]. Спец. Сочетание признаков (симптомов), характерных для какого-л. заболевания. *Болевой, судорожный синдром. Синдром приобретенного иммунодефицита (СПИД).*

**СИНЕКУ́РА**, -ы, ж. [От лат. sine cura — без заботы]. Книжн. Хорошо оплачиваемая должность, не требующая особого труда. □ [*Иван Дмитрич:*] *Росли вы под крылышком отца и учились на его счет, а потом сразу захватили синекуру. Больше двадцати лет вы жили на бесплатной квартире,.. имея притом право работать, как и сколько вам угодно, хоть ничего не делать.* Чехов. Палата № 6.

**СИНЕМАТО́ГРАФ**, -а, м. Устарелое название кинематографа. *Посещать синематограф.* □ *Лет восемь назад, еще маленьким, он видел в училище первый синематограф. На треножнике посреди зала трещал аппаратик, бросая газовый луч на экран.* Федин. Первые радости.

**Синематографи́ческий**, -ая, -ое.

**СИНКЛИ́Т**, -а, м. [Греч. synklētos]. **1.** Собрание высокопоставленных лиц (обычно духовенства; первонач. собрание высших сановников в Древней Греции). *Духовный синклит.* □ [*Щелкалов:*] *Заутра вновь святейший патриарх.. С иконами Владимирской, Донской Воздвижется; а с ним синклит, бояре Да сонм дворян, да выборные люди И весь народ московский православный, Мы все пойдем молить царицу вновь.* Пушкин. Борис Годунов. **2.** перен. Книжн. ирон. Собрание, сборище. *У бабеньки собрался, по случаю дня ангела, весь родственный синклит.* Салтыков-Щедрин. Письма к тетеньке.

**СИНО́Д**, -а, м. [Греч. synodos — собрание]. В дореволюционной России: высшее учреждение, управлявшее православной церковью, в настоящее время — совещательный орган при патриархе. *Здесь все столкнулось и перемешалось — ..Столыпин, высказавшийся за снятие с Толстого отлучения, святейший синод, решивший этого не допускать.* Федин. Первые радости.

**Синода́льный**, -ая, -ое и **сино́дский**, -ая, -ое. *Синодальный хор. Синодская библиотека.*

**СИНО́ДИК**, -а, м. [Греч. synodikon — название церковной службы, в которой провозглашалась «вечная память» умершим сторонникам православной церкви и предавались анафеме (проклятию) ее враги]. В церковном обиходе: список имен умерших для поминания их во время богослужения.

**СИНО́ПТИКА**, -и, ж. [От греч. synoptikos — способный все обозреть]. Наука об атмосферных процессах, определяющих погоду, и о прогнозе погоды.

**Синопти́ческий**, -ая, -ое. *Синоптическая карта.*

**СИ́НТЕЗ** [тэ], -а, м. [Восх. к греч. synthesis — соединение, сочетание]. **1.** Метод научного исследования, состоящий в изучении предмета или явления в его целостности, в единстве и взаимной связи его частей. **2.** Соединение чего-л. в единое целое; обобщение. *Синтез теории и практики. Синтез мысли и чувства.* **3.** Спец. Получение сложных химических соединений из более простых. *Органический синтез. Синтез белка.*

Ант. (к 1 знач.): ана́лиз.

**Синтети́ческий**, -ая, -ое (к 1 и 3 знач.). *Синтетический метод исследования. Синтетические материалы.*

**СИНХРО́ННЫЙ**, -ая, -ое; -о́нен, -о́нна, -о. [Восх. к греч. synchronos — одновременный]. Книжн. Совпадающий во времени, происходящий в одно и то же время с чем-л.; основанный на таком совпадении. *Синхронный ход механизмов. Синхронная стыковка космических кораблей. Синхронные движения фигуристов.* □ *В ответ на нашей принимающей полосе заработал еще* один дубль рядом с прежним, а затем еще один — то было приветственное трио, три синхронных радиосигнала из Вселенной.. несли с собой ликующую весть о разумных существах вне нашей Галактики. Айтматов. Буранный полустанок.

Син.: одновре́менный и одновреме́нный.

Синхро́нно, *нареч.* Синхро́нность, -и, *ж.*

СИНЬО́Р [ньё], -а, *м.* [Итал. signor]. Наименование мужчины или форма вежливого обращения к нему в Италии.

Синьо́ра, -ы, *ж.*

СИНЬОРИ́НА [ньё], -ы, *ж.* [Итал. signorina]. Наименование незамужней женщины или форма вежливого обращения к ней в Италии.

СИОНИ́ЗМ, -а, *м.* [По названию горы Сион близ Иерусалима]. Возникшее в 19 в. общественное движение, стремящееся к возрождению еврейского национального самосознания и созданию еврейского государства в Палестине.

Сиони́стский, -ая, -ое. Сиони́ст, -а, *м.*

СИРЕ́НА¹, -ы, *ж.* [Восх. к греч. Seirēn]. В греческой мифологии: морское существо в образе птицы с женской головой, пением завлекающее моряков в гибельные места. *[Сочинитель] Был, как Сирена, сладкогласен И, как Сирена, был опасен.* И. Крылов. Сочинитель и Разбойник.

СИРЕ́НА², -ы, *ж.* [См. *сирена*¹]. Сигнальный гудок с резким воющим звуком, а также сам звук этого гудка. *Сирена воздушной тревоги. Пожарная машина с сиреной.* □ *Долг наш — реветь медногорлой сиреной в тумане мещанья, у бурь в кипеньи.* Маяковский. Разговор с фининспектором о поэзии.

СИ́РЫЙ, -ая, -ое; сир, -а, -о. *Устар.* 1. Оставшийся без родителей, а также вообще без родных и близких. *Бедная старушка!.. Она думала только о бедном своем спутнике, с которым провела жизнь и которого оставляла сирым и бесприютным.* Гоголь. Старосветские помещики. 2. *перен.* Одинокий, заброшенный. *Леса стояли обгорелые и искалеченные. Тянулись сирые солдатские могилки.* Вишневский. Мы, русский народ.

СИСТЕ́МА, -ы, *ж.* [Восх. к греч. systēma — (целое), составленное из частей, соединение]. 1. Определенный порядок в расположении и связи частей чего-л., в каких-л. действиях. *Система в работе. Привести в систему свои записи. Читать без системы.* 2. Форма, способ, принцип устройства, организации, производства чего-л. *Избирательная система. Премиальная, налоговая система. Система оплаты труда.* 3. Форма общественного устройства. *Социалистическая, капиталистическая, феодальная система.* 4. Устройство, структура, представляющие собой единство взаимно связанных частей. *Солнечная система. Нервная, кровеносная система. Грамматическая система языка. Периодическая система химических элементов Менделеева.* 5. Совокупность организаций, учреждений, однородных по своим задачам. *Система здравоохранения. Работать в системе высшего образования. Профсоюзная, партийная система.* 6. Техническое устройство. *Энергетическая, отопительная, вентиляционная система.* 7. Совокупность принципов, служащих основанием какого-л. учения, а также совокупность методов осуществления чего-л. *Идеалистическая философская система. Педагогическая система Ушинского. Система взглядов. Система воспитания. Создать новую систему обучения иностранным языкам.*

Син. (к 3 знач.): строй, поря́док, режи́м. Син. (к 7 знач.): тео́рия, уче́ние, конце́пция (*книжн.*), доктри́на (*книжн.*).

Системати́ческий, -ая, -ое (к 1 знач.) и систе́мный, -ая, -ое. *Системное описание. Системные отношения. Системный анализ.* Системати́чески и систе́мно, *нареч.* Системати́чность, -и и систе́мность, -и, *ж.*

СИ́ТНЫЙ, -ая, -ое. Просеянный сквозь сито, а также испеченный из просеянной муки. *Ситная мука. Ситный хлеб. Ситные пироги.*

СИТУА́ЦИЯ, -и, *ж.* [Восх. к ср.-лат. situatio]. Положение, обстановка, совокупность обстоятельств. *Политическая, экономическая, социальная ситуация. Революционная ситуация. Оказаться в сложной ситуации. Благоприятная, неблагоприятная ситуация.*

Син.: усло́вия, обстоя́тельства, конъюнкту́ра (*книжн.*).

Ситуати́вный, -ая, -ое.

СИЯ́ТЕЛЬСТВО, -а, *ср.* (Употр. с мест. «ва́ше», «его́», «её», «их»). *Устар.* Титулование князей, графов и их жен. *[Известие о прибытии графини с мужем] сильно на меня подействовало; я горел нетерпением её увидеть, и потому в первое воскресенье по её приезде отправился.. рекомендоваться их сиятельствам, как ближайший сосед.* Пушкин. Выстрел.

СКАЗ, -а, *м.* 1. Произведение устного народного творчества о событиях прошлого или современности, в котором повествование ведется от лица рассказчика, а также повествование от лица рассказчика в литературном произведении. *Сказ о Чапаеве. Уральские сказы Бажова.* 2. *Устар. разг.* Рассказ, повествование о чем-л. *Сойдемся — смех! У каждого Свой сказ про юродивого Помещика.* Н. Некрасов. Кому на Руси жить хорошо.

Ска́зовый, -ая, -ое (к 1 знач.). *Сказовая манера повествования.*

СКАЗА́НИЕ, -я, *ср.* Рассказ исторического или легендарного содержания, облеченный в литературную форму. *Древние, мифологические сказания. Устные сказания. Сказание об основании Киева. Сказание о Мамаевом побоище.*

Син.: леге́нда, преда́ние, миф.

СКА́ЗКА, -и, *ж.* 1. Повествовательное (народное или литературное) произведение о вымышленных событиях, иногда с участием волшебных, фантастических сил. *Русские народные сказки. Волшебные сказки. Сказки о животных. Герои сказок Андерсена.* □ *Он любил слушать сказки, которые рассказывал по вечерам (все одни и те же) один солдат, но больше всего он любил слушать рассказы о настоящей жизни.* Л. Толстой. Война и мир. 2. *Разг.* Выдумка, ложь. *Не рассказывай сказки, я тебе не верю.* **3.** *Устар.* Именной список населения России 18 — первой половины 19 в., составлявшийся во время ревизий и переписей населения. *Ревизская сказка.* □ *Да распрямиться дедушка Не мог: ему уж стукнуло, По сказкам, сто годов.* Н. Некрасов. Кому на Руси жить хорошо.

С и н. (ко 2 знач.): небылица, вымысел.
А н т. (ко 2 знач.): быль.

**Ска́зочный**, -ая, -ое (к *1 знач.*). *Сказочный сюжет.*

**СКАЛЬД**, -а, м. [Восх. к др.-сканд. scald]. Древнескандинавский поэт-певец. *Поэзия скальдов.* □ *И Финна дикие сыны Ей храмины сооружали,... И скальды северных лесов Ей вдохновенье посвящали.* Лермонтов. Жена Севера.

**СКАЛЬП**, -а, м. [Англ. scalp]. Кожа с волосами, снимавшаяся с головы врага как военный трофей у некоторых народов.

**СКА́ЛЬПЕЛЬ**, -я, м. [Лат. scalpellum]. Небольшой хирургический нож. *Кончик скальпеля, словно щупая, осторожно прислонился к стенке артерии и тут же был откинут упругой, пульсирующей волной.* В. Титов. Всем смертям назло.

**Ска́льпельный**, -ая, -ое.

**СКАНДИНА́ВЫ**, -ов, мн. (ед. **скандина́в**, -а, м.). Население скандинавского полуострова и близлежащих островов (шведы, норвежцы, датчане и исландцы). *Вошел Бистрем, двадцатипятилетний скандинав, шести футов ростом, добро-голубоглазый.* А. Н. Толстой. Эмигранты.

**Скандина́вка**, -и, ж. **Скандина́вский**, -ая, -ое.

**СКАНДИ́РОВАТЬ**, -рую, -руешь; сканди́рующий, сканди́ровавший; сканди́руемый; сканди́руя; *несов., что или без доп.* [Восх. к лат. scandere]. **1.** Отчетливо выделять при произнесении составные части стиха (стопы, слоги) ударениями, интонацией. **2.** Отчетливо произносить слова, выделяя каждый слог. *Стадион скандирует: «Шай-бу! Шай-бу!» □ — Так к тебе ходит Авдотья Романовна,— проговорил он, скандируя слова.* Достоевский. Преступление и наказание.

**Сканди́рование**, -я, *ср.*

**СКАРБ**, -а, м. [Польск. scarb — сокровище, клад]. Пожитки, имущество, домашние вещи. *Картинки, снятые со стены, стираные онучи, недоношенные «выходные» туфли, кастрюльки, ложки и прочий скарб сбросал в чемодан и тоже снес его в камеру хранения.* Астафьев. Последний поклон.

С и н.: добро (*разг.*), мана́тки (*прост.*), барахло (*прост.*).

**СКА́РЕДНЫЙ**, -ая, -ое; -ден, -дна, -о. *Разг.* Скупой, а также свидетельствующий о крайней скупости или экономии. *Скаредный старик.* □ *[Петр Петрович] остановился у него [Лебезятникова] по приезде в Петербург не из одной только скаредной экономии, хотя это и было почти главною причиной, но была тут и другая причина.* Достоевский. Преступление и наказание.

С и н.: жа́дный, прижи́мистый (*разг.*).
А н т.: ще́дрый.

**Ска́редно**, *нареч.* **Ска́редность**, -и, *ж.*

**СКАФА́НДР**, -а, м. [Франц. scaphandre от греч. skaphē — лодка и anēr, andros — человек]. Герметический костюм водолаза, космонавта, летчика, обеспечивающий жизнедеятельность и работоспособность в условиях, отличающихся от нормальных. *Водолазы, одетые в скафандры,... спускались в лунки под лед для наружного обследования корабля.* Соколов-Микитов. Спасение корабля.

**СКА́ЧКИ**, -чек, *мн.* Состязания верховых лошадей. *Участвовать в скачках.*

**Скаково́й**, -а́я, -о́е. *Скаковая лошадь.*

**СКАЧО́К**, -чка́, м. **1.** Прыжок. *Казбич толкнул лошадь, и она дала скачок в сторону.* Лермонтов. Герой нашего времени. **2.** Резкое изменение чего-л. без постепенных переходов. *Скачок температуры. Скачки в настроении.* **3.** *Книжн.* Переход от одного качественного состояния к другому. *Мы пережили скачок сознания, переворот, преобразование в своих представлениях о мироустройстве и обнаружили вдруг, что стали мыслить совсем иными категориями, чем до этого.* Айтматов. Буранный полустанок.

**СКЕ́ПСИС**, -а, м. [Восх. к греч. skepsis — рассматривание, сомнение]. *Книжн.* То же, что с к е п т и ц и з м (*во 2 знач.*). *Впасть в скепсис.* □ *[Пастухов] небрежно, процеживая сквозь зубы слова, вымолвил: — Советую вам, молодой человек, бросить все разъедающий скепсис.* Федин. Первые радости.

С и н.: малове́рие.

**СКЕ́ПТИК**, -а, м. [Греч. skeptikos]. **1.** Последователь скептицизма (*в 1 знач.*). *Античные скептики. Философы-скептики.* **2.** Тот, кто во всем сомневается, ко всему относится критически.— *Малый умный, умный, очень даже неглупый, только какой-то склад мыслей особенный.. Недоверчив, скептик, циник.* Достоевский. Преступление и наказание.

С и н. (ко 2 знач.): малове́р.

**СКЕПТИЦИ́ЗМ**, -а, м. [См. *скепсис*]. **1.** Философская позиция, в основе которой лежит сомнение в возможности достоверного познания объективной действительности. **2.** Критически-недоверчивое отношение к чему-л., неверие во что-л. *Духовный крах Герцена, его глубокий скептицизм и пессимизм после 1848 года был крахом буржуазных иллюзий в социализме.* Ленин, т. 21, с. 256. *[Он] играл роль обойденного жизнью человека, это давало ему право на скептицизм, снисходительный тон, каким он разговаривал.* Ананьев. Годы без войны.

С и н. (ко 2 знач.): малове́рие, ске́псис (*книжн.*).

**Скепти́ческий**, -ая, -ое и **скепти́чный**, -ая, -ое; -чен, -чна, -о (*ко 2 знач.*). **Скепти́чески** и **скепти́чно** (*ко 2 знач.*), *нареч.* **Скепти́чность**, -и, *ж.* (*ко 2 знач.*).

**СКЕТЧ**, -а, м. [Англ. sketch — набросок]. Небольшая эстрадная пьеса шутливого содержания для двух-трех исполнителей. *Репетировать скетч. Играть в скетче.* □ *И вот она вошла, до суеверья похожая на грубого божка, как будто в резвый скетч, ошибившись дверью, усталая трагедия вошла.* Евтушенко. Так ушодла Пьяв.

**СКИ́ПЕТР**, -а, м. [Греч. skēptron]. **1.** Жезл, украшенный драгоценными камнями и резьбой,—

один из знаков власти монарха. *Царский скипетр.* **2.** *перен.* О власти монарха.— *Я хочу одного,— чтобы моя Ливония вернулась под скипетр вашего королевского величества.* А. Н. Толстой. Петр I.

**СКИРД,** -а, скирды́, -о́в, *м.* и **СКИРДА́,** -ы́, ски́рды, скирд, *ж.* Плотно сложенная масса (обычно продолговатой формы) сена, соломы или необмолоченных снопов хлеба для хранения под открытым небом. *В феврале были обмолочены последние скирды хлеба, в марте зерно лежало ссыпанное в закрома.* Салтыков-Щедрин. Господа Головлевы.

**СКИТ,** -а́, *м.* [От греч. Skētis — название пустыни в Египте, где селились монахи]. Небольшой поселок из нескольких келий для монахов-отшельников в отдалении от монастыря, а также поселение монастырского типа в глухой пустынной местности. *Монашеский, раскольничий скит. Жить в скиту.* □ *После ранней обедни крестный ход поедет на лодках из монастыря в скит.* Чехов. Перекати-поле.

**Ски́тский,** -ая, -ое.

**СКИ́ФЫ,** -ов, *мн.* (*ед.* **скиф,** -а, *м.*). [Греч. Skythai]. Общее название древних племен, населявших Северное Причерноморье в 7 в. до н. э.— 3 в. н. э.

**Ски́фский,** -ая, -ое. *Скифские курганы.*

**СКЛЕП,** -а, *м.* [Польск. sklep — свод, подвал]. Закрытое подземное или углубленное в землю помещение, в котором устанавливаются гробы с телами умерших. *Фамильный склеп. Церковный склеп.* □ — *Вчера побывал я там [в читальне]. Посещение, скажу тебе, не из приятных.. Пустота и мерзость запустения! На окнах пыль. Полы давным-давно не мыты. Пахнет плесенью и еще черт знает чем. Прямо как в могильном склепе, ей-богу!* Шолохов. Поднятая целина.

**СКЛО́ННОСТЬ,** -и, *ж.* **1.** Постоянное влечение, расположение к какой-л. деятельности, занятиям, а также одаренность в каком-л. отношении. *Склонность к музыке, к иностранным языкам. Выбрать профессию в соответствии со своими склонностями.* □ *В ее жизни не видно было никакой внешней цели, а очевидна была только потребность упражнять свои различные склонности и способности.* Л. Толстой. Война и мир. **2.** Наличие каких-л. задатков (физических, умственных, нравственных), предрасположенность к чему-л. *Склонность к полноте, к простудным заболеваниям.* □ — *Это оригинально,— сказал Андрей Ефимыч.— Меня приятно поражает в вас склонность к обобщениям.* Чехов. Палата № 6. **3.** Интерес, пристрастие, любовь к чему-л. *Склонность к острой пище.* □ *В отличие от нормальных детей я не ползала и вообще не проявляла ни малейшей склонности «к перемене мест».* Алексин. Раздел имущества. **4.** Симпатия к кому-л., граничащая с чувством любви. *Сердечная склонность. Жениться по склонности.* □ *Марья Гавриловна.. была влюблена.. Само по себе разумеется, что молодой человек пылал равною страстью, и что родители его любезной, за-* метя их взаимную склонность, запретили дочери о нем и думать. Пушкин. Метель.

С и н. (к *1* и *3 знач.*): тя́га, тяготе́ние, пристра́стие. С и н. (ко *2 знач.*): предрасположе́ние.

**СКЛЯ́НКА**[1], -и, *ж.* *Устар.* и *разг.* Маленький стеклянный сосуд с горлышком. *Аптечная склянка.*

**Скля́ночный,** -ая, -ое.

**СКЛЯ́НКА**[2], -и, *ж.* *Спец.* **1.** У моряков: получасовой промежуток времени, а также удар колокола, обозначающий этот промежуток времени. *Бить склянки. Шесть склянок (три часа).* □ *До полуночи оставалась склянка (полчаса).* Станюкович. В тропиках. **2.** *мн. Устар.* Старинные судовые песочные часы.

**Скля́ночный,** -ая, -ое.

**СКОМОРО́Х,** -а, *м.* **1.** В Древней Руси: странствующий актер (одновременно певец, музыкант, плясун, исполнитель сатирических сценок, акробат и т. п.). *Пляски скоморохов.* **2.** *перен. Разг. неодобр.* О человеке, потешающем других своими шутовскими выходками. *Как не похож он был на прежнего запевалу первой роты, веселого балагура и скомороха, забавлявшего солдат в часы досуга своими шутейными представлениями!* Г. Марков. Строговы.

С и н. (к *1 знач.*): фигля́р (*устар.*). С и н. (ко *2 знач.*): фигля́р, пая́ц, га́ер, кло́ун (*разг.*), шут (*разг.*).

**Скоморо́ший,** -ья, -ье и **скоморо́шеский,** -ая, -ое. *Скомороший колпак. Скоморошеские выходки.*

**СКОПЕ́Ц,** -пца́, *м.* Человек, подвергшийся оскоплению (операции удаления половых желез). *Там, обреченные мученью, Под стражей хладного скопца Стареют жены.* Пушкин. Бахчисарайский фонтан.

С и н.: кастра́т.

**СКОПИДО́М,** -а, *м. Разг.* Тот, кто одержим страстью к накоплению, бережлив до скупости. *Деды наши не были скопидомы и не тряслись над каждою копейкой.* Салтыков-Щедрин. Дневник провинциала в Петербурге.

С и н.: скупо́й и скупе́ц, скря́га (*разг.*), жа́дина (*разг.*), ска́ред (*разг.*) и ска́реда (*разг.*), сквалы́га (*прост.*) и сквалы́жник (*прост.*), жадю́га (*прост.*).

**Скопидо́мка,** -и, *ж.*

**СКОРНЯ́К,** -а́, *м.* Специалист по выделке мехов из шкур и шитью меховых изделий. *[Бубнов:] Я вот — скорняк был.. свое заведение имел.. Руки у меня были такие желтые — от краски: меха подкрашивал я.* М. Горький. На дне.

С и н.: меховщи́к.

**Скорня́жный,** -ая, -ое. *Скорняжная работа.*

**СКОРО́МНЫЙ,** -ая, -ое; -мен, -мна, -о. **1.** Запрещенный религиозными правилами к употреблению во время поста (о мясной и молочной пище). *Чуть свет кривая баба заладила печь.. пироги — постные с горохом, репой, солеными грибами, и скоромные — с зайчатиной, с мясом, с лапшой.* А. Н. Толстой. Петр I. **2.** *перен. Устар. разг.* Непристойный, неприличный. *Рассказывать скоромные анекдоты.* ◊ **Скоро́мный день** — день, когда по церковным правилам разрешается есть мясную и молочную пищу.

С и н. (ко 2 знач.): са́льный, скабрёзный, нецензу́рный, площадно́й, цини́чный, бессты́дный, непеча́тный (разг.), поха́бный (прост.), непотре́бный (прост.).

А н т. (к 1 знач.): по́стный.

**СКОРОПОСТИ́ЖНЫЙ**, -ая, -ое; -жен, -жна, -о. Книжн. Внезапный, неожиданный (обычно о смерти). *Скоропостижная кончина. Скоропостижный отъезд.*

С и н.: непредви́денный.

**Скоропости́жно**, нареч. *Скоропостижно скончаться.* **Скоропости́жность**, -и, ж.

**СКОРОТЕ́ЧНЫЙ**, -ая, -ое; -чен, -чна, -о. Книжн. Быстро проходящий. *Скоротечное счастье. Скоротечные дни лета.* □ *Шура была из тех.. женщин, которые, войдя в дом, способны тотчас заполнить собою все и.. говорить и делать, сообразуясь лишь со своими скоротечными желаниями и настроением.* Ананьев. Годы без войны. ◊ **Скоротечная чахотка** (устар.) — быстро развивающийся туберкулез, приводящий в короткий срок к смерти. *Будучи уже студентом четвертого курса, Сергей заболел скоротечною чахоткой и умер.* Чехов. Палата № 6.

С и н.: непродолжи́тельный, кра́ткий, коро́ткий, недо́лгий, кратковре́менный, недолговре́менный, скоропреходя́щий (книжн.), быстролётный (трад.-поэт.), быстроте́чный (трад.-поэт.), быстроте́кущий (трад.-поэт.).

**Скороте́чность**, -и, ж. *Скоротечность жизни.*

**СКРЕПИ́ТЬ**, -плю́, -пи́шь; скрепи́вший; скреплённый; -лён, -лена́, -о́; скрепи́в; сов. **1.** что. Прочно соединить одно с другим с помощью чего-л. *Скрепить листы бумаги. Скрепить балки железными скобами.* **2.** перен., что. Укрепить, сделать прочным, нерушимым. *Скрепить дружбу клятвой. Скрепить связи между союзниками. Скрепить решение рукопожатием.* **3.** что чем. Офиц. Удостоверить какой-л. документ подписью или печатью. *Скрепить документ подписью. Скрепить копию печатью.* □ *[Пропуск] подписан герцогом Тревизским и внизу скреплен московским обер-полицмейстером Лессепсом.* Герцен. Былое и думы. **4.** Сказать что-л. в заключение. — *А говорить будем завтра; ложитесь, сейчас, непременно! — скрепил Разумихин, уходя с Зосимовым.* Достоевский. Преступление и наказание. ◊ **Скрепя сердце** (разг.) — неохотно, вопреки желанию. *Скрепя сердце решился он переехать в Москву.* Тургенев. Дворянское гнездо. **Скрепить себя** (устар.) — удержать себя от проявления каких-л. чувств; сдержаться.

**Скрепля́ть**, -я́ю, -я́ешь; несов. **Скрепле́ние**, -я, ср.

**СКРЕСТИ́ТЬ**, -ещу́, -ести́шь; скрести́вший; скрещённый; -щён, -щена́, -о́; скрести́в; сов. **1.** что. Сложить крестом, расположить крест-накрест. *Мери сидела на своей постели, скрестив на коленях руки.* Лермонтов. Герой нашего времени. **2.** кого, что или кого, что с кем, чем. Соединить (разные сорта растений, породы животных) для получения нового вида, сорта, породы. *Скрестить разные сорта пшеницы. Скрестить лошадь с ослом.* ◊ **Скрестить взгляды** (или **взоры**) — посмотреть друг другу в глаза (обычно с вызовом, злобно и т. п.). **Скрестить шпаги** (или **мечи, копья**) — вступить в поединок, бой, спор.

**Скре́щивать**, -аю, -аешь; несов. **Скре́щивание**, -я, ср. и **скреще́ние**, -я, ср.

**СКРИЖА́ЛЬ**, -и, ж. **1.** Устар. Доска, плита с письменами (обычно священными, культовыми). *Каменная скрижаль.* □ *В бореньи падший невредим; Врагов мы в прахе не топтали; Мы не напомним ныне им Того, что старые скрижали Хранят в преданиях немых.* Пушкин. Бородинская годовщина. **2.** перен., обычно мн., чего или какие. Высок. То, в чем сохраняются, отмечаются важнейшие установления, сведения о памятных событиях и т. п. *События запечатлены на скрижалях истории. Скрижали победы.*

**СКРУПУЛЁЗНЫЙ**, -ая, -ое; -зен, -зна, -о. [Лат. scrupulosus]. Предельно тщательный, точный до мелочей. *Скрупулезный анализ.* □ *Она любила научные гипотезы и теории, сочетавшие скрупулезную точность с беспредельной фантазией.* Николаева. Битва в пути.

**Скрупулёзно**, нареч. *Скрупулезно подсчитать.* **Скрупулёзность**, -и, ж.

**СКУ́ДНЫЙ**, -ая, -ое; скуден, скудна́, ску́дно. **1.** Небольшой по количеству, незначительный. *Скудный урожай. Скудная пища.* □ *Часть моего округа продолжает подвергаться грабежу солдат.., которые не довольствуются тем, что отнимают скудное достояние несчастных жителей.* Л. Толстой. Война и мир. **2.** кем, чем. Ограниченный в каком-л. отношении. *Слобода, разбросанная по песку, была скудна растительностью; лишь кое-где, по дворам, одиноко торчали бедные ветлы, кривые кусты бузины.* М. Горький. Детство. **3.** Бедный, убогий. *Скудная природа, обстановка.* □ *Перестань завод существовать — и всякая жизнь тут захирела бы, а затем и вовсе покинула скудные, не родящие хлеб земли.* Нагибин. Чужая.

С и н. (ко 2 знач.): бе́дный, небога́тый. С и н. (к 3 знач.): ни́щий, ни́щенский, жа́лкий.

**Ску́дно**, нареч. **Ску́дность**, -и и **ску́дость**, -и, ж. *Скудость средств. Скудость интересов.*

**СКУЛЬПТУ́РА**, -ы, ж. [Лат. sculptura]. **1.** ед. Вид изобразительного искусства — создание объемных изображений (статуй, бюстов, барельефов и т. п.) путем лепки, высекания, резьбы или отливки. *Первобытная скульптура. Древнегреческая скульптура. Скульптура Возрождения. Монументальная, декоративная скульптура. Заниматься скульптурой.* **2.** Произведение этого вида искусства, а также (собир.) совокупность таких произведений. *Глиняная, мраморная, деревянная, чугунная скульптура. Скульптура из гипса, из фарфора. Скульптуры античных богов. Зал скульптуры в музее.*

С и н. (к 1 знач.): вая́ние (устар. и высок.). С и н. (ко 2 знач.): ста́туя, извая́ние.

**Скульпту́рный**, -ая, -ое. *Скульптурные памятники. Скульптурная группа.* **Ску́льптор**,

-а, *м.* Мастерская известного скульптора.
**СКУПО́Й**, -а́я, -о́е; скуп, скупа́, ску́по. **1.** Чрезмерно, до жадности бережливый, всячески избегающий расходов. *[Варлаам:] Ныне христиане стали скупы; деньгу любят, деньгу прячут. Мало богу дают.* Пушкин. Борис Годунов. *Скупой богач беднее нищего.* Пословица. **2.** *перен.* Слабый, недостаточный, сдержанный в своем проявлении. *Скупой свет лампы. Скупые слезы. Скуп на слова, на похвалы. Скупая улыбка. Скупое осеннее солнце.* □ *Я теперь скупее стал в желаньях.* Есенин. Не жалею, не зову, не плачу.. **3.** *перен.* Немногословный, краткий (о речи, письме). *Скупые письма.* □ *Многие поколения подряд вдохновлял его вещий образ русской тройки, гениальное прозрение будущего, выраженное в скупых словах неповторимого блеска.* Леонов. Памяти Гоголя.
С и н. (к 1 знач.): жа́дный, прижи́мистый (*разг.*), скаредный (*разг.*). С и н. (к 3 знач.): сжа́тый, лакони́чный *и* лакони́ческий, лапида́рный (*книжн.*).
А н т. (к 1 знач.): ще́дрый. А н т. (к 3 знач.): многосло́вный.

**Ску́по**, *нареч.* **Ску́пость**, -и, *ж.*

**СЛАВЯНОФИ́Л**, -а, *м.* Сторонник славянофильства — общественно-политического течения в России середины 19 в., выдвинувшего идею самобытного пути исторического развития России, отличного от пути развития западноевропейских стран. *Идеализация славянофилами патриархальной Руси. Философские воззрения славянофилов.*

**Славянофи́лка**, -и, *ж.* **Славянофи́льский**, -ая, -ое. *Славянофильский журнал.* □ *[Павел Петрович] придерживается славянофильских воззрений.. Он ничего русского не читает, но на письменном столе у него находится серебряная пепельница в виде мужицкого лаптя.* Тургенев. Отцы и дети.

**СЛАДОСТРА́СТНЫЙ**, -ая, -ое; -тен, -тна, -о. Отличающийся чрезмерной чувственностью, а также выражающий чувственность. *Сладострастный человек. Сладострастный взгляд.* □ *Всюду нимф ищу прекрасных, Всюду в горести брожу, Лишь в мечтаньях сладострастных Тени милых нахожу.* Батюшков. Любовь в челноке.
С и н.: чу́вственный, похотли́вый, плотоя́дный, сластолюби́вый (*устар.*), любостра́стный (*устар.*).

**Сладостра́стно**, *нареч.* **Сладостра́стность**, -и, *ж. и* **сладостра́стие**, -я, *ср.*

**СЛАЙД**, -а, *м.* [Англ. slide]. Снимок на прозрачной, не требующей печати пленке. *Цветные слайды.* □ *Показывать слайды гостям было новым, едва начавшим захватывать некоторые слои московской интеллигенции увлечением. На слайды приглашали друзей, показом слайдов заканчивались самые различные домашние застолья, и вечер считался неудавшимся, если на нем не потчевали гостей этим новшеством.* Ананьев. Годы без войны.
С и н.: диапозити́в.

**Сла́йдовый**, -ая, -ое.

**СЛА́ЛОМ**, -а, *м.* [Норв. slalom]. Вид горнолыжного спорта — скоростной спуск с гор по специальной извилистой трассе. *Соревнования по слалому. Лыжи для слалома. Победить в слаломе.*
◊ **Гига́нтский сла́лом** (или **сла́лом-гига́нт**) — скоростной спуск с гор по трассе большой длины. **Во́дный сла́лом** — соревнования на байдарках и каноэ с прохождением через ряд специальных ворот.

**Сла́ломный**, -ая, -ое. **Сламоми́ст**, -а, *м.* Начинающий сламомист.

**СЛЕПО́Й**, -а́я, -о́е; слеп, слепа́, сле́по. **1.** Лишенный зрения, способности видеть. *Слепой старик. Слеп от рождения. Азбука для слепых* (в знач. сущ.). **2.** *перен.* Не замечающий, не понимающий или не способный понять происходящего. *[Олешунин:] Она слепая женщина, она не видит, что он ее разлюбил давно.* А. Островский. Красавец-мужчина. **3.** *перен.* Безрассудный, действующий или совершающийся без разумного основания. *Слепая любовь. Слепое повиновение. Слепое подражание кому-л.* □ *[Яков] медленно отступал перед отцом, а тот шел на него, свирепо махая кулаками, слепой в своей злобе.* М. Горький. Мальва. **4.** *полн. ф.* Плохо различимый, нечеткий. *Слепой шрифт. Слепая печать.* **5.** *полн. ф. Спец.* Совершаемый без участия зрения, без видимых ориентиров. *Слепой метод печатания на машинке* (не глядя на клавиатуру). *Слепой полет самолета* (в темноте). **6.** Не имеющий выхода. *Сергей Львович повел Ольгу в кварталы старого Ташкента, в узкие, грязные, слепые улочки.* Павленко. Труженики мира.
◊ **Слепо́й дождь** — дождь при свете солнца. **Слепо́е ору́дие** чье, в чьих рука́х — о том, кто послушно исполняет чью-л. волю.
С и н. (к 1 знач.): незря́чий. С и н. (к 4 знач.): нея́сный, неотчётливый, расплы́вчатый.
А н т. (к 1 знач.): зря́чий. А н т. (к 4 знач.): я́сный, отчётливый, чёткий.

**Сле́по**, *нареч.* (ко 2 и 3 знач.). **Слепота́**, -ы́, *ж.* (к 1, 2 и 3 знач.).

**СЛЕПО́К**, -пка, *м.* **1.** Копия чего-л., отлитая в снятой с оригинала форме. *Гипсовый, восковой слепок. Слепок руки. Слепки с античных скульптур.* **2.** *перен.* Точное повторение, копия кого-, чего-л. *[Луи-Наполеон] совершенно ослепляется политическими формами Первой империи, и внутреннее устройство, им созданное, — не более как механический слепок, неизменные части которого уже оказались негодными по историческому опыту.* Чернышевский. Франция при Людовике-Наполеоне.
С и н. (ко 2 знач.): ско́лок.

**СЛОБОДА́**, -ы́, слободы́, слобо́д, *ж.* **1.** В Русском государстве до отмены крепостного права: большое село с некрепостным населением. *Монастырская, стрелецкая, ремесленная слобода.* □ *Приев и выпив кремлевские запасы, стрельцы разошлись по слободам, — по посадам.* А. Н. Толстой. Петр I. **2.** *Устар.* Поселок около города, пригород. *Рабочая слобода.* □ *Весною.. по вечерам улицы слободы были обильно засеяны упившимися мастеровыми, извозчиками и всяким рабочим людом, — слободские* *ребятишки всегда ошаривали их карманы, это был промысел узаконенный.* М. Горький. Детство.

**Слобо́дка**, -и, ж. (уменьш.) (ко 2 знач.). *Фабричная слободка.* **Слободско́й**, -а́я, -о́е. *Слободская улица.*

**СЛОВЕ́СНОСТЬ**, -и, ж. Книжн. **1.** Художественная литература и устное народное творчество, а также совокупность литературных и фольклорных произведений какого-л. народа. *Русская словесность. Народная словесность. Изящная словесность* (художественные произведения в стихах и прозе). *История словесности.* **2.** Филологические науки (лингвистика, стилистика, литературоведение и т. п.), а также название учебного предмета литературы в дореволюционной средней школе. *Профессор французской словесности. Экзамен по русской словесности.* □ *Второй урок по словесности был в пятом классе.* Чехов. Учитель словесности.

С и н. (ко 2 знач.): филология.

**СЛОВОПРЕ́НИЕ**, -я, ср. Устар. неодобр. Спор, препирательство. *Прекратить пустое словопрение.* □ *Калломейцев нападал на литературу; Сипягин и тут явился либералом, отстаивал ее независимость, доказывал ее пользу.. Нежданов не вмешивался в это словопрение.* Тургенев. Новь.

**СЛОГ**, -а, м. Способ, манера словесного изложения. *Высокопарный, канцелярский слог. Писать хорошим слогом. Работать над слогом.* □ *Свой слог на важный лад настроя, Бывало, пламенный творец Являл нам своего героя Как совершенства образец.* Пушкин. Евгений Онегин.

С и н.: стиль, язык, речь.

**СЛОЙ**, -я, слои́, -ёв, м. **1.** Пласт чего-л., лежащий в ряду других пластов или покрывающий какую-л. поверхность. *Плотные слои атмосферы. Рыхлый слой снега. Слой пыли, краски.* **2.** перен., обычно мн. Группа людей, часть общества, однородная по социальным, культурным и т. п. признакам. *Широкие слои населения. Интеллигентные слои общества.* □ *Профессора составляли два стана, или слоя, мирно ненавидевшие друг друга: один состоял исключительно из немцев, другой — из не-немцев.* Герцен. Былое и думы.

С и н. (к 1 знач.): наслое́ние. С и н. (ко 2 знач.): круги́.

**Слоево́й**, -а́я, -о́е.

**СЛУ́ЖАЩИЕ**, -их, мн. (ед. слу́жащий, -его, м.; слу́жащая, -ей, ж.). Работники в различных сферах умственного труда, управления, обслуживания, управления. *Рабочие и служащие. Служащие медицинских учреждений.*

**СЛУ́ЖБА**, -ы, ж. **1.** ед. Работа, занятия, должность служащего, а также место такой работы и само пребывание на ней. *Государственная служба. Продвижение, повышение по службе. Поступить на службу. Переменить, оставить службу.* □ *Ясно, что таможенные служащие не могли селиться за тридевять земель от места своей службы, а старались быть поближе к нему.* Шагинян. Четыре урока у Ленина. **2.** ед. Исполнение воинских обязанностей. *Военная, воинская служба. Действительная служба. Служба в армии. Срок службы. Служба во флоте, на границе, в ракетных войсках.* □ *Двадцать лет служил Власихин срочную и сверхсрочную службу.* Залыгин. Соленая падь. **3.** чего или какая. Область деятельности, а также организация, ведающая какой-л. специальной областью работы. *Служба погоды, связи. Аварийная служба.* **4.** мн. Устар. Постройки для хозяйственных надобностей. *Дом со службами.* **5.** Совершение в церкви религиозных обрядов; богослужение. *Церковная служба. Воскресная, великопостная служба.* □ *Начиналась служба, тихо, чинно, грустно.. Солнце ярко освещало комнату; кадильный дым восходил клубами; священник читал «Упокой, господи».* Достоевский. Преступление и наказание. ◇ **Сослужи́ть службу** кому — 1) оказать услугу кому-л.; 2) сыграть положительную роль в чем-л. **Поставить что на службу** чему — использовать для удовлетворения чьих-л. интересов.

**Служе́бный**, -ая, -ое (к 1 знач.). *Служебные обязанности.*

**СЛУЖИ́ЛЫЙ**, -ая, -ое. В русском государстве 14 — начала 18 в.: относящийся к несению государственных военных обязанностей. *Служилое сословие. Служилые люди.* □ *Емельян Пугачев, Зимовейской станицы служилый казак, был сын Ивана Михайлова, умершего в давних годах.* Пушкин. История Пугачева.

**СЛУЖИ́ТЕЛЬ**, -я, м. **1.** Устар. Тот, кто находится в услужении. *Трактирный служитель. Придворные служители.* **2.** Низший служащий в некоторых учреждениях. *Но когда мы вошли в музей, там было пусто и темно. Одинокий служитель продал билеты, и он же пошел с нами, последовательно зажигая и туша свет по мере нашего продвижения.* Шагинян. Четыре урока у Ленина. **3.** перен., чего. Высок. Тот, кто служит чему-л., трудится на благо чего-л. *Служители науки.* □ *[Сальери:] Нет! не могу противиться я доле Судьбе моей: я избран, чтоб его Остановить, — не то мы все погибли, Мы все, жрецы, служители музыки.* Пушкин. Моцарт и Сальери. ◇ **Служитель культа** — лицо, принадлежащее к духовенству.

С и н. (к 3 знач.): слуга́ (высок.).

**Служи́тельница**, -ы, ж. **Служи́тельский**, -ая, -ое (к 1 и 2 знач.).

**СМАКОВА́ТЬ**, -ку́ю, -ку́ешь; смаку́ющий, смакова́вший; смаку́емый, смакуя́; несов., что. Разг. **1.** Есть или пить медленно, наслаждаясь вкусом чего-л. *Смаковать каждый глоток. Смаковать вкусное блюдо.* **2.** перен. Делать что-л. или воспринимать что-л., испытывая особое удовольствие, наслаждение этим. *Смаковать новость.* □ *Каждый из них по-своему убивал время: Половцев часами просиживал за столом, раскладывая пасьянсы,.. а Лятьевский, чуть ли не в двадцатый раз, не вставая с койки, перечитывал имеющуюся у него книгу — «Камо грядеши?» Сенкевича, смаковал каждое слово.* Шолохов. Поднятая целина.

С и н.: наслажда́ться, упива́ться (книжн.), услажда́ться (устар.).

**Смакова́ние**, -я, *ср.*

**СМЕ́ЖНЫЙ**, -ая, -ое; -жен, -жна, -о. **1.** Расположенный рядом, в непосредственной близости. *Смежные комнаты, дворы.* □ *Влияние его на два смежных поколения до очевидности огромно.* Леонов. О Горьком. **2.** *перен.* Находящийся в тесной связи с чем-л. *Смежные понятия. Смежные производства. Овладеть смежными профессиями.*

С и н. (ко 2 знач.): сосе́дний, пограни́чный, сопреде́льный (книжн.).

**Сме́жно**, *нареч.* **Сме́жность**, -и, *ж.*

**СМЕРД**, -а, *м.* **1.** В Древней Руси: крестьянин-земледелец, находившийся в феодальной зависимости. **2.** *Устар.* Презрительное название крепостного крестьянина, а позднее простолюдина, человека незнатного происхождения. *Простая, необразованная баба, кухарка, смерд — и вдруг позволяет себе такие слова и поступки!* Чехов. Женское счастье.

С и н. (ко 2 знач.): плебе́й.

**СМЕРЧ**, -а, *м.* Сильный вихрь, поднимающий в виде воронки или столба песок, пыль, воду и т. п. *Песчаный смерч. Смерчи пыли.* □ *Впереди, возле паровоза, колыхнув воздух, поднялся бомбовый разрыв, взвились смерчи снега.* Бондарев. Горячий снег.

**СМЕ́ТА**, -ы, *ж.* Исчисление предстоящих расходов и доходов, примерный расчет чего-л. *Составить смету. Не предусмотренные сметой расходы.* □ *— Передайте товарищу Шпыню:.. пусть прикинет, какой ремонт будем делать школе, и пусть подумает о смете.* Шолохов. Поднятая целина.

**Сме́тный**, -ая, -ое. *Сметная стоимость. Сметные ассигнования.*

**СМЕТЛИ́ВЫЙ**, -ая, -ое; -ив, -а, -о и **СМЁТЛИВЫЙ**, -ая, -ое; -ив, -а, -о. Хорошо и быстро соображающий; сообразительный, догадливый. *Как женщина сметливая, она поняла, в чем дело, поняла, какого маху она дала, да с тем вместе сообразила, что она и Глафира Львовна столько же в руках Круциферского, сколько он в их.* Герцен. Кто виноват?

С и н.: смышлёный, смека́листый (разг.).

**Сметли́вость**, -и и **сме́тливость**, -и, *ж.*

**СМИРЕ́ННЫЙ**, -ая, -ое; -ён и -ёнен, -ённа, -о. **1.** *Устар. книжн.* Лишенный гордости и высокомерия, проникнутый сознанием своего ничтожества, своих слабостей. *[Дон Гуан:] Все к лучшему: нечаянно убив Дон Карлоса, отшельником смиренным Я скрылся здесь.* Пушкин. Каменный гость. **2.** Покорный и кроткий, а также выражающий покорность и кротость. *Смиренный вид, взгляд. Смиренная мольба.* □ *Это была высокая, неуклюжая, робкая и смиренная девка.., бывшая в полном рабстве у сестры своей, работавшая на нее день и ночь, трепетавшая перед ней и терпевшая от нее даже побои.* Достоевский. Преступление и наказание.

С и н. (ко 2 знач.): безро́потный, безотве́тный, послу́шный, ти́хий, сми́рный, послу́шливый (устар.), безгла́сный (устар.).

**Смире́нно**, *нареч.* **Смире́нность**, -и, *ж.*

**СМОГ**, -а, *м.* [Англ. smog от smoke — дым, копоть и fog — густой туман]. В больших городах и промышленных центрах: густой туман, смешанный с дымом, копотью и т. п. *В первый же день Мехико напомнил мне Лос-Анжелос: машины, машины, машины и густой удушающий смог — облака выхлопных газов.* Воробьев. Что неизвестно календарю.

**СМО́КИНГ**, -а, *м.* [От англ. smoking (jacket) — букв. пиджак, в котором курят]. Черный, сильно открытый на груди пиджак с длинными, обшитыми шелком отворотами.

**СМОТРИ́НЫ**, -и́н, *мн.* Старинный русский обряд знакомства жениха и его родственников с невестой. *Устроить смотрины.* □ *После смотрин назначили день свадьбы.* Чехов. В овраге.

**СМОТРИ́ТЕЛЬ**, -я, *м.* Служащий, осуществляющий надзор, наблюдение за чем-л., заведующий чем-л. *Техник-смотритель жилищного управления. Смотритель музея, маяка. Станционный смотритель (дореволюционная должность).* □ *[Городничий:] А вот вам, Лука Лукич, так, как смотрителю учебных заведений, нужно позаботиться особенно насчет учителей.* Гоголь. Ревизор.

**Смотри́тельница**, -ы, *ж.* **Смотри́тельский**, -ая, -ое.

**СМУ́ТА**, -ы, *ж.* **1.** *Устар.* Мятеж, народные волнения. *Сеять смуту. Подавить смуту.* □ *Истощало государство при покойном царе Алексее Михайловиче от войн, от смут и бунтов.* А. Н. Толстой. Петр I. **2.** Душевное смятение, волнение, тревога. *Я подавлял душевную смуту, робость и страх перед близким будущим — самостоятельная, ответственная и тяжелая работа на какой-то из незнакомых станций.* Астафьев. Последний поклон.

С и н. (к 1 знач.): крамо́ла (устар.). С и н. (ко 2 знач.): беспоко́йство.

**Сму́тный**, -ая, -ое; сму́тен, смутна́, сму́тно. *Смутное время. Смутные мысли. Смутное ожидание.*

**СМУ́ШКА**, -и, *ж.* Шкурка, мех новорожденного ягненка. *Передовой, в бурке и картузе со смушками, ехал на белой лошади.* Л. Толстой. Война и мир.

**Сму́шковый**, -ая, -ое.

**СМЫСЛ**, -а, *м.* **1.** Внутреннее содержание, значение чего-л., постигаемое разумом. *Смысл статьи. Раскрыть смысл какого-л. явления. Понять смысл событий. Переносный смысл слова.* **2.** Цель, назначение, а также целесообразность. *Смысл жизни, работы.* □ *[Тригорин:] Теперь вот она, эта любовь, пришла наконец, манит... Какой же смысл бежать от нее?* Чехов. Чайка. **3.** *Устар.* Разум, рассудок. *— Я сам, брат, учился. С самого раннего возраста бог вложил в меня смысл и понятие.* Чехов. Степь.

С и н. (к 3 знач.): ум, интелле́кт.

А н т. (к 1 и 2 знач.): бессмы́слица.

**Смыслово́й**, -а́я, -о́е (к 1 знач.). *Смысловые оттенки слов.*

**СМЯТЕ́НИЕ**, -я, *ср.* **1.** Сильное волнение, возбуждение, замешательство, вызванные борьбой противоречивых чувств. *Душевное смятение. Радостное смятение.* □ *Он и прежде не-*

редко встречался.. с этой большерукой, рослой и красивой семнадцатилетней девушкой, и тогда, при встречах, она улыбалась ему смущенно и ласково, и смятение отражалось на ее вдруг вспыхивающем лице. Шолохов. Поднятая целина. **2.** Общая растерянность, вызванная тревогой и страхом. *Смятение в рядах неприятеля.* ◇ *[Свидригайлов] насилу достучался и вначале произвел было большое смятение.* Достоевский. Преступление и наказание.

С и н. (к 1 знач.): взволно́ванность, тре́пет (*книжн.*), смяте́нность (*устар.*). С и н. (ко 2 знач.): переполо́х, сумато́ха.

**СНА́ЙПЕР**, -а, *м.* [Англ. sniper]. **1.** Стрелок, владеющий искусством меткой стрельбы, маскировки и наблюдения. *Опытный снайпер.* ◇ *Маруся Волкова стреляет не хуже снайпера.* Тихонов. Костер. **2.** *перен.* Спортсмен, метко забрасывающий мячи (шайбы) в ворота (корзину) соперника. *Анна была душой и снайпером баскетбольной команды.* Кукушкин. Хозяин.

**Сна́йперский**, -ая, -ое. *Сна́йперская винтовка. Сна́йперский бросок.*

**СНЕДА́ТЬ**, -а́ю, -а́ешь; снеда́ющий, снеда́вший; снеда́емый; снеда́я; *несов.* **1.** *кого, что или без доп. Устар. и обл.* Есть, принимать пищу. — *Да вот к Онисиму на Заводъ ходил хлебушка попросить.. только чтой-то уж ноне больно сердит стал: ничего таки не дал. — Что ж снедать-то будете?* Салтыков-Щедрин. Губернские очерки. **2.** *кого, что, перен. Книжн.* Мучить, терзать (о чувствах, переживаниях и т. п.). *Снедаемый недугом. Снедающая кого-л. совесть.* ◇ *Но гетман уж не спит давно. Тоска, тоска его снедает; В груди дыханье стеснено.* Пушкин. Полтава. *Яков Андреевич всю жизнь был снедаем безграмотностью, страхами, суевериями.* Вампилов. Усть-Илим.

С и н. (к 1 знач.): ку́шать, жрать (*прост.*), тре́скать (*прост.*), руба́ть (*прост.*). С и н. (ко 2 знач.): грызть, глода́ть, точи́ть, есть, съеда́ть.

**СНЕДЬ**, -и, *ж. Разг.* Пища, еда. *Дома́шняя, праздничная снедь.* ◇ *Они.. серьезно оглядели снедь, точно не решаясь разрушить на столе чудесный натюрморт, и принялись за редиску.* Федин. Первые радости.

С и н.: съестно́е, харчи́ (*прост.*), пропита́ние (*устар.*).

**СНИ́КНУТЬ**, -ну, -нешь; сни́кший и сни́кнувший; сни́кнув; *сов. Разг.* **1.** Опуститься, склониться, увядая (о растениях). *Сникшая от зноя трава.* **2.** *перен.* Прийти в плохое настроение, подавленное состояние под влиянием чего-л. *Сникнуть от неудачи, от печальной новости.* ◇ *После такого вопроса, вставшего перед ним вдруг, внезапно, Капля как-то заскучал, сник, грустно задумался.* Алексеев. Хлеб — имя существительное.

С и н. (к 1 знач.): пони́кнуть. С и н. (ко 2 знач.): приуны́ть, пони́кнуть, ски́снуть (*разг.*).

**Сника́ть**, -а́ю, -а́ешь; *несов.*

**СНИСХОДИ́ТЕЛЬНЫЙ**, -ая, -ое; -лен, -льна, -о. **1.** Мягко и терпимо относящийся к слабостям и недостаткам кого-л.; нестрогий. *Быть снисходительным к ошибкам, к шалостям кого-л. Снисходительный отзыв.* ◇ *С ней он всегда был очень терпелив, даже вежлив. Во многих случаях даже слишком снисходителен к ее характеру, целые семь лет.* Достоевский. Преступление и наказание. **2.** Выражающий превосходство, покровительственно-высокомерное отношение к кому-, чему-л. *Снисходительный тон. Снисходительная улыбка, вежливость.* ◇ *— Похоже, немчишка — какой-то чин,— проговорил Уханов, со снисходительным любопытством наблюдая за немцем.* Бондарев. Горячий снег.

С и н. (к 1 знач.): терпи́мый, мя́гкий, либера́льный.

**Снисходи́тельно**, *нареч.* **Снисходи́тельность**, -и, *ж.*

**СНОБ**, -а, *м.* [Англ. snob]. *Книжн.* Человек, считающий себя носителем высшей интеллектуальности и изысканных вкусов.

**Сноби́стский**, -ая, -ое. *Сноби́стские рассуждения.*

**СНОП**, -а́, *м.* **1.** Связанные в охапку стебли (с колосьями) сжатых хлебных злаков и других сельскохозяйственных культур, а также большая охапка каких-л. растений. *Ржаной сноп. Снопы́ льна, овса. Вяза́ть снопы́.* ◇ *Он видел неубранные ячменные снопы на недожатых полосах.* Фадеев. Разгром. **2.** *перен., обычно чего.* Излучение, поток (лучей, искр, пламени и т. п.) в виде большого пучка, исходящего из одного центра. *Огненный сноп. Сноп солнечных лучей.* ◇ *Впереди мощно взревели танки, выбрасывая из выхлопных труб снопы искр.* Бондарев. Горячий снег.

**СНО́СИ.** ◇ *На сносях* (*прост.*) — о женщине: на последнем месяце беременности, скоро должна родить. — *А та была уж на сносях; как выгнали ее, она и родила дочь.* Достоевский. Униженные и оскорбленные.

**СНОХА́**, -и́, сно́хи, снох, *ж.* Жена сына. *Нет, Елизавету Григорьевну никто не обижал в доме; ни внучка, ни сноха, ни сын; она никогда не жаловалась на это; ей просто непривычно было видеть, как протекала жизнь в семье сына.* Ананьев. Годы без войны.

С и н.: неве́стка.

**СОА́ВТОР**, -а, *м.* Тот, кто совместно с кем-л. является автором чего-л. *Соа́вторы статьи. Пригласи́ть кого-л. в соавторы.*

**Соа́вторский**, -ая, -ое.

**СОБЛА́ЗН**, -а, *м.* То, что прельщает, влечет к себе. *Ввести кого-л. в соблазн.* ◇ *Гармонист играл так залихватски, с такими искусными переборами, что старик не удержался от соблазна послушать.* Г. Марков. Строговы.

С и н.: искуше́ние.

**СОБОЛЕ́ЗНОВАТЬ**, -ную, -нуешь; соболе́знующий, соболе́зновавший; соболе́знуя; *несов., кому, чему или без доп. Книжн.* Сочувствовать кому-л., а также выражать сочувствие горю, страданиям кого-л. *Соболезновать кому-л. по поводу чьей-л. кончины.* ◇ *Чичиков заметил, что в самом деле неприлично подобное безучастие к чужому горю, и потому вздохнул тут же и сказал, что соболезнует. — Да ведь соболезнова-*

ние в карман не положишь,— сказал Плюшкин. Гоголь. Мертвые души.

С и н.: сострада́ть (книжн.).

**Соболе́знование**, -я, *ср.*

**СОБО́Р**, -а, *м.* **1.** В дореволюционной России: собрание должностных или выборных лиц, созванное для рассмотрения и разрешения вопросов организации и управления. *Земский собор. Вселенский собор. Церковные соборы.* **2.** Главная, а также вообще большая церковь в городе или монастыре. *Софийский собор в Киеве. Собор Парижской богоматери.* ◇ *Несколько дней пред отъездом Ростова в соборе было назначено молебствие по случаю победы, одержанной русскими войсками.* Л. Толстой. Война и мир. ◇ **Кафедра́льный собо́р** — главный собор города, в котором совершает богослужение епископ.

**Собо́рный**, -ая, -ое. *Соборное постановление. Соборный колокол.*

**СОБОРОВА́НИЕ**, -я, *ср.* Один из обрядов православной церкви — помазание елеем тела тяжелобольного или умирающего человека и чтение над ним молитв. *Доктора объявили, что надежды к выздоровлению нет; больному дана была глухая исповедь и причастие; делали приготовления для соборования.* Л. Толстой. Война и мир.

**СОБРА́НИЕ**, -я, *ср.* **1.** Заседание членов какой-л. организации, какого-л. общества, учреждения и т. п. для обсуждения и решения каких-л. вопросов. *Собрание трудового коллектива цеха. Отчетно-выборное собрание профсоюзной организации.* □ *Мать знала, что они устраивают собрания в лесу.* М. Горький. Мать. **2.** Название некоторых выборных организаций. *Учредительное собрание. Законодательное собрание.* **3.** *Устар.* Помещение, здание, где собирается какое-л. общество. *Зимой ездили они в Собрание, давали обеды, имели абонированную ложу.* Герцен. Кто виноват? **4.** *чего.* Совокупность каких-л. предметов, представляющих тот или иной интерес для собирателя и подбираемых по определенному признаку. *Собрание картин. Собрание часов в музее. Собрание древних монет.* □ *[В квартире Буракова] возник новый музей, который если и уступал по количеству собраниям Эрмитажа и Русского музея, то включал в свою «экспозицию» произведения, которыми могло гордиться любое собрание.* Лавренев. Гравюра на дереве. **5.** *чего.* Совокупность каких-л. текстов, собранных и изданных вместе. *Собрание законов. Полное собрание русских летописей. Собрание сочинений А. С. Пушкина. Собрание стихотворений Лермонтова.* ◇ **Дворя́нское собра́ние** — орган дворянского самоуправления в дореволюционной России, во главе которого стоял выборный предводитель дворянства (в губернии, уезде).

С и н. (*к 4 знач.*): колле́кция.

**СОВЕРШЕ́НСТВО**, -а, *ср.* **1.** *ед.* Полнота всех достоинств, высшая степень какого-л. положительного качества. *Знать иностранный язык в совершенстве. Верх совершенства.* □ *— Да, я когда-то со страстью каталась на конь-*

*ках; мне хотелось дойти до совершенства.* Л. Толстой. Анна Каренина. **2.** О человеке, предмете, наделенном всеми достоинствами, свободном от недостатков. *Степан представлялся ему.. вершиною доброты, благородства, тем совершенством, какое только мог когда-либо вообразить себе Сергей Иванович.* Ананьев. Годы без войны. **3.** обычно *мн.* Положительные качества, достоинства кого-л. *Но я не создан для блаженства; Ему чужда душа моя; Напрасны ваши совершенства: Их вовсе недостоин я.* Пушкин. Евгений Онегин.

С и н. (*к 3 знач.*): доброде́тель (книжн.), плюс (разг.).

А н т. (*к 3 знач.*): недоста́ток, несоверше́нство, поро́к, ми́нус (разг.).

**СОВЕРШЕ́НСТВОВАТЬ**, -твую, -твуешь; соверше́нствующий, соверше́нствовавший; соверше́нствуемый, соверше́нствованный; -ан, -а, -о; соверше́нствуя; *несов., кого, что,* Делать лучше, совершеннее. *Совершенствовать формы и методы работы. Совершенствовать новую модель. Совершенствовать технику движений в танце.*

С и н.: улучша́ть.

**Соверше́нствоваться**, -твуюсь, -твуешься; *возвр. Совершенствоваться в игре на гитаре.*

**Соверше́нствование**, -я, *ср.*

**СО́ВЕСТЬ**, -и, *ж.* Чувство моральной ответственности за свое поведение, поступки перед самим собой и обществом; нравственные принципы, взгляды, убеждения. *Гражданская совесть. Чистая, спокойная совесть. Угрызения совести. Взывать к чьей-л. совести.* □ *Мы живем, умереть не готовясь, забываем поэтому стыд, но мадонной невидимой совесть на любых перекрестках стоит.* Евтушенко. Муки совести. ◇ **Свобо́да со́вести** — право граждан исповедовать любую религию или не исповедовать никакой.

**Со́вестливый**, -ая, -ое; -ив, -а, -о и **со́вестный**, -ая, -ое; -тен, -тна, -о. *Со́вестливо* и *со́вестно, нареч.* **Со́вестливость**, -и, *ж.*

**СОВЕ́Т**¹, -а, *м.* **1.** Наставление, предложение, как поступить. *Полезный, своевременный совет. Совет врача, юриста. Прислушаться к советам родителей.* □ *Не раз наедине я был с тобой, Просил участья, требовал совета, И ты всегда была моей судьбой, Моей звездой, неповторимым светом.* Прокофьев. Стихи о России. **2.** Заседание для совместного обсуждения каких-л. вопросов. *Семейный совет. Военный совет. Держать совет* (совещаться). □ *В просторной, лучшей избе мужика Андрея Савостьянова в два часа собрался совет.* Л. Толстой. Война и мир. **3.** Название некоторых коллегиальных органов. *Педагогический совет. Ученый совет института. Совет министров. Совет безопасности ООН. Утвердить новые модели одежды на художественном совете.* **4.** *Устар.* Дружба, согласие. *Жить в совете. Совет да любовь.*

С и н. (*к 1 знач.*): рекоменда́ция (книжн.). С и н. (*ко 2 знач.*): совеща́ние.

**СОВЕ́Т**², -а, *м.* (с прописной буквы). Представительный орган государственной власти, одна из форм политической организации общества. *Сельские, городские Советы. Верховный Совет Российской Федерации. Советы народных депутатов. Лозунг «Вся власть — Советам!».*

**Сове́тский**, -ая, -ое. *Советские органы. Советская власть.*

**СОВЕ́ТНИК**, -а, м. **1.** Устар. Тот, кто дает советы; советчик.— *У меня тоже никого нет,.. у кого бы совета спросить. Конечно, не на улице же искать советников.* Достоевский. Белые ночи. **2.** Название некоторых должностей, а также лиц, занимающих эти должности. *Военный советник. Государственный советник юстиции. Советник посольства.* **3.** В дореволюционной России: название гражданских чинов разных классов (по табели о рангах), а также название лиц, имевших эти чины. *Титулярный советник. Коллежский советник. Тайный советник. Действительный статский советник.*

**Сове́тница**, -ы, ж. (к 1 знач.).

**СОВОКУ́ПНОСТЬ**, -и, ж. Книжн. Сочетание, соединение, общее количество чего-л. *Совокупность фактов, данных. Совокупность признаков. Рассмотреть все в совокупности.* — *Впрочем, в совокупности этих пристроек, надстроек, флигелей единство есть, по крайней мере мне так кажется.* Герцен. Былое и думы.

С и н.: су́мма.

**СОВРЕМЕ́ННЫЙ**, -ая, -ое; -енен, -енна, -о. **1.** *кому, чему.* Относящийся к одному времени, к одной эпохе с кем-, чем-л. *Давно нет и Юматова, нет и большинства участников современных ему событий.* Гарин-Михайловский. *Несколько лет в деревне.* **2.** Относящийся к настоящему времени, к данной эпохе. *Современная зарубежная литература. Современные представления о чем-л. Современная молодежь.* **3.** Отвечающий требованиям своего времени. *Современные методы лечения. Современная модель автомобиля. Современный уровень технического оснащения предприятия.*

С и н. (ко 2 знач.): ны́нешний *(разг.)*, тепе́решний *(разг.)*.

А н т. (к 3 знач.): устаре́лый, отста́лый.

**Совреме́нно**, нареч. (к 2 и 3 знач.). *Современно одеваться. Современно мыслить.* **Совреме́нность**, -и, ж. (к 3 знач.). *Современность взглядов. Современность звучания произведения.*

**СОГБЕ́ННЫЙ**, -ая, -ое; -ен, -енна, -о. Устар. и высок. **1.** Согнутый, сгорбленный. *Согбенный старец.* □ *На пустынной улице все маячила согбенная спина врача.* Горбатов. Непокоренные. **2.** перен., чем. Подавленный, удрученный чем-л. *Вы, кручиною согбенные, Вы, цепями удрученные,.. Совоскреснете с Христом.* А. К. Толстой. Иоанн Дамаскин.

**СОГЛАШЕ́НИЕ**, -я, ср. **1.** Взаимное согласие, взаимная договоренность. *Прийти к соглашению. Действовать по соглашению с дирекцией.* **2.** Договор, устанавливающий взаимные обязательства сторон в чем-л. *Торговое соглашение. Международные соглашения. Заключить соглашение. Выполнять, нарушать условия соглашения.*

С и н. (к 1 знач.): договоренность, угово́р *(разг.)*. С и н. (ко 2 знач.): контра́кт *(книжн.)*, пакт *(офиц.)*, тракта́т *(устар.)*, усло́вие *(устар.)*, конве́нция *(спец.)*.

**СОГЛЯДА́ТАЙ**, -я, м. **1.** Устар. Тот, кто наблюдает, созерцает что-л. *Только я забыл, что я крестьянин, И теперь рассказываю сам, Соглядатай праздный, я ль не странен Дорогим мне пашням и лесам.* Есенин. *Каждый труд благослови, удача...* **2.** Тот, кто тайно наблюдает, следит за кем-, чем-л. *За Елизаветой учрежден был секретный, но бдительный надзор, но напрасно соглядатаи старались подметить в ней какие-либо политические замыслы.* Мельников-Печерский. Княжна Тараканова.

С и н. (к 1 знач.): наблюда́тель, созерца́тель *(книжн.)*. С и н. (ко 2 знач.): сы́щик, шпик *(разг.)*, ище́йка *(разг.)*, лега́вый *(прост.)*, филёр *(устар.)*.

**СОДЕРЖА́НИЕ**, -я, ср. **1.** Офиц. Обеспечение средствами существования. *Содержание детей. Содержание государственного аппарата, армии. Плата за содержание ребенка в детском саду. Размер пенсионного содержания. Отпуск без сохранения содержания.* **2.** То, из чего складывается, состоит что-л., единство составных частей чего-л. *Внутреннее, духовное содержание личности.* □ *Блины, обедни, именины, похороны, сытость до ушей и выпивка до свинства, до рвоты — вот что было содержанием жизни людей, среди которых я начал жить.* М. Горький. *О том, как я учился писать.* **3.** Тема, предмет изложения, повествования, изображения. *Краткое содержание книги. Рассказать содержание фильма. Ознакомиться с содержанием документа. Единство формы и содержания в художественном произведении.* **4.** Сущность, смысл чего-л. *[Товарищ] написал совершенно правильную по содержанию брошюру, а только малость переборщил в ней, переборщил в тоне, в критике, в нападках.* Шагинян. *Четыре урока у Ленина.* **5.** *чего.* Наличие какого-л. вещества в составе чего-л. *Содержание кислорода в воздухе. Содержание витаминов в овощах и фруктах. Содержание влаги в почве.* ◇ **Быть** (или **жить, находиться** и т. п.) **на содержании** *у кого (устар.)* — жить на средства любовника или любовницы.

С и н. (к 4 знач.): суть, существо́, квинтэссе́нция *(книжн.)*, эссе́нция *(устар.)*.

**СОДОКЛА́Д**, -а, м. Дополнительный доклад другого лица по вопросам основного доклада. *Выступить с содокладом.*

**СОДО́М**, -а, м. [Восх. к др.-евр. *Sədōm* — библейский город, который вместе с Гоморрой был уничтожен богом за грехи жителей]. *[Чацкий:] К вам человек с докладом [Фамусов:] Не слушаю, под суд! под суд! [Чацкий:] Да обернитесь, вас зовут. [Фамусов:] А? бунт! ну так и жду содома.* Грибоедов. Горе от ума. ◇ **Содом и гоморра** — то же, что с о д о м.

С и н.: ха́ос и хао́с, неразбери́ха *(разг.)*, бедла́м *(разг.)*, сумя́тица *(разг.)*, кавард́ак *(разг.)*, ералаш *(разг.)*.

**СОЗВУ́ЧИЕ**, -я, ср. **1.** В музыке: сочетание двух или нескольких звуков в одновременном звучании. 2. *Книжн.* Согласованность, гармония. *Созвучие голосов. Созвучие красок в картине.* □ *Невозмутимый строй во всем, Созвучье полное в природе,— Лишь в нашей призрачной свободе Разлад мы с нею сознаем.* Тютчев. Певучесть есть в морских волнах... **3.** *перен.* Внутреннее сходство, соответствие, подобие. *Созвучие мыслей, настроений.* □ *Мои сверстники, вспоминая о минувшем, найдут в этой книге много созвучий с тем, что пережито ими.* Ф. Гладков. Повесть о детстве.

С и н. (ко 2 знач.): гармони́чность, согла́сие, строй.

**СОЗЕРЦА́НИЕ**, -я, *ср.* **1.** Рассматривание кого-, чего-л., наблюдение за кем-, чем-л. *Пассивное созерцание. Созерцание звездного неба.* □ *Далеко за кормой извивались золотые змейки, и он следил за ними очень пристально и все не мог оторваться, хотя это созерцание было почему-то неприятно.* Крымов. Танкер «Дербент». **2.** Углубление в свой внутренний, духовный мир. *Он не был взволнован, скорее, он находился в том состоянии, которое зовут созерцанием и в котором так много чего-то очень близкого к полной утрате чувства бытия.* М. Горький. Красота.

**СОЗНА́НИЕ**, -я, *ср.* **1.** Способность человека мыслить, рассуждать и определять свое отношение к действительности; психическая деятельность как отражение действительности. *Сознание есть функция мозга. Бытие определяет сознание.* **2.** Состояние человека в здравом уме и в памяти, способность отдавать себе отчет в своих поступках, чувствах. *Потерять сознание. Прийти в сознание. Больной без сознания.* □ *После тринадцатидневного беспамятства к Корчагину возвратилось сознание.* Н. Островский. Как закалялась сталь. **3.** Ясное, полное понимание чего-л. *Сознание долга, ответственности. Сознание своей вины. Сознание невозможности чего-л. Сознание своего превосходства.* □ *Он молчал, раздражаясь внутренне от сознания, что раскрывает свои замыслы какому-то майору.* Чаковский. Блокада. **4.** Понимание, осознание общественной жизни человеком или группой людей. *Гражданское сознание.* □ *Она [поэма] была актом сознания для русского общества, почти первым, но зато каким великим шагом вперед для него!* Белинский. Сочинения Александра Пушкина.

С и н. (к 1 знач.): дух, пси́хика. С и н. (к 3 знач.): осозна́ние, уясне́ние, постиже́ние, осмысле́ние, уразуме́ние, разуме́ние (*устар.*). С и н. (к 4 знач.): созна́тельность.

**СОИСКА́НИЕ**, -я, *ср. Офиц.* Представление куда-л. своего труда с целью получения какой-л. оценки, награды, звания и т. п. *Представить книгу на соискание Государственной премии СССР. Диссертация на соискание ученой степени доктора философских наук.*

**СОКРОВЕ́ННЫЙ**, -ая, -ое; -ён и -́енен, -е́нна, -о. **1.** Хранимый в тайне, оберегаемый от других. *В селах озабоченные мужики из-под снега выкапывали колхозное добро, из сокровенных ям доставали зерно.* Горбатов. Непокоренные. **2.** *Книжн.* Хранимый в глубине души, не высказываемый; заветный. *Сокровенная мечта. Сокровенные мысли, чувства.* □ *Крепче и крепче сжимая мое плечо, дядя Вася пустился в пугавшую меня откровенность.., открыл и самое сокровенное* (в знач. сущ.)*: — Я хотел последнего тебя видеть.* Астафьев. Последний поклон.

С и н. (к 1 знач.): та́йный, секре́тный, потайно́й. С и н. (ко 2 знач.): задуше́вный, инти́мный.

**Сокрове́нность**, -и, *ж.*

**СОКРО́ВИЩНИЦА**, -ы, *ж.* **1.** *Устар.* Место хранения драгоценностей, сокровищ. *Соломон приказал принести из своей сокровищницы драгоценные подвески.* Куприн. Суламифь. **2.** *перен., чего или какая. Книжн.* Сосредоточение, скопление, совокупность каких-л. духовных или материальных ценностей. *Археологическая сокровищница. Мировая сокровищница искусства. Сокровищница человеческих знаний.* □ *Под сводом яхонтовым неба Как хороша для наших глаз Сия сокровищница хлеба!* Ф. Глинка. Нива.

**СОЛИДА́РНОСТЬ**, -и, *ж.* [Франц. solidarité]. Активное сочувствие каким-л. действиям или мнениям, единство мыслей, интересов. *Солидарность людей доброй воли. Мужская, женская солидарность. Чувство солидарности.* □ *[Чапаевцев] сблизили мужество, личная отвага, презрение лишений и опасностей, верная, неизменная солидарность, взаимная выручка.* Фурманов. Чапаев.

С и н.: единоду́шие, единогла́сие, согла́сие.

**СОЛИ́ДНЫЙ**, -ая, -ое; -ден, -дна, -о. [Восх. к лат. solidus]. **1.** Прочный, крепкий, основательно сделанный. *Новый дом культуры — солидное каменное здание с большим залом, фойе, изрядным количеством комнат, в нем свободно поместился бы целый театр.* Вампилов. Прогулки по Кутулику. **2.** Основательный, глубокий, серьезный. *Соли́дные знания. Соли́дный опыт работы. Соли́дное научное исследование.* **3.** Важный, представительный. *Соли́дный человек. Соли́дная внешность. Соли́дное учреждение.* □ *— Так, товарищ лейтенант,— заговорил Скорик с солидным достоинством.— Прекрасно помню.* Бондарев. Горячий снег. **4.** *Разг.* Значительный, довольно большой. *Соли́дная сумма. Соли́дные расходы. Соли́дное расстояние. Соли́дный возраст.*

С и н. (к 1 и 2 знач.): основа́тельный, капита́льный, фундамента́льный (*книжн.*). С и н (к 3 знач.): внуши́тельный, ви́дный, импоза́нтный (*книжн.*), презента́бельный (*устар.*), авантажный (*устар., разг.*). С и н (к 4 знач.): основа́тельный, поря́дочный (*разг.*), изря́дный (*разг.*), внуши́тельный (*разг.*).

**Соли́дно**, *нареч.* *Держать себя солидно. Солидно одетый. Солидно зарабатывать.* **Соли́дность**, -и, *ж. Солидность постройки. Отрастить усы для солидности.*

**СО́ЛО**. [Итал. solo — букв. один, единственный]. **1.** *нескл., ср.* Музыкальное произведение (или его часть), предназначенное для одного исполнителя. **2.** *в знач. нареч.* Без участия других, в одиночку (об исполнении музыкальных произведений, танцев). *Танцевать, петь соло.*

**Сольный**, -ая, -ое (к 1 знач.). *Сольный номер. Сольное исполнение. Сольная партия.*

**СОЛОД**, -а, *м.* Проросшие и смолотые зерна хлебных злаков, употребляемые при изготовлении кваса, пива и т. п. *Ржаной, ячменный солод.* □ *И в лесу — тишина. Она зыбью плывет из его глубин и пахнет болотом и солодом.* Ф. Гладков. Цемент.

**Солодовый**, -ая, -ое. *Солодовые пряники.*

**СОЛЬ**, -и, *соли*, -ей, *ж.* **1.** Белое кристаллическое вещество с острым характерным вкусом, употребляемое как приправа к пище. *Поваренная соль.* **2.** *перен.*, обычно *чего.* То, что составляет особый смысл, интерес, остроту чего-л. *Соль рассказа.* □ *Вот крупной солью светской злости Стал оживляться разговор.* Пушкин. Евгений Онегин. ◇ **Соль земли** — о лучших представителях общества. *Велика масса честных и добрых людей, а таких людей [как Рахметов] мало; но.. это цвет лучших людей, это двигатели двигателей, это соль соли земли.* Чернышевский. Что делать?

**Соляной**, -ая, -ое (к 1 знач.). *Соляной раствор.*

**СОЛЬФЕ́ДЖИО**, *нескл.*, *ср.* [Итал. solfeggio — от названия нот sol и fa]. *Спец.* Вокальные упражнения (пение названий нот) для развития слуха и приобретения навыка читать ноты. *Занятия по сольфеджио.*

**СОЛЯ́РИЙ**, -я, *м.* [Восх. к лат. solarium от sol — солнце]. Площадка для принятия солнечных ванн. *Загорать в солярии.*

**СОМНА́МБУЛА**, -ы, *м.* и *ж.* [От лат. somnus — сон и ambulare — ходить]. Человек, страдающий расстройством сознания, при котором автоматически во сне совершаются привычные действия (ходьба, перекладывание вещей и т. п.). *У них [студентов] были отрешенные лица сомнамбул. Неужели и он когда-то всерьез переживал экзамены?* Гранин. Иду на грозу.

С и н.: *лунатик.*

**Сомнамбулический**, -ая, -ое.

**СОНА́ТА**, -ы, *ж.* [Итал. sonata от лат. sonare — звучать]. Музыкальное инструментальное произведение, состоящее из трех или четырех различных по темпу и характеру частей. *Соната для фортепиано.* □ *Катя достала це-мольную сонату-фантазию Моцарта. Она играла очень хорошо, хотя немного строго и сухо.* Тургенев. Отцы и дети.

**Сонатный**, -ая, -ое. *Сонатный цикл.*

**СОНЕТ**, -а, *м.* [Итал. sonetto от ст.-франц. sonet — песенка]. Стихотворение, состоящее из четырнадцати строк — двух четверостиший и двух трехстиший. *Суровый Дант не презирал сонета; В нем жар любви Петрарка изливал; Игру его любил творец Макбета; И скорбну мысль Камоэнс облекал.* Пушкин. Сонет. ◇ **Венок сонетов** — произведение из пятнадцати сонетов, в котором последняя строка каждого сонета повторяется в первой строке следующего, а пятнадцатый сонет состоит из первых строк всех предыдущих сонетов.

**Сонетный**, -ая, -ое. *Сонетная форма.*

**СОНМ**, -а, *м.* и **СО́НМИЩЕ**, -а, *ср. Устар. высок.* Большая группа, скопление, множество кого-, чего-л. *Сонмы звезд. Сонм видений. Целое сонмище мошкары.* □ *И, внимая моторному лаю В сонме вьюг, в сонме бурь и гроз, Ни за что я теперь не желаю Слушать песню тележных колес.* Есенин. Неуютная жидкая лунность... — *Целое сонмище врагов ополчилось на нас. Мы думаем об одном — победить их.* Федин. Рисунок с Ленина.

С и н.: *скопище.*

**СООБРА́ЗНЫЙ**, -ая, -ое; -зен, -зна, -о. *Книжн.* Соответствующий чему-л., согласующийся с чем-л. *Михельсон, нашел сии известия сообразными с своими предположениями, вышел из гор и пошел на Троицкую.* Пушкин. История Пугачева.

С и н.: *соответственный, созвучный.*

**Сообра́зно**, *нареч.* и *предлог.* **Сообра́зность**, -и, *ж.*

**СООБЩЕ́НИЕ**, -я, *ср.* **1.** Сведения, которые передаются, сообщаются кем-, чем-л.; известие. *Экстренное сообщение. Сообщение корреспондента радио. Опубликовать сообщение в газете.* **2.** Небольшое публичное выступление на какую-л. тему. *Сообщение ученого. Выступить с сообщением на симпозиуме. Предоставить кому-л. слово для сообщения.* **3.** Связь на расстоянии при помощи каких-л. средств, а также сами эти средства. *Железнодорожное, автобусное, воздушное сообщение. Телефонное, телеграфное сообщение. Сообщение с отдаленными районами. Пути сообщения.*

С и н. (к 1 знач.): *извещение, информация, оповещение, уведомление (офиц.).*

**СОПЕ́ЛЬ**, -и, *ж.* и **СОПЁЛКА**, -и, *ж.* Народный духовой музыкальный инструмент типа флейты. *Русская, белорусская, украинская сопель.* □ — *Еще поспорим! Ты играй на своей сопелке — у кого ноги в землю не вросли, те под твою музыку танцевать будут!* М. Горький. Мать.

**СО́ПКА**, -и, *ж.* Небольшая гора с округлой вершиной в Сибири и на Дальнем Востоке, а также вулкан на Камчатке и Курильских островах. *Ключевская сопка.* □ *В ста саженях от шахты кончалась падь и начинались сопки.* Фадеев. Разгром.

**Со́почный**, -ая, -ое.

**СОПРА́НО**, *нескл.*, *ср.* [Итал. soprano]. Самый высокий женский голос, а также певица с таким голосом. *Драматическое, лирическое, колоратурное сопрано. Партия сопрано.* □ *Пение в комнате прекратилось, но на улице продолжалось с прежней силой.. Особенно выделялись сильное сопрано Оли и мягкий, приглушенный бас Борейко.* Степанов. Порт-Артур.

**Сопра́нный**, -ая, -ое. *Сопранная партия.*

**СОПРЯГА́ТЬ**, -а́ю, -а́ешь; сопряга́ющий, сопряга́вший; сопряга́емый; сопряга́я, *несов.*, *кого, что с кем, чем. Книжн.* Связывать, соединять. *Мы привыкли сопрягать с словом «рыцарство» понятие угнетения, несправедливости, касты; но с тем самым словом мы вправе сопрягать смысл совершенно противоположный.* Герцен. Несколько замечаний об историческом развитии чести.

**Сопря́чь**, -ягу́, -яжёшь; *сов.* **Сопряже́ние**, -я, *ср.*

**СОРАЗМЕ́РНЫЙ**, -ая, -ое; -рен, -рна, -о. **1.** *чему и с чем.* Соответствующий чему-л. по величине, размерам. *Соразмерные заработку расходы.* □ *В здоровом человеке стремления соразмерны с силами организма.* Чернышевский. Эстетические отношения искусства к действительности. **2.** Обладающий правильным соотношением частей. *Соразмерное телосложение.*

С и н.: пропорциона́льный.

А н т.: несоразме́рный, непропорциона́льный, диспропорциона́льный.

**Соразме́рно**, *нареч.* **Соразме́рность**, -и, *ж.*

**СОРА́ТНИК**, -а, *м.* **1.** Боевой товарищ, товарищ по оружию. *Передо мной сейчас, как наяву, Далекий облик осени янтарной... С войны Приехал Фурманов в Москву, Чапаева соратник легендарный.* А. Жаров. Комиссар. **2.** Единомышленник и товарищ по какой-л. деятельности, борьбе. *[Горький] оставлял мир профессиональной работы,— все эти письма, требовавшие ответов, чужие рукописи, требовавшие прочтения,— соратников, выпестованных им людей пера.* Шагинян. Четыре урока у Ленина.

С и н. (ко 2 знач.): сподви́жник (высок.).

**Сора́тница**, -ы, *ж.* (ко 2 знач.).

**СОРОКОУ́СТ**, -а, *м.* В православной церкви: чтение молитв об умершем в течение сорока дней после смерти. *С обычною суетливостью окунулся он в бездну мелочей, сопровождающих похоронный обряд. Служил панихиды, заказывал сорокоусты, толковал с попом.* Салтыков-Щедрин. Господа Головлевы.

**СОСЛО́ВИЕ**, -я, *ср.* **1.** Общественная группа с закрепленными законом наследственными правами и обязанностями, сложившаяся на основе классовых отношений феодализма. *Привилегированные сословия (дворянство, духовенство). Податные сословия (крестьяне, мещане, купцы).* □ *В ту пору, при крепостном праве, о выделении рабочего класса из общей массы крепостного, бесправного, «низшего», «черного» сословия не могло быть и речи.* Ленин, т. 25, с. 93. **2.** *кого или какое.* В дореволюционной России: группа лиц, объединенных профессиональными интересами. *Сословие присяжных поверенных.* □ *Один из самых печальных результатов петровского переворота — это развитие чиновнического сословия.* Герцен. Былое и думы. **3.** *кого или какое.* Разг. шутл. Группа лиц сходной профессии, сходных занятий, положения и т. п. *Актерское, шоферское сословие. Женское сословие.* □ *Таких девушек, как моя соседка Женя, я боялся, считал недоступными нашему простому сословию.* Астафьев. Звездопад.

**Сосло́вный**, -ая, -ое (к 1 и 2 знач.). *Сословные привилегии.*

**СОСРЕДОТО́ЧЕННЫЙ**, -ая, -ое; -ен, -енна, -о. **1.** Направленный в одно место, соединенный в одном месте. *Сосредоточенный артиллерийский огонь. Бой сосредоточенными силами.* **2.** Напряженный, устремленный на что-л. одно. *Сосредоточенный взгляд. Сосредоточен на своей работе.* □ *Он прошел сквозь толпу, глядя поверх нее, но не чувствуя ее молчаливое сосредоточенное внимание.* Фадеев. Разгром.

С и н. (к 1 знач.): сконцентри́рованный. С и н. (ко 2 знач.): внима́тельный.

А н т. (к 1 знач.): рассредото́ченный.

**Сосредото́ченно**, *нареч.* (ко 2 знач.). **Сосредото́ченность**, -и, *ж.* Состояние сосредоточенности.

**СОСТОЯ́НИЕ**, -я, *ср.* **1.** Положение, в котором находится кто-, что-л. *Состояние дел. Привести войска в состояние боевой готовности.* □ *Состояние всего края, где свирепствовал пожар, было ужасно.* Пушкин. Капитанская дочка. **2.** Физическое самочувствие или настроение кого-л. *Больной в тяжелом состоянии. Сонное, болезненное, бессознательное, обморочное состояние. Быть в угнетенном состоянии.* □ *[Корнилов] забыл, что, уходя, собирался незаметно перекреститься в прихожей, зато появилось умиротворение, даже чуть-чуть блаженное состояние — опился ароматным, великолепно заваренным Груней чаем.* Залыгин. После бури. **3.** Имущество, капитал, собственность. *Крупное состояние. Нажить состояние. Человек с состоянием.* **4.** *обычно какое.* Устар. Общественное или семейное положение. *Гражданское состояние. Крепостное состояние. Лишение прав состояния.* □ *[В записке] не только было обстоятельно прописано ремесло, звание, лета и семейное состояние, но даже на полях находились особенные отметки насчет поведения, трезвости.* Гоголь. Мертвые души. ◇ **В состоя́нии** *с неопр.* — иметь возможность. *Больной в состоянии самостоятельно передвигаться.*

С и н. (к 3 знач.): бога́тство.

**СОСУЩЕСТВОВА́НИЕ**, -я, *ср. Книжн.* Одновременное или совместное существование кого-, чего-л. *Мирное сосуществование.*

**СО́ТНИК**, -а, *м.* **1.** В Древней Руси: начальник сотни воинов. *Стрелецкий сотник. Пушкарский сотник.* **2.** В дореволюционной России: офицерский чин в казачьих войсках, соответствовавший чину поручика, а также лицо, имевшее этот чин. *Бульба по случаю приезда сыновей велел созвать всех сотников и весь полковой чин, кто только был налицо.* Гоголь. Тарас Бульба.

**СО́ТНЯ**, -и, *ж.* **1.** Сто каких-л. единиц (предметов, явлений и т. п.). *Отмерить сотню шагов.* **2.** Войсковое подразделение, состоявшее первоначально из ста человек. *Стрелецкая, казачья сотня. Командовать сотней.*

**Со́тенный**, -ая, -ое. *Сотенный билет (сто рублей)* (разг.). *Сотенный атаман.*

**СО́ТСКИЙ**, -ого, *м.* В дореволюционной России: крестьянин, назначавшийся в помощь сельской полиции. *[Группа людей] осталась вокруг избитого и глухо, угрюмо гудела. Несколько человек подняли его с земли, сотские снова хотели вязать руки ему.* М. Горький. Мать.

**СОФА́**, -ы́, со́фы, соф, *ж.* [Франц. sofa]. Низкий широкий диван с ручками того же уровня, что и спинка. *Мебель соответствовала помещению: было три старых стула, не совсем исправных..., неуклюжая большая софа, занимавшая чуть не всю стену и половину ширины всей комнаты, когда-то обитая ситцем, но теперь в лохмотьях, и служившая постелью Раскольникову.* Достоевский. Преступление и наказание.

**СОФИ́ЗМ**, -а, м. [Греч. sophisma]. Книжн. Формально правильное, но ложное по существу умозаключение, основанное на преднамеренно неправильном подборе исходных положений.— Байрон очень справедливо сказал, что порядочному человеку нельзя жить больше тридцати пяти лет. Да и зачем долгая жизнь? Это, должно быть, очень скучно.— Вы все из проклятых немецких философов начитались таких софизмов. Герцен. Кто виноват?

**Софисти́ческий**, -ая, -ое. **Софи́ст**, -а, м. (тот, кто прибегает к софизмам).

**СОХА́**, -и́, со́хи, сох, ж. Примитивное сельскохозяйственное орудие для вспахивания земли. Полевая Россия! Довольно Волочиться сохой по полям! Нищету твою видеть больно И березам и тополям. Есенин. Неуютная жидкая лунность...

**Со́шный**, -ая, -ое.

**СОЦ**... Первая составная часть сложных и сложносокращенных слов, обозначающая: 1) с о ц и а л и с т и ч е с к и й, напр.: *соцсоревнова́ние, соцстра́ны;* 2) с о ц и а́ л ь н ы й, напр.: *соцобеспе́чение, соцстра́х* (социальное страхование), *соцбытсе́ктор.*

**СОЦИА́Л-ДЕМОКРА́ТИЯ**, -и, ж. [От *социализм* (см.) и *демократия* (см.)]. Возникшее в конце 19 в. направление в международном рабочем движении, стремящееся к установлению строя социальной справедливости с помощью демократических методов борьбы. *Роль передового борца может выполнить только партия, руководимая передовой теорией. А чтобы.. представить себе, что это означает, пусть читатель вспомнит о таких предшественниках русской социал-демократии, как Герцен, Белинский, Чернышевский и блестящая плеяда революционеров 70-х годов.* Ленин, т. 6, с. 25.

**Социа́л-демократи́ческий**, -ая, -ое. *Социал-демократические партии.* **Социа́л-демокра́т**, -а, м.

**СОЦИАЛИ́ЗМ**, -а, м. [Франц. socialisme от лат. socialis — общественный]. В марксистской концепции: общественный строй, который приходит на смену капитализму и характеризуется общественной собственностью на средства производства и отсутствием эксплуатации. *Основной принцип социализма: «от каждого — по способностям, каждому — по труду».*

**Социалисти́ческий**, -ая, -ое. *Социалистический строй. Социалистическая революция.*

**Социали́ст**, -а, м.

**СОЦИА́ЛЬНЫЙ**, -ая, -ое. [Франц. social от лат. socialis — общественный]. Связанный с обществом, с жизнью и отношениями людей в обществе. *Социальные революции. Социальные преобразования. Социальное положение. Социальные науки. Социальные явления. Социальные противоречия. Социальная справедливость.*

С и н.: общественный

**Социа́льно**, нареч. *Социально значимое явление.* **Социа́льность**, -и, ж.

**СОЦИОЛО́ГИЯ**, -и, ж. [От лат. socialis — общественный и греч. logos — учение]. Наука об обществе и законах его развития. *Марксистская социология. Социология труда. Социология семьи и брака.*

**Социологи́ческий**, -ая, -ое. *Социологические исследования.* **Социо́лог**, -а, м.

**СОЧЕ́ЛЬНИК**, -а, м. День накануне церковных праздников рождества и крещения. *Крещенский сочельник.* □ — *Обыкновенно мы заводим его [музыкальный ящик] только раз в году, в сочельник, потому что это очень ценный ящик.* А. Н. Толстой. Петр I.

**СОЧЕТА́ТЬ**, -а́ю, -а́ешь; сочета́ющий, сочета́вший; сочета́емый; сочета́я; *сов. и несов.* **1.** *что.* Соединить (соединять) во взаимном соответствии, совместить (совмещать). *Сочетать теорию с практикой. Сочетать личные интересы с общественными. Умело сочетать краски в картине.* □ *Передовой человек обязан сочетать и спорт, и науку, и общественную деятельность.* Панова. Времена года. **2.** *кого. Устар.* Соединить (соединять) в супружескую пару; женить. *[Настасья Петровна:] Да ведь муж-то и жена — одно, какие ж тут две половины? Коли бог сочетал воедино, на что же поползам-то делить?* А. Островский. Женитьба Белугина.

**Сочета́ться**, -а́юсь, -а́ешься; *возвр.* **Сочета́ние**, -я, *ср. Сочетание браком. Сочетание в рассказе смешного и грустного.*

**СО́ЧНЫЙ**, -ая, -ое, со́чен, сочна́, со́чно. **1.** Содержащий много сока. *Сочная листва.* □ — *Хороши у тебя в Головлеве вишни, сочные, крупные.* Салтыков-Щедрин. Господа Головлевы. **2.** *перен.* Яркий, свежий. *Сочные краски. Сочная зелень лугов. Сочные губы.* **3.** *перен.* Звучный. *Сочный бас.* **4.** *перен. Разг.* Меткий, выразительный (о речи). *Сочный слог, юмор. Сочная фраза.*

С и н. (к 4 знач.): красочный, колоритный, живописный, экспрессивный (книжн.).

**Со́чно**, нареч. (ко 2, 3 и 4 знач.). **Со́чность**, -и, ж. *Сочность ягод. Сочность красок.*

**СОЮ́З**, -а, м. **1.** Тесное единение, связь (классов, групп, отдельных лиц и т. п.). *Союз единомышленников. Брачный союз.* **2.** Объединение, соглашение для каких-л. совместных целей. *Торговый, военный союз. Заключить союз с дружественными странами.* **3.** Государственное объединение. *Союз Советских Социалистических Республик. Австралийский Союз.* **4.** *кого* или *какой.* Общественная организация, объединение. *Профессиональные союзы. Союз писателей. Союз кинематографистов.*

С и н. (к 1 знач.): смычка, спа́йка (разг.). С и н. (ко 2 знач.): ассоциация, федерация, блок, общество, организация, коалиция (книжн.), альянс (книжн.).

**Сою́зный**, -ая, -ое. *Союзные страны. Союзная собственность.*

**СПАЗМ**, -а, м. и **СПА́ЗМА**, -ы, ж. [Восх. к греч. spasmos]. Судорожное сокращение, сжатие мышц. *Желудочные спазмы.* □ *Она пересилила себя, подавила горловую спазму, пресекшую в начале стиха ее голос, и продолжала чтение.* Достоевский. Преступление и наказание.

Син.: су́дорога.

**Спазмати́ческий**, -ая, -ое. *Спазматический кашель.*

**СПА́РЖА**, -и, ж. [Итал. spáragio; восх. к греч. aspáragos — молодой побег]. Травянистое огородное растение сем. лилейных, а также его подземные побеги, идущие в пищу, и сама пища. *Русские, хмуро опустив глаза, ели спаржу и страсбургские паштеты.* А. Н. Толстой. Петр I.

**Спа́ржевый**, -ая, -ое.

**СПАРТАКИА́ДА**, -ы, ж. [По имени Спартака — вождя восстания рабов в Древнем Риме]. Традиционные массовые спортивные соревнования по различным видам спорта. *Летняя, зимняя спартакиада. Городская спартакиада школьников.*

**СПАРТА́НЕЦ**, -нца, м. **1.** Гражданин древнегреческого государства Спарты (жители которого, по преданию, отличались крайне суровым образом жизни, выносливостью и терпеливостью). **2.** *перен.* Стойкий и закаленный человек, ведущий суровый образ жизни, довольствующийся самым необходимым. *[Маркелов] сохранил военную выправку, жил спартанцем и монахом.* Тургенев. Новь.

**Спарта́нка**, -и, ж. **Спарта́нский**, -ая, -ое. *Спартанское войско. Спартанское воспитание.*

**СПЕКТР**, -а, м. [Восх. к лат. spectrum — видимое, видение]. Многоцветная полоса, возникающая при прохождении светового луча через призму или иную преломляющую среду. *Цвета спектра.*

**Спектра́льный**, -ая, -ое.

**СПЕКУЛЯ́ЦИЯ**, -и, ж. [Восх. к лат. speculatio — высматривание, выслеживание]. **1.** Скупка товаров и перепродажа их по завышенным ценам с целью наживы. *Крупная, мелкая спекуляция. Спекуляция импортным товаром. Спекуляция на дефиците. Привлечь к суду за спекуляцию.* **2.** Биржевая игра на повышение или понижение курса ценных бумаг. **3.** *перен., чем, на чем или (устар.) на что.* Основанный на чем-л. расчет, умысел, использование чего-л. в корыстных целях. *Спекуляция на доброте кого-л. Спекуляция на трудностях. Спекуляция своей популярностью.* □ *После 1905 года старые политические предрассудки оказались надломленными так глубоко и так широко, что правительство.. увидело невозможность прежней спекуляции на темноту и овечью покорность мужика.* Ленин, т. 23, с. 263.

**Спекуляти́вный**, -ая, -ое. *Спекулятивные цены. Спекулятивные расчеты.*

**СПЕСЬ**, -и, ж. Чрезмерное самомнение, надменность, высокомерие. *Барская спесь. Сбить спесь с кого-л.* □ *[Иван Артемич] жил скучновато. Надуваться спесью теперь было почти и не перед кем,— за руку здоровался с самим царем.* А. Н. Толстой. Петр I.

Син.: кичли́вость, чва́нство, зано́счивость, фанабе́рия *(разг.)*, горды́ня *(устар.)*.

**Спеси́вый**, -ая, -ое; -и́в, -а, -о. **Спеси́во**, *нареч.* **Спеси́вость**, -и, ж.

**СПЕЦ...** Первая составная часть сложных и сложносокращенных слов, обозначающая

специальный, напр.: *спецко́р* (специальный корреспондент), *спецотде́л, спецшко́ла, спецоде́жда, спецзака́з.*

**СПЕЦИАЛИЗИ́РОВАТЬ**, -рую, -руешь; специализи́рующий, специализи́ровавший; специализи́руемый, специализи́рованный; -ан, -а, -о; специализи́руя, специализи́ровав; *сов. и несов.* **1.** *кого, что, по чему и на чем.* [См. *специальный*]. Обучить (обучать) какой-л. определенной специальности. *Специализировать студентов по хирургии. Специализировать будущих юристов на следственной работе.* **2.** *что на чем.* Предназначить (предназначать) для работы или использования в какой-л. специальной области. *Специализировать хозяйство на развитии молочного животноводства. Специализировать химическое предприятие на выпуске минеральных удобрений.*

**Специализи́роваться**, -руюсь, -руешься; *возвр.* *Специализироваться в области древнерусской литературы. Специализироваться на выращивании сахарной свеклы.* **Специализа́ция**, -и, ж. *Специализация студентов. Специализация промышленных предприятий.*

**СПЕЦИА́ЛЬНОСТЬ**, -и, ж. [См. *специальный*]. Отдельная область науки, техники, искусства, в которой кто-л. работает, а также то же, что профессия. *Избрать своей специальностью географию. Быть по специальности врачом. Получить в институте специальность. Работать не по специальности.* □ *Дом пребывал в полной заброшенности, и пришлось Феде взвалить на себя хозяйственные заботы. Поэтому и поступил он не в институт, а на курсы шоферов, чтоб поскорее приобрести специальность, быть полезным дому.* Астафьев. Последний поклон.

Син.: карье́ра *(устар.)*.

**СПЕЦИА́ЛЬНЫЙ**, -ая, -ое; -лен, -льна, -о. [Восх. к лат. specialis — особый]. **1.** *полн. ф.* Особый, предназначенный исключительно для определенной цели. *Специальная одежда. Специальный корреспондент. Специальное задание. Специальный выпуск радиопередачи. Специальные медицинские инструменты.* **2.** Относящийся к отдельной отрасли науки, техники, искусства. *Среднее специальное медицинское образование. Изучить специальную литературу по какому-л. вопросу.*

**Специа́льно**, *нареч.*

**СПЕЦИ́ФИКА**, -и, ж. [От лат. specificus — видовой]. Совокупность отличительных особенностей, свойственных чему-л. *Специфика научной работы. Специфика шахтерской профессии. Специфика детской литературы. Специфика исторической эпохи.*

Син.: своеобра́зие.

**Специфи́ческий**, -ая, -ое и **специфи́чный**, -ая, -ое; -чен, -чна, -о. *Специфические условия работы. Специфичный запах.* **Специфи́чность**, -и, ж.

**СПИДВЕ́Й**, -я, м. [Англ. speedway]. Вид спорта — скоростные мотогонки на гаревой (ледяной, земляной или травяной) дорожке стадиона. *Соревнования по спидвею.* □ *Трасса спидвея, на которой продолжался спор с лучшими скоростниками Италии, протянулась на 630 ме-*

тров. Вместо гаревой дорожки здесь был песок, сильно затруднивший скоростные повороты. Евсеев. Побеждает мужество.

**СПИ́КЕР**, -а, м. [Англ. speaker — букв. оратор]. Председатель нижней палаты парламента в Великобритании и некоторых других странах.

**СПИ́ННИНГ**, -а, м. [Англ. spinning — букв. вращающийся]. Рыболовная снасть, состоящая из удилища с катушкой, лесы и блесны, а также способ ужения рыбы такой снастью. *Старик ловил на спиннинг — удочку с блесной, искусственной никелевой рыбкой.* Паустовский. Мещорская сторона.

Спи́ннинговый, -ая, -ое.

**СПИРИТИ́ЗМ**, -а, м. [От лат. spiritus — дух]. Вера в возможность непосредственного общения с душами умерших, а также само воображаемое общение при помощи различных условных приемов (верчения столов, стуков и т. п.). *Увлечение спиритизмом.* □ *Разговор зашел о вертящихся столах и духах, и графиня Нордстон, верившая в спиритизм, стала рассказывать чудеса, которые она видела.* Л. Толстой. Анна Каренина.

Спирити́ческий, -ая, -ое. *Спиритический сеанс.*

**СПИЧ**, -а, м. [Англ. speech — речь]. *Книжн.* Краткая приветственная застольная речь. *Одинцова произнесла весь этот маленький спич с особенной отчетливостью, словно она наизусть его выучила.* Тургенев. Отцы и дети.

**СПЛИН**, -а, м. [Англ. spleen от греч. splēn — селезенка (сплин прежде объясняли заболеванием селезенки)]. *Устар.* Уныние, хандра. *Недуг, которого причину Давно бы отыскать пора, Подобный английскому сплину, Короче: русская хандра Им овладела понемногу.* Пушкин. Евгений Онегин.

С и н.: тоска́, меланхо́лия, ипохо́ндрия, мерехлю́ндия (*разг.*), депре́ссия (*спец.*).

**СПОДВИ́ЖНИК**, -а, м., *обычно чей или кого. Высок.* Тот, кто участвует вместе с кем-л. в каком-л. важном, трудном деле. *Сподвижники Петра I.* □ *Это какие-то богатыри, кованные из чистой стали с головы до ног, воины-сподвижники, вышедшие сознательно на явную гибель, чтобы разбудить к новой жизни молодое поколение.* Ленин, т. 21, с. 255.

С и н.: сора́тник.

Сподви́жница, -ы, ж.

**СПО́ЛОХИ** и **СПОЛО́ХИ** см. всполохи.

**СПО́НСОР**, -а, м. [Англ. sponsor — устроитель, организатор]. Лицо, организация, финансирующие с определенной целью какое-л. мероприятие. *Спонсоры спортивных соревнований. Спонсоры телевизионного конкурса.*

Спо́нсорский, -ая, -ое.

**СПОНТА́ННЫЙ**, -ая, -ое; -анен, -анна, -о. [Восх. к лат. spontaneus — произвольный]. *Книжн.* Вызванный не внешними воздействиями, а внутренними причинами. *Спонтанные процессы.*

С и н.: самопроизво́льный.

Спонта́нно, *нареч.* Спонта́нность, -и, ж. *Спонтанность действий кого-л.*

**СПОРАДИ́ЧЕСКИЙ**, -ая, -ое *и* **СПОРАДИ́ЧНЫЙ**, -ая, -ое; -чен, -чна, -о. [Восх. к греч. sporadikos — отдельный]. *Книжн.* Единичный, случайный, появляющийся от случая к случаю. *Спорадическое явление. Спорадические заболевания* (в противоположность эпидемическим).

С и н.: нерегуля́рный, эпизоди́ческий.

Спорадичность, -и, ж.

**СПРИНТ**, -а, м. [Англ. sprint]. Бег, плавание и т. п. на короткую дистанцию.

**СПРИ́НТЕР**, -а, м. [Англ. sprinter]. Спортсмен, занимающийся спринтом.

Спри́нтерский, -ая, -ое. *Спринтерское многоборье.*

**СПРУТ**, -а, м. Морское животное с восемью большими щупальцами, снабженными присосками; крупный осьминог. □ *И оттуда, где серые спруты Покачнулись в лазурной щели, Закарабкался краб всполохнутый И присел на песчаной мели.* Блок. Соловьиный сад.

**СПУ́ТНИК**, -а, м. **1.** Тот, кто совершает путь вместе с кем-л. *Отстать от спутников. Молчаливый спутник. Спутник жизни* (*перен.*: о муже). **2.** *перен.*, *кого, что.* То, что сопутствует кому-, чему-л., появляется вместе с чем-л. *Природный газ — спутник нефти.* □ *Выстрелы утихли. Орлы, спутники войск, поднялись над горою, с высоты высматривая себе добычу.* Пушкин. Путешествие в Арзрум. **3.** Небесное тело, обращающееся вокруг планеты. *Луна — спутник Земли. Открыть новый спутник планеты.* **4.** Космический аппарат, с помощью ракетных устройств запускаемый на орбиту в космическое пространство. *Искусственный спутник Земли. Спутники связи.*

С и н. (к 1 знач.): попу́тчик.

Спу́тница, -ы, ж. (к 1 и 2 знач.). *Спутница жизни* (*перен.*: о жене). Спу́тниковый, -ая, -ое (к 4 знач.). *Спутниковая радиосвязь.*

**СРЕ́БРЕНИК**, -а, м. Древняя мелкая серебряная монета. *И другие виноградники, лежавшие вокруг, также принадлежали Соломону; он отдавал их внаем сторожам за тысячу серебреников каждый.* Куприн. Суламифь. ◊ **За тридцать сребреников продать** (*или* **предать**) *кого, что* — предать кого-л. из низких, корыстных побуждений (по библейскому сказанию, Иуда предал Христа за тридцать серебряных монет).

**СРЕДА́**, -ы́, сре́ды, сред, ж. **1.** Вещество, заполняющее какое-л. пространство и обладающее определенными свойствами. *Воздушная, жидкая, кислородная среда. Питательные среды.* **2.** Совокупность природных условий, в которых протекает жизнедеятельность какого-л. организма. *Природная среда. Среда обитания. Проблемы охраны окружающей среды.* **3.** Социально-бытовая обстановка, в которой протекает жизнь человека, а также совокупность людей, связанных общностью жизненных условий, занятий, интересов и т. п. *Общественная среда. Выходец из рабочей среды. В среде учащихся, студентов. Военная, научная, театральная среда.*

С и н. (к 3 знач.): круг, окруже́ние, антура́ж.

**СРЕДОТО́ЧИЕ**, -я, *ср.*, *кого, что. Книжн.* Место, где собрано, сконцентрировано что-л., центр чего-л. *Университет — средоточие знаний.* □ *Новый клуб — это, несомненно, событие. Клуб в райцентре — средоточие интеллектуальной жизни, что ни говорите.* Вампилов. Прогулки по Кутулику.

С и н.: центр, фо́кус (книжн.), оча́г (книжн.), эпице́нтр (книжн.).

**СРУБ**, -а, *м.* Сооружение из нескольких рядов бревен, скрепленных в форме четырехугольника, а также бревенчатая постройка. *Сруб избы, шахты.* □ *В сотне метров начиналась поляна с прогнившим колодезным срубом и въехавшей в землю избой.* Б. Васильев. А зори здесь тихие...

**Сру́бовый**, -ая, -ое.

**ССУ́ДА**, -ы, *ж.* Предоставление денег, вещей и т. п. в долг на определенных условиях возврата, а также сами занятые деньги, вещи. *Банковская ссуда. Долгосрочная, безвозвратная ссуда. Погасить ссуду.*

**ССЫ́ЛКА¹**, -и, *ж.* Вид наказания — вынужденное пребывание на поселении в отдаленном месте в качестве ссыльного, а также место такого пребывания. *Пожизненная ссылка. Возвратиться из ссылки.* □ *Прошке повезло — отбывать ссылку определили ему не в северных краях.* Прилежаева. Удивительный год.

С и н.: вы́сылка, изгна́ние (книжн.).

**ССЫ́ЛКА²**, -и, *ж.* 1. Указание на кого-, что-л. в подтверждение или в оправдание чего-л. *Ссылка на чьи-л. слова, на какую-л. книгу. Ссылка на чей-л. авторитет. Ссылка на нездоровье, усталость.* 2. Цитата, выдержка из текста или указание источника, на который ссылаются. *Ссылка внизу страницы. Дать ссылки в конце статьи.*

**Ссы́лочный**, -ая, -ое (ко 2 знач.). *Ссылочное примечание.*

**СТАБИЛИЗИ́РОВАТЬ**, -рую, -руешь и **СТАБИЛИЗОВА́ТЬ**, -зу́ю, -зу́ешь; стабилизи́рующий и стабилизу́ющий, стабилизи́ровавший и стабилизова́вший; стабилизи́руемый и стабилизу́емый, стабилизи́рованный; -ан, -а, -о и стабилизо́ванный; -ан, -а, -о; стабилизи́руя и стабилизу́я; стабилизи́ровав и стабилизова́в; *сов. и несов.; что.* [См. *стабильный*]. Привести (приводить) в устойчивое состояние. *Стабилизировать положение на фронте. Стабилизировать цены. Стабилизовать частоту колебаний.*

**Стабилизи́роваться**, -руюсь, -руешься и стабилизова́ться, -зу́юсь, -зу́ешься; *возвр.* **Стабилиза́ция**, -и, *ж.* *Стабилизация экономики. Стабилизация темпов роста населения.*

**СТАБИ́ЛЬНЫЙ**, -ая, -ое; -лен, -льна, -о. [Восх. к лат. stabilis]. Постоянный, устойчивый, утвердившийся на определенном уровне. *Стабильное напряжение в сети. Стабильный уровень цен.*

С и н.: неизме́нный, конста́нтный (книжн.).

А н т.: непостоя́нный, неусто́йчивый, неста́бильный.

**Стаби́льно**, *нареч.* **Стаби́льность**, -и, *ж. Политическая стабильность.*

**СТА́ВКА**, -и, *ж.* 1. Место расположения военачальника или его штаба. *Казаки, не согласившиеся отдаться в руки правительства, рассеялись. Прочие пошли ко ставке Пугачева.* Пушкин. История Пугачева. 2. Орган высшего военного управления войсками. *Ставка Верховного Главнокомандующего.* □ *[Бессонов] вынужден будет ввести в дело последние средства — иначе не выстоять: бригады танкового и механизированного корпусов, приданных для наступления из резерва Ставки.* Бондарев. Горячий снег. 3. *перен.; на кого, что.* Расчет, ориентация в своих действиях, планах на кого-, что-л. *Делать ставку на энтузиазм молодежи.* □ *На кого Ванька ставил свою ставку, тот, без сомнения, и был нынче в силе, это Омску известно. Нынче он ставил на оголтелого монархиста Волкова.* Залыгин. После бури. 4. В азартных играх: денежная сумма, которую игрок вкладывает в игру. *Крупная ставка.* 5. Размер заработной платы, оклад. *Тарифная ставка. Повышение ставок.*

**СТА́ДИЯ**, -и, *ж.* [Восх. к греч. stadion — стадий (мера длины)]. Период, ступень в развитии чего-л. *Последняя стадия болезни. Новая стадия развития экономики.*

С и н.: эта́п, фа́за и фа́зис (книжн.).

**Стадиа́льный**, -ая, -ое и стади́йный, -ая, -ое (книжн.).

**СТАЖ**, -а, *м.* [Франц. stage]. 1. Продолжительность какой-л. деятельности, работы, а также продолжительность пребывания в рядах какой-л. общественной организации. *Трудовой стаж. Непрерывный, прерванный стаж. Стаж научной работы. Партийный стаж. Производственный стаж.* □ *[Корнилов] был крайплановцем молодым, стаж его работы не достигал и года, и кое-кто все еще смотрел на него, как на стажера, но сам он стажером себя уже не чувствовал — быстро вошел в курс дела и дело это понимал тонко.* Залыгин. После бури. 2. Срок, в течение которого приступивший к работе человек приобретает практический опыт и овладевает специальностью, а также срок, в течение которого вступающий в партию является кандидатом в ее члены. *Кандидатский стаж. Проходить стаж перед зачислением в штат предприятия.* □ *Уже.. все трое открытым голосованием были единогласно приняты кандидатами в члены партии с шестимесячным испытательным стажем.* Шолохов. Поднятая целина.

**СТА́ЙЕР**, -а, *м.* [Англ. stayer]. Спортсмен — бегун, пловец и т. п. на длинные дистанции.

**Ста́йерский**, -ая, -ое.

**СТАН¹**, -а, *м.* Туловище человека. *Стройный, гибкий, легкий, грузный стан.* □ *И каждый вечер, в час назначенный (Иль это только снится мне?), Девичий стан, шелками схваченный, В туманном движется окне.* Блок. Незнакомка.

С и н.: торс, ко́рпус.

**СТАН²**, -а, *м.* 1. Место временного расположения, стоянки кого-л. *Полевой, охотничий стан. Стан тракторной бригады.* □ *Встречал я посреди степей Над рубежами древних ста-*

нов Телеги мирные цыганов. Пушкин. Цыганы. **2.** *перен. Высок.* Воюющая, борющаяся сторона, общественно-политическая группировка. *Вражеский стан. Смятение в стане противника.* □ *Мы открывали Маркса каждый том, как в доме собственном мы открываем ставни, но и без чтения мы разбирались в том, в каком идти, в каком сражаться стане.* Маяковский. Во весь голос. **3.** В дореволюционной России: административно-полицейское подразделение уезда.

С и н. (к 1 знач.): стоя́нка. С и н. (ко 2 знач.): ла́герь.

**Станово́й**, -а́я, -о́е (к 3 знач.). *Становой пристав.*

**СТАН**[3], -а, *м.* Машина или сооружение для обработки металла и для других работ. *Прокатный, ткацкий, мельничный стан.*

**СТАНДА́РТ**, -а, *м.* [Франц., англ. standard]. **1.** Типовой образец, принимаемый за исходный при сопоставлении с ним других подобных объектов. *Государственный стандарт. Изделие соответствует стандарту. Порядок разработки и утверждения стандартов.* **2.** *перен.* То, что не заключает в себе ничего оригинального, своеобразного, творческого. *Действовать по стандарту. Избегать стандарта в формах и методах работы.*

С и н. (ко 2 знач.): шабло́н, трафаре́т, штамп, стереоти́п.

**Станда́ртный**, -ая, -ое. *Стандартные детали. Стандартный вопрос. Стандартное решение.* **Станда́ртно**, *нареч.* (ко 2 знач.). *Стандартно мыслить.* **Станда́ртность**, -и, *ж.*

**СТАНИ́ЦА**, -ы, *ж.* **1.** Большое селение в казачьих районах. *Донские, кубанские станицы.* □ *Почти каждую ночь... пробирались из дальних хуторов и чужих станиц гонцы.* Шолохов. Поднятая целина. **2.** Стая птиц (обычно перелетных). *Поздние гуси станицей К югу стремятся, Плавным полетом несяся В горних пределах.* Карамзин. Осень.

**Стани́чный**, -ая, -ое (к 1 знач.).

**СТАНКО́ВЫЙ**, -ая, -ое. Относящийся к произведениям искусства, созданным на станке (подставке для укрепления картины или скульптуры). *Станковая живопись.*

**СТА́НСЫ**, -ов, *мн.* (*ед.* **станс**, -а, *м.*). [Франц. stance]. Стихотворение, написанное строфами (по четыре строки), законченными в смысловом отношении.

**СТАРООБРЯ́ДЕЦ**, -дца, *м.* Последователь старообрядчества.

С и н.: раско́льник, старове́р, кержа́к (*обл.*).

**Старообря́дка**, -и, *ж.* **Старообря́дческий**, -ая, -ое.

**СТАРООБРЯ́ДЧЕСТВО**, -а, *ср.* Религиозно-общественное движение в России 17 в., отвергавшее церковную реформу патриарха Никона и стремившееся к сохранению старины в церковной жизни и обрядности.

С и н.: раско́л (*устар.*).

**СТАРОСЛАВЯ́НСКИЙ**, -ая, -ое. Относящийся к первому литературно-письменному языку славян эпохи 9—11 вв. *Старославянский язык. Памятники старославянской письменности.*

**СТА́ТИКА**, -и, *ж.* [Греч. statikē]. **1.** Раздел механики, изучающий условия равновесия тел под действием различных сил. *Динамика и статика.* **2.** *Книжн.* Отсутствие движения, неподвижность. *Рассматривать предмет в статике и в движении.*

А н т.: дина́мика.

**Стати́ческий**, -ая, -ое и **стати́чный**, -ая, -ое; -чен, -чна, -чно (ко 2 знач.). *Статичный образ.* **Стати́чность**, -и, *ж.*

**СТАТИ́СТ**, -а, *м.* [От греч. statos — стоя́щий]. **1.** Актер, исполняющий второстепенные роли без слов, участник массовых сцен. **2.** *перен.* О том, кто играет в каком-л. деле незначительную роль и действует по указке других. *Еще в студенческие годы поставив целью главенствовать во всем, он не в силах был примириться с ролью ученого, выполняющего чужую волю; ему не к лицу было быть клерком или статистом, как он иронически стал называть себя.* Ананьев. Годы без войны.

**Стати́стка**, -и, *ж.*

**СТАТИ́СТИКА**, -и, *ж.* [От лат. status — состояние]. **1.** Наука о количественных изменениях в развитии общества и общественного производства. *Данные статистики.* **2.** *чего или какая.* Количественный учет всякого рода массовых случаев, явлений. *Медицинская, уголовная статистика. Статистика рождаемости.* □ *Медицина и физиология еще мало занимались подробным разбором этого; но статистика уже дала бесспорный общий ответ: средняя продолжительность жизни женщин больше, чем мужчин.* Чернышевский. Что делать?

**Статисти́ческий**, -ая, -ое. *Статистический сборник.* **Стати́стик**, -а, *м.* (тот, кто занимается статистикой).

**СТА́ТСКИЙ**, -ая, -ое. [От нем. Staat или голл. staat — государство]. *Устар.* То же, что **штатский**. *Статская служба. Статский костюм.* □ *— Вижу, вижу, батюшка Родион Романович, смеетесь вы надо мною, что я, такой статский человек, все из военной истории примерчики подбираю.* Достоевский. Преступление и наказание.

◇ **Статский советник** — в дореволюционной России: гражданский чин пятого класса. **Действительный статский советник** — в дореволюционной России: гражданский чин четвертого класса.

С и н. (к 1 знач.): невое́нный, гражда́нский, партикуля́рный (*устар.*), циви́льный (*устар.*).

**СТА́ТУС**, -а, *м.* [Лат. status — положение, состояние]. *Офиц. и книжн.* Правовое положение (совокупность прав и обязанностей) кого-, чего-л., а также вообще положение, состояние. *Дипломатический статус. Статус независимости государства. Закон о статусе депутатов.* □ *[Завод] собрал вокруг себя поселок, уже претендующий на статус города.* Нагибин. Чужая.

**СТА́ТУС-КВО**, *нескл., м. и ср.* [От лат. status quo — положение, в котором (что-л. находится)]. *Книжн.* В международном праве: положение, существующее или существовавшее в какой-л. определенный момент. *Восстановить статус-кво. Сохранить статус-кво.*

**СТАТУ́Т**, -а, *м.* [Восх. к лат. statutum — установленное]. *Офиц.* Свод правил, определяющих порядок исполнения, применения чего-л.; положение, устав. *Юридический статут. Статут Организации Объединенных Наций. Статут ордена Славы.* □ *Я боюсь, чтоб шествия и мавзолеи, поклонений установленный статут не залили б приторным елеем ленинскую простоту.* Маяковский. Владимир Ильич Ленин.

**СТАТУЭ́ТКА**, -и, *ж.* [Франц. statuette]. Небольшая скульптурная фигурка, обычно служащая комнатным украшением. *Бронзовая, фарфоровая статуэтка.*

**Статуэ́точный**, -ая, -ое.

**СТА́ТУЯ**, -и, *ж.* [Лат. statua]. Скульптурное изображение человека или животного (обычно во весь рост). *Мраморная, бронзовая статуя. Греческие статуи.*

С и н.: скульпту́ра, извая́ние.

**Стату́арный**, -ая, -ое (*спец.*) и **стату́йный**, -ая, -ое (*устар.*).

**СТАТЬЯ́**, -и́, *ж.* **1.** Небольшое научное или публицистическое сочинение в сборнике, газете или журнале. *Критическая статья.* □ *[Вегменский] получал книги на французском и немецком языках со статьями о достижениях современной западноевропейской медицины.* Залыгин. После бури. **2.** Параграф, раздел, глава в каком-л. юридическом документе, перечне, словаре и т. п. *Статья конституции. Статья уголовного кодекса. Словарная статья.* **3.** *Спец.* Разряд, группа. *Важнейшая статья экспорта. Статьи расходов.* **4.** Во флоте: разряд, степень звания старшины, а до революции также матроса. *Старшина первой статьи.* □ *Через несколько месяцев я принял присягу и стал матросом 2-й статьи.* Новиков-Прибой. Цусима.

**Стате́йный**, -ая, -ое (*к 1 и 2 знач.*).

**СТАЦИОНА́Р**, -а, *м.* [Восх. к лат. stationarius — неподвижный]. **1.** Больница, лечебное учреждение с постоянными койками для больных (в отличие от амбулатории, поликлиники). *Поместить больного в стационар.* **2.** Постоянно действующее учреждение (в отличие от временного или передвижного). *Библиотека-стационар.*

С и н. (*к 1 знач.*): лече́бница.

**Стациона́рный**, -ая, -ое. *Стационарное лечение. Стационарный кинотеатр.*

**СТА́ЧКА**, -и, *ж.* Организованное массовое прекращение работы; забастовка. *Политическая, экономическая стачка. Участники стачки.* □ *С 1895—1896 года, со времени знаменитых петербургских стачек, начинается массовое рабочее движение с участием социал-демократии.* Ленин, т. 25, с. 96.

**Ста́чечный**, -ая, -ое. *Стачечное движение. Стачечный комитет.* **Ста́чечник**, -а, *м.*

**СТЁЖКА**, -и, *ж. Обл. и прост.* Тропинка, дорожка. *[Степанида] бежала по росистой стежке через картофельные огороды к большаку.* В. Быков. Знак беды.

**СТЕЗЯ́**, -и́, *ж.* **1.** *Устар.* Путь, дорога. *Три раза солнца свет Сменялся мраком ночи, Но странника не зрели очи Ни жила, ни стези: повсюду степь и степь Да гор в дали туманной цепь.* Батюшков. Странствователь и домосед. **2.** *перен. Высок.* Жизненный путь, направление деятельности, развития. *[Сатин:] Я, брат, молодой — занятен был! Вспомнить хорошо!.. Рубаха-парень... плясал великолепно, играл на сцене, любил смешить людей... славно! [Лука:] Как же это ты свихнулся со стези своей, а?* М. Горький. На дне.

С и н. (*ко 2 знач.*): колея́.

**СТЕКЛЯ́РУС**, -а, *м.* Род бисера — разноцветные короткие трубочки из стекла, нанизываемые на нитку. *Бусы из стекляруса. Вышивать стеклярусом.*

**Стекля́русный**, -ая, -ое. *Стеклярусные украшения.*

**СТЕЛЛА́Ж**, -а́, *м.* [Голл. stellage]. **1.** Ряд полок в несколько ярусов. *Книжные стеллажи.* □ *Стеллажи сверху донизу были плотно заставлены пыльными томами — научные отчеты со дня основания лаборатории.* Гранин. Иду на грозу. **2.** Приспособление для хранения чего-л. в стоячем положении. *Стеллажи для весел.*

**Стелла́жный**, -ая, -ое.

**СТЕНА́ТЬ**, -а́ю, -а́ешь; стена́ющий и стеня́щий, стена́вший; стена́ и стеня́; *несов. Устар.* Жалобно стонать; издавать крики, сопровождаемые стонами. □ *Вдруг, где-то в отдалении, раздался протяжный, звенящий, почти стенящий звук.* Тургенев. Бежин луг.

**Стена́ние**, -я, *ср.* Громкие стенания.

**СТЕНОГРА́ФИЯ**, -и, *ж.* [От греч. stenos — узкий, тесный и graphein — писать]. Способ быстрой записи устной речи с помощью системы особых знаков и сокращений. *Курсы стенографии. Записывать доклад с помощью стенографии (стенографировать).*

**Стенографи́ческий**, -ая, -ое. *Стенографический отчет.* **Стенографи́ст**, -а, *м.*

**СТЕ́ПЕНЬ**, -и, сте́пени, -е́й, *ж.* **1.** Мера, сравнительная величина чего-л. *Степень подготовленности кадров. Степень повреждения корабля. Высокая степень прочности.* □ *Травкин ни в малейшей степени не догадывался об истинных чувствах этой девушки.* Казакевич. Звезда. **2.** Ученое звание. *Кандидатская степень. Защитить диссертацию на соискание ученой степени доктора филологических наук.* **3.** *Устар.* Служебный ранг, чин. *[Чацкий:] А впрочем, он дойдет до степеней известных, Ведь нынче любят бессловесных.* Грибоедов. Горе от ума. **4.** Разряд, ступень. *Орден Отечественной войны II степени. Диплом первой степени.*

С и н. (*к 1 знач.*): у́ровень.

**СТЕРЕО...** [От греч. stereos — твердый, объемный, пространственный]. Первая составная часть сложных слов, обозначающая: 1) с т е р е о с к о п и ч е с к и й (пространственный, объемный, рельефный), напр.: *стереоме́трия* (раздел геометрии, изучающий пространственные фигуры), *стереокино́, стереофотосъёмка*; 2) с т е р е о ф о н и ч е с к и й (связанный с воспроизведением звука, дающим возможность определить расположение источника звука в пространстве), напр.: *стереоза́пись, стереозвуча́ние.*

**СТЕРЕОТИ́П**, -а, м. [От греч. stereos — твердый и typos — отпечаток]. **1.** Копия типографского набора на металлической пластинке (употр. для печатания многотиражных и повторных изданий). *Отливка стереотипа.* **2.** *перен.* Неизменно повторяющийся образец, шаблон, трафарет. *Стереотипы мышления. Отказ от сложившихся стереотипов.*

С и н. (ко 2 знач.): штамп, станда́рт.

**Стереоти́пный**, -ая, -ое; -пен, -пна, -о. *Стереотипное издание. Стереотипная фраза.* **Стереоти́пно**, *нареч.* (ко 2 знач.). **Стереоти́пность**, -и, ж. (ко 2 знач.).

**СТЕРИЛИЗОВА́ТЬ**, -зу́ю, -зу́ешь; стерилизу́ющий, стерилизова́вший; стерилизу́емый, стерилизо́ванный; -ан, -а, -о; стерилизу́я, стерилизова́в; *сов. и несов.* [См. *стерильный*]. **1.** *что.* Сделать (делать) стерильным (*в 1 знач.*) путем воздействия высоких температур, химических веществ и т. п. *Стерилизовать шприцы.* **2.** *кого.* *Спец.* Сделать (делать) неспособным к деторождению путем особой операции.

**Стерилиза́ция**, -и, ж.

**СТЕРИ́ЛЬНЫЙ**, -ая, -ое; -лен, -льна, -о. [Восх. к лат. sterilis — бесплодный]. **1.** Обеззараженный, освобожденный от микроорганизмов. *Стерильные бинты, перчатки хирурга.* **2.** *Спец.* Бесплодный, лишенный способности к размножению. *Стерильная клетка.*

С и н. (ко 2 знач.): непроизводя́щий.

**Стери́льность**, -и, ж.

**СТЕ́РЛИНГ**, -а, м. [Англ. sterling]. Узаконенный стандарт пробы английских золотых и серебряных монет. ◊ **Фунт сте́рлингов** — денежная единица Великобритании, равная 100 пенсам.

**СТЕРНЯ́**, -и́, ж. Сжатое хлебное поле, а также остатки стеблей на корню на сжатом поле. *Прошлогодняя стерня.* □ *Григорий тотчас же выпряг из косилки своего коня, сел на него и шагом поехал по желтой щетинистой стерне к шляху.* Шолохов. Тихий Дон.

С и н.: жнивьё, по́жня, жни́ва (*обл.*) и жни́во (*обл.*).

**СТИЛИЗА́ЦИЯ**, -и, ж. [См. *стиль*¹]. Подражание внешним формам, характерным чертам какого-л. стиля. *Стилизация под классицизм. Стилизация под старину.* **2.** Произведение, представляющее собой по форме подражание какому-л. стилю. *Удачная стилизация.*

**СТИЛЬ**¹, -я, м. [Восх. к лат. stilus — *букв.* палочка для письма]. **1.** Совокупность признаков, характеризующих искусство определенного времени и направления в отношении идейного содержания и художественной формы. *Романтический, реалистический стиль в литературе. Архитектурные стили.* □ *[Маша:] Откуда такое странное кресло? [Забелин:] Сейчас с чердака снял. Сугубо готический стиль.* Погодин. Кремлевские куранты. **2.** Совокупность приемов использования средств языка, характерных для какого-л. писателя или литературного произведения, направления, жанра. *Публицистический, научный, разговорный стиль.* Бы-

линный *стиль. Своеобразие поэтического стиля Маяковского.* **3.** Метод, совокупность приемов какой-л. деятельности, работы, поведения. *Жесткий стиль руководства. Стили плавания. Найти свой стиль в одежде.* □ *Казалось, что стиль ученого и человеческие его качества связаны между собой.* Гранин. Иду на грозу.

С и н. (ко 2 знач.): слог, язы́к, речь.

**Стилево́й**, -а́я, -о́е (к 1 и 2 знач.) и **стилисти́ческий**, -ая, -ое (ко 2 знач.). *Стилевая манера художника. Стилистический прием.*

**СТИЛЬ**², -я, м. [См. *стиль*¹]. Способ летосчисления. *Старый стиль* (так наз. юлианский календарь). *Новый стиль* (так наз. григорианский календарь).

С и н.: календа́рь.

**СТИ́МУЛ**, -а, м. [Восх. к лат. stimulus — *букв.* остроконечная палка, которой погоняли животных]. *Книжн.* Побудительная причина, заинтересованность в совершении чего-л. *Материальные, моральные стимулы. Стимулы повышения качества выпускаемой продукции.*

**СТИМУЛИ́РОВАТЬ**, -рую, -руешь, стимули́рующий, стимули́ровавший; стимули́руемый, стимули́рованный; -ан, -а, -о; стимули́руя, стимули́ровав; *сов. и несов., кого, что.* [См. *стимул*]. *Книжн.* Создать (создавать) стимул или послужить (служить) стимулом к чему-л. *Стимулировать повышение производительности труда.* □ — *Отметки стимулируют ученье,* — *упрямо настаивала девушка.* Матвеев. Семнадцатилетние.

С и н.: поощри́ть (поощря́ть).

**Стимули́рование**, -я, *ср.* *Экономическое стимулирование.*

**СТИХ**, -а́, м. [Восх. к греч. stichos — ряд, порядок, строка]. **1.** Единица ритмически организованной речи, стихотворная строка. *Размер стиха. Роман в стихах.* □ *Тут он взял от меня тетрадку и начал немилосердно разбирать каждый стих и каждое слово.* Пушкин. Капитанская дочка. **2.** *мн.* Небольшое поэтическое произведение, стихотворение. *Учить стихи. Стихи Лермонтова. Сборник стихов. Стихи для детей.* **3.** Короткий абзац, подразделение главы (в стихотворном произведении и в религиозных текстах). *Поэма моя подвигалась медленно, и я бросил ее на третьем стихе.* Пушкин. История села Горюхина. ◊ **Белые стихи** — нерифмованные стихи.

**Стихово́й**, -а́я, -о́е (к 1 знач.).

**СТИХИ́Я**, -и, ж. [Греч. stoicheion — первоначало]. **1.** В античной философии: один из основных элементов природы (огонь, вода, воздух, земля), лежащих в основе всех вещей. **2.** Явление природы, обнаруживающееся как ничем не сдерживаемая сила, а также сфера его проявления. *Борьба человека со стихией. Морская стихия.* □ *Все спало вкруг меня под кровом тишины. Стихии грозные казалися безмолвны. При свете облаком подернутой луны Чуть веял ветерок, едва сверкали волны.* Батюшков. Тень друга. **3.** *перен., чего или какая.* Неорганизованная сила, действующая в социальной среде, в обществе. *Народная стихия. Стихия рынка.* □ *Вот этой мелкобуржуазной стихии еще колышется* мертвая зыбь. Маяковский. Владимир Ильич Ленин. **4.** *перен., кого, чего или какая.* Привычная обстановка, а также привычный, любимый круг занятий, интересов и т.п. *Математика — его родная стихия. Быть в своей стихии.* ▢ *Она обожала кухарить, украшать стол, обихаживать гостей, это была ее стихия, область ее таланта.* Нагибин. Чужая.

**Стихи́йный**, -ая, -ое (*ко 2 и 3 знач.*). *Стихийное бедствие. Стихийное восстание.*

**СТОГ**, -а, стога́, -о́в, *м.* Большая копна сена, соломы или необмолоченного хлеба, сложенная на открытом воздухе для хранения. *А между тем досужий селянин Плод годовых трудов сбирает; Сметав в стога скошенный злак долин, С серпом он в поле поспешает.* Баратынский. Осень.

**Стогово́й**, -а́я, -о́е.

**СТО́ГНЫ**, стогн, *мн.* (*ед.* **сто́гна**, -ы, *ж.*). *Трад.-поэт.* Широкие улицы, площади. *Когда для смертного умолкнет шумный день И на немые стогны града Полупрозрачная наляжет ночи тень И сон, дневных трудов награда, В то время для меня влачатся в тишине Часы томительного бденья.* Пушкин. Воспоминание.

**СТОИЦИ́ЗМ**, -а, *м.* [По названию портика Stoa в Афинах, где учил философ Зенон]. **1.** Направление в античной философии, провозгласившее сознательное подчинение существующей в мире необходимости и требовавшее господства человека над страстями. **2.** *перен.* Стойкость и мужество в жизненных испытаниях. *Проявить стоицизм.*

**Стои́ческий**, -ая, -ое. *Стоическое учение. Стоическая твердость.* **Стои́чески**, *нареч.* (*ко 2 знач.*). *Стоически переносить невзгоды, несчастья.*

**СТО́ЙБИЩЕ**, -а, *ср.* **1.** Временное поселение кочевников. *Возле лопарского стойбища, среди бедных чумов,.. Мартынов приказал сделать привал.* Казакевич. Сердце друга. **2.** Место отдыха животных, находящихся на пастбищах. *По соседним стойбищам седлали своих коней табунщики.* Айтматов. Прощай, Гульсары!

С и н. (*к 1 знач.*): **стано́вище, стоя́нка**.

**СТОЛБОВО́Й**, -а́я, -о́е. *Устар.* О дворянине: потомственный, почетный (записанный в 16—17 вв. в родословные «столбовые книги»). *Родители [Чичикова] были дворяне, но столбовые или личные — бог ведает.* Гоголь. Мертвые души.

**СТОЛОНАЧА́ЛЬНИК**, -а, *м.* В дореволюционной России: чиновник — начальник стола (отдела, ведавшего каким-л. специальным кругом канцелярских дел). *Менялись главные начальники, менялись директоры, мелькали начальники отделения, а столоначальник четвертого стола оставался тот же.* Герцен. Кто виноват?

**СТОЛП**, -а́, *м.* **1.** *Устар.* Столб. *Уже столпы заставы Белеют; вот уж по Тверской Возок несется чрез ухабы.* Пушкин. Евгений Онегин. **2.** В архитектуре: башня или колонна. *Высоко подняв свечу, Гаврила увидел большую сводчатую палату о четырех приземистых столпах.*

А.Н. Толстой. Петр I. **3.** *перен., чего или какой. Устар. высок. и ирон.* Крупный, видный деятель. *Столпы общества.* ▢ — *Ведь это ты знаешь ли, кто? Известный Сипягин, камергер, в некотором роде общественный столп, будущий министр!* Тургенев. Новь.

**СТО́ЛЬНИК**, -а, *м.* Придворный чин ниже боярского в Русском государстве 13—17 вв., а также лицо, имевшее этот чин (первонач. придворный, прислуживавший за княжеским или царским столом). *В сенях, на лестницах появились.. боярские дети из мелкопоместных, худородных, — стольники, приписанные Софьей к Петрову дворцу.* А.Н. Толстой. Петр I.

**СТОМАТОЛО́ГИЯ**, -и, *ж.* [От греч. stoma, stomatos — рот и logos — учение]. Раздел медицины, занимающийся заболеваниями зубов, полости рта.

**Стоматологи́ческий**, -ая, -ое. **Стомато́лог**, -а, *м.*

**СТОРИ́ЦЕЙ** и **СТОРИ́ЦЕЮ**, *нареч. Устар. и книжн.* Во много раз больше (буквально: в сто раз больше). *Воздать сторицей.* ▢ — *Урожаи-то были не нынешние, сам-четверт да сам-пят, — сторицею давала земля.* Салтыков-Щедрин. Господа Головлевы.

**СТРАДА́**, -ы́, *ж.* **1.** Напряженная летняя работа на полях во время косьбы, жатвы и уборки урожая. *Сверкают ли серпы, звенят ли дружно косы — Ответа я ищу на тайные вопросы, Кипящие в уме: «В последние года Сноснеи ли стала ты, крестьянская страда?»* Н. Некрасов. Элегия. **2.** *перен.* Напряженная работа, деятельность, наступающая время от времени, а также период такой работы. *Боевая, учебная страда.* ▢ *Надвигается еще более ужасная страда, чем гражданская война, разруха, голод, блокада.* Ф. Гладков. Цемент.

**Стра́дный**, -ая, -ое. *Страдная пора.*

**СТРА́ННИК**, -а, *м. Устар.* **1.** Тот, кто странствует, путешествует (обычно пешком). *Скажи мне, странник, Куда в палящий зной Ты пыльною идешь дорогой?* Жуковский. Путешественник и поселянка. **2.** *Устар.* Человек, идущий пешком на богомолье. *Сошелся [Ефим] дорогой с странником. Странник в скуфье, в подряснике и с длинными волосами, был и на Афоне и в другой раз идет в Иерусалим.* Л. Толстой. Два старика.

С и н. (*к 1 знач.*): **пу́тник**. С и н. (*ко 2 знач.*): **пало́мник, пилигри́м** (*устар. книжн.*).

**Стра́нница**, -ы, *ж.*

**СТРАСТНО́Й**, -а́я, -о́е. Относящийся к последней неделе перед пасхой. *Страстная служба.* ▢ [*Аня:*] *Выехала на страстной неделе, тогда было холодно.* Чехов. Вишневый сад.

**СТРАТЕ́ГИЯ**, -и, *ж.* [Восх. к греч. stratēgia от stratos — войско и agein — вести]. **1.** Наука о ведении войны и крупных боевых операций. *Наступательная стратегия. Стратегия обороны.* ▢ — *Ну, рассказывай, — продолжал он.. — как вас немцы с Бонапартом сражаться по вашей новой науке, стратегией называемой, научили.* Л. Толстой. Война и мир. **2.** *перен.* Искусство планирования руководства чем-л., основанного на научных прогнозах. *Стратегия научных исследований. Стратегия политической борьбы.*

**Стратеги́ческий**, -ая, -ое. *Ограничение стратегических вооружений.* **Страте́г**, -а, м. (к 1 знач.). *Выдающийся стратег.*

**СТРАХОВА́ТЬ**, страху́ю, страху́ешь; страху́ющий, страхова́вший; страху́емый, страхо́ванный; -ан, -а, -о; страху́я; *несов.* **1.** *кого, что.* Заключать договор со специальной организацией, которая берет на себя возмещение ущерба в случае стихийных бедствий и несчастных случаев лицам или учреждениям, регулярно уплачивающим ей денежные взносы. *Страховать жизнь. Страховать автомобиль.* **2.** *кого.* Оберегать от возможного несчастного случая, обеспечивая безопасность. *Страховать канатоходца. Страхующие друг друга альпинисты.*

**Страхова́ние**, -я, *ср.* и **страхо́вка**, -и, *ж.* *Социальное страхование. Страховка имущества.*

**СТРЕ́ЖЕНЬ**, -жня, *м.* Полоса речного потока с наибольшей скоростью течения и глубиной (обычно в середине реки). *Из-за острова на стрежень, На простор речной волны Выбегают расписные, Острогрудые челны.* Садовников. Песня.

С и н.: быстрина́, стремни́на.

**Стрежнево́й**, -а́я, -о́е.

**СТРЕЛЕ́Ц**, -льца́, *м.* В Русском государстве 16—17 вв.: военнослужащий особого постоянного войска, вооруженный огнестрельным оружием.

**Стреле́цкий**, -ая, -ое. *Стрелецкий бунт.* □ *Казна за два с половиной года жалованье задолжала стрелецким полкам.* А. Н. Толстой. Петр I.

**СТРЕМНИ́НА**, -ы, *ж.* **1.** Место с бурным, стремительным течением в реке, потоке. *Мы проходили середину реки, самую стремнину. Называют ее стрежнем, селезнем, зёрлом, стрелкой, струной и еще кем-то, не вспомню, но слова-то все какие — одно другого звучнее!* Астафьев. Последний поклон. **2.** *Устар.* Крутой скалистый обрыв. *Кавказ подо мною. Один в вышине Стою над снегами у края стремнины; Орел, с отдаленной поднявшись вершины, Парит неподвижно со мной наравне.* Пушкин. Кавказ.

С и н. (к 1 знач.): быстрина́, стре́жень. С и н. (ко 2 знач.): крутизна́.

**Стремни́нный**, -ая, -ое.

**СТРЕМЯ́ННЫЙ**, -ого и **СТРЕМЕННО́Й**, -о́го, *м.* В старину: конюх-слуга, ухаживающий за верховой лошадью, а также слуга, сопровождающий барина во время охоты. *Между тем стремянный привел виновную лошадь, держа ее под уздцы.* Пушкин. Барышня-крестьянка. *Два стременных держали под уздцы дядину верховую английскую рыжую лошадь.* Лесков. Зверь.

**СТРЕСС** [рэ], -а, *м.* [Англ. stress]. Состояние повышенного напряжения организма, вызываемое действием различных неблагоприятных факторов (холода, голодания, психических и физических травм и т. п.).

**Стре́ссовый**, -ая, -ое. *Стрессовое состояние. Стрессовые ситуации, нагрузки.*

**СТРИПТИ́З**, -а, *м.* [Англ. striptease от strip — раздеваться и tease — дразнить]. В некоторых странах: эстрадное представление, участницы которого постепенно раздеваются. *Многие специально ходят во всякие заведения, чтобы повозмущаться. Например, ходят на стриптиз, чтобы возмущаться, и в недозволенные кабаре.* Гранин. Примечания к путеводителю.

**Стрипти́зный**, -ая, -ое. *Стриптизный танец.*

**СТРОПТИ́ВЫЙ**, -ая, -ое; -и́в, -а, -о. Упрямый, любящий действовать наперекор кому-, чему-л., а также выражающий упрямство, своеволие. *Строптивый конь. Строптивый взгляд.* □ *[Арина Петровна] имеет характер самостоятельный, непреклонный и отчасти строптивый, чему, впрочем, немало способствует и то, что во всем головлевском семействе нет ни одного человека, со стороны которого она могла бы встретить себе противодействие.* Салтыков-Щедрин. Господа Головлевы.

С и н. (к 1 знач.): своево́льный, непоко́рный, непослу́шный.

А н т.: поко́рный.

**Стропти́во**, *нареч.* **Стропти́вость**, -и, *ж.*

**СТРУГ**, -а, стру́ги, -ов и струги́, -о́в, *м.* Старинное речное деревянное плоскодонное судно. *[За лугами] течет светлая река, волнуемая легкими веслами рыбачьих лодок или шумящая под рулем грузных стругов, которые плывут от плодоноснейших стран Российской империи и наделяют алчную Москву хлебом.* Карамзин. Бедная Лиза.

**СТРУКТУ́РА**, -ы, *ж.* [Лат. structura]. Взаимное расположение составных частей, внутреннее устройство чего-л. *Организационная структура. Структура почвы. Структура романа. Совершенствовать экономическую структуру общества.*

С и н.: строе́ние.

**Структу́рный**, -ая, -ое. *Структурный анализ вещества.*

**СТРЯ́ПЧИЙ**, -его, *м.* **1.** В Русском государстве 16—18 вв.: название некоторых должностных лиц, выполнявших различные хозяйственные обязанности при царском дворе. **2.** В дореволюционной России 19 в.: ходатай по делам, частный поверенный. *Завелся процесс.. Хождение по делу было поручено Столыгиным знаменитому тогда в Москве стряпчему.* Герцен. Долг прежде всего.

**СТУ́ДИЯ**, -и, *ж.* [Итал. studio — первонач. старание, изучение]. **1.** Мастерская художника или скульптора. *Он вошел вместе с нею в свою студию,.. уставленную всяким художественным хламом: кусками гипсовых рук, рамками, обтянутыми холстами, эскизами начатыми и брошенными.* Гоголь. Портрет. **2.** Школа для подготовки артистов, художников, скульпторов. *Театральная, цирковая студия. Студия изобразительного искусства.* □ *— Я училась в студии пластического танца по школе Айседоры Дункан.* Панова. Времена года. **3.** Название некоторых театральных коллективов молодых актеров. *Театр-студия.* **4.** Предприятие по производству кинофильмов; киностудия. *Студия документальных фильмов.* **5.** Специальное помещение, откуда производятся радио- или телепередачи. *Вести передачу из студии.*

Син. (к *1 знач.*): ателье́.

**Студи́йный**, -ая, -ое. **Студи́ец**, -и́йца, м. (ко *2 и 3 знач.*).

**СТЮ́АРД**, -а *и* **СТЮА́РД**, -а, м. [Англ. steward]. Служащий гражданского воздушного флота, обслуживающий пассажиров в самолете (первонач. официант на морских пассажирских судах).

Син.: бортпроводни́к.

**Стюарде́сса** [дэ], -ы, ж.

**СТЯГ**, -а, м. *Высок.* Знамя. *Водрузи́ть стяг победы.* □ *Какой чудесный пир для слуха и очей! Здесь пушек светла медь сияет за конями, И ружья длинными рядами, И стяги древние средь копий и мечей.* Батюшков. Переход через Рейн.

**СТЯЖА́ТЬ**, -а́ю, -а́ешь; стяжа́ющий, стяжа́вший; стяжа́емый; стяжа́, стяжа́в; *сов. и несов.*, *что.* **1.** *Книжн.* Нажить (наживать), приобрести (приобретать) деньги, имущество, проявляя корыстолюбие. *Стяжать большое состояние.* □ *Мне бы кончить жизнь в штанах, в которых начал, ничего за век свой не стяжав.* Маяковский. Вызов. **2.** *Высок.* Своей деятельностью добиться (добиваться) какого-л. отношения к себе, достичь (достигать) чего-л. *Стяжать уважение, почет.* □ *Русские артиллеристы стяжали себе славу метким огнем, и не было им равных в стрельбе прямой наводкой.* Брагин. Ватутин.

Син. (ко *2 знач.*): заслужи́ть (заслу́живать), завоева́ть (завоёвывать), приобрести́ (приобрета́ть), сниска́ть (сни́скивать) (*устар. книжн.*).

**Стяжа́тель**, -я, м. (к *1 знач.*).

**СУБ...** [Лат. sub — под]. Первая составная часть сложных слов, обозначающая: 1) расположенный внизу, под чем-л. или около чего-л., напр.: *субти́тр, субтро́пики, субполя́рный, субэквато́ра́льный;* 2) подчиненный, подначальный, напр.: *субинспе́ктор, субордина́тор;* 3) неосновной, неглавный, напр.: *субаре́нда, субподря́д, субпроду́кты.*

**СУБМАРИ́НА**, -ы, ж. [От суб... (см.) и marina — морская]. Устарелое название подводной лодки. *С высоты виднее, не крадется ли где-нибудь в недрах моря неприятельская субмарина.* Новиков-Прибой. Подводники.

**СУБОРДИНА́ЦИЯ**, -и, ж. [От суб... (см.) и лат. ordinatio — упорядоченность]. *Книжн.* Система строгого служебного подчинения младших должностных лиц старшим. *Соблюдать, нарушать субординацию.* □ *Военному скомандовал — и конец. Субординация, дисциплина. А с этими деятелями никакого порядка, для них нет ни генералов, ни старших, ни младших.* Гранин. Иду на грозу.

**СУБРЕ́ТКА**, -и, ж. [Франц. soubrette]. В старинных комедиях и водевилях: веселая, бойкая служанка, посвященная в секреты своей госпожи.

**СУБСИ́ДИЯ**, -и, ж. [Восх. к лат. subsidium — помощь]. *Книжн.* Пособие в денежной или натуральной форме. *Государственные, правительственные субсидии. Предоставлять субсидию (субсидировать).* □ *Сверх определенных ему пяти тысяч карманных денег, в разное время выдавали ему субсидии около такой же суммы.* И. Гончаров. Обрыв.

**СУБСТА́НЦИЯ**, -и, ж. [Лат. substantia]. В философии: первооснова, сущность всех вещей и явлений.

**Субстанциона́льный**, -ая, -ое *и* **субстанциа́льный**, -ая, -ое.

**СУБТИ́ЛЬНЫЙ**, -ая, -ое; -лен, -льна, -о. [Лат. subtilis — тонкий]. **1.** *Устар.* Деликатный, обходительный, мягкий. *Ермолай, как человек не слишком образованный и уже вовсе не «субтильный», начал было его «тыкать».* Тургенев. Льгов. **2.** *Разг.* Хрупкого телосложения, нежный, тонкий, слабый. *[Фекла:] Сам-то такой субтильный, и ножки узенькие, тоненькие.* Гоголь. Женитьба.

Син. (ко *2 знач.*): тщеду́шный, щу́плый, худосо́чный, хли́пкий (*прост.*), леда́щий (*прост.*).

**Субти́льность**, -и, ж.

**СУБЪЕ́КТ**, -а, м. [Лат. subjectum]. **1.** В философии: познающий и действующий человек, существо, противостоящее внешнему миру как объекту познания. **2.** *Книжн.* Лицо (или группа лиц, организация), выступающее активным деятелем в каком-л. процессе, являющееся носителем каких-л. свойств. *Юридический субъект. Субъект воспитания.* **3.** *Разг.* Вообще о человеке. *Подозрительный субъект.* □ *Глеб оглянулся и увидел адвоката Чирского с двумя субъектами в панамах: один их них — бывший крупный винодел побережья, другой — бывший табачный фабрикант.* Ф. Гладков. Цемент.

Син. (к *3 знач.*): ли́чность, осо́ба, лицо́, персо́на (*книжн.*), фигу́ра (*разг.*).

**Субъе́ктный**, -ая, -ое (к *1 знач.*).

**СУБЪЕКТИВИ́ЗМ**, -а, м. [См. *субъект*]. **1.** Идеалистическое философское направление, отрицающее наличие объективных законов развития природы и общества. **2.** Предвзятое, пристрастное отношение к чему-л., определяемое личными взглядами. *Проявить излишний субъективизм в оценке каких-л. фактов.*

Син. (ко *2 знач.*): субъекти́вность.

Ант. (ко *2 знач.*): объекти́вность.

**Субъективи́стский**, -ая, -ое.

**СУБЪЕКТИ́ВНЫЙ**, -ая, -ое; -вен, -вна, -вно. [См. *субъект*]. **1.** Свойственный только данному лицу, субъекту. *Субъективное ощущение.* □ *Когда я смотрю на произведение искусства — тут полный простор моим субъективным воспоминаниям.* Чернышевский. Эстетические отношения искусства к действительности. **2.** Односторонний, лишенный объективности. *Субъективное мнение. Субъективная оценка.*

Син. (к *1 знач.*): ли́чный, индивидуа́льный.

Син. (ко *2 знач.*): пристра́стный, предвзя́тый, необъекти́вный, тенденцио́зный, предубеждённый, лицеприя́тный (*устар.*).

Ант. (ко *2 знач.*): объекти́вный.

**Субъекти́вно**, *нареч.* **Субъекти́вность**, -и, ж.

**СУВЕРЕНИТЕ́Т**, -а, м. [Восх. к франц. souveraineté]. *Книжн.* Полная независимость государства от других государств во внешней и внутренней политике. *Государственный, национальный су-*

веренитет. *Принцип суверенитета и территориальной целостности.*
**СУВЕРЕ́ННЫЙ**, -ая, -ое; -ре́нен, -ре́нна, -о. [Франц. souverain — букв. высший, верховный]. *Книжн.* **1.** *полн. ф.* Осуществляющий верховную власть. *Суверенный правитель.* **2.** Обладающий суверенитетом. *Суверенные государства.*
С и н. (ко 2 знач.): незави́симый, самостоя́тельный.
**Суверенность**, -и, ж.
**СУ́ДАРЬ**, -я, м. *Устар.* Форма вежливого обращения к мужчине из привилегированных слоев общества.
**Суда́рыня**, -и, ж.
**СУ́ДОРОЖНЫЙ**, -ая, -ое; -жен, -жна, -о. **1.** Вызванный или сопровождающийся судорогой (резким непроизвольным сокращением мышц). *Судорожная гримаса. Судорожный кашель.* ◻ *[Квартальный] воротился бледный, растерянный и с судорожным подергиванием в лице.* Герцен. Былое и думы. **2.** *перен.* Напряженный, порывистый, резкий. *Рощин судорожным движением затянул ременный кушак. Ухватился за куст, полез наверх.* А. Н. Толстой. Хождение по мукам. **3.** *перен.* Болезненно-беспокойный, лихорадочный, суетливый. *Судорожные сборы. Судорожная торопливость.* ◻ *Сильвио был озабочен; не было уже и следов его судорожной веселости.* Пушкин. Выстрел.
С и н. (к 1 знач.): конвульси́вный, спазмати́ческий.
**Су́дорожно**, *нареч.* **Су́дорожность**, -и, ж.
**СУДЬБА́**, -ы́, су́дьбы, су́деб, ж. **1.** Ход жизненных событий, стечение обстоятельств, не зависящих от воли человека. *Удары судьбы. Благодарить судьбу.* ◻ *Дай мне ясной жизни, судьба! Дай мне гордой смерти, судьба!* Р. Рождественский. Реквием. **2.** Доля, участь, жизненный путь. *Разные судьбы. Связать свою судьбу с кем-л.* ◻ *Людей неинтересных в мире нет. Их судьбы — как истории планет. У каждой все особое, свое, и нет планет, похожих на нее.* Евтушенко. Людей неинтересных в мире нет... **3.** *Книжн.* История существования кого-, чего-л. *Судьба книги, рукописи.* **4.** *Книжн.* Будущее, дальнейшее существование. *Решить чью-л. судьбу. Заботиться о судьбах страны.* ◇ **Ирония судьбы** — нелепая случайность. **Искушать** (или **испытывать**) **судьбу** — подвергать себя опасности, риску, надеясь на маловероятный успех. **На произвол судьбы** — без присмотра, без поддержки, без помощи. **Какими судьбами?** — как очутился здесь? (восклицание при неожиданной встрече).
С и н. (к 1 знач.): фа́тум (*книжн.*), рок (*высок.*), судьби́на (*трад.-поэт.*), форту́на (*устар.*) С и н. (ко 2 знач.): звезда́, судьби́на (*трад.-поэт.*), плани́да (*прост.*), ли́ния (*прост.*), жре́бий (*устар.*), часть (*устар.*), пу́ть (*устар.*), уде́л (*устар.* и *книжн.*).
**СУЕВЕ́РИЕ**, -я, *ср.* Вера в то, что некоторые явления и события представляют собой проявление сверхъестественных сил или служат предзнаменованием будущего. *[Русский народ] по натуре своей глубоко атеистический народ. В нем еще много суеверия, но нет и следа религиозности. Суеверие проходит с успехами цивилизации; но религиозность часто уживается и с ними.* Белинский. Письмо к Гоголю.
**СУЕСЛО́ВИЕ**, -я, *ср.* *Устар.* Праздные, пустые разговоры. *Был сейчас сосед тих и светел, словно от него отлетело уже все земное и покинули его обычная суетливость и суесловие.* Горбатов. Непокоренные.
С и н.: пустосло́вие, праздносло́вие (*книжн.*), пустозво́нство (*разг.*).
**СУЕТА́**, -ы́, ж. **1.** *Устар.* и *книжн.* Все ничтожное, лишенное подлинной ценности. *Вся жизнь есть царство суеты, И, дуновенье смерти чуя, Мы увядаем, как цветы, — Почто же мы мятемся всуе?* А. К. Толстой. Иоанн Дамаскин. **2.** Мелочные повседневные дела, заботы, интересы. *Житейская суета.* ◻ *[Женщины] суетой, разговорами и бесконечными чаепитиями делали дом наполненным жизнью.* Ананьев. Годы без войны. **3.** Беспорядочное движение, торопливая беготня, хлопоты. *Вокзальная суета. Суета большого города.* ◻ *В госпитале возбуждение, суета и сумятица — идет подготовка к Новому году.* Астафьев. Звездопад. ◇ **Суета сует; прах и суета** — то же, что суета (в 1 знач.).
С и н. (к 1 знач.): прах (*устар.*), тлен (*устар.* и *высок.*). С и н. (к 3 знач.): сумато́ха, су́толока, сумя́тица (*разг.*), суетня́ (*разг.*).
**СУЖДЕ́НИЕ**, -я, *ср.* **1.** *Книжн.* Мнение о чем-л. *Самостоятельность суждений кого-л.* ◻ *[Молчалин:] В мои лета не должно сметь Свое суждение иметь.* Грибоедов. Горе от ума. **2.** В логике: мысль, в которой что-л. утверждается или отрицается относительно предмета или явления, напр.: «все люди смертны», «металлы теплопроводны».
С и н. (к 1 знач.): взгляд, соображе́ние, воззре́ние (*книжн.*), пози́ция (*книжн.*).
**СУ́ЖЕНЫЙ**, -ого, *м.* *Нар.-поэт.* Тот, кто предназначен судьбой в мужья кому-л. *[Все] решили, что видно такова была судьба Марьи Гавриловны, что суженого конем не объедешь.* Пушкин. Метель.
С и н.: жени́х.
**Су́женая**, -ой, ж.
**СУЛТА́Н**[1], -а, м. [Восх. к араб. sulṭān]. Титул верховного правителя в некоторых мусульманских странах, а также лицо, носящее этот титул. *Турецкий султан.* ◻ *Мне представилось, что я царь, шах, хан, король, бей, набаб, султан или какое-то сих названий нечто, сидящее во власти на престоле.* Радищев. Путешествие из Петербурга в Москву.
**Султа́нский**, -ая, -ое.
**СУЛТА́Н**[2], -а, м. [См. *султан*[1]]. **1.** Украшение в виде стоячего пучка перьев или конских волос на головных уборах (обычно военных), а также на головах лошадей. *Четверня серых лошадей, с красными султанами под ушами, с медными бляхами и бубенцами на сбруе, тяжелым скоком пронесла карету по широкому лугу.* А. Н. Толстой. Петр I. **2.** *перен., чего.* Расширяющийся кверху столб чего-л. *Султан огня.* ◻ *За кормою.. поднимался, качаясь, султан ба-*

грового дыма и сквозь него проступали мачты и переплеты снастей. Крымов. Танкер «Дербент». **3.** Соцветие у некоторых растений в виде метелки из колосков. *Она [степь] белела дымчатыми султанами ковыля, высохшими плешинами потрескавшихся от жары солончаков.* Шолохов. Поднятая целина.

**СУМАСБРО́Д,** -а, *м.* Безрассудный, действующий по случайной прихоти человек.— *Вам было странно.., что я не требовал удовлетворения от этого пьяного сумасброда Р\*\*\*.* Пушкин. Выстрел.

С и н.: чуда́к, оригина́л *(разг.),* чуди́ла *(прост.).*

**Сумасбро́дка,** -и, *ж.* **Сумасбро́дный,** -ая, -ое; -ден, -дна, -о. *Сумасбродный поступок.*

**СУМБУ́Р,** -а, *м.* Крайний беспорядок, отсутствие ясности, последовательности где-л., в чем-л. *Сумбур в записях. Устроить сумбур в доме.* □ *— У него тоже сумбур в голове, но хоть какие-то идеи копошатся.* Гранин. Иду на грозу.

С и н.: пу́таница, неразбери́ха *(разг.),* сумя́тица *(разг.),* ерала́ш *(разг.),* ка́ша *(разг.).*

**Сумбу́рный,** -ая, -ое; -рен, -рна, -о. **Сумбу́рно,** *нареч. Сумбурно рассказывать.*

**СУММА́РНЫЙ,** -ая, -ое; -рен, -рна, -о. [Лат. summarius]. *Книжн.* **1.** Получившийся в результате сложения, представляющий собой сумму чего-л. *Суммарный результат. Суммарная продукция.* **2.** Обобщенный, нерасчлененный, без подробностей. *Суммарный обзор событий. Суммарное изложение фактов.*

**Сумма́рно,** *нареч.* **Сумма́рность,** -и, *ж.*

**СУ́МРАЧНЫЙ,** -ая, -ое; -чен, -чна, -о. **1.** Тускло освещенный, погруженный в полумрак. *Сумрачный лес.* □ *Гроза сопровождала поезд всю ночь; по крайней мере, так представлялось Сергею Ивановичу, который долго не мог заснуть в сумрачном и озарявшемся молниями купе.* Ананьев. Годы без войны. **2.** *перен.* Угрюмый, мрачный. *Сумрачный взгляд.* □ *Морозка протискался в дверях и стал рядом с Дубовым, сумрачный и злой.* Фадеев. Разгром. **3.** *перен.* Тяжелый, безрадостный. *Сумрачные дни.*

С и н. (к *1 знач.*): тёмный, неосвещённый, С и н. (ко *2 знач.*): хму́рый, па́смурный.

**Су́мрачно,** *нареч.* (ко *2 знач.*). **Су́мрачность,** -и, *ж.*

**СУПЕР...** [Лат. super — сверху, над]. Первая составная часть сложных слов, обозначающая: 1) расположенный сверху, над чем-л., напр.: *суперобло́жка;* 2) главный, напр.: *суперарби́тр;* 3) высшего качества или усиленного действия, напр.: *суперартилле́рия, суперцеме́нт, супермо́дный.*

**СУПЕРМА́РКЕТ,** -а, *м.* [Англ. supermarket]. Большой (обычно продовольственный) магазин самообслуживания; универсам.

**СУПЕРМЕ́Н,** -а, *м.* [Англ. superman — *букв.* сверхчеловек]. **1.** *Ирон.* Человек, убежденный в своем превосходстве над другими людьми. **2.** Герой детективов, комиксов, кинобоевиков и т. п., наделенный необыкновенными качествами, делающими его непобедимым, неотразимым.

**Суперме́нский,** -ая, -ое *(разг.).*

**СУПО́НЬ,** -и, *ж.* Ремень для стягивания хомута при запряжке лошади. *Стянуть, распустить супонь.* □ *В ней было много мужской ухватистости и силы. Даже лошадь она запрягала по-мужски, упираясь в обод клеща, разом затягивая супонь.* Шолохов. Поднятая целина.

**СУПОСТА́Т,** -а, *м. Устар. и высок.* Неприятель, недруг. *[Царь:] Но кто же он, мой грозный супостат? Кто на меня? Пустое имя, тень,— Ужели тень сорвет с меня порфиру, Иль звук лишит детей моих наследства?* Пушкин. Борис Годунов.

С и н.: враг, противник.

**СУРДИ́НА,** -ы *и* **СУРДИ́НКА,** -и, *ж.* [Франц. sourdine; *восх. к* лат. surdus — глухой]. Приспособление для приглушения звука в музыкальных инструментах. ◇ **Под сурди́нку** — 1) тихо, приглушенно; 2) тайком, втихомолку, незаметно. *Под сурдинку уезжали из Каменской казаки, не желавшие войны.* Шолохов. Тихий Дон.

**СУРРОГА́Т,** -а, *м.* [*Восх. к* лат. surrogatus — поставленный вместо другого]. **1.** Заменитель натурального продукта, товара, обладающий лишь некоторыми свойствами заменяемого. *Сахарин — суррогат сахара.* □ *Гораздо лучше смотреть на самое море, нежели на его изображение, но, за недостатком лучшего, человек довольствуется худшим, за недостатком вещи — ее суррогатом.* Чернышевский. Эстетические отношения искусства к действительности. **2.** *перен., чего.* Подобие чего-л., то, что подменяет собой что-л., создает видимость, иллюзию чего-л. *Суррогат счастья.* □ *— Обмен веществ! Но какая трусость утешать себя этим суррогатом бессмертия!* Чехов. Палата № 6.

С и н. (к *1 знач.*): эрза́ц.

**Суррога́тный,** -ая, -ое.

**СУРЬМА́,** -ы́, *ж.* [Тюрк.]. **1.** Химический элемент — серебристый хрупкий металл (применяется в технике, медицине и т. п.). **2.** Краска для чернения волос, бровей, ресниц. *Ни румян, ни белил, не сурьмы, ни пудры, никакой фальши на свежем, чистом лице [Ирины].* Тургенев. Дым.

**Сурьмяный,** -ая, -ое.

**СУСА́ЛЬНЫЙ,** -ая, -ое; -лен, -льна, -о. **1.** *полн. ф.* Относящийся к изготовлению тончайших пластин из золота или серебра и др. металлов, служащих для отделки каких-л. изделий. *Он бодро шел, жевал калач, В подарок нес жене кумач, Сестре платок, а для детей В сусальном золоте коней.* Н. Некрасов. Кому на Руси жить хорошо. **2.** *перен.* Отличающийся фальшивой красивостью, слащавостью. *Где же именно и когда хорошее намерение писателя превращалось в сусальную иконопись — в лакировку действительности?* Соболев. Литература и наша современность. ◇ **Суса́льный пряник** — в старину: золоченый или посеребренный пряник.

**Суса́льность,** -и, *ж.* (ко *2 знач.*).

**СУТА́НА,** -ы, *ж.* [Франц. soutane]. Верхняя длинная одежда католического духовенства, носимая вне богослужения.

**СУТЬ,** -и, *ж.* Самое главное, существенное в чем-л. *Понять суть вопроса.* □ *Во всем мне хочется дойти До самой сути. В работе, в пои-*

сках пути, В сердечной смуте. Пастернак. Во всем мне хочется дойти... ◇ **По сути дела** — в действительности, на деле.

С и н.: су́щность, существо́, содержа́ние, квинтэссе́нция (книжн.), эссе́нция (устар.).

**СУТЯ́ЖНИЧЕСТВО**, -а, ср. Разг. неодобр. Занятие тяжбами в корыстных целях, пристрастие к ведению тяжб. [Андрей:] Родятся другие и тоже едят, пьют, спят, и, чтобы не отупеть от скуки, разнообразят жизнь свою гадкой сплетней, водкой, картами, сутяжничеством. Чехов. Три сестры.

**СУФЛЁР**, -а, м. [Франц. souffleur — букв. подсказывающий]. Работник театра, подсказывающий актерам слова роли во время спектакля. [Паратов:] Он все амплуа прошел и в суфлерах был. А. Островский. Бесприданница.

**Суфлёрский**, -ая, -ое. Суфлерская будка.

**СУХОДО́Л**, -а, м. Безводная долина, орошаемая только дождевыми и снеговыми водами. Погожие, жаркие дни ускорили созревание трав по суходолам, и в степной покос наконец-то включилась последняя, третья, бригада Гремяченского колхоза. Шолохов. Поднятая целина.

**СУЩЕСТВО́**[1], -а́, ср. Самое главное в чем-л., внутреннее содержание чего-л. Существо дела. Понять существо проблемы. □ Она увидела ту бедность.., какая была в квартире Любы и составляла существо ее жизни (бедность не только внешнюю — в стульях, занавесках и покрывалах, — но прежде всего как будто духовную). Ананьев. Годы без войны. ◇ **Говорить по существу** — говорить о самом главном, существенном.

С и н.: суть, су́щность, квинтэссе́нция (книжн.), эссе́нция (устар.).

**Существенный**, -ая, -ое; -ен и -енен, -енна, -о. Существенные признаки предмета.

**СУЩЕСТВО́**[2], -а́, ср. Живой организм, человек или животное. Мы уходим в неизвестность. Нас ведет туда.. вековечная мечта человека открыть себе подобные разумные существа в иных мирах. Айтматов. Буранный полустанок.

**СУ́ЩИЙ**, -ая, -ее. **1.** Устар. Имеющийся в действительности, существующий. Слух обо мне пройдет по всей Руси великой, И назовет меня всяк сущий в ней язык, И гордый внук славян, и финн, и ныне дикой Тунгус, и друг степей калмык. Пушкин. Я памятник себе воздвиг нерукотворный... **2.** Настоящий, истинный. Сущие пустяки. □ Даю вам честное, благородное слово, что все это сущая правда. Лермонтов. Герой нашего времени.

С и н. (ко 2 знач.): и́стый, фо́рменный (разг.), чи́стый (разг.).

**СУ́ЩНОСТЬ**, -и, ж. Самое главное и существенное в чем-л., основное содержание чего-л. Су́щность явления. □ Письмо сие.. рассердило Кирила Петровича не странным слогом и расположением, но только своею сущностью. Пушкин. Дубровский.

С и н.: суть, существо́, квинтэссе́нция (книжн.), эссе́нция (устар.).

**СФЕ́РА**, -ы, ж. [Восх. к греч. sphaira]. **1.** Шар или его внутренняя поверхность. Земная сфера. Небесная сфера. **2.** чего или какая. Область действия, пределы распространения чего-л. Экономическая, военная сфера. Сфера деятельности. Сферы влияния. Сфера производства товаров народного потребления. Сфера услуг. **3.** чего или какая. Общественное окружение, среда, обстановка. Театральная, литературная, дипломатическая сфера. □ Из всех сфер жизни нам оставлено тесниться только в одной сфере семейной жизни, — быть членами семьи. И только. Чернышевский. Что делать?

С и н. (к 3 знач.): мир.

**Сфери́ческий**, -ая, -ое (к 1 знач.).

**СФИНКС**, -а, м. [Греч. sphinx]. **1.** Каменное изваяние лежащего льва с человеческой головой, созданное в Древнем Египте как олицетворение власти фараона, а также такая фигура, вырезанная или высеченная где-л. Сфинксы, как утомленные тигрицы, смотрели друг в друга, и в бесчисленный раз прочел я под ними: «Сфинкс из древних Фив в Египте перевезен в град святого Петра в 1832 году». Форш. Одеты камнем. **2.** В древнегреческой мифологии: крылатое существо с туловищем льва, с головой и грудью женщины, задававшее неразрешимые загадки. **3.** перен. Книжн. О ком-, чем-л. странном, загадочном, непонятном. Природа — сфинкс. И тем она верней Своим искусом губит человека, Что, может статься, никакой от века Загадки нет и не было у ней. Тютчев. Природа — сфинкс...

С и н. (к 3 знач.): зага́дка.

**СХЕМАТИ́ЗМ**, -а, м. [От греч. schēma, schēmatos — форма, схема]. Склонность мыслить готовыми схемами, упрощенность в мышлении, изображении, построении и т. п. чего-л. Схематизм рассказа. □ Мы далеки от мысли проповедовать какую-нибудь единообразную систему или решение задачи несколькими постановлениями. Нет, о схематизме в этой [литературной] области всего менее может быть речь. Ленин, т. 12, с. 102.

**СХИ́МНИК**, -а, м. [От ср.-греч. schēma — монашеское облачение]. Монах, принявший схиму (высшую монашескую степень), требующую от посвященного строгого аскетизма. Сжалился бог и к спасению Схимнику путь указал: Старцу в молитвенном бдении Некий угодник предстал. Н. Некрасов. Кому на Руси жить хорошо.

**Схи́мница**, -ы, ж. **Схи́мнический**, -ая, -ое.

**СХО́ДКА**, -и, ж. **1.** В дореволюционной России: собрание членов сельской общины. Крестьянская, мирская сходка. □ На сходке с ним повздорил, с бурмистром-то, невтерпеж, знать, пришлось. Тургенев. Бурмистр. **2.** В дореволюционной России: революционное собрание рабочих, студентов и т. п. Подпольная сходка. □ Белогорский говорил о студенческих сходках и стачках. Прилежаева. Удивительный год.

**СХОЛА́СТИКА**, -и, ж. [Восх. к греч. scholasticos — школьный, ученый]. **1.** Средневековая религиозно-идеалистическая философия, основанная на церковных догматах и обслуживающая богословие. Доктор схоластики. **2.** Формальное знание, оторванное от жизни, основывающееся на отвлеченных рассуждениях, не проверяемых опытом. *[Войницкий:]* До прошлого года я так же, как вы, нарочно старался отуманивать свои глаза вашею этою схоластикой, чтобы не видеть настоящей жизни. Чехов. Дядя Ваня.

С и н. (ко 2 знач.): начётничество, талмуди́зм (книжн.), доктринёрство (книжн.).

**Схоласти́ческий**, -ая, -ое.

**СЦЕ́НА**, -ы, ж. [Восх. к греч. skēnē — первонач. шатер, палатка]. **1.** Специальная площадка, на которой происходит театральное представление, а также вообще театр, театральная деятельность. *Вращающаяся сцена. Выйти на сцену. Осветитель сцены. Мастера сцены.* **2.** Часть действия, эпизод в пьесе, литературном произведении, фильме и т. п. *Показать сцену из спектакля. Участники массовых сцен в фильме.* **3.** Происшествие, случай, эпизод. *Наблюдать за уличной сценой.* ☐ *«Акулина! друг мой, Акулина!»* — *повторял он, целуя ее руки. Мисс Жаксон, свидетельница этой сцены, не знала, что подумать.* Пушкин. Барышня-крестьянка. ◇ **Сойти со сцены** — 1) перестать выступать на сцене; 2) перестать исполняться. *Пьеса сошла со сцены;* 3) утратить свою роль, свое значение.

С и н. (к 1 знач.): подмо́стки. С и н. (ко 2 знач.): явле́ние.

**Сцени́ческий**, -ая, -ое (к 1 знач.).

**СЦЕНА́РИЙ**, -я, м. [Восх. к лат. scaenarius — сценический, театральный]. **1.** Литературное произведение с подробным описанием действия, на основе которого создается кино- или телефильм. **2.** *перен.* План, схема проведения какого-л. мероприятия. *Сценарий праздника.* ☐ *В нем [портфеле] находились, говоря современным языком, «сценарий» высадки десанта и план-карта действий войск Приморской армии.* Сажин. Севастопольская хроника.

**Сцена́рный**, -ая, -ое (к 1 знач.). *Сценарный материал.* **Сцена́рист**, -а, м. (к 1 знач.).

**СЪЕЗД**, -а, м. Собрание представителей каких-л. организаций, групп населения и т. п. *Съезд народных депутатов России. Партийный съезд. Съезд писателей, учителей.*

**Съе́здовский**, -ая, -ое.

**СЭР**, -а, м. [Англ. sir]. В англоязычных странах: почтительное обращение к мужчине (первонач. один из дворянских титулов).

**СЮЖЕ́Т**, -а, м. [Франц. sujet]. **1.** Ряд последовательно развивающихся событий, изображенных в художественном произведении. *Сказочный сюжет. Сюжет рассказа.* ☐ *[Рисунки и гравюры] угнетали скучной бескрылостью так называемых «производственных» сюжетов.* Лавренев. Гравюра на дереве. **2.** *Разг.* Тема, предмет чего-л. *Сюжет для разговора.* ☐ *Покуда разливали суп, Иудушка, выбрав приличный сюжет, начинает беседу с батюшками.* Салтыков-Щедрин. Господа Головлевы.

С и н. (к 1 знач.): фа́була, интри́га (книжн.).

**Сюже́тный**, -ая, -ое.

**СЮЗЕРЕ́Н** [зэрэ́], -а, м. [Франц. suzerain]. В Западной Европе в средние века: крупный земельный собственник-феодал, являющийся государем по отношению к зависимым от него вассалам.

**СЮ́ЙТА**, -ы, ж. [Франц. suite — букв. последовательность]. Музыкальное произведение, состоящее из нескольких самостоятельных частей, объединенных общим замыслом. *Оркестровая сюита. Сюита из музыки к кинофильму.*

**Сюи́тный**, -ая, -ое.

**СЮРПРИ́З**, -а, м. [Франц. surprise]. **1.** Неожиданный подарок. *Приятный сюрприз.* ☐ *Свадьба устраивалась очень весело: много бывало вечеров и перед ней и после нее, много сюрпризов невесте от подруг по мастерской. Что делать?* **2.** *Разг.* Неожиданное событие. — *То, что я беру на себя роль судьи, это такой же сюрприз моему брату, как и вам.* Достоевский. Преступление и наказание.

С и н. (ко 2 знач.): неожи́данность.

**СЮРРЕАЛИ́ЗМ**, -а, м. [Франц. surréalisme — букв. сверхреализм]. Модернистское направление в искусстве 20 в., провозгласившее источником искусства сферу подсознания (инстинкты, сновидения, галлюцинации).

**Сюрреалисти́ческий**, -ая, -ое. **Сюрреали́ст**, -а, м.

**СЮРТУ́К**, -а́, м. [Франц. surtout]. Мужская верхняя двубортная одежда в талию с длинными полами. *Одет он был в какой-то поношенный сюртук с медными гладкими пуговицами.* Тургенев. Певцы.

**Сюрту́чный**, -ая, -ое.

# Т

**ТАБАКЕ́РКА**, -и, ж. [Франц. tabatière]. Коробочка с крышкой для табака, преимущественно нюхательного. *[Бабушка] нюхала табак из черной табакерки, украшенной серебром.* М. Горький. Детство.

**Табаке́рочный**, -ая, -ое.

**ТАБА́НИТЬ**, -ню, -нишь; таба́нящий, таба́нивший; таба́ня; *несов. Спец. и обл.* Грести веслом в обратную сторону для движения лодки кормой вперед или для поворота. — *Права греби, лева табань!* — *громким голосом крикнул Петр Степаныч.* Мельников-Печерский. На горах.

**ТА́БЕЛЬ**, -я, м. та́бели, -ей и (*разг.*) табеля́, -е́й, м. и (*устар.*) **ТА́БЕЛЬ**, -и, ж. [Голл. tabel от лат. tabula — доска, таблица]. **1.** Перечень чего-л. с указанием данных о перечисляемых предметах. *Табель оборудования ремонтных мастерских.* ☐ *[Генерал] Белый просматривал табель снарядов, еще сохранившихся в крепости.* Степанов. Порт-Артур. **2.** (*мн.* табеля́, -е́й). Доска с жетонами (а также сам такой жетон) или книга для учета явки на работу и ухода с работы рабочих и служащих. *Сменный мастер Федорко.. записал меня в цеховой табель, выдал рабочий номерок, временный пропуск.* В. Беляев. Старая крепость. ◇ **Табель о рангах** — в дореволюционной России: список чинов военного, гражданского и придворного ведомств по рангам, классам, введенный Петром I. — *Во-первых, я* *не генерал, а капитан 2-го ранга, что по военной табели о рангах соответствует подполковнику.* Чехов. Свадьба.

Син. (к 1 знач.): спи́сок, рее́стр, о́пись, ро́спись.

**Та́бельный**, -ая, -ое.

**ТАБЛО́**, нескл., ср. [Франц. tableau — картина, таблица, доска для объявлений]. Щит или экран с появляющимися на нем световыми сигналами, надписями и другой информацией о состоянии контролируемого объекта. *Световое табло стадиона. Железнодорожное табло.* □ *На специальном табло [в радиорубке], как у входа в рентгеновский кабинет, горят строгие красные буквы: «Тихо! Идет передача!»* Лиханов. Обман.

**ТАБЛЬДО́Т**, -а, м. [Франц. table d'hôte]. В некоторых странах: общий обеденный стол с общим меню в гостиницах, пансионах и ресторанах. *Путешественник подымался в номер, брился, надевал свежее белье, шел к табльдоту, ел салат из крабов с провансалем и холодный ростбиф, пил кофе и пробовал сыры.* Федин. Похищение Европы.

**ТА́БОР**, -а, м. [Тюрк. (турецк.) tabur — лагерь, военный обоз]. **1.** В Русском государстве 15—17 вв.: укрепленный военный лагерь, а также войсковой казачий лагерь с обозами. *Когда зазеленел восток, по табору полетели негромкие окрики. Сотни казаков начали перелезать через земляной вал.. Табор неслышно опустел.* А. Н. Толстой. Петр I. **2.** Группа семейств цыган, кочующих вместе, а также место их стоянки. *И шумною толпою Поднялся табор кочевой С долины страшного ночлега.* Пушкин. Цыганы.

**Та́борный**, -ая, -ое.

**ТАБУ́**, нескл., ср. [Полинез. tapu]. **1.** У первобытных народов: запрет, налагаемый на какое-л. действие, слово, предмет, нарушение которого, по суеверным представлениям, карается сверхъестественными силами. *Древний обычай табу.* **2.** *перен.* Вообще какой-л. запрет. *Есть у Чуда портрет жены, но он на него «табу» наложил — никому не показывать.* Колыхалов. У подножия солнца.

**ТАВЕ́РНА**, -ы, ж. [Восх. к лат. taberna — лачуга, лавка, харчевня]. В некоторых странах: небольшой трактир, кабачок. *В тавернах, в театрах — везде пристально смотрю, как и что делают, как веселятся, едят, пьют.* И. Гончаров. Фрегат «Паллада».

**ТАВРО́**, -а́, та́вра, тавр, ср. [Тюрк.]. **1.** Клеймо, выжигаемое на коже, рогах, копытах сельскохозяйственного животного как отличительный знак.— *Наш, отечественный,— определил Хаецкий, как цыган обходя лошадку вокруг и старательно заглаживая выстриженное тавро.* Гончар. Знаменосцы. **2.** Орудие для клеймения скота. *Табунщик подал Урсанаху накаленное докрасна тавро, а тот приложил его к жеребенку. Домна Борисовна смазала ожог вазелином.* А. Кожевников. Живая вода.

Син. (к 1 знач.): ме́та.

**Тавро́вый**, -ая, -ое.

**ТАВТОЛО́ГИЯ**, -и, ж. *Книжн.* [От греч. tauto — то же самое и logos — слово]. Повторение того же самого другими словами, не уточняющими смысла. *Мы заставим здесь природу поклониться нам поклоном до земли.. «Поклониться поклоном» — явная тавтология.* Исаковский. О поэтическом мастерстве.

**Тавтологи́ческий**, -ая, -ое. *Тавтологические выражения.*

**ТАГА́Н**, -а́, м. [Тюрк. (тат.) tagan от греч. tēganon — сковорода]. Железный обруч на ножках, служащий подставкой для котла, чугуна и т. п. при приготовлении пищи на открытом огне. *В одном месте был зажжен костер, прикрытый для медленного огня; на тагане стоял котел с молоком, не столько кипевшим, сколько испарявшимся.* Шагинян. Первая Всероссийская.

**Тага́нный**, -ая, -ое.

**ТА́ИНСТВО**, -а, ср. **1.** *Книжн.* Тайна. *Таинства природы.* □ *[Милон:] Нет... не могу скрывать более моего сердечного чувства.. Нет. Добродетель твоя извлекает силою своею все таинство души моей.* Фонвизин. Недоросль. **2.** В христианстве: обряд, который, по религиозным представлениям, имеет чудодейственную силу, сообщает верующим божественную благодать. *Таинство исповеди.* □ — *Кто от попа таинство примет — нет спасения,— просфоры их клейменые и священство их мнимое.* А. Н. Толстой. Петр I.

Син. (к 1 знач.): зага́дка.

**ТАЙМ**, -а, м. [Восх. к англ. time — время]. Определенная часть, период в спортивной игре. *Закончить первый тайм вничью. Перерыв между таймами.*

**ТА́ЙНОПИСЬ**, -и, ж. Условное тайное письмо (первонач. в древних рукописях), а также то, что написано тайным письмом. *Чтение тайнописи.* □ *Едва заметная закорючка карандаша, сделанная у заголовка невинной статьи, заставила ее взять всегда готовую жидкость для промывания тайнописи.* Вирта. Вечерний звон.

Син.: криптогра́фия.

**ТА́ЙНЫЙ**, -ая, -ое. **1.** Представляющий тайну для других, намеренно скрываемый от других. *Тайный договор. Тайная переписка. Тайное свидание.* **2.** Внешне не проявляемый, не обнаруживаемый или не вполне осознанный. *Тайная грусть. Тайные мечты.* **3.** Непостижимый или еще не познанный. *Тайный мрак грядущих дней, Что сулишь душе моей, Радость иль кручину?* Жуковский. Светлана. **4.** Не разрешаемый законом, подпольный. *Тайные общества. Тайная сходка.* □ *В ее квартире была устроена тайная типография.., жандармы, узнав об этом, явились с обыском.* М. Горький. Мать. **5.** *Устар.* Предназначенный для ведения секретных дел, несения секретной службы. *Тайная полиция. Тайная агентура.* ◊ **Тайное голосование** — голосование подачей неподписанных бюллетеней или пусканием шаров. **Тайный советник** — в дореволюционной России: гражданский чин 3 класса по табели о рангах. *Сама Дарья Михайловна была знатная и богатая барыня, вдова тайного советника.* Тургенев. Рудин. **Действительный тайный советник** — в дореволюционной России: гражданский чин 2 класса по табели о рангах.

С и н. (к 1 знач.): секре́тный, потайно́й, негла́сный (книжн.). С и н. (ко 2 знач.): скры́тый, затаённый, подспу́дный, сокры́тый (устар.), потаённый (устар.). С и н. (к 4 знач.): нелега́льный. С и н. (к 5 знач.): секре́тный.

А н т. (ко 2 знач.): я́вный, откры́тый.

**Та́йно**, *нареч.* (к 1 и 2 знач.). **Та́йность**, -и, *ж.* (к 1 и 2 знач.).

**ТАЙФУ́Н**, -а, *м.* [Англ. typhoon от кит. taifung или араб. tūfān]. Ураган огромной разрушительной силы, наблюдаемый в Юго-Восточной Азии и западной части Тихого океана. *«Терек» неожиданно попал в полосу свирепого тайфуна. Казалось, Великий океан вздыбился.. Весь простор заполнился.. кружащейся пеной и хлещущими, как горох, брызгами.* Новиков-Прибой. Цусима.

**Тайфу́нный**, -ая, -ое.

**ТА́КСА**[1], -ы, *ж.* [Восх. к ср.-лат. taxa]. Установленная расценка товаров или размер оплаты чего-л. *Почтовая такса. Такса за перевозку грузов. Плата по таксе.* □ *— Если бы это от меня зависело, я бы в этих ваших журналах только и позволил печатать, что таксы на мясо или на хлеб.* Тургенев. Дым.

**Та́ксовый**, -ая, -ое.

**ТА́КСА**[2], -ы, *ж.* [Нем. Dackshung от Dacks — барсук и Hund — собака]. Небольшая гладкошерстная собака с кривыми короткими ногами и длинным туловищем.

**ТАКСОФО́Н**, -а, *м.* [См. *такса*[1]]. Телефонный аппарат общего пользования, в котором соединение с вызываемым абонентом происходит после опускания монеты или специального жетона; телефон-автомат.

**ТАКТ**[1], -а, *м.* [Восх. к лат. tactus — прикосновение, осязание]. **1.** Метрическая музыкальная единица — музыкальное движение между двумя соседними ударными моментами (долями). *Заключительные такты песни.* □ *Загремело радио, и с первыми тактами вальса Валя покинула спутника.* Кетлинская. Дни нашей жизни. **2.** Ритм какого-л. движения, действия. *Приспособил к маршу такт ноги: враги ва-ши — мо-и враги.* Маяковский. Хорошо! ◊ **В такт** — в соответствии с ритмом чего-л., ритмично. *Катерина Ивановна начинала хлопать в такт своими сухими ладонями.* Достоевский. Преступление и наказание.

**Та́ктовый**, -ая, -ое.

**ТАКТ**[2], -а, *м.* [См. *такт*[1]]. Чувство меры, подсказывающее наиболее верный, деликатный подход к кому-, чему-л. *Чувство такта. Проявить такт.* □ *Грановский был одарен удивительным тактом сердца. У него все было так далеко от неуверенной в себе раздражительности, от притязаний, так чисто, так открыто, что с ним было необыкновенно легко.* Герцен. Былое и думы.

**Такти́чный**, -ая, -ое; -чен, -чна, -о. *Тактичный человек. Тактичное замечание.* **Такти́чно**, *нареч.* **Такти́чность**, -и, *ж.*

**ТА́КТИКА**, -и, *ж.* [Восх. к греч. taktikē (technē) — искусство построения войск]. **1.** Наука о подготовке и ведении боя, составная часть военного искусства. *Оборонительная тактика. Тактика нападения. Тактика морского боя. Лекции по тактике.* □ *Как говорил старший сержант Козачук, учивший меня основам тактики: на поле боя всякое действие командира лучше растерянности и паники.* Колесников. Школа министров. **2.** Совокупность средств и приемов общественной и политической борьбы. *Революционная тактика. Тактика террора.* □ *Тактика большевизма обеспечивала самостоятельность пролетариата в буржуазном кризисе, борьбой за доведение его до конца, разоблачением измен либерализма, просвещением и сплочением мелкой буржуазии (особенно деревенской) в противовес этим изменам.* Ленин, т. 25, с. 100. **3.** *перен.* Приемы, способы достижения намеченной цели. *Вся его тактика, с тех пор как он промотался, — это извлекать из обеих своих старших сестер.. денежные средства на шалости.* И. Гончаров. Обрыв.

**Такти́ческий**, -ая, -ое (к 1 и 2 знач.). *Тактическая задача. Тактические разногласия.* **Такти́чески**, *нареч.* (к 1 и 2 знач.). *Тактически правильное решение.*

**ТАЛА́НТ**, -а, *м.* [Греч. talanton — *первонач.* мера веса и денежная единица]. **1.** Выдающиеся природные способности, высокая степень одаренности. *Поэтический талант. Талант художника.* □ *Талант Пушкина не был ограничен тесно сферою одного какого-нибудь рода поэзии: превосходный лирик, он уже готов был сделаться превосходным драматургом, как внезапная смерть остановила его развитие.* Белинский. Сочинения Александра Пушкина. *Разг.* Способность к чему-л., умение что-л. делать. *По части уменья разбираться в обстановке у него был талант бесспорный, и тут с ним обычно никто и не состязался.* Фурманов. Чапаев. **3.** Человек с выдающимися способностями, большим дарованием. *Молодые таланты.* □ *Впервые он понял, что такое настоящие таланты. Они казались ему великанами, сонмом богов.* Гранин. Иду на грозу. ◊ **Зарыть талант (в з е м л ю)** — загубить свои способности, не дать им развиться (из евангельской притчи о зарытых в землю и неиспользованных деньгах — талантах).

С и н. (к 1 знач.): дар, дарова́ние (книжн.).

А н т. (к 3 знач.): посре́дственность, безда́рность (разг.), безда́рь (разг.).

**Тала́нтливый**, -ая, -ое; -ив, -а, -о (к 1 знач.). *Талантливый ученый. Талантливое исполнение роли.* **Тала́нтливо**, *нареч.* **Тала́нтливость**, -и, *ж.*

**ТА́ЛЕР**, -а, *м.* [Нем. Taler]. Старинная немецкая золотая и серебряная монета. *— У меня 30 тысяч талеров; мне нужно только 5 тысяч; остальные я прошу вас взять у меня.* Чернышевский. Что делать?

**ТАЛИСМА́Н**, -а, *м.* [Франц. talisman от араб. tilsam — магическая буква (от греч. telesma — посвящение, чары)]. По суеверным представлениям: предмет, который приносит его обладателю счастье, удачу, избавляет от опасности. *Там волшебница, ласкаясь, Мне вручила талисман. И, ласкаясь, говорила: «Сохрани мой талисман: В нем* таинственная сила! Он тебе любовью дан». Пушкин. Талисман.

С и н.: амуле́т.

**ТАЛИСМА́ННЫЙ**, -ая, -ое.

**ТАЛМУ́Д**, -а, м. [Др.-евр. talmûd — учение]. В иудаизме: свод религиозных, правовых, бытовых и этических положений, основанный на толкованиях Ветхого завета. *Господин этот также верил в спиритизм, но, сверх того, занимался пророчеством и, на основании апокалипсиса и талмуда, предсказывал всякие удивительные события.* Тургенев. Дым.

**Талмуди́ческий**, -ая, -ое.

**ТАЛМУДИ́ЗМ**, -а, м. [См. *талмуд*]. Книжн. Схоластические рассуждения, начетничество.

С и н.: схола́стика, доктрине́рство (книжн.).

**Талмуди́стский**, -ая, -ое. **Талмуди́ст**, -а, м.

**ТАЛЬЯ́НКА**, -и, ж. [Искаж. *итальянка*]. Разг. Однорядная гармоника. *Перебирая лады синемехой тальянки, Мишка поделился с ним мечтой о хорошей партизанской песне.* Седых. Даурия.

**Талья́ночка**, -и, ж. (уменьш.).

**ТАМАДА́**, -ы́, м. [Груз. tamada; восх. к перс. dāmād — жених, зять]. Распорядитель пиршества, избираемый его участниками. *Борейко опять поднялся и предложил выбрать тамаду сегодняшней дружественной пирушки.* Степанов. Порт-Артур.

**ТА́МБУРИ́Н**, -а, м. [Итал. tamburino]. **1.** Ударный народный музыкальный инструмент, род бубна (распространен на юге Европы). **2.** Небольшой барабан с удлиненным корпусом цилиндрической формы (распространен на юге Франции). *Издали, как удары огромного тамбурина, доносятся глухие вздохи моря.* М. Горький. Сказки об Италии.

**ТАМО́ЖНЯ**, -и, ж. Учреждение, ведающее контролем над провозом товаров через границу и взиманием пошлин и сборов за такой провоз. *В багажном отделении работники таможни проверяли чемоданы пассажиров — не везут ли те в глубь страны контрабанду.* В. Беляев. Старая крепость.

**Тамо́женный**, -ая, -ое. *Таможенная застава. Таможенная пошлина. Таможенный досмотр.*

**Тамо́женник**, -а, м.

**ТА́НКЕР**, -а, м. [Англ. tanker]. Грузовое судно для перевозки жидких грузов, наливаемых непосредственно в его корпус, разделенный на отсеки — танки. *— Я назначен на «Дербент» — один из танкеров новой постройки. Это, знаете ли, плавучие цистерны гигантских размеров.* Крымов. Танкер «Дербент».

**Та́нкерный**, -ая, -ое.

**ТАНКОДРО́М**, -а, м. [От англ. tank — танк и греч. dromos — место для бега, маневров]. Специально оборудованное место для испытания танков и для обучения танкистов.

**Танкодро́мный**, -ая, -ое. *Танкодромные сооружения.*

**ТАНТА́ЛОВ**, -а, -о. [По древнегреческому мифу о Тантале, осужденном богами на муки жажды и голода, которые он не мог утолить, хотя рядом были вода и плоды]. ◇ **Танталовы муки, муки Тантала** (книжн.) — страдания от сознания близости желанной цели и невозможности ее достигнуть. *За дверью послышались громкие аплодисменты и симпатичный голос княжны Рожкиной.. У секретаря затрепетало под сердцем. Муки Тантала были ему не по силам.* Чехов. Тряпка.

**ТАНЦМЕ́ЙСТЕР**, -а, м. [Нем. Tanzmeister]. Устар. **1.** Учитель танцев. *Сей заслуженный танцмейстер имел лет 50 отроду, правая нога у него была прострелена под Нарвою и потому была не весьма способна к менуэтам и курантам, зато левая.. выделывала самые трудные па.* Пушкин. Арап Петра Великого. **2.** Постановщик танцев в театре или в танцевальной группе.

С и н. (ко 2 знач.): балетме́йстер.

**Танцме́йстерский**, -ая, -ое.

**ТАПЁР**, -а, м. [Франц. tapeur]. Музыкант, играющий за плату на танцевальных вечерах, а также при показе немых фильмов. *[Лопухов] вспомнил, что приглашению предшествовало испытание его игры на фортепьяно. Стало быть, он позван для сокращения расходов, чтобы не брать тапера.* Чернышевский. Что делать?

**Тапёрский**, -ая, -ое.

**ТАРА́Н**, -а, м. [Восх. к итал. taranto]. **1.** Древнее стенобитное орудие в виде бревна с металлическим наконечником, укрепленное цепями на передвижной башне. *Таран стенобойный Сшиб ворота: расколовшись, огромные рухнули створы.* Жуковский. Разрушение Трои. **2.** перен. О том, что используется для нанесения решающего удара, что служит основной пробойной силой.— *Вы, танкисты, ударный таран армии трудящихся.* Казакевич. Весна на Одере. **3.** Удар винтом или корпусом самолета (танка, корабля и т. п.) по вражескому самолету (танку, кораблю и т. п.) как боевой прием, применяемый при отсутствии боеприпасов. *Идти на таран.* □ *Сцепившись во встречном таране, пылали танки на перекрестках; по берегу среди начавшегося пожара сползали и сползались.. лоснящиеся железные тела, с короткого расстояния били в упор, почти вонзаясь друг в друга стволами орудий.* Бондарев. Горячий снег.

**Тара́нный**, -ая, -ое (к 1 и 3 знач.).

**ТАРАНТА́С**, -а, м. Дорожная четырехколесная повозка на длинных дрогах. *Подъезжает к кузне тройка с бубенцами.. В легком плетеном тарантасе сидит под зонтом известный на всю нашу округу помещик Селиванов.* Шолохов. Поднятая целина.

**Таранта́сный**, -ая, -ое.

**ТАРАНТЕ́ЛЛА** [тэ], -ы, ж. [Итал. tarantella]. Итальянский народный танец в быстром темпе, а также музыка к этому танцу.

**ТАРАТА́ЙКА**, -и, ж. Разг. Легкая двухколесная повозка. *Рессорная таратайка.* □ *Петр влез на двухколесную таратайку, взял вожжи и.. выехал со двора.* А. Н. Толстой. День Петра.

**Тарата́ечный**, -ая, -ое.

**ТАРИ́Ф**, -а, м. [Нем. Tarif или франц. tarif]. Официально установленный размер оплаты, обложения чего-л., сборов с чего-л. *Транспортный, почтовый тариф. Тарифы заработной платы.*

**Тари́фный**, -ая, -ое. *Тарифные ставки.*

**ТА́РТАР**, -а, м. [Греч. Tartaros]. **1.** В древнегреческой мифологии: подземное царство мертвых.

*Сладкой жизни мне не много Провожать осталось дней: Парка счет ведет им строго, Тартар тени ждет моей.* Пушкин. Ода LVI (из Анакреона). **2.** *Книжн.* Ад, преисподняя. *Бог-то милосерд, да черт немилостив. За ноги тащит меня в тартар.* Шишков. Угрюм-река.

С и н. (к *1 знач.*): аи́д. С и н. (ко *2 знач.*): гее́нна (*книжн.*), пе́кло (*разг.*).

**ТАРТИ́НКА**, -и, *ж.* [Франц. tartine]. Тонкий ломтик хлеба, намазанный маслом, или маленький бутерброд. *Анна Ивановна усердно намазывает маслом тартинки.* Салтыков-Щедрин. Помпадуры и помпадурши.

**ТАТЬ**, -я, *м. Устар.* Вор, грабитель.— *Я хитрым обманом, как тать в нощи, похитил у Катерины Ивановны от сундука ее ключ, вынул, что осталось из принесенного жалованья.* Достоевский. Преступление и наказание.

С и н.: похити́тель.

**ТАФТА́**, -ы́, *ж.* [Восх. к перс. tāftā — сотканное]. Плотная шелковая или хлопчатобумажная глянцевитая ткань с поперечными мелкими рубчиками. *Платье из тафты.* ▢ *Как женщин, он оставил книги, А полку, с пыльной их семьей, Задернул траурной тафтой.* Пушкин. Евгений Онегин.

**Тафтяно́й**, -а́я, -о́е.

**ТАХТА́**, -ы́, *ж.* [Тюрк.]. Широкий низкий диван без спинки. *Настя сидела на тахте и перелистывала книгу.* Прилежаева. Пушкинский вальс.

**ТАЧА́НКА**, -и, *ж.* Рессорная четырехколесная повозка для парной упряжки с открытым кузовом, распространенная на Украине и Кубани. *Пулеметная тачанка.* ▢ *Подъехали тачанки — небольшие тележки на железном ходу.* А. Н. Толстой. Хождение по мукам.

**ТАЧА́ТЬ**, -а́ю, -а́ешь; тача́ющий, тача́вший; тача́я; *несов., что.* В сапожном и портновском деле: шить сквозной строчкой. *Тачать сапоги.* ▢ *Вечером шилом, иголкой Что-нибудь бойко тачал, Песней печальной и долгой Дедушка труд сокращал.* Н. Некрасов. Дедушка.

**ТВЕРДЫ́НЯ**, -и, *ж. Высок.* **1.** *Устар.* Крепость, укрепленное место. *Неприступная твердыня.* ▢ *Над Западным Бугом встала поистине грозная твердыня — одна из самых современных и мощных крепостей.* С. С. Смирнов. Брестская крепость. **2.** *перен.* Прочная опора, оплот. *Семейная твердыня, воздвигнутая неутомимыми руками Арины Петровны, рухнула.* Салтыков-Щедрин. Господа Головлевы.

С и н. (к *1 знач.*): форте́ция (*устар.*). С и н. (ко *2 знач.*): цитаде́ль (*высок.*).

**ТВИСТ**, -а, *м.* [Англ. twist — *букв.* кручение, искривление]. Ритмический парный танец с характерными движениями бедер, в основе которого лежит импровизация партнеров, находящихся друг против друга (получил широкое распространение в 60-х гг. 20 в.). *Вика кричала с вызовом:— Чарльстон умеешь? Твист умеешь?* Демиденко. Скифское золото.

**ТВО́РЧЕСТВО**, -а, *ср.* Деятельность человека, направленная на создание качественно новых материальных и духовных ценностей, а также то, что создано в результате этой деятельности. *Художественное, научное творчество. Устное народное творчество. Изучать творчество Л. Н. Толстого.* ▢ *Медленно, строчка за строчкой, рождались страницы. Он [Корчагин] забывал обо всем, находясь во власти образов и впервые переживая муки творчества, когда яркие, незабываемые картины, так отчетливо ощущаемые, не удавалось передать на бумагу.* Н. Островский. Как закалялась сталь. *Здесь, на заводе,— неустанное творчество: инженеры, начальники цехов, мастера, рабочие изобретают, приспосабливают, выдумывают.* А. Н. Толстой. Москве угрожает враг.

**Тво́рческий**, -ая, -ое. *Творческий путь писателя. Творческие способности.* **Тво́рчески**, *нареч.* *Мыслить творчески.*

**ТЕА́ТР**, -а, *м.* [Греч. theatron]. **1.** *ед.* Искусство представления драматических произведений на сцене. *Античный театр. История русского театра. Увлекаться театром.* **2.** Учреждение, организация, занимающиеся устройством представлений. *Государственный академический Большой театр. Театр драмы. Работать в театре.* ▢ *Этот любительский, из провинциальных актеров подобранный, в большом.. бараке размещенный театр под флагом «народного» сразу стал модной темой в Москве. Играли в нем свежо, смело, задорно.* Шагинян. Первая Всероссийская. **3.** Помещение со сценой и зрительным залом, в котором устраиваются представления. *Театр уж полон; ложи блещут; Партер и кресла — все кипит; В райке нетерпеливо плещут, И, взвившись, занавес шумит.* Пушкин. Евгений Онегин. **4.** *перен., чего.* Место, где происходит, развертывается что-л. *О событиях на театре военных действий в Крыму английские и русские газеты писали много.* Задорнов. Гонконг. **5.** *кого.* Совокупность драматических произведений писателя или какого-л. направления. *Театр Шекспира.* ◊ **Анатомический театр** (*устар.*) — помещение для анатомирования трупов.

**ТЕАТРА́ЛЬНЫЙ**, -ая, -ое; -лен, -льна, -о. [См. *театр*]. **1.** *полн. ф.* Относящийся к театру, связанный с театром. *Театральное представление. Театральная деятельность. Театральный сезон. Театральная студия.* **2.** *перен.* Наигранный, рассчитанный на внешний эффект. *Театральный жест. Театральный голос.* ▢ *Сцена эта [клятва на Воробьевых горах] может показаться очень натянутой, очень театральной, а между тем через двадцать лет я тронут до слез, вспоминая ее, она была свято искренна, это доказала вся наша жизнь.* Герцен. Былое и думы.

С и н. (ко *2 знач.*): неесте́ственный, ненатура́льный, иску́сственный, де́ланный, жема́нный, мане́рный, драмати́ческий, аффекти́рованный (*книжн.*).

**Театра́льно**, *нареч.* (ко *2 знач.*). **Театра́льность**, -и, *ж.* (ко *2 знач.*). *Театральность позы.*

**ТЕВТО́НЫ**, -ов, *мн.* (*ед.* **тевто́н**, -а, *м.*). Древние племена германского происхождения.

**Тевто́нский**, -ая, -ое. *Тевтонские завоевания.* ◊ **Тевтонский орден** — немецкий католический духовно-рыцарский орден, осуществлявший в 13—15 вв. феодальную агрессию в Восточной Европе. *Унгерны служили монахами в Тевтонском ордене. Они распространяли огнем и мечом христианство среди литовцев, эстов, латышей и славян.* Седых. Даурия.

**ТЕ́ЗИС** [тэ], -а, *м*. [Греч. thesis]. **1.** Положение, истинность которого должна быть доказана. *Выдвинуть тезис. Опровергнуть выдвинутый тезис.* **2.** *обычно мн.* Кратко сформулированные основные положения лекции, доклада, сообщения и т.п. *Пришла [Дорофея] с работы поздно; ей предстояло еще писать тезисы к докладу.* Панова. Времена года.

А н т. (*к 1 знач.*): анти́тезис.

**Те́зисный**, -ая, -ое. *Тезисное изложение материала.*

**ТЕЗОИМЕНИ́ТСТВО**, -а, *ср. Устар. Высок.* Именины высокопоставленного лица, принадлежащего к царствующей фамилии, а также вообще чьи-л. именины. *День тезоименитства. Тезоименитство великого князя.* ◇ *Каждое тезоименитство Татьяны Семеновны, ее сына.. задавались пиры на весь околоток.* Л. Толстой. Семейное счастье.

**ТЕЙЗМ** [тэ], -а, *м*. [От греч. theos — бог]. Совокупность религиозно-мистических представлений о боге как о разумном существе, создавшем мир и управляющем им.

**Теисти́ческий**, -ая, -ое. **Теи́ст**, -а, *м*.

**ТЕКИ́НЦЫ**, -ев, *мн*. (*ед*. теки́нец, -нца *м*.). Одно из крупных туркменских племен, образовавших туркменскую нацию. *[Корнилов] нагнулся к стоявшим за стогом спешенным текинцам — его личному конвою. Это были худые, кривоногие люди, в огромных, круглых бараньих шапках и в полосатых, цвета семги, черкесках.* А. Н. Толстой. Хождение по мукам.

**Теки́нка**, -и, *ж*. **Теки́нский**, -ая, -ое. ◇ **Теки́нская ло́шадь**, **теки́нский ко́нь** — степная лошадь, предназначенная для верховой езды. *Впереди на золотистой масти текинском коне ехал генерал.* Л. Никулин. Московские зори.

**ТЕКСТУА́ЛЬНЫЙ**, -ая, -ое; -лен, -льна, -о. [От *текст* (восх. к лат. textum — связь, соединение); *льный*]. *Книжн.* Буквально воспроизводящий какой-л. текст; дословный. *Текстуальный перевод. Текстуальная выдержка.*

С и н.: буква́льный.

**Текстуа́льно**, *нареч*. **Текстуа́льность**, -и, *ж*.

**ТЕКУ́ЧИЙ**, -ая, -ее; -у́ч, -а, -е. **1.** *полн. ф.* Жидкий, способный течь. *Текучая смесь.* **2.** *перен.* Часто меняющийся, неустойчивый, непостоянный. *Все было непрочно, текуче, неясно. Сегодня перекрикивали иногородние, малоземельные и выбирали совдеп, а завтра станичные казаки разгоняли шашками коммунистов.* А. Н. Толстой. Хождение по мукам.

С и н. (*ко 2 знач.*): изме́нчивый, переме́нчивый (*разг.*).

**Теку́честь**, -и, *ж*. *Текучесть рабочей силы.*

**ТЕКУ́ЩИЙ**, -ая, -ее. **1.** Происходящий, имеющий место теперь, в настоящее время. *Текущий момент. В текущем году. Текущие планы.* **2.** Совершаемый каждый день, повседневный. *Текущая успеваемость.* □ *Они были так заняты текущей работой дня, что им некогда было обдумывать выгоды и невыгоды предприятия.* Л. Толстой. Анна Каренина. ◇ **Теку́щий ремо́нт** — ремонт для устранения мелких неисправностей (в отличие от капитального). **Теку́щий счет** — счет владчика банка или сберкассы, с которого он может получать свои деньги по мере необходимости и увеличивать его новыми взносами. *Когда собиралось несколько сот, он отвозил в «Общество взаимного кредита» и клал там на текущий счет.* Чехов. Ионыч.

С и н. (*к 1 знач.*): да́нный, настоя́щий, ны́нешний (*разг.*).

**ТЕЛЕ...** [От греч. tēle — далеко]. Первая составная часть сложных слов, обозначающая: 1) действующий на дальнее расстояние, осуществляемый на расстоянии, напр.: *телемеха́ника, телесигнализа́ция, телеуправле́ние;* 2) относящийся к телевидению, напр.: *телеаппарату́ра, телепереда́ча, телеспекта́кль, телесериа́л, телеце́нтр, телеэкра́н.*

**ТЕ́ЛЕКС**, -а, *м*. [Англ. telex]. **1.** Международная сеть абонентского телеграфирования. *Связаться по телексу.* **2.** Аппарат для такого телеграфирования, а также текст сообщения, полученный по такому аппарату. *Получен телекс.*

**Те́лексный**, -ая, -ое.

**ТЕЛЕМО́СТ**, -а, *м*. [Сокращение: *телевизионный мост*]. **1.** Телевизионная связь на дальние расстояния с помощью космических установок. **2.** Прямая телевизионная передача, представляющая собой новую форму общения людей разных стран с помощью телевидения с одновременным показом в обеих странах. *Телемост Москва — Вашингтон.*

**ТЕЛЕПА́ТИЯ**, -и, *ж*. [От *теле*... (см.) и греч. pathos — чувство]. Научно не объясненное явление передачи мыслей и чувств на расстояние. *Так часто случается: стоит подумать о человеке — и он тут как тут, как будто выскочил из-под земли. Такое даже телепатией назвать нельзя.* Колесников. Школа министров.

**Телепати́ческий**, -ая, -ое. *Телепатические явления.*

**ТЕЛЕСКО́П**, -а, *м*. [От *теле*.. (см.) и греч. skopein — смотреть]. Астрономический оптический прибор для наблюдения небесных тел. *В руке у него был ручной телескоп, он остановился и прицелился в какую-то планету.* Герцен. Былое и думы.

**Телеско́пный**, -ая, -ое и (*спец*.) **телескопи́ческий**, -ая, -ое.

**ТЕЛЕТА́ЙП**, -а, *м*. [Англ. teletype от *теле*... (см.) и англ. type — печатать]. Автоматический буквопечатающий телеграфный аппарат с клавиатурой как у пишущей машинки. *Передать сообщение по телетайпу.*

**Телета́йпный**, -ая, -ое. *Телетайпная лента.*

**ТЕЛЕФОНОГРА́ММА**, -ы, *ж*. [От *теле*... (см.), греч. phonē — звук и gramma — запись]. Официальное сообщение, продиктованное по телефону и записанное при приеме, а также бланк с таким сообщением. *Из штаба дивизии получили те-*

лефонограмму с приказанием выступить на позицию. Шолохов. Тихий Дон.

**ТЕЛОГРЕ́Я**, -и, *ж.* Старинная русская женская одежда в виде сарафана, на меху или подкладке, с длинными суживающимися рукавами, застегивающаяся спереди. *Хозяйка, уже с покрытыми волосами и в темной зеленой телогрее, явилась из-за шелковой занавески.* Злобин. Степан Разин.

**ТЕ́МА**, -ы, *ж.* [Греч. thema]. **1.** Предмет, основное содержание повествования, изображения, исследования, а также предмет беседы, разговора. *Тема спора. Рассуждать на какую-л. тему.* ☐ *Он задавал ей разные темы: то описать восходящее солнце, то определить любовь и дружбу, то написать поздравительное письмо родителям.* И. Гончаров. Обыкновенная история. **2.** Основной мотив какого-л. музыкального произведения или его части, обычно служащий предметом дальнейшего развития. *Главная и побочная темы сонаты. Трагическая тема увертюры. Тема с вариациями.*

**Темати́ческий**, -ая, -ое (к 1 знач.). *Тематический план лекций.*

**ТЕМБР** [тэ], -а, *м.* [Франц. timbre]. Окраска звука (инструмента или голоса), по которой отличаются друг от друга звучания одинаковой высоты. *Приятный тембр голоса.* ☐ *По тембру голоса Дубава узнал душевное состояние Панкратова.* Н. Островский. Как закалялась сталь.

**Те́мбровый**, -ая, -ое. *Тембровые различия инструментов.*

**ТЕМЛЯ́К**, -а́, *м.* [Польск. temblak]. Петля из ремня или ленты на рукоятке шпаги, сабли, шашки, надеваемая на руку для удобства пользования оружием, а также такая петля из орденской ленты как знак отличия в царской армии. *Старший держал в руках свернутое в трубку воззвание, не решаясь приступить к чтению, а Кокухин нервно теребил темляк своей шашки.* Седых. Отчий край.

**ТЕМП** [тэ], -а, *м.* [Восх. к лат. tempus — время]. **1.** Степень быстроты исполнения музыкального произведения. *— Русскую! Андрюша заиграл.— Скорее, это не похоронный марш,— крикнул ему Борейко и, когда темп ускорился, вдруг, свистнув, пустился в пляс.* Степанов. Порт-Артур. **2.** Степень быстроты мерных или повторяющихся действий в спортивных упражнениях, играх, в трудовых процессах. *Стремительный темп хоккейной атаки.* ☐ *Пальцы сборщицы двигались в скором, несбивающемся темпе.* Прилежаева. Пушкинский вальс. **3.** Быстрота осуществления, протекания чего-л. *Ускоренный темп развития промышленности. Наращивать темпы строительства.* ☐ *Давыдов послал в райком коннонарочного с сообщением о том,.. что работа по вовлечению в колхоз продолжается ударными темпами.* Шолохов. Поднятая целина.

**ТЕ́МПЕРА** [тэ], -ы, *ж.* [Итал. tempera]. **1.** Краски, приготовленные на яичном желтке или смеси клеевого раствора с маслом. *Рисовать темперой.* **2.** Картина, выполненная такими красками. *В кладовой Академии находилась огромная, свернутая на палку картина Рериха*

*«Взятие Казани», темпера для Казанского вокзала в Москве.* Рылов. Воспоминания.

**Те́мперный**, -ая, -ое. *Темперный портрет.*

**ТЕМПЕРА́МЕНТ**, -а, *м.* [Восх. к лат. temperamentum — надлежащее соотношение, соразмерность]. **1.** Совокупность психических свойств человека, характеризующих степень его эмоциональной возбудимости и проявляющихся в его поведении, отношении к окружающим и т. п. *Меланхолический, холерический, сангвинический, флегматический темперамент. Пылкий, вялый темперамент.* ☐ *Каждый темперамент имеет свои особые требования: если горячий человек раздражается медленною систематичностью, то тихий человек возмущается крутою резкостью.* Чернышевский. Что делать? **2.** Жизненная энергия, способность к внутреннему подъему. *Человек с темпераментом.* ☐ *— В главной роли выступает Анна Ивановна.. У ней есть темперамент,.. священный огонек.* Мамин-Сибиряк. Суд идет.

**Темпера́ментный**, -ая, -ое (ко 2 знач.). *Темпераментное выступление.* **Темпера́ментно**, нареч. (ко 2 знач.). **Темпера́ментность**, -и, *ж.* (ко 2 знач.). *Темпераментность танца.*

**ТЕНДЕНЦИО́ЗНЫЙ** [тэ, дэ], -ая, -ое; -зен, -зна, -о. [См. *тенденция*]. **1.** Характеризующийся последовательным проведением определенных идей; идейно насыщенный. *Тенденциозный роман. Тенденциозный писатель.* ☐ *И образ должен быть тенденциозен, т. е., разрабатывая большую тему, надо и отдельные образишки.. по пути использовать для борьбы, для литературной агитации.* Маяковский. Как делать стихи. **2.** Необъективный, подчиненный предвзятой мысли. *Тенденциозное истолкование событий. Тенденциозный подход к делу.*

С и н. (ко 2 знач.): предвзя́тый, пристра́стный, предубеждённый, субъекти́вный, лицеприя́тный (устар.).

**Тенденцио́зно**, нареч. (ко 2 знач.). **Тенденцио́зность**, -и, *ж.* *Революционная тенденциозность творчества. Тенденциозность в подборе фактов.*

**ТЕНДЕ́НЦИЯ** [тэ, дэ], -и, *ж.* [Нем. Tendenz; восх. к лат. tendere — направляться, стремиться]. **1.** Направление в развитии чего-л. (общества, экономики, культуры и т. п.), а также стремление, склонность, намерение, свойственные кому-, чему-л. *Демократические, либеральные тенденции. Тенденция к росту городского населения.* ☐ *Либералы 1860-х годов и Чернышевский суть представители двух исторических тенденций, двух исторических сил, которые с тех пор и вплоть до нашего времени определяют исход борьбы за новую Россию.* Ленин, т. 20, с. 174. **2.** *Книжн.* Предвзятая идея, навязываемая читателю, зрителю и т. п. и не вытекающая из художественного образа. *Идея нередко высказывается помимо образа. И если талант не силен, она заслоняет образ и является тенденциею.* И. Гончаров. Лучше поздно, чем никогда.

С и н. (к 1 знач.): напра́вленность, устремлённость.

**ТЕНЕВО́Й**, -а́я, -о́е. **1.** Находящийся в тени.

слабо освещенный. *Комната была с теневой стороны дома, в ней было темновато и прохладно.* Фадеев. Молодая гвардия. **2.** *перен.* Отрицательный, неблагоприятный. *И если в романах Ильфа и Петрова вместе с тем отражены многие.. отмершие теневые стороны жизни,— так что из этого?* Симонов. Проблемы развития советской драматургии. **3.** *перен.* Скрытый, нелегальный, подпольный (об общественных явлениях). *Подкуп должностных лиц, массовые приписки, привлечение уголовных элементов для сотрудничества, создание отлаженной системы снабжения и сбыта, круговая порука и многое другое — это все то, без чего невозможно само существование теневой экономики.* Корягина. «Теневые» миллиарды.

**ТЕ́НОР**, -а, тенора́, -о́в и те́норы, -ов, *м.* [Итал. tenore]. Самый высокий мужской голос, а также певец с таким голосом. *Лирический, драматический тенор.* □ *Тенора поднимаются на цыпочки от сильного желания вывести высокую ноту.* Гоголь. Мертвые души.

**Теноро́вый**, -ая, -ое. *Теноровая партия.*

**ТЕНТ** [тэ], -а, *м.* [Англ. tent; восх. к лат. tendere — натягивать]. Плотный матерчатый навес (на пляже, судне, веранде и т. п.) для защиты от солнца и дождя. *Под полосатым тентом официантка расставляла стулья.* Гранин. Иду на грозу.

**Те́нтовый**, -ая, -ое. *Тентовая парусина.*

**ТЕОКРА́ТИЯ** [тэ], -и, *ж.* [От греч. theos — бог и kratos — власть]. Форма правления, при которой политическая власть принадлежит духовенству, а также государство с такой формой правления.

**Теократи́ческий**, -ая, -ое.

**ТЕОЛО́ГИЯ** [тэ], -и, *ж.* [От греч. theos — бог и logos — учение]. Совокупность церковных учений о боге и догмах религии.

С и н.: богосло́вие.

**Теологи́ческий**, -ая, -ое. **Тео́лог**, -а, *м.*

**ТЕО́РИЯ**, -и, *ж.* [Греч. theōría — наблюдение, исследование]. **1.** Форма научного знания, обобщающая практический опыт и отражающая закономерности природы, общества, мышления. *Теория познания.* □ *[Античный] философ, проповедуя ее [философию], сам жил по своей проповеди,.. теория в античной древности не отрывалась от практики.* Шагинян. Четыре урока у Ленина. **2.** Совокупность обобщенных положений, образующих какую-л. науку, ее раздел, а также совокупность правил в области какого-л. мастерства. *Теория световых волн. Теория относительности Эйнштейна. Теория шахматной игры.* □ *Учение о прибавочной стоимости есть краеугольный камень экономической теории Маркса.* Ленин, т. 23, с. 45. **3.** Сложившийся у кого-л. взгляд, мнение как основание для того или иного поведения. *У него на все практические дела были свои теории: были правила, сколько надо часов работать, сколько отдыхать, как питаться, как одеваться, как топить печь, как освещаться.* Л. Толстой. Воскресение.

С и н. (*к 1 знач.*): уче́ние, конце́пция (*книжн.*), доктри́на (*книжн.*).

**Теорети́ческий**, -ая, -ое (*к 1 и 2 знач.*). *Теоретическое обобщение. Теоретический склад ума.* **Теорети́чески**, *нареч.*

**ТЕПЛИ́ЧНЫЙ**, -ая, -ое. **1.** Связанный с выращиванием растений в теплице. *Тепличное хозяйство. Тепличные помидоры.* **2.** *перен.* Оберегаемый или оберегающий от столкновений с трудностями жизни. *Тепличное воспитание. Тепличные условия жизни.* ◇ **Тепличное растение, тепличный цветок** — о хрупком, изнеженном человеке, не приспособленном к жизни. *«Игорь — тепличное растение, а Колька ясен, чист и свеж, как полевой цветок»,— думал доктор.* Панова. Спутники.

С и н. (*к 1 знач.*): оранжере́йный.

**ТЁПЛЫЙ**, -ая, -ое; тёпел, тепла́, -о́. **1.** Содержащий в себе тепло, дающий тепло. *Теплые лучи. Теплое помещение.* **2.** Хорошо защищающий тело от холода. *Теплая шаль. Теплые носки.* **3.** *перен.* Проникнутый ласковым, сердечным отношением; приветливый, радушный. *Теплая встреча.* □ *Теплый и кроткий взгляд ее прекрасных в ту минуту, больших, лучистых глаз остановился на лице князя Андрея.* Л. Толстой. Война и мир. **4.** *перен.* Приятный для слуха, зрения. *Голос у него теплый, нежный, чуть-чуть вибрирующий.* Куприн. Черный туман. ◇ **Теплый тон** (или **оттенок** и т. п.) — красновато-коричневый тон спектра (в противоположность сине-голубому). *Теплые тона на картины.*

А н т. (*к 1, 2 и 3 знач.*): холо́дный.

**Тепло́**, *нареч.* (*к 1, 2 и 3 знач.*). *На улице тепло. Тепло одеться. Тепло приветствовать кого-л.*

**ТЕРАПИ́Я**, -и, *ж.* [Греч. therapeía — уход, лечение]. **1.** Лечение внутренних болезней без применения хирургических методов (лекарством, теплом, электричеством и т. п.). *Витаминная терапия. Терапия сердечно-сосудистых заболеваний.* **2.** Раздел медицины, изучающий внутренние болезни, их профилактику и лечение. *Общая терапия. Специалист по терапии.*

**Терапевти́ческий**, -ая, -ое. *Терапевтический корпус больницы.* **Терапе́вт**, -а, *м.*

**ТЕ́РЕМ**, -а, терема́, -о́в, *м.* [Греч. teremnon — дом, жилище]. В Древней Руси: жилое помещение в верхней части богатых хором или дом в виде башни. *Воротился старик ко старухе. Что ж он видит? Высокий терем, На крыльце стоит его старуха В дорогой собольей душегрейке.* Пушкин. Сказка о рыбаке и рыбке.

**Теремно́й**, -а́я, -о́е и **те́ремный**, -ая, -ое.

**ТЕ́РМИН**, -а, *м.* [Восх. к лат. terminus — предел, граница]. Слово или словосочетание, являющееся точным обозначением определенного понятия какой-л. специальной области науки, техники, искусства, общественной жизни и т. п. *Философские, математические, технические термины. Словарь медицинских терминов.* □ *Приехал уездный доктор, весьма плохой врач, любивший щегольять учеными терминами.* Тургенев. Новь.

**Терминологи́ческий**, -ая, -ое. *Терминологическая лексика.*

**ТЕРМИНА́Л**, -а, *м.* [Англ. terminal]. *Спец.* Устройство в электронно-вычислительной машине, предназначенное для ввода и вывода информации. *Использование дисплея в качестве терминала.*

**Термина́льный**, -ая, -ое. *Терминальное устройство ЭВМ.*

**ТЕРМИ́ЧЕСКИЙ**, -ая, -ое. [См. *термо...*]. Связанный с теплотой, с применением тепловой энергии. *Термическая обработка металла.* □ *[Цилиндр] увезли в термический цех. Посадят его там в огромную печь.., будут нагревать до 600 — 650 градусов, а затем медленно, постепенно охлаждать.* Кетлинская. Дни нашей жизни.

С и н.: тепловой.

**ТЕРМО...** [Восх. к греч. thermos — теплый, горячий]. Первая составная часть сложных слов, обозначающая т е р м и ч е с к и й, напр.: *термоакти́вный, термосто́йкий, термосигнализа́тор.*

**ТЕРМОЯ́ДЕРНЫЙ**, -ая, -ое. [От *термо...* (см.) и *ядерный*]. **1.** Относящийся к ядерным реакциям при сверхвысоких температурах. *Термоядерная реакция* (реакция слияния атомных ядер легких элементов, происходящая при сверхвысоких температурах и сопровождающаяся выделением огромного количества энергии). *Термоядерная установка. Термоядерное оружие* (оружие, действующее на основе термоядерной реакции). **2.** Связанный с применением, угрозой применения термоядерного оружия. *Термоядерный конфликт. Предотвратить термоядерную войну.*

**ТЕ́РНИЕ**, -я, те́рния, -ий, *ср. Книжн.* **1.** *Устар.* Всякое колючее растение, а также колючка, шип такого растения. *Придорожные тернии.* □ — *Лицо твое темное,* — *продолжал старый Тойон..* — *А сердце твое поросло бурьяном, и тернием, и горькою полынью.* Короленко. Сон Макара. **2.** обычно *мн., перен.* Трудности, препятствия, невзгоды на жизненном пути человека. *Назарьев искренно считал эти речи необходимыми, чтоб пресечь кое в кем могущее возникнуть предубеждение и убрать с пути доброго инспектора возможные тернии и колючки.* Шагинян. Первая Всероссийская.

**ТЕРНИ́СТЫЙ**, -ая, -ое; -и́ст, -а, -о. **1.** *Устар.* Покрытый шипами, терниями (в 1 знач.). *Терни́стый куст.* **2.** *перен. Высок.* Исполненный трудностей, страданий, невзгод (о жизненном пути). *Питая ненавистью грудь, Уста вооружив сатирой, проходит он тернистый путь С своей карающею лирой.* Н. Некрасов. *Блажен незлобивый поэт...*

С и н. (ко 2 знач.): тру́дный, нелёгкий, тяжёлый, тя́жкий, многотру́дный (*высок.*).

**Терни́стость**, -и, *ж.*

**ТЕ́РПКИЙ**, -ая, -ое; -пок, терпка́ и те́рпка, -о. **1.** Кислый и вяжущий на вкус, а также резкий, сильный, раздражающий (о запахе). *Те́рпкие ягоды. Те́рпкие духи.* □ *Из-под куста боярышника сочился бражный и терпкий душок гниющей прошлогодней листвы.* Шолохов. Тихий Дон. **2.** *перен.* Тягостный, горький. *Он плакал долго и безутешно, и мысли его, как слезы, были солоны и терпки.* Фадеев. Разгром.

**Те́рпко**, *нареч.* (к 1 знач.). *Терпко во рту.* **Те́рпкость**, -и, *ж.* (к 1 знач.). *Терпкость плодов.*

**ТЕРРАКО́ТА** [тэ], -ы, *ж.* [Итал. terra cotta — обожженная земля]. Обожженная цветная (желтая или красная) глина высшего качества, а также керамические, не покрытые глазурью изделия из нее. *Архитектурные украшения из терракоты. Статуэтка из терракоты.*

**Террако́товый**, -ая, -ое. *Терракотовый цвет* (красновато-коричневый).

**ТЕРРА́РИЙ** [тэ], -я и **ТЕРРА́РИУМ** [тэ], -а, *м.* [Восх. к лат. terra — земля]. Специальное помещение для содержания земноводных и пресмыкающихся. *Часть ее [квартиры], чуть ли не целых три комнаты, занимают.. звери — собака, попугай, аквариумы с рыбами, террариумы с.. саламандрами, лягушками.* Бруштейн. Дорога уходит в даль.

**Терра́риумный**, -ая, -ое.

**ТЕРРА́СА**, -ы, *ж.* [Франц. terrasse; восх. к позднелат. terraceus — земляной]. **1.** Горизонтальная или слегка наклонная площадка, образующая уступ на каком-л. склоне, естественного происхождения или устроенная искусственно. *Тремя мощными террасами, заросшими темными хвойными лесами, он [берег] поднимался в небо, насупившись, величаво молчал.* Г. Марков. Грядущему веку. **2.** Пристройка к помещению в виде площадки с крышей на столбах. *Между роббермами мужчины выходили на террасу покурить и размяться. Террасу обвивала неподвижная листва дикого винограда, подзолоченная светом электрической лампочки.* Федин. Первые радости.

С и н. (ко 2 знач.): вера́нда.

**Терра́сный**, -ая, -ое.

**ТЕРРИКО́Н**, -а, *м.* [Восх. к франц. terri conique от terri — породный отвал и conique — конический]. Конусообразный отвал пустой породы на поверхности земли у шахты. *Террикон Сергей увидел сразу же, как только поезд, изогнувшись дугой, завернул вправо. Черный, дымящийся, он высился среди степи огромным конусом.. Ошибиться он не мог: то была его шахта.* В. Титов. Всем смертям назло.

**ТЕРРИТО́РИЯ**, -и, *ж.* [Лат. territorium]. Земельное пространство с определенными границами. *Европейская территория Российской Федерации. Территория института.* □ *Но к первым числам декабря территория, занятая окруженными войсками, сократилась вдвое.* Бондарев. Горячий снег.

С и н.: земля́.

**Территориа́льный**, -ая, -ое. *Территориальные границы.* ◇ *Территориальные воды* — прилегающая к берегу часть моря или океана, на которую распространяется власть прибрежного государства. *Мы стояли вне территориальных вод Франции, однако местный губернатор предложил нам убраться в другую бухту, еще более глухую и дикую.* Новиков-Прибой. Цусима.

**ТЕРРО́Р**, -а, *м.* [Восх. к лат. terror — ужас]. Политика устрашения, подавления политических противников с применением насилия вплоть до физического уничтожения. *Массовый* террор. *Индивидуальный террор (единичные акты политические убийств).* □ *В стране начался кровавый террор, разнузданные грабежи и насилие. Дикий произвол оккупантов вызвал злобу и возмущение всех слоев народа.* Седых. Отчий край.

**Террористи́ческий**, -ая, -ое. *Террористический акт. Террористические методы борьбы.* **Террори́ст**, -а, м.

**ТЕРРОРИ́ЗМ**, -а, м. [См. *террор*]. Политика и тактика террора. *Государственный терроризм. Борьба с международным терроризмом.*

**Террористи́ческий**, -ая, -ое. *Террористическая организация.* **Террори́ст**, -а, м. *Операция захвата террористов.*

**ТЁС**, -а, м., собир. Тонкие доски из древесины хвойных пород. *Увеличив дом в ширину новой пристройкой,— обшили его тесом.* М. Горький. Трое.

**Тесо́вый**, -ая, -ое. *Тесовые ворота.*

**ТЕСНИНА́**, -ы, ж. Узкая глубокая речная долина с крутыми, отвесными склонами, а также узкий проход между горами, ущелье. *Дойдя до Караульной горы.., [дорога] поднималась со дна теснины на откос и оттуда долго спускалась по крутому и голому склону.* Айтматов. Белый пароход.

**ТЕСТ** [тэ], -а, м. [Англ. test — испытание]. Спец. **1.** Стандартное задание, применяемое с целью определения умственного развития, способностей, склонностей человека. *Однажды, когда Сергей зашел к Лядову, тот предложил ему несколько тестов. Так, для шлифовки мозгов.* Колесников. Школа министров. **2.** В вычислительной технике: задача с известным решением, предназначенная для проверки правильности работы цифровой вычислительной машины. *Тесты для ЭВМ.*

**Те́стовый**, -ая, -ое.

**ТЕСТЬ**, -я, м. Отец жены. *[Чацкий:] Я сватаньем моим не угрожаю вам. Другой найдется, благонравный, Низкопоклонник и делец, Достоинствами, наконец, Он будущему тестю равный.* Грибоедов. Горе от ума.

**Тёща**, -и, ж. (мать жены).

**ТЕТ-А-ТЕ́Т** [тэ; тэ], нареч. (употр. обычно с сохранением французского написания). [Франц. tête-à-tête — букв. голова в голову]. Наедине, с глазу на глаз. *Какое адское мученье Сидеть весь вечер tête-à-tête, С красавицей в осьмнадцать лет.* Лермонтов. Тамбовская казначейша.

**ТЕТИВА́**, -ы́, ж. Бечева, струна, стягивающая концы лука. *Натянуть тетиву.* □ *Анга, сидя в углу, плела тетиву для лука. Она нагнулась и прихватила зубами, пробуя, тугая ли.* Задорнов. Амур-батюшка.

**ТЕТРАЛО́ГИЯ** [тэ], -и, ж. [От греч. tetra — четыре и logos — слово]. Четыре литературных или музыкальных произведения одного автора, связанных общим замыслом и преемственностью сюжета. *Тетралогия Н. Г. Гарина-Михайловского («Детство Темы», «Гимназисты», «Студенты» и «Инженеры»).*

**ТЕ́ХНИКА**, -и, ж. [Восх. к греч. technē — искусство, ремесло, наука]. **1.** Совокупность орудий и средств труда, применяемых в общественном производстве, а также область человеческой деятельности, связанная с их изготовлением, применением и усовершенствованием. *Передовая техника. Достижения современной науки и техники. Внедрять новую технику в производство.* **2.** собир. Машины, механические устройства, аппараты. *Ремонт техники. Военная техника.* **3.** обычно чего. Совокупность приемов, навыков, используемых в каком-л. деле, мастерстве, искусстве. *Техника игры на фортепиано. Техника чтения.* □ *Григорий долго не мог усвоить сложной техники игры.— Сильный ты, а рубить дурак. Вот как надо,— учил Чубатый, и шашка его в косом полете разила цель с чудовищной силой.* Шолохов. Тихий Дон. ◊ **Техника безопасности** — система технических мероприятий, обеспечивающих безопасность условий труда. *Соблюдать технику безопасности.*

**Техни́ческий**, -ая, -ое (к 1 и 2 знач.). *Технический прогресс. Техническая реконструкция легкой промышленности. Технические культуры* (растения, дающие сырье для промышленности).

**ТЕ́ХНИКУМ**, -а, м. [См. *техника*]. Среднее техническое или вообще среднее специальное учебное заведение. *Авиационный, библиотечный техникум. Поступить в техникум.*

**ТЕХНИ́ЧНЫЙ**, -ая, -ое; -чен, -чна, -о. [См. *техника*]. Обладающий высокой техникой (в 3 знач.), мастерством (в спорте, искусстве). *Техничный игрок, удар. Техничная игра пианиста.*

**Техни́чно**, нареч. *Играть технично.* **Техни́чность**, -и, ж.

**ТЕХНОЛО́ГИЯ**, -и, ж. [От *техника* (см.) и греч. logos — учение]. Совокупность производственных операций, осуществляемых определенным способом и в определенной последовательности, из которых складывается процесс обработки материала, изделия, а также их научное описание. *Промышленная, сельскохозяйственная технология. Совершенствование технологий заготовки, переработки и использования кормов.* □ *Ей дали переплетенную в коленкор толстую тетрадь с описанием технологии всех операций и велели изучить.* Прилежаева. Пушкинский вальс.

**Технологи́ческий**, -ая, -ое. *Технологический процесс. Технологическое оборудование. Технологический институт.* **Техно́лог**, -а, м.

**ТЕЧЕ́НИЕ**, -я, ср. **1.** Движение воды в речном русле, а также движущийся в определенном направлении поток воды в океане, море. *Морские течения. Идти вниз по течению реки. Нижнее течение* (низовье реки). *Верхнее течение* (верховье реки). **2.** перен., чего. Протекание, совершение, развитие чего-л. в определенной последовательности. *Течение воспоминаний. Бурное течение событий. Течение болезни.* □ *В однообразно-тихом и плавном течении жизни таятся великие прелести.* Тургенев. Вешние воды. **3.** Литературно-художественное, общественно-политическое или научное направление. *Модернистские течения в искусстве. Философские течения.* ◊ **Плыть по течению** — вести себя пассивно, вяло, целиком подчиняясь создавшимся условиям. **Плыть (или идти) против течения** — действовать самостоятельно, наперекор сложившимся традициям.

С и н. (*к 3 знач.*): шко́ла.

**ТЕ́ШИТЬ**, те́шу, те́шишь; те́шащий, те́шивший; те́ша, *несов., кого, что.* **1.** Забавлять, развлекать, а также доставлять удовольствие. *Тешить глаз, взор. Тешить свое самолюбие.* □ *[В библиотеке Глафиры Львовны] было с полсотни французских романов; часть их тешила и образовывала в незапамятные времена графиню Мавру Ильиничну.* Герцен. Кто виноват? **2.** Успокаивать, ободрять, утешать. *Тешить себя надеждой.* □ *[Больная] истерически оживлялась и начинала вдруг говорить вслух, почти не умолкая, о своем сыне, о своих надеждах, о будущем.. Ее тешили, ей поддакивали (она сама, может быть, видела ясно, что ей поддакивают и только тешат ее).* Достоевский. Преступление и наказание.

С и н. (*к 1 знач.*): весели́ть, ра́довать, ласка́ть, не́жить, леле́ять, услажда́ть (*устар.*).

**ТИК**[1], -а, *м.* [Франц. tic]. Нервное заболевание, проявляющееся в непроизвольном подергивании мышц лица, шеи, рук. *Страдать тиком.* □ *Начальник взволнованно ходил за столом, и багровая щека у него подергивалась нервным тиком.* Г. Марков. Строговы.

**Тико́зный**, -ая, -ое.

**ТИК**[2], -а, *м.* [Голл. tijk]. Хлопчатобумажная или льняная плотная ткань (обычно полосатая), употребляемая для обивки матрацев, для изготовления чехлов и т. п.

**Ти́ковый**, -ая, -ое. *Тиковая наволочка.*

**ТИМПА́Н**, -а, *м.* [Греч. tympanon]. Древний ударный музыкальный инструмент, род литавр. *Звучат веселые тимпаны; Младые нимфы и сильваны, Составя шумный хоровод, Несут недвижного Силена.* Пушкин. Торжество Вакха.

**ТИП**, -а, *м.* [Восх. к греч. typos — удар, отпечаток, образец]. **1.** Образец, модель, форма, которым соответствует известная группа предметов, явлений. *Тип автомобиля, самолета. Типы производственных отношений.* **2.** Характер внешности, облик человека, связанный с его этнической или социальной, профессиональной принадлежностью. *Восточный тип лица. Тип ученого, крестьянина.* □ *Тип величавой славянки Возможно и ныне сыскать.* Н. Некрасов. Мороз, Красный нос. **3.** Разряд, категория людей, объединенных какими-л. характерными чертами (социальными, профессиональными, нравственными и т. п.). *Тип разочарованных молодых людей. Тип приспособленца. Принадлежать к типу руководящих работников. Он слишком самоуверен — я не люблю людей этого типа.* **4.** Художественный образ, обобщающий характерные черты какой-л. группы людей. *Тип революционера-разночинца в русской литературе.* □ *Читая роман Тургенева, мы видим в нем типы настоящей минуты и в то же время отдаем себе отчет в тех изменениях, которые испытали явления действительности, проходя через сознание художника.* Писарев. Базаров.

С и н. (*к 3 знач.*): гру́ппа, класс, род, сорт (*разг.*).
С и н. (*к 4 знач.*): хара́ктер.

**Типово́й**, -а́я, -о́е (*к 1 знач.*) и **типи́ческий**, -ая, -ое (*к 4 знач.*). *Типовой проект. Типовое оборудование. Типический образ. Типические обстоятельства.*

**ТИПИ́ЧНЫЙ**, -ая, -ое; -чен, -чна, -о. [См. *тип*]. **1.** Отличающийся признаками, свойственными какому-л. типу предметов, лиц, явлений. *Типичный представитель интеллигенции. Типичный южный город.* □ *Среднего роста, статный, широкоплечий, Изварин был типичным казаком.* Шолохов. Тихий Дон. **2.** Часто встречающийся, обычный для кого-, чего-л. *Типичные ошибки. Типичная ситуация.* □ *[Пленный] был молодой человек лет двадцати пяти, белесый, с водянистыми голубоватыми глазами, типичными для немецких лиц.* Казакевич. Звезда.

С и н. (*ко 2 знач.*): хара́ктерный, характерти́ческий и характери́стичный (*устар. и спец.*).

А н т. (*ко 2 знач.*): индивидуа́льный.

**Типи́чно**, *нареч.* **Типи́чность**, -и, *ж.*

**ТИР**, -а, *м.* [Франц. tir]. Специально оборудованное помещение для учебной стрельбы в цель из огнестрельного оружия. *[Бельтов] тратил свое время, стреляя из пистолета в тире.* Герцен. Кто виноват?

**ТИРА́ДА**, -ы, *ж.* [Франц. tirade]. *Книжн. и ирон.* Длинная фраза, отрывок речи, произносимые обычно в приподнятом тоне. *Спорить с ним я никогда не мог. Он не отвечает на ваши возражения, он вас не слушает. Только что вы остановитесь, он начинает длинную тираду, по-видимому, имеющую какую-то связь с тем, что вы сказали, но которая в самом деле есть только продолжение его собственной речи.* Лермонтов. Герой нашего времени.

**ТИРА́Ж**, -а́, *м.* [Франц. tirage]. Общее количество экземпляров печатающегося издания. *Разовый тираж книги. Издать тиражом в 100 тысяч экземпляров.*

**Тира́жный**, -ая, -ое.

**ТИРА́Н**, -а, *м.* [Греч. tyrannos]. **1.** В Древней Греции, средневековой Италии: единоличный правитель. **2.** Самовластный жестокий правитель, угнетатель. *Как дуб, на теме гор растущий, Тиранов дерзость возросла.* Рылеев. Наливайко. **3.** *перен.* Тот, кто мучит, притесняет кого-л., доставляет страдания. *Он стал тираном и мучителем жены своей и, чего бы никто не мог предвидеть, прибегнул к самым бесчеловечным поступкам, даже побоям.* Гоголь. Портрет.

С и н. (*к 3 знач.*): де́спот, самоду́р.

**Тира́нка**, -и, *ж.* **Тира́нский**, -ая, -ое (*к 3 знач.*).

**ТИРА́НИЯ**, -и, *ж.* [Греч. tyrannia]. **1.** Правление, основанное на неограниченной власти, произволе и насилии. *Древнегреческая тирания. Царская тирания.* **2.** *Книжн.* Жестокость, насилие, произвол. *Фашистская тирания.* □ *Катя переносила на себе все прихоти матери, доходившие до нравственной тирании.* Достоевский. Неточка Незванова.

С и н. (*к 1 знач.*): деспоти́зм. С и н. (*ко 2 знач.*): деспоти́зм, тира́нство (*разг.*), самовла́стие (*устар.*)
**Тирани́ческий**, -ая, -ое (*к 1 знач.*).
**ТИСНЕ́НИЕ**, -я, *ср.* Способ художественной обработки кожи, металла, бархата и других материалов путем выдавливания на их поверхности рельефных изображений, а также изображение, полученное таким способом. *Тиснение на металле. Золотое тиснение на корешках книг.*
**ТИТА́Н**, -а, *м.* [Греч. Titan] **1.** В древнегреческой мифологии: божество, один из сыновей Урана и Геи, вступивших в борьбу с Зевсом за обладание небом и побеждённых им. **2.** *перен.*, обычно *чего.* Человек, отличающийся исключительной силой ума, таланта, величием и размахом деятельности. *Титаны науки.* □ *Подхалюзин начинает соображать шансы своего положения. Человек он не гениальный, не герой и не титан, а очень обыкновенный смертный.* Добролюбов. Темное царство.
С и н. (*ко 2 знач.*): гига́нт, ге́ний, коло́сс (*книжн.*), исполи́н (*высок.*).
**ТИТАНИ́ЧЕСКИЙ**, -ая, -ое. [См. *титан*]. Высок. **1.** Являющийся титаном (*во 2 знач.*), отличающийся огромной физической или нравственной силой, умом, талантом. *Он не был из числа тех титанических натур, которые, сознав свое разумное превосходство, становятся над толпою в уединенном величии.* Добролюбов. А. С. Пушкин. **2.** Свойственный титану (*во 2 знач.*), огромный по силе, размаху, напряженности. *Титанический труд. Титаническая борьба.* □ *До самого конца они [руководители подполья] поддерживали в людях это титаническое напряжение сил, чтобы вынести все, что война возложила на плечи народа.* Фадеев. Молодая гвардия.
С и н.: грандио́зный, колосса́льный, гига́нтский, исполи́нский, циклопи́ческий (*книжн.*).
**ТИТР**, -а, *м.* [Франц. titre]. Надпись на кадре в фильме, передающая слова действующих лиц или содержащая пояснительный текст. *И вот фильм, с титрами, переведенными Эренбургом и одним молодым французским писателем, появился на экране.* Вишневский. В Европе.
**Ти́тровый**, -ая, -ое.
**ТИ́ТУЛ**, -а, *м.* [Лат. titulus]. **1.** В феодальном и буржуазном обществе: почетное наследственное или жалованное дворянское звание, требующее соответствующего титулования (величество, сиятельство, высочество и т. п.). *Княжеский, императорский титул. Титул графа.* □ *— Он [Наполеон] человек в сером сюртуке, очень желавший, чтоб я ему говорил «ваше величество», но, к огорчению своему, не получивший от меня никакого титула.* Л. Толстой. Война и мир. **2.** Наименование кого-, чего-л. (обычно высокое, почетное) по роду занятий, общественному положению, каким-л. отличительным особенностям. *Титул чемпиона.* □ *Пусть принимает эти идеи только тот, кто действительно убежден в их верности, пусть он не думает, что титул прогрессиста*

*сам по себе.. покрывает грехи прошедшего, настоящего и будущего.* Писарев. Базаров.
С и н. (*к 1 знач.*): досто́инство (*устар.*). С и н. (*ко 2 знач.*): сан (*книжн.*).
**ТИТУЛЯ́РНЫЙ**, -ая, -ое. [Польск. titularny от лат. titulus]. ◊ **Титуля́рный сове́тник** — в дореволюционной России: гражданский чин 9 класса (по табели о рангах). *Отец Паклина был простой мещанин, дослужившийся всякими неправдами до чина титулярного советника, ходок по тяжебным делам.* Тургенев. Новь.
**ТКАНЬ**, -и, *ж.* **1.** Тканая материя. *Шерстяная, хлопчатобумажная, шелковая ткань. Декоративные ткани.* **2.** *ед., перен.,* чего или какая. Книжн. То, что составляет основу, содержание чего-л. *Музыкальная ткань оперы. Словесная ткань произведения.* □ *[Природа] втягивает, впутывает [человека] в ткань общественных и семейных отношений.* Герцен. Былое и думы.
С и н. (*к 1 знач.*): материа́л, мануфакту́ра (*устар.*).
**Тка́невый**, -ая, -ое (*к 1 знач.*). *Тканевые изделия.*
**ТЛЕН**, -а, *м.* Устар. и высок. **1.** Гниение, распад, разрушение. *Подвергаться тлену.* □ *Весь я не умру, но часть меня большая, От тлена убежав, по смерти станет жить.* Державин. Памятник. **2.** Что-л. тлеющее или истлевшее. *В бескрайних степях под Сталинградом.. в прах и тлен превратились отборные гитлеровские дивизии.* Шолохов. Слово о Родине. **3.** *перен.* О том, что непрочно, временно, не имеет истинной ценности. *[Первый конвойный Швандле:] И все на свете суета и тлен. Вот ты, большевик, немцам продался, капитал с их получил, а на тот свет с собой не унесешь.* Тренев. Любовь Яровая.
С и н. (*к 1 знач.*): тле́ние, разложе́ние. С и н. (*к 3 знач.*): прах (*устар.*), суета́ (*устар. и книжн.*).
**Тле́нный**, -ая, -ое; -е́нен, -е́нна -о. **Тле́нность**, -и, *ж.* *Тленность всего земного.*
**ТЛЕТВО́РНЫЙ**, -ая, -ое; -рен, -рна, -о. **1.** Устар. Порождающий тление, разрушение, смерть или порожденный тлением. *Нину шибанул тлетворный, весь в многолетнем смраде воздух.* Шишков. Угрюм-река. **2.** *перен.* Книжн. Оказывающий пагубное, разлагающее воздействие на кого-, что-л. *И думать, что этот живой труп [Тихон] — не один, не исключение, а целая масса людей, подверженных тлетворному влиянию Диких и Кабановых! И не чаять для них избавления — это, согласитесь, ужасно!* Добролюбов. Луч света в темном царстве.
С и н. (*ко 2 знач.*): па́губный, ги́бельный, губи́тельный, разруши́тельный.
**Тлетво́рно**, *нареч.* **Тлетво́рность**, -и, *ж.*
**ТОВА́Р**, -а, *м.* [Тюрк.]. **1.** Спец. Продукт труда, произведенный для обмена или продажи. *Стоимость товара. Товары народного потребления.* □ *Производство товаров есть система общественных отношений, при которой отдельные производители созидают разнообразные продукты.. и все эти продукты приравниваются друг к другу при обмене.* Ленин, т. 26, с. 61. **2.** Вообще все то, что является предметом

торговли. *Ассортимент товаров. Отпуск товаров в кредит.* ☐ *Чу, идёт! — пришла желанная, продает товар купец. Катя бережно торгуется, Все боится передать.* Н. Некрасов. Коробейники. ◊ **Показать (показывать) товар лицом** (*разг.*) — представить (представлять) что-л. с наиболее выгодной, лучшей стороны. *Недаром Мамонтов, по распоряжению свыше, старался в подборе почетного караула. Товар был показан лицом.* Шолохов. Тихий Дон.

**Товáрный**, -ая, -ое. *Товарное обращение. Товарный склад. Товарный поезд.*

**ТОВÁРИЩ**, -а, *м.* **1.** Человек, участвующий с кем-л. в одном деле, промысле, предприятии и т.п. *[В грамоте] было сказано, чтоб схватить смутьяна и вора Федьку Шакловитого с товарищами и в цепях везти в лавру.* А. Н. Толстой. Пётр I. **2.** Человек, занимающий равное с другими людьми положение в обществе и дружески расположенный к ним. *Школьные, боевые товарищи. Товарищ по работе.* **3.** Человек как член советского общества, как гражданин социалистической страны или как член революционной рабочей партии (употр. обычно в обращении, при фамилии, при названии профессии, звания). *Товарищ Иванов. Товарищ командир.* **4.** *кого. Устар.* В названиях должностных лиц: помощник, заместитель. — *У меня тоже есть сын. Ему уже тринадцать лет, но он живет у отца. Мой муж товарищ прокурора.* М. Горький. Мать.

С и н. (к 1 знач.): собрáт (*высок.*), сотовáрищ (*устар.*). С и н. (ко 2 знач.): друг, приятель, дружóк (*разг.*), кóреш (*прост.*).

**Товáрка**, -и, *ж.* (ко 2 знач.) (*устар.*). **Товáрищеский**, -ая, -ое (ко 2 знач.). *Товарищеские отношения.* ◊ **Товарищеский суд** — общественный суд, создаваемый на предприятиях, учреждениях, воздействующий мерами общественного порицания.

**ТÓГА**, -и, *ж.* [Лат. toga]. У древних римлян: мужская одежда в виде мантии, обычно из белой шерсти, одним концом перекидываемая через левое плечо. *Понтий Пилат встал с места и пошел в покои, поправляя на плечах просторную тогу.* Айтматов. Плаха. ◊ **Рядиться в тогу** *кого* (*книжн.*) — пытаться выдать себя за кого-л. или создать себе какую-л. репутацию без достаточных на то оснований. *Рядиться в тогу героя.*

**ТОЖДÉСТВЕННЫЙ**, -ая, -ое; -вен, -венна, -о и **ТОЖÉСТВЕННЫЙ**, -ая, -ое; -вен, -венна, -о. Полностью совпадающий с чем-л. по своим признакам, содержанию, значению и т. п. *Тождественные (тожественные) явления, условия, мнения.* ☐ *Мысль Викентия Алексеевича шла примерно теми же ходами, что и проховровская, ассоциации были тождественны.* Липатов. И это все о нем.

С и н.: адеквáтный (*книжн.*), идентúчный (*книжн.*), эквивалéнтный (*книжн.*).

**Тождéственно** и **тожéственно**, *нареч.* **Тождéственность**, -и и **тожéственность**, -и, *ж. Тождественность восприятия окружающего.*

**ТОК**[1], -а, *м.* **1.** *Устар. высок.* Поток, движущаяся масса жидкости или воздушной струи. *Горячий, но освежающий ток встречного ветра захватил ее.* Федин. Необыкновенное лето. **2.** Упорядоченное движение электрических зарядов в проводнике. *Сила тока. Провода под током.* **3.** обычно *мн.* О нервной энергии человека, воспринимаемой другими людьми. *Бубенцов был охвачен тем внутренним творческим возбуждением воли и энергии, которое невидимыми токами передается окружающим.* Лаптев. «Заря».

С и н. (к 3 знач.): флюúды (*устар. и книжн.*).

**ТОК**[2], -а, токá, -óв, *м.* Специально оборудованная площадка для молотьбы, очистки и просушки зерна. *Молотить на току.* ☐ *[На поле], красуясь золотистыми шапками жирных стогов и скирд, виднелся ток. Там.. летали снопы, сухо и четко стучала машина.* Фадеев. Разгром.

С и н.: гумнó.

**ТОК**[3], -а, *м.* [Франц. toque]. *Устар.* Высокий, прямой, без полей женский головной убор. *Губернаторша подводила его к высокой и очень толстой старухе в голубом токе.* Л. Толстой. Война и мир.

**ТОКСИ́ЧЕСКИЙ**, -ая, -ое и **ТОКСИ́ЧНЫЙ**, -ая, -ое; -чен, -чна, -о. [Восх. к греч. toxikon — яд]. *Спец.* **1.** Ядовитый, отравляющий. *Токсичные вещества. Токсическое действие газа.* **2.** Вызываемый токсинами (ядовитыми веществами). *Токсическое поражение организма.*

**Токси́чность**, -и, *ж. Токсичность выхлопных газов автомобиля.*

**ТОЛКÓВЫЙ**, -ая, -ое; -ов, -а, -о. **1.** Дельный, понятливый, рассудительный. *Решено было послать донесение в штаб. Для этого избран толковый офицер, Болховитинов, который, кроме письменного донесения, должен был на словах рассказать все дело.* Л. Толстой. Война и мир. **2.** Ясный, понятный. *Толковый рассказ.* ☐ *Я цепко ухватился за эти слова, чувствуя в них что-то важное для меня, но не получил объяснения более толкового.* М. Горький. Мои университеты. **3.** *полн. ф.* Содержащий в себе толкования, объяснения. *Толковый словарь.*

С и н. (к 1 знач.): деловóй, пýтный (*разг.*), путёвый (*разг.*). С и н. (ко 2 знач.): внятный, вразумúтельный, дохóдчивый, достýпный.

**Толкóво**, *нареч.* (к 1 и 2 знач.). *Объяснить толково.*

**ТОЛМÁЧ**, -á, *м. Устар.* Переводчик при беседе, разговоре, официальных переговорах. *Толмач перевел шотландцу вопрос царя.* Костылев. Иван Грозный.

**ТОМАГÁВК**, -а, *м.* [Англ. tomahawk]. У североамериканских индейцев: ударное ручное и метательное орудие в виде топорика с длинной рукояткой. *Это слово [пампа], знакомое еще по романам Фенимора Купера, вызывало в памяти образы команчей, размахивающих томагавками.* Братья Тур. Глоток воды.

**ТОМИ́ТЕЛЬНЫЙ**, -ая, -ое; -лен, -льна, -о. **1.** Заставляющий томиться, страдать, причиняющий физические страдания. *Самая смерть.. не имела для Грибоедова ничего ужасного, ничего томительного. Она была мгновен-*

*на и прекрасна.* Пушкин. Путешествие в Арзрум. **2.** Тягостный, гнетущий, причиняющий нравственные страдания. *Томительное ожидание. Томительная тоска.* □ *Настало томительное молчание. Что могли сказать эти три человека, что чувствовали эти три сердца?* Тургенев. Накануне. **3.** Вызывающий истому, чувство приятной расслабленности. *Томительные звуки.* □ *Сладко стеснялась грудь, вдыхая тот особенный, томительный и свежий запах — запах русской летней ночи.* Тургенев. Бежин луг.

С и н. (к *1 и 2 знач.*): тяжёлый, мучительный, тягостный (*книжн.*).

**Томительно**, *нареч.* **Томительность**, -и, *ж. Томительность зноя, скуки.*

**ТОМНЫЙ**, -ая, -ое; -мен, -мна, -о. Исполненный истомы, устало-нежный. *Томная улыбка. Томное волненье.* □ *Как негой грудь ее полна! Как томен взор ее чудесный!* Пушкин. Евгений Онегин.

**Томно**, *нареч. Томно вздохнуть.* **Томность**, -и, *ж.*

**ТОН**, -а, то́ны, -ов и тона́, -ов, *м.* [Восх. к греч. tonos — натяжение, напряжение голоса]. **1.** Музыкальный звук определенной высоты. *Высокие, низкие тона. На три тона выше. Нежные тона скрипки.* **2.** *ед.* Характер звучания речи, отражающий чувства говорящего, его отношение к высказываемому, а также манера, стиль повествования. *Властный, назидательный, деловой, заискивающий тон. Возражать тоном знатока.* □ *— Что это у вас за настроение? Немедленно во взвод! — ледяным тоном приказал Дроздовский.* Бондарев. Горячий снег. **3.** *ед.* Манера поведения, стиль жизни. *Правила хорошего тона. Тон светской жизни. Дурной тон.* □ *Но ей ничто не изменило: В ней сохранился тот же тон, Был так же тих ее поклон.* Пушкин. Евгений Онегин. **4.** (*мн.* тона́, -ов). Цвет, окраска, а также оттенок какого-л. цвета. *Темно-синие тона моря. Мебель светлого тона.* ◇ **Задать (задавать) тон** — 1) показать (показывать) пример в чем-л., явиться (являться) образцом для других. *Мы.. работали вместе, в одном коллективе, и ячейка наша считалась сильной, крепкой. Мы задавали тон всей городской молодежи.* В. Беляев. Старая крепость; 2) дать (давать) нужное направление ходу, развитию чего-л. *Тот страстный и прямой тон, который задала собранию Валентина, сохранился до самого конца.* Николаева. Жатва. **Попасть в тон** — сказать или сделать что-л. уместное или приятное кому-л. **В тон** (говорить, сказать) *кому* — с той же интонацией, в той же манере. **Повысить тон** — начать говорить громче обычного, с раздражением.

С и н. (к *1 знач.*): нота. С и н. (ко *2 знач.*): интонация, нота.

С и н. (к *4 знач.*): краска, колер (*спец.*).

**То́новый**, -ая, -ое (к *1 знач.*) (*спец.*) и **тоново́й**, -ая, -ое (к *4 знач.*) (*спец.*).

**ТОНИЗИ́РОВАТЬ**, -рую, -руешь; тонизирующий, тонизировавший; тонизируемый, тонизированный; -ан, -а, -о; тонизируя, тонизировав; *сов. и несов., кого, что.* [См. *тонус*]. Улучшить (улучшать) функциональное состояние органов, тканей животного или растительного организма, поднять (поднимать) жизненный тонус у кого-, чего-л. *Тонизировать нервную систему. Тонизирующие средства.*

**Тониза́ция**, -и, *ж. Тонизация организма.*

**ТОНКОРУ́ННЫЙ**, -ая, -ое. С тонкой шерстью (руном). *Тонкорунная овца.*

**ТОННЕ́ЛЬ** [нэ́], -я и **ТУННЕ́ЛЬ** [нэ́], -я, *м.* [Англ. tunnel]. Подземное сооружение в виде сквозного коридора для железнодорожного пути, канала и т. п. *Тоннель метрополитена. Судоходный туннель.* □ *На ней [картинке] была изображена гора с туннелем. Из туннеля выбегали длинной вереницей, изгибаясь вдоль берега,.. вагончики.* Седых. Отчий край. *Сумрак тоннелей нравился Сане, он начинал возбуждать в нем какое-то особое, глубинное чутье и не успевал — снова вырывались в широкий и светлый, небесный сумрак дня и снова ненадолго наддавал поезд.* Распутин. Век живи — век люби.

**Тонне́льный**, -ая, -ое и **тунне́льный**, -ая, -ое. *Тоннельные работы. Туннельный проход.*

**ТО́НУС**, -а, *м.* [Восх. к греч. tonos — напряжение]. **1.** Состояние длительного возбуждения нервной или мышечной ткани, не сопровождающееся утомлением и обусловливающее правильное функционирование организма. *Мышечный тонус. Тонус нервной системы.* **2.** Степень жизненной активности, жизнедеятельность. *Неудача в школе, плохие отметки понижают настроение и жизненный тонус воспитанника.* Макаренко. Методика воспитательного процесса.

**ТОПА́З**, -а, *м.* [Восх. к греч. topazos]. Прозрачный драгоценный камень различной окраски. *На тонком слое ваты лежали: маленький, овальный, прозрачный, розовый сердолик.. и гордость моей коллекции дымчатый топаз — клочок тумана, растворенный в темном стекле.* Нагибин. Эхо.

**Топа́зовый**, -ая, -ое. *Топазовый перстень.*

**ТОПОГРА́ФИЯ**, -и, *ж.* [От греч. topos — место и graphein — писать]. **1.** Наука, изучающая земную поверхность и способы ее измерения и изображения на карте или плане. *Изучать топографию.* **2.** Поверхность и взаимное расположение отдельных пунктов какой-л. местности. *Топография города. Топография Подмосковья.*

**Топографи́ческий**, -ая, -ое. *Топографическая съемка. Топографические исследования. Топографическая карта.* **Топо́граф**, -а, *м.*

**ТОПОНИ́МИКА**, -и и **ТОПОНИМИ́Я**, -и, *ж.* [От греч. topos — место и onoma — имя]. *Спец.* Совокупность географических названий (наименований населенных пунктов, рек, озер, гор и т. п.) какой-л. местности. *Топонимика (топонимия) Кавказа.*

**ТО́РБА**, -ы, *ж.* [Тюрк.]. **1.** Мешок с овсом, надеваемый на морду лошади. *Лошади мотают головами, едят овес, вскидывая торбы.* Серафимович. Мертвый город. **2.** Мешок, сума. *Жена Полищука приносила в запасной полк.. пироги в простой крестьянской торбе.* Гончар. Знаменосцы.

◇ **Носиться как дурак** (*или* **дурень**) **с писаной**

торбо́й — уделять чему-л. пустому, нестоящему слишком много внимания.

**ТОРБАСА́**, -о́в *и* **ТОРБАЗА́**, -о́в, *мн.* (*ед.* **торба́с**, -а *и* **торба́з**, -а, *м.*) [*Якут.*]. Мягкие сапоги из оленьих шкур шерстью наружу. [*Макар*] одевался в звериные шкуры, носил на ногах «*торбаса*». Короленко. Сон Макара.

**ТОРГ**, -а, то́рги, -ов *и* торги́, -о́в, *м.* **1.** Купля и продажа товаров; торговля. *Сидит Сорока на куче оленьих шкур.. и ведет торг: покупает у самоедов оленей.* Серафимович. На льдине. **2.** Соглашение о цене на основе договоренности при какой-л. покупке, сделке. *Словом, торг сладился: Круциферский шел в наем за 2500 рублей в год.* Герцен. Кто виноват? **3.** *Устар.* Базар, рынок. *Продать на торгу.* **4.** обычно *мн.* (то́рги, -ов). Публичная продажа какого-л. имущества, вещей, при которой продаваемая вещь приобретается лицом, предложившим за нее наивысшую цену. [*Лопахин:*] *Пришли мы на торги.. там уже Дериганов. У Леонида Андреича было только пятнадцать тысяч, а Дериганов сверх долга сразу надавал тридцать.* Чехов. Вишневый сад.
С и н. (*к 1 и 3 знач.*): то́ржище (*устар.*). С и н. (*к 4 знач.*): аукцио́н.

**ТОРЕАДО́Р**, -а *и* **ТОРЕ́РО**, *нескл., м.* [Исп. toreador; восх. к лат. taurus — бык]. В Испании и некоторых других странах: участник боя быков (корриды). *На картине бравый тореадор в малиновой курточке, опутав рога взбешенного быка петлею из нитки, одной рукою удерживал вздыбившееся животное, а другой небрежно опирался на шпагу.* Шолохов. Поднятая целина. *Профсоюз тореадоров в Мадриде мобилизовал себя в распоряжение правительства, тореро храбро дерутся против фашистов.* М. Кольцов. Испанский дневник.

**Тореадо́рский**, -ая, -ое. *Тореадорский плащ.*

**ТОРЕ́Ц**, -рца́, *м.* **1.** Поперечный срез древесины, а также вообще поперечная сторона чего-л. *Торец бревна. Торец дома.* □ *Угрюмый мужик.. перехватывал длинную рукоять дубовой кувалды, бил с оттяжкой по торцу сваи.* А. Н. Толстой. Петр I. **2.** Шестигранный брусок поперечно разрезанного бревна для мощения улиц. *На Невском рабочие расковыривали торцы мостовой, наполняя город запахом гнилого дерева.* М. Горький. Жизнь Клима Самгина. **3.** Мостовая из таких брусков. *Мчась по столичному торцу, Пучеглазые моторы Подлетали ко дворцу.* Д. Бедный. Каиново наследство.

**Торцево́й**, -а́я, -о́е *и* **торцо́вый**, -ая, -ое. *Торцевой разрез. Торцовая мостовая.*

**ТОРЖЕ́СТВЕННЫЙ**, -ая, -ое; -вен *и* -венен, -венна, -о. **1.** *полн. ф.* Относящийся к проведению празднества в ознаменование какого-л. события, юбилейной даты и т. п. *Торжественное заседание. Торжественная встреча ветеранов. Торжественное открытие памятника. Торжественный марш.* **2.** Величественный, приподнятый, исполненный важности, значительности. *Торжественный вид. Торжественная минута.* □ *Прощай же, море! Не забуду Твоей торжественной красы.* Пушкин. К морю. **3.** *полн. ф.* Нерушимый, священный. *Торжественное обещание.* □ *Обещание, данное ею на завтрашний день, всего более беспокоило ее: она совсем было решилась не сдержать своей торжественной клятвы.* Пушкин. Барышня-крестьянка.
С и н. (*к 1 знач.*): пра́здничный. С и н. (*ко 2 знач.*): пара́дный, помпе́зный (*книжн.*).

**Торже́ственно**, *нареч.* **Торже́ственность**, -и, *ж.*

**ТО́РЖИЩЕ**, -а, *ср. Устар.* **1.** Место торговли, торговая площадь, базар. *Нет ни одной мало-мальски порядочной станицы, посада, уездного города, где бы в базарные дни на торжище не толпились сотни и тысячи рабочего люда.* Г. Успенский. Кой про что. **2.** Большая торговля, торг на таком месте. *Вскоре ярмарка открылась: выкинули флаги, распахнули двери плавучих магазинов. Зачалося торжище.* Шишков. Угрюм-река.
С и н. (*к 1 знач.*): ры́нок, торг (*устар.*).

**ТОРИ́ТЬ**, -рю́, -ри́шь; торя́щий, тори́вший; тори́мый, торённый; торён, торена́, -о́; торя́; *несов., что.* Частой ходьбой и ездой прокладывать (путь). *И так уж повелось, что каждый день торили люди дорогу к этим дорогим могилам.. Тысячи ног прокладывали дорогу, утаптывали тропинки в снегу, и с каждым днем все торнее становились они, все шире.* Саянов. Лена.
С и н.: проторя́ть.

**ТО́РНЫЙ**, -ая, -ое; то́рен, то́рна, -о. **1.** Наезженный, утоптанный, ровный (о дороге). *На втором перевале через горный отрог тропка разделилась. Одна пошла влево, а другая — прямо в лес. Первая мне показалась мало хоженой, а вторая — более торной.* Арсеньев. По Уссурийскому краю. **2.** *перен.* Обычный, принятый многими или всеми. [*Павел*] *незаметно начал уклоняться с торной дороги всех: реже посещал вечерники и хотя по праздникам куда-то уходил, но возвращался трезвый.* М. Горький. Мать.
С и н. (*к 1 знач.*): проторённый, ука́танный, нака́танный, уе́зженный, е́зженый, утрамбо́ванный. С и н. (*ко 2 знач.*): проторённый, изби́тый.

**ТОРОВА́ТЫЙ**, -ая, -ое; -ва́т, -а, -о. *Устар.* **1.** Щедрый, склонный к расточительству. [*Бессудный:*] *Барин тороватый, простой, деньги тратит, не считает.* А. Островский. На бойком месте. **2.** Расторопный, ловкий, проворный. — *Мать говорила, что я к хозяйству больше тороват, а вот сестра Катерина-то к торговле.* Решетников. Тетушка Опариха.
С и н. (*ко 2 знач.*): шу́стрый (*разг.*), пры́ткий (*разг.*).

**Торова́то**, *нареч.* **Торова́тость**, -и, *ж.*

**ТОРОКА́**, -о́в, *мн.* Ремни сзади седла для привязывания чего-л. *Везти в тороках.* □ *Роман и Егор Кузьмич скинули с себя дохи, привязали их в торока.* Седых. Отчий край.

**ТОРО́С**, -а *и* **ТО́РОС**, -а, *м.* Ледяная глыба, образовавшаяся от сжатия льдов в морях, реках, озерах. *Торосы на реке были такими же синими, как ветер, и цвет неба был голубым.* Липатов. И это все о нем.

**Торо́совый**, -ая, -ое *и* **то́росовый**, -ая, -ое.

**ТОРПЕ́ДА**, -ы, *ж.* [Восх. к лат. torpedo — оцепенение;

электрический скат]. *Самодвижущийся и самоуправляемый подводный снаряд сигарообразной формы. Каждая удачно выпущенная с миноносца торпеда, эта стальная самодвижущаяся сигара, начиненная пятью пудами пироксилина, грозит нам неминуемой гибелью.* Новиков-Прибой. Цусима.

**Торпе́дный**, -ая, -ое. *Торпедный механизм. Торпедная атака.*

**ТОРС**, -а, *м.* [Итал. torso]. **1.** Туловище человека. *Могучий торс.* □ *Легкий пар шел от его гибкого, юношеского торса, от плеч, от чистой, безволосой груди.* Бондарев. Горячий снег. **2.** Скульптурное изображение туловища человека (без головы и конечностей). *Античные торсы.* □ *Вдоль стен и в нишах коридора стояли каменные и бронзовые фигуры, торсы, головы, маски, черепки ваз.* А. Н. Толстой. Аэлита.
С и н. (к 1 знач.): ко́рпус, стан.

**То́рсовый**, -ая, -ое.

**ТОРШЕ́Р**, -а, *м.* [Франц. torchère]. Светильник на высокой подставке, стоящий на полу. *[Степанида] выключила верхний свет, и теперь только торшер и бра освещали четверых сидящих за столом.* Липатов. И это все о нем.

**Торше́рный**, -ая, -ое.

**ТОСТ**[1], -а, *м.* [Англ. toast]. Застольное пожелание, предложение выпить вина в честь кого-, чего-л. *— В память Базарова,— шепнула Катя на ухо своему мужу и чокнулась с ним. Аркадий в ответ пожал ей крепко руку, но не решился громко предложить этот тост.* Тургенев. Отцы и дети.

**ТОСТ**[2], -а, *м.* [См. *тост*[1]]. Поджаренный или подсушенный тонкий ломтик хлеба. *Тост с ветчиной.*

**ТОТАЛИТА́РНЫЙ**, -ая, -ое; -рен, -рна, -о. [Франц. totalitaire; восх. к ср.-лат. totalis — полный, всеобъемлющий]. *Книжн.* Характеризующийся полным господством государства над всеми сторонами жизни общества, насилием, уничтожением демократических свобод и прав личности. *Тоталитарный режим. Тоталитарное государство.*

**Тоталита́рность**, -и, *ж.*

**ТОТА́ЛЬНЫЙ**, -ая, -ое; -лен, -льна, -о. [Франц. total; восх. к лат. totum — все, целое]. *Книжн.* Всеобщий, всеохватывающий. *Тотальная мобилизация. Тотальное истребление.* ◇ **Тотальная война** — война, характеризующаяся использованием всех средств для массового уничтожения противника и мирного населения его страны. *Авантюристическая гитлеровская стратегия не учла того, что в ответ на бесчеловечную тотальную войну народы Европы и Советской России ответят.. неотвратимой, как стихия, народной войной.* А. Н. Толстой. Славяне, к оружию!
С и н.: о́бщий, всеобъе́млющий, поголо́вный, пова́льный, сплошно́й.

**Тота́льно**, *нареч.* **Тота́льность**, -и, *ж.*

**ТОТЕ́М** [тэ́], -а, *м.* [Англ. totem из яз. индейцев, означающее «его род»]. У первобытных народов: животное, растение или явление природы, являющееся предметом религиозного поклонения и считающееся родоначальником и покровителем племени, рода.

**Тоте́мный**, -ая, -ое. *Тотемное животное.*

**ТО́ЧКА**, -и, *ж.* **1.** Определенное место в пространстве, на местности или на поверхности тела. *Самая северная точка земного шара. Болевая точка.* **2.** Место, пункт в системе каких-л. пунктов, где расположено что-л. *Радиотрансляционная точка. Торговые точки. Огневая точка.* □ *Дом осаждали пехотинцы.. Точка, обороняемая взводом, мешала продвижению фашистских войск к Волге.* Коптяева. Дружба. **3.** Момент в развитии, течении чего-л. *Кульминационная точка в развитии сюжета. Отправная точка творческого замысла.* □ *И в судьбе людей, и в судьбе воинских частей бывает за войну несколько высших точек... Такой высшей точкой для Синцова и его батальона был этот момент соединения со сталинградцами.* Симонов. Солдатами не рождаются. ◇ **Точка зрения** — чье-л. мнение, взгляд на что-л. **Ставить (поставить) точки над «и»** — окончательно уточнять (уточнить) все, доводить (довести) что-л. до логического завершения. *— Ну, договорились. Точки над «и» поставлены. Какие же выводы?* Ф. Гладков. Энергия.
С и н. (к 3 знач.): ступе́нь.

**ТРАВЕСТИ́**, *нескл., ср.* [Франц. travesti — *букв.* переодетый]. Одно из театральных амплуа — детская или мужская роль, исполняемая переодетой актрисой. *Играть травести.*

**ТРА́ВМА**, -ы, *ж.* [Восх. к греч. trauma — рана]. **1.** Повреждение тканей или органов тела в результате ушиба, ранения, ожога и т. п. *Травма головы. Бытовая, производственная травма.* **2.** *перен.* Нервное потрясение. *Душевная, психическая травма.* □ *С тяжелым сердцем пошла в ординаторскую.. — Все-таки каждая смерть в отделении — для врачей тяжелая травма.* Грекова. Перелом.

**Травмати́ческий**, -ая, -ое. *Травматические повреждения.*

**ТРАГЕ́ДИЯ**, -и, *ж.* [Восх. к греч. tragōidia]. **1.** Драматическое произведение, изображающее острые, непримиримые жизненные конфликты, оканчивающиеся обычно гибелью героя. *Античная трагедия. Трагедии Шекспира.* **2.** Тяжелое событие, глубокий конфликт, приносящие горе, тяжкие душевные страдания. *Трагедия кораблекрушения.* □ *В гражданскую войну она пережила большую трагедию: перед ее глазами замучили и расстреляли близких товарищей.* Ф. Гладков. Энергия. ◇ **Делать трагедию** *из чего* — представлять себе что-л. мрачным, безнадежным, отчаиваться без достаточных оснований. *— Ну, чего тут расстраиваться? Ну, из-за чего тут делать трагедию?* Николаева. Жатва.
С и н. (ко 2 знач.): дра́ма.

**Трагеди́йный**, -ая, -ое (к 1 знач.), **траги́ческий**, -ая, -ое и **траги́чный**, -ая, -ое; -чен, -чна -о (ко 2 знач.). *Трагедийный жанр. Трагедийная (трагическая) актриса. Трагическая случайность. Трагичная ситуация.* **Траги́чески** (ко 2 знач.) и **траги́чно** (ко 2 знач.), *нареч.* **Трагеди́йность**, -и (к 1 *знач.*) и **траги́чность**, -и, *ж.* (*ко 2 знач.*). *Трагедийность сюжета. Трагичность известия.*

**ТРАГИКОМЕ́ДИЯ**, -и, *ж.* [От *трагедия* (см.) и *комедия* (см.)]. **1.** Драматическое произведение, в котором сочетаются трагические и комические элементы. **2.** Печальное и одновременно смешное событие.— *На этой-то террасе и разыгралась вся трагикомедия моей любви.* Тургенев. Гамлет Щигровского уезда.

**Трагикоми́ческий**, -ая, -ое и **трагикоми́чный**, -ая, -ое; -чен, -чна, -о (*ко 2 знач.*). *Трагикомический сюжет. Трагикомический (трагикомичный) случай.* **Трагикоми́чески** (*ко 2 знач.*) и **трагикоми́чно** (*ко 2 знач.*), *нареч. Трагикомически (трагикомично) выглядеть.* **Трагикоми́чность**, -и, *ж.*

**ТРАДИ́ЦИЯ**, -и, *ж.* [Восх. к лат. traditio]. **1.** обычно *мн.* Исторически сложившиеся и передаваемые из поколения в поколение обычаи, правила поведения, взгляды и т. п. *Вековые традиции. Революционные традиции. Хранить традиции предков.* ☐ *[Чапаев] развивал и укреплял среди бойцов героические традиции, и эти традиции — например, «не отступать!» — были священными для бойцов.* Фурманов. Чапаев. **2.** Установившийся в быту порядок, обычай. *Войти в традицию.* ☐ *Все население Алешина холма вышло на вершину встречать стада. Эта встреча была накрепко установившейся традицией Алешина холма.* Николаева. Жатва.

**Традицио́нный**, -ая, -ое; -о́нен, -о́нна, -о. *Традиционный матч. Традиционная встреча выпускников.* **Традицио́нно**, *нареч.* **Традицио́нность**, -и, *ж.*

**ТРАЕКТО́РИЯ**, -и, *ж.* [Восх. к лат. trajectus — передвижение]. *Спец.* Линия движения в пространстве какого-л. тела или точки, а также линия полета снаряда, пули и т. п. *Траектория космического корабля. Траектория брошенного камня.* ☐ *Жуковский создал ряд замечательных работ,— например, «О снежных заносах», где исследовал траекторию несущейся снежинки и выяснил характер снежных отложений перед преградой и за ней.* Бек. Жизнь Бережкова.

**Траекто́рный**, -ая, -ое. *Траекторная кривая.*

**ТРАКТ**, -а, *м.* [Восх. к лат. tractus — волочение, след]. *Устар.* Большая проезжая дорога. *Почтовый тракт.* ☐ *Заключенных вывели из тюрьмы и погнали по тракту к Маньчжурской железнодорожной ветке.* Седых. Отчий край.

С и н.: больша́к, шлях.

**Тра́ктовый**, -ая, -ое.

**ТРАКТА́Т**, -а, *м.* [Восх. к лат. tractatus — рассмотрение, исследование]. **1.***Книжн.* Научное сочинение, рассматривающее какой-л. специальный вопрос, проблему. *Политический, медицинский трактат.* ☐ *Он изучил всевозможные трактаты о воспитании и педагогии от Эмиля и Песталоцци до Базедова и Николаи.* Герцен. Кто виноват? **2.** *Устар.* Договор, соглашение между государствами. *Торговый трактат.* ☐ *Путянин доложил о заключении трактата, о постройке шхуны в Хэда и жизни в Японии.* Задорнов. Гонконг.

С и н. (*ко 2 знач.*): контра́кт (*книжн.*), пакт (*офиц.*), конве́нция (*спец.*).

**Тракта́тный**, -ая, -ое.

**ТРАКТИ́Р**, -а, *м. Устар.* **1.** Гостиница с рестораном. *Вскоре узнал он, что ротмистр Минский в Петербурге и живет в Демутовом трактире.* Пушкин. Станционный смотритель. **2.** Ресторан низшего разряда, закусочная с продажей спиртных напитков. *[Кулигин:] Бульвар сделали, а не гуляют.. Только пьяного приказного и встретишь, из трактира домой плетется.* А. Островский. Гроза.

**Такти́рный**, -ая, -ое. *Трактирное заведение. Трактирный слуга.*

**ТРАКТОВА́ТЬ**, -ту́ю, -ту́ешь; тракту́ющий, трактова́вший; тракту́емый, тракто́ванный; -ан, -а, -о; тракту́я; *несов., что.* [Восх. к лат. tractare — тащить, ощупывать, исследовать]. *Книжн.* Рассматривать, давать объяснение чему-л., истолковывать. *Трактовать законы.* ☐ *По поводу «Грозы» появляется во всех журналах и газетах целый ряд больших и маленьких рецензий, трактовавших дело с самых разнообразных точек зрения.* Добролюбов. Луч света в темном царстве.

С и н.: толкова́ть, интерпрети́ровать (*книжн.*).

**Тракто́вка**, -и, *ж. Новая трактовка художественного образа.*

**ТРАЛ**, -а, *м.* [Англ. trawl]. *Спец.* **1.** Большая сеть в форме мешка для ловли морской рыбы с судов. **2.** Приспособление для вылавливания и обезвреживания подводных мин. *Минный трал.* **3.** Устройство для исследования поверхности дна и захвата оттуда животных и растений. *Глубинный трал.*

**Тра́ловый**, -ая, -ое. *Траловый лов рыбы. Траловое судно.*

**ТРА́ЛЬЩИК**, -а, *м.* [См. *трал*]. **1.** То же, что траулер. **2.** Военное судно, вылавливающее подводные мины с помощью тралов (*во 2 знач.*). *Минный тральщик.*

**ТРАМПЛИ́Н**, -а, *м.* [Восх. к итал. trampolino]. **1.** Спортивное сооружение, устройство в виде пружинящего мостика, приподнятой доски и т. п., служащее для увеличения длины или высоты прыжка. *Лыжный трамплин. Прыжок в воду с трамплина.* ☐ *Неожиданно для Давыдова он [Разметнов] быстро встал, и тотчас же, как кинутый трамплином, подпрыгнул Нагульнов.* Шолохов. Поднятая целина. **2.** *перен. Книжн.* Исходный пункт для каких-л. действий. *Перед началом работы он имел обыкновение перечитывать написанное накануне. Последняя фраза служила ему трамплином для дальнейшего.* Н. Никитин. Это было в Коканде.

**Трампли́нный**, -ая, -ое (*к 1 знач.*).

**ТРАНЗИ́СТОР**, -а, *м.* [Англ. transistor]. Полупроводниковый прибор, усиливающий электрические сигналы, а также портативный радиоприемник с таким прибором. *Включить транзистор.*

**Транзи́сторный**, -ая, -ое. *Транзисторный приемник.*

**ТРАНЗИ́Т**, -а, *м.* [Восх. к лат. transitus — переход, прохождение]. Перевозка грузов или пассажиров из одного пункта в другой через промежуточные пункты. *Товары, идущие транзитом. Пассажирский транзит.*

**Транзи́тный**, -ая, -ое. *Транзитный груз. Транзитный билет.*

**ТРАНС**, -а, м. [Франц. transe]. *Книжн.* Повышенное нервное возбуждение с потерей контроля над своими поступками, а также помрачение сознания при гипнозе. *Впасть в транс.* ☐ *В ту ночь он вышел из здания Наркомата обороны точно в трансе, ничего и никого не видя.* Чаковский. Блокада.

**ТРАНС...** [Восх. к лат. trans — сквозь, через]. Первая составная часть сложных слов, обозначающая: 1) движение через какое-л. пространство, пересечение его, напр.: *трансатланти́ческий, транскавка́зский, трансполя́рный*; 2) расположение за пределами чего-л., напр.: *трансальпи́йский, трансграни́чный.*

**ТРАНСКОНТИНЕНТА́ЛЬНЫЙ**, -ая, -ое. [От *транс...* (см.) и *континент* (см.)]. *Книжн.* Относящийся к связи между континентами или проходящий через весь континент. *Трансконтинентальный рейс. Трансконтинентальная ракета.*

**ТРАНСЛЯ́ЦИЯ**, -и, ж. [Восх. к лат. translatio — перенесение]. Передача на расстояние речи, музыки, изображения по радио или телевидению с места действия, а также то, что передается таким способом. *Трансляция торжественного заседания. Прямая трансляция хоккейного матча. Слушать по радио трансляцию концерта.*

**Трансляцио́нный**, -ая, -ое. *Трансляционная сеть.*

**ТРАНСПАРА́НТ**, -а, м. [Франц. transparent от ср.-лат. transparens, transparentis — просвечивающий]. **1.** Натянутая на раму ткань или бумага с каким-л. изображением, текстом. *Здание областного драмтеатра украшено транспарантами, лозунгами и флагами.* Проскурин. Горькие травы. **2.** Разлинованный лист бумаги, который подкладывается под нелинованную бумагу, чтобы линии, просвечивая, давали возможность писать ровно.

**Транспара́нтный**, -ая, -ое.

**ТРА́НСПОРТ**, -а, м. [Восх. к лат. transportare — переносить, перевозить]. **1.** *ед.* Отрасль экономики, связанная с перевозкой людей и грузов, а также тот или иной вид перевозочных средств. *Железнодорожный, водный, автомобильный, воздушный, гужевой транспорт. Пассажирский, грузовой транспорт. Работа городского транспорта.* **2.** Обоз или совокупность каких-л. перевозочных средств специального назначения. *Артиллерийский, санитарный транспорт.* ☐ *Он целый день по лесам, примыкавшим к большой дороге, следил за большим французским транспортом кавалерийских вещей и русских пленных.* Л. Толстой. Война и мир. **3.** Грузовое морское судно.

**Тра́нспортный**, -ая, -ое. *Транспортное машиностроение. Транспортная бригада.*

**ТРАНСПОРТЁР**, -а, м. [Франц. transporteur; восх. к лат. transportare — переносить, перевозить]. **1.** Устройство для перемещения грузов с помощью движущейся металлической, резиновой и т. п. ленты; конвейер. *Пшеница ползла по лентам транспортеров между элеватором и парохо-дом и сыпалась в открытый люк темного, глубокого трюма.* Катаев. За власть Советов. **2.** Гусеничная или колесная военная машина для перевозки пехоты и грузов.

**Транспортёрный**, -ая, -ое.

**ТРАНСФОРМИ́РОВАТЬ**, -рую, -руешь; трансформи́рующий, трансформи́ровавший; трансформи́руемый, трансформи́рованный; -ан, -а, -о; трансформи́руя, трансформи́ровав; *сов. и несов., что.* [Восх. к лат. transformare]. *Книжн. и спец.* Преобразовать (преобразовывать), превратить (превращать), видоизменить (видоизменять). *Трансформировать световую энергию в тепловую. Трансформировать текст. Трансформировать идею.*

**Трансформи́роваться**, -руется; *возвр.* **Трансформа́ция**, -и, ж. *Трансформация электрического тока.*

**ТРА́ПЕЗА**, -ы и (*устар.*) **ТРАПЕ́ЗА**, -ы, ж. [Греч. trapeza]. **1.** В монастыре: обеденный стол, а также прием пищи за таким столом и сама пища, еда. *Монастырская трапеза.* ☐ *За трапезу садились все, даже сама настоятельница.* Решетников. Свой хлеб. **2.** *Устар. и книжн.* Вообще стол с едой и угощением, а также прием пищи, обед в честь кого-, чего-л. и сама пища, еда. *Праздничная трапеза. Приступить к трапезе.* ☐ *[Инсаров] вернулся часа через три и, на приглашение Берсенева разделить с ним его трапезу, отвечал, что он не отказывается обедать с ним сегодня.* Тургенев. Накануне.

**Тра́пезный**, -ая, -ое и **трапе́зный**, -ая, -ое. *Трапезная келья.*

**ТРА́ССА**, -ы, ж. [Нем. Trasse]. **1.** Линия на карте или местности, отмечающая направление движения, пролегания чего-л. *Трасса газопровода.* ☐ *С того берега.. двигались люди, посланные из тыла дивизиона, чтобы наметить трассу завтрашнего санного пути, найти, где лед потверже.* Симонов. Дни и ночи. **2.** Путь, дорога. *Автомобильная, воздушная трасса.* ☐ *Проезжим шоферам он рассказывал о том, как повышается тоннокилометраж при хорошей трассе.* Николаева. Жатва. **3.** *Спец.* Светящийся или дымный след, оставляемый в воздухе летящей пулей, снарядом и т. п. *Обесцвеченные солнцем трассы зенитных снарядов непрерывно вылетали им настречу с конца и спереди эшелона.* Бондарев. Горячий снег.

**Тра́ссовый**, -ая, -ое (*спец.*).

**ТРАССИ́РУЮЩИЙ**, -ая, -ое. [См. *трасса*]. Имеющий видимую траекторию полета, оставляющий на своем пути светящийся след (о пулях, снарядах). *Огни трассирующих снарядов перекрещивались, сходились и расходились радиальными конусами, сталкиваясь с резкими и частыми взблесками танковых выстрелов.* Бондарев. Горячий снег.

**ТРА́УЛЕР**, -а, м. [Англ. trawler]. Морское судно, оборудованное тралами для ловли рыбы и орудиями для первичной ее обработки. *Рыболовецкий траулер.*

С и н.: тра́льщик.

**Тра́улерный**, -ая, -ое. *Траулерный флот.*

**ТРА́УР**, -а, м. [Нем. Trauer]. **1.** Скорбь по умершему или по случаю какого-л. общественного бедствия, выражающаяся в ношении особой одежды, отмене увеселений. *Объявить траур. Приспущенные в знак траура флаги.* □ *[Жюли Карагина] в это время была в трауре по случаю смерти своего брата, убитого в Турции.* Л. Толстой. Война и мир. **2.** Черная одежда, повязка, кайма и т. п. как символ скорби. *Носить траур.* □ *В их числе была женщина, вся в трауре, с заплаканными глазами.* Герцен. Былое и думы.

**Тра́урный**, -ая, -ое. *Траурный марш. Траурная процессия. Траурное платье.*

**ТРАФАРЕ́Т**, -а, м. [Итал. traforetto ot traforo — прокол, отверстие]. **1.** Тонкая пластинка из металла, пластмассы, картона и т. п., в которой прорезаны предназначенные для воспроизведения буквы, рисунок, а также рисунок, надпись и т. п., сделанные с помощью такой пластинки. *Трафарет для платков. Трафарет для росписи стен.* □ *[Девушка] прикладывала к ящикам жестяной квадрат трафарета и с размаху проводила по нему широкой кистью.* Чаковский. У нас уже утро. **2.** *перен.* Общепринятый образец, которому следуют без размышления. *[Ржевский] был красив эффектной, сразу бросающейся в глаза красотою смуглого брюнета.. с яркими чувственными губами под небольшими красивыми черными усами: трафарет итальянского красавца.* Куприн. Страшная минута.

С и н. (ко 2 знач.): шабло́н, штамп, станда́рт, стереоти́п.

**Трафаре́тный**, -ая, -ое; -тен, -тна, -о. *Трафаретная пластинка. Трафаретный рисунок. Трафаретные фразы.* **Трафаре́тно**, нареч. (ко 2 знач.). *Трафаретно мыслить.*

**ТРЕ́БОВАТЕЛЬНЫЙ**, -ая, -ое; -лен, -льна, -о. **1.** Строгий, взыскательный, требующий многого от кого-, чего-л. *Требовательный экзаменатор, педагог.* □ *[Коломеец].. в деле — строгий и требовательный, спуску не даст.* В. Беляев. Старая крепость. **2.** Настойчивый, властный, выражающий требование. *Требовательный тон, взгляд.* □ *Просыпаясь.., Артамонов-старший слышал требовательный гудок фабрики, а через полчаса начинался ее неугомонный шорох, шепот, глуховатый, но мощный.. шум работы.* М. Горький. Дело Артамоновых. **3.** Предъявляющий высокие требования, разборчивый. *Требовательная публика.* □ *Что это вы пишете мне, Варвара Алексеевна, про удобства, про покой?.. Я не брюзглив и не требователен; никогда лучше теперешнего не жил.* Достоевский. Бедные люди.

С и н. (ко 2 знач.): повели́тельный, императи́вный (*книжн.*). С и н. (к 3 знач.): прихотли́вый, капри́зный, привере́дливый, взыска́тельный.

**Тре́бовательно**, нареч. (к 1 и 2 знач.). **Тре́бовательность**, -и, ж. (к 1 и 2 знач.). *Требовательность учителя.*

**ТРЕВОЛНЕ́НИЕ**, -я, ср. *Книжн.* Сильное душевное волнение, беспокойство. *После посещения парохода японцами у всех настроение резко повысилось. Собравшись на палубе, все население парохода обменивалось впечатления-* ми о только что пережитом треволнении. Степанов. Порт-Артур.

С и н.: пережива́ние, нервотрёпка (*разг.*).

**ТРЕД-ЮНИО́Н**, -а, м. [От англ. trade — ремесло, профессия и union — объединение]. Название профсоюза в Великобритании и ряде других англоязычных стран. *Конгресс тред-юнионов.*

**ТРЕЗВО́Н**, -а, м. **1.** Звон во все церковные колокола. *Праздничный трезвон.* □ *Поплыл над Доном радостный колокольный трезвон.* Шолохов. Тихий Дон. **2.** *Разг.* Непрерывные, резкие, частые звуки, шум, а также звонкое, заливистое пение птиц. *Трезвон телефонов.* □ *И жаворонки в небе Уж подняли трезвон.* Тютчев. Весна. **3.** *перен. Разг.* Пересуды, толки, распространяемые открыто и широко. *Чаще всего и серьезного ничего не случается. Цветы, конфеты, разговоры, ну, ручку там поцелуют, а недобрые языки вмиг трезвон разведут.* Лавренев. Встреча.

С и н. (к 3 знач.): спле́тни, перето́лки (*разг.*).

**ТРЕ́ЗВЫЙ**, -ая, -ое; трезв, трезва́, тре́зво. **1.** Не пьяный. *Быть в трезвом состоянии.* **2.** Не пьющий, воздержанный в употреблении спиртного, а также свойственный такому человеку. *Трезвый образ жизни.* **3.** Здравый, рассудительный. *Трезвый взгляд на вещи.* □ *— В таких случаях надо иметь трезвое чувство действительности. Надо самому, своими глазами удостовериться, справедливо ли то, что вам внушают.* Шагинян. Первая Всероссийская.

С и н. (к 3 знач.): разу́мный, благоразу́мный, реалисти́ческий, здравомы́слящий (*книжн.*).

А н т. (к 1 знач.): пья́ный, хмельно́й.

**Тре́зво**, нареч. **Тре́звость**, -и, ж. *Трезвость суждений.*

**ТРЕК**, -а, м. [Англ. track]. Дорожка специального устройства, обычно круговая, для вело- и мотогонок. *На велосипеде он ездил отлично, в стиле настоящего гонщика.. Он даже тренировался в езде по треку, думая взять приз на гонках.* Федин. Первые радости.

**Тре́ковый**, -ая, -ое. *Трековые гонки.*

**ТРЕЛЬ**, -и, ж. [Итал. trillo]. Переливчатое, дрожащее звучание, создаваемое быстрым чередованием двух соседних тонов. *Трель жаворонка, колокольчиков. Заливаться трелью.* □ *Соловей, некоторое время пробовавший свой голос, защелкал и рассыпался по молчаливому саду неистовою трелью.* Короленко. Слепой музыкант.

**ТРЕЛЬЯ́Ж**, -а, м. [Франц. treillage]. **1.** Трехстворчатое зеркало. *О том, что девочка выросла, говорил только новенький ореховый трельяж, старательно уставленный затейливыми флаконами духов и пудреницами.* Попов. Закипела сталь. **2.** Тонкая решетка для вьющихся растений. *Со двора в окно падали лучи заходящего солнца, и все на столе было как бы покрыто красноватой пылью, а зелень растений на трельяже неприятно почернела.* М. Горький. Жизнь Клима Самгина.

**Трелья́жный**, -ая, -ое.

**ТРЕМБИ́ТА**, -ы, ж. Гуцульский народный музыкальный инструмент в виде большой трубы.

**ТРЕН** [рэ], -а, м. [Франц. traîne]. *Устар.* Волочащийся

сзади удлиненный подол женского платья. [*Аннинька*] *явилась в столовую к чаю в великолепном шелковом платье, шумя треном и очень искусно маневрируя им среди стульев.* Салтыков-Щедрин. Господа Головлевы.

С и н.: шлейф.

**ТРЕНАЖЁР**, -а, *м*. [От англ. trainage — тренировка]. *Спец*. Учебно-тренировочное устройство для приобретения рабочих навыков, спортивной и лечебной тренировки. *Спортивные тренажеры.* □ *Я старался как можно тверже закрепить навыки полета по приборам. Большую службу на этом этапе мне сослужил тренажер, учивший правильно распределять внимание в полете по приборам.* Г. Титов. Голубая моя планета.

**Тренажёрный**, -ая, -ое.

**ТРЕНОЖНИК**, -а, *м. и* **ТРЕНОГА**, -и, *ж*. Подставка на трех ножках, а также приспособление различного назначения, состоящее из трех жердей, соединенных наверху. *Треножник фотоаппарата.* □ *Повсюду на треногах варили рыбаки уху, все из ершей да из животрепещущей рыбы.* Гоголь. Мертвые души.

**ТРЕПАК**, -а, *м*. Народная русская пляска в быстром темпе с сильным притопыванием, а также музыка к этой пляске. — *Лучше да забористей русского трепака никакой пляски нет.* Ф. Гладков. Вольница.

**ТРЕПЕТ**, -а, *м*. **1.** Легкое дрожание, колебание. *Трепет ресниц. Трепет листьев.* □ *Григорий по голосу, по хищному трепету ноздрей понял, что говорит он серьезно.* Шолохов. Тихий Дон. **2.** *Книжн*. Сильное волнение, внутреннее напряжение от каких-л. переживаний. *Душевный трепет.* □ *Ждала Татьяна с нетерпеньем, Чтоб трепет сердца в ней затих, Чтобы пришло ланит пыланье.* Пушкин. Евгений Онегин. **3.** Сильная боязнь, страх. *Нагонять трепет на кого-л.* □ *Обыкновенно дядя Михайло являлся вечером и всю ночь держал дом в осаде, жителей его в трепете.* М. Горький. Детство.

С и н. (к 1 знач.): дрожь, трепетание, вздрагивание, вибрация (*книжн.*). С и н. (ко 2 знач.): взволнованность, смятение, смятенность (*устар.*). С и н. (к 3 знач.): ужас, жуть (*разг.*), страсть (*прост.*).

**Трепетный**, -ая, -ое; -тен, -тна, -о. *Трепетная листва. Трепетное дыхание.* **Трепетно**, *нареч*. *Трепетно вздыхать.* **Трепетность**, -и, *ж*.

**ТРЕСТ**, -а, *м*. [Англ. trust]. **1.** Объединение нескольких предприятий одной отрасли. *Трест жилищного хозяйства. Ремонтно-строительный трест.* **2.** Одна из форм монополистических объединений предприятий с централизацией производственных и коммерческих операций. *Монополия выросла из концентрации производства на очень высокой ступени ее развития. Это — монополистические союзы капиталистов, картели, синдикаты, тресты.* Ленин, т. 27, с. 421.

**Трестовский**, -ая, -ое (*разг.*).

**ТРЕТЕЙСКИЙ**, -ая, -ое. Относящийся к разбору конфликта, спора третьей, незаинтересованной стороной, которую избирают по взаимному соглашению спорящие стороны. *Третейский суд.* □ *Авторитет «Среды» [литературного кружка] стоял высоко, и нередко к ней обращались общественные группы, когда возникали серьезные принципиальные конфликты и требовалось беспристрастное третейское решение.* Телешов. Записки писателя.

**ТРЕТИРОВАТЬ**, -рую, -руешь; третирующий, третировавший, третируемый, третированный; -ан, -а, -о; третируя; *несов., кого*. [Восх. к франц. traiter — обращаться, обходиться]. Обращаться с кем-л. пренебрежительно, свысока, не считаться с кем-л. *Только в ее глазах он видел человеческое внимание и сердечность. Все остальные, словно сговорившись, третировали его.* Панова. Спутники.

С и н.: презирать, пренебрегать.

**Третирование**, -я, *ср*.

**ТРЕУГОЛКА**, -и, *ж*. В дореволюционной России и некоторых других странах: форменная шляпа треугольного фасона (сначала в армии и флоте, а затем как парадный головной убор у морских офицеров и гражданских чиновников). *Беглым шагом шел батальон преображенцев, — рослые на подбор, усатые, сытые, в маленьких треуголках, надвинутых на брови.* А. Н. Толстой. Петр I.

**ТРЕУХ**, -а, *м*. Старое название теплой мужской шапки с опускающимися наушниками и задком. *Из средних рядов поднялся казак в лисьем треухе и настежь распахнутом черном полушубке.* Шолохов. Поднятая целина.

С и н.: ушанка.

**ТРЁХРЯДКА**, -и, *ж*. *Разг*. Трехрядная гармонь. *Требовательно резанула слух трехрядка. Гармонист заиграл казачка с басовыми переливами.* Шолохов. Тихий Дон.

**ТРИАДА**, -ы, *ж*. [Греч. trias, triados]. *Книжн*. Единство, образуемое тремя предметами, понятиями или частями чего-л. *Истина, добро, красота — вот триада, которая может до краев переполнить существование человека.* Салтыков-Щедрин. Пошехонская старина.

**ТРИБУН**, -а, *м*. [Лат. tribunus]. *Высок*. Общественный деятель, выдающийся оратор и публицист (первонач. название различных должностных лиц в Древнем Риме). *Шмидт говорил, как величайший трибун. Он заражал людей тем состоянием, какое я назвал бы восторгом и самозабвением.* Паустовский. Черное море.

С и н.: вития (*устар.*).

**ТРИБУНА**, -ы, *ж*. [Франц. tribune; восх. к лат. tribunal — судилище]. **1.** Возвышение для выступления оратора. *Произнести речь с трибуны. Подняться на трибуну.* □ *На трибуне стоял уже другой оратор, генерал, фамилию которого Звягинцев не расслышал.* Чаковский. Блокада. **2.** *перен., кого, чего или какая*. Место, сфера, где осуществляется чья-л. общественная деятельность. *Литературная трибуна.* □ *— Мой журнал, — сказал он, — является трибуной молодых талантов.* Паустовский. Далекие годы. **3.** Высокое сооружение со ступенчато расположенными рядами скамеек для зрителей. *Трибуны ип-*

подрома. □ И то и дело кто-нибудь отделялся от толпы, заполнившей трибуны стадиона, и спешил через поле к столу президиума. С. С. Смирнов. Брестская крепость.

**Трибу́нный**, -ая, -ое.

**ТРИБУНА́Л**, -а, м. [Лат. tribunal — судилище]. Чрезвычайный судебный орган, рассматривающий военные и особо тяжелые гражданские преступления. *Революционный, военный трибунал.* □ — *Арестуйте его!.. И как труса — в трибунал!* Бондарев. Горячий снег.

**ТРИВИА́ЛЬНЫЙ**, -ая, -ое; -лен, -льна, -о. [Восх. к лат. trivialis от trivium — распутье трех дорог]. 1. *Книжн.* Лишенный своеобразия, новизны. *Тривиальная шутка. Тривиальный сюжет.* □ *«Ах, ужасно!..— твердил себе Степан Аркадьич и ничего не мог придумать..— Нехорошо! Есть что-то тривиальное, пошлое в ухаживанье за своею гувернанткой».* Л. Толстой. Анна Каренина. 2. *Устар.* Обыденный, повседневный. *[Кнуров:] Ведь в Ларисе Дмитриевне земного, этого житейского, нет. Ну, понимаете, тривиального, что нужно для бедной семейной жизни.* А. Островский. Бесприданница.

С и н. (к 1 знач.): изби́тый, по́шлый, бана́льный, пло́ский, зата́сканный, зае́зженный (*разг.*), истёртый (*разг.*), затрёпанный (*разг.*).

**Тривиа́льно**, *нареч.* Тривиально выражаться.
**Тривиа́льность**, -и, ж. Тривиальность мысли.

**ТРИЗНА**, -ы, ж. 1. У древних славян: похоронный обряд, сопровождавшийся жертвоприношениями, военными играми, состязаниями, а также поминальным пиршеством. *Князь тихо на череп коня наступил И молвил: «Спи, друг одинокой! Твой старый хозяин тебя пережил: На тризне, уже недалекой, Не ты под секирой ковыль обагришь И жаркою кровью мой прах напоишь!»* Пушкин. Песнь о вещем Олеге. 2. *Книжн.* Церковный обряд похорон, а также обрядовое угощение с вином в память умершего. Поминальная тризна. □ *Какой-то Повар, грамотей, С поварни побежал своей В кабак (он набожных был правил И в этот день по куме тризну правил).* И. Крылов. Кот и Повар.

**ТРИЛО́ГИЯ**, -и, ж. [От греч. tri — три и logos — слово]. Три литературных или музыкальных произведения одного автора, объединенные общим замыслом и преемственностью сюжета. *Автобиографическая трилогия Л. Н. Толстого («Детство», «Отрочество», «Юность»).*

**ТРИО**, *нескл., ср.* [Итал. trio — трое]. 1. Музыкальное произведение для трех инструментов или трех голосов с самостоятельными партиями у каждого. *Трио для фортепиано, кларнета и фагота.* 2. Ансамбль из трех исполнителей (певцов или музыкантов). *Трио баянистов.* 3. *Разг.*, обычно *шутл.* О трех лицах, связанных между собою дружбой, каким-л. делом, общими интересами и т. п. — *Все мы втроем дружим, и трио это пока неразрывно.* Н. Островский. Как закалялась сталь.

С и н. (к 1 знач.): терце́т (*спец.*). С и н. (к 3 знач.): тро́ица.

**ТРИ́ПТИХ**, -а, м. [Греч. triptychos — сложенный втрое]. *Спец.* 1. Композиция из трех картин, барельефов, рисунков и т. п., объединенных одной идеей, темой.— *Интересный характер.. И дарование есть.. Он над этим дворцом культуры который год бьется, с самой войны.. У него там в центральном фойе триптих есть, почти готов.* Проскурин. Горькие травы. 2. Поэтическое произведение из трех частей, объединенных общим замыслом. 3. Складная икона, имеющая три створки.

**ТРИУМВИРА́Т**, -а, м. [Лат. triumviratus от tres, trium — три и vir — муж]. 1. В Древнем Риме: союз трех государственных деятелей для осуществления верховной власти. *Первый триумвират (Цезарь, Помпей и Красс).* 2. *перен.* Соглашение трех лиц для совместной деятельности, обычно политической. *Душою «партии», инициатором всех совершаемых ею пакостей был бесспорно Мячков, самый изобретательный и самый зловредный член триумвирата.* Куприн. На переломе.

**ТРИУ́МФ**, -а, м. [Лат. triumphus]. 1. В Древнем Риме: торжественная встреча полководца-победителя и его войска. 2. Выдающийся, блестящий успех, победа. *Триумф русского оружия. Триумф русского балета.* □ *Его слушали, сначала чуть-чуть улыбаясь, потом — подавляя смех, наконец — не в силах удержаться и смеясь на весь зал.. Его триумфом закончилась литературная часть.* Федин. Первые радости.

С и н. (ко 2 знач.): торжество́.

**Триумфа́льный**, -ая, -ое; -лен, -льна, -о. *Триумфальная арка. Триумфальное шествие. Триумфальное выступление.*

**ТРО́ГАТЕЛЬНЫЙ**, -ая, -ое; -лен, -льна, -о. Вызывающий умиление, способный взволновать, растрогать. *Трогательная встреча.* □ *Даже в том, как сидело на ней платье, он видел что-то необыкновенное милое, трогательное своей простотой и наивной грацией.* Чехов. Ионыч.

С и н.: умили́тельный.

**Тро́гательно**, *нареч.* Трогательно прощаться.
**Тро́гательность**, -и, ж.

**ТРОГЛОДИ́Т**, -а, м. [Греч. trōglodytēs]. 1. Первобытный пещерный человек. 2. *перен. Бран.* Грубый, некультурный человек.— *Причем здесь народ.. Тот народ, что составляет всю Россию,— темный мужик, троглодит, пещерный человек.* Куприн. Корь.

С и н. (ко 2 знач.): ва́рвар, дика́рь.

**Троглоди́тка**, -и, ж.

**ТРО́ИЦА**, -ы, ж. 1. В христианстве: божество, существующее в трех лицах (Бог-отец, Бог-сын и Бог-дух святой), а также праздник в честь троицы, празднуемый на пятидесятый день после пасхи. *На другой день после этого свидания пришелся как раз праздник святой троицы, выпавший в этом году на день великомученика Тимофея.* Куприн. Олеся. 2. *Разг.* О трех лицах, связанных дружбой, общими интересами. *Вот крановщица Валя Зимина.. Около нее, конечно, ее приятели Коля Пакулин и Женя Никитин — эта троица неразлучна.* Кетлинская. Дни нашей жизни.

С и н. (ко 2 знач.): три́о (разг.).

**Тро́ицын**, -а, -о (к 1 знач.). ◇ **Тро́ицын день** — церковный праздник в честь святой троицы.

**ТРОМБО́Н**, -а, м. [Итал. trombone]. Духовой медный музыкальный инструмент низкого и резкого тембра в виде дважды изогнутой трубы с широким раструбом и раздвижным механизмом.

**Тромбо́нный**, -ая, -ое.

**ТРОН**, -а, м. [Восх. к греч. thronos]. **1.** Богато отделанное кресло на возвышении — место монарха во время торжественных церемоний. **2.** Символ власти монарха, монархического правления. *Быть, находиться на троне (царствовать). Вступить на трон (начать царствовать).* □ *Вы, жадною толпой стоящие у трона, Свободы, Гения и Славы палачи! Таитесь вы под сенью закона, Пред вами суд и правда — все молчи!* Лермонтов. Смерть поэта.

С и н.: престо́л.

**Тро́нный**, -ая, -ое. *Тронная палата.*

**ТРОПА́РЬ**, -я́, м. [Греч. troparion]. Молитвенные стихи, песнопения в честь какого-л. православного праздника или святого. — *Твой какой храмовой праздник? — Спаса преображения, говорю. — А тропарь на этот день знаешь?* Тургенев. Новь.

**ТРОФЕ́Й**, -я, м. [Восх. к лат. trophaeum — памятник победы]. **1.** обычно мн. Военное имущество, боеприпасы и т. п., захваченные при победе над врагом. *[Кутузов] атаковал находившуюся на левом берегу Дуная дивизию Мортье и разбил ее. В этом деле в первый раз взяты трофеи: знамя, орудия и два неприятельских генерала.* Л. Толстой. Война и мир. **2.** Вещественная память о какой-л. победе, подвиге, успехе. *На стенах торчали оленьи рога, набитые на черные лакированные дощечки, — хвастливые трофеи барской охоты.* Казакевич. Весна на Одере.

**Трофе́йный**, -ая, -ое. *Трофейное имущество.*

**ТРУБАДУ́Р**, -а, м. [Франц. troubadour от прованс. trobador — изобретатель, сочинитель]. **1.** В средние века в Провансе (юг Франции) странствующий поэт-певец. *Трубадуры воспевали красоту; за ними и все поэты.. прославляли своих красавиц.* Батюшков. Петрарка. **2.** перен., чего. Книжн. Тот, кто прославляет, пропагандирует что-л. *[Петр Струве] был трубадуром развития русской промышленности.* М. Горький. О белоэмигрантской литературе.

**Трубаду́рский**, -ая, -ое.

**ТРУДОДЕ́НЬ**, -дня́, м. Единица учета труда в колхозах, определявшая долю колхозников в доходах, применялась до 1966 г., за исключением некоторых отдельных хозяйств. *В эти дни в деревне Пожары самое оживленное место — двор колхозных складов. Идет выдача хлеба на трудодни.* Тендряков. Падение Ивана Чупрова.

**ТРУДОЁМКИЙ**, -ая, -ое; -мок, -мка, -о. Требующий большой затраты труда. *Изобретение Воловика высвободило вам десятки рабочих рук и сотни рабочих часов, механизировало одну из самых трудоемких работ.* Кетлинская. Дни нашей жизни.

С и н.: кропотли́вый, кро́потный (прост.).

**Трудоёмкость**, -и, ж. *Трудоемкость выращивания хлопка.*

**ТРУНИ́ТЬ**, -ню́, -ни́шь; труня́щий, труни́вший; труня́; несов., обычно над кем, чем. Разг. Добродушно высмеивать кого-, что-л.; подшучивать. *Его звали соколик или Платоша, добродушно трунили над ним, посылали его за посылками.* Л. Толстой. Война и мир.

С и н.: посме́иваться и подсме́иваться, иронизи́ровать, подтру́нивать (разг.).

**ТРУ́ППА**, -ы, ж. [Восх. к франц. troupe — первонач. толпа]. Коллектив артистов театра, цирка. *Труппа Большого театра. Балетная труппа.* □ *Пьеса окончена. Опущен занавес. Было приказано не кричать и аплодисментами не заниматься. Но безудержно хлопали бойцы любимой труппе.* Фурманов. Чапаев.

**ТРУТ**, -а, м. Фитиль или высушенный гриб трутник (гриб, паразитирующий на деревьях), зажигающийся от искры при высекании огня. *Круглые губчатые наросты с серыми каймами, те самые наросты, из которых вываривают трут, лепились к этим пням.* Тургенев. Касьян с Красивой Мечи.

**Тру́товый**, -ая, -ое.

**ТРУ́ТЕНЬ**, -тня, м. **1.** Пчелиный самец, не выполняющий никакой работы. *Трутни, шершни, шмели, бабочки бестолково стучатся на лету о стенки улья.* Л. Толстой. Война и мир. **2.** перен. Человек, живущий за счет чужого труда, бесполезный член общества. *Жить трутнем.* □ *[Капитан] ухаживал за этим трусом и лодырем Вишняковым, за этим трутнем. — как нянька, как мать.* Куприн. Гранатовый браслет.

С и н. (ко 2 знач.): туне́ядец, парази́т, дармое́д (разг.), захре́бетник (разг.).

**ТРУЩО́БА**, -ы, ж. **1.** Труднопроходимое место (густой лес с буреломом, заросший овраг и т. п.). *Мало-помалу остров зарастал тальником, топольником, черемушником. Незаметно образовалась настоящая таежная чаща-трущоба.* Г. Марков. Строговы. **2.** Удаленный от центров культурной жизни населенный пункт. — *Неужели.. мне всю жизнь киснуть в этой трущобе, в этом гадком местечке, которого нет ни на одной географической карте!* Куприн. Поединок. **3.** Неблагоустроенная, бедная, тесно застроенная часть города, а также грязное, тесное и ветхое жилье. *Подвальная трущоба. Городские трущобы.* □ *Ну, в какую же я трущобу попал, Варвара Алексеевна! Ну, уж квартира!.. Длинный коридор, совершенно темный и нечистый. Порядку не спрашивайте.* Достоевский. Бедные люди.

С и н. (к 1 знач.): глушь, глухома́нь, ча́ща, ущо́ба, де́бри. С и н. (ко 2 знач.): дичь (разг.), прови́нция, перифери́я, глушь, захолу́стье, глухома́нь, дыра́ (разг.), глуби́нка (разг.).

**Трущо́бный**, -ая, -ое. *Трущобные места. Трущобная часть города. Трущобная жизнь.*

**ТРЮИ́ЗМ**, -а, м. [Англ. truism]. Книжн. Общеизвестная, избитая истина, понятная всем. *Половина речей, от которых бьется наше сердце* и подымается наша грудь, сделались для Европы трюизмами, фразами. Герцен. Былое и думы.

**ТРЮК,** -а, м. [Франц. truc]. **1.** Ловкий, эффектный прием. *Акробатический трюк. Кинематографический трюк.* **2.** *перен.* Ловкая, неожиданная проделка, ухищрение. *Мошеннический трюк.* □ — *Всего можно от бражки этой [кулаков] ожидать. Тут такие трюки могут разыграться — только ахнешь.* Фурманов. Мятеж.
С и н. (ко 2 знач.): уло́вка, хи́трость, изворо́т, хитросплете́ние (книжн.), уве́ртка (разг.), манёвр (разг.).
**Трю́ковый,** -ая, -ое (к 1 знач.). *Трюковые прыжки.*

**ТРЮМО́,** нескл., ср. [Франц. trumeau]. Большое стоячее зеркало, обычно помещаемое в простенке. *Гавриил выполнил все ее требования, причесался перед огромным трюмо и прошел к указанному му окошку.* Седых. Отчий край.

**ТРЯСИ́НА,** -ы, ж. **1.** Зыбкое, топкое болотистое место, поросшее травой и мхом. *Непроходимая трясина.* □ *Камнями убило двух лошадей, две другие вместе с вьюками утонули в трясине зыбучего болота.* А. Н. Толстой. Гиперболоид инженера Гарина. **2.** *перен., чего или какая.* Обстановка, среда, порождающая застой, губящая энергию, творческие стремления. *[Калерия:] Мои стихи постигнет та же участь, как и твои слова, Варя. Все поглощается бездонной трясиной нашей жизни.* М. Горький. Дачники.
С и н. (к 1 знач.): топь, боло́то.
**Тряси́нный,** -ая, -ое.

**ТУАЛЕ́Т,** -а, м. [Франц. toilette; восх. к лат. tela — ткань]. **1.** Наряд, одежда (преимущ. женские). *Дорожный туалет.* □ *Не было бала, театра, гулянья, которые бы пропускала Жюли. Туалеты ее были всегда самые модные.* Л. Толстой. Война и мир. **2.** *ед.* Приведение в порядок своего внешнего вида (умывание, причесывание, одевание и т. п.). *Утренний туалет.* □ *Она еще с минуту стояла возле зеркала, а когда закончила свой туалет, Кирилл все так же со сморщенным лицом прохаживался по комнате.* Ананьев. Годы без войны. **3.** Столик с зеркалом, за которым одеваются, причесываются. *[Нехлюдов] сел перед туалетом расчесывать двумя щетками небольшую черную курчавую бороду.* Л. Толстой. Воскресение.
С и н. (к 1 знач.): пла́тье, костю́м, облаче́ние (разг.), одея́ние (устар.), убра́нство (устар.), убо́р (устар.).
**Туале́тный,** -ая, -ое (ко 2 и 3 знач.). *Туалетные принадлежности. Туалетный столик.*

**ТУ́ГРИК,** -а, м. [Монг.]. Денежная единица Монголии.

**ТУЖУ́РКА,** -и, ж. [От франц. toujours — всегда, постоянно]. Домашняя или форменная куртка для повседневного пользования, обычно двубортная. *Военная, студенческая тужурка.* □ *Был он в белой фуражке с темным бархатным околышем, в поношенной форменной тужурке с серебряными пуговицами, со следами споротых петлиц на воротнике.* Седых. Отчий край.

**ТУЗ,** -а́, м. [Польск. tuz от нем. Daus]. **1.** Старшая в масти игральная карта. **2.** *перен. Устар. разг.* Высокопоставленное, влиятельное лицо. *Промышленные тузы.* □ *Он приехал.. ревизовать губернию. Он теперь в тузы вышел.* Тургенев. Отцы и дети.

**ТУЗЕ́МЕЦ,** -мца, м. *Устар.* Коренной житель какой-л. местности или страны (обычно отдаленной, малоразвитой) в противоположность приезжему или иностранцу. *Наши новые знакомые по внешнему своему виду мало чем отличались от уссурийских туземцев. Они показались мне как будто немного ниже ростом и шире в костях.* Арсеньев. Дерсу Узала.
С и н.: абориге́н (книжн.), автохто́н (книжн.).
**Тузе́мка,** -и, ж. **Тузе́мный,** -ая, -ое. *Туземное население.*

**ТУЛЬЯ́,** -и́, тульи́, -ле́й, ж. Верхняя часть шляпы, фуражки, шапки (без полей, околыша, козырька). *Цепкое болотное растение обвивало тулью его старой круглой шляпы.* Тургенев. Отцы и дети.

**ТУНГУ́СЫ,** -ов, мн. (ед. **тунгу́с,** -а, м.). Устарелое название народности эвенков. *В тех краях, где искали дорогой металл, от веку веков кочевали тунгусы — пастухи, охотники, звероловы.* Саянов. Лена.
**Тунгу́ска,** -и, ж. **Тунгу́сский,** -ая, -ое. *Тунгусское стойбище.*

**ТУНИ́КА,** -и, ж. [Лат. tunica]. **1.** У древних римлян: род рубашки из льна или шерсти, носившейся под тогой. **2.** *Спец.* Костюм танцовщицы из лифа и льняной юбки. *Танцевать в тунике.*

**ТУННЕ́ЛЬ** см. тоннель.

**ТУПЕ́Й,** -я, м. [Франц. toupet — чуб]. Старинная прическа со взбитыми впереди и зачесаными назад волосами. *[Фамусов:] А в те поры все важны! в сорок пуд... Раскланяйся — тупеем не кивнут.* Грибоедов. Горе от ума.
**Тупе́йный,** -ая, -ое. *Тупейный гребень.* ◇ **Тупе́йный худо́жник** (устар.) — парикмахер. *Он был «тупейный художник», т. е. парикмахер и гримировщик, который всех крепостных артисток графа «рисовал и причесывал».* Лесков. Тупейный художник.

**ТУПИ́К,** -а́, м. **1.** Улица, не имеющая сквозного прохода, проезда. *Томилин перебрался жить в тупик, в маленький, узкий переулок, заткнутый синим домиком.* М. Горький. Жизнь Клима Самгина. **2.** *перен.* Безвыходное положение. *Жизненные тупики.* □ *О нем говорили как о человеке,.. могущем вывести страну из тупика, в который завело ее Временное правительство.* Шолохов. Тихий Дон. **3.** Железнодорожный путь, сообщающийся с другими путями только одним концом. ◇ **Ставить в тупик** — приводить в крайнее затруднение, замешательство. **Стать (становиться) в тупик** — прийти (приходить) в замешательство, затруднение. — *А об чем же это веселом, игривом думать?* — *спрашивала Нелли. Доктор немедленно становился в тупик.* Достоевский. Униженные и оскорбленные.
**Тупико́вый,** -ая, -ое. *Тупиковый переулок. Тупиковая ситуация.*

**ТУР¹,** -а, м. [Франц. tour; восх. к греч. tornos — циркуль].
**1.** Одно законченное движение вокруг чего-л.

или туда и обратно. *Проделав праздничный тур по городу, вагоны вернулись в депо.* Ильф и Петров. Двенадцать стульев. **2.** Один круг танца. *Вронский с Кити прошёл несколько туров вальса.* Л. Толстой. Анна Каренина. **3.** Часть какого-л. соревнования, конкурса, игры, в течение которой каждый из участников выступает только один раз. *Первый тур олимпиады школьников. Заключительный тур первенства по шахматам.* □ *— Давайте тряхните своих артистов.. — Было четыре отборочных тура. Состав жюри я утверждала лично,—* *подчеркнула Борисова.* Проскурин. Горькие травы.
**ТУР²**, -а, *м.* **1.** Вымерший дикий бык. **2.** Горный кавказский козел.

**Ту́рий**, -ья, -ье.

**ТУРИ́ЗМ**, -а, *м.* [Франц. tourism от tour — прогулка, поездка]. **1.** Вид спорта — групповые походы (пешие, лыжные и т. п.), совершаемые с целью закалки организма. *Водный, велосипедный, горный туризм.* **2.** Вид путешествий, совершаемых с целью отдыха, знакомства со страной, с достопримечательностями и т. п. *Международный туризм. Развитие туризма.*

**Туристи́ческий**, -ая, -ое и **тури́стский**, -ая, -ое. *Туристический (туристский) поход. Туристическая (туристская) путёвка.*

**ТУРМАЛИ́Н**, -а, *м.* [Нем. Turmalin]. Минерал кристаллического строения, прозрачные, красиво окрашенные разновидности которого являются драгоценными камнями. *Малиновый, зелёный, чёрный турмалин.*

**Турмали́новый**, -ая, -ое. *Турмалиновые кристаллы. Турмалиновое кольцо.*

**ТУРНЕ́** [нэ], *нескл., ср.* [Франц. tournée]. **1.** Путешествие по круговому маршруту. *Турне по Европе.* **2.** Поездка по нескольким местам (артистов на гастроли, спортсменов на соревнования). *Гастрольное турне.*

С и н.: стра́нствование, стра́нствие (*устар.*), воя́ж (*устар. и шутл.*).

**ТУРНИКЕ́Т**, -а, *м.* [Франц. tourniquet]. Устройство в виде вертящейся крестовины, устанавливаемое в проходах для пропуска по одному. *Турникет у проходной завода.* □ *Публика толпилась главным образом у турникета, заглядывая внутрь на садовую дорожку.* Шагинян. Первая Всероссийская.

**ТУРНИ́Р**, -а, *м.* [Нем. Turnier от ст.-франц. tournoi]. **1.** В средние века: военное состязание рыцарей. *Там был турнир, и рыцари копья ломали усердно.* Жуковский. Ундина. **2.** Спортивное соревнование по круговой системе, когда все участники имеют между собой, как правило, по одной встрече. *Шахматный турнир.*

**Турни́рный**, -ая, -ое. *Турнирная таблица.*

**ТУРНЮ́Р**, -а, *м.* [Франц. tournure]. Модная в конце 19 в. принадлежность женского туалета, имеющая вид подушечки, подкладываемой под платье сзади ниже талии для придания пышности фигуре. *[Офицерские жёны], несмотря на их громкие голоса, пёстрые наряды и высокие турнюры, были какие-то подержанные, точно они долго и забыто лежали в тёмном чулане.* М. Горький. В людях.

**Турнио́рный**, -ая, -ое.

**ТУ́СКЛЫЙ**, -ая, -ое; тускл, тускла́, ту́скло. **1.** Лишённый яркости, сияния, блеска. *Тусклые краски.* □ *Солнце казалось мне тускло, лучи его меня не грели.* Лермонтов. Герой нашего времени. **2.** *перен.* Лишённый живости, блеска, безжизненный (о взгляде, глазах). *Тусклый взор.* **3.** *перен.* Лишённый своеобразия и выразительности, ничем не примечательный. *Тусклая жизнь. Тусклое общество.* □ *В сравнении с ним Мирон — тусклый, будничный человек.* Ф. Гладков. Энергия.

С и н. (к 1 знач.): нея́ркий, бле́дный, блёклый.
С и н. (ко 2 знач.): поту́хший. С и н. (к 3 знач.): бесцве́тный, се́рый, неинтере́сный, ску́чный.

А н т. (к 1 знач.): я́ркий, блестя́щий.

**Ту́скло**, *нареч.* **Ту́склость**, -и, *ж.*

**ТУСТЕ́П** [тэ], -а, *м.* [Англ. two-step от two — два и step — шаг]. Парный бальный танец с двухдольным ритмом, получивший распространение в Европе в 20-е гг. 20 в., а также музыка к этому танцу. *Давно ли то было,... кода к полуночи лишь парни да девки ещё бродили с гармонью по улицам или, заняв чью-либо избу, плясали польки и тустепы.* Кочетов. Под небом Родины.

**ТУТ**, -а, *м.* и **ТУ́ТА**, -ы, *ж.* [Араб. tut]. Южное дерево с сочными съедобными плодами, листья которого служат кормом для шелкопряда. *Архар лежал у корневища тута и не шевелился.* Ляшко. Архар.

**Ту́товый**, -ая, -ое. *Тутовая роща. Тутовая ягода.*

**ТУ́ЧНЫЙ**, -ая, -ое; ту́чен, тучна́, ту́чно. **1.** Хорошо откормленный, жирный, толстый. *Тучное стадо.* □ *Деревянная лестница начала скрипеть под грузными шагами. В светлицу, отдуваясь, вошёл тучный человек.* А. Н. Толстой. Пётр I. **2.** Налившийся, полновесный (о зерне), а также сочный и густой (о траве, лугах). *Колебались тучные колосья — плод необыкновенного урожая.* Гоголь. Тарас Бульба. **3.** Плодородный (о земле). *Тучные нивы.* □ *Взвороченные лемехами пласты тучного чернозёма курились на сугреве паром.* Шолохов. Поднятая целина.

С и н. (к 1 знач.): по́лный, упи́танный, гру́зный, дебе́лый, ожире́лый, доро́дный, полноте́лый.

А н т. (к 1 знач.): худо́й, то́щий, костля́вый, отоща́лый (*разг.*).

**Ту́чность**, -и, *ж. Тучность фигуры.*

**ТУШ**, -а, *м.* [Нем. Tusch]. Короткое музыкальное произведение, исполняемое при чествовании, вручении наград и т. п. *Оркестр заиграл туш, духовики из музыкального кружка весело раздували розовые щёки.* Лиханов. Обман.

**ТЩА́ТЕЛЬНЫЙ**, -ая, -ое; -лен, -льна, -о. Старательный, усердный, а также выполняемый со вниманием ко всем деталям, с учётом всех мелочей. *Тщательный уход за больным. Тщательное научное исследование.*

С и н.: скрупулёзный.

**Тща́тельно**, *нареч. Тщательно подготовиться к докладу.* **Тща́тельность**, -и, *ж. Тщательность эксперимента.*

**ТЩЕДУ́ШНЫЙ**, -ая, -ое; -шен, -шна, -о. Хилый, слабосильный. *Тщедушное тело.* □ *За* столом сидели: сам Фрол — маленький, тщедушный старичишка с клиноватой бороденкой и оторванной левой ноздрей.., его жена.., сын Тимофей. Шолохов. Поднятая целина.

С и н.: худосо́чный, щу́плый (*разг.*). субти́льный (*разг.*), хли́пкий (*прост.*), леда́щий (*прост.*).

**Тщеду́шность**, -и, ж.

**ТЩЕСЛА́ВИЕ**, -я, *ср*. Высокомерное стремление к славе, почестям. *Неизмеримая пропасть отделяет это спокойное и твердое сознание себя человеком от самолюбивого тщеславия, самонадеянности, самоуверенности, наглости, ячества.* Шагинян. Четыре урока у Ленина.

**ТЩЕ́ТНЫЙ**, -ая, -ое; -тен, -тна, -о. *Книжн*. Бесполезный, безрезультатный, напрасный. *Тщетные усилия. Тщетная предосторожность.* □ *Однако все было тщетным. Неоднократные попытки прорвать Лужскую линию не приносили успеха.* Чаковский. Блокада.

С и н.: безуспе́шный, беспло́дный, пусто́й (*разг.*), зря́шный (*прост.*).

**Тще́тно**, *нареч. Тщетно умолять, спорить.*

**Тще́тность**, -и, ж. *Тщетность стараний.*

**ТЫЛ**, -а, тылы́, -о́в, *м*. **1.** Задняя сторона, часть чего-л. *Обойти неприятеля с тылу.* □ *Льву смех, но наш комар не шутит: То с тылу, то в глаза, то в уши Льву он трубит!* И. Крылов. Лев и Комар. **2.** Территория, расположенная позади линии фронта. *Глубокий тыл.* □ *Поезда более усложненного типа.. эвакуировали раненых из прифронтовых госпиталей в ближний тыл.* Панова. Спутники. **3.** обычно *мн*. Совокупность вспомогательных войсковых частей, обслуживающих воюющую армию, но находящихся вне сферы непосредственных военных действий. *Подтянуть тылы к передовой.* **4.** *ед*. Вся территория воюющей страны с ее населением (в противоположность фронту). *В тылу, по станицам и хуторам, шла уборка хлебов.* Шолохов. Тихий Дон.

**Тылово́й**, -а́я, -о́е и **ты́льный**, -ая, -ое (к 1 знач.). *Тыловые области. Тыловые учреждения. Тыльная сторона ладони* (сторона кисти руки, противоположная ладони).

**ТЫН**, -а, ты́ны, -ов и тыны́, -о́в, *м. Обл*. Сплошной забор, частокол из вертикально поставленных бревен, жердей и т.п. *Далее тянулся кругом всей усадьбы неперелазный тын.* А. Н. Толстой. Петр I.

**Ты́новый**, -ая, -ое.

**ТЫСЯЦКИЙ**, -ого, *м*. **1.** В Древней Руси: начальник военного ополчения (тысячи). **2.** Выборное должностное лицо из крестьян, деревенский старшина (до реформы 1861 г.). **3.** Главный распорядитель в старинном русском свадебном обряде. *Свадебный тысяцкий, Борис Алексеевич Голицын, вел под руку Петра.* А. Н. Толстой. Петр I.

**ТЬМА**[1], -ы, *ж*. **1.** Темнота, отсутствие света. *Ночная тьма.* **2.** *перен. Устар.* Невежество, культурная отсталость. *Прозябать во тьме.*

С и н. (к 1 знач.): мрак, потёмки, мгла, те́мень (*разг.*), темь (*разг.*). С и н. (к 2 знач.): необразо́ванность, неве́жественность, непросвещённость, нера́звитость, се́рость, темнота́ (*разг.*).

**ТЬМА**[2], -ы, тьмы, тем, *ж*. **1.** В древнерусском счете: десять тысяч. **2.** *ед., чего. Разг.* Большое количество, множество. *Тьма народу.* □ *Перед Московскою заставой, — Стена народу, тьма карет.* Блок. Возмездие. ◊ **Тьма тем** — 1) в древнерусском счете: сто тысяч; 2) (*устар.*) великое множество.

С и н. (ко 2 знач.): оби́лие, изоби́лие, мо́ре (*высок.*), бе́здна (*разг.*), про́пасть (*разг.*), у́йма (*разг.*), ку́ча (*разг.*), гора́ (*разг.*), ги́бель (*разг.*), про́рва (*прост.*), си́ла (*прост.*).

**ТЮНИ́К**, -а, *м*. [Франц. tunique от лат. tunica]. **1.** Верхняя часть двойной женской юбки. *Воздушная юбка платья поднялась облаком вокруг ее тонкого стана; одна обнаженная, худая, нежная девичья рука, бессильно опущенная, утонула в складках розового тюника.* Л. Толстой. Анна Каренина. **2.** Традиционный костюм танцовщиц в классическом балете; пачка.

**ТЮРБА́Н**, -а, *м*. [Франц. turban; восх. к перс. dulbend — ткань из крапивы]. Головной убор восточных народов из полотнища легкой ткани, обмотанного вокруг головы. *В глазах рябило от ярких платков и платьев, от красных флагов и белых женских тюрбанов.* Айтматов. Прощай, Гульсары!

**ТЮ́РКИ**, -рок и -ов, *мн*. (*ед*. тюрк, -а, *м*.). Обширная группа родственных по языку народов, к которым относятся татары, азербайджанцы, узбеки, казахи, киргизы, башкиры, туркмены, якуты, каракалпаки, турки и др.

**Тю́ркский**, -ая, -ое. *Тюркские языки. Племя тюркского происхождения.*

**ТЮФЯ́К**, -а́, *м*. [Тюрк. (тат.) tüšäk]. **1.** Мешок, набитый соломой, сеном, волосом и т. п., служащий постелью. *Соломенный, волосяной тюфяк.* □ *Анатолий покопался в куче лежащего под окном тряпья, нашел жесткий порванный тюфяк и расстелил его у стены.* Чаковский. Блокада. **2.** *перен. Прост.* О вялом, безвольном, нерасторопном человеке. *На место прежнего тюфяка был прислан новый начальник, человек военный, строгий, враг взяточников и всего, что зовется неправдой.* Гоголь. Мертвые души.

С и н. (ко 2 знач.): ро́хля, недотёпа (*разг.*), размазня́ (*разг.*), мя́мля (*разг.*), шля́па (*разг.*).

**Тюфячо́к**, -чка́, *м*. (*уменьш.*) (к 1 знач.). **Тюфя́чный**, -ая, -ое (к 1 знач.).

**ТЯ́ГА**, -и, *ж*. **1.** Сила, вызывающая перемещение чего-л., а также источник такой силы. *Конная тяга. Паровая, механическая, электрическая тяга.* **2.** *перен., к кому, чему.* Стремление куда-л., влечение к кому-, чему-л. *Тяга к знаниям, к искусству.* □ *Сейчас в нем с невероятной силой проснулась тяга к той прежней жизни. В тайге снег, мороз — хорошо...* Колесников. Школа министров. **3.** Брачный полет самцов вальдшнепа, отыскивающих самок, а также охота во время такого полета. *Стоять на тяге* (охотиться во время тяги). □ *Вы с мельником, может, на тяге Подслушиваете тетеревов.* Есенин. Анна Снегина.

С и н. (ко 2 знач.): тяготе́ние, скло́нность, расположе́ние, пристра́стие.

**Тя́говый**, -ая, -ое (*к 1 знач.*). *Тяговая мощность тепловоза.*

**ТЯ́ГЛО**, -а, тя́гла, тя́гол и тягл, *ср.* **1.** В Русском государстве 15—18 вв.: государственные повинности крестьян и посадских людей. *Такая тягота от даней, оброков, пошлин,— беги без оглядки.. Посадские от беспощадного тягла бегут, кто в уезды, кто в дикую степь.* А. Н. Толстой. Петр I. **2.** При крепостном праве: группа хозяйств или трудоспособных членов крестьянской семьи как единица обложения, а также сама крепостная повинность (барщина, оброк), взимаемая с такой единицы. *Мирское тягло (тягло, отбываемое всем миром — общиной, селом). Посадить на тягло.* □ *— А почем с тягла? — Девяносто пять рублей с тягла,— пробормотал Влас.* Тургенев. Малиновая вода. **3.** *ед., собир.* Рабочий скот, животные, используемые для тяги, перевозки чего-л. в сельском хозяйстве. *— Зимой распределяли корма, так сказать, по территориальным признакам,— ошибка! Неправильно расставили рабочую силу и тягло,— другая ошибка!.. Давайте-ка думать, сколько вам надо подкинуть плугов, чтобы выбраться из этого фактического тупика.* Шолохов. Поднятая целина.

**Тя́глый**, -ая, -ое (к 1 и 2 знач.) и **тя́гловый**, -ая, -ое (ко 2 и 3 знач.). *Тяглый крестьянин. Тягловый скот.*

**ТЯ́ГОСТНЫЙ**, -ая, -ое; -тен, -тна, -о. *Книжн.* **1.** Тяжелый, трудный, обременительный. *Здесь рабство тощее влачится по браздам Неумолимого владельца. Здесь тягостный ярем до гроба все влекут.* Пушкин. Деревня. **2.** Мучительный, неприятный, причиняющий нравственные страдания. *Тягостное молчание, ожидание. Тягостные предчувствия.* □ *Она не отвечала, подавленная тягостным разочарованием. Обида росла, угнетая душу.* М. Горький. Мать.

С и н. (к 1 знач.): мучи́тельный, томи́тельный. С и н. (ко 2 знач.): тяжёлый, гнету́щий, томи́тельный.

**Тя́гостно**, *нареч.* *Тягостно на душе.* **Тя́гостность**, -и, *ж.*

**ТЯГОТЕ́ТЬ**, -е́ю, -е́ешь; тяготе́ющий, тяготе́вший; тяготе́я; *несов.* **1.** *к кому, чему. Книжн.* Испытывать тягу (во 2 знач.), влечение к кому, чему-л. *Тяготеть к точным наукам.* □ *Студент с ним не особенно ладил и больше тяготел к семье капитана.* Короленко. История моего современника. **2.** *перен., над кем, чем. Высок.* Господствовать над кем-, чем-л., подавлять своей властью, авторитетом, а также нависать как угроза, ощущаться как постоянный источник неприятностей. *Подозрение, тяготеющее над кем-л.* □ *Родительская власть никогда не тяготела над Еленой, а с шестнадцатилетнего возраста она стала почти совсем независима.* Тургенев. Накануне.

С и н. (к 1 знач.): стреми́ться, влечься, тяну́ться. С и н. (ко 2 знач.): тяготи́ть (устар.).

**Тяготе́ние**, -я, *ср.* *Тяготение к музыке. Тяготение рока над кем-л.*

**ТЯГОТИ́ТЬ**, -ти́шь; тяготя́щий, тяготи́вший; тяготя́; *несов.* **1.** *кого, что.* Обременять своей тяжестью. *Не было и нет грошей в кармане, И пожитки плеч не тяготят.* Садофьев. В поисках пути. **2.** *перен., кого, что.* Быть в тягость кому-л.; обременять. *Тяготят заботы.* **3.** *перен., кого, что.* Мучить, угнетать. *Была у него на душе какая-то история, которая, кажется, тяготила его и угнетала.* Г. Успенский. Пришло на память. **4.** *над кем или на ком. Устар.* Подавлять кого-л., постоянно тяготеть над кем-л. *Кто же вас гонит: судьбы ли решение? Зависть ли тайная? злоба ль открытая? Или на вас тяготит преступление? Или друзей клевета ядовитая?* Лермонтов. Тучи.

С и н. (к 1 знач.): отягоща́ть, гнести́ (устар.). С и н. (ко 2 знач.): отягоща́ть (книжн.), бремени́ть (устар.). С и н. (к 3 знач.): дави́ть, гнести́.

**ТЯ́ЖБА**, -ы, *ж. Устар.* **1.** Гражданское судебное дело. *Затевать, проиграть тяжбу.* □ *Он давно уже занимается хождением по разным искам и тяжбам и на днях только что выиграл одну значительную тяжбу.* Достоевский. Преступление и наказание. **2.** *перен.* Спор. *Теперь Власовой стало ясно, почему она ждала справедливости, думала увидеть строгую, честную тяжбу правды сына с правдой судей.* М. Горький. Мать.

С и н. (к 1 знач.): проце́сс.

**Тя́жебный**, -ая, -ое (к 1 знач.). *Тяжебное дело. Тяжебные хлопоты.*

# У

**УБЕДИ́ТЕЛЬНЫЙ**, -ая, -ое; -лен, -льна, -о. **1.** Заставляющий поверить чему-л., доказательный. *Убедительный ответ. Убедительная речь. Убедительные факты.* □ *Тонков располагал убедительными, многократно проверенными доказательствами.* Гранин. Искатели. **2.** *полн. ф.* Настоятельный, настойчивый. *Он получил от тетки записку с убедительнейшею просьбою проводить ее в концерт.* И. Гончаров. Обыкновенная история.

С и н. (к 1 знач.): ве́ский, весо́мый.

**Убеди́тельно**, *нареч.* **Убеди́тельность**, -и, *ж.*

**УБЕЖДЕ́НИЕ**, -я, *ср.* **1.** Твердое мнение. *Наверняка он [Володин] был слабым человеком, в нем говорило сейчас не убеждение, а всего лишь досада за свои просчеты: их легко можно было избежать.* Проскурин. Горькие травы. **2.** *мн.* Система взглядов, мировоззрение. *Нравственные, политические убеждения. Отстаивать свои убеждения.* □ *— А где же ты голодал? Родных у тебя нет? — Есть.. Но я с ними разошелся на почве религиозных убеждений,— ответил курсант.* В. Беляев. Старая крепость.

С и н. (к 1 знач.): ве́ра, уве́ренность, убеждённость. С и н.: идеоло́гия, воззре́ния (книжн.), миросозерца́ние (книжн.), миропонима́ние (книжн.), кре́до (книжн.).

**УБЕЖДЁННОСТЬ**, -и,. *ж.* Твердая уверенность в чем-л. *Идейная убежденность.* □ *Слова его звучали искренне. Так мог говорить человек, уверенный в своей правоте. Его убежденность производила впечатление.* Гранин. Искатели.

С и н.: ве́ра, уве́ренность, убежде́ние.

**УБЕ́ЖИЩЕ**, -а, *ср.* **1.** *Книжн.* Место, где можно

укрыться от кого-, чего-л. *Когда невыносимый полуденный зной заставил нас искать убежища, он [Калиныч] свел нас на свою пасеку, в самую глушь леса.* Тургенев. Хорь и Калиныч. **2.** Специально оборудованное сооружение для защиты личного состава войск и гражданского населения от воздействия оружия массового поражения. *Петро вместе со всеми.. сошел в убежище, терпеливо переждал воздушную тревогу.* Поповкин. Семья Рубанюк.

С и н. (к 1 знач.): укры́тие, прию́т, приста́нище, прибе́жище (книжн.).

**УБИЕ́ННЫЙ**, -ая, -ое. *Устар.* Лишенный жизни, мертвый. *[Григорий:] Каких был лет царевич убиенный?* Пушкин. Борис Годунов.

С и н.: уби́тый.

**УБО́ГИЙ**, -ая, -ое; убо́г, -а, -о. **1.** *Разг.* Имеющий увечье или какой-л. физический недостаток. *За речкою там Убогий мне песенник ведом; Он слеп, но горазд ударять по струнам.* А. К. Толстой. Слепой. **2.** Крайне бедный, нищенский. *Среди двух десятков вросших в землю, крытых трухлявой соломой убогих хатенок красовались три хороших избы.* Шишков. Емельян Пугачев. **3.** *перен.* Бедный содержанием, невыразительный, а также духовно ограниченный. *Убогое воображение. Убогая жизнь.* □ *Там сидели некоторые убогие личности, которые и сами убедились и начальство убедили, что не имеют способности и учиться не могут.* Помяловский. Очерки бурсы.

С и н. (к 1 знач.): уве́чный (устар.). С и н. (ко 2 знач.): ску́дный, ни́щий, жа́лкий. С и н. (к 3 знач.): небога́тый, ни́щий, ничто́жный, ни́щенский (разг.).

**Убо́го**, *нареч.* (ко 2 и 3 знач.). **Убо́гость**, -и, *ж.* и **убо́жество**, -а, *ср. Убогость убранства комнаты. Духовное убожество.*

**УБО́Р**, -а, *м. Устар.* **1.** Одежда, наряд. *Покамест в утреннем уборе, Надев широкий боливар, Онегин едет на бульвар И там гуляет на просторе.* Пушкин. Евгений Онегин. **2.** Украшение на одежде или на голове. *Бриллиантовый убор на волосах.* ◊ **Головной убор** — общее название вещей, надеваемых на голову (шапка, шляпа, платок и т. п.).

С и н. (к 1 знач.): костю́м, туале́т, пла́тье, облаче́ние (разг.), одея́ние (устар.), убра́нство (устар.).

**УБОРИ́СТЫЙ**, -ая, -ое; -ист, -а, -о. С небольшими промежутками между словами, буквами, вмещающий много букв в строку. *Убористый почерк, шрифт.*

**Убо́ристо**, *нареч. Убористо написать.* **Убо́ристость**, -и, *ж.*

**УБРА́НСТВО**, -а, *ср.* **1.** То, чем обставляют и украшают жилое помещение, а также то, что используют при сервировке стола. *Убранство праздничного стола.* □ *Убранство в кабинете убогое: стол да стул — больше ничего.* Фурманов. Чапаев. **2.** *перен.* То, что служит украшением, отделкой. *Праздничное убранство города.* □ *Он окинул глазами зимнее убранство леса, строгие елочки в снежных коронках.* Леонов. Взятие Великошумска. **3.** *Устар.* Одежда, наряд, а также соответствующее случаю специальное снаряжение. *Убранство коня было самое простое, без украшений золота и серебра: тонко выделанная.. красная ременная уздечка, металлические.. стремена и красный чепрак, видневшийся из-под седла.* Л. Толстой. Хаджи-Мурат. *На всех [цыганах] были черные или синие суконные бешметы с наборными серебряными с чернью поясами.. Это убранство надевалось только в самых торжественных случаях.* Гаршин. Медведи.

С и н. (к 1 знач.). С и н. (ко 2 знач.): наря́д. С и н. (к 3 знач.): костю́м, туале́т, пла́тье, облаче́ние (разг.), одея́ние (устар.), убо́р (устар.).

**УБРУ́С**, -а, *м. Устар.* и *обл.* Старинный женский головной убор — покрывало, а также полотенце, расшитое узорами. *При выезде из деревни, в нише, стояла небольшая мадонна; крестьянские девушки, шедшие с работы, покрытые своим белым убрусом на голове, опустились на колени и запели молитву.* Герцен. Былое и думы.

**УВА́Л**, -а, *м.* Удлиненная возвышенность с плоской вершиной и пологими склонами. *Возле Царева пруда — наносный от вешней воды песчаный увал. Желтый верблюжий горб его чахло порос остролистым змеиным луком.* Шолохов. Тихий Дон.

**УВЕ́ДОМИТЬ**, -млю, -мишь; уве́домивший; уве́домленный; -ен, -а, -о; уве́домив; *сов., кого. Устар.* и *книжн.* Сообщить, известить о чем-л. *Затомилась деревня невесточкой — Как-то милые в дальнем краю? Отчего не уведомят весточкой, — Не погибли ли в жарком бою?* Есенин. Русь.

С и н.: осве́домить, информи́ровать, проинформи́ровать, оповести́ть (офиц.), повести́ть (устар.).

**Уведомля́ть**, -я́ю, -я́ешь; *несов.* **Уведомле́ние**, -я, *ср.*

**УВЕКОВЕ́ЧИТЬ**, -чу, -чишь; увекове́чивший; увекове́ченный; -ен, -а, -о; увекове́чив; *сов. Книжн.* **1.** *кого, что.* Сделать памятным навечно, сохранить в памяти потомства. *Скромное имя города увековечено в стихах и прозе великого поэта.* Соколов-Микитов. На теплой земле. **2.** *что.* Сделать неизменным, незыблемым, вечным. *Увековечить память о погибших.*

**Увекове́чивать**, -аю, -аешь; *несов.* **Увекове́чение**, -я, *ср. Увековечение имени ученого в названии улицы.*

**УВЕ́РИТЬ**, -рю, -ришь; уве́ривший; уве́ренный; -ен, -а, -о; уве́рив; *сов., кого в чем.* Заставить поверить чему-л., убедить в чем-л. *Уверить в искренности слов.* □ *Кому не скучно лицемерить, Различно повторять одно, Стараться важно в том уверить, В чем все уверены давно..!* Пушкин. Евгений Онегин. ◊ **Смею вас уверить** (устар.) — вежливая форма убеждения кого-л.

С и н.: заве́рить, удостове́рить (устар.).

**Уверя́ть**, -я́ю, -я́ешь; *несов.* **Уве́рение**, -я, *ср.*

**УВЕ́РОВАТЬ**, -рую, -руешь; уве́ровавший; уве́ровав; *сов., в кого, что. Книжн.* Твердо, окончательно поверить. — *Вы должны пересилить самого себя, и тогда только я уверую в вашу* искренность. Достоевский. Село Степанчиково и его обитатели.

**УВЕРТЮ́РА**, -ы, *ж.* [Франц. ouverture от лат. apertura — открытие, начало]. 1. Музыкальное вступление к опере, балету, драматическому спектаклю, фильму. *Оркестр проиграл увертюру из «Свадьбы Фигаро».. Занавес поднялся: пьеса началась.* Тургенев. Вешние воды. 2. Концертное оркестровое произведение в сонатной форме. *Испанская увертюра Глинки.*

Увертю́рный, -ая, -ое.

**УВЕЩА́ТЬ**, -а́ю, -а́ешь *и* (устар.) **УВЕЩЕВА́ТЬ**, -а́ю, -а́ешь; увеща́ющий *и* увещева́ющий, увеща́вший *и* увещева́вший; увеща́емый *и* увещева́емый; увеща́я *и* увещева́я; *несов., кого.* Уговаривать, склонять к чему-л., советуя и убеждая. *Разбойник.. приглашал казаков и солдат в свою шайку, а командиров увещевал не сопротивляться.* Пушкин. Капитанская дочка.— *Сколько раз я увещал его — не лазь!.. Разобьешься, говорю.* М. Горький. Дело Артамоновых.

С и н.: убежда́ть, ула́мывать (*разг.*), урезо́нивать (*разг.*), агити́ровать (*разг.*), обраба́тывать (*разг.*).

Увеща́ние, -я *и* увещева́ние, -я, *ср. Не поддаться на увещания.*

**УВЛЕКА́ТЕЛЬНЫЙ**, -ая, -ое; -лен, -льна, -о. Такой, который сильно заинтересовывает, увлекает. *Увлекательное занятие.* □ *Алексей Максимович рассказывает,— и то блеснёт в его неторопливой, окающей речи жесткое слово Чудры, то мягкая ирония Луки, то хорошее угловатое слово Шекспира; я не встречал таких увлекательных рассказчиков ранее.* Леонов. О Горьком.

С и н.: интере́сный, занима́тельный, захва́тывающий, любопы́тный, заня́тный (*разг.*).

Увлека́тельно, *нареч.* Увлека́тельность, -и, *ж. Увлекательность сюжета.*

**УВЛЕКА́ЮЩИЙСЯ**, -аяся, -ееся. 1. Такой, который страстно, с увлечением предается чему-л. *Увлекающаяся натура.* □ *Это был смелый, решительный офицер, горячий и увлекающийся. Быть может, чересчур увлекающийся. Он.. упивался стихией боя.* Галин. Кинжал. 2. Легко влюбляющийся. *Увлекающийся юноша.*

С и н. (ко 2 знач.): влю́бчивый (*разг.*).

**УВЛЕЧЕ́НИЕ**, -я, *ср.* 1. Одушевление, восторженность. *Аркадий начал рассказывать.. о Базарове еще с большим жаром, с большим увлечением, чем в тот вечер, когда он танцевал мазурку с Одинцовой.* Тургенев. Отцы и дети. 2. *чем.* Повышенный интерес к чему-л. *Увлечение спортом.* □ *Увлечение музыкой стало центром его умственного роста: оно заполняло и разнообразило его существование.* Короленко. Слепой музыкант. 3. Влюбленность в кого-л., сердечное расположение к кому-л. *[Протасов:] Я вам что скажу: были у меня увлечения. И один раз я был влюблен, такая была дама — красивая.* Л. Толстой. Живой труп.

С и н. (к 1 знач.): воодушевле́ние, вдохнове́ние, подъём, энтузиа́зм. С и н. (ко 2 знач.): страсть, пристра́стие.

**УВО́ЛИТЬ**, -лю, -лишь; уво́ливший; уво́ленный; -ен, -а, -о; уво́лив; *сов., кого.* 1. Освободить от выполнения служебных обязанностей. *Уволить по сокращению штатов. Уволить по собственному желанию.* 2. Освободить военнослужащего от несения службы. *Уволить в запас.* 3. *Устар.* Избавить от чего-л. нежелательного.— *Скажите-ка лучше прямо: с нами вы или нет? — Это на пикник-то? — Нет, уж меня уволь.* Салтыков-Щедрин. Помпадуры и помпадурши.

С и н. (к 1 знач.): отчи́слить, рассчита́ть.

Увольня́ть, -я́ю, -я́ешь; *несов.* (к 1 и 2 знач.). Увольне́ние, -я, *ср.* (к 1 и 2 знач.).

**УГА́Р**, -а, *м.* 1. *Разг.* Удушливый ядовитый газ, образующийся при неполном сгорании углерода; угарный газ.— *У нас в селе целое семейство — муж, жена и две девочки — в бане от угара померли!* М. Горький. Исповедь. 2. *перен.* Состояние самозабвения, безудержного проявления чувств. *[Паратов:] Угар страстного увлечения скоро проходит, остаются цепи и здравый рассудок.* А. Островский. Бесприданница.

Уга́рный, -ая, -ое. *Угарный запах.*

**УГЛУБИ́ТЬСЯ**, -блю́сь, -би́шься; углуби́вшийся; углуби́вшись; *сов.* 1. Стать более глубоким. *Углубившиеся морщины.* 2. *перен.* Стать более значительным, богатым по содержанию. *Знания углубились.* □ *За ночь только выросла, углубилась, стала острей.. ненависть.* Фурманов. Мятеж. 3. *во что.* Погрузиться глубже во что-л., а также проникнуть в глубь чего-л. *Углубиться в лес.* □ *Землекопы углубились в грунт выше колен.* Павленко. Труженики мира. 4. *перен., во что.* Предаться какому-л. занятию, сосредоточить свои мысли, внимание на чем-л. *Углубиться в изучение истории. Углубиться в чтение. Углубиться в воспоминания.* ◊ **Углубиться в себя** — предаться глубоким размышлениям о чем-л., совершенно не замечая окружающего. *Он до того углубился в себя и уединился от всех, что боялся даже всякой встречи, не только встречи с хозяйкой.* Достоевский. Преступление и наказание.

С и н. (ко 2 знач.): уси́литься, обостри́ться, усугуби́ться (*книжн.*). С и н. (к 4 знач.): погрузи́ться, отда́ться, уйти́.

Углубля́ться, -я́юсь, -я́ешься; *несов.* Углубле́ние, -я, *ср.*

**УГНЕТА́ТЬ**, -а́ю, -а́ешь; угнета́ющий, угнета́вший; угнета́емый; угнета́я; *несов.* 1. *кого.* Ущемлять чьи-л. права, интересы, ограничивать чью-л. свободу. *Угнетать крепостных крестьян. Угнетать слабых.* 2. *кого, что.* Вызывать мрачные, тяжелые мысли, приводить в подавленное состояние. *Уединение и водка вызывали в нем прилив откровенности, желание излить тяжелое горе, угнетающее душу.* Короленко. В дурном обществе.

С и н. (к 1 знач.): притесня́ть. С и н. (ко 2 знач.): тяготи́ть, подавля́ть, дави́ть, гнести́.

Угнете́ние, -я, *ср.* (к 1 знач.). *Борьба против угнетения.*

**УГО́ДНИК**, -а, *м.* 1. *Разг.* Тот, кто стремится угодить кому-л., расположить в свою пользу. *Около них.. образовался небольшой штат*

угодников, шутов, исполнителей особых поручений. Панаев. Литературные воспоминания. **2.** В религиозных представлениях: святой, угодивший богу безгрешной, непорочной жизнью. *Сжалился бог и к спасению Схимнику путь указал: Старцу в молитвенном бдении Некий угодник предстал.* Н. Некрасов. Кому на Руси жить хорошо. ◊ **Дамский угодник** *(ирон.)* — тот, кто любит ухаживать за женщинами.
**Уго́дница**, -ы, *ж.*

**УГО́ДЬЕ**, -я, *род. мн.* уго́дья, -ий, *ср.* Место, территория как объект сельскохозяйственного использования или как место охоты. *Лесные угодья.* □ *— На что же вы существуете, отец настоятель? — Есть кое-какие угодья: землица луговая и пахотная, мельница.* Боборыкин. Василий Теркин.

**УГОЛО́ВНЫЙ**, -ая, -ое. Относящийся к преступлениям и их наказуемости. *Уголовный преступник. Уголовный процесс. Завести уголовное дело. Уголовная хроника.* ◊ **Уголовное право** — совокупность правовых норм, устанавливаемых государством для борьбы с преступлениями путем применения утвержденных законом наказаний. **Уголовный розыск** — система органов милиции, осуществляющих меры по предупреждению, пресечению и раскрытию преступлений против личности, личной собственности граждан, общественного порядка и безопасности. **Уголовный кодекс** — систематизированный законодательный акт, определяющий, какие общественно опасные деяния являются преступными и устанавливающий размер наказания за них.
С и н.: **кримина́льный** *(книжн.)*.

**УГОТО́ВИТЬ**, -влю, -вишь и **УГОТО́ВАТЬ**, -аю, -аешь; угото́вивший и угото́вавший; угото́вленный; -ен, -а, -о и угото́ванный; -ан, -а, -о; угото́вив и угото́вав; *сов., что кому. Устар.* Приготовить, предназначить. *Участь супруги разбойника казалась для нее раем в сравнении со жребием, ей уготовленным.* Пушкин. Дубровский. *Душа его горела ненавистью к старой жизни, резко делившей человечество на людей белой и людей черной кости. Первым — все, они командиры жизни; а вторым уготована одна общая участь: гнуть спины, работать на богатых.* Галин. Сормовска земля богата...
С и н.: **предопредели́ть**, **назна́чить**, **определи́ть**, **предначерта́ть** *(высок.)*, **предугото́вить** *(устар.)*, **приугото́вить** *(устар.)*, **суди́ть** *(устар. и высок.)*.

**Угота́вливать**, -аю, -аешь и **уготовля́ть**, -я́ю, -я́ешь; *несов.*

**УГРЫЗЕ́НИЕ**, -я, *ср.* Беспокойное, мучительное состояние из-за чувства вины в чем-л., ответственности за что-л. *Угрызения совести.* □ *В тоске сердечных угрызений, Рукою стиснув пистолет, Глядит на Ленского Евгений. — Ну, что ж? убит, — решил сосед.* Пушкин. Евгений Онегин.

**У́ДАЛЬ**, -и, *ж.* и **УДА́ЛЬСТВО́**, -а́, *ср.* Безудержная, лихая смелость, соединенная с бойкостью. *Поют про Волгу-матушку, Про удаль молодецкую, Про девичью красу.* Н. Некрасов. Ко-

му на Руси жить хорошо. *Матвей Егорыч любил Гаврюшку за его удальство и озорные подвиги.* Ф. Гладков. Вольница.
С и н.: **ли́хость**, **молоде́чество**, **брава́да** *(книжн.)*, **у́харство** *(разг.)*.

**УДА́Р**, -а, *м.* **1.** Резкий, сильный толчок, производимый кем-л. с размаху; резкое столкновение предметов, лиц при движении, а также звук от такого толчка, столкновения и т. п. *Удар боксера. Удар молотком. Оглушительный удар грома.* □ *Приближаясь к березовой роще, услышал он удары топора и через минуту треск повалившегося дерева.* Пушкин. Дубровский. **2.** Стремительное нападение, внезапная и решительная атака. *Удар был рассчитан на внезапность. Подойти надо было совершенно неожиданно, атаковать оглушительно.* Фурманов. Красный десант. **3.** *перен.* Сильное потрясение, причиненное кому-л., внезапное несчастье. *Тяжелый удар. Оправиться от удара. Удары судьбы.* □ *Вот эти-то все удары неожиданные и потрясают меня! Вот такие-то бедствия страшные и убивают душу мой!* Достоевский. Бедные люди. **4.** *Устар.* Кровоизлияние в мозг или закупорка мозгового сосуда, сопровождающиеся параличом. *С Алпатовым случился удар: отняло всю правую половину тела.* Сергеев-Ценский. Медвежонок. ◊ **В ударе** — в хорошем настроении, в состоянии подъема, воодушевления. **Ставить под удар** *кого, что* — ставить в опасное, критическое положение. **Под ударом** (быть, находиться и т. п.) — в опасном, критическом положении.
С и н. (к 3 знач.): **беда́**, **го́ре**, **бе́дствие**, **невзго́да**, **ли́хо** *(устар. и прост.)*. С и н. (к 4 знач.): **инсу́льт**, **апопле́ксия** *(спец.)* и **апоплексия́** *(спец.)*.

**Уда́рный**, -ая, -ое (к 1 знач.). *Ударная сила. Ударные музыкальные инструменты.*

**УДА́РНИК**, -а, *м.* **1.** Передовой работник социалистического производства. *Почти каждый день после гудка я подходил к станкам этих ударников, как тогда называли лучших работников, и долго всматривался в их работу.* П. Быков. Путь к счастью. **2.** *Устар.* Тот, кто входит в состав войсковой группы, предназначенной для нанесения решающего удара противнику. *В разведку ходили ударники. Хватали зазевавшихся, распустившихся за последние месяцы германских сторожевиков.* Лебеденко. Тяжелый дивизион. **3.** Музыкант, играющий на ударных инструментах.

**Уда́рница**, -ы, *ж.* (к 1 знач.).

**УДЕ́Л**[1], -а, *м.* **1.** В древней и средневековой Руси: область, управляемая князем. *[Воротынский:] Не мало нас наследников Варяга, Да трудно нам тягаться с Годуновым... Уже давно лишились мы уделов.* Пушкин. Борис Годунов. **2.** В дореволюционной России: название земель, недвижимого имущества, принадлежащих царской фамилии. *— Земли нет, в уделе арендуют, плохая землишка.* М. Горький. Мать.

**Уде́льный**, -ая, -ое. *Удельное княжество. Удельные земли.*

**УДЕ́Л**[2], -а, *м. Устар. и книжн.* Судьба, участь, доля. *Счастливый удел. Удел вдовы.* □ *А мо-*

жет быть и то: *поэта Обыкновенный ждал удел. Прошли бы юношества лета: В нем пыл души бы охладел. Во многом он бы изменился, Расстался б с музами, женился.* Пушкин. Евгений Онегин.

С и н.: звезда́, плани́да (*прост.*), ли́ния (*прост.*), судьби́на (*трад.-поэт.*), жре́бий (*устар.*), плане́та (*устар.*).

УДИЛА́, уди́л, *мн.* Часть конской сбруи, состоящая из металлических стержней, прикрепленных к ремням узды и вкладываемых в рот лошади при взнуздывании. *Иноходец присел от боли на задние ноги и больше уже не сопротивлялся. Холодные железные удила загремели на зубах и впились в углы рта.* Айтматов. Прощай, Гульсары! ◇ **Закусить удила** — 1) выйти из повиновения (о лошади); 2) (*перен.*) сорваться, потерять самообладание, начать действовать без оглядки, не считаясь ни с чем.

УДОВЛЕТВОРЕ́НИЕ, -я, *ср.* **1.** Исполнение, осуществление (желания, просьбы и т.п.), а также утоление каких-л. потребностей. *Удовлетворение культурных запросов населения. Удовлетворение нужд армии. Удовлетворение спроса на товары первой необходимости.* □ *В эту минуту для главнокомандующего дело шло.. о неудержимом удовлетворении человеческой потребности — сна.* Л. Толстой. Война и мир. **2.** Чувство удовольствия, испытываемое тем, чьи потребности, запросы, желания удовлетворены. *Испытывать моральное удовлетворение.* □ *— Однако, молодцы, — с удовлетворением сказал он, убедившись, что нынче действительно работали на славу.* Саянов. Лена. **3.** *Устар.* Возмещение за оскорбление, обиду (в феодально-дворянском быту — дуэль как расплата за оскорбление, обиду). *И он вспомнил свое вчерашнее намерение все сказать ее мужу, покаяться перед ним и выразить готовность на всякое удовлетворение.* Л. Толстой. Воскресение.

С и н. (к 3 знач.): сатисфа́кция.

УДОСТОВЕ́РИТЬ, -рю, -ришь; удостове́ривший; удостове́ренный; -ен, -а, -о; удостове́рив, *сов.* **1.** *что. Офиц.* Засвидетельствовать правильность, подлинность чего-л. *Удостоверить подпись.* □ *— И начали мне аплодировать, честное слово, — вот Пантелеев удостоверит, он все видел!* М. Горький. Жизнь ненужного человека. **2.** *кого. Устар.* Убедить в истинности чего-л., уверить. *Чтобы удостоверить мужика, который взялся везти их, что ему заплатят, Иван снял с себя сапоги и кафтан и вручил их в виде задатка.* Григорович. Переселенцы.

С и н.: заве́рить.

**Удостове́риться**, -рюсь, -ришься; *возвр.* *Удостовериться в подлинности документа.* **Удостоверя́ть**, -я́ю, -я́ешь; *несов.* **Удостовере́ние**, -я, *ср.* *Удостоверение подписи нотариусом.*

УДРУЧИ́ТЬ, -чу́, -чи́шь; удручи́вший; удручённый; -чён, -чена́, -о́; удручи́в; *сов., кого* обычно *чем.* **1.** *Устар.* Привести в изнеможение, отяготить. *Он стар, Он удручен годами, Войной, заботами, трудами.* Пушкин. Полтава. **2.** Крайне огорчить, вызвать тяжелое, подавленное настроение. *Солдаты столпились возле останков своего капитана. Они были удручены гибелью любимого начальника.* Степанов. Порт-Артур.

С и н. (ко 2 знач.): опеча́лить, расстро́ить, сокруши́ть, уби́ть, разогорчи́ть (*разг.*).

**Удруча́ть**, -а́ю, -а́ешь; *несов.*

УЕДИНЕ́НИЕ, -я, *ср.* **1.** Пребывание в одиночестве, без общения с кем-л. *Я хотела уединения. У меня была потребность скрыться от людей в пустыне.* Чернышевский. Повести в повести. **2.** *Устар.* Отдаленное, глухое, уединенное место. *Сие глубокое творенье Завез кочующий купец Однажды к ним в уединенье.* Пушкин. Евгений Онегин. **3.** Обособленность, уединенность. *Здесь все дышит уединением, здесь все таинственно — и густые сени липовых аллей.., и ущелья, полные мглою и молчанием.* Лермонтов. Герой нашего времени.

С и н. (к 1 знач.): одино́чество.

УЕ́ЗД, -а, *м.* **1.** В Древней Руси: округа, группа волостей, тяготевших к городу. **2.** В дореволюционной России и в СССР до районирования (1924 — 1929 гг.): административно-территориальная единица, входившая в состав губернии. *Сошлись семь мужиков:.. Подтянутой губернии, уезда Терпигорьева, Пустопорожней волости, Из смежных деревень: Заплатова, Дырявина, Разутова, Знобишина, Горелова, Неелова — Неурожайка тож.* Н. Некрасов. Кому на Руси жить хорошо.

**Уе́здный**, -ая, -ое. *Уездный город. Уездная больница.* ◇ **Уездное училище** — двухгодичное училище в уездных городах дореволюционной России, являющееся повышенной начальной школой.

УЖЕ́ЛИ и УЖЕ́ЛЬ, *частица. Устар.* Неужели. *Кто он таков? Ужель Евгений? Ужели он?.. Так, точно он.* Пушкин. Евгений Онегин.

С и н.: ра́зве, неу́жто (*прост.*), неу́жли (*устар.* и *прост.*).

УЖИ́МКИ, -мок, *мн.* (*ед.* ужи́мка, -и, *ж.*). Неестественные телодвижения, кривляния, гримасы. *Кокетливые ужимки.* □ *Купец забавлял Машу хитрой речью, скоморошескими ужимками.* Злобин. Степан Разин.

УЗДА́, -ы́, у́зды, узд, *ж.* **1.** Часть сбруи — ремни с удилами и поводьями, надеваемые на голову животного для управления им. *Ей был подан белый мул, покрытый роскошным ковром, с уздою из переплетенной широкой зеленой и желтой тесьмы.* Лесков. Гора. **2.** *перен.* То, что является сдерживающей, обуздывающей силой. *Нравственная узда.* □ *— Боцман тиранствует над матросами, вашескобродие, и нет ему узды.* Станюкович. Отчаянный. ◇ **Держать в узде** *кого, что* — держать в повиновении. *[Чацкий:] Хоть есть охотники поподличать везде, Да нынче смех страшит и держит стыд в узде.* Грибоедов. Горе от ума.

**Уздяно́й**, -а́я, -о́е (к 1 знач.) и **удзе́чный**, -ая, -ое (к 1 знач.).

УЗДЕ́НЬ, -я́, *м.* [Тюрк.]. Свободный крестьянин-общинник на Северном Кавказе; с 16 в. также служилый феодал. *Казбич.. прыг сзади его на лошадь, ударом кинжала свалил его наземь, схватил поводья — и был таков; некоторые уз-*

дени все это видели с пригорка; они бросились догонять, только не догнали. Лермонтов. Герой нашего времени.

**УЗДЦЫ**, *мн.* ◇ **Под уздцы** (взять, держать и т. п.) — за узду около удил. *И шествуя важно, в спокойствии чинном, Лошадку ведет под уздцы мужичок.* Н. Некрасов. Крестьянские дети.

**У́ЗЕЛ**[1], узла́, *м.* **1.** Затянутая петля на чем-л., а также место, где туго связаны концы чего-л. *Узел веревки. Завязать платок узлом. Собрать волосы в узел.* **2.** *перен., чего или какой.* Сложное переплетение каких-л. событий, запутанных обстоятельств. *Узел противоречий.* □ *Тот, казавшийся неразрешимым, узел, который связывал свободу Ростову, был разрешен этим неожиданным.., ничем не вызванным письмом Сони.* Л. Толстой. Война и мир. **3.** *чего или какой.* Место схождения, пересечения чего-л. (дорог, рек и т. п.), а также пункт сосредоточения чего-л. (промышленных, оборонных объектов и т. п.). *Промышленный узел. Узел обороны. Железнодорожный узел.* □ *Ключевский завод поместился в узле трех горных речек.* Мамин-Сибиряк. Три конца. **4.** *Спец.* Часть механизма или техническое устройство, представляющее собой сложное соединение деталей, отдельных частей. *Телефонный узел.* □ *[Конструктор] следил за отливкой, за обточкой, сам получал детали, вновь собирал тот или иной узел самолета.* Бек. Жизнь Бережкова. **5.** Связанный концами платок, кусок ткани, в который сложено что-л. *Пассажир с узлами.* □ *Девушка развязала узел и прежде всего вытащила оттуда буханку пахучего хлеба.* В. Беляев. Старая крепость. ◇ **Морской узел** — общее название различных видов петель и способов завязывания тросов. **Завязать** (или **связать**) **узлом** (или **в узел**) *кого* — заставить быть покорным, подчинить полностью своей воле.

**Узело́к**, -лка́, *м.* (*уменьш.*) (к 1 и 5 знач.).

**У́ЗЕЛ**[2], узла́, *м. Спец.* Единица скорости судна, равная одной морской миле (1,85 км) в час. *К вечеру эскадра вынуждена была убавить ход до шести узлов.* Новиков-Прибой. Цусима.

**УЗИ́ЛИЩЕ**, -а, *ср. Устар.* Темница, тюрьма. *Через десять минут я снова вошел в свое одинокое узилище, и железный замок снова загрохотал за моей дверью.* Морозов. Повести моей жизни.

С и н.: катала́жка (*прост.*), куту́зка (*прост.*), остро́г (*устар.*).

**У́ЗКИЙ**, -ая, -ое; у́зок, узка́, у́зко и узко́. **1.** Небольшой в ширину, в поперечнике. *Узкое ущелье. Кибитка ехала по узкой дороге, или точнее по следу, проложенному крестьянскими санями.* Пушкин. Капитанская дочка. **2.** Меньший по ширине, чем требуется. *Узкий в плечах пиджак.* □ *Китель мой оказался ему узок, и он только накинул его на плечи.* Галин. Чудесная сила. **3.** *перен.* Охватывающий, включающий в свой состав немногих, немногое. *Узкая специальность. Узкая область распространения чего-л. В узком кругу друзей.* □ — *Панна Эвелина полагает, что все, о чем мы говорили, недоступно женскому уму, что удел женщины — узкая сфера детской и кухни.* Короленко. Слепой музыкант. **4.** *перен.* Лишенный широты знаний, интересов; односторонний, недалекий. *Узкий кругозор.* □ *Интересы их [офицеров] были до крайности узкими и мелочными: надежды получить батальон или полк, мечты о том, чтобы словчиться и получить трехмесячный отпуск.* Л. Никулин. Московские зори. ◇ **Встретиться** (или **столкнуться**) **на узкой дороге** (или **дорожке**) — о столкновении чьих-л. враждебных интересов. *Я его [Грушницкого] тоже не люблю: я чувствую, что мы когда-нибудь с ним столкнемся на узкой дороге, и одному из нас не сдобровать.* Лермонтов. Герой нашего времени.

С и н. (ко 2 знач.): те́сный. С и н. (к 3 знач.): ограни́ченный. С и н. (к 4 знач.): ограни́ченный, узколо́бый.

А н т.: широ́кий.

**У́зость**, -и (к 1 и 4 знач.) и **у́зкость**, -и (к 1 и 3 знач.), *ж. Узость интересов. Узкость переулка.*

**УЗКОКОЛЕ́ЙКА**, -и, *ж. Разг.* Железная дорога с узкой колеей. *Строительство узкоколейки. Заводская узкоколейка.* □ *[Алексей] предложил провести от сварочной площадки узкоколейку, чтобы передвигать трубопровод на вагонетках.* Ажаев. Далеко от Москвы.

**УЗЛОВО́Й**, -а́я, -о́е. **1.** *Прил.* к узел[1] (в 1, 3 и 4 знач.). *Узловое сплетение. Узловая сборка станков.* □ *Поезд несся к узловой станции Бологое, минуя с хода промежуточные пункты.* Бек. Волоколамское шоссе. **2.** *перен.* Самый важный и существенный, такой, от которого зависит все остальное. *Узловые моменты биографии. Узловая проблема.* □ *Видел и знал он успехи и поражения только своего полка. Может быть, полк оставался в стороне от узловых сражений.* Лебеденко. Тяжелый дивизион.

С и н. (ко 2 знач.): основно́й, гла́вный, важне́йший, генера́льный, стержнево́й, центра́льный, магистра́льный.

**УЗРЕ́ТЬ**, узрю́, узри́шь и (*устар.*) у́зришь; узре́вший; у́зренный; -ен, -а, -о; узре́в; *сов.* **1.** *кого, что. Устар.* Увидеть, воспринять зрением. *Услышу ль вновь я ваши хоры? Узрю ли русской Терпсихоры Душой исполненный полет?* Пушкин. Евгений Онегин. **2.** *что. Разг. шутл.* Усмотреть, заподозрить. *Узреть обиду в чем-л.* □ *Лопухова оправдывать было бы нехорошо, а почему нехорошо, узришь ниже.* Чернышевский. Что делать?

С и н. (к 1 знач.): заме́тить, увида́ть (*разг.*).

**УЗУРПА́ТОР**, -а, *м.* [Восх. к лат. usurpator]. Тот, кто незаконно захватил в свои руки власть или присвоил чужие права на что-л. *Императрица не могла ему [Воронцову] забыть того, что он втайне считал ее узурпатором престола и мужеубийцей.* Л. Никулин. России верные сыны.

**Узурпа́торский**, -ая, -ое.

**УЗУРПИ́РОВАТЬ**, -рую, -руешь; узурпи́рующий, узурпи́ровавший; узурпи́руемый; узурпи́рованный; -ан, -а, -о; узурпи́руя, узурпи́ровав; *сов. и несов., что.* (См. *узурпатор*). Произвести (производить) незаконный захват, присвоение чего-л. *Узурпировать власть.*

**Узурпа́ция**, -и, *ж.*

**У́ЗУС**, -а, *м.* [Лат. usus — употребление]. *Книжн.* Обычай, обыкновение, установившаяся практика.

**Узуа́льный**, -ая, -ое.

**У́ЗЫ**, уз, *мн.* **1.** *Устар.* Цепи, оковы. *Сам благодушный Приам повелел тяготящие узы С пленника снять.* Жуковский. Разрушение Трои. **2.** *перен., чего или какие. Книжн.* То, что стесняет, ограничивает свободу действий кого-л. *Но Ленский, не имев, конечно, Охоты узы брака несть, С Онегиным желал сердечно Знакомство покороче свесть.* Пушкин. Евгений Онегин. **3.** *перен. Высок.* То, что создает внутреннюю связь, единство кого-л. с кем-л. *Узы дружбы, любви.* □ — *Нет уз святее товарищества.* Гоголь. Тарас Бульба. ◊ **Узы крови, кровные узы** — о ближайших родственных связях. *Я понял, что дом, где обитаете вы, священ, что ни единое существо, связанное с вами узами крови, не подлежит моему проклятию.* Пушкин. Дубровский.

С и н. (к 1 знач.): кандалы́. С и н. (ко 2 знач.): це́пи, око́вы, пу́ты (высок.).

**УИК-Э́НД**, -а, *м.* [Англ. week-end от week неделя и end конец]. В Великобритании, США и некоторых других странах: время отдыха с субботы до понедельника. *Весело провести уик-энд.*

**УК**, -а, *м.* Устарелое название буквы «у».

**УКА́З**, -а, *м.* **1.** Постановление верховного органа власти или главы государства, имеющее силу закона. *Королевский указ. Указ президента.* □ *[Простакова:] Не волен! Дворянин, когда захочет, и слуги высечь не волен; да на что ж дан нам указ-от о вольности дворянства?* Фонвизин. Недоросль. **2.** *Разг.* Приказание, распоряжение. *Ковригин признался Федору, что воевода ему не давал указа везти с собой в Астрахань Настю и Мишку.* Злобин. Степан Разин. ◊ **Не указ** кто кому (*прост.*) — о том, кто не может являться авторитетом для кого-л., не должен указывать кому-л. *Самодур все силится доказать, что ему никто не указ и что он — что захочет, то и сделает.* Добролюбов. Темное царство.

С и н. (ко 2 знач.): прика́з, предписа́ние (*офиц.*), повеле́ние (*устар.*), веле́ние (*устар. и высок.*), нака́з (*устар. и прост.*).

**УКАЗА́ТЕЛЬ**, -я, *м.* **1.** Надпись или какой-л. знак (веха, стрелка и т. п.), служащие для указания чего-л. *Указатель дорог.* □ *Километровые указатели окрашены белилами, и цифры на них четко чернели, видные издалека.* Шолохов-Синявский. Волгины. **2.** Прибор, показывающий что-л. *Указатель скорости, поворотов.* □ *Есть на котле указатель со стрелкой — манометр, он показывает, какое в котле давление.* Житков. Пароход. **3.** Справочная книга или справочный список в книге. *Библиографический указатель. Железнодорожный указатель. Указатель имен. Алфавитный указатель произведений писателя.*

С и н. (к 3 знач.): и́ндекс (*спец.*).

**УКЛА́Д**, -а, *м.* **1.** Установившийся порядок, сложившееся устройство чего-л. (жизни, быта и т. п.). *Городской, сельский уклад.* □ *Дворянская Москва всегда была довольна собой, противопоставляя свой уклад жизни чиновному быту новой столицы.* Пикуль. Фаворит. **2.** В экономике: особый тип хозяйства, в основе которого лежит определенная форма собственности на средства производства и соответствующие производственные отношения. *Патриархальный, мелкобуржуазный, капиталистический уклад.*

**УКЛО́Н**, -а, *м.* **1.** Наклонная, покатая поверхность; склон. *Уклон горы.* □ *Надо иметь большую сноровку, чтобы с ношей за плечами прыгать с камня на камень и карабкаться по уклону более чем в 40 градусов.* Арсеньев. Дерсу Узала. **2.** Отклонение от первоначального направления. *Когда я пробовал атаковать, он быстро отбегал или же делал глубокие уклоны.* В. Михайлов. 120 встреч на ринге. **3.** *перен.* Отклонение, отход от основной линии во взглядах, политике. *Борьба с уклоном в партии.* **4.** *перен.* Направленность к какой-л. деятельности, специализация. *Школа с математическим уклоном.* □ *В реальном [училище].. во всем построении программы был уклон в сторону точных наук.* Бек. События одной ночи.

**Укло́нный**, -ая, -ое (к 1 знач.).

**УКЛЮ́ЧИНА**, -ы, *ж.* Приспособление для укрепления весла на борту лодки, обычно в виде двурогой вилки. *Весла, ровно и мерно стуча в уключинах, на несколько мгновений погружались в воду и снова сверкали на солнце.* Гарин-Михайловский. Детство Темы.

**УКОРЕНИ́ТЬ**, -ню́, -ни́шь; укорени́вший; укоренённый; -нён, -нена́, -о́; укорени́в; *сов.,* **1.** Посадив, дать прижиться, укрепиться корнями в почве. *Укоренить рассаду.* □ *Такие деревья и слабее укоренены, чем те, которые смолоду произрастают на просторе.* Г. Морозов. Учение о лесе. **2.** Внедрить, прочно установить. *Укоренить полезные привычки.*

**Укорени́ться**, -и́тся; *возвр. Укоренившиеся традиции.* **Укореня́ть**, -я́ю, -я́ешь; *несов. Другой был славою покрытый Сочинитель: Он тонкий разливал в своих твореньях яд, Вселял безверие, укоренял разврат.* И. Крылов. Сочинитель и Разбойник. **Укорене́ние**, -я, *ср. Укоренение черенков смородины.*

**УКРАША́ТЕЛЬСТВО**, -а, *ср.* Стремление к излишним украшениям, к внешним эффектам. *Ясный и четкий язык, лишенный украшательства, тонкий юмор,.. — таковы черты чеховского творчества.* Павленко. Наш Чехов.

**УКРОТИ́ТЬ**, -ощу́, -оти́шь; укроти́вший; укрощённый; -щён, -щена́, -о́; укроти́в; *сов.* **1.** *кого.* Усмирить, заставить повиноваться (животное). *Укротить необъезженную лошадь.* **2.** *перен., кого, что.* Обуздать, сделать покорным, смирить. *Укротить реку.* □ *Между тем немецкие пушки, укрощенные было нашим огнем, заметно ожили. Наши ответили им.* Казакевич. Сердце друга. **3.** *что.* Сдержать, умерить проявление чего-л. *Укротить гнев. Укротить страсти.*

С и н.: усмири́ть, обузда́ть, смири́ть (*книжн.*).

**Укроща́ть**, -а́ю, -а́ешь; *несов.* **Укроще́ние**, -я, *ср. Укрощение зверей. Укрощение ярости.*

**УКРЫ́ТИЕ**, -я, *ср.* Место или сооружение, укрывающее, защищающее от кого-, чего-л. *Укрытие от пулеметного огня. Естественное, искусственное укрытие.* □ *Непогода застала* его на лодке. Долго пришлось искать какого-нибудь укрытия в виде бухточки или речки. Арсеньев. В горах Сихотэ-Алиня.

С и н.: пристанище, приют, убежище (книжн.), прибежище (книжн.).

УЛАН, -а, уланы, улан (при обозначении рода войск) и -ов (при обозначении отдельных лиц). [Восх. к тюрк.]. В царской и некоторых иностранных армиях: солдат и офицер легкой кавалерии (первонач. вооруженной пиками). *Из-за угла показался конный разъезд французских уланов.* Л. Толстой. Война и мир.

Уланский, -ая, -ое. *Уланские мундиры.*

УЛИКА, -и, ж. Предмет или обстоятельство, уличающие кого-л. в чем-л., свидетельствующие о чьей-л. виновности. *Косвенные, прямые улики. Все улики налицо.* □ *За недостаточностью улик дело ее было прекращено.* Г. Марков. Строговы.

УЛОЖЕНИЕ, -я, ср. В царской России: свод законов, постановлений, положений о чем-л. *Гражданское, уголовное уложение. Соборное уложение 1649 года.* □ *Екатерина, стремившаяся во всем установить закон и незыблемый порядок, хотела дать уложение и русскому языку. Академия, повинуясь ее наказу, тотчас приступила к составлению словаря.* Пушкин. Российская Академия.

УЛУС, -а, м. [Тюрк.]. 1. Становище кочевников в Центральной и Средней Азии и Сибири в прошлом, а также оседлое поселение тюрко-монгольских народов в Приуралье и Сибири. *В соседстве.. кочевали некоторые татарские семейства, отделившиеся от улусов Золотой Орды и искавшие привольных пажитей на берегах того же Яика.* Пушкин. История Пугачева. *На месте башкирских улусов, стойбищ.. выросли русские деревни.* Мамин-Сибиряк. Летные. 2. В Якутии в 18— начале 19 в.: административно-территориальная единица. *Якутская область разделена на округи, округи на улусы.* И. Гончаров. Фрегат «Паллада».

Улусный, -ая, -ое.

УЛЬТИМАТУМ, -а, м. [Позднелат. ultimatum— доведенное до конца]. 1. Категорическое требование, предъявляемое правительству или военному командованию, неисполнение которого грозит разрывом дипломатических отношений или применением силы.— *Предлагаем ультиматум: к трем часам пополудни все петлюровские части складывают оружие.. В противном случае в три часа одну минуту наша артиллерия открывает огонь по городу.* А.Н. Толстой. Хождение по мукам. 2. Вообще требование чего-л., сопровождаемое угрозой. *Сначала все взбунтовались, что нас кидают с прорыва на прорыв. А теперь мы поняли, что напрасно предъявляли ультиматум Нине Сергеевне. Хлеб-то не ждет.* Прилежаева. Пушкинский вальс.

Ультимативный, -ая, -ое; -вен, -вна, -о. *Ультимативное требование. Ультимативное условие.* Ультимативно, *нареч.* Ультимативность, -и, ж.

УЛЬТРА... [Лат. ultra—сверх, за пределами]. Первая составная часть сложных слов, обозначающая высшую степень признака, напр.: *ультракороткий, ультраконсерватор, ультрареакционный, ультрареволюционный, ультрасовременный.*

УЛЬТРАЗВУК, -а, м. [От *ультра...* (см.) и *звук*]. Не слышимый человеческим ухом звук, создаваемый колебаниями очень высокой частоты. *Полтора года бездействовал ультразвуковой дефектоскоп.. Крылов занялся ультразвуком и наладил установку.* Гранин. Иду на грозу.

Ультразвуковой, -ая, -ое. *Ультразвуковые колебания.*

УЛЬТРАМАРИН, -а, м. [Восх. к ср.-лат. ultramarinus—заморский]. Яркая синяя краска. *Производство ультрамарина.*

Ультрамариновый, -ая, -ое.

УМАЛИТЬ, -лю, -лишь; умаливший; умаленный; -лён, -лена, -о; умали; *сов., что. Книжн.* Сделать или представить меньшим (по величине, степени, значению), чем есть на самом деле. *Умалить вину.* □ *[Элен] как будто желала и не могла умалить действие своей красоты.* Л. Толстой. Война и мир.

С и н.: уменьшить, преуменьшить (книжн.).

А н т.: увеличить, преувеличить, утрировать (книжн.), раздуть (разг.).

Умалять, -яю, -яешь; *несов. У Шмарина была нехорошая черта: умалять заслуги других.* Фурманов. Чапаев. Умаление, -я, ср. *Умаление собственных достоинств.*

УМЕРЕННЫЙ, -ая, -ое; -ен, -енна, -о. 1. Не слишком большой по размеру, количеству, силе, не выше среднего уровня. *Умеренные расходы. Умеренная скорость.* □ *Я расплатился с хозяином, который взял с нас такую умеренную плату, что даже Савельич с ним не заспорил и не стал торговаться.* Пушкин. Капитанская дочка. 2. Не предающийся излишествам, лишенный излишеств. *Быть умеренным в еде. Умеренная жизнь.* 3. *полн. ф.* О климате и месте с таким климатом: средний между жарким и холодным. *Эскадра пересекла тропик Рака и вступила в умеренную климатическую полосу.* Новиков-Прибой. Цусима. 4. *полн. ф.* Занимающий среднюю, нейтральную линию между крайними политическими течениями. *Умеренный либерал.* □ *Умеренные республиканцы хотели бы не то что победить Юг, а только склонить его к тому, чтобы он смирился.* Чернышевский. Политика.

Умеренно, *нареч.* (к 1 и 2 знач.). Умеренность, -и, ж. (к 1, 2 и 4 знач.). *Умеренность в расходах. Умеренность взглядов.*

УМЕСТНЫЙ, -ая, -ое; -тен, -тна, -о. Вполне соответствующий обстановке, сделанный кстати. *Уместный вопрос. Уместное замечание.* □ *Отвлеченные истины могут быть уместны в ученом трактате, но слова публициста должны прежде всего сообразоваться с.. потребностями.. общества в данную минуту.* Чернышевский. Г. Чичерин как публицист.

А н т.: неуместный.

Уместно, *нареч. Уместно вспомнить какой-л. факт.* Уместность, -и, ж. *Уместность шутки.*

УМЁТ, -а, м. Обл. Постоялый двор, хутор в степи. *По тракту стояло немало одиноких уметов — заезжих дворов, в которых останавливались проезжие обозы.* Злобин. Салават Юлаев.

**УМИЛЕ́НИЕ**, -я, *ср.* Чувство нежности, возбуждаемое чем-л. трогательным. *Слёзы умиления. Прийти в умиление.* ◻ *Он смотрит в сладком умиленье; Он видит: он еще любим.* Пушкин. Евгений Онегин.

**УМИ́ЛЬНЫЙ**, -ая, -ое; -лен, -льна, -о. **1.** *Устар.* Нежный, приятный. *Чей взор, волнуя вдохновенье, Умильной лаской наградил Твое задумчивое пенье?* Пушкин. Евгений Онегин. **2.** Льстивый, угодливый. *Умильная улыбка.* ◻ *— А ведь вы, маменька, гневаетесь! — наконец проговорил он [Иудушка] таким умильным голосом, словно собирался у маменьки брюшко пощекотать.* Салтыков-Щедрин. Господа Головлевы.

**Уми́льно**, *нареч.* **Уми́льность**, -и, *ж.*

**УМИРОТВОРЁННЫЙ**, -ая, -ое; -ён, -ённа, -о. Полный спокойствия, удовлетворения. *Нравились [Марии].. и сами люди, спокойные, умиротворенные, празднично одетые.* Закруткин. Матерь человеческая.

С и н.: спокойный, безмятежный, покойный (*устар.*).

**Умиротворённо**, *нареч.* **Умиротворённость**, -и, *ж. Кругом ничего подозрительного не было. На корабле водворилась та умиротворенность, которую никому не хочется нарушать.* Новиков-Прибой. Цусима.

**УМИРОТВОРИ́ТЬ**, -рю́, -ри́шь; умиротвори́вший; умиротворённый; -рён, -рена́, -о́; умиротвори́в; *сов., кого, что.* Привести к миру, в мирное состояние или настроение; успокоить. *Речь идет об отыскании таких законов общежития, которые могли бы умиротворить человечество.* Салтыков-Щедрин. Итоги.

**Умиротворя́ть**, -я́ю, -я́ешь; *несов. Лесная тишина умиротворяла.* **Умиротворе́ние**, -я, *ср.*

**УМОЗАКЛЮЧЕ́НИЕ**, -я, *ср.* **1.** В логике: процесс выведения из двух или нескольких суждений заключения. *Дедуктивное, индуктивное умозаключение.* ◻ *Прежде он думал, что такая логика невозможна и что вообще у всех людей одинаковые посылки порождают одинаковые умозаключения.* Эртель. Гарденины. **2.** *Книжн.* Вывод, основанный на рассуждении, размышлении. *— Итак, развиваясь постоянно, Рудин дошел, путем философии, до того умозаключения, что ему должно влюбиться.* Тургенев. Рудин.

С и н. (ко 2 знач.): заключе́ние.

**УМОЗРЕ́НИЕ**, -я, *ср. Устар. книжн.* Представление, основанное на пассивном созерцании, а не на опыте. *Что же дает нам университет? — людей, пропитанных умозрениями, принимающих теории за аксиомы, уходящих от жизни в книгу.* Писарев. Наша университетская наука.

**УМОЗРИ́ТЕЛЬНЫЙ**, -ая, -ое; -лен, -льна, -о. *Книжн.* Отвлеченный, чисто теоретический, не опирающийся на опыт. *Большинство редко убеждается умозрительными доводами и требует доказательств осязаемых, вещественных.* Салтыков-Щедрин. Признаки времени.

С и н.: абстра́ктный, метафизи́ческий (*книжн.*).

**Умозри́тельно**, *нареч.* **Умозри́тельность**, -и, *ж.*

**УМОЛО́Т**, -а, *м.* Количество обмолоченного зерна, а также само обмолоченное зерно. *Ветер относил мякину.., чистая рожь падала на ток. Потом ссыпали умолот в мешки, свезли в амбар.* Арамилев. В лесах Урала.

С и н.: обмоло́т.

**УМОНАСТРОЕ́НИЕ**, -я, *ср. Книжн.* Направленность ума, интересов. *Умонастроение молодежи.* ◻ *— Никогда не терять внутренней оценки своей работы. Никогда не упускать из виду нашу цель! Вот важнейшая задача, касающая умонастроения людей.* Паустовский. Рождение моря.

**У́МСТВЕННЫЙ**, -ая, -ое. **1.** Относящийся к деятельности ума, сознания. *Умственное развитие. Работники умственного труда.* ◻ *Лизавета Александровна чувствовала его умственное превосходство над всем окружающим.* И. Гончаров. Обыкновенная история. **2.** *Прост.* Умный, толковый, сообразительный. *Человек я был молодой, умственный, любил поговорить о всяких предметах, она тоже была образованная и вежливая.* Чехов. Бабы. ◊ **Умственный взор** (или **взгляд** и т. п.) — мысль, сознание. *Перед умственным взором моим действительно стояла моя собственная усадьба, с потемневшими от дождя стенами.* Салтыков-Щедрин. Дневник провинциала в Петербурге.

С и н. (к 1 знач.): интеллектуа́льный. С и н. (ко 2 знач.): неглу́пый, разу́мный, голова́стый (*разг.*), башкови́тый (*прост.*), мозгови́тый (*прост.*).

А н т. (ко 2 знач.): глу́пый, неу́мный.

**УМУДРИ́ТЬ**, -рю́, -ри́шь; умудри́вший; умудрённый; -рён, -рена́, -о́; умудри́в; *сов., кого.* Сделать разумным, мудрым. *Умудрённый опытом.* ◻ *С детства умудрил его господь грамотой, закалил веру.* Перегудов. В те далекие годы.

**Умудря́ть**, -я́ю, -я́ешь; *несов.*

**УМЫКА́НИЕ**, -я, *ср.* У некоторых народов: похищение девушки с целью заключения брака. *В Торжке еще до сей поры существует обычай умыканья невест. Считается особым молодечеством увезти невесту потихоньку, хотя это делается почти всегда с согласия родителей.* А. Островский. Путешествие по Волге от истоков до Нижнего Новгорода.

С и н.: уво́з.

**У́МЫСЕЛ**, -сла, *м.* Заранее обдуманное тайное намерение (преимущ. предосудительное). *Коварный умысел. Совершить что-л. без умысла.* ◻ *Подозрительность Кетчера удвоилась. В каждом неосторожном слове он видел преднамеренность, злой умысел, желание обидеть, и не его одного, а и Серафиму.* Герцен. Былое и думы.

**УМЫ́ШЛЕННЫЙ**, -ая, -ое; -ен, -енна, -о. Совершенный с умыслом, преднамеренный. *Умышленное искажение фактов.* ◻ *Оставалось раскрыть, кто был виновником поджога, и был ли он умышленный или неумышленный.* Салтыков-Щедрин. Губернские очерки.

С и н.: наме́ренный, созна́тельный, преду́мышленный (устар.), наро́читый (устар.).

**Умы́шленно**, нареч. Умышленно умолчать о чем-л. **Умы́шленность**, -и, ж.

**УНАСЛЕ́ДОВАТЬ**, -дую, -дуешь; унасле́довавший; унасле́дованный; -ан, -а, -о; унасле́дова́в; сов., что. **1.** Получить что-л. в наследство (имущество, черты характера, внешность от родителей и т. п.). *От отца она унаследовала темный цвет волос и глаз, нервность и эту манеру всегда прихорашиваться.* Чехов. Анна на шее. *Он был богат и до революции, но еще богаче были два его старших брата, особенно тот старший брат, который унаследовал хозяйство отца.* Фадеев. Молодая гвардия. **2.** перен. Воспринять какие-л. черты от предшественников, стать продолжателем чьей-л. деятельности, каких-л. традиций. *Если другие переняли у Чехова его художественную форму, то идейное настроение его большей частью унаследовал А. И. Куприн.* Воровский. А. И. Куприн.

**У́НДЕР** см. унтер.

**УНДИ́НА**, -ы, ж. [От лат. unda — волна]. В средневековой германской мифологии: дух воды в образе женщины (то же, что в древнегреческой мифологии — наяда, в славянской мифологии — русалка). *Случалось не раз, что рыбак, поглядевши Деву морскую — когда из воды подымался тайно, Пела она и качалась на зыбкой волне — повергался В хладную влагу за нею. Ундинами чудные эти Девы слывут у людей.* Жуковский. Ундина.

**УНИВЕРСА́Л**, -а, м. [См. *универсальный*]. **1.** Работник, владеющий всеми специальностями в своей профессии. *Наследственные павловские слесаря-универсалы без труда брались за любое дело, связанное с обработкой металла.* Строго́ва. Судьба кустаря. **2.** Закрытый кузов легкового автомобиля с багажником позади сидений, а также (разг.) сам такой автомобиль. *Такси-универсал.*

**УНИВЕРСА́ЛЬНЫЙ**, -ая, -ое; -лен, -льна, -о. [Восх. к лат. universalis — всеобщий]. **1.** Разносторонний, всеобъемлющий, охватывающий многое. *Универсальные знания.* □ *Нет университета более универсального, чем природа.* М. Горький. По Союзу Советов. **2.** Пригодный для многих целей, с разнообразным назначением, выполняющий разнообразные функции. *Универсальный станок. Универсальное средство.* □ *Это клей универсальный. Он все берет — железо, стекло, даже кирпич.* Каверин. Два капитана.

С и н. (к 1 знач.): всесторо́нний, всеохва́тывающий (книжн.). С и н. (ко 2 знач.): многоцелево́й.

**Универса́льно**, нареч. Универсально образован кто-л. **Универса́льность**, -и, ж.

**УНИВЕРСИА́ДА**, -ы, ж. [От *универс(итет)* (см.) и (олимп)иада (см.)]. Международные студенческие спортивные соревнования. *Зимняя, летняя универсиада.*

**УНИВЕРСИТЕ́Т**, -а, м. [От лат. universitas, universitatis — совокупность]. **1.** Высшее учебное заведение и одновременно научное учреждение с различными естественно-математическими и гуманитарными отделениями (факультетами). *Московский государственный университет им. М. В. Ломоносова. Учиться в университете. Филологический факультет Иркутского государственного университета.* □ *Катерина Ивановна ужасно обрадовалась ему.. потому, что он был единственный «образованный гость.. и, как известно, через два года готовился занять в здешнем университете профессорскую кафедру».* Достоевский. Преступление и наказание. **2.** Название учебных учреждений по повышению научно-политических знаний, образования в какой-л. области. *Народный университет культуры.*

**Университе́тский**, -ая, -ое. *Университетская библиотека.*

**У́НИК** см. уникум.

**УНИКА́ЛЬНЫЙ**, -ая, -ое; -лен, -льна, -о. [Лат. unicus]. Единственный в своем роде, исключительный. *Уникальная находка археологов.* □ *Всего день и две ночи отделяли человечество от той долгожданной минуты, когда главы государств — именно тех государств, от которых в конечном счете зависят мир и война на земле, — поставят свои подписи под уникальным документом, обеспечивающим мир.* Чаковский. Победа.

С и н.: ре́дкостный.

**Уника́льность**, -и, ж. *Уникальность рукописи.*

**У́НИКУМ**, -а (книжн.) и **У́НИК**, -а (устар.), м. [Лат. unicum — единственное в своем роде, исключительное]. Необыкновенный, единственный в своем роде человек или предмет. *Он подходит к необыкновенному цветку и с видимым удовольствием рассказывает, как удалось ему вырастить этот уникум.* Бек. События одной ночи. *Я трогал черепа страшилищ В обломках допотопных скал. Я уники книгохранилищ Глазами жадными ласкал.* Антокольский. Окончание книги.

С и н.: ре́дкость, рарите́т (книжн.).

**УНИСО́Н**, -а, м. [Итал. unisono]. Спец. Одновременное звучание нескольких звуков одной высоты или одинаковых звуков в разных октавах, производимых разными голосами или инструментами. *Частые унисоны, скромность гармонических средств, прозрачность инструментовки сообщает всей опере [«Мадам Баттерфляй»] своеобразный колорит.* Поляновский. Барсова. ◇ **В унисон** — 1) созвучно. *В это время архиерей и священники запели все в унисон, словно зарыдали: «Ана-фема! Ана-фема!»* Скиталец. Октава; 2) (перен.) с кем, чем. Книжн. Согласованно. *Слушайте: сердца победителей бьются сегодня в унисон с мерностью солдатского шага.* Леонов. Молодым друзьям.

**Унисо́нный**, -ая, -ое. *Унисонное пение.*

**УНИТА́РНЫЙ**, -ая, -ое. [Франц. unitaire; восх. к лат. unitas — единство]. Книжн. Объединенный, единый, составляющий одно целое. *Унитарное государство.*

**УНИФИЦИ́РОВАТЬ**, -рую, -руешь; унифици́рующий, унифици́ровавший; унифици́руемый; унифици́рованный; -ан, -а, -о; унифици́руя, унифици́ровав; сов. и несов., что. [От лат. unus — один и facere — делать]. *Книжн.* Привести (приводить) что-л. к единообразию. *Унифицировать орфографию.*

**Унифика́ция**, -и, ж. *Унификация описания лексики в словаре.*

**УНИФО́РМА**, -ы, ж. [Франц. uniforme от лат. unus — один и forma — форма, вид]. **1.** Форменная одежда. *Три очаровательные.. девицы в синих униформах — туго обтягивающих талию жакетах и коротких юбках — сидели за столиками.* Чаковский. Победа. **2.** собир. В цирке: одетый в специальные костюмы персонал, обслуживающий арену во время представления.

С и н. (к 1 знач.): фо́рма.

**УНИЧИЖИ́ТЕЛЬНЫЙ**, -ая, -ое; -лен, -льна, -о. *Устар.* Унизительный. — *Не Ванька, а Ваня, ваше высочество,— менторским тоном заметил Порошин.— Уничижительное имя — есть кличка, присущая не людям, а скотам.* Шишков. Емельян Пугачев.

**Уничижи́тельность**, -и, ж.

**У́НИЯ**, -и, ж. [Восх. к лат. unio, unionis — единство, объединение]. *Книжн.* **1.** Объединение, союз государств. *Уния Австрии и Венгрии.* **2.** Объединение православной и католической церкви под властью папы римского с сохранением православной церковью своих обрядов и богослужения на родном языке, существовавшее до 1946 г. *Церковная уния.*

**Униа́тский**, -ая, -ое (ко 2 знач.). *Униатская церковь.* **Униа́т**, -а, м. (ко 2 знач.) (последователь церковной унии).

**УНО́С**, -а, м. *Спец.* Пара лошадей, обычно первая, в запряжке четверней и более. *Ездовые.. натягивали поводья, но правая лошадь переднего уноса внезапно упала брюхом на дорогу.., покатилась вниз, потянув за собой коренников.* Бондарев. Горячий снег.

**Уносно́й**, -а́я, -о́е и **уно́сный**, -ая, -ое. *Уносная упряжь.*

**У́НТЕР**, -а и **У́НДЕР**, -а, м. *Прост.* То же, что у н т е р - о ф и ц е р. *[Медведев:] А ты почему знаешь, что так скажут?.. [Лука:] Стало быть, знаю, господин ундер. [Медведев:] М... да! Ну... твое дело. Хоша... я еще не совсем... унтер.* М. Горький. На дне.

**У́нтерский**, -ая, -ое. *Унтерское звание.*

**У́НТЕР-ОФИЦЕ́Р**, -а, м. [Нем. Unteroffizier]. В царской и некоторых иностранных армиях: звание младшего командного состава из солдат, а также лицо, носящее это звание. *Прибыл он [станционный смотритель] в Петербург, остановился.. в доме отставного унтер-офицера, своего старого сослуживца, и начал свои поиски.* Пушкин. Станционный смотритель.

**У́нтер-офице́рский**, -ая, -ое.

**УНТЫ́**, унт и -о́в, мн. (ед. **унт**, -а́ и -а, м.) и **У́НТЫ**, унт и -ов, мн. (ед. **у́нта**, -ы, ж.). [Эвенк. unta — сапог]. Меховая обувь на мягкой подошве, распространенная у народов Севера и Сибири. *Мягко ступая пушистыми меховыми унтами,.. Залкинд помогал жене накрывать на стол.* Ажаев. Далеко от Москвы.

**У́НЦИЯ**, -и, ж. [Лат. uncia]. **1.** Единица аптекарского веса в России (равная 29,86 г), применявшаяся до введения метрической системы. **2.** В некоторых странах: единица массы (около 29 г), применявшаяся до введения метрической системы. **3.** В некоторых странах (Испании, Италии, Мексике и др.): старинная золотая или серебряная монета.

**УНЫ́ВНЫЙ**, -ая, -ое; -вен, -вна, -о. *Устар.* Наводящий тоску, уныние. *В конце стола секретарь читал решение дела, но таким однообразным и унывным тоном, что сам подсудимый заснул бы, слушая.* Гоголь. Повесть о том, как поссорился Иван Иванович с Иваном Никифоровичем.

С и н.: уны́лый, зауны́вный.

**Уны́вно**, нареч. *Унывно петь.*

**УПА́ДОК**, -дка, м. Состояние ослабления деятельности, уменьшения активности, некоторого расстройства. *Упадок физических сил. Упадок культуры. Упадок духа.* □ *Но в течение времени родовые владения Белкиных раздробились и пришли в упадок.* Пушкин. История села Горюхина.

С и н.: уще́рб, спад.

**УПА́ДОЧНИЧЕСТВО**, -а, ср. Упадочные настроения в какой-л. области общественной жизни. *Чувство упадочничества на много лет охватило интеллигенцию. Всеобщим упадком духа только и можно было объяснить успех пессимистической «арцыбашевщины».* Скиталец. Горький.

**Упа́дочнический**, -ая, -ое. *Упадочническое искусство.*

**УПА́ДОЧНЫЙ**, -ая, -ое. **1.** Относящийся к упадку. *Упадочное состояние промышленности.* **2.** Являющийся выражением упадка в какой-л. области общественной жизни; пассивный, безнадежный. *Упадочное искусство. Упадочные настроения.*

**УПИ́ТЬСЯ**, упью́сь, упьёшься; упи́вшийся; упи́вшись; сов., чем. *Книжн.* Насладиться чем-л., испытать упоение, восхищение от чего-л. *Упиться музыкой, красотой.* □ *Сияньем голубого дня Упьюся я в последний раз.* Лермонтов. Мцыри.

С и н.: услади́ться (устар.).

**Упива́ться**, -а́юсь, -а́ешься; несов.

**УПОВА́НИЕ**, -я, ср. *Книжн.* Надежда на непременное исполнение чего-л. задуманного, желаемого. *Мы ждем с томленьем упованья Минуты вольности святой.* Пушкин. К Чаадаеву.

С и н.: ча́яние (высок.).

**УПОВА́ТЬ**, -а́ю, -а́ешь; упова́ющий, упова́вший; упова́я; несов., на кого, что или с неопр. *Книжн.* Твердо надеяться, полагаться на кого-, что-л. *Уповать на успех.* □ *Перед бедной женщиной, которая уповала дожить свой век в своем домишке, вдруг развергается страшная перспектива холода и голода.* Лесков. Старый гений.

С и н.: рассчи́тывать, гада́ть (разг.), ча́ять (устар. и прост.), льсти́ться (устар.).

**УПОДО́БИТЬ**, -блю, -бишь; уподо́бивший; уподо́бленный; -ен, -а, -о; уподо́бив; сов., кого, что кому, чему. Представить подобным кому-, чему-л., сравнить с кем-, чем-л. *Уподобить молодость весне.* □ *Уподобил [Чичиков] жизнь свою судну посреди морей, гонимому отовсюду вероломными ветрами.* Гоголь. Мертвые души.

**Уподо́биться**, -блюсь, -бишься; *возвр.* **Уподобля́ть**, -я́ю, -я́ешь; *несов.* **Уподобле́ние**, -я, *ср.*

**УПОЕ́НИЕ**, -я, *ср.* Состояние восторга. *Яковом, видимо, овладело упоение: он уже не робел, он отдавался весь своему счастью; голос его.. [при пении] дрожал едва заметной внутренней дрожью страсти, которая стрелой вонзается в душу слушателя, и беспрестанно крепчал, твердел и расширялся.* Тургенев. Певцы.

С и н.: экста́з (*книжн.*), экзальта́ция (*книжн.*).

**УПОИ́ТЕЛЬНЫЙ**, -ая, -ое; -лен, -льна, -о. Приводящий в упоение, вызывающий восторг, восхищение. *Наконец, губы наши сблизились и слились в жаркий, упоительный поцелуй.* Лермонтов. Герой нашего времени.

С и н.: восхити́тельный, изуми́тельный, волше́бный, плени́тельный (*книжн.*), ди́вный (*разг.*).

**Упои́тельно**, *нареч.* *Упоительно хорошо в лесу.*
**Упои́тельность**, -и, *ж.* *Упоительность мелодии.*

**УПОЛНОМО́ЧЕННЫЙ**, -ого, *м.* Доверенное лицо, действующее на основании каких-л. полномочий.— *Ну, раз ты есть от власти нашей уполномоченный, могу тебе сказать, а ты передай: колхоз наш, скажи власти, живет!.. Подпольно живет.. И все добро колхозное попрятано.* Горбатов. Непокоренные.

**Уполномо́ченная**, -ой, *ж.*

**УПОЛНОМО́ЧИТЬ**, -чу, -чишь; уполномо́чивший; уполномо́ченный, -ен, -а, -о; уполномо́чив; *сов., кого на что или с неопр.* Снабдить полномочиями на что-л., доверить что-л. сделать от чьего-л. имени (от имени коллектива, учреждения и т. п.). *В доверенности говорилось, что товарищ Мамонтов уполномочен от имени совхоза.* Солоухин. Рождение Зернограда.

**Уполномо́чивать**, -аю, -аешь; *несов.*

**...УПО́РНЫЙ**, -ая, -ое; -рен, -рна, -о. Вторая составная часть сложных слов, обозначающая: не поддающийся воздействию чего-л. (что указано в первой части), напр.: *водоупо́рный, огнеупо́рный.*

**УПОТРЕБИ́ТЕЛЬНЫЙ**, -ая, -ое; -лен, -льна, -о. Находящийся в широком употреблении; общепринятый. *[Гросман:] Как вы желаете, чтоб я усыпил субъекта? Есть много употребительных приемов.* Л. Толстой. Плоды просвещения.

**Употреби́тельность**, -и, *ж.* *Употребительность слова.*

**УПРА́ВА**, -ы, *ж.* 1. В дореволюционной России: название некоторых учреждений, ведавших какими-л. общественными, сословными, административными делами. *Городская управа.* □ — *Я здесь инспектор врачебной управы, блюститель законов по медицинской части.* Герцен. Кто виноват? 2. *Разг.* Возможность сладить, управиться с кем-, чем-л. *Найти на кого-л. управу.* □ — *Ты думала, помер отец, так на тебя и управы не будет?.. Нет милая, я тебя тоже сумею укротить.* Вересаев. Два конца.

**Упра́вский**, -ая, -ое (к 1 знач.). *Управский писарь.*

**УПРАВЛЕ́НИЕ**, -я, *ср.* 1. Регулирование хода, движения, работы чего-л., а также руководство кем-, чем-л. *Управление самолетом. Оркестр под управлением известного дирижера.* □ *Через неделю Пьер выдал жене доверенность на управление всеми великорусскими имениями.. и один уехал в Петербург.* Л. Толстой. Война и мир. 2. Деятельность органов власти. *Местное управление. Органы государственного управления.* 3. Административное учреждение или административный орган внутри какого-л. учреждения. *Центральное статистическое управление. Областное управление железной дороги. Жандармское управление. Работать в управлении.* □ *[Почтмейстер:] Не будет ли какого замечания по части полицейского управления?* Гоголь. Ревизор. 4. Совокупность приборов, посредством которых управляют действием машины, какого-л. механизма и т. п. *Автоматическое, рулевое, программное управление.* □ *Машина падала. Он с силой рванул на себя ручку управления.* В. Кожевников. Близость.

**Управле́нческий**, -ая, -ое (ко 2 и 3 знач.). *Управленческий аппарат. Управленческий служащий.*

**УПРАЗДНИ́ТЬ**, -ню́, -ни́шь; упраздни́вший; упразднённый, -нён, -нена́, -о́; упраздни́в; *сов., что.* Отменить, ликвидировать с помощью закона, распоряжения и т. п. *Упразднить лишнюю должность.* □ — *Мне кажется, давно бы пора упразднить эту дурную привычку во флоте: списывать с берега на суда плохих матросов.* Новиков-Прибой. Шалый.

С и н.: аннули́ровать.

**Упраздня́ть**, -я́ю, -я́ешь; *несов.* **Упраздне́ние**, -я, *ср.*

**УПРЕДИ́ТЬ**, -ежу́, -еди́шь; упреди́вший; упреждённый; -дён, -дена́, -о́; *сов., кого, что. Устар. и прост.* 1. Предупредить, известить заранее.— *А ни одного китайца сегодня на всем хуторе нету. Видно, упредили их, все ушли.* Вересаев. На японской войне. 2. Сделать что-л. раньше кого-л., опередить, обогнать. *Аннинька поднялась чуть не в шесть часов утра. Но Иудушка все-таки упредил ее.* Салтыков-Щедрин. Господа Головлевы.

**Упрежда́ть**, -а́ю, -а́ешь; *несов.* *Нанести упреждающий удар противнику.* **Упрежде́ние**, -я, *ср.* (к 1 знач.). *Упреждение об опасности.*

**УПРО́ЧИТЬ**, -чу, -чишь; упро́чивший; упро́ченный, -ен, -а, -о; упро́чив; *сов., что.* 1. Сделать более прочным, более надежным. *Упрочить мир.* □ *Но не развлечений он приехал искать в Петербург: ему надо было окончательно стать на дорогу и упрочить свою карьеру.* Достоевский. Униженные и оскорбленные. 2. *перен., за кем.* Прочно утвердить, закрепить, сделать постоянным для кого-л. *Анна Сергеевна согласилась быть его женой,— а он пожил с ней лет шесть и, умирая, упрочил за ней все свое состояние.* Тургенев. Отцы и дети.

С и н. (к 1 знач.): укрепи́ть.

**Упро́чивать**, -аю, -аешь; *несов.* **Упро́чение**, -я, *ср.* *Упрочение разрядки напряженности.*

**УПРЯ́ЖКА**, -и, *ж.* 1. Несколько животных (лошадей, собак, оленей и т. п), запряженных вместе. *Упряжка оленей быстро мчала его на нартах по снежному полю.* Саянов. Лена. 2. То же, что **упряжь**. *По улицам мчались раскормленные лошади в богатой упряжке.* М. Горький. Жизнь Клима Самгина.

С и н. (к 1 знач.): запря́жка. С и н. (ко 2 знач.): сбру́я, запря́жка.

**Упря́жечный,** -ая, -ое (к 1 знач.).
**У́ПРЯЖЬ,** -и, ж. Совокупность приспособлений для запрягания лошадей или другой живой тяги. *Отпряженная лошадь стояла теперь без упряжи, еще более худая и костистая.* Серафимович. Чибис.

С и н.: сбру́я, упря́жка, запря́жка.

**Упряжно́й,** -а́я, -о́е. *Упряжные принадлежности.*

**УПЫ́РЬ,** -я́, м. То же, что **вампир**. *Начали ходить безобразные слухи. Говорили, что новый градоначальник.. по ночам, в виде ненасытного упыря, парит над городом и сосет у сонных обывателей кровь.* Салтыков-Щедрин. История одного города.

С и н.: вурдала́к.

**УРАВНОВЕ́ШЕННЫЙ,** -ая, -ое; -ен, -енна, -о. Обладающий ровным, спокойным, выдержанным характером. *Иван Ильич считал себя человеком уравновешенным: чего-чего, а уж головы он никогда не терял.* А. Н. Толстой. Хождение по мукам.

С и н.: хладнокро́вный, сде́ржанный, невозмути́мый, споко́йный, вы́держанный.

А н т.: неуравнове́шенный.

**Уравнове́шенность,** -и, ж. *Уравновешенность характера, нрава.*

**УРАГА́Н,** -а, м. [Франц. ouragan; восх. к карибск. huracan]. **1.** Ветер необычайной, разрушительной силы. *Снежный ураган ревел за стенами, и гудели, качаясь, вековые сосны.* Серафимович. На плотах. **2.** *перен., чего.* Об огромной силе, стремительности движения, осуществления чего-л. *Ураган звуков. Ураган негодования. В урагане событий.* ▢ *Ураган огня, обрушиваемый на остров, усиливался с каждой минутой.* Н. Чуковский. Балтийское небо.

С и н. (к 1 знач.): бу́ря.

**Урага́нный,** -ая, -ое. *Ураганный грохот. Ураганная скорость.*

**УРБАНИЗА́ЦИЯ,** -и, ж. [Восх. к лат. urbanus — городской]. *Книжн.* Процесс повышения роли городов в жизни страны, выражающийся в сосредоточении экономической и культурной жизни в городских центрах, в возникновении сверхкрупных городов и т. п.

**Урбанизацио́нный,** -ая, -ое.
**УРБАНИ́ЗМ,** -а, м. [См. *урбанизация*]. *Спец.* **1.** Изображение и описание жизни большого современного города в искусстве и литературе. *Урбанизм в живописи.* **2.** Направление в градостроительстве 20 в., считающее необходимым создание городов-гигантов с крупными зданиями.

**Урбанисти́ческий,** -ая, -ое. *Урбанистическая поэзия. Урбанистические пейзажи.* **Урбани́ст,** -а, м.

**УРЕГУЛИ́РОВАНИЕ,** -я, ср. [От *регулировать* (см.)]. Упорядочение, улаживание каких-л. вопросов с целью привести в норму, в систему. *Урегулирование спорных вопросов. Мирное урегулирование назревших международных проблем.*

**УРЕЗО́НИТЬ,** -ню, -нишь; урезо́нивший; урезо́ненный; -ен, -а, -о; урезо́нив, *сов., кого. Разг.* Уговорить, убедить при помощи каких-л. доводов, резонов. *[Слуга:] Он говорил: — Я ему обедать не дам, покамест он не заплатит мне за прежнее... [Хлестаков:] Да ты урезонь, уговори его.* Гоголь. Ревизор.

С и н.: улома́ть (*разг.*), обрабо́тать (*разг.*).

**Урезо́нивать,** -аю, -аешь; *несов.*
**У́РНА,** -ы, ж. [Восх. к лат. urna]. **1.** *Устар.* Сосуд, ваза. *Урну с водой уронив, об утес ее дева разбила.* Пушкин. Царскосельская статуя. **2.** Сосуд для хранения праха умерших после их сожжения, а также надгробный памятник в виде такого сосуда. *Рассматривая могилы на кладбище, наткнулся я на почерневшую четырехугольную урну с.. надписями.* Тургенев. Льгов. **3.** Ящик с узким отверстием для опускания избирательных бюллетеней (прежде шаров). *Избирательная урна.* **4.** Специальное вместилище, устанавливаемое на улицах, в общественных помещениях для мусора, окурков. *[Клава] спокойно вынула письмо, разорвала и бросила в урну обрывки.* Кетлинская. Дни нашей жизни.

**У́РОВЕНЬ,** -вня, м. **1.** Условная горизонтальная линия или плоскость, являющаяся границей высоты чего-л. *Уровень воды в реке. Высота горы — 1000 м над уровнем моря.* ▢ *Тот высокий берег подымается над уровнем.. [реки] сажен на пятьдесят.* Гаршин. Медведи. **2.** *чего или какой.* Ступень, достигнутая в развитии чего-л., качественное состояние, степень этого развития. *Культурный уровень учащихся. Подъем материального уровня жизни народа.* ▢ *Урожайность зерновых культур достигла довоенного уровня.* Шолохов. Слово о Родине. ◇ **В у́ровень** *с чем —* **1)** на одной высоте с чем-л. *Странно-низко, почти в уровень с крышею, по небу плыло от гор к морю воздушное белое облачко.* Вересаев. На высоте; **2)** в полном соответствии с чем-л. *В уровень с современными требованиями.* **Быть (или находиться) на у́ровне —** соответствовать предъявляемым требованиям.

**УРОЖДЁННЫЙ,** -ая, -ое. **1.** Коренной, исконный. *Урожденный сибиряк.* **2.** Употребляется перед девичьей фамилией замужней женщины в значении: имевшая такую-то фамилию до брака. *Наталья Пушкина, урожденная Гончарова.*

**УРОЛО́ГИЯ,** -и, ж. [От лат. urina — моча и греч. logos — учение]. Раздел медицины, занимающийся болезнями мочевой системы (у мужчин — мочеполовых органов).

**Урологи́ческий,** -ая, -ое. *Урологический кабинет.* **Уро́лог,** -а, м.

**УРО́ЧИЩЕ,** -а, ср. **1.** То, что служит естественной границей, природной межой (напр., овраг, гора). *[Мы] перевалили за широкую балку, посредине которой тек маленький ручеек, служивший живым урочищем, составляющим границу Великой России с Малороссиею.* Лесков. Детские годы. **2.** Участок, отличающийся от окружающей местности (лес среди поля; болото, луг среди леса и т. п.). *И повсюду, даже в глуши лесных урочищ, куда и солнце-то проникало только в полдень, виднелись следы тяжелых боев.* Б. Полевой. Золото.

**УРО́ЧНЫЙ**, -ая, -ое. **1.** Установленный по условию. *К сочельнику все было готово, и этот день проводили уже в абсолютном бездействии и тишине. Даже сенные девушки были освобождены от урочных работ.* Салтыков-Щедрин. Пошехонская старина. **2.** Определенный, обычный, привычный. *Когда же на запад умчался туман, Урочный свой путь совершал караван.* Лермонтов. Три пальмы.

**УРЯ́ДНИК**, -а, *м.* **1.** В царской армии: унтер-офицер в казачьих войсках. *У коменданта нашел я Швабрина, Ивана Игнатьича и казацкого урядника.* Пушкин. Капитанская дочка. **2.** В дореволюционной России: нижний чин уездной полиции. *Вдруг на площадь галопом прискакал урядник, осадил рыжую лошадь у крыльца волости и, размахивая в воздухе нагайкой, закричал на мужика.* М. Горький. Мать.

**Уря́дницкий**, -ая, -ое и **уря́дничий**, -ья, -ье.

**УСА́ДЬБА**, -ы, уса́дьбы, уса́деб и уса́дьб, *ж.* **1.** Отдельный дом со всеми примыкающими строениями, угодьями. *Крестьянская, помещичья усадьба.* □ *Старая барская усадьба стояла на невысокой, заметной горушке. Горушку сутками трясло от бомбовых взрывов и обстрелов,.. колокольню стоявшей на усадьбе церкви обрызгало снарядами по первый этаж.* Симонов. Живые и мертвые. **2.** Поселок, место, где расположены жилые и хозяйственные постройки совхоза, колхоза. *На окраине села Кайгородище рядом с усадьбой МТС стояло здание бывшей школы.* Тендряков. Не ко двору. **3.** Земельный участок, находящийся при доме. *Летом она неутомимо копалась на маленькой усадьбе, за своей избой.* Б. Полевой. Золото.

**Уса́дебка**, -и, *ж.* (уменьш.-ласк.). **Уса́дебный**, -ая, -ое. *Усадебные постройки. Усадебная земля.*

**УСЕ́РДИЕ**, -я, *ср.* **1.** *Устар.* Горячая преданность, приверженность к кому,- чему-л. *[Чацкий:] А тем, кто выше, лесть, как кружево, плели. Прямой был век покорности и страха, Все под личиною усердия к царю.* Грибоедов. Горе от ума. **2.** Большое старание, рвение. *Работать с усердием.* □ *На другой день утром Владимир явился в зале анатомического театра и с тем усердием, с которым принялся за дела канцелярии, стал заниматься анатомией.* Герцен. Кто виноват?

С и н. (ко 2 знач.): стара́тельность, прилежа́ние, ре́вностность (книжн.), рети́вость (разг.), рья́ность (разг.), раде́ние (устар.), ре́вность (устар.).

**УСЛА́ДА**, -ы, *ж. Устар.* и *трад.-поэт.* Наслаждение, удовольствие, а также то, что доставляет радость, наслаждение. *И он, царевич ненаглядный, Услада сердца и очей, Теперь безжизненный и хладный.* Вяземский. Вечером на берегу моря. *С усладой любовались они нежным голосом незнаемого певца.* Мельников-Печерский. В лесах.

С и н.: отра́да, уте́ха (разг.).

**УСЛАДИ́ТЬ**, -ажу́, -ади́шь; услади́вший; услаждённый, -дён, -дена́, -о́; услади́в; *сов.* *Устар.* **1.** *кого, что.* Доставить кому-л. чем-л. наслаждение, удовольствие. *Усладить слух пением.* □ *— Что ж это? — мыслит он, — Ужель ее люблю, когда хочу так сильно Услышать вновь ее и взор мой усладить Девичьей прелестью?* Пушкин. Анджело. **2.** *что.* Сделать что-л. более приятным, менее печальным, тягостным для кого-л. *[Людмила:] Я буду и тем довольна, если сумею чем-нибудь вашу жизнь усладить, утешить вас.* А. Островский. Поздняя любовь.

С и н. (к 1 знач.): поте́шить, пора́довать, поне́жить.

**Услади́ться**, -ажу́сь, -ади́шься; *возвр.* **Услажда́ть**, -а́ю, -а́ешь; *несов.* **Услажде́ние**, -я, *ср.*

**УСЛО́ВИЕ**, -я, *ср.* **1.** *Устар.* Официальный договор. *Срок условию, заключенному с Велифантьевым, кончился.* Салтыков-Щедрин. Пошехонская старина. **2.** *Устар.* Уговор, соглашение о чем-л. между двумя или несколькими лицами. *Он поставил в условие — двадцать рублей уплатить сразу, а двадцать после.* Сергеев-Ценский. Сад. **3.** Статья, пункт договора, определяющие то или иное обязательство договаривающихся сторон. *По условиям перемирия, заключенного с японским командованием, части Приморской группы отошли за тридцать километров от железной дороги.* Фадеев. Землетрясение. **4.** Требование, предъявляемое одной из договаривающихся сторон. *Рабочие ничего не имеют и, чтоб не умереть с голода, вынуждены соглашаться на условия, какие поставит им капиталист.* Серафимович. Пауки и кровососы. **5.** *мн.,* чего или какие. Правила, установленные в той или иной области жизни, деятельности, обеспечивающие нормальную работу чего-л. *Условия пользования электричеством.* □ *— Вы не смотрите на меня, что я дорожу предрассудками, держусь известных условий.* Достоевский. Униженные и оскорбленные. **6.** *мн.,* чего или какие. Обстановка, в которой происходит что-л. *Условия жизни, труда. Улучшить жилищные условия. Климатические условия.* **7.** Основа, предпосылка чего-л. *Соблюдение советов врача — условие выздоровления.*

С и н. (к 1 знач.): соглаше́ние, контра́кт (книжн.). С и н. (к 6 знач.): обстоя́тельства, ситуа́ция.

**УСЛО́ВНЫЙ**, -ая, -ое; -вен, -вна, -о. **1.** *полн. ф.* Заранее условленный и понятный только условившимся. *Условный знак.* □ *Наташе было известно теперь условное место, где лежал ключ от входной двери.* Березко. Мирный город. **2.** Имеющий силу только при каких-л. условиях. *Условное согласие. Условный приговор* (не приводимый в исполнение при условии, если приговоренный в течение испытательного срока ни в чем не провинится). **3.** Являющийся следствием принятых в какой-л. среде норм, определяемый чьим-л. отношением. *[Ольга] делает для него все: пренебрегает даже условными приличиями, едет к нему одна, никому не сказавшись.* И. Гончаров. Обломов. **4.** Не существующий на самом деле, воображаемый, а также являющийся символическим обозначением чего-л. *Условная линия горизонта.* □ *Кобзев принес большую, мастерски вычерченную им карту Дальнего Востока с условным изображением нефтепровода.* Ажаев. Далеко от Москвы. **5.** Основанный на приемах, выражаемый с помощью знаков, принятых в какой-л. области. *Говорят, что искусство театра — искусство условное, что режиссер должен это подчеркнуть и в поведении актеров, и в оформлении.* Сахновский. Мысли о режиссуре.

**Усло́вно**, *нареч.* (к 1, 2 и 4 знач.). *Условно поступать в дверь. Условно осужденный.* **Усло́вность**, -и, *ж. Аристократические условности. Условность сюжета произведения. Сценическая условность.*

**УСЛУ́ГА**, -и, *ж.* **1.** *собир. Устар.* Прислуживающие люди, прислуга. *Нашел он полон двор услуги.* Пушкин. Евгений Онегин. **2.** Действие, приносящее пользу другому. *Дружеская услуга.* □ *— Я спас от позора его семью тем, что внес в казну деньги, растраченные его отцом. Он мне тоже оказал одну, не менее важную услугу.* Куприн. Странный случай. **3.** обычно *мн.* Бытовые удобства, предоставляемые кому-л. *Бюро добрых услуг. Коммунальные услуги (отопление, освещение и т. п.). Услуги связи.* ◊ **К вашим (твоим) услугам** — вежливое выражение, говорящее о чьей-л. готовности быть полезным кому-л. *— С своей стороны, я очень рад, что вы занимаетесь естественными науками.. Вы можете дать мне какой-нибудь полезный совет. — Я к вашим услугам, Николай Петрович.* Тургенев. Отцы и дети. **Медвежья услуга** — неловкая помощь, причиняющая только вред.

**УСЛУЖЕ́НИЕ**, -я, *ср. Устар.* Служба, занятие прислуги. *[Матрена Бучкина] находится у меня в услужении в должности кухарки.* Герцен. Доктор Крупов.

**УСМОТРЕ́НИЕ**, -я, *ср.* чье или кого. Мнение, решение. *Представить что-л. на усмотрение профкома.* □ *Ермолов хотел поступить по своему усмотрению, но Дохтуров настаивал на том, что ему нужно иметь приказание от светлейшего.* Л. Толстой. Война и мир.

**УСО́БИЦА**, -ы, *ж. Устар.* То же, что ме́ждоусо́бица. *Княжеские усобицы.* □ *Один из киевских князей Рюриковичей вступил в удельную усобицу с родным своим дядей, взял его стол, сжег обитель, церкви, срыл до основания город.* Боборыкин. Василий Теркин.

**УСОВЕРШЕ́НСТВОВАНИЕ**, -я, *ср.* Повышение чего-л. (уровня знаний, мастерства и т. п.), а также изменение, улучшающее, совершенствующее что-л. *Усовершенствование рукописи. Институт усовершенствования учителей.* □ *Князь Андрей говорил ему [Пьеру], указывая на поля, о своих хозяйственных усовершенствованиях.* Л. Толстой. Война и мир.

**УСО́ПШИЙ**, -ая, -ее. *Устар. высок.* Умерший, покойный. *Германн отправился в.. монастырь, где должны были отпевать тело усопшей графини.* Пушкин. Пиковая дама.

**УСПЕ́Х**, -а, *м.* **1.** Положительный результат, удачное завершение чего-л. *Производственные успехи. Добиться успеха в чем-л. Успехи в освоении космоса.* □ *Доклад подходил к концу. Уже было рассказано об успехах завода, о выполнении военных заказов.* Попов. Сталь и шлак. **2.** Общественное признание, одобрение чего-л. *Успех вышедшего романа.* □ *[Качалов] постепенно завоевал себе огромный успех и положение корифея.* Станиславский. Моя жизнь в искусстве. ◊ **С успехом** — успешно, без затруднений, очень легко. **С тем же** (или **таким же**) **успехом** — с таким же результатом, точно так же. **Пользоваться успехом** — быть популярным, привлекать к себе внимание.

С и н. (к *1 знач.*): достиже́ние.

**Успе́шный**, -ая, -ое; -шен, -шна, -о. *Успешное выполнение плана.* **Успе́шно**, *нареч. Успешно выступить на сцене.*

**УСТА́**, уст, *мн. Устар.* и *трад.-поэт.* Рот, губы. *Поп приложил крест к холодеющим устам [Ивана].* Серафимович. В камышах. ◊ **Устами** чьими **говорить** (*книжн.*) — говорить чьими-л. словами. **Из уст в уста** (*книжн.*) — от одного к другому. *Новость передавалась из уста в уста.* **Из первых уст узнать** (или **услышать** и т. п.) (*книжн.*) — узнать от очевидца, от непосредственного участника. **На устах у всех** что (*книжн.*) — все говорят о чем-л. **Не сходит с уст** что (*книжн.*) — постоянно упоминается что-л. **Вашими бы устами да мед пить** — хорошо, если бы случилось так, как вы говорите.

**УСТА́В**[1], -а, *м.* Свод правил, устанавливающий устройство, порядок деятельности чего-л. *Партийный устав. Воинский устав. Проект устава. Принять новый устав.* □ *[Царь:] Со строгостью храни устав церковный; Будь молчалив; Не должен царский голос На воздухе теряться по-пустому.* Пушкин. Борис Годунов.

С и н.: стату́т (*офиц.*).

**Уста́вный**, -ая, -ое. *Следовать уставному положению.*

**УСТА́В**[2], -а, *м.* Вид письма древних славянских рукописей, отличающийся тщательно выведенными буквами, отсутствием сокращений.

**Уста́вный**, -ая, -ое. *Уставное письмо.*

**УСТАНО́ВКА**, -и, *ж.* **1.** Подготовка чего-л. к использованию. *Установка телефона. Установка заводского оборудования.* □ *Решил я прежде всего проверить, сколько же времени затрачивает токарь на снятие готовой детали и установку новой заготовки.* П. Быков. Путь к счастью. **2.** Устройство, механизм. *Ракетная установка.* □ *Он ходил по комнате, поглядывая на схему, потом.. приказал разбирать всю установку.* Гранин. Искатели. **3.** Целевая направленность к чему-л., ориентация на что-л. *Установка на высокое качество выпускаемой продукции. Программная установка партии.* **4.** Директива, руководящее указание. *Получить установку.* □ *Беридзе был прав. Центр вмешался в положение дел на строительстве, дал* новую установку и сменил руководство. *Ажаев. Далеко от Москвы.*

◊ С и н. (ко 2 знач.): констру́кция, приспособле́ние. С и н. (к 4 знач.): предписа́ние, инстру́кция, ука́зка (разг.).

**Устано́вочный**, -ая, -ое. *Установочный винт. Установочные вопросы, тезисы.*

**УСТО́Й**, -я, м. **1.** Опора, на которой укреплено что-л. *Ему понравился железнодорожный мост через Сунгари.., на девяти устоях, длиной почти в полкилометра. Павленко. На Востоке.* **2.** *мн., перен., чего или какие.* Нормы жизни, закрепленные традицией, основы чего-л. *Ломка устоев самодержавно-крепостнического общества.* □ *Без разбора, сгоряча эти юноши пытались разрушить старые моральные устои. Панова. Спутники.*

**УСТРЕМИ́ТЬ**, -млю́, -ми́шь; устреми́вший; устремлённый; -лён, -лена́, -о́; устреми́в; *сов.* **1.** *кого, что.* Стремительно двинуть в каком-л. направлении. *Устремить коня вперед. Устремить танки на оборонительные сооружения.* **2.** *что.* Придать какое-л. направление чему-л., направить куда-л. *Кузьма лежал, неподвижно устремив глаза в потолок. Гаршин. Трус.* **3.** *перен., что.* Сосредоточить на ком-, чем-л. *К предметам мудрости высокой Все мысли их устремлены. Пушкин. Руслан и Людмила.*

◊ С и н. (ко 2 знач.): напра́вить, навести́, обрати́ть, наце́лить, уста́вить (разг.), упере́ть (разг.), уткну́ть (разг.), впери́ть (устар. высок.). С и н. (к 3 знач.): обрати́ть.

**Устреми́ться**, -млю́сь, -ми́шься; *возвр.* *Устремиться на помощь.* **Устремля́ть**, -я́ю, -я́ешь; *несов.* **Устремле́ние**, -я, *ср.*

**У́СТРИЦА**, -ы, *ж.* [Голл. oester; восх. к греч. ostreoh — раковина]. Съедобный морской моллюск, имеющий двустворчатую раковину. *[Старик] доставал из корзинки устриц, ловко открывал ножом раковину, выжимал туда несколько капель сока из лимона и угощал посетителей. И. Новиков. Один из трех.*

**У́стричный**, -ая, -ое. *Устричный промысел.*

**УСТРО́ЙСТВО**, -а, *ср.* **1.** Сооружение, создание, организация чего-л. *Устройство плотины на реке. Устройство концерта.* □ *Илья Андреич Ростов был озабочен устройством обеда в Английском клубе. Л. Толстой. Война и мир.* **2.** Расположение и соотношение частей в каком-л. механизме, приспособлении, конструкции и т.п., а также сам этот механизм, приспособление, конструкция и т.п. *Продумать устройство здания. Схема устройства электрического звонка.* **3.** Установленный общественный порядок, строй. *Государственное устройство России.* □ *К религии он относился так же отрицательно, как и к существующему экономическому устройству. Л. Толстой. Воскресение.*

◊ С и н. (к 3 знач.): систе́ма.

**У́СТЬЕ**, -я, у́стья, -ев, *ср.* **1.** Место впадения реки в море, озеро и т.п. *Царь обласкал новых подданных и пожаловал им грамоту на реку Яик, отдав им ее от вершины до устья. Пушкин. История Пугачева.* **2.** Выходное отверстие чего-л.

выход. *Устье трубы, шахты.* □ *Высокая, худая женщина, стоявшая у открытого устья печи, слегка повернулась в сторону Жмакина. Куприн. Болото.*

**У́стьевый**, -ая, -ое и **устьево́й**, -а́я, -о́е. *Устьевая часть реки.*

**УСУГУБИ́ТЬ**, -блю́, -би́шь и **УСУГУ́БИТЬ**, -блю, -бишь; усугуби́вший и усугу́бивший; усугублённый; -лён, -лена́, -о́ и усугу́бленный; -ен, -а, -о; усугуби́в и усугу́бив; *сов., что. Книжн.* Сделать бо́льшим по степени проявления; усилить. *Усугубить свою вину.* □ *К довершению всех оскорблений, ненавистный сосед выстроил прямо против него.. гусиный хлев, как будто с особенным намерением усугубить оскорбления. Гоголь. Повесть о том, как поссорился Иван Иванович с Иваном Никифоровичем.*

◊ С и н.: углуби́ть, обостри́ть.

**Усугуби́ться**, -би́тся и **усугу́биться**, -бится; *возвр.* **Усугубля́ть**, -я́ю, -я́ешь; *несов.* **Усугубле́ние**, -я, *ср.* *Усугубление наказания.*

**УСЫПА́ЛЬНИЦА**, -ы, *ж. Книжн.* Место погребения членов одного рода, семьи или выдающихся деятелей. *Государь Николай Павлович весьма часто посещал Петропавловскую крепость и ее собор — усыпальницу русских императоров. Куприн. Однорукий комендант.*

◊ С и н.: гробни́ца.

**У́ТВАРЬ**, -и, *ж., собир.* Совокупность предметов, необходимых в обиходе, в какой-л. области жизни. *Корабельная утварь. Хозяйственная утварь.* □ *Снохи делили домашнюю утварь: горшки, чугунки, кадушки, ведра, корчаги, ухваты. Замойский. Лапти.*

**УТВЕРДИ́ТЬ**, -ржу́, -рди́шь; утверди́вший; утверждённый; -дён, -дена́, -о́; утверди́в; *сов.* **1.** *что.* Прочно укрепить, установить. *[Офицеры] достали доску и, утвердив ее на двух седлах, покрыли попоной. Л. Толстой. Война и мир.* **2.** Окончательно установить, принять. *Утвердить республиканскую форму правления. Утвердить свое господство.* **3.** *кого в чем. Книжн.* Уверить, убедить. *Утвердить в каком-л. мнении.* □ *Дружное согласие полка утвердило нас в мысли действовать немедленно. Фурманов. Мятеж.* **4.** *кого, что.* Официально признать окончательно установленным, придать чему-л. юридическую силу. *Утвердить новый закон. Утвердить проект здания. Утвердить кого-л. в должности директора школы.* □ *Суд приговорил их [офицеров] к смерти, но никто не осмелился утвердить приговор. Герцен. Былое и думы.*

**Утверди́ться**, -ржу́сь, -рди́шься; *возвр.* (к 1, 2 и 3 знач.). **Утвержда́ть**, -а́ю, -а́ешь; *несов.* **Утвержде́ние**, -я, *ср.* *Утверждение власти, авторитета.*

**УТЁС**, -а, *м.* Высокая отвесная скала. *Стесненный Терек с ревом бросает свои мутные волны через утесы, преграждающие ему путь. Ущелье извивается вдоль его течения. Пушкин. Путешествие в Арзрум.*

**УТЕ́ХА**, -и, *ж.* Разг. **1.** Удовольствие, забава. *Детские утехи.* □ *[Снегурочка:] Слушать песни Одна моя утеха. Если хочешь, Не в труд тебе, запой! А. Островский. Снегурочка.* **2.** Тот, кто (или то, что) доставляет радость, удовольствие.— *Уснешь, а во сне тебя оберут.. И гармония, утеха твоя, пропадет.* М. Горький. В людях.

С и н.: отра́да, усла́да (*устар. и трад.-поэт.*).
**УТИЛИЗИ́РОВАТЬ**, -рую, -руешь; утилизи́рующий, утилизи́ровавший; утилизи́руемый, утилизи́рованный; -ан, -а, -о; утилизи́руя, утилизи́ровав; *сов. и несов., что.* [См. *утиль*]. Найти (находить) применение чему-л., употребить (употреблять) с пользой. *Начал ходить слух, что он утилизировал крапиву, начал выделывать из нее поташ.* Салтыков-Щедрин. Помпадуры и помпадурши.

**Утилиза́ция**, -и, *ж. Утилизация отходов производства.*
**УТИЛИТАРИ́ЗМ**, -а, *м.* [См. *утилитарный*]. *Книжн.* 1. Направление в этике, считающее пользу основой нравственности и критерием человеческих поступков. 2. Стремление из всего извлечь выгоду, пользу, узкий практицизм. *Именно в это время пробуждалось у нас больше и больше теоретических стремлений. Семинарская выучка.. [исчезла], не заменялся еще немецким утилитаризмом, удобряющим умы наукой, как поля навозом, для усиленной жатвы.* Герцен. Былое и думы.

**Утилитари́стский**, -ая, -ое. **Утилитари́ст**, -а, *м.*
**УТИЛИТА́РНЫЙ**, -ая, -ое; -рен, -рна, -о. [Восх. к лат. utilitas— польза]. *Книжн.* 1. Основанный на стремлении к практической пользе или выгоде, ставящий целью практическое применение чего-л. *Новая школа уже сделала себе специальность, можно сказать, ремесло, служить только утилитарным целям.* И. Гончаров. Литературный вечер. 2. Имеющий практическое назначение; прикладной. *Утилитарное образование.*

С и н.: практи́ческий.
**Утилита́рно**, *нареч.* **Утилита́рность**, -и, *ж. Утилитарность в подходе к делу.*
**УТИ́ЛЬ**, -я, *м., собир.* [Восх. к лат. utilis — полезный]. Вещи, предметы, негодные к употреблению, но пригодные для переработки в качестве вторичного сырья. *Сдать старые вещи в утиль.*

**Ути́льный**, -ая, -ое. *Утильный цех.*
**У́ТЛЫЙ**, -ая, -ое. 1. Ненадежный, непрочный (первонач. гнилой, дырявый). *Утлая лодка. Утлые строения.* □ *Небольшая [речушка].. разлилась на целый километр. Переправляться надо было на утлой плоскодонке, поднимавшей не больше трех человек.* Шолохов. Судьба человека. 2. Убогий, бедный, жалкий. *Утлый скарб.* □ *Мальчик.. рассматривал [с горы в бинокль] дома, сараи и пристройки во дворе кордона. Маленькими, утлыми казались они сверху.* Айтматов. Белый пароход.

**У́тлость**, -и, *ж. Утлость судна, изгороди.*
**УТОНЧЁННЫЙ**, -ая, -ое; -ён, -ённа, -о и **УТО́НЧЕННЫЙ**, -ая, -ое, -енна, -о. 1. Изысканный, изощренный, с тонким вкусом. *Утонченные манеры. Утонченный юноша.* □ *Генерал Ратмиров с прежнею утонченною вежливостью раскланялся с ним.* Тургенев. Дым.

2. Доведенный до крайности. *Утонченный эгоизм.*

С и н. (к *1 знач.*): то́нкий, рафини́рованный (*книжн.*). С и н. (ко *2 знач.*): изощрённый.
**Утончённо**, *нареч.* **Утончённость**, -и, *ж. Утонченность обращения. Утонченность вкуса.*
**УТО́ПИЯ**, -и, *ж.* [По названию страны, вымышленной Томасом Мором; от греч. u — не и topos — место]. 1. Изображение идеального общественного строя, лишенное научного обоснования. *Маркс превратил социализм из утопии в науку.* Ленин, т. 18, с. 354. 2. Фантазия, неосуществимая мечта.— *И, может быть, не успеем оглянуться, как не будет никаких казарм, никаких тюрем..— Нет,— опять возразила Лиза,— это называется утопией.* Федин. Первые радости.

С и н. (ко *2 знач.*): иллю́зия, химе́ра (*книжн.*).
**Утопи́ческий**, -ая, -ое. *Утопическое учение. Утопический роман.* ◇ **Утопический социализм** — домарксовское учение о социалистическом переустройстве общества, исходившее не из объективных законов развития, а из умозрительных представлений об идеальном устройстве общества. *Он [Чернышевский] был замечательно глубоким критиком капитализма, несмотря на свой утопический социализм.* Ленин, т. 25, с. 94. **Утопи́ст**, -а, *м.*
**У́ТРЕННИК**, -а, *м.* 1. Утренний мороз до восхода солнца, бывающий весной и осенью. *[Епиходов:] Сейчас утренник, мороз в три градуса, а вишня вся в цвету.* Чехов. Вишневый сад. 2. Утреннее представление, утренний спектакль (обычно для детей). *[Соня:] Я обещала Маратику сводить его в цирк. Ты пойдешь с ним в ближайший выходной на утренник.* Афиногенов. Мать своих детей.

**У́ТРЕНЯ**, -и, *ж.* У православных: утренняя церковная служба. *Отслужить утреню.* □ *Мы должны были ходить к утрене и к ранней обедне, целовать попам и монахам руки.* Чехов. Три года.

С и н.: зау́треня.
**УТРИ́РОВАТЬ**, -рую, -руешь; утри́рующий, утри́ровавший; утри́руемый, утри́рованный; -ан, -а, -о; утри́руя, утри́ровав; *сов. и несов., что и без доп.* [Франц. outrer; восх. к лат. ultra — сверх, более]. *Книжн.* Представить (представлять) в преувеличенном виде, исказить (искажать) излишним подчеркиванием чего-л. *Утрировать чьи-л. слова.* □ *Л. Н. Толстого не раз упрекали в том, что он в своей драме слишком сгустил краски и утрировал — жизнь оправдывает его от этих упреков.* М. Горький. «Власть тьмы».

С и н.: преувели́чить (преувели́чивать), гиперболизи́ровать (*книжн.*), разду́ть (раздува́ть) (*разг.*).

А н т.: преуме́ньшить (преуменьша́ть), умали́ть (умаля́ть) (*книжн.*).
**Утри́рование**, -я, *ср.* и **утриро́вка**, -и, *ж. Утрирование фактов.*
**УТРО́БА**, -ы, *ж.* 1. *Устар.* Внутренняя часть живота человека или животного. *Они убили.. ребенка в утробе матери, уверяя, что мать не может разродиться.* Л. Толстой. Крейцерова соната. *Рыбак Грохотало недвижной глыбой лежал*

за.. костром, сотрясая берег храпом, как будто из утробы в горло, из горла в утробу перекатывалась якорная цепь.. корабля. Астафьев. Царь-рыба. **2.** *чего или какая.* Внутренняя часть чего-л. *На крутой яме машину подкинуло, где-то в утробе кузова инструменты весело громыхнули.* Федин. Необыкновенное лето. **3.** *перен. Устар. разг.* Бессознательное чувство, инстинкт, нутро.— *Пришла она, революция.. Я не наукой, а нутром ее понял, утробой.* Замойский. Лапти.

◊ С и н. (к 1 знач.): **брю́хо** (*прост.*), **пу́зо** (*прост.*), **чре́во** (*устар.*), **мамо́н** (*устар.*).

**УТРО́БНЫЙ**, -ая, -ое; -бен, -бна, -о. **1.** *полн. ф.* Протекающий в утробе, внутри чего-л. *Утробный период развития зародыша.* □ *Чтобы следить за утробной жизнью домны, люди вставили в оконце синее стекло.* Эренбург. День второй. **2.** Идущий изнутри, из глубины, исходящий из утробы (о звуке: глухой и низкий). *Утробное тепло.* □ *[Слон] хочет бежать, но дальше не пускает цепь. Он испускает страшный, потрясающий утробный звук.* Катаев. Время, вперед! **3.** *перен.* Основанный на удовлетворении самых примитивных потребностей, желаний. *Даша воспринимала.. с особенной чувствительностью весь этот окружавший ее утробный мещанский покой.* А. Н. Толстой. Хождение по мукам.

**Утро́бно**, *нареч.* (ко 2 и 3 знач.). *Утробно зареветь.*

**УХА́Б**, -а, *м. и* (*разг.*) **УХА́БИНА**, -ы, *ж.* Выбоина, яма в дороге. *Через десять минут тяжело нагруженная телега, подпрыгивая на ухабах, уже катилась по проселочной дороге.* Пантелеев. Ленька Пантелеев.

◊ С и н.: **ры́твина**, **колдо́бина** (*прост.*).

**У́ХАРЬ**, -я, *м. Разг.* Бойкий, лихой, удалой человек, готовый на бесшабашные поступки. *В каждой деревне есть свой признанный ухарь, гроза всех парней, герой плясок и вечеринок, кого за глаза ругают, а в глаза побаиваются.* Тендряков. Среди лесов.

◊ С и н.: **хват** (*разг.*), **удале́ц** (*разг.*), **сорвиголова́** (*разг.*).

**У́харский**, -ая, -ое. *Ухарское поведение.*

**УХВА́Т**, -а, *м.* Длинная палка с металлической рогаткой на конце, которой захватывают и ставят в русскую печь горшок или чугуны. *Леонтьев вытащил ухватом из печи чугунок с готовым кулешом.* Паустовский. Повесть о лесах.

**УХИЩРЕ́НИЕ**, -я, *ср.* Ловкий, хитрый прием для достижения чего-л. (обычно неблаговидного). *По временам она догадывалась, что ее обманывают, и сознавала себя бессильною против ухищрений неверных рабов.* Салтыков-Щедрин. Пошехонская старина.

◊ С и н.: **уло́вка**, **хи́трость**, **трюк**, **изворо́т**, **хитросплете́ние** (*книжн.*), **манёвр** (*разг.*), **увёртка** (*разг.*).

**УЧА́СТИЕ**, -я, *ср.* **1.** Совместная с другими деятельность, сотрудничество в чем-л. *Участие школы в соревнованиях. Концерт с участием известных артистов.* □ *Но шампанское явилось, разговор оживился, и все приняли в нем участие.* Пушкин. Пиковая дама. **2.** Сердечное отношение, сочувствие к кому-, чему-л. *Проявить участие. Благодарность за участие.* □ *[Лидия:] Вся Москва узнает, что мы разорены; к нам будут являться с кислыми лицами, с притворным участием.* А. Островский. Бешеные деньги.

◊ С и н. (ко 2 знач.): **сострада́ние**, **жа́лость**, **сожале́ние**, **соболе́знование** (*книжн.*).

**УЧА́СТОК**, -тка, *м.* **1.** Отдельная часть какой-л. поверхности. *Приусадебный участок. Осушение заболоченного участка. Участок протяженностью в два километра.* □ *Легко идет машина. В свете фар открывается один участок пути за другим.* Панова. Времена года. **2.** Область, сфера какой-л. деятельности. *Важный участок работы. Передовой участок. Руководство полеводческим участком.* □ *Процесс обработки актера —..наиболее привлекательный участок режиссерской работы.* Герасимов. Лицо советского актера. **3.** Административно-территориальное или производственное подразделение, выделяемое с какой-л. целью. *Избирательный участок. Врачебный участок. Призывной участок.* **4.** В дореволюционной России: отделение городской полиции, а также помещение, где находилось это отделение. *И городовой свел назад в участок Ивана Миронова, обвиняемого в подделке купона.* Л. Толстой. Фальшивый купон.

**Уча́стковый**, -ая, -ое (к 3 и 4 знач.). *Участковый врач.* ◊ **Участковый инспектор** — офицер милиции, наблюдающий за порядком на вверенном ему участке (в 3 знач.).

**У́ЧАСТЬ**, -и, *ж.* Судьба, доля. *Счастливая, горькая участь.* □ *Теперь надо бежать... Но как же он бросит Полю? Захочет ли она с ним разделить его участь во всем — и в плохом и в хорошем?* Саянов. Лена.

◊ С и н.: **звезда́**, **плани́да** (*прост.*), **ли́ния** (*прост.*), **судьби́на** (*трад.-поэт.*), **жре́бий** (*устар.*), **плане́та** (*устар.*), **уде́л** (*устар. и книжн.*).

**УЧЕ́НИЕ**, -я, *ср.* **1.** *ед.* Обучение чему-л. *Учение азбуке. Учение стихов наизусть.* □ *В это время окончил я свое учение в Академии, получил золотую медаль.* Гоголь. Портрет. **2.** Совокупность теоретических положений в какой-л. области знаний. *Материалистическое учение.* □ — *Я переработал целую большую отрасль науки, все учение об отправлениях нервной системы.* Чернышевский. Что делать? **3.** Система воззрений какого-л. ученого или мыслителя. *Учение Гегеля.* □ *[Митрий Степанович] наизусть читал тексты священного писания, хорошо знал учение Льва Толстого.* Ф. Гладков. Повесть о детстве. **4.** *мн.* Учебные занятия воинских подразделений в условиях, приближенных к боевым. *Взвод находится на учениях.*

**УЧЁТ**, -а, *м.* **1.** Установление наличия, количества чего-л. путем подсчетов. *[Авдотья] вела строгий учет продукции.* Николаева. Жатва. **2.** Регистрация с занесением в списки лиц, входящих в состав чего-л. *Состоять на учете в поликлинике. Встать на учет в профсоюзной организации. Сняться с учета.* □ — *Когда же на учет перейдешь к нам в ячейку?— Да вот*

сегодня.. захвачу у секретаря учетную карточку. В. Беляев. Старая крепость. **3.** Принятие во внимание чего-л. *[План] составлен с учетом наших возможностей.* Наседкин. Большая семья.
◇ **Учет векселей** (*спец.*) — кредитная операция, совершаемая путем покупки банком векселей у их держателей до наступления срока платежа по ним.

**Учётный**, -ая, -ое (*к 1 и 2 знач.*). *Учетный листок по кадрам.*

**УЧИ́ЛИЩЕ**, -а, *ср.* **1.** В дореволюционной России: общеобразовательное учебное заведение, школа. *Инспектор народных училищ.* □ *В городе два училища: уездное и приходское, но что в них делается — про то знают те немногие дети, которые посещают их.* Салтыков-Щедрин. Письма о провинции. **2.** Учебное заведение, дающее среднее или высшее специальное образование. *Музыкальное, педагогическое училище. Высшее военное училище. Училище связи. Выпускники профессионально-технического училища (ПТУ).*

**Учи́лищный**, -ая, -ое.

**УЧИ́ТЕЛЬ**, -я, учителя́, -ей и учи́тели, -ей, *м.* **1.** (*мн.* учителя́). Тот, кто преподает какой-л. учебный предмет в школе; преподаватель. *Учитель истории. Учитель средней общеобразовательной школы. Диплом учителя.* **2.** (*мн.* учителя́). Тот, кто (или то, что) наставляет, учит, передает свой опыт, знания кому-л. *Базаров продолжал хохотать; но Аркадий, как ни благоговел перед своим учителем, на этот раз даже не улыбнулся.* Тургенев. Отцы и дети. *Газета всегда была для меня лучшим учителем.* Павленко. Автобиография. **3.** (*мн.* учи́тели). Высок. Человек, являющийся высоким авторитетом в какой-л. области, имеющий последователей. *[Художник] оставил себе в учители одного божественного Рафаэля.* Гоголь. Портрет.
С и н. (*к 1 знач.*): педаго́г. С и н. (*ко 2 знач.*): наста́вник.

**Учи́тельница**, -ы, *ж.* (*к 1 знач.*). **Учи́тельский**, -ая, -ое (*к 1 знач.*). *Учительская деятельность.*

**УЧРЕДИ́ТЕЛЬНЫЙ**, -ая, -ое. Предназначенный для учреждения чего-л., основывающий что-л. *Учредительный съезд.* ◇ **Учредительное собрание** — в некоторых государствах: представительное учреждение, которое создается для выработки основного закона (конституции), после чего прекращает свою деятельность.

**УЧРЕДИ́ТЬ**, -ежу́, -еди́шь; учреди́вший; учреждённый; -дён, -дена́, -о́; учреди́в; *сов., что.* **1.** Создать, основать что-л. *Учредить научное общество.* □ *В Яицком городке учреждена была следственная комиссия.* Пушкин. История Пугачева. **2.** Ввести, установить. *Учредить контроль над производством.* □ *Он учредил должность комиссара, выбранного из старших учеников.* Помяловский. Очерки бурсы.
С и н. (*к 1 знач.*): организова́ть, образова́ть, сформирова́ть.

**Учрежда́ть**, -а́ю, -а́ешь; *несов.* **Учрежде́ние**, -я, *ср.*

**УЧРЕЖДЕ́НИЕ**, -я, *ср.* **1.** Создание, основание чего-л. *Учреждение театра.* □ *От крестьян же идет инициатива относительно учреждения сельских школ.* Салтыков-Щедрин. Письма о провинции. **2.** Организация, ведающая какой-л. отраслью деятельности. *Государственные учреждения. Научные учреждения. Детские лечебные учреждения. Сотрудники учреждения.* **3.** обычно *мн.* Устар. Та или иная форма общественного устройства. *Крепостное право было одним из учреждений, ослаблявших народную энергию.* Чернышевский. Суеверие и правила логики.
С и н. (*к 1 знач.*): организа́ция, формирова́ние, образова́ние, устро́йство. С и н. (*к 3 знач.*): институ́т (*книжн.*), установле́ние (*устар.*).

**Учрежде́нческий**, -ая, -ое (*ко 2 знач.*). *Учрежденческий аппарат.*

**УЧТИ́ВЫЙ**, -ая, -ое; -и́в, -а, -о. Почтительно-вежливый. *Учтивый поклон. Учтивые слова благодарности.* □ *Тут же познакомился он с весьма обходительным и учтивым помещиком Маниловым и несколько неуклюжим на взгляд Собакевичем.* Гоголь. Мертвые души.
С и н.: ве́жливый, воспи́танный, гала́нтный, корре́ктный, обходи́тельный, предупреди́тельный, любе́зный.
А н т.: неве́жливый, неучти́вый, невоспи́танный, некорре́ктный, неотёсанный (*прост.*).

**Учти́во**, *нареч.* *Учтиво приветствовать кого-л.* **Учти́вость**, -и, *ж.* *Притворная учтивость.*

**УША́Т**, -а, *м.* Небольшая кадка с двумя ручками (ушками) на верхнем срезе, сквозь которые продевается палка для подъема, ношения вдвоем. *Утром больные.. умываются в сенях из большого ушата и утираются фалдами халатов.* Чехов. Палата № 6. ◇ **Ушат холодной воды вылить** на кого (*разг.*) — неприятно поразить, отрезвить. **Ушат грязи вылить** на кого — оклеветать, оскорбить.

**УШКУ́Й**, -я, *м.* В Древней Руси: плоскодонная ладья с парусом и веслами.

**УШКУ́ЙНИК**, -а, *м.* В Древней Руси: вольный человек, член вооруженной дружины, совершающий набеги и промышляющий на ушкуях на Волге и Каме.

**УЩЕ́ЛЬЕ**, -я, *ср.* и (*устар.*) **УЩЕ́ЛИНА**, -ы, *ж.* Узкая и глубокая, с обрывистыми склонами долина в горах. *Мой гений сплел себе венок В ущелинах кавказских скал.* Лермонтов. Посвящение. *Сельцо приютилось между двух высоких гор, разделенных узким ущельем.* Скиталец. Октава.

**УЩЕМИ́ТЬ**, -млю́, -ми́шь; ущеми́вший; ущемлённый; -лён, -лена́, -о́; ущеми́в; *сов., кого, что.* **1.** Сжав, защемить. *Ущемить палец дверью.* □ *[Владимир Николаевич] вылетел на улицу.., оставляя за собой.. неистовый визг ущемленного дверью за хвост кота.* Леонов. Деревянная королева. **2.** *перен.* Разг. Причинить нравственную боль, оскорбить. *Ущемленное самолюбие.* □ *Он сразу все понял, и только недоуменная обида больно ущемила его.* Федин. Братья. **3.** *перен.* Стеснить в чем-л., ограничить. *Ущемить чьи-л. права.* □ *Основными предметами там [в школе] были: ритмика, биомеханика, пластика..*

*Прочие науки были ущемлены.* Инбер. О моей дочери.

С и н. (к 1 знач.): прищеми́ть. С и н. (ко 2 знач.): уязви́ть, заде́ть, уколо́ть (разг.).

**Ущемля́ть**, -я́ю, -я́ешь; несов. **Ущемле́ние**, -я, ср. *Ущемление чьих-л. интересов.*

**УЩЕ́РБ**, -а, м. **1.** Убыток, урон, потеря. *Материальный ущерб. Нанести ущерб.* ☐ *Выгоды от сего [вырубки леса] они не получили никакой, а стране между тем причинили несомненный ущерб.* Салтыков-Щедрин. Помпадуры и помпадурши.— *С судов нельзя снять ни одной пушки без ущерба для их боеспособности.* Степанов. Порт-Артур. **2.** Ослабление, упадок. *Его чувство к Вере Юрьевне остыло.. Ущерб начался, когда к нему пришло некоторое благополучие.* А. Н. Толстой. Эмигранты. ◊ **В ущерб** кому, чему — за счет кого-, чего-л., во вред кому-, чему-л. *В ущерб здоровью.* **На ущербе** — 1) в упадке. *Я познакомился с ним [Репиным].., когда талант его был на ущербе и с каждым годом иссякал все сильнее.* К. Чуковский. Илья Репин; 2) о луне: в последней фазе (луна в виде серпа, который постепенно уменьшается).

С и н. (к 1 знач.): изъя́н (устар.). С и н. (ко 2 знач.): спад.

**УЩЕ́РБНЫЙ**, -ая, -ое; -бен, -бна, -о. **1.** полн. ф. Находящийся на ущербе. *Ущербный месяц.* ☐ *И в ладной фигуре ее и в лице была та гаснущая, ущербная красота, которой неярко светится женщина, прожившая тридцатую осень.* Шолохов. Тихий Дон. **2.** Недостаточный, ненормальный в каком-л. отношении. *Ущербное хозяйство.* ☐ *Николаич был убежден, что человек, способный просто так.. причинить боль животному, в чем-то ущербен.* Санин. За тех, кто в дрейфе!

**Уще́рбность**, -и, ж. *Ущербность психики.*

**УЯЗВИ́МЫЙ**, -ая, -ое; -и́м, -а, -о. **1.** Такой, которого легко ранить. *Старые животные были мало уязвимы для копий и стрел и успевали убегать.* Обручев. Земля Санникова. **2.** Такой, которого легко уязвить (во 2 знач.); болезненно реагирующий на всякую обиду. *Уязвимое самолюбие.* **3.** Слабый, плохо защищенный. *Уязвимые места в учении Льва Толстого. Уязвимый участок обороны.* ☐ *Оконное стекло — это самая уязвимая, самая хрупкая часть здания.* Инбер. Почти три года.

С и н. (ко 2 знач.): рани́мый, чувстви́тельный.

**Уязви́мость**, -и, ж.

**УЯЗВИ́ТЬ**, -влю́, -ви́шь; уязви́вший; уязвлённый; -лён, -лена́, -о́; уязви́в; сов., кого, что. **1.** Устар. Нанести рану кому-л. *О старец, убеленный Годами и трудом, Трикраты уязвленный На приступе штыком!* Батюшков. Мои пенаты. **2.** перен. Оскорбить, глубоко обидеть. *Лушка была.. уязвлена поведением своего возлюбленного.* Шолохов. Поднятая целина.

С и н. (к 1 знач.): ра́нить. С и н. (ко 2 знач.): заде́ть, уколо́ть (разг.), ущеми́ть (разг.).

**Уязвля́ть**, -я́ю, -я́ешь; несов. *Уязвлять кого-л. невниманием.* **Уязвле́ние**, -я, ср.

# Ф

**ФА́БРИКА**, -и, ж. [Восх. к лат. fabrica — ремесло, мастерская]. Промышленное предприятие с машинным способом производства (выпускает товары преимущественно легкой и пищевой промышленности). *Обувная, кондитерская фабрика.* ☐ *Он.. завел у себя суконную фабрику, утроил доходы и стал почитать себя умнейшим человеком во всем околотке.* Пушкин. Барышня-крестьянка.

**Фабри́чный**, -ая, -ое. *Фабричная марка. Ковры фабричного производства.*

**ФАБРИКА́НТ**, -а, м. [См. *фабрика*]. Капиталист — владелец фабрики.

**Фабрика́нтский**, -ая, -ое.

**ФАБРИКА́Т**, -а, м. [См. *фабриковать*]. Спец. Готовое фабричное изделие. *Текстильные фабрикаты.* ☐ *За время войны сильно вздорожали фабрикаты, а спрос на сельскохозяйственное сырье для заграницы упал.* Павленко. Родина.

**ФАБРИКОВА́ТЬ**, -ку́ю, -ку́ешь; фабрику́ющий, фабрикова́вший; фабрику́емый, фабрико́ванный; -ан, -а, о, фабрику́я; несов., что. [Восх. к лат. fabricare — изготовлять]. **1.** Устар. Изготовлять, делать что-л. фабричным способом в массовом количестве. **2.** перен. Делать что-л. в большом количестве, по шаблону, механически.— *Ты думаешь, что я деньги фабрикую, что мне достаются они даром?* Чехов. Отец семейства. **3.** перен. Создавать и распространять что-л. ложное, предосудительное. *Кто-то усиленно фабриковал слухи.* Лебеденко. Тяжелый дивизион.

**Фабрика́ция**, -и, ж. *Фабрикация фальшивок.*

**ФА́БРИТЬ**, -рю, -ришь; фа́брящий, фа́бривший; фа́бренный; -ен, -а, -о; фа́бря; несов., что. [От нем. Farbe — краска]. Устар. Красить особой косметической краской (фаброй); чернить. *Фабрить усы.*

**Фа́бриться**, -рюсь, -ришься; возвр.

**ФА́БУЛА**, -ы, ж. [Лат. fabula — басня, рассказ]. Книжн. Сюжетная основа литературного произведения. *Фабула комедии Гоголя «Ревизор». Увлекательная фабула.*

С и н.: сюже́т, интри́га (книжн.).

**Фа́бульный**, -ая, -ое.

**ФАВН**, -а, м. [Лат. Faunus]. В древнеримской мифологии: бог полей и лесов, покровитель стад. *Вот бюст Фавна: посмотрите, о, посмотрите, какая невыразимо радостная улыбка играет на прелестных устах юного божества лесов.* Белинский. Стихотворения В. Бенедиктова.

**ФАВО́Р**, -а, м. [Восх. к лат. favor]. Устар. Покровительство, особое расположение какого-л. влиятельного лица (употр. преимущ. в некоторых выражениях).— *Мне думалось, что его [Бориса Друбецкого] цель поступления в братство состояла только в желании сблизиться с людьми, быть в фаворе у находящихся в нашей ложе.* Л. Толстой. Война и мир. *Попасть в фавор к жене Стесселя — это значит за-*

ручиться лучшей у нас протекцией. Степанов. Порт-Артур.

**ФАВОРИ́Т**, -а, м. [См. *фавор*]. **1.** Любимец какого-л. высокопоставленного влиятельного лица. *Это был господин Яковлев,.. ближайший фаворит графа Шувалова.* Болотов. Записки. **2.** Тот, кому отдают предпочтение перед другими, кем больше интересуются. *Этот певец — фаворит публики.* **3.** Любовник знатной особы. *Фаворит императрицы.* **4.** На бегах и скачках: лошадь, на которую большинство делает ставку. *[Шубников] купил пару рысаков-фаворитов, один из которых тут же взял первый приз на бегах.* Федин. Необыкновенное лето.

С и н. (к *1 и 2 знач.*): ба́ловень (*разг.*), люби́мчик (*разг.*).

**Фавори́тка**, -и, ж. (к *1, 2 и 3 знач.*). **Фавори́тский**, -ая, -ое.

**ФАГО́Т**, -а, м. [Итал. fagotto от лат. fagus — бук]. Духовой деревянный музыкальный инструмент низкого тембра в виде длинной, слегка расширяющейся трубы. *Вдруг из-за двери в зале длинной Фагот и флейта раздались.* Пушкин. Евгений Онегин.

**Фаготи́ст**, -а, м. Известный фаготист.

**ФА́ЗА**, -ы, ж. и (*книжн.*) **ФА́ЗИС**, -а, м. [Восх. к греч. phasis — появление (о светилах)]. Определенный момент, период в развитии какого-л. явления, процесса (природного или общественного). *Первая фаза Луны. Фазы колебаний маятника. Последняя фаза строительства спортивного комплекса.* □ *Скоро.. существование его [Иудушки] как-то круто вступило в новый и совершенно для него неожиданный фазис.* Салтыков-Щедрин. Господа Головлевы. — *Вас можно поздравить? — сказала она. — Ваша жизнь вступила в новую фазу.* Гранин. Иду на грозу.

С и н.: эта́п, ста́дия, ступе́нь.

**Фа́зовый**, -ая, -ое и **фа́зисный**, -ая, -ое. *Фазовое равновесие.*

**ФА́КЕЛ**, -а, м. [Нем. Fackel от лат. facula]. **1.** Переносной светильник, обычно в виде палки с намотанной на конце просмоленной паклей, а также столб пламени при горении чего-л. *Олимпийский факел. Гигантский факел пожара.* □ *По освещенной заревом пожара.. улице неторопливо ходили немецкие солдаты с длинными пылающими факелами в руках. Они протягивали факелы к соломенным и камышовым крышам домов,.. и следом за ними вспыхивали новые космы огня.* Закруткин. Матерь человеческая. **2.** *перен.*, обычно *чего.* Высок. О том, кто (или что) содержит в себе или несет с собой знание, любовь, истину, просвещение и т. п. *Факел мира и прогресса.*

С и н. (к *1 знач.*): свето́ч (*устар.*).

**Фа́кельный**, -ая, -ое (к *1 знач.*). *Факельное шествие.*

**ФАКИ́Р**, -а, м. [Восх. к араб. faķīr]. **1.** Бродячий нищенствующий мусульманский монах. *Блажен факир, узревши Мекку На старости печальных лет.* Пушкин. Бахчисарайский фонтан. **2.** *Устар.* Бродячий фокусник, демонстрирующий большую физическую силу или нечувствительность к боли. *Напрасно я.. говорил в простой*

*форме о гипнотизме, о внушении,.. об индийских факирах, напрасно старался объяснить ей физиологическим путем некоторые из ее опытов, хотя бы, например, заговаривание крови,.. —[Олеся] с упрямой настойчивостью опровергала все мои доказательства и объяснения.* Куприн. Олеся.

С и н. (к *1 знач.*): де́рвиш.

**Факи́рский**, -ая, -ое.

**ФАКСИ́МИЛЕ**, *нескл.*, *ср.* [Лат. fac simile — сделай подобное]. *Спец.* Точное воспроизведение чьего-л. почерка, подписи, рисунка, документа и т. п. путем фотографирования или печатания. *Это письмо было напечатано [в газете] в виде факсимиле.* Каверин. Два капитана.

**Факси́мильный**, -ая, -ое. *Факсимильное издание рукописей.*

**ФАКТ**, -а, м. [Восх. к лат. factum — букв. сделанное]. Действительное, не вымышленное событие, явление, случай; то, что было на самом деле. *Исторический факт. Убедительные факты. Исказить, проверить факты.* □ *— Я расскажу всю мою жизнь, факт за фактом; каждый может мне напомнить, если я что-нибудь забуду или пропущу.* Герцен. Былое и думы. ◊ **Поставить** *кого* **перед фактом** — поставить в такое положение, когда все совершилось и ничего изменить нельзя.

С и н.: происше́ствие, эпизо́д, исто́рия (*разг.*).

**Факти́ческий**, -ая, -ое. *Фактическое положение дел. Фактические данные.* **Факти́чески**, *нареч.*

**ФА́КТОР**, -а, м. [Восх. к лат. factor — букв. создатель, виновник]. *Книжн.* Существенное обстоятельство, движущая сила какого-л. процесса, явления, определяющая его характер. *Моральные факторы победы. Факторы прогресса. Учитывать фактор времени.* □ *Впрочем,.. все зависит от силы сжатия, течений, ветров и многих других факторов, которых человек.. предусмотреть не может. Случается, что и самая замечательная льдина хрустит и лопается.* Санин. За тех, кто в дрейфе. ◊ **Человеческий фактор** — роль и значение человека в общественной жизни; все, что связано с человеком, участвующим в какой-л. деятельности.

**ФАКТУ́РА**, -ы, ж. [Восх. к лат. factura — изготовление, строение]. *Спец.* **1.** Своеобразное качество, строение какого-л. обрабатываемого материала, определяющее внешний вид изготовляемых изделий. *Фактура мрамора, дерева.* **2.** Своеобразие художественной техники в произведениях искусства. *[Ломоносов] первый установил фактуру стиха, ввел в русское стихотворение метры, свойственные духу языка.* Белинский. Русская литература в 1840 г.

**Факту́рный**, -ая, -ое.

**ФАКУЛЬТАТИ́ВНЫЙ**, -ая, -ое; -вен, -вна, -о. [Франц. facultatif; восх. к лат. facultas, facultatis — возможность, способность]. **1.** Выбираемый по желанию для дополнительной специализации. *Факультативный курс лекций. Факультативный спецкурс.* **2.** *Книжн.* Необязательный или нерегулярный. *Факультативные процессы.*

**Факультати́вно**, *нареч.* Изучать что-л. факультативно. **Факультати́вность**, -и, *ж.*

**ФАКУЛЬТЕ́Т**, -а, *м.* [Нем. Fakultät; восх. к лат. facultas, facultatis — возможность, способность, умение]. **1.** Учебно-научное и административное подразделение высшего учебного заведения, которое готовит специалистов по одной или нескольким родственным специальностям. *Поступить на исторический факультет университета. Учиться на дошкольном факультете в пединституте.* ☐ *— Он [Базаров] по медицинскому факультету,— заметил Николай Петрович.* Тургенев. Отцы и дети. **2.** Специальное отделение вуза, занимающееся подготовкой абитуриентов или повышением квалификации специалистов. *Факультет повышения квалификации.*

**Факульте́тский**, -ая, -ое. *Факультетские кабинеты. Факультетское собрание студентов.*

**ФАЛА́НГА**[1], -и, *ж.* [Греч. phalanx, phalangos]. **1.** В Древней Греции: боевой порядок пехоты, представляющий собой плотно сомкнутый строй в несколько шеренг. **2.** В утопическом учении Ш. Фурье: большая община, коммуна. **3.** *кого, чего. Книжн.* Ряд, шеренга. *Круг этот чрезвычайно замечателен, из него вышла целая фаланга ученых, литераторов и профессоров, в числе которых были Белинский, Бакунин, Грановский.* Герцен. Былое и думы.

С и н. (к 3 знач.): отря́д, кого́рта (*высок.*), плея́да (*высок.*), созве́здие (*высок.*).

**ФАЛА́НГА**[2], -и, *ж.* [См. *фаланга*[1]]. *Спец.* Короткая трубчатая кость пальца.

**ФА́ЛДА**, -ы, *ж.* [Польск. fałd; восх. к др.-в.-нем. fald]. **1.** Задняя пола мужской одежды (сюртука, фрака, мундира и т. п.), имеющей разрезанную снизу спинку. *Танцы начались.. Шпоры зазвенели, фалды поднялись и закружились.* Лермонтов. Герой нашего времени. **2.** Трубкообразная продольная складка на одежде. *Фалды юбки.*

**Фа́лдовый**, -ая, -ое.

**ФАЛЬСИФИКА́ЦИЯ**, -и, *ж.* [Восх. к лат. falsificatus — поддельный]. *Книжн.* **1.** Подделывание чего-л., а также сама поддельная вещь, выдаваемая за настоящую. *Фальсификация документов. Фальсификация картины известного художника.* **2.** Подмена настоящего ложным, подлинного мнимым. *Фальсификация фактов.* ☐ *Ваша обязанность — разоблачать перед рабочими попытку фальсификации идеи народного представительства.* М. Горький. Жизнь Клима Самгина.

С и н. (к 1 знач.): подде́лка, подло́г, фальсифика́т (*книжн.*), фальши́вка (*разг.*), ли́па (*прост.*).

**ФАЛЬЦЕ́Т**, -а, *м.* [Итал. falsetto — *букв.* фальшивый голос]. **1.** Очень высокий звук певческого голоса, требующий особого исполнительского приема, а также такая манера пения. *[Рядчик] запел высочайшим фальцетом. Голос у него был довольно приятный и сладкий, хотя несколько сиплый; он.. заливался и переливался сверху вниз и беспрестанно возвращался к верхнему ноту.* Тургенев. Певцы. **2.** Очень тонкий мужской голос женоподобного тембра. *— Мне что? — закричал он тонким, петушиным фальце-*

*том.— Я из-за кого стараюсь?* Горбатов. Непокоренные.

С и н. (к 1 знач.): фистула́ и фи́стула.

**Фальце́тный**, -ая, -ое.

**ФАЛЬШИ́ВКА**, -и, *ж.* [См. *фальшь*]. *Разг.* Поддельный, подложный документ, текст и т. п.— *Сделано чисто, бумага настоящая, да меня не проведешь.. Фальшивку в темноте на ощупь узнаю.* Арамилев. В лесах Урала.

С и н.: подде́лка, фальсифика́ция (*книжн.*), фальсифика́т (*книжн.*), ли́па (*прост.*).

**ФАЛЬШЬ**, -и, *ж.* [Нем. Falsch; восх. к лат. falsus — ложный]. **1.** Неточность, несоответствие тону в пении или игре на музыкальном инструменте. *Фальшь в игре ученика.* **2.** Отсутствие естественности, несоответствие жизненной правде. *Почувствовать фальшь в повествовании.* **3.** Неискренность, притворство, лицемерие. *Фальшь в поведении.* ☐ *[Ольга] замечает тотчас же всякую фальшь, проявляющуюся в его натуре, и чрезвычайно просто объясняет ему, как и почему это ложь, а не правда.* Добролюбов. Что такое обломовщина?

С и н. (ко 2 знач.): неесте́ственность, ненатура́льность.

А н т. (ко 2 знач.): есте́ственность. А н т. (к 3 знач.): и́скренность.

**Фальши́вый**, -ая, -ое. *Фальшивая нота. Фальшивая улыбка.* **Фальши́во**, *нареч.* *Петь фальшиво.*

**ФАМИ́ЛИЯ**, -и, *ж.* [Восх. к лат. familia — семья, род]. **1.** Наследуемое семейное наименование, прибавляемое к личному имени. *Распространенная фамилия. Девичья фамилия. Назвать ученика по фамилии.* **2.** Ряд поколений, род, носящие одно наследственное наименование и имеющие одного предка. *Старинная знатная фамилия.* ☐ *Верстах в пяти от Сосновки лежало сельцо Верхлево, тоже принадлежавшее некогда фамилии Обломовых.* И. Гончаров. Обломов. **3.** *Устар. и ирон.* Семья. *Сфотографироваться всей фамилией.*

**Фами́льный**, -ая, -ое (ко 2 знач.). *Фамильный герб. Фамильные портреты. Фамильная черта характера.*

**ФАМИЛЬЯ́РНЫЙ**, -ая, -ое; -рен, -рна, -о. [Восх. к лат. familiaris — семейный, дружеский, интимный]. Излишне непринужденный, бесцеремонный. *Фамильярный тон.* ☐ *[Чичиков] не любил допускать с собой ни в каком случае фамильярного обращения, разве только если особа была слишком высокого звания.* Гоголь. Мертвые души.

С и н.: панибра́тский, во́льный.

**Фамилья́рно**, *нареч.* *Фамильярно похлопать по плечу.* **Фамилья́рность**, -и, *ж.* *Добродушная фамильярность.*

**ФАНАБЕ́РИЯ**, -и, *ж.* [От евр.-нем. faine — тонкий, изящный и berje — человек]. *Устар. разг.* Неуместная, неоправданная гордость, спесь, чванство.— *Между прочим,— не без фанаберии заговорил Егор,— к вашему сведению: я шофер второго класса.* Шукшин. Калина красная.

С и н.: высокоме́рие, надме́нность, зано́счивость, кичли́вость, горды́ня (*устар.*).

**ФАНАТИ́ЗМ**, -а, *м.* [См. *фанатик*]. Образ мыслей

и поведение фанатика. *Религиозный фанатизм. Фанатизм коллекционера.*

**Фанати́ческий**, -ая, -ое. *Фанатическая нетерпимость.*

**ФАНА́ТИК**, -а, *м.* [Восх. к лат. fanaticus — исступленный]. **1.** Человек, отличающийся исступленной религиозностью, крайней нетерпимостью к иным верованиям. *В толпе беснующихся фанатиков я созерцал, как святые отцы инквизиторы жгли на кострах еретиков.* Куприн. Бред. **2.** *перен.* Человек, страстно преданный какому-л. делу, всецело поглощенный какой-л. идеей. *В каком углу современного Запада найдете вы.. фанатиков убеждений, у которых седеют волосы, а стремленья вечно юны?* Герцен. Былое и думы. — *В заводском деле он просто фанатик, и я очень люблю его именно за это.* Мамин-Сибиряк. Приваловские миллионы.

**Фанати́чка**, -и, *ж.* (*разг.*). **Фанати́чный**, -ая, -ое; -чен, -чна, -о. *Фанатичная вера. Фанатичная преданность идее.* **Фанати́чно**, *нареч.* *Фанатично сражаться с врагом.* **Фанати́чность**, -и, *ж.*

**ФА́НЗА**, -ы, *ж.* [Кит.]. Китайское или корейское жилище (преимущ. в сельской местности) на каркасе из деревянных столбов. *Китайская фанза — оригинальная постройка. Стены ее сложены из глины; крыша двухскатная, тростниковая.* Арсеньев. По Уссурийской тайге.

**ФАНТ**, -а, *м.* [Восх. к нем. Pfand — залог]. *Устар.* **1.** *мн.* Игра, в которой ее участники выполняют шуточное задание, назначаемое по жребию. *Игра в фанты продолжалась.. Каких ни придумывала она штрафов!* Тургенев. Первая любовь. **2.** Вещь, отдаваемая участниками этой игры для жеребьевки. *Если беглец [участник игры] ошибался, то платил фант.* Гайдар. Школа.

**Фа́нтик**, -а, *м.* (*уменьш.*).

**ФАНТА́ЗИЯ**, -и, *ж.* [Восх. к греч. phantasia]. **1.** Способность к творческому воображению; создание новых образов на основе прошлых восприятий. *Богатая фантазия ребенка.* □ *И думал о великом горящем сердце Данко и о человеческой фантазии, создавшей столько красивых и сильных легенд.* М. Горький. Старуха Изергиль. **2.** Результат воображения, мечта. *Полет фантазии.* □ *Фантазируя таким образом, он [Иудушка] незаметно доходил до опьянения; земля исчезала у него из-под ног, за спиной словно вырастали крылья.. И по мере того как росла фантазия, весь воздух кругом него населялся призраками, с которыми он вступал в воображаемую борьбу.* Салтыков-Щедрин. Господа Головлевы. **3.** Нечто неправдоподобное, оторванное от действительности. *Люди, независимые от истории, — фантазия. Если допустить, что когда-то такие люди были, то сейчас их — нет, не может быть. Они никому не нужны.* М. Горький. В. И. Ленин. **4.** Музыкальная пьеса в свободной форме. *Фантазия на тему русских народных песен.* □ *Катя достала.. сонату-фантазию Моцарта. Она играла очень хорошо.* Тургенев. Отцы и дети. **5.** *Разг.* Причуда, каприз. — *Что за фантазия пришла вам в голову*

*брать с маху такие препятствия? Я чуть не упал и не покалечил «Дона».* Степанов. Порт-Артур.

С и н. (к *1 знач.*): воображе́ние. С и н. (ко *2 знач.*): грёза. С и н. (к *3 знач.*): иллю́зия, уто́пия, химе́ра (*книжн.*). С и н. (к *5 знач.*): при́хоть, блажь (*разг.*).

**Фантази́йный**, -ая, -ое (ко *2 знач.*).

**ФАНТАСМАГО́РИЯ**, -и, *ж.* [От греч. phantasma — явление, призрак и agoreuein — говорить]. **1.** *Устар.* Световые картины, фигуры, получаемые при помощи оптических устройств. *Иные картины — фантасмагории — представляли собою игру искусно соединяемых лучей света при помощи отражательных поверхностей.* Всеволодский-Гернгросс. История русского театра. **2.** Нечто нереальное, создание мечты, виде́ние. *Ему начинало казаться, что все это — какой-то радужный сон, фантасмагория, бред наяву.* Мамин-Сибиряк. Хлеб. **3.** Причудливое, удивительное превращение, изменение. *Всемогущий Невский проспект! Единственное развлечение бедного на гулянье Петербурга!.. Какая быстрая совершается на нем фантасмагория в течение одного только дня! Сколько вытерпит он перемен в течение одних суток!* Гоголь. Невский проспект.

**Фантасмагори́ческий**, -ая, -ое.

**ФАНТА́СТИКА**, -и, *ж.* [Восх. к греч. phantastike (tekhnē) — искусство воображать]. **1.** Представления, образы, созданные творческим воображением. *Фантастика русских сказок. Фантастика Гоголя.* **2.** *собир.* Литературные произведения, в которых описываются вымышленные, сверхъестественные события. *Научная фантастика. Читать фантастику. Увлекаться фантастикой.* **3.** *Разг.* Нечто нереальное, невообразимое. — *Конечно, это фантастика, найти мальчишку среди такого скопища людей.* Панова. Спутники.

**Фантасти́ческий**, -ая, -ое и **фантасти́чный**, -ая, -ое; -чен, -чна, -о (к *1 и 3 знач.*). *Фантастический роман. Фантастичный пейзаж.* **Фантасти́чески** и **фантасти́чно** (к *1 и 3 знач.*), *нареч.* **Фантасти́чность**, -и, *ж.* (к *1 и 3 знач.*).

**ФАНТО́М**, -а, *м.* [Франц. fantôme; восх. к греч. fantasma — явление, призрак]. *Книжн.* Призрак, привидение. *С раскрытым ртом и замершим дыханьем смотрел он на этот страшный фантом высокого роста.* Гоголь. Портрет.

С и н.: виде́ние, тень (*книжн.*).

**ФАНФА́РА**, -ы, *ж.* [Итал. fanfara]. **1.** Медный духовой музыкальный инструмент в виде удлиненной трубы. *Звуки фанфар.* □ *Фанфары торжествующе прокричали сигналы «отбоя» и «сбора».* Первенцев. Кочубей. **2.** Музыкальная фраза, короткий сигнал торжественного или воинственного характера, исполняемые на таком инструменте. *Звучит фанфара.*

**Фанфа́рный**, -ая, -ое. *Фанфарные марши.* **Фанфари́ст**, -а, *м.* (трубач, играющий на фанфаре).

**ФАНФАРО́Н**, -а, *м.* [Франц. fanfaron; восх. к араб. farfār — болтливый, легкомысленный]. *Разг.* Тот, кто хвастливо выставляет напоказ свои мнимые достоинства; бахвал. — *Зубинский показал, что вы вынули прерыватель, чтобы сделать* машину негодной для похода.— *Зубинский врет! Он фанфарон, разве вы не видели?*— *закричал Шубников..— Он ни черта не понимает в моторе, а говорит, что я там что-то сделал.* Федин. Необыкновенное лето.

С и н.: хвасту́н, самохва́л (*разг.*).

**Фанфаро́нский**, -ая, -ое. *Фанфаронские замашки.*

**ФАРАО́Н**, -а, *м.* [Греч. pharaōn от др.-егип. per⁶o — большой дом, дворец]. **1.** В Древнем Египте: титул царя, а также лицо, имеющее этот титул. *Разговорились, конечно, и об Египте. В древности страной правили фараоны. При фараонах воздвигнуты были пирамиды и обелиски.* Салтыков-Щедрин. Современная идиллия. **2.** *Разг.* Презрительная кличка полицейского. *Размахивая шашкой в ножнах, бежит полицейский, над ним смеются, ему вдогонку кричат:* — *Держи его!* — *Лови фараона!* М. Горький. Погром.

**ФАРВА́ТЕР** [тэ], -а, *м.* [Голл. vaarwater]. Часть водного пространства, достаточно глубокая и безопасная для прохода судов, огражденная, как правило, сигнальными знаками (вехами, бакенами и т. п.). *На всем нашем пути [парохода] поставлены знаки, показывающие фарватер. Осторожность нужна большая, так как здесь не трудно сесть на мель.* Чехов. Остров Сахалин.

**Фарва́терный**, -ая, -ое. *Фарватерные вехи.*

**ФАРИСЕ́Й**, -я, *м.* [Греч. pharisaios; восх. к др.-евр. pārûš — отщепенец]. Лицемер, ханжа.— *Ну, значит, он...— Фарисей. Зло в нем кипит, а, наверно, со всем умилением толкует о нравственности и морали.* Коптяева. Иван Иванович.

С и н.: тартю́ф (*книжн.*), ипокри́т (*устар.*).

**Фарисе́йка**, -и, *ж.* **Фарисе́йский**, -ая, -ое. *Фарисейское смирение.*

**ФАРМАЗО́Н**, -а, *м.* [Польск. farmazon от франц. franc-maçon — букв. вольный каменщик]. *Устар. прост.* **1.** То же, что м а с о н.— *Кто его знает, какой он веры?* — *шептались промеж себя глуповцы,*— *может, и фармазон?* Салтыков-Щедрин. История одного города. **2.** *перен.* Вольнодумец, нигилист. *Сосед наш неуч, сумасбродит; Он фармазон; он пьет одно Стаканом красное вино.* Пушкин. Евгений Онегин.

С и н. (к 1 знач.): франкмасо́н.

**Фармазо́нский**, -ая, -ое.

**ФАРМАЦЕ́ВТ**, -а, *м.* [Восх. к греч. pharmakeus — приготовляющий лекарства, знахарь]. Аптечный работник по изготовлению лекарств с высшим или средним специальным образованием. *Работать фармацевтом.*

**Фармацевти́ческий**, -ая, -ое. *Фармацевтический справочник. Фармацевтическое училище.*

**ФАРС**, -а, *м.* [Франц. farce]. **1.** Театральная пьеса легкого, игривого содержания с внешними комическими приемами, а также манера актерской игры, основанная на грубом шутовстве. *Вообще же в репертуаре Корша преобладала легкая комедия с уклоном в фарс.* Юрьев. Записки. **2.** *перен.* Нечто лицемерное, циничное и лживое.— *Словом, страшная трагедия суда превращена в фарс,*— *с горечью промолвил Сергей Владимирович.* Степанов. Семья Звонаревых.

**Фа́рсовый**, -ая, -ое.

**ФА́РТИНГ**, -а, *м.* [Англ. farthing]. Самая мелкая английская монета, равная 1/4 пенса, бывшая в обращении до 1968 г.— *Сенат не даст ни фартинга на войну. Королевская казна пуста.* А. Н. Толстой. Петр I.

**ФАС**, -а, *м.* [Франц. face — лицо]. *Спец.* **1.** Вид лица спереди. *Тонкий и хрящеватый нос, с нервными ноздрями, делал профиль суровее, чем фас лица.* Боборыкин. Перевал. **2.** Передняя часть чего-л. *Фас дома был облит заревом небесного пожара.* Лажечников. Последний Новик. ◊ **В фас** — лицом к смотрящему; анфас. *Сфотографироваться в фас и в профиль. Повернуться фасом.*

**Фа́сный**, -ая, -ое (к 1 знач.). *Фасный портрет.*

**ФАСА́Д**, -а, *м.* [Франц. façade; восх. к лат. faciesᵉ — лицо]. Передняя, лицевая сторона здания, сооружения. *На фасаде клуба висели большие плакаты. Все походило на праздник, к которому люди привыкли.* Шукшин. Калина красная.

**Фаса́дный**, -ая, -ое. *Фасадное оформление. Фасадная стена.*

**ФАТ**, -а, *м.* [От франц. fat — первонач. глупый, чванливый]. Самодовольный франт, щеголь; пустой, любящий порисоваться человек. *Это был очень молодой человек,.. одетый по моде и фатом, с пробором на затылке, расчесанный и распомаженный, со множеством перстней и колец на белых, очищенных щетками пальцах и золотыми цепями на жилете.* Достоевский. Преступление и наказание.

С и н.: хлыщ (*разг.*), ферт (*прост.*), хлыст (*прост.*), пшют (*устар. разг.*).

**Фатова́тый**, -ая, -ое и **фатовско́й**, -а́я, -о́е. *Фатоватые привычки. Фатовской вид.*

**ФАТАЛИ́ЗМ**, -а, *м.* [См. *фатальный*]. Вера в неотвратимость судьбы, в предопределение.

**Фаталисти́ческий**, -ая, -ое. **Фатали́ст**, -а, *м.* (тот, кто верит в неотвратимость судьбы). *Как не быть иногда фаталистом, когда видишь людей, которых судьба как будто насильно, взяв за руки, влечет к бедам и погибели?* Вигель. Записки.

**ФАТА́ЛЬНЫЙ**, -ая, -ое; -лен, -льна, -о. [Восх. к лат. fatalis — роковой]. *Книжн.* **1.** Как бы предопределенный роком; загадочный, непонятный. *Фатальная неизбежность.* □ *Он [Бессонов] всегда боялся легкого везения на войне, слепого счастья удачи, фатального покровительства судьбы,.. потому что за все на войне надо платить кровью* — *за неуспех и за успех.* Бондарев. Горячий снег. **2.** Имеющий тяжелые или гибельные последствия. *[Борис] представляет одно из обстоятельств, делающих необходимым фатальный конец ее [Катерины]. Будь это другой человек и в другом положении* — *тогда бы и в воду бросаться не надо.* Добролюбов. Луч света в темном царстве.

С и н.: роково́й.

**Фата́льно**, *нареч. Фатально не везет.* **Фата́льность**, -и, *ж.*

**ФА́ТА-МОРГА́НА**, -ы, *ж.* [Итал. fata Morgana — фея Моргана]. *Книжн.* **1.** Разновидность миража, при котором на горизонте возникают изображения предметов, лежащих за горизонтом.

обычно сильно искаженные и быстро изменяющиеся. **2.** *перен.* Обманчивый призрак, нечто созданное воображением и не соответствующее действительности. *[Актер:] Старик, где город.., где ты? [Сатин:] Фата-моргана! Наврал тебе старик... Ничего нет! Нет городов, нет людей.. ничего нет!* М. Горький. На дне.

**ФА́ТУМ**, -а, *м.* [Лат. fatum]. *Книжн.* Неотвратимая судьба, рок. *Вдруг.. нападает на семью не то невзгода, не то порок и начинает со всех сторон есть.. Именно такого рода злополучный фатум тяготел над головлевской семьей.* Салтыков-Щедрин. Господа Головлевы.

С и н.: судьби́на (*трад.-поэт.*), форту́на (*устар.*).

**ФА́УНА**, -ы, *ж.* [Восх. к лат. Fauna — богиня полей и лесов в римской мифологии]. Животный мир, совокупность всех видов животных какой-л. местности или геологического периода. *Фауна пустыни, тундры. Морская фауна. Арктическая, тропическая фауна. Фауна мезозойской эры.* □ *Фауна нижнего течения Самарги характеризуется главным образом медведем, лосем, кабаргой, лисой, соболем и росомахой.* Арсеньев. В горах Сихотэ-Алиня.

**ФАШИ́ЗМ**, -а, *м.* [Итал. fascismo; восх. к лат. fasces — *букв.* пучки, связки прутьев (символ высшей власти в Древнем Риме)]. Идеология воинствующего шовинизма и расизма, выражающая интересы наиболее реакционных и агрессивных сил; политические течения, основанные на такой идеологии, а также открытая террористическая диктатура, направленная на уничтожение демократии, подготовку агрессивных войн. *Германский фашизм.*

**Фаши́стский**, -ая, -ое. *Фашистский режим. Фашистское государство. Фашистское иго.*

**Фаши́ст**, -а, *м.*

**ФАШИ́СТВУЮЩИЙ**, -ая, -ее. [См. *фашизм*]. Насаждающий фашизм, действующий подобно фашистам. *Нападение фашиствующих молодчиков.*

**ФАЭТО́Н**, -а, *м.* [Франц. phaéton; восх. к греч. Phaéthōn — сын бога солнца Гелиоса, дерзнувший править его колесницей]. **1.** Конный четырехколесный легкий экипаж с откидным верхом. *Опустить верх фаэтона.* □ *На двор выкатили.. щегольский поместительный фаэтон с крытым верхом и открытыми боками.* Либединский. Зарево. **2.** *Спец.* Тип легкового автомобиля с откидным верхом.

**Фаэто́нный**, -ая, -ое.

**ФАЯ́НС**, -а, *м.* [Франц. faïence от названия итальянского города Фаенца]. Минеральная масса из особых сортов глины с примесью гипса и других веществ, идущая на керамические изделия, посуду, а также (*собир.*) изделия из такой массы, обожженные и покрытые глазурью. *Блюдо из фаянса. Фаянс на полках буфета.*

**Фая́нсовый**, -ая, -ое. *Фаянсовое производство. Фаянсовая статуэтка.*

**ФЕДЕРА́ЦИЯ**, -и, *ж.* [Восх. к лат. foederatio — союз, объединение]. **1.** Союзное государство, состоящее из объединившихся государств или государственных образований (республик, штатов и т. п.), сохраняющих определенную юридическую и политическую самостоятельность. *Российская Федерация.* **2.** Союз отдельных обществ, организаций. *Всемирная федерация демократической молодежи. Всемирная федерация профсоюзов. Международная федерация переводчиков.* □ *Железнодорожные и транспортные рабочие, а также углекопы объединились в одну федерацию, численностью в два с третью миллиона членов.* Сергеев-Ценский. Пушки выдвигают.

С и н. (ко 2 знач.): блок, ассоциа́ция, о́бщество, объедине́ние, алья́нс (*книжн.*), коали́ция (*книжн.*).

**Федерати́вный**, -ая, -ое и **федера́льный**, -ая, -ое. *Федеративное государственное устройство. Федеральное законодательство. Федеральное правительство.*

**ФЕЕ́РИЯ** [«ее» произносится как один полудолгий слог], -и, *ж.* [Франц. féerie от fée — фея]. **1.** *Спец.* Театральное или цирковое представление сказочного содержания, требующее пышной постановки и сценических эффектов. *«Вий» — обстановочная пьеса, почти феерия: там фигурируют черти, змеи, чудовища, летает по воздуху гроб, ведьма.. превращается при эффектном голубом освещении в прекрасную панночку.* Скиталец. Этапы. **2.** *перен. Книжн.* Волшебное, сказочное зрелище. *Феерия полярного сияния. Феерия зимнего леса.*

**Феери́ческий**, -ая, -ое. *Феерическое представление.*

**ФЕЙЕРВЕ́РК**, -а, *м.* [Нем. Feuerwerk от Feuer — огонь и Werk — работа]. **1.** Взлетающие в воздух цветные декоративные огни, получаемые при сжигании различных пороховых составов во время торжеств, праздников. *Фейерверк будет состоять из 43 000 ракет, пущенных разом.* Архипов. Раевский. **2.** *перен.*, обычно *чего.* Сплошной поток, обилие чего-л. *Фейерверк слов.* □ *А в Смольном толпа, растопырив груди, покрывала песней фейерверк сведений.* Маяковский. Хорошо!

**Фейерве́рочный**, -ая, -ое (*к 1 знач.*). *Фейерверочная ракета.*

**ФЕЙЕРВЕ́РКЕР**, -а, *м.* [См. *фейерверк*]. В дореволюционной русской и некоторых других армиях: унтер-офицер артиллерии. *— Чья рота? — спросил князь Багратион у фейерверкера, стоявшего у ящиков. — Капитана Тушина, ваше превосходительство, — вытягиваясь, закричал веселым голосом рыжий.. фейерверкер.* Л. Толстой. Война и мир.

**ФЕЛЬДМА́РШАЛ**, -а, *м.* [Нем. Feldmarschall]. В дореволюционной русской и некоторых других армиях: высший генеральский чин, а также лицо, имеющее этот чин. *Фельдмаршал Кутузов.* □ *Карл, наперекор мнению Пипера, фельдмаршала Реншельда и других генералов, оставался непоколебим в мстительном желании теперь же доконать Августа, привести всю Польшу к покорности.* А. Н. Толстой. Петр I.

**Фельдма́ршальский**, -ая, -ое.

**ФЕЛЬДФЕ́БЕЛЬ**, -я, *м.* [Нем. Feldwebel]. В дореволюционной русской и некоторых других армиях: звание старшего унтер-офицера, являющегося помощником командира роты по хозяйству и внутреннему распорядку, а также лицо, носящее это звание.— *Я знаю,.. другой лет пять стоит где-нибудь в захолустье с ротой, и целые пять лет ему никто не скажет здравствуйте (потому что фельдфебель говорит здравия желаю).* Лермонтов. Герой нашего времени.

**Фельдфе́бельский**, -ая, -ое.

**ФЕ́ЛЬДШЕР**, -а, фельдшера́, -о́в и фе́льдшеры, -ов, *м.* [Нем. Feldscher от Feld — поле (сражения) и Scherer — хирург]. Медицинский работник со средним образованием, помощник врача. *Дежурный фельдшер в больнице. Ветеринарный фельдшер.* ☐ *Фельдшера и санитары метались от одного раненого к другому.* Новиков-Прибой. Цусима.

**Фельдшери́ца**, -ы, *ж.* **Фе́льдшерский**, -ая, -ое. *Фельдшерские обязанности.*

**ФЕЛЬДЪЕ́ГЕРЬ**, -я, *м.* [Нем. Feldjäger от Feld — поле и Jäger — охотник]. Военный или правительственный курьер для доставки особо важных, преимущ. секретных документов. *[Серпилин] втиснулся третьим между двумя фельдъегерями, везшими в Москву секретную почту.* Симонов. Солдатами не рождаются.

**Фельдъе́герский**, -ая, -ое.

**ФЕЛЬЕТО́Н**, -а, *м.* [Франц. feuilleton — первонач. листочек]. Газетная или журнальная статья на злободневную тему, высмеивающая и осуждающая какие-л. недостатки, уродливые явления действительности. *Фельетон «Вдали от науки» появился сразу после отъезда Крылова. С восторгом разоблачительным журналист.. описывал, как лаборатория Данкевича переливает из пустого в порожнее, растрачивая государственные средства.* Гранин. Иду на грозу.

**Фельето́нный**, -ая, -ое. *Фельетонный жанр.* **Фельетони́ст**, -а, *м.* (автор фельетона). *Известный фельетонист.*

**ФЕЛЮ́ГА**, -и, *ж.* [Франц. felouque; восх. к греч. ephylkion]. Небольшое парусное или моторное беспалубное судно на южных морях для рыбного промысла и перевозки мелких грузов. *У каменных стен каботажей бултыхались турецкие фелюги и рыбачьи баркасы и чертили воздух веретенами мачт.* Ф. Гладков. Цемент.

**Фелю́жный**, -ая, -ое.

**ФЕ́НИКС**, -а, *м.* [Греч. phoinix]. **1.** В мифологии некоторых древних народов: сказочная птица, в старости сжигающая себя и вновь возрождающаяся из пепла молодой (употр. как символ вечного обновления, возрождения).— *А это мой погибший брат..— Да это ж вы!— Да, я сам смотрю на этот портрет, как в зеркало. Нас всегда путали с братом..— Странно. Вы, право, как сказочная птица феникс, восставший из пепла.* Шишков. Угрюм-река. **2.** *перен. Устар.* О ком-, чем-л. выдающемся, исключительном, необыкновенном. *Пораженные умом, способностями, ученостью и красотой зятя, тесть и теща ежечасно благодарили судьбу, даровавшую их дочке такого феникса.* Григорович. Проселочные дороги.

**ФЕНО́МЕН**, -а *и* **ФЕНОМЕ́Н**, -а, *м.* [Восх. к греч. phainomenon — букв. являющееся]. *Книжн.* **1.** Явление, в котором обнаруживается сущность чего-л. *Мода — социальный феномен.* **2.** О ком-, чем-л. выдающемся в каком-л. отношении. *Много глаз смотрели, как дивный феномен [экипаж] остановился у запретных ворот одноэтажного деревянного домика.., как из удивительной кареты явился новый, еще удивительнейший феномен, великолепная дама с блестящим офицером.* Чернышевский. Что делать?

**Феномена́льный**, -ая, -ое; -ен, -льна, -о (ко 2 знач.). *Феноменальный ребенок.* **Феномена́льно**, *нареч.* (ко 2 знач.). *Феноменально умен.* **Феномена́льность**, -и, *ж.* (ко 2 знач.). *Феноменальность успеха.*

**ФЕОДА́Л**, -а, *м.* [Ср.-лат. feodalis]. При феодализме: землевладелец, эксплуатирующий труд зависимых от него крестьян. *Земельные владения феодала.*

**ФЕОДАЛИ́ЗМ**, -а, *м.* [Франц. feodalisme; восх. к ср.-лат. feodum — феод (от франк. *fëhu-od — скот как имущество)]. Общественно-экономическая формация, сменившая рабовладельческий строй и предшествующая капитализму, характеризующаяся существованием двух основных классов — феодалов и находящихся в личной от них зависимости крестьян.

**Феода́льный**, -ая, -ое. *Феодальный строй. Феодальные отношения. Феодальная раздробленность.*

**ФЕРЗЬ**, -я́, *м.* [Турецк. färz от перс. ferz — полководец]. Название самой сильной фигуры в шахматной игре; королева. *Ходить ферзем.*

**Фе́рзевый**, -ая, -ое.

**ФЕ́РМА**, -ы, *ж.* [Франц. ferme]. **1.** Отдельное специализированное животноводческое хозяйство колхоза или совхоза. *Молочная ферма.* ☐ *Грохотало заведовал в Чуши совхозной свиноводческой фермой, где был у него полный порядок.* Астафьев. Царь-рыба. **2.** Частное хозяйство или сельскохозяйственное предприятие на собственном или арендуемом земельном участке. *Купить ферму.*

**Фе́рмер**, -а, *м.* (ко 2 знач.) (владелец или арендатор фермы). **Фе́рмерский**, -ая, -ое. *Фермерское хозяйство.*

**ФЕРМУА́Р**, -а, *м.* [Франц. fermoir]. *Устар.* Застежка, пряжка на чем-л. (ожерелье, кошельке, альбоме и т. п.), обычно чем-л. украшенная, а также ожерелье из драгоценных камней с такой застежкой. *Самая большая бородавка на ее шее прикрыта была фермуаром.* Лермонтов. Герой нашего времени.

**ФЕРТ**, -а, *м.* **1.** Устарелое название буквы «ф». **2.** *Прост.* Самодовольный, развязный и обычно франтоватый человек.— *Вхожу в приемную, вижу, какой-то ферт стоит в красных лампасах.* Вересаев. На японской войне. ◊ **Фертом** с т о я т ь (*прост.*) — уперев руки в бока, подбоченившись (то есть приняв позу наподобие буквы «ф»).

С и н. (ко 2 знач.): фат, хлыщ (*прост.*), хлыст (*прост.*), пшют (*устар. разг.*).

**ФЕ́РЯЗЬ**, -и, *ж.* [Турецк. feredže от греч. phoresia — платье]. Старинная русская широкая одежда (мужская и женская), с длинными рукавами, преимущ. без воротника и перехвата в талии. *С помощью старого слуги он обулся, надел кольчугу, накинул широкую ферязь.* Злобин. Степан Разин.

**ФЕ́СКА**, -и, *ж.* и **ФЕС**, -а, *м.* [Турец. fäs (по названию города Фес в Марокко, где было широко распространено производство фесок)]. Мужская шапочка в форме усеченного конуса, обычно с кисточкой. *На Аркадии Павлыче были широкие шелковые шаровары, черная бархатная куртка, красивый фес с синей кистью и китайские желтые туфли без задков.* Тургенев. Бурмистр. *Петр, за ним Алексашка выскочили из люка, на обоих — красные фески.* А. Н. Толстой. Петр I.

**ФЕСТИВА́ЛЬ**, -я, *м.* [Восх. к лат. festivus — праздничный]. Периодически устраиваемое общественное празднество, на котором показываются достижения в каких-л. видах искусства. *Фестивали искусств. Фестиваль итальянских фильмов в Москве. Всемирный фестиваль молодежи и студентов.*

**Фестива́льный**, -ая, -ое. *Фестивальный конкурс. Фестивальная символика.*

**ФЕСТО́Н**, -а, *м.* [Франц. feston от итал. festone — праздничное украшение]. **1.** Один из выступов (зубчатой или округлой формы), которыми окаймляется край чего-л. (платья, занавески, скатерти и т. п.). *[Машенька] была одета ярко — в красную.. кофту, с золотистым кружевом, и серую юбку, с желтыми фестонами и оборками.* М. Горький. Жизнь Матвея Кожемякина. **2.** В архитектуре: лепное украшение в виде зубчатого или волнистого узора, гирлянды.

**Фесто́нчик**, -а, *м.* (*уменьш.*). **Фесто́нный**, -ая, -ое. *Фестонный абажур.*

**ФЕТИ́Ш**, -а и -á, *м.* [Франц. fétiche; восх. к лат. feticius — искусственный, поддельный]. **1.** У первобытных народов: неодушевленный предмет, который, по представлению верующих, наделен чудодейственной силой. *[У] каждого племени и даже семьи есть свои особо чтимые фетиши. Иногда эти фетиши изображает заячья шкурка, перевитая какою-нибудь тряпочкой.* Наумов. Горная идиллия. **2.** *перен.* То, что является предметом слепого поклонения. *Превратить что-л. в фетиш.* □ *Цивилизация — для них фетиш, Но недоступна им ее идея.* Тютчев. *Напрасный труд — нет, их не вразумишь...*

С и н. (ко 2 знач.): куми́р, божество́, божо́к, и́дол (*устар.*).

**ФЕТИШИ́ЗМ**, -а, *м.* [См. *фетиш*]. **1.** У первобытных народов: культ неодушевленных предметов, религиозное поклонение фетишам (в *1 знач.*). **2.** *перен. Книжн.* Слепое поклонение чему-л. *[Протасов:] Зачем же целовать книги? Это уж какой-то фетишизм.* М. Горький. Дети солнца.

**Фетиши́стский**, -ая, -ое. **Фетиши́ст**, -а, *м.*

**ФЕТР**, -а, *м.* [Франц. feutre от франк. filtir — войлок]. Тонкий плотный войлок высшего качества (употр. для изготовления головных уборов и обуви). *Шляпа, боты из фетра.*

**Фе́тровый**, -ая, -ое.

**ФЕХТОВА́НИЕ**, -я, *ср.* [От нем. fechten — сражаться, фехтовать]. **1.** Система приемов владения холодным оружием в рукопашном бою. *Учиться фехтованию. Способности к фехтованию.* □ *Бопре, бывший некогда солдатом, дал мне несколько уроков в фехтовании.* Пушкин. Капитанская дочка. **2.** Вид спорта — единоборство на спортивной рапире, шпаге, сабле. *Чемпионат страны по фехтованию.*

**ФЕШЕНЕ́БЕЛЬНЫЙ** [нэ́ и нé], -ая, -ое; -лен, -льна, -о. [Англ. fasionable]. *Книжн.* Отвечающий требованиям лучшего вкуса, моды; элегантный, изысканный. *Фешенебельный ресторан. Фешенебельная гостиница.* □ *Очень скоро [он].. распрощался с захолустьем, где жил все эти годы, переехал в одну из роскошных квартир на Кудам..., одну из фешенебельных улиц столицы.* Чаковский. Блокада.

**Фешене́бельно**, *нареч. Фешенебельно отделать помещение.* **Фешене́бельность**, -и, *ж.*

**ФЕ́Я**, -и, *ж.* [Франц. fée; восх. к позднелат. Fata — богиня судьбы]. В западноевропейской мифологии: волшебница. *Чары феи. Добрая, злая фея.* □ *Жили в том лесу — эльфы и феи, и старые, мудрые гномы построили в нем, под корнями деревьев, дворцы свои.* М. Горький. О маленькой фее и молодом чабане.

**ФИА́КР**, -а, *м.* [Франц. fiacre]. *Устар.* Легкий наемный экипаж в городах Западной Европы. *Нанять фиакр.* □ *На берегу нас встретили фиакры (легкие кареты, запряженные одной маленькой лошадкой, на каких у нас ездят дети).* И. Гончаров. Фрегат «Паллада».

**ФИА́Л**, -а, *м.* [Греч. phialē]. **1.** В Древней Греции: сосуд — широкая плоская чаша с тонкими стенками и слегка загнутыми внутрь краями для пиров и возлияний богам. **2.** *Трад.-поэт.* Бокал, кубок. *Лишь фиал к устам поднес, Все мгновенно пременилось, Вся природа оживилась.* Пушкин. Блаженство.

С и н. (ко 2 знач.): ча́ша, ча́рка и ча́ра (*устар.*).

**ФИА́СКО**, *нескл., ср.* [Восх. к итал. fiasco — букв. бутылка (в средние века в Италии в знак позора навешивали бутылку на провалившегося актера)]. *Книжн.* Провал, полная неудача. *Потерпеть фиаско.* □ *Вопреки утверждению «неверующих», предсказывавших моему начинанию полнейшее фиаско, — спектакль «Царь Эдип».. имел выдающийся успех.* Юрьев. Записки.

С и н.: крах, круше́ние, банкро́тство.

**ФИ́БРА**, -ы, *ж.* [Лат. fibra]. **1.** *Устар.* Жила, жилка, волокно растительной или животной ткани. *Каждая ниточка, каждая фибра [в теле животного] необходима для целого и не может быть ни исключена, ни заменена без искажения целой формы.* Белинский. Герой нашего времени. Сочинение М. Лермонтова. **2.** *мн., перен., чего. Книжн.* Употр. как символ душевных сил, составляющих в совокупности все существо человека. *Ненавидеть всеми фибрами души.* □ *Положение ее [Любоньки] в доме генерала не было завидно.., потому что эти люди были бессознательно грубы.. и усугубляли тягость его без всякой нужды, касаясь до нежнейших фибр ее сердца.* Герцен. Кто виноват?

**ФИГЛЯ́Р**, -а, *м.* [Польск. figlarz]. **1.** *Устар.* Фокусник, шут, акробат. *Вот занавес подняли с шу-*

*мом, Явился фигляр на подмостках; Лицо нарумянено густо, И пестрый костюм его в блестках.* Плещеев. Старый комедиант. **2.** *перен. Пренебр.* Человек, стремящийся привлечь к себе внимание шутовскими выходками, вычурными манерами.— *Не паясничай, фигляр!* — *крикнул Прохор.* Шишков. Угрюм-река.

С и н. (к 1 знач.): скоморо́х. С и н. (ко 2 знач.): пая́ц, га́ер, кло́ун (*разг.*), шут (*разг.*), скоморо́х (*разг.*).

**Фигля́рский,** -ая, -ое. *Фиглярский костюм. Фиглярские выходки.*

**ФИГУ́РА,** -ы, *ж.* [Восх. к лат. figura]. **1.** Часть плоскости, ограниченная замкнутой линией; форма, очертания чего-л. *Фигура треугольника. Чертить фигуры на песке.* **2.** Телосложение, а также внешние очертания тела. *Высокая, стройная фигура. Женская, мужская фигура. Спортивная фигура. Восхищаться чьей-л. фигурой. Совершенствовать фигуру с помощью физических упражнений.* **3.** Положение, принимаемое кем-, чем-л. при исполнении определенной совокупности движений, а также характер самого движения (в танце, гимнастике, фехтовании, полете в воздухе и т. п.). *Фигура мазурки. Перепутать фигуры танца. Фигуры высшего пилотажа.* □ *Мы долго катались, взявшись за руки, большими полукругами то вправо, то влево. Эта фигура называется голландским шагом.* Каверин. Два капитана. **4.** *перен. Разг.* Человек как носитель каких-л. качеств, свойств. *Крупная политическая фигура. Подозрительная фигура.* □ *[Вадим:] Что значит — сын академика? Отец — это фигура. Я из себя ничего не представляю.* Розов. В добрый час! **5.** *Спец.* Оборот речи, усиливающий ее выразительность. *В этом восклицании всегда было более смысла и чувства, чем в риторических фигурах многих поэтов.* М. Горький. Коновалов.

◇ **Шахматные фигуры** — предметы определенной формы, которые передвигают по шахматной доске при игре в шахматы; общее название короля, ферзя, ладьи, слона, коня (в отличие от пешек).

С и н. (ко 2 знач.): сложе́ние, компле́кция (*книжн.*), конститу́ция (*спец.*). С и н. (к 4 знач.): лицо́, ли́чность, осо́ба, персо́на (*книжн.*), субъе́кт (*разг.*).

**Фигу́рка,** -и, *ж.* (ко 2 знач.) (*уменьш.*). **Фигу́рный,** -ая, -ое (к 3 знач.) и **фигура́льный,** -ая, -ое (к 5 знач.). *Фигурное катание. Фигуральное выражение.* **Фигура́льно,** *нареч.* (к 5 знач.). **Фигура́льность,** -и, *ж.* (к 5 знач.). *Фигуральности стиля.*

**ФИГУРИ́РОВАТЬ,** -рую, -руешь; фигури́рующий, фигури́ровавший; фигури́руя; *несов.* [См. *фигура*]. **1.** Присутствовать, находиться где-л., принимая в чем-л. участие.— *Меня будут судить, а она будет фигурировать в качестве свидетельницы.* Чехов. Мститель. **2.** Называться, упоминаться где-л. *Все это [письма] теперь нужно было уничтожить, чтобы эти имена не фигурировали в официальной переписке по моему делу.* Короленко. Искушение.

**Фигури́рование,** -я, *ср.*

**ФИ́ЖМЫ,** фижм, *мн.* [Восх. к нем. Fischbein — китовый ус от Fisch — рыба и Bein — кость]. Принадлежность женской модной одежды 18 — начала 19 в.: каркас из китового уса в виде обруча, вставлявшийся под юбку у бедер, а также юбка с таким каркасом. *Захмелевшие гости отпускали такие словечки, что девицы вспыхивали, как зори, румяные красавицы с пышными, как бочки, фижмами.. хохотали.* А. Н. Толстой. Петр I.

**ФИЗИОГНО́МИКА,** -и, **ФИЗИОНО́МИКА,** -и и **ФИЗИОНОМИ́СТИКА,** -и, *ж.* [Восх. к греч. physiognōmikē]. Искусство определения внутреннего состояния человека по движениям, мимике лица. *Тулин вглядывался в его лицо, убеждаясь в полной беспомощности физиономистики.* Гранин. Иду на грозу.

**Физиономи́ст,** -а, *м.*

**ФИЗИОЛО́ГИЯ,** -и, *ж.* [От греч. physis — природа и logos — учение]. **1.** Наука о жизнедеятельности живого организма. *Физиология животных. Физиология человека. Физиология растений.* **2.** Совокупность жизненных процессов, происходящих в организме и его отдельных частях. *Физиология центральной нервной системы.* **3.** *Разг.* Грубая чувственность, секс. *Это не любовь, а физиология.*

**Физиологи́ческий,** -ая, -ое. *Физиологические свойства животных. Физиологическая лаборатория.*

**ФИЗИОНО́МИКА, ФИЗИОНОМИ́СТИКА** см. *физиогномика*.

**ФИЗИ́ЧЕСКИЙ,** -ая, -ое. [Восх. к греч. physikos (logos) — учение о природе, физика]. **1.** Относящийся к миру явлений, которыми занимается физика. *Физический закон. Физический факультет. Физические опыты. Физические приборы.* **2.** Относящийся к организму человека. *Физическая сила. Физические упражнения. Физический труд.*

**Физи́чески,** *нареч.* (ко 2 знач.). *Быть физически сильным.*

**ФИКСИ́РОВАТЬ,** -рую, -руешь; фикси́рующий, фикси́ровавший; фикси́руемый, фикси́рованный; -ан, -а, -о; фикси́руя; *несов., что.* [Франц. fixer]. *Книжн.* **1.** Отмечать, закреплять в рисунке, фотографии, записи, а также в сознании. *Фиксировать что-л. в памяти. Фиксировать впечатления в записной книжке. Фиксировать новую лексику в словаре.* □ *Травкин пристально смотрел на немецкие траншеи и проволочные заграждения, мысленно фиксируя малейшие неровности почвы.* Казакевич. Звезда. **2.** Сосредоточивать, останавливать на ком-, чем-л. (внимание, взгляд и т. п.). *Фиксировать свой взгляд на чем-л. Фиксировать внимание учащихся на таблице.* **3.** Закреплять в определенном положении. *Фиксирующая повязка. Фиксировать деталь в механизме.*

С и н. (к 1 знач.): регистри́ровать. С и н. (ко 2 знач.): направля́ть, обраща́ть, концентри́ровать. С и н. (к 3 знач.): укрепля́ть, прикрепля́ть, крепи́ть.

**Фикси́рование,** -я, *ср.* и **фикса́ция,** -и, *ж.*

**ФИКТИ́ВНЫЙ,** -ая, -ое; -вен, -вна, -о. [См. *фикция*]. *Книжн.* Мнимый, ложный, вымышленный, в действительности не существующий. *Фик-*

тивный вексель. □ *Чтоб ей лучше было скрываться, ее повенчали, как делали тогда, фиктивным, т. е. служащим для одной только внешности, браком.. с Синегубом.* Н. Морозов. Повести моей жизни.

С и н.: подде́льный, фальши́вый, ли́повый (*прост.*).

А н т.: по́длинный, настоя́щий.

**Фикти́вно,** *нареч. Жениться фиктивно.* **Фикти́вность,** -и, *ж. Фиктивность документов.*

**ФИ́КЦИЯ,** -и, *ж.* [Лат. fictio — создание, вымысел]. *Книжн.* Нечто не существующее в действительности, видимость чего-л., а также подделка, используемая с какой-л. целью. *План, выдвинутый им,— фикция, она нужна, чтобы маскироваться.* Гранин. Искатели.

**...ФИЛ,** -а, *м.* [От греч. philein — любить]. Вторая составная часть сложных слов, обозначающая л ю б я щ и й ч т о - л., р а с п о л о ж е н н ы й к ч е м у - л., напр.: *библиофил* (любитель и собиратель книг), *славянофил* (приверженец славянства), *германофил* (тот, кто имеет пристрастие ко всему немецкому).

**ФИЛАНТРО́П,** -а, *м.* [См. *филантропия*]. Тот, кто занимается филантропией (*во 2 знач.*), а также (*устар.*) человеколюбец. *[Училище] было основано каким-то филантропом, уроженцем города, сделавшим карьеру.* Короленко. Братья Мендель.

**Филантро́пка,** -и, *ж.*

**ФИЛАНТРО́ПИЯ,** -и, *ж.* [Греч. philanthrōpía от philein — любить и anthrōpos — человек]. **1.** *Устар.* Человеколюбие. *В Радищеве отразилась вся французская философия его века: скептицизм Вольтера, филантропия Руссо, политический цинизм Дидрота.* Пушкин. Александр Радищев. **2.** Благотворительная деятельность, оказание помощи и покровительства нуждающимся. *[Пьер] долго в своей жизни искал.. успокоения, согласия с самим собою,.. он искал этого в филантропии, в масонстве, в рассеянии светской жизни.* Л. Толстой. Война и мир.

С и н. (ко 2 знач.): благотвори́тельность.

**Филантропи́ческий,** -ая, -ое. *Заниматься филантропической деятельностью.*

**ФИЛАРМО́НИЯ,** -и, *ж.* [От греч. philein — любить и harmonia — гармония]. Учреждение, занятое организацией концертов и пропагандой музыкального искусства, а также концертный зал такого учреждения. *Иркутская филармония.* — *Артисты филармонии.* — *Пошли сегодня в филармонию? — Хорошо.* Гранин. Иду на грозу.

**Филармони́ческий,** -ая, -ое. *Филармонический оркестр. Филармонический зал.*

**ФИЛАТЕЛИ́Я** [тэ], -и, *ж.* [От греч. philein — любить и ateleia — освобождение от оплаты]. Коллекционирование и изучение почтовых и других марок, почтовых знаков. *[Витенька] сменил одно увлечение другим.., он забросил монеты, наткнувшись в своем столе на старый альбом почтовых марок и тотчас воскресив забытую любовь к филателии.* Федин. Первые радости.

**Филателисти́ческий,** -ая, -ое. **Филатели́ст,** -а, *м. Общество филателистов.*

**ФИЛЕ́**[1], *нескл., ср.* [Франц. filet]. Кусок мяса, птицы или рыбы, очищенный от костей, а также мясо высшего сорта из средней части хребта туши. *Филе хека. Котлеты из куриного филе.* □ *Еще вчера за ужином выбирали только самые видные кусочки отварной рыбы, одно филе, остальное откидывали в сторону или за борт.* Никандров. Седой Каспий.

**Филе́йный,** -ая, -ое. *Филейная вырезка.*

**ФИЛЕ́**[2], *нескл., ср.* [Франц. filet]. Вышивка на сетке из ниток.

**Филе́йный,** -ая, -ое. *Филейное вышивание. Филейные салфетки.*

**ФИЛЁНКА,** -и, *ж.* [Нем. Füllung — наполнение]. *Спец.* **1.** Щиток из тонкой доски или фанеры, вставляемый в какую-л. раму для заполнения просвета. *Филенка шкафа.* □ *Он налег плечом на филенку двери, без труда выдавил ее.* М. Горький. Городок Окуров. **2.** Узкая полоса окраски на плоскости, разделяющая по-разному окрашенные участки. *Филенка на стене.*

**Филёночный,** -ая, -ое.

**ФИЛЁР,** -а, *м.* [Франц. fileur]. *Устар.* Полицейский агент, сыщик. *А недоволен он был тем, что филеры из «летучего отряда», созданием которого он, Забатов, начальник Московского охранного отделения, гордился, потеряли следы Воровского, проморгали его возвращение в Москву.* Коптелов. Большой зачин.

С и н.: согляда́тай, шпик (*разг.*), ище́йка (*разг.*), лега́вый (*прост.*).

**Филёрский,** -ая, -ое.

**ФИЛИА́Л,** -а, *м.* [Восх. к лат. filialis — сыновний]. Отделение какого-л. предприятия, учреждения, организации, обладающее некоторой самостоятельностью. *Филиал института, музея, театра.* □ *[Лионский банк] был вместе с тем единственным иностранным банком, имевшим в России свои филиалы.* Игнатьев. Пятьдесят лет в строю.

**Филиа́льный,** -ая, -ое (*книжн.*). *Филиальная организация.*

**ФИЛИГРА́ННЫЙ,** -ая, -ое; -а́нен, -а́нна, -о. [Восх. к итал. filigrana]. **1.** Являющийся ювелирным узорчатым изделием из тонкой крученой золотой, серебряной, медной и др. проволоки (филиграни). *Филигранный браслет.* □ *На красивом столе стояла филигранная курильница.* Вяземский. Старая записная книжка. **2.** *перен.* Очень тщательный, требующий особого внимания к мелочам и деталям. *Филигранная отделка деталей картины.* □ *Нужна глубокая работа над сыном, филигранная тонкая работа воспитания.* Макаренко. Книга для родителей. ◇ **Филигранная посуда** — посуда, украшенная стеклянными цветными нитями, находящимися внутри стеклянной массы.

С и н. (ко 2 знач.): ювели́рный, то́нкий, ажу́рный.

**Филигра́нно,** *нареч.* (ко 2 знач.). *Филигранно выполненная работа.* **Филигра́нность,** -и, *ж.* (ко 2 знач.).

**ФИЛИ́ППИКА,** -и, *ж.* [От греч. philippika — название резких политических речей Демосфена против Филиппа Македонского]. *Книжн.* Гневная обличительная речь, выступление против кого-, чего-л. *Он произнес целую филиппику о недопустимости телесных* наказаний в новой немецкой школе. Казакевич. Дом на площади.

**ФИЛИ́СТЕР**, -а, м. [Нем. Philister]. Книжн. Человек с узким обывательским кругозором и ханжеским поведением. *И по-бабьи, тычась, как в потемках, за уют свободу отдают. Сытые филистеры, подонки, стихоплеты, вы-то тут как тут!* В. Кузнецов. Было так до сотворенья света...

С и н.: обыва́тель, меща́нин.

**Фили́стерский**, -ая, -ое. *Филистерская ограниченность. Филистерское благополучие.*

**ФИЛОКАРТИ́Я**, -и, ж. [От греч. philein — любить и chartēs — лист, бумага]. Коллекционирование художественных и фотографических открыток.

**Филокарти́ческий**, -ая, -ое. **Филокарти́ст**, -а, м.

**ФИЛОЛО́ГИЯ**, -и, ж. [Греч. philologia от philein — любить и logos — слово]. Совокупность наук, изучающих духовную культуру народа, выраженную в языке и литературном творчестве. *Славянская филология. Античная филология. Изучение русской филологии.*

С и н.: слове́сность (книжн.).

**Филологи́ческий**, -ая, -ое. *Филологический факультет университета. Филологические исследования.* **Фило́лог**, -а, м. *Специальность филолога.*

**ФИЛОСО́ФИЯ**, -и, ж. [Греч. philosophia от philein — любить и sophia — мудрость]. **1.** Наука о наиболее общих законах развития природы, человеческого общества и мышления. *Материалистическая философия Фейербаха. Идеалистическая философия Гегеля. Марксистско-ленинская философия. Сочинения по философии.* **2.** *чего.* Методологические принципы, лежащие в основе какой-л. науки. *Философия математики. Философия истории.* **3.** Разг. Отвлеченные, общие, не идущие к делу рассуждения. *Разводить философию.* □ *Опыт научил его [Старцева] мало-помалу, что.. стоит только заговорить с ним [обывателем].., например, о политике или науке, как он становится в тупик или заводит такую философию,.. что остается только рукой махнуть.* Чехов. Ионыч. **4.** Разг. Сложившееся убеждение по поводу чего-л.; концепция. *Житейская философия.* □ *Молодой человек просит совета, что делать, как жить;.. а тут уж готов ответ.. Удобная философия и делать нечего, и совесть чиста, и мудрецом себя чувствуешь. Нет, сударь, это не философия,.. а лень.* Чехов. Палата № 6.

**Филосо́фский**, -ая, -ое (к 1 знач.). *Философское осмысление мира. Философский факультет.* ◇ **Философский камень** — по представлениям средневековых алхимиков: чудодейственное вещество, могущее превращать металлы в золото, излечивать все болезни, возвращать молодость и т. п. **Фило́соф**, -а, м. (к 1 знач.).

**ФИЛОФОНИ́Я**, -и, ж. [От греч. philein — любить и phōnē — звук]. Коллекционирование звукозаписей на граммпластинках, магнитофонных лентах.

**Филофони́ческий**, -ая, -ое. **Филофони́ст**, -а, м.

**ФИЛУМЕНИ́Я**, -и, ж. [От греч. philein — любить и лат. lumen — свет, светильник]. Коллекционирование этикеток от спичечных коробков.

**Филуменисти́ческий**, -ая, -ое. **Филумени́ст**, -а, м.

**ФИЛЬМОСКО́П**, -а, м. [От англ. film — букв. пленка и греч. skopein — смотреть]. Аппарат для показа диафильмов.

**Фильмоско́пный**, -ая, -ое.

**ФИЛЬМОТЕ́КА**, -и, ж. [От англ. film — пленка, фильм и греч. thēkē — склад, хранилище]. Учреждение, собирающее и хранящее кинофильмы, а также само такое собрание.

**Фильмоте́чный**, -ая, -ое.

**ФИЛЬТРОВА́ТЬ**, -ру́ю, -ру́ешь; фильтру́ющий, фильтрова́вший; фильтру́емый, фильтро́ванный; -ан, -а, -о; фильтру́я; несов. [Восх. к ср.-лат. filtrum — цедилка из войлока от франк. filtir — войлок]. **1.** *что.* Очищать жидкости или газы от ненужных примесей, пропуская через фильтр. *Фильтровать воду.* **2.** *перен., кого, что.* Разг. Подвергать проверке, отбору. *Эстонские рабочие отряды крепнут. Сами фильтруют свои ряды. Знают друг друга.* Вишневский. Дневники военных лет.

**Фильтрова́ние**, -я, *ср.*, **фильтро́вка**, -и, *ж.* и **фильтра́ция**, -и, *ж.* (к 1 знач.). *Фильтрование молока. Фильтрация раствора.* □ *Одновременно.. командование поручило мне работу по фильтровке, проверке и приему в отряд новых партизан.* Вершигора. Люди с чистой совестью.

**ФИМИА́М**, -а, м. [Греч. thymiama — букв. воскуряемое]. **1.** Устар. Благовонное вещество, сжигаемое при богослужении, а также ароматический дым, возникающий при сожжении такого вещества. *Смотри: блестит свечами храм, С кадильниц вьется фимиам.* Рылеев. Войнаровский. **2.** *перен.* Книжн. Восторженная похвала, лесть. *[Аркадина:] О, тебя нельзя читать без восторга! Ты думаешь, это фимиам? Я льщу?* Чехов. Чайка. ◇ **Кури́ть (или воскуря́ть) фимиа́м** кому (книжн.) — льстиво превозносить, восхвалять кого-л. (первонач. особый вид жертвоприношения, заключавшийся в сжигании благовонных веществ). *По воскресеньям все женихи являлись целой стаей и ухаживали, говорили любезности,.. курили невесте и ее матери фимиам.* М. Горький. Мужик.

**ФИНА́Л**, -а, м. [Итал. finale от лат. finalis — конечный]. **1.** Конец, заключительная часть чего-л. *Финал военного парада. Финал конкурса. Блестящий финал пьесы.* □ *За два с половиной года ему осточертели бесконечные экзамены и зачеты,.. у него уже не хватало ни сил, ни терпения, и перед самым финалом он, наверное, бросил бы все, если б не Ада.* Гранин. Иду на грозу. **2.** Заключительная часть спортивных соревнований, выявляющая победителя. *Выйти в финал. Играть в финале.*

С и н. (к 1 знач.): оконча́ние, заверше́ние, заключе́ние, исхо́д, эпило́г, развя́зка, фи́ниш.

**Фина́льный**, -ая, -ое. *Финальная сцена спектакля. Финальный матч.*

**ФИНАНСИ́СТ**, -а, м. [См. *финансы*]. **1.** Специалист по ведению финансовых операций, а также специалист по теории финансов. *Специальность финансиста.* **2.** Капиталист, ведущий крупные денежные операции; банкир.— *К Ленскому золотопромышленному товариществу.. подобрались лондонские финансисты.* Саянов. Лена.

**Финанси́стка**, -и, *ж.* **Финанси́стский**, -ая, -ое.

**ФИНА́НСЫ**, -ов, *мн.* [Восх. к ср.-лат. financia — наличность, доход]. **1.** Совокупность денежных средств, находящихся в распоряжении государства, предприятия и т.п., а также система формирования и распределения этих средств. *Министерство финансов.* □ *Григорий Петрович считал, что планирование и финансы — незыблемый костяк, который обеспечивает порядок в текучем, вечно обновляющемся процессе производства.* Кетлинская. Дни нашей жизни. **2.** *Разг.* Материальные средства, деньги, денежные дела кого-л. *Плохо с финансами у кого-л.*

С и н. (ко 2 знач.): капита́лы (*разг.*), деньжа́та (*прост.*), моне́та (*прост.*).

**Фина́нсовый**, -ая, -ое (к *1 знач.*). *Финансовые операции банка. Рациональное использование финансовых ресурсов.*

**ФИНИ́ФТЬ**, -и, *ж.* [Ср.-греч. chymeuton]. Древнерусское название эмали, наносимой на металлическое изделие с художественной целью, а также металлическое изделие, украшенное эмалью. *Ростовская финифть.* □ *[Чичиков] подносил им всем свою серебряную с финифтью табакерку.* Гоголь. Мертвые души.

**Фини́фтевый**, -ая, -ое и **фини́фтяный**, -ая, -ое. *Финифтевый перстень. Финифтяные изделия.*

**ФИ́НИШ**, -а, *м.* [Англ. finish — окончание, конец]. **1.** Заключительная часть спортивного состязания на скорость, а также конечный пункт, конец такого состязания. *Первым прийти к финишу. Финиш бега на 200 м.* □ *Финишем называются последние сто сажен перед верстовым столбом. Лошадь должна их проскакать с наибольшей скоростью.* Куприн. Молох. **2.** *перен.* Конец, окончание, завершение чего-л. *Финиш олимпиады.* □ *— Испытываю какое-то двойственное чувство: радость и грусть. Радость оттого, что это финиш — конец нашего «путешествия».* Божко, Городинская. Год в «Звездолете».

С и н. (ко 2 знач.): заключе́ние, исхо́д, фина́л, эпило́г, развя́зка.

А н т.: старт.

**Фи́нишный**, -ая, -ое. *Финишная ленточка. Выйти на финишную прямую.*

**ФИНТИ́ТЬ**, финчу́, финти́шь; финти́вший; финтя́; *несов.* [От нем. Finte — хитрость]. *Разг.* Хитрить, лукавить, вести себя неестественно. *[Фамусов:] Брат, не финти, не дамся я в обман, Хоть подеритесь, не поверю.* Грибоедов. Горе от ума.

С и н.: юли́ть (*разг.*), лука́вствовать (*устар.*).

**ФИО́РД**, -а и **ФЬОРД** [фьё], -а, *м.* [Норв. fjord]. Узкий и глубоко вдавшийся в материк морской залив с крутыми скалистыми берегами. *Фиорды (фьорды) в Норвегии.* □ *Город Нагасаки расположился на берегу длинной и широкой бухты, живописно изрезанной причудливыми фиордами.* Новиков-Прибой. Цусима.

**Фио́рдовый**, -ая, -ое и **фьо́рдовый**, -ая, -ое.

**ФИ́РМА**, -ы, *ж.* [Восх. к итал. firma — подпись]. **1.** *Устар.* Название, условное обозначение, подпись. *Гадательные книги издаются у нас под фирмою Мартына Задеки, почтенного человека.* Пушкин. Евгений Онегин (примечание). **2.** Торговое или промышленное предприятие, производственное объединение, под маркой которого продаются или выпускаются изделия. *Иностранная фирма. Крупная коммерческая фирма. Представители торговой фирмы «Весна». Обувная, мебельная фирма.* □ *Его жизнь в Петербурге разладилась. Первое — потерял место, и не от себя, а фирма, в которой служил, разорилась, распустила служащих.* Л. Толстой. Три дня в деревне. **3.** *перен.*, обычно *чего*. *Устар.* Внешний вид, прикрытие, предлог для чего-л. *Под фирмой благожелательства.* □ *Любовь часто ведет за собою многие глупости, или, вернее, многие глупости прикрываются фирмою любви.* Писарев. Стоячая вода.

**Фи́рменный**, -ая, -ое (ко *2 знач.*). *Фирменный магазин.*

**ФИСГАРМО́НИЯ**, -и, *ж.* [От греч. physa — меха и harmonia — гармония]. Клавишный духовой музыкальный инструмент с мехами, по форме напоминающий небольшое пианино, по характеру звучания — орга́н. *Юрин начал играть на фисгармонии что-то торжественное и мрачное.* М. Горький. Жизнь Клима Самгина.

**ФИСКА́Л**, -а, *м.* [Восх. к лат. fiscalis — казенный]. **1.** В России первой трети 18 в.: государственный чиновник, осуществлявший надзор за административно-финансовой и судебной деятельностью правительственных учреждений и должностных лиц. **2.** *перен. Разг.* Доносчик, ябедник. *Это воспитание сделало некоторых детей с раннего детства льстецами и фискалами.* Решетников. Свой хлеб.

С и н. (ко *2 знач.*): осведоми́тель, нау́шник (*разг.*), я́беда (*разг.*), стука́ч (*прост.*).

**ФИСКА́ЛИТЬ**, -лю, -лишь; фиска́лящий, фиска́ливший; фиска́ля; *несов.* [См. фискал]. *Разг.* Ябедничать, доносить. *— Я, разумеется, не фискалил и приказал всем молчать, чтобы не дошло до начальства.* Достоевский. Братья Карамазовы.

С и н.: нау́шничать (*разг.*), я́бедничать (*разг.*), стуча́ть (*прост.*).

**Фиска́льство**, -а, *ср.*

**ФИ́СТУЛА**, -ы и **ФИСТУЛА́**, -ы́, *ж.* [Лат. fistula]. **1.** *Устар.* Название одноствольных, а позднее многоствольных флейт. **2.** Высокий звук мужского или женского голоса своеобразного тембра; фальцет. *Петь фистулой.* □ *Его почему-то занимало пенье… Оттуда слышно было, как.. под тоненькую фистулу разудалого напева и под гитару кто-то отчаянно отплясывал.* Достоевский. Преступление и наказание.

**ФИТА́**, -ы́, *ж.* [Греч. thēta]. Буква старого русского алфавита (θ), писавшаяся в некоторых заимствованных из греческого языка словах и произносившаяся как «ф».

**ФИТИ́ЛЬ**, -я́, *м.* [Турецк. fitil от араб. fatīl]. **1.** Лента, жгут или шнур, служащие для горения в некоторых осветительных и нагревательных приборах (керосиновых лампах, свечах и т. п.). *[Леонтий] привернул фитиль закоптевшей* *лампы.* Леонов. Вор. **2.** Горючий шнур для воспламенения зарядов, для передачи огня на расстояние при производстве взрывов. *Дубровский приставил фитиль [к пушке], выстрел был удачен; одному оторвало голову, двое были ранены.* Пушкин. Дубровский.

**Фитилёк,** -лька́, *м.* (уменьш.). **Фити́льный,** -ая, -ое.

**ФЛА́ГМАН,** -а, *м.* [Голл. vlagman]. **1.** Командующий крупным соединением военных кораблей, эскадрой. *В кают-компании «Марии» шло вечером в этот день совещание флагманов и командиров судов о предстоящем деле.* Сергеев-Ценский. Синопский бой. **2.** Крупный военный корабль, на котором находится командующий эскадрой. *Колчак на флагмане «Георгий Победоносец» велел свистать наверх всю команду.* А. Н. Толстой. Восемнадцатый год. **3.** Самое крупное судно какого-л. пароходства, специальной флотилии. *Флагман Черноморского флота.* **4.** *перен.* Предприятие, коллектив, которому принадлежит ведущая роль в какой-л. сфере деятельности. *Флагман тяжелой индустрии.*

**Фла́гманский,** -ая, -ое (к *1, 2 и 3 знач.*).

**ФЛАГШТО́К,** -а, *м.* [Голл. vlagge-stock]. Шест для подъема флага. *На флагштоке развевался голубой флаг с гербом.* Л. Никулин. России верные сыны.

**ФЛАМИ́НГО,** нескл., *м.* [Восх. к порт. flamengo]. Тропическая и субтропическая водная птица с нежно-розовым оперением, длинной шеей и длинными ногами. *На них [островах] скопляется масса морских птиц;.. многочисленные фламинго, некоторые виды чаек, альбатросы.* Новиков-Прибой. Цусима.

**ФЛАНГ,** -а, *м.* [Франц. flanc]. Левая или правая сторона шеренги, фронта, расположения войск. *Обойти противника с флангов. Ударить во фланг.* □ *Отряд заходит в тыл бандитам с левого фланга и выбивает их из лесочка на лысину склона, под удар красноармейцев.* Ф. Гладков. Цемент.

**Фла́нговый,** -ая, -ое. *Фланговый огонь. Фланговый удар.*

**ФЛЕГМА́ТИК,** -а, *м.* [Восх. к греч. phlegmatikos от phlegma — жар, воспаление, слизь]. Уравновешенный, медлительный человек, характеризующийся невозмутимым спокойствием, слабым проявлением эмоциональных переживаний.— *Как бы не пришлось тебе уступить свое место более подвижному человеку. Очень уж ты спокоен. Флегматик ты!* Овечкин. Районные будни.

**Флегмати́ческий,** -ая, -ое и **флегмати́чный,** -ая, -ое; -чен, -чна, -чно. *Флегматический темперамент. Флегматическое спокойствие. Флегматичный человек.* **Флегмати́чески** и **флегмати́чно,** *нареч.* **Флегмати́чность,** -и, *ж. Флегматичность характера.*

**ФЛЕ́ЙТА,** -ы, *ж.* [Нем. Flöte]. Деревянный духовой музыкальный инструмент высокого тона в виде цилиндрической или слегка конической трубки с отверстиями и клапанами. *Звуки флейты.* □ *[Фамусов:] То флейта слышится, то будто фортопьяно; Для Софьи слишком было б рано??..* Грибоедов. Горе от ума.

**Флейти́ст,** -а, *м.*

**ФЛЁР,** -а, *м.* [Нем. Flor]. **1.** Тонкая, прозрачная, преимущественно шелковая ткань. *И, флер от шляпы отвернув, Глазами беглыми читает Простую надпись.* Пушкин. Евгений Онегин. **2.** *перен. Устар. книжн.* Покров, скрывающий что-л. *Под флером высокопарных слов.* □ *Грустно видеть, когда юноша теряет лучшие свои надежды и мечты, когда перед ним отдергивается розовый флер, сквозь который он смотрел на дела и чувства человеческие.* Лермонтов. Герой нашего времени.

С и н. (ко 2 знач.): заве́са, по́лог, пелена́ (книжн.), за́вес (устар.).

**Флёровый,** -ая, -ое (к *1 знач.*).

**ФЛЕШЬ,** -и, *ж.* [Франц. flèche — стрела]. В старых армиях: полевое военное укрепление (в виде рва, окопа), имеющее форму тупого угла, обращенного вершиной к противнику. *Несмотря на известие о взятии флешей, Наполеон видел, что это было не то,.. что было во всех его прежних сражениях.* Л. Толстой. Война и мир.

**ФЛИБУСТЬЕ́Р,** -а, *м.* [Франц. flibustier; восх. к голл. vrijbuiter — букв. свободный добытчик]. Пират, морской разбойник или контрабандист.

С и н.: корса́р.

**Флибустье́рский,** -ая, -ое.

**ФЛИ́ГЕЛЬ,** -я, *м.*, флигеля́, -е́й и фли́гели, -ей, *м.* [Нем. Flügel — крыло]. Жилая пристройка сбоку главного здания или небольшой дом во дворе большого здания. *Николай Иванович жил.. в маленьком зеленом флигеле, пристроенном к двухэтажному [дому].* М. Горький. Мать.

**Флигелёк,** -лька́, *м.* (уменьш.). **Фли́гельный,** -ая, -ое.

**ФЛИ́ГЕЛЬ-АДЪЮТА́НТ,** -а, *м.* [Нем. Flügel-adjutant]. В царской России с начала 19 в.: адъютант в офицерском чине при императоре или фельдмаршале. *Смолоду его занимали две мечты: попасть в флигель-адъютанты и выгодно жениться.* Тургенев. Накануне.

**Фли́гель-адъюта́нтский,** -ая, -ое. *Флигель-адъютантский мундир.*

**ФЛИРТ,** -а, *м.* [Восх. к англ. flirt от ст.-франц. fleureter — порхать с цветка на цветок]. Ухаживание, кокетство, любовная игра. *Она охотно предавалась самому рискованному флирту.., но никогда не изменяла мужу.* Куприн. Гранатовый браслет.

**ФЛО́РА,** -ы, *ж.* [Восх. к лат. Flora — римская богиня цветов и весны]. Растительный мир, совокупность всех видов растений какой-л. местности или геологического периода. *Флора пустыни, тундры. Морская флора.*

С и н.: расти́тельность.

**ФЛОРИ́Н,** -а, *м.* [Итал. florino]. **1.** Старинная западноевропейская золотая или серебряная монета (первонач. во Флоренции). **2.** Второе название гульдена — денежной единицы Нидерландов.

**ФЛОТ,** -а, фло́ты, -ов и флоты́, -о́в, *м.* [Голл. vloot или франц. flotte]. **1.** Совокупность судов какой-л. страны или отдельного моря, реки. *Черноморский флот. Волжский речной флот. Гражданский, военный флот. Российский флот. Служить во флоте. Адмирал флота.* **2.** Крупное соединение военно-морских судов. *Огром-*

ный флот союзников вошел в Черное море. Станюкович. Севастопольский мальчик. ◊ **Воздушный флот** — военно-воздушные силы страны и гражданская авиация.

**Фло́тский**, -ая, -ое. *Флотская служба. Флотский флаг.*

**ФЛОТИ́ЛИЯ**, -и, ж. [Франц. flottille от исп. flotilla]. **1.** Соединение военных судов, находящихся в каком-л. водном бассейне. *Балтийская флотилия. ▯ В гражданскую войну рабочие быстро приспособили завод на постройку военных судов для волжско-каспийской флотилии.* А. Н. Толстой. Нас не одолеешь! **2.** Отряд, группа судов специального назначения. *Китобойная флотилия. Флотилия плавучих рыбозаводов. Дальневосточные рыболовные флотилии.*

**ФЛЮ́ГЕР**, -а, флюгера́, -о́в и флю́геры, -ов, м. [Голл. vleugel — букв. крыло]. **1.** (мн. флюгера́). Вращающаяся стрелка, флажок и т. п., показывающие направление ветра. *В церкви было холодно, дуло сквозь бревенчатые стены.. Жалобно скрипел флюгер на крыше.* А. Н. Толстой. Петр I. **2.** (мн. флюгера́). В старину: флажок на пи́ке воина. *Драгуны, с развевающимися флюгерами пик, выехали вперед.* Л. Толстой. Рубка леса. **3.** (мн. флю́геры), *перен. Устар. презр.* О том, кто легко и быстро меняет свои взгляды и убеждения. *Газета «Новое время» — давно известный флюгер. Его способность держать нос по ветру и прислуживаться к начальству доказана в течение десятков лет.* Ленин, т. 13, с. 177.

**Флю́герный**, -ая, -ое.

**ФЛЯ́ГА**, -и и **ФЛЯ́ЖКА**, -и, ж. [От нем. Flasche — бутылка]. **1.** Плоский сосуд, приспособленный для ношения с собой. *Походная фляга. ▯ У меня во фляге нашлось несколько капель рома, который я берег на тот случай, если кто-нибудь заболеет.* Арсеньев. По Уссурийскому краю. **2.** Большой сосуд с ручками для перевозки жидкостей; бидон. *Молочная фляга.*

С и н. (к 1 знач.): бакла́га.

**Фля́жный**, -ая, -ое.

**...ФОБ**, -а, м. [От греч. phobos — страх]. Вторая составная часть сложных слов, обозначающая ненавистник, противник чего-л., напр.: *женофо́б* (ненавистник женщин), *германофо́б* (противник всего немецкого).

**ФОЙЕ́**, нескл., ср. [Франц. foyer — первонач. очаг]. Зал в театре, кинотеатре, клубе и т. п. для пребывания зрителей перед началом спектакля, сеанса и во время антрактов. *На стенах фойе висели фотографии артистов театра, снятых в разных ролях.* А. Рыбаков. Екатерина Воронина.

**ФОКСТРО́Т**, -а, м. [Англ. foxtrot от fox — лиса и trot — быстрый шаг, рысь]. Быстрый танец четырехдольного размера, исполняемый мелким, скользящим шагом, а также музыка к этому танцу. *Танцевать фокстрот. ▯ Где-то там, далеко, патефон играл фокстрот.* Казакевич. Звезда.

**Фокстро́тный**, -ая, -ое. *Фокстротные ритмы.*

**ФО́КУС**[1], -а, м. [Восх. к лат. focus — очаг]. **1.** Точка пересечения преломленных или отраженных лучей, падающих на оптическую систему параллельным пучком. **2.** Точка, в которой фотографируемый или рассматриваемый с помощью оптического прибора предмет имеет наилучшую резкость, четкость. *[На фотографии] виднелась акация, которая не попала в фокус, а вышла в виде скопления белых световых кружков.* Катаев. Катакомбы. **3.** *перен. Книжн.* Центр, средоточие. *Александринский театр отнюдь не был в фокусе внимания избранной великосветской публики.* Юрьев. Записки.

С и н. (к 3 знач.): оча́г (книжн.), эпице́нтр (книжн.).

**Фо́кусный**, -ая, -ое (к 1 знач.). *Фокусное расстояние.*

**ФО́КУС**[2], -а, м. [От нем. Hokuspokus]. **1.** Ловкий прием, основанный на обмане зрения при помощи быстрых, ловких движений, знании каких-л. закономерностей. *Он показывал фокусы: глотал часы, а потом вынимал их из рукава.* Каверин. Два капитана. **2.** *перен. Разг.* Ловкая проделка, уловка. — *Нам следовало бы упорядочить нашу корреспонденцию. Нужно придумать какой-нибудь фокус.* Чехов. Месть. **3.** *обычно мн., перен. Разг.* Вздорный, неоправданный и неожиданный поступок; каприз. — *Мама, я чай не буду пить.. — Что за несносный мальчишка!.. Что за фокусы!* Серафимович. Сережа.

С и н. (ко 2 знач.): хи́трость, трюк, изворо́т, ухищре́ние, хитросплете́ние (книжн.), уве́ртка (разг.), мане́вр (разг.). С и н. (к 3 знач.): при́хоть, причу́да, фанта́зия (разг.), блажь (разг.).

**ФОЛИА́НТ**, -а, м. [Нем. Foliant от лат. in folio — во весь лист]. *Книжн.* Толстая книга большого формата. *[Мать] особенно любила рассматривать фолианты зоологического атласа,... [они] давали ей наиболее яркое представление о красоте, богатстве и обширности земли.* М. Горький. Мать.

**Фолиа́нтный**, -ая, -ое.

**ФОЛЬГА́**, -и́ и (устар. и спец.) **ФО́ЛЬГА**, -и, ж. [Нем. Folie; восх. к лат. folium — лист]. Тончайший металлический лист, используемый в производстве зеркал, для упаковки пищевых изделий и т. п. *Алюминиевая фольга. Медная фольга. Рулонная фольга. ▯ [Платьице] все было усеяно блестками из фольги и золоченой бумаги.* Эртель. Гарденины.

**ФОЛЬКЛО́Р**, -а, м. [Англ. folk-lore — букв. народная мудрость]. **1.** Устное народное творчество. *Собиратели фольклора. Фольклор русского Севера.* **2.** Совокупность народных обычаев, обрядовых действий. *Музыкальный, танцевальный фольклор.*

**Фолькло́рный**, -ая, -ое. *Фольклорная экспедиция. Фольклорные традиции.* **Фольклори́ст**, -а, м. (специалист по фольклору).

**ФОН**[1], -а, м. [Франц. fond от лат. fundus — основание, дно]. **1.** Основной цвет, тон, по которому сделан рисунок, узор и т. п. *Голубой фон платья. ▯ Основной фон ковра был блекл и торжественно скучен.* Павленко. Два короля. **2.** Задний план картины, рисунка, способствующий выделению главных элементов композиции, а также то, на чем вырисовывается, выделяется кто-, что-л. *[Облако] имело разорванную форму.., отчетливо выступавшую на белесоватом фоне верхних облаков.* Салтыков-Щедрин. Господа Головлевы. **3.** *перен. Книжн.* Обстановка, окру-

жение, общие условия, в которых кто-л. находится или что-л. происходит. *Затем самый характер Катерины, рисующийся на этом фоне, тоже веет на нас новою жизнью, которая открывается нам в самой ее гибели.* Добролюбов. Луч света в темном царстве.
◊ С и н. (к 1 знач.): по́ле.

**ФОН²**, [Нем. von]. Частица, присоединяемая к немецкой фамилии, указывающая на дворянское происхождение.

**...ФОН**, -а, м. [От греч. phōnē — звук]. Вторая составная часть сложных слов, обозначающая з в у к, з в у ч а щ и й, напр.: *магнитофо́н, телефо́н, саксофо́н*.

**ФОНД**, -а, м. [Франц. fond от лат. fundus — основание, дно]. **1.** Денежные средства государства, предприятия и т. п. *Фонд заработной платы фабрики. Государственный валютный фонд.* **2.** Ресурсы, запасы чего-л. *Земельный фонд страны. Лесные фонды. Жилищный фонд района. Фонды библиотеки.* □ *Семян товариществу выделил из государственных фондов волисполком.* Г. Марков. Строговы. **3.** *какой.* Общественная организация, ведающая средствами, поступающими к ней для каких-л. социально значимых целей. *Благотворительные фонды.*

**Фо́ндовый**, -ая, -ое (к 1 и 2 знач.). *Государственные фондовые земли.*

**ФОНОГРА́ММА**, -ы, ж. [От греч. phōnē — звук и gramma — запись]. Запись звуков речи, музыки и т. п., нанесенная на пластинку или магнитную ленту. *Петь под фонограмму.*

**Фоногра́ммный**, -ая, -ое.

**ФОНОТЕ́КА**, -и, ж. [От греч. phōnē — звук и thēkē — склад]. Собрание фонограмм, звукозаписей.

**Фоноте́чный**, -ая, -ое.

**ФОРД**, -а, м. [По имени основателя американской автомобильной фирмы Г. Форда]. Легковой автомобиль, поставляемый в 30-е годы в СССР американским автомобильным трестом; марка такого автомобиля.

**ФОРЕ́ЙТОР** [не *рэ*], -а, м. [Нем. Vorreiter]. *Устар.* Верховой, правящий лошадью при запряжке цугом. *Форейтор тронулся, и карета загремела колесами.* Л. Толстой. Война и мир.

**Форе́йторский**, -ая, -ое.

**ФО́РИНТ**, -а, м. [Венг. forint]. Денежная единица Венгрии.

**ФО́РМА**, -ы, ж. [Лат. forma]. **1.** Внешнее очертание, наружный вид предмета. *Земля имеет форму шара.* □ *[Сталь].. зачерпнули из печи железной ложкой, и, застыв, сталь сохранила форму ложки, форму полуяйца.* Бек. События одной ночи. **2.** Внешнее выражение чего-л., обусловленное определенным содержанием. *Форма государственного правления. Формы политической борьбы.* **3.** *перен.* Видимость чего-л. как нечто противоречащее сущности, внутреннему содержанию. *Соблюдение внешней формы. Удобная форма для прикрытия злоупотреблений.* **4.** Установленный образец чего-л. *Написать ответ по всей форме. Форма протокола.* □ *[Иудушка] прислал ей целый тюк форм счетоводства, которые должны были служить для нее руководством.. при составлении годовой отчетности.* Салтыков-Щедрин. Господа Головлевы. **5.** Одинаковая по цвету и покрою одежда. *Школьная, военная форма. Морская парадная форма.* **6.** Приспособление для придания чему-л. определенных очертаний. *Литейная форма. Форма для шляп.* **7.** Совокупность изобразительных средств художественного произведения. *Единство формы и содержания.* □ *В былое время на первом плане стояла форма: читатели восхищались совершенством внешней техники и вследствие этого безусловно предпочитали стихи прозе.* Писарев. Реалисты.
◊ **Формы общественного сознания** — политические, правовые, религиозные, нравственные, художественные, философские и иные общественные идеи, взгляды, представления, так или иначе отражающие общественное бытие. **В форме** *кто*⸱ — собран, подтянут; в таком состоянии, что может проявить все свои силы, способности, умение.
◊ С и н. (к 1 знач.): конфигура́ция (*спец.*). С и н. (к 3 знач.): профо́рма. С и н. (к 5 знач.): унифо́рма.

**Форма́льный**, -ая, -ое (к 3 и 7 знач.), **фо́рменный**, -ая, -ое (к 4 и 5 знач.), **фо́рмовый**, -ая, -ое (к 6 знач.) (*спец.*) и **формово́й**, -ая, -ое (к 6 знач.) (*спец.*). *Формальный подход к делу. Форменная фуражка. Формовый хлеб.*

**ФОРМАЛИ́ЗМ**, -а, м. [См. *форма*]. **1.** Формальный подход к делу, преувеличенное внимание к внешней форме в ущерб существу дела. *Бюрократический формализм.* □ *Самые серьезные люди ужасно легко увлекаются формализмом и уверяют себя, что они делают что-нибудь, имея периодические собрания, кипы бумаг, протоколы.* Герцен. Былое и думы. **2.** В искусстве и гуманитарных науках: общее название направлений, придающих главное значение форме, внешнему выражению. *Шаляпин, гениальный реформатор русского искусства, был яростным противником всякого формализма. Каждый образ, созданный им на сцене, был вызовом теории «искусства для искусства».* Л. Никулин. Ф. Шаляпин.

**Формалисти́ческий**, -ая, -ое и **формали́стский**, -ая, -ое. *Формалистические тенденции в искусстве.* **Формали́ст**, -а, м.

**ФОРМА́ЛЬНОСТЬ**, -и, ж. [См. *форма*]. **1.** То же, что ф о р м а л и з м (*в 1 знач.*). **2.** То, что необходимо с точки зрения установленного порядка при выполнении чего-л. *Соблюсти все формальности.* □ *С резолюцией директора Аня побежала в отдел кадров. Еще час ушел на неизбежные формальности.* Кетлинская. Дни нашей жизни.

**ФОРМА́ЦИЯ**, -и, ж. [Восх. к лат. formatio — образование, формирование]. **1.** *Книжн.* Определенная стадия в развитии общества, а также структура общества, присущая данной стадии развития, определяемая способом производства. *Общественно-экономическая формация. Рабовладельческая, феодальная, капиталистическая формация.* **2.** *Книжн.* Система взглядов, внутренний склад. *Человек особой формации.* **3.** *Спец.* Совокупность геологических отложений одного периода. *Вулканическая формация. Меловые формации.*

**Формацио́нный,** -ая, -ое (к 1 и 3 знач.).
**ФОРМИРОВА́НИЕ,** -я, ср. [От лат. formare — образовывать, составлять]. **1.** Придание чему-л. определенной формы, вида, а также воспитание в ком-л. определенных качеств, черт характера. *Формирование человеческого характера. Формирование нового типа международных отношений.* **2.** Создание, образование, комплектование чего-л. (коллектива, подразделения и т. п.). *Формирование кабинета министров. Формирование воинских частей. Формирование железнодорожных составов.* **3.** Воинское соединение, часть. *Первые ленинградские добровольческие формирования.. несли круглосуточную службу на дорогах,.. на улицах города и у предприятий, имеющих оборонное значение.* Чаковский. Блокада.

С и н. (ко 2 знач.): основа́ние, организа́ция, учрежде́ние, устро́йство.

**ФО́РМУЛА,** -ы, ж. [Лат. formula — форма, модель, формула]. **1.** Общее краткое и точное определение какого-л. положения, закона, отношения, приложимое к частным случаям. *«Разделяй и властвуй» — старая политическая формула.* А. Н. Толстой. Клянемся не осквернить святости нашей родины. **2.** Условное выражение (с помощью цифр, букв, специальных знаков) каких-л. величин, отношений, составов и т. п. *Алгебраическая формула. Химические формулы.* ☐ — *Илья Матвеевич.. Я принес вам формулы расчетов.* Кочетов. Журбины.

**ФОРМУЛИ́РОВАТЬ,** -рую, -руешь; формули́рующий, формули́ровавший; формули́руемый, формули́рованный; -ан, -а, -о; формули́руя; сов. и несов., что. [См. *формула*]. Кратко и точно выразить (выражать) что-л. *Формулировать вопрос. Формулировать параграф инструкции.* ☐ *Я был близок к мысли товарища Чумалова. Он формулировал ее лучше меня.* Ф. Гладков. Цемент.

**Формули́рование,** -я, ср. и **формулиро́вка,** -и, ж. *Формулирование какого-л. положения. Изменить формулировку в приказе.*

**ФОРМУЛЯ́Р,** -а, м. [Нем. Formular; восх. к лат. formula — форма, модель]. *Спец.* **1.** *Устар.* Послужной список офицеров или чиновников в дореволюционной России. — *Все время я находился на службе, дослужился до чина действительного статского советника и формуляр имею не замаранный.* Чехов. Пассажир 1-го класса. **2.** Библиотечная карточка с основными сведениями о данной книге, а также учетная карточка читателя. *Изучение библиотечных формуляров больше расскажет вам об умственном кругозоре читателей, чем обстоятельная статья.* Саянов. Советский рабочий.

**Формуля́рный,** -ая, -ое. ◊ **Формулярный список** — то же, что формуля́р (в 1 знач.).

**ФОРПО́СТ,** -а, м. [Голл. voorpost]. **1.** Передовой пост охраняющих частей, а также укрепленный пункт на границе. *18 сентября Пугачев с Будоринского форпоста пришел под Яицкий городок.* Пушкин. История Пугачева. **2.** *перен. Высок.* Передовой пункт, опора чего-л. *Университет — форпост науки.* ☐ *Я ехал в Кара-Бугаз,* где намечалась постройка большого химического комбината — форпоста индустрии в пустынях Кара-Кума. Паустовский. Кара-Бугаз.

С и н. (к 1 знач.): аванпо́ст.

**Форпо́стный,** -ая, -ое (к 1 знач.).

**ФОРСИ́РОВАТЬ,** -рую, -руешь; форси́рующий, форси́ровавший; форси́руемый, форси́рованный; -ан, -а, -о; форси́руя, форси́ровав; сов. и несов., что. [Франц. forcer — принуждать]. **1.** *Книжн.* Усилить (усиливать), ускорить (ускорять). *Форсировать ход событий. Форсировать строительство предприятия.* ☐ — *Вы слова не даете сказать. Вы бы лучше свои работы форсировали.* Гранин. Иду на грозу. **2.** *Спец.* С боем преодолеть (преодолевать) какое-л. естественное препятствие, чаще водное. *Русские почему-то не стали ждать, когда замерзнет Днепр, форсировали его и пошли на Киев.* Ардаматский. Суд.

**Форси́рование,** -я, ср.

**ФОРТ,** -а, форты́, -о́в, м. и (устар.) **ФОРТЕ́ЦИЯ,** -и, ж. [Франц. fort; восх. к лат. fortis — сильный, крепкий]. Отдельное или входящее в систему крепостных сооружений долговременное укрепление, способное к самостоятельной обороне. — *Так разве пойти к Ивану Кузьмичу да донести ему по долгу службы, что в фортеции умышляется злодейство.* Пушкин. Капитанская дочка. *В то время я.. служил в Кронштадте на фортах. Летом в крепости стало тревожно.* Крымов. Танкер «Дербент».

**ФОРТЕПИА́НО** [тэ] и **ФОРТЕПЬЯ́НО** [тэ] нескл., ср. [Восх. к итал. fortepiano от forte — сильный, громкий и piano — тихий]. Ударно-клавишный струнный музыкальный инструмент (рояль и пианино). *Супруги жили очень хорошо,.. [они] читали вместе, играли в четыре руки на фортепьяно.* Тургенев. Отцы и дети.

**Фортепиа́нный,** -ая, -ое и **фортепья́нный,** -ая, -ое. *Фортепианный концерт. Фортепьянные звуки.*

**ФОРТЕ́ЦИЯ** см. *форт*.

**ФОРТИФИКА́ЦИЯ,** -и, ж. [Восх. к лат. fortificatio]. **1.** Военно-инженерная наука о строительстве оборонительных сооружений и укреплений. *[Был послан] царский указ пятидесяти лучшим московским дворянам, чтобы собирались за границу — учиться математике, фортификации, кораблестроению и прочим наукам.* А. Н. Толстой. Петр I. **2.** Военно-инженерное сооружение. *Полевая фортификация.*

**Фортификацио́нный,** -ая, -ое.

**ФОРТУ́НА,** -ы, ж. [Восх. к лат. Fortuna — богиня случая, судьбы]. *Устар.* Счастливый случай, удачливая судьба, а также вообще судьба. *[Король] спешит искать генерального боя, надеясь на фортуну —..счастье, но сие точно в ведении одного всевышнего.* А. Н. Толстой. Петр I. ◊ **Колесо фортуны** [по изображению древнеримской богини Фортуны, стоящей с повязкой на глазах на колесе или шаре] (*книжн.*) — непостоянное, изменчивое счастье.

С и н.: фа́тум (*книжн.*), судьби́на (*устар. высок.*).

**ФО́РУМ,** -а, м. [Лат. forum]. **1.** В Древнем Риме: площадь, где сосредоточивалась общественная жизнь города. *Римский форум.* **2.** *Высок.* Широкое представительное собрание, съезд.

*Всемирный форум молодежи. Форум ученых. Партийный форум.*

**ФОСФОРЕСЦИ́РОВАТЬ,** -рую, -руешь; фосфоресци́рующий, фосфоресци́ровавший, фосфоресци́руя; *несов.* [См. *фосфорический*]. Светиться в темноте слабым голубовато-зеленоватым светом. *Фосфоресцирующие стрелки часов. Море фосфоресцирует.*

**Фосфоресци́рование,** -я, *ср.*

**ФОСФОРИ́ЧЕСКИЙ,** -ая, -ое. [От греч. phôsphoros — светоносный]. Светящийся бледным светом, подобно фосфору. *Фосфорический свет луны, звезд. Фосфорический блеск глаз.* □ *Вода под ударами весел загоралась голубоватым фосфорическим сиянием.* М. Горький. Челкаш.

**Фосфори́чески,** *нареч. Сзади фосфорически пыхнул огонек спички, и в машине распространился запах папиросного дымка.* Бондарев. Горячий снег.

**ФО́ТО...** [От греч. phôs, phôtós — свет]. Первая составная часть сложных слов, обозначающая: 1) фотографический, связанный с фотографией, напр.: *фотоальбо́м, фотоателье́, фотоплёнка, фотокорреспонде́нт* (фотограф, производящий снимки для какого-л. издания), *фоторепорта́ж* (репортаж, сделанный посредством фотографий), *фотохро́ника* (хроника событий, отраженная в фотографиях); 2) связанный со световыми явлениями, напр.: *фотосфе́ра, фотоэлеме́нт.*

**ФОТОГЕНИ́ЧНЫЙ,** -ая, -ое; -чен, -чна, -о. [От *фото...* (см.) и греч. genos — род]. Обладающий внешними данными, благоприятными для воспроизведения на фотографии или киноэкране. *Фотогеничная внешность. Фотогеничное лицо.*

**Фотогени́чность,** -и, *ж.* — *Подумаешь, дикция у нее хорошая! А вот в киностудию ее не возьмут. Для экрана в первую очередь нужна фигура, фотогеничность.* Авдеев. На экскурсии.

**ФРАГМЕ́НТ,** -а, *м.* [Восх. к лат. fragmentum — обломок]. *Книжн.* Отрывок, часть чего-л. *Показать по телевидению фрагмент балета.* □ *Картины надо воспроизвести как целиком, так и с показом фрагментов, причем не скупиться на показ таких «мелочей», как кисти рук, отдельных голов.* В. Яковлев. О великих русских художниках.

Си́н.: кусо́к.

**ФРАГМЕНТА́РНЫЙ,** -ая, -ое; -рен, -рна, -о. [См. *фрагмент*]. *Книжн.* **1.** Являющийся фрагментом, сохранившийся лишь в остатках. *Фрагментарная древняя рукопись.* **2.** Отрывочный, неполный. *Фрагментарная манера написания заметок. Фрагментарное изложение материала.*

**Фрагмента́рно,** *нареч.* (ко 2 знач.). **Фрагмента́рность,** -и, *ж.* (ко 2 знач.). *Фрагментарность обзора.*

**ФРА́ЗА,** -ы, *ж.* [Восх. к греч. phrasis — выражение, оборот речи]. **1.** Сочетание слов, выражающее законченное высказывание. *Произнести несколько фраз. Запоминающаяся фраза.* □ *Марья Кириловна отвечала заготовленною фразой: — Надеюсь, что вы не заставите меня раскаяться в моей снисходительности.* Пушкин. Дубровский. **2.** Напыщенное выражение, прикрывающее бедность или лживость высказанной мысли. *Пустая фраза.* □ *— Ты что думаешь, меня громкой фразой обмануть можно? Думаешь, я в тайную твою мыслишку проникнуть не сумею?* Чаковский. Блокада. **3.** *Спец.* Небольшая и относительно законченная часть музыкальной темы (мелодии). *Внезапно, подчиняя все своим ритмам, поплыли первые фразы симфонии.* Вишневский. Война.

Си́н. (к 1 знач.): оборо́т, выраже́ние.

**Фра́зовый,** -ая, -ое (к 1 и 3 знач.). *Фразовое ударение.*

**ФРАЗЁР,** -а, *м.* [Франц. phraseur; восх. к греч. phrazein — высказывать, говорить]. Тот, кто любит произносить напыщенные фразы. *— Дайте мне поначалу хоть одну.. батарею,.. а пока помолчите, ясновельможный фразер! От ваших разговорчиков меня тошнит.* Шолохов. Поднятая целина.

**Фразёрка,** -и, *ж.* (*разг.*). **Фразёрский,** -ая, -ое.

**ФРАК,** -а, *м.* [Нем. Frack от англ. frock — сюртук, платье; восх. к франк. hroc — кафтан]. Мужской парадный костюм с вырезанными спереди полами и длинными узкими фалдами сзади. *Кукишев, во фраке, в белом галстуке и белых перчатках, с достоинством заявил о своем торжестве.* Салтыков-Щедрин. Господа Головлевы.

**Фра́чный,** -ая, -ое.

**ФРА́КЦИЯ,** -и, *ж.* [Восх. к лат. fractio — разламывание]. Группа членов какой-л. партии в парламенте, общественной организации или обособленная группировка внутри политической партии. *Парламентские фракции.* □ *В результате перевыборов большевистская фракция преобладает и в Совете и в городской думе.* Вс. Иванов. Пархоменко.

**Фракцио́нный,** -ая, -ое. *Фракционная борьба.* **Фракцио́нность,** -и, *ж.* *Преодолеть фракционность в партии.* **Фракционе́р,** -а, *м.*

**ФРАНК,** -а, *м.* [Франц. franc]. Денежная единица Франции, Бельгии, Швейцарии, Люксембурга и некоторых других стран, равная 100 сантимам.

**ФРАНКМАСО́Н,** -а, *м.* [От франц. franc-maçon — букв. свободный каменщик]. То же, что м а с о́ н.

Си́н.: фармазо́н (*устар. прост.*).

**Франкмасо́нский,** -ая, -ое. *Франкмасонские обряды. Франкмасонское движение.*

**ФРАНТ,** -а, *м.* [Польск. frant от чеш. frant]. Нарядно, модно одевающийся человек. *Господин этот был лет тридцати, плотный, жирный, кровь с молоком, с розовыми губами и с усиками и очень щеголевато одетый.. [Раскольникову] захотелось как-нибудь оскорбить этого жирного франта.* Достоевский. Преступление и наказание.

Си́н.: щёголь, мо́дник (*разг.*), пижо́н (*разг.*), де́нди (*устар.*).

**Франти́ха,** -и, *ж.* (*разг.*).

**ФРА́У,** *нескл., ж.* [Нем. Frau]. В Германии и некоторых других странах: наименование замужней женщины (обычно присоединяемое к фамилии или имени), а также обращение к замужней женщине; госпожа, сударыня.

**ФРЕГА́Т,** -а, *м.* [Франц. frégate]. **1.** Трехмачтовое парусное военное судно (18—19 вв.), обладающее большой скоростью хода; второе по величине после линейного корабля. *Молодые мастера-навигаторы,.. славные мастера из Голландии и Англии строили на Свири двадцатипушечные фрегаты.* А. Н. Толстой. Петр I. **2.** Во флоте некоторых стран: военный корабль для сторожевой службы, противолодочной и противовоздушной обороны.

**Фрега́тный,** -ая, -ое.

**ФРЕ́ЙЛЕЙН** [*рэ*], *нескл., ж.* [Нем. Fräulein — барышня]. В Германии и некоторых других странах: наименование незамужней женщины (обычно присоединяемое к фамилии или имени), а также обращение к девушке, незамужней женщине; барышня.

**ФРЕ́ЙЛИНА** [*рэ*], -ы, *ж.* [От нем. Fräulein]. В некоторых монархических государствах: придворное звание, которое давалось представительницам знатных дворянских фамилий, составлявшим свиту императрицы (королевы, царицы, принцессы и т. п.), а также лицо, носившее это звание. — *Умерла! — сказала она. — А я и не знала! Мы вместе были пожалованы во фрейлины, и когда мы представились, то государыня...* Пушкин. Пиковая дама.

**ФРЕНОЛО́ГИЯ,** -и, *ж.* [От греч. phrēn — грудобрюшная преграда; душа, сердце; ум и logos — учение]. Не имеющая научного подтверждения теория о связи между формой черепа и умственными способностями и моральными качествами человека. — *Но мы, например, и о френологии имеем понятие,— прибавил он,.. указывая на стоявшую на шкафе небольшую гипсовую головку, разбитую на нумерованные четырехугольники.* Тургенев. Отцы и дети.

**Френологи́ческий,** -ая, -ое.

**ФРЕНЧ** [не *рэ*], -а, *м.* [По имени английского фельдмаршала Дж. Френча]. Куртка военного образца в талию с четырьмя наружными накладными карманами и хлястиком сзади. *[На] портрете Ленин был в несколько мешковатом военном френче,.. из-под кепки, сдвинутой на затылок, спокойно смотрели внимательные глаза.* Айтматов. Первый учитель.

**ФРЕ́СКА,** -и, *ж.* [Восх. к итал. fresco — свежий]. Способ художественного изображения, сделанного водяными красками по сырой штукатурке, а также произведение, выполненное в такой технике. *Фрески Андрея Рублева.* □ *В Кирилловской церкви Врубель молча рассматривал собственные фрески. Они казались вылепленными из синей, красной и желтой глины.* Паустовский. Далекие годы.

**Фре́сковый,** -ая, -ое. Фресковая живопись.

**ФРИВО́ЛЬНЫЙ,** -ая, -ое; -лен, -льна, -о. [Франц. frivole от лат. frivolus — ничтожный, пустой]. *Книжн.* Не вполне пристойный, легкомысленный, нескромный. *[Молодежь] стеснялась при нем вести фривольные разговоры о женщинах.* Станюкович. Мрачный штурман.

С и н.: смелый, вольный, двусмысленный, игривый, пикантный, рискованный.

**Фриво́льно,** *нареч.* **Фриво́льность,** -и, *ж.*

**ФРИЗ,** -а, *м.* [Франц. frise — *первонач.* фризская ткань]. Толстая ворсистая ткань типа байки.

**Фри́зовый,** -ая, -ое. *На пороге кабачка показался мужчина высокого роста, без шапки, во фризовой шинели, низко подпоясанной голубым кушачком.* Тургенев. Певцы.

**ФРО́НДА,** -ы, *ж.* [Франц. fronde — *первонач.* праща, рогатка от лат. funda]. **1.** Во Франции в 17 в.: дворянско-буржуазное движение против абсолютизма. **2.** *перен. Устар. книжн.* Противопоставление себя окружающим из чувства противоречия, личного недовольства.

**ФРОНДИ́РОВАТЬ,** -рую, -руешь; фронди́рующий; фронди́ровавший; фронди́руя; *несов.* [Франц. fronder]. *Устар. книжн.* Выражать недовольство чем-л., противопоставляя себя окружающим.

**Фронди́рование,** -я, *ср.* **Фрондёр,** -а, *м. Рассказал я и о своей первой стычке с председателем, после которой я из «преданного своему делу врача» превратился в «наглого и неотесанного фрондера».* Вересаев. Без дороги.

**ФРОНТ,** -а, фронты́, -о́в, *м.* [Восх. к франц. front от лат. frons, frontis — лоб]. **1.** Воинский строй шеренгой. *Выстроить взвод во фронт.* □ *Дрозд.. идет вдоль фронта, зорко оглядывая каждое лицо, каждую пуговицу, каждый пояс.* Куприн. Юнкера. **2.** Обращенная к противнику сторона боевого расположения войск. *Перейти линию фронта. Фронт дивизии.* **3.** Место, район боевых действий и расположение действующих войск во время войны. *Уйти на фронт. Сражаться на фронте.* □ *По всему фронту бешено грохотали пушки, мимо нас проходили транспорты с ранеными.* Вересаев. На японской войне. **4.** Группа действующих армий под начальством одного командующего. *Западный, Южный, Ленинградский, 1-й Белорусский фронт. Командующий фронтом.* **5.** *перен., чего или какой.* Место или отрасль какой-л. коллективной деятельности. *Развернуть широкий фронт полевых работ. Идеологический фронт. Работать на культурном фронте.* □ *У нас организован фронт труда, и я хожу на станционную работу, очищаю снег.* Галин. Во имя будущего. **6.** *перен.* Объединение общественных сил для действий в каком-л. направлении. *Единый фронт сторонников мира. Народный фронт.* ◊ **На два фронта** — в двух направлениях одновременно. **Широким фронтом** — повсеместно, с большим охватом. **Стать** (*или* **вы́тянуться**) **во фронт** — стать прямо, сдвинув пятки ног, вытянув руки по швам.

С и н. (к 1 знач.): фрунт (устар.) С и н. (к 5 знач.): область, сцена, поле, участок, орбита (*книжн.*), арена (*книжн.*), поприще (*высок.*), нива (*высок.*).

А н т. (ко 2 и 3 знач.): тыл.

**Фронтово́й,** -а́я, -о́е (к 1, 2, 3 и 4 знач.) и **фронта́льный,** -ая, -ое (ко 2 и 3 знач.). *Фронтовая полоса. Фронтовой госпиталь. Фронтальная атака.*

**ФРОНТО́Н,** -а, *м.* [Франц. fronton; восх. к лат. frons, frontis — лоб]. *Спец.* Верхняя часть фасада здания (обычно треугольной формы), ограниченная двумя скатами крыши по бокам и карнизом у основания. *Синицы садились тут же на фронтон Гостиного двора и долго чистили и* расправляли отвыкшие от полетов крылья. Федин. Первые радости.

**Фронто́нный,** -ая, -ое. *Фронтонное украшение.*

**ФРУНТ,** -а, м. [См. *фронт*]. *Устар.* То же, что фронт (*в 1 знач.*). [*София*:] *Куда как мил! и весело мне страх Выслушивать о фрунте и рядах.* Грибоедов. Горе от ума. ◊ **Стать** (или **вытянуться**) **во фрунт** — то же, что стать во фронт.

**ФУ́ГА,** -и, ж. [Итал. fuga от лат. fuga — бег]. *Спец.* Последовательное повторение одной музыкальной темы несколькими голосами, а также музыкальное произведение, построенное на этом принципе. *Фуги Баха.* □ *Напев разрастался, переходил из одного инструмента в другой. Происходило то, что называется фугой... Каждый инструмент... играл свое и, не доиграв еще мотива, сливался с другим,.. и с третьим,.. и все они сливались в одно.* Л. Толстой. Война и мир.

**Фу́говый,** -ая, -ое.

**ФУЛЯ́Р,** -а, м. [Франц. foulard]. Легкая, мягкая шелковая ткань, а также головной, шейный или носовой платок из этой ткани. [*Франц Яковлевич*] *почувствовал себя утомленным. Надев заячий тулупчик и обвязав голову фуляром, приказал никого к себе не пускать.* А. Н. Толстой. Петр I.

**Фуля́ровый,** -ая, -ое. *Фуляровое платье.*

**ФУНДА́МЕНТ,** -а, м. [Восх. к лат. fundamentium — основание]. **1.** Основание (из камня, бетона и т. п.), служащее опорой для какого-л. сооружения. *Кирпичный фундамент. Заложить фундамент здания.* □ *Над двухметровым бетонным фундаментом дома [Гасиловых].. [блестели] кедровые бревна, шесть окон глядели с высоты фундамента, четыре окна — с высоты мезонина.* Липатов. И это все о нем. **2.** *перен. Книжн.* База, основа, опора чего-л. *Научный фундамент. Экономический фундамент реформы. Фундамент прочного мира. Заложить в средней школе фундамент образования.*

С и н. (ко 2 знач.): основа́ние, ба́зис (*книжн.*), первооснова́ (*книжн.*).

**Фунда́ментный,** -ая, -ое (*к 1 знач.*). *Фундаментная плита.*

**ФУНДАМЕНТА́ЛЬНЫЙ,** -ая, -ое; -лен, -льна, -о. [См. *фундамент*]. **1.** *Книжн.* Прочный, крепкий. *Фундаментальная постройка.* **2.** *перен. Книжн.* Основательный, глубокий. *Фундаментальное научное исследование.* □ *На такой кустарщине далеко не уедешь. Нужны фундаментальные знания.* Кочетов. Журбины. **3.** *полн. ф.* Основной, главный. *Фундаментальная библиотека.*

С и н. (к 1 и 2 знач.): основа́тельный, капита́льный, соли́дный.

**Фундамента́льно,** *нареч.* (*к 1 и 2 знач.*). **Фундамента́льность,** -и, ж. (*к 1 и 2 знач.*).

**ФУНИКУЛЁР,** -а, м. [Восх. к лат. funiculus — канат]. Устраиваемая на крутых подъемах, в горах железная дорога с канатной тягой для перевозки людей и грузов. *Грузовой фуникулер.* □ *Они не скучали — бродили в парке, поднима-* лись на фуникулере в горы. Л. Никулин. Морские зори.

**Фуникулёрный,** -ая, -ое.

**ФУНКЦИОНИ́РОВАТЬ,** -рую, -руешь; функциони́рующий, функциони́ровавший, функциони́руя; *несов.* [См. *функция*]. *Книжн.* Действовать, работать, выполнять свои функции. *Четыре тысячи мелких колодцев, исправно функционирующих, возродят Кара-Кумы на всем протяжении.* Павленко. Пустыня.

**Функциони́рование,** -я, *ср. Нормальное функционирование человеческого организма.*

**ФУ́НКЦИЯ,** -и, ж. [Восх. к лат. funcia — исполнение, функция]. *Книжн.* **1.** Роль, назначение чего-л. *Функции денег.* □ *Коннице нужны танки, артиллерия, авиация. Тогда она блестяще выполнит свои функции: молниеносный маневр и внезапный удар.* Закруткин. Кавказские записки. **2.** Обязанность, круг деятельности. *Служебные функции. Функции председателя профсоюзного комитета.* **3.** Работа организма. *Функция сердца.* □ *— Проблема сводится к восстановлению жизненных функций организма, пораженного тем или иным ядом.* Лавренев. Мы будем жить.

**Функциона́льный,** -ая, -ое (*к 1 и 3 знач.*). *Функциональное расстройство желудка.*

**ФУНТ¹,** -а, м. [Др.-в.-нем. phunt от лат. pondo — весом, по весу]. Старая русская мера веса, равная 409,5 г, применявшаяся до введения метрической системы мер, а также мера веса в странах с английской системой мер (в Англии, Бельгии и др.), равная 453,6 г. — *У меня изюм чудесный.. Я купил десять фунтов. Я привык что-нибудь сладкое. Хотите?* Л. Толстой. Война и мир.

**Фунто́вой,** -а́я, -о́е. *Фунтовая гиря.*

**ФУНТ²,** -а, м. [Англ. pound (sterling)]. Денежная единица в некоторых странах. *Австралийский фунт. Египетский фунт.* ◊ **Фунт стерлингов** — основная денежная единица Великобритании, равная 100 пенсам.

**ФУ́РА,** -ы, ж. [Нем. Fuhre]. *Устар.* **1.** Большая длинная телега для клади. *Экипажей было меньше..; люди сторонились от черных фур с трупами.* Герцен. Былое и думы. **2.** То же, что фургон (*в 1 знач.*). *Всю дорогу он трясся в санитарной фуре.* Н. Никитин. Это было в Коканде.

**ФУРА́Ж,** -а́, м. [Франц. fourrage; восх. к др.-сканд. fódr]. Растительный корм для лошадей, скота и птицы. *Концентрированный фураж (зерна злаковых и бобовых культур). Грубый фураж (сено, солома, мякина).* □ *На каждом конном дворе Яшка сможет получать фураж для пропитания коней.* Саянов. Лена.

**Фура́жный,** -ая, -ое. *Фуражное зерно. Фуражные культуры.*

**ФУРАЖИ́Р,** -а, м. [См. *фураж*]. *Устар.* Тот, кто ведает заготовкой, хранением и выдачей фуража (первонач.: военнослужащий, входивший в состав специально выделенной от войск команды по заготовке фуража). *Фуражир батареи.* □ *У фуражира.. недосчитались тридцати пудов овса и воза сена.* Лебеденко. Лицом к лицу.

**Фуражи́рский,** -ая, -ое. *Фуражирский отряд.*

**ФУРГО́Н,** -а, м. [Франц. fourgon]. **1.** Крытая конная повозка. *Обоз состоял из огромных фургонов, похожих на вагоны, разделенные горизонтальной переборкой на две половины.* Короленко. История моего современника. **2.** Автомобиль с закрытым кузовом для перевозки грузов. *Шофер фургона.*

С и н. (к 1 знач.): фу́ра (*устар.*).

**Фурго́нный,** -ая, -ое. *Фургонные колеса.*

**ФУРО́Р,** -а, м. [Восх. к лат. furor — ярость, неистовство]. Шумный публичный успех. *Там было общество. Ольга была воодушевлена, говорила, пела и произвела фурор.* И. Гончаров. Обломов.

**ФУТ,** -а, м. [Англ. foot — *букв.* ступня]. Старая русская и английская мера длины, равная 30, 48 см. — *А какая глубина в проливе? — Семь футов минимум. Вполне можно пройти, если идти порожним и без балласта.* Крымов. Танкер «Дербент».

**ФУТУРИ́ЗМ,** -а, м. [От лат. futurum — будущее]. В искусстве и литературе начала 20 в.: формалистическое течение, отвергавшее реализм и все традиции старого искусства и пытавшееся создать «искусство будущего». *Пренебрежение и презрение ко всему историческому.. и возведение в культ всего ныне существующего — вот основные черты итальянского футуризма.* Брюсов. Год русской поэзии.

**Футуристи́ческий,** -ая, -ое. *Футуристическая поэзия Маяковского.* **Футури́ст,** -а, *м.*

**ФУТУРОЛО́ГИЯ,** -и, *ж.* [От лат. futurum — будущее и греч. logos — учение]. *Спец.* Область научных знаний, ставящая целью прогнозирование социальных процессов.

**Футурологи́ческий,** -ая, -ое. **Футуро́лог,** -а, *м. Концепция футуролога.*

**ФУФА́ЙКА,** -и, *ж.* **1.** Теплая вязаная рубашка или безрукавка. *Шерстяная фуфайка.* **2.** *Прост.* Стеганая ватная куртка с рукавами. [*Метелице*] *стало холодно: он был в расстегнутой солдатской фуфайке поверх гимнастерки.* Фадеев. Разгром.

С и н. (ко 2 знач.): ва́тник, стёганка (*разг.*), телогре́йка (*разг.*).

**Фуфа́ечный,** -ая, -ое. *Фуфаечный материал.*

**ФЬОРД** см. фиорд.

**ФЮЗЕЛЯ́Ж,** -а, м. [Франц. fuselage]. *Спец.* Корпус самолета или другого летательного аппарата. *Дроздовский ударил длинной очередью по.. корпусу первого истребителя и не отпускал палец со спускового крючка до тех пор, пока слепящим лезвием бритвы не мелькнул узкий фюзеляж последнего самолета.* Бондарев. Горячий снег.

**Фюзеля́жный,** -ая, -ое.

# Х

**ХАБАНЕ́РА,** -ы, *ж.* [Исп. habanera]. Кубинский народный танец, получивший широкое распространение в Испании, а также музыка к этому танцу. *Плясать хабанеру.*

**ХАДЖИ́,** *нескл., м.* [Восх. к араб. ḥaǧǧi]. Мусульманин, совершивший паломничество в Мекку. *Кто в Мекке был, тот называется Хаджи и чалму надевает.* Л. Толстой. Хаджи-Мурат.

**ХАЗ,** -а, м. [Перс. hāz — сорт ткани]. *Устар.* Крайняя полоса куска ткани, отличавшаяся от остальной ткани лучшим качеством и выставлявшаяся напоказ.

**Ха́зовый,** -ая, -ое и **ха́зовый,** -ая, -ое. — *Горазд орать, балясничать, Гнилой товар показывать С хазового конца.* Н. Некрасов. Кому на Руси жить хорошо.

**ХАЗА́РЫ,** -а́р, *мн.* (*ед.* хаза́р, -а и хаза́рин, -а, *м.*) и **ХОЗА́РЫ,** -а́р, *мн.* (*ед.* хоза́р, -а и хоза́рин, -а, *м.*). Тюркоязычный народ, появившийся в Восточной Европе в 4 в. после гуннского нашествия и кочевавший в Западно-Прикаспийской степи (с середины 7 в. образовал Хазарский каганат. *Как ныне сбирается вещий Олег Отмстить неразумным хозарам, Их селы и нивы за буйный набег Обрек он мечам и пожарам.* Пушкин. Песнь о вещем Олеге.

**Хаза́рка,** -и и **хоза́рка,** -и, *ж.* **Хаза́рский,** -ая, -ое и **хоза́рский,** -ая, -ое. *Хазарский хан.*

**ХА́КИ.** [Восх. к перс. hākī — земляной]. **1.** *неизм. прил.* Серовато-зеленый с коричневым оттенком. *Одетые в новенькие цвета хаки костюмы, непринужденно шагали старшины.* Н. Островский. Как закалялась сталь. **2.** *нескл., ср.* Материя или одежда такого цвета (обычно у военных). *В дверях появился.. корнет, облитый, как перчаткою, темно-коричневым хаки.* А. Н. Толстой. Хождение по мукам.

С и н. (к 1 знач.): защи́тный.

**ХАЛДЕ́Й,** -я, м. **1.** *мн.* Семитские племена, жившие в 1-й половине 1-го тысячелетия до н. э. в Южной Месопотамии. **2.** Персонаж старинной религиозной обрядовой постановки, рядившийся в восточные одежды.

**Халде́йский,** -ая, -ое. *Халдейское государство.*

**ХАЛИ́Ф,** -а и (*устар.*) **КАЛИ́Ф,** -а, м. [Араб.]. В мусульманских странах при феодализме: верховный правитель, совмещавший светскую и духовную власть, а также титул египетского и турецкого султанов; лицо, носящее этот титул. ◊ **Халиф** (или **калиф**) **на час** (*книжн.*) — о человеке, наделенном или завладевшем властью на короткое время. — *Керенский между двумя жерновами, — не тот, так другой его сотрет... Он калиф на час.* Шолохов. Тихий Дон.

**Хали́фский,** -ая, -ое.

**ХАЛИФА́Т,** -а, м. [См. халиф]. Религиозно-политическая организация, государство во главе с халифом. *Арабский халифат.*

**Халифа́тский,** -ая, -ое.

**ХАМЕЛЕО́Н,** -а, м. [Восх. к греч. chamaileōn от chamai — на земле и leōn — лев]. **1.** Животное отряда ящериц, способное менять окраску под влиянием изменений в окружающей среде. *Держали в руках хамелеонов, этих мордастых ящериц, моментально окрашивающихся под любой цвет среды.* Новиков-Прибой. Цусима. **2.** *перен. Неодобр.* О беспринципном человеке, меняющем свои взгляды и симпатии применительно к обстановке, из соображений личной выгоды. [*Забелин:*] *Вы, женщины — хамелеоны.* Елена Пре-

*красная у троянцев жила довольно удобно, Саламбо варвара полюбила, ты — матроса.* Погодин. Кремлевские куранты.

**Хамелео́новый,** -ая, -ое (к 1 знач.) и **хамелео́нский,** -ая, -ое (ко 2 знач.). *Хамелеонское поведение.*

**ХАН,** -а, м. [Тюрк.]. Титул феодального правителя у тюркских и монгольских народов, а также лицо, носящее этот титул. *Крымский, татарский хан.* ☐ *Опустошив огнем войны Кавказу близкие страны И селы мирные России, в Тавриду возвратился хан.* Пушкин. Бахчисарайский фонтан.

**Ха́нский,** -ая, -ое. *Ханский титул.*

**ХАНДРА́,** -ы́, ж. [Восх. к греч. hypochondria — букв. часть тела ниже грудной кости, заболеванием которой объясняли меланхолию]. Мрачное, тоскливое настроение. *Недуг, которого причину Давно бы отыскать пора, Подобный английскому сплину, Короче: русская хандра Им овладела понемногу.* Пушкин. Евгений Онегин.

С и н.: тоска́, уны́ние, меланхо́лия, ипохо́ндрия, сплин (*устар.*), депре́ссия (*спец.*).

**ХАНЖА́,** -и́, ханжи́, -е́й, м. и ж. Лицемер, прикрывающийся напускной добродетелью (иногда набожностью). [*Кулигин:*] *Ханжа, сударь! Нищих оделяет, а домашних заела совсем.* А. Островский. Гроза.

С и н.: фарисе́й, свято́ша, тартю́ф (*книжн.*), ипокри́т (*устар.*).

**Ха́нжеский,** -ая, -ое.

**ХА́ОС,** -а и **ХАО́С,** -а, м. [Греч. chaos]. **1.** (ха́ос). В древнегреческой мифологии: стихия, якобы существовавшая до возникновения мира, земли с ее жизнью. *Первозданный хаос.* ☐ *Казалось, что вокруг нет ни земли, ни лесов, ни неба, ни воздуха, а один скользкий первобытный хаос.* Паустовский. Колхида. **2.** (ха́ос и хао́с). Крайний беспорядок, неразбериха; отсутствие системы, стройности в чем-л. *Хаос в квартире. Хаос в мыслях.* ☐ *А чем дальше, тем сильнее ощущался.. совершенно своеобразный ход его* [*Крылова*] *мысли, стремление нащупать связь в хаосе фактов, сомкнуть воедино, казалось бы, противоречивые явления атмосферного электричества.* Гранин. Иду на грозу.

С и н. (ко 2 знач.): ералаш (*разг.*), кавардак (*разг.*), сумятица (*разг.*), бедлам (*разг.*), содом (*разг.*).

**Хаоти́ческий,** -ая, -ое (ко 2 знач.) и **хаоти́чный,** -ая, -ое; -чна, -о. **Хаоти́чность,** -и, ж. *Хаотичность изложения материала.*

**ХАРАКИ́РИ,** нескл., ср. [Яп.]. Вид самоубийства, принятый у японских самураев, — вспарывание живота кинжалом.

**ХАРА́КТЕР,** -а, м. [Восх. к греч. charactēr — черта, признак, особенность]. **1.** Совокупность основных, наиболее устойчивых психических свойств человека, обнаруживающихся в его поведении. *Сильный характер. Общительный характер. Черты характера. Формирование характера.* ☐ *— Характер мой вам известен: я привык первенствовать, но смолоду это было во мне страстию.* Пушкин. Выстрел. **2.** Сильная воля, упорство в достижении чего-л. *У него нет характера. С характером кто-л.* **3.** *чего или какой.* Совокупность отличительных свойств чего-л. *Самобытный характер музыки. Характер заболевания. Изменение характера ветра. Характер отношений с кем-л.* ☐ *Видя, что разговор принимает характер интимный, семейный, я поднялся, чтобы выйти.* Чехов. Последняя могиканша. **4.** В искусстве: художественный образ, содержащий типичные черты какой-л. группы людей. *Посмотрите на Бальзака: как много написал этот человек, и, несмотря на это, есть ли в его повестях хотя один характер, хотя одно лицо, которое сколько-нибудь походило на другое?* Белинский. Литературные мечтания.

С и н. (к 1 знач.): нату́ра, душа́, нрав, стать (*устар.*). С и н. (к 4 знач.): тип.

**ХАРА́КТЕРНЫЙ,** -ая, -ое и **ХАРАКТЕ́РНЫЙ,** -ая, -ое; -рен, -рна, -о. [См. *характер*]. **1.** (характе́рный). Обладающий ярко выраженными особенностями, своеобразием. *Характерная внешность. Характерный национальный костюм.* **2.** (характе́рный). Свойственный кому-, чему-л. *Такое поведение для него характерно.* **3.** (хара́ктерный). *Прост.* Упрямый, обладающий характером (во 2 знач.). *Характерная женщина.* ◇ **Характе́рная (хара́ктерная) роль** — у актеров: роль человека, принадлежащего к определенной социальной среде, содержащая типичные черты представителей этой среды.

С и н. (к 1 знач.): своеобра́зный, самобы́тный, своеобы́чный, оригина́льный, индивидуа́льный, специфи́ческий и специфи́чный. С и н. (ко 2 знач.): прису́щий, типи́чный, характеристи́ческий и характеристи́чный (*устар. и спец.*). С и н. (к 3 знач.): волево́й.

**Характе́рность,** -и, ж. (к 1 и 2 знач.).

**ХА́РТИЯ,** -и, ж. [Греч. chartēs — *первонач.* бумага]. **1.** *Спец.* Старинная рукопись. [*Пимен:*] *Когда-нибудь монах трудолюбивый Найдет мой труд усердный, безымянный, Засветит, как я, свою лампаду — И, пыль веков от хартий отряхнув, Правдивые сказанья перепишет.* Пушкин. Борис Годунов. **2.** В составе некоторых названий: документ большого общественно-политического значения. *Великая хартия вольностей в Англии. Конституционные хартии.*

**ХАРЧЕ́ВНЯ,** -и, ж. Устар. Трактир, закусочная низшего разряда. *После работы он* [*Петр I*] *посещает невзрачную портовую харчевню, где, сидя за кружкой, курит трубку и весело беседует с самыми неотесанными людьми.* А. Н. Толстой. Петр I.

**ХА́ТА,** -ы, ж. [Венг. ház; восх. к авест. kata]. Крестьянский дом в украинской, белорусской и южнорусской деревне. *Приятно было Семену войти в просторную, чисто выбеленную хату.* А. Н. Толстой. Хождение по мукам.

**ХЕР,** -а, м. Устарелое название буквы «х».

**ХЕРУВИ́М,** -а, м. [Греч. cherubim от др.-евр. kerūb]. **1.** В христианстве: ангел высшего чина. *Он входит, смотрит — перед ним Посланник рая, херувим.* Лермонтов. Демон. **2.** *Устар. разг.* О красивом человеке. *— Ты посмотри на меня, какая я... Ну, под стать ли я такому херувиму!* Салтыков-Щедрин. Мелочи жизни.

С и н. (ко 2 знач.): краса́вец, раскраса́вец (разг.), краса́вчик (разг.), купидо́н (устар.).

**Херуви́мский**, -ая, -ое. *Херувимский вид.*

**ХИ́ЖИНА**, -ы, ж. Небольшой бедный домик, избушка. *И чего в этой хижине тесной Я, бедняк обездоленный, жду.* Блок. Соловьиный сад.

С и н.: лачу́га, хиба́ра (разг.).

**ХИМЕ́РА**, -ы, ж. [Греч. chimaira]. **1.** В древнегреческой мифологии: трехголовое огнедышащее чудовище с головами льва, туловищем козы и хвостом дракона. **2.** *Спец.* Скульптурное изображение фантастического чудовища. *Химера с львиной пастью. Химеры собора Парижской богоматери.* □ *[Проповедник:] Я исходил трикраты весь Восток, Зрел идолов раскрашенные лица, Зрел гарпий, и грифонов, и химер.* Антокольский. Франсуа Вийон. **3.** *перен. Книжн.* Неосуществимая, несбыточная и странная мечта.— *Я слышал про его план вечного мира, и это очень интересно, но едва ли возможно.. [Пьер] стал доказывать Анне Павловне, почему он полагал, что план аббата был химера.* Л. Толстой. Война и мир.

С и н. (к 3 знач.): фанта́зия, иллю́зия, уто́пия.

**Химери́ческий**, -ая, -ое (к 3 знач.) и **химери́чный**, -ая, -ое; -чен, -чна, -о (к 3 знач.). *Химерический план. Химеричные надежды.* **Химери́чность**, -и, ж.

**ХИНИ́Н**, -а, м. и (разг.) **ХИ́НА**, -ы, ж. [Восх. к перуанск. kina — кора]. Белый кристаллический порошок, горький на вкус, получаемый из коры хинного дерева (используется в медицине, гл. образом как противомалярийное средство). *Через шесть дней моя крепкая натура, вместе с помощью хинина и настоя подорожника, победила болезнь.* Куприн. Олеся.

**Хи́нный**, -ая, -ое. *Хинный порошок.* ◇ **Хинное дерево** — вечнозеленое тропическое дерево или кустарник сем. мареновых, кора которого содержит хинин.

**ХИ́ППИ**, *нескл.*, м. [Англ. hippie]. Представитель молодежи, выражающий свой протест против сложившихся социальных отношений бродяжническим образом жизни, уходом от цивилизации, пассивностью и бездеятельностью. *Английские хиппи.*

**ХИРОМА́НТИЯ**, -и, ж. [От греч. cheir — рука и manteia — гадание]. Не имеющее научного подтверждения предсказывание судьбы и определение характера человека по линиям и бугоркам ладони.

**Хирома́нт**, -а, м.

**ХИРУРГИ́Я**, -и, ж. [От греч. cheir — рука и ergon — работа]. Отрасль медицины и ветеринарии, изучающая заболевания, требующие оперативных методов лечения, а также само такое лечение.

**Хирурги́ческий**, -ая, -ое. *Хирургическая клиника. Хирургические инструменты. Хирургическое вмешательство. Хирургическая сестра.*

**Хиру́рг**, -а, м.

**ХИТО́Н**, -а, м. [Греч. chitōn]. **1.** У древних греков: длинная широкая рубашка (чаще без рукавов), падающая свободными складками, а также вообще широкая свободная одежда. *Как дань несут наряды ей [Клеопатре], Она беспечно их меняет, То в блеске яхонтов сияет, То избирает тирских жен Покров и пурпурный хитон.* Пушкин. Мы проводили вечер на даче... **2.** Балетная одежда без рукавов, похожая на римскую тунику.— *Я училась в студии пластического танца по школе Айседоры Дункан.. Мы танцевали в хитонах.* Панова. Времена года.

**ХИТРОСПЛЕТЕ́НИЕ**, -я, *ср. Книжн.* **1.** Искусное, сложное переплетение чего-л. *Глядя на ее [буквы] выкрутасы и завитушки, на хитросплетение листьев и трав, украсивших букву, Герасим уже не жалел, что потратил мирские деньги на угощение подъячего.* Злобин. Степан Разин. **2.** обычно *мн.* Сложное, вычурное изложение мыслей, построение сюжета и т. п.— *Философские хитросплетения и бредни никогда не привьются к русскому: на это у него слишком много здравого смысла.* Тургенев. Рудин. **3.** обычно *мн.* Коварный и хитрый замысел, хитрая уловка. *Дипломатические хитросплетения.*

С и н. (к 3 знач.): хи́трость, трюк, изворо́т, ухищре́ние, мане́вр (разг.) и манёвр (разг.), уве́ртка (разг.).

**ХЛАДНОКРО́ВНЫЙ**, -ая, -ое; -вен, -вна, -о. **1.** Отличающийся способностью сохранять спокойствие, самообладание при любых обстоятельствах, а также выражающий спокойствие, невозмутимость. *Хладнокровный человек. Хладнокровный взгляд.* □ *А надо бы быть хладнокровнее; слишком уж я желчен стал в последнее время.* Достоевский. Преступление и наказание. **2.** *Устар.* Равнодушный, безразличный, безучастный. *Этих хладнокровных девиц чрезвычайно трудно расшевелить и заставить смеяться.* Гоголь. Невский проспект.

С и н. (к 1 знач.): вы́держанный, сде́ржанный, невозмути́мый, споко́йный, уравнове́шенный. С и н. (ко 2 знач.): холо́дный.

А н т. (к 1 знач.): горя́чий.

**Хладнокро́вно**, *нареч. Поступить хладнокровно.* **Хладнокро́вность**, -и, ж. и **хладнокро́вие**, -я, *ср. Проявить хладнокровие.*

**ХЛАМИ́ДА**, -ы, ж. [Греч. chlamys, chlamydos]. **1.** У древних греков и римлян: одежда в виде плаща. **2.** *Разг. шутл.* Несуразная широкая и длинная одежда.— *Снимите эту хламиду и садитесь.. Вам надо прежде всего переодеться во что-нибудь подходящее, по крайней мере по мерке.* Л. Никулин. Московские зори.

**ХЛЕВ**, -а, хлева́, -о́в, м. **1.** Специальное помещение для домашнего скота и крупной домашней птицы. *Гусиный хлев.* □ *В хлеве свободно могли стоять две коровы и с десяток овец.* А. Тарасов. Охотник Аверьян. **2.** *Разг. неодобр.* О грязном, неприбранном помещении. *Расти в комнате хлев.*

С и н. (ко 2 знач.): коню́шня (разг.), свина́рник (разг.).

**ХЛЫЩ**, -а́, м. *Разг.* Франтоватый, легкомысленный, развязный человек. *Судя по рассказам Лели, это был типичный хлыщ, задавака и бахвал, любитель хорошо поесть и с шиком одеться.* Н. Островский. Как закалялась сталь.

С и н.: фат, ферт (*прост.*), хлыст (*прост.*), пшют (*устар. разг.*).

**ХЛЯБЬ**, -и, *ж.* и **ХЛЯ́БИ**, -ей (*в одном знач. с ед.*), *мн. Устар.* **1.** Бездна, глубина. *Мечутся волны толпой разъяренной, Плещут, клокочут и стонут, Пасть разверзается хляби бездонной, Дева и юноша тонут.* Фет. Свитезянка. *Казалось, что оно.. [осеннее небо] висит непосредственно над его головой и грозит утопить его в разверзнувшихся хлябях земли.* Салтыков-Щедрин. Господа Головлевы. **2.** (хлябь). *Разг.* Зыбкая, вязкая почва; жидкая грязь. *Стояли неслыханные, бедовые грязи. Упади в черноземную хлябь ребенок — не вытащишь.* Павленко. Счастье.

С и н. (к 1 знач.): про́пасть, пучи́на (*книжн.*).

**ХО́ББИ**, *нескл.*, *ср.* [Англ. hobby]. Какое-л. увлечение, любимое занятие на досуге. *Занятия фотографией — его хобби.*

**ХОДА́ТАЙ**, -я, *м.* **1.** *Разг.* Тот, кто ходатайствует за кого-л., выступает как чей-л. защитник, заступник. *Он охотно являлся ходатаем за множество лиц, беспрестанно обращавшихся к нему.* Лесков. Популярные русские люди. **2.** *Устар.* Лицо, ведущее чьи-л. дела в судах; поверенный по делам. *— Я был ходатаем по делам в Наровчате. — По судебному ведомству, стало быть? — По гражданским делам, частный ходатай.* Федин. Необыкновенное лето.

**ХОДА́ТАЙСТВО**, -а, *ср.* Документ, содержащий официальную просьбу о чем-л. *Подать ходатайство в горсовет. Удовлетворить, отклонить ходатайство.*

**ХОДА́ТАЙСТВОВАТЬ**, -ствую, -ствуешь; хода́тайствующий; хода́тайствовавший; хода́тайствуя; *несов.* (прош. также сов.). **1.** *о ком, чем или за кого, что.* Обращаться с просьбой к официальным лицам, учреждениям. *— При всех офицерах [полковник] обнял [меня] и говорит: — Твой майор с его портфелем нам дороже двадцати «языков». Буду ходатайствовать перед командованием о представлении тебя к правительственной награде.* Шолохов. Судьба человека. **2.** *Устар.* Быть ходатаем (*во 2 знач.*), профессионально заниматься деятельностью поверенного. *Там, в совете излюбленных крестьян, было решено [поручить Степку] надзору подьячего, который исстари ходатайствовал по головлевским делам.* Салтыков-Щедрин. Господа Головлевы.

С и н. (к *1 знач.*): проси́ть, хлопота́ть.

**ХОДЖА́**, -и́, ходжи́, -е́й, *м.* [От перс. haǧǧe — господин]. Почетный титул мусульманина в странах Ближнего и Среднего Востока (давался придворным сановникам, высшему духовенству, купцам).

**ХОДО́К**[1], -а́, *м.* **1.** Тот, кто ходит пешком. *Так шли — куда не ведая.. Всплыл месяц, тени черные Дорогу перерезали Ретивым ходокам.* Н. Некрасов. Кому на Руси жить хорошо. **2.** *Устар.* Выборное лицо, посылавшееся куда-л. с поручением, с ходатайством. *Деревенские ходоки.* □ *— Прежде ходоки такие были, за мир стояли. Соберется, бывало, ходок, крадучись, в Петербург, а его оттоле по этапу.* Салтыков-Щедрин. Путем-дорогою. **3.** *перен. Устар. прост.* Ловкий в каких-л. делах человек. *Широко развернулась умная баба, на все руки была ходок, только своего сердца не могла утешить.* Мамин-Сибиряк. Пир горой.

**ХОДО́К**[2], ходка́, *м.* Небольшая легкая повозка. *Порфирий повстречался со скачущей парой лошадей, впряженных в легкий ходок с плетеным кузовком.* Сартаков. Хребты Саянские.

**ХОДУ́ЛЬНЫЙ**, -ая, -ое; -лен, -льна, -о. Банальный, избитый и одновременно лишенный естественности, напыщенный. *Ходульный лозунг. Ходульное выражение.*

**Ходу́льность**, -и, *ж.*

**ХОЖДЕ́НИЕ**, -я, *ср.* **1.** Передвижение в пространстве, совершающееся пешком. *После шести часов хождение по городу было запрещено.* Фадеев. Молодая гвардия. **2.** *Устар.* Странствие, путешествие (обычно пешком). *Во время долгого хождения своего по Руси завела она [богомолка] в разных городах.. знакомых и заходит к ним зиму зимовать.* Г. Успенский. Зимний вечер. **3.** *Спец.* Один из жанров древнерусской литературы, представляющий собой описание путешествий (первонач. х о ж е н и е). *«Хождение за три моря» Афанасия Никитина.* ◇ **Хождение в народ** — массовое движение демократической интеллигенции в деревню, начавшееся в России в 70-х гг. 19 в. с целью просвещения и революционной пропаганды среди народа. **Хождение по мукам** — ряд тяжелых жизненных испытаний, следующих непосредственно одно за другим (от христианского верования в хождение души по мукам в течение 40 дней после смерти человека). **Иметь хождение** — быть в обращении, в употреблении. *Из имущества оставалось метров тридцать припрятанной мануфактуры, имевшей тогда хождение наравне с разменной монетой.* Леонов. Дорога на океан.

**ХОЗА́РЫ** *см.* хазары.

**ХОЗРАСЧЁТ**, -а, *м.* Сокращение: хозяйственный расчет — способ ведения хозяйства, основными принципами которого являются хозяйственная самостоятельность, самоокупаемость и самофинансирование предприятия, его рентабельность. *Ввести хозрасчет.*

**Хозрасчётный**, -ая, -ое.

**ХО́ЛЕНЫЙ**, -ая, -ое и **ХОЛЁНЫЙ**, -ая, -ое. Изнеженный уходом и заботой. *Хозяин был красавец лет двадцати пяти, свежий, холеный, расчесанный.* Л. Толстой. Холстомер.

С и н.: выхоленный, ухоженный (*разг.*).

**ХОЛЕ́РИК**, -а, *м.* [От греч. cholē — желчь]. Темпераментный, неуравновешенный человек, отличающийся быстротой действий, легко возбуждающийся под воздействием каких-л. впечатлений. *Люди холодного, флегматического или меланхолического темперамента страдают больше от холода, чем люди горячие, энергические, холерики или сангвиники.* Писарев. Физиологические картины.

**Холери́ческий**, -ая, -ое. *Холерический темперамент.*

**ХО́ЛИТЬ**, хо́лю, хо́лишь; хо́лящий, хо́ливший; хо́ленный; -ен, -а, -о; хо́ля; *несов.*, *кого, что.* Заботливо, с большим вниманием ухаживать

за кем-, чем-л. *Холить домашних животных.* □ — *Мы-то о землице заботились, питали ее, холили, ходили, как за матерью, она нас и кормила, матушка.* Ф. Гладков. Повесть о детстве.
С и н.: леле́ять, не́жить, голу́бить (*нар.-поэт.*), поко́ить (*устар.*).

**ХОЛЛ**, -а, м. [Англ. hall]. **1.** Большое помещение, обычно в общественных зданиях, предназначенное для отдыха, ожидания. *В великолепном холле гостиницы, устланном драгоценными коврами, близ стеклянных крутящихся дверей важно прохаживался высокий человек.* А. Н. Толстой. Гиперболоид инженера Гарина. **2.** Род большой передней в квартире. *Квартира с холлом.*

**ХОЛО́ДНЫЙ**, -ая, -ое; хо́лоден, холодна́, хо́лодно. **1.** Имеющий низкую или относительно низкую температуру (воздуха, воды и т. п.). *Холодная погода. Холодный дождь. Холодное молоко.* □ *Они вместе вошли в холодную, пустую церковь.* Пушкин. Дубровский. **2.** *полн. ф.* Плохо защищающий от холода. *Холодная дача* (неотапливаемая). *Холодное пальто.* **3.** *перен.* Лишенный пылкости, страстности; рассудочный. *Холодный темперамент.* □ *Я знал красавиц недоступных, Холодных, чистых, как зима.* Пушкин. Евгений Онегин. **4.** *перен.* Хладнокровный, крайне сдержанный в проявлении чувств. *Холодный ум.* □ *Нервность пропала и уступила место холодной серьезной сосредоточенности.* Фурманов. Красный десант. **5.** Лишенный душевной теплоты, строгий, недоброжелательный. *Холодный взгляд. Холодный прием.* □ *Он на пороге остановился, ему хотелось пожать мне руку... и если б я показал ему малейшее на это желание, то он бросился бы мне на шею; но я остался холоден как камень,— и он вышел.* Лермонтов. Герой нашего времени. **6.** *в знач. сущ.* **холо́дная**, -ой, *ж. Устар. прост.* Помещение для арестованных. *Петр Васильевич сгоряча нагрубил старикам и попал в холодную.* Мамин-Сибиряк. Золото. ◇ **Холодная война** — политика нагнетания напряженности в отношениях между странами с различными общественными системами. **Холодное оружие** — рубящее, колющее и режущее оружие для рукопашного боя (пика, шашка, штык, меч, сабля, нож и т. п.), в отличие от огнестрельного. **Холодный тон** (или **оттенок**) — сине-голубой тон спектра (в противоположность красно-коричневому).
С и н. (к 1 знач.): сты́лый, ледяно́й, студёный (*прост. и обл.*), хла́дный (*устар. высок.*). С и н. (ко 2 знач.): ле́тний. С и н. (к 3 знач.): бесчу́вственный, ледяно́й. С и н. (к 4 знач.): бесстра́стный. С и н. (к 5 знач.): прохла́дный, сухо́й, суро́вый, ледяно́й.
А н т. (к 1 знач.): тёплый, горя́чий. А н т. (ко 2 знач.): тёплый, зи́мний. А н т. (к 3 знач.): горя́чий, пы́лкий, стра́стный, пла́менный (*высок.*). А н т. (к 4 знач.): вспы́льчивый, запа́льчивый. А н т. (к 5 знач.): тёплый.

**ХОЛО́П**, -а, холо́пы, -ов и (*устар.*) холо́пья, -ев, *м.* **1.** В Древней Руси: лицо, находившееся в зависимости, по форме близкой к рабству; в крепостной России: крепостной слуга, дворовый. *Боярский холоп. Монастырские холопы.* □ *Кирила Петрович громко засмеялся при дерзком замечании своего холопа.* Пушкин. Дубровский. **2.** *перен. Презр.* Тот, кто раболепствует, лакействует, пресмыкается перед кем-л. *[Тарас Бульба] любил простую жизнь козаков и перессорился с теми из своих товарищей, которые были наклонны к варшавской стороне, называя их холопьями польских панов.* Гоголь. Тарас Бульба.
С и н. (ко 2 знач.): прислу́жник, прихво́стень, холу́й, низкопокло́нник (*устар.*).

**Холо́пка**, -и, *ж.* (к 1 знач.). **Холо́пий**, -ья, -ье (к 1 знач.) и **холо́пский**, -ая, -ое. *Холопье житье. Холопская психология.*

**ХОЛСТ**, -а́, *м.* и **ХОЛСТИ́НА**, -ы, *ж.* **1.** Льняная ткань, обычно кустарной выделки. *Крашеный холст. Мешок из холстины.* □ *В стороне, за огромными пяльцами, сидит хозяин, вышивая крестиками по холстине скатерть.* М. Горький. В людях. *Под тенью деревьев уже был поставлен длинный стол, покрытый чистым, выбеленным холстом.* Осеева. Васек Трубачев и его товарищи. **2.** *Спец.* Подобная ткань, на которой пишут картины, а также картина, писанная на таком материале масляными красками. *Холсты Сурикова.* □ *Съели Мыши его живописный портрет, Так, что холстины и признака нет.* Жуковский. Суд божий над епископом. *Вот они висят по стенам — мои холсты, этюды и эскизы, неоконченные, начатые картины.* Гаршин. Надежда Николаевна.
С и н. (ко 2 знач.): полотно́.

**Холщо́вый**, -ая, -ое (к 1 знач.) и **холсти́нный**, -ая, -ое (к 1 знач.). *Холщовая сумка. Холстинный мешок.*

**ХОМУ́Т**, -а́, *м.* **1.** Надеваемая на шею животного часть упряжи в виде деревянного остова с мягким валиком на внутренней стороне. *У нас все было готово, лошади стояли в хомутах. Через четверть часа мы выехали.* Вересаев. На японской войне. **2.** *перен. Разг.* Обязанности, заботы, связанные с каким-л. положением человека и обременительные для него. *[Евгения:] И не женись. Что тебе за неволя хомут-то на шею надевать!* А. Островский. На бойком месте.

**ХОР**, -а, хоры́, -о́в и хо́ры, -ов, *м.* [Греч. choros]. **1.** В древнегреческом театре: обязательный коллективный участник трагедии и комедии. *Хористы революции, подобно хору греческих трагедий, делятся еще на полухоры.* Герцен. Былое и думы. **2.** (*мн.* хоры́). Группа певцов, совместно исполняющих вокальное произведение. *Русский народный хор им. Пятницкого. Дирижировать хором. Репетиция хора.* **3.** (*мн.* хоры́). *Спец.* Музыкальное произведение для многоголосного хорового исполнения, а также его хоровое исполнение, пение. *Звучит хор.* □ *Хор был спет прекрасно и даже, кажется, повторен.* Римский-Корсаков. Летопись моей музыкальной жизни. **4.** *ед., перен., кого, чего или какой.* О голосах, высказываниях множества людей. *Хвалебный хор. Хор насмешек.* □ *Убит!.. К чему теперь рыданья, Пустых похвал ненужный хор.* Лермонтов. Смерть поэта. **5.** (*мн.* хо́ры). *Трад.-поэт.* Скопление, множество. *На воздушном океане, Без руля и без ветрил, Тихо плавают в тумане Хоры стройные светил.* Лермонтов. Демон.

С и н. (к 5 знач.): сонм (устар. высок.).

**Хорово́й**, -а́я, -о́е (ко 2 и 3 знач.). *Хоровой ансамбль. Хоровое исполнение.*

**ХОРА́Л**, -а, м. [Ср.-лат. choralis; восх. к греч. choros — хор]. Религиозное многоголосное песнопение, получившее особое распространение у протестантов и католиков, а также музыкальная пьеса в такой форме. *Хоралы Баха.* ☐ *40 лет он прожил органистом одной и той же церкви; 40 лет каждое воскресенье играл почти один и тот же хорал.* В. Одоевский. Русские ночи.

**Хора́льный**, -ая, -ое. *Хоральные гимны.*

**ХОРЕОГРА́ФИЯ**, -и, ж. [От греч. choreia — пляска и graphein — писать]. Искусство танца, а также постановка балетных танцев. *Классическая, современная, народная хореография. Хореография балета П. И. Чайковского «Спящая красавица».*

С и н.: балет.

**Хореографи́ческий**, -ая, -ое. *Хореографическое искусство. Русская хореографическая школа.* **Хорео́граф**, -а, м.

**ХОРМЕ́ЙСТЕР**, -а, м. [От хор (см.) и нем. Meister — мастер]. Руководитель хора, хоровой дирижер.

**Хормейстерский**, -ая, -ое.

**ХОРОВО́Д**, -а, м. 1. Старинный массовый народный танец у славянских народов, сопровождаемый песнями и драматическим действием. *Два раза в год они говели; Любили круглые качели, Подблюдны песни, хоровод.* Пушкин. Евгений Онегин. 2. Кольцо взявшихся за руки людей, которые с песнями ходят вокруг чего-л. *Хоровод вокруг елки.*

**Хорово́дный**, -ая, -ое. *Хороводные песни.*

**ХОРО́МЫ**, -о́м, мн. 1. В старину: большой жилой деревянный дом, часто состоявший из отдельных строений, объединенных сенями и переходами. *Напротив этой церкви некогда красовались обширные господские хоромы, окруженные разными пристройками, службами, мастерскими, конюшнями, б..нчми и временными кухнями, флигелями для гостей.* Тургенев. Малиновая вода. 2. *перен. Разг. ирон.* Вообще богатый, просторный дом, квартира. *Хоромы огромные, а вся семья графа состоит только из четырех человек.* Новиков-Прибой. Капитан 1-го ранга.

**ХОРУ́ГВЬ**, -и, ж. [Восх. к монг. orungo — знак, знамя]. 1. В старину: боевое знамя войска. *Генеральный хорунжий предводил главное знамя; много других хоругвей и знамен развевались вдали.* Гоголь. Тарас Бульба. 2. Полотнище с изображением Христа или святых, укрепленное на длинном древке, которое носят во время крестных ходов и других церковных шествий. *Обедня отошла. Засуетились церковные служки. Заколебались хоругви,.. кресты и иконы, поднятые на руках.. Двинулся крестный ход.* А. Н. Толстой. Петр I.

**ХОРУ́НЖИЙ**, -его, м. [Польск. chorąży от chorągiew — знамя]. 1. *Устар.* Знаменосец в войске. *Генеральный хорунжий предводил главное знамя;.. бунчуковые товарищи несли бунчуки.* Гоголь. Тарас Бульба. 2. В царской армии: низший офицерский чин в казачьих войсках, соответствовав-

ший подпоручику в пехоте и корнету в кавалерии, а также лицо, имеющее этот чин. — *Вот, дорогой мой Яков Лукич, это — член нашего союза,.. наш соратник, подпоручик, а по-казачьему — хорунжий, Лятьевский.. Люби его и жалуй.* Шолохов. Поднятая целина.

**ХО́РЫ**, хор и -ов, мн. [См. хор]. Открытая галерея или балкон в верхней части парадного зала или церковного здания для помещения хора, музыкантов. *Музыка гремела с хор. В сенях появились первые дамы, оправляя парики и платья.* А. Н. Толстой. Петр I.

**ХРАМ**, -а, м. 1. Здание, предназначенное для совершения богослужений и религиозных обрядов. *Древние храмы.* ☐ *Едем! Поп уж в церкви ждет С дьяконом, дьячками; Хор венчальну песнь поет, Храм блестит свечами.* Жуковский. Светлана. 2. *перен., чего. Высок.* Место, внушающее по каким-л. причинам чувство глубокого почтения, благоговения. *Клим сознался, что в храме науки [университете] он не испытал благоговейного трепета.* М. Горький. Жизнь Клима Самгина.

С и н. (к 1 знач.): церковь. С и н (ко 2 знач.): святилище (высок.).

**Храмово́й**, -а́я, -о́е. *Храмовые своды.* ◇ **Храмовой праздник** — праздник в честь того события или святого, именем которого назван данный храм. *Между тем наступило 1-е октября — день храмового праздника в селе Троекурова.* Пушкин. Дубровский.

**ХРА́МИНА**, -ы, ж. *Устар.* Здание, сооружение. *И звонко в высокой храмине разлилась песнь соловьиная.* Эртель. Гарденины.

**ХРЕБЕ́Т** [не *хребёт*], -бта́, м. 1. Позвоночник животного, рыбы. *Он нес на тарелке обглоданный хребет селедки.* Тургенев. Первая любовь. 2. *перен., чего.* Вершина, верхняя часть чего-л. *Медленно поднимаясь на хребты волн, быстро спускаясь с них, приближалась к берегу лодка.* Лермонтов. Герой нашего времени. 3. Горная цепь. *Хребет, по которому мы теперь шли, состоял из ряда голых вершин, подымающихся одна над другою в восходящем порядке.* Арсеньев. По Уссурийскому краю.

С и н. (ко 2 знач.): гребень. С и н (к 3 знач.): кряж, гряда́.

**Хребто́вый**, -ая, -ое (к 1 и 3 знач.).

**ХРЕСТОМАТИ́ЙНЫЙ**, -ая, -ое; -иен, -ийна, -о. [См. хрестоматия]. 1. *Прил. к* хрестоматия. *Хрестоматийный материал.* 2. *перен.* Простой и общеизвестный. *Хрестоматийные истины.*

**ХРЕСТОМА́ТИЯ**, -и, ж. [Греч. chrēstomatheia от chrēstos — хороший, полезный и manthanein — изучать]. Учебное пособие, представляющее собой сборник каких-л. избранных произведений или отрывков из них. *Хрестоматия по русской литературе.* ☐ *Вместо рассказов и статей из хрестоматии Наталья Степановна ввела чтение корреспонденции, очерков и рассказов из газет.* Ф. Гладков. Мать.

**ХРИЗОЛИ́Т**, -а, м. [От греч. chrysos — золото и lithos — камень]. Общее название прозрачных светло-зеленых и оливково-зеленых драгоценных камней.

**Хризоли́товый**, -ая, -ое. *Хризолитовый перстень.*

**ХРИСТИА́НСТВО**, -а, *ср.* **1.** Одна из трех наиболее распространенных религий мира (наряду с буддизмом и исламом), возникшая в 1 в. н. э. и названная по имени ее основателя Иисуса Христа. *Проповедовать христианство. Обратить в христианство.* ☐ *По временам, он заходил вечером в девичью.. и слушал рассказы Аннушки о подвижниках первых христианства.* Салтыков-Щедрин. Пошехонская старина. **2.** *собир.* Христиане. *[Городничий (в исступлении):] Вот, смотрите, смотрите, весь мир, все христианство, все смотрите, как одурачен городничий!* Гоголь. Ревизор.

**Христиа́нский**, -ая, -ое. *Христианская религия, церковь, вера.*

**ХРИСТО́СОВАТЬСЯ**, -суюсь, -суешься; христо́сующийся, христо́совавшийся; христо́суясь; *несов.* В православии: троекратно целоваться в знак поздравления с праздником пасхи. — *Христос воскрес, атаман! Мы с тобою еще не христосовались. — Воистину воскрес! — отвечал атаман.* Гоголь. Несколько глав из неоконченной повести.

**Христо́сование**, -я, *ср.*

**ХРОМ**, -а, *м.* [От греч. chrōma — цвет, краска]. **1.** Твердый, серебристый металл, употребляющийся при изготовлении твердых сплавов и для покрытия металлических изделий. **2.** Мягкая тонкая кожа, выдубленная солями этого металла.

**Хро́мистый**, -ая, -ое (к 1 знач.) и **хро́мовый**, -ая, -ое. *Хромистая сталь. Хромовая руда. Хромовые сапоги.*

**ХРОМИ́РОВАТЬ**, -рую, -руешь; хроми́рующий, хроми́ровавший; хроми́руемый, хроми́рованный; -ан, -а, -о; хроми́руя, хроми́ровав; *сов. и несов., что.* [См. *хром*]. Покрыть (покрывать) слоем хрома для придания твердости, прочности или красивого внешнего вида. *Хромировать детали машин.*

**Хроми́рование**, -я, *ср.*

**ХРО́НИКА**, -и, *ж.* [Греч. chronika biblia — временны́е книги от chronos — время]. **1.** Запись событий в хронологической последовательности. *Средневековая хроника.* ☐ *В русских летописях упоминается о казаках не прежде как в 16 столетии; но предание могло сохранить то, о чем умалчивала хроника.* Пушкин. История Пугачева. **2.** Литературное произведение, содержащее исторически последовательное изложение каких-л. событий (общественных или семейных). *«Семейная хроника» С. Аксакова.* ☐ *Сей неизвестный собиратель был не кто иной, как Мериме, острый и оригинальный писатель, автор.. Хроники времен Карла IX.. и других произведений.* Пушкин. Песни западных славян. **3.** *чего какая.* В периодической печати, на радио, телевидении: краткое сообщение о текущих событиях. *Международная хроника. Хроника военных событий.* ☐ *Всего газета на своих четырех [полосах] могла вместить 4400 строк. Сюда должно было войти все: телеграммы, статьи, хроника.* Ильф и Петров. 12 стульев. **4.** Документальный фильм о событиях текущей жизни. *«Похороны Свердлова» были первой организованно снятой хроникой.* Гардин. Воспоминания.

Син. (к 1 знач.): ле́топись.

**Хроника́льный**, -ая, -ое. *Хроникальная запись. Хроникальный жанр. Хроникальная заметка в газете.* **Хроникёр**, -а, *м.* (к 3 знач.) (журналист, работающий в отделе хроники).

**ХРОНИ́ЧЕСКИЙ**, -ая, -ое. [Восх. к греч. chronikos — долговременный]. **1.** О болезни: длящийся много времени или периодически возобновляющийся. *Хронический бронхит.* **2.** *перен.* Длительный, затяжной. *Хроническое недосыпание. Хронический дефицит.*

**ХРОНОЛО́ГИЯ**, -и, *ж.* [От греч. chronos — время и logos — учение]. **1.** Последовательность каких-л. событий во времени, а также перечень дат этих событий. *Хронология русской истории. Хронология романа «Война и мир».* ☐ *Самым нужным и самым важным считалось у него по географии черчение карт, а по истории — знание хронологии.* Чехов. Учитель словесности. **2.** Вспомогательная историческая наука, которая на основании изучения и сопоставления письменных или археологических источников устанавливает точные даты исторических событий.

**Хронологи́ческий**, -ая, -ое. *Хронологическая последовательность.*

**ХРОНО́МЕТР**, -а, *м.* [От греч. chronos — время и metrein — мерить]. Карманные или наручные часы с очень точным ходом. *Три часа сорок шесть минут показывал прохоровский сверхточный хронометр, когда Кирилл закончил рассказ о комсомольском собрании.* Липатов. И это все о нем.

**ХРОНОМЕТРА́Ж**, -а, *м.* [См. *хронометр*]. Измерение затрат времени на что-л. *Провести хронометраж трудовых процессов.*

**Хронометра́жный**, -ая, -ое. *Хронометражное наблюдение.*

**ХУДО́ЖЕСТВЕННЫЙ**, -ая, -ое; -вен и -венен, -венна, -о. **1.** *полн. ф.* Относящийся к искусству, к деятельности в области искусства, к произведениям искусства. *Художественный руководитель театра. Художественный салон.* ☐ *Жили там студенты всевозможных художественных вузов. Певцы, композиторы, актеры, режиссеры, художники, скрипачи.. будущие, разумеется.* Матвеев. Семнадцатилетние. **2.** *полн. ф.* Изображающий действительность в образах. *Художественная литература. Художественные и документальные фильмы.* **3.** Отвечающий требованиям искусства, способный к эстетическому воздействию; эстетический, красивый. *Свежи, прелестны, благоуханны, художественны были рассказы в «Диканьке».* С. Аксаков. Знакомство с Гоголем. ◇ **Художественная самодеятельность** — одна из форм народного творчества, включающая преимущ. исполнение произведений искусства любительскими коллективами.

**Худо́жественно**, *нареч.* (к 3 знач.). *Художественно исполнить песню.* **Худо́жественность**, -и, *ж.* (к 3 знач.). *Высокая художественность романа.*

**ХУДО́ЖНИК,** -а, *м.* **1.** Тот, кто создает произведения искусства, творчески работает в области искусства. *Художник слова.* □ *Актер и драматург — два художника, взаимно пополняющие друг друга: не будь актера, не было бы драматической формы и наоборот.* Ленский. Заметки актера. **2.** Человек, создающий произведения изобразительного искусства (живописец, график). *Художник-пейзажист. Картины современных художников.* □ *— Я художник, живописец. Главным образом пишу портреты маслом.* Куприн. Юнкера. **3.** *перен.* Тот, кто достиг высокого совершенства в какой-л. работе, проявил большой вкус и мастерство в чем-л. *Неутомимый работник в науке, он все делал необыкновенно легко и удачно; вовсе не сухой ученый, а художник в своем деле.* Герцен. Былое и думы.

С и н. (к 3 знач.): ма́стер, виртуо́з, ас, арти́ст *(разг.)*.

**Худо́жница,** -ы, *ж.* (ко 2 и 3 знач.). **Худо́жнический,** -ая, -ое. *Художнический гений Пушкина.*
**ХУЛА́,** -ы́, *ж. Устар. и книжн.* Резкое осуждение, порочащие речи. *Изрыгать хулу на кого-л.*
**ХУ́НТА,** -ы, *ж.* [Исп. junta — собрание]. **1.** В Испании и странах Латинской Америки: название различных объединений, союзов, группировок. **2.** Военная реакционная террористическая группировка, захватившая власть и установившая террористическую диктатуру.
**ХУРА́Л,** -а, *м.* [Монг.]. Название органа государственной власти в Монголии. *Великий народный хурал.*
**ХУ́ТОР,** -а, хутора́, -о́в, *м.* **1.** Обособленный земельный участок с усадьбой владельца. *— Я жила с матерью... на самом берегу Бырлата; и мне было пятнадцать лет, когда он явился к нашему хутору.* М. Горький. Старуха Изергиль. **2.** Небольшое селение на Украине и юге России. *Хутор сожжен дотла, в нем не осталось ни одной хаты и ни одного живого человека, только чернеет мертвое пожарище.* Закруткин. Матерь человеческая.

**Хуторо́к,** -рка́, *м.* (уменьш.). **Хуторско́й,** -а́я, -о́е. *Хуторская улица. Хуторские казаки.*
**ХУТОРЯ́НИН,** -а, хуторя́не, -я́н, *м.* Владелец или житель хутора. *Зажиточный хуторянин.*
**Хуторя́нка,** -и, *ж.*

# Ц

**ЦАРЕДВО́РЕЦ,** -рца, *м. Устар.* Вельможа при царском дворе. *Заря сияла на востоке, и золотые ряды облаков, казалось, ожидали солнца, как царедворцы ожидают государя.* Пушкин. Барышня-крестьянка.

С и н.: придво́рный.

**ЦАРИ́ЗМ,** -а, *м.* Форма государственного правления, при которой верховная власть принадлежит самодержавному монарху, царю; царский режим. *Свержение царизма.*

Цари́стский, -ая, -ое.
**ЦАРИ́ТЬ,** царю́, цари́шь; царя́щий, цари́вший; царя́; песов. **1.** *Устар.* Быть царем, царствовать. *[Годунов:] Много ли мне лет Царить придется?* А. К. Толстой. Смерть Иоанна Грозного. **2.** *перен.* Выделяться среди других, подобных, превосходя всех в каком-л. отношении; первенствовать. *Царить в обществе.* □ *Из новейших литератур французская царила над всеми другими, гордо презирая английскую и испанскую, как выражение крайнего безвкусия.* Белинский. Сочинения Александра Пушкина. **3.** *перен.* Наполнять собой, преобладать, господствовать. *На станции царило оживленное движение.* Казакевич. Дом на площади.

С и н. (к 1 знач.): пра́вить. С и н. (ко 2 знач.): госпо́дствовать, гла́венствовать, вла́ствовать, влады́чествовать *(высок.)*. С и н. (к 3 знач.): вла́ствовать.

**ЦА́РСКИЙ,** -ая, -ое. **1.** *Прил.* к царь (в 1 знач.). *Царская власть.* □ *Телеграммы принесли потрясающую весть об отречении царя.. и об его отказе от царского венца.* А. Н. Толстой. Хождение по мукам. **2.** Относящийся к политическому режиму монархии во главе с царем. *Царское правительство.* □ *Это была тяжелая эпоха в истории нашего народа: свирепый царский деспотизм, полицейщина, мракобесие, полное бесправие народа.* Ф. Гладков. Повесть о детстве. **3.** *перен.* Роскошный, великолепный. *Убранство везде царское, неслыханное и невиданное: золото, серебро, хрустали восточные, кость слоновая и мамонтовая.* С. Аксаков. Аленький цветочек.

◇ **Царские врата** — в церкви: средние двери в иконостасе, ведущие в алтарь.

С и н. (к 1 знач.): ца́рственный *(устар.)*. С и н. (ко 2 знач.): бога́тый, пы́шный, шика́рный *(разг.)*.

**ЦА́РСТВЕННЫЙ,** -ая, -ое; -ен и -енен, -енна, -о. **1.** *полн. ф. Устар.* Принадлежащий царю (в 1 знач.). *Оба царственного рода, За престол тягались оба, Но для славного похода Прервана меж ними злоба.* А. К. Толстой. Боривой. **2.** *перен.* Величественный, величавый. *Царственная осанка. Царственное течение Волги.* □ *Держалась она [Варенька] всегда необыкновенно прямо.., откинув немного назад голову, и это давало ей, с ее красотой и высоким ростом,.. какой-то царственный вид.* Л. Толстой. После бала.

С и н. (к 1 знач.): ца́рский. С и н. (ко 2 знач.): держа́вный *(высок.)*.

**Ца́рственно,** *нареч.* (ко 2 знач.). **Ца́рственность,** -и, *ж.* (ко 2 знач.). *Царственность облика.*
**ЦАРЬ,** -я́, *м.* [Восх. к лат. Caesar (см. *цезарь*)]. **1.** Титул монарха в некоторых странах, а также лицо, носящее этот титул. *— Прокурор назвал наше выступление под знаменем социал-демократии — бунтом против верховной власти и все время рассматривал нас как бунтовщиков против царя.* М. Горький. Мать. **2.** *перен.* Тот, кто подчиняет окружающих своему влиянию или превосходит всех в каком-л. отношении. *Рыжиков в последнее время царем сделался в литейном цехе. Баньковский, отлучаясь куда-нибудь, доверял ему барабан.* Макаренко. Флаги на башнях. ◇ **Царь небесный** — бог. **Царь и бог** кто где — тот, кто безраздельно царит (во 2 знач.) где-л.

**Цари́ца**, -ы, *ж*. *Царица бала*. **Ца́рский**, -ая, -ое.

**ЦВЕТОМУ́ЗЫКА**, -и, *ж*. Исполнение музыкального произведения в сопровождении динамического цветового освещения.

С и н.: светому́зыка.

**Цветомузыка́льный**, -ая, -ое. *Цветомузыкальные эффекты*.

**ЦЕВНИ́ЦА**, -ы, *ж*. Народный духовой музыкальный инструмент, род свирели. *Семиствольная цевница*.

**ЦЕ́ДРА**, -ы, *ж*. [Восх. к итал. cedro — лимон]. Верхний окрашенный слой кожуры цитрусовых плодов, а также высушенная апельсиновая или лимонная корка, употребляемая как пряность. *Цедра лимона. Высушить цедру*.

**ЦЕ́ЗАРЬ**, -я, *м*. [Лат. Caesar — *первонач*. имя Юлия Цезаря]. Титул древнеримских и византийских императоров, а также лицо, носившее этот титул.

**ЦЕЙТНО́Т**, -а, *м*. [Нем. Zeitnot от Zeit — время и Not — нужда]. **1.** В шахматах и шашках: положение, когда игроку не хватает отведенного времени для обдумывания ходов. *Попасть в цейтнот*. **2.** *перен. Разг.* Отсутствие, недостаток времени. *Он оказался в цейтноте.. Скоро, очень скоро станут известны результаты выборов*. Чаковский. Победа.

**ЦЕЙХГА́УЗ**, -а, *м*. [Нем. Zeughaus от Zeug — оружие и Haus — дом]. *Устар*. Воинский склад для хранения оружия, снаряжения и обмундирования. — *При вашей специальности вы можете попасть в хозяйственную часть. В цейхгауз сядете и будете фуражки выдавать солдатам*. Неверов. Контрреволюция.

**Цейхга́узный**, -ая, -ое.

**ЦЕЛЕСООБРА́ЗНЫЙ**, -ая, -ое; -зен, -зна, -о. Соответствующий намеченной цели, разумный, практически полезный. *Целесообразное использование средств. Целесообразное решение*. ☐ *[Самодурство] убивает здравый смысл и всякую способность к разумной, целесообразной деятельности*. Добролюбов. Темное царство.

С и н.: рациона́льный.

**Целесообра́зно**, *нареч*. *Действовать целесообразно*. **Целесообра́зность**, -и, *ж*. *[Лукин] надеялся теперь убедить всех в целесообразности продолжить эксперимент*. Ананьев. Годы без войны.

**ЦЕЛИНА́**, -ы́, *ж*. **1.** Не подвергавшаяся обработке, еще не паханная земля. *Освоение целины. Поднять целину*. **2.** *перен*. Место, пространство, по которому никто не ходил и не ездил. *До Гремячего Лога от станции двадцать восемь километров безлюдным гребнем.. Кругом — не обнять глазом — снежная целина*. Шолохов. Поднятая целина.

С и н. (к 1 знач.): новь, новина́ (*обл*.).

**Цели́нный**, -ая, -ое. *Целинные земли*.

**ЦЕЛИ́ТЕЛЬНЫЙ**, -ая, -ое; -лен, -льна, -о. *Книжн*. Способствующий исцелению, выздоровлению. *Целительное действие солнца*. ☐ *И в этаком-то расстройстве.. письмо от Жю-ли, целительный бальзам на рану, луч спасения в непроглядном мраке*. Чернышевский. Что делать?

С и н.: целе́бный, живи́тельный, животво́рный (*высок*.).

**Цели́тельность**, -и, *ж*. *Целительность свежего воздуха*.

**ЦЕЛКО́ВЫЙ**, -ого и (*прост*.) **ЦЕЛКО́ВИК**, -а, *м*. *Устар*. Рубль. *Минуту спустя вошла хозяйка.. одна из тех.. помещиц, которые плачутся на неурожаи, а между тем набирают понемногу деньжонок в пестрядевые мешочки.. В один мешочек отбирают все целковики, в другой полтиннички, третий четвертачки*. Гоголь. Мертвые души. *А было у Якимушки За целый век накоплено Целковых тридцать пять*. Н. Некрасов. Кому на Руси жить хорошо.

**ЦЕЛЛОФА́Н**, -а, *м*. [От *целлюлоза* (см.) и греч. phanos — ясный, светлый]. Прозрачная пленка из целлюлозы (вискозы), применяемая как упаковочный материал. *Из саквояжа посыпались на брезент пара нового шелкового белья, бритвенный прибор, колбаса и буханка хлеба в целлофане*. Бондарев. Горячий снег.

**Целлофа́новый**, -ая, -ое. *Целлофановая упаковка. Целлофановый пакет*.

**ЦЕЛЛУЛО́ИД**, -а, *м*. [От *целлюлоза* (см.) и греч. eidos — вид]. Твердое пластическое вещество из целлюлозы, а также изделие из этого вещества. *Он светил карманным фонариком на карту под целлулоидом планшетки*. Бондарев. Горячий снег.

**Целлуло́идный**, -ая, -ое и **целлуло́идовый**, -ая, -ое. *Целлулоидные игрушки*.

**ЦЕЛЛЮЛО́ЗА**, -ы, *ж*. [От лат. cellula — клетка]. Вещество, получаемое из древесины и стеблей некоторых растений и идущее на изготовление бумаги, искусственного шелка, целлофана, взрывчатых веществ и т. п. *Древесная целлюлоза. Изделия из целлюлозы*. ☐ *— На том заводе станем мы делать целлюлозу из простой ели... Из нее станут люди бумагу делать*. Леонов. Соть.

**Целлюло́зный**, -ая, -ое. *Целлюлозное производство*.

**ЦЕЛОВА́ЛЬНИК**, -а, *м*. **1.** В Русском государстве 15—18 вв.: должностное лицо, собиравшее подати и исполнявшее ряд судебных и полицейских обязанностей (при вступлении в должность приносившее присягу целованием креста). *Известно, что целовальники (в древности — присяжные чиновники) не отличались особенной честностью*. Белинский. Сочинения Александра Пушкина. **2.** *Устар*. Продавец вина в питейном заведении, кабаке. *В этом кабаке вино продается, вероятно, не дешевле положенной цены, но посещается он гораздо прилежнее, чем все подобные окрестные заведения. Причиной этому целовальник Николай Иванович*. Тургенев. Певцы.

**Целова́льничий**, -ья, -ье.

**ЦЕЛОМУ́ДРЕННЫЙ**, -ая, -ое; -ен, -енна, -о. **1.** Обладающий целомудрием (в 1 знач.). *Целомудренная девушка*. **2.** Нравственный, душевно чистый. *Сначала письма его носили.. пылкий* характер, хотя и были вполне целомудренны. Куприн. Гранатовый браслет.

С и н. (к 1 знач.): де́вственный, чи́стый, неви́нный, непоро́чный (высок.). С и н. (ко 2 знач.): непоро́чный (высок.).

**Целому́дренно**, *нареч.* **Целому́дренность**, -и, *ж.*

**ЦЕЛОМУ́ДРИЕ**, -я, *ср.* 1. Девственность, невинность. *С девки всегда спрашивалось больше, нежели с замужней женщины.. Поэтому был прямой расчет, чтобы девичье целомудрие не нарушилось.* Салтыков-Щедрин. Пошехонская старина. 2. *перен.* Строгая нравственность, чистота. *Нравы заводского населения.. не отличаются особенным целомудрием..., а на Урале они поражают своей разнузданностью.* Мамин-Сибиряк. Лес.

С и н. (к 1 знач.): чистота́, непоро́чность (высок.).

**ЦЕ́ЛОСТНЫЙ**, -ая, -ое; -тен, -тна, -о. *Книжн.* Обладающий внутренним единством, воспринимающийся как единое целое, нечто неразделимое. *Целостное мировоззрение. Целостный художественный образ.* □ *Замечательно: даже и это детское уныние, так же как его удивительный смех — не нарушали целостной слитности его характера.* М. Горький. В. И. Ленин.

С и н.: це́льный, моноли́тный (высок.).

**Це́лостно**, *нареч.* **Це́лостность**, -и, *ж. Целостность организма. Территориальная целостность государства.*

**ЦЕ́ЛЬНЫЙ**, -ая, -ое; це́лен, цельна́, це́льно. 1. *полн. ф.* Состоящий, сделанный из одного вещества, из одного куска, не составной. *Городок понравился мне чистотой,.. своими мостовыми из цельных каменных плит.* Паустовский. Золотая роза. 2. Обладающий внутренним единством, лишенный раздвоенности. *Его искренняя и цельная натура не поддается на компромиссы и не делает уступок.* Писарев. Базаров. 3. *полн. ф.* Натуральный, неразбавленный. *Цельное молоко.*

С и н. (ко 2 знач.): це́лостный (книжн.), моноли́тный (высок.).

**Це́льность**, -и, *ж.* (к 1 и 2 знач.). *Цельность материи. Цельность характера.*

**ЦЕМЕНТИ́РОВАТЬ**, -рую, -руешь; цементи́рующий, цементи́ровавший; цементи́руемый, цементи́рованный; -ан, -а, -о; цементи́руя; *сов. и несов.* [От *цемент* (нем. Zement)]. 1. *что.* Залить (заливать) цементом. *Цементировать скважины.* □ *— Теперь мы цементируем в зернохранилище пол.* Прилежаева. Пушкинский вальс. 2. *перен., кого, что.* Высок. Сплотить (сплачивать), укрепить (укреплять). *В песне обязательно должен быть очень яркий.. припев, который как бы цементирует все части песни.* Исаковский. О поэтическом мастерстве.

С и н. (ко 2 знач.): объедини́ть (объединя́ть), соедини́ть (соединя́ть), связа́ть (свя́зывать), спая́ть (спа́ивать).

**Цементи́рование**, -я, *ср. Цементирование грунтов.*

**ЦЕНЗ**, -а, *м.* [Лат. census]. 1. В Древнем Риме: перепись граждан с указанием имущества для определения их социально-политического, военного и податного положения. 2. *Спец.*

Условия допущения лица к пользованию теми или иными политическими правами. *Избирательный ценз. Имущественный, образовательный ценз. Ценз оседлости.*

**Це́нзовый**, -ая, -ое (ко 2 знач.). *Цензовая избирательная система.*

**ЦЕНЗУ́РА**, -ы, *ж.* [Лат. censura]. 1. В Древнем Риме: органы, ведавшие оценкой имущества граждан, следившие за поступлением налогов и за общественной нравственностью. 2. Система государственного надзора за печатью и другими средствами массовой информации. *Военная цензура. Отдать рукопись в цензуру.* □ *В Петербурге становилось все тревожнее и тревожнее. Еще в мае цензура задержала тот сборник под невинным названием «Материалы к характеристике нашего хозяйственного развития».* Коптелов. Большой зачин.

**Цензу́рный**, -ая, -ое (ко 2 знач.). *Цензурная правка. Вполне цензурное выражение* (пристойное, допустимое). **Це́нзор**, -а, *м. Обязанности цензора.*

**ЦЕНТ**, -а, *м.* [Англ. cent; восх. к лат. centum — сто]. Мелкая разменная монета в США и некоторых других странах, равная одной сотой денежной единицы. *Каких только здесь [у менял] не было денег!.. Здесь лежали американские центы, английские шиллинги и какая-то китайская мелочь.* Катаев. За власть Советов.

**ЦЕНТР**, -а, *м.* [Восх. к греч. kentron — жало, остриe циркуля]. 1. Середина, средняя часть чего-л. *Центр зала. Находиться в центре группы. Центр города.* 2. *чего или какой.* Место, где сосредоточена какая-л. деятельность. *Центр международной торговли в Москве. Молодежный культурный центр.* □ *Центр всей народной жизни был на Красной площади — здесь шел торг, сюда стекался народ во время смут и волнений.* А. Н. Толстой. Родина. 3. *перен., чего или какой.* То, что (или тот, кто) является самым главным, важным, вокруг которого группируется все остальное. *Этот Базаров, человек сильный по уму и по характеру, составляет центр всего романа.* Писарев. Базаров. 4. *обычно какой.* Город, крупный населенный пункт, имеющий административное, промышленное, культурное и т. п. значение для какой-л. местности, страны. *Промышленные центры страны. Переехать в областной центр. Иркутск — крупный научный центр Сибири.* □ *Имение.. имело своим центром значительное торговое село, в котором было большое число трактиров.* Салтыков-Щедрин. Господа Головлевы. 5. Высший руководящий орган (органы). *Директивы из центра.* □ *Центр вмешался в положение дел на строительстве, дал новую установку и сменил руководство.* Ажаев. Далеко от Москвы.

С и н. (к 1 знач.): серёдка (прост.), среди́на (устар.). С и н. (ко 2 знач.): средото́чие (книжн.), фо́кус (книжн.), оча́г (книжн.).

**Центра́льный**, -ая, -ое. *Центральная площадь города. Центральная мысль произведения. Центральная пресса.*

**ЦЕНТРА́Л**, -а, *м.* [См. *центр*]. В дореволюционной России: центральная каторжная тюрьма, предназначенная главным образом для политических заключенных. *Огромные каменные корпуса Александровского централа. И много в нем общих камер и одиночек. Но на всех, кто поднялся против царя, их не хватает.* Сартаков. Хребты Саянские.

**ЦЕНТРАЛИ́ЗМ**, -а, м. [См. *центр*]. Система управления или организации, при которой местные органы, учреждения подчинены центральной власти, центру. *Проводить политику централизма в руководстве страной.*

**Централи́стский**, -ая, -ое.

**ЦЕНТРАЛИЗО́ВАННЫЙ**, -ая, -ое [См. *центр*]. **1.** Сосредоточенный в одном центре, в одних руках. *Централизованная государственная власть. Централизованное руководство.* **2.** Имеющий центральную государственную власть. *Централизованное государство.* **3.** Исходящий из одного центра. *Централизованное водоснабжение. Централизованное планирование.*

**ЦЕНТРА́ЛЬ**, -и, ж. [См. *центр*]. Главная, центральная магистраль. *Электрическая централь. Отопительная централь.*

**ЦЕНТРОБЕ́ЖНЫЙ**, -ая, -ое. Направленный во время движения от центра к периферии. *Центробежные силы.* □ *Вода прибывала, несмотря на то, что ее усиленно откачивали из носового отсека [судна] пожарная, центробежная и циркуляционная помпы.* Новиков-Прибой. Цусима.

А н т.: центростреми́тельный.

**ЦЕНТРОСТРЕМИ́ТЕЛЬНЫЙ**, -ая, -ое. Направленный во время движения от периферии к центру. *Центростремительные силы. Центростремительное движение.*

А н т.: центробе́жный.

**ЦЕП**, -а́, м. Простейшее ручное орудие для молотьбы, состоящее из длинной ручки и прикрепленного к ней ремнем короткого деревянного била. *Страда не прекращалась.. Стук цепов унылою дробью разносился по всей окрестности. В барских ригах тоже шла молотьба.* Салтыков-Щедрин. Господа Головлевы.

**Цепно́й**, -а́я, -о́е. *Цепная молотьба.*

**ЦЕПЕНЕ́ТЬ**, -е́ю, -е́ешь; цепене́ющий, цепене́вший; цепене́я; *несов.* Становиться неподвижным, как бы застывшим под влиянием сильного чувства, холода и т.п. *Цепенеть от страха.* □ *Немецкие танки долго представлялись удавом, перед которым цепенела Европа. Теперь им преграждают путь люди.* Эренбург. Сердце человека.

С и н.: неме́ть, деревене́ть, камене́ть, костене́ть, мле́ть.

**ЦЕПЬ**, -и, це́пи, -е́й, ж. **1.** Ряд металлических звеньев, продетых последовательно одно в другое. *Цепи якорные. Цепи моста. Привязать собаку на цепь.* □ *У лукоморья дуб зеленый; Златая цепь на дубе том: И днем и ночью кот ученый Все ходит по цепи кругом.* Пушкин. Руслан и Людмила. **2.** *мн.* Кандалы, оковы. *Заковать в цепи. Звон цепей.* □ *Через несколько минут загремели цепи, двери отворились, и вошел — Швабрин.* Пушкин. Капитанская дочка. **3.** *мн.*, *перен.*, *чего* или *какие.* То, что сковывает свободу, волю. *Крепостные цепи.* □ *— Мне выпала редкая честь поздравить вас со светлым праздником: цепи рабства разбиты.* А. Н. Толстой. Хождение по мукам. **4.** обычно *чего.* Последовательный ряд чего-л. *Горные цепи. Цепь озер. Цепь страданий.* □ *Перед его глазами расстилалось спокойное, чуть туманное море и виднелась цепь ярких огней эскадры.* Степанов. Порт-Артур. **5.** Линия бойцов, расположенных на некотором расстоянии друг от друга. *Стрелковая цепь. Передать приказ по цепи.* □ *Когда он [Вулич] явился в цепь, там была уже сильная перестрелка.* Лермонтов. Герой нашего времени.

С и н. (ко 2 знач.): у́зы (устар.). С и н. (к 3 знач.): пу́ты (высок.), у́зы (высок.), око́вы (высок.). С и н. (к 4 знач.): верени́ца, цепо́чка, гряда́, череда́, чреда́ (трад.-поэт.).

**Цепно́й**, -а́я, -о́е (к 1, 4 и 5 знач.). *Цепной мост. Цепной пес.* ◊ **Цепная реакция** — 1) в химии: реакция, продукты которой могут вновь вступить в соединение с исходными продуктами; 2) (*перен.*) распространение, передача от одного к другому (каких-л. чувств, настроений, состояния и т.п.). *Зло рождает зло. Добро — добро. Все возвращается. Меня оскорбили, унизили, а я, в свою очередь, обидела другого, тот третьего, — и она пошла до бесконечности, эта цепная реакция зла.* М. Евдокимов. У памяти свои законы.

**ЦЕ́РБЕР**, -а, м. [Греч. Kerberos]. **1.** В древнегреческой мифологии: трехглавый злой пес, охраняющий вход в подземное царство. **2.** *перен. Книжн.* Свирепый надсмотрщик, страж. *В качестве цензурного цербера, он, будучи начальником Главного управления по делам печати, с невероятным остервенением преследовал журнал «Дело».* П. Быков. Силуэты далекого прошлого.

**ЦЕРЕМОНИА́Л**, -а, м. [От лат. caerimonialis — обрядовый, культовый]. *Офиц.* Распорядок, установленный для какого-л. обряда, какой-л. церемонии. *Мне поручено составить проект церемониала, то есть как поедет адмирал в город, какая свита будет сопровождать его, какая встреча должна быть приготовлена.* И. Гончаров. Фрегат «Паллада».

С и н.: церемо́ния, ритуа́л (книжн.).

**Церемониа́льный**, -ая, -ое. *Церемониальный марш.*

**ЦЕРЕМОНИЙМЕ́ЙСТЕР**, -а, м. [Нем. Zeremonienmeister]. *Устар.* Распорядитель церемоний (в 1 знач.). *Придворный церемониймейстер.*

**Церемониймейстерский**, -ая, -ое.

**ЦЕРЕМО́НИЯ**, -и, ж. [Восх. к лат. caerimonia — святость, культ, священнодействие]. **1.** Установленный порядок совершения какого-л. обряда, акта, торжества, а также самый обряд, акт, торжество. *Церемония развода караула у Кремлевской стены. Церемония вручения правительственных наград. Свадебная церемония. Церемония посвящения в студенты.* □ *И в сознании Сергея Ивановича каким-то будто теплом разливалось.. волновавшее еще его впечатление, какое он вынес с торжественной церемонии за-*

хоронения останков неизвестного солдата у Кремлевской стены. Ананьев. Годы без войны. **2.** обычно *мн., перен. Разг.* Внешние условности в поведении, обращении.— *Главное, не надо обращать на него [Базарова] внимания: он церемоний не любит.* Тургенев. Отцы и дети.

С и н. (к *1 знач.*): ритуа́л (*книжн.*), церемониа́л (*офиц.*).

**Церемониа́льный**, -ая, -ое (к *1 знач.*) и **церемо́нный**, -ая, -ое; -нен, -нна, -о (ко *2 знач.*). *Церемониальный порядок. Церемонный человек* (строгий в соблюдении этикета). *Церемонный поклон* (отвечающий требованиям этикета). **Церемо́нно**, *нареч.* (ко *2 знач.*) *Церемонно держаться в обществе.* **Церемо́нность**, -и, *ж.* (ко *2 знач.*) *Излишняя церемонность.*

**ЦЕРКОВНОПРИХО́ДСКИЙ**, -ая, -ое. ◇ **Церковноприходская школа** — в дореволюционной России: начальная школа, находившаяся в ведении церкви и приходского духовенства.— *Раньше это была церковноприходская школа, вовсе неприглядная на вид.. крыша проржавела, в дожди протекала, в классе провалились две половицы. Долго пришлось кланяться старосте, пока починил.* Прилежаева. Юность Маши Строговой.

**ЦЕРКОВНОСЛАВЯ́НСКИЙ**, -ая, -ое. Относящийся к богослужебной письменности восточных и южных славян эпохи 11—17 вв. *Церковнославянский язык.* □ *К гражданской азбуке отец почему-то относился свысока, а церковнославянскую называл «кириллицей» и гордился ею.* Ляшко. Никола из Лебедина.

**ЦЕ́РКОВЬ**, -кви, це́ркви, -е́й; *ж.* **1.** Объединение последователей той или иной религии, организация, ведающая религиозной жизнью. *Православная, католическая, протестантская церковь. Отделение церкви от государства.* □ *[Самозванец:] Ручаюсь я, что прежде двух годов Весь мой народ, вся северная церковь Признают власть наместника Петра.* Пушкин. Борис Годунов. **2.** Здание, в котором происходит христианское богослужение. *Старинная церковь. Служба в деревянной церкви.* □ *[Городничий:] Вы в бога не веруете, вы в церковь никогда не ходите; а я, по крайней мере, в вере тверд и каждое воскресенье бываю в церкви.* Гоголь. Ревизор.

С и н. (ко *2 знач.*): храм.

**Церко́вный**, -ая, -ое. *Церковная служба. Церковные обряды. Церковная книга.*

**ЦЕСАРЕ́ВИЧ**, -а, *м.* В царской России: титул наследника царского престола, а также лицо, имеющее этот титул. — *Ты нам не государь,— отвечали пленники,— у нас в России государыня императрица Екатерина Алексеевна и государь цесаревич Павел Петрович, а ты вор и самозванец.* Пушкин. История Пугачева.

**Цесаре́вна**, -ы, *ж.* (жена цесаревича или дочь царя).

**ЦЕХ**, -а, це́хи, -ов и цеха́, -о́в, *м.* [Нем. Zeche]. **1.** (*мн.* це́хи). В средние века в Западной Европе: городская организация ремесленников одной профессии. *Цехи плотников.* □ *Росли и развивались цехи, уже тогда подавляя своими уста-*

новлениями бедное рабочее население [Франции]. *Но цехи развивались в городах и совершенно врозь от крестьянства.* Огарев. Письма к «Одному из многих». **2.** (*мн.* цеха́). Основное производственное подразделение промышленного предприятия, а также помещение, где находится такое подразделение. *Работать в цехе. Мастер цеха.* □ *Недавно приехал новый заведующий производством,.. будут цеха: механический, литейный, машинный, сборочный и швейный.* Макаренко. Флаги на башнях.

**Цехово́й**, -а́я, -о́е. *Цеховые традиции. Цеховая профсоюзная организация.*

**ЦИ́БИК**, -а, *м.* [Монг. sebeg]. *Устар.* Ящик с чаем весом до двух пудов. *Лучшим чаем считается тот, который перенес длительную перевозку. В пути чай в цибиках крепнет, набирает аромат.* Паустовский. Колхида.

**ЦИВИЛИЗА́ЦИЯ**, -и, *ж.* [Франц. civilisation; восх. к лат. civilis — гражданский]. **1.** Уровень развития материальной и духовной культуры общества, а также само это общество со своей материальной и духовной культурой. *Античная цивилизация. Древние восточные цивилизации. Буржуазная цивилизация. Исчезнувшие цивилизации. Внеземные цивилизации.* **2.** *ед.* Современная мировая культура. *[В русском народе] много суеверия, но нет и следа религиозности. Суеверие проходит с успехами цивилизации.* Белинский. Письмо к Гоголю.

С и н.: культу́ра.

**ЦИВИЛИЗО́ВАННЫЙ**, -ая, -ое. [См. *цивилизация*]. Приобщенный к цивилизации (во *2 знач.*); культурный, развитой. *Цивилизованное общество. Цивилизованные народы.* □ — *Я за безграмотных черных против цивилизованных владельцев их в южных штатах.* Чернышевский. Что делать?

С и н.: просвещённый.

**Цивилизо́ванность**, -и, *ж.*

**ЦИВИ́ЛЬНЫЙ**, -ая, -ое. [Восх. к лат. civilis]. *Устар.* Гражданский, штатский. *Цивильная одежда.* □ *Улан предложил попробовать их полкового попа. Священник.. венчать отказался, говоря.., что им строго-настрого заказано венчать «цивильных».* Герцен. Былое и думы. ◇ **Цивильный лист** — денежная сумма, предусмотренная государственным бюджетом на содержание царствующего двора.— *Сегодня.. лавочники подали в сенат новую петицию о пересмотре цивильного листа.* А. Н. Толстой. Петр I.

С и н.: партикуля́рный (*устар.*), ста́тский (*устар.*).

**ЦИГЕ́ЙКА**, -и, *ж.* [От нем. Ziege — коза]. Стриженый и крашеный мех овцы (первонач. козы). *Воротник и шапка из цигейки.*

**Циге́йковый**, -ая, -ое. *Цигейковая шуба.*

**ЦИДУ́ЛКА**, -и и (*устар.*) **ЦИДУ́ЛА**, -ы, *ж.* [Польск. cedułka; восх. к греч. schidē — полоска папируса]. *Разг. шутл.* Маленькое письмо, записка (первонач. любовная).— *Как приеду в Головлево — сейчас ему [Павлу] цидулу: так и так, брат любезный, успокой!* Салтыков-Щедрин. Господа Головлевы. *Ты, любимая моя, хоть и отстаешь на че-*

тыре письма, очень обрадовала меня последней цидулкой. Липатов. И это все о нем.

Син.: послание (*устар.*), эпистола (*устар.*), грамота (*устар. и спец.*).

**ЦИКА́ДА**, -ы, *ж.* [Лат. cicada]. Хоботное прыгающее насекомое, самцы которого издают характерное стрекотание. *А в ночи, полные прохлады, В густой траве, то здесь, то там Кричали звонкие цикады, прильнувши к трепетным листам.* Надсон. Три ночи Будды.

**ЦИКЛ**, -а, *м.* [Восх. к греч. kiklos — круг, окружность]. **1.** Совокупность явлений, процессов, работ, составляющих кругооборот в течение какого-л. промежутка времени. *Годовой цикл вращения Земли. Предприятия полного цикла.* □ *Всем в министерстве известно, что он [Фролов] дотошно знает все циклы производства, сам когда-то начал с работы токарем.* Ардаматский. Суд. **2.** Группа наук, дисциплин, объединенных по какому-л. общему признаку. *Исторический цикл. Науки математического цикла.* **3.** Законченный ряд чего-л. (каких-л. произведений, лекций, концертов и т. п.). *Стихотворение из цикла «На поле Куликовом» А. Блока. Цикл лекций по юридическим дисциплинам.*

**Цикли́ческий**, -ая, -ое (*к 1 знач.*), **цикли́чный**, -ая, -ое; -чен, -чна, -о (*к 1 знач.*) и **цикловой**, -а́я, -о́е. *Циклические процессы в природе. Цикличное развитие растений. Цикловой метод производства в шахтах.* **Цикли́чность**, -и, *ж.*

**ЦИКЛО́Н**, -а, *м.* [Англ. cyclone от греч. kyklōn — вращающийся]. Область пониженного атмосферного давления, характеризующаяся обильными осадками, сильной облачностью, бурями. *Полоса циклона. Разрушительная сила циклона.*

Ант.: антициклон.

**Цикло́нный**, -ая, -ое, **циклони́ческий**, -ая, -ое и **циклона́льный**, -ая, -ое.

**ЦИКЛО́П**, -а, *м.* [Греч. Kyklōps]. В древнегреческой мифологии: великан с одним глазом посреди лба (циклопы славились кузнечным искусством и ковали стрелы-молнии для Зевса, с помощью которых тот одолел титанов).

**ЦИЛИ́НДР**, -а, *м.* [Греч. kylindros от kylindein — вращать]. **1.** Геометрическое тело, образованное вращением прямоугольника около одной его стороны, а также предмет такой формы. *Цилиндр двигателя.* **2.** Высокая твердая мужская шляпа такой формы с небольшими полями. *На голове [Дерунова] надет самого новейшего фасона цилиндр, из-под которого высыпались наружу серебряные кудри.* Салтыков-Щедрин. Благонамеренные речи.

**Цилиндри́ческий**, -ая, -ое (*к 1 знач.*) и **цилиндровый**, -ая, -ое (*к 1 знач.*) (*спец.*). *Цилиндрический сосуд. Цилиндровая молотилка.*

**ЦИМБА́ЛЫ**, -а́л, *мн.* [Восх. к греч. kymbalon]. Народный музыкальный инструмент в виде плоского ящика с металлическими струнами, по которым ударяют двумя молоточками. *Второй штурман Алевдин заводит в каюте патефон. Квакают саксофоны, поют скрипки, звенят цимбалы.* Крымов. Танкер «Дербент».

**Цимбали́ст**, -а, *м.*

**ЦИНИ́ЗМ**, -а, *м.* [Греч. kynismos]. **1.** В Древней Греции: философское учение, отвергавшее нравственные общественные нормы и призывавшее к аскетизму, простоте и возврату к природе. **2.** Пренебрежительное отношение к нормам нравственности и благопристойности, грубая откровенность, бесстыдство. *Тихон, собираясь уезжать, с бесстыднейшим цинизмом говорит жене..: — С этакой-то неволи от какой хочешь красавицы-жены убежишь!* Добролюбов. Луч света в темном царстве.

**Цини́чный**, -ая, -ое; -чен, -чна, -о (*ко 2 знач.*) и **цини́ческий**, -ая, -ое. *Циничные шутки. Циническая брань.* **Цини́чно**, *нареч.* (*ко 2 знач.*). **Цини́чность**, -и, *ж.* (*ко 2 знач.*). *Циничность поведения.*

**Ци́ник**, -а, *м.*

**ЦИНО́ВКА**, -и, *ж.* Изделие, сплетенное из соломы, тростника и т. п., употребляющееся как подстилка, упаковочный материал и т. п. *Постелить циновку.* □ *[Дед] сплел из соломы циновки и закрыл ими зимой деревья.* В. Кожевников. Три дерева.

**ЦИРКУЛИ́РОВАТЬ**, -рует; циркули́рующий; циркули́ровавший; циркули́руя; *несов.* [Восх. к лат. circulare — делать круг]. *Книжн.* **1.** Совершать круговое движение, круговорот. *[Курков:] Применение операции возможно, лишь пока кровь.. циркулирует в сосудах.* Лавренев. Мы будем жить! **2.** *перен.* Двигаться взад и вперед по одному и тому же пути, маршруту. *Из сада в правую дверь и обратно.. циркулируют гости.* Чехов. Иванов.

**Циркуля́ция**, -и, *ж. Циркуляция нагретого воздуха.*

**ЦИРКУЛЯ́Р**, -а, *м.* [Нем. Zirkular; восх. к лат. circularis — круговой]. *Офиц.* Директивное распоряжение, рассылаемое подведомственным учреждениям или подчиненным должностным лицам. *Когда в циркуляре запрещалось ученикам выходить на улицу после девяти часов вечера,.. то это было для него [Беликова] ясно, определенно; запрещено — и баста.* Чехов. Человек в футляре.

**Циркуля́рный**, -ая, -ое. *Циркулярное распоряжение.*

**ЦИРЦЕ́Я**, -и, *ж.* [Восх. к греч. Kirkē — имя волшебницы, обратившей в свиней спутников Одиссея, а его самого удерживавшей в течение года]. *Трад.-поэт.* Коварная обольстительница, опасная красавица. *На суд взыскательному свету Представить ясные черты Провинциальной простоты.. Московских франтов и цирцей Привлечь насмешливые взгляды!..* Пушкин. Евгений Онегин.

**ЦИРЮ́ЛЬНИК**, -а, *м.* [Польск. cyrulik; восх. к греч. cheirurgos — хирург (*букв.* действующий руками)]. *Устар.* Парикмахер, выполнявший также некоторые обязанности лекаря. *Меня лечил полковой цирюльник, ибо в крепости другого лекаря не было.* Пушкин. Капитанская дочка.

**Цирю́льничий**, -ья, -ье.

**ЦИРЮ́ЛЬНЯ**, -и, цирю́льни, -лен, *ж.* [См. *цирюльник*]. *Устар.* Помещение, где работал цирюльник; парикмахерская.

**ЦИСТЕ́РНА**, -ы, *ж.* [Восх. к лат. cisterna — подземное водохранилище, резервуар]. Хранилище, резервуар, а также вагон, автомобиль с таким резервуаром для хранения или перевозки жидкостей, сыпучих тел и т. п. *Железнодорожные цистерны. Нефтяная цистерна.* ☐ *— Я назначен на «Дербент» — один из танкеров новой постройки. Это, знаете ли, плавучие цистерны гигантских размеров.* Крымов. Танкер «Дербент».

**ЦИТАДЕ́ЛЬ** [дэ], -и, ж. [Восх. к итал. citadella — городок]. **1.** Наиболее укрепленная центральная часть города или крепости, приспособленная к самостоятельной обороне. *Осматривая укрепления и цитадель, выстроенную на неприступной скале, я не понимал, каким образом мы могли овладеть Карсом.* Пушкин. Путешествие в Арзрум. **2.** *перен.*, *чего*. Высок. Оплот, твердыня. *Цитадель мира.* ☐ *[Ярцев:] Крейсер берет под прицел своей мощной артиллерии.. штаб округа и цитадель правительства — Зимний дворец.* Лавренев. Разлом.

**ЦИ́ТРА**, -ы, ж. [Нем. Zither; восх. к греч. kithara (см. *кифара*)]. Струнный щипковый музыкальный инструмент в виде плоского ящика с фигурными очертаниями. *Звуки цитры.*

**ЦИ́ТРУСОВЫЕ**, -ых, *мн.* (*ед.* **ци́трусовое**, -ого, *ср.*). [От лат. citrus — цитрусовое дерево]. Субтропические и тропические вечнозеленые плодовые растения, к которым принадлежат лимон, апельсин, мандарин и т. п. *Выращивание цитрусовых.*

**ЦИФИ́РЬ**, -и, ж. Устар. **1.** *собир.* Цифры. *— Я неграмотный, никаких букв не знаю, только цифирь.* М. Горький. Хозяин. **2.** Счет, счисление, арифметика. *— Дожили мы, сынок. Давно ли я тебя цифири-то учил.* А. Н. Толстой. Петр I.

**Цифи́рный**, -ая, -ое. *Цифирная запись.* ◇ **Цифирные школы** — начальные государственные общеобразовательные школы для мальчиков, основанные в России при Петре I. **Цифирная наука** (*устар.*) — арифметика.

**ЦО́КОЛЬ**, -я, м. [Итал. zoccolo]. **1.** Основание какого-л. сооружения (здания, устоя моста, памятника, колонны и т. п.), лежащее непосредственно на фундаменте и выступающее несколько вперед по сравнению с расположенной выше частью. *Мраморный цоколь здания. Колонны на цоколе.* ☐ *Перед фасадом [дома], по спуску горы — фруктовый сад.. а вокруг — чугунная ограда на каменном цоколе.* Ф. Гладков. Цемент. **2.** *Спец.* Металлическая часть лампы, служащая для соединения с патроном и для подводки к ней электрического тока.

**Цо́кольный**, -ая, -ое. ◇ **Цокольный этаж** — этаж, расположенный на высоте цоколя (в 1 знач.).

**ЦУ́ГОМ**, *нареч.* [От нем. Zug — процессия, вереница]. Запряжкой в две или три пары (лошадей, волов и т. п.), следующие друг за другом, гуськом. *— Император! Император!.. — и только что проехали сытые конвойные, как прогремела карета цугом, на серых лошадях.* Л. Толстой. Война и мир.

**ЦУГУ́НДЕР**, -а, м. ◇ **На цугундер** (брать, тянуть и т. п.) (*шутл.*) — на расправу, к ответу. *— Если у тебя еще хоть один только раз в твоем благородном доме произойдет скандал, так я тебя самое на цугундер, как в высоком слоге говорится.* Достоевский. Преступление и наказание.

**ЦУКА́Т**, -а, м. [Нем. Zukkade; восх. к лат. succus — сок]. Засахаренный плод или засахаренная его корка. *Торт с цукатами.*

**Цука́тный**, -ая, -ое.

# Ч

**ЧАБА́Н**, -а́, м. [Тюрк.; восх. к перс. šubān]. Пастух овечьих стад. *Колхозные чабаны.* ☐ *Зима шла своим ходом, то обнадеживая, то тревожа чабанов. В отаре Тананбая пали две матки [овец] от истощения.* Айтматов. Прощай, Гульсары!

**Чаба́ний**, -ья, -ье. *Чабанья стоянка.*

**ЧАДРА́**, -ы́, ж. [Тюрк.; восх. к перс. čatr — заслон, палатка]. Легкое длинное покрывало, в котором женщины-мусульманки закутываются с головы до ног, оставляя открытыми только глаза. *Я встретил путешествующих татар.. [Женщины] сидели верьхами, окутанные в чадры; видны были у них только глаза да каблуки.* Пушкин. Путешествие в Арзрум.

**ЧА́ЙНАЯ**, -ой, ж. **1.** *Устар.* Комната в богатом доме, предназначенная для чаепития. *На другой день свадьбы в чайной дома Кураевых происходил следующий разговор.* Писемский. Тюфяк. **2.** Род общественной столовой, где подается горячий чай, закуски. *— По дороге завернем в чайную.. Выпьем чаю, закусим.* Паустовский. Повесть о лесах.

**ЧАЙНВО́РД**, -а, м. [От англ. chain — цепь и word — слово]. Игра-задача, в которой последовательно расположенные клеточки заполняются таким образом, что последняя буква предыдущего слова является первой буквой слова последующего.

**ЧАЙХАНА́**, -ы́, ж. [Восх. к перс.]. Чайная в Средней Азии. *Постоянные посетители чайханы.*

**Чайха́нщик**, -а, м.

**ЧАЛМА́**, -ы́, ж. [Тюрк.]. Длинный кусок материи, обернутый несколько раз вокруг головы и служащий у мужчин-мусульман головным убором. *Василий Васильевич.. разглядывал в подзорную трубу пестрые халаты, острые шлемы.. конские хвосты на копьях, важных мулл в зеленых чалмах.* А. Н. Толстой. Петр I.

**ЧА́ЛЫЙ**, -ая, -ое. [Тюрк.]. Серый с примесью другого цвета (о масти лошади). *Чалый жеребец.* ☐ *Евгений ждет: вот едет Ленский На тройке чалых лошадей.* Пушкин. Евгений Онегин.

**ЧАН**, -а, чаны́, -о́в и ча́ны, -ов, м. Большая деревянная или металлическая кадка, а также (*спец.*) железобетонный или кирпичный резервуар прямоугольной формы. *Красильный чан. Засолка рыбы в чанах.* ☐ *Она нагрела полный.. чан воды, помыла пол и полок [в бане].* Распутин. Живи и помни.

**Чаново́й**, -а́я, -о́е.

**ЧА́РА** см. чарка.

**ЧА́РДАШ**, -а и **ЧАРДА́Ш**, -а, м. [Венг. csardas]. Венгерский народный танец со сменой медленных и быстрых движений, а также музыка к этому танцу.

**ЧА́РКА**, -и и (устар.) **ЧА́РА**, -ы, ж. Старинный небольшой сосуд для питья вина, а также вообще стопка, рюмка. *Марта присела перед ним, шурша робой, поднесла чарку. Не сводя глаз, Петр выпил.* А. Н. Толстой. Марта Рабе.

С и н.: бока́л, ку́бок, ча́ша, фиа́л (трад.-поэт.).

**ЧАРЛЬСТО́Н**, -а, м. [По названию города Charleston в США]. Быстрый парный бальный танец, а также музыка к этому танцу.

**ЧАРОДЕ́Й**, -я, м. Устар. и книжн. **1.** Волшебник, колдун. *Ты не лебедь ведь избавил, Девицу в живых оставил; Ты не коршуна убил, Чародея подстрелил.* Пушкин. Сказка о царе Салтане. **2.** перен. Человек, который пленяет, производит неотразимое впечатление чем-л. *Каждой безделке, каждой шутке умеет он [Вельтман] придать столько занимательности, прелести! О, он истинный чародей, истинный поэт!* Белинский. О господине Новгороде Великом.

С и н. (к 1 знач.): маг, куде́сник, волхв, чаровни́к (устар.), веду́н (устар.), чудоде́й (устар.). С и н. (ко 2 знач.): волше́бник, чуде́сник, чудотво́рец, куде́сник (высок.), чудоде́й (устар.).

**Чароде́йка**, -и, ж. **Чароде́йский**, -ая, -ое.

**ЧАРТИ́ЗМ**, -а, м. [Англ. chartism от charter — хартия (имеется в виду петиция с изложением требований рабочих, поданная в 1838 г. английскому парламенту]. Массовое революционное движение рабочих в Англии в 30—50 гг. 19 в. с целью завоевания политических прав и улучшения экономического положения.

**Чарти́стский**, -ая, -ое. *Чартистское движение.* **Чарти́ст**, -а, м.

**ЧА́РЫ**, чар, мн. **1.** Устар. Волшебство, колдовство. *— Ты твердо веришь колдовству? — Да как же мне не верить? Ведь у нас в роду чары.. Я и сама многое умею.* Куприн. Олеся. **2.** перен. Книжн. Пленительная сила, обаяние. *Чары любви, красоты.* □ *Взгляд один чернобровой дикарки, Полный чар, зажигающих кровь, Старика разорит на подарки, В сердце юноши кинет любовь.* Н. Некрасов. Тройка.

С и н. (к 1 знач.): ма́гия, ворожба́, чароде́йство (устар.), ведовство́ (устар.), волхова́ние (устар.), волшба́ (устар.). С и н. (ко 2 знач.): очарова́ние, пре́лесть, плени́тельность (книжн.).

**ЧАСО́ВНЯ**, -и, ж. Небольшое церковное здание для молений, богослужений с иконами, но, в отличие от церкви, без алтаря. *Помолиться в старой часовне.* □ *Отец мой был очень религиозен. Первым делом повел меня в часовню Христа-Спасителя служить молебен.* Солоухин. Владимирские проселки.

**Часо́венка**, -и, ж. (уменьш.). Каменная часовенка. **Часо́венный**, -ая, -ое.

**ЧАСОСЛО́В**, -а, м. Православная церковная книга, содержащая тексты песнопений и молитв для ежедневных церковных служб, называемых «часами», в старину служившая также книгой для чтения при обучении. *На бархате раскрыт закапанный воском часослов.. [Роман Борисович] лизнул палец, перевернул страницу*

и задумался, глядя в угол, где едва поблескивали оклады на иконах. А. Н. Толстой. Петр I.

**ЧА́СТНЫЙ**, -ая, -ое. **1.** Являющийся отдельной частью чего-л. целого; не общий, не типичный, исключительный. *Частный случай. Частное замечание.* □ *Разве можно, разве позволительно — частный, так сказать, факт возводить в общий закон, в непреложное правило?* Тургенев. Дворянское гнездо. **2.** Касающийся отдельного лица; не общественный. *Частная переписка. Частная жизнь. Частное дело.* **3.** Принадлежащий отдельному лицу, а не обществу, не государству; личный. *Частная собственность. Частное предприятие.* **4.** Относящийся к личному, индивидуальному владению и связанный с этим отношениями. *Частный собственник. Частная врачебная практика. Частная торговля.* □ *Можно было поступить даже и так, чтобы перепродать в частные руки имение.* Гоголь. Мертвые души. ◊ **Частное определение** (спец.) — определение, выносимое судом помимо приговора по какому-л. вопросу, не подлежащему компетенции суда. **Частный поверенный** — адвокат в дореволюционной России, не состоявший на государственной службе. **Частный пристав** — начальник полицейской части. *Частный пристав, сколько ни старался, не мог никак поймать виновников.* Герцен. Кто виноват?

С и н. (к 1 знач.): индивидуа́льный, едини́чный. С и н. (ко 2 знач.): ли́чный, персона́льный. А н т. (к 1 знач.): о́бщий, типи́чный и типи́ческий. А н т. (к 3 знач.): обще́ственный.

**Ча́стность**, -и, ж. (к 1 и 2 знач.).

**ЧАСТОКО́Л**, -а, м. Забор из кольев, вбитых в землю часто, близко друг к другу. *Заимка Громовых, что крепость: вся обнесена сплошным бревенчатым частоколом.* Шишков. Угрюм-река.

**ЧАСТУ́ШКА**, -и, ж. Произведение устной народной поэзии, короткая песенка (четверостишие или двустишие) лирического, злободневного или шутливого содержания. *За окном высокий женский голос лихо запел плясовую частушку, а еще несколько голосов подхватило ее.* Солоухин. Владимирские проселки.

**Часту́шечный**, -ая, -ое.

**ЧАСТЬ**, -и, ча́сти, -е́й, ж. **1.** Доля целого. *Часть суток. Центральная часть города. Разрезать яблоко на четыре части.* **2.** Предмет, являющийся составным элементом какого-л. целого (механизма, машины и т. п.). *Запасная часть станка. Разобрать на части винтовку.* **3.** Композиционный отрезок, раздел какого-л. произведения. *Роман в пяти частях.* □ *[Аркадия] поразила последняя часть сонаты, та часть, в которой, посреди пленительной веселости беспечного напева, внезапно возникают порывы.. скорби.* Тургенев. Отцы и дети. **4.** какая. Отдел какого-л. учреждения, отдельная отрасль управления. *Учебная часть института. Заведующий хозяйственной частью.* □ *На Сахалине имеется три врачебных пункта, по числу округов.. Во главе всего дела стоит заведующий медицинской частью.* Чехов. Остров Сахалин. **5.**

*ед., какая. Разг.* Область какой-л. деятельности; специальность. *Папаша желает, чтоб Сережа шел по гражданской части; мамаша настаивает, чтоб он был офицером.* Салтыков-Щедрин. Пошехонская старина. **6.** Отдельная войсковая единица. *Танковые части. Наступление красных частей. Командир части.* **7.** В дореволюционной России: административный район города, делившийся на участки, а также полицейское управление этого района. *Он тотчас же отправился в полицейскую часть, где получил объяснение, за что была арестована его жена.* Лесков. Павлин. **8.** *ед., перен. Устар.* Участь, судьба. *— Не достойна ли я вечных сожалений!.. Не горькая ли доля пришлась на часть мне?* Гоголь. Тарас Бульба.

С и н. (ко 2 знач.): элеме́нт. С и н. (к 3 знач.): кусо́к, фрагме́нт (книжн.). С и н. (к 6 знач.): формирова́ние. С и н. (к 8 знач.): до́ля, звезда́, судьби́на (трад.-поэт.), плани́да (прост.), ли́ния (прост.), жре́бий (устар.), плане́та (устар.), уде́л (устар. и книжн.).

**ЧАХО́ТКА**, -и, *ж. Устар.* Прогрессирующее истощение организма, преимущественно при туберкулезе легких. *Он подозрительно кашляет, тяжело дышит и беспрестанно хватается за грудь. Говорят, у него чахотка.* Салтыков-Щедрин. Чудинов.

**Чахо́точный**, -ая, -ое.

**ЧА́ЯНИЕ**, -я, *ср. Высок.* Надежда, ожидание. *Осуществление чаяний народа.* □ *Там начинали строить мол, и в чаянии заработать немного денег на дорогу, я отправился на место сооружения.* М. Горький. Коновалов.

С и н.: упова́ние (книжн.).

**ЧЁБОТЫ**, -ов, *мн. (ед.* чёбот, -а, *м.). Обл.* Башмаки, сапоги. *Чеботы из свиной кожи.* □ *Он спокойно взял [развалившийся] чебот и с любопытством осмотрел его со всех сторон.* Ф. Гладков. Цемент.

**Чебота́рь**, -я́, *м.* (сапожник).

**ЧЕК**, -а, *м.* [Англ. cheek]. **1.** Денежный документ, содержащий распоряжение вкладчика банку о выдаче или перечислении предъявителю определенной суммы с текущего счета.— *Двадцать пять тысяч по вашему чеку я получу, конечно, сегодня или завтра. Вы немедленно же потрудитесь съездить за чековой книжкой, если она не при вас.* Куприн. Гога Веселов. **2.** Квитанция в кассу с указанием суммы, которую следует уплатить за товар, а также талон из кассы, удостоверяющий, что в кассу уплачены деньги за покупаемый товар. *Выписать товарный чек. Выбить чек в кассе.*

**Че́ковый**, -ая, -ое. *Чековые операции.*

**ЧЕКА́НИТЬ**, -ню, -нишь; чека́нящий, чека́нивший; чека́ненный; -ен, -а, -о; чека́ня; *несов., что.* **1.** Изготовлять, выбивая, выдавливая изображение на поверхности (металла). *Чеканить надписи на монетах.* □ *И вспомнился ему.. дед, серебряник, как он чеканил серебро своими жилистыми руками.* Л. Толстой. Хаджи-Мурат. **2.** *перен.* Четко делать что-л. (произносить, шагать и т. п.). *Он заговорил сдержанным ровным тоном, чеканя слова.* Мамин--Сибиряк. Падающие звезды. *Рота, как на параде, чеканила шаг.* Сартаков. Хребты Саянские.

С и н. (ко 2 знач.): отчека́нивать, печа́тать.

**Чека́нка**, -и, *ж.* (к 1 знач.). *Чеканка монеты.*

**ЧЕКА́ННЫЙ**, -ая, -ое; -а́нен, -а́нна, -о. **1.** *полн. ф.* Предназначенный для изготовления какого-л. металлического изделия способом выбивания на его поверхности рельефного изображения. *Чеканный станок. Чеканный цех.* **2.** *полн. ф.* Изготовленный способом выбивания на поверхности металлического изделия рельефного изображения. *Чеканные турецкие пистолеты были задвинуты за пояс.* Гоголь. Тарас Бульба. **3.** *перен.* Четкий, выразительный. *Чеканная поступь.* □ *Лиза вслушивалась в чеканные строки стихов Горького — гневные, наполненные страстью борца.* Сартаков. Хребты Саянские.

С и н. (к 3 знач.): отчётливый.

**Чека́нно**, *нареч.* (к 3 знач.). **Чека́нность**, -и, *ж.* (к 3 знач.). *Чеканность стиля.*

**ЧЕКИ́СТ**, -а, *м.* Работник ЧК (Чрезвычайной комиссии по борьбе с контрреволюцией и саботажем), а также вообще работник органов государственной безопасности. *В город на усиление охраны границы прибыла из Москвы ударная группа чекистов по борьбе с бандитизмом.* В. Беляев. Старая крепость.

**Чеки́стка**, -и, *ж.* **Чеки́стский**, -ая, -ое.

**ЧЕКМЕ́НЬ**, -я́, *м.* [Тюрк.]. *Устар.* **1.** Старинная верхняя мужская одежда в виде суконного полукафтана в талию со сборками сзади. *Подъезжая к лесу, увидел он соседа своего, гордо сидящего верхом, в чекмене, подбитом лисьим мехом.* Пушкин. Барышня-крестьянка. **2.** Долгополая верхняя форменная одежда казачьих офицеров. *Чернобородый казак.. все хватался за туго перетянувший чекмень красный кушак, словно опасаясь, что от смеха рассыплется.* Шолохов. Поднятая целина.

**ЧЁЛН**, челна́, челны́, -о́в, *м.* **1.** Небольшая лодка, выдолбленная из ствола дерева. *Пред ним широко Река неслася; бедный челн По ней стремился одиноко.* Пушкин. Медный всадник. *Я упомянул о мещерских челнах. Они выдолблены из одного куска дерева.* Паустовский. Мещерская сторона. **2.** *Трад.-поэт.* Судно, ладья. *Нас было много на челне; Иные парус напрягали, Другие дружно упирали В глубь мощны весла.* Пушкин. Арион.

С и н. (к 1 знач.): челно́к. С и н. (ко 2 знач.): ладья́ (трад.-поэт.).

**ЧЕЛНО́К**, -а́, *м.* **1.** То же, что **челн** (в 1 знач.). *И вдруг он видит пред собою Смиренный парус челнока И слышит песню рыбака Над тихоструйною рекою.* Пушкин. Руслан и Людмила. **2.** Часть ткацкого станка в виде продолговатой овальной коробки или колодки с укрепленной внутри нитью. *Она опять взялась за челнок и продолжала ткать до самого вечера.* Л. Толстой. Корней Васильев.

С и н. (к 1 знач.): ло́дка, ладья́ (устар.).

**Челно́чный**, -ая, -ое.

**ЧЕЛО́**, -а́, чёла, чёл, *ср.* **1.** *Устар. и трад.-поэт.* Лоб. *Сумеречное утро скрадывало.. поседевшие волосы и печать глубоких горестей на лице мате-*

ри — морщины, глубоко избороздившие печальное чело. Айтматов. Буранный полустанок. **2.** *Наружное отверстие русской печи. Стоит исконная русская печь с высокой трубой, и над челом темнеет еще многолетняя копоть.* Ф. Гладков. Мать. ◇ **Бить** (или **ударять**) **челом** кому (устар.) — почтительно кланяться кому-л.; усиленно благодарить кого-л. за что-л., а также просить кого-л. о чем-л.— *Скажи Степану Семеновичу,— друг, мол, его, Мишка Тыртов, челом бьет.* А. Н. Толстой. Петр I.

**ЧЕЛОБИ́ТНАЯ**, -ой, ж. В Русском государстве 15 — начала 18 в.: письменное прошение, жалоба, подававшиеся на имя царя или местным властям. *Непослушная сторона решила послать гонцов к самой императрице с челобитной.. Казаки просили: атамана Бородина убрать и позволить им.. выбрать нового атамана по своему хотенью..* Шишков. Емельян Пугачев.
Син.: челобитье (устар.).

**Челоби́тчик**, -а, м. (тот, кто подает челобитную) (устар.).

**ЧЕЛОБИ́ТЬЕ**, -я, ср. **1.** В Древней Руси: низкий поклон с прикосновением лбом к земле. **2.** Устар. То же, что челобитная.

**ЧЕ́ЛЯДЬ**, -и, ж., собир. **1.** В Древней Руси: население феодальной вотчины, находившееся в разных формах зависимости от феодала (холопы, закупы, смерды и др.). *Холопы, кабальная челядь, жившая впроголодь на многолюдных боярских дворах,.. уходили в Преображенское. Туда ежегодно сгонялось до тысячи душ.* А. Н. Толстой. Петр I. **2.** При крепостном праве: дворовые люди, прислуга. *Сбежалась челядь у ворот Прощаться с барами.* Пушкин. Евгений Онегин. **3.** перен., какая. Пренебр. Люди, занимающие низкое служебное или общественное положение, а также те, кто лакейски прислуживает кому-л., угодничает перед кем-л. *На трех высоких стульчиках Три мальчика нарядные.. При них старуха нянюшка, а дальше — челядь разная: Учительницы, бедные Дворянки.* Н. Некрасов. Кому на Руси жить хорошо.— *Позвольте нам выпить за ваше здоровье!* — начал ротмистр,— *за то, что вы отлично продергиваете эту губернаторскую челядь.* Писемский. Тысяча душ.

**ЧЕМПИОНА́Т**, -а, м. [От англ. champion — букв. борец]. Спортивное соревнование на первенство по какому-л. виду спорта. *Шахматный чемпионат. Чемпионат мира по футболу.* □ *Двухсотметровка была коронной дистанцией Леонида. Недавно он даже завоевал в ней первое место в чемпионате Ленинграда.* Б. Раевский. Только вперед.

**ЧЕПЕ́Ц**, чепца́, м. Легкий женский головной убор, обычно в виде капора, который носили в 18—19 вв. *Ночной чепец.* □ *Дверь распахнулась, и на пороге показалась кругленькая, низенькая старушка в белом чепце и короткой пестрой кофточке.* Тургенев. Отцы и дети.

**Че́пчик**, -а, м. (уменьш.).

**ЧЕРВЛЁНЫЙ**, -ая, -ое. Устар. Темно-красный. *Червленый стяг.* □ *Червленая заря заливала город, но во многих домах еще светились окна.* Николаева. Битва в пути.

Син.: багро́вый, пунцо́вый, крова́вый, кумачо́вый, карми́нный и карми́новый, кинова́рный, руби́новый, грана́товый, пу́рпурный, пурпу́рный и пурпу́ровый, рдя́ный (книжн.), багря́ный (книжн.), черво́нный (устар. и высок.).

**ЧЕРВО́НЕЦ**, -нца, м. [От польск. czerwony — красный, золотой]. **1.** Устар. Наименование русской золотой монеты (достоинством в разное время в 3, 5 или 10 рублей).— *Но помни же,— сказал граф Орлов-Денисов унтер-офицеру, отпуская его,— в случае ты соврал, я тебя велю повесить,.. а правда — сто червонцев.* Л. Толстой. Война и мир. **2.** Денежный кредитный билет в десять рублей, находившийся в обращении в СССР с 1922 по 1947 г. *Сунул Петька руку в карман — вытаскивает пачку денег. Одни червонцы.* Пантелеев. Часы.— *Штук сто.*

Син. (ко 2 знач.): десятирублёвка (разг.), десятиблёвая (разг.), деся́тка (разг.), черво́нный (устар.).

**ЧЕРВО́ННЫЙ**, -ая, -ое. **1.** Устар. и высок. Красный, алый. *Выбежали две красивые девки-прислужницы в червонных монистах.* Гоголь. Тарас Бульба. **2.** в знач. сущ. **черво́нный**, -ого, м. Устар. То же, что ч е р в о н е ц (в 1 знач.).— *Дядя Иван Кузьмич с Востока вывез [шаль], триста червонных заплатил.* И. Гончаров. Обрыв. ◇ **Червонное золото** — золото высокой пробы, имеющее красноватый оттенок.

Син. (к 1 знач.): багро́вый, пунцо́вый, крова́вый, кумачо́вый, карми́нный и карми́новый, кинова́рный, руби́новый, грана́товый, пу́рпурный, пурпу́рный и пурпу́ровый, рдя́ный (книжн.), багря́ный (книжн.), червлёный (устар.).

**ЧЕРВЬ**, -я́, м. Устарелое название буквы «ч».

**ЧЕРЕВИ́КИ**, -ов, мн. (ед. череви́к, -а, м.). На Украине и юге России: кожаные женские сапожки на высоких каблуках, а также вообще обувь.— *Если кузнец Вакула принесет те самые черевики, которые носит царица, то [я].. выйду тот же час за него замуж.* Гоголь. Ночь перед Рождеством.

**Череви́чки**, -ов, мн. (ед. череви́чек, -чка, м.) (уменьш.-ласк.).

**ЧЕРЕПИ́ЦА**, -ы, ж. Кровельный материал в виде обожженных глиняных или цементных желобчатых пластинок или плиток, а также отдельная такая пластинка, плитка. *Озаренный.. солнечными лучами,... город являл собой живую картину человеческой жизни на протяжении семи веков: руины древних замков, полуразрушенные стены монастырей,.. крытые красной черепицей дома.* Закруткин. Матерь человеческая.

**Черепи́чный**, -ая, -ое и **черепи́тчатый**, -ая, -ое. *Черепичное производство. Черепитчатые кровли домов.*

**ЧЕРЕСПОЛО́СИЦА**, -ы, ж. **1.** Расположение земли одного хозяйства полосами вперемежку с чужими земельными участками. *Были местности, где в одном селе скучивалось до пяти-шести господских усадеб, и вследствие этого существовала бестолковейшая чересполосица.* Салтыков-Щедрин. Пошехонская старина. **2.** перен. О беспорядочности, разобщенности, раздробленности в каком-л. отношении. *[Хозяе-*

вам] были выгодны не только межи на полях, но и чересполосица в культурном, бытовом укладе деревни. Рябов. Годы и люди.

**Чересполо́сный**, -ая, -ое.

**ЧЕРЕССЕДЕ́ЛЬНИК**, -а, м. Часть конской упряжи — ремень, протянутый от одной оглобли к другой через седелку. *Ямщик остановил лошадей, слез, походил вокруг телеги, подтянул чересседельник, дугу покачнул, опять сел.* Слепцов. Трудное время.

**ЧЕРКЕ́СКА**, -и, ж. Русское название верхней мужской одежды, распространенной в прошлом у кавказских народов (узкий кафтан без ворота, в талию со сборками, по сторонам груди нашиты газыри — кожаные гнезда для патронов). *Когда Фролов вошел в избу, навстречу ему шагнул пожилой горец.. в черкеске с газырями, в мохнатой высокой папахе.* Н. Никитин. Северная Аврора.

**ЧЕРНЕ́Ц**, -а́, м. Устар. Монах. — *Придет твоя настоящая погибель, и ты тогда вспомнишь матерню обещание за тебя и пойдешь в чернецы.* Лесков. Очарованный странник.

С и н.: черно́ризец (устар.).

**Черни́ца**, -ы, ж.

**ЧЕРНОКНИ́ЖИЕ**, -я, ср. В старину: колдовство, по суеверным представлениям основанное на пользовании колдовскими («черными») книгами. — *В городе говорят, — сказала Наталья, — чернокнижием будто многие стали заниматься. Только Евгенья Петровна смеется — пустяки, дескать, это чернокнижие.* М. Горький. Жизнь Матвея Кожемякина.

**Черноки́жный**, -ая, -ое. **Чернокни́жник**, -а, м.

**ЧЕРНОЛЕ́СЬЕ**, -я, ср. Лиственный лес. *Породы деревьев, теряющие свои листья осенью и возобновляющие их весной, как-то: дуб, вяз, осокрь, липа, береза, осина, ольха и другие, называются черным лесом, или чернолесьем.* С. Аксаков. Записки ружейного охотника.

**ЧЕРНОРИ́ЗЕЦ**, -зца, м. Устар. Монах, чернец. *[Самозванец:] А хочешь ли ты знать, кто я таков? Изволь; скажу: я бедный черноризец; Монашеской неволею скучая, Под клобуком, свой замысел отважный Обдумал я.* Пушкин. Борис Годунов.

**ЧЕРНОРУБА́ШЕЧНИК**, -а, м. Итальянский фашист (называемый так по черной рубашке — форме итальянских фашистов). *Полки Гитлера и бригады чернорубашечников Муссолини не устояли под ударом советских танков.* Брагин. Ватутин.

**ЧЕРНОСО́ТЕНЕЦ**, -нца, м. В царской России: участник вооруженных банд погромщиков, называвшихся «черными сотнями»; крайний реакционер. — *И кто же вошел в нее [городскую управу]? — Черепанов фамилию слыхали? — Помилуйте, но это ж черносотенец, известный монархист.* Пантелеев. Ленька Пантелеев.

**Черносо́тенка**, -и, ж.

**ЧЁРНЫЙ**, -ая, -ое, чёрен, черна́, -о́. **1.** Цвета сажи, угля, а также темный в противоположность чему-л. более светлому. *Черный дым. Черный карандаш. Черные глаза. Черные от загара дети.* **2.** *полн. ф.* Предназначенный для каких-л. служебных или бытовых нужд. *Черный ход. Черное крыльцо.* □ *Парадный подъезд был закрыт. Ленька поднялся по черной лестнице и позвонил.* Пантелеев. Ленька Пантелеев. **3.** *полн. ф.* Неквалифицированный, подсобный, чаще физически тяжелый или грязный (о работе, труде). *Бабушка разжаловала ее.. в дворовые девки, потом обрекла на черную работу, мыть посуду, белье, полы.* И. Гончаров. Обрыв. **4.** *полн. ф.* В русском государстве 14—17 вв.: государственный, не частновладельческий; тягловый, податной. *Черные земли.* □ *Воротись, поклонися рыбке: Не хочу быть черной крестьянкой, Хочу быть столбовою дворянкой.* Пушкин. Сказка о рыбаке и рыбке. **5.** *полн. ф.* В дореволюционной России: принадлежащий к низшим слоям общества, к простонародью. *[Пугачев] был встречен не только черным народом, но и духовенством и купечеством.* Пушкин. История Пугачева. **6.** *полн. ф., перен.* Злостный, коварный, преступный. *Черная зависть, неблагодарность. Черная душа.* □ *— Это — убийца, — говорят нам, и нам тотчас кажется спрятанный кинжал, зверское выражение, черные замыслы.* Герцен. Былое и думы. **7.** *перен.* Мрачный, безрадостный, тяжелый. *Отложить что-л. на черный день. Черные мысли.* □ *Черные, страшные годы переживала Россия.* Саянов. Лена. ◇ **Черная биржа** — неофициальная, тайная, спекулянтская биржа. **Черный рынок** — незаконная, спекулятивная торговля. **Черная изба** (или **баня**) — изба (баня), отапливаемая печью, не имеющей трубы. **Черная кость** — о незнатном, недворянском происхождении кого-л. **Черный лес** — лиственный лес, чернолесье. **Черные металлы** — название железа и его сплавов: стали, чугуна и т.п. **Черные списки** — неофициальные списки лиц, которым оказывается недоверие, которых не принимают на работу.

С и н. (к 7 знач.): ско́рбный, го́рький, безотра́дный (книжн.).

А н т. (к 1 знач.): бе́лый. А н т. (ко 2 знач.): пара́дный, чи́стый (устар. прост. и обл.).

**Чернота́**, -ы́, ж. (к 1 знач.).

**ЧЕРНЬ**, -и, ж. **1.** Устар. и прост. Темный цвет чего-л., чернота. *Чернь ночи то и дело взрывается заревом, в котором мелькает высота 28,2.* Павленко. Минная рапсодия. **2.** Гравировка на металле (серебре, золоте), штрихи которой заполнены черным матовым сплавом, а также сам этот сплав. *На всех были черные или синие суконные бешметы с наборными серебряными с чернью поясами.* Гаршин. Медведи. **3.** Устар. Простой народ, люди, принадлежащие к низшим слоям общества. *Многочисленная московская чернь, пьянствуя и шатаясь по улицам, с явным нетерпением ожидала Пугачева.* Пушкин. История Пугачева. **4.** Устар. Люди, далекие от духовной жизни, высоких идеалов. *[Белинский:] В России нарождаются новые люди, сердца которых бьются для народа. Вы не видите их, вращаясь в душном кругу светской черни.* Лавренев. Лермонтов.

**ЧЕРТО́Г**, -а, м. Устар. и трад.-поэт. Пышное, великолепное помещение или здание; дворец, палата во дворце. — *Вон, видите ль вы пышные чертоги? А там, вон, хижины убоги? В одних простор, довольство, красота; В других и теснота, И труд, и нищета.* Крылов. Подагра и Паук. *Чертог сиял. Гремели хором Певцы при звуке флейт и лир. Царица голосом и взором Свой пышный оживляла пир.* Пушкин. Египетские ночи.

**ЧЕСАНКИ**, -нок, *мн.* (*ед.* **чёсанок**, -нка, *м.*). Тонкие, мягкие валенки из чесаной шерсти высшего сорта. *На нем [царевиче] был ярко-зеленый преображенский кафтан и сабелька на перевязи, ноги в белых чесанках не доставали до полу.* А. Н. Толстой. Петр I.

**ЧЕСТВОВАТЬ**, чествую, чествуешь; чествующий, чествовавший, чествуемый; чествованный; -ан, -а, -о; чествуя; *несов., кого, что.* **1.** Оказывать кому, чему-л. почести, знаки уважения (обычно в торжественной обстановке). *Чествовать юбиляра.* □ *Музыка заиграла туш, а с судов эскадры грянул салют. Эскадра чествовала своих героев.* Степанов. Порт-Артур. **2.** *Устар.* Величать, именовать. *Видит помещик, что его уж в другой раз дураком чествуют.* Салтыков-Щедрин. Дикий помещик.

**Чествование**, -я, *ср.*

**ЧЕСТНОЙ**, -ая, -ое. *Устар.* **1.** Почитаемый по своей святости и связи с религией. *Честной отец* (обращение к духовному лицу). □ *[Священник] сказал, чтоб я приложился к святому евангелию и честному кресту в удостоверение обета.* Герцен. Былое и думы. **2.** Устраиваемый по принятому обычаю, по правилам религии. — *Вели без поругания Честному погребению Ребеночка предать! Я мать ему!* Н. Некрасов. Кому на Руси жить хорошо. **3.** Заслуживающий уважения, почтенный, а также почетный. *Честной гости.* □ *Царь Салтан за пир честной Сел с царицей молодой.* Пушкин. Сказка о царе Салтане.

**ЧЕСТЬ**, -и, *ж.* **1.** Совокупность морально-этических принципов, которыми руководствуется человек в своем общественном и личном поведении. *Рабочая, офицерская честь. Дело чести.* □ *Она забыла стыд и честь, Она в объятиях злодея!* Пушкин. Полтава. **2.** Хорошая репутация, доброе имя. *Честь семьи.* □ — *Еланкевич подал на вас.. жалобу его превосходительству насчет оскорбления его чести.* Герцен. Кто виноват? **3.** Почет, уважение. *Заслуженная честь. Воздать кому-л. честь.* □ *Уже на сходе словом веским Развенчан тот, кто был в чести. Да вот самой девчонке не с кем В беседах душу отвести.* Кустов. Подвиг.

А н т. (к 1 и 2 знач.): бесчестье. А н т. (к 3 знач.): позор.

**ЧЕСУЧА**, -и, *ж.* [Кит. tsoudzy — шелк-сырец]. Плотная шелковая ткань полотняного переплетения (обычно желтовато-песочного цвета). *Скатерть из шелковой чесучи, расшитая владимирским швом, горела красными и оранжевыми цветами.* Солоухин. Владимирские проселки.

**Чесучовый**, -ая, -ое. *Чесучовый пиджак.*

**ЧЕТА**, -ы, *ж. Устар.* **1.** *Высок.* Два лица или предмета, рассматриваемые как одно целое; пара. *Люблю дымок спаленной жнивы, В степи ночующий обоз, И на холме средь желтой нивы Чету белеющих берез.* Лермонтов. Родина. **2.** Супруги или влюбленные. *Брачная жизнь Алексея Абрамовича потекла как по маслу, на всех каретных гуляньях [являлся].. блестящий экипаж и пышущая счастьем чета в этом экипаже.* Герцен. Кто виноват? **3.** *в знач. нареч.* **четой.** Попарно, парами. *Но кушать подали. Четой Идут за стол рука с рукой.* Пушкин. Евгений Онегин. ◇ **Не чета** *кому, чему* — не ровня, лучше кого-, чего-л. в каком-л. отношении. — *Хорошая попалась мне [в жены] девка! Смирная, веселая, угодливая и умница, не мне чета.* Шолохов. Судьба человека.

**ЧЕТВЕРИК**, -а, *м.* **1.** Старая русская мера объема сыпучих веществ, равная 26,239 л. **2.** Четыре лошади в одной упряжке. *Из темноты вырос четверик рослых коней.., в открытых санях — дамы.* А. Н. Толстой. Петр I.

С и н. (ко 2 знач.): четверня.

**Четвериковый**, -ая, -ое.

**ЧЕТВЕРТАК**, -а, *м. Устар.* и *прост.* Четверть рубля, двадцать пять копеек, а также монета достоинством в двадцать пять копеек. *Я вынул из кармана новый серебряный четвертак и протянул его Мануйлихе.* Куприн. Олеся.

**Четвертаковый**, -ая, -ое.

**ЧЕТВЁРТКА**, -и, *ж. Устар. разг.* Четверть фунта[1]. *[Михаил Аверьяныч] принес четвертку чаю и фунт мармеладу.* Чехов. Палата № 6.

**ЧЕТВЕРТОВАНИЕ**, -я, *ср.* Старинный вид смертной казни рассечением осужденного на четыре части (сперва отсекались руки, ноги, а затем голова). *Пугачев и Перфильев приговорены были к четвертованию; Чика — к отсечению головы.* Пушкин. История Пугачева.

**ЧЕТВЕРТЬ**, -и, и четверти, -ей, *ж.* **1.** Одна из четырех равных частей, на которые делится что-л. *Четверть века. Четверть часа* (пятнадцать минут). **2.** Старая русская мера объема сыпучих тел, содержащая в себе 8 четвериков (около 210 л). *[Марья:] Какое там у Гришки хозяйство?.. А Семка, тот, слава богу, хозяин. Пятьдесят четвертей пшеницы одной, два работника.* Тренев. Любовь Яровая. **3.** Русская мера объема жидкости, равная четвертой части ведра (около 3 л), применявшаяся до введения метрической системы; посуда такой емкости. *Пантелей Прокофьевич, наливая из четверти, прослезился: — Ну, сваточки, за наших детей.* Шолохов. Тихий Дон. **4.** Русская мера длины, равная четвертой части аршина (17,755 см), применявшаяся до введения метрической системы (в обиходе расстояние между кончиками большого и среднего пальцев широко раздвинутой кисти руки). *Первый снег выпал очень рано, в ночь на 8 сентября. И какой снег: на четверть.* Мамин-Сибиряк. Осенние листья. **5.** Старая русская мера земельной площади, равная 0,5 десятины (0,54 га). *Родоначальник Лаврецких выехал в княжение Василия Темного из Пруссии и был пожалован двумя стами четвертями земли в Бежецком верху.* Тургенев. Дворянское гнездо. **6.** Одна из четырех фаз Луны, а также узкий серп Луны в первой или последней фазе. *Затем над мелко взбитым облаком восходит тонкая луна самой первой четверти.* Инбер. Соловей и роза.

**ЧЁТКИ**, чёток, *мн*. В церковном обиходе: шнурок с нанизанными на нем шариками, бусинами или узелками для отсчитывания прочитанных молитв или поклонов во время молитвы. *Янтарные четки.* □ *Василий перебирал одной рукой кипарисные четки, свесив их между колен.* А. Н. Толстой. Петр I.

**ЧИН**, -а, чины, -óв, *м*. **1.** *Устар*. Установленный, принятый порядок при совершении чего-л.; обряд. *Чин погребения.* □ *[Заутреня] шла по обыкновенному церковному чину.* Горбунов. Царь Петр Христа славит. **2.** В дореволюционной России: присваиваемое государственным служащим и военным звание согласно Табели о рангах, установленной Петром I, с предоставлением определенных сословных прав и преимуществ. *Я был представлен владимирским губернатором к чину коллежского асессора.* Герцен. Былое и думы. **3.** Служебный разряд гражданских служащих, а также военное звание, с которым связаны определенные права и обязанности. *Гражданские чины. Офицерские чины. Чин полковника. Повышение в чине.* **4.** обычно *мн*. Чиновник, служащий какого-л. ведомства. *Явился важный чин. Штабные чины.* ◇ **Без чинов** (*устар*.) — запросто, без церемоний. **Нижний чин** (*устар*.) — название солдата в царской армии, в отличие от офицера. **Чин чином** (*разг*.), **чин по чину** (*разг*.) и **чин чинарём** (*прост. шутл.*) — как требуется по порядку.
Син. (ко 2 и 3 знач.): ранг.

**ЧИНÁР**, -а; *м*. и **ЧИНÁРА**, -ы, *ж*. [Тюрк.]. Дерево — восточный платан. *Славное место эта долина! Со всех сторон горы неприступные, красноватые скалы, обвешанные зеленым плющом и увенчанные купами чинар.* Лермонтов. Герой нашего времени.

**ЧИНИ́ТЬСЯ**, чиню́сь, чини́шься; чиня́щийся; чини́вшийся; *несов. Устар*. Проявлять излишнюю учтивость, церемониться.— *Я не хочу, чтобы вы со мною чинились: не обращайте внимания, что я здесь, и продолжайте работать.* Лесков. Чертовы куклы.

**ЧИ́ННЫЙ**, -ая, -ое; чи́нен, чи́нна и чинна́, чи́нно. Степенный, важный, соблюдающий определенный порядок. *Барыни сели чинным полукругом, одетые по запоздалой моде, в поношенных и дорогих нарядах, все в жемчугах и бриллиантах.* Пушкин. Дубровский.

**Чи́нно**, *нареч*. **Чи́нность**, -и, *ж*. *Благовоспитанная чинность.*

**ЧИНО́ВНИК**, -а, *м*. **1.** В дореволюционной России и некоторых других странах: государственный служащий, имеющий чин. *Впрочем, приезжий делал не пустые вопросы: он.. расспросил, кто в городе губернатор, кто председатель палаты, кто прокурор,— словом, не пропустил ни одного значительного чиновника.* Гоголь. Мертвые души. **2.** *перен*. Должностное лицо, выполняющее свою работу формально, следуя предписаниям, без живо-

го участия в деле.— *Там на рейде чиновники сидят, чернильные крысы!— волновался Володя Макаров.— Им наплевать на то, что мы потеряли два часа.* Крымов. Танкер «Дербент».
Син. (к 1 знач.): чин. Син. (ко 2 знач.): бюрокра́т, чину́ша, буквое́д.

**Чино́внический**, -ая, -ое и **чино́вничий**, -ья, -ье. *Чиновническая среда. Чиновничье отношение к делу.*

**ЧИ́РИКИ**, -ов, **ЧИРИКИ́**, -óв, *мн*. (*ед*. чи́рик, -а и чири́к, -á, *м*.) и **ЧИРКИ́**, -óв, *мн*. (*ед*. чиро́к, чирка́, *м*.) [Тюрк.]. *Обл*. Башмаки, туфли. *[Ульяна Ахваткина] пошла [плясать цыганочку], поскрипывая низкими каблуками чириков, коромыслом выгнув руки.* Шолохов. Поднятая целина. *Из всего класса в чирках ходил только я. Лишь на следующую осень.. [мать] купила мне кирзовые сапоги.* Распутин. Уроки французского.

**ЧИСТИ́ЛИЩЕ**, -а, *ср*. По учению католической церкви: место, где души умерших посредством разных испытаний очищаются от грехов, прежде чем попасть в рай. ◇ **Пройти через (*или* сквозь) чистилище** — пройти через трудности, испытания.

**ЧИСТОПРО́БНЫЙ**, -ая, -ое. **1.** Самой высшей пробы, высшего качества; высокопробный (о золоте, серебре). **2.** *перен*. Обычно *ирон*. Обладающий всеми признаками, качествами (обычно отрицательными), присущими кому-л.; подлинный, настоящий. *Чистопробный негодяй.*
Син. (ко 2 знач.): отъя́вленный, махро́вый, матёрый, прожжённый (*разг*.), патенто́ванный (*разг*.).

**ЧИ́СТЫЙ**, -ая, -ое; чист, чиста́, чи́сто. **1.** Незагрязненный, незапачканный, опрятный. *Чистое белье. Чистый пол.* □ *Берг надел чистейший, без пятнушка и соринки, сюртучок.* Л. Толстой. Война и мир. **2.** *перен*. Нравственно безупречный; честный, правдивый. *Чистые помыслы. Сказать от чистого сердца. С чистой совестью.* □ *— Мы, комсомольцы, должны сейчас быть кристально чистыми, чтобы с нас действительно брали пример.* Коптяева. Дружба. **3.** *полн. ф*. Со свободной, открытой, не занятой чем-л. поверхностью. *Чистое поле. Чистое небо. Чистый бланк. Чистая тетрадь* (не исписанная). **4.** Без примеси чего-л. постороннего или с незначительной примесью; неразбавленный. *Чистая шерсть.* □ *Торговали мы булатом, Чистым серебром и златом.* Пушкин. Сказка о царе Салтане. **5.** *полн. ф. Разг*. Совершенный, самый настоящий. *Чистая правда. Чистая случайность.* **6.** *полн. ф*. Тщательный, аккуратный, хорошо сделанный, с хорошей отделкой. *Чистая работа. Чистая отделка чего-л.* **7.** Правильный, соответствующий определенным нормам. *Говорить на чистом русском языке. Чистое произношение.* □ *Мне нравилась его чистая, авторитетная, ясная до мелочей речь.* Фурманов. Мятеж. **8.** *полн. ф*. Остающийся после вычета чего-л. *Чистый вес* (вес товара без упаковки). *Чистый доход.* **9.** *полн. ф. Устар. прост.* и *обл*. Обставленный и убранный с особенной тщательностью; парадный.—

Сергеевна, ты на чистую половину веди,— обратился ямщик к женщине,.. — народу, поди, у вас много скучилось. Горбунов. В дороге. **10.** Отвлеченный от практического применения, не связанный с ним. *Григорий Иваныч читал чистую, высшую математику; Иван Ипатыч — прикладную математику и опытную физику.* С. Аксаков. Воспоминания.

С и н. (ко 2 знач.): целому́дренный, непоро́чный (*высок.*). С и н. (к 5 знач.): и́стинный, су́щий, и́стый, по́длинный, фо́рменный (*разг.*).

А н т. (к 1 знач.): гря́зный. А н т. (к 4 знач.): разба́вленный. А н т. (к 9 знач.): чёрный. А н т. (к 10 знач.): прикладно́й.

**Чи́сто**, *нареч.* (к 1, 6 и 7 знач.). *Чисто вымыть посуду. Чисто выполнить упражнение. Говорить чисто, не шепелявить.* **Чистота́**, -ы́, *ж.* (к 1, 2, 3, 4, 6 и 7 знач.).

**ЧЛЕНКО́Р**, -а, *м.* Сокращение: член-корреспондент.

**Членко́ровский**, -ая, -ое (*разг.*).

**ЧЛЕН-КОРРЕСПОНДЕ́НТ**, -а, *м.* Академическое звание, которое носят выдающиеся ученые или деятели искусств, избранные общим собранием какой-л. академии в ее состав без права решающего голоса (в отличие от действительного члена академии).

**ЧО́ПОРНЫЙ**, -ая, -ое; -рен, -рна, -о. Чрезмерно строгий, щепетильный в соблюдении правил поведения, приличия, а также выражающий чрезмерную чинность, строгость. *Чопорный человек. Чопорный ответ. Чопорное молчание.* □ *На до смеху было чопорной англичанке. Она догадывалась, что сурьма и белилы были похищены из ее комода.* Пушкин. Барышня-крестьянка.

С и н.: церемо́нный.

**Чо́порно**, *нареч.* Чопорно поклониться. **Чо́порность**, -и, *ж.* Казенная чопорность.

**ЧРЕВА́ТЫЙ**, -ая, -ое; -а́т, -а, -о. **1.** Книжн. Способный вызвать что-л. (обычно нежелательное). *События чреваты тяжелыми последствиями.* □ *Ночь была ужасная,— ноябрьская, мокрая, туманная, дождливая, снежливая, чреватая флюсами, насморками.* Достоевский. Двойник. **2.** *ж.* Устар. Беременная.

С и н. (ко 2 знач.): тяжёлая (*прост.*), брюха́тая (*устар. и прост.*), гру́зная (*устар. и прост.*).

**Чрева́то**, *нареч.* (к 1 знач.). **Чрева́тость**, -и, *ж.* (к 1 знач.).

**ЧРЕ́ВО**, -а, *ср.* **1.** Устар. Живот, утроба. *Во чреве матери (еще не родившись)* (*книжн.*). □ *— У нас каждый тянет врозь..: одному прибытки дороги, другому честь,— только чрево набить.* А. Н. Толстой. Петр I. **2.** *перен.* Книжн. Внутренность чего-л. *Окна и крыши корпусов [завода] еще зияли разбитыми стеклами.., а внутри, в сумеречных чревах.. стонало и барабанило эхо от молотков и сверл.* Ф. Гладков. Цемент.

С и н. (к 1 знач.): брю́хо (*прост.*), пу́зо (*прост.*), мамо́н (*устар.*). С и н. (ко 2 знач.): утро́ба.

**ЧРЕВОУГО́ДИЕ**, -я и **ЧРЕВОУГО́ДНИЧЕСТВО**, -а, *ср.* Пристрастие к вкусной, обильной пище. *Мы.. знали его привычки: он был склонен к чревоугодию, хвалился, что у него*

*лучший повар в Париже.* Л. Никулин. России верные сыны.

С и н.: обжо́рство (*разг.*).

**ЧРЕЗВЫЧА́ЙНЫЙ**, -ая, -ое; -а́ен, -а́йна, -о. **1.** Превосходящий все обычное, исключительный. *Чрезвычайный успех. Чрезвычайное по важности дело.* □ *Пушкин есть явление чрезвычайное, и, может быть, единственное явление русского духа.* Гоголь. Несколько слов о Пушкине. **2.** Экстренный, вызванный особыми, исключительными обстоятельствами, не предусмотренный обычным ходом дел. *Чрезвычайные меры.* □ *Грозный генерал Голубко был послан на Урал с чрезвычайными полномочиями, далеко превышавшими губернаторскую власть.* Мамин-Сибиряк. Верный раб. ◇ **Чрезвычайное положение** (*спец.*) — особое правовое положение в стране или в какой-л. ее части, вводимое на определенный срок при каких-л. особых обстоятельствах и заключающееся в ограничении гражданских свобод населения, передачи власти какому-л. специальному органу и т. п. **Чрезвычайная комиссия** — государственный орган по борьбе с контрреволюцией, спекуляцией и саботажем, существовавший в первые годы советской власти.

С и н. (к 1 знач.): необыкнове́нный, необыча́йный, феномена́льный (*книжн.*), экстраордина́рный (*книжн.*).

**Чрезвыча́йно**, *нареч.* (к 1 знач.). *Чрезвычайно серьезный вопрос.* **Чрезвыча́йность**, -и, *ж.*

**ЧРЕЗМЕ́РНЫЙ**, -ая, -ое; -рен, -рна, -о. Превосходящий всякую меру, слишком большой по силе, степени проявления. *Чрезмерное напряжение. Чрезмерная похвала.* □ *С энергией жандармы забарабанили во все окна и двери. От их чрезмерного усилия посыпались кое-где стекла.* Степанов. Порт-Артур.

С и н.: непоме́рный, неуме́ренный, изли́шний, избы́точный, гипертрофи́рованный (*книжн.*).

**Чрезме́рно**, *нареч.* Чрезмерно скромен. **Чрезме́рность**, -и, *ж.*

**ЧРЕ́СЛА**, чресл, *мн.* Устар. Книжн. Поясница, бедра. *Многие надевали печальные одежды с неподрубленными краями, передвигали пояса с чресл на грудь.* Лесков. Гора. ◇ **Препоясать (свои) чресла** (*устар.*) — приготовиться к странствованию. **Препоясать чресла мечом** — приготовиться к битве.

**ЧУБА́РЫЙ**, -ая, -ое. С темными пятнами по светлой шерсти или вообще с пятнами шерсти другого цвета (о масти лошади и некоторых других животных). *В воде и на берегу.. уже тысячи коней. Вороные, рыжие, гнедые,.. чубарые, саврасые, буланые.. А с холмов все идут, идут.* А. Кожевников. Живая вода.

**ЧУБУ́К**, -а́, *м.* [Тюрк.]. Полый стержень курительной трубки, через который курящий втягивает дым табака, а также длинная трубка. *Чубук с янтарным мундштуком.* □ *Манилов выронил тут же чубук с трубкою на пол и как разинул рот, так и остался с разинутым ртом в продолжение нескольких минут.* Гоголь. Мертвые души.

**Чубу́чный**, -ая, -ое.

**ЧУВА́Л**[1], -а, м. [Тюрк.]. *Обл.* Большой мешок. *И когда Семен попросил его помочь поднять на плечо один из чувалов с забракованным зерном, Демка отвернулся.* Шолохов. Поднятая целина.

**ЧУВА́Л**[2], -а, м. [Тюрк.]. У народов Севера: очаг с прямым дымоходом, служивший в прошлом преимущ. для приготовления пищи. *Пылающий чувал.* ◊ *К русским печам здесь прибавили якутские камины, или чувалы.* И. Гончаров. Фрегат «Паллада».

**ЧУ́ВСТВЕННЫЙ**, -ая, -ое; -ен и -енен, -енна, -о. **1.** *полн. ф.* Формируемый, осуществляемый, воспринимаемый посредством органов чувств. *Чувственное восприятие действительности.* ◊ *[Вольтер] вызвал целую бурю.. признанием чувственного опыта как источника наших познаний.* Михайлов. Вольтер. **2.** С сильно выраженным половым влечением. *Чувственный человек. Чувственный взгляд.* ◊ *[Я] наслаждался светом, теплом, сознательной радостью жизни и спокойной, здоровой, чувственной любовью.* Куприн. Олеся.

С и н. (ко 2 знач.): пло́тский, сладостра́стный, эроти́ческий (книжн.) и эроти́чный (книжн.).

**Чу́вственно**, *нареч.* **Чу́вственность**, -и, *ж.*

**ЧУВСТВИ́ТЕЛЬНЫЙ**, -ая, -ое; -лен, -льна, -о. **1.** Способный живо чувствовать, воспринимать; впечатлительный. *Чувствительная особа. Чувствителен к чужому горю.* ◊ *[Григорий] никогда ведь не был особенно чувствительным и плакал редко даже в детстве.* Шолохов. Тихий Дон. **2.** *перен.* Способный воспринимать, отражать внешнее воздействие. *Чувствительный нерв. Чувствительный прибор.* ◊ *В инструкции говорилось, что в процессе производства эта сталь чрезвычайно чувствительна к влаге.* В. Попов. Сталь и шлак. **3.** *перен. Разг.* Такой, который сильно чувствуется, ощущается; очень заметный. *Чувствительные результаты.* ◊ *[На море] волнение умеренное, для фрегата вовсе незаметное, но для маленькой шкуны чувствительное.* И. Гончаров. Фрегат «Паллада». **4.** Жалостливый, трогательный. *Чувствительная мелодия.* ◊ *Корсет, альбом, княжну Алину, Стишков чувствительных тетрадь Она забыла.* Пушкин. Евгений Онегин.

С и н. (к 1 знач.): рани́мый, уязви́мый. С и н. (ко 2 знач.): чу́ткий. С и н. (к 3 знач.): ощути́мый и ощути́тельный, ви́димый, зри́мый (книжн.). С и н. (к 4 знач.): сентимента́льный, слезли́вый, душещипа́тельный (разг.).

**Чувстви́тельно**, *нареч.* **Чувстви́тельность**, -и, *ж.* Чрезмерная чувствительность чего-л. *Потерять чувствительность конечностей. Чувствительность приборов.*

**ЧУДЕ́СНЫЙ**, -ая, -ое; -сен, -сна, -о. **1.** Являющийся чудом, заключающий в себе чудо. *Чудесное исцеление.* ◊ *Родник почитают все чудесным, и поверье гласит, что в воде его кроется чудотворная сила.* Лесков. Соборяне. **2.** Великолепный, чудный. *Чудесная погода. Чудесное настроение.* ◊ *Аэлита заговорила, точно дотронулась до музыкального инструмента,— так чудесен был ее голос.* А. Н. Толстой. Аэлита.

С и н. (к 1 знач.): сверхъесте́ственный, мисти́ческий, волше́бный. С и н. (ко 2 знач.): прекра́сный, восхити́тельный, волше́бный, ска́зочный, очарова́тельный, преле́стный, ди́вный (разг.).

**Чуде́сно**, *нареч.* Чудесно петь.

**ЧУДОТВО́РЕЦ**, -рца, *м.* **1.** В религиозных представлениях: тот, кто творит чудеса; святой. *В противоположном углу горела лампадка перед большим темным образом Николая чудотворца.* Тургенев. Отцы и дети. **2.** *перен.* Тот, кто совершает что-л. поразительное, достойное удивления. *[Стабровский] начал смотреть на врачей, как на чудотворцев, от которых зависело здоровье его Диди.* Мамин-Сибиряк. Хлеб.

С и н. (ко 2 знач.): волше́бник, чуде́сник, куде́сник (высок.), чудоде́й (устар.), чароде́й (устар. и книжн.).

**ЧУДЬ**, -и, *ж., собир.* В Древней Руси: общее название некоторых западнофинских племен. *Общеплеменное название финны есть название немецкое, чудь — славянское.* Соловьев. История России.

**Чудско́й**, -а́я, -о́е.

**ЧУ́ЖДЫЙ**, -ая, -ое; чужд, чужда́, чу́ждо. **1.** *Устар.* Чужой. *Однажды близ Кагульских вод Мы чуждый табор повстречали.* Пушкин. Цыганы. **2.** Не имеющий ничего общего с кем-, чем-л., далекий от кого-, чего-л. *Чуждая атмосфера.* ◊ *— Но я нахожу, что уж и так слишком долго вращался в чуждой для меня сфере.* Тургенев. Отцы и дети. **3.** Несвойственный кому-, чему-л. *Сострадание было ему не чуждо: его сердцу были доступны многие добрые движения.* Гоголь. Шинель. **4.** *чего. Книжн.* Лишенный чего-л., не обладающий чем-л. *Он был до такой степени чужд всякого фанфаронства и жречества, что можно было подумать, будто творческий подвиг дается ему легко и просто.* Либединский. Мои встречи с Есениным.

**Чу́ждость**, -и, *ж.*

**ЧУ́ЙКА**, -и, *ж.* [Тюрк.]. *Устар.* Верхняя мужская суконная одежда в виде кафтана, распространенная в городской мещанской среде 19—начала 20 в. *Этот Тимофеич.. предстал перед Базаровым в своей коротенькой чуйке из толстого серо-синеватого сукна, подпоясанный ременным обрывочком и в дегтярных сапогах.* Тургенев. Отцы и дети.

**ЧУЛА́Н**, -а, *м.* Подсобное помещение в жилом доме, служащее кладовой. *Она вытащила из чулана.. сундук, полный старинных вещей.* Паустовский. Повесть о жизни.

С и н. кладова́я, кладо́вка (разг.), клеть (обл.).

**Чула́нчик**, -а, *м. (уменьш.).* **Чула́нный**, -ая, -ое. *Чуланная дверь.*

**ЧУМ**, -а, *м.* [Удмурт. tśum]. Русское название переносного жилища некоторых народов Сибири и северо-востока европейской части России, состоящего из конического остова, покрытого шкурами, корой, войлоком. *Возле лопарского стойбища, среди бедных чумов, построенных из жердей и покрытых оленьими шкурами, Мартынов приказал сделать привал.* Казакевич. Сердце друга.

**Чу́мный**, -ая, -ое.

**ЧУМА́К**, -а́, м. В старину на Украине и юге России: крестьянин, занимавшийся перевозкой и продажей соли, рыбы и других товаров. *В давние времена дед был чумаком. Он ходил на волах в Перекоп и Армянск за солью и сушеной рыбой.* Паустовский. Повесть о жизни.

**Чума́цкий**, -ая, -ое. *Чумацкий промысел. Чумацкий обоз.*

**ЧУ́НИ**, -ей, мн. (ед. **чу́ня**, -и, ж.). **1.** *Обл.* Лапти из пеньковой веревки. *К весне Максим тайком сплел две пары веревочных чуней.* Бек. События одной ночи. **2.** Резиновая или кожаная обувь в виде галош, надеваемая на разутую ногу (при работе в шахтах, рудниках и т. п.). *[Горняки] скучают по ребятам, по своим парусиновым курткам, резиновым чуням.* Галин. Душа забоя.

**ЧУРА́ТЬСЯ**, -а́юсь, -а́ешься; *прич. настоящ.* **чура́ющийся**, *прич. прош.* **чура́вшийся**, *чура́ясь; несов.* **1.** *Устар. разг.* Произносить «чур», ограждая себя от чего-л. (в старину в заклинаниях от «нечистой силы», затем в играх и т. п.). **2.** *кого, чего. Разг.* Сторониться, избегать кого-, чего-л. *Он не чурался никакого дела, будь оно простое или сложное, легкое или тяжелое.* Наседкин. Большая семья. *— Вас там все знают, гордятся вами,.. но поговаривают,.. наша знаменитая ученая, видно, чурается нас, дорогу позабыла в свой Куркуреу.* Айтматов. Первый учитель.

**ЧУ́ТКИЙ**, -ая, -ое; **чу́ток, чутка́, чу́тко. 1.** Быстро и легко воспринимающий что-л. обонянием, слухом (о человеке и животных). *Чуткий нюх. Чуткий зверь.* □ *Слух его [слепого] был так чуток, что он издали узнавал походку и весело.. приветствовал меня.* С. Аксаков. Семейная хроника. **2.** Живо воспринимающий различные впечатления, тонко чувствующий. *Бабушка чутка была к песне и знала ее красоту.* Ф. Гладков. Повесть о детстве. **3.** Быстро отзывающийся на какие-л. воздействия извне. *Чуткий прибор.* **4.** *перен.* Отзывчивый, внимательный к окружающим. *Чуткая душа.* □ *Мы любили его за чуткую отзывчивость, свежую искренность.* Фурманов. Мятеж.

**Син.** (*к 3 знач.*): **чувстви́тельный**. **Син.** (*к 4 знач.*): уча́стливый, душе́вный, серде́чный.

**Чу́тко**, *нареч. Чутко спать. Чутко отнестись к кому-л.* **Чу́ткость**, -и, ж.

**ЧУХО́НЦЫ**, -ев, мн. (ед. **чухо́нец**, -нца, м.). Дореволюционное название эстонцев и финнов, населявших окрестности Петербурга. *По мшистым, топким берегам Чернели избы здесь и там, Приют убогого чухонца.* Пушкин. Медный всадник. ◇ **Чухонское масло** — (*устар. прост.*) сливочное масло.

**Чухо́нка**, -и, ж. **Чухо́нский**, -ая, -ое. *Чухонская деревня.*

# Ш

**ША́БАШ**, -а, м. [Польск. szabas; восх. к др.-евр. šabbāth — суббота]. **1.** Субботний отдых, предписываемый еврейской религией. *Старая, никому не нужная жизнь подходит к концу. Только и осталось от нее, что соблюдал законы, не ел того, что не положено, справлял шабаш.* Гарин-Михайловский. Старый еврей. **2.** В средневековых поверьях: ночное сборище ведьм, колдунов и т. п. *Недаром говорят, рыбаки водят дружбу с русалками! Видно, нынче шабаш их? Окаянные, и смоляную бочку зажгли для праздника, все.. по-нашему, по-человечьи!* Лажечников. Ледяной дом.

**ШАБЛО́Н**, -а, м. [Нем. Schablone]. **1.** *Спец.* Образец, по которому изготовляются изделия, одинаковые по форме и размеру, а также приспособление, инструмент для проверки форм готовых изделий. *— Теперь мне не трудно выбрать донышко по шаблону, понятно? Раньше я за шесть часов один поршень обрабатывал, теперь я два с половиной делаю.* Крымов. Танкер «Дербент». **2.** *перен.* Принятый образец, которому слепо подражают. *Мыслить по шаблону.* □ *Презираю шаблон, общую меру для всех, одинаковость мнений и слов.* Прилежаева. Пушкинский вальс.

**Син.** (*ко 2 знач.*): шта́мп, трафаре́т, станда́рт, стереоти́п.

**Шабло́нный**, -ая, -ое. *Шаблонная заготовка. Шаблонная фраза.* **Шабло́нно**, *нареч.* (*ко 2 знач.*). **Шабло́нность**, -и, ж. (*ко 2 знач.*). *Шаблонность рассуждений.*

**ШАГИ́СТИКА**, -и, ж. Военное обучение, при котором основное внимание уделяется маршировке. *— Только теперь, когда война началась, мы начали учить солдат, как следует стрелять, в мирное же время занимались парадами да шагистикой.* Степанов. Порт-Артур.

**ШАГРЕ́НЬ**, -и, ж. [Франц. chagrin; восх. к тюрк.]. Мягкая шероховатая кожа с характерным рисунком, выделанная из козьих, бараньих или ослиных шкур. *Между печью и окном стоял.. старинный диван, обтянутый шагренью.* Мамин-Сибиряк. Приваловские миллионы.

**Шагре́невый**, -ая, -ое. *Шагреневый переплет.*

**ШАЙТА́Н**, -а, м. [Тюрк. (тат.) saitan]. В мусульманской мифологии: злой дух, дьявол. *Не дух коварства и обмана Манил трепещущим огнем, Не очи злобного шайтана Светилися в ущелье том.* Лермонтов. Измаил-Бей.

**ШАЛА́НДА**, -ы, ж. [Франц. shaland; восх. к позднегреч. chelandion]. **1.** Небольшое мелкосидящее несамоходное судно, предназначенное для погрузки и разгрузки судов на рейде, перевозки земли, песка и т. п. *С шаланд выгружались бочки с провизией и цистерны с водой.* Станюкович. Пари. **2.** Плоскодонная парусная рыболовная лодка, плавающая на Черном море. *Рыбачьи шаланды.*

**ШАЛО́Н**, -а, м. [По названию города Châlons во Франции]. Тонкая шерстяная ткань саржевого переплетения, вышедшая из употребления. *Платье из шалона.*

**Шало́новый**, -ая, -ое. *Чичиков заметил на крыльце самого хозяина, который стоял в зеленом шалоновом сюртуке.* Гоголь. Мертвые души.

**ШАЛЬНО́Й**, -а́я, -о́е и **ША́ЛЫЙ**, -ая, -ое. *Разг.* **1.** Потерявший ясность сознания; безумный, одуре́лый.— *Шальной я стал, ничего не понима́ю.. Вчера ведро утопил в колодце. Вижу тонет, а не догадаюсь, что веревка оборвалась.* Неверов. Захарова смерть. *За воротами стоят шалые девки.. На иной, босой, одна посконная рубаха.. Глаза дикие.* А. Н. Толстой. Петр I. **2.** Отличающийся сумасбродством, безрассудный. *Шальной ребенок.* □ *Корова с колокольчиком.. Пришла к костру, уставила Глаза на мужиков, Шальных речей послушала И начала, сердечная, Мычать, мычать, мычать!* Н. Некрасов. Кому на Руси жить хорошо. *В свои студенческие годы и позднее, будучи оставленным при университете, Ярзенко вел самую шалую и легкомысленную жизнь.* Куприн. Яма. **3.** Беспорядочный, случайный. *Шальная пуля. Шальная стрельба на улицах.* ◊ **Шальная голова** — о сумасбродном, взбалмошном человеке. **Шальные деньги** — деньги, доставшиеся легко, без особого труда.

С и н. (к 1 знач.): ошале́лый (*разг.*), очуме́лый (*прост.*), чумово́й (*прост.*), шально́й (*прост.*). С и н. (ко 2 знач.): безу́мный, сумасбро́дный, сумасше́дший, взба́лмошный (*разг.*).

**ШАМА́Н**, -а, *м.* [Эвенк. šaman — буддийский монах; восх. к др.-инд. çromaṇás — аскет-буддист]. Колдун-знахарь, служитель культа у народов, религия которых основана на вере в духов. *Шаман ударял в большой бубен и на непонятном языке разговаривал с духами.* Эренбург. День второй.

**Шама́нка**, -и, *ж.* **Шама́нский**, -ая, -ое. *Шаманская пляска.*

**ШАМПУ́Р**, -а, *м.* [Груз. šampuri]. Заостренный металлический стержень для жарения шашлыка на открытом огне.

**ШАНДА́Л**, -а, *м.* [Тюрк. (тат.) šandal]. *Устар.* Подсвечник. *В моей комнате стояла кровать без тюфяка, маленький столик,.. в большом медном шандале горела тонкая сальная свеча.* Герцен. Былое и думы.

**ША́НЕЦ**, ша́нца, *м.* [Нем. Schanze]. В России 17—19 вв.: название различных временных полевых укреплений. *Рыли шанцы, обставлялись частоколами и рогатками. Русский лагерь был шумный, дымный, пыльный.* А. Н. Толстой. Петр I.

**ШАНС**, -а, *м.* [Франц. chance]. Условие, обеспечивающее успех; вероятность, возможность. *Упустить шанс. Последний шанс. Нет шансов.* □ — *У меня.. [невеста] кухарка Агафья. Но тут серьезная конкуренция: за ней ухаживает Гаврюшка. И знаете, все шансы на его стороне.* Мамин-Сибиряк. Человек с прошлым.

**ШАНСОНЕ́ТКА**, -и, *ж.* [Франц. chansonnette]. **1.** Эстрадная песенка игривого, часто нескромного содержания, исполняемая в кафешантане, в ресторане. *В соседнем номере распевал чей-то надтреснутый женский голос бравурную шансонетку.* Мамин-Сибиряк. Дикое счастье. **2.** Певица, исполняющая такие песни. *Любили меня и те компании, в которых широко кутили. Бывало, наведут певичек, шансонеток этих самых.* Куприн. С улицы.

**Шансоне́тный**, -ая, -ое (к 1 знач.) и **шансоне́точный**, -ая, -ое (к 1 знач.). *Шансоночный мотив.*

**ШАНТА́Ж**, -а́, *м.* [Франц. chantage]. Запугивание, угроза разоблачения, разглашения позорящих, компрометирующих кого-л. сведений с какой-л. целью. *Фашистские руководители гестапо.. решили использовать грубые, давно известные методы шантажа и провокации.* Линьков. Война в тылу врага.

**Шантажи́ст**, -а, *м.*

**ШАПИТО́**, нескл., *ср.* [Франц. chapiteau]. Большая передвижная, обычно брезентовая палатка для цирковых представлений, а также передвижной цирк, дающий представления в такой палатке. *Летом мы играли под брезентовым шапито, а иногда и вовсе без крыши.* Эдер. Мои питомцы.

**ШАРАБА́Н**, -а, *м.* [Франц. char à bancs]. **1.** Открытый четырехколесный экипаж с поперечными сиденьями в несколько рядов.— *Возьму коляску или шарабан, если их [приятелей] будет много, и поеду в Парголово.* Чернышевский. Пролог. **2.** Одноконный двухколесный экипаж. *Собаки залаяли, к крыльцу подъехал шарабан в одну лошадь.* Слепцов. Трудное время.

**ШАРА́ДА**, -ы, *ж.* [Франц. charade от прованс. charado — беседа]. Игра-загадка, в которой загаданное слово состоит из нескольких частей, каждая из которых представляет собой отдельное слово. *Разгадать шараду.* □ *[Туркин] знал много анекдотов, шарад, поговорок, любил шутить и острить.* Чехов. Ионыч.

**ШАРЖ**, -а, *м.* [Франц. charge]. Сатирическое или юмористическое изображение кого-, чего-л. с карикатурным подчеркиванием наиболее характерных внешних черт. *Дружеский шарж.* □ *Делал я тогда разные рисунки, карикатуры и шаржи для всевозможных журналов и газет Москвы.* Староносов. Моя жизнь.

**Ша́ржевый**, -ая, -ое. *Шаржевый портрет.*

**ШАРИА́Т**, -а, *м.* [Араб. šarī'at]. Свод мусульманских религиозных, юридических и бытовых правил, основанных на Коране. *Наказание по шариату.*

**ШАРЛАТА́Н**, -а, *м.* [Восх. к итал. ciarlatano]. Невежда, выдающий себя за знатока.— *Ненавижу я этого лекаришку; по-моему, он просто шарлатан; я уверен, что со всеми своими лягушками он и в физике недалеко ушел.* Тургенев. Отцы и дети.

С и н.: обма́нщик, плут, очковтира́тель, надува́ла (*разг.*).

**Шарлата́нка**, -и, *ж.* **Шарлата́нский**, -ая, -ое.

**ШАРЛАТА́НСТВО**, -а, *ср.* [См. *шарлатан*]. Бессовестный обман, основанный на незнании, на невежестве окружающих. *Разоблачение шарлатанства.* □ *Что это за человек? Действительно ли он обладает чудодейственной силой, или просто занимается шарлатанством? Верит ли он сам в свои чудеса?* Новиков-Прибой. Капитан 1-го ранга.

С и н.: плутовство́, очковтира́тельство, мистифика́ция (*книжн.*), надува́тельство (*разг.*).

**Шарлата́нский**, -ая, -ое. *Шарлатанские приемы.*

**ШАРЛО́ТКА**, -и, *ж.* [От франц. charlotte]. Сладкое кушанье из запеченного теста или сухарей с яблоками. *Испечь шарлотку.* □ *Вряд ли мно-*

гие здесь знали, что шарлотка — это сладкое блюдо из черных сухарей с яблоками. Вс. Иванов. Пархоменко.

**ШАРМ**, -а, *м.* [Франц. charme]. Очарование, обаяние. *На сцене Брейг утрачивал шарм, мгновенно пугался.* Федин. Я был актером.

Син.: пре́лесть, ча́ры (*книжн.*), плени́тельность (*книжн.*).

**ШАРМА́НКА**, -и, *ж.* [По начальному слову французской песенки «Charmante Gabriel» или немецкой «Scharmante Katharine», которые часто игрались на шарманках]. Небольшой переносной механический орган без клавишного механизма в виде надеваемого на плечо ящика с лямкой, приводимый в действие вращением ручки. *Теперь она всем рассказывает,.. что так как ее все теперь бросили, то возьмет детей и пойдет на улицу, шарманку носить, а дети будут петь и плясать.* Достоевский. Преступление и наказание. ◇ **Завести** (*или* **крутить** *и т.п.*) **шарманку** (*прост.*) — о надоевшем, многократно возобновляемом разговоре.

**Шарма́нщик**, -а, *м.* (бродячий музыкант с шарманкой).

**ШАРФ**, -а [не -á], *м.* [Восх. к франц. écharpe — повязка, шарф]. **1.** Матерчатое или вязаное изделие в виде длинной полосы, надеваемое на шею, голову или плечи. *Клетчатый шарф. Связать шарф. Укутаться теплым шарфом.* **2.** *Устар.* Офицерский пояс или повязка через плечо черно-желто-серебряного цвета. *Он побежал к сборному месту, на ходу надевая шарф с кобурой и шашку.* Куприн. Ночлег.

**ШАССИ́**, *нескл., ср.* [Франц. chassis]. *Спец.* **1.** Рама или основание различных машин, механизмов и устройств. *Шасси автомобиля. Шасси радиоприемника.* **2.** Взлетно-посадочное устройство самолета. *[Пикировщики] имели неубирающиеся шасси. Шасси эти в полете висели под брюхом.* Б. Полевой. Повесть о настоящем человеке.

**ШАТЕ́Н** [тэ́], -а, *м.* [Франц. châtain — каштановый; восх. к лат. castanea — каштан]. Мужчина с темно-русыми, каштановыми волосами.

**Шате́нка**, -и, *ж. У нее было нежное, матовое лицо темной шатенки.* Куприн. Страшная минута.

**ШАТЁР**, шатра́, *м.* [Тюрк.]. **1.** Палатка, обычно крытая тканью, коврами. *Цыганы шумною толпой По Бессарабии кочуют. Они сегодня над рекой В шатрах изодранных ночуют.* Пушкин. Цыганы. **2.** *перен.* Навес, образуемый переплетением веток и листьев деревьев. *Липы стояли вокруг,.. прикрывая своими шатрами сотни крестов и надгробий,.. сотни исчезнувших и свежих холмиков.* Проскурин. Горькие травы. **3.** *Спец.* Высокая пирамидальная четырехгранная или восьмигранная крыша (колоколен, башен, церквей и т.п.). *За седыми ветлами на кладбище — облупленный шатер церквенки.* А. Н. Толстой. Петр I.

**Шатёрный**, -ая, -ое (*к 1 знач.*) и **шатро́вый**, -ая, -ое (*к 3 знач.*). *Шатерный материал. Шатровый стиль в архитектуре.*

**ША́ФЕР**, -а, шафера́, -о́в, *м.* [Нем. Schaffer]. Участник церковного свадебного обряда, держащий венец над головой жениха или невесты при венчании, а также выполняющий другие свадебные поручения. *Десять лет перед своей смертью Вадим женился на моей кузине, и я был шафером на свадьбе.* Герцен. Былое и думы.

**Ша́ферский**, -ая, -ое. *Шаферские обязанности.*

**ШАХ**, -а, *м.* [Восх. к перс. šah — царь]. В некоторых восточных странах: титул монарха, а также лицо, носящее этот титул. *Он полагал, что причиною кровопролития будет смерть шаха и междуусобица его семидесяти сыновей.* Пушкин. Путешествие в Арзрум.

**Шахи́ня**, -и, *ж.* (жена шаха). **Ша́хский**, -ая, -ое. *Шахский престол.*

**ШАХИНША́Х**, -а, *м.* [См. *шах*]. Торжественный титул иранского шаха, а также лицо, носящее этот титул.

**Шахинша́хский**, -ая, -ое.

**ША́ШКА**[1], -и, *ж.* **1.** *Спец.* Кусок камня правильной формы или брусок поперечно разрезанного бревна для мощения улиц, дорог и т.п. *Подростки-ремесленники мостят торцовый пол, обмакивая в кипящую смолу деревянные шестиугольные шашки, всюду насыпанные.. кучками.* Бек. Тимофей — Открытое сердце. **2.** Точеный кружок для настольной игры на доске в 64 или 100 клеток, состоящей в том, что каждый из партнеров старается уничтожить шашки соперника или лишить его возможности делать ходы. *Доска с шашками.* □ — *Знаем мы вас, как вы плохо играете! — сказал Ноздрев, подвигая шашку.* Гоголь. Мертвые души. **3.** *Спец.* Кубик, плитка, цилиндр спрессованного взрывчатого вещества. *Толовая шашка. Шашка динамита.* □ *Бортмеханик Самохин проткнул в шашке несколько отверстий, сунул фосфорную спичку, поджег ее и выбросил шашку в открытую дверь.* Санин. За тех, кто в дрейфе! ◇ **Дымовая шашка** (*спец.*) — прибор, представляющий собой коробку, наполненную дымовой смесью (применяется в военном деле для создания дымовых завес и в сельском хозяйстве для защиты растений от заморозков).

**ША́ШКА**[2], -и, *ж.* Рубящее и колющее холодное оружие с длинным, слегка изогнутым клинком. *Потом [Половцев] осторожно извлек две шашки. Одна из них [в].. видавших виды ножнах, другая — офицерская,.. в ножнах, выложенных серебром с чернью.* Шолохов. Поднятая целина.

**ШВАРТОВА́ТЬ**, -ту́ю, -ту́ешь; шварту́ющий, швартова́вший; шварту́емый; шварту́я, *несов., что.* [От голл. żwaartouw — причальный канат]. *Спец.* Привязывать судно тросом или цепью (швартовом) к причальным приспособлениям. *По радио всю ночь бюро погоды Предупреждает, что кругом шторма, — Пускай в портах швартуют пароходы.* Симонов. Старик.

Син.: прича́ливать.

**Швартова́ться**, -ту́ется; *возвр.* **Шварто́вка**, -и, *ж. Швартовка судов.*

**ШВЕРТБО́Т**, -а, *м.* [Нем. Schwertboot]. Парусное одномачтовое спортивное и прогулочное судно облегченной конструкции с выдвижным килем. *Управлять швертботом.*

**ШВЕЦ**, -а́, *м. Устар.* Портной.— *Да уж прежнему швецу не отдам: в тот раз сшил фрак — надеть теперь нельзя.* Писемский. Богатый жених.

**ШЕВИО́Т**, -а, *м.* [Франц. cheviot]. Легкая, мягкая, слегка ворсистая шерстяная или полушерстяная ткань для верхней одежды. *Синий шевиот.* □ *Саша купил себе серенький костюмчик-тройку из шевиота.* В. Беляев. Старая крепость.

**Шевио́товый**, -ая, -ое. *Шевиотовый пиджак. Шевиотовое пальто.*

**ШЕВРО́**, *нескл., ср.* [Франц. chevreau — козленок; восх. к лат. сарга — коза]. Мягкая кожа хромового дубления, выделанная из шкур коз. *Ботинки из шевро.*

**Шевро́вый**, -ая, -ое. *Шевровая кожа.*

**ШЕВРО́Н**, -а, *м.* [Франц. chevron — первонач. стропило]. *Спец.* Нашивка из галуна (обычно в виде угла) на рукаве форменной воинской одежды. *Золотые шевроны.* □ *На рукаве его голубого атаманского мундира морщились шевроны — нашивки за сверхсрочную службу.* Шолохов. Тихий Дон.

**Шевро́нный**, -ая, -ое. *Шевронные галуны.*

**ШЕДЕ́ВР** [дэ́], -а, *м.* [Франц. chef-d'œuvre — букв. основное из произведений]. *Книжн.* Исключительное по своим достоинствам произведение искусства. *Создание шедевра. Поэтический шедевр. Шедевры древнерусской архитектуры.* □ *— Там [в церквах и монастырях] гибли.. шедевры, кое-что удалось спасти. Особенно горжусь богоматерью из Суздаля. Не позднее четырнадцатого века. Записана в десять, а то и больше слоев.* Проскурин. Горькие травы.

**ШЕЗЛО́НГ**, -а, *м.* [Франц. chaise longue — букв. длинный стул]. Легкое раздвижное кресло, в котором можно полулежать. *Пляжный шезлонг.* □ *[Дамы] лениво покидали парусиновые шезлонги, уходили в дом.* А. Н. Толстой. Эмигранты.

**Шезло́нговый**, -ая, -ое.

**ШЕЙК**, -а, *м.* [Англ. chake — трясти]. Современный быстрый, ритмичный танец. *Танцевать шейк.*

**ШЕЙХ**, -а, *м.* [Восх. к араб. šaih — вождь племени]. **1.** В арабских странах: глава рода, старейшина общины. **2.** У мусульман: лицо, принадлежащее к высшему духовенству.

**ШЕЛЕ́П**, -а, *м.* и **ШЕЛЕПУ́ГА**, -и, *ж. Устар.* Плеть, нагайка. *Нещадно он [игумен Моисей] бил меня шелепами.* Мамин-Сибиряк. Охонины брови.— *Милостивцы, оба глаза мои вытекли, по голове шелепугой били меня бесчеловечно-о-о-о!* А. Н. Толстой. Петр I.

С и н. кнут, бич.

**ШЕЛКОВИ́ЦА**, -ы, *ж.* Южное дерево сем. тутовых со съедобными плодами, листьями которого выкармливают гусениц тутового шелкопряда; тутовое дерево. *Над скамейками нависают мягко и густо, как косы переплетенные, ветки плакучих шелковиц.* Сергеев-Ценский. Заурядполк.

С и н.: ту́товник и туто́вник.

**Шелкови́чный**, -ая, -ое. ◊ *Шелковичное дерево* — то же, что шелковица. *Шелковичный червь* — гусеница тутового шелкопряда.

**ШЕЛО́М**, -а, *м. Устар.* и *трад.-поэт.* То же, что шлем (*в 1 знач.*). *Что за странная картина! Перед ним его два сына Без шеломов и без лат Оба мертвые лежат.* Пушкин. Сказка о золотом петушке.

**ШЕЛЬМОВА́ТЬ**, -му́ю, -му́ешь; шельму́ющий, шельмова́вший; шельму́емый, шельмо́ванный; -ан, -а, -о; шельму́я; *несов.* [Польск. szelmować; восх. к нем. Schelm — плут]. **1.** *кого.* В России 18 в.: подвергать публичному наказанию (применялось по отношению к дворянам, осужденным на смертную казнь или вечную ссылку). **2.** *кого, что.* Бесчестить, позорить (обычно без достаточных оснований).— *Надоело наблюдать его нетактичное поведение!.. Сил нет! Он всех шельмует, всех грязью обливает.* Трифонов. Доктор, студент и Митя.

С и н. (ко 2 знач.): поро́чить, компромети́ровать, черни́ть, пятна́ть, па́чкать, бессла́вить (*книжн.*), мара́ть (*разг.*), срами́ть (*разг.*).

**Шельмова́ние**, -я, *ср. Шельмование честного человека.*

**ШЕМЯ́КИН**, -а, -о. ◊ *Шемякин суд* (*устар. разг.*) — несправедливый, пристрастный суд (по имени судьи Шемяки из старинной русской повести).— *Ведь вороги-то мои хотели донять меня тем, что над тобой Шемякин суд справили.* Боборыкин. Василий Теркин.

**ШЕ́НКЕЛЬ**, -я, шенкеля́, -е́й, *м.* [Нем. Schenkel]. *Спец.* Внутренняя, обращенная к лошади часть ноги всадника от колена до щиколотки, помогающая управлять лошадью. *Шенкелями осадить лошадь. Дать лошади шенкеля (сильно нажать шенкелями).* □ *Нагульнов понуро опустил голову и тотчас же вскинул ее, как конь, почувствовавший шенкеля.* Шолохов. Поднятая целина.

**ШЕРБЕ́Т**, -а, *м.* [Тюрк.] **1.** Восточный фруктовый прохладительный напиток. *Кругом невольницы меж тем Шербет носили ароматный, И песнью звонкой и приятной Вдруг огласили весь гарем.* Пушкин. Бахчисарайский фонтан. **2.** Сладкое кушанье — густая масса из фруктов или кофе, шоколада и сахара, обычно с орехами.

**ШЕРИ́Ф**[1], -а, *м.* [Англ. sheriff]. В Англии, Ирландии и США: должностное лицо, осуществляющее административные, полицейские и некоторые судебные функции. *Вчера у шерифа разбиралось дело, из которого явствует, что лорд-контролер королевина двора бился об заклад в тысяче фунтов за известного кулачного бойца.* Вяземский. Письма русского ветерана.

**ШЕРИ́Ф**[2], -а, *м.* [Араб. šarif]. Почетное звание мусульманина, ведущего, якобы, свое происхождение от Магомета.

**ШЕ́СТВИЕ**, -я, *ср.* **1.** Массовое торжественное прохождение в связи с каким-л. событием или согласно обычаю, обряду. *Первомайское шествие. Факельное шествие. Свадебное шествие.* □ *Шествие тронулось. Среди знамен, над головами несли трехметровый венок из дубовых веток и красных роз: направлялись к братской могиле на площади Жертв Революции.* Федин. Рисунок с Ленина. **2.** *перен.*, обычно *чего.* Развитие, продвижение к более совершенному состоянию. *Везде прогресс, везде неторопливое,* но неуклонное шествие вперед. Салтыков-Щедрин. Петербургские театры.

С и н. (к 1 знач.): проце́ссия, корте́ж (книжн.).

**ШЕСТЕРИ́К**, -а́, м. **1.** Старая русская мера (счета, веса, объема и т. п.), содержащая в себе шесть каких-л. единиц, а также предмет, состоящий из шести частей. *Шестерик пшеницы (весом в 6 пудов). Гвоздь шестерик (длиной в 6 дюймов).* **2.** Шесть лошадей в одной упряжке. *Шестерик застоявшихся сивых вышел крупной рысью на бревенчатую мостовую.* А. Н. Толстой. Петр I.

С и н. (ко 2 знач.): шестёрка, шестерня́ (устар.).

**Шестерико́вый**, -ая, -ое.

**ШЕСТО́К**, -тка́, м. **1.** Площадка перед устьем русской печи. *Лавки, стол,.. ухват в углу и широкий шесток, уставленный горшками,— все было как в обыкновенной избе.* Пушкин. Капитанская дочка. **2.** Перекладина, жердочка для ночевки птиц. *Солнце садится просто, деловито, как старый, уставший за день петух на шесток.* Проскурин. Горькие травы.

С и н. (ко 2 знач.): насе́ст и нашёст.

**ШЕФ**, -а, м. [Франц. chef]. **1.** *Офиц.* В дореволюционной России и некоторых других странах: начальник (войсковой части, отделения полиции, учебного заведения и др.). *Шеф жандармов. Шеф полиции.* □ *В 1797 г. Павел произвел Милорадовича в полковники, а менее чем через год — в генерал-майоры, и назначил шефом Апшеронского мушкетерского полка.* Лесков. Популярные русские люди. **2.** *Разг. шутл.* Руководитель по отношению к подчиненным.— *До сих пор никак не могу согласовать тему дипломной работы с шефом.. Поуже, говорит, возьми, поконкретнее, понадежнее.* Проскурин. Горькие травы. **3.** Лицо или организация, оказывающие регулярную помощь кому-, чему-л. *Шефы детского дома.* □ — *Мы тебя командируем в.. колхоз «Красный Октябрь». Поучишься. Мы попросили прикрепить к тебе районного инженера в качестве шефа.* Николаева. Жатва.

С и н. (к 1 знач.): глава́, голова́ (разг.). С и н. (ко 2 знач.): патро́н (разг.).

**Ше́фский**, -ая, -ое (к 3 знач.). *Шефская помощь.*

**ШЕФ-...** [См. *шеф*]. Первая составная часть названий должностей, обозначающая главный, старший, напр.: *шеф-повар, шеф-пилот.*

**ШИ́ЛЛИНГ**, -а, м. [Англ. shilling]. **1.** Английская монета, равная 1/20 фунта стерлингов. *Здесь была валюта многих стран света — американские доллары и английские шиллинги, франки французские и бельгийские, кроны австрийские, чешские, норвежские.* Фадеев. Молодая гвардия. **2.** Денежная единица Австрии и некоторых других стран.

**ШИНКОВА́ТЬ**, -ку́ю, -ку́ешь; шинку́ющий; шинкова́вший; шинку́емый, шинко́ванный; -ан, -а, -о; шинку́я; *несов., что.* Резать узкими длинными полосками (обычно об овощах). *Шинкованная морковь.* □ — *Сегодня кухарка шинковала капусту и обрезала себе палец,— сказал он.* Чехов. Дома.

**Шинкова́ние**, -я, *ср.* и **шинко́вка**, -и, *ж.*

**ШИНО́К**, шинка́, *м.* [Восх. к ср.-в.-нем. schenke]. *Устар.* В дореволюционной России (преимущ. в южных губерниях, на Украине): небольшое питейное заведение.— *Я выпью в шинке самогонки За ваше здоровье и честь.* Есенин. Анна Снегина.

**Шинка́рь**, -я́, *м.* (содержатель шинка).

**ШИНЬО́Н**, -а, *м.* [Франц. chignon]. Женская прическа с накладными волосами, а также сами такие волосы. *Из соседней комнаты вышла хозяйка.. в ситцевом платье, с увесистым шиньоном на затылке.* Н. Успенский. При своем деле.

**Шиньо́нный**, -ая, -ое.

**ШИ́РМА**, -ы, *ж.* и **ШИ́РМЫ**, ширм (в одном знач. с ед.), *мн.* [Нем. Schirm]. **1.** Складная переносная перегородка в виде рам, обтянутых материей или бумагой. *Комната перегорожена красными ситцевыми ширмами. Меньшая, левая часть — это спальня хозяйки и ее детей.* Куприн. Река жизни. **2.** *ед., перен. Книжн.* То, что (или тот, кто) служит прикрытием для кого-, чего-л. *Намекали на то, что Бубликов — жертва, пешка, ширма,.. а главные организаторы вредительства — Стрижевский и Шлиппе.* Ф. Гладков. Энергия.

С и н. (ко 2 знач.): прикры́тие.

**Ши́рмочка**, -и, *ж.* (уменьш.).

**ШИРО́КИЙ**, -ая, -ое; -ро́к, -рока́, -ро́ко и -роко́. **1.** Имеющий большую протяженность в поперечнике. *Широкая улица.* **2.** Слишком просторный, больший по ширине, чем требуется. *Пальто широко в плечах.* **3.** Размашистый, свободный, крупный (о движениях, шагах и т. п.). *[Марья Павловна] сильной, широкой, почти мужской походкой подошла к Нехлюдову.* Л. Толстой. Воскресение. **4.** *перен.* Охватывающий, включающий, распространяющийся на многое, многих. *Специалист широкого профиля. Товары широкого потребления.* □ *[Актер] должен создавать образы глубоко жизненные, понятные самому широкому советскому зрителю.* Пашенная. Искусство актрисы. **5.** *перен.* Отличающийся большим размахом в проявлении чего-л., лишенный ограниченности, узости. *Широкое гостеприимство. Широкая душа. Широкий кругозор.* □ *Впрочем, были другие имения, которые позволяли Лугининым вести широкую жизнь в столице.* Мамин-Сибиряк. Человек с прошлым. ◊ **На широкую** (или **большую, барскую** и т. п.) **ногу** — богато, не считаясь с затратами. **Широким фронтом** — повсеместно, с большим охватом.

С и н. (ко 2 знач.): свобо́дный.

А н т. (к 1, 3, 4 и 5 знач.): у́зкий. А н т. (ко 2 знач.): у́зкий, те́сный.

**ШИРОКОВЕЩА́ТЕЛЬНЫЙ**, -ая, -ое; -лен, -льна, -о. *Книжн. неодобр.* Заключающий в себе многочисленные обещания, привлекающий обилием обещаний. *Широковещательные заявления.*

**Широковеща́тельно**, *нареч.* **Широковеща́тельность**, -и, *ж.*

**ШИ́ФЕР**, -а, *м.* [Нем. Schiefer]. Кровельный штучный материал в виде плиток, изготовляемый из смеси цемента и асбеста. *Колхозный коровник был гордостью хуторян. Строили его свои-*

ми силами, долго не могли достать кирпич и *шифер для крыши*. Закруткин. Матерь человеческая.

**Ши́ферный**, -ая, -ое. *Шиферная крыша*.

**ШИФО́Н**, -а, м. [Франц. chiffon — тряпка]. Тонкая хлопчатобумажная или шелковая ткань. *Шарфик из шифона*.

**Шифо́новый**, -ая, -ое. *Шифоновая блузка*.

**ШИФОНЬЕ́Р**, -а, м. [Франц. chiffonnier]. Шкаф для белья, платья и других принадлежностей туалета. *Сережа схватил из шифоньера.. знакомое, красивое, светло-серое. Тот самый макинтош!* Николаева. Битва в пути.

С и н.: гардероб.

**ШИФР**, -а, м. [Франц. chiffre — цифра, сумма, шифр]. **1.** *Устар*. Вензель, составленный из инициалов. *Посреди фасада было.. крыльцо на двух плоских колоннах, с портиком,.. в треугольнике портика — шифр «А. М.», обвитый змеей*. А. Н. Толстой. Петр I. **2.** *Устар.* Знак отличия в виде вензеля императрицы, выдаваемый фрейлинам и институткам, отлично окончившим курс. *[Отца] попросили взять Александру Викторовну из Нижегородского института, где она кончила курс и кончила с шифром*. А. Крылов. Мои воспоминания. **3.** Система знаков для секретного письма, читаемого с помощью ключа, известного ограниченному кругу лиц. *Буквенный, числовой шифр*. □ *Дукельский сел за расшифровку полученных за день секретных телеграмм. Их было много, шифр был местами искажен*. Степанов. Порт-Артур. **4.** Условное обозначение на книгах, рукописях и т. п., определяющее их место при хранении в библиотеках, архивах. *[Мартин Лукьяныч] выдвинул ящик, выкинул оттуда пачку писем с шифром «Ю»*. Эртель. Гарденины.

С и н. (к 3 знач.): код.

**Шифрово́й**, -а́я, -о́е.

**ШИША́К**, -а́, м. Старинный боевой головной убор в виде высокого суживающегося кверху шлема с шишкой наверху. *Однажды он увидел необыкновенного солдата в шишаке и без погон, с малиновыми нашивками на груди*. Крымов. Танкер «Дербент».

**ШКАЛА́**, -ы́, шка́лы, шкал, ж. [Восх. к лат. scala — лестница]. **1.** Линейка или циферблат с делениями в различных приборах. *Шкала приемника, термометра*. □ *Стрелка тахометра быстро ползла по шкале. Она.. перевалила через цифру «сто» и двинулась дальше*. Крымов. Танкер «Дербент». **2.** *Спец*. Ряд чисел в восходящем или нисходящем порядке, принятых для измерения или оценки чего-л. *Шкала заработанной платы*.

**Шка́льный**, -ая, -ое (к 1 знач.) (спец.). *Шкальный прибор*.

**ШКА́ЛИК**, -а, м. [Восх. к нем. Schale — чаша, кубок]. *Устар*. **1.** Старая русская мера вина, равная 1/200 ведра (0,06 л), а также винная посуда такой меры. *Достали водки, выпили. Якиму Веретенникову Два шкалика поднес*. Н. Некрасов. Кому на Руси жить хорошо. **2.** Конусообразный стаканчик с салом или маслом и фитилем, зажигавшийся при иллюминациях. *Тысячи шкаликов,* плошек и цветных фонарей были расставлены и развешаны по саду. Загоскин. Тоска по родине.

**ШКА́НЦЫ**, -ев, мн. [Голл. schans]. *Спец*. Часть верхней палубы военных кораблей, где совершаются все официальные церемонии (смотры, парады, встречи и т. п.). *Команда корабля была уже выстроена на шканцах. У трапа адмирала встретил командир корабля*. Степанов. Порт-Артур.

**ШКАТУ́ЛКА**, -и, ж. [Польск. szkatuła от ср.-лат. scatula]. Небольшой ящик для хранения мелких, обычно ценных вещей. — *Матушка отыскала мой паспорт, хранившийся в ее шкатулке вместе с сорочкою, в которой меня крестили*. Пушкин. Капитанская дочка.

С и н.: ларец.

**Шкату́лочка**, -и, ж. (*уменьш.*).

**ШКВАЛ**, -а, м. [Англ. squall]. **1.** Внезапный сильный порыв ветра (чаще всего при грозе). *За воротник потекли холодные струйки, все кругом заревело, и баркас исчез из глаз. Это налетел шквал с плотным косым дождем*. Соболев. Рождение командира. **2.** *перен., чего*. О сильном и резком проявлении чего-л. *Шквал аплодисментов. Шквал негодования. Артиллерийский шквал*. □ *Едва санитары попытались подобрать раненых, как новый шквал снарядов обрушился на батарею*. Степанов. Порт-Артур.

**Шква́льный**, -ая, -ое и **шква́листый**, -ая, -ое (к 1 знач.). *Шквальный огонь. Шквалистый ветер*.

**ШКИ́ПЕР**, -а, шки́перы, -ов и шкипера́, -о́в, м. [Голл. schipper]. **1.** *Устар*. Капитан коммерческого судна. *Егор Петрович, раскланявшись с хозяином, скоро встретил голландского шкипера*. В. Одоевский. Саламандра. **2.** Командир несамоходного речного судна. *[В Сосновке появлялись] матросы с пароходов и шкиперы барж, жили районные и областные уполномоченные, приезжали на отдых родственники сосновчан*. Липатов. И это все о нем. **3.** Лицо, ответственное за палубное имущество на морских судах.

**Шки́перский**, -ая, -ое. *Шкиперская каюта. Шкиперские обязанности*.

**ШКО́ЛА**, -ы, ж. [Восх. к греч. scholē — букв. задержка, досуг, занятия в свободное время]. **1.** Учебно-воспитательное заведение, которое осуществляет образование и воспитание подрастающего поколения, а также здание этого заведения. *Начальная, средняя школа. Вечерняя школа. Музыкальная школа. Школа-интернат*. **2.** Специальное учебное заведение, в котором даются профессиональные знания. *Летная школа. Высшая коммерческая школа. Школа милиции*. **3.** *ед*. Система образования, совокупность учреждений для обучения. *Реформа школы. Компьютеризация школы*. **4.** Выучка, приобретенный опыт, а также то, что дает такую выучку, опыт. *Школа жизни. Пройти хорошую школу в армии*. □ *Доменщики никогда не признают настоящим мастером того, кто не прошел тяжелой школы у горна*. Бек. Записки доменного мастера. **5.** Направление в науке, искусстве. *Выставка художников различных школ. Математическая школа Чаплыгина*. □ — *Но ведь и вкусы дробятся на роды, как и само* искусство делится на школы. Различие школ и стилей обусловливается.. различием вкусов артистических натур. И. Гончаров. Литературный вечер. ◊ **Воскресные школы** — в дореволюционной России: бесплатные школы для взрослых, работавшие по воскресеньям. *[Аркадий] опять, под предлогом изучения механизма воскресных школ, скакал в город.* Тургенев. Отцы и дети.

С и н. (к 5 знач.): течение.

**Шко́льный**, -ая, -ое (к 1 и 3 знач.). *Школьное здание. Школьные годы.*

**ШКУ́НА** см. шхуна.

**ШЛАГБА́УМ**, -а, *м.* [Нем. Schlagbaum от Slag — дверца и Baum — дерево]. Подъемный или выдвижной брус для открытия и закрытия пути на заставах и переездах. *И тогда решили они.. на железную дорогу податься. Думали, подыщется какая подходящая работа для Едигея — охранником, сторожем или где на переезде шлагбаум открывать да закрывать.* Айтматов. Буранный полустанок.

**ШЛАК**, -а, *м.* [Нем. Schlack]. **1.** Остаток от сжигания твердого топлива. *Ветер задувал в паровоз, принося к неистребимому запаху выгоревшего шлака в топке запах свежего, первозданного степного снега.* Айтматов. Буранный полустанок. **2.** *перен.* О ком-, чем-л. ненужном, не имеющем ценности. — *Близок тот день, когда вся гитлеровская нечисть — этот шлак человечества — будет выброшена на порог.* В. Попов. Сталь и шлак.

**Шла́ковый**, -ая, -ое (к 1 знач.). *Шлаковый ковш.*

**ШЛАФРО́К**, -а и **ШЛАФО́Р**, -а, *м.* [Нем. Schlafrock — букв. спальная одежда]. *Устар.* Домашний халат. *Поутру, встав часу в девятом, Садится в шлафоре измятом Она за вечную канву.* Лермонтов. Тамбовская казначейша. *В бухарском шлафроке, подпоясанном носовым платком, старик усердно рылся в огороде.* Тургенев. Отцы и дети.

**ШЛЕЙФ**, -а, *м.* [Нем. Schleif]. **1.** Длинный, волочащийся сзади подол женского платья. *По аллейкам.. кружились полнотелые немки в декольтированных тяжелых платьях.. Они подбирали шлейфы, и, сделав два-три шажка, опять распускали их по асфальтовой дорожке.* Федин. Первые радости. **2.** *перен.*, обычно *чего. Спец.* След, полоса от движения чего-л. *Шлейф кометы.* □ *Каждое утро над степью на большой высоте.. пролетал немецкий разведчик, оставляя за собой серебристый шлейф отработанного газа.* Шолохов-Синявский. Волгины.

С и н. (к 1 знач.): трен (устар.).

**ШЛЕМ**, -а, *м.* **1.** Старинный металлический воинский головной убор, защищавший от ударов, стрел. *В громаде тлеющих кольчуг, Мечей и шлемов раздробленных Себе доспехов ищет он.* Пушкин. Руслан и Людмила. **2.** Специальный защитный головной убор у военных, летчиков, спортсменов и т. п., закрывающий голову и шею. *Шлем мотоциклиста. Летный шлем. Шлем вратаря. Кожаный, пробковый шлем.* □ *Перед барьером стоял милиционер в буденовском шлеме с красным щитом-кокардой.* Пантелеев. Ленька Пантелеев. **3.** Специальное устройство, предохраняющее голову и изолирующее ее от внешней среды. *Шлем пожарного. Водолазный шлем. Кислородный шлем.*

**ШЛЕМОФО́Н**, -а, *м. Спец.* Шлем летчика, космонавта, танкиста с заключенным в нем переговорным устройством, а также само переговорное устройство.

**ШЛЕЯ́**, -и́, *ж.* Часть конской сбруи в виде ремня, идущего от хомута вокруг туловища лошади и поддерживаемого проходящими через спину поперечными ремнями. — *А когда вернулся к саням, — ни кнута, ни дуги, ни хомута со шлеей унесли.. У Алешки отнялись ноги, в голове — пустой звон.* А. Н. Толстой. Петр I.

**ШЛИФОВА́ТЬ**, -фу́ю, -фу́ешь; шлифу́ющий; шлифова́вший; шлифу́емый; шлифо́ванный; -ан, -а, -о; шлифу́я; *несов., что.* [Польск. szlifować от ср.-в.-нем. slifen]. **1.** Обрабатывать поверхность металла, дерева, стекла и т. п. трением для придания гладкости, точных размеров, определенной формы. *Шершавой наждачной бумагой он шлифовал каждую деталь.* В. Кожевников. Мальчик с окраины. **2.** *перен.* Совершенствовать, улучшать. *Шлифовать стиль произведения.* □ *Цирковые артисты.. [выступали] с одним репертуаром по пять-шесть лет, в процессе выступлений бесконечно отделывая и шлифуя свой номер.* Кузнецов. Путь художника.

С и н. (к 1 знач.): отшлифо́вывать. С и н. (ко 2 знач.): отде́лывать, отраба́тывать, отшлифо́вывать.

**Шлифова́ние**, -я, *ср.* и **шлифо́вка**, -и, *ж. Шлифование стекла. Шлифовка алмаза. Шлифовка языка повести.*

**ШЛЫК**, -а́, *м.* **1.** Старинный головной убор русских замужних крестьянок, род повойника. *Густо напомаженные волосы были собраны.. под атласный бабий «шлык», значит, Гашка была теперь дамой.* Мамин-Сибиряк. Сестры. **2.** *Устар.* Шапка, головной убор, имеющие коническую форму. *И вдруг, у самого поворота в Суходол, увидали мы.. высокую престранную фигуру в халате и шлыке.* Бунин. Суходол.

С и н. (к 1 знач.): шлы́чка (устар.).

**ШЛЮЗ**, -а, *м.* [Голл. sluis или н.-нем. slüse; восх. к лат. exclusa — запруда]. **1.** Сооружение на реке, канале для перевода судов с одного уровня воды на другой, состоящее из камер с воротами. *Бетонное основание шлюза. Многокамерный шлюз.* □ *Через шлюзы из большого канала барка вошла в малые.* А. Н. Толстой. Петр I. **2.** Отверстие с затвором в плотине для выпуска воды. *Вода [в мельнице] ревела и бурлила в открытые шлюзы.* Короленко. Птицы небесные. **3.** Устройство из изолирующих перемычек с люком для перехода из одного помещения в другое. *Шлюзы космического корабля.*

**Шлю́зный**, -ая, -ое (к 1 знач.) и **шлюзово́й**, -а́я, -о́е. *Шлюзовые ворота. Шлюзовой отсек.*

**ШЛЮ́ПКА**, -и, *ж.* [Голл. sloep]. Гребная, парусная или моторная лодка с прочным широким корпусом. *Спортивная шлюпка. Спасательные шлюпки на море. Парусная, весельная шлюпка.* □ *Двое матросов бросились в воду и.. [поплыли] к утопавшему, с кормы спускали шлюпку.* М. Горький. В людях.

**Шлю́почный**, -ая, -ое. *Шлюпочные гонки.*

**ШЛЯ́ГЕР**, -а, *м.* [Нем. Schlager]. Популярная эстрадная песня, мелодия. *С телеэкрана звучит шлягер.*

**ШЛЯХ**, -а, *м.* [Польск. szlach от ср.-в.-нем. slag — колея, след]. На Украине и на юге России: наезженная дорога. *По широкому пыльному шляху, мимо серебристых пирамидальных тополей.. медленно пропылили упряжки.* Солоухин. Рождение Зернограда.

С и н.: больша́к, тракт (устар.).

**ШЛЯХЕ́ТСТВО**, -а, *ср., собир.* [См. *шляхта*]. *Устар.* **1.** То же, что шля́хта.— *Всех ты привела к ногам моим: лучших дворян изо всего шляхетства, богатейших панов, графов и иноземных баронов.* Гоголь. Тарас Бульба. **2.** Название дворянства, употреблявшееся в России в первой половине 18 в.— *Ежели она [Екатерина II] желает только на мелкопоместное дворянство опираться, на шляхетство, проедает.* Шишков. Емельян Пугачев.

**ШЛЯ́ХТА**, -ы, *собир., ж.* [Польск. szlachta от ср.-в.-нем. slachte — род, происхождение]. *Устар.* Польское мелкопоместное дворянство.— *Поляки совсем сошли с ума,— такого пьянства, такой междуусобицы в Польше и не запомнят, паны со шляхтой штурмом берут друг у друга города и замки.* А. Н. Толстой. Петр I.

**Шляхе́тский**, -ая, -ое. **Шля́хтич**, -а, *м.* (польский мелкопоместный дворянин).

**ШОВИНИ́ЗМ**, -а, *м.* [Франц. chauvinisme; по имени французского солдата Шовена — поклонника завоевательной политики Наполеона I]. Крайний национализм, проповедующий национальную и расовую исключительность и разжигающий национальную вражду и ненависть.

**Шовинисти́ческий**, -ая, -ое. *Шовинистические лозунги.* **Шовини́ст**, -а, *м.*

**ШОК**, -а, *м.* [Франц. choc]. Угрожающее жизни человека состояние, возникающее вследствие сильного физического повреждения или психического потрясения. *Травматический шок. Нервный шок.* ▫ *— Электроожог 4—5 степеней обеих верхних конечностей и правой стопы. Доставлен каретой скорой помощи в глубоком шоке.* В. Титов. Всем смертям назло.

**Шо́ковый**, -ая, -ое. *Шоковое состояние.*

**ШОКИ́РОВАТЬ**, -рую, -руешь; шоки́рующий, шоки́ровавший; шоки́руемый, шоки́рованный; -ан, -а, -о; шоки́руя, шоки́ровав; *сов. и несов., кого.* [Франц. choquer от ср.-голл. schokken — толкать]. *Книжн.* Привести (приводить) в смущение своим поведением, нарушением общепринятых правил приличия. *Шокировать окружающих своим поведением.* ▫ *[Елена Дмитриевна] метнула на мужа злой взгляд: ее шокировало небрежное его отношение к гостям.* Ф. Гладков. Энергия.

**ШО́МПОЛ**, -а, шомпола́, -о́в, *м.* [Восх. к нем. Stempel]. Стержень для чистки и смазки канала ствола в ручном огнестрельном оружии или для забивания заряда в ружья, заряжаемые с дула (в царской армии ударами таких стержней наказывали провинившихся). *Вот пистолеты уж блеснули, Гремит о шомпол молоток. В граненый ствол уходит пули, И щелкнул первый раз курок.* Пушкин. Евгений Онегин. *Голый, весь в крови, лежал на полу человек. Двое дюжих казаков, хрипя и рыча, молотили его шомполами.* Ф. Гладков. Цемент.

**Шо́мпольный**, -ая, -ое.

**ШО́РНИК**, -а, *м.* [См. *шоры*]. Мастер, специалист по изготовлению ременной упряжи. *Это был честный и довольно зажиточный человек, ремеслом шорник, и даже имел собственную шорную мастерскую.* Салтыков-Щедрин. Пошехонская старина.

**ШО́РЫ**, шор, *мн.* [Польск. szory от ср.-в.-нем. geschirre — упряжь, сбруя]. **1.** Конская ременная упряжь без дуги и хомута, со шлеей. *У подъезда стояла пара английских лошадей в шорах.* Л. Толстой. Воскресение. **2.** Боковые щитки на уздечке возле глаз, не дающие возможности лошади смотреть по сторонам. *Я ничего не хотел видеть. Мчался, не разбирая дороги, как лошадь в шорах.* Лавренев. За тех, кто в море. **3.** *перен. Книжн.* То, что мешает правильно смотреть на вещи, понимать и оценивать окружающее. *Только обыватели с шорами эгоизма на глазах еще могут тешить себя несбыточными надеждами отсидеться ото всего на стороне.* Грибачев. От Земли до Луны. ◊ **Взять в шоры** *кого;* **держать в шо́рах** *кого* — заставить действовать в определенных рамках, ограничить свободу действий кого-л.

**Шо́рный**, -ая, -ое (*к 1 и 2 знач.*). *Шорная лавка.*

**ШОССЕ́** [сэ], *нескл., ср.* [Франц. chaussée]. Дорога с твердым покрытием, предназначенная для безрельсового транспорта. *Асфальтированное, бетонированное шоссе. Ремонт шоссе.*

**Шоссе́йный**, -ая, -ое. *Шоссейная дорога.*

**ШО́У**, *нескл., ср.* [Англ. show]. **1.** Яркое сценическое зрелище с участием «звезд» (эстрады, цирка, спорта, балета на льду и т. п.). *Международное шоу красоты. Ледовое шоу.* **2.** *перен.* Нечто показное, рассчитанное на внешний эффект. *Политическое шоу.*

**ШПА́ГА**, -и, *ж.* [Польск. szpada и szpaga от итал. spada; восх. к греч. spathē — бедро, лопата; широкий меч]. Холодное колющее оружие с прямым узким длинным клинком трехгранной, четырехгранной или шестигранной формы. *Обнажить шпаги. Владеть шпагой. Драться на шпагах.* ◊ *Офицеры застегивались, надевали шпаги и ранцы и, покрикивая, обходили ряды.* Л. Толстой. Война и мир.

**Шпажи́ст**, -а, *м.* (спортсмен, занимающийся фехтованием на шпагах).

**ШПАКЛЕВА́ТЬ**, -лю́ю, -лю́ешь *и* (*спец.*) **ШПАТЛЕВА́ТЬ**, -лю́ю, -лю́ешь; шпаклю́ющий *и* шпатлю́ющий, шпаклева́вший *и* шпатлева́вший; шпаклю́емый *и* шпатлю́емый, шпаклёванный; -ан, -а, -о *и* шпатлёванный; -ан, -а, -о; шпаклю́я *и* шпатлю́я; *несов., что.* (От польск. szpatel *или* нем. Spatel — шпатель (лопаточка, применяемая художниками); восх. к греч. spathē — лопата; широкий меч]. Замазывать особым составом щели и неровности какой-л. поверхности, подготовляя ее для последующей отделки (окраски,

полировки и т. п.). *Шпатлевать пол. Шпаклевать раму окна.*
   **Шпаклёвка**, -и и **шпатлёвка**, -и, ж.
**ШПА́ЛА**, -ы, ж. [Нем. Spale или голл. spalk]. **1.** Брус, укладываемый поперек железнодорожного полотна как опора для рельсов. *Деревянные, железобетонные шпалы.* □ *Шпалы не выдерживали нагрузки, корежились, преждевременно изнашивались рельсы, деформируясь от тяжести переполненных вагонов.* Айтматов. Буранный полустанок. **2.** *Разг.* Знак различия старшего командного состава Красной Армии, имеющий форму прямоугольника (до введения погон в 1943 г.) *За столом.. сидел незнакомый человек, средних лет, в очках, с двумя шпалами в петлицах.* Симонов. Дни и ночи.
**ШПАЛЕ́РЫ**, -ер, мн. (*ед.* **шпале́ра**, -ы, ж.). [Восх. к итал. spalliéra]. **1.** Безворсовые настенные ковры или обивочные ткани с сюжетными или пейзажными изображениями, выполненные ручным способом (укрепленные на стене по типу обоев). *О, как тогда был пышен этот дом! Вдоль стен висели пестрые шпалеры.* Лермонтов. Сашка. **2.** *Устар.* Бумажные обои. *Полы окрашены охрой, потолок оклеен белой бумагой, стены — дешевыми шпалерами.* Скиталец. Кандалы. **3.** Решетки для ползучих и вьющихся растений. *К шпалерам, с задней стороны, приставляются лестницы, и садовник с двумя помощниками взлетают наверх.* Салтыков-Щедрин. Пошехонская старина. **4.** Ряды деревьев, кустов по обеим сторонам дороги. *Эти цветущие яблони, густые шпалеры сирени, желтые дорожки, скамейки — внизу, как раз под окнами нашего номера.* Андроников. Тагильская находка. **5.** Ряды, шеренги войск по сторонам пути следования кого-, чего-л. *За Екатериной следовал конвой конной гвардии. По обе стороны шествия шпалерами стояли войска.* Шишков. Емельян Пугачев.
   **Шпале́рный**, -ая, -ое (к 1, 2 и 3 знач.). *Шпалерная фабрика. Шпалерное садоводство.*
**ШПАТЛЕВА́ТЬ** см. шпаклевать.
**ШПИЛЬ**, -я, м. [Голл. spijl]. **1.** *Устар.* Длинный гвоздь. *[Судья:] Господи боже! не знаю, где сижу. Точно шпиль под тобою.* Гоголь. Ревизор. **2.** Остроконечный, сильно вытянутый вверх конус или пирамида, завершающие здания. *Ясным золотом блестел, отражался в реке шпиль Петропавловского собора.* А. Н. Толстой. Хождение по мукам.
   С и н. (ко 2 знач.): шпиц (устар.).
**ШПИНА́Т**, -а, м. [Нем. Spinat от ср.-лат. spinaceus]. Травянистое огородное растение, узкие сочные листья которого употребляются в пищу. *На второе блюдо ему подали шпинат с крутыми яйцами.* Чехов. Дуэль.
   **Шпина́тный**, -ая, -ое.
**ШПИОНА́Ж**, -а, м. [Нем. Spionage]. Преступная деятельность — выведывание, собирание или похищение сведений, составляющих военную или государственную тайну, с целью передачи их другому государству. *Обвинить в шпионаже.* □ *Обнаруживался массовый шпионаж: на Колчака работали свои разведчики.* Фурманов. Чапаев.

**ШПИЦ**[1], -а, м. [Нем. Spitze]. *Устар.* То же, что ш п и л ь (ко 2 знач.). *Обложенный город, казалось, уснул. Шпицы, и кровли, и частокол, и стены его тихо вспыхивали отблеском отдаленных пожарищ.* Гоголь. Тарас Бульба.
**ШПИЦ**[2], -а, м. [Нем. Spitz — букв. острый]. Небольшая комнатная собака с густой длинной пушистой шерстью и узкой маленькой мордой. *[Молчалин:] Ваш шпиц — прелестный шпиц, не более наперстка, Я гладил все его: как шелковая шерстка!* Грибоедов. Горе от ума.
**ШПИЦРУ́ТЕНЫ** [тэ], -ов, мн. (*ед.* **шпицру́тен**, -а, м.). [Нем. Spitzruten (мн.) от spitz — острый и Rute — розга]. Длинные гибкие прутья или палки, применявшиеся в дореволюционной России при телесных наказаниях солдат и преступников. *Николай знал, что двенадцать тысяч шпицрутенов была не только верная, мучительная смерть, но излишняя жестокость, так как достаточно было пяти тысяч ударов, чтобы убить самого сильного человека.* Л. Толстой. Хаджи-Мурат.
**ШПО́РА**, -ы, ж. [Н.-в.-нем. Spore]. **1.** Изогнутая по форме каблука металлическая дужка со стержнем (острым или снабженным колесиком), прикрепляемая к заднику сапога всадника и служащая для управления лошадью. *[Порфирий Платоныч] сообщил, что губернатор.. приказал своим чиновникам по особым поручениям носить шпоры, на случай, если он пошлет их куда-нибудь, для скорости, верхом.* Тургенев. Отцы и дети. **2.** Роговой заостренный вырост на ногах у некоторых птиц. *Шпоры петуха.* **3.** *Спец.* Выступ на ободе колеса или на звеньях гусеницы трактора, танка для лучшего сцепления с грунтом. *Ехал парень хватом, Девкам песни вез, В елку след печатал Шпорами колес.* Твардовский. Страна Муравия.
**ШРАПНЕ́ЛЬ**, -и, ж. [Восх. к англ. shrapnell по фамилии изобретателя Шрапнеля]. Разрывной артиллерийский снаряд, начиненный шаровидными пулями, предназначенный для поражения живой силы противника. *Тяжко потрясая и степь и небо, загремела вражеская артиллерия, и без перерыва стала рваться шрапнель, засыпая людей осколками.* Серафимович. Железный поток.
   **Шрапне́льный**, -ая, -ое. *Шрапнельный огонь.*
**ШРИФТ**, -а, шрифты́, -о́в и шри́фты, -ов, м. [Нем. Schrift]. **1.** Комплект типографских литер (букв и других знаков), необходимых при наборе текста. *В местной газете появилось объявление об открытии магазина. Объявление было набрано жирным шрифтом.* Горбатов. Непокоренные. **2.** Графическая форма письменных или печатных букв. *Рафаил был усидчив и аккуратен, каллиграфически писал любым шрифтом.* А. Крылов. Мои воспоминания.
   **Шрифтово́й**, -а́я, -о́е. *Шрифтовое выделение слова.*
**ШТАБ**, -а, штабы́, -о́в и шта́бы, -ов, м. [Нем. Stab — *первонач.* жезл (как символ власти)]. **1.** Орган управления войсками в частях и соединениях всех видов вооруженных сил, а также лица, входящие в этот орган. *Генеральный штаб. Штаб военно-морского флота. Дивизионный штаб.* □ *— Мне известно, товарищ командую-*

щий, что член Военного Совета не заезжал в *штаб* армии. Бондарев. Горячий снег. **2.** *перен.* Руководящий орган чего-л. *Фактическим центром и штабом избирательной кампании большевиков была редакция «Правды».* Бадаев. Большевики в Государственной Думе.

**Штабно́й**, -а́я, -о́е (к 1 знач.). *Штабные офицеры.*

**ШТА́БЕЛЬ**, -я, штабеля́, -е́й и шта́бели, -ей, м. [Нем. Stapel]. Ровно сложенный ряд чего-л. *Штабеля кирпичей. Укладывать штабелями.* ☐ *На обочине шоссе лежали штабеля досок и бревен.* Елагина. Трудная граница.

**Шта́бельный**, -ая, -ое.

**ШТАБ-КВАРТИ́РА**, -ы, ж. **1.** Место расположения военного штаба. *В конце апреля Брусилов должен был ехать из своей штаб-квартиры сначала в Одессу, а потом в Бендеры.* Сергеев-Ценский. Брусиловский прорыв. **2.** *перен.* Главный пункт сбора какой-л. организации. *Штаб-квартира ООН.* ☐ *—Связь с комитетом напрасно отрицаете. Дознанием установлено, что от вашей матушки—штаб-квартира большевиков.* М. Горький. Жизнь Клима Самгина.

**ШТАБ-РО́ТМИСТР** см. штабс-ротмистр.

**ШТАБС-КАПИТА́Н**, -а, м. [Нем. Stabskapitän]. В дореволюционной русской и некоторых иностранных армиях: офицерский чин (в пехоте, артиллерии и инженерных войсках) рангом выше поручика и ниже капитана, а также лицо, имеющее этот чин. *И он,. производится сначала в штабс-капитаны, потом в капитаны, делается полковым адъютантом.* Салтыков-Щедрин. Господа Головлевы.

**Штабс-капита́нский**, -ая, -ое.

**ШТАБС-РО́ТМИСТР**, -а и **ШТАБ-РО́ТМИСТР**, -а, м. В дореволюционной русской и некоторых иностранных армиях: офицерский чин (в кавалерии) рангом выше поручика и ниже ротмистра, а также лицо, имеющее этот чин. *Александра Степановна убежала с штабс-ротмистром, бог весть какого кавалерийского полка, и обвенчалась с ним.* Гоголь. Мертвые души. *Полозов был отставной ротмистр или штаб-ротмистр; на службе.. кутил и прокутил довольно большое родовое имение.* Чернышевский. Что делать?

**Штабс-ро́тмистрский**, -ая, -ое и **штаб-ро́тмистрский**, -ая, -ое. *Штабс-ротмистрские погоны.*

**ШТАКЕ́ТНИК**, -а, м. [От нем. Staket — изгородь]. Специальные узкие дощечки, планки для ограды (*собир.*), а также забор, ограда из таких планок. *[Я] пытливо и любовно смотрел сквозь штакетник: сад был цел, но немного дичал.* Ф. Гладков. Березовая роща.

**ШТАМП**, -а, м. [Восх. к итал. stampa — печать]. **1.** Вид печати, обычно прямоугольной, с названием учреждения, адресом и т.п., которую ставят обычно в верхней части деловой бумаги. *[Паспорта] были действительны лишь при наличии особого штампа, который ставился в полиции.* Катаев. За власть Советов. **2.** Металлическая форма для серийного изготовления деталей или каких-л. предметов путем штамповки. **3.** *перен.* Принятый образец, которому слепо подражают. *Речевой штамп. Мыслить штампами. Борьба против штампов в сценическом искусстве.*

С и н. (к 3 знач.): шабло́н, трафаре́т, станда́рт, стереоти́п.

**Шта́мповый**, -ая, -ое (к 1 и 2 знач.).

**ШТА́НГА**, -и, ж. [Нем. Stange — шест, стержень]. **1.** *Спец.* Металлический стержень, используемый как деталь во многих инструментах, механизмах. *Буровая штанга.* **2.** Спортивный снаряд для занятий тяжелой атлетикой, состоящий из металлического стержня с тяжестями в виде съемных дисков на концах. *Заниматься штангой (упражнениями с этим снарядом).* ☐ *Придя на тренировку киевских тяжелоатлетов, Новак с первой же попытки поднял штангу весом, превышающим его собственный.* Рахтанов. Малыш-великан. **3.** Верхняя перекладина, боковая стойка футбольных или хоккейных ворот. *Мяч с силой пущен в ворота «Динамо», не ударяется о штангу и отскакивает обратно.* Кетлинская. Дни нашей жизни.

**Штанги́ст**, -а, м. (ко 2 знач.). *Соревнования штангистов.*

**ШТАНДА́РТ**, -а, м. [Нем. Standarte]. **1.** В дореволюционной русской и некоторых иностранных армиях: полковое знамя в кавалерийских частях. *Краснов после смотра стал около полкового штандарта.* Шолохов. Тихий Дон. **2.** В царской России и некоторых других странах: флаг главы государства (монарха, президента), поднимаемый в месте его пребывания. *Когда на шведском головном фрегате побежал на мачту королевский штандарт,— круглые облачка дыма стали отделяться от корабельных бортов.* А.Н. Толстой. Петр I.

**Штанда́ртный**, -ая, -ое. *Штандартное древко.*

**ШТАТ**[1], -а, м. [От нем. Staat — государство, правление; восх. к лат. status — состояние]. Административно-территориальная единица с внутренним самоуправлением в США, странах Латинской Америки, Австралии, Индии. *Соединенные Штаты Америки. Австралийские штаты. Штат Миссури.*

**ШТАТ**[2], -а, м. [См. *штат*[1]]. **1.** Постоянный состав сотрудников какого-л. предприятия, учреждения. *Всех служащих насчитывалось около ста человек, а можно было сократить штат наполовину.* Мамин-Сибиряк. Золото. **2.** обычно *мн.* То же, что штатное расписание. *Утвердить, пересмотреть штаты.* ☐ *— И еще в.. сельсовете по штату полагается агроном.. У нас нет ни одного агронома, которого мы могли бы послать.* Николаева. Жатва.

С и н. (к 1 знач.): ка́дры, персона́л.

**Шта́тный**, -ая, -ое. *Штатный сотрудник. Штатная должность.* ◇ **Штатное расписание** — документ, определяющий состав сотрудников какого-л. учреждения с указанием их должностей и окладов.

**ШТА́ТСКИЙ**, -ая, -ое. [См. *штат*[1]]. Невоенный, гражданский. *Входит.. высокий, статный, пожилых лет незнакомец — в штатском платье,* но манера держаться военная. Лесков. Интересные мужчины.

Син.: партикуля́рный (устар.), цивильный (устар.).

**ШТЕ́МПЕЛЬ** [тэ], -я, штемпеля́, -е́й и **ште́мпели**, -ей, м. [Нем. Stempel]. Прибор с выпуклым изображением какого-л. рисунка или надписи, служащий для получения оттиска, а также сам оттиск, полученный при помощи такого прибора. *Прочитав письмо, [он] самым подробным образом осмотрел конверт, почтовый штемпель, марку, сургучную печать.* Мамин-Сибиряк. Черты из жизни Пепко.

**Ште́мпельный**, -ая, -ое. *Штемпельная подушка.*

**ШТИБЛЕ́ТЫ**, -е́т, мн. (*ед.* **штибле́та**, -ы, ж.). [От нем. Stiefeletten]. Мужские полуботинки со шнурками или с резинками по бокам. *Лакированные штиблеты. Чистить штиблеты.* □ *[Горничная].. поставила у кровати [Гриши] большие штиблеты на широкой подошве без каблука.* Бунин. На даче.

**Штибле́тный**, -ая, -ое.

**ШТИЛЬ**[1], -я, м. [От голл. stil — тихо, безветрено]. Затишье, безветрие (на море, озере и т. п.). *Я плыл из Гамбурга в Лондон на небольшом пароходе. Стоял полный штиль. Море растянулось кругом неподвижной скатертью свинцового цвета.* Тургенев. Морское плавание. ◊ **Мертвый штиль** — полное безветрие.

**Штилево́й**, -а́я, -о́е. *Штилевой период.*

**ШТИЛЬ**[2], -я, м. [Нем. Stil; восх. к лат. stilus — букв. острая палочка для письма по воску]. *Устар.* То же, что **стиль**[1] (в 1 и 2 знач.). *Комнаты в русском штиле, только чистенькие и с цветами на окошках.* А. Островский. Первая поездка в Щелыково. *— Что за штиль, как он описывает мило! — говорила она, читая описательную часть письма.* Л. Толстой. Война и мир.

**ШТО́ЛЬНЯ**, -и, ж. [Нем. Stollen]. Горизонтальная или наклонная подземная горная выработка, имеющая непосредственный выход на поверхность. *Рискуя собственной жизнью, он несколько раз один спускался по стремянке и ползал по безмолвным штольням и штрекам.* Мамин-Сибиряк. Три конца.

**ШТО́ПОР**, -а, м. [Голл. stopper]. **1.** Винтообразный стержень для откупоривания бутылок. *Королев развел руками, потом взял бутылку, пошарил взглядом по столу в поисках штопора.* Чаковский. Блокада. **2.** *Спец.* Одна из фигур высшего пилотажа, заключающаяся в снижении самолета по крутой спирали с одновременным вращением, а также стремительное падение самолета с вращением вокруг своей оси в результате потери управления. *[Алексей] сделал мертвую петлю и, едва выйдя из нее, бросил машину в штопор.* Б. Полевой. Повесть о настоящем человеке.

**Што́порный**, -ая, -ое. *Штопорная рукоятка. Штопорное вращение.*

**ШТОФ**[1], -а, м. [Нем. Stauf]. Старая русская мера объема жидкости (обычно вина, водки), равная 1/10 ведра, а также четырехгранная бутылка такой вместимости. *Суровый старец*-*целовальник принес штоф вина и свечу.* А. Н. Толстой. Петр I.

**Што́фный**, -ая, -ое. *Штофная бутыль.*

**ШТОФ**[2], -а, м. [Нем. Stoff]. Тяжелая шелковая или шерстяная одноцветная ткань с крупным тканым узором, употребляемая как декоративная. *Вдоль стен возвышались полновесные золоченые стулья с овальными спинками, обтянутыми штофом.* Григорович. Переселенцы.

**Што́фный**, -ая, -ое. *Штофные обои.*

**ШТРЕЙКБРЕ́ХЕР**, -а, м. [Нем. Streikbrecher от Streik — забастовка и brechen — ломать]. **1.** Тот, кто работает на предприятии во время забастовки, срывая ее проведение. *В «Нерыдае» преданные хозяевам люди набирали штрейкбрехеров.* Ляшко. Сладкая каторга. **2.** *перен.* Тот, кто предает общее дело. *Прятать свои взгляды от партии целый месяц до принятия решения и рассылать особое мнение после решения — значит быть штрейкбрехером.* Ленин, т. 34, с. 424.

**Штрейкбре́херский**, -ая, -ое.

**ШТРЕК**, -а, м. [Нем. Strecke — расстояние, перегон, штрек]. Горизонтальная подземная горная выработка, расположенная по пласту полезного ископаемого, не имеющая непосредственного выхода на поверхность. *Они напоминали ей те молодые дни, когда она.. катала вагонетки по темным слезящимся штрекам и танцевала на вечерках.* Фадеев. Разгром.

**Штре́ковый**, -ая, -ое.

**ШТРИХ**, -а́, м. [Нем. Strich]. **1.** Черта, линия в рисунке, чертеже и т. д. *Штрихи на бумаге. Сделать несколько штрихов карандашом.* □ *Он вырвал листок из блокнота, взял карандаш, быстрыми, точными штрихами начертил план.* Николаева. Жатва. **2.** *перен.* Отдельная подробность, деталь, черта чего-л. *Теперь он не хотел пропустить ни одного, самого.. мелкого штриха в подготовке атаки.* Сергеев-Ценский. Лютая зима. ◊ **Штрих к портрету** *кого* — маленькая, но существенная черта характера кого-л.

**Штрихово́й**, -а́я, -о́е (к 1 знач.).

**ШТУДИ́РОВАТЬ**, -рую, -руешь; штуди́рующий, штуди́ровавший, штуди́руемый; штуди́руя; *несов., что.* [Нем. studieren — изучать]. *Книжн.* Тщательно изучать что-л. *Штудировать классиков философии. Штудировать математику.* □ *Борька Маслов, по ночам штудирующий английский, сладко дремал.* Липатов. И это все о нем.

Син.: учи́ть (разг.).

**Штуди́рование**, -я, ср.

**ШТУРВА́Л**, -а, м. [Голл. stuurwiel]. Рулевое колесо на судне, самолете, комбайне. *Чтобы напасть, нужно было набрать высоту. Лейтенант быстро взял штурвал на себя — «ястребок» резко взмыл кверху.* Сергеев-Ценский. В снегах.

**Штурва́льный**, -ая, -ое. *Штурвальное управление.*

**ШТУРМ**, -а, м. [Нем. Sturm]. **1.** Решительная атака крепости, укрепления или опорного пункта противника. *Третья колонна.. с осадными лестницами бросилась на штурм полуразбитого бастиона Глория.* А. Н. Толстой. Петр I. **2.** Решительные, активные действия для достижения какой-л. цели. *Штурм горной вершины. Штурм космоса.* □ *На пути встретилось еще одно препятствие — новая полоса торосов, по всем признакам последняя. Чтобы собрать силы для штурма, решили сделать получасовой привал.* Ушаков. По нехоженой земле.

С и н. (к 1 знач.): приступ.

**Штурмово́й**, -а́я, -о́е (к 1 знач.). *Штурмовая атака.* ◇ **Штурмовая авиация** — фронтовая авиация, предназначенная для поддержки в бою других родов войск, обычно действующая с малой высоты и бреющего полета и уничтожающая танки, артиллерию и живую силу противника.

**ШТУ́РМАН**, -а, штỳрманы, -ов и (*разг.*) штурмана́, -о́в, *м.* [Голл. stuurman — рулевой]. Специалист по вождению надводных, подводных кораблей и летательных аппаратов. *Штурман дальнего плавания. Штурман подводной лодки.* □ *В воздухе каждый занят своим делом. Штурманы устанавливают курс; летчики ведут корабли по заданному курсу.* Водопьянов. Путь летчика.

**Штỳрманский**, -ая, -ое. *Штурманские курсы. Штурманская рубка.*

**ШТỲЦЕР**, -а, штуцера́, -о́в, *м.* [Нем. Stutzen]. Старинное военное ружье с винтовыми нарезами в стволе, а также двухствольное нарезное охотничье ружье крупного калибра. *Далеко впереди изредка показывались группы верховых татар, и слышались нечастые выстрелы наших штуцеров.* Л. Толстой. Рубка леса. *[Панчуковский] достал у хозяина гостиницы охотничий штуцер, зарядил один его ствол картечью, а другой пулею.* Данилевский. Беглые в Новороссии.

**ШТЫК**, -а́, *м.* [Польск. sztych от ср.-в.-нем. stich — укол (копьем)]. **1.** Холодное колющее оружие, насаживаемое на конец ствола ружья, винтовки. *Граненый штык.* □ *Часовой, выставив ружье с плоским штыком, загородил Юрию дорогу.* Шолохов-Синявский. Волгины. **2.** В значении единицы счета: боец-пехотинец. *Красноармейцы были набраны молодец к молодцу.. Всего набралось восемьсот штыков.* Фурманов. Красный десант. **3.** Слой земли в глубину, который можно захватить лопатой. *Он ходил от дерева к дереву, выбирал подходящее и начинал торопливо окапывать его, врезая лопату на весь штык.* Ф. Гладков. Березовая роща. ◇ **В штыки** (и д т и, х о д и т ь и т.п.) — о рукопашном бое, в который бросаются с винтовками наперевес. — *Ура! Взвод в атаку, в штыки! — крикнул он и швырнул гранату.* Новиков-Прибой. Боевые традиции русских моряков. **Встретить** (или **принять** и т.п.) **в штыки** *кого, что* — встретить враждебно.

**Штыково́й**, -а́я, -о́е (*к 1 знач.*). *Штыковая атака.*

**ШỲЙЦА**, -ы, *ж.* Устар. Левая рука.

**ШỲРИН**, -а, *м.* Брат жены. *Вошел высокий стрелец Пыжова полка, Овсей Ржов, шурин Данилы.* А. Н. Толстой. Петр I.

**ШУРФ**, -а́, шурфы́, -о́в, *м.* Спец. [Нем. Schurf]. Неглубокая вертикальная или наклонная подземная горная выработка для разведки ископаемых, вентиляции, взрывных работ, проходящая непосредственно с поверхности земли.

*Назар.. рассказывал страшные вести: на шахте Свердлова фашисты расстреляли семьсот человек шахтеров, их жен, стариков и детей. — Все шурфы трупами забиты.* Горбатов. Непокоренные.

**ШУТ**, -а́, *м.* **1.** В старину: лицо при дворце монарха или барском доме, в обязанности которого входило развлекать своих господ и их гостей забавными выходками, остротами, шутками. *Придворный шут.* □ *Полтораста гостей сидели с внешней стороны поставленного.. стола — внутри возились шуты: скакали в чехарду, дрались пузырями с горохом, лаяли, мяукали.* А. Н. Толстой. Петр I. **2.** Комический персонаж в старинных комедиях, балаганных представлениях. *На балкон балагана, украшенного флагами, вылезал шут; он кричал хриплым голосом, махал руками и смешил публику.* Рылов. Воспоминания. **3.** *перен. Разг. неодобр.* Тот, кто паясничает и балагурит на потеху другим. *[Марья Львовна:] Голубчик! Зачем делать из себя шута? Зачем унижать себя?* М. Горький. Дачники. ◇ **Шут гороховый** (или **чучело гороховое**) (*разг. неодобр.*) — 1) о человеке, смешно, несуразно одетом; 2) о человеке пустом, служащем всеобщим посмешищем.

С и н. (к 1 и 2 знач.): га́ер. С и н. (к 3 знач.): пая́ц, фигля́р, га́ер, кло́ун (*разг.*), шут (*разг.*), скоморо́х (*разг.*).

**Шутовско́й**, -а́я, -о́е. *Шутовской кафтан. Шутовские выходки.*

**ШУШỲН**, -а́, *м.* Старинная русская крестьянская женская одежда в виде распашной кофты, короткополой шубки, а также сарафана с воротом и висячими позади рукавами. *Пишут мне, что ты, тая тревогу, Загрустила шибко обо мне, Что ты часто ходишь на дорогу В старомодном ветхом шушуне.* Есенин. Письмо к матери.

**ШХЕ́РЫ**, шхер, *мн.* [Швед. skar]. Скалы и небольшие скалистые острова у морских берегов, изрезанных узкими и глубоко вдавшимися в сушу морскими заливами. *Изобилие шхер и вечные туманы делают плавание на Балтике несравненно более трудным делом, чем на Черном море.* Сергеев-Ценский. Синопский бой.

**ШХУ́НА**, -ы и (*устар.*) **ШКУ́НА**, -ы, *ж.* [Голл. schooner]. Парусное судно, чаще с двумя или тремя мачтами и косыми парусами. *Кисейными облаками летит над морем белая пыль, осыпая старую шкуну о двух мачтах, она идет из Персии.* М. Горький. Едут. *Русская парусная шхуна «Мария» шла в Болгарию с грузом жмыхов в трюме.* Житков. «Мария» и «Мэри».

# Щ

**ЩЕ́БЕНЬ**, щебня, *м.* **1.** Раздробленный камень или кирпич, употребляемый для дорожных и строительных работ. *Снежком припорошило кучи щебня и строительного мусора.* Прилежаева. Пушкинский вальс. **2.** Осадочная рыхлая горная порода, состоящая из неокатанных остро-

или стихийных бедствий). *Эвакуация пострадавших при землетрясении*. □ *В октябре 1941 года линия фронта грозно надвинулась на Донбасс. Андреев получил приказ: готовить завод к эвакуации, отправлять оборудование на восток*. Галин. Начало битвы. **2.** Место, время пребывания эвакуированных там, куда они вывезены. *Период эвакуации. Находиться в эвакуации*.

**Эвакуацио́нный**, -ая, -ое. *Эвакуационный пункт*.

**ЭВЕ́НКИ**, -ов, *мн.* (*ед.* эве́нк, -а, *м.*). Народ, живущий в Эвенкийском автономном округе, входящем в Российскую Федерацию, и вне его — в Восточной Сибири до Тихого океана (прежнее название — тунгусы). — *Эвенков раньше называли тунгусами. Они кочевали по Восточной Сибири — от Енисея до Охотского побережья*. Коптяева. Иван Иванович.

**Эвенки́йка**, -и, *ж*. **Эвенки́йский**, -ая, -ое. *Эвенкийский язык*.

**ЭВЕ́НЫ**, -ов, *мн.* (*ед.* эве́н, -а, *м.*). Народ, родственный эвенкам, живущий в северо-восточных районах Сибири.

**Эве́нка**, -и, *ж*. **Эве́нский**, -ая, -ое.

**ЭВКАЛИ́ПТ**, -а, *м.* [От греч. eu — хорошо и kalyptos — покрытый]. Австралийское быстрорастущее дерево сем. миртовых, акклиматизированное на Черноморском побережье Кавказа. *Вдоль полей и дорог в Колхиде высаживают миллионы саженцев быстрорастущего эвкалипта. Это дерево осушает почву, из него делают шпалы, телеграфные столбы*. Н. Михайлов. Над картой Родины.

**Эвкали́птовый**, -ая, -ое. *Эвкалиптовое масло. Эвкалиптовый лес*.

**ЭВОЛЮ́ЦИЯ**, -и, *ж*. [Восх. к греч. evolutio — развертывание]. **1.** Процесс развития кого-, чего-л. от одного состояния к другому. *Эволюция Вселенной. Духовная эволюция общества*. □ *Они даже не представляют, что здесь [на фронте] делается с человеком, какую сложную, какую страшную эволюцию успевает он пройти*. Гончар. Знаменосцы. **2.** *ед*. В философии: форма развития природы и общества, состоящая в постепенном количественном изменении, подготовляющем качественное изменение. *Законы эволюции*. **3.** обычно *мн. Спец*. Передвижения кораблей или войск, связанные с перегруппировкой, изменением строя. *Бой продолжался. Наша эскадра успела проделать столько разных поворотов и эволюций, что трудно было в них разобраться*. Новиков-Прибой. Цусима.

С и н. (к *1 знач*.): разви́тие.

**Эволюцио́нный**, -ая, -ое. *Эволюционный процесс*.

**ЭВРИ́КА**, *межд.* [Греч. hēurēka — (я) нашел!]. Восклицание, выражающее радость, удовлетворение при найденном решении, при возникновении удачной мысли (по преданию, так воскликнул Архимед, когда открыл закон гидростатики, названный впоследствии его именем). *В голове г. Родона мелькнула идея. — Эврика!* крикнул он. — *Мы спасены! Друзья, за мной!* Чехов. Кое-что.

**ЭВФЕМИ́ЗМ**, -а, *м.* [Греч. euphēmismos от euphēmein — произносить слова благоприятного значения]. *Книжн*. Слово или выражение, заменяющее другое, неудобное для данной обстановки или грубое, непристойное, напр.: *неумный* вместо *дурак*, *ждет ребенка* вместо *беременна* и т. п.

**Эвфемисти́ческий**, -ая, -ое. *Эвфемистическое выражение*.

**ЭГИ́ДА**, -ы, *ж.* и (*устар*.) **ЭГИ́Д**, -а, *м*. [Восх. к греч. aigis, aigidos]. В древнегреческой мифологии: название щита бога Зевса, символ гнева и покровительства богов. *Гром загремел, но короткий, отрывистый, как будто эгид выпал из ослабевшей руки громовержца*. Короленко. Тени.

◊ **Под эги́дой** *кого, чего* (*книжн.*) — под защитой, под покровительством кого-, чего-л., под руководством кого-л. *Под эгидой закона*. □ *Репертуар театра под эгидой А. Ф. Корша начал заметно мельчать*. Юрьев. Записки.

**ЭГОИ́ЗМ**, -а, *м*. [Франц. égoisme от лат. ego — я]. Поведение, целиком определяемое мыслью о собственной пользе, предпочтение своих интересов интересам других людей. *Детский эгоизм*. □ — *Мы не имеем права предаваться удовлетворению личного эгоизма*. Тургенев. Отцы и дети.

С и н.: себялю́бие.

А н т.: альтруи́зм (*книжн.*).

**Эгоисти́ческий**, -ая, -ое и **эгоисти́чный**, -ая, -ое; -чен, -чна, -о. *Эгоистические цели, поступки. Эгоистичная натура*. **Эгоисти́чески** и **эгоисти́чно**, *нареч*. *Поступить эгоистически (эгоистично)*. **Эгоисти́чность**, -и, *ж*. **Эгои́ст**, -а, *м*. *Черствый эгоист*.

**ЭГОЦЕНТРИ́ЗМ**, -а, *м.* [От лат. ego — я и centrum — центр]. *Книжн*. Крайняя форма проявления эгоизма и индивидуализма. *Индивидуализм, превращаясь в эгоцентризм, создает «лишних людей»*. М. Горький. Речь на I Всесоюзном съезде советских писателей.

**Эгоцентри́ческий**, -ая, -ое.

**ЭДЕ́М** [дэ́], -а, *м.* [Восх. к др.-евр. ēden — *букв*. наслаждение]. **1.** По библейскому преданию: земной рай, место, где жили Адам и Ева до их грехопадения. **2.** *перен. Устар. книжн*. Прекрасная страна, место, где можно счастливо и безмятежно жить, наслаждаясь окружающим. [*Исправник:*] *Ваш дом — эдем, Татьяна Николаевна, и сами вы — богиня*. М. Горький. Варвары.

С и н.: рай.

**ЭЗО́ПОВ**, -а, -о. [По имени древнегреческого баснописца Эзопа]. ◊ **Эзопов язык, эзопова речь** (*книжн.*) — речь, изобилующая иносказаниями, недомолвками и др. приемами для сокрытия ее прямого смысла. *Владеть эзоповым языком*.

**ЭЙФОРИ́Я**, -и, *ж*. [Греч. euphoria]. Состояние приподнятости, беспечности, довольства, несоответствующее объективным условиям. *Действительно ли миллионы людей, подобно мне, вчерашнему фронтовику,... жили тогда в состоянии эйфории, вызванной нашей великой победой?* Чаковский. Победа.

**Эйфори́ческий**, -ая, -ое.

**ЭКВИВАЛЕ́НТ**, -а, *м*. [Восх. к ср.-лат. aequivalens.

aequivalentis — равносильный, равноценный]. *Книжн.* Нечто равноценное, равнозначное другому, полностью заменяющее его. *Продают — значит получают эквивалент; вывозят одни продукты — значит ввозят другие.* Ленин, т. 2, с. 154.

**Эквивале́нтный**, -ая, -ое. Эквивалентный обмен. **Эквивале́нтность**, -и, *ж.*

**ЭКВИЛИБРИ́СТИКА**, -и, *ж.* [Восх. к лат. aequilibris — находящийся в равновесии]. **1.** Вид циркового искусства — жонглирование, акробатические упражнения с сохранением равновесия при неустойчивом положении тела. *Эквилибристика на шаре.* **2.** *перен.* Лавирование, изворотливость. *Заниматься словесной эквилибристикой.*

**Эквилибристи́ческий**, -ая, -ое (*к 1 знач.*). **Эквилибри́ст**, -а, *м.* (*к 1 знач.*). *Я пародировал только что закончившийся номер эквилибристов на проволоке. Положив на манеж толстую веревку, я ходил по ней, изображая эквилибриста.* Румянцев. На арене советского цирка.

**ЭКЗАЛЬТА́ЦИЯ**, -и, *ж.* [Восх. к лат. exaltare — возвышать, поднимать]. *Книжн.* Крайне возбужденное, восторженное состояние. *Впасть в экзальтацию.* □ *[Я] целое утро пробегал по саду, прощаясь со всеми уголками и по временам.. целуя землю. Была ли это действительная, искренняя экзальтация.. — решить не берусь.* Салтыков-Щедрин. Пошехонская старина.

С и н.: упое́ние, экста́з (*книжн.*).

**ЭКЗАЛЬТИРО́ВАННЫЙ**, -ая, -ое; -ан, -анна, -о *и* **ЭКЗАЛЬТИ́РОВАННЫЙ**, -ая, -ое; -ан, -анна, -о. [См. *экзальтация*]. *Книжн.* Находящийся в экзальтации, проникнутый экзальтацией. *Экзальтированная женщина. Экзальтированное состояние.*

**Экзальтиро́ванность**, -и *и* **экзальти́рованность**, -и, *ж.* *Юношеская экзальтированность.*

**ЭКЗЕКУ́ЦИЯ**, -и, *ж.* [Восх. к лат. exsecutio — исполнение]. *Устар. книжн.* **1.** Телесное наказание. — *Я уверен, что [Павел Петрович] не шутя воображает себя дельным человеком, потому что читает Галиньяшку и раз в месяц избавит мужика от экзекуции.* Тургенев. Отцы и дети. **2.** Исполнение судебного или административного приговора (казни, изъятия имущества и т. п.). *Правительство боялось его казнить, экзекуция была произведена ранее обыкновенного часа, его казнили крадучись.* Тынянов. Кюхля.

**Экзеку́тор**, -а, *м.* (тот, кто производит экзекуцию (*в 1 знач.*) или руководит ею).

**ЭКЗЕМПЛЯ́Р**, -а, *м.* [Восх. к лат. exemplar — образец]. **1.** Отдельный предмет из числа ему подобных. *Беловой экземпляр статьи. Пять экземпляров газеты.* □ *[Часовщик:] Мне попался поразительный экземпляр английских часов.. Им не меньше трехсот лет.* Погодин. Кремлевские куранты. **2.** *перен. Разг.* О человеке как представителе группы людей, обладающих какими-л. характерными свойствами. — *А знаешь, этот безрукий — великолепный человеческий экземпляр.. Я говорил с ним.. с большим удовольствием.* Ф. Гладков. Цемент.

**ЭКЗО́ТИКА**, -и, *ж.* [Восх. к греч. exōtikos]. То, что характерно для отдаленных, малоизвестных стран и является необычным для жителей других стран. *Восточная экзотика.* □ *[За Оренбургом] они увидели первого верблюда, первую юрту и первого казаха в остроконечной меховой шапке.. Началась экзотика, корабли пустыни.. и прочее романтическое тягло.* Ильф и Петров. Золотой теленок.

**Экзоти́ческий**, -ая, -ое *и* **экзоти́чный**, -ая, -ое; -чен, -чна, -о. *Экзотическая природа. Экзотичный танец.* **Экзоти́чно**, *нареч.* **Экзоти́чность**, -и, *ж.* *Экзотичность наряда.*

**ЭКИВО́КИ**, -ов, *мн.* (*ед.* **эквиво́к**, -а, *м.*). [Франц. équivoque от позднелат. aequivocus — двусмысленный]. *Разг. неодобр.* **1.** Намеки, недоговоренности, иносказательные способы выражения мысли. *[Письмо] было прямое и открытое, без всяких околичностей и экивоков, даже чуть-чуть грубоватое, как всегда, если Владимир Афанасьевич что-нибудь просил.* Герман. Я отвечаю за все. **2.** Уловки, увертки, ухищрения. — *Впрочем, сам виноват, кругом виноват! Не пускаться бы на старости лет.. в амуры да в экивоки.* Достоевский. Бедные люди.

**ЭКИПА́Ж**[1], -а, *м.* [Франц. equipage]. Общее название рессорных повозок для пассажиров. *Конюшни полны были дорожных лошадей, дворы и сараи загромождены разными экипажами.* Пушкин. Дубровский.

**Экипа́жный**, -ая, -ое.

**ЭКИПА́Ж**[2], -а, *м.* [См. *экипаж*[1]]. **1.** Личный состав корабля, самолета, танка и т. п. *Экипаж рыболовного судна. Экипаж космического корабля.* □ *Потом он мельком покосился на двух других убитых немцев, очевидно, из того же экипажа, выскочившего из танка вслед за офицером.* Бондарев. Горячий снег. **2.** Береговая воинская часть морской пехоты, часто служащая для пополнения флотских команд. *Июль сорок первого года начался для нас, молодых лейтенантов флота, в казармах кронштадтского экипажа.* И. Чернышев. На морском охотнике.

**Экипа́жный**, -ая, -ое.

**ЭКИПИРОВА́ТЬ**, -ру́ю, -ру́ешь; экипиру́ющий, экипирова́вший, экипиру́емый, экипиро́ванный; -ан, -а, -о; экипиру́я, экипирова́в; *сов. и несов., кого, что.* [Франц. équiper]. *Спец.* Снабдить (снабжать), обеспечить (обеспечивать) всем необходимым снаряжением. *Экипировать бойцов. Экипировать экспедицию.* □ *Получив оружие и боеприпасы с Большой земли, хорошо экипированные отряды стремительно двигались к границам партизанского края.* Вершигора. Люди с чистой совестью.

С и н.: снаряди́ть (снаряжа́ть).

**Экипирова́ться**, -ру́юсь, -ру́ешься; *возвр.* **Экипирова́ние**, -я, *ср. и* **экипиро́вка**, -и, *ж.* *Экипирование геологической партии. Зимняя экипировка.*

**ЭКЛЕКТИ́ЗМ**, -а *и* (*устар.*) **ЭКЛЕКТИЦИ́ЗМ**, -а, *м.* [Восх. к греч. eklektikos — выбранный]. *Книжн.* Механическое, чисто внешнее соединение разнородных взглядов, точек зрения и т. п. *Политический эклектизм. Эклектизм научной работы.* □ *Такого пустого набора слов, такого разгула уклончивой, голой фразы, такой мешанины взглядов (эклектицизма) давненько уже мы* франтовско́й, пижо́нский (разг.). С и н. (к 4 знач.): щекотли́вый (устар.). С и н. (к 5 знач.): щекотли́вый, то́нкий, делика́тный.

**Щепети́льно**, *нареч.* (ко 2, 3, 4 и 5 знач.). **Щепети́льность**, -и, *ж.* (ко 2, 3, 4 и 5 знач.).

**ЩЕПО́ТЬ**, -и и **ЩЕПО́ТКА**, -и, *ж.* **1.** Три пальца (большой, указательный и средний), сложенные концами вместе. *Звони, не звони, народ идет мимо, не хочет креститься щепотью.* А. Н. Толстой. Петр I. *Щепоткой, как соль из солонки, брал он полу полушубка, поднимал ее наотлет.* Шолохов. Поднятая целина. **2.** *обычно чего.* Количество чего-л., обычно сыпучего, которое можно взять тремя пальцами. — *Мне самому много не нужно: кусок хлеба, щепоть табаку да истинно душевное общение.* А. Н. Толстой. Хождение по мукам.

**ЩЕРБА́ТЫЙ**, -ая, -ое; -а́т, -а, -о. **1.** Со щербиной или щербинами (*в 1 знач.*). *Щербатая мостовая. Щербатый рот.* □ *Ленька прильнул губами к теплой щербатой крынке и долго, не отрываясь, пил.. молоко.* Пантелеев. Ленька Пантелеев. **2.** Рябой. *На круглом щербатом лице Чермоева была спокойная скука.* А. Н. Толстой. Эмигранты.

**ЩЕРБИ́НА**, -ы, *ж.* **1.** Зазубрина, неровность в виде маленького углубления, а также отверстие на месте выпавшего зуба. [*Поручик*] *глядел на серые щербины разбитого войною шоссе.* Лебеденко. Тяжелый дивизион. [*Давыдов*] *слегка шепелявил, потому что в щербину попадал язык и делал речь причмокивающей, нечистой.* Шолохов. Поднятая целина. **2.** Маленькое углубление, рябинка на лице.

**Щерби́нка**, -и, *ж.* (*уменьш.*).

**ЩЕТИ́НА**, -ы, *ж.* **1.** Жесткая и короткая шерсть у некоторых животных. *Я из хребта у свиней В младости дергал щетину.* Н. Некрасов. Современники. **2.** Жесткая волосяная часть щетки. *Владимир Львович.. предложил сейчас же настричь щетины от платяной щетки.* А. Н. Толстой. Гадюка. **3.** *Разг.* Жесткие, короткие волосы на небритом лице. *Лицо было выбрито по-чиновничьи, но давно.., так что уже густо начала выступать сизая щетина.* Достоевский. Преступление и наказание.

**Щети́нный**, -ая, -ое (*к 1 и 2 знач.*).

**ЩИПКО́ВЫЙ**, -ая, -ое. ◊ **Щипковые музыкальные инструменты** — струнные музыкальные инструменты (арфа, балалайка, бандура, гитара, домбра и т. п.), из которых звуки извлекаются щипками.

**ЩИТ**, -а́, *м.* **1.** Предмет вооружения древнего воина в виде округлой или прямоугольной плоскости (из дерева, металла, кожи) для предохранения от ударов, стрел. *Щитом покрывшись, он нагнулся, Мечом потряс и замахнулся.* Пушкин. Руслан и Людмила. **2.** *перен. Книжн.* Защита. — *Имя отца служит тебе щитом и гарантирует безопасность.* Лавренев. Разлом. **3.** Приспособление, устройство в виде металлического листа, ряда сколоченных досок и т. п., предназначенных для различных целей (ограждения, настила, преграды и т. п.). *Соломенный щит. Щит артиллерийского орудия.* □ *Де-мидьевна закрыла окна фанерными щитами, включила свет и вышла к себе на кухню.* Леонов. Нашествие. **4.** Доска, стенд, на которых помещается или укрепляется что-л. для показа, а также располагаются электрические измерительные и контрольные приборы. *Диспетчерский щит. Сигнальный щит. Рекламные щиты.* □ *Под руководством Антонины Трофимовны.. прибили щит, на который каждый день клеили «Ленинградскую правду».* Н. Чуковский. Балтийское небо. **5.** *Спец.* Доска, на которой укреплена корзина для игры в баскетбол. *Мяч ударился в щит.* **6.** *Спец.* Большая мишень для стрельбы артиллерии на море. ◊ **Поднять на щит** *кого, что* (*высок.*) — превознести, восхвалить. **На щите вернуться** (*высок.*) — быть побежденным. **Со щитом вернуться** (*высок.*) — быть победителем.

С и н. (ко 2 знач.): засло́н, прикры́тие.

**Щитово́й**, -а́я, -о́е (*к 3, 4, 5 и 6 знач.*). *Щитовое заграждение.*

**ЩУП**, -а, *м.* Название ряда инструментов, служащих для обнаружения чего-л. (залегающих мягких пород и торфяников, мин и минных заграждений), взятия пробы чего-л. (зерна, муки, масла и т. п.). *Наши саперы бредут по сугробам с длинными щупами в руках, разыскивая вражеские мины.* Закруткин. Кавказские записки.

**ЩУ́ПАЛЬЦА**, -лец и -ев, *мн.* (*ед.* **щу́пальце**, -а, *ср.*). **1.** Подвижные выросты на теле у многих беспозвоночных животных, служащие органами чувств, хватания, а иногда также и дыхания. *Щупальца кальмара.* □ *Спрут копошится десятками щупальцев; они, словно клубок змей, извиваются, отвратительно шурша чешуей кожи.* Н. Островский. Как закалялась сталь. **2.** *перен.*, *обычно чего.* О чем-л., что напоминает такие выросты, проникает куда-л., захватывает что-л. *По-прежнему на море медленно шарили щупальца прожекторов.* Степанов. Порт-Артур.

**ЩУ́ПЛЫЙ**, -ая, -ое; щупл, щупла́ и щу́пла, -о. *Разг.* **1.** Слабый, хилый, невзрачный. *Даже в низкой землянке Ломов казался маленьким, щуплым.* Федин. Необыкновенное лето. **2.** Не налитой, недостаточно полновесный, дряблый (о зерне). *Когда засуха случается летом, недозрелые зерна в колосьях высыхают, а спелые становятся щуплыми, сморщенными.* Ильин. Покорение природы.

С и н. (к 1 знач.): тщеду́шный, худосо́чный, субти́льный (*разг.*), хли́пкий (*прост.*), леда́щий (*прост.*).

**ЩУР**, -а, *м.* В славянской мифологии: предок, родоначальник. *Щурами и пращурами веяло от этой избушки, древними славянскими лесными стойбищами.* Кочетов. Товарищ агроном.

# Э

**ЭВАКУА́ЦИЯ**, -и, *ж.* [Восх. к лат. evacuare — опоражнивать]. **1.** Организованный вывоз людей, учреждений, имущества из опасных местностей (преимущ. во время военных действий угольных обломков. *[Скала] осыпалась потоками щебня и съедала остатки человеческого труда.* Ф. Гладков. Цемент.

С и н. (к 1 знач.): щебёнка.

**Щебнево́й**, -а́я, -о́е и **щебнёвый**, -ая, -ое.

**ЩЕБЕТА́ТЬ**, -бечу́, -бе́чешь; щебе́чущий, щебета́вший; щебеча́; *несов.* **1.** О птицах: петь. *А там уже рощи, зелёные сени, Где птицы щебечут, где скачут олени.* Пушкин. Кавказ. **2.** *перен. Разг.* Говорить быстро, звонко, без умолку (обычно о детях и женщинах). *Девочка семенила рядом с ним.., держала его за руку и, не умолкая, щебетала.* Николаева. Жатва.

С и н. (ко 2 знач.): болта́ть (*разг.*).

**Щебета́ние**, -я, *ср.* и **щебе́т**, -а, *м.* (к 1 знач.). *Детское щебетание. Щебет чижа.*

**ЩЕГОЛЕВА́ТЫЙ**, -ая, -ое; -а́т, -а, -о. **1.** Склонный к щегольской одежде, к изысканным вещам. *Щеголеватый молодой человек.* □ *Щеголеватый штурман Поздышев, раскачиваясь, шёл по проходу. Латунные застёжки его франтоватого комбинезона сияли на солнце.* Гранин. Иду на грозу. **2.** Нарядный, изысканный, модный (об одежде, вещах и т. п.). *В этот день.. к дому Островнова подкатили щеголеватые дрожки. Несла их пара добрых лошадей.* Шолохов. Поднятая целина. **3.** Молодцеватый, бравый. *Щеголеватая военная выправка.* □ *[Девка] шла мимо окна тою особенною щеголеватою, молодецкою походкой, которою ходят казачки.* Л. Толстой. Казаки.

С и н. (к 1 знач.): франтова́тый, пижо́нистый (*разг.*). С и н. (ко 2 знач.): щегольско́й, франтовско́й, пижо́нский (*разг.*), щепети́льный (*устар.*). С и н. (к 3 знач.): щегольско́й.

**Щеголева́то**, *нареч.* **Щеголева́тость**, -и, *ж. Щеголеватость костюма.*

**ЩЁГОЛЬ**, -я, *м.* Тот, кто нарядно, изысканно одет, кто любит наряжаться.— *Помните, вам нравился Евченко, такой щёголь и чистюля?* М. Горький. Мать.

С и н. (к 1 знач.): франт, мо́дник (*разг.*), пижо́н (*разг.*), дэ́нди (*устар.*).

**Щеголи́ха**, -и, *ж.*

**ЩЕГОЛЬСКО́Й**, -а́я, -о́е. **1.** Очень нарядный, изысканный, модный. *Щегольской наряд.* □ *Ввечеру подавался на стол очень щегольской подсвечник из тёмной бронзы с тремя античными грациями с перламутным щегольским щитом.* Гоголь. Мёртвые души. **2.** То же, что щеголеватый (в 3 знач.). *В его.. щегольской посадке, в небрежном движении руки.. выражались сознание силы и самонадеянность молодости.* Л. Толстой. Казаки.

С и н. (к 1 знач.): щегольскова́тый, франтовско́й, пижо́нский (*разг.*), щепети́льный (*устар.*).

**Щего́льски**, *нареч.* Одеваться щегольски.

**ЩЕ́ДРЫЙ**, -ая, -ое; щедр, щедра́, щедро. **1.** Охотно делящийся с другими своими средствами, вещами и т. п., не жалеющий тратить, расходовать что-л. *Щедрый хозяин. Щедрая душа.* □ *Люди, знавшие Репина недостаточно близко, считали его скупым. Действительно, он тратил на себя очень мало, но зато был щедр для других.* К. Чуковский. Илья Репин. **2.** Бога-

тый, ценный. *Щедрые подарки.* **3.** Обильный, сильный в своём проявлении. *Щедрый дождь.* □ *Обласканный щедрым солнцем океан с высоты казался приветливым и гостеприимным.* Санин. За тех, кто в дрейфе! ◊ **Щедрою рукою** — не жалея, не скупясь. *Ты сыплешь щедрою рукою Свое богатство по земли.* Ломоносов. Ода на день восшествия на престол императрицы Елисаветы Петровны.

С и н. (к 1 знач.): торова́тый (*устар.*). С и н. (ко 2 знач.): дорого́й. С и н. (к 3 знач.): бога́тый. А н т. (к 1 знач.): скупо́й, жа́дный, скаре́дный (*разг.*), прижи́мистый (*разг.*). А н т. (ко 2 знач.): скупо́й, дешёвый, грошо́вый (*разг.*).

**Щё́дро**, *нареч. Щедро наградить кого-л.* **Щё́дрость**, -и (к 1 и 2 знач.) и **щедрота́**, -ы́, *ж.* (к 1 и 2 знач.). *Безумная щедрость. Русская щедрота.*

**ЩЕКО́ЛДА**, -ы, *ж.* Пластинка с рычажком для запирания дверей. *В ворота постучали.. Яшка отодвинул щеколду, и вошёл Цыган.* А. Н. Толстой. Пётр I.

С и н.: задви́жка, защёлка (*разг.*).

**ЩЕКОТЛИ́ВЫЙ**, -ая, -ое; -и́в, -а, -о. **1.** *Устар.* Чрезвычайно щепетильный (в 4 знач.), чувствительный к мнению других о себе.— *[Я] Заметова немного поколотил,... пожалуйста, и намёка не подавай, что знаешь; я заметил, что он щекотлив.* Достоевский. Преступление и наказание. **2.** Требующий осторожного отношения. *Щекотливая тема разговора. Щекотливое поручение.* □ *Пришлось Роману, сгорая от стыда, начать самому щекотливое объяснение.* Седых. Даурия.

С и н. (ко 2 знач.): то́нкий, делика́тный, щепети́льный.

**Щекотли́вость**, -и, *ж. Щекотливость положения кого-л.*

**ЩЕЛКОПЁР**, -а, *м. Устар.* Презрительное название писателя, журналиста. *[Городничий:] Разнесёт по всему свету историю.. Найдётся щелкопёр, бумагомарака, в комедию тебя вставит. Вот что обидно!* Гоголь. Ревизор.

С и н.: борзопи́сец, писа́ка (*разг.*), бумагомара́тель (*разг.*).

**Щелкопёрский**, -ая, -ое.

**ЩЕПЕТИ́ЛЬНЫЙ**, -ая, -ое; -лен, -льна, -о. **1.** *полн. ф. Устар.* Галантерейный и парфюмерный. *Щепетильная лавка.* □ *Всё, чем для прихоти обильной Торгует Лондон щепетильный.. Всё украшало кабинет Философа в осьмнадцать лет.* Пушкин. Евгений Онегин. **2.** *Устар.* Изысканный, модный в одежде. *Одета Алёна Сергеевна была по-прежнему щепетильнейшим образом, но вся в чёрном.* Писемский. Люди сороковых годов. **3.** *Устар.* Придирчиво-педантичный, мелочный. *Капитон Аверьяныч по очереди призвал Федотку и кузнеца и подверг их самому щепетильному допросу.* Эртель. Гарденины. **4.** Строго, до мелочей последовательный и принципиальный в отношениях с кем-л. или по отношению к чему-л., а также свойственный такому человеку. *Щепетильная честность.* □ *[Ольга Алексеевна:] Да, твой муж.. не очень щепетилен в делах,.. это все говорят про него.* М. Горький. Дачники. **5.** Требующий осторожного и тактичного отношения. *Щепетильный вопрос.*

С и н. (ко 2 знач.): щегольва́тый и щегольско́й,

не встречали в «руководящих» статьях считающегося серьезным народнического журнала. Ленин, т. 22, с. 304.

**Эклекти́ческий**, -ая, -ое и **эклекти́чный**, -ая, -ое; -чен, -чна, -о. *Эклектическая философская теория. Эклектическое смешение стилей.* **Эклекти́чески** и **эклекти́чно**, нареч. **Эклекти́чность**, -и, ж. **Эклектик**, -а, м.

**ЭКЛЕ́КТИКА**, -и, ж. [См. *эклектизм*]. *Книжн.* То, что является эклектическим, что обнаруживает в себе эклектизм. *Эклектика в архитектуре.*

**ЭКЛЕКТИЦИ́ЗМ** см. *эклектизм*.

**ЭКЛО́ГА**, -и, ж. [От греч. eklogē — отбор]. Стихотворение на тему о пастушеской жизни, сходное с идиллией. *Античные эклоги.* □ *— Я модный свет ваш ненавижу; Милее мне домашний круг, Где я могу...— Опять эклога!* Пушкин. Евгений Онегин.

**ЭКОЛО́ГИЯ**, -и, ж. [От греч. oikos — дом и logos — слово, учение]. **1.** Наука об отношениях животных и растительных организмов к окружающей среде и друг к другу. *Теперь, в восполнение к лабораторным методам, явилась целая наука — экология, изучающая растение или животное в их собственной среде.* Пришвин. Золотой Рог. **2.** Совокупность животных и растительных организмов, населяющих какую-л. территорию. *Экология Севера. Экология средней полосы. Экология Волги.*

**Экологи́ческий**, -ая, -ое. *Экологические факторы.* ◊ **Экологический кризис** — критическое состояние окружающей среды, вызванное ее загрязнением и хищническим отношением к природе.

**ЭКОНО́М**, -а, м. [Восх. к греч. oikonomos от oikos — дом и nemein — распределять, владеть, управлять]. *Устар.* **1.** Бережливый, хозяйственный человек. *У мужика, большого эконома, Хозяина зажиточного дома, Собака нанялась и двор стеречь И хлебы печь.* И. Крылов. Крестьянин и Собака. **2.** Заведующий хозяйством. *Граф в халате ходил по зале, отдавая приказания клубному эконому и знаменитому.. старшему повару Английского клуба.* Л. Толстой. Война и мир. **3.** Специалист в области экономики. *[Онегин] читал Адама Смита И был глубокий эконом, То есть умел судить о том, Как государство богатеет, И чем живет, и почему Не нужно золота ему, Когда простой продукт имеет.* Пушкин. Евгений Онегин.

С и н. (к 3 знач.): эконом́ист.

**Эконо́мка**, -и, ж. (к 1 и 2 знач.) *Из ворот выбегает женщина.. со звоночком ключей на боку — экономка.* Л. Борисов. Ход конем.

**ЭКОНО́МИКА**, -и, ж. [Восх. к греч. oikonomika — ведение домашнего хозяйства]. **1.** Совокупность производственных отношений определенной общественно-экономической формации, господствующий способ производства. *Капиталистическая экономика.* **2.** Хозяйство (страны, области, района и т.п.) или какая-л. его отрасль. *Экономика сельского хозяйства области. Совершенствовать экономику страны.* **3.** *чего* или *какая.* Научная дисциплина, изучающая какую-л. отрасль производственной, хозяйственной деятельности. *Горная экономика. Лекции по экономике производства. Экономика управления.*

**Экономи́ческий**, -ая, -ое. *Экономические законы. Экономическая политика. Экономические проблемы. Экономическая реформа.* **Экономи́ст**, -а, м. *Труды известного экономиста.*

**ЭКОНО́МИЧНЫЙ**, -ая, -ое; -чен, -чна, -о. [См. *экономика*]. Дающий возможность сэкономить, выгодный. *Экономичная технология. Экономичная машина.*

С и н.: экономный.

**Экономи́чность**, -и, ж.

**ЭКОСЕ́З** [сэ], -а, м. [От франц. écossaise — букв. шотландский]. Старинный шотландский танец типа кадрили, получивший с конца 17 в. широкое распространение в виде парного бального танца, а также музыка к этому танцу. *Катерина Петровна будет играть на клавикордах вальсы и экосезы.* Л. Толстой. Война и мир.

**ЭКРАНИЗА́ЦИЯ**, -и, ж. [От франц. écran — экран]. Создание кинофильма на основе какого-л. произведения театрального искусства или литературы, не предназначенного специально для кино, а также само экранизированное произведение. *Экранизация романа Л. Толстого «Война и мир». Удачная экранизация оперы. Посмотреть новую экранизацию трагедии Шекспира.* □ *Я давно думал об экранизации повести Н. Огарева «Помещик».* Гардин. Воспоминания.

**ЭКС-...** [Лат. ex...]. Первая составная часть сложных слов, обозначающая бы́вший, напр.: *экс-министр, экс-чемпион.*

**ЭКСГУМА́ЦИЯ**, -и, ж. [От лат. ex — из и humus — земля]. *Спец.* Извлечение из земли трупа для судебно-медицинского исследования.

**ЭКСКУ́РС**, -а, м. [Лат. excursus]. *Книжн.* Отступление от главной темы изложения для освещения побочного или дополнительного вопроса. *Экскурс в прошлое.* □ *Парни выслушали экскурс в историю вопроса, саму историю, благожелательно отнеслись к сложному устройству мира и мироздания.* Липатов. И это все о нем.

**ЭКСЛИ́БРИС**, -а, м. [Лат. ex libris — из книг]. Художественно выполненный ярлык, книжный знак, наклеиваемый на внутренней стороне переплета или обложки книги с обозначением ее владельца. *Экслибрис, особенно гравюрный, был тогда [в 20-е годы] в расцвете, и лучшие художники создавали прекрасные образцы книжных знаков.* И. Н. Павлов. Моя жизнь и встречи.

**Эксли́брисный**, -ая, -ое.

**ЭКСПАНСИ́ВНЫЙ**, -ая, -ое; -вен, -вна, -о. [Франц. expansif; восх. к лат. expandere — распростирать, распахивать]. *Книжн.* Бурно проявляющий свои чувства, отличающийся несдержанностью, порывистостью. *Экспансивная натура.* □ *Давно известно, что южные французы экспансивны, пылки, склонны к преувеличению.* Куприн. Лазурные берега.

С и н.: эмоциональный, возбуди́мый.

**Экспанси́вно**, нареч. *Экспансивно выразить радость.* **Экспанси́вность**, -и, ж.

**ЭКСПА́НСИЯ**, -и, ж. [Восх. к лат. expansio —

распространение]. *Книжн.* Расширение сфер влияния монополистических объединений, государств, общественных групп, осуществляемое экономическими и внеэкономическими методами (вооруженными захватами территорий, дипломатическим давлением и т. п.). *Политическая, экономическая экспансия.*

**ЭКСПАТРИА́ЦИЯ**, -и, ж. [От лат. ex — из и patria — родина]. *Книжн.* Добровольное или принудительное выселение кого-л. за пределы родины, обычно связанное с лишением гражданства. *Мысль об экспатриации, то есть о переселении за границу, стала приходить Герцену.. с конца 1843 года.* Плеханов. А. И. Герцен и крепостное право.

**ЭКСПЕДИ́ТОР**, -а, м. [См. экспедиция]. **1.** В дореволюционной России: начальник отделения в некоторых учреждениях. *Я любил его, когда он [Сперанский] еще был экспедитором в канцелярии генерал-прокурора.* И. Дмитриев. Взгляд на мою жизнь. **2.** Работник, ведающий приемом, отправкой или рассылкой чего-л. (товаров, периодических изданий, корреспонденции и пр.). *Почтовый экспедитор. Экспедитор торговой базы.* □ *Чупров спросил:.. — Сколько стекла дадите? — Я простой экспедитор. Надо поговорить, не от меня зависит.* Тендряков. Падение Ивана Чупрова.

**Экспеди́торский**, -ая, -ое. *Экспедиторская должность.*

**ЭКСПЕДИ́ЦИЯ**, -и, ж. [Восх. к лат. expeditio — приведение в порядок; (военный) поход]. **1.** В дореволюционной России: название некоторых государственных учреждений или их отделов.— *Позвольте узнать,— сказал Чичиков с поклоном,— здесь дела по крепостям?.. — Это в крепостной экспедиции.* Гоголь. Мертвые души. **2.** Отдел учреждения, предприятия, производящий отправку, рассылку чего-л. *Заведовать экспедицией.* **3.** Поездка или поход группы лиц, отряда с каким-л. специальным заданием, а также группа, отряд участников такой поездки, похода. *Научная, спасательная, геологическая экспедиция. Руководить экспедицией. Результаты экспедиции. Член экспедиции.* □ *Шла подготовка к очередной антарктической экспедиции, сроки были сжатые.* Санин. За тех, кто в дрейфе!

**Экспедицио́нный**, -ая, -ое. *Экспедиционный служащий. Экспедиционный отряд.*

**ЭКСПЕРИМЕ́НТ**, -а, м. [Восх. к лат. experimentum]. **1.** Воспроизведение какого-л. явления в определенных условиях с целью исследования; опыт. *Научный эксперимент. Интересные результаты эксперимента.* □ *— Нужен следственный эксперимент,— наконец решительно сказал он.— Проведем мимо вас пять знакомых и незнакомых человек, среди которых будет Заварзин.* Липатов. И это все о нем. **2.** Попытка осуществить на практике что-л. новое, ранее не испытанное. *Рискованный эксперимент.* □ *— Ты понимаешь,.. что люди в хозяйстве по-разному восприняли эксперимент с закреплением земли за семейным звеном Сошниковых.* Ананьев. Годы без войны.

**Эксперимента́льный**, -ая, -ое. *Экспериментальная лаборатория. Экспериментальные методы исследования. Экспериментальное хозяйство.* **Эксперимента́льно**, *нареч.*

**ЭКСПЕ́РТ** [не *эксперт*], -а, м. [Восх. к лат. expertus — опытный]. Специалист, привлекаемый в сложных, спорных случаях для экспертизы. *Судебный эксперт. Консультация эксперта.* □ *Сотни почерков эксперты стали изучать, сличать, складывать из букв прошений слова, переводить их на прозрачную бумагу.* Пришвин. Кащеева цепь.

**Эксперт́ный**, -ая, -ое. *Экспертная комиссия. Экспертное заключение.*

**ЭКСПЕРТИ́ЗА**, -ы, ж. [Франц. expertise; восх. к лат. expertus — опытный]. Рассмотрение, исследование какого-л. вопроса, решение которого требует специальных знаний в области науки, техники, искусства и т. п. *Медицинская, судебная, военная, научная экспертиза.* □ *— Да вашей экспертизы и не требуется. Специалистами уже установлено, что прокламации напечатаны с того же набора, с какого сделан оттиск.* Федин. Первые радости.

**ЭКСПЛУАТА́ЦИЯ**, -и, ж. [Франц. exploitation]. **1.** Присвоение результатов чужого труда собственниками средств производства. **2.** Использование чего-л. (природных богатств, промышленных предприятий, транспорта, зданий и т. п.). *Эксплуатация железнодорожных вагонов. Сдать в эксплуатацию жилой дом. Эксплуатация земных недр.*

**Эксплуатацио́нный**, -ая, -ое (ко 2 знач.). *Эксплуатационные испытания машины.*

**ЭКСПОЗИ́ЦИЯ**, -и, ж. [Восх. к лат. expositio — выставление, показ, изложение]. **1.** *Спец.* Вступительная часть литературного или музыкального произведения, содержащая мотивы, которые развиваются в дальнейшем, или изложение обстоятельств, предшествующих развитию основного сюжета. *Экспозиция романа «Отцы и дети».* **2.** Размещение каких-л. предметов, выставляемых для обозрения, в определенной системе. *Новая экспозиция картин современных художников. Музейная экспозиция.*

**Экспозицио́нный**, -ая, -ое.

**ЭКСПОНА́Т**, -а, м. [Восх. к лат. exponatus — выставленный (напоказ)]. Предмет, выставляемый для обозрения на выставке, в музее. *[Разметнов] кинулся к пустовавшей комнате, где хранились.. колосовые экспонаты с прошлогодней районной сельскохозяйственной выставки.* Шолохов. Поднятая целина.

**Экспона́тный**, -ая, -ое. *Экспонатный стенд.*

**Э́КСПОРТ**, -а, м. [Англ. export от лат. exportare — выносить, вывозить]. Вывоз из какой-л. страны за границу товаров, капитала, технологий и т. п., а также (собир.) вывозимые товары, изделия. *Экспорт изделий легкой промышленности. Увеличение экспорта станков. Экспорт передовой технологии.* □ *— А пшеница в экспорт идет по 91 копейке.* М. Горький. Жизнь Клима Самгина.

А н т.: и́мпорт.

**Экспо́ртный**, -ая, -ое. *Экспортные товары.*

**ЭКСПРЕ́СС**, -а, м. [Англ. express; восх. к лат. expressus — букв. выдавленный]. **1.** Устар. Спешное почтовое или телеграфное сообщение. [Мазухин:] Что за экспресс? [Хрущ:] А вот, почитай. (Мазухин читает.) Тренев. Любовь Яровая. **2.** Поезд, теплоход, автобус и т. п., идущие с повышенной скоростью и с остановками лишь на крупных станциях. Экспресс, едва сбавив ход, обдал пылью выстроившихся на перроне [людей].., а через минуту уже шумел в лесу. Соколов. Искры.

**Экспре́ссный**, -ая, -ое.

**ЭКСПРЕ́СС-...** [См. экспресс]. Первая составная часть сложных слов, обозначающая м о м е н т а л ь н ы й,  с р о ч н ы й, напр.: экспре́сс-фо́то, экспре́сс-информа́ция.

**ЭКСПРЕССИОНИ́ЗМ**, -а, м. [Франц. expressionisme; восх. к лат. expressio — выражение]. Направление в искусстве первой половины 20 в., провозгласившее главной целью художественного творчества выражение внутреннего, духовного мира человека. Экспрессионизм в литературе, музыке, киноискусстве.

**Экспрессионисти́ческий**, -ая, -ое и **экспрессиони́стский**, -ая, -ое. **Экспрессиони́ст**, -а, м. Выставка художников-экспрессионистов.

**ЭКСПРЕ́ССИЯ**, -и, ж. [Восх. к лат. expressio — выдавливание, выражение]. Книжн. Выразительность, сила выражения, проявления каких-л. чувств, переживаний. Это волнующееся злое лицо, чувственный взор, в котором ясно видна жажда крови и воплей, прекрасно удались художнику по силе экспрессии. Гаршин. Новая картина Семирадского.

**Экспресси́вный**, -ая, -ое; -вен, -вна, -о. Экспрессивный жест. **Экспресси́вно**, нареч. **Экспресси́вность**, -и, ж.

**ЭКСПРО́МТ**, -а, м. [Восх. к лат. expromptus — находящийся в готовности, под рукой]. Стихотворение, музыкальное произведение и т. п., созданные без подготовки, в момент произнесения, исполнения. Искусством стихотворного экспромта он владел с такой же виртуозностью, как искусством издевательской реплики. К. Чуковский. Маяковский.

**ЭКСПРО́МТОМ**, нареч. Внезапно, без подготовки. Выступить с речью экспромтом. □ Здесь рождаются бесшабашные анекдоты, ставятся экспромтом одноактные оперетки. Куприн. Домик.

**ЭКСПРОПРИА́ЦИЯ**, -и, ж. [Франц. expropriation; восх. к лат. ex — из и proprius — собственный]. Книжн. Принудительное отчуждение, изъятие имущества у кого-л. — У меня приличная коллекция икон. В свое время приходилось участвовать в экспроприации церквей и монастырей. Проскурин. Горькие травы.

**ЭКСТА́З**, -а, м. [Восх. к греч. ekstasis — исступление, восторг]. Книжн. Высшая степень восторга, воодушевления, иногда переходящая в исступление. [Жюли] пришла в экстаз, говорила, говорила, все со слезами и поцелуями и закончила восклицанием. Чернышевский. Что делать?

С и н.: упое́ние, экзальта́ция (книжн.).

**Экстати́ческий**, -ая, -ое. Экстатическое состояние.

**ЭКСТЕНСИ́ВНЫЙ**, -ая, -ое. [Восх. к лат. extensivus]. Спец. Направленный в сторону количественного увеличения, распространения. Экстенсивная экономика. □ Земледелие отличается здесь экстенсивным характером и громадным производством зерна на продажу. Ленин, т. 3, с. 252.

А н т.: интенси́вный.

**Экстенси́вно**, нареч. **Экстенси́вность**, -и, ж. Экстенсивность развития производства.

**ЭКСТЕ́РН** [тэ́], -а, м. [Восх. к лат. externus — внешний]. **1.** Устар. Внештатный врач, бесплатно работающий в больнице или другом медицинском учреждении в целях прохождения практики. — Три года молодой врач работает экстерном или бесплатным стажером, — с возмущением сказал он, — а в деревне безграмотные старухи лечат заговорами и весенней водой! Каверин. Открытая книга. **2.** Тот, кто сдает экзамены за курс учебного заведения, не обучаясь в нем. [Рая] окончила экстерном восьмой, девятый и десятый классы. Тендряков. Падение Ивана Чупрова.

**ЭКСТЕРРИТОРИА́ЛЬНОСТЬ**, -и, ж. [От лат. ex — из и territorium — область, территория]. Спец. Право дипломатических представителей, находящихся в каком-л. государстве, подчиняться законам только своего государства.

**Э́КСТРА**, неизм. прил. [Лат. extra — вне, кроме]. Лучший, высшего класса. Сыр экстра.

С и н.: люкс.

**ЭКСТРА...** [См. экстра]. Приставка, означающая  с в е р х,  в н е, напр.: экстрамо́дный, экстразона́льный, экстралингвисти́ческий.

**ЭКСТРАВАГА́НТНЫЙ**, -ая, -ое; -тен, -тна, -о. [Франц. extravagant; восх. к лат. ex — из и vagari — блуждать, ходить]. Книжн. Необычный, расходящийся с общепринятыми нормами, слишком своеобразный. Экстравагантная шляпа. Экстравагантное поведение. □ — Милая! Что вы говорите! Вы экстравагантны! Опомнитесь! Угомонитесь! Чехов. Дуэль.

С и н.: эксцентри́ческий (книжн.) и эксцентри́чный (книжн.).

**Экстрава́гантно**, нареч. Экстравагантно одеваться. **Экстрава́гантность**, -и, ж.

**ЭКСТРА́КТ**, -а, м. [Восх. к лат. extractus — извлечение]. **1.** Вещество, извлеченное из растительной или животной ткани; вытяжка. Пихтовый, брусничный экстракт. □ Говорят, что если полторы недели принимать сосновый экстракт, цинга проходит. Вишневский. Дневники военных лет. **2.** Книжн. Краткое изложение сути какого-л. сочинения, документа, речи. 16 апреля я послал к императору донесение об окончании следствия, а к министру юстиции экстракт из дела. И. Дмитриев. Взгляд на мою жизнь.

**Экстра́ктный**, -ая, -ое (к 1 знач.) и **экстра́ктовый**, -ая, -ое (к 1 знач.).

**ЭКСТРАОРДИНА́РНЫЙ**, -ая, -ое; -рен, -рна, -о. [Восх. к лат. extraordinarius]. **1.** Книжн. Чрезвычайный, выходящий из ряда обычных явлений. Экстраординарный случай. Принять экстраординарные меры. □ Было ясно, что произошло что-то экстраординарное, если Стессель бодрствовал среди ночи. Степанов. Порт-

-Артур. **2.** полн. ф. Устар. В названиях ученых должностей: внештатный. *Экстраординарный профессор.*

С и н. (к 1 знач.): исключи́тельный, необыкнове́нный, необыча́йный, феномена́льный (книжн.).

А н т. (ко 2 знач.):ордина́рный (устар.).

**Экстраордина́рность,** -и, ж. (к 1 знач.).

**ЭКСТРАСЕ́НС** [сэ], -а, м. [От лат. extra — вне, кроме и sensus — чувство, ощущение]. Тот, кто обладает сверхчувственным восприятием. — *Я ведь, братцы вы мои, экстрасенс.. и пояснил нам скромно и чуть снисходительно, что с некоторых пор обнаружил в своем организме особую чувствительность. Отныне он.. может внушать мысли на расстоянии, определять цвета предметов путем осязания.* А. Макаров. Целители.

**ЭКСТРЕМА́ЛЬНЫЙ,** -ая, -ое; -лен, -льна, -о. [См. *экстремизм*]. Книжн. Крайний, необычный по трудности, сложности. *Экстремальная ситуация.* ☐ *Современный журналист должен уметь работать в экстремальных условиях, при перегрузках, при крайнем утомлении, после длительного похода или ночного дежурства, когда мозг обескровлен бессонницей.* В. Орлов. Три карты.

**Экстрема́льность,** -и, ж.

**ЭКСТРЕМИ́ЗМ,** -а, м. [Восх. к лат. extremus — крайний]. Приверженность к крайним взглядам и мерам (преимущ. в политике).

**Экстреми́стский,** -ая, -ое. *Экстремистское движение. Экстремистская печать.* **Экстреми́ст,** -а, м. *Правые, левые экстремисты.*

**ЭКСТРЕННЫЙ,** -ая, -ое; -ен, -енна, -о. [См. *экстра*]. **1.** Срочный, неотложный. *Экстренный отъезд. Экстренная операция. Экстренные меры.* ☐ *[Работницы мастерской] поняли, что из него [запасного капитала] можно делать ссуды тем участницам, которым встречается экстренная надобность в деньгах.* Чернышевский. Что делать? **2.** Непредвиденный, незапланированный. *Экстренное заседание. Экстренные расходы.* ☐ *Буранный Едигей.. не подозревал,.. что то был экстренный, аварийный вылет космического корабля с космонавтом.* Айтматов. Буранный полустанок.

С и н. (к 1 знач.): спе́шный, безотлага́тельный (книжн.). А н т. (ко 2 знач.): чрезвыча́йный.

**Э́кстренно,** нареч. *Экстренно выехать куда-л.* **Экстренность,** -и, ж. *Экстренность совещания.*

**ЭКСЦЕ́НТРИК,** -а, м. [Восх. к лат. ex — из и centrum — центр]. **1.** Устар. Человек с причудами, чудак. — *Там приехал сын гарденинского управляющего.. мальчик еще.. [ужасно дикий], несколько эксцентрик.* Эртель. Гарденины. **2.** Цирковой или эстрадный артист, исполняющий эксцентрические (в 1 знач.) номера. *Музыкальный эксцентрик. Клоун-эксцентрик.* ☐ *Он подозрительно наблюдал, как на эстраде два эксцентрика изощряются в комических попытках нарушить обычное.* М. Горький. Жизнь Клима Самгина.

**ЭКСЦЕНТРИ́ЧЕСКИЙ,** -ая, -ое. [См. *эксцентрик*]. **1.** Спец. Основанный на резких звуковых и зрительных контрастах, на необычных, острокомедийных приемах. *Эксцентрический номер в цирке.* ☐ *У меня сложился запас очень забавных эксцентрических трюков, которыми я и развлекал своих товарищей за кулисами театра.* Н. Черкасов. Записки советского актера. **2.** Книжн. Крайне своеобразный, необычный до странности. *Эксцентрический костюм. Эксцентрическая выходка.* ☐ *Он придумал себе псевдоним — Ильф. Это эксцентрическое слово получилось из комбинации начальных букв его имени и фамилии.* Олеша. Об Ильфе.

С и н. (ко 2 знач.): эксцентри́чный (книжн.), экстравага́нтный (книжн.).

**Эксцентри́чески,** нареч. (ко 2 знач.). *Это замечание окончательно погубило кандидата; он взял стул, поставил его как-то эксцентрически и чуть не сел возле.* Герцен. Кто виноват?

**ЭКСЦЕНТРИ́ЧНЫЙ,** -ая, -ое; -чен, -чна, -о. [См. *эксцентрик*]. Книжн. Вызывающе оригинальный, с причудами; эксцентрический (во 2 знач.). *Эксцентричная пляска.* ☐ *Пульхерия Александровна.. чувствовала, что молодой человек очень уж эксцентричен.* Достоевский. Преступление и наказание.

С и н.: экстравага́нтный (книжн.).

**Эксцентри́чно,** нареч. *Вести себя эксцентрично.* **Эксцентри́чность,** -и, ж.

**ЭКСЦЕ́СС,** -а, м. [Восх. к лат. excessus — букв. выход, экстаз]. Книжн. **1.** Крайнее проявление чего-л. (преимущ. об излишествах, невоздержанности в чем-л.). *Чувственные эксцессы.* **2.** Нарушение нормального хода чего-л., острое столкновение. *Предотвратить социальные эксцессы.* ☐ — *Ну как, товарищи? Никаких эксцессов? Делайте так, чтобы хозяева не предъявляли никаких претензий на ваше поведение.* Ф. Гладков. Цемент.

**ЭКЮ́,** нескл., м. и ср. [Франц. écu]. Старинная французская золотая и серебряная монета с изображением геральдического щита.

**ЭЛАСТИ́ЧНЫЙ,** -ая, -ое; -чен, -чна, -о и **ЭЛАСТИ́ЧЕСКИЙ,** -ая, -ое. [Восх. к греч. elastikos — податливый, тягучий]. **1.** Упругий, гибкий, растяжимый. *Эластичные чулки. Эластические волокна.* ☐ *Он, с наслаждением потягиваясь, отмечал, как упруги его мускулы, эластична кожа, как свободно и глубоко дышат легкие.* М. Горький. Варенька Олесова. **2.** перен. Лишенный резкости, плавный, легкий. *Ей было лет семнадцать. Движения ее были эластичны и упруги.* Короленко. В Крыму. *Стройная английская кобыла шла под нею эластической широкой рысью.* Куприн. Молох.

С и н. (ко 2 знач.): упру́гий, пружи́нистый (разг.).

**Эласти́чно,** нареч. **Эласти́чность,** -и, ж. *Эластичность походки.*

**ЭЛЕГА́НТНЫЙ,** -ая, -ое; -тен, -тна, -о. [Восх. к лат. elegans, elegantis]. Книжн. Изящный, изысканный. *Элегантная статуэтка. Элегантный костюм, жест.* ☐ *Обычно подтянутый, даже элегантный генерал, которого Звягинцев не видел несколько недель, произвел на этот раз на него странное впечатление.. [Была] видна щетинка на его несколько одутловатом лице, ки-*

тель выглядел помятым, точно генералу довелось спать в нем не раздеваясь. Чаковский. Блокада.

**Элега́нтно**, *нареч.* Элегантно одеваться. **Элега́нтность**, -и, *ж.* Элегантность туалета.

**ЭЛЕ́ГИЯ**, -и, *ж.* [Восх. к греч. elegeia]. **1.** Лирическое стихотворение, проникнутое грустью. *Критик строгий Повелевает сбросить нам Элегии венок убогий, И нашей братье рифмачам Кричит: «Да перестаньте плакать, И все одно и то же квакать, Жалеть о прежнем, о былом: Довольно, пойте о другом!»* Пушкин. Евгений Онегин. **2.** Музыкальная пьеса грустного характера. *— Вы помните, как один раз вы пришли рано и в пустой зале сыграли элегию Эрнста? Я слышал.* Гаршин. Надежда Николаевна. **3.** *перен.* Грусть, меланхолия. *Печальную элегию в природе вокруг меня подчеркивали две обломанные и уродливые ветлы и опрокинутая вверх дном лодка у их корней.* М. Горький. Однажды осенью.

С и н. (к 3 знач.): печа́ль, тоска́, скорбь, уны́ние.

**Элеги́ческий**, -ая, -ое и **элеги́чный**, -ая, -ое; -чен, -чна, -о (*к 3 знач.*). Элегическая поэзия. Элегический характер романса. Элегические раздумья. Элегичное настроение. **Элеги́чески и элеги́чно** (*к 3 знач.*), *нареч.* **Элеги́чность**, -и, *ж.* (*к 3 знач.*).

**ЭЛЕКТРИЗОВА́ТЬ**, -зу́ю, -зу́ешь; электризу́ющий, электризова́вший; электризу́емый, электризо́ванный; -ан, -а, -о; электризу́я; *несов.*, *кого, что.* [См. электро...]. **1.** Сообщать телу электрический заряд. **2.** *перен. Книжн.* Приводить в возбужденное состояние.— *Когда я куда вхожу, где много народу, мне всегда чувствуется, что все взгляды меня электризуют.* Достоевский. Подросток. *Убийца Белки [собаки] находился здесь, и это обстоятельство чрезвычайно электризовало атмосферу.* Санин. За тех, кто в дрейфе!

С и н. (ко 2 знач.): возбужда́ть, подогрева́ть, будора́жить (*разг.*), взбудора́живать (*разг.*), взви́нчивать (*разг.*).

**Электриза́ция**, -и, *ж.* (*к 1 знач.*).

**ЭЛЕКТРИ́К**, *неизм. прил.* [Франц. électrique]. Голубовато-синий с серым отливом. *Была у него слабость — шикарно одеваться.. Костюмчик цвета этакого электрик, трость с серебряным набалдашником.* Куприн. С улицы.

**ЭЛЕКТРИФИКА́ЦИЯ**, -и, *ж.* [От *электричество* (см. *электро...*) и лат. facete — делать]. Широкое внедрение электрической энергии в народное хозяйство и быт в качестве основного вида энергии. *План электрификации.* □ *[Глаголев:] Как инженер и как революционер одновременно, я со всей энергией готов проводить в жизнь идею электрификации России.* Погодин. Кремлевские куранты.

**Электрификацио́нный**, -ая, -ое.

**ЭЛЕКТРО...** [Восх. к греч. ēlektron — янтарь]. Первая составная часть сложных слов, обозначающая *электрический*, напр.: *электробри́тва, электродви́гатель, электромеха́ника, электроте́хника, электропрово́дка, электропила́, электроплита́*.

**ЭЛЕКТРОКА́Р**, -а, *м.* [От *электро...* (см.) и англ. car-тележка]. Самоходная безрельсовая тележка, приводимая в движение установленными на ней электродвигателями (применяется для перевозки грузов на заводах, вокзалах, в портах и т. п.). *Некоторое время все молча смотрели.. на маленькие юркие электрокары, перевозящие муку от кранов на склад.* А. Рыбаков. Екатерина Воронина.

**ЭЛЕКТРО́Н**, -а, *м.* [Греч. ēlektron]. *Спец.* Элементарная частица вещества, имеющая наименьший отрицательный электрический заряд.

**Электро́нный**, -ая, -ое (основанный на использовании свойств электронов). *Электронные приборы. Электронная вычислительная машина (ЭВМ).*

**ЭЛЕКТРО́НИКА**, -и, *ж.* [См. *электрон*]. Наука, изучающая электронные процессы, а также область техники, связанная с производством и применением электронных устройств. *Лекции по электронике. Исследования в области электроники.*

**ЭЛЕМЕ́НТ**, -а, *м.* [Восх. к лат. elementum — первоначало, стихия]. **1.** У древнегреческих философов-материалистов: одна из составных частей природы (огонь, вода, воздух, земля), лежащих в основе всех вещей; стихия. **2.** *мн. Книжн.* Основы, начала чего-л. *Элементы математики.* □ *— Я обучался элементам наук и древних языков в архангельской школе.* Лажечников. Ледяной дом. **3.** *Спец.* Простое вещество, не разложимое химическими методами на составные части, являющееся составной частью других сложных веществ. *Химический элемент. Периодическая система элементов Менделеева.* □ *Он узнавал о существовании атомов и элементов, простейших составных частей вселенной.* Бек. События одной ночи. **4.** Составная часть какого-л. целого. *Разложить что-л. на элементы.* □ *[Воропаев] стал развивать свою мысль о том, что такое культура и из каких элементов она состоит.* Павленко. Чья-то жизнь. **5.** *обычно чего. Книжн.* Одна из черт, признак в содержании чего-л. *Элементы историзма в изложении. Элемент драматизма в рассказе.* **6.** *какой.* О человеке, личности как члене какой-л. социальной группы. *Прогрессивные элементы общества. Пролетарские элементы. Чуждый элемент.* □ *— По-моему, товарищ Бессонов, в плен часто попадают политически и морально нестойкие элементы.* Бондарев. Горячий снег.

С и н. (ко 2 знач.): а́збука, нача́тки, азы́ (*разг.*)
С и н. (к 4 знач.): звено́, компоне́нт (*книжн.*), ингредие́нт (*книжн.*). С и н. (к 5 знач.): отте́нок, налёт.

**Элеме́нтный**, -ая, -ое (*к 3 и 4 знач.*).

**ЭЛЕМЕНТА́РНЫЙ**, -ая, -ое; -рен, -рна, -о. [См. *элемент*]. **1.** *полн. ф.* Начальный, касающийся основ чего-л. *Элементарная математика.* □ *Требования для поступающих в приготовительный класс были самые ограниченные.. Из русского языка — правильно читать и писать и элементарные понятия о частях речи; из арифметики — первые четыре правила.* Салтыков-Щедрин. Пошехонская старина. **2.** *перен.* Простей-

ший, такой, который должен быть известен, понятен каждому. *Элементарные правила вежливости. Элементарная логика в рассуждениях.* □ *Элементарный практицизм подсказывает: в данный момент выгоднее отступить с наименьшими потерями, а не ломиться в открытую дверь.* Проскурин. Горькие травы. **3.** *перен.* Упрощенный, поверхностный, ограниченный. *Элементарный взгляд на вещи.* □ *«Фарисеи».. написаны по той наивной и элементарной схеме, которой придерживались наиболее топорные из русских романистов семидесятых годов.* К. Чуковский. Горький. **4.** *Спец.* Простейший, мельчайший из известных. *Элементарные частицы* (мельчайшие известные нам частицы материи с постоянными массами покоя и зарядами).
С и н. (*к 1 знач.*): первоначáльный. С и н. (*ко 2 знач.*): общеизвéстный, áзбучный, прописнóй, нехи́трый (*разг.*), немудрёный (*разг.*). С и н. (*к 3 знач.*): примити́вный, упрощéнческий, схемати́ческий *и* схемати́чный.
**Элемента́рно**, *нареч.* (*ко 2 и 3 знач.*). *Элементарно необходимые вещи. Мыслить элементарно.*
**Элемента́рность**, -и, *ж.*
**ЭЛИКСИ́Р**, -а, *м.* [Восх. к лат. elixir от араб. al-'iksīr — философский камень, лекарство (от греч. xērion — высушивающий порошок для ран)]. Крепкий настой на спирту, маслах, кислотах, употребляемый в медицине, косметике. *Зубной эликсир. Хвойный эликсир.* □ *[Нехлюдов] пошел в соседнюю с спальней уборную, всю пропитанную искусственным запахом эликсиров, одеколона,.. духов.* Л. Толстой. Воскресение. ◇ **Жизненный эликсир** *или* **эликсир жизни** — 1) волшебный напиток, который пытались получить алхимики для того, чтобы продлить человеческую жизнь, сохранить молодость. — *Вы знаете, что он выдавал себя за.. изобретателя жизненного эликсира и философского камня.* Пушкин. Пиковая дама; 2) о том, что бодрит, придает сил. *[Чай] был иногда единственной нашей поддержкой, своего рода эликсиром жизни и панацеей от бед и скорбей.* Паустовский. Начало неведомого века.
**ЭЛИ́ТА**, -ы, *ж., собир.* [От франц. élite — лучшее, избранное]. **1.** Лучшие, отборные семена, растения или животные, полученные в результате селекции для дальнейшего размножения или разведения. *Элита пшеницы.* □ —*А колхоз у нас семеноводческий. Элиту выращиваем, зернышко к зернышку.* Солоухин. Владимирские просёлки. **2.** *Книжн.* Лучшие представители общества или какой-л. его части. *Интеллектуальная элита.* □ *И особенно.. выделяется.. Маркина. Она мне кажется типичной для той элиты рабочего класса, что вынесла на своих плечах и лишения, и тяготы.* Марягин. Клязьмина.
**Эли́тный**, -ая, -ое (*к 1 знач.*) *и* **элита́рный**, -ая, -ое; -рен, -рна, -о (*ко 2 знач.*). *Элитный жеребец. Элитарное искусство* (предназначенное для элиты).
**ЭЛЛИНГ**, -а, *м.* [Голл. helling.] *Спец.* **1.** Крытое сооружение на берегу для постройки и ремонта судов, а также для хранения спортивных судов. *Эллинг для яхт.* □ *[Ушакову] показывали доки и эллинги, где чинились поврежденные им же суда и строились новые.* Сергеев-Ценский. Флот и крепость. **2.** Сооружение для постройки, хранения и ремонта аэростатов.
**Эллинговый**, -ая, -ое.
**ЭЛЛИНИ́ЗМ**, -а, *м.* [От греч. Hellēn — эллинский]. Эпоха расцвета смешанной греко-восточной культуры, наступившая после завоеваний Александра Македонского на Востоке. *Маленькая картина Иванова «Аполлон, Кипарис и Гиацинт», исполненная поэтическими настроениями эллинизма, была как бы минутным роздыхом, передышкой в пути.* В. Яковлев. О великих русских художниках.
**Эллинисти́ческий**, -ая, -ое. *Эллинистическая культура.*
**ЭЛЛИНЫ**, -ов, *мн.* (*ед.* э́ллин, -а, *м.*). Самоназвание древних греков.
**Э́ллинка**, -и, *ж.* **Э́ллинский**, -ая, -ое. *Слышу умолкнувший звук божественной эллинской речи.* Пушкин. На перевод Илиады.
**ЭЛЛИПС**, -а, *м.* [Восх. к греч. elleipsis — пропуск, недостаток]. **1.** Контур предмета, очертание овальной формы. *[Американец] выхватил из зубов сигару и очертил ею в воздухе замкнутый эллипс.* Шишков. Угрюм-река. **2.** В языкознании: пропуск в речи какого-л. легко подразумеваемого члена предложения.
**Эллипти́ческий**, -ая, -ое.
**ЭЛЬДОРА́ДО**, *нескл., ср.* [Исп. el Dorado — золотая страна]. Страна сказочных богатств и чудес. *Раньше здесь были большие леса, изобиловавшие зверем, но лесные пожары в значительной степени обесценили это охотничье эльдорадо.* Арсеньев. По Уссурийской тайге.
**ЭЛЬЗЕВИ́Р**, -а, *м.* Название высоко ценимых библиофилами книг, напечатанных в знаменитых голландских типографиях 16—17 вв., принадлежавших семье типографов-издателей Эльзевиров. *Я разоряюсь на редкие издания и переплеты.. Я отдам все за настоящий эльзевир!* Боборыкин. Поумнел.
**ЭЛЬФ**, -а, *м.* [Нем. Elfe]. В германо-скандинавской мифологии: воздушное существо, дух природы, благожелательный к людям. *Где вы, братья! сестры, где вы! Наши пляски и напевы — отзвенели, отошли! Сгибнуть эльфам легкокрылым, вместе с августом унылым, вместе с прелестью земли!* Брюсов. Осеннее прощание эльфа.
**ЭМА́ЛЬ**, -и, *ж.* [Франц. émail]. **1.** *ед.* Непрозрачная стекловидная масса, которой покрывают металлические предметы с целью предохранения их от окисления, а также глазурь для покрытия художественных изделий. *Посреди стола в старом синем тазу с отбитой эмалью плавали в воде пионы.* Паустовский. Беспокойная юность. **2.** *обычно мн.* Художественное изделие, покрытое такой массой. *Коллекция эмалей.* □ *Увидели бы вы эти часы! Восемнадцатый век, голубая эмаль с изображением женского профиля, как у богини Афины!* Прилежаева. Пушкинский вальс.
**Эма́левый**, -ая, -ое. *Эмалевое покрытие. Эмалевые декоративные изделия.*

**ЭМАНСИПА́ЦИЯ**, -и, ж. [Восх. к лат. emancipatio]. *Книжн.* **1.** Освобождение от какой-л. зависимости, уравнение в правах. — *Хотят восстановить права женщины, которые не должны быть меньше прав мужчины. Понимаете, это и называется эмансипациею.* Помяловский. Мещанское счастье. **2.** Бытовавшее в 19 в. название реформы 1861 г. об отмене крепостного права в России. *Заозерские дворяне славились, потому что сохранили за собой свои поместья, как это было до эмансипации.* Мамин-Сибиряк. Мать-мачеха.

**Эмансипацио́нный**, -ая, -ое.

**ЭМАНСИПИ́РОВАННЫЙ**, -ая, -ое; -ан, -анна, -о. Получивший эмансипацию; свободомыслящий. *Эмансипированная женщина.*

**Эмансипи́рованность**, -и, ж.

**ЭМБА́РГО**, *нескл., ср.* [Исп. embargo]. *Спец.* Государственное запрещение на ввоз и вывоз иностранных товаров, ценностей. *Наложить эмбарго на вывоз золота. Эмбарго на ввоз наркотиков, оружия.*

**ЭМБЛЕ́МА**, -ы, ж. [Восх. к греч. emblēma — вставка, выпуклое украшение]. Условное или символическое изображение какого-л. понятия, идеи. *Белый голубь — эмблема мира.* □ *Лиза прошла также мимо своего домика: в нем поселился сапожник; пара.. сапог, эмблема ремесла, торчала в окне.* Леонов. Дорога на океан.

С и н.: си́мвол, знак.

**Эмблемати́ческий**, -ая, -ое (*устар.*).

**ЭМБРИО́Н**, -а, м. [Восх. к греч. embryon]. **1.** *Спец.* Зародыш (человека или животного). *Развитие эмбрионов.* **2.** *перен.*, обычно *чего. Книжн.* Зачаток какой-л. мысли, идеи и т. п. *Эмбрион творческого замысла.*

С и н. (к 1 знач.): плод. С и н. (ко 2 знач.): росто́к, зерно́ (*книжн.*).

**Эмбриона́льный**, -ая, -ое (к 1 знач.). *Эмбриональная клетка.*

**ЭМИГРА́ЦИЯ**, -и, ж. [От лат. emigratio] **1.** Добровольное или вынужденное переселение из своего отечества в другую страну по экономическим, политическим или религиозным причинам. *Еще задолго до ужасной войны и до последовавшей за нею принудительной эмиграции Симонов знал поверхностно Париж, восхищаясь им в недолгие наезды.* Куприн. Жанета. **2.** Место, время пребывания за пределами отечества после такого переселения. *Период эмиграции. Жить в эмиграции.* **3.** *собир.* Эмигранты. *Белогвардейская эмиграция.* □ *Пресса русской эмиграции не нашла в себе ни сил, ни такта отнестись к смерти Ленина с тем уважением, какое обнаружили буржуазные газеты в оценке личности одного из крупнейших выразителей воли к жизни и бесстрашия разума.* М. Горький. В. И. Ленин.

**Эмиграцио́нный**, -ая, -ое (к 1 и 2 знач.). *Эмиграционное движение.*

**ЭМИГРИ́РОВАТЬ**, -рую, -руешь; эмигри́рующий, эмигри́ровавший; эмигри́руя, эмигри́ровав; *сов. и несов.* [Лат. emigrare]. Переселиться (переселяться) из своей страны в какую-л. другую страну.

**Эмигра́нт**, -а, м. (тот, кто эмигрировал). *Русские эмигранты в Америке.* □ *Я даже ответил Брееву, что эмигрантом себя не считаю, могу вернуться в Россию, когда захочу.* М. Горький. Монархист.

**ЭМИ́Р**, -а, м. [Восх. к араб. 'amīr — предводитель]. В некоторых мусульманских странах Востока и Африки: титул правителя, владетельного князя, а также лицо, носящее этот титул. *Арабский эмир.*

**Эми́рский**, -ая, -ое.

**ЭМИРА́Т**, -а, м. [См. *эмир*]. Государство, возглавляемое эмиром.

**ЭМИССА́Р**, -а, м. [Восх. к лат. emissarius]. *Книжн.* Лицо, посылаемое неофициально с секретным политическим поручением в другую страну.

**Эмисса́рский**, -ая, -ое.

**ЭМИ́ССИЯ**, -и, ж. [Восх. к лат. emissio — выпуск]. *Спец.* Выпуск в обращение бумажных денег и ценных бумаг. *Эмиссия займа.* □ *Суть хранимых в тайне колонок цифр эмиссий Государственного банка вскрывалась в первой же лавчонке.* Вишневский. Война.

**Эмиссио́нный**, -ая, -ое. *Эмиссионная политика.*

**ЭМОЦИОНА́ЛЬНЫЙ**, -ая, -ое; -лен, -льна, -о. [См. *эмоция*]. **1.** Вызванный, насыщенный эмоциями, выражающий их. *Эмоциональная речь. Эмоциональная сила стихотворения. Эмоциональный жест.* **2.** Способный остро чувствовать что-л., легко возбуждающийся, несдержанный. *Эмоциональная натура. Эмоциональный характер.*

С и н. (ко 2 знач.): возбуди́мый, экспанси́вный (*книжн.*).

**Эмоциона́льно**, *нареч.* (к 1 знач.). **Эмоциона́льность**, -и, ж. *Эмоциональность музыки. Эмоциональность исполнения.*

**ЭМО́ЦИЯ**, -и, ж. [Франц. émotion; восх. к лат. emovere — выдвигать, волновать]. Чувство, душевное переживание. *Положительные, отрицательные эмоции.* □ *По силе эмоций, по.. глубине впечатлений, по чистоте и красоте волевых напряжений детская жизнь несравненно богаче жизни взрослых.* Макаренко. Книга для родителей.

С и н.: ощуще́ние.

**ЭМПИРЕ́Й**, -я, м. [Восх. к греч. empyros — букв. (находящийся) в огне]. **1.** По представлениям древних греков и ранних христиан: самая высокая часть неба, наполненная огнем и светом, где пребывают небожители, святые. **2.** *мн., перен. Книжн.* Область блаженства, неземного существования. *[Почтмейстер:] Один поручик пишет к приятелю..: — Жизнь моя, милый друг, течет,— говорит,— в эмпиреях: барышень много, музыка играет, штандарт скачет.* Гоголь. Ревизор. ◇ **Витать** (или **быть, находиться** и т. п.) **в эмпиреях** (*книжн., ирон.*) — предаваться мечтам, не замечая окружающего. — *Мне кажется порой, что у Митеньки душа на крыльях. Да и вся наша семья постоянно витает в эмпиреях.* Саянов. Лена.

**ЭМПИРИ́ЗМ**, -а, м. [См. *эмпирия*]. **1.** Филосо́-

ское направление, признающее опыт, чувственное восприятие единственным источником познания, недооценивающее или вовсе отрицающее значение теоретических обобщений и логического мышления. *Авенариус и Мах признают источником наших знаний ощущения. Они становятся, следовательно, на точку зрения эмпиризма (все знание из опыта) или сенсуализма (все знание из ощущений).* Ленин, т. 18, с. 127. **2.** *Книжн.* Склонность к практической, опытной деятельности в ущерб теоретическим знаниям, а также сама практическая деятельность. *Англичане.. гордятся своим эмпиризмом, своим умением ставить перед собой отдельные практические задачи, своим скептицизмом по отношению к всеохватывающим теориям.* Луначарский. Этюды критические.

**Эмпири́ческий,** -ая, -ое и **эмпири́чный,** -ая, -ое; -чен, -чна, -о *(ко 2 знач.).* *Эмпирическая философия. Эмпиричный подход.* **Эмпири́чески** и **эмпири́чно** *(ко 2 знач.),* нареч. *Эмпирически исследовать что-л.* **Эмпири́чность,** -и, ж. *(ко 2 знач.).*

**Эмпи́рик,** -а, м. *Как эмпирик, Базаров признает только то, что можно ощупать руками, увидеть глазами, положить на язык, словом, только то, что можно освидетельствовать одним из пяти чувств.* Писарев. Базаров.

**ЭМПИ́РИЯ,** -и, ж. [Восх. к греч. empeiria — опыт]. *Книжн.* **1.** Человеческий опыт, восприятие внешнего мира посредством органов чувств. *Без эмпирии нет науки, так, как нет ее и в одностороннем эмпиризме.* Герцен. Письма об изучении природы. **2.** Наблюдение в естественных условиях, в отличие от эксперимента.

**ЭМУ́ЛЬСИЯ,** -и, ж. [Восх. к лат. emulsus — выдоенный]. *Спец.* Жидкость, насыщенная нерастворимыми капельками какой-л. другой жидкости. *У станков стояли.. девчата и парни и сосредоточенно следили за работой резцов. Блестели серебристые спирали, брызгала мутная эмульсия.* Ф. Гладков. Малашино счастье.

**Эмульсио́нный,** -ая, -ое. *Эмульсионный состав.*

**ЭНДОКРИНОЛО́ГИЯ,** -и, ж. [От греч. endon — внутри, krinein — отделять, выделять и logos — учение]. Наука, изучающая строение и функции желез внутренней секреции, а также заболевания, связанные с нарушением их деятельности. *Экспериментальная эндокринология.*

**Эндокринологи́ческий,** -ая, -ое. **Эндокрино́лог,** -а, м.

**ЭНЕРГЕ́ТИКА** [нэ], -и, ж. [См. энергия]. Область экономики, охватывающая выработку, преобразование, передачу и использование различных видов энергии. *Атомная энергетика. Развитие энергетики.* □ *Советская энергетика накопила огромный опыт. Поэтому я не вижу непреодолимых трудностей при постройке этой грандиозной плотины и станции.* Паустовский. Рождение моря.

**Энергети́ческий,** -ая, -ое. *Энергетические ресурсы страны. Энергетический институт.*

**ЭНЕРГИ́ЧНЫЙ** [нэ], -ая, -ое; -чен, -чна, -о и *(устар.)* **ЭНЕРГИ́ЧЕСКИЙ** [нэ], -ая, -ое. [См. *энергия*]. Полный энергии *(во 2 знач.)*; деятельный, решительный. *Энергичное лицо. Энергичный протест.* □ *Штольцу ей нравится, как энергическая, деятельная натура.* Добролюбов. *Когда же придет настоящий день? — До смерти люблю, когда командир энергичен и быстро принимает правильное решение.* Шолохов. Поднятая целина.

Син.: акти́вный, инициати́вный.

Ант.: пасси́вный, безде́ятельный, безынициати́вный, ине́ртный.

**Энерги́чно** и *(устар.)* **энерги́чески,** нареч. *Энергично взяться за дело.* **Энерги́чность,** -и, ж. *Энергичность руководителя.*

**ЭНЕ́РГИЯ** [нэ], -и, ж. [Восх. к греч. energeia — деятельность]. **1.** Одно из основных свойств материи — мера ее движения, а также способность производить работу. *Закон сохранения и превращения энергии. Механическая, тепловая, солнечная энергия.* □ *Николай сам увлекся спором о том, вытеснит ли атомная энергия электрическую или не вытеснит.* Кетлинская. Дни нашей жизни. **2.** Решительность и настойчивость в действиях для достижения поставленной цели. *Неиссякаемая энергия. Прилив энергии. Проявить энергию в чем-л.* □ *[Глаголев:] Как инженер и как революционер одновременно, я со всей энергией готов проводить в жизнь идею электрификации России.* Погодин. Кремлевские куранты.

Син. *(ко 2 знач.):* акти́вность.

**ЭНТУЗИА́ЗМ,** -а, м. [Восх. к греч. enthusiasmos — божественное вдохновение]. Сильное воодушевление, душевный подъем, увлеченность чем-л. *Трудовой энтузиазм. С энтузиазмом взяться за решение поставленных задач.* □ *Горюнов воспринял без энтузиазма свое назначение лечащим врачом Сергея Петрова. При первом же осмотре Сергея.. он твердо и категорично заключил — не выживет.* В. Титов. Всем смертям назло.

Син.: увлече́ние, вдохнове́ние, одушевле́ние *(книжн.).*

**Энтузиа́ст,** -а, м.

**ЭНЦИКЛОПЕДИ́ЗМ,** -а, м. [См. энциклопедия]. *Книжн.* Всесторонняя образованность, осведомленность в различных областях знания. *Энциклопедизм Леонардо да Винчи.*

**Энциклопеди́ческий,** -ая, -ое и **энциклопеди́чный,** -ая, -ое; -чен, -чна, -о. *Энциклопедическое образование.* **Энциклопеди́чески** и **энциклопеди́чно,** нареч. **Энциклопеди́чность,** -и, ж. **Энциклопеди́ст,** -а, м. *Ученый-энциклопедист.*

**ЭНЦИКЛОПЕ́ДИЯ,** -и, ж. [Восх. к греч. enkyklopaideia — обучение по всему кругу наук]. **1.** Научное справочное пособие по всем или отдельным отраслям знания в форме словаря. *Большая Советская Энциклопедия. Медицинская, техническая, военная энциклопедия. Взять том энциклопедии.* **2.** *перен.* Свод, совокупность знаний, сведений по какому-л. вопросу. *«Онегина» можно назвать энциклопедией русской жизни и в высшей степени народным произведением.* Белинский. Сочинения Александра Пушкина. **3.** *чего. Устар.* Приведенное в систему обозрение различных отраслей какой-л. науки. — *У нас в этот день был как раз экзамен по энциклопе-*

дии права. Куприн. Святая любовь. ◊ **Ходя́чая** (или **жива́я**) **энциклопе́дия** (шутл.) — о человеке, обладающем разносторонними знаниями, у которого можно навести справку по любому вопросу. *[Рихтер], прослуживший в министерстве без малого сорок лет, считался живой энциклопедией внешней политики Германии. Его память хранила факты и события, которые нельзя было восстановить ни по каким архивным документам.* Чаковский. Блокада.

**Энциклопеди́ческий**, -ая, -ое (к 1 знач.). Энциклопедический словарь.

**ЭО́ЛОВ**, -а, -о. [По имени древнегреческого мифического повелителя ветров Эола]. ◊ **Эо́лова а́рфа** — ящик из тонких дощечек с натянутыми на нем струнами, которые звучат от действия ветра. *Мне чудятся другие звуки, длинные, томные, подобные звукам Эоловой арфы.* Тургенев. Призраки.

**ЭПАТА́Ж**, -а, м. [Франц. épatage]. Скандальная выходка; поведение, нарушающее общепринятые нормы и правила. *Эпатаж в выступлениях футуристов.* □ *Начав с буйного эпатажа во дни своей далекой юности, этот прекрасный мастер натюрморта и пейзажа сделал за последнее десятилетие ряд портретов.* В. Яковлев. О живописи.

**ЭПИГО́Н**, -а, м. [Восх. к греч. epigonos — потомок]. *Книжн.* Последователь какого-л. художественного, литературного, научного или иного направления, лишенный творческой самостоятельности и механически повторяющий чьи-л. идеи.

**Эпиго́нский**, -ая, -ое. Эпигонский роман.

**ЭПИГРА́ММА**, -ы, ж. [Восх. к греч. epigramma — надпись]. **1.** У древних греков: надпись (в прозе или стихах) на памятнике, здании, подарке и т. п., объяснявшая значение предмета. **2.** Короткое сатирическое стихотворение, высмеивающее кого-л. — *Правда, я когда-то написал несколько плохих эпиграмм, но.. с господами стихотворцами ничего общего не имею.* Пушкин. Египетские ночи. **3.** *Устар.* Колкое, остроумное замечание о ком-, чем-л. *Он не любил всех, которые ушли вперед его по службе, и выражался о них едко, в колких эпиграммах.* Гоголь. Мертвые души.

**Эпиграмма́тический**, -ая, -ое (спец.). Эпиграмматическая поэзия.

**ЭПИ́ГРАФ**, -а, м. [Восх. к греч. epigraphē — надпись]. **1.** У древних греков: надпись на памятнике. **2.** Цитата, изречение, пословица, помещаемые перед произведением или его частью и поясняющие его основную идею. *Мы решились.. издать ее [рукопись] особо, приискав к каждой главе приличный эпиграф.* Пушкин. Капитанская дочка. *Я учился военно-морской истории по книге Е. В. Березина. Эпиграфом к этой книге было изречение: «Успехи морских войн подготовляются в мирное время».* А. Крылов. Мои воспоминания.

**Эпиграфи́ческий**, -ая, -ое (спец.).

**ЭПИДЕ́МИЯ**, -и, ж. [Восх. к греч. epidēmia — букв. (болезнь,) распространяющаяся на весь народ]. **1.** Широкое распространение какой-л. инфекционной болезни. *Эпидемия гриппа.* □ *Лет четыреста назад по Европе прошла такая эпидемия чумы, которая погубила половину населения Европы.* Савельев. Следы на камне. **2.** *перен.*, чего. Что-л. получившее быстрое широкое распространение. *Эпидемия преступлений.* □ *В городе была эпидемия самоубийств.* А. Н. Толстой. Хождение по мукам.

**Эпидеми́ческий**, -ая, -ое (к 1 знач.). Эпидемические заболевания.

**ЭПИДИАСКО́П**, -а, м. [От греч. epi — на, над и diaskopein — смотреть сквозь]. Прибор для проецирования на экран прозрачных объектов (диапозитивов) и получения изображения непрозрачных объектов (чертежей, рисунков, таблиц и т. п.). *Использование эпидиаскопа на уроке.*

**ЭПИЗО́Д**, -а, м. [Восх. к греч. epeisodion — вставка; в трагедии: часть между двумя песнями хора]. **1.** Отдельное происшествие, событие, случай из жизни (чаще малозначительный). *Любопытный эпизод из жизни одной семьи. Это всего лишь эпизод в чьей-л. биографии.* □ *Однажды в нашей сельскохозяйственной жизни произошел такой эпизод. К нам приехали кинооператоры снимать документальный фильм.* Прилежаева. Пушкинский вальс. **2.** Сцена, отрывок, фрагмент какого-л. художественного произведения, обладающие относительной самостоятельностью и законченностью. *Эпизод романа. Сыграть роль в эпизоде кинофильма.* □ *Я нисколько не избегаю биографических отступлений.. Желающий может пропустить эти эпизоды, но с тем вместе он пропустит и повесть. Итак, биография дядюшки.* Герцен. Былое и думы.

С и н. (к 1 знач.): факт, де́ло, явле́ние, ка́зус, исто́рия (разг.).

**Эпизоди́ческий**, -ая, -ое и **эпизоди́чный**, -ая, -ое; -чен, -чна, -о. *Эпизодическая помощь* (не систематическая). *Эпизодический персонаж. Эпизодичное явление.* **Эпизоди́чески** и **эпизоди́чно**, нареч. **Эпизоди́чность**, -и, ж.

**ЭПИКУРЕ́ЙЗМ**, -а, м. [По имени древнегреческого философа Эпикура]. **1.** В античной философии: учение, согласно которому основой счастья человека является удовлетворение потребностей, разумное наслаждение. **2.** *Книжн.* Мировоззрение, возникшее на почве искаженного истолкования этого учения, утверждающее, что смысл жизни заключается в удовлетворении чувственных инстинктов и комфорте. *Дай бог ему [Майкову].. избежать того эпикуреизма, который заразил поэтов и осквернил поэзию нашего времени.* Жуковский. Письмо П. А. Плетневу, 27 ноября 1851 г. **3.** *перен. Книжн.* Склонность к чувственным удовольствиям, к изнеженной жизни. *Можно вывести из этого заключение,.. что я умышленно устраняюсь от «народа»,.. не болею за него. Это-де брезгливость, барство, эпикуреизм, любовь к комфорту.* И. Гончаров. Слуги старого века.

**Эпикуре́йский**, -ая, -ое. Эпикурейская философия. Эпикурейские привычки. **Эпикуре́ец**, -е́йца, м. — *Я даже немножко эпикуреец. Я убежден, что без материальных удобств жизнь не может представлять ничего привлекательного.* Салтыков-Щедрин. Губернские очерки.

**ЭПИЛО́Г**, -а, м. [Восх. к греч. epilogos — букв. послесловие]. **1.** В древнегреческой драме: заключительное обращение к зрителям, объяснявшее замысел автора, характер пьесы. **2.** Заключительная часть литературного произведения, в которой кратко сообщается о судьбе героев после изображенных в нем событий. *Эпилоги в романах Тургенева.* ▢ *В «Руслане» должно только прибавить эпилог и несколько стихов к 6-й песне.* Пушкин. Письмо П. А. Вяземскому, 14 октября 1823 г. **3.** *перен.* Конец, развязка чего-л. *Это [прокламации] продолжение прежнего либерализма, а не начало новой свободы — это эпилог, а не пролог.* Герцен. Былое и думы.

С и н. (к 3 знач.): заключе́ние, фина́л, исхо́д, развя́зка, фи́ниш.

А н т. (ко 2 и 3 знач.): проло́г.

**ЭПИСТО́ЛА**, -ы, ж. [Восх. к греч. epistolē — послание]. **1.** *Устар.* Письмо. *Милорадович, подписав свою эпистолу, отверз двери, и все в них устремились.* Давыдов. Дни партизанских действий 1812 г. **2.** Литературный жанр в 18 — начале 19 в.: послание. *Эпистолы Сумарокова.*

С и н. (к 1 знач.): циду́лка (*разг.*), посла́ние (*устар.*), гра́мота (*устар. и спец.*), циду́ла (*устар. разг.*).

**ЭПИСТОЛЯ́РНЫЙ**, -ая, -ое. [См. *эпистола*]. **1.** О литературном произведении: имеющий форму письма, переписки. *Эпистолярный жанр. Эпистолярный роман Достоевского «Бедные люди». Эпистолярный рассказ Чехова «Ванька».* **2.** Относящийся к переписке, представляющий собой совокупность чьих-л. писем. *Эпистолярное наследие А. П. Чехова.*

**ЭПИТАЛА́МА**, -ы, ж. [Восх. к греч. epithalamie (ōdē) — свадебная песнь]. **1.** У древних греков и римлян: поздравительная песнь новобрачным. **2.** Стихотворение, написанное по случаю брака. *Свадебные празднества не могли остаться без эпиталамы. Венанций-Фортунат написал стихотворение в классическом вкусе.* Герцен. Рассказы о временах меровингских.

**ЭПИТА́ФИЯ**, -и, ж. [Восх. к греч. epitaphios (logos) — надгробное слово]. **1.** Надгробная надпись, преимущ. стихотворная. *Великий комбинатор вывел на плите куском кирпича эпитафию: — Здесь лежит Михаил Самуэлевич Паниковский.* Ильф и Петров. Золотой теленок. **2.** Литературное произведение, написанное по поводу чьей-л. смерти. *Ко второму изданию сочинений Богдановича.. приложено множество эпитафий и элегий, написанных во время о́но по случаю смерти певца «Душеньки».* Белинский. Сочинения Александра Пушкина.

С и н. (к 1 знач.): надгро́бие (*устар.*).

**ЭПИ́ТЕТ**, -а, м. [Восх. к греч. epitheton — букв. приложенное]. **1.** Образное определение, прибавляемое к названию предмета с целью подчеркнуть его характерное свойство, придать художественную выразительность, напр.: *серебряные седины, шелковые кудри, синее море, бродяга-ветер. Опишу ли я эту бурю? Сумею ли? Нет и нет. Я не найду для нее на человеческом языке ни эпитетов, ни сравнений.* Куприн. Мыс Гурон. **2.** *перен.* Слово или выражение, характеризующее кого-, что-л. *Нелестный эпитет.*

▢ *Вы только отчасти правы, увидав в моей статье рассерженного человека: этот эпитет слишком слаб и нежен для выражения того состояния, в какое привело меня чтение Вашей книги.* Белинский. Письмо к Гоголю.

**ЭПИЦЕ́НТР**, -а, м. [Восх. к греч. epikentron]. **1.** Область на поверхности земли, расположенная над или под очагом каких-л. разрушительных сил. *Эпицентр землетрясения. Эпицентр взрыва бомбы.* **2.** *перен.*, *чего.* *Книжн.* Место, где с наибольшей силой проявляются какие-л. явления. *Находиться в эпицентре событий. Эпицентр бедствия.* ▢ *Вспыхнули многочисленные восстания. Эпицентром восстания была Сечь.* Довженко. Великое товарищество.

С и н. (ко 2 знач.): центр, средото́чие (*книжн.*), фо́кус (*книжн.*), оча́г (*книжн.*).

**ЭПИ́ЧЕСКИЙ**, -ая, -ое. [Восх. к греч. epikos]. **1.** Прил. к *эпос* (в 1 знач.). *Эпический поэт.* ▢ *Он понял, что время эпических поэм давным-давно прошло и что для изображения современного общества, в котором проза жизни так глубоко проникла самую поэзию жизни, нужен роман, а не эпическая поэма.* Белинский. Сочинения Александра Пушкина. **2.** *перен.* *Книжн.* Исполненный величия и героизма. *Эпический герой. Сцены эпического характера.* ▢ *Эпическая оборона Севастополя была торжеством человеческой отваги.* Эренбург. Сердце человека. **3.** Величаво-спокойный, бесстрастный. *Эпическое спокойствие.* ▢ *На больного действовал не столько сам рассказ, как эпический тон голоса Евграфа.* Мамин-Сибиряк. Суд идет.

С и н. (к 3 знач.): невозмути́мый, сде́ржанный, ро́вный.

**Эпи́чески**, *нареч.* (ко 2 и 3 знач.). *Описывать что-л. сдержанно, эпически.*

**ЭПОЛЕ́ТЫ**, -е́т, *мн.* (*ед.* **эполе́та**, -ы, *ж.*). [Франц. épaulette]. В царской и некоторых иностранных армиях: парадные офицерские и генеральские погоны с золотым шитьем, бахромой и т. п. *Полковничьи эполеты.* ▢ *Справа и слева.. стояли фронты французских войск в синих мундирах с красными эполетами, в штиблетах и киверах.* Л. Толстой. Война и мир.

**ЭПОПЕ́Я**, -и, ж. [Восх. к греч. epopoiia — эпическая поэзия]. **1.** Крупное произведение эпического жанра, изображающее события в широком историческом плане. *Роман-эпопея Л. Толстого «Война и мир». Четырехтомная эпопея М. Горького «Жизнь Клима Самгина».* **2.** *перен.* Историческое событие или ряд событий, имеющие большое значение в жизни народа, связанные с героическими подвигами. *Эпопея Великой Отечественной войны.* ▢ *Двенадцатый год — это народная эпопея, память о которой перейдет в века.* Салтыков-Щедрин. Пошехонская старина. **3.** *перен.* *Разг.* Устное повествование, насыщенное событиями, подробностями. *Всю кровь взбудоражил во мне своими рассказами молодой бродяга. Я думал о том, какое впечатление должна производить эта бродяжья эпопея, рассказанная в душной каторжной казарме.* Короленко. Соколинец.

**ЭПОС**, -а, м. [Восх. к греч. epos — слово, повествование].

**1.** Один из трех (наряду с лирикой и драмой) основных родов литературы, представляющий собой произведения повествовательного характера. *Над всеми отраслями поэтического творчества далеко преобладает так называемый гражданский эпос, или, проще, романы, повести и рассказы.* Писарев. Реалисты. **2.** Совокупность произведений устного народного творчества, объединенных общей темой, общенациональной принадлежностью. *Героический эпос. Эпос грузинского народа.*

**ЭПО́ХА**, -и, ж. [Восх. к греч. epochē — задержка, остановка (в счете времени)]. Продолжительный период времени, характеризующийся какими-л. выдающимися событиями, имеющий какие-л. характерные особенности. *Эпоха Возрождения. Феодальная эпоха. Новая эпоха в науке.* □ *[Пушкин] для русского искусства то же, что Ломоносов для русского просвещения вообще. Пушкин занял собою всю свою эпоху, сам создал другую, породил школы художников.* И. Гончаров. Мильон терзаний.

С и н.: вре́мя, пора́, пери́од, э́ра (высок.).

**Эпоха́льный**, -ая, -ое (составляющий, знаменующий собой эпоху) (книжн.). *Эпохальное открытие.* **Эпоха́льность**, -и, ж.

**Э́РА**, -ы, ж. [Нем. Ära; восх. к лат. aera — данное число, статья расхода]. **1.** Событие, момент, от которого ведется летосчисление, а также соответствующая система летосчисления. *Мусульманская эра* (ведется у мусульман с момента бегства Мухаммеда из Мекки). *Новая (или наша) эра* (ведется от предполагаемого дня рождения Христа). *До нашей эры.* **2.** *Высок.* Большой исторический период, эпоха. *Первобытная эра. Эра развития космонавтики.* □ *[Аркадина:] Ведь тут претензии на новые формы, на новую эру в искусстве.* Чехов. Чайка. **3.** *Спец.* Самое крупное хронологическое деление в геологической истории Земли. *Палеозойская эра.* □ *Пользуясь разными окаменелостями, геологи составили очень подробную хронологию Земли, как бы календарь из ракушек, который охватывает сотни миллионов лет. Главные разделы этого календаря называются эрами.* Савельев. Следы на камне.

**Э́РЕ**, нескл., ср. [Сканд. öre]. Разменная монета Швеции, Норвегии и Дании.

**ЭРЗА́Ц**, -а, м. [Нем. Ersatz — замена]. Неполноценный заменитель чего-л. *Эрзац кофе.* □ — *И кормили [пленных] везде, как есть, одинаково: полтораста грамм эрзац-хлеба пополам с опилками и жидкая баланда из брюквы.* Шолохов. Судьба человека.

С и н.: суррога́т.

**ЭРО́ЗИЯ**, -и, ж. [Восх. к лат. erosio — разъедание]. *Спец.* Полное или частичное разрушение поверхности чего-л. (под воздействием воды, льда, ветра и т. п.). *Эрозия берегов, почв. Эрозия металлов.*

**Эрозио́нный**, -ая, -ое и **эрози́йный**, -ая, -ое. *Эрозийный процесс.*

**Э́РОС**, -а, м. [Греч. Erōs, Erotos]. **1.** (с прописной буквы). В античной мифологии: бог любви, изображаемый в виде крылатого ребенка с луком (иные названия — Эро́т, Аму́р, Купидо́н). **2.** *Книжн.* Страсть, чувственная любовь. — *Нет, господа, пировать нужно уметь. Пускай царствует эрос, но красиво, по-римски.* А. Н. Толстой. Эмигранты.

**ЭРО́ТИКА**, -и, ж. [См. эрос]. *Книжн.* Чувственность, обращенность к половой жизни, к изображению ее. *Эротика в кинофильме.*

**ЭРОТИ́ЧЕСКИЙ**, -ая, -ое. [См. эрос]. **1.** *Книжн.* Чувственный, связанный с интересом к половым вопросам. — *Эти постоянные разговоры о женщинах какой-нибудь философ.. объяснил бы эротическим помешательством.* Чехов. Ариадна. **2.** *Устар.* Любовный. *Эротическая лирика.* □ *Кирсанов рассказал следующую историю о том, как Рахметов провел эти дни. Они составляли эротический эпизод в жизни Рахметова. Любовь произошла из события, достойного Никитушки Ломова.* Чернышевский. Что делать?

С и н. (к 1 знач.): сладостра́стный, пло́тский, эроти́чный (книжн.).

**ЭРУДИ́РОВАННЫЙ**, -ая, -ое; -ан, -а, -о. [См. *эрудиция*]. *Книжн.* Обладающий эрудицией. *Эрудированный специалист.*

**Эруди́рованность**, -и, ж.

**ЭРУДИ́Т**, -а, м. [См. *эрудиция*]. *Книжн.* Тот, кто обладает эрудицией. *Университетские эрудиты.*

**Эруди́тка**, -и, ж. (разг.)

**ЭРУДИ́ЦИЯ**, -и, ж. [Восх. к лат. eruditio]. *Книжн.* Глубокие, основательные познания в какой-л. области. *Эрудиция в области кибернетики. Музыкальная эрудиция.* □ *Эрудиция его была огромной и разнообразной.. Он говорил о философии, истории, медицине, археологии, о новых открытиях в области науки, о духовном кризисе интеллигенции на западе.* Л. Никулин. У Горького.

**ЭСЕ́Р** [сэ́], -а, м. Сокращение по первым буквам: социалист-революционер (член буржуазно-демократической партии в России, существовавшей в 1901—1923 гг., выражавшей интересы мелкой буржуазии). *Партия эсеров. Левые эсеры.*

**Эсе́рка**, -и, ж. **Эсе́ровский**, -ая, -ое. *Эсеровские лозунги.*

**ЭСКА́ДРА**, -ы, ж. [Франц. escadre]. Крупное соединение военных кораблей или самолетов. *Эскадра, состоявшая из двух дивизионных миноносцев и дивизиона подводных лодок, вышла на маневры в море.* Житков. Под водой.

**Эска́дренный**, -ая, -ое. *Эскадренный миноносец.*

**ЭСКАДРИ́ЛЬЯ**, -и, ж. [Франц. escadrille]. Подразделение военной авиации, состоящее из нескольких звеньев (отрядов) самолетов. *Эскадрилья бомбардировщиков.* □ *Все три эскадрильи полка находились в разных местах.* Н. Чуковский. Балтийское небо.

**Эскадри́льный**, -ая, -ое.

**ЭСКАДРО́Н**, -а, м. [Франц. escadron]. Подразделение в кавалерии, соответствующее роте в пехоте. *Далеко впереди шнырял между зарослями рассыпавшийся эскадрон драгун. Позади — в строю — шел второй эскадрон.* А. Н. Толстой. Петр I.

**Эскадро́нный,** -ая, -ое.

**ЭСКАЛА́ЦИЯ,** -и, *ж.* [Англ. escalation — букв. восхождение по лестнице]. *Книжн.* Постепенное усиление, увеличение, расширение чего-л. *Эскалация военных действий. Эскалация международных конфликтов.*

**ЭСКВА́ЙР,** -а, *м.* [Англ. esquire от лат. scūtārius — щитоносец]. 1. В средневековой Англии: оруженосец рыцаря; впоследствии — один из низших дворянских титулов, а также лицо, носящее этот титул. 2. В Великобритании и США: почетный титул для мировых судей, некоторых категорий чиновников, адвокатов и т. п.

**ЭСКИ́З,** -а, *м.* [Франц. esquisse; восх. к греч. skhedion — стихотворный экспромт]. 1. Предварительный набросок к картине, рисунку, скульптуре или какой-л. их части. *Сделать удачный эскиз. Серия эскизов к картине.* □ *[Райский] в особый ящик поместил эскизы карандашом и акварелью пейзажей, портретов и т. п.* И. Гончаров. Обрыв. 2. Рисунок, по которому создают что-л. *Эскиз костюма.* □ *Коровин редко сам писал декорации, а обычно поручал их своим помощникам, которые и писали по его эскизу.* Головин. Встречи и впечатления.

**Эски́зный,** -ая, -ое.

**ЭСКИМО́СЫ,** -ов, *мн.* (*ед.* **эскимо́с,** -а, *м.*). Народ, живущий на побережье Чукотского полуострова, на арктическом побережье Северной Америки и в Гренландии, а также лица, относящиеся к этому народу. *[Профессор:] На собаках можно отлично ездить. Эскимосы совершают на них дальние путешествия.* Маршак. 12 месяцев.

**Эскимо́ска,** -и, *ж.* **Эскимо́сский,** -ая, -ое.

**ЭСКО́РТ,** -а, *м.* [Франц. escorte]. *Спец.* Военный конвой, охрана, сопровождающие кого-, что-л. *Почетный эскорт. Воздушный, морской эскорт. Эскорт мотоциклистов.* □ *Из-за поворота появилась придворная карета.. Эскорт гусар скакал позади.* Л. Никулин. России верные сыны.

**Эско́ртный,** -ая, -ое. *Эскортный мотоциклист.*

**ЭСКУ́ДО,** *нескл., м.* [Порт. и исп. escudo — букв. герб]. Денежная единица Португалии и некоторых других стран.

**ЭСКУЛА́П,** -а, *м.* [По имени Эскулапа — бога врачевания в древнеримской мифологии]. *Устар* и *ирон.* Врач. *Уездный эскулап.* □ *— Наш эскулап успел побывать в плену, — воскликнул ротмистр, показывая на второго доктора.* А. Н. Толстой. По Волыни.

С и н.: до́ктор, ле́карь (устар.).

**ЭСМИ́НЕЦ,** -нца, *м.* Сокращение: эскадренный миноносец.

**ЭСПА́ДА,** -ы, *ж.* [Исп. espada — букв. шпага]. Главный боец в бое быков; матадор. *— В те времена.. требовалось, чтобы эспада убил своего быка лицом к лицу, прямо, бесстрашно.* Куприн. Пунцовая кровь.

**ЭСПАДРО́Н,** -а, *м.* [Франц. espadon от итал. spadone]. Колющее и рубящее оружие, применяемое в фехтовании (вид сабли), а также спортивная борьба с этим оружием. *Личное первенство по эспадрону.* □ *Фехтовать на эспадронах он не умел даже в училище.* Куприн. Поединок.

**Эспадро́нный,** -ая, -ое. *Эспадронный клинок.*

**ЭСПА́НДЕР** [дэ], -а, *м.* [Англ. expander — расширитель]. Гимнастический снаряд, представляющий собой резиновый шнур или стальную пружину с двумя ручками на концах (употребляется для развития мышц рук, груди и спины). *Упражнения с эспандером.* □ *Каюков был уже на ногах и, кряхтя от напряжения, растягивал за спиной пружинный снаряд. Снаряд назывался эспандер.* Крон. Дом и корабль.

**ЭСПАНЬО́ЛКА,** -и, *ж.* [От франц. espagnol — испанский]. Короткая остроконечная бородка. *Господин Перекатов завел у себя на подбородке эспаньолку для прикрытия большой бородавки.* Тургенев. Бретер.

**ЭСПЕРА́НТО,** *нескл., ср.* [Эсп. esperanto — букв. надеющийся]. Искусственный международный язык, основанный на материале наиболее распространенных европейских языков. *Фицовский заставил меня изучить международный язык «эсперанто». У этого бесцветного языка, выдуманного варшавским зубным врачом Заменгофом, было только то достоинство, что он был легок.* Паустовский. Далекие годы.

**ЭСПЛАНА́ДА,** -ы, *ж.* [Франц. esplanade]. *Спец.* 1. *Устар.* Пустое, незастроенное пространство между крепостью и городом. *К десяти часам утра.. остатки четвертой дивизии отошли к эспланаде крепости.* Степанов. Порт-Артур. 2. Открытое место, площадь перед большим зданием. *С эспланады открытого ресторана слышалась музыка.* Катаев. Белеет парус одинокий. 3. Широкая улица с аллеями посредине. *[Консулы в Сингапуре] живут в прекрасных домах, на эспланаде, идущей по морскому берегу.* И. Гончаров. Фрегат «Паллада».

**ЭССЕ́** [сэ], *нескл., ср.* [Франц. essai — опыт, набросок]. *Спец.* Прозаическое произведение на частную тему, написанное в свободной форме. *Эссе Марины Цветаевой «Мой Пушкин». Философские, критические эссе.*

**Эссеи́ст,** -а, *м.* (тот, кто пишет эссе).

**ЭССЕ́НЦИЯ** [не сэ], -и, *ж.* [Восх. к лат. essentia — сущность]. 1. Концентрированный раствор какого-л. летучего вещества, употребляемый в пищевой, фармацевтической и парфюмерной промышленности. *Уксусная, фруктовая эссенция.* □ *Волосы на голове освежены в нескольких туалетных водах и эссенциях, тронуты щипцами и причесаны.* А. Н. Толстой. Гиперболоид инженера Гарина. 2. *перен., чего. Устар.* Сущность чего-л. *Все учебники поэзии.. не дают эссенции фактов.* Маяковский. Как делать стихи?

С и н. (ко 2 знач.): суть, существо́, содержа́ние, квинтэссе́нция (книжн.).

**ЭСТАКА́ДА,** -ы, *ж.* [Франц. estacade от итал. steccata]. Строительное сооружение в виде моста, служащее для проведения одного пути над другим в месте их пересечения, для перехода или переезда через путь, для причала судов, а также для загрузки и выгрузки чего-л. *На эстака-*

де все уже двигалось, все работало — сгибались и разгибались краны, наползали медленные тракторы. Липатов. И это все о нем.

**Эстака́дный**, -ая, -ое.

**ЭСТА́МП**, -а, м. [Франц. estampe]. Оттиск, отпечаток с гравюры. *На стене висели эстампы в дорогих рамках.* А. Н. Толстой. Милосердия!

**Эста́мповый**, -ая, -ое *и* **эста́мпный**, -ая, -ое.

**ЭСТАФЕ́ТА**, -ы, ж. [Франц. estafette от итал. staffetta]. 1. *Устар.* Почта, донесение, отправленные с нарочным (обычно верховым). *Получить эстафету.* ◻ *Слух о поражении шел по долине с зловещей быстротой, и все же эстафета обогнала его. Каждый ординарец чувствовал, что это самая страшная эстафета, какую только приходилось возить с начала движения.* Фадеев. Разгром. 2. Соревнование спортивных команд в беге, плавании и т. п., при котором на определенном участке пути участник соревнования, закончив свой этап, сменяется другим из своей команды и передает ему условленный предмет, а тот передает на своем участке следующему и т. п. *Лыжная эстафета. Эстафета в беге на короткую дистанцию.* 3. Предмет, передаваемый друг другу участниками такого соревнования. ◊ **Принять эстафету** *у кого* — продолжить чьи-л. традиции, чье-л. начинание. **Передать эстафету** *кому* — передать свое дело, свои идеи кому-л. (ученикам, продолжателям и т. п.) *И ведь так получилось, будто он избрал именно его, Фролова,.. чтобы передать ему эстафету своей жизни, своих принципов.* Ардаматский. Суд.

**Эстафе́тный**, -ая, -ое. *Эстафетная почта. Эстафетный заплыв. Эстафетная палочка.*

**ЭСТЕ́Т** [тэ́], -а *и (устар.)* **ЭСТЕ́ТИК** [тэ́], -а, м. [Восх. к греч. aisthētēs — чувствующий]. Поклонник прекрасного, ценитель изящного. *[Пикарев:] Первое, что привлекает внимание эстетика, это изящество формы. Все прекрасное находит во мне ценителя.* А. Островский. Старое по-новому. *[Я] встречал умных, начитанных и чутких эстетов, которые обсуждали танцы и пластику не с точки зрения их внешней техники, а со стороны производимого ими эстетического впечатления.* Станиславский. Моя жизнь в искусстве.

**Эсте́тка**, -и, ж. **Эсте́тский**, -ая, -ое. *Эстетская поэзия.*

**ЭСТЕ́ТИКА** [тэ́], -и, ж. [От греч. aisthēsis — ощущение, чувство]. 1. Философское учение об искусстве, сущности и формах прекрасного в художественном творчестве, в природе и жизни. *Эстетика.. должна рассматривать искусство, как предмет, который существовал давно прежде ее и существованию которого сама обязана своим существованием.* Белинский. Сочинения Державина. 2. Система чьих-л. взглядов на искусство. *Эстетика Аристотеля. Эстетика Чернышевского.* ◻ *Старые мастера, воспитывая певцов, опирались на музыкальную эстетику пения своего времени.* Львов. А. В. Нежданова. 3. Красота, художественность в чем-л. *Эстетика быта. Эстетика одежды. Эстетика поведения.*

**Эстети́ческий**, -ая, -ое *и* **эстети́чный**, -ая, -ое; -чен, -чна, -о (*к 3 знач.*). *Эстетическая категория. Эстетическое воспитание. Эстетическое наслаждение. Эстетичное оформление витрины.* **Эстети́чески** *и* **эстети́чно**, *нареч.* (*к 3 знач.*). *Эстетически развитая натура.* **Эстети́чность**, -и, ж.

**ЭСТРА́ДА**, -ы, ж. [Франц. estrade; восх. к лат. stratum — настил]. 1. Сценическая площадка (возвышение, помост) для концертных выступлений перед публикой. *Петь с эстрады. Выйти на эстраду.* ◻ *На эстрадах переполненных ресторанов гостиниц «Европейская» и «Астория» рассаживались музыканты.* Чаковский. Блокада. 2. *ед.* Искусство малых форм, основным видом которого является концерт, состоящий из сменяющихся отдельных номеров (музыкальных, хореографических, цирковых и др.). *Театр эстрады. История эстрады. Искусство эстрады.*

**Эстра́дный**, -ая, -ое. *Эстрадный концерт. Эстрадная певица. Эстрадные миниатюры.*

**ЭТАЖЕ́РКА**, -и, ж. [Франц. étagère]. Род мебели в виде нескольких расположенных одна над другой полок на стойках. *Этажерка с книгами.*

**ЭТАЛО́Н**, -а, м. [Франц. étalon]. 1. Точный образец установленной единицы измерения, служащий для проверки таких же находящихся в обращении мер. *Международные эталоны мер длины.* 2. *перен.* Мерило, стандарт, образец. *Эталон красоты. Служить эталоном для кого-, чего-л.* ◻ *Поведение, поступки, мысли Егорыча.. становились для него ярким эталоном, с которым он сравнивал свое поведение, свои мысли и свои поступки.* В. Титов. Всем смертям назло.

С и н. (*ко 2 знач.*): **приме́р**, **обра́зчик** (*разг.*).

**Этало́нный**, -ая, -ое (*к 1 знач.*). *Эталонный прибор. Эталонные образцы.*

**ЭТА́П**, -а, м. [Франц. étape; восх. к ср.-н.-нем. stapel — склад]. 1. В дореволюционной России: путь следования арестованных, ссыльных к месту заключения, ссылки; пункт, помещение для остановки и ночлега в пути партий арестантов, а также сама такая партия. — *[Маслова] завтра, послезавтра пойдет с этапом на каторгу.* Л. Толстой. Воскресение. *У ворот этапа остановилась первая партия выпущенных на волю каторжан.* Седых. Даурия. *Дениса приговорили к пожизненной каторге. Прикованный цепью к беглому преступнику, прошел он по этапу от Волги до железного рудника по берегу таежной угрюмой реки.* Коновалов. Истоки. 2. Отдельная часть какого-л. пути. *Этапы эстафетного бега.* ◻ *Покачивался вагон, мелькали за окном.. города, отмечая этапы пути все ближе к Ленинграду.* Кетлинская. Дни нашей жизни. 3. Отдельный момент, стадия в развитии чего-л., в какой-л. деятельности. *Новый этап в развитии русского изобразительного искусства. На современном этапе. Пройденный этап.* ◻ *Бессонов услышал торопящее слово «разгромить» и подумал, что на первом этапе даже реализованная возможность «остановить»* уже равносильна выигранной операции. Бондарев. Горячий снег.

С и н. (к 3 знач.): пери́од, ступе́нь, фа́за, фа́зис (книжн.).

**Эта́пный**, -ая, -ое (к 1 и 3 знач.). Этапный офице́р. Этапный спектакль в жизни театра.

**ЭТИКА**, -и, ж. [От греч. ēthos — обычай, нрав, характер]. 1. Философская наука, объектом изучения которой является мораль, нравственность как форма общественного сознания и вид общественных отношений. *Словарь по этике.* □ *— Я вот теперь много думаю и читаю по этике, стараюсь философски обосновать мораль.* Вересаев. На повороте. 2. Совокупность норм поведения, мораль человека, какой-л. общественной группы. *Партийная этика. Профессиональная этика. Этика бытовых отношений.* □ *— От низкого уровня знаний [врачей] я незаметно перешел к погрешностям этического свойства.. Этика — наше больное место, господа.* Чехов. Интриги.

С и н. (к 1 и 2 знач.): нра́вственность.

**Эти́ческий**, -ая, -ое и **эти́чный**, -ая, -ое; -чен, -чна, -о (ко 2 знач.). *Этическая наука. Этические нормы. Этичный поступок.* **Эти́чески** и **эти́чно**, нареч. *Этически правильное поведение. Этично поступить.* **Эти́чность**, -и, ж.

**ЭТИКЕ́Т**¹, -а, м. [Франц. étiquette]. Установленный порядок поведения, форм обхождения где-л. *Придворный этикет. Соблюдать этикет.* □ *Меншиков поклонился по этикету, — отставил ногу в шелковом чулке, низко уронил букли парика.* А. Н. Толстой. Марта Рабе.

**Этике́тный**, -ая, -ое; -тен, -тна, -о.

**ЭТИКЕ́ТКА**, -и, ж. и (устар.) **ЭТИКЕ́Т**², -а, м. [Франц. étiquette]. Ярлычок, вид товарного знака, наклеиваемый на товар или его упаковку, с обозначением места изготовления, названия, цены и т. п. *[Паратов:] Да что на бутылке-то, какой этикет? [Робинзон:] На бутылке-то «бургонское».* А. Островский. Бесприданница. *Банка была без этикетки, и вместе с голодом его одолевало любопытство — рыбные это консервы или мясные.* Гайдар. Бумбараш.

С и н.: ярлы́к, накле́йка.

**Этике́точный**, -ая, -ое и **этике́тный**, -ая, -ое.

**ЭТИМОЛО́ГИЯ**, -и, ж. [От греч. etymon — истинное (значение слова) и logos — слово, учение]. Раздел языкознания, изучающий происхождение слова, а также само происхождение слова или выражения. *Изучать этимологию. Неясная этимология слова.*

**Этимологи́ческий**, -ая, -ое. *Этимологическая справка в словаре.*

**ЭТНИ́ЧЕСКИЙ**, -ая, -ое. [Восх. к греч. ethnikos]. Связанный с принадлежностью к какому-л. народу, народности. *Этнический состав населения (состав населения по народностям).* □ *Какие они красивые, лесногрудцы, и какие все разные, даже цвет голубых волос варьируется от темно-синего до ультрамаринового, а старики седеют, оказывается, так же, как и наши. И типы антропологические тоже разные, ибо они представляют разные этнические группы.* Айтматов. Буранный полустанок.

**ЭТНОГРА́ФИЯ**, -и, ж. [От греч. ethnos — народ и graphein — писать]. 1. Наука, изучающая материальную и духовную культуру народов, их культурно-исторические взаимоотношения. 2. Совокупность особенностей быта, нравов, культуры какого-л. народа, народности, местности. *Русская этнография. Этнография Дальнего Востока.*

**Этнографи́ческий**, -ая, -ое. *Этнографическая карта. Этнографический музей.* **Этно́граф**, -а, м.

**ЭТЮ́Д**, -а, м. [Франц. étude — изучение, этюд от лат. studium — старание]. 1. Произведение изобразительного искусства, выполненное с натуры (обычно служащее предварительной разработкой будущего произведения или его части). *Акварельный этюд. Писать этюды.* □ *Одних только этюдов к «Запорожцам» было у Репина несколько сот.* К. Чуковский. Илья Репин. 2. Небольшое научное, критическое или литературное произведение, посвященное какому-л. отдельному вопросу. *Психологический, биографический, критический этюд.* □ *«Гроза» есть, без сомнения, самое решительное произведение Островского;.. и при всем том.. она производит впечатление менее тяжкое и грустное, нежели другие пьесы Островского (не говоря, разумеется, об его этюдах чисто комического характера).* Добролюбов. Луч света в темном царстве. 3. Музыкальная пьеса для одного инструмента, предназначенная для развития технического мастерства исполнителя. *Этюды Листа.* □ *Опять слышались.. звуки плохого фортепьяно, но теперь игралась не рапсодия, а этюды Клементи.* Л. Толстой. Воскресение. 4. Вид упражнения (театрального, шахматного и др.). *Акробатический этюд. Шахматный, шашечный этюд.* □ *Занятие «этюдами» считалось основным в обучении актера.* С. Образцов. Моя профессия.

**Этю́дный**, -ая, -ое (к 1, 3 и 4 знач.).

**ЭТЮ́ДНИК**, -а, м. [См. этюд]. Папка или плоский ящик с принадлежностями для рисования, живописи, а также небольшая доска, на которую живописец помещает бумагу, холст, когда пишет этюды. *В руках они несли крытые лаком этюдники из орехового дерева.* Авдеев. На экскурсии.

**ЭФЕМЕ́РНЫЙ**, -ая, -ое; -рен, -рна, -о. [Восх. к греч. ephēmeros — однодневный]. Книжн. 1. Мимолетный, недолговечный, непродолжительный. *Эфемерный успех.* 2. Призрачный, нереальный. *Эфемерные мечты.* □ *— Я.. намекнул о временном вспоможении вдове умершего, [но] ваш покойный родитель не только не выслужил срока, но даже и не служил совсем в последнее время. Одним словом, надежда хоть и могла бы быть, но весьма эфемерная.* Достоевский. Преступление и наказание.

С и н. (к 1 знач.): преходя́щий (книжн.), скоропреходя́щий (книжн.). С и н. (ко 2 знач.): мни́мый, фантасти́ческий, неосуществи́мый, недостижи́мый, утопи́ческий, иллюзо́рный (книжн.), ирреа́льный (книжн.), химери́ческий (книжн.).

**Эфеме́рно**, *нареч.* **Эфеме́рность**, -и, *ж.* Эфемерность счастья.

**ЭФЕ́С**, -а, *м.* [Нем. Gefäß]. Рукоятка холодного оружия (сабли, шпаги, шашки и т. п.). *[Становой пристав] ткнул наотмашь эфесом шашки в грудь голубоглазого мужика.* М. Горький. Мать.

**Эфе́сный**, -ая, -ое. *Эфесное украшение.*

**ЭФИО́ПЫ**, -ов, *мн.* (*ед.* эфио́п, -а, *м.*). **1.** *Устар.* Арап, негр, чернокожий. *Но что ни день, гремит на дворе Преображенского раскидистая карета — четверней, с двумя страшенными эфиопами на запятках.* А.Н. Толстой. Петр I. **2.** Общее название населения Эфиопии, а также представители этого населения.

**Эфио́пка**, -и, *ж.* **Эфио́пский**, -ая, -ое. *Эфиопская культура.*

**ЭФИ́Р**, -а, *м.* [Греч. aithēr]. **1.** В древнегреческой мифологии: самый верхний, чистый и прозрачный слой воздуха, местопребывание богов. **2.** *Устар.* Высь, воздушное пространство. *В пространстве синего эфира Один из ангелов святых Летел на крыльях золотых.* Лермонтов. Демон. **3.** Окружающее земной шар воздушное пространство как распространитель радиоволн. *Звучание музыки в эфире. Выйти в эфир* (начать передавать что-л. по радио). □ *Из руководителей в Смольном остался один Васнецов — для поддержания связи с командованием округа и Москвой, но через два часа после того, как в эфире прозвучало правительственное сообщение, выехал в город и он.* Чаковский. Блокада. **4.** Органическое соединение, представляющее собой бесцветную летучую жидкость с характерным резким запахом (используется в медицине в качестве наркоза, дезинфекции, а также в парфюмерии, технике). *От запаха эфира, карболовой кислоты и разных трав.. ему было душно и кружилась голова.* Чехов. Володя.

**ЭФИ́РНЫЙ**, -ая, -ое; -рен, -рна, -о. [См. эфир]. **1.** *полн. ф.* Прил. к эфир. *Эфирное пространство. Эфирный запах.* **2.** *перен.* Необычайно легкий, воздушный. *И недолго думая, эксцентричная девушка сбросила с себя эфирные одежды и погрузила прекрасное тело в струи по самые мраморные плечи.* Чехов. Роман с контрабасом. **3.** *перен.* Бестелесный, неземной. *Эфирное создание.* ◊ **Эфирное масло** — летучая маслянистая жидкость с приятным запахом, содержащаяся в некоторых растениях (используется в промышленности и медицине). *Летом.. багульник выделяет такое обилие эфирных масел, что у непривычного человека может вызвать обморочное состояние.* Арсеньев. Дерсу Узала.

С и н. (ко 2 знач.): легкове́сный, невесо́мый.

**Эфи́рность**, -и, *ж.* (ко 2 и 3 знач.).

**ЭФФЕ́КТ**, -а, *м.* [Восх. к лат. effectus — исполнение, воздействие]. **1.** Впечатление, производимое кем-, чем-л. на кого-л. *Среди публики Лидочкин дебют положительно произвел эффект.* Куприн. К славе. **2.** *обычно мн.* Средство, приспособление, устройство, с помощью которого создается сильное впечатление. *Шумовые, световые эффекты. Сценические эффекты.* □ *Я любил наши спектакли.. Я писал декорации, переписывал роли, суфлировал, гримировал, и на меня было возложено также устройство разных эффектов вроде грома, пения соловья и т. п.* Чехов. Моя жизнь. **3.** Результат чего-л., следствие каких-л. причин. *Лекарство дало желаемый эффект. Эффект от применения интенсивных технологий. Экономический эффект.* □ *Последний год Дан занимался исследованием электрической плазмы. Задача вызывала противоречивые толки.. Слишком абстрактно, вероятность успеха мала, практический эффект неясен.* Гранин. Иду на грозу. ◊ **С эффектом** — очень выразительно. *Аркадий произнес последние слова твердо, даже с эффектом.* Тургенев. Отцы и дети.

С и н. (к 3 знач.): де́йствие.

**Эффе́ктный**, -ая, -ое; -тен, -тна, -о (к 1 знач.) и **эффекти́вный**, -ая, -ое; -вен, -вна, -о (к 3 знач.). *Эффектная сцена. Эффектная внешность. Эффективные методы работы.* **Эффе́ктно** (к 1 знач.) и **эффекти́вно** (к 3 знач.), *нареч. Эффектно выделяться среди кого-л. Эффективно использовать природные ресурсы.* **Эффе́ктность**, -и (к 1 знач.) и **эффекти́вность**, -и (к 3 знач.), *ж. Повышение эффективности производства.*

**Э́ХО**, -а, *ср.* [Греч. ēchō]. **1.** Отражение звука от удаленных предметов; отзвук. *Лесное эхо. Эхо ружейного выстрела.* □ *Ребячий крик, повторяемый эхом, С утра и до ночи гремит по лесам.* Н. Некрасов. Крестьянские дети. **2.** *перен., кого.* Тот, кто слепо повторяет чужие слова, придерживается чужих мыслей. *Жена Данилова Мотя была тенью и эхом мужа и разлучалась с ним, только пока он находился в мастерских.* Сартаков. Хребты Саянские. **3.** *перен., чего.* Отклик, отзвук. *Эхо событий.* □ *Обе газеты вызывали у Самгина одинаковое впечатление: очень тусклое и скучное эхо прессы столиц.* М. Горький. Жизнь Клима Самгина.

С и н. (к 1 и 3 знач.): отголо́сок, о́тклик, о́тзыв.

**ЭШАФО́Т**, -а, *м.* [Франц. échafaud]. Помост для казни. *На скрипучем.. снегу — какой-то длинный помост из свежих новых досок.. с лесничками из двух сторон и столбами по обочинам: эшафот.* Сергеев-Ценский. Севастопольская страда. ◊ **Взойти на эшафот** (*высок.*) — принести себя в жертву чему-л.

С и н.: пла́ха.

**Эшафо́тный**, -ая, -ое.

**ЭШЕЛО́Н**, -а, *м.* [Франц. échelon]. Поезд (а также другой вид транспорта) специального назначения для массовых перевозок. *Воинский эшелон. Начальник эшелона.* □ *А паровоз, настойчивым и грозным ревом раздирая ночь, мчал эшелон без остановок.. — ближе и ближе к фронту.* Бондарев. Горячий снег. ◊ **Эшелоны власти** (*книжн.*) — правящие органы, те, кто стоит у власти.

**Эшело́нный**, -ая, -ое.

# Ю

**ЮА́НЬ**, -я, *м.* Денежная единица Китая.

**ЮБИЛЕ́Й**, -я, *м.* [Лат. iubilaeum; восх. к др.-евр. jôbêl бараний рог]. Годовщина какого-л. события или жизни, деятельности кого-, чего-л. (обычно о круглой дате), а также торжество, празднество по этому случаю. *Юбилей института. Пригласить друзей на юбилей.* ☐ *[Петя] стал показывать мне свою последнюю работу — проект памятника Пушкина к столетнему юбилею.* Каверин. Два капитана.

**Юбиле́йный**, -ая, -ое. *Юбилейная медаль, выставка. Юбилейный год.* **Юбиля́р**, -а, м. (тот, чей юбилей отмечается). *Поздравления юбиляру.*

**ЮВЕЛИ́Р**, -а, м. [Голл. juwelier]. Мастер по изготовлению художественных изделий из драгоценных камней и металлов, а также торговец, продавец этих изделий. *В магазине ювелира видел он сложенную из камешков мозаику — на палевом фоне букет незабудок.* Л. Борисов. Вечерняя заря.

**ЮВЕЛИ́РНЫЙ**, -ая, -ое. [См. ювелир]. **1.** Относящийся к художественным изделиям из драгоценных камней и металлов. *Ювелирный магазин. Ювелирное изделие.* ☐ *Под бумагой оказался небольшой ювелирный футляр красного плюша, видимо, только что из магазина. Вера подняла крышечку.. и увидела втиснутый в черный бархат овальный золотой браслет.* Куприн. Гранатовый браслет. **2.** *перен.* Отличающийся искусной и очень тщательной отделкой деталей. *Ювелирная работа.* ☐ *В углах комнаты на подставках из полированного дерева стояли металлические макеты танков, сделанные с ювелирной тщательностью.* В. Попов. Закипела сталь.

С и н. (ко 2 знач.): то́нкий, филигра́нный, ажу́рный.

**Ювели́рно**, *нареч.* (ко 2 знач.). **Ювели́рность**, -и, ж. (ко 2 знач.)

**ЮДО́ЛЬ**, -и, ж. *Устар. книжн.* Место, где страдают и мучаются, а также жизнь с ее горестями и печалями. *Земная юдоль.* ☐ *[Мать] смотрела на землю как на юдоль скорби и.. все мысли своей мечтательной души обратила к религии.* Новиков-Прибой. Судьба.

**ЮДОФО́Б**, -а, м. *Устар.* [От лат. Judaeus — еврей и греч. phobos — страх]. Тот, кто проявляет враждебное отношение ко всему еврейскому.

С и н.: антисеми́т.

**Юдофо́бка**, -и, ж. **Юдофо́бский**, -ая, -ое.

**ЮЛИА́НСКИЙ**, -ая, -ое. [Лат. Julianus].
◊ **Юлианский календарь**, **юлианское летосчисление** — система летосчисления, введенная Юлием Цезарем в 46 г. до н. э.; старый стиль.

**ЮМО́Р**, -а, м. [Англ. humour от лат. humor — влажность]. **1.** Добродушно-насмешливое отношение к кому-, чему-л., умение представить что-л. в комическом виде. *Иметь чувство юмора. С юмором рассказывать о своих приключениях.* ☐ *— Ваш юмор, Божичко, могу понять я.. Но не очень надейтесь, что поймут все. Известно ли вам, что есть люди, которые воспринимают шутки слишком серьезно?* Бондарев. Горячий снег. **2.** В искусстве: изображение чего-л. в смешном, комическом виде. *Юмор и сатира. Отдел юмора в газете.* ☐ *Мы за*

*спорт в цирке, за юмор! Ужасаться в цирке мы не хотим.* Олеша. В цирке.

**Юмористи́ческий**, -ая, -ое и **юмористи́чный**, -ая, -ое; -чен, -чна, -о (к 1 знач.). *Юмористический журнал. Юмористичное описание происшествия.* **Юмористи́чески** и **юмористи́чно** (к 1 знач.), *нареч.* *Смотреть на что-л. юмористически.* **Юмористи́чность**, -и, ж. (к 1 знач.). **Юмори́ст**, -а, м. (автор или исполнитель юмористических произведений, а также человек, склонный к юмору). *Юморист на эстраде. Юморист по натуре.*

**ЮМОРЕ́СКА**, -и, ж. [См. юмор]. Небольшое литературно-художественное или музыкальное произведение, проникнутое юмором. *Музыкальная юмореска.* ☐ *Вечер прошел хорошо, с настроением. Очень дошли до аудитории стихи Яшина — и лирика, и юморески.* Вишневский. Дневники военных лет.

**Ю́НГА**, -и, м. [Нем. Junge — мальчик, юнга или голл. jongen]. Подросток на судне, обучающийся морскому делу и готовящийся стать матросом, а также (в некоторых иностранных флотах) младший матрос. *Служить юнгой на судне.* ☐ *Юнги подносят ядра.. Пушкари заряжают пушки.. Русский адмирал поднимает подзорную трубу.* А. Н. Толстой. Петр I.

**ЮНИО́Р**, -а, м. [От лат. junior — младший]. Молодой спортсмен, достижения которого оцениваются по особому возрастному разряду. *Команда юниоров. Чемпионат мира среди юниоров.*

**Юнио́рка**, -и, ж. **Юнио́рский**, -ая, -ое.

**Ю́НКЕР**, -а, юнкера́, -о́в и ю́нкеры, -ов, м. [Нем. Junker]. **1.** (мн. ю́нкеры). Крупный землевладелец-дворянин в феодальной Пруссии, а также вообще крупный немецкий помещик. **2.** (мн. юнкера́). В царской России в 18 — первой половине 19 в.: молодой дворянин, добровольно вступивший в русскую армию и проходивший в части подготовку в офицеры. *Грушницкий-юнкер. Он только год в службе, носит, по особенному роду франтовства, толстую солдатскую шинель.* Лермонтов. Герой нашего времени. **3.** (мн. юнкера́). В дореволюционной России: курсант военного училища. *Тут был.. молодой артиллерийский офицер. Мы помним его еще кадетом, потом юнкером артиллерийского училища.* Короленко. История моего современника.

**Ю́нкерский**, -ая, -ое. *Юнкерское землевладение. Юнкерский мундир. Юнкерское училище.*

**...-Ю́НКЕР**, -а, м. [См. юнкер]. Вторая составная часть сложных слов, обозначавших некоторые звания в царской России, преимущ. военные, напр.: *ка́мер-ю́нкер, портупе́й-ю́нкер, штык-ю́нкер.*

**ЮНКО́Р**, -а, м. Сокращение: юный корреспондент (подросток, который пишет и печатается в каком-л. периодическом издании). *— Я юнкор. Пишу о нефтеперевозках и о стахановском движении.* Крымов. Танкер «Дербент».

**Юнко́ровский**, -ая, -ое.

**ЮННА́Т**, -а, м. Сокращение: юный натуралист (участник кружка по изучению природы).

**Юнна́тка**, -и, ж. **Юнна́тский**, -ая, -ое.

**ЮПИ́ТЕР**, -а, м. [Лат. Jupiter]. **1.** В древнеримской мифологии: имя верховного бога (то же, что в древнегреческой мифологии Зевс). **2.** Мощный электрический осветительный прибор, используемый для киносъемки при искусственном или комбинированном освещении. *Тут мешал свет юпитеров: объективы фотокамер и кино вместе с художниками ловили неуловимого, живого Ленина.* Федин. Рисунок с Ленина.

**ЮР**, -а, м. ◊ **На (самом) юру** (*разг.*) — 1) на открытом возвышенном месте. *Дом господский стоял одиночкой на юру, то есть на возвышении, открытом всем ветрам, каким только вздумается подуть.* Гоголь. Мертвые души; 2) (*перен.*) На бойком, людном месте. *Заведение пристроилось как раз на самом юру, так что и в фабрику, и в церковь, и на базар народ идет мимо.* Мамин-Сибиряк. Морок.

**ЮРИДИ́ЧЕСКИЙ**, -ая, -ое. [Восх. к лат. juridicus]. **1.** Связанный с правовыми нормами, правовым законодательством и практическим применением их. *Юридическое образование. Звание кандидата юридических наук. Юридический факультет.* □ *В делах судейских и разбирательствах оказались ровно ни к чему все эти юридические тонкости, на которые навели его профессора.* Гоголь. Мертвые души. **2.** Такой, который имеет официальное право на что-л. *Юридическим хозяином был избран старичок, он должен был ведать не только лавкой, но положительно всеми делами этой лавки.* Бабушкин. Воспоминания. ◊ **Юридическое лицо** — лицо, организация или учреждение, имеющие право владеть имуществом, вести разные дела, заключать договоры и т. п. *Артель не имела права распоряжаться своим трудом. Она не являлась юридическим лицом и была лишена права заключать соглашения с грузоотправителями.* Катаев. За власть Советов. **Юридическая консультация** — отделение коллегии адвокатов, в задачи которого входит оказание помощи населению данного района по правовым вопросам.

С и н. (к 1 знач.): правово́й.

**Юриди́чески**, *нареч.* — *Хоть вы не виноваты юридически, но все же я вас понимаю и сочувствую вам.* Степанов. Порт-Артур.

**ЮРИСКО́НСУЛЬТ**, -а, м. [Лат. juris consultus]. Юрист, являющийся постоянным консультантом при каком-л. учреждении по практическим вопросам права и защитником интересов этого учреждения в судебных инстанциях. *[Пекарский] был юрисконсультом при каком-то важном казенном учреждении.* Чехов. Рассказ неизвестного человека.

**Юрискóнсультский**, -ая, -ое.

**ЮРИСПРУДЕ́НЦИЯ**, -и, ж. [Лат. juris prudentia]. *Книжн.* Совокупность юридических наук, а также практическая деятельность юристов. — *А вы все еще наукам обучаетесь?* — *Да. Юриспруденцию изучаю.* Г. Марков. Строговы.

**ЮРИ́СТ**, -а, м. [Восх. к ср.-лат. jurista]. Специалист по юридическим наукам, юридическим вопросам. *Опытный юрист. Консультация юриста.* □ — *Теперь уж они не отвертятся.. Ско-*

*лько лет им припаяют, как ты думаешь?* — *Не знаю,* — *сказал Басов.* — *Я не юрист.* Крымов. Танкер «Дербент».

**ЮРО́ДИВЫЙ**, -ая, -ое. **1.** *Разг.* Помешанный, чудаковатый. — *Падите мои слезоньки.. Падите прямо нá сердце Злодею моему!.. Жену ему неумную Пошли, детей* — *юродивых!* Н. Некрасов. *Кому на Руси жить хорошо.* **2.** *в знач. сущ.* **юро́дивый**, -ого, м. В суеверных представлениях: безумец, обладающий даром прорицания. — *Как была я в Киеве, и говорит мне Кирюша, юродивый* — *истинно божий человек, зиму и лето босой ходит..: в Колязин иди, там икона чудотворная, матушка пресвятая богородица открылась.* Л. Толстой. Война и мир.

С и н. (ко 2 знач.): блаже́нный (*разг.*) и блаже́ненький (*разг.*), юро́д (*устар. разг.*).

**Юро́дивая**, -ой, ж. (ко 2 знач.).

**ЮРТА**, -ы, ж. [Тюрк.]. Переносное (обычно конусообразное) жилище кочевников Центральной и Средней Азии и Южной Сибири. *Там, в облитой солнцем необозримой степи, чуть приметными точками чернелись кочевые юрты.* Достоевский. Преступление и наказание.

**ЮРЬЕВ**, -а, -о. ◊ **Юрьев день** — осенний праздник святого Георгия (Юрия), в который крепостным крестьянам разрешалось переходить от одного помещика к другому (отменено в конце 16 в.). *[Пушкин:] Вот* — *Юрьев день задумал уничтожить. Не властны мы в поместиях своих. Не смей согнать ленивца! Рад не рад, Корми его; не смей переманить Работника!* Пушкин. Борис Годунов. **Вот тебе, бабушка (и) Юрьев день** (*разг. шутл.*). — употр. для выражения разочарования, неожиданно несбывшейся надежды или прекращения свободы действий. *[Гаврило:] Вот тебе, бабушка, Юрьев день! Куда ты теперь, Гаврилка, денешься? Куда ни сунься, скажут, за воровство прогнали.* А. Островский. Горячее сердце.

**ЮС**, -а, юсы́, -ов и юсы́, -ов, м. Название каждой из двух букв древней славянской азбуки, обозначающих в старославянском языке носовые гласные. *Юс большой* (обозначал носовой звук «о»). *Юс малый* (обозначал носовой звук «э»).

**ЮСТИ́ЦИЯ**, -и, ж. [Лат. justitia]. Правосудие, судопроизводство, а также система судебных учреждений. *Министерство юстиции Российской Федерации.* □ — *Не знаю, пользует ли юстиция в новом министре; Иван Иванович, кажется, не сотворен для того, чтобы быть министром.* Н. Тургенев. Письмо А. И. Тургеневу, 15 февраля 1810 г.

**ЮФТЬ**, -и и (*обл.*) **ЮФТА**, -ы, ж. Сорт прочной кожи, получаемый особой обработкой шкур крупного рогатого скота, лошадей, свиней. *Гораздо замечательнее был наряд его [Плюшкина]: рукава и верхние полы [халата] до того засалились и заслонились, что походили на юфть, какая идет на сапоги.* Гоголь. Мертвые души. *Одевался Никифор чисто. Всегда в новой красной рубахе, синем суконном кафтане, сапогах и фуражке из юфти.* А. Рыбаков. Екатерина Воронина.

**Ю́фтевый**, -ая, -ое и **юфтяно́й**, -а́я, -о́е.

# Я

**Я́БЕДА**, -ы, *м. и ж.* **1.** *ж. Устар.* Письменная жалоба. *[Влас:] Целый день я молчу, переписывая копии разных ябед и кляуз.* М. Горький. Дачники. **2.** *м. и ж. Разг.* Тот, кто ябедничает, доносчик.
С и н. (ко 2 знач.): осведоми́тель, я́бедник (*разг.*), нау́шник (*разг.*), фиска́л (*разг.*), стука́ч (*прост.*).
**Я́бедный**, -ая, -ое (к 1 знач.).
**Я́ВКА**, -и, *ж.* **1.** Прибытие куда-л. *Явка на собрание обязательна.* **2.** Место, где происходят конспиративные встречи, а также сама такая встреча или условный знак при встрече. *Черноиваненко предполагал устроить в центре города явку под видом комиссионного магазина.* Катаев. За власть Советов. **3.** *Устар.* Сообщение, донесение органам власти о чем-л. *Явка о побеге преступника.*
**Я́вочный**, -ая, -ое (ко 2 и 3 знач.). *Явочная квартира. Явочные списки.*
**ЯВЛЕ́НИЕ**, -я, *ср.* **1.** Приход, прибытие кого-л. *Меж тем Онегина явленье У Лариных произвело На всех большое впечатление И всех соседей развлекло.* Пушкин. Евгений Онегин. **2.** В драматическом произведении: часть акта, действия, в которой состав действующих лиц не меняется. *Второе явление пятого действия комедии Н. В. Гоголя «Ревизор».* **3.** Всякое проявление чего-л. (каких-л. сил, процессов и т. п.). *Явления природы. Метеорологические явления. Социальные явления.* □ *Трагинервических явлений, Девичьих обмороков, слез Давно терпеть не мог Евгений: Довольно их он перенес.* Пушкин. Евгений Онегин. **4.** Событие, факт. *Бородинское сражение с последовавшими за ним занятием Москвы и бегством французов, без новых сражений — есть одно из самых поучительных явлений истории.* Л. Толстой. Война и мир.
С и н. (к 1 знач.): появле́ние, прише́ствие (*устар.*). С и н. (ко 2 знач.): сце́на. С и н. (к 4 знач.): происше́ствие, слу́чай, де́ло, эпизо́д, ка́зус, исто́рия (*разг.*).
**Я́ВНЫЙ**, -ая, -ое; я́вен, я́вна, -о. **1.** Нескрываемый, открытый. *Говорить с явным раздражением.* □ *Полковник, несмотря на свою явную неприязнь, вынужден был обсуждать с Вайсом подробности операции.* В. Кожевников. Щит и меч. **2.** Совершенно очевидный, ясный для всех. *Явное недоразумение. Явные признаки болезни. Явная ложь.* □ *[Они] соревновались в живописнейших описаниях своей непуганой [арктической] фауны, прибегая к явным преувеличениям,* Санин. За тех, кто в дрейфе!
С и н. (к 1 знач.): открове́нный, неприкры́тый, очеви́дный. С и н. (ко 2 знач.): безусло́вный, несомне́нный, определённый, ви́димый, прямо́й, самоочеви́дный, реши́тельный (*разг.*).
А н т. (к 1 знач.): та́йный, скры́тый.

**Я́вно**, *нареч.* *Явно посетить кого-л. Он явно неправ.* **Я́вность**, -и, *ж. Явность факта.*
**Я́ВСТВЕННЫЙ**, -ая, -ое; -ен и -енен, -енна, -о. **1.** Хорошо различимый зрением, слухом, обонянием. *Явственные очертания гор. Явственный запах газа. Явственный всплеск воды.* □ *Не успел он укрыться одеялом, как до его слуха донесся явственный звук колокольчика.* Чехов. Ведьма. **2.** *перен.* Отчетливо осознаваемый, совершенно явный. *Явственные результаты чего-л.*
С и н. (к 1 знач.): отчётливый, чёткий, ясный, вня́тный. С и н. (к 2 знач.): я́сный, определённый.
**Я́вственно**, *нареч. Явственно услышать что-л.* **Я́вственность**, -и, *ж.*
**ЯВЬ**, -и, *ж.* Действительность, то, что существует наяву. *Двадцать два года каждому, для нас — все возможно, все доступно, самая дерзкая мечта может обернуться явью.* Горбатов. Донбасс.
С и н.: реа́льность, суще́ственность (*устар.*).
А н т.: сон.
**ЯГДТА́Ш**, -а и -а́, *м.* [Нем. Jagdtasche от Jagd — охота и Tasche — сумка]. Охотничья сумка для дичи. *Я.. настрелял довольно много дичи; наполненный ягдташ немилосердно резал мне плечо.* Тургенев. Бежин луг.
**Я́ДЕРНЫЙ**, -ая, -ое. **1.** *Прил. к ядро* (в 1, 2 и 4 знач.). *Ядерная оболочка. Ядерная масса.* **2.** Относящийся к процессам, происходящим в атомном ядре, к использованию энергии атомного ядра. *Ядерная энергия. Ядерное оружие.* **3.** Относящийся к ядерному оружию, к обладанию таким оружием. *Ядерная война. Ядерные державы. Ядерный век. Ядерное разоружение.*
◇ **Ядерная физика** — раздел физики, в котором изучаются атомные ядра и их превращения. **Ядерный реактор** — устройство, в котором осуществляется управляемая цепная реакция деления атомных ядер.
**ЯДРЁНЫЙ**, -ая, -ое; -ён, -а, -о. *Разг.* **1.** Хорошего качества, твердый, плотный. *— Не огурцы ли покупаешь? Вот у нас какие ядрёные, да зеленые.* И. Гончаров. Обрыв. **2.** *перен.* Хороший в каком-л. отношении: здоровый и крепкий (о человеке), свежий и бодрящий (о погоде, воздухе), крепкий и настоявшийся (о напитке). *— Тогда народ-то был какой: ядреный, коренастый.* Салтыков-Щедрин. Губернские очерки. *Славная осень! Здоровый, ядреный Воздух усталые силы бодрит.* Н. Некрасов. Железная дорога.
**Ядрёно**, *нареч.* **Ядрёность**, -и, *ж.*
**ЯДРО́**, -а́, я́дра, я́дер, *ср.* **1.** Внутренняя часть плода, заключенная в твердую оболочку. *Не разгрызть ореха, не съесть и ядра.* Пословица. **2.** Внутренняя центральная часть чего-л. *Ядро Земли.* □ *Мы подбираемся к самому сердцу атома, к его ядру. В нем весь секрет власти над материей.* А. Н. Толстой. Гиперболоид инженера Гарина. **3.** *перен.* Основная, наиболее важная часть чего-л.; основа чего-л. *Ядро бригады, отряда, класса.* □ *Войско его [Пугачева] состояло уже из двадцати пяти тысяч; ядром оного были яицкие казаки и солдаты.* Пушкин. История Пугачева. **4.** Старинный орудийный сна-

ряд в виде шара. *Пушечное ядро.* ☐ *С трудом притащили пушку, засыпали пороху, стали забивать ядро.* Шишков. Емельян Пугачев. **5.** Металлический шар, служащий для спортивных упражнений в метании. *Соревнования по толканию ядра.*

С и н. (к 3 знач.): костя́к.

**Я́ЗВА**, -ы, *ж.* **1.** Гноящаяся или воспаленная ранка на поверхности кожи или слизистой оболочки. *Лоб его был покрыт старыми язвами, как будто от ожога.* Короленко. Слепой музыкант. **2.** *перен., чего или какая.* То, что наносит зло, вред, ущерб кому-, чему-л. *Социальные язвы общества.* **3.** *Разг.* О злобном, язвительном человеке. — *Заползет в дом эта язва..! — говорила про него матушка, бледнея при мысли, что язва эта, чего доброго, начнет точить жизнь ее любимицы.* Салтыков-Щедрин. Пошехонская старина. **4.** *Устар.* Рана, нанесенная оружием. — *Умри же! — сарматы герою вскричали..— Конец твой настал! — И твердый Сусанин весь в язвах упал.* Рылеев. Иван Сусанин. **5.** *Устар.* Общее название ряда острых инфекционных заболеваний животных и человека; мор. *[Кикин:] Все зло от Годунова! Он держит хлеб, он язвы насылает.* А. К. Толстой. Смерть Иоанна Грозного. ◊ **Моровая язва** (*устар.*) — эпидемия, вызывающая большую смертность. *Вдруг в 1353 году пришла в Россию страшная моровая язва, известная под именем черной смерти; целые области опустели; в некоторых городах не осталось ни одного человека.* Майков. Рассказы из русской истории. **Сибирская язва** — инфекционная болезнь крупного рогатого скота, лошадей, овец, поражающая иногда и людей. **Язва желудка** — хроническое заболевание желудка с поражением слизистых оболочек.

С и н. (к 1 знач.): боля́чка (*разг.*).

**Я́звенный**, -ая, -ое (к 1 знач.).

**ЯЗЫ́К**, -а́, *м.* **1.** Орган в полости рта, воспринимающий вкусовые ощущения и (у человека) участвующий в образовании звуков речи. *Определить вкус с помощью языка.* **2.** *перен.* Способность говорить. *[Самозванец:] Клянусь тебе, что никогда, нигде.. Сих тяжких тайн не выдаст мой язык.* Пушкин. Борис Годунов. **3.** Исторически сложившаяся система звуковых, словарных и грамматических средств, являющаяся средством общения, обмена мыслями между людьми. *Владеть иностранными языками. Словарное богатство русского языка.* ☐ *[Казарин:] Какой он нации, сказать не знаю смело: На всех языках говорит.* Лермонтов. Маскарад. **4.** *кого, чего или какой.* Разновидность речи, обладающая теми или иными характерными признаками, а также способ словесного выражения, свойственный кому-, чему-л. *Литературный, разговорный язык. Язык романа Л. Н. Толстого «Война и мир». Словарь языка Пушкина.* ☐ *Язык моряков крепок, свеж, полон спокойного юмора. Он заслуживает отдельного исследования.* Паустовский. Золотая роза. **5.** *чего.* Система знаков, передающих какую-л. информацию, средство бессловесного общения. *Язык музыки. Язык жестов.* ☐ *Для него перевести физические явления на язык формул было так же естественно, как для стенографистки записать человеческую речь знаками.* Гранин. Искатели. **6.** *Разг.* Пленный, от которого можно получить нужные сведения. *Взять языка.* ☐ *Спасибо тебе, солдат, за дорогой гостинец, какой привез от немцев. Твой майор с его портфелем нам дороже двадцати «языков».* Шолохов. Судьба человека. **7.** (*мн.* языки́ и язы́ки). *Устар.* Народ, народность. *Слух обо мне пройдет по всей Руси великой, И назовет меня всяк сущий в ней язык, И гордый внук славян, и финн, и ныне дикой Тунгус, и друг степей калмык.* Пушкин. Я памятник себе воздвиг нерукотворный... **8.** В колоколе: металлический стержень, который, ударяясь о стенку, производит звон. *У Николы звонарь бил неровно: то с большою силою, то едва касаясь языком меди.* М. Горький. Жизнь Матвея Кожемякина. **9.** *чего или какой.* О чем-л. имеющем удлиненную форму. *Перед плитой, из дыр которой вырывались огненные языки пламени, стояла кухарка.* Г. Успенский. По черной лестнице. ◊ **Мертвый язык** — древний язык, известный только по письменным памятникам. **Найти общий язык** с кем — достичь взаимопонимания, согласия. **Говорить на разных языках** с кем — совершенно не достигать взаимопонимания. **Злые языки** — сплетники, клеветники. **Держать язык за зубами** — умалчивать, не говорить о чем-л. **Проситься на язык** — о словах, фразах, готовых быть произнесенными. **Сорвалось (слово) с языка** — невольно, неожиданно для говорящего было произнесено.

С и н. (к 3 знач.): наре́чие (*устар.*). С и н. (к 4 знач.): речь, стиль, слог.

**Языко́вый**, -ая, -ое (к 1 знач.), **язы́чный**, -ая, -ое (к 1 знач.) (*спец.*) и **языково́й**, -а́я, -о́е (ко 2, 3 и 4 знач.). *Языковые нормы.*

**ЯЗЫ́ЧЕСТВО**, -а, *ср.* Общее название первобытных религий, основанных на поклонении многим богам. *Большая часть людей, которых.. нынче обращали в христианство, завтра снова возвращалась в язычество.* Лесков. Темняк.

С и н.: идолопокло́нничество и идолопокло́нство.

**Язы́ческий**, -ая, -ое. *Языческий бог. Руины языческого храма.* ☐ *Рассказывал Козлов об уцелевшем от глубокой древности празднике в честь весеннего бога Ярилы и о многих других пережитках языческой старины.* М. Горький. Жизнь Клима Самгина. **Язы́чник**, -а, *м.*

**ЯКОБИ́НЕЦ**, -нца, *м.* [По названию монастыря святого Якова в Париже, где помещался политический клуб]. **1.** Во Франции: представитель революционно-демократических слоев общества периода Великой французской революции, обычно член якобинского клуба. — *Правда ли, что генерал Ла-Файет рассорился с якобинцами.. и теперь соединяется с королем? — Ла-Файет — отвечал я, — никогда не принадлежал к клубу якобинцев.* Герцен. Первая встреча. **2.** *перен. Устар.* Революционно мыслящий человек, вольнодумец. *Виконту, который видел его [Пьера] в первый раз, стало ясно, что этот якобинец совсем не* так страшен, как его слова. Л. Толстой. Война и мир.

**Якоби́нский**, -ая, -ое. *Якобинская диктатура.* ◇ **Якобинский клуб** — политический клуб в Париже в период Великой французской буржуазной революции конца 18 в.

**ЯКОБЫ. 1.** *союз. Устар. и книжн.* Употр. в знач. союза «что» для выражения сомнения в достоверности сообщаемого. *Было сказано, что о злодействующем с яицкой стороны носится слух, якобы он [Пугачев] другого состояния, нежели как есть.* Пушкин. История Пугачева. **2.** *частица.* Указывает на предположительность высказывания, на сомнение в его достоверности (в значении «как будто», «будто бы»). *«Весьма радостное.. известие получил через курьера, если не вранье. Бенигсен под Эйлау над Буонапартием якобы полную викторию одержал. В Петербурге все ликуют».* Л. Толстой. Война и мир.

**ЯЛ**, -а, *м.* [Голл. jol]. Одномачтовая судовая рабочая или учебная гребно-парусная шлюпка с двумя, тремя или четырьмя парами весел.

**Я́ЛИК**, -а, *м.* [От голл. jol]. Небольшая гребная шлюпка с одной или двумя парами весел. *Множество яликов.. плывет по разным направлениям; у спусков яличники предлагают свои услуги перевезти через Неву.* Решетников. Где лучше?

**Я́личный**, -ая, -ое. *Яличная переправа.*

**Я́ЛОВЫЙ**, -ая, -ое. **1.** О животных: бесплодный, неоплодотворенный. *Яловая овца.* ◇ *Титок купил его [дом] в голодный двадцать второй год за яловую корову и три пуда муки.* Шолохов. Поднятая целина. **2.** О коже и изделиях, выделанных из шкуры молодой коровы. *Яловая кожа.* ◇ *Одни были обуты в лапти и опорки, другие шли в яловых сапогах.* Вишневский. Война.

**ЯМ**, -а, *м.* [Тюрк.]. В старину: почтовая станция или селение на почтовом тракте, где проезжающие меняли почтовых лошадей. *Доскакивая до очередного яма,— или, как нынче стали говорить, почтового двора,— Гаврила.. взбежал на крыльцо и.. кричал...: — Сей час тройку!* А. Н. Толстой. Петр I.

**Ямско́й**, -а́я, -о́е. *Ямская тройка.* ◇ **Ямская повинность** — в Русском государстве до начала 18 в.: обязанность сельского населения предоставлять для государственных нужд подводы, лошадей и возчиков (ямщиков). **Ямской приказ** — в Русском государстве середины 16 — начала 18 в.: центральное государственное учреждение, ведавшее организацией перевозок.

**Я́МА**, -ы, *ж.* **1.** Вырытое или образовавшееся в земле углубление. *На закате солнца Мария подтащила тело Сани к могиле, опустила в яму.., поцеловала в лоб, оправила труп в глубине ямы.* Закруткин. Матерь человеческая. **2.** Специально оборудованное место для хранения, размещения чего-л. *Оркестровая яма в театре.* ◇ *Даже в часы отдыха он обходил корабль и заглядывал.. в башни, в бомбовые погреба, в угольные ямы, в кочегарку.* Новиков-Прибой. Капитан 1-го ранга. **3.** *Устар.* Тюрьма, арестантское помещение, первонач. устраивавшееся в земле, срубе. *[Большов:] Потомят года полтора в яме-то, да каждую неделю будут с солдатом по улице водить, а еще, того гляди, в острог переместят.* А. Островский. Свои люди — сочтемся. **4.** *перен.* Место, являющееся средоточием низменных интересов, интриг, пороков и т. п. *О службе говорить много нечего. Все, что есть грязного, пьяного.. и подлого,— все это было.. На первых порах ему.. было жутко в этой яме.* Решетников. Свой хлеб. ◇ **Воздушная яма** (*спец.*) — участок в воздухе с иной температурной средой, где летательный аппарат резко снижается, как бы проваливается.

**Я́НКИ**, *нескл., м.* [Англ. yankee от нем. Janke (уменьш. от имени Jan)]. *Разг.* Прозвище американцев, уроженцев США. *— Я не белоручка из Европы, а янки! — дерзко проговорил мистер Блэк.* Станюкович. Американская дуэль.

**ЯНТА́РЬ**, -я́, *м.* [Лит. gintāras]. **1.** Окаменевшая смола древнейших хвойных деревьев желтого цвета различных оттенков (употр. для различных поделок, украшений, в медицине, приборостроении), а также изделие из этого вещества. *Бусы из янтаря. Кольцо с янтарем.* ◇ *Однажды вечером, когда несколько офицеров сидели у него [Дубровского].., куря из его янтарей, Гриша, его камердинер, подал ему письмо.* Пушкин. Дубровский. **2.** *перен.*, обычно *чего.* Что-л. напоминающее цветом, блеском такое вещество. *Перепархивая стайками, дрозды оклевывали янтарь поспевающей рябины.* Шишков. Угрюм-река.

**Янта́рный**, -ая, -ое. *Янтарный кубок. Янтарный блеск.*

**ЯНЫЧА́Р**, -а, яныча́ры, -а́р (при обозначении рода войск) и -ов (при обозначении отдельных лиц), *м.* [Турецк. jāničāri — букв. новая армия]. В султанской Турции: солдат регулярных пехотных войск, использовавшихся обычно в качестве карательных частей. *По ночам янычары, как змеи, подползали с кривыми ножами к русским окопам и резали часовых.* А. Н. Толстой. Петр I.

**Яныча́рский**, -ая, -ое.

**ЯР**, -а, я́ры, -ов и яры́, -о́в, *м.* [Тюрк.] *Обл.* **1.** Крутой, обрывистый берег реки, озера, склон оврага, холма. *[Она] спустилась к Ангаре и повернула вправо, откуда над высоким яром виднелась над городьбой крыша бани.* Распутин. Живи и помни. **2.** Глубокий заросший овраг. *Яр пересекался широким ручьем, над которым свесились уже зеленевшие плакучие ивы.* Казакевич. Звезда.

С и н. (к 1 знач.): *обрыв, круча, крутояр.*

**ЯРА́НГА**, -и, *ж.* [Чукотск.]. Переносное круглое с конической крышей жилище некоторых народов Севера, покрытое оленьими шкурами. *Яранга оленеводов.*

**ЯРД**, -а, *м.* [Англ. yard]. Английская мера длины, равная 91,44 см. *Теперь нам нужно в пять раз больше лесу и льняной пряжи. На каждый корабль требуется не менее десяти тысяч ярдов парусного полотна.* А. Н. Толстой. Петр I.

**ЯРЁМ** см. *ярмо.*

**Я́РКА**, -и, *ж.* Молодая, еще не ягнившаяся овца. *Овца стояла среди двора, а сбоку ее.. проворно толкала вымя белошерстная, как мать, ярка.* Шолохов. Поднятая целина.

**Я́рочка,** -и, ж. (уменьш.).

**Я́РКИЙ,** -ая, -ое; -я́рок, ярка́, я́рко. **1.** Хорошо освещающий, дающий сильный свет. *Яркое солнце. Яркая молния.* □ *Он представил себе яркое зарево пожара и уходящий в темноту предательский силуэт корабля.* Крымов. Танкер «Дербент». **2.** О цвете, краске: отличающийся чистотой, свежестью и концентрированностью тона. *Яркая шапочка.* □ *Шатры разобраны; телеги Готовы двинуться в поход.. Крик, шум, цыганские припевы,.. Лохмотьев ярких пестрота, Детей и старцев нагота.* Пушкин. Цыганы. **3.** *перен.* Выдающийся в каком-л. отношении, выделяющийся среди других. *Яркая личность. Яркий талант. Яркая внешность.* □ *Читающую публику поражает отсутствие новых замечательных талантов, которых появление составляло бы более или менее яркое событие.* Салтыков-Щедрин. Напрасные опасения. **4.** *перен.* Производящий сильное впечатление своей убедительностью, выразительностью. *Яркое выступление. Яркое доказательство чего-л.* □ *Рассказы матери, более живые и яркие, производили на мальчика большое впечатление.* Короленко. Слепой музыкант.

С и н. (к 1 знач.): ослепи́тельный, слепя́щий, я́рый (устар.). С и н. (к 3 знач.): блестя́щий, блиста́тельный, искромётный (книжн.). С и н. (к 4 знач.): кра́сочный, живопи́сный, колори́тный, красноречи́вый, вырази́тельный, экспресси́вный (книжн.).

А н т. (к 1 знач.): нея́ркий, ту́склый. А н т. (ко 2 знач.): бле́дный, бле́клый.

**Я́рко,** *нареч.* **Я́ркость,** -и, ж.

**ЯРЛЫ́К,** -а́, м. [Тюрк.]. **1.** В Древней Руси: грамота, письменный указ ханов Золотой Орды. *[Оболенский:] В Золотой Орде ярлык купил на великое княжение!* А.К. Толстой. Иван Грозный. **2.** *Устар.* Письменное распоряжение о выдаче чего-л. *На первый день праздника, после церкви, мы с женой отправлялись на деревню и развозили скромные подарки: кому чай и сахар, кому ярлык на муку, кому — на дрова.* Гарин-Михайловский. Несколько лет в деревне. **3.** Наклейка на предмете, товаре с указанием названия, количества, места изготовления, номера или других сведений. *Багажный ярлык. Аптечные склянки с ярлыками.* □ *Все вещи кажутся только что привезенными из магазина, потому что на всех пестрят ярлыки.* Павленко. На востоке. **4.** *перен. Неодобр.* Характеристика кому-, чему-л., даваемая по шаблону или с предвзятой целью (обычно отрицательная). *Прилепить ярлык чудака.* □ *[Женя] заявила, что Ася вообще любит наклеивать на всех ярлыки: антиобщественный, индивидуалист.* Володин. Твердый характер.

С и н. (к 3 знач.): этике́тка, накле́йка, этике́т (устар.).

**Ярлычо́к,** -чка́, м. (к 3 и 4 знач.) (уменьш.).

**Я́РМАРКА,** -и, **Я́РМАНКА,** -и (устар.) и **Я́РМОНКА,** -и (устар. и обл.), ж. [Восх. к нем. Jahrmarket — ежегодный рынок]. **1.** Устраиваемый регулярно, в определенное время года и в определенном месте торг с увеселениями, развлечениями. *Многолюдная ярмарка.* □ *Ушли в село Кузьминское, Сегодня там и ярмонка, И праздник храмовой.. Пошли по лавкам странники: Любуются платочками, Ивановскими ситцами, Шлеями, новой обувью, Изделием кимряков.* Н. Некрасов. Кому на Руси жить хорошо. *А ярмарка в Балте была богатая: там греки и саконцы, даже пруссаки торговали.* Пикуль. Фаворит. **2.** Периодически устраиваемый съезд торговых и промышленных организаций, коммерсантов, промышленников преимущ. для оптовой продажи и закупки товаров по выставленным образцам. *Международная книжная выставка-ярмарка.*

**Я́рмарочный,** -ая, -ое. *Ярмарочная площадь.*

**ЯРМО́,** -а́, *я́рма, ярм, ср.* и (устар.) **ЯРЁМ** [не ярём], -а, м. **1.** Деревянный хомут для упряжки рабочего крупного рогатого скота. *Вол в ярме.* □ *— При дожде нельзя пахать.. Бык — не трактор. Как толечко намокнет у него шерсть на шее — враз ярмом потрешь шею до крови.* Шолохов. Поднятая целина. **2.** *ед., перен., чего или какое. Высок.* Бремя, тяжесть, гнет. *Ярмо самодержавия. Ярмо колониального гнета.* □ *Ярем он барщины старинной Оброком легким заменил.* Пушкин. Евгений Онегин. *— Нужно освободить людей от тяжкого физического труда.. Нужно облегчить их ярмо.* Чехов. Дом с мезонином.

С и н. (ко 2 знач.): угнете́ние, и́го (высок.).

**Яре́мный,** -ая, -ое (к 1 знач.).

**Я́РМОНКА** см. ярманка.

**ЯРОВО́Й,** -а́я, -о́е. **1.** Весенний, производимый весной (о полевых работах), а также высеваемый и прорастающий весной (о сельскохозяйственных культурах). *Яровая пахота. Посеять яровые* (в знач. сущ.). □ *Озимые хлеба стояли.. сплошной темно-зеленой стенкой, яровые радовали глаз на редкость дружными всходами.* Шолохов. Поднятая целина. **2.** Занятый посевами культур, высеянных весной, предназначенный для посева таких культур. *Сейчас же за лесом шло вниз полубугром яровое поле.* Л. Толстой. Война и мир.

**Я́РУС,** -а, м. **1.** Один из горизонтальных рядов чего-л., расположенных один над другим. *Ящики в несколько ярусов.* □ *Деревья росли в несколько ярусов. Всех выше была стройная колоннада лиственниц и ясеней, пониже — березы, кедры и ельник.* Ажаев. Далеко от Москвы. **2.** Средний или верхний этаж в зрительном зале театра, ряд лож или кресел, расположенный над (под) другим рядом. *Балкон первого яруса.* □ *Верочку.. в последних рядах кресел, конечно, не замечали, но когда она явилась в ложе 2-го яруса, на нее было наведено очень много биноклей.* Чернышевский. Что делать?

**Я́русный,** -ая, -ое.

**ЯРЫ́ГА,** -и и **ЯРЫ́ЖКА,** -и, м. *Устар.* **1.** Представитель некоторых групп беднейшего населения Русского государства 16—18 вв., занимавшихся наемным физическим трудом, а также низший служитель в приказах, исполнявший полицейские функции. *Судовые ярыги (наемные гребцы, бурлаки, грузчики и т. п.). Ямские ярыги (погонщики, грузчики на ямских подводах).* □ *Туда [в палату для купечества] если сунется ярыжка какой-нибудь,— окликнет целовальник.* А. Н. Толстой. Петр I. **2.** *Прост.* Пьяница, беспутный человек. *Кабацкие ярыги (ярыжки).*

**Я́РЫЙ**[1], -ая, -ое; яр, я́ра, я́ро. **1.** *Высок.* Полный ярости, бешенства. *Ярый враг.* **2.** Неукротимый, неистовый (о стихиях, явлениях природы).  □ *В разгаре ярая зима, Мороз, метели вой,— А по-весеннему грома Гремят над Лозовой!* Тихонов. В разгаре ярая зима... **3.** Чрезмерный, крайний в своем проявлении. *Из.. кабака несся нестройный, смутный гам.. Ярый смех по временам поднимался оттуда взрывом.* Тургенев. Певцы. **4.** *полн. ф.* Страстно убежденный в чем-л., а также выражающий такую убежденность. *Ярые противники чего-л.* □ *Там был приют суждений ярых.. О загранице и России, О хлебных сказочных краях, О боге, о нечистой силе.* Твардовский. За далью — даль.

С и н. (к 1, 2 и 3 знач.): нейстовый, я́ростный, неукротимый, бурный, буйный, исступлённый, бешеный, дикий (*разг.*). С и н. (к 4 знач.): я́ростный, стра́стный.

**Я́РЫЙ**[2], -ая, -ое. *Устар.* **1.** Светлый, белый. *Ярый мед.* □ *Раз в крещенский вечерок Девушки гадали.. Снег пололи; под окном Слушали, кормили Счетным курицу зерном; Ярый воск топили.* Жуковский. Светлана. **2.** Сверкающий, яркий. *Прячет месяц за овинами Желтый лик от солнца ярого.* Есенин. Прячет месяц за овинами.

С и н. (ко 2 знач.): ослепительный, слепя́щий.

**ЯСА́К**, -а, *м.* [Тюрк.]. **1.** Натуральная подать, которой облагались нерусские народы Поволжья (в 15—18 вв.) и Сибири (в 17 — начале 20 в.) в России. *Хабаров спускался в низовья Амура, брал и зорил даурские крепостцы, облагал население ясаком.* Седых. Даурия. **2.** *Устар.* Условный знак, сигнал. *Лабунов узнал этот голос — голос, подавший с берега ясак к нападению.* Злобин. Степан Разин.

**Яса́чный**, -ая, -ое. *Ясачный сбор.*

**ЯСЕ́ЛЬНИЧИЙ**, -его, *м.* Придворный чин и должность в Русском государстве 15—17 вв.; лицо, стоявшее во главе Конюшенного приказа с начала 17 в., а также ведавшее царской псовой охотой. *За женихом шел ясельничий, Никита Зотов, кому было поручено охранять свадьбу от порчи и колдовства и держать чин.* А. Н. Толстой. Петр I.

**ЯСНОВИ́ДЕНИЕ**, -я, *ср.* **1.** В мистических представлениях: чудодейственная, сверхъестественная способность предугадывать будущее, распознавать что-л. недоступное восприятию обычных людей. *Дар ясновидения.* **2.** *Книжн.* Тонкая проницательность, прозорливость. *[Влюбленный] то проницателен до ясновидения, то недальновиден до слепоты.* И. Гончаров. Обыкновенная история.

С и н. (к 1 знач.): предви́дение, прозре́ние (*книжн.*), прозорли́вость (*книжн.*), прови́дение (*устар.* и *высок.*).

**Я́СТВА**, яств, *мн.* (*ед. устар.* **я́ство**, -а, *ср.*). *Устар.* Кушанья (обычно изобильные, изысканные). *В буфете и в передней суетились лакеи с винами и яствами.* Л. Толстой. Война и мир.

С и н.: блю́да.

**ЯТАГА́Н**, -а, *м.* [Тюрк.]. Рубящее и колющее холодное оружие со слегка изогнутым лезвием клинка, распространенное у народов Ближнего и Среднего Востока. *Турки перегоняли бегущих стрельцов, лезли с кривыми ятаганами на редут.* А. Н. Толстой. Петр I.

**ЯТЬ**, -я, *м.* Название особой буквы церковно-славянской и старой русской азбуки, обозначавшей звук, впоследствии совпавший с «э» после мягкого согласного (существовала в русском алфавите до орфографической реформы 1917—1918 гг.). *Надпись была сделана еще по старому правописанию, с твердыми знаками и ятью.* Н. Чуковский. Балтийское небо. ◇ **На ять** *кто, что* (*прост. шутл.*) — о ком-, чем-л. очень хорошем. *Угощение на ять.*

**ЯХО́НТ**, -а, *м.* [Ср.-в.-нем. jâchant; восх. к греч. hyakinthos]. Старинное название рубина и сапфира. *Кольцо с яхонтом.* □ *Повсюду ткани парчевые; Играют яхонты, как жар.* Пушкин. Руслан и Людмила.

**Яхонтовый**, -ая, -ое. *Яхонтовые серьги.*

**Я́ХТА**, -ы, *ж.* [Голл. jacht]. Небольшое парусное или парусно-моторное судно, предназначенное для спортивных или туристских целей. *Гоночная яхта.* □ *Яхты и шлюпки с парусами, окрашенными в яркие краски, скользят по рейду.* Станюкович. Беглец.

**Я́хтенный**, -ая, -ое.

**ЯХТ-КЛУ́Б**, -а, *м.* [Англ. yacht-club]. Спортивная организация, занимающаяся водным, преимущ. парусным, спортом.— *Витенька — член яхт-клуба,— сказала Настенька.— И яхточка у него, посмотрели бы вы, как куколка.* Федин. Первые радости.

**Яхт-клу́бовский**, -ая, -ое (*разг.*).

**ЯХТСМЕ́Н**, -а, *м.* [Англ. yachtsman]. Спортсмен, занимающийся парусным спортом.

**Яхтсме́нка**, -и, *ж.*

**ЯЧЕ́ЙКА**, -и, *ж.* **1.** Углубление, отверстие (среди других подобных), каждое отдельное звено в чем-л. *Ячейки пчелиных сот.* □ *[В коридоре] вдоль обеих стен длинные шкафы со множеством маленьких ячеек. Над каждой ячейкой написана фамилия ученика.* Куприн. Немножко Финляндии. **2.** Небольшая организационная группа, единица, входящая в состав какого-л. крупного объединения или общественной организации. *Партийная, комсомольская ячейка* (употр. до 1934 г.). **3.** Одиночный стрелковый окоп. *Теперь пушки стояли среди стрелковых ячеек. Справа и слева Ваня видел лежащих на земле и стреляющих пехотинцев.* Катаев. Сын полка.

**Яче́йковый**, -ая, -ое (к 1 и 2 знач.) и **яче́ечный**, -ая, -ое (к 3 знач.).

**Я́ШМА**, -ы, *ж.* [Тюрк. (турецк.) jäšim или (тат.) jašym]. Горная осадочная порода красного, зеленого или серого цвета, состоящая из мелких зерен кварца (применяется как декоративный камень и для изготовления художественных изделий). *Уральская яшма.* □ *Везде стояла старинная мебель красного дерева с бронзовыми инкрустациями, дорогие вазы из сибирской яшмы, мрамора, малахита.* Мамин-Сибиряк. Приваловские миллионы.

**Яшмовый**, -ая, -ое. *Яшмовое месторождение.*

## СОДЕРЖАНИЕ

| | |
|---|---|
| От издательства. | 5 |
| От авторов. | 6 |
| Как пользоваться словарем. | 8 |
| Список использованных словарей. | 17 |
| Список сокращений. | 18 |
| Словарь. | 21 |

Справочное издание

СЕМЕНЮК
Алимпиада Афанасьевна,
ГОРОДЕЦКАЯ
Инна Леонидовна,
МАТЮШИНА
Марина Анатольевна
и др.

**ЛЕКСИЧЕСКИЕ
ТРУДНОСТИ
РУССКОГО
ЯЗЫКА**

Зав. редакцией
Е. А. ГРИШИНА

Ведущие редакторы:
И. В. НЕЧАЕВА, Ю. Г. РУСАКОВА

Редакторы:
М. В. РОГОВА, О. В. ЮШИНА,
Ю. Ф. ИЛЬЕВ, Е. Ю. ЗВЕЖИНСКАЯ

Художественный редактор
Н. И. ТЕРЕХОВ

Технический редактор
Л. П. КОНОВАЛОВА

Корректор
М. Х. КАМАЛУТДИНОВА

За аутентичность цитат
отвечают авторы словаря

ИБ № 6713

---

ИБ № 6713

Лицензия ЛР № 010155 от 04.01.92

Подписано в печать 25.12.93. Формат 70×100/16. Гарнитура таймс. Печать офсетная /с готовых диапозитивов/. Усл. печ. л. 48,1. Усл. кр.-отт. 48,43. Уч.-изд. л. 79,57. Тираж 25 060 экз. Заказ № 660. С 022.

Издательство «Русский язык», Министерство печати и информации Российской Федерации. 103012, Москва, Старопанский пер., д. 1/5.

Набрано на Можайском полиграфкомбинате Министерства печати и информации Российской Федерации. 143200, Можайск, ул. Мира, д. 93.

Отпечатано с готовых диапозитивов в ГПП «Печатный Двор» 197110, Санкт-Петербург, Чкаловский пр., 15

### Если Вы хотите избавить тексты от ошибок — воспользуйтесь ОРФО!

ОРФО — ИНТЕЛЛЕКТУАЛЬНАЯ СИСТЕМА ПОИСКА И ИСПРАВЛЕНИЯ ОШИБОК И ОПЕЧАТОК В ТЕКСТАХ НА РУССКОМ ЯЗЫКЕ ДЛЯ КОМПЬЮТЕРОВ ТИПА IBM PC XT/AT

ОРФО — РЕЗИДЕНТНАЯ ПРОГРАММА, СОВМЕСТИМАЯ С ЛЮБЫМ ТЕКСТОВЫМ ПРОЦЕССОРОМ

НАЙДЕТ ОШИБКИ В ТЕКСТОВОМ ФАЙЛЕ
ПРОВЕРИТ ТЕКСТ НЕПОСРЕДСТВЕННО ПРИ ВВОДЕ С КЛАВИАТУРЫ
ПРЕДЛОЖИТ ПРАВИЛЬНЫЕ ВАРИАНТЫ ДЛЯ ОШИБОЧНОГО СЛОВА И ЗАМЕНИТ ЕГО

### ШИРОКИЙ СПЕКТР ВОЗМОЖНОСТЕЙ — ГЛАВНОЕ ДОСТОИНСТВО ОРФО

* ОРФО располагает уникальным словарем в 200 тысяч слов, позволяющим узнавать в тексте до 3 миллионов словоформ.

* ОРФО способна быстро расширять свой словарь. Задав всего 3-4 вопроса, ОРФО обучится всем формам нового слова, которых может быть до 20.

* ОРФО находит ошибки в согласовании прилагательных, причастий и числительных с местоимениями и существительными.

* ОРФО обнаруживает нарушения корректорских правил оформления знаков препинания и использования заглавных и строчных букв.

### ОРФО - гарантия Вашего успеха !

 103104, Москва,
ул. Остужева 7, корп. 2,
ИНФОРМАТИК

 (095) 299 99 04

**ДЛЯ ЗАМЕТОК**

ДЛЯ ЗАМЕТОК

# ДЛЯ ЗАМЕТОК

ДЛЯ ЗАМЕТОК